自由人（十五）

自由人總目錄

動盪時代的印記——《自由人》三日刊始末

陳正茂（北台灣科學技術學院通識教育中心教授）

一、前言：《自由人》三日刊創刊之背景

民國三十八年是中國歷史上驚天動地的一年，隨著戡亂戰局的逆轉，中共席捲大陸，國府敗退遷台，真是國命如絲風雨飄搖的危急存亡之秋。處此動盪時代中，除大批軍民同胞隨政府播遷來台外；尚有一部分人士選擇避難香江，南下港九一隅，這些人當中，有不少是失意政客和知識份子。基本上，當年選擇避秦來港的知識份子，其心態上有兩種，一則對國、共兩黨均感不滿；再則係看上香港為自由民主之地，較能有揮灑發展的空間。此情勢考量，誠如雷嘯岑所言：「在一九四九－五〇年之間，因大陸淪陷，香港乃成了反共非共的中國人士望門投止的逋逃之藪」。

這些投奔港九的政治難民，以高級知識份子居多；兼以香港時為英屬自由之地，所以只要不違背港府法令，一般而言從事任何活動是百無禁忌，相當自由的。不僅可以高談政治問題，甚至於從事政治活動亦不加以限制。於是，「從大陸流亡到港九的高級知識份子群，乃相率呼朋引類，常舉行座談會，交換對國事意見，而美國國務院的巡迴大使吉塞普（Philip Jessup），斯時亦在香港鼓勵中國人組織『第三勢力』運動，目的以反共為主。」在此背景下，港九地區的自由民主人士，在美國幕後撐腰下，「各種座談會風起雲湧，熱鬧非凡；而諸多以反共為職志的大小刊物，更是應運而興，琳瑯滿目了。」[1]所以，《自由人》三日刊，就是在此大時代氛圍下孕育而生的。

二、《自由人》三日刊誕生之經過

《自由人》三日刊醞釀誕生之經過，最早鼓吹者，一般而言，說法有二，一為由王雲五號召發起。據其《岫廬八十自述》書中提及：「自民國三十九年開始以來，由於中共匪幫建立偽政權，並先後獲得蘇俄、緬甸、印度、巴基斯坦及英國的承認，於是匪幫的勢力在香港突然大振，不少反共分子漸呈動搖態度。旅港有識之士深感囂風日長，漸使全港華人隨而動搖，乃相與集議挽救之道。我因在港主辦一個小規模出版事業（按：即華國出版社），尤以一貫堅持反共方針，遂由多數參加集議人士推任領導。由臨時的集會，變為固定的座談；其地點經常利用國民黨在銅鑼灣某街所租賃之四樓房屋一層。每次參

1 馬五，〈「自由人」之產生與夭折〉，見馬五（雷嘯岑）著，《政海人物面面觀》（香港：風屋書店出版，一九八六年十二月初版），頁二一二。又此種座談會多在週末舉行，也有人稱之為「週末座談會」或「星期六座談會」。見馬五先生著，《我的生活史》（台北：自由太平洋文化事業公司出版，民國五十四年三月一日初版），頁一六一。

加座談者，多至三十餘人，少亦一二十人，皆為文化界人士，或為舊日與政治有關係者，各政黨及無黨派人士皆有之。後來我以香港政府最忌政治性的集會，凡參加人數較多，尤易引起猜疑，動輒干涉。加以如此散漫的座談，亦未必能持久，因於某次座談中提議創辦一小型之定期刊物，每週或半週出版一次，既可藉此刊物益鞏固反共人士之維繫，且刊物一經向港政府註冊，則在刊物辦公處所舉行的座談，皆可諉稱編輯會議，可免港政府之干涉。此議一出，諸人咸表贊同，遂計劃如何組織與籌款。結果決辦三日刊，定名為自由人，其資金由參加坐談人士各自量力提供。我首先代表華國出版社提供港幣一千五百元，此外各發起人分別擔任，或一千，或五百不等；並經決定撰文者一律用真姓名，以明責任。其後，又決定委託香港時報代為印刷發行。因是，籌備進行益力，發起人等每星期至少集會一次，間或二次，一切進行甚為順利。」[2]

二為眾人集議，早有志於此，雷嘯岑即主此說。雷言：「這時候，即有原在大陸上服務新聞界的報人成舍我、陶百川、程滄波，協同青年黨人左舜生、民社黨人金侯成，以及國民黨人阮毅成、無黨無派的王雲五，外加香港時報社長許孝炎、新聞天地雜誌社社長卜少夫一干人等，於每週末午後在香港高士威道某號住宅中，舉行文化座談會。大家談來談去，得到一項結論，要辦一份刊物，以闡揚民主自由思想，在文化上進行反共鬥爭。……適韓戰爆發，預料東亞局勢將有變化，刊物必須及時問世，刊物取名「自由人」，由程滄波書寫報頭兼撰〈發刊詞〉，標題是〈我們要做自由人〉。」[3]

然由當事人之一的阮毅成事後追記，似乎《自由人》三日刊能草創成功，仍是由王雲五一手主導的。阮說：「民國三十九年十二月二十日，雲五先生在香港高士威道約大家茶敘，其中特別提及『今日我約諸位來，是想創辦一份反共的刊物，以正海外的視聽。間接幫助臺灣，說幾句公道話。我們讀書人，今日所能為國家效力的，也只有此途。』」[4]由阮之記載，合理推論，《自由人》三日刊能順利催生問世，王氏為登高呼籲之首倡者，可能性是很高的！

但就在王氏積極創辦《自由人》三日刊之際，突發一件暗殺事件，則頗值得一述；且對後來《自由人》三日刊的發展不無影響。事緣於三十九年十二月下旬，王氏在《自由人》三日刊諸人集會散會後，在香港寓所遭遇暗殺，幸子彈未命中，逃過一劫，這突如其來之舉，使王氏決定立即離港赴台定居。此事來台後，王氏曾將真相告訴繼我而來的成舍我。王氏謂：「到臺以後，除將此次提前來臺的秘密暗中告知兒女外，他人皆不使知。後來事過境遷，才漸漸透露給若干至好的朋友，首先是對於不久繼我而來的成舍我君；因為他覺得我向

2 王雲五，《岫廬八十自述》（台北：商務版，民國五十六年七月一日初版），頁一〇四～一〇五。

3 馬五，〈「自由人」之產生與夭折〉，同註一，頁二一二～二一三。

又見馬之驌，《雷震與蔣介石》（台北：自立晚報社文化出版部出版，一九九三年十一月一版），頁八一。

4 阮毅成，〈王雲五先生與自由人三日刊〉，見蔣復璁等著，《王雲五先生與近代中國》（台北：商務版，民國七十六年六月初版），頁三〇～三一。有關《自由人》之發起，另有一說為萬麗鵑博士論文所言：「《自由人》為『自由中國協會』成員所辦之三日刊。」見萬麗鵑，〈一九五〇年代的中國第三勢力運動〉（台北：國立政治大學歷史研究所博士論文，民國九十年七月），頁一六四。但根據「自由人」社發起人之一的雷嘯岑回憶說：「自由中國協會」為當時在美國的胡適、蔣廷黻、曾琦等人所發起，胡、蔣、曾諸氏希望以『自由人』全體發起人為主幹，先在香港成立總會，台灣暨歐美各省都設立分會。嗣經提出座談會詳細研討，大家認為總會以設在台灣為妥，香港亦只設分會，庶合體制。結果不知如何，這個會沒有成立，終於流產了。」馬五，〈「自由人」之產生與夭折〉，同註一，頁二一四～二一六。故萬氏此說，恐不確。

來很少患病，在約定聯合宴客之日，我竟稱病缺席，舍我不免將信將疑。其後到我家探病，見我毫無病容，更不免懷疑。及我不別而赴臺，他懷疑益甚，所以在他來臺後，偶爾和我詳談及此，我也就不好意思對朋友有所隱瞞了。」[5]

上述言及之十二月下旬，實際上是民國三十九年十二月三十一日，除夕。阮氏說：是日「王雲五先生約在高士威道午餐，我應約前往，王臨時以腹瀉未到，由成舍我兄代作主人，謂『自由人』籌備事，大致已妥。」而四十年的元月三日，阮氏也說到是日，「應卜少夫、程滄波二兄之約，到高士威道二十二號四樓午膳。據滄波兄言，是日原應由王雲五先生作東，而王於當天上午，離港飛台，臨行前以電話托其代為主人。」[6]

王氏的不告而別倉促離港赴台，也使得後續有不少參與「自由人」社同仁跟進，紛紛來台，這對於原本人力吃緊資金短絀的《自由人》三日刊之發展，當然有不小的影響。至於《自由人》三日刊籌組的經過梗概，雖在王氏離港來台後，仍按部就班的進行。四十年元月十日下午，阮毅成與程滄波及左舜生又約至高士威道聚談。關於創辦刊物事，左舜生主張宜立即出版，卜少夫則以須現款收有相當數目，方能創刊。是月三十一日，雷震自台灣來，亦參加「自由人」社活動。會中大家一致決定《自由人》三日刊，於農曆年後出版。並在職務安排上初步有了規劃，即推程滄波撰〈發刊詞〉，以辦報經驗豐富的成舍我任總編輯，陶百川為副總編輯。又另推編輯委員十四人，分別是劉百閔、雷嘯岑、陶百川、彭昭賢、程滄波、陳石孚、許孝炎、張丕介、吳俊升、金侯城、成舍我、左舜生、王雲五、卜少夫。[7]

四十年二月九日，內定為總編輯的成舍我自香港致函王雲五，說到：「自由人半週刊已將登記手續辦妥，『館主』係由少夫出名，因渠後來未再提出不能兼任之困難，……編輯人經由弟以本名登記。股款雖交者仍不太多，但讀者則頗踴躍。……據弟觀察，維持六個月，在經濟上當可辦到。惟編輯方面，則危機太大，因主力軍如我兄及秋原兄均不在此，其他如滄波兄等不久亦將赴臺，（即弟本身亦恐將於三月間來臺）稿件來源，異常枯涸，然既已決定辦，弟亦只有勉力一試。」[8]尚未正式創刊，但資金人才捉襟見肘的窘境，已被成氏料中，這對好事多磨的《自由人》三日刊日後之發展，已埋下艱困之伏筆。

二月十四日，成舍我向雷震、洪蘭友等人報告，《自由人》三日刊已得港府核准登記，一俟台灣方面准予內銷，即行出版。二十八日，成舍我向「自由人」社同仁報告：台灣內銷事已辦好，《自由人》三日刊即將出版，並出示創刊號大樣。因與會者多係辦報老手，提供不少意見，而成舍我也很有風度，博採眾議，為慎重起見，同意改遲數日出版，以便從容改正，並呼籲社員踴躍撰稿以光篇幅。[9]可見在王氏離港後，《自由人》三日刊真正之台柱角色，已責無旁貸的落到成舍我肩上。

5 王壽南編，《王雲五先生年譜初稿》第二冊（台北：商務版，民國七十六年六月初版），頁七四三。

6 阮毅成，〈「自由人」參加記〉，《傳記文學》第四十三卷第六期（民國七十二年十二月），頁一四～一五。

7 見《自由人》創刊號（民國四十年三月七日）第一版的編輯委員會名單。《自由報二十年合集》（一）（香港：自由報社出版，民國六十年十月十日）。阮毅成說為十六人，疑有誤。見阮毅成，〈「自由人」參加記〉，同上註。

8 〈成舍我致王雲五函〉，同註五，頁七四六。

9 阮毅成，〈「自由人」參加記〉，同註六，頁一五。

三月七日，《自由人》三日刊正式創刊，社址位於香港德輔道中一四九號四樓。目前所知參與的發起人有王雲五、王新衡、王聿修、端木愷、程滄波、胡秋原、吳俊升、黃雪村、閻奉璋、樓桐孫、陳石孚、陳訓悆、陶百川、雷震、阮毅成、劉百閔、左舜生、雷嘯岑、徐道鄰、徐佛觀、陳克文、成舍我、金侯城、張丕界、彭昭賢、許孝炎、卜少夫、卜青茂、范爭波、陳方、張純鷗、張萬里、丁文淵等三十餘人。[10]

發刊後，一紙風行，各方咸予重視，發行之初，每期印八千份。為打開台灣銷路市場，內容安排方面，特別增加一些軟性文字，勿使論文過多，淪為說教。雷嘯岑即言：「『自由人』的作者確實很自由，各人所寫的文字題材雖相同，而見解不必一致，祇要不違背民主憲政與反共抗俄的大前提，儘可各抒己見，言人人殊，真有百家爭鳴，百花齊放的景象，……首任的『自由人』主編是成舍我兄，他包辦大陸通訊版，把大陸上的共報消息，參以陸續從國內逃到香港的難民所述情形，寫成有系統的通訊稿，可謂費苦心。」[11]

誠然如是，由於文章精彩，見解深入，內容多元，析論入理，所以出版後不久，南洋各地僑報即紛紛轉載《自由人》文章。故在香港一隅辦一刊物，無形中等於在數地辦了幾個刊物，影響所及，至為廣大。不僅如此，有關《自由人》所發揮的影響力，可以曾任該刊主編雷嘯岑之回憶為證，雷說：「自由人半週刊，頗受台灣以及海外；尤其是美國一般華僑的注意，原有的每週座談會照常舉行，參加的人亦陸續增多了，風聲所播，國際人士來到香港的，亦來參加我們的座談

10 「自由人」社成員，據筆者統計為此三十餘人，且各會員加入時間先後不一，有關會員名單散見於雷嘯岑、阮毅成等人之回憶文章及《雷震日記》中。

11 馬五先生著，《我的生活史》，同註一，頁一六一。

會，交換政治意見，如美聯社遠東特派員竇定，南韓內閣總理李範，日本工商與新聞界人士前來訪談者尤多，……唯有駐在香港鼓勵華人組織『第三勢力』的美國巡迴大使吉塞普，始終沒有接觸過，大概是他認為『自由人』半週刊這些人，多數係國民黨員，氣味不相投，我們亦以對『第三勢力』之說，不感興趣，因而絕交息游，毫無來往。」[12]

雷氏這段記載很重要，不只說明了《自由人》發刊後之影響力；也道出了《自由人》與「第三勢力」毫無瓜葛，這對坊間有不少人一直以為《自由人》是「第三勢力」刊物有澄清作用。《自由人》三日刊甫發行，負責盡職之成舍我隨即寫信給王雲五提到：「連日為自由人半週刊事，頭昏腦暈，尊函稽答，至為罪歉。現半週刊已於今日出版，附奉一份，即希鑒察。大著分兩期刊佈，並盼源源見賜。今後應如何改進之處，統希指示為荷。」[13]另針對其後外界對《自由人》諸多揣測，如與「自由中國協會」之關係等等，「自由人」社也在三月二十一日的高士威道聚會中也做出決議，大家皆一致表示，「自由人」應獨立組織，以別於其他團體，乃推定董事九人，以左舜生為董事長。監事三人，為金侯城、王雲五、雷儆寰。成舍我為社長兼總編輯，卜少夫為總經理。[14]

12 馬五，〈「自由人」之產生與夭折〉，見其著，《政海人物面面觀》，同註一，頁二一三～二一四。另萬麗鵑博士論文也提到，為打擊「第三勢力」運動，「國民黨亦透過黨報如《香港時報》、新加坡《中興日報》、美國《美洲日報》，及其所資助的報刊如《自由人》報、《民主評論》等，展開對第三勢力的文宣戰，此即是《香港時報》社長許孝炎所說的以『輿論對輿論』的鬥爭。」萬麗鵑，〈一九五〇年代的中國第三勢力運動〉，同註四，頁一六四～一六五。又見〈許孝炎意見〉，《總裁批簽》，台（四一）央秘字第〇〇八五號（一九五二年二月二十二日），黨史會藏。

13 〈成舍我致王雲五函〉，同註五，頁七四七。

14 阮毅成，〈「自由人」參加記〉，同註六，頁一五。至於《自由人》與「自由中國協會」之關係，馬五在〈「自由人」之產生與夭折〉已言之甚

為了稿源，三月二十二日總編輯成舍我又致函王雲五拉稿，其中說到：「自由人在香港銷路尚好，一般觀感亦不錯。惟共匪刊物正以全力抨擊，弟等亦一反過去自由派刊物置之不理的辦法，強烈反攻。臺灣發行未辦好，少夫兄不日來臺，或能有所改進。同人撰稿，此間仍不太踴躍，盼公能以日撰五千字之精神，多寫數篇，並乞即賜惠寄，無任感幸。又此間稿酬，公議千字港幣十元，前稿之款，已送託香港書局轉交。此數雖微細不足道，然吾輩合力創業，知識勞動之所獲，在道德標準上說，固遠勝於以吃人為業之共匪萬萬矣。盼尊稿如望歲，望即賜寄，以慰饑渴。」[15]除簡略報告社務外，重點仍是稿源問題，而此問題也是《自由人》三日刊以後長期揮之不去的夢魘。

三、《自由人》之命名與經費及發刊宗旨

蓽路藍縷，創業維艱，有關《自由人》之命名，似乎是由阮毅成所起。原本成舍我欲名為《自由中國》，因與台灣雷震負責的《自由中國》半月刊同名而不獲採納。故阮毅成認為可參考台灣趙君豪所辦之《自由談》，而稍改其為《自由人》，卒獲大家一致同意，名稱問題因此而敲定。[16]其實若從五〇年代的背景去觀察，刊物取名為《自由人》並不足為奇。蓋彼時海外正刮起一陣「自由中國反共運動」浪潮，其中尤以香港地區為最。為壯大「自由中國反共運動」，於是乎，海內外的一些知識份子刻意以「自由」二字為雜誌刊物名稱，以凸顯有別於大陸的獨裁極權。職係之故，各種以「自由」為名之刊物如《自由中國》、《自由陣線》、《自由談》、《自由世界》等雜誌，如雨後春筍般紛紛出籠，《自由人》三日刊之命名，應該是在此時代背景下而正名的，且的確有其時空的特殊意義存在。[17]

至於現實的經費來源問題，早在三十九年十二月二十日的聚會中，王雲五即定調說：「我要先與諸位約定，這是一份自由的刊物，所以，一不能接受外國的幫助，二不能接受政府的支援。同仁不但要寫稿，還要負擔經費。」[18]王氏之所以要如此約法三章，是要避免外界將《自由人》視為拿美國人錢所辦的「第三勢力」之刊物的疑慮或揣測；另外，不接受政府支援，也是想以獨立身分之姿，能在言論上暢所欲言，而不受政府掣肘，更不想貼上政府刊物之標籤。揆之《自由人》草創之初，因經費來源由各會員出資，確實能夠如此。例如在籌備階段，王雲五首捐港幣三千元，各會員至少認捐港幣一千元，所以誠如雷嘯岑言：「大家分途進行，未到一個月，即籌募到港幣一萬七千元了。」[19]

創刊經費有著落，但接下來長期的經費支出，恐怕就不是由會員認捐可解決。到最後仍不得不仰賴台灣國府的金錢支助，在《雷震日記》中即披露不少箇中內幕，茲舉日記一則為證。民國四十年五月二十五日：「雪公（按：指王世杰（字雪艇），時任總統府秘書長）

詳，同註一。

15 〈成舍我致王雲五函〉，同註五，頁七四七～七四八。為稿源及素質起見，成舍我亦曾寫信向阮毅成拉稿，信上提到：「在臺同人寫稿，原約每期供給八千字。希望以兄之熱忱毅力，催請同人，公誼私交，達此標準。」又說：「自由人聲譽，雖日有增進。惟經濟及稿件，均危機太大。現此間已只賸左（舜生）、許（孝炎）、雷（嘯岑），及弟共四人，稿荒萬分。如濫用一般投稿，則水準即無法維持。」阮毅成，〈「自由人」參加記〉，同註六，頁一六。可見身為主編的成舍我，為稿源及《自由人》之內容水準，真是心力交瘁，煞費苦心。

16 同註六，頁一四。

17 馬之驌，《雷震與蔣介石》，同註三。

18 同註六，頁一四。

19 同註一二，頁二一三。

來電話，可助《自由人》三千港幣，但不可明言，因《新聞天地》一再要求援助而未允許也。……《自由人》因經費困難，而負責又無專人，致有停頓之可能，由予（雷震）約集雲五、滄波、孝炎、毅成、端木愷、少夫諸君會商，由予等籌款接濟，每月假定虧二千五百元，至年底約為一萬七千五百港元，改組組織，推定成舍我為社長，左舜生代理董事長，予負臺北催稿及催款之責，總統府之三千元，由予負責，予另外再籌五百元。」[20]由《雷震日記》可知，創刊才二月餘之《自由人》，經費已拮据如此，而不得不靠政府補貼，在此情況下，其日後之文章言論，就頗受台灣國府當局之制約影響了。

另有關《自由人》之創刊宗旨，其實早在刊物出版以前，對於未來言論與編輯方針，「自由人」社同仁即做了幾點規約：（一）、發揚民主自由主義；（二）、發起人按期撰寫頭條論文，且須署出真姓名；（三）、文責各人自負，但須不違背民主自由思想暨反共救國的大原則；同時將全體發起人的姓名亦在報頭下面，表示集體責任。[21]創刊後，首由程滄波撰發刊詞，題為〈我們要做自由人〉，擲地有聲的強調：「我們今天大膽向全世界人類提出一個問題：便是世界人類，現在與將來，要不要做人？如果想做人，從什麼地方去著手奮鬥？……今天世界人類只有兩個壁壘，一個是『人的社會』之壁壘，一個是「非人社會」之壁壘。這兩個社會的磨擦，今天已到了白熱化的程度。『人的社會』中每一個人，是有人性，有人格，根據人性與人格，發揮其個性，以增加社會之幸福與個人之生活水準，從而增進世界的和平與人類的文明。反觀『一個非人社會』中，人除了具備人的形態外，沒有思想與靈魂。『非人社會』中，人只是一群動物，既不許其有人性，亦不讓其有人格，他們是奴隸、是機器。」

程滄波言：很不幸的，今天的中國大陸，全大陸數萬萬同胞一年來，即陷入共匪的非人社會中。因此我們和全世界愛好和平民主的人們，要發動正義的呼聲，救自己，救同胞，救人類。我們要揹著自由的大纛，叫著「做人」的口號，開始「自由人」的運動。爭自由，爭人性，發動全人類自由人性的力量，去打倒與剷除共產帝國主義反人性的非人社會。不殘殺，不掠奪，在不流血革命的原則下，使人人有飯吃。本此目的，以建立新中國新世界。所以，「從今天起，根據以上主張，我們謹以此小小刊物『自由人』，貢獻於全世界凡是不願做奴隸的人們，也就是我們這一群人，決心獻身於這一運動的開始。全世界和平民主的人士：我們要做人，我們要做自由人。每個人爭取了自由，世界才有民主和平，人類才有幸福與光明。」[22]我們要做人，我們要做自由人，起來，不願做奴隸的人們！程滄波這篇發刊詞，簡直是一篇慷慨激昂的宣示詞，代表全世界不願在「非人社會」生活下的自由人，向共產專制極權政權，發出堅決的怒吼。[23]

《自由人》三日刊，每星期出兩次，每次十六開一張。主編人規定由原先的「座談會」同仁輪流擔任，一年一換，為義務職，故內部人事組織極為簡單，只有一主編，一助理員和事務員，共三人而已。

20《雷震日記》（民國四十年五月二十五日），見傅正主編，《雷震全集》（三三）（台北：桂冠版，一九八九年八月初版），頁一〇〇～一〇一。

21同註一二，頁二一三。吳相湘，〈成舍我為新聞自由奮鬥〉，見其著，《民國百人傳》第四冊（台北：傳記文學出版社印行，民國六十年元月初版），頁二七五。

22程滄波，〈「自由人」發刊詞〉，見其著，《滄波文存》（台北：傳記文學出版社印行，民國七十二年三月十五日初版），頁一五七～一六〇。

23阮毅成也說到，這是一篇代表知識份子愛國反共心聲的大文章，義正辭嚴，擲地有聲。同註六，頁一五。

該刊內容，第一版分「專論」、「時局漫談」、「自由談」各欄；第二版刊大陸共區消息；三版則記述港、台的社會新聞；四版是「副刊」。「專論」亦由座談會同仁分別撰寫，或徵用外界志同道合人士之作品；唯「時局漫談」和「自由談」二專欄，係由左舜生與雷嘯岑二氏負責包辦。《自由人》三日刊，因撰寫團隊堅強，且作者大多具有清望，故在海隅香港頗有號召力，銷路亦不壞；又可以銷台灣，雖無廣告收入，仍可勉強維持下去，在五〇年代的香港，可謂雜誌期刊界之奇葩。[24]

四、《自由人》的艱苦經營

平情言，《自由人》三日刊從四十年三月七日發行，到四十八年九月十三日停刊，維持約八年餘。這八年多的歲月，可謂艱辛撐持，多災多難。

首先為組織渙散不健全，於是才有民國四十年下半年的重組之舉。此中最大原因為「自由人」社大多數同仁均已離港在台，分別有：王雲五、王新衡、端木愷、程滄波、胡秋原、吳俊升、黃雪村、閻奉樟、樓桐孫、陳石孚、陶百川、陳訓悆、雷震，及阮毅成，幾乎佔了一半以上；而在港的僅有左舜生、金侯城、許孝炎、成舍我、劉百閔、卜少夫、雷嘯岑等人。其後在台參加的，又增加徐道鄰，共二十二人。為連絡方便起見，在台同仁乃公推王雲五為董事長，但又因刊物在港出版，故推左舜生為在港之代理董事長，就近處理刊物，成舍我則為社長。[25]

24 雷嘯岑：《憂患餘生之自述》（台北：傳記文學出版社印行，民國七十一年十月十五日初版），頁一七六。

25 同註二三，頁一六。

然因「自由人」社未有組織章程，也未在台辦理社團登記，所以才有民國四十一年一月十日，在台同仁在王新衡家為此商議之事。時適值端木愷甫自香港返台，報告港方同仁最近決定取消社長制，亦推左舜生代董事長，成舍我為總經理，劉百閔為總編輯。此事，在台「自由人」社同仁有不同意見，在三月七日及十五日的兩次餐敘商討論中，均決定仍採社長制，並仍推成舍我兄任社長。只是一個三十餘人的「自由人」社，就為了區區的刊物人事組織問題，港、台同仁即不同調，其他之事就可想而知了。所幸意見儘管有異，但同仁感情尚佳，阮毅成即言：「自由人在香港創辦之初，同仁常有餐會，交換意見。在臺同仁，於民國四十年七月十二日起，舉行聚餐或茶會，由同仁輪流作東，平均每兩週一次。除談自由人社各事外，亦泛論時局，交換見聞。」[26]

民國四十一年二月九日，「自由人」社在台同仁餐敘時，有鑒於《自由人》三日刊創刊已近一年，但組織與人事及編輯立論之困擾問題仍在，因此大家有必要提出意見交換，以尋求解決之道。席間程滄波首次提出編輯態度問題，但遭雷震反對。程又謂：「劉百閔不宜任總編輯，上次，此間同仁推成舍我任社長，何以改變？此間皆未知悉。」雷震與陶百川又認為，台方不宜干涉港方人事，雙方爭論甚久。最後由阮毅成提出折衷解決方案為：（一）、自由人本係超黨派立場。只知民主、自由、反共，不知其他。此後仍須守定此項立場。（二）、港方報刊如對台灣中華民國政府，有惡意攻訐，或無理批評，自由人不可自守中立，須起而加以駁斥。（三）、人事問題，另函在港之許孝炎查詢，不作決議。

26 同上註，頁一七。

眾皆贊成阮毅成之方法，並請其起草一函，致在香港之左舜生、許孝炎、成舍我、劉百閔、雷嘯岑諸人。阮函送各人簽名後發出，信中報告：「弟等今午聚餐，談及自由人編輯態度。回溯創辦之初，原屬超於黨派之外。……兄等在港主持，辛勞至佩，自亦必贊同弟等態度也。邇後港方報刊如對於臺灣中華民國政府惡意攻訐，或無理批評，自由人似不便自居中立，宜即加以駁斥。如有中國之聲作者來稿，希勿予以刊登，以嚴立場。再則，此間對第三方面各事，多持私人消息。語多片斷，難窺全貌。斯後尚懇時將各方動態，擇要見示。既可為撰稿時之參考，亦為知彼知己之一道。自由人素以民主反共為宗旨。署名：王雲五、程滄波、黃雪村、王新衡、樓桐孫、吳俊升、陳石孚、陶百川、雷震、阮毅成。」[27]

民國四十一年三月十五日，《自由人》創刊已屆滿一年，留台「自由人」社舉行全體會議。會議主席推王雲五擔任，其中：

（一）報告事項：（甲）、經費小組許孝炎報告——擬募集港幣三萬元（其中成舍我、許孝炎約洪蘭友，被分配擬向各紗廠募台幣一萬元）。（乙）、編輯小組成舍我報告：1、組織擬仍採現制，並請加推一人為必要時接替編務工作之用。2、發行擬請先行籌集基金以期達到日後之自給自足。3、編輯方針方面：積極在倡導民主自由，消極在反共抗俄，至對於台灣態度應仍許有批評，但不可損及自由中國之根本。4、在台同人集體意見推定專人執筆寄港，決登載第一版，並不易一字，如係個人稿件，在編輯方面擬請仍保有斟酌之權。5、每期需要稿件二萬四千字，在港同人無多未能盡任，在台同人時惠稿件。

（二）討論事項：（甲）、《自由人》三日刊社是否仍採社長制案。決議：仍採社長制，成舍我擔任社長。（乙）、《自由人》三日刊社費應如何加募案。決議：1、經費小組在進行籌募之港幣三萬元，於兩個月內籌足，作為基金，備日後擴充發行之用。2、另由經費小組加募港幣一萬元，作為最近數月經常費不足之需，在未募起前由許孝炎、成舍我負責維持現狀。3、加推樓桐孫、程滄波參加經費小組，並以王董事長雲五兼經費小組召集人。（丙）、《自由人》立論態度應如何確定案。決議：1、除積極的主張民主自由，消極的反共抗俄外，並須維護現行憲法倡導議會政治。2、凡外界對台灣有惡意攻擊影響國本時，應予駁斥，立場務須堅定，態度務須明確。3、除專門問題研究外，宜多載通訊及趣味性文字，理論文字及新聞性宜各佔三分之一。[28]此次會議至關重要，它為已紛擾年餘的《自由人》定調，但此為台方同仁之共識，港方同仁只是被動告知，並不見得完全同意，所以日後港、台雙方仍存有歧見。

其次更嚴重的是經費短絀，入不敷出，以至於時有停刊之議。這棘手問題其實打從創刊起即已浮現，只是苦撐待變，能維持多久算多久，但情況並沒改善且持續惡化中。四十一年六月十四日，王雲五、阮毅成與程滄波等聚會，商議如何應付《自由人》三日刊之困難。王雲五謂得左舜生與成舍我二君信，信上，成舍我堅辭社長，又每月不足港幣二千元。如無法解決，則自本月十八日起停刊。劉百閔則說香

27〈阮毅成致左舜生諸氏函〉，見王壽南編，《王雲五先生年譜初稿》第二冊，同註五，頁七六八。

28同註五，頁七七〇～七七一。

港紙價日跌，印刷係由《香港時報》代辦，印費可以欠付。以往亦每月虧空，並不自今日始。

對此，王雲五建議是否能改為月刊，移台出版，但眾意覺得移台出版，則《自由人》功用全失，仍宜繼續在港發行。最後決定由王雲五函復，請成舍我維持至七月底止。[29]是年十二月二日，「自由人」社同仁又再行會商，由王雲五主持，會中卜少夫表示願接辦，至少可免招致停刊命運。然未幾（十二月六日），卜少夫以有人表示異議，乃謂其《新聞天地社》同仁不贊成其再兼辦另一刊物，打消原意。王雲五即席宣布仍在港出版，推成舍我兄回港主持，並改為有給職。[30]

29 同註五，頁七七四。《自由人》經費之窘困，自創刊伊始至結束均如此，阮毅成即言：「我只記得在創刊第一年中，就賠去了港幣參萬參仟元。時歷八年半，為數甚為可觀。這尚是距今三十多年前的幣值，如以現在幣值計算，則更為巨大。」阮毅成，〈王雲五先生與自由人三日刊〉，同註四，頁三四。到《自由人》停刊止，其經費仍入不敷出，茲舉結束前致王雲五等人之二信函為證。四十八年九月十一日許孝炎自港來信王雲五，報告「自由人」結束時經費情況。「雲五先生並轉鑄秋舍我儆寰滄波新衡秋原佩蘭少夫諸兄惠鑒：關於自由人停刊事，前經兄等決定函達克文。兄弟回港後，復經再三磋商，始於前日由在港各有關友人舉行特別會議議決定停刊，並於本月十三日起實行。茲將會議紀錄抄奉敬祈鑒察。」「預計自由人可能收入之款（連登記費在內）約為乙萬四千餘元，支出除舊欠稿費約乙萬三千元；及克文兄之欠薪近九千三百元暫不計入外，此外薪工紙張印刷房租，今年稿費應退報費及空運費等，共計約為二萬乙千餘元，不敷之數約為七千餘元。倘預計可能收入之款有一部分不能收入時則虧欠之數將必更多，如何籌還以資結束頗費周章。而有把握之登記費乙萬元則尚待少夫兄回港簽字後始能提出備用。」又十二日社長陳克文亦致函王雲五。「岫公賜鑒：茲奉上『自由人』在港同人特別會議紀錄一份，請　察閱。『自由人』經濟情形截至本年九月十二日止，共欠債務三萬餘元，除登記費一萬元外，尚可能收回之款二千餘元，結束用費約五百餘元，並此奉告，統請轉知在台各位同人為禱。」見王壽南編，《王雲五先生年譜初稿》第三冊（台北：商務版，民國七十六年六月初版），頁一〇五二～一〇五三。

30 同註五，頁七七九。《自由人》主編是不支薪的，可見其艱困於一般。同為主編的雷嘯岑曾說：「首任主編人成舍我兄苦幹了一年之後，因為準備移家台灣，不能繼續盡義務了——主編人不支薪——大家公推下走承其乏，因係義務職，唯有接受而已。」馬五，〈「自由人」之產生與夭折〉，同註一，頁二一六。

成謙辭未果，旋即表示接受。後當場推定王雲五、程滄波、樓桐孫、胡秋原、陶百川、黃雪村為在臺撰述委員，程為召集人。另推成舍我、程滄波、胡秋原三人起草言論方針。王雲五、端木愷、王新衡為財務委員。香港方面撰稿委員，由成到港後約定人員擔任。事後，當事者之一的阮毅成，對是晚之會的結果表示很滿意，還稱為是《自由人》中興之會，同仁莫不興奮。但其後，主要的重點之一，《自由人》未來的言論方針並未草成。[31]四十二年三月十四日下午，「自由人」社同仁聚集在成舍我處，參加茶會。會中，成舍我出示香港許孝炎來信，謂自由人又不能維持。因已積欠《香港時報》印刷費港幣六千元，稿費十一期。且人力亦明顯不足，雷嘯岑將來台灣，左舜生又將赴日本旅行，主持無人，不如停刊。經同仁交換意見，仍認為不能停辦，並催成舍我兄速赴港負責。

因茲事體大，三月二十一日，「自由人」社另一要角阮毅成，也在家中約集在台同仁茶敘。會上，成舍我表示其有困難不願赴港，而港方近日來函，支持為難。眾意乾脆移台編印，仍推成舍我主持。[32]二十五日下午阮氏親訪成舍我，成表示三點立場：（一）、決不去香港。（二）、《自由人》如移台出版，願意主持。（三）、未移台前，可先在台編輯，寄港印行。同月二十八日下午，以《自由人》問

31 同註五，頁七七九。

32 雷震日記當天即記載：「下午三時半至《自由人》座談會，阮毅成提議《自由人》表面在港，實際遷台，無一人反對。我內心不贊成，但不願表示，因《自由人》遷台完全失去效用。今日雲五未到，他們囑我報告。」《雷震日記》（民國四十二年三月二十一日），見傅正主編，《雷震全集》（三五）（台北：桂冠版，一九九〇年七月二十日初版），頁四八。

題緊迫，急待解決。「自由人」社同仁乃在端木愷家中餐敘。對《自由人》前途，共有四種主張：（一）、停刊。（二）、移台出版。（三）、在台編輯，寄港印行。（四）、推成舍我赴港主持。討論結果，決定用第四法，成亦首肯。然成謂：《自由人》除發行收入外，每月須虧四千元，此問題亟需解決。[33]

四月十八日，因港方同仁頻頻催促速做決定，眾議又思移台編印，王雲五亦同意移台出版，但謂須改為半月刊或月刊。三十日下午，成舍我與端木愷、阮毅成、王新衡、程滄波等人，又應王雲五約茶敘。時端木愷甫自港返，謂港方「自由人」社已無現款，勢不能繼續。因以由今日到會者商定：（一）、香港方面自五月十日起停刊。（二）、在台登記改為月刊，推王雲老為發行人，成舍我兄為總編輯。[34]然不久，港方同仁又變掛，五月十一日，阮毅成訪成舍我，成即謂卜少夫前日到台，攜有左舜生致王雲五函，主張《自由人》仍在港出版。

此事經緯，雷震在其日記亦提到：「見到雷嘯岑來函，對我們囑香港停刊，決議移臺辦月刊則大不以為然，來信措詞甚劣，決定去電並去函說明，以免誤會。」[35]雷嘯岑甚至為此來函欲辭去社長職務。

33 雷震日記載：「下午四時，在端木愷處討論《自由人》移台問題，王雲五、徐佛觀、端木愷及我均不贊成，程滄波、阮毅成、成舍我頗移台，最後決定請成舍我至港辦至六月再說，因行政院之款發至六月底止，如停刊或移台亦須至六月底再說。」《雷震日記》（民國四十二年三月二十八日），見傅正主編，《雷震全集》（三五），同上註，頁五二。

34 這問題一直延伸至四十三年依舊如此。雷震日記：「《自由人》在港不易維持，決遷台辦週刊，由成舍我任社長，王雲五任發行人。」《雷震日記》（民國四十三年八月七日），見傅正主編，《雷震全集》（三五），同上註，頁三一四。

35 《雷震日記》（民國四十二年五月九日），見傅正主編，《雷震全集》（三五），同上註，頁七四。

《雷震日記》記載：「今日午間約來臺之《自由人》報有關各位來鄉午膳，除端木鑄秋、阮毅成、吳俊升、胡秋原外，到有十五人，即王新衡、樓桐孫、陶百川、張純鷗、陳訓悆、卜少夫、卜青茂、程滄波、范爭波、王雲五、成舍我、黃雪村、閻奉璋等及另約陳方。飯後討論雷嘯岑來函辭去社長職務一事，經決議慰留。」為此事，雷震感慨的說：「《自由人》發起人在臺者，不過十餘人，港方不過數人，兩方意見不合，終會扯垮。民主自由人士之不易合作，於此可見一班。」[36]

由於雷嘯岑堅決辭社長職務，八月一日，《自由人》在台同仁藉由茶敘機會，聽取甫自香港來台之劉百閔報告，劉謂：在港同仁意見為（一）、必須在港繼續出版。（二）、改推陳克文任社長。（三）、每月不足港幣八百元，在港有辦法可以籌得。王雲五說：「左舜生有信來，克文係其物色，本人絕對贊同。」眾亦皆表示贊成。但成舍我認為每月八百元之說，計算必有錯誤，至少每月亦需賠二千五百元，所以決定請王雲五再去函新社長，請重為估計。其實《自由人》經費之短絀，可由總其事的總編輯都不支薪一事更可看出，四十三年七月十日，左舜生自香港致函王雲五即說到：「弟意，自由人編輯者，原規定每月可支三百元，以舍我、百閔兩兄任編輯時，未支此款，後任編輯一年，亦即未支。」[37]如此窘境，要不是有台灣國府當局在幕後經費贊助，《自由人》三日刊能支撐八年餘，根本是不可能的。[38]

36 《雷震日記》（民國四十二年六月二日），見傅正主編，《雷震全集》（三五），同上註，頁八五。

37 〈左舜生致王雲五函〉，同註五，頁八二四。

38 雷震日記：「王雲五約『自由人』社在台同仁晚餐，以「自由人」在港經濟困難，重申移台出版，由成舍我任編輯之議。」《雷震日記》（民國最後為文章之尺度問題，除上述言及《自由人》三日刊甫創刊即面臨稿源不濟的困難外，更麻煩的為自從接受政府補助後，基本上，《自由人》的言論立場在相當程度上已受政府箝制。以至於在很多議題上，不僅不能秉公立論、暢所欲言；且須為政府妝抹門面，極力辯解。稍一不慎，隨即惹禍，遭致抗議。如民國四十一年六月一日，「自由人」社王新衡即訪阮毅成，談話重點就說到，《自由人》最近兩期，刊載左舜生〈論中國未來的政黨〉一文，有人表示不滿。[39]為避免誤會，乃一起同訪王雲五，請其以董事長身份，致函香港總編輯成舍我，請其勿再刊出此類文字。[40]

雖係如此，但言論自由乃是知識份子的普世價值觀，用強制力約束是沒用的。果然到民國四十四年又發生更嚴重的文字賈禍事件，差一點讓《自由人》無法在台銷售。事緣於是年三月二十三日，王雲五即接到司法行政部部長谷鳳翔來函，表示《自由人》三日刊，登載雷嘯岑文章，影響政府信譽，要求王雲五代向該社方面解釋。全函內容為：「頃閱本月二十三日自由人刊載『自由談』及『半週展望』雷嘯岑先生文內謂，揚子公司貪污案牽涉本部，曷勝駭異，此種無稽之詞，殊足影響政府信譽，茲特寄上函稿二份，送請 察閱，並祈賜檢一份轉致雷君查明更正，仍乞代向該報社方面照拂解釋為幸。」[41]

由於《自由人》所刊文章得罪當道，引起了國民黨中央黨部對《自由人》言論的不滿。三月二十六日，時任《中央日報》社長，亦是「自由人」社同仁的阮毅成至中央黨部參加宣傳政策指導小組會議時，即受到中央黨部秘書長張厲生的警告：「香港《自由人》三日刊，近日言論記載，愈益離奇，須採取停止進口處分。」幸阮毅成趕快緩頰，除報告《自由人》艱難創辦經過外，並謂：「現在台北各同仁，久未與聞港事。王雲老曾去函港方，請以後勿再刊載不妥文字。又以所載台省情形，與事實相距甚遠，曾通知港方，以後遇有記載台省情形稿件，先行寄台複閱。認為可用者，方予刊布，亦未承照辦。惟自由人參加者，多為各方知名之人。如忽予停止進口，恐反而使海外人士，對政府有所批評。不如一面先採取警告程序，依照出版法，由內政部為之。一面通知在台之董事長王雲五氏，促其改組。如再有違反政府法令之事發生，則採取停止進口處分。」[42]

為此，是晚十時，阮氏尚先訪成舍我，說明會議經過；再與成同訪王雲五，報告此事。王雲五似乎對此頗為不悅，乃決定於三月三十日下午五時，在端木愷家中，約集「自由人」社在台全體同仁會商。在三月三十日的決議中，提到《自由人》的現實問題，「本刊如不能銷台，勢必停刊。為避免使政府蒙受摧殘言論之嫌，希望政府妥慎處理，使其能繼續出版。在台同仁，願意退出。惟在港同仁意見如何，亦盼政府逕與洽商。」並推阮毅成與許孝炎二人將此項決議，轉達黃少谷，另函告在港同仁。[43]

四十三年七月十一日），見傅正主編，《雷震全集》（三五），同註三二，頁三〇二。有關國民黨高層提供《自由人》之經費支援，尚可參閱〈對港澳政治活動之指示〉，見中國國民黨中央改造委員會第一六五次會議紀錄（一九五一年七月四日——附件），黨史會藏。

39 左舜生〈中國未來的政黨〉（上）、〈中國未來的政黨〉（下）二文分別發表在《自由人》第一二九期（民國四十一年五月二十八日）、《自由人》第一三〇期（民國四十一年五月三十一日）。

40 同註五，頁七七三。

41 雷嘯岑，〈半週展望〉，《自由人》第四二三期（民國四十四年三月二十三日）。雷文所寫之論揚子公司案，因涉及上海時期之揚子公司，對孔祥熙有所批評，遂奉命查辦。又〈谷鳳翔致王雲五函〉，同註五，頁八四七。

42 同註五，頁八四七～八四八。

43 同上註，頁八四九。

換言之，針對當局對《自由人》的不滿，「自由人」社在台同仁採取了委曲求全的態度，一方面願意退出，此舉可能有兩層深意，一為逼香港「自由人」社同仁，小心謹慎，莫再刊登批評政府之文章，否則與渠無關，二為多少有向政府交心之意，明哲保身，不想惹禍上身；再方面亦有請政府介入之意，希望儘量保留能讓《自由人》繼續在台銷售。[44]果然如此，四月七日，王雲五即致函總統府秘書長張群，說明「自由人」之情形，並建議將「自由人」社改組，由政府指定負責主持言論之人實行接辦。信的內容為：「惟是該刊經費本奇絀，全恃內銷而維持，一旦停止內銷，勢必停止刊行，外間不察，或不免對政府妄加揣測，弟愛護政府，耿耿此心，竊認為消極制裁，不如積極輔導，將該刊改組，由政府指定負責主持言論之人實行接辦，可變無用為有用，弟當力勸原發起各人，本擁護政府之初衷，竭誠合作。」[45]

一週後，以國民黨並無接手之意，在恐不能銷台的情況下，成舍我與王雲五、陶百川、徐道鄰、陳訓悆、程滄波、胡秋原、吳俊升、端木愷、黃雪村、阮毅成等決議：「茲因環境困難，經濟無法支持，決議停刊，由主席（王雲五）根據本決議徵求在港同人意見。」其後，在台同仁復在成舍我宅聚餐，決定在台同仁既已必須退出，而中央黨部又規定不得再與《香港時報》，發生關聯，則無地可以印刷，亦無處可再欠印刷費。外界聞知中央處分，亦必不願再行認指，環境困難如此，只可宣布停刊。並請王雲五函詢港方同仁意見，如港方同仁堅持續辦，在台同仁自不能再行參加。[46]

由於文章得罪當局，以致有禁止銷台之聲，在港負責《自由人》編輯工作之陳克文旋致函阮毅成、王雲五等人，表示「咎衍實無可辭」，「自由人停止出版，唯覺可惜，形勢如此，亦復無可如何，文與左劉兩公對此均無成見，惟此間尚有其他股東，又年來出錢出力者，頗不乏人，此事似不宜由文等三人遽作決定，即為港方同人之全體意見，擬於最近邀集會議，提出報告，徵求多數意見，再作正式答覆。」[47]但不久，事情又有變化，四月二十九日，一向敢言的左舜生，終於自香港來函，明確表示反對《自由人》停刊，並謂在港「自由人」社同人決暫予維持。信中言：

「雲老賜鑒：四月七日阮毅成兄來信，並附有留台同人退出決議一紙，十八日奉　公手書，知同人復有集議，以經濟環境關係，主張停刊；均已誦悉。此間於當地環境，已洞悉無遺；對　公等所採態度，並無不能諒解之處。惟念同本刊宗旨，一面在『堅決反共』，一面在『爭取民主』，四年以來，奉此週旋，雖不無一、二開罪他人之處，但大體上並未

---

44 《自由人》三日刊，國民黨中央嘗指示「扶助」之，以批判中共，擁護政府並同情國民黨為原則。故該刊早期立場為中間偏右，後來對國民黨的批評言論日益激烈，台灣當局乃禁止其輸入，並停止所有經費資助。故《自由人》能否銷台，對該刊影響至鉅。萬麗鵑，〈一九五〇年代的中國第三勢力運動〉，同註四，頁一六四。

45 〈王雲五致總統府秘書長張群函〉，同註四三。

46 同註五，頁八五〇。有關王雲五在此問題之角色，阮毅成有相當持平之看法，阮說：「雲五先生名為董事長，出錢出力，卻不使範圍各黨及無黨人士，一定均作統一的宣傳，致反而完全成為俗套，失去向海外為政府說話的影響力。於是在發刊期中，常常發生選稿欠當的問題。每次有問題發生，雲五先生首當其衝，常為他人所不諒解，致生煩惱。臺港兩地同仁，為此書信往返，謀求各種補救辦法，效果均不甚彰。」阮毅成，〈王雲五先生與自由人三日刊〉，同註四，頁三六。

47 〈陳克文致王雲五、阮毅成信〉，同註五，頁八五一～八五二。

逾越範圍。今亦啟正復高張，而民主亦勢非實現不可；大約在二、三月內或有變化，前途殊未可知！故此間同人，經過再三考慮，仍決定暫予維持，並囑舜代為奉復，即乞轉達諸友為荷。 公等即不得已而必須退出，仍望不遺在遠，隨時予以指導，除宗旨不能犧牲以外，同人無不樂於接受。海天遙望，曷勝悲憤憂念之至！」[48]

從此以後，《自由人》三日刊似乎終於渡過了這段風風雨雨的歲月，儘管港、台大多數「自由人」社同仁情誼依舊，但經費、稿源、立論尺度等問題仍在。《自由人》三日刊即帶此痼疾，跌跌撞撞的支撐八年餘，在民國四十八年九月十三日宣佈停刊。[49]

五、結論——從《自由人》到《自由報》

無論如何，在五〇年代那段風雨飄搖的歲月，《自由人》能以香江一隅之地，在內外環境相當險惡的情況下，擎起「我們要做自由人」的大旗，反抗共產極權，與中共做誓不兩立的言論鬥爭，其勇氣和決心仍另人刮目相看的。另一方面，《自由人》雖義無反顧的支持台灣國府當局，但在恨鐵不成鋼的期待心理下，對台灣當局若干錯誤的舉措，仍一本忠言逆耳之立場，毫不留情的提出批判或建言，即使在經費斷炊的威脅下，亦不為所動，這份苦心孤詣之意，也令吾人感佩。

而此即所以《自由人》在發行的八年餘中，雖屢有遷台之議，但大多數同仁始終仍以在香港立足為佳之看法，因其言論立場較客觀中立，雖稍偏向國府，但非無原則的一面倒，兼以香港為基地，較少政府、政黨色彩之觀感，且因對國、共雙方均有批評，是以其在香港作用較大之故也。當然《自由人》之悲劇，除上文已詳述之經費、稿源、言論立場受到制約等外緣因素外，尚有深一層內緣因素存在，此即中國傳統知識份子屬性使然。知識份子主性強的「書生本色」，誰也不服誰之個性，長落人「秀才造反，三年不成」之譏，因渠主觀意識強，所以容易堅持己見，是其所是，不大能夠為大局著想，且因自視太高，未能屈己就人，所以較乏團隊精神。

這情況在「自由人」社這批高級知識份子間亦是如此，雷嘯岑曾舉一事證明之，在《自由人》是否遷台之際，「王雲五以董事長資格，致函於我，囑將自由人報遷赴臺北發行，且將繳存港府的押金萬元一併匯去。旋由代董事長左舜生召集在港同仁會商，決議仍在香港出版，但在臺北的同仁，亦可刊行臺灣版，然王雲五很不高興，說我不以他為對象，悻悻然嘖有煩言，殊堪詫異。未幾，許孝炎由臺北回港，主張自由人停刊，他怕我不贊成，先囑我莫持異議，我表示無所謂，而自由人三日刊，即於一九五八年九月十二日宣告停刊了。現代中國高級知識份子之沒有團隊精神，於此又得一實驗的證明，曷勝慨嘆！」[50]所以當年左舜生在《自由人》創辦之初，樂觀的夸談「自由人」社同仁可以組織聯合政府，永遠合作無間之見解，雷嘯岑說，實係幼稚幻想。文人相輕，自古而然，《自由人》三日刊的緣起緣滅，依然落得一個「殺雞聚會，打狗散場」的結局，這也是中國現代高級知識份子的悲劇，想來仍不禁令人浩歎！[51]

48 〈左舜生致王雲五函〉，同上註。

49 雷嘯岑說為四十八年九月十二日停刊，恐有誤。雷嘯岑，《憂患餘生之自述》，同註二四，頁一八二。

50 同上註。

51 馬五，〈「自由人」之產生與夭折〉，同註一，頁一二〇。其實雷嘯岑自己亦如是，當《自由人》剛成立時，「大家的情感很融洽，精神上團結

《自由人》雖然走入歷史停刊了，但未及五個月，一份延續《自由人》餘波的《自由報》在民國四十九年二月十七日，另起爐灶又在香港創刊了。《自由報》社址位於香港銅鑼灣高士威道二十號四樓，也是採取半週刊（三日刊）的形式，於每個星期三、六發行。社長為雷嘯岑，督印人黃行奮，出版第一期有由以本社同人署名撰寫的〈我們的志願和立場〉為發刊詞。該文強調「我們是一群崇尚自由主義的文化工作者。對社會生活篤信『人是生而平等的』這項義理，珍重個人的人格尊嚴；對政治生活認定『政府是為人民而存在的』，要求基本人權之確立與保障。……我們膺受著共產極權主義的荼毒，深感國破家亡之痛苦，流落海隅，於茲十載，內心上大家不期然而然地具有強烈的愛國情操和政治理想，要從文化思想方面，努力培育民主自由精神，發揚其潛能，成為救國救民的偉大力量。職是之故，本報的言論方針是國家至上，民生第一，我們的立場是超黨派的。」[52]

簡言之，民主、自由、愛國、反共乃為《自由報》創刊之四大宗旨，嚴格而言，此宗旨仍是延續《自由人》三日刊的精神而來。阮毅成曾說：「後來，雷嘯岑兄在香港出版自由報，乃係另一新刊物，與原來的自由人，完全無關。」[53]此話恐有商榷之餘地。《自由報》在《自由人》的基礎上，發行至民國六十幾年才結束，期間刊布了《香港自由報二十年合集》、《自由報二十週年年鑑》，影響力不在《自由人》之下。

無間，對任何事體決無爾詐我虞，或以多數箝制少數的作風。我（雷嘯岑）當時曾聲言：假使憑這種精神組織『聯合政府』，擔當國家政務，國事沒有不振興的。」馬五先生著，《我的生活史》，同註一，頁一六一。

52 本社同人，〈我們的志願和立場〉，《自由報二十年合集》（一九）（香港：自由報社出版，民國六十年十月十日）。

53 阮毅成，〈「自由人」參加記〉，同註六，頁一八。

自由報

THE FREE NEWS

內政部台報字第〇三壹號內銷證

第一三六一期

中華民國僑務委員會頒發
台灣省新聞處登記證
中華郵政台字第一二八二號執照
登記爲第一類新聞紙類
（半月刊每星期三、六出版）
香港零售每份　角
台灣每份新台幣壹元
社長：雷嘯岑
督印人：黃行智
社址：香港銅鑼灣道二十號三樓
20, CAUSEWAY RD 3RD FL.
HONG KONG
TEL. 771726　電報掛號：7191
承印者：大同印務公司
地址：香港北角和富道九十九號
台灣分社
台北市西寧南路壹零壹號二樓
電話：三〇三四六
台郵撥儲金戶九二五二

當前我們努力的途徑

──民國五十五年開國紀念日寄海外僑胞──

‧馬樹禮‧

歲月不居，中華民國五十五年開國紀念日，又在我們海內外同胞反共復國的奮鬥努力中來臨了。過去一年，毛共雖然在整個自由世界同聲譴責下，繼續榨取大陸人民的脂膏，悍然舉行第二次試爆，妄圖一逞其對內鎮壓，對外擴張的陰謀，但是事實證明，毛共的殘暴蠻橫，已使我海內外同胞以及全世界愛好自由民主和平的人士，更加認識其陰謀本質，增强反共到底重建和平秩序的決心，同時也更使我們認淸「暴政必亡，仁者無敵」的歷史鐵則，堅定反攻必勝復國必成的共同信念。

回顧過去一年來，我們海外僑胞配合祖國反共復國機運以及國際反共局勢的開展，掀起了更堅强更廣大的反共救國運動，自從前年十月毛共舉行第一次原子裝置試爆以後，海外僑胞即已洞燭了毛共的暴行禍心，筆伐口誅，同聲譴責，有的地區，且聯合僑居地人民，一致舉行聲討示威，以致去年五月間毛共所舉行的第二次試爆，不特不能減輕國際反共局勢發展對它的壓力；而且招致亞非新興國家對它更大的反感，致使陰謀操縱的第二屆亞非會議宣告流產，在印尼策動的赤色叛變，印尼軍迅速敉平，印尼軍民的反共怒潮，摧毀了印尼共黨組織，更打垮了所謂「雅加達──北平軸心」。毛共處此空前孤立惡劣環境之下，乃有瘋狂窮戰的哀鳴，拒不參加裁軍會議的悍態。然不管毛共今後如何裝腔作勢，將益見其日暮途窮，迴光反照而已。

反過來看我自由祖國，在蔣總統英明領導之下，反攻準備，逐漸完成，復國機運，益見成熟。去年爲我復興基地台灣光復二十周年，又欣逢中華民國國父孫中山先生百年誕辰紀念，由十月初迄十一月下旬，金馬台澎，到處喜氣洋溢，海外僑胞返回祖國參加慶典活動人數之衆，更打破政府播遷台灣以後的紀錄。足見僑胞在國步愈艱難的時候，其愛國立場愈堅定，愛國行動愈積極，大足以鼓舞士氣人心，影響國際視聽。今當迎接光明勝利的開國紀念日，更願略舉數端，與我海外僑胞共勉者：

第一、去年我們海內外同胞以及國際人士熱烈紀念國父百年誕辰，不僅表示了對中華民國締造者的崇仰，對中華民國的愛護，對中共匪幫的唾棄，對竊據大陸，篡奪民國，歪曲三民主義的毛共，深惡痛絕。中共匪幫爲掩飾其滔天罪行，淆惑世人視聽，竟亦妄圖於今年舉行類似的紀念活動，此實爲對我國父莫大的侮辱，我們不但要對毛共這種荒謬無恥的活動一致加以排斥，而且還要繼續闡揚國父遺教的眞理，宣揚我們奉行遺教的成就，及其對於世界人類的偉大貢獻，擴大揭發毛共的暴行，粉碎毛共欺世盜名的陰謀。

第二、蔣總統繼承國父未竟的志業，領導北伐、剿匪、對日抗戰，爲國家民族開拓光明絢爛的前途，乃共匪叛亂竊國，政府播遷台灣，經過這十幾年總統英明堅毅的領導，我們反共復國的機運，已經日臻成熟，今日的台灣不但是反攻大陸的復興基地，而且也是屏障自由世界的堅强堡壘，舉世人士無不推崇總統爲反共的先知先覺，保衛自由民主的革命領袖。在這反攻復國的前夕，我們更迫切需要總統的賢明領導，來完成復國建國的大業。去年十一月，回國僑胞代表首先提出了恭請總統連任案，表達了全體民意所歸。今後我們更要忠誠的在總統的領導之下，加强團結，努力奮鬥，獻出我們一切的力量，完成國民革命第三期的神聖使命。

第三、去年慶典期間，回國僑胞曾一再闡明支援反攻復國的堅定立場，商訂進一步全面策進華僑反共救國運動的行動綱領，並在這昂揚的反共愛國熱潮下，響應蔣總統抵制共匪傾銷貨品的號召，並研議具體辦法，推展到海外各地。一個來台訪問的馬來西亞商業考察團，曾提出保證，今後將以每年二億元的對匪貿易額，轉向中華民國市場；越南政府也認爲這是有效可行的對匪經濟作戰途徑。今年，我們要以更徹底，更堅强的抵制匪貨行動，來結合整個反共鬥爭，擴大國際影響，以促使共匪狂暴政權的早日崩潰。

海外華僑的愛國精神，不但久爲中外人士所讚揚，而且隨着時代的進展，不斷的發揚光大。當前的華僑反共救國運動，也可說是「其命維新」。因此，我們要在新傳統的基礎上，把握每一階段的中心任務，密切配合推展，迎接新的歲月，爭取新的成果，擔當我們應負的時代使命。

東南亞

南越

胡志明揹得起嗎？

看它爬得多高？

今日與明日

越南戰事再起

越共宣佈聖誕節停火時，西方國家曾以很大希望，以爲由於聖誕節停火，可以導致長期停火，進行全面和談。不料停火時期一滿，越共就發動全面攻勢，西貢市內的破壞事件也同時發生，越軍營房又被爆炸，死傷達五十幾人，美軍被迫不得不予還擊。但是美軍只在陸地上迎戰，並未恢復空中轟炸，可見仍然存在幻想，替越共留一綫生路。實際上此種幻想最後必然要歸於破滅，因爲越南和談之權並非操於胡志明之手，他即使有心也不敢開口，早已經碰了一次釘子，他何敢再來第二次。相信北越的舉行和談，馬上在毛共導演下的南越叛軍，即將組織政府，所以胡志明更無法下台。所以美國要想以戰求和，解決南越問題，非常簡單，只要是想和，就要直接同毛共辦交涉。如若毛共拒和，馬上轟炸原子基地，這樣才是一勞永逸的辦法。日日跟着胡志明去瞎纏，實在徒費心機。

美國亦有苦衷

詹森總統的硬派作風，實在是本世紀以來美國最有魄力的總統，但是、世界各方面對他的壓力太重，使他不得不向現實低頭，明知作不通的事，也非嘗試一下不可。所有壓力來自國內的已爲人所共知，來自國外的大家只知道來自蘇俄，英國、法國、而忽畧了還有一位羅馬教皇保祿六世。教皇破例出國旅行到了美國，在聯大演講主張所有國家都進入聯合國。據說教皇這篇演講，起碼替毛共拉到了三票到四票。而教皇與詹森總統會晤時，亦再三勸他不可擴大越戰，轟炸中國大陸。在這種有力量人物的勸告下，詹森總統自不能不設法促進和談，雖然明知道作不成，可也得一試。

美對柬埔寨的警告

雖然在四面八方的壓力中，美國依然按照步驟逐步推行既定政策，最近公開表示美軍爲了追擊越共可以進入柬埔寨境內，即是一大進步。柬埔寨的施哈諾自從向毛共投靠後，爲虎作倀，無惡不作。南越共黨叛軍以柬埔寨爲庇護地，已是很久以來的事，不但糧食彈藥由柬埔寨補給，越共以柬埔寨爲根據地，戰爭一失利就逃入柬埔寨，美軍無法越界，只好對之一嘆。最近美國已下了決心，必要時可追擊到柬埔寨境內，施哈諾慌了手腳，毛共又大吹絕不坐視，人們不禁要問：毛共對北越被炸時且坐視，而對於柬埔寨被懲時竟然會挺身而出，就未免太可怪了。（何如）

自由談

談賀年與拜年

台北消息：執政的國民黨中央黨部提倡不拜年，不寄賀年片。這是值得讚揚的革新運動，實獲我心。

人間世的禮節種類甚多，其中最無謂的浪費禮節，殆莫過於寄賀年片和拜新年了。過年原係星躔紀歲的一種固定節日，在農業經濟社會中，農民於秋收冬藏的閒暇期中，家家有些積蓄，趁年關賞樂一下，轉瞬便是春耕時候了。所以，過年這回事，在農村裏確有重要意義，親戚朋友相互過從祝賀，約定俗成，理有固然。生活在都市中的人，情形就兩樣了，平日酒食徵逐，笙歌處處，其熱鬧情形，較諸農村裏的過年光景，更有甚焉，可說是天天在過年生活之中，再要搞賀年拜年的玩藝，實在無謂，且覺無聊。

西洋人基於宗教的信仰關係，每逢聖誕節前，大家投遞聖誕卡，對於年節只是順便提到，重點在慶祝耶穌誕辰。中國人東施效顰，乃亂寄賀年片，有些人并且全盤西化，也照樣地向着非宗教徒而大送其聖誕卡兼賀年片，可哂孰甚！西方人的善良生活習慣多不肯學──如守法自律、遵循誓詞、注重公共衛生之類──而對於浪費無謂的賀年片，卻相率踵起效尤，唯恐弗及，徒彰其虛僞應酬之心情，竊所不取。

至於拜年的禮節，更無意義，「年」有甚可拜的呢？只有子弟在家庭中，元日起來對着長輩施行拜年禮，表示自己又增加了年紀，給長輩以懽顏，猶有若干可說的理由，普通親友亦奔走流汗以相互拜年，所爲何來呢？公務人員舉行團拜禮節，雖屬多半都是虛文，但藉此以避免私人間不必要的拜年俗套，亦可尚也。一般社會大衆，自元旦起，從早到晚忙於拜年，且須忙上三五天，廢[illegible]神，搞虛禮，說廢話，是無聊已極的行爲。

區區自從離開農村生活環境以來，迄今四十餘年間，常在都市裏混日子，逢年關很少使用賀年片，亦不隨便睹作拜年的行動，這決非故意疏慢親友，祇認爲沒有必要而已。好友相處貴在誠實講道義，用不着虛禮相將；泛泛之交的人，朝雖傾蓋而夕可割席，又爲用表面禮貌爲哉？因此，我對於執政黨提倡不寄賀年片與不拜年運動，深表共鳴而擁護之，這不但可以節約，且有滌盪頹風、革新民俗的作用，値得大書特書的。

馮之先生

冷落了六年突然間行情看漲
目前正是國大代表的政治季節
國大臨時大會將熱烈討論行使創制複決兩權
四屆正式大會選正副總統副座以張羣呼聲高

（本報台北通信）國大代表年會，今日召開了。這是代表們每年一次的例行集會，沒有甚末重要的問題討論，對政府亦不發生拘束力，因爲這會議並不是法定的產物，其性質係聯歡會，開一天就閉幕，好戲還在後頭哩！

日前蔣總統頒佈明令，訂於來歲二月一日召集國大臨時大會，接着又要舉行國大第四屆正式大會，時間是三月中旬。所以，從現在到來年三四月間，可說是國大代表的政治季節，冷落了六年的袞袞代表諸公，突然間行情看漲，常常成爲報紙上的新聞人物了。

按照憲法規定，國大臨時會議應於民國卅九年十二月以前，就要召集的，任務是討論憲法上所附「臨時條款」之存廢，以及國大代表如何行使創制、複決權這兩大問題。嗣以大陸淪陷，政府播遷台灣，國家遭遇非常的變故，稽延到現在纔不得不舉行。因爲在上屆三次大會時，成立了「憲政研討會」，以研究如何行使兩權的方案，而決議要在四次正式大會舉行以前，由總統於適當時期召集臨時大會。這次臨時會的中心任務，就是討論行使兩權，至於臨時條款之存廢，乃屬次要，蓋國家的非常變故尚未消除，當然談不到廢止臨時條款的話，但國大代表們認爲某些地方須加以修改；因而在臨時大會中不能置之度外，存而不論。

關於行使創制、複決權一事，立法機關首表反對，政府當局亦不贊成，而國大代表持之甚力，大有不達目的決不干休之勢。如果臨時大會眞的多數通過了，政府即無法拒不接受，以後的痲煩就更多，爲應付一個立法院，政府當局即已常感困擾，再來一個太上立法機關，寧不困煞人也！日前蔣總統在國民黨中央政策委員會議席上致詞時，對於國大代表此時要行使兩權，表示不同意。他聲明憲法和臨時條款皆不宜修改，他要把這部憲法原樣帶回大陸去，然後再談修改問題。國大代表若要行使兩權，必須在不修改憲法（包括臨時條款）全文，亦不常設機構這兩項前提之下，乃可研究施行，這樣，事實上即等於不行使了。

大多數的國大代表，都表示非通過行使兩權不可，並要成立常設機構。有些穩健份子則主張，臨時會不妨通過原則，而授權總統於適當時期明令施行之；也有人主張臨時會只通過行使兩權案，至於如何行使的方式，留待下次正式大會詳細研討。總之，無論採用何種主張，這次臨時大會中必然發生激烈的辯論無疑，萬一鬧得不能收拾，最後由蔣總統以執政黨總裁地位，召集國大代表總人數中佔有百分之八十以上的本黨黨員，藉黨紀加以訓示約束，亦就會由絢爛歸於平靜，結果臨時會將是有驚無險的局面。

來年三月間的第四屆正式大會，是以選舉正副總統爲主要任務。國大代表聯誼會已發出擁護蔣總統連任的聲明，其他海內外各界團體，亦陸續致請擁護蔣總統連任第四任總統，總統當選無問題了。至於副總統的人選究竟是誰，祇在蔣先生個人銓衡之中，須經過國民黨提名，總裁公開宣佈，此時只能是社會人士紛紛揣測一些馬路消息，未可盡信。但亦不無若干理由。目前傳說中的人物，有張羣和[illegible]二位，而以張羣的可能成分最多，一則他追隨蔣總統的時間悠久，深受倚畀，事事可以替總統分勞，二則他最近奉命赴歐洲各國訪問，在國際間有所活動，亦係一種政治資本，可視爲將來擔任副元首的先聲。孫氏這次回國來參加國父的百年誕辰大典，蔣總統對他禮遇優渥，亦表示年逾七旬的老祖國的心思，願他現已聘任爲總統府資政，終居於元老地位。有人推測他將來可能被推爲國民黨副總裁，但副總裁須由黨的全國代表大會通過，明年不是黨代表大會召集的法定時期，無法產生副總裁。孫氏亦可能出任司法院長；有人說他如果當選了副總統，那就很難說了。他現在的總統府秘書長職位誰其嗣之呢？根據馬路消息，現任行政院長嚴家淦轉任的希望甚大，因明年五月新選總統就職後，照例要改組內閣，嚴氏不會再蟬聯下去，教他擔任總統府幕僚長，尤屬適才適任的人選。至於未來的行政院長，社會上傳說亦多，有的說徐柏園，有的又說顧祝同，記者以有聞必錄的職責，姑且報導一下，對不對，要待事實來證明。

這次第四屆國大會議，除卻選舉正副總統外，必然另有些文章，因爲一般代表平日在精神上深感冷寞，而且慚老大，物質上更受盡困苦，無可言宣，乘此集會的機會，政府另眼看待，決不會輕輕放過的。要做文章的話，修憲行使兩權案，就是現成的好題目，至於內容如何，此刻言人人殊，總要加強職權，如何改善憲法的缺失，做到名實相副的國會地位（大法官早已解釋國民大會與立監兩院是三位一體的國會）。國大代表每逢集會時，聲勢赫赫，無與比倫，散會後，卽形同爛草鞋，沒人理睬了，這種痛苦滋味，大家已經飽嘗了十多年，痛定思痛，那有不力求改進之理呢？（十二月廿五日穀生於台北）

訪林則彬談北部橫貫公路

本報台灣中部記者熊徵宇

工程費七千二百五十七萬台幣，全長七十一公里的北部橫貫公路，卽將在明年春天完工通車。

這條公路，起自桃園縣復興鄉的角板山，距離桃園縣境十八公里。溯大科（山頭）（山頭）溪傍山而行，入宜蘭縣境，越中央山脈分水嶺，與馳名國際的東西橫貫公路宜蘭支綫相接。

這條路的起點，拔海四百五十公尺。最高點，拔海一千二百五十公尺。

艱鉅設計新穎

台灣省公路局長林則彬先生對記者談到這條公路時說：

從桃園復興鄉到四稜，那四十一公里的路是新開闢的，沿途石壁連綿，工程非常艱巨。難得的，是這條路新建了長跨徑大橋三座，其中復興橋長達一百五十二公尺；巴陵橋長一百六十公尺。是本省光復以來，新建跨徑最大的吊橋。橋塔採用單絞鋼構，設計的是新穎。而長度七十一公尺的大漢橋，是鋼拱橋，爲本省拱橋中跨徑最大橋而最高者。

林則彬局長說：這三座橋，結構都是採用銲接方法施工，所以用料節省，造價較廉，只是施工的技術較爲艱難。

四大資源卽可開發

林則彬說：北部橫貫公路，有四種重要的資源，對於本省經濟建設，可以提供很大的貢獻。而對於沿路居民的就業機會與所得，亦必提高其生活水準。

他說：北部橫貫公路沿綫的重要資源，是森林的開發，礦產的挖掘，水庫的興建與農產品的推廣。

森林方面，有大溪及太平山兩林區，森林面積達一萬二千多公頃。而角板山高坡一帶的煤礦，蘊藏量有九百七十萬公噸，煤質很佳。

電力公司計劃在高義和玉峯兩處，各建一座水庫，每年發電量可達四億六千萬度。沿綫盛產毛竹；現有的米谷、茶葉、番薯、花生等農作物，在沿綫通車以後，可以大量推廣。（上）

僑胞當前報國之要道
——中華民國五十五年元旦向僑胞獻詞

高信

今天是中華民國五十五年元旦，在這歲序更新的當兒，我特別提出今年我們所應努力的重點與我全體僑胞共同勉勵。

首先我們先看當前的世局。過去一年來，國際局勢的變化可說很大，緊張係由歐洲而非洲而亞洲，尤其是——中南半島，可能會成爲第一次世界大戰的巴爾幹，因爲越南的烽火已是在一天一天的擴大了。原來美國以爲越南戰爭祇是一個小規模的衝突，可以邊打邊談，共匪終必就範。詎知共匪包藏禍心，早與越共沆瀣一氣，以越南做跳板來吞沒整個東南亞，預期在短暫的時間中，便可奪取南越，進而囊括柬、寮，進軍泰國，與蘇加諾合致大馬，東南亞便可盡入囊中了。這是毛酋侵略日程表上所預定的程序，也是北平、雅加達軸心的狂想曲。他們竟想不到美國這隻「紙老虎」，原來還裝有「核子牙」，說打就打，不到幾個月，調兵遣將，一下子就來了近二十萬人，每天還可出動一千多架次的飛機，全面轟炸越共陣地，故共匪欲以廉價攫取越南的計劃，便爲之粉碎，而且現在戰火已燒近大陸邊緣了。共匪色厲內荏，自知其軍隊的裝備落伍，而原子彈還在雛形階段，所以匪酋們祇好大叫「人民戰爭」，「不怕苦」，「不怕死」，以「人海對火海」，以「精神原子對物質原子」，擴組民兵，沿海大挖深坑，遍設地雷，美其名曰坑道戰術，大擺地雷，冀使敵人寸步難行。從此可知毛匪的原子試爆不過是用來恫嚇落後國家，向國際間宣傳而已，否則何需所謂「精神原子」呢？何需「人海對火海」呢？共匪動輒以六億人民戰爭來恫嚇西方國家，殊不知大陸同胞十多年來被共匪殘殺、鎮壓、奴役、勞改，父母妻子離散，無衣無食，人人都要食其肉而寢其皮，人人渴望我們王師及早反攻，收復大陸，他們祇要我們國軍一踏上大陸，他們都會投入我們的隊伍，並非共匪的本錢。

另外毛匪最近觸到的霉頭是，印尼蘇加諾本來是他的狂想曲的伴奏者，唱和相隨，但以本年九月卅日印尼政變失敗以後，共匪的猙獰面目，已在印尼人民之前完全揭露，久受共匪欺騙矇混的印尼人民，逐漸覺醒，反共怒潮如火如荼，蘇加諾迫于大勢，祇得大罵共匪是瞎樑老鼠，印共公開焚燒黨旗，來表示悔過脫黨，所謂北平、雅加達軸心，現在已是柔腸寸斷了。

現在再來看看共匪在非洲的伙伴。共匪多年以來，餓輸出得來的孳錢，數達美金七億元，乃以銀彈攻勢，並唱有色人種大聯合等口號，以迷惑非洲的落後國家，他在志得意滿之下，連他自己的蘇俄「老大哥」也要擠在外，滿以爲可以再來一個萬隆式的會議，領導小國，成爲一個唯我獨尊的紅色帝國盟主，冀遂其赤化世界的陰謀。那知道他不度德，不量力的結果，變起蕭牆，所謂亞非會議便無限期地延展，共匪向外侵略的行動又重重地遭了一次悶棍。自然，至於共匪所謂蘇俄「老大哥」，往昔尚是神離貌合，現在卻公開反臉，實行槍口相向，據最近外電所傳，新疆蒙古邊界共匪與蘇俄經常開火，雙方均重兵鎮守，隨時可以拚個死活。至於印度之視匪爲仇，更是不在話下。共

我們從上面這一連串的國際事實，可以證明毛匪的瘋狂作惡，非特各自由國家認識它是世界的禍源，連它的伙伴也漸漸清楚它的狼子野心而與它散伙了。所以現在毛匪確已到了神人共憤，已窮途末路，孤立無援的地步。

我們又從毛匪本身來看，也可見他的危機與矛盾愈來愈深。他向來以馬列主義的正統者自居，不惜破壞中國數千年的家庭制度，倫理觀念，建立人民公社，造成大陸空前的混亂與災害。近年來迫得退採權宜措施，准許人民保有少數自留地，准許人民保有私自耕種的成果，並准設自由市場出售，自留地產品可在自由市場出售。此種政策自然可以刺激提高農民的生產興趣，但是此種辦法無異承認私有制優於共產制；等於自己打自己的嘴巴；他的幹部有認爲這是私有制的復辟，所以對自留地和自由市場迫得又重新加強管制，而生產又趨於下降。加以他爲着要世界革命，便不惜要造一個紅色帝國，迫人民緊緊肚皮，向落後國家贈予，因此之故，經濟死結更無法解開，人民便永遠陷于水深火熱之中了。共匪所抱的這一塊馬克斯的神牌，蘇俄老早求過失靈，證明此道不通，最近迫得用「利潤」來鼓勵生產，稍能挽回。毛酋執迷不悟，高喊世界革命，實行共產制度，無論從理論或事實來說，都是百分之百落伍而退化的一種狂人想像，欲其政權不至崩潰，誠不可能。（上）

春聯十五則

·稚嬰·

總統曾號召我海外各地僑胞，抵制毛貨，以制敵死命。當此年關在即，正毛貨乘機向外傾銷季節。我海外僑胞務當針對其敵此一陰謀，予以迎頭痛擊。爰擬春聯十五則，俾我海外僑社各界，斟酌採用。期能振奮人心，同仇敵愾。想亦爲我愛國僑胞之所歡迎也。

（一）

欣欣生意逢春，喜見天心迴世運。

勃勃羣情如虎，拒銷匪貨搗毛朝。

（二）

大地回春，欣看光華，同歡復旦。

羣心合心，拒用毛貨，勢掃沉霾。

（三）

祝頌春釐，同扶國運。

抵禦毛貨，勿齎盜糧。

（四）

振奮僑心，迎接青春同賞玩。

抵制毛貨，消除赤患樂昇平。

（五）

瀛海喜迎春，百花獻瑞徵新象。

神州憐浩劫，萬衆梯山似病猿。

（六）

立宏願光復祖國山河，莫虛負佳節。

用毛貨如吸同胞骨血，實愧對良心。

（七）

喜接春光，長盼望世界和平歡樂。

惆懷祖國，豈忍用同胞血肉脂膏。

（八）

榮氣東來，合羣心誓同復國。

金戈西指，與毛寇不共戴天。

（九）

寰瀛同慶迴天運。

大陸堪憐竭澤漁。

（十）

熱愛宗邦存骨氣。

拒銷匪貨剝毛皮。

（十一）

大好春光，看自由人士賞心樂事。

無邊苦海，念大陸同胞啼飢號寒。

（十二）

振勵僑心，好趁三春歲月韶華早。

抵制匪貨，須念大陸物資膏血凝。

（十三）

求祖宗血食長存，應盡己責。

拒匪貨飢餓輸出，即救同胞。

（十四）

思一年之計在春，勵吾人聲應氣求，復國相期努力，

以百姓脂膏作貨，恨毛寇罪大惡極，制敵務必齊心。

（十五）

體天心萬類來蘇，戮力神州光復。

對暴敵經濟作戰，抵制毛貨傾銷。

春宴

趙芳

每屆新年，我國各地盛行「春宴」。各地「春宴」的時間不同，多半在正月初五至十五，在此期間，許多人被今天張家明天李家邀宴，大有應接不暇之勢。「春宴」，這是一年一度藉新春歡樂的日子裏，來會至親好友於一堂，猜拳行令，大家熱熱鬧鬧，吃個痛快。我國北方的「春宴」特別隆重，一般都已經是六十四道菜，三十二道菜，參加「春宴」的客人未正式入座之前，每桌上都先擺好八個涼菜碟，如瓜子、糖菓之類，使客人一到齊，一聲開席，客人一律不會空談枯坐。先把八個菓碟及茶杯撤走，換上八個涼碟，如香腸、鹵肝、松花蛋、薰魚、火腿等。客人先彼此客氣地喝上兩三杯酒，不久，八個熱炒便陸續上桌，這八道菜，大致是炒腰花、醋溜肚、葱爆羊肉等，都是下酒的。此時，喝酒的客人，便猜拳行令，喝五喝六的聲音越來越響，繼而是「打通關」。「打通關」有大打小打之分，小打是只限本桌，你和同桌人每人猜三拳，輪流完了事，這叫一個通關。大打是在本桌打完了，還要遠征到別的桌上去。不過能打大通關的人不多，能喝還得能猜，否則，一個通關沒完，你已經躺下去了。大家大喊大叫的喝了一兩小時後，嗓子都乾了，正在這時候，上來四個甜菜，如百合、蓮子、蒲萄等，樣子很像廣東的所謂什麼糖水，給大家潤潤喉嚨。四甜菜之後，又是四鹹菜，如像鷄絲、蟹肉、蝦仁等。

酒喝得差不多了，上來一大盤八寶飯，或者小籠包子，這叫「腰飯」，先給大家點點心。「腰飯」過後，每人一杯香茶，客人捧着熱茶，站起來到空地上去談話。等主人再請入席時，桌上已佈置一新，什麼都是乾淨的。入席之後，又陸續上了八個盤菜，如燒鷄、烤鴨、醋溜魚，其中也有一兩個拼盤之類的涼菜。這八個菜是給量大的人繼續喝酒的，量小的人可以拿來充飢。不過，這後半席已經斯文多了，主人見大家酒喝得已差不多了，於是又逐桌敬一次酒，互道吉祥話祝賀。最後還有八個帶湯的大碗菜，如清蒸鷄、清蒸魚、肉丸子、燉肉等，這最後的八碗是正式的吃飯菜，但是問津者已寥寥無幾，最後還能吃半碗飯的人，實在太少了。

以上「春宴」的盛況，今日我們在追憶中去回味，尤其當大陸饑餓遍野的今天，那種歡樂的日子，更是使人懷念。

過年風俗雜談

湯翔

過年，過農曆新年，是國人心目中全年最大的節日。我國民間過春節，有許多相同和不同的風俗，茲分別談談共同性的風俗，以及各地的特殊風俗。

家祭奉灶神

送灶，接灶，從南到北，各地風俗大都相同，祇是時間上容有不同。送灶都是臘月廿三、廿四、廿五等幾天，而接灶大部份是在除夕。

臘月廿三日，灶神循例上天奏事，所以下界子民要爲他餞行，以壯行色。平時，灶王爺蹲在灶頭上，冷冷清清，一年難得吃到一塊冷猪肉，在送灶這一天，却受世人跪拜，除了供給他往返的「一騎」以外，還要弄一些灶糖，來甜甜他的嘴，希望他上天去多講好話。

在福州，廿三日祭灶用葷菜，對灶王爺供奉得最爲週到。

守歲元寶迎神

臘月三十日是除夕，除夕守歲的風俗，是最普遍的。除夕這一天晚上，一家人在吃過團年飯以後，便圍爐賞酒，歡敍暢飲，父子祖孫擠在一起，發出天倫之樂的歡笑，一直等到新年的來臨。（一）

拜年與賀年

魯生

新年，少不了要拜年賀年。拜年與賀年不同，拜年是向長輩叩頭，賀年則是平輩間互相道賀。以下舉出五個地區拜年的風俗，倒是饒有情趣的。

上海：拜年要先拜祖宗，然後序長幼，排順次，先向老祖母叩頭，她要賞磕頭封包，然後大家歡天喜地，拉開圓桌將老祖母捧在居中，來一局擲骰子或趕羊的遊戲。

蘇州：歲朝，小輩依次向尊長跪地叩頭拜年，尊長賞「拜年錢」。男兒到成婚以後就歸他的妻子受領。

紹興：拜祖像要三跪九叩首，或三跪四拜。向尊長拜歲，幼輩要跪下叩頭，長者俯首攙臂道好，送個紅紙錢包。

黃陂：拜年的次序：天地君親師、祖先、堂上，初一拜本家，初二拜母舅家，初三拜岳家。

開封：初一清早一家大小穿着禮服，依次向神祇、祖宗跪拜，小輩向長輩拜年。

再舉出以下五個地區賀年的民俗，我們可以分辨拜年與賀年有什麼不同的地方。

貴陽：每一個家庭因爲對親友們的賀年，覺得不敢當，特地緊閉了大門。當有賀客敲門的時候，門內的人要由門縫中向外仔細地張望，除非是自己的家人，他決不開門，而祗是在門內不斷地謙遜的說：「拜年？不敢當，請改天再過來喝茶吧！」

開封：要去賀年的第一家，必須是興旺之家——是父母俱存，兄弟無故，求財得財，求利得利，人旺財旺之家。相反的，也希望第一個來客是人旺財旺的客人。但是大多數人家對那賀年客是「擋駕」不見，祇叫僕役或小輩應門，說聲「謝謝勞步」。而賀客呢，敲門不開，從門縫裏塞進一張賀年片，就算完事；更有連門也不敲，把名片一塞就走。要是彼此在街上相遇，也就拱拱手，說聲「恭喜」就得啦。

紹興：除同輩間互發賀年片外，商店也用來向買主及同業致敬，收受的人們，他們多在大門上，貼着元寶形的紅紙袋，袋上寫「代柬」兩個字，來承受送來的紙片。不必大家打招呼，也免得彼此見面。

潮州：新年大家相遇，不論是相識或不相識，甚至是曾經鬧過意見的，都要很客氣的說：「新正如意！」「如意如意！」「大賺呀！」「陞高呀！」

海豐：人們在路上碰到了，要互相拱拱手，這叫「恭喜」。「恭喜」的時候，一個說：「恭喜！新年萬事如意！」一個說：「恭喜！添丁發財！」說的時候一定大家笑嘻嘻的。

從以上拜年、賀年的民俗，可以看出，拜年是一種隆重而誠敬的禮節，充分而又自然的表現倫理關係的深摯；賀年則是一種友情的交流，蘊含着無限的人情味。這些正是我國優良文化的傳統，值得國人光大發揚。

新詞三首

·馬梅

日月易邁，不覺又是新年。海外流浪，於今十餘春。邇來國際局勢，日益有利於我，大陸同胞，人心思漢。一朝反攻令下，自能裏應外合，光復神州之期不遠矣！值茲歲尾年初之際，賦成新詞三首，工拙不計也。

浪淘沙 除夕酒後

度歲酒將闌，髮竟衝冠。中原處處滿豺曼，骨肉分離難得見，怎忍偷安。浩氣塞河山，赤膽忠肝。誓憑熱血滅凶奸！故國重還酬壯志，春遍人間。

江南好 新年

新年好，寄語我同僚。大陸人心齊思漢，一朝奏起反攻號。殺賊救同胞。

江南好 民主台灣

台灣好，民主樂陶陶。萬衆同心謀復國，三軍氣勢比天高。赤燄自冰消。

過年談曆法

飛滄

我國現行通用的曆法有兩種，一為民國元年倡行的新曆——陽曆年，一為從夏朝沿用迄今的舊曆——陰曆年。

陽曆又叫太陽曆，是由埃及人所發明的，後來再經過羅馬教皇葛萊高里氏加以改正，遂通行於世界，為大多數國家所奉行。在現有的各種曆法中，以陽曆比較準確，且易於推算，故被用作公曆。

埃及，為世界上有名的文化古國；古代的埃及人，崇拜太陽神，故對於太陽之出沒與運轉，非常注意。久而久之，他們便推算出太陽每三百六十五天又六小時繞行地球一週，年年如此，無大差異，於是，便確定三百六十五天為一年，其餘剩下來的六小時，把它累積起來，四年之後，添一日。這便是陽曆，為西歐各國所通用，所以又叫做西曆。

陽曆置閏的方法，起初依次排列，在任何一個月份裏都可以置閏。後經曆法專家研究的結果，到了公元一五八二年才規定二月為閏月，此後每四年一閏。凡公元的年數能以四除盡者，例如一九四八、一九五二、一九五六、一九六〇、一九六四……皆為閏年。

陽曆一年分十二個月，一、三、五、七、八、十、十二等七個月，都是大月，每月三十一天。四、六、九、十一等四個月，每月祇有三十天。十二個月中，以二月為最小，除閏年有二十九天外，其餘都是二十八日。

地球之軌道，跡近圓，故其距離太陽亦有遠近，每年一月一日，距離太陽最近，稱為近日點。一年之開始，謂之歲首，亦稱年始，陽曆以近日點為歲首，即正月一日。

陰曆係以月球為標準，最早使用者為希臘人，月球繞行地球一週為二十九天至三十天，因此陰曆以二十九天或三十天為一月，積十二個月為一年，與陽曆相差為十天又二十一小時，故到三年的時光便多出一個月了。因此每隔三年便有一個閏月。陰曆因依月球而定，大月小月，每年參差不一。[illegible]初五，娥眉月，不像太陽一樣，老是一輪火球似的，照射大地。

尤其人類的生活，處處受到自然的控制，日出而作，日落而息，[illegible]四季之中有二十四節氣：立春、雨水、驚蟄、春分、清明、穀雨、立夏、小滿、芒種、夏至、小暑、大暑、立秋、處暑、白露、秋分、寒露、霜降、立冬、小雪、大雪、冬至、小寒、大寒。[illegible]人們亦各有種農諺，[illegible]使農民易於記憶。（上）

元旦開國史話

綸言

我國一向採行農曆，中華民國開國後，才開始採行陽曆。可以說，我國的採行陽曆是革命的成果，而且是由於國父孫中山先生的堅決主張。

開國元首的選舉：辛亥（一九一一）十月的武昌起義，各省紛紛響應，民主共和政治，已為全國所公認。國父孫中山先生於十一月初六日由歐洲返抵上海，初九日，各省代表集會南京，開臨時大總統選舉預備會，翌日（陽曆十二月二十九日）正式舉行選舉，到會十七省代表四十三人，每省有一投票權，選舉結果，國父孫中山先生得十六票，黃興得一票，國父當選為中華民國臨時大總統。國父是首創革命的人，畢生奔走革命，他愈挫愈奮，不屈不撓的革命精神，中外人士同深敬仰，卒以革命領袖地位而受擁戴為中華民國開國元首。

採行陽曆的爭執：各省代表選出臨時大總統後，即推舉王寵惠（廣東代表）、湯爾和（浙江代表）二人到上海呈遞當選證書。當時對於臨時大總統就職有關各事，各代表來往磋商，頗有爭議。其中對頒訂國曆的事，代表中多有維持沿用舊曆的主張，幾經辯論而不決，但國父堅決的主張廢舊曆行陽曆，以新天下耳目。同時，國父更表示如不改行陽曆，則不就職，一時幾成僵局。直到一九一一年除夕的最後一次代表會議中，才獲通過採行陽曆，解決了僵局，並即電請國父蒞臨南京就職。國父就任中華民國臨時大總統後，即頒令改用陽曆，以黃帝紀元四千六百零九年（即西曆一九一一年）十一月十三日為中華民國元月元旦。

由上海到南京就職：一九一二年元旦是中華民國開國的日子，也是國父孫中山先生就任臨時大總統的日子。

是日上午十時，國父由上海乘滬寧鐵路花車到南京就職。其時上海各軍隊齊集於車站，擎槍排列，各民眾團體都推派代表到車站敬送，一時到車站者不下萬餘人，花車啟行，鳴炮致敬，歡聲震天。花車經過蘇州，在車站附近歡迎的民眾很多，歡呼共和萬歲的聲音，遠聞數里。經過無錫，常州，鎮江等車站時，麕集車站的民眾，也達萬人之多，有些代表且登車爭與國父握手，瞻仰國父顏色。

花車抵達南京下午五時左右，歡迎人羣很擁擠。其時，軍樂齊奏，各營隊都雙手舉槍致敬，駐南京各國領事也到車站迎接。各炮台各軍艦都鳴炮二十一響，以表歡迎。國父下車後，改乘藍色綢花采綢馬車，有軍樂隊騎馬奏凱旋歌前導，經下關、儀鳳門、鼓樓，向總統府而行。沿途店戶，懸掛燈籠，國旗，民眾排列恭迎，歡聲雷動。下午六時十五分，到達總統府。總統府大門係用冬青柏枝紮彩，佐以紅彩綢，電燈輝耀，極為壯觀。

大總統就職典禮：國父在元旦日下午十一點鐘就臨時大總統職，儀式簡單而隆重。當時就職典禮秩序如次：

（一）奏軍樂
（二）代表報告選舉
（三）總統致詞
（四）代表致歡迎詞，並致印綬
（五）總統蓋印宣誓
（六）海陸軍代表致頌詞
（七）總統答詞
（八）奏軍樂。

典禮開始，國父身穿西式大禮服，從府裏二堂蒞臨正堂，胡漢民等緊隨其後。參加典禮的文武百官，各省代表等，站在正堂前面一張長公桌之前，由海陸軍代表徐紹楨擔任大禮官（即司儀），各省代表團推山西代表景耀月投印並恭讀頌詞。國父接受大總統印信後，宣讀告國民宣言。然後啟用印信，全場歡呼，各代表都得到一幅蓋上總統大印的白布條留作紀念。

典禮完成，時已夜深，吳鐵城先生在回憶錄裏曾有：「各代表在半夜裏由總統府步行回三牌樓諮議局，時適皓月當空，有沿途高歌者，心情興奮……」的描述。

開國的規模：國父就任臨時大總統後，即日發表宣言，詳示了各省軍事、民政、財政、以及漢、滿、蒙、回、藏五族統一，而為共和國家的要旨；在就職誓詞裏，則說明「顛覆一姓專制之政府，至民國鞏固，憲政告成，即返初服」，充分表現他大公無私的坦蕩胸懷。同時，先後令廢除滿清一切苛法；禁止買賣人口，凡中華民國人民，不得買賣男女及奴隸他人；以主權在民的原則，諭令人民一律平等；[illegible]令嚴禁鴉片；[illegible]販賣豬仔，保護華僑。

凡此措施，都是為首創東亞民主共和國家的開國樹立了規模。革命先賢胡漢民先生在自傳裏曾有這樣一段話：「從來中國歷史家，論一代政府之傾覆者，輒曰：『人心已去』，『事無可為』，此於滿清之亡，尤為劇！[illegible]」

華民國的開國，當年的開國元旦，緬懷當年錦繡河山的事蹟，光復大陸同胞尚待，[illegible]

馬年談馬

葉醉白

新年甲午馬年，新聞界的朋友要我談點馬，時間很迫促，無暇參考任何資料，只憑直覺報告一點個人對於馬的尊敬。

聖跡和聖讚：上帝選擇耶穌誕生地，不在豬圈，不在牛欄，而獨在聖潔的馬廐之中。

中國的聖哲們，對於馬比現代歐美人「把馬看為朋友」更為推崇和尊敬，易經上說「馬壯，吉。」我起初對這句話不甚了了，後來聽蔣經國將軍談及唐代的馬胸寬肢長，足徵當時尚武精神，故能拓疆闢土。逮降馬漸矮小，（元清異族除外）而國勢亦隨之衰弱，可說是「馬壯，吉。」「馬不壯，則不吉」的最好說明。

孔子不易稱許人，但却讚揚馬，而有「驥不稱其力，稱其德也」之句，也許他老人家含有強調驥德之美，焉可「人不如馬」之喟喻，藉作「道德重整」之規誡。

詩聖杜工部對於馬的推崇，不遺餘力：「所向無空闊，眞堪托死生」。第一句是讚美「馬力」，第二是讚美「驥德」的。

常感不得志的韓愈，喟然而嘆「千里馬常有，而伯樂不常有」。他借馬來形容英雄豪傑。

宋代張博所書「開張天岸馬，奇逸人中龍」，可謂借馬喻人的最高境界和最大的氣魄。

名將與名馬：中國傳統上名將和名馬不可分：無人不知楚霸王，無人不知烏騅馬；無人不知關雲長，無人不知赤兔馬；無人不知秦叔寶，無人不知黃驃馬；無人不知薛平貴，無人不知紅鬃烈馬。而近代的拿破崙、麥克阿瑟和我們的蔣總統都是愛騎白馬的。

新年迎神曲四首

宗孝忱

清供寒松與臘梅。焚香掃地戶宏開。衣冠整肅抬頭望。一品天官賜福來。

水藻山牲奠舊[illegible]。只祈風雨護栽培。秋來使我倉箱滿。五穀農神后稷來。

貨積如山無棄材。十洲萬國展鴻裁。環球貿易有眞宰。五路財神利市來。

但願天公不降災。一家康樂在春台。吉星高照神靈降。南極仙翁策杖來。

新年隨筆

邦良

過新年這一風俗習慣，世界各國民族都保存，但由於宗教信仰關係，有的民族對宗教節日的重視，過於新年。譬如基督教徒視耶穌聖誕為主要節日，回教徒以解禁節為主要節日，他們到了新年，雖亦循例慶祝一番，但總不比慶祝主要宗教節日那樣多姿多采。這情形，正和我們華人過兩個新年相似。我們奉行陽曆，照例過陽曆年。但民間的舊曆新年始終還廢除不掉，不單廢不掉，而且對這一被稱為「春節」的農曆年，只有過得更起勁。一切吃喝玩樂節目，都排在春節期間，過陽曆年，只放假一兩天，應應故事而已。

中國人過農曆年，和歐美人士過耶穌誕有一個共同意義，那是趁此機會，家族團聚。歐美人士的家庭制度比不上我們的那樣整齊，父子兄弟以分居為原則，一年到頭，只有在耶穌聖誕期間聚一聚。中國人在大陸多是聚族而居，在海外亦常保持大家庭制度，但由於環境變易，工商業社會不同於農業社會，人口的流動性逐漸增加，因之過新年團聚家族的作用亦漸失。老一輩的華僑出國稍有光景，總以回唐山過年為平生一大快事。當年「一番客」回僑鄉，以「番銀」「番餅」餽贈親友，乃至殺豬宰羊祭祖告廟的盛況，許多人還能津津樂道。現在大陸的情形已是天翻地覆了，海外華人已視入鐵幕為進鬼門關，大陸僑鄉的親友，過日都不易，別說過年，海外僑胞也只好暫時打消回唐山過年的念頭了。然唐山不能回去，在海外自由地區仍照樣過年，到別處讀書或謀生的子弟，多趁年假回家團聚，痛痛快快歡歡喜喜共過自由的新年。

中國人過新年拜祭祖先的習俗，亦是家族倫理觀念的一種表現。生的要團聚，死的要祭祀，年輕的一輩要向長輩拜年，這是西洋人所沒有的隆重禮節。我們在國內過年，大除夕和元旦都要祭祀祖先，表示慎終追遠的敬意。華人在海外過年，也保存這種風俗，海外沒有祠堂家廟，舊式華人家庭多供奉着祖先牌位，過年過節，祭祀不缺。這是中國人家族觀念的發揚，不是歐美人士所能企及的。但這一切家庭宗族觀念，不見容於共產制度，所以大陸陷共十幾年來，全國同胞都已深嘗家破人亡的慘痛，毛共的人民公社，更要把我們數千年來的家庭制度從根剷除，家庭破散了，父母兄弟伯叔子姪自然等同陌路人，過新年團聚既沒有必要，祭祀祖先更是封建殘餘習俗，沒有人理那一套了。

×　×　×

新年，給兒童們帶來的是歡樂氣氛，給中年以上的人帶來的却一半是傷感的情調。古來詩人的除夕詩篇，很少不是抒寫離情別緒或者憂時傷逝的。迎年獻歲，雖循例「書紅語吉祥」，但至多只是對未來的一年表達一點祈願而已。

去國懷鄉的遊子，今年的祈願是什麼呢？人同此心，當然第一願望是反攻大陸，光復河山。大陸淪陷十六年了，受苦受難的同胞不能再等了，我們散居天涯海角的僑胞也迫切想回老家了。蔣總統在台北國父百年誕辰紀念大會上告海內外同胞，一定要帶我們回大陸，今年是馬年，希望快馬加鞭，吹起反攻角號，百萬大軍，橫渡海峽，旗開得勝，馬到成功，讓明年大家回大陸過年。

第二個願望是無災無難，太家平安。這年頭，平安便是福，能夠無災無難，看看世界，倒是這一代人的享受。幾十年前坐大艙漂洋過海的僑胞，今天能有機會坐噴射機週遊世界，誰說不是幾生修到的福份？

最後一個願望，未能免俗，恭喜大家發財！從前說有子萬事足，現在時代不同了，應該說有錢萬事足罷？不管怎樣，黃金美鈔，人所欲也，出門人那個不想發財？惟君子愛財，取之有道，勸君先卜新年卦，看今年財運如何？

自由報

內僑警台報字第〇三壹號內銷證

THE FREE NEWS.

第六一四期

中華民國僑務委員會頒發
台教新字第三二三號登記證
中華郵政台字第一二八二號執照
登記爲第一類新聞紙類
（半週刊每星期三、六出版）
每份港幣壹角
台灣零售價新台幣貳元
社長：雷嘯岑
督印人：黃行寶
社址：香港銅鑼灣高士威道二十號四樓
20, CAUSEWAY RD 3RD FL.
HONG KONG
TEL. 771726　電報掛號：7191
承印者：大同印務公司
地址：香港北角和富道九六號
台灣分社
台北市西寧南路壹壹零號二樓
電話：三〇三四六
台郵撥儲金戶九二五二

蘇加諾與共產主義

宋文明

由於一九六五年九月三十日的印尼政變，印尼總統蘇卡諾與共產黨間的關係，遂再度引起了世人的懷疑。於是有些人不斷在問：蘇卡諾本人是否即是共產黨？他是否爲一共產主義者？對於前一問題，我回答不是；可是對於後一問題，我回答是，蘇卡諾本人也回答是。

蘇卡諾的爲一共產主義者，不僅可由他的言論來證明，而且亦可由他的實際行動來證明。在過去若干年來，蘇卡諾在國際政治上的許多作法，諸如對越共，中共，及韓共的一面倒的支持，及對美國在亞非各地所有行動的無條件的反對，實已超過了一個中立主義者所應有的限度。可是當時許多方面，仍把蘇卡諾這種作法視爲中立主義中激進派的一種，認爲只比尼赫魯，納塞，班貝拉，海里，及恩克魯瑪等更爲左傾而已，并未想到蘇卡諾在本質上有何特別的不同。其實現在看來，蘇卡諾的這種不同，既非由於中立主義的激進作風，亦非由於普通左傾，而是由於他個人的共產主義思想。只有從共產主義的思想這一角度，我們才能充分瞭解蘇卡諾態度上的這種特點。

蘇卡諾對共產主義的這種態度，當然不是從現在才開始。就以公開把共產主義作爲印尼建國的一種基本方針來說，亦已爲時三年之久。但他一而再，再而三，堅決認爲印尼不可缺少共產主義，并公然以共產主義者自居，這乃是此次印尼政變後才有的事情。他在最近所以如此强調共產主義對印尼的重要，并明白承認自己爲一個共產主義者，也許就希望以此去阻止印尼反共浪潮，設法以其本人的聲望與地位來爲共黨作庇護。但也就因爲這一原因，才使蘇卡諾完全公開了他的思想底牌。

現在，我就蘇卡諾這一態度，先舉出若干事實如下：

（一）一九六三年二月十三日，蘇卡諾對印尼羣衆發表演講，公開提出民族主義，宗教及共產主義相結合，即所謂NASAKOM計劃，以作爲印尼團結統一的基本方畧。

（二）一九六五年初，蘇卡諾接見美國記者，公開承認他并不反對共產主義的本身，而只反對共黨製造紛亂。

（三）一九六五年十月二十日，蘇卡諾接見日本記者，重申將繼續推動印尼革命，并維持民族主義，宗教及共產主義三方團結。

（四）一九六五年十月二十七日，蘇卡諾告七政黨領袖，强調印尼革命爲左翼的革命，絕不能走向右傾。

（五）一九六五年十一月六日，蘇卡諾在內閣會議中除重申NASAKOM理想之外，并稱：「共產主義并不一定就是共產黨。不管誰想粉碎印尼的共產主義，他將像嘴咬鋼塊一樣，牙齒必會斷掉」。

（六）一九六五年十一月十日，蘇卡諾在英雄大會演講：「由於印尼在社會革命中的堅決的左派地位，印尼已成爲西方集團新殖民主義，殖民主義及帝國主義者的主要攻擊目標。印尼假若不是由於它的左派革命，印尼也就不成其爲印尼」。

（七）一九六五年十二月十一日，蘇卡諾告國家陣綫的高級幹部稱：「我是民族主義者，我是宗教信徒，我是共產主義者。共產主義乃是一種以建立公正、繁榮、進步的和社會革命爲目標的思想」。

由這些表示，可以看出蘇卡諾毫無疑義是一位共產主義者。雖然一如他說，共產主義并不就是共產黨，意指他的共產主義并不就是其他共產黨的共產主義，但同屬共產主義則一也。換言之，他的共產主義，絕不是中共的共產主義，不是蘇俄的共產主義，也不是南斯拉夫的共產主義；但就這一政變發生後不久，他對瑞典駐印尼大使强調革命，强調印尼革命的急務在剷除社會剝削的制度，即在表明他是接受馬克思主義的基本傳統觀點。因此，我們若說蘇卡諾的共產主義，爲除中共，蘇俄及南斯拉夫之外當前世界的第四種共產主義，應該沒有什麼不適當。

今日中共的共產主義，是嚴格遵從列寧及史達林路綫的共產主義，也是社會生產條件不足及以農民爲主要動力與憑藉的共產主義。今日蘇俄的共產主義，乃代表一種較富足社會的共產主義，也是一種新國際現實下的共產主義。今日南斯拉夫的共產主義，乃是一種小國弱民，自求適應生存環境的共產主義，也是一種缺之對外野心的共產主義。由於印尼的實際環境與歷史條件，均不同於上述三者，其落後與複雜的程度，又非其他三者所能及，所以蘇卡諾的共產主義，便採取了一種大迂迴的緩慢方式，以點點滴滴的作法，在求逐步推進。

蘇卡諾這種共產主義和其他三者的最大不同，即在於蘇卡諾仍强調民族主義，對宗教信仰採肯定態度；而其他三者則只談民族問題，不講民族主義，對於宗教信仰更完全否認。這固由於印尼環境所使然，但亦屬蘇卡諾共產主義不合傳統的所在。這究竟是一種策畧抑屬其本人的眞正認識，自不爲局外人所能知。若屬前者，蘇卡諾將會根據環境變化，逐漸削弱民族主義和宗教信仰。若屬後者，蘇卡諾的共產主義，也將成爲共產主義運動中的最大的修正主義。

由於蘇卡諾已公開亮出了他的思想底牌，所以從今以後，世人對印尼的看法，也將會發生極大的轉變。過去世人視印尼爲亞非中立集團的一員，而今後勢將要把它放在共產國家之列。果如此，它的強調亞洲五國軸心及所謂「新興勢力」之說，也就由此豁然而解了。

可是，蘇卡諾的這種共產主義會在印尼生根嗎？在蘇卡諾的有生之年他會看到這一作法會在印尼繼續下去嗎？印尼軍方領袖納蘇申最近重申他反共，但也會承認印尼革命爲左翼革命。美駐印尼大使葛林，最近談話，亦曾表示美對印尼建立一個具有自己國家色彩的社會主義社會目標，已有較佳的諒解。這些說法，似均在指出蘇卡諾思想在印尼并未趨於衰敗。但未來事實是否如此？印尼的共產主義是否將隨蘇卡諾的死亡而消失？我認爲仍有很大懷疑的餘地。

解得開嗎？

蠻幹到底

今日与明日

歲尾年初，全世界注意力皆集中在越南和談，其實還有三件不太惹人注目的重要新聞，很易忽畧，特爲舉出。

印尼副總統是誰

印尼自從一九五六年哈達副總統辭職以來，始終就沒有副總統。以前無人談到這個問題，一是蘇加諾不願要個副手，以免威脅了他的終身總統，另一個原因是在軍人，回教徒，共產黨方面勢力相持不下之時，也找不出一個能爲三方面共同首肯的人，所以這問題就拖下來。最近共黨已經覆滅，回教同軍人融合在一起，過去互相牽制的局面已不存在，國內已有人提出要推丙蘇賢任副總統。蘇加諾對此不但嚴予拒絕，還痛加譴責。但此事既然有人提出，恐怕未必是一罵便能了事，下面恐怕還有好戲看哩！即使目前不會發生正面衝突，也必是一個火藥綫，至於何時爆發，就要看局勢的變化了。

柬埔寨出現革命軍

據曼谷消息，一位柬埔寨前總理領導的革命軍，已向柬埔寨發動攻勢，而且一舉殲滅施哈諾軍達百人之多。經過施哈諾十幾年的「小兒」統治，柬埔寨不僅在外交上成爲舉世茶餘酒後的談柄，就在國內也鬧得一團糟，柬埔寨到現在還是一個王國，但是却已經十年沒有國王。施哈諾因爲國王沒有實權，所以自稱元首。可是早兩年忽然幼稚病發作，說有人要暗殺他，竟然在國會指定他的十八歲兒子納拉狄卜爲繼承人，似乎元首又成了世襲。在一個智慧不過十歲八歲小孩子的人統治之下，柬埔寨人民遲早總會起而推翻這種小兒科的獨裁者，目前只是一個訊號，局面漸漸會緊起來，希望柬埔寨人民能起而推翻他們這個使國家蒙羞恥的獨裁者，也爲整個世界撲滅了一隻綠頭蒼蠅。

中非共和國叛變

毛共把非洲大陸當成了他「理想中的「農村」，打算以「農村」去包圍城市（美國），所以對非洲的滲透不遺餘力。本來法語系的國家是比較堅定的，但自法國承認毛共政權後，因受毛共策動政變而附共的國家有剛果（布），達荷美，爲了貪圖厚賄而附毛的則有中非共和國。但這幾個國家的人民同武裝部隊都是反共的，達荷美最近由陸軍發動政變，推翻親共政權，已考慮同中國恢復邦交。中非共和國於除夕之夜也發生政變，推翻了親共政權，雖然到執筆時局勢仍未明朗，但可以預料新政權一定向右轉，不會再向左轉。這樣情兄在非洲將會遂漸展開，親共政權勢將受到威脅，對毛共的活動將是一大打擊。（何如）

自由談

躬自薄厚責人

馮正先生

旅居海隅的現任國大代表兼民社黨黨員羅永揚君，最近因爲他應邀到台灣走了一趟，回香港來會在民社黨刊物上寫了一點旅遊台灣的觀感，說台灣經濟建設方面很有進步，却未談及政治問題。詎料竟引起該黨內部的軒然大波，懷疑他接受了國民黨的金錢收買，迫其辭去該黨刊物的編輯職務外，還由民社黨大佬張君勱出名啓事，指羅君所寫的文字是一「廢紙」，表示深惡痛絕的態度。張先生我也認識，而且素來對他很尊崇，我對於民社黨內部的糾紛問題，不欲置喙，所言者乃在彼而不在此。

首先我要請教張先生的，就是你以民社黨黨魁地位創立「自由中國協會」、發行「自由鐘」雜志的政治立場，究竟是甚末？如果是跟共黨裏應外合的——至少亦是同情毛共的，則所謂「自由中國協會」和「自由鐘」這些招牌，即係掛羊頭賣狗肉的欺詐行爲，不値一哂。若依然是要爭取民主自由生活，而不願作「中華人民共和國」的奴役之民，縱然想搞政治上的第三勢力，亦不能否定中華民國之存在，不然的話，你本身就變成了無國籍的「白華」，皮之不存，毛將焉傅，所謂「自由中國協會」和「自由鐘」招牌，寧非自我諷刺的玩藝嗎？

中華民國及其政府所在地的台灣，并非國民黨的私有物，張先生儘可以不滿意中華民國政府的執政黨，也有「彼可取而代之」的權利，但不能禁止反共的中華民國人民出入自己的國土內。羅君是民社黨員，同時亦是中華民國的公民，按照政黨政治的軌範，他祇有本諸在野黨人的份際，對執政黨的政治措施不表示讚美恭維，也就夠了，他到台灣游覽一下，憑其所見到的社會情況，說台灣頗有進步，而不談政治問題，這有甚末不對呢？難道要他效法毛共的宣傳口脗，說台灣是「人間地獄」，赤地千里，民不聊生」，纔算是「自由中國協會」的忠貞份子不成麼？果若是，你張先生就不配談政黨政治，更不必高唱民主自由的調兒。至於認爲羅君說過台灣有進步的話，即有被國民黨收買的嫌疑，那根本就表示着你張先生過去視羅君爲忠實幹部，言聽計從，又授之以「自由鐘」編輯重任，都是沒有知人之明，誠信未孚，而缺乏領導的才智和方法，自貽伊戚，於人何尤？

總而言之：現代中國的一般高級知識份子，口口聲聲要爭取民主自由，然其自己對人處事的作風，皆可與希特勒、史達林媲美，躬自薄而厚責於人，不顧立場，不明份際，這眞是反共人士的一大悲哀！

增高工作能力加速發展經濟

台灣大量造就經建人才

生產事業進步空前繁榮胥由於此
同時并可輸出技術協助友邦建設

目前各民主國家以國民平均所得衡量發展經濟之成果，所以，人口的增加往往冲銷了經濟建設的成就，但是，反方面看，發展各項生產事業有待人力的支持，故人又是推進經濟發展的主要原動力。一個國家欲使其人民能發揮高度的生產力，而助長其經濟發展，首先要發展科學與技術教育，使人民工作能力提高，也就是勞動力素質的提高。即在同一時間的工作可以獲得更多的成果。當然還要使用更多與更精密的生產機器設備，於是形成生產設備與技術人材互爲因果的作用，構成目前工業先進國家各項生產事業設備不斷更新，單位工作時間的生產力繼續提高，最主要的一項因素就是各項技術專家不斷在進行研究，繼續改善生產設備，形成各國企業單位的巨額研究發展投資。

台灣經三期的四年經濟建設計劃，各項生產事業均已有長足的進步，若干生產事業的技術已趕上國際水準，產品已在國際市場上暢銷。這些成就固然有賴自外國輸入機器設備，但更重要的是政府着重發展職業與科學教育，同時，人民亦能在從事生產工作中不斷學習，特別是在職業訓練的普遍推廣，使一般工作人員咸能熟練的運用各種新穎的機器設備，增加單位工作時間的生產數量及提高產品的品質。但是，技術的進步仍然是不斷的進行，技術人材的培養已超過現有生產事業設備的擴展率，所以，目前台灣各行不但有充分的技術人員担任工作外，且以職業與科學教育的普及，受過專業訓練及高等專門教育的技術人材，已普遍的出國協助正在開發中國家與建各項生產事業，特別是在東南亞及非洲與中南美洲各國爲然。除了工業生產之外，農耕技術人材亦已在國際上獲得重視。

但是，我國政府對於科學與職業技術教育並未自滿，反之在今後四年中，將繼續增撥新台幣十六億元，投資於教育事業，俾繼續開發人力資源，提高人民的勞動力素質。再看台灣省的政府支出預算中，教育文化經費向佔首位，如民國五十三年度支出預算新台幣二十三億二千八百五十一萬餘元中，教育支出計爲六億零五百八十五萬餘元，佔支出總額四分之一强。已往各年教育文化事業支出所佔的比率亦大致相同。這是政府的長期投資，也是支持台灣經濟建設事業不斷發展的最大動力。至於第四期台灣四年經濟建設中，政府預定增加教育部門支出的新台幣十六億七千多萬元，其中用於志願升學者十億五千九百餘萬元，所佔比率最大，幾爲新增經費三分之二，因爲目前台灣國民義務教育爲六年之國民學校，今後將按其志願延長爲九年，即提高國民教育水準三年，使一般人民能獲得初中教育。其次發展科學及職業教育，計三億五千餘萬元，包括增設大學科學科系，工農、水產職校與技術訓練班等，支持其適當的經費，使有充分的發展。第三爲社會教育經費三億六千餘萬元，推行失學民衆補習教育，及藝術、體育、文化等經費。就以上政府撥發巨額經費，增加教育文化事業的支出，不但可以提高國民教育水準，同時，更進一步大量培植職業及科學專門人材，以促進台灣經濟建設事業加速進展，同時，亦可以對東南亞及世界民主國家廣泛輸出技術，協助各國經濟發展。估計在今後四年中，各級學校在學人數將接近三百萬人，幾爲當時人口總數四分之一，其中高級及初級職業學校學生共爲二十二萬一千七百人，大學及專科學校學生共十萬零四百人。這些接受職業及專門教育青年，將是今後台灣經濟建設事業的生力軍，同時也是東南亞及世界民主國家發展生產事業的動力。我們樂意輸出技術及熟練技工，協助各國加速其經濟資源之開發與利用。因爲台灣人口密度已大，目前生產設備的增加率還趕不上人民就業的需要，尤其是容納技術及專業人材，所以，目前我國專門技術人材可有餘剩，能協助各國推進工業建設。這些學有專長並具有經驗的專門人材，是台灣發展職業與科學教育及近十餘年工業建設成就雙重因素所培養出來的成果。因爲各項生產事業的擴展，給予青年以實際練習機會，乃培養一位幹練專業人材不可或缺的要件。而在此兩項因素互爲因果之下，今後台灣生產事業的發展，又將是培養事業人材的有利因素。（華僑社稿）

僑胞當前報國之要道

——中華民國五十五年元旦向僑胞獻詞

高信

僑胞們！毛幫的失敗已成定局，但是我們不能袖手旁觀而等待勝利的到來，我們一定要及時奮起，以國民革命初期協助國父推翻滿清那種精神，以八年抗戰萬衆一心出錢出力那種熱忱，在做反共的活動，尤其做好抵制匪貨的工作。因爲現在的戰爭是總體戰，能夠削弱共匪的經濟力量，就是削弱他的軍事力量，而且共匪對外的滲透顛覆，是以經濟爲前鋒的。他利用奴工的勞動來生產廉價的產品，向外推銷，得到外滙就拿來訓練黨徒，操縱爪牙，去替他做滲透顛覆的工作。所以一個地區銷售匪貨愈多，共匪所獲取的資金便愈多，對該地區的滲透力量便愈強，而該地區政府被顛覆性便愈大。毛幫認爲大陸商品是他們的尖兵，就是這個原故。蔣總統去年十一月在接待回國參加國父百年誕辰紀念僑胞的茶會席上，曾告訴三千位回國僑胞說：「共匪每一件貨物，幾乎沒有一樣不是染有我們大陸同胞的鮮血，任何一個人購買了一件貨物，就等於吞下大陸同胞的一杯脂膏和血淚，任何一個人消費了一件匪貨的貨品，就等於供給匪殺害自己的一顆炸彈，所以想一想，我們應不忍心去購匪貨，去用匪貨……」

僑胞們！蔣總統告訴我們這一段話是何等的剴切！何等的沉痛！我們僑胞在海外雖然多是經商，以賺錢爲目的，但是民族的大義，本身的榮譽生存，應比賺錢還要重要。譬如你接受匪的銀行貸款，或接受他商品經銷，那就是置身債務人的地位，必須隨時接受他的指揮操縱，終必被其迫害。共匪的基本理論，認爲富人都是罪惡，縱使讓你在他血腥的手中賺到幾塊錢，等到他的魔掌伸到以後，你還是他的革命鬥爭的對象，緬甸、印尼、越北僑胞的苦難，就是有眼共覩的實例。所以海外僑胞當前最重要的一件事，就是大家一齊起來響應蔣總統的號召，實行抵制匪貨。我們要推行這一運動並不困難，因爲每一個國家都希望自己的國家安定和農、工、商業繁榮，如果讓匪貨進口而貶價傾銷，消費者或者可以得到些少便宜，但其民族企業一定大受打擊，等於飲鴆止渴，引火自焚。而且匪貨所到之處均含有政治滲透毒素，我僑胞祇要向當地人民詳爲解說，曉以利害，他們必能與我們步驟一致，敵愾同仇。

僑胞們！我們不要看輕了自己，不可存「善小而不爲，惡小而爲之」的錯誤心理，不要以爲我買了一條匪製毛巾或吃了一個天津雪梨，無關宏旨，須知涓涓之水，可成江河，一人所買者固甚少，千百人所買者就是一個龐大的數目，就是授匪以柄，譬如說：香港去年推銷匪貨數達港幣十九億元（約合美金三億餘元），馬來西亞每年輸入匪貨亦達兩億美元，在這兩個地區，不管是華僑、華人、馬來亞人、印度人，可以說絕大部份是反共、是憎恨共匪的，爲什麼不形成一個運動來抵制匪貨呢？大凡共匪所能供應的貨物，香港可以供應，台灣可以供應，東南亞其他地區也可以供應，充其量價格畧有不同，消費者少佔點便宜而已。我們苟能節省一點開銷，彌補過來，實是反掌折枝之易。祇要我們能認清目標，明白共匪是我們的共同敵人，匪貨是顛覆他人國家，擾亂他人社會的尖兵，大家便可以一致來抵制它了。單就香港、馬來西亞這兩個地區來說，能夠抵制匪貨，就可以使匪損失五、六億美元，就是打個折扣，爲數亦屬可觀。如加上其他廣大地區，利害更顯然。就是說，我們能夠使匪少銷售一件貨品，就是使他擾亂世界的力量減少了一分，崩潰的時間加速了一分。

僑胞們！中華民國五十五年，就是共匪內外煎迫瀕於崩潰的一年，大家要促速其覆亡，必須下定決心，一齊步驟，不買匪貨，不賣匪貨，不與匪任何商號往來，這是僑胞們報國之道，也是救己救世之道。於斯一元復始之際，願共勉之！（下）

新竹二三事

——本報記者袁文德

△新竹市區的影劇業者，居然以少數非軍人購買半價票入場爲藉口，將原定全票八元、六元的價格，驟增一倍，一躍而爲全票十五、十三元不等，使票價幾可與繁華的台北一流戲院媲美。但有關主管機關竟亦未予取締，或加以干涉，而任其漲價自如。最後由於軍方提出異議，有關機關始進行協調，而將票價再恢復原來的面目。

△新竹「私宰」之風，向甚猖獗，稅處新任處長聞報後，乃下令協同有關單位加強查緝，據悉已頗着功效。但願能百尺竿頭更進一步，使私宰爲之絕跡。

新竹縣境內私宰，向以新竹市與湖口鄉爲最熾，不法之徒，多將私自宰殺之豬隻，分別運往台北等地區銷售，獲取暴利。新任稅捐處長李瑞祥聞報，乃飭令主管業務課長，協同警察機關，加強查緝之成。據有關司法機關透露：經組成加強私宰查緝小組，晝夜不停的查緝、攔截後，已獲案多起，分別移送法院，依法偵辦，不法之徒，已聞而喪胆。爲充實地方稅收，消弭私宰之風，不僅必要，且更應加強，使之銷聲匿跡。

△吳樹立接長新竹地院，爲時雖僅三月，但已贏得各界好評。

吳樹立於九月二十日啣命由屏東來新竹接長院務，未幾有某推事審理盜賣肥料一案，僅裁定該判處罰金五百元了事；吳院長於審閱判決主文時，認爲該案判決不當，除立即予以糾正外，並於全院會務時當衆宣佈。吳樹立院長的這種大公無私，守正不阿，敢作敢爲的作風，不僅贏得該院全體職員的敬仰，地方人士亦讚佩不已。

△台省近年爲表示國產品的顯著進步，於是乎各縣市舉辦商品展覽，已成爲一窩風。新竹爲表示不落人後，於十二月十日也藉慶祝國父百年誕辰爲名，大事舉辦商展，以目前（十二月二十四日）情形：是看的觀衆到是很多，而買的則少而又少。這並不是觀衆買不起，也不是產品不好，主要的因素是（一）沒有較大廠商的產品，（二）陳年舊貨較多，（三）價格並不低於一般市場攤販。

台省除民國四十九年在台南市舉辦的國產品展覽，規模龐大，頗值得一看而外，近幾年在各縣市所舉辦的，許多均像是攤販的集中買賣，內容名不符實，殊有失「提倡國貨」的義意。

去年度香港貿易出口入口均增加

（本報訊）一九六五年一月至十一月，本港貨品出口比一九六四年同期增加百分之十三點八。去年首十一個月，港貨出口共計四十五億七千二百二十二萬八千九百一十五元，一九六四年同期是四十一億一千六百零六萬零六百四十七元，共增加四億五千六百一十六萬八千二百六十八元。一九六五年一月至十一月出口總值共五十九億三千二百八十萬四千零三十二元，與一九六四年同期的五十二億三千七百七十六萬零七百一十七元比較，增加百分之十三點三，亦即六億九千五百零四萬三千三百一十五元。

去年同期的入口總值共八十一億九千五百九十萬零二千七百零七元，與一九六四年首十一個月的七十七億五千一百三十一萬四千六百四十九元比較，去年增加百分之五點七三。

去年首十一個月的貿易總值與一九六四年同期比較增加百分之八點八，即一十一億三千九百六十一萬一千三百七十三元。去年首十一個月的貿易總值是一百四十一億二千八百七十萬零六千七百三十九元，一九六四年同期是一百二十九億八千九百零九萬五千三百六十六元。

A牌燈飾美觀 工展會內顧客多

星光實業公司紅A牌出品日就精美而實用，在工展會內各種塑膠出品，大獲各界人士推譽，該廠的水晶吊燈，欵式繁多。近屆聖誕新年，顧客採售日擠，生意興旺云。（白）

訪林則彬談北部橫貫公路

本報台灣中部記者熊傲宇

風景秀麗氣象萬千

北部橫貫公路起點的角板山，風景非常秀麗，四季氣候宜人，是本省著名的避暑勝地。科(山頭)坎(山頭)溪下，可乘遊艇達石門水庫，湖光山色較之日月潭還要潤大，還要壯麗。

這條路上有瀑布，風光不亞於烏來。多霧的狹谷與懸高四十公尺的吊橋，遙覘一綫橫空，行履身若翱翔。

棲蘭山，峭壁峻，羣山環抱，削徑迂廻；大漢橋兩岸橫跨，宛若飛虹；北部橫貫公路，氣象何止萬千。（下）

濠海異趣談

巴黎的下面是空的

·桑雅·

據觀察員們說，古老的地道，長達一百八十哩。現已繪就詳細的地圖，一八七三年起，即不准挖掘新地道。他們對於私人擅自前往勘察的，很傷腦筋，一九四九年，就有兩個巴黎人在星期六的時候偷偷溜進去玩，不料手電筒的電用完了，只好用背倚着冷冰冰的石牆摸出一條路，他們發現有一扇木門，已經很腐爛，一腳就可以踢開。那知這一踢，使這兩個人衝到一家私人的廚房裏來，廚師發現從地板下冒出這兩個人來，不禁驚慌失措。

所有脆弱易垮的地方全都修好之後，巴黎人突然有了一百八十哩能用的地下道。省儉的法國人不肯把東西廢棄在一邊的，地下室溫度均勻（在華氏四十五度至五十度之間），釀酒業者和種植蘑菇的農人受此誘惑，紛紛搬到地下去。但是馬車逐漸被汽車淘汰之後，大多數的培養蘑菇的業者也搬走了，因為甘美的「巴黎之香蕈」，若離馬廐太遠，就無法以低廉的成本栽培出來了。大多數的地下釀酒業者也搬走了。

自從設了墓窖後，倒是巴黎政府本身把地下坑道派了另一特別的用場。在路易十六時代末期，巴黎面對這個事實，幾乎兩千年來積累下來的死人，已危害及活人的健康。

多少年來，散漫地東堆西堆，這些遺骸成為傳染病的來源，必須採取斷然的措置。一七八六年四月七日一隊和尚僧侶在廬森堡花園南端的一些地道裏唸經，當天晚上，殯儀館的人員就開始從地面那些不適用的公墓裏，把死人骨頭搬出來，堆集在廢棄不用的石坑牆邊。從那時起，這些石坑被稱為墓窖，估計在老石坑裏，現已有埋巴黎人六萬。

在左堤是一家餐館後院的井底，地道巡邏員甚至發現了一座貓骨堆成的山。這個謎底終揭曉了，原來他們知道上面的餐館向以「燉兎肉」聞名。

一個星期六的下午我跟隨一隊手持燭光的三百名觀光客，走過地下窖墓的通道。我們打從法國歷史上許多偉大名人的遺骨面前走過，許多原葬在古巴黎中心的歷史人物，現都已移葬此地。在通過窖墓的走道上，天花板上畫着黑色的條紋，以資識別。旁邊的分叉歧路，都用格子板或柵欄過斷。但是守衛者還是在進出口處用一扇旋轉柵門，以點數遊客出入的人數。

「如果你數過之後發現，出來的少一個，那你該怎辦？」我問守在旋轉柵門口處的守衛。

「先生，我們不會驚慌的，除非出來的比進去的多出一個。」他說。

二次大戰期間，巴黎被德軍佔領，德國人把左堤的一些地道和暗溝改修為防空洞，並把英瓦利區南部地下的一個大洞窟，修為電話中心，在法國解放前不久，電話中心的線路，被仇恨德軍的法國人在附近所埋的炸彈所炸毀了。同時，地下石坑都是巴黎淪陷期間法國地下工作份子工作的好所在，法國抗德份子也在坑道設有電話交換台與外界聯絡，始終未被敵人發現。盟軍勝利後，餐館老板們也興高彩烈地跑到地下室去，把藏在地下秘室裏達四年兩月又十二日之久的未遭侵略者沒收的美酒，拿了出來。二次大戰後，巴黎有的夜總會搬到地下去了，我曾跟隨兩個年輕的巴黎朋友到左堤地下的夜總會作過一次宴遊。當上面的世界傳日又東昇的消息時，我們開了瓶香檳，為巴黎的地下世界而乾杯，那兩位朋友回到架在巴黎最深坑道上面的拉丁住宅區去，而我則回到下面被挖空的帕西大飯店去。

想到地下的那些大罅隙，我睡得很酣熟；不是因為我懷疑它們的存在，而是因為我知道巴黎已為它的地下世界增加了誘人的魅力。（下）

阿月

覃靖

所謂自行租賃，當然也祇是指我而言；所長是必須終日坐鎮在衛生所的。可是這件事，在當時對我來講，確實不太簡單。那時候台灣的國語運動還沒有普遍推行，鄉村民所通行的，全是閩南語和日本話。這兩種語言，我是一句也聽不入耳的；為了某方面的顧慮，我又不便托請所長代勞。

我一連走訪了就近的七八戶人家，明明看見他們有屋子空着，其中有些人還是曾經到我們衛生所來診過病的，對於我的造訪，都顯得非常歡迎；但等我開口商洽問題時，彼此就都愕住了，當然更談不出個眉目。

後來我心急了，就利用了一整個下午的時間，沿着那條河流，走到較遠一點的地方，結果當我穿過了一片竹林，在一塊曝曬稻谷的曬場上，遇見了一位救星。

這個救星也就是我這篇故事裏的主角。她是一個女人；但是請原諒我叙述初次的印象：她并不是一個稱得上秀麗的女人。她的個子比我還要稍高一點，皮膚晒得黝黑，頭髮亂蓬蓬地佈滿了塵灰；其所以能夠流露智慧和甜美的，是她那一雙會講話的眼睛和一對圓圓的酒窩。她笑的時候，兩排潔白的牙齒，也是台灣婦女中難得見到的。這個女人曾經到過我們衛生所看了一次流行感冒，不過我對于她的名字和年齡都忘記了。這時她沒有化妝，看起來大概有二十五、六歲的樣子。

她發現我出現在曬場上，顯得很詫異；我走近她，她沒有廻避。

于是我的談判又開始了。說起來這是一個天大的笑話，事實上她并不是這鄉村的絕對例外者。最初她嘛哩咕嚕的，依然是莫明其妙；後來她很巧妙地運用了她那靈活的眼睛和適當的手勢，傳達語言的意義，才給了我極大的便利。因而，也可以說，我們真正的接談，是串演了一齣有趣而成功的半啞劇。

「你有房屋出租嗎？」我重新問她，也像問別人一樣，國語中夾雜幾個自己也不知道像不像台灣話的單字。她眨了幾下眼睛，然後點點頭指着曬場後邊竹林前一排稱得起標緻的茅屋。

「對了，我要租屋子住。」我明白她已經懂得了我的意思，我又問：「那屋子是你的？」

她擺擺手，笑着露出兩排潔白的牙齒和一對圓圓的酒窩。

「不是你的？」我又苦惱了。「我該同誰接洽呢？」

她指指她自己。「啊，」我訝異地，「同你接洽？」

她又點着頭。

「你知道房租要多少錢一個月嗎？」（三）

我們為什麼要研讀三民主義

（四）

·楊力行·

一、三民主義合乎人民的利益：三民主義即民族、民權、民生三個主義的總稱。人民組織起來成為民族，每個人皆屬於民族中的一份子。民族主義主張民族獨立、自由、平等，不受外力干擾和壓迫，自己管理自己的事。民族利益包括每個人的利益，民族被壓迫，人民亦被壓迫，民族獨立、自由、平等，人民亦能享其獨立、自由、平等。所以，人民欲求其獨立、自由，必先研求民族主義，因為，它是合乎人民利益的主義。民權主義主張人民有權，即由人民來管理國事。人民管理國事，就是民主政治。如此人民即可享受自由。反之，君主專制，貴族獨裁，是壓迫人民的政治。所以，人民要求自由、民主，就要研讀民權主義，奉行民權主義。

「民生是什麼呢？」國父說：「民生是人民的生活，社會的生存，國家的生計，羣衆的生命。」民生主義是要人人都能享受「均富」的生活，不像共產主義，資本主義，僅是少數人生活。因為，共產主義是依馬克斯主義，實行無產階級專政，而資本主義是專在壟斷營利，而忽視了勞動階級的生活。所以，民生主義較前二者都好，即人民經濟生活平等。

今日青年，將來步入社會，都要為社會服務。而三民主義是合乎人民利益的，青年欲在學校中必須研讀三民主義！這樣，不但將來人民可以得到利益，自己也可以分享利益，豈不是一舉兩得？

我們知道國父好學深思，他不但自己好學，對於革命同志的知識亦十分重視。在民國十三年六月十六日黃埔軍校開學典禮中，他諄諄以「革命的基礎在高深之學問」的道理，來勉勵在場的同志。他認為一個普通的人，沒有知識，做錯了事，只是誤了自己；一個革命黨人，沒有知識，做錯了事，將禍及國家。三民主義最精微的道理，表面上是求民族的獨立，民權的擴張，民生的樂利，實質上則是政府不僅要供給人民以美好的生活，而且要以知識供給人民。因為知識是創造文明，促進社會進步的泉源。而知識的泉源，則是近代的教育。中國的先賢說：「教育是國家百年大計」，新的教育思潮則認為：「教育是實現國家各項目標的工具。」說法雖有不同，古今對於教育重視的道理則是一樣。

中山先生為什麼如是其重視知識呢？據我個人的淺見，這是他生平思想中一個重要的環節，他這和他所倡的主義是不可分離的。遠在民國前十八年「上李鴻章書」中，他就主張「人盡其才……」。他說：「所謂人能盡其才者，在教育有道，鼓勵以方，任使得法也。」在民國前十七年「創立農學會徵求同志書」中又說：「蓋觀泰西士庶，無論一技之能，皆獻於朝而公於衆，以立民生之基。」他更說：「故欲我國轉弱為強，反衰為盛，必俟學校振興，家絃戶誦，無民非士，無士非民，而後可與泰西諸國並駕齊驅，馳騁於地球之上。」這一「無民非士，無士非民」的理想，是他後來普及教育主張的根源。

過年風俗雜談

湯翔

大年初一，是農曆歲首之日，在這一天，說話要揀好的說，不能做錯事，見了人都得拱手：「恭喜發財！」這個風俗全國一樣。元旦早上的吃，南方人都吃湯糰，北方人吃餃子，均稱為「元寶」。這一天，所有的稱謂，都離不開錢，例如：睡覺叫「挖金窖」，喝茶叫「喝元寶茶」，這並不是我們大家都是財迷，而是在新年期間，討個吉利而已。

元旦這一天，也是拜年的日子，大人小孩，成羣結隊地來來去去，有些人根本碰不到頭，但也照拜如儀。

迎接財神的好日子，是在正月初五，這一天稱為「財神日」，商店必須燃放鞭炮、上供、大宴親友，其意即為將財神接進來，使這一年可以利市百倍。

春聯元宵燈節

春聯是我國獨特的藝術之一，惟有我國的方塊字，才能做得出對聯來。而貼在大門口的春聯，大部份是相同的句子，像「向陽門第春常在，積善人家慶有餘。」「天增歲月人增壽，春滿乾坤福滿門」。都是些習見的春聯。

春聯製作最精者，應推蘇浙，因為此地文風極盛，騷人墨客在年底下，都爭奇鬥勝的創作新聯，所以各有千秋，那才真是一種藝術。

在北平，有些講究的人家，要請名書法家寫春聯。一些雅愛此道的人，喜歡吃完年夜飯後，打着燈籠，到大街小巷去看春聯，遇到聯句好的，馬上記下，以作為新年期間茶餘酒後的談興。

福州的春聯與別處畧有不同，在大紅春聯的上端，貼上有三寸多長的白粉紙，堪稱奇俗。

正式結束春節的日子，是正月十五，亦即元宵節，也稱燈節。這一天，習俗上是家家戶戶吃糰子，糰子被稱為「元宵」也因此而來。元宵節的熱鬧是在晚上，先敬神祀祖，然後合家團聚而食，取人月雙圓之意。

燈節開始時，出現各式各樣的綵燈，爭奇鬥勝，除有燈會，遊行以外，並且還有百戲雜陳，眞是熱鬧非常。

四川的燈節，家家戶戶點燃許多油燈，分置大門兩旁，有錢的人家還用竹或木條製成燈架，上置許多油燈，名曰「燈山」，並在其兩旁貼上對聯曰：「天上星地下燈星燈共照；空中雷人間炮雷炮同聲」。

年貨封廚躲債

每年到了臘月二十日左右，即開始「辦年貨」。所謂辦年貨，是指採購過年的物品。這時候，辦年貨的人，眞是摩肩接踵，人山人海，這種盛況，就是每個人終年勞碌的補償。

北平人過年，光是一碗年飯，也夠瞧的了。那是用大碗盛起一碗白飯，在飯面上加上年飯果，這些年飯果包括荔枝、桂圓、栗子、紅棗、白果，然後再插上一枝柏樹枝，樹枝上又掛着福餅、年飯花等，非常美觀。把年飯供上正廳以後，即告封廚，那是除夕晚上的事。從這個時候開始，再不能做飯，只能吃些年前存下來的熟飯，必須等「存貨」吃完了，才能把供在正廳的年飯拿掉。

大陸上的風俗，年卅俗稱小年，在這一天必須還清舊欠，如果過了今天，債務又是一年，所以除夕是窮人的一個大難關，在這一天為了躲債主，窮人東逃西溜，非常狼狽。

在閩南，却頗有一個人情味的辦法，債務人在無法還債的時候，就得到附近寺廟裏去躲避，這叫「做皇帝」。做了「皇帝」是很丟臉的，因此，索債的人如果碰到他的債務人「做皇帝」去了，就會馬上離開，不再迫討。（二）

過年談曆法

·溦飛·

農曆最先求出的是冬至日，從今年的冬至日到明年的冬至日，共有三六五又四分之一日，分成十二等分，每一等分就是一個中氣，將中氣與中氣之間作二等分，叫做氣節。我們習慣上，把十二個中氣和十二個節氣，統稱爲二十四個節氣，其間的距離都是一樣長，非常有規律。

現在我們通用的陰曆和陽曆，都有它的優缺點。農曆除了便於農民耕作外，而且曆法上的甲子（即以甲子至癸亥六十個名稱爲一週），曾有三千多年的應用歷史，爲世界上最悠久的紀日法，爲整理歷史所不可或缺的法寶。但是由於時代進步，農業的問題，也由於技術、種子和肥料及水利的改良，已發生了重大的改變，以往年種兩季的稻米，現在可以種三季了，換句話說，現在已不需「看天耕地」了。

陽曆的七日星期週，也是一個古老的制度，而且這種曆法比較簡單精確，正是工業社會的追求目標。但是事實上，陽曆也有很多缺點，例如：一年平均日數跟太陽年不能完全相等；星期日的日期，每月都不相同；每月的日數不相等，二月份祇有二十八天，付房租的房客，不是感到吃虧嗎？

因此目前世界上有很多專家學者，都在積極研究，希望能夠改成爲一種理想的世界曆。這種曆法，把每年分爲四季，每季分成三個月，各十三星期，九十一日。每季第一日都是星期日，最後一日都是星期六。每季第一月都是卅一日，第二月第三月都是卅日；每年增加的一天，叫做「年終日」，插在十二月卅日和一月一日之間，不計在月內，也不算星期。

這種世界曆，平年共三六五日，閏年三六六日。置閏的方法跟現在的陽曆一樣。閏年加一閏年日，插在六月卅日和七月一日之間，不計在月內，也不算星期。這種世界曆的結構均衡，方式永久，而且每月都有固定的工作日數，對於一般人民的經濟生活甚爲便利。同時又便於統計上的比較，時間上的調和，確實是比現行陰曆、陽曆都要好。倘若將來能普遍通行於世界，那麼新年元旦，將是一個普天同慶的節日了。（下）

春聯趣話

·文彬·

春聯俗稱「門對子」，又叫做「揮春」，其淵源係來自「桃符」。桃符對是用桃木板製成的符，懸掛在門戶兩側，據說可以驅邪逐鬼。後來筆墨相繼發明，經過歷代的演變，現在每逢過年，民間紙貼春聯，不掛桃符了。

春聯的性質各種各樣，琳瑯滿目，美不勝收。就內容而言：有就景取材，抒情說理者；有摘取格言，修身養性者；有以商言商，以廣宣傳者。就技巧而言，有嵌名，嵌姓，以示家宅者；有集字集句，舞文弄墨者。花樣繁多，嘆爲觀止。

以往在大陸上的書香門第，對於寫春聯，除了考究文字的內容外，字體和紙質也非常重視。考究的「春聯」，多講求「顏體」字，或「魏碑」字，因爲「柳體」字太清秀，有失之富裕，往往不大爲人所重視。至紙質，在北平有兩種專寫「春聯」的紙，一種叫「紅虎皮宣」，一種叫「紅洒金貢宣」。特別是那種「紅虎皮宣」，是看起來簡直像絨布一樣，那是最考究的了；因爲太貴，一般人家多用「紅月眉」也很好。

考究人家揮春必須研墨，人家都還用上等徽墨，和水還加些魚胆在硯上磨，愈磨愈顯得光亮。現在人寫春聯，可沒有那麼講究了，倒出墨汁，一揮而成，甚至還有人買印好的春聯，貼上門楣，祇要能夠點綴一番新歲新氣象就行了。

談起春聯，還有很多有趣的故事，傳說：明太祖定都金陵後，於除夕傳旨公卿士庶，門上均須張貼春聯。太祖爲了看民間是否遵從旨意，特於大除夕的晚上，微服出巡，見家家戶戶都如命貼上了春聯，心裏非常高興。可是當他巡視到一條小巷時，發現有一戶「閹家苗」的人家，門上沒有貼春聯，詢其原因，屋主訴苦說：窮苦人家，沒人代筆，明太祖乃命取紙筆，替他撰寫一聯：「雙手劈開生死路，一刀割斷是非根」，書罷，投筆大笑而去。翌晨，復來巡視，見到自己書寫的那副春聯竟沒有貼上，詫異的查問起來，才知道那家人已發現是「御筆」，早把它移掛在中堂之上，燃香祝聖，以爲獻歲之瑞。太祖大喜，即賞了那「閹家苗」家三十兩銀子，叫他改行。這事傳開了，頗添了春聯的一段佳話。

前清時還有一則關於春聯的笑話，一位刻薄成家的老布衣，在除夕前寫了一付春聯云：「心中無半點事，眼前有十二孫。」味其語氣，頗足自豪，不意竟爲「捉挾」者在那付春聯的下面，加了六個字，變成了：「心中無半點事，半生不曾完粮。眼前有十二孫，十個未經出痘。」上句譏他窮得連粮也不必完；下句詛咒他的十二孫至少有十個保不住。氣得那位老布衣，幾乎送了老命。

清末另有一位秀才，每逢過年，總喜歡作一別緻的對聯自娛，可是鄰里競相傳抄；秀才對於自己傑作屢被抄襲，心有未甘，有一年除夕，他故弄狡猾，貼出一聯，右邊是「福無雙至」，左邊是「禍不單行」。鄰里看了，大感驚奇而不敢轉錄。到了除夕夜深更靜時，秀才在兩邊春聯下面各加了三個字，化凶爲吉，於是全副春聯變成了：「福無雙至今年至，禍不單行昨歲行。」鄰居看了，才恍然大悟，原來是秀才故弄玄虛。

敝帚齋餘談載：「嘗於都下見一龍閉中貴，堂間書一春聯云『無子無孫，盡是他人之物；有花有酒，聊爲卒歲之歡。』上下聯都是集用南宋喬行簡詞句，老來無子的退隱官員，寂寞淒涼的晚景，溢於辭表，令人不忍卒讀。」

抗戰時期，許多人遠離故鄉，物質困難，更增年關之淒涼，舞文者，乃作「年年難過年年過，處處無家處處家。」以書懷寫景。如今想來，也別有一番趣味。

中共叛亂，我政府遷來台灣以後，生聚教訓，軍民枕戈待旦，人人都想早日打回大陸，收復神州，因此近年來，海內外愛國人士，每逢佳節，都張貼了許多反共春聯，諸如：「趁此春光，戮力打開新局面；懷吾大陸，同心規復舊河山。」「萬衆一心義旗反共，五風十雨寶島迎春。」等等。

春聯是我國傳下千百年的民俗，如能善爲運用，不但愈增添春節的氣氛，而且在維護善良民俗及鼓舞民心士氣方面也有很大的效果。

馬年談馬

葉醉白

馬的高貴特質：萬物之靈的人，大都依賴讀書，進修，致良知，篤信仰而後善的，但被孔夫子讚美「驥德」的馬，却是天生就好。

以言忠，馬是最忠於職能，最忠於主人的，杜甫稱之「真堪托死生」。以言義，所謂「貧賤不能移，威武不能屈」的聖哲行爲，唯馬能之。以言廉，馬是素食主義者，青芻一束，清泉一斛之外，牠無所求于世界。以言智，識途知機，允文允武，美國異馬「黎第溫特」能知過去未來，異人中之劉伯溫。以言仁，沙塲不踏傷患，平日不欺弱小。以言勇，衝鋒陷陣，任重致遠，「驍騰有如此，萬里可橫行」。以言倫理，動物中唯馬不亂倫。以言羣性，爲動物中最佳者，比「一盤散沙」的人團結得多。寫到這裏，看到最近報載英倫選十二個最富魔力的人，其中有「神駒」阿蔻，和畢加索等分享榮譽，那麼馬除上述許多特質之外，更饒最富魔力的特質。

馬的美麗：我認爲馬是世界上最美麗的動物，因爲人有子都之佼，也有無鹽之醜；而馬於美醜之間，並不像人那樣天淵之別。馬的美不待化粧，不賴衣著，天生那麼好。講昂藏美，偉丈夫自嘆弗如。講靈秀美，百獸爲之失色。講飛騰美，楊傳廣退讓三分。講毛髮美，萬物中莫可與京。講聲調美，既不像獅吼之可怖，更不似驢叫之討厭。講蹄聲美，單騎緩步，滴得而饒韻味；羣駒出谷，若山崩雷擊，地動天驚。爲「人間那得幾回聞」的巨大樂章。

馬爲文化瑰寶：我國傳統，以龍馬並稱，漢書「天用莫如龍，地用莫如馬」。周禮「馬八尺以上爲龍。」詩人文豪，不敢把馬叫馬，而稱爲「驊騮」「騏奔」（馬旁）「駃是」（馬旁）「肅霜」（均馬旁）「神駒」「神駿」……。等于不敢把諸葛亮叫諸葛亮，而稱爲「孔明」「丞相」「諸葛公」「諸葛武侯」一樣。

正因爲馬是允文允武，亦秀亦雄，德高氣清，任重致遠，所以中外各國，都將馬尊爲文化特徵；愈是皇室貴族和智識分子爲尤然。中國天子——六龍九駿。中國天子之婿——寵稱駙馬。英皇加冕，日太子婚典，各國元首出殯，俱用馬車而不用機器車。

馬渾身是寶，馬頭被尊爲「馬首是瞻」；馬尾被尊爲「願隨驥尾」；馬蹄，詩人常用「馬蹄香」入句！馬皮、英雄都矢志「馬革裹屍」；馬骨，「千金買駿骨」；馬毛，日天皇賜將士馬毛一根，以錦囊隨身，以祜禎祥；馬汗，「汗馬功勞」，而「汗血馬」汗中帶血紅色，爲千里馬之象徵，亦爲動物中唯一汗帶紅色者；馬腦，古時以琥珀，馬腦爲奇珍，後作「瑪瑙」；馬齒，「馬齒徒增」；馬褂，國人以馬褂爲禮服。說馬渾身是寶，當不爲過。

馬對人類的貢獻：整個歷史，等於一部戰鬥史，造成這部戰鬥史的，一半是人，一半是馬。過去在軍中，入稱戰士，馬稱「無言戰士」。打仗的時候，要計算敵我方多少人馬。現軍中以車代馬，固然是科學戰爭的進步，但在越南的游擊戰中，車的效能是否一定比馬强，還沒有人敢作結論。因爲道路破壞，車輛便變成廢鐵了。（中）

福州年俗

謝兆麟

餞神爲求保佑

福州的風俗是臘月二十三日餞神，二十四日祭灶。在祭灶的前幾天，糖菓店就開始特製了許多祭灶糖、祭灶餅，如「喜鵲糕」、「芝蔴鷄」、「紅包」、「柴把」等，作爲每戶人家祭灶之用。每家主婦們都忙着洗刷灶君龕和剪貼灶君花。二十三日的晚上，先供上鷄、鴨、魚、肉、羊的豐富供品，再供以行祭；到了二十四日，酉時爲灶君餞行，供灶糖、桔子、花生、大餅等五盤祭灶，並且焚化大量的紅羅紙，燒紙錢紙元寶時，婦人們還邊燒邊唸：「紙元寶是奴（閩婦女多自稱爲「奴」）糊的，灶君拍（？）上天，明天天宮快快落地保護奴」。講好話，灶君在天宮，正月初四才下界，可是接風却沒有餞行時隆重。

人人忙碌緊張

祭灶以後，就進入「年」的高潮。這時，出外謀生的人，不顧千山萬水，跋涉勞苦，也都陸續趕回家來了。房子已修刷一新，桌椅也披上了繡花圍單，收藏了一年的銀錫器、古字畫等均已擺好掛好，牆上門上到處是新貼的春聯，各種傢具大至床、櫃，小至米缸、馬桶，都貼上了元寶、福、祿、壽、喜等紅紙剪成的字樣。到了除夕天，每個人更是忙碌非常，緊張萬分。男人們忙着懸燈彩，擺供案；女人們在厨房裏忙着祭醴，忙着年夜飯。天黑時，就忙着祭年。祭年時，先在天井前擺好的供案上，供上水仙花、香燭、水菓、茶酒、五子（瓜子、李子、棗子、栗子、梅子），五牲（牛、羊、猪、鷄、魚），和一大桶的熱飯，飯上插上十雙筷子和擺三個帶葉的紅桔，桶兩邊有兩枝檜樹枝，上掛精實錠式的銀箔一大片和元寶十串。祭畢，就在天井中燒木條，劈成四角形的，約五分寬一尺長，俗稱爲「燒火炮」；燒時擲下少許的鹽，會發出「劈拍、劈拍」的響聲。此時，小孩子們戴上紙面具，用鐵鉗夾着幾根「火炮」投於灶內，如此來回三次。完畢後，家人向祖宗、諸神供拜，才開始團坐一起吃大團圓的年夜飯。有些婦人喜歡在這時，偷偷的備好一張草紙，以最快的動作抹擦一下孩子們的嘴，說是童言無忌。除夕這夜多半是不睡覺的，謂之「守歲」，闔家聚集在大廳裏，有的談笑，有的打牌，其樂融融。

扔桔表示大吉

新年初一清晨，又擺起香案，恭敬地向上蒼跪拜，這是「接春」。如能接到春，全家一年就會平安如意。然後，打開大門，扔出一籃桔子。福州話「扔桔」與「大吉」同音，這是開門大吉的意思。如果是讀書人，這時就要用新筆蘸着濃濃的墨汁，在裁好的紅紙條上，端正寫着「元旦大吉，萬事利吉」八個字。忙完了這些事，就準備吃早飯。元旦的早餐，一律都是吃綫麵（取其意，福壽如麵般長），和年糕（取其音，如年年高陞）。闔家拜過年，一切的緊張忙碌都成過去，剩下的只有歡樂。大人們摒棄了所有的煩慮俗務，孩子們更丟開了許多禁令，盡情的吃喝玩樂，每個人都是笑臉相迎，恭喜聲此起彼落，洋溢着一片融洽和諧的氣氛，大家都沉醉在新年的快樂中。

自由報
THE FREE NEWS
第六一五期
內政部台報字第〇三壹號內銷證
中華民國僑務委員會登記證
台僑新字第三三三號登記證
中華郵政台字第一二八二號執照
登記爲第一類新聞紙類
（半週刊每星期三、六出版）
每份港幣壹角
台灣零售價新台幣貳元
社長：雷嘯岑
督印人：黃行昇
社址：香港銅鑼灣高士威道二十號三樓
20, CAUSEWAY RD 3RD FL.
HONG KONG
TEL. 771726　電報掛號：7191
承印者：大同印務公司
地址：香港北角和富道九六號
台灣分社
台北市西寧南路壹壹零號二樓
電話：三〇三四六
台郵撥儲金戶九二二五

科學教育發展的目標和作法（上）

彭樹楷

民國五十四年十一月四日，我國「科學會議」經三天討論閉幕之後，掀起了一陣科學的熱潮，知識份子特別是教育界人士對發展科學教育深表關切，高見宏論屢見於報刊，有的主張從職業教育方面着手，有的建議以國防科學爲重而釐訂科學長期發展計劃。筆者濫竽科學教育之列，亦曾窮本溯源詳加分析，現就科學教育意義、內容、目標以及作法，分條陳述管見以就教於先進並期智識青年紛提卓識，俾這次「科學會議」能因國人的熱烈響應而開花，而結果，以免胎死腹中成爲紙上談兵！「遺民淚盡胡塵裏，東望王師又一年。」值此歲首，西望大陸，益感中興復國責任的艱鉅和科學教育推展的迫切。「種瓜得瓜，種豆得豆」，「十年樹木，百年樹人」，心情之沉重，非筆墨能形容於萬一；「人無遠慮，必有近憂」，不切實際難以實踐的計劃和不能務實的言行，均無益於科學教育的發展；卑怯的思想，躊躇的態度和絕望的悲嘆，是科學教育發展中的巨型陰影！我們必須平穩我們的感情，純化我們的心智，担負起傷心的歷史責任！醉鄉難辨賢愚，畫圖豈解人意；覩敵僞氣勢，看我方處境，以科學言，「知之匪艱，行之唯艱。」各方因素，錯綜複雜如亂麻「欲理還亂」，非此小文所能述其萬一，提綱挈領掛一漏萬，尚祈先進教正。

科學教育的意義

科學教育，便是智識教育（不是迷信教育）；國父說：「求學的意思便是求知識。」又說：「教育爲立國之本。」國父並對科學的知識有如此解釋：「惟是人類知識，是天天進步的。今日人類的知識和古時不大相同。今日人類的知識，多是科學的知識；古時人類的知識，多是宗教的感覺。科學的知識，不服從迷信，對於一件事，須用觀察和實驗的方法，過細研究，屢次不錯始認定爲知識。宗教的感覺，專是服從古人的經傳，古人所說的話，不管他是對不對，總是服從，所以說是迷信。」

科學教育的意義，便是人類經由神學而玄學而到達以有系統、有條理、有目的、並且以分工合作的觀察和實驗，以期獲得眞知特識用以富民強國的「知用教育」。因此，科學教育便居於人類知識之首，並成爲人類知識的標準，更是富民強國的根本。這，便是科學時代的特色。美國國家科學院院士、兼公共關係主任、加州理工學院地球化學權威教授 Harrison Brown, Ph. D. 曾說：「科學技術對於我們的國家及整個人類正在製造巨大的危險，同時我相信科學教育將給我們這個紛爭的世界帶來大好的時機。」最近國際科學合作會議——有人稱拔格瓦西 Pugwash 會議，即科學及世界事務會議——呼籲從科學教育中使人類善用科學技術，創造一個免於戰禍的世界。這一趨勢，更付予科學教育的聖神任務！使科學教育的意義推廣到整個世界和未來億萬代的子孫！

科學教育的內容

自然科學、社會科學、人文科學組合而成的人類文化，是今日科學教育的內容。如以分工統計其專長分類，則多達一千種，並且由於科學技術的發展，其分類仍在增加。例如：太空醫學係醫學的新生專長，其中又分太空生物學、太空生理學、太空心理學、太空營養學等多種。

根據我國軍事專長分類，即有九六八種之多，其中完全由民間大專及高初職校教育供應的專長爲二六五種，運用民間職業專長予以簡單訓練供應的專長爲四三八種，其餘則須由軍事學校教育養成。

現擇要介紹台灣各大專及高初職校科學教育的內容如下——

甲、大專學校

（一）文學院：中文系、外文系、歷史系、哲學系。

（二）理學院：心理學系、物理學系、化學系、地質系、數學系、動物系、植物系。

（三）法學院：法律系、政治系、經濟系、商業系。

（四）農學院：農學系、農經系、農工水利系、農工學系、機械組、畜牧獸醫組、農藝系、園藝系、森林系、植物病虫害系。

（五）工學院：機械系、電機系、土木系、化土系、電化系、建築系。

（六）醫學院：內科、外科、眼科、耳鼻咽喉科、小兒科、婦產科。

（七）師範學院：美工、音樂、體育等系科。

（八）工專：機械科、電機科、土木科。

（九）行政專校：普通行政科、財務行政科、會計統計科、土地行政科、社會行政科。

乙、高初級職校

（一）農業：生物化學、衞生化學、食物化學、水利工程、一般獸醫。

（二）工業：機械工程、電器工程、公路工程、化工材料檢驗、建築工程、雷達檢驗、汽車修護、電話修理。

（三）商業：會計、統計、經理行政。

（四）海事：河海工程、輪機等。

（五）家事。

（六）醫事：一般內、外、婦、眼科等。

再簡介軍方科學工藝專長教育之新興者如下——

（一）機械：航空機械及航海機械：內含氣體力學、水流力學、推進器、熱學、熱力學、機械構造工程、導引飛彈以及儀器學等。

（二）武器：武器機械構造工程、動力學、使用維護等。

（三）電機工程：武器系、軍械系、電工系、倒轉齒輪系、通信系、電氣工程系等。

（四）土木工程及河海工程。

（五）核子工程。

（六）石油工程。

（七）後勤補給。

（八）高級管理：包括人力管理及物料管理。作戰、情報、心戰、偵照、氣象、通信、電氣、武器保養、工程保養、建設工程、運輸、補給、生產採購、審計、行政業務、新聞資料、人員教育訓練、調查統計、安全、研究發展等單位，均須具備高級的人力與物力之管理技能。

（九）人體研究。

（十）生物化學。

假民主之害

非洲一個剛告獨立的小國達荷美，初由軍人專政，須定憲法後，交給文人實施統治權，表示民主憲政國家的體制。詎文人政府不爭氣，總統與內閣總理常常鬧意見不能合作，議會中黨派林立，爲着爭權奪利而互相傾軋，弄得庶政凌亂，民不聊生。於是乎，軍人又起來實行政變，驅逐行政首長，解散國會與一切政黨，廢止現行憲法，組織軍政府，恢復軍人專政的局面。

二次大戰後，全球許多由殖民地生活中翻身獨立的國家，都跟達荷美的情形相同，軍人隨時搞政變，文人亦隨時從軍人手中接掌政權。可是，文人自己又不成材，除却爭權奪利而外，幹不出定國安邦的績業，只見黨派紛起，蠻觸蝸爭，陷國家於動亂不安的境地，使軍人看不過去，重行專政，而國運危矣！試看中東、非洲、東南亞這些地區的一大羣新興之邦，時聞軍人政變之聲，實在令人戰歎。

說也奇怪，一般文人執掌政權時，高談民主，內鬨不息，誰亦不顧相忍爲國，顧全大體。一旦被軍人以非法手段推翻政府，禁止黨派活動，不要憲法，唾棄議會，根本就不讓文人過問政事，大家亦就俯首帖耳，不說甚末了。這表示一般政客官僚生性下賤，罔知自愛，得勢時味廉鮮恥，唯逞私慾，把國家利益置之度外，假藉民主憲政名義，胡行妄爲，無惡不作。遇到軍人拿着槍桿相對付，有如在路上對着行人「抄把子」，高呼一聲「不許動！」馬上乖乖地舉起雙手，聽憑搜查，決不敢稍加抗拒了。

綜觀這些新興之邦的政變迭作情況，即知民主生活決非一蹴可幾的事，它有若干基本條件非具備不可的。否則虛有其表，終招實禍，徒然給政客官僚們以爭權奪利的大好工具，貽害國家人民匪淺。達荷美以及一切同類邦國的軍人，如果藉政變手段取得政權後，實心任事，一是皆以福國利民爲主，雖採用軍政府的統治方式，也比政客官僚們搞假民主以禍國殃民的情形爲佳也。

馮玉先生

有來有往

拉丁美洲　共党

配錯門匙

今日与明日

美國的外交攻勢

從開年以來，美國對於越南和談展開積極活動，巡廻大使哈里曼，駐聯合國大使高德賓分頭出馬活動，副總統韓福瑞以慶賀菲律賓新總統就職之便，也到美國幾個亞洲盟國走了一趟，當然也會談到越南問題。

美國促進和談愈來愈積極，調子也愈唱愈低，韓福瑞副總統同國務卿魯斯克都說願意無條件談判，韓福瑞甚至說只要不使越南無條件投降，什麼都好商量。美國此種舉動究竟眞意何在，也很費推敲。按照美國的佈局，似乎還不致於到了僅免於無條件投降的境地，但是看到美國政府皇皇不可終日的情形，又使人感到不像是假的。究竟美國此種求和的目的是軍事的還是外交的，是向毛越共求和，還是向盟國及國內人民求和，都是要待事實證明，不久就可看出端倪。

毛古相爭

毛共同古巴的紛爭已經公開化了，原來對古巴的援助撤消了，每年以大米換白糖的貿易也廢止了。卡斯特羅已經公佈了這項消息。毛古交惡的起因是爲了古巴逐漸倒向俄共，擺脫了毛共的控制，尤其是到了第二次亞非會議流產時達於高峯，當時古巴曾派出專人前往活動，替蘇俄開路，毛共後來悍然拒絕出席，就是感到無法將蘇俄關在門外。雖然替蘇俄活動的還有幾國，但是毛共卻最恨古巴，因爲毛共一貫將古巴視爲兄弟，兄弟也叛了又何況別人。從此變方衝突越來越劇，終致斷絕了援助。當然古巴還是有恃無恐，毛共取銷的援助，蘇俄自然可以加倍補上。

非洲的轉變

一個禮拜之中，非洲有兩個國家發生政變，即中非與上伏爾達，加上十天前政變的達荷美，共是三國。三國舊時立場並不一致，達荷美同中非過去的當政者受了賄賂，承認了毛僞政權，引起了國內正義之士不滿，因此陸軍起而接管政權，趕走親共政客。上伏爾達則一向站在自由世界，與我國建有邦交，總統艾默可也是一位有眼光的政治家，幾年來對於中國代表權的維護，曾幫了大忙，但因爲最近國內左派人士受了毛共的蠱惑，發生工潮，舉行示威，政府已失去控制力量，因此軍人起而接管政權。

三國政變原因雖不同，而結果是一樣，達荷美政府限毛共僞使四十八小時離境，並與中國商談恢復邦交；中非則限僞使七十二小時離境，下一步也將與中國復交；上伏爾達軍人執政後已穩定了局勢，共產黨徒皆被捕，這是一連串的可喜消息。（何如）

致力實現民生主義又一新猷
台灣省加強社會福利措施
現階段決定三個實施原則
以貧民爲對象爲主體爲工作重點
必期確實做到富人出錢貧民受益

（本報記者熊徵宇台中航訊）台灣加強社會福利措施業務研討會，於十二月廿四日，在省政府所在地中興新村舉行。

內政部長連震東，行政院秘書長謝耿民，均出席此一會議，發表演講，闡述加強社會福利之意義，乃在保障國民之生活之安全與改善國民之生活條件，採取社區發展之途徑，動員民間自動自發之民主力量，迎援各部門之行政措施，藉以加強政治反攻之力量。

黃杰主席在致詞中強調：加強社會福利措施，是一項嘉惠社會羣衆的創舉，在實施執行方面，必需求其盡善盡美，所以特別舉行這個業務檢討會，集中大家的才智，來策劃全盤業務的推展。

他說：這是繼本省實施都市平均地權、「三七五」減租，以及實施耕者有其田以後的又一新猷。

黃主席說：明年一月就是第一期四年計劃開始實施的第一年，加強社會福利的措施，都要在第一期四年計劃內去做。他說：這第一年度福利基金計劃與預算，已經送請省議會審議，最近可望通過。

而這項新的工作，是本省今後的施政重點。

福利基金管理委員會主任委員譚嶽泉先生，提出報告時，曾就民生主義現階段社會政策，加強社會福利措施的規劃，發表各個要點。

這位現任省府委員的福利基金管理委員會主任委員說：

社會福利事業，概括的說，就是養老、育幼、救災、濟貧、醫病、國民就業、國民住宅、社會保險、社會教育，以及道路橋樑和上下水道等項公共設施，無一不是社會福利事業。

社會教育和社區的發展，有七大類，分爲三十三個工作項目，七十多個業務細節，範圍很廣，包含甚多。

譚嶽泉說：這一個政策，來自我們政治傳統，是以仁政爲政本，仁愛爲先，達成民生樂利，社會安和的目的。

他說：政府爲推行民生主義現階段社會政策，以實施都市平均地權所增收的地價收入作爲財源，設立社會福利基金，專供辦理加强社會福利措施，來解決現有的社會問題，並防止未來的社會問題滋長，是具有深長的意義的。

譚嶽泉說：加強社會福利措施的規劃與實施，決定以「現階段」三個字作爲我們的指針，經福利基金管理委員會再三開會研討，決定三個實施原則：

一、以貧民爲實施對象的主體。

二、以各縣市貧民區環境的整頓及其生活的救助與改善，以免費爲貧民施醫，以及興建國民住宅，廉租或分租售與貧民居住爲重點。

三、先辦有關改善貧民生活，增進社會福利，根除貧窮，而爲貧民或低收入國民可以直接受到實惠的事項。

這三個原則，都是以貧民爲對象，以貧民爲主體，重點置於貧民的身上；必期確實做到富人出錢，貧民受益。

譚嶽泉說：關於社會福利基金的運用，根據地價稅課稅資料估計，省、縣、市局，第一期四年，約有十億二千八百萬元。

省有與省統籌的，是四億五千九百萬元。屬於縣市局的基金，約有五億六千九百萬元。將根據實施計劃編制預算，完成法定程序付諸實施。（十二月廿八日寄）

一九六五年的回顧
—民主國家與共產集團鬥爭一年來總結算—

何浩若

一、一九六五年是第二次世界大戰以後民主國家和共產集團鬥爭中的第一個勝利年

一九六五年很快的就過去了。我們檢討這一年來民主國家和共產集團的鬥爭，發現了一個奇跡。那就是第二次世界大戰以後，二十年來，民主國家第一次獲得了雖不顯著而很確實的勝利。筆者曾經指出在第二次世界大戰結束以後，在所謂「冷戰」期間，民主國家處處失敗喪失了世界上四分之一的土地，和約佔世界上百分之四十數約十萬萬以上的人口。民主國家不僅喪失了如許廣大和衆多的土地與人民，在爭取落後和中立國家的鬥爭中不論在世界上那一個角落都顯得失敗。惟獨在今年這一年，共產集團侵略世界的企圖處處遭到挫折。共產集團原期在一九六五以剛果爲中心來赤化非洲，以越南爲中心來赤化東南亞。因爲美國以無比的決心在越南作戰，共產集團在越南已顯著的受到打擊。因爲非洲國家揭破了中共的陰謀，認識了共產集團的眞面目，剛果及其他非洲國家在這一年內並未受到共黨的侵害。最重要的還是印尼的演變。毛酋澤東原期在誘使蘇加諾退出聯合國以後，在亞非會議另組國際集團以對抗聯合國。大大出乎毛酋意料之外的是不僅印尼因政變流產而反共，那以毛共與蘇加諾爲軸心來操縱的第二屆亞非會議不僅開不成，而且要無限的延期。蘇俄既以經濟危機而作轉向的改革以追求利潤，即不嘗向自由經濟與民主國家投降，領導民主國家的美國前此爲自由份子所把持操縱，亦因美共鼓動學潮與黑人滋事而引起美國人民敵愾同仇的決心，使得政府對越戰更爲堅強。一九六五年反共的勝利並不完全由於民主國家之努力；但是勝利往往是得之於敵人的錯誤，當前的局勢，也不例外的。

二、印尼的轉變是一九六五年共產集團最大的損失

甲、印尼對世界局勢的重要

印尼號稱爲世界第五大國，以共產黨員的人數與力量而論亦位列世界第三。印尼在民主國家和共產集團的鬥爭中是舉足輕重的。遠在一九一四年荷蘭的共產黨員斯里佛利即在爪哇組織了「東印度社會主義協會」，成爲印尼共產黨（P.K.I）的前身。第三國際派到中國來工作的馬林也是荷蘭人，原先便在印尼工作，根據列寧赤化亞洲必先赤化中國的指示，中國地位特別重要，第三國際才把馬林調到中國來。遠在一九五三年，根據美國所獲得蘇俄的情報，就預言在廿世紀的下半期首先在亞洲建立共產國家的是印尼，首先在歐洲建立共產國家的是法國。十年以前法國的政局確實不安定，而同情共產黨的選民數目也確實驚人。不論戴高樂現在的態度怎樣，他保全了法國不使赤化的功績是不可抹殺的。至於印尼，因爲有三百多萬共產黨員在投機份子蘇加諾狂人扶植之下，又與毛酋澤東肆意勾結，不僅聲言要摧毀馬來西亞，而且公開的退出聯合國，要另組世界反帝集團。一般觀察家以爲印尼是否建立共產國家，祇是時間問題。至於印尼是以中立態度偏向共產集團，一方面要摧毀馬來西亞，一方面勾結毛共，退出聯合國要來操縱亞非集團，使民主國家頭痛。同時在赤化東南亞的工作更可爲毛酋澤東的聲援則是不爭的事實。印尼目前的轉變，無疑的是於民主國家有利。

乙、毛共策動印尼政變

印尼政變的情形和政變流產以後反共的局勢，到現在仍然無法獲得確實的報導。但有一點可以確定的，那就是中共策動印尼共產黨發動這次政變企圖奪取印尼的政權。中共的國慶日是十月一日，印共發動政變恰好是九月卅日的晚上，假如政變成功，「印尼人民和共國」的國慶也就是十月一日了。以人口論，中共匪幫是世界第一大國而印尼位居第五，這兩個國家的國慶日同爲十月一日，假如實現了，這在歷史上是多麼有意義呵？這次政變和中共有關，發動政變屠殺陸軍將領的恩東中校（Col. Untung）在被捕後已經承認了。周恩來也曾在事先告訴印尼駐北平的代表，說十月一日耶加達將發生事變。許多人不瞭解的是蘇加諾和北平勾結，聽從毛酋的鼓動退出聯合國要另組反帝陣綫，並歷次聲明要摧毀大馬以爲毛共侵擾東南亞的聲援，像這樣的一個軸心盟國，爲什麼毛共還不肯放過，而要推翻印尼的政權呢？這答案祇有讓蘇俄老大哥來，才說得清楚。蘇俄對印尼政變的批評是攻擊毛共不能接受和平共存的原則。（一）

對當前教育十項建議

編輯先生：

本人服務教育界二十餘年，一向均在學校工作，深感目下所謂「教育問題」與事實有若干距離，甚多人詬大得厲害，影響社會視聽，令人寒心。際茲大地春回，萬象更新，謹作下列膚淺建議，以供有關長官之參考，也聊盡國民之天職：

一、懇性補習乃係家長希望子女入所謂好學校，教育長官以升學成績考核學校，所發生之現象，如果劃分初級中學學區，由政府撥專欵充實較差學校設備，指派師大優秀畢業生到所謂較差之學校服務，使所有學校都成爲好學校，則懇性補習自然消滅。否則花用二十億實施志願升學，懇性補習仍舊是無法消滅。

二、提高中小學教師待遇一再見報，但以目前政府財政情形實在是力不從心，如能就各校每學期向學生所收之學生家長會費及樂捐金繳送教育廳所主持之教師福利委員會之全部金額，准予免繳，由各校分發教師，是一個最容易的辦法，對貧困的教師不無微補。如能在不太增加家長之負担原則下酌予提高樂捐金，當然更好。

三、教育風氣之改善，單憑發表高論是無濟於事，應由上級長官以身作則倡導儉樸實幹的作風，如教育廳本年度派台南市視導的督學沈勁冬女士自帶便當，既不接受任何招待，又以辦學成績眞確考核學校，值得部、廳、市縣視導人員之效尤，否則如若干官員上酒家吃花酒，到舞廳跳舞，在特殊地帶打麻將，以招待好壞，評定學校成績，論關係、紅包決定升降，是難令人佩服的。

四、五年制專科學校如雨後春筍，但甚多以賺錢爲目的，在設備簡陋，既乏師資，校舍又缺欠情形下成爲「文化販賣所」，將來所造就之學生非但不能適應國家民族之需要，且將成社會之蠹蟲。同時五年制不斷增設，勢必影響職業學校及私立中學之招生，與政府發展職業教育扶助及獎勵私人興學的原則適相違背，教育當局應愼重考慮，合理、合法、合情核准增設。

五、發展教育應有長期整套計劃，不可隨教育主管官員之變動而更易，如陳雪屏廳長訂定教育改革方案，張其昀部長推行免試升學，梅貽琦部長實施科學教育，劉眞廳長主張省辦高中、縣市辦初中，免試常識，吳兆棠廳長放寬學生成績考查辦法，現在閻振興部長鼓勵辦理五年制專科學校，潘振球廳長計劃實施志願升學方案，似欠連貫性又無貫徹實施、力促成功之有恒精神。

六、中小學無限制增班，都市學校多數超過三千人，路人，學校成爲販賣智識之場所，太保太妹不斷產生，雖黃主席設立進德中學，同時增班無法使問題學生減少；照顧郊區及鄉村學校，與政府疏散政策相背馳，一但戰事發生，情形堪慮，未雨綢繆，不可猶豫。

七、教育當局訂定辦法，忽畧對實際情況之瞭解，多閉門造車，如國民學校劃分智、仁、勇三級，成績優異，工作努力之人員無法升遷，而無能及馬虎應付之人員反獲保障，各方反應極差，希教育當局以國民教育前途着想，知錯必改。

八、初中入學考試免試常識後，國民學校不教常識，事實已爲公開秘密；而常識包括歷史、地理、公民、自然等科，爲民族精神教育與科學教育之基礎，長此下去，國本動搖，國家前途堪慮。教育長官切莫諱疾忌醫，因恐遭少數人之攻擊，而不敢恢復常識考試，應自五十五學年度起正式恢復，事不宜延遲。

九、日據時代中等學校入學考試，先舉行體能測驗，凡是體能測驗不及格的，不准參加學科考試，因之各校注重體育科目及學生運動，此種辦法有利國民體格之提高；教育長官應自五十五學年倣效辦理，以挽救當前國校不上體育課，忽畧學生健康的怪現象。

十、比照軍事學校推行生活教育辦法，加强各大專訓導工作，尤其特別注重灌輸國家民族意識，使所有大專學生能堅定信仰三民主義，虔誠效忠　總統，抱定服務的人生觀，爲社會人類謀福利。

最後致崇高之敬意。

忠實讀者陳景鸚鞠躬
十二月廿九日

四國五強觀戰記

伍劍蓉寄自台北

前些日第三屆亞洲杯在吉隆坡舉行，球迷們只有望報興歎，「可望而不可即」；當四國五強人馬，在體育文化活動中心風雲際會，又給寧靜的體育活動中心帶來了盛況，球迷們於是大飽眼福。身爲老球迷的一分子，我當然不會坐失良機。早兩三天前，便在報紙上找消息，注意賽程了。

位於台北市南京東路的「體育文化活動中心」，老球迷是不會陌生的，都是那兒的常客。亞洲籃球國手在此會盟爭霸，眞是可觀的盛事。儘管球場爆滿，或者黃牛猖狂，老球迷們也不會缺場的，只要一票在手，進入球場，心眼一致被五顏六色的人海所吸引了，眞有所謂「一進球場、萬念皆休」之感。當然，沒有此雅好，是不會領略到球迷心情之快樂的；所謂「好之者不如樂之者」，打球的人好球，看球的人樂球，看球的人比打球的人更快樂。那怕購票排隊站上三五個小時，竟亦毫不在乎，所謂「樂此不疲」者也。（上）

過年風俗雜談

·湯翔·

上彩聽更偷子

在福州，每到正月十一日，凡女兒出嫁以後尚未生育者，則由娘家購買花燈送往，以促其早生貴子。此俗名爲「上彩」。

福州的元宵節，除開花燈以外，還要迎大王，這是一年一度的盛事，迎神賽會，鑼鼓喧天，熱鬧非常。

在蘇北，也有幾個特殊的風俗：

除夕之夜，大家外出「聽更」，偷偷的走到人家門外，聽聽這人家第一句話說的是什麼？如果說：「稻摺子滿了。」聽的人一定歡欣鼓舞而去。稻摺子是裝稻谷用的軟蓆，稻摺既滿，豐收可知。

正月初七，稱爲「人日」，這一天，有女已嫁而久未生育的，則由父母「送子」，其俗是吹吹打打前導，先到觀音殿前，把張仙的神像請來，用雨傘蓋着，一路送到婿家，婿家接過了張仙的神像，要大擺元宵，來歡迎這班「送子」的客人。

也有一般貧寒人家，請不起神像，則有偷子之舉，其法是在上述送子行列經過的途中，悄悄擺下香案，在神像經過時，跪拜一番，最好能夠偷到神像頭上的一朵金花。這個風俗是否靈驗，令人費解。

遊廟出行趕年

從年初五以後，各地神廟卽開放，並且唱戲，這時候，平時從不露面的姑娘嫂嫂子們，成羣結隊的由四鄉八鎮來看廟會了，這叫做「遊廟」。

浙江永嘉有一個太平寺，每年正月初八這一天開放，而且只限女人前往燒香。初八這一天，城裏城外，姑娘嫂子們打扮得花枝招展，鬥艷爭妍，好像舉行選美大會似的。

湖北人最重視的一個節目，是「出行」。吃過團年飯以後，開始守歲，在黎明前黑暗的那一剎那，全家打起燈籠，一齊到大門外，面向南方，點起香燭，行跪拜大禮，謂之「出行」。

出行這一天，如果碰到大雪，那是最好不過的，因爲「瑞雪兆豐年」，加之在白茫茫的一片大地上，千百盞燈籠相互輝映，眞是一個美麗的畫面。

湖南湘中一帶的居民，每年春節以前，幾十個人組成一隊，趕到貴州去，他們的行李非常簡單，幾枝筆，若干張紅紙而已。到貴州，便大賣其春聯，因爲貴州有些偏僻地方，很少人可以舞文弄墨，所以這些寫春聯的先生，到那裏去很受歡迎，一趟跑下來，賺一個過年用費是不成問題。這個工作的時間很短，又要趕回來過年，故稱之「趕年」。

我國幅員廣闊，各地風俗人情各有不同，而重視春節則一，以上所談的，不過是少數舉列而已。（三·完）

阿月

覃靖

她閉着眼睛想了一想，伸出三個手指頭。

「三十元？」我很滿意，馬上掏出三十塊錢給她。

她又連連地擺起手來。

「難道要三百元一個月？」我又愕了。我所知道的，那時候卽使城市裏的瓦房，也不會要這麼高的價錢。

她仍然擺着手；隨後又指指我，指指地下。我這才恍然大悟，是要我等候着的意思。于是我也用點頭答復了她。

她一閃身走進那排標緻的茅屋去了。

約莫過了十多分鐘，她再次出現在我面前，身後跟隨着一個五十來歲，身軀枯瘦的老頭子。她指着我同那老頭子單獨議論了很久。那老頭子最初一味以爲難的面孔搖着腦袋；後來不知是什麼緣故，又慢慢地笑着點頭了。

于是她轉過臉來先對我付出幾分歉意；然後伸出三個指頭，又添上一個指頭。那意思是房租要由三十元加成四十元。我當然不便反對；最少她這一份助人的熱情，已經贏得了我的感激。

接着便是我勘察屋子。她行在最前面；我尾隨着那個老頭子，向着那排標緻的屋子走去。那排屋子一共有六間，左端的一半不知貯存着什麼，內面黑黝黝的，外面卻是一把老古的銅鎖；右端的三間全空着，形式全是一樣的：三分之一土地，三分之二榻榻米，窗戶不大，卻倚臨着河水和竹林，自然景色全部可以收入眼底。

她每間每間地爲我指點着，要我任意選擇。我略微躊躇了一下，決定要最右端的一間。一方面我是避免與貯藏雜物的屋子相毗鄰；另一方面因爲這一間內有現存的壁櫥和條桌，可以使我節省一筆購買傢俬的用費。

我把四十元交給那個老頭子，完成了簡單的租約。那老頭子再把門鎖上，鑰匙交到我的手裏。她看着我，微笑着。

「謝謝你，小姐！」我暫時離開出來，算是結束了這一齣成功的半啞劇。當然，我的心情是很愉快的。

自從遷入租賃的屋子居住以後，我有形的生活，似乎安定了下來，作息的時間，也有規律了許多；可是在無形的一方面，我又被寂寞和空虛包圍着。我是一個慵懶的人，沒有讀書的習慣和耐性，每天每天一顆浮蕩的心，眞像渡日如年。爲了抵補太多時間的空隙，最初我學着自己洗補衣服，後來又同所長商量，把伙食錢也領出來，自己煮飯吃。然而這樣，我仍然不能獲得理想的滿足。

在極度的苦惱中，我終於發現了這種缺憾形成的原因，是由于語言和風俗習慣的隔閡。因爲我居住在這個村子裏，與當地的居民之間，就像是兩個完全不同國度的種族。于是我又進一步來設法彌補。我想盡一切的方法接近老百姓們，不論我在路上遇見認識的和不認識的，或者誰從我的屋門口經過，我都對他們笑，說好，打招呼；可惜我從來沒有得到一個同樣的反應。他們對于我的友好的付出，彷彿是我找錯了對象。

（四）

我們爲什麼要研讀三民主義

（五）

·楊力行·

所以，到了民國元年他在各次演講中，更主張普及提高國民知識水準，及國民的教育機會平等，人人皆有受教育的權利。如像：民國元年十二月九日，他在杭州各界的歡迎會上，以「國爲民有，人人應負担義務」爲題，發表演講時，他說：「民生主義有四大綱領：一是節制資本，二是平均地權，三是實業鐵道問題，四是教育問題。」談到教育問題，他又說：「吾國雖自號文物之邦，男子受教育者不及十分之六，女子受教育者不及十分之三，其中有志無力者頗不乏人，其故何在？國家教育不能普及故也。吾同胞須於此中深切注意焉。」

二、三民主義合乎國家的需要：從前中國受帝國主義者的壓迫，鴉片戰爭以後，列強紛紛提出不平等條約，使中國成爲被壓迫民族，淪爲次殖民地。要爭取獨立，必須研讀及實行民族主義。對日抗戰，首先獲到的成果，就是不平等條約廢除了，民族主義本可實現。但是，中國共產黨受俄帝指使，拿去外蒙、新疆，繼而竊據整個大陸。中共匪幫「認賊作父」，服從俄帝指揮，中國大陸淪爲蘇俄附庸，我們國家失掉獨立。今日我們剷共驅俄，其目的亦就是爭取獨立國家的地位。因此，民族主義就非常重要了。

中國自古以來卽爲君主專制國家，凡三千餘年，然近世潮流逐漸走向民主，所以，國父推翻滿清，組織國民黨，打倒竊國的袁世凱，以及北洋軍閥，使中國成爲亞洲第一個民主國家。直到抗戰勝利，我們奉行憲政，制定憲法，民權主義已大體實行。中共匪酋毛澤東竟謂：「人民民主專政」，實則專政就不是民主，何況他們所稱的「人民民主專政」，又是假的。由此，使中國大陸成爲極權。我們反對極權，所以，必須實行民權主義。

民生主義亦合乎國家需要。中國自古以農立國，工業素不發達，分配不均勻，惟有民生主義能使中國走上富強康樂之道。國父曾說過：「不但要使中國能成爲民主國家，而且要使中國成爲社會福利國家，達到分配的社會化。」

小林白樂教授於五十四年十一月十三日在我國立政治大學接受榮譽法學博士學位時，所發表的演說中也說：「中山先生對民族主義、民權主義及民生主義的闡和，是一種獨具創見的綜合思想，以前若干東西方政治學者也曾論過這三種主義，但像中山先生這樣融治各家於一爐的思想，則爲千古僅見。林肯雖然先孫中山而提出『民有、民治、民享』的說法，但他在其忙碌的生活和遽然逝世下，他未能把他的思想擴及美國以外的世界。此與我在前面所言不約而同也。」

青年們走出校門後卽爲公民，負有「學以致用」建設國家的責任。怎樣才能使國家進步呢？惟有實行三民主義！所以在學校時，必須要研讀，徹底瞭解三民主義，而能實行三民主義。三民主義是革命的主義，必須消滅共匪，剷除共匪就是三民主義的戰鬥。三民主義是正確思想，我們消滅邪惡的共產主義思想，責任更大，不容稍有疏虞。

三、三民主義合乎世界潮流：國父在開始發表三民主義時，就曾說過：「余維歐美之進化，凡以三大主義：曰民族、曰民權、曰民生。羅馬之亡，民族主義興，而歐美各國以獨立。洎自帝其國，威行專制，在下者不堪其苦，則民權主義起。十八世紀之末，十九世紀之初，專制仆而立憲政體殖焉。世界開化，人智益蒸，物質發舒，百年銳於千載，經濟問題繼政治問題之後，則民生主義躍躍然動，二十世紀不得不爲民生主義之擅場時代也。」由此看來，三民主義是合乎世界潮流的。茲再舉兩事以證明之：

清代水師整建紀詳

羅雲

泰州營，於順治二年後，置游擊以下各官，有巡船四艘。掘港營，於順治三年設，置守備以下各官，有巡船三艘。康熙廿三年以京口將軍標下沙船二二艘，號船十八艘，隸狼山鎮標，爲海口巡防水師；廿八年，以戰船四艘，仍撥歸京口；四十八年，改爲中左右三營：中營，巡船五艘；左營，巡船六艘；右營，巡船一〇艘。雍正十年實存大小水師船二二艘；十二年，右營增小哨沙船一艘。同治五年，增設綏通綏海二營，隸長江水師提督。江南福山鎮標，於道光廿三年設，置總兵以下各官，分中左右三營，以舊有之福山營水師，爲福中營，蘇松奇營水師爲福左營，楊庫水師爲福右營。中營舊有巡船一五艘，日久朽壞無存，後換製巡船九艘備用；左營設大小舢板船八艘；右營，設大小舢板船五艘。同治九年，改定制營，以中營併入左右營，以左營原轄之海門廳屬西半洋沙等汛，隸通州營，以左營分中左右哨，分駕巡船十二艘，出洋巡緝，以右營駐防陸路各汛。至太湖水師（詳后）在洪軍起後，營伍船械全失；同治間，重整水師，盡易舊制，仿長江水師，設大湖協標二營，有舢板戰船三六艘，此江南水師之制也。其長江水師之在江南省者，爲瓜洲鎮標：轄瓜洲營、孟湖營、三江營，戰船兵額，與各省長江水師同。另有河道總督標營，凡二十營。雍正七年，以漕標右營，改隸河標，有巡船九艘。山清裏河上營，於康熙十七年設，有巡船六八艘。山清裏河下營，於雍正六年，由裏河營分設，有巡船十三艘。外河上營，有巡船一四〇艘。高堰上營，於康熙卅八年，自盱眙營分設，有巡船三四艘。山盱下營，於雍正七年由高堰營分設，有巡船一七艘。桃源安靖營，於康熙卅八年設，有巡船二三艘。揚河上營，於康熙十七年設，有巡船八二艘。揚河下營，於雍正七年設，有巡船一四艘。徐河南北營，於雍正六年設，有巡船三〇艘。邳睢河營，於順治初年設，有巡船七五艘。宿虹南北營，於順治初年設，有巡船一〇〇艘。桃源南北營，亦於順治初年設，有巡船六八艘。宿遷運河營，於雍正六年設，有巡船一九艘。凡河防各營，均設守備以下各官；巡船有大有小，分爲浚船柳船二類；凡修防河工，以營制部勒之。漕運總督，水師標營，分中營左營右營，城守四營，以中左右三營，任漕護之責，以城守四營，任地方之責，駐山陽境，及漕運所經之地；其運輓漕糧，則以衛卒担任。

（十三）太湖區

太湖水師，始於雍正間。太湖連跨蘇州常州湖州之境，爲全吳巨浸，湖中風浪，與江海異，故巡湖水師船制亦殊。其衛所巡司則以巡船，水師則以哨船。雍正二年，設太湖營游擊千總把總各一人。五年，以大錢汛口，爲浙江省瀕湖要道，增守備千總各一人，把總三人，戰守水兵原額千人，歷年裁併，實存水戰兵一八五人，守兵四七二人，分防各處：角頭汛，兵一八五人，沙快船五艘；西山汛，兵六九人，沙快船二艘；浙江烏程汛，兵一九七人，沙快船九艘；伍浦汛，兵六九人，快巡船九艘；南浦汛，兵一〇七人，船同上。七年，以沙船六艘，爲湖中大汛巡防，其餘改小號巡船二〇艘，巡緝支河小港。九年，分水師爲左右二營，左營守備駐簡村，列汛凡六處。當震澤縣界。千總一人，駐結魚口，列汛凡十二處。當吳縣吳江震澤界，把總二人，一駐東山，列汛凡八處；當吳縣界，一駐吳江，列汛凡八處。當吳江震澤界，右營守備駐周鐵橋，列汛凡六處。當宜興陽湖界，千總一人駐馬山，列汛凡十四處。當常州無錫陽湖界，把總二人，一駐竈山，列汛凡七處；當吳縣界，一駐鳳山，列汛凡七處。

（十五）

歐陽修其人其文

·漁翁·

柳南隨筆云：「昌黎之文，字句皆古，人悉知為鍾鍊而成；不知歐公之文，其平易，亦自鍾鍊而成者。首句『環滁皆山』，即經數易其稿而就。余嘗見醉翁亭記影印原稿，首敍滁州四面山名，後皆抹去，而易以『環滁皆山也』，凝渾簡括，自勝原稿。然亦以見古人執筆之不苟也。」

修之作品，據全集所輯，有一百五十餘卷，而其文章，選載古文評註者，計十六篇，所論至理名言，有功世道人心。如「縱囚論」，以唐太宗立異為高，逆情干譽，深文刻筆，辨駁處，令人無所躲避。雖近於苛，然本諸人情，又理所固然。

他如「朋黨論」、「伶官傳論」、「宦者傳論」各篇，引古鑒今，發揮盡致。尤以朋黨論一篇，在朋字上說得開天闢地，而小人會不得一厠足其間。此正破漢唐宋黨錮之禍，無足為君子病，而足為君子重。立論極為有識，宜乎仁宗之終為感悟也。

不獨其文也絕倫，而詩歌亦瀟灑不凡，雖在千家詩中，僅見「答丁元珍」一首，「春風疑不到天涯，二月山城未見花」，成為思友之名句，而其古風與五言七言之絕律詩，亦無不輕鬆雅致。所詠古詩「顏跖」云：「顏回飲瓢水，陋巷臥曲肱。盜跖厭人肝，九州恣橫行。回仁而短命，跖壽死免兵！慨夫仰天呼，禍福豈足憑！」接着說出跖死與草木同腐，給萬世筆誅口伐而不已，回則列入孔門四配之首，光輝如日星；所以末云：「生死得失間，較量誰重輕！善惡如此，毋尤天不平」，揚善懲惡，正人心，與風花水月之作有別。由於文筆冠絕天下，故詩歌為文所掩，其實分觴流韻，余以為不在李杜下也。

修在滁山，自號「醉翁」，既老而衰且病，將退休於潁水之上，則又更號「六一居士」。有客問曰：「六一何謂也？」答云：「吾家藏書一萬卷，集錄三代以來金石遺文一千卷，有琴一張，有棊一局，而常置酒一壺。」客曰：「是為五一爾，奈何！」又答云：「以吾一翁老於此五物之間，豈不為六一乎？」見「六一居士傳」。

然則修早年亦頗解溫柔也。據「詞苑叢談」載：「歐陽永叔任河南推官，親一妓；時錢文僖為西京留守，梅聖俞、尹師魯同在幕下。一日，宴於後園，客集而歐與妓俱不至，移時方來。錢責妓曰：未至何也？妓云：中暑往涼堂睡覺，失金釵猶未見。錢曰：若得歐推官一詞，當為償汝。」（中）

台灣省過年風俗

建溪

五十多年來，台灣的年俗，有了很大的變化。以往帶着濃厚的迷信色彩，現在卻漸漸變成了快樂的節日了。不過，在新年的這段期間裏，吃、喝、玩、樂，還是保存着老套的習俗，至於拜天地、拜祖先、做牙、貼春聯、迎送灶公、守歲、接神開張等節目，在絕大多數的人家裏，還是年年照例舉行，祇是儀式略為簡化而已。

台灣的百姓，十之八九都是由福建、廣東來的，所以在台省的民情，和閩南一帶非常相似。一般人家的新年禮俗，從臘月十六開始，一直延續到翌年的正月十五，才算是真正過完了年。

台灣習俗，不論民戶、商家，每逢農曆初一、十六日，都要「拜拜」，臘月十六為一年最後一次拜拜，叫作「尾牙」，儀式最為隆重，家家戶戶都以三牲供奉土地公。商家還要準備酒席，宴謝店員伙計們一年來的辛勞；但是依照傳統風俗，決定員工的去留。那天的首道菜是一盤雞，被雞頭對準的伙計，便成為客人，要於暗示說：「來年請另謀出路了！」老板如果對員工都很滿意，雞頭便朝向自己，大家盡歡而散。不過，這種習俗，現在祇有小商家或農村還採用着，至於一般大商店，則改為正式下達「人事命令」了。

臘月廿四日是「送神日」，民間傳說：這一天，各家的「司命灶君」要率領諸神上天拜謁玉皇大帝，稟奏人世間一年來的善惡情事，而玉皇大帝就是依據這項報告，來決定這家人來年的禍福。迷信人家為了要討好灶神「上天言好事」，所以不但要虔誠的供奉牲禮，並且還要備紙轎及糖果，好讓灶公和諸神吃甜了嘴，向玉皇大帝說好話。

送了神，緊接着就是大掃除。這時，出外工作或讀書的家人，就積極準備束裝返家。親朋戚友們，也紛紛開始互贈年禮，街頭巷尾，大家都興高采烈的添衣購年貨，準備過新年而忙碌起來了。

臘月的最末了一天，台省同胞稱做「廿九暝」，家家殺雞宰鴨，供奉五牲，拜神明，祭祀祖先，全家大少依序在祖先靈位前磕頭作揖，以示辭歲。到了當天晚餐時刻，全家都到齊了，圍着大圓桌坐下，桌底下擺着熊熊火焰的新爐子，這叫做「圍爐」，含意全家團圓，財福兩旺。「圍爐」時，小輩均須向長輩敬酒，大家互相說些吉利話，預祝來年交好運。

吃完了這頓年夜飯，年長者開始分發壓歲錢，以往多是分銀元，現在改成發紅包。「二九暝」的晚上，傳說：晚輩越遲睡，長輩就愈長壽。這天夜裏，堂上紅燭高照，大人們忙着貼春聯，做年糕等等；守歲的孩子們，則圍聚在一起，任意賭錢玩樂，過着愉快的年。

新正來到第一件事，就是在神明與祖宗靈位前，焚香開正，點燭，供奉清茶，然後燒壽金、刈金，祭典儀式經常在凌晨舉行，接着鳴炮開門，迎新，開門大吉。

臺灣有個歌謠，正可以描繪出新正裏的各種活動的情形：

「初一起個早，初二做客又開看（女兒返娘家，新正吃素人家，到了初二便解齋了），初三睏卡飽（相傳這天老鼠娶親，所以迷信人家，便提早上床睡個飽），初四接神（迎神祈賜吉祥），初五隔開（商店開張，一切活動漸趨正常），初六舀肥（新正裏忌諱清垃圾倒馬桶，到了這天便可清理了），初七是人日（吃綫麵，以祝百年長壽），初八忙（忙着準備次日玉皇大帝的生日），初九拜天公（天公是神明中最高的權威，祭壇設在正廳中央，壇邊稍低處另設「下桌」，供奉從神。拜天公儀式非常隆重，由長輩開始，行三跪九叩禮，大街小巷紛紛設臺演傀儡戲、舞獅、舞龍、熱鬧程度不下於元旦）。

正月十五為上元，祀天官（七月十五為中元祀地官，十月十五為下元祀水官），天官為「三官大帝」之首，「神格」僅次於玉皇大帝，這也是民間表現敬天思想的一種，祭禮也很隆重。

元宵節這天，家家張燈結綵，搓湯圓，挑花燈。大商店都特別舉行燈謎會湊熱鬧，出典不外四書、五經、稗言、小說和俗語，猜中者擊鼓三通後，並可獲得文具或日用品等獎品。大廟宇裏除了猜謎會外，還有花燈比賽，廟前搭臺演出布袋戲、歌仔戲。加上舞龍、舞獅、抬玄壇爺等節目。多姿多采，使得新年的氣氛，達到了最高潮。

諸葛亮的著作考

周燕謀

按：後出師表可疑之處甚多。今之所傳前出師表，在陳壽三國志中謂之「疏」，即「臨發上疏」，並無「前出師表」之名。後出師表，見裴注引「漢晉春秋」，裴松之說「此表亮集所無，出張儼「默記」」，其可疑者一。

表言「自到漢中，中間期年耳，然喪趙雲、陽羣、馬玉、閻芝、丁立等七十餘人」。按趙雲為建興七年喪，表上於建興六年；且趙雲為先帝重臣，諸葛亮絕不致誤記其喪死之年，六年趙雲未死，決不致上表謂其已喪。其可疑者二也。

表中所言：「然不伐賊，王業亦亡；惟坐而待亡，孰與伐之」？最顯然的表示沒有必勝之信念，如云「至於成敗利鈍，非臣之所能逆料也」。出師之前，作此失敗之論調表章，非情理之常。而前表所云「復興漢室，還於舊都；不效則治臣之罪」。此何其壯也？後表之失敗論調則何其衰也！口出民窮兵疲之論，上危主志，下懈軍心，此可疑者三也。

表中所言「……劉繇、王朗各據州郡……」考劉繇為豫州太守在興平中，興平共二年，公元一九一——一九二年，獻帝在位時；王朗為會稽太守在建安初年；孫策之歿，在建安五年。此表上於孫權破魏之時，即魏太和元年，相去二十三年之事，何必贅述。此可疑者四也。

表云：「曹操五攻昌霸不下，四伐巢湖不成；任用李服，李服圖之」。考魏志中根本無而李服其人，此可疑者五也。陳壽刪之，宜也。

總之無論所謂「後出師表」是否為諸葛亮作，皆無損於武侯之人格與志節。諸葛亮之事劉備，不事曹操或孫權，其志節甚明。當時曹操挾天子以令諸侯，處安強之勢，孫權擁江南半壁河山，而皆不為之用，而劉備尚處於顛沛流離弱勢之地，他毅然以身許之，在隆中即擬定了「聯吳伐魏」之策略，他以曹魏為國賊，東吳為小醜，所以說：「漢賊不兩立，王業不偏安」，以荊州為起事之地，北向宛洛，西出秦川；六出祁山，實行了他的諾言。雖然身死渭濱，鞠躬盡瘁，死而後已之志節，三代以下，實可謂是第一人了。諸葛亮之事劉備，以志同道合相結合；君臣相得，君待臣以禮，臣事君以忠；君視臣如手足，臣視君為腹心。三代以下又為第一人。乾隆曾謂「諸葛亮為三代以下第一人」。元人郝經讚諸葛亮與劉先主為「復見三代君臣」。裴松之謂「觀亮君臣相遇，可謂希世一時」。武侯死後，其家只有薄田十五頃，桑八百株。做到「不使內有餘帛，外有贏財」。他的理想的文人政治，可惜「出師未捷身先死」，而未能實現。其淡泊之志，鞠躬盡瘁，死而後已之臣節，皆足以光照千古，說他是三代以下第一人，是當之無愧的。（下）

馬年談馬

葉醉白

中國的英雄豪傑，大多靠馬起家，或由馬渡過他們的艱危。漢高祖：「乃公自馬上得天下」。公孫述：「躍馬稱帝」。劉先主：「躍馬過檀溪」。康王構：「泥馬渡江」。——縱係神話，也足徵國人對馬的尊敬和信賴。成吉思汗：強大騎兵，橫掃歐亞。至於人類幾千年的交通皆以馬代步，以馬拖車，尚在其次。

馬年的展望：「為王前驅」，「躍馬中原」，「萬馬收京」。國父的遺教「和平奮鬥救中國」。馬是和平，但牠又是奮鬥的。我政府遷台以還，在總統賢明的領導下，在和平的奮鬥中，各方面均有巨大進步；吾人未敢斷言馬年即是反攻年，但敢相信，馬年必然是「開張」年，必定是「騰驤」年，必定是「馬壯、吉」年，必定是「馬到成功」的開始年，「安得龍媒千萬匹，太平洋上看飛渡」！這是劉延濤先生早年為我畫面所題的詩，最近香港王世昭先生為我畫馬題詩說：「為先驅，指日可下」。我們不必天天翹首，問別人何日開始反攻，先自問問我自身過去是否盡到「地用莫如馬」的責任。年前聽說黨國元老吳稚暉先生在帳頂覆大國旗，上書「躍馬中原」四字，我深為感動，曾作「躍馬中原」圖，經梁寒操丈題字，李漁叔先生作長詩紀事，在菲、港展出時，甚得僑胞重視。

不平凡的「甲午馬年」連韓國釜山日報也索畫馬刊于該報首頁之正中，韓國唯一華文雜誌要畫馬作封面，以砥礪「龍馬精神」。區區半生戎馬，敢告無愧于國家。今半生畫馬，不敢有負於職責。十月港九展覽拙作，那裏的大詩人、大作家，曾賦詩百餘篇，無異當代「正氣歌」「滿江紅」，概皆由「馬」所引起。深願追隨海內外軍民「發奮為雄」「開張天岸」，在不久的將來，能「為王前驅」「躍馬中原」「萬馬收京」，完成反攻復國使命。（下）

試談「霸王別姬」

·良广

記得在南京上演時，就有人建議，改成「孤霸東來漢據西」，直到現在還沒有改正，也實在固執得沒有道理。由這點看來，就要承認梅蘭芳的懷虛若谷、從善如流了。因為虞姬會念過唐人的詩句，「可憐無定河邊骨，猶是春閨夢裏人」，經人指正，他就毅然改念「沙場壯士輕生死，悽絕深閨待爾人」；後再改為「千古英雄爭何事，贏得沙場戰骨寒」。原先，梅氏在唱「二六」：「勸大王，飲酒聽虞歌，助君淸興舞婆娑。嬴秦無道江山破，英雄四下起干戈。寬心飲酒且靜坐，……」後，即在場面「夜深沉」牌子的伴奏下舞劍；完畢後必接唱下句：「且聽軍情報如何？」民國二十四年在港口上演，由於年老、氣力不繼，則已把此句「馬去」；其他的角色也都跟着「東施效顰」，雖不免破壞了戲的規矩，而成了「三條腿」；然而基於同情的立場，也只好予以「曲諒」了。（完）

自由報

THE FREE NEWS

第六一一期

內政部登記證內警台報字第○三壹號

中華民國僑務委員會登記 台灣新聞處登記 中華郵政台字第一八二二號執照登記爲第一類新聞紙類（每月出版六期）

每份港幣壹角　台灣每份新台幣貳元

社長：雷嘯岑

督印人：黃行曾

社址：香港銅鑼灣高士威道二十號三樓

20, CAUSEWAY RD 3RD FL. HONG KONG

TEL. 771726　電報掛號：7191

承印者：大同印務公司

地址：香港北角和富道九六號

台灣分社

台北市西寧南路壹壹零號二樓

電話：三○三四六

台郵撥儲金戶九一五二

科學教育發展的目標和作法（中）

·彭樹楷·

（十一）製圖、縫紉、藝術、公共關係、糾察行政、犯罪學、經濟學、教育學、國際關係，冶金術、氣象學、電影科學、核子化學、核子物理、包裝藝術、量子學、原子學、心戰學、交通管制、核子反應、核子防禦、醫學（包括牙科、眼科、衛生行政、護理等）。（十二）光子學（十三）電子學（十四）燃料動力學。

最後就民間職業專長擇要陳述如下——（一）農業：種子作物、纖維作物、蔬菜球莖根葉作物、茶葉、烟葉、果木花草之栽種等。（二）畜牧業：畜牧、養蜂、養蠶、獸醫護理等。（三）林業：竹木採找，各種森林產品之採取、野生果物之採取、樵薪、燒製木炭等。（四）狩獵漁業：漁業、各種水產之採取、養魚等。（五）礦業：礦物開採（包括鹽業）。（六）土木建築材料開採。（七）飲食製造業：碾米業、麵粉業、榨油業、製糖、釀造、豆製品、糖果點心、屠宰業、加工、烟草製造、冷藏業、茶及其他飯品飲食製造業等。（八）紡織、服用製造業：棉毛紡織業、繅絲業、絲織業、人造纖維、漂布印毛、刺繡紗業、針織、地毯、油布漆布業、成衣業、繩索及其他編織業等。（九）木材造業：木器、竹器、藤器、鋸木竹業、傢具業等。（十）造紙印刷業：造紙業、紙製品業、印刷業、攝影業、文化工業等。（十一）皮革及橡膠製造業。（十二）水電煤氣業：製造及供應。（十三）化學工業：基本化學工業、化學肥料、油脂工業、火藥、火柴、塗料、染料藥品、化粧品、可塑膠質物品製造業等。（十四）非金屬礦品製造業：煉絲及其他煤製品業、石油提煉、石油製品業、水泥玻璃、石灰磚瓦、建築材料製造業、磁器、陶器、石器製造等。（十五）冶煉機械、金屬品製造業：金屬溶煉業、金屬鍛鑄延壓業、飛機製造業、電器電料製造業、金屬用具製造業。（十六）儀器工具、鐘錶飾物製造業：各項儀器工具製造業以及造幣等。（十七）建築營造業：鐵路、公路、房屋、水電煤氣供應等。（十八）其他工業：玩具、音樂及運動用具、鈕扣、骨角製品等。（十九）鐵道運輸業：鐵路運輸、管理、設備、車務、站務、站長、列車長。（廿）公路及其他陸上運輸業：公路運輸、獸運、挑負及各種城市交通。（廿一）水上運輸業：航運組織、船塢碼頭、引水貨物裝卸駁渡等及打撈。（廿二）航空運輸業：空運調度、空運、器材補給等。（廿三）郵政電信業：郵政、電報、電話、無綫電、內勤、無綫電通信、外勤、機務、電傳打字及傳眞等。（廿四）販賣商業：進出口業、物產交易、百貨商店、批發零售、合作社、攤販業等。（廿五）金融銀行信險業：銀行錢莊、證券交易、典當、信險業（會計財務、預算、出納）。（廿六）承辦業：報關行包裝業、倉庫業、轉運業、房地產公司業、拍賣行、旅行社。（廿七）住宿及飲食品供應業：旅館業、茶館業、酒店等。（廿八）財產之保管事業：貨物房屋、田地看守、汚物掃除、值更打夜等。（廿九）人體之整潔業：理髮、洗衣、擦鞋、浴室。（卅）家事管理業：僕役、車伕、廚師、園丁、私人書記、護士看護等。（卅一）娛樂及運輸業：音樂、戲劇、演奏、電影、馬戲、獻技、舞廳、導遊、體育場、各種競技場。（卅二）公務機關：國家及地方和私人機關社團之文書、編譯、速記、打字、行政、監察、政務等辦事人員。（卅三）衛生事業：醫藥及公共衛生事業（防疫、檢疫、獸醫及一般內外眼耳小兒科等和司藥）。（卅四）社會事業：托兒所、慈善救濟業、職業團體之辦事人員、職業介紹、社會保險、其他社會事業。（卅五）大衆知識供應業：圖書館、博物館、新聞事業等。（卅六）教育學術研究業：陸地測量、地質調查、氣象觀測、書籍編審、史政、教育計劃、測量工程、土壤工程、大地測量、書記業等。（卅七）宗教及其他：宗教團體、文藝家、樂譜家、畫家、雕刻、律師、會計業、監獄、法醫、通譯等。（卅八）迷信業：卜巫、星相、堪輿、僧道以念經爲生者。（卅九）罪惡犯：妓院、賭場、監獄、囚犯。（四〇）不勞而獲份子：不從事任何事業僅恃財產孳息而生活者如地主、高利貸者。（四一）依附人員：在校肄業學生，以及不直接增加收入者。（上表係根據內政部行業分類任職摘述）

科學教育的目標

科學教育的目標，是提高人民智識的水準，促進科學技術的發展，以富民強國和適向大同世界的境地。如果科學教育的目標不向這方面發展，人類就要面臨重大的危險！

根據目前科學藝技基礎，展望十年後的科學世界，在一九七五年時，將出現下列局面——

「提防綁票匪徒！」

「修正」就完了

今日與明日

一月五次顛覆外國

一九六五年十二月十日，阿聯破獲了一個叛變集團，有十一名軍官在毛共指使資助下，組成一個政變集團，預備推翻納薩政府另組埃及人民共和國，被捕後均直認不諱，皆被處刑。同月二十二日，達荷美陸軍參謀長因鑒於毛共指使政客逐步要赤化達國滲透顛覆，乃起而奪取政權，驅逐毛共偽使，與毛共斷絕「邦交」。五日之後，另一被毛共滲透收買的中非共和國一羣政客，在國內私設軍營，訓練「游擊戰士」，準備「槍桿子裏出政權」，幸而事機不密，被陸軍當局破獲，人贓俱獲，陸軍參謀長當起而推翻政府，接收政權，驅逐毛共偽「大使」出境；中非新總統並在招待記者會上，帶過來三名「游擊戰士」及毛共製造的武器，一併陳列於東西記者之前。中非新總統這一手實在乾淨利落，毛共雖然恨之刺骨，也只能罵幾聲了事。與中非拘捕毛共「游擊戰士」同時，錫蘭也發生了毛共份子指使失意政客發動政變的事，錫蘭政府已對毛共人員加強監視，相信「絕交」之期已不在遠。到了本月三日，與我有邦交的上伏而達又被毛共滲透發動工潮，暴動，馬上就要推翻現政權，幸而陸軍手疾眼快，接收了政權，才把局面安定下來。統計首尾不足一月時間，毛共就在亞非國家搞了五次政變，加上一九六五年一月二十七日驅逐毛共的蒲隆地，一九六五年九月三十日「革命」不成的印尼，眞使人感到慶父不死，魯難未已，毛共一日存在，世界決無和平可言。

我國不能坐視

當西非三國相繼發生騷擾之後，非洲當代最有遠見的政治家馬拉加西總統齊納拉說了一句意味深長的話：「非洲人民逐漸覺醒」！事實確是如此，不容諱言的，非洲大部國家的當政者最近幾年來患了左傾幼稚病，以親毛爲前進，像齊納拉總統那種舉世皆睡我獨醒的人，畢竟是少而又少。但是到了現在，大家都從沉睡中覺悟，除去上述的幾國之外，蘇丹已宣佈共黨爲非法，突尼西亞與毛共經過幾次對罵之後，亦將斷絕「邦交」。雖然像納薩與蘇加諾之流即使吃了虧仍不肯認錯，斷然與毛共「絕交」，但大多數國家皆將步達荷美、中非後塵是可以斷言的。我們應乘此時機，劍及履及，把這批誤入岐途的國家引回正路。初步如蒲隆地，遠與荷美中非。尤其是後二國，本與我國有邦交，更應提前恢復。蒲隆地本有與我建交之意，亦應早日促成。我國非洲問題專家外交部次長楊西崑爲了慶賀查德共和國國慶已第十七次去非洲，深盼楊次長能達到這種使命。（何如）

談毛筆字問題

自由談

最近自由中國教育行政機關通令各級學校，規定學生作文或正式考試時，須一律使用毛筆寫字，因而引起各界人士不同的見解，紛紛議論。記得二十餘年前對日抗戰期間，教育部長陳立夫亦會發佈過同樣的通令，當時只見有些人表示贊成，卻少聞反對之聲，今日舊調重彈，情況似已迥異了。

中國的文與字，都具有高度的藝術性，絕非世界其他任何一國的文字所可同語的。中華民族這種傳統的優美文化，炎黃子孫自須珍視而保存之，誰曰不宜！可是，中國字的造詣跟其他國家的字大有區別，例如西洋各國的字，祇要勤力練習三五個月，即可躋於嫻熟優美之境界，中國字若要寫得相當可觀——不談成家的話——雖然寫上十年八載，亦未必能夠說好呢！現代又是科學萬能世紀。中國必須迎頭趕上纔可以自立自強，不受淘汰，因而青年學生從小學到大學的課程，總是十分繁重，壓得透不過氣來，尚須從事於「惡補」工夫，再要他們寫毛筆字，實在心餘力絀，談何容易！所以，若從發展科學教育的觀點設想，反對寫毛筆字似不能說是沒有道理。

不過，看看現代一般中國知識份子的本國文字修養情形，亦復令人憂慮。許多大學畢業生的文，寫不通一張信札，字呢，更不像樣，東例西歪，亂畫一氣，比「塗鴉」還要糟糕，長此下去，中華民族這項固有的文化藝術技能，勢非完全泊沒不可。現代的人固不可能要求大家都寫成一手好字，但不管是使用甚末筆，至少也應該寫得像個樣兒，方不愧爲讀書人。否則再過十年二十年之後，不特毛筆工業必告絕跡，即中國字亦不知道將要變成甚末玩藝，終致使咱們經過數千年培植的文字藝術歸於消亡而已。

我認爲要想今後的知識份子會寫毛筆字，應從小學和中學時期注意學習，把「習字」列爲必修課程，而將次要的作業和活動酌予減少，庶幾有望。到了大學，除非本人對寫字素感興趣，從幼就自動練習，光靠作文或考試之際使用毛筆寫字，效用將等於零。大家如其不贊成廢除漢文漢字實行徹底西化主義的話，最低限度亦應該會使用毛筆纔成吧？

馬五先生

白宮發表的越南問題聲明

美國求和鞠躬盡瘁 除不投降再無條件

「我們把一切條件——除了不讓南越投降之外——都放進和平籃子裏去了。」上邊是美國副總統韓福瑞在馬尼拉參加菲律賓總統馬可仕就職典禮，和他在東京、台北與漢城前後拜會政府首長時所發表的一項題名爲「越南問題中心」的備忘錄的話說。美國副總統在國務卿魯斯克於上週出國公幹前的會談中，曾建議草擬一種美國對越南政策的簡明備忘錄。這份備忘錄將過去數月來發展的重要局勢，備列無遺。

下面是白宮於元月三日發表的備忘錄全文：

一、侵略面目

顯而易見的事實是，河內爲了用武力強迫南越接受河內的意志，已將許多萬飽受訓練和武裝配備的兵士，包括北越正規軍部隊在內，派到南越。就是因爲這種外來的侵略，美國軍隊才前往南越。可是直到一九六五年初夏，在南越的美軍人數才增加到和河內滲入南越軍隊的相等人數。要是能夠排除這種外來的侵略，派赴南越的美國軍隊也就不需要了。

二、美國承担

美國對維護南越安全，防止外來攻擊，是有明明白白的承担的。這項承担是以美國和南越的雙方協定爲根據，以東南亞公約（其義務既是共同的，又是各別的）爲根據，以美國國會對南越提供援助的每年行動爲根據，以此項國會行動，一如一九六四年決議所表示的政策爲根據，也是以美國三任總統的莊嚴聲明爲根據的。問題不僅和南越有關，也和東南亞有關，和美國承担的完整性和這種承担對全球和平權利的重要性有關。

三、尋求和平的積極行動

甲、我們沒看到河內在過去五年中，採取任何尋求東南亞和平的積極行動。「和平試探」的消息，都是由第三者發動。河內已否認它進行過任何「和平試探」。我們自己也知道它沒有。在一九六五年，河內始終都是堅持一定要接受它的四點作爲南越和平的唯一基礎。四點中的第三點便是要求將「解放陣綫」計劃，不管南越要不要它，一定要南越接受。

乙、我方和許多其他國家尋求和平的積極行動，眞是指不勝屈。我們可以追溯到甘迺廸總統一九六一年六月在維也納和蘇俄總理赫魯曉夫的會談。以後這種努力並沒有停頓過。世人現在所知的尋求和平的積極行動，如果再加上尚未透露的私人努力，其次數將增多許多倍。在公開紀錄上已有下列數次：

一、一九六一年六月甘迺廸赫魯曉夫會談；

二、討論寮國事件的日內瓦會議；

三、一九六四年八月美國在聯合國安全理事會上陳述東京灣事件；

四、波蘭建議召集兩位共同主席和印度、加拿大與波蘭三會員國，處理寮國問題；

五、召集十七個不結盟國家從事沒有先決條件的商談；

六、聯合國秘書長宇丹訪問河內和北平的計劃；

七、詹森總統要求無條件討論；

八、英國聯邦越南問題委員會。

九、英外長華克、英議員戴維斯先生與加納代表團的未實現了的訪問。

四、美國納入和平之籃的貢献

下列已有公開記錄的聲明中提到各要素是美國認爲能有助於東南亞和平的：

（一）一九五四及一九六二年的日內瓦協議，足供爲東南亞和平的根據；

（二）我們歡迎舉行有關東南亞或其它任何部份的會議。

（三）我們歡迎舉行如十七個國家所說的「沒有先決條件的談判」。

（四）我們歡迎如詹森總統所說的無條件討論；

（五）停火可以成爲會議的第一件工作，或者作爲初步談判中的議題。

（六）河內提出的四點可以和其他方面所願提出的其它各點共同討論；

（七）我們不擬在東南亞建有美國基地；

（八）在和平有了保障後，我們不擬在南越保留美國軍隊；

（九）我們支持在南越進行自由選舉，使南越人民有他們自己選擇的政府。

（十）越南的再統一問題應由越南人民按他們自己自由決定來解決；

（十一）東南亞各國可以自行抉擇採取不結盟或中立。

（十二）我們深願將我們的資源用於東南亞的經濟復興建設中而不願用於戰爭中。如獲和平，北越可以參加一項區域性的建設努力，我們準備至少資助十億美元。

（十三）總統曾經說過：「如果河內一時決定停止侵略，越共將無困難出席及發表他們的意見。我以爲這並非一個不能克服的困難問題。」

（十四）我們無論公開或私人間均曾表示我們可以停止轟炸北越，作爲走向和平的一步，雖然對方從沒有絲毫暗示或提示，表明如果停止轟炸，他們將有什麼舉動。

一句話，我們把一切條件——除了不讓南越投降之外——都放進和平籃子裏去了。

便利歸僑回國定居

僑委會籌建華僑第四新村

僑胞可訂購或購地自建合於標準的房屋

（本報台北航訊）僑務委員會便利海外華僑回國定居，現與中國房屋開發股份有限公司合作，在環境優美的陽明山管理局轄境天母外僑住宅區附近劃定土地約一萬坪，籌建華僑第四新村。僑委會已分向各地僑團徵求訂戶，僑胞可以在該區訂購房屋或購地造建合於所訂標準的自住房屋。

華僑第四新村的房屋價格，包括建築及內部裝修，按中國房屋開發公司所訂，獨立甲式住宅七一．四〇建坪（每坪合三五．五八三平方英尺，或三．三〇五八平方公尺），連同土地一八〇坪，每棟總售價新台幣四一八、二〇〇元。獨立乙式住宅六二．〇七建坪，連同土地一五〇坪，每棟總價三五九、一五〇元。雙拼甲式四八建坪連同土地一〇〇坪，每棟總價二六八、六三〇元。雙拼乙式四四．〇二建坪，連同土地一〇〇坪，每棟總價二四〇、〇九〇元。連棟甲式三九．四一建坪連同土地六〇坪，每棟總價一八二、〇三〇元。連棟乙式三一．二三建坪連同土地五〇坪，每棟總價一四五、六二〇元。土地每坪售價六一五元。

以上六種房屋都是兩層樓房建築，房間門窗裝修美觀，自來水電燈設備齊全，置有電或瓦斯熱水爐，樓上下均裝有衛生設備（抽水馬桶並有化糞池），以上費用均計算在造價之內。獨立甲乙式和雙拼甲式三種房屋都設有車庫（停車間），新村內設有專纜電綫，申請裝設電話，手續簡便。房屋定於五十五年一月興工，興工後四個月內即可完成。

僑胞有意回國定居而願在華僑第四新村購建房屋者，可向僑委會一次繳清土地及房屋造價全部價欵，再由該會在銀行開立專戶儲存，然後分三期轉付中國房屋開發公司。至新村房屋結構備有圖說及說明書，向僑委會函索即寄。

一九六五年的回顧

——民主國家與共產集團鬥爭一年來總結算——

何浩若

因爲毛共反對和平共存，不僅敵人就是同情的友邦，和盟國，假如不能唯命是從，予取予求，也一定要打倒之的。事實中共是匪幫所謂的無微不至？但是毛共不僅直接和印度作戰，而且還要鼓動印巴戰爭，火中取栗，以期赤化印度。蘇加諾之爲虎作倀，可積極的參加毛共所謂亞洲軸心，擬毛，以如此的貢獻之非印所以爲如此，毛共在這次的亞非會議籌備會中一敗塗地。印尼和印度親共的結果如此，試問國際那能信任中共呢？正因爲如此，毛酋澤東不僅在印尼政變失敗，在亞非會議的籌備會中更是大大的失敗。

蘇加諾本人參加此次政變的程度，來自各方的報導也有說，有人推測他至少事先知道。因爲這項推測的來源是因爲蘇加諾在政變以後，仍然袒護印尼共黨，屢次制止陸軍反共的行動，當然對於事變的分析，在沒有確知實情以前，只是見仁見智，但是以爲蘇加諾之制止陸軍於政變後反共並沒有發生效力，祇是說說而已，他要這樣說無非是想避免印尼長期的內戰。假如陸軍是效忠他的，而陸軍又確有力量消滅印尼共黨，擁護蘇加諾，他又何樂不爲呢？我們必先研究蘇加諾的爲人和政變以前的局勢，才能答覆這一個問題。我們知道蘇加諾這個人一向是靠玩弄幾個勢力來平衡印尼的政權的，他自己不是一個共產黨員，但他援引印尼的共產黨來擊敗反共的馬斯友美黨和印尼社會黨，以便大權獨攬。他勾結毛共，以阻馬來西亞和接管美國商人所經營的企業，來提高自己的地位。但是他到底不是共產黨，並不是唯命是從的，印尼政變以前，印尼的共產黨對蘇加諾加緊壓迫，要求解散回教大學生聯合會和武裝一千五百萬農工等等，蘇加諾却沒有照辦。共產黨曾多次策動罷工，在海軍中製造兵變，也被蘇氏平息。原來蘇加諾與印尼共黨合作的方式，所謂 Nasakom 也就是毛酋澤東在國共會商中所提而未實行的三三制。政府，國民黨和共產黨各佔三分之一，其他各黨各派和民主人士佔三分之一。蘇加諾的「納塞共」也就是印尼共產黨佔三分之一，各宗教團體佔三分之一，各民族黨佔三分之一。但是在「納塞共」制度之下，蘇加諾却保全了陸軍的完整，並不按三三制分配。印尼共產黨要按三三制滲透陸軍才提出武裝一千五百萬農工的要求。

印尼的海空軍都已被共黨滲透，惟獨陸軍在納蘇申將軍（General A. H. Nasution）領導下効忠蘇加諾。遠在一九四八年，納蘇申將軍領率着有名的西利汪吉 Siliwangi 師團在馬地 Madiun 掃蕩了印尼共黨的武裝叛變。今年十月五日是印尼的軍人節，納蘇申把這一師子弟兵調到耶加達來參加軍人節的慶典，適逢其會的制止了這次的印尼共黨的政變。九月卅日晚上的確實情報，到現在仍然不是一個確定的情報，報導出來的是恩東中校率領兩營總統府的衛隊拘捕了陸軍參謀長（按即陸軍總司令）雅尼（Generbl Achmad Yani）將軍等六位將領，予以殺害後屍體投入一個井裏；納蘇申將軍在被拘的時候僥倖逃走了，蘇哈托將軍 General Suharto 則未被捉到。恩東控制耶加達電台以後，即公佈組織一個印尼副總理兼外交部長蘇本旦（Subandrio）爲首的四十五人的革命委員會來接管印尼。在這項公佈中沒有提到蘇加諾。這一點是十分重要的。假如政變成功，蘇加諾當失去他統治印尼的地位。政變發動後蘇哈托將軍即率領着西利汪吉師團開始平亂，終於控制了耶加達的局勢而着手淸共。現在蘇哈托將軍已正式繼承了雅里將軍陸軍參謀長的職務者。據報導領導政變的恩東中校已被捕，和蘇加諾的慶典，向蘇加諾提出要求，將軍本照免職並解散印尼共產黨，蘇加諾屢次命令陸軍停止反共示威的行動，陸軍不予理會。印尼共產黨已在東爪哇進行游擊戰和殺人放火的工作。印尼的將來要看這一次政變以後，假如有人推測在這次政變以後陸軍將可肅淸印尼的共黨的集團，而使印尼加入民主國家，那是過於樂觀。這一推測無疑的是忽略了蘇加諾的勢力經過五十年的培植是相當雄厚的，局勢照現在的情形繼續下去，勢必發生內戰。蘇加諾反對壓迫共產黨，政變的主動者，革命委員會沒有蘇加諾的地位更表示共產黨並不需要蘇加諾。（二）

四國五強觀戰記

伍劍琴寄自台北

每逢國際性球賽，好似舉行「球迷聯歡晚會」似的，「迷哥」「迷姐」們莫不興高采烈。雖然球迷之中，各色人等俱全，無論將軍球迷，部長球迷，阿兵哥，學生，老球迷、小球迷，無分軒輊，自由自在，有志一同，熱烘烘地齊集一堂，其樂融融。此中況味，實非身臨其境者所可領略得到的。

四國五强大賽揭幕之日，球迷從四面八方擁向體育文化活動中心，老球迷相見，有的握手言歡，或打打招呼，彼此發出會心的一笑。進入球場後，老球迷們的話匣子打開了，有預測戰果，誰勝誰負，甚至打賭，談得津津有味。除了將軍球迷和「長」字號球迷得受贈有「特別座」或「貴賓證」外，一般迷哥迷姐都向一二三段各覓座位。有的「老馬識途」的迷哥們，不只要購得一票在手，還愁沒有好座位，這類迷哥們進場得先排長龍，以便「捷足先登」，不用帶票小姐關照，他們自會「各得其所」。進場不久，四周的八條走道，總是先行客滿；但是「迷姐」們却是按號就座，她們大多數是三三兩兩，偕有良伴，有說有笑。她們注意的對像是球員，某位球員長得帥，某球員的身高體重，她們都弄得一淸二楚。（二）

瀛海異趣談

俄人邪教德豪寶派

·桑雅·

在幾年前，德豪寶派的一班怪異的加拿大人，想移居澳洲，想在澳洲擁有一塊廣大的土地，作爲他們獨居的地方。幸而他們無法如願，否則，他們會給予澳洲人莫大的麻煩。一如在加拿大所發生的事件，他們糾集數以百計的男女老幼，作裸體的示威反對遊行。他們還進行一夫多妻，和交換夫婦，縱火，爆炸，謀殺，和恐怖行動。上述不過是其一斑而已。

德豪寶派的人，差不多自他們從蘇俄移居加拿大起，即給予加拿大政府無限的麻煩。他們最初進入加拿大時，是在一八九九年。自本世紀初，他們面臨被驅出境，移居塞浦魯斯，土耳其，南美，及回到蘇俄的威脅，大部份的加拿大人，無不予以「歡送」。在過去的時候，加拿大政府曾把那些恐怖份子的暴亂，投擲炸彈，縱火，盜竊炸藥者強迫離開他們的父母，送入國家訓練營幾年，過後有些兒童再不願回到德豪寶的徙區了。但一般的說，這些辦法亦不大收效。

德豪寶派的兒童，自幼即受着進行恐怖行動和憎恨他人的訓練。最不足爲異的，德豪寶派的父母差不多都是文盲。那是領袖不讓他們的兒童入學讀書，所以成爲世世代代的文盲。由於他們愚昧無知，所以很容易上當的。在過去二十年來，他們曾把自己的家園，學校，醫院焚燬。

德豪寶派是俄國農民一種宗教共產派，他們移居加拿大境，成爲別人所「遠而敬之」的民族。這裏透露一位名叫晏奴達的寡婦的故事。

她自幼即受着這種宗教的訓練，從事破壞，憎恨他人的工作。後來她把這種瘋人的信仰傳給她底四名兒子。在年輕的時候，她不願接受學校教育，她教導兒子縱火，認爲那是奉信上帝的義務。她告訴兒子說，加拿大的法律，是製造魔鬼的。她和其他的婦女在村野聯袂作裸體遊行示威，從事焚燒，縱火工作，以給兒子示範。而她所獲得代價就是無限哀傷和孤寂。她在牢房裏認出她底十七歲兒子的屍體，他是遭受自己製造的炸彈炸死的。她底第二名兒子在長大時，在暴躁中開槍把她的腿射傷，因爲他從母親那兒所學的行爲，使他糢糊不清。第三名兒子却棄她而去，跟其他的加拿大人，想過着正常的生活。她底第四子壽基他，仍然是個小孩子，還在她的訓練之下。她的一切，在這兒子的心目中已根深蒂固了。在這情況下，晏奴達的陷於好像死亡的階段。

晏奴達這婦人，不過是德豪寶派的一個例子。還有許多令人不可思議的事蹟，像那些父母不願把他們的兒女送到學校受教育；那加拿大當局人員前來訪問，亦無法可想，那些父母教導孩子怎樣逃避。

在一九五八年，加拿大當局曾大舉行動，到德豪寶派的徙區去，使那些兒童來不及逃匿，加拿大的騎警，把孩子帶去，他們的父母把騎警的衣服扯破，並向他們尖叫漫罵：「魔鬼，豬玀。」在把兒童用巴士載往寄宿的學校最初幾哩路中，他們震慄不已，同時不斷的掙扎反抗。但是經過兩年的學校生活後，他們大部份變成正常愉快的孩子。有些回到父母那兒去，可是有些「樂不思蜀」。

其他的第一次看到，公開的裸體感到震慄，在德豪寶派裏，有着強烈的性行爲，些年輕的領袖，組織了一個「處女詩歌班」，那。最著名的偵探賓克頓，曾在蘇俄進行調查有關這個宗教，指出那是道德淪亡的。另一位偵探說在蘇俄的德豪寶派人，有着最可怖的「審訊法庭」，那個司法機構稱爲「天堂和拷刑」。偵查人員在一項調查行動中，發現四百人失蹤，後來查出其中一些被活埋，一些被削四肢而死，其他的被斬首。當時的領袖高明哥夫，當他十六歲任首領時，即獲六名處女，專供他享受的。（上）

我們爲什麼要研讀三民主義

（六）

·楊力行·

甲、第一次世界大戰後，德、奧、俄三帝國失敗。德國失敗後，喪失了許多殖民地。奧國失敗後，其附屬的各民族都紛紛獨立，如：匈牙利、捷克、南斯拉夫等。俄國失敗後，出現波蘭及北歐三小國。這就是民族主義的伸張，君主專制宣告崩潰，即爲民權主義的擡頭！所以說：在此次大戰以後，三民主義就興起來了。

乙、第二次世界大戰後，軸心帝國主義者都相繼失敗了，各國殖民地亦紛紛獨立，如：朝鮮（韓）的獨立，台灣的重歸中國。英、法諸國雖爲戰勝國，亦不得不多少放棄些帝國主義作風，如：印度、巴基斯坦、緬甸的獨立，以及非洲的英、法、比原有殖民地先後宣佈獨立者已有：肯亞、烏干達、坦干伊加、羅尼聯邦、利比亞、迦納、獅子山、塞利加爾、馬利、幾利亞、上伏塔、尼日、達荷美、黃金海岸、象牙海岸、多哥、喀麥陸、查德、加彭、中非、兩個剛果、盧安達、奈及利亞、蒲隆地及馬拉加西等，達三十餘國之多，此亦爲民族主義的興起。法西斯的意、德獨裁政治和軍國主義的日本軍閥政治的崩潰，以及各國相繼實行民主政治，如德國、日本、意大利等都逐漸接受民主思想的薰陶；其他新興的獨立國亦皆成爲民主國家。中國的實施憲政，即是民權主義的擡頭；而在台灣十多年來的實行地方自治，及施行土地改革政策的大成功，亦是民權、民生兩大主義的輝煌成就，有口皆碑。英國工黨政府將大規模生產部門改爲國家經營，以及美國詹森總統最近所擬定的龐大的「美國大社會計劃」（Great Society），其預算高達七百五十四億美元之巨，預定分五年完成，以改善其不民生活的空前行動，此均與我們民生主義中節制私人資本，發達國家資本和社會福利政策相同，亦是民生主義的興起。至於最近俄帝希圖挽救其財經困窘，決定由「統制經濟」轉向「自由經濟」的大力改革計劃，自然是給予共產主義以殘酷打擊！因爲，史達林實行的「集體農場制」，是對列寧的「新經濟政策」作修改。如今俄酋柯錫金提出的又一個「新經濟政策」，亦是對「集體農場制」的修改。我們知道：如果，俄帝的經濟不到崩潰的前夕，它是決不會輕易變革的；因爲，適合公衆的需要，總是大家急於獲得的東西。

阿月

覃靖

。他們這種施施然拒人于千里之外的態度，使我感到很難過，也很灰心；可是慢慢地我又覺察，他們從根本上就不喜歡結交朋友，即使他們本身之間，也不講究這一套。有一次，一男一女同道，女的身上揹着一個孩子，兩手提着兩個包袱步行；男的則是空手赤拳地騎自行車。事實上我知道他們是隣居；但他們却是「你走你的陽關道，我過我的獨木橋」，各不相干。我看了這種情形，心裏實在過意不去，很想替那女人分担一點重量，却苦于語言不能達意。

那是一個雨後初晴的黃昏，我簡單地用過了晚餐，正準備去到河邊垂釣，剛好出門就看見一羣野孩子在曬場上，鬨鬨地毆打，情勢非常激烈。我下意識地暫時佇立下來觀賞着，當我發現孩子們從先天遺傳下來的凶狠，全是日本武士道的模樣時，我不期而然地沉入于奴隸王國的悲哀的想像裏。

突然，我被一聲慟哭驚動，原來是一個五六歲的男孩被一塊石頭絆了一跤，偏偏又是頭磕在碎石子上，前額嵌了一個血孔，險些兒傷了眼睛。縱然我對于某些成年人已經有了成見，孩子們却是無辜的；更何況我的職業是護理，碘酒、紅汞、消炎粉之類的普通藥品，家裏多少預備了一些，眼看着這種不幸的意外，惻隱之心，人皆有之，我又豈能袖手旁觀？我于是把那孩子抱進自己的屋裏，先用酒精草率地清洗了一下，然後抹上紅汞，同時用消炎粉堵住流血的傷口，最後用紗布貼上。依我的經驗，如果沒有破傷風的話，這樣及時施救，絕對萬無一失了。

就在這個時候，一個女人氣喘喘地跑進我的屋裏來了。我很奇怪這個女人就是我這篇故事裏的主角；我尤其驚訝她竟還是三個孩子的媽媽。因爲這時候，她除了懷中抱着一個奶孩子以外，腳邊還拖着一個三歲多的女孩。在這以前，我甚至連她是有夫之婦也沒有想到過。

她痴痴地望着我，我反而莫名其妙地羞澀着低下頭去。垂釣的興緻是早已消褪了。一陣快快不快的感覺鑽入我的心頭。不知是什麼緣故，我認爲她不應該是三個孩子的媽媽，最少不應該在我認識她以前，就揹起這樣重的人生包袱。難道這就是男人的佔有慾嗎？那眞是罪不可救了。我所以能夠認識她，祇是一種偶然的際遇；她所以盡力爲我解決住的問題，是她天賦有一份助人的美德。我爲什麼要如此自私而不能自拔呢？

我于是慢慢地抬起頭來，屏住氣息洗去臉上的紅暈。我將受過傷的孩子交給她，并且用手勢告訴她過兩三天就會痊癒；同時爲了一種禮貌，自己隨即退坐到榻榻米上，將僅有的一張椅子讓她坐下。

猝然，她的話匣子揭開了。也許她是過于激動的關係，說起來就像泛濫了的河水，沒有一個終止。我不由得又慌張起來。當我睜大了眼睛，聚精會神地凝聽了一陣，也仍然一句的意思也不懂了時，我，祇好還給她痴痴的目光了。

「她到底說些什麼呢？」我心裏揣測着——她的手很不自在地摩着膝蓋，眼睛一霎一霎地閃着，臉上的肌肉呈現着一抽搐狀——難道她認爲我自動地爲她的孩子護理是有所企圖嗎？抑或以爲我要收受她的醫療費呢？（五）

清代水師整建紀詳

羅雲

當宜興荊溪界，乾隆間設副將以下各官，有水師大小戰船五八艘；至道光間，僅存五艘；迨咸豐年間，洪楊軍起後，營伍船械全失。後於同治間，仿長江水師制，設太湖水師協標二營。

（十四）長江區：

道光季年，各省內河水師，及沿江水師，船多朽腐，值操練之期，虛衍儀式。洪楊軍東犯，遂無法予以制禦矣。咸豐三年，江忠源始建製艦練兵之議。四年，命侍郎曾國藩，治水師於湘之衡州府，製造拖罟，快蟹，長龍，舢板各船。惟舢板船，特爲輕捷制勝，長龍船次之。大概水師一營，配置長龍船一二艘，舢板船或十餘艘，或二十餘艘；以拖罟快蟹船守營，不以出戰。其後水師日增，悉廢拖罟快蟹舊式船，而專以舢板船摧敵。任彭玉麟、楊岳斌爲水師統帥，循長江轉戰東下，克名城數以百計，踏洪秀全於金陵。同治三年，東南底定，曾國藩、彭玉麟以江防重要，疏請設立長江經制水師，簡授長江水師提督一人，得專摺奏事，隸兩江湖廣總督節制，率提標五營，駐安徽太平府；每歲於湖南、湖北、江西、安徽、江南五省江面巡閱。設岳州、漢陽、瓜州、湖口、四總兵官。每鎮標各統水師四營，惟湖口鎮標五營；以狼山鎮標水師二營屏隸之，凡廿四營。總兵及參將游擊，於收泊處建立汛署，爲營汛治事之地，以船爲家，不得在署常居。都司守備各官，以至兵丁，根本不准陸居。總兵座船三艘，督陣舢板二艘，親兵十二人。副將座船二艘，督陣舢板一艘，長龍二艘，親兵十二人。游擊座船二艘，督陣舢板及長龍各一艘，親兵十二人。都司一人，守備二人，各有座船，舢板、飛划一艘。四哨把總九人，各有座船、舢板、飛划一艘。四哨外委十一人，各有座船、舢板、飛划一艘。又外委一人，管帶督陣舢板，有座船一艘。戰船大者，每艘置兵二〇或二五人；舢板每艘設兵十四人。總兵以下各官，設稿書之職，自七至一人不等。以都司一人管駕長龍船爲領哨，守備爲副哨，每哨戰船一〇艘。惟岳州漢陽係游擊營制，而統戰船三三艘。視參將例，左哨都司，專任錢糧；右哨都司，專任船炮軍械，及巡查諸務。大小戰船，咸設炮位，長龍船，千斤頭炮二門，七百斤邊炮四門，哨炮一門；舢板船八百斤頭炮一門，六百斤哨炮一門，船邊五十斤轉珠小炮二門，另洋槍刀矛之屬，隨宜分配。旗幟以桅旗爲主，懸方式長龍旗，凡長一丈二尺。舢板船，旗長九尺。船梢懸尖式長龍旗，書某標某營某哨。桅上小旗，或船首立旗，書駕船將弁之姓，以示區別。凡駐師之處，漁船由水師編號稽查，以清盜源。其疏防之責，以哨官爲專汛，營官爲本幫。遇有盜刦，視汛地所轄題參。江鄂各營，半年調動一次，副將與副將之營互調，參將游擊之營互調。每營調居客汛二次，又調回本汛一次，如承辦盜案未獲，則不得更調。凡副將以下，由本境巡撫節制，總兵由總督節制。土匪猝發，江用戰船，由督撫調境內水師往剿，總兵奉檄即發兵。督撫調水師操練，亦奉檄即行。其事牽涉重大者，督撫會同長江提督疏陳，其餘水營政務，由長江提督主持。餉糈之制，將弁則視其職，以定廉養公費，兵丁月餉，每名銀三兩有差。全軍餉糧，由沿江釐捐局，指定支撥。設火藥局於湖北安徽，購硝斤於江蘇江西湖南。設子彈局於湖南之長沙。設造船廠於湖北之漢陽、江西之吳城、江南之草鞋夾。戰船凡二年一修，十二年更換。曾訂定水師事宜三十條，未盡事宜續定十條，各種制度，堪稱完備。是以自荊州以達海門，沿江數千里，號稱天塹雄師焉。（十六）

歐即席云:「柳外輕雷池上雨,雨聲滴碎荷聲。小樓西角斷虹明,闌干倚遍,祇待月華生。燕子飛來窺畫棟,玉鈎垂下簾旌。涼波不動簟紋平。水晶雙枕,旁有墮釵橫。」一座皆擊節,妓乃滿斟送歐,而令公償錢。」此故事果如所云,亦文人在宴會中一時風流韻事,不足爲歐陽病。

王荊公初未識歐陽時,曾子固力薦之,願得遊其門。而荊公終不肯自通。至和初,爲羣牧判官,歐還朝,始見之,遂有「翰林風月三千首,吏部文章二百年」之句;然荊公以爲非知己,故酬之曰:「他日倘能窺孟子,此身安得望韓公。」自期以孟子,而以歐爲韓愈,歐亦不以爲嫌,足見文人器度之大。

宋代蘇家父子,得歐陽提掖之力頗多。蘇洵,號明允,年二十七,始發憤爲學。嘉佑間,與子軾、轍,至京師,歐陽上其所著書,除校書郎。而二子亦同舉進士,一時名噪京都。而蘇家飲水思源,亦不忘本,東坡兄弟以師禮敬崇歐公焉。

歐陽修其人其文

·漁翁·

讀東坡所撰居士集序有曰:「晉以老莊亡,梁以佛亡,莫或正之,五百餘年而後得韓愈。學者以愈配孟子,蓋庶幾焉。愈之後三百有餘年,而後得歐陽子;其學推韓愈孟子以達於孔氏,著禮樂仁義之實以合於大道,其言簡而明,信而通,引物連類,折之於至理,以服人心,故天下翕然師尊之。」末又曰:「歐陽子論大道似韓愈,論事似陸贄,記事似司馬遷,詩賦似李白。此非予言也,天下之言也。」所評誠然,而其推崇有如是者。

歐陽公卒於熙寧五年七月,享壽六十又六。八月,贈太子太師。七年八月,謚「文忠」。八年九月,葬開封府新鄭縣旌賢鄉。有文集一百五十三卷,而以居士集五十卷列諸首,外集二十五卷次之,易童子問三卷,外制集三卷,內制集八卷,表奏書啓四六集七卷,奏議十八卷,雜著述十九卷,集古錄跋尾十卷又次之,書簡十卷結焉。至於六一詩話,退居汝陰時所集,以資閒談,蓋於晚年最後之筆也。(三·完)

合川桃片

恨海

吾鄉向稱「天富之國」,距離寶島台灣,自從不顧被共匪奴役的人們播遷來台之後,他們也將天富的特產逐漸帶來了台灣。近幾年來,有很多四川的特產品,大部份都已經在寶島問世了。雖然它尚不如道地產品之佳,但卻也可以補償一點遊子懷故之思。如馳名的四川菜、辣椒豆瓣醬、成都的「姑姑筵」和「吳抄手」等等,都已先後光臨寶島,而且莫不是生意興盛。可是多年以來,「合川桃片」至今付闕如,我時常思念它而又感到奇怪,難道做這種東西的人,都沒有一個來到台灣嗎?因爲它越不出現,越使人思念不已,而念及更覺垂涎欲滴。我在小的時候便已經和它結了不解之緣,我享受到它的口福特別多,所以我對合川桃片的印象是特別之深。

合川的桃片,在四川也是鼎鼎馳名的。如果你曾經嘗試過它的滋味,我如提起來,你的喉管可能會發酸生液的。成都和重慶是四川首善之區,在這兩大都市中糖果店所售的桃片都是打的「合川桃片」的招牌;其實,大多是冒牌貨。所謂「特產」,只有在它道地出產之鄉才是正品。成都重慶的糖果店雖然也打着「合川桃片」的招牌,但是,它在食者的口中,是不可同日而語和相提並論的。

各地方的特產,在本地往往是不甚吃香的,但如一經異地出現,則就身價百倍。如四川的榨菜,在四川就不吃香,它如在上海出現,馬上高過了肉價。合川桃片也是一樣的,它在合川根本就算不了什麼名貴的東西,誰也可以買上一盒兩盒吃一吃;可是如將它携往外地,作爲禮品,那不但身價百倍,而且更視爲名貴之物了。

合川桃片,顧名思義,當然也只有合川是獨門,別無分店。說了半天,合川桃片究竟是什麼東西?我相信到過重慶的人,大概是聞名於它的。它是屬於糖糕類的茶點,在川人用以餉客的茶點中,往往有它一品。它的原料也並非稀奇之物,主要的原料是糯米粉、白糖、核桃仁、香油等。它的做法:是將糯米炒熟之後磨成細粉,然後將細粉攤在空地上回潮,回了潮之後,再把糯米粉在鍋裏炒乾潮氣,又經過一次篩過,然後才可以作爲做桃片之用。另一方面是將核桃仁炒乾退皮,用刀切碎;第三種原料是將白糖和香油(麻油)調成糖漿,將糯米粉加糖漿調和,揉散合成爲粗粉,核桃仁之中也要和一些糯粉和糖漿,混合在內。然後將糯米粉和糖漿揉成粗粉,放入「錫盪」之中,(錫盪是用錫製成,四方如斗)上下層用純糯米粉和糖漿製成的粉米,中間放核桃仁,然後用銅板以手把錫盪中的料壓緊。這樣還沒有成功,還得把它放入鍋中用水蒸汽蒸,蒸好之後全部凝結成長方塊;長方塊冷了之後,然後才以高超的刀法,一刀一片地切成薄片,厚薄均勻,將它裝入紙盒,或用紙封成大小不同的封盒出售。

合川桃片之所以馳名遐邇,有它特徵。眞正的合川桃片,用手將一片桃片捲起,然後放手,它會自動復原直平;如將一封或一疊桃片壓倒桌上,它會一片片像玩紙牌一樣重疊,不會粘在一起。如果是冒牌貨,那便不成了。合川桃片吃起來,是香潤細膩美甜可口,更可以充肌,吃了不會有什麼問題。這是一種老少咸宜的食物,送禮的佳品。

另外,還有一種「焦鹽桃片」,也是合川的特產,做法和桃片一樣,只是多加上一些鹽份,製法上,最後多一回燒烤的工夫,要把一片片的桃片烤焦。所以焦鹽桃片吃起來是又香、又酥、又脆。小販在街口上叫賣桃片的時候,就有一句俚俗的口號:「焦鹽桃片又香又脆,吃了不打磕睡!」「又甜又香,吃了還想」!外地人士經過合川,必定要買幾封合川桃片帶回去,不然他會感到遺憾的。

可是,我播遷海角流亡,十多年了,始終沒見它在寶島問世,因此亦增我懷鄉之思了。

臘鼓鼕鼕歲月云暮

春近

歲終臘祭,自古所重,故農曆十二月稱爲臘月,因爲一到了這個月頭,正是「臘鼓鼕鼕,歲聿云暮」的時候。所謂「臘鼓」乃是驅逐疫鬼的鼓,鼓之鼕鼕作響,謂之逐疫。俗有「臘鼓鳴,春草生」之諺。成語又有「臘鼓頻催」之說,表示急年殘景的意味。

至於所謂「臘」,據漢人應邵風俗通義上說:「臘者臘也,田臘取獸,以祭先祖也。」可知道這個「臘」字是由「獵」蛻變而來,乃歲終大祭典禮之稱。情因古代以冬季爲打獵季節,把打來的飛禽走獸,在自己未吃用以前,供祀祖先。祭餘的肉,一時吃不完,把它醃製風乾而成臘肉,這便是吃臘味風俗的起源。

可是,後來的人,數典忘祖,不知道「臘者獵也」的取義,又不知道「獵」跟「狩獵」本來是相關的事。唐朝的蕭昊,偶然把「伏臘」讀成「伏獵」,便給嚴挺之譏笑地說:「乃有伏獵侍郎」。蕭昊,因之被貶到岐州做刺史(見唐書)。那位嚴挺之未免食古不化,寃枉了好人!不過,古代臘祭之俗並不一,漢以戌日爲臘,魏以辰,晉以丑,到南北朝道教興盛以後,才規定以十二月初八日爲「臘日」(見荊楚歲時記)。又從宋代起,僧人開的頭兒,以爲佛在十二月初八成道,大寺院俱設七寶五味,謂之臘八粥(見夢粱錄)。這風俗流傳至今,於是臘八節便由道而入佛,成爲佛教歲終供佛的一個重要節期。

再從文獻考證上,古代的臘日也各有不同的風俗:漢時臘日要吃羊肉,以禦寒氣。晉時臘日多舉行飲宴爲樂。到唐時宮廷官吏要敷口脂面藥,稱爲「臘藥」,提防凍壞了嘴唇。宋時又有賞雪之俗,遇雪開筵,塑雪獅,裝雪燈,以會親舊,不外點綴歲時,增人興趣而已。

最奇的是,西北的同州,在臘八作酒叫「臘腳」,爲幼男女剃頭叫「臘頭」。江南的姑蘇,則以臘日爲王侯,忌夫婦同房。吳郡志則以十六日爲臘日,祭厠姑,男子宜遠避。

四川成都各地,有所謂臘米、臘水、臘酒、臘丸。西南臘越各地,却不吃臘粥而盛行醃臘,尤以臘菜臘鼓爲著名。至臘月落的雪稱爲臘雪,說是能殺害蟲,有利農作物。

應該指出的:臘八是臘月的第一個令節,過臘八跟着就是尾牙,祭灶,除夕,元旦,幾個節日相繼而來,故俗諺有「過了臘八就是小歲」之說。朱熹殘臘詩:「殘臘生春序,愁霖逼歲昏;小紅敷艶色,衆綠被陳根。」照說此時正是「漏洩春光有柳條」之候,殘年既已將盡,春天也就不遠了呢!

掃塵

江淮一帶的習俗,在送灶日前(臘月廿四左右,送灶),家家戶戶,都必定做一次掃塵的工作(也就是大掃除)。平時人家掃的時候,所有笨重東西,無法搬動,便不去惹他。同時,也未必能經常仔細的冲刷;可是掃塵的時候,却必須把屋裏屋外所有的地方,一切的用具,都洗刷乾淨。使得整個的家,面目一新。等待着送灶祭祖,迎神等,這可眞算是一件大事。

便請好了幫忙的人,天一亮,便把屋中的東西,都搬到庭院中,便用長竹竿紮着掃帚,把屋頂或天花板以及樑柱等處,四壁,全部掃清,再用水洗,用布揩乾。然後把屋內所有的地面,用水冲刷得乾淨。等乾了以後,又把所有的東西,一件件洗滌好,即使是櫃子上的銅環,銅扭,也要擦得亮亮的,再搬回原位。如此,整個屋子,可稱是刮垢磨光了。最後把庭院中,清掃乾淨,把屋外四周弄清潔了,水溝也通好,便可以說完成了掃塵工作。倘使時間不夠,庭院以及屋外,水溝等處的清除工作,可以放在第二天再做,屋內的清潔工作,却要當天做完的。倘使屋子多,可以多雇些幫忙的工人,在一天裏做好。

江淮年事拾零

馬小梅

送灶與謝神

送灶的日子,江淮一帶的人家,大都在臘月二十三、二十四、二十五三天的晚上。因爲二十六到二十八日三天晚上,家家又要忙着謝神,祭祖了。

送灶的儀式經過很簡單,不比接灶的煩難。晚飯後,家人把各處清掃好,尤其是廚房裏,必須很乾淨。鍋子裏放滿清水。在灶神龕子前,供上一杯清水,麥芽糖做成的灶糖一盤(約五六塊,銀元大小,最上面的一塊,做成了元寶形狀。(據說用灶糖的原因,是想把灶君的嘴粘住,使他無法說壞話。)泥製的小灶馬一隻,(是給灶君騎着上天,除夕再騎他下界的。)馬料一盤。(大豆和碎稻草),然後點上香燭,一家主禮拜禱告,大致是說:「望一年中,難免有失敬之處,灶君能包涵,上天多說好話,」再由家人依次禮拜,畢,便把龕子裏灶神紙焚化,便稱完成。

謝神的日子,上面已說過。至於儀式方面,是在正屋中央的方桌上,供奉很多的神紙,最後面是兩份較大的神紙,是天神紙和地神紙;這兩份神紙,是放在一個大碗上,碗裏貯滿了米,地神紙在前面,伸入米內,天神紙,却放在米的上面。天地神紙前,排列着玄壇、關帝、文昌、地藏、等等。(上)

新春懷大陸

十絕句

稚英

東風蕩漾看春回,百草千花錦作堆。
信美山河非故土,舊歡如夢祇低徊。

春來怕賦迓春詞,放眼神州景物非。
客地莫尋舊遊侶,一春花月賞心違。

年年此日盼團圓,見面無端夢亦難。
中夜相思憐守歲,無衣無褐可勝寒。

漫勞羔酒薦春盤,客裏何情強作歡。
爲念家鄉諸故舊,可曾饘粥繼朝餐。

家家門戶換桃符,節物他鄉總未殊。
故國不堪回首望,繁華憶昔已成墟。

爆竹聲聲響震天,兒童鑼鼓戲街前。
眼中景物添悵觸,回念家鄉一泫然。

花香月色照春明,好鳥枝頭亦有情。
底事賞遊無意緒,故鄉豺虎尚縱橫。

交遊萍散足淒涼,往事追懷夢一場。
生計勞人都草草,天涯誰與賞春光。

出門少婦尚如花,別後天涯老物華。
但願今年平寇患,春風結伴好還家。

萬物逢春盡向榮,王師浩蕩看收京。
開樽痛作黃龍飲,重與同胞享太平。

香港早年特種職業

·太平·

在香港,有些職業是在七十二行以外,許多人就靠着這些職業維持生活,雖則那些職業不成一行,仍可養活不少人。卽如炒煙圖利,挑水出賣、職業乞丐等等,嚴格來說,那種職業不算在七十二行以內,無以名之,名爲特種職業吧。

租屋、租傢俬、租車、租禮服都不稀奇,連銀紙也有租賃,眞是聞所未聞!難道是講笑話?不,這並非笑話,而是確確鑿鑿的事實。(一)

內政部台報字第〇三壹號內銷證

自由報

THE FREE NEWS

第一六一七期

中華民國僑務委員會登記證
台版新字第三三〇號
中華郵政台字第一二八六號執照
登記認為第一類新聞紙類
（半週刊星期三、六出版）
每份港幣壹角
台灣零售新台幣貳元
社長：雷嘯岑
督印人：黃行書
社址：香港銅鑼灣高士威道二十號四樓
20, CAUSEWAY RD 3RD FL.
HONG KONG
TEL. 771726　電報掛號：7191
承印者：大同印務公司
地址：香港北角和富道九六號
台灣分社
台北市西寧南路壹壹零號二樓
電話：三〇三四六
台郵撥儲金戶九二五二

科學教育發展的目標和作法（下）

·彭樹楷·

（一）國防科學方面：戰爭前敵我雙方軍事設施，將因偵察衛星、飛機偵察、地面遙控偵察等技術以及人們因生活而出賣情報等，彼此秘密均將洩露於世；戰爭時，核子、電子、光子、質子，以及化學戰劑（毒氣）和一切來自太空、高空、低空、地及水面、地及水下的投射系統，將在二三十分鐘或數分鐘內使全世界陷於毀滅地步。然後繼以游擊戰術配合思想戰來彼此作拉鋸戰的長期爭鬥。在此時期，時速二萬哩的太空軍器和時速三千哩左右的飛機以及長期潛航海底的潛艇等，將是戰爭的利器；而一切支援作戰的科學工藝及技術，均將紛紛問世，使戰爭來得不易防禦及反制。

（二）民生科學方面：一九七五年將出現下述情景：時速二百哩的快速火車。汽車在快速公路上時速七十哩以上。城市用汽車是電動的，鄉村汽車將使用電油或核子燃料電池。大廈房屋門窗由電子機控制開關，屋內對人體無害的C輻射線殺滅病菌。另有空氣調節機及香氣機。每個家庭將有一具小型計數機，開動家務帶，即可操縱機器做各種工作如洗衣機、乾衣機、吸塵機、擦地板機……。一九七五年代的食，將是丸狀……化學家、營養學家等將創造許多人造糧食，如人造脂肪、糖類、人工配種及培植的蔬菜水果等精煉食物。十年後，核子能將滲入生活領域如開關海港河道、挖掘山洞隧道或地下交通設施、海底房屋……；天氣控制將消除乾旱及水災和風暴……；科學畜牧及機械榨乳、馴獸、處理廢料……；科學將決定農作物需肥量、生長期及產品。化學的殺虫劑、除草劑、疫苗、補助飼料以及防止蒸發以節省用水等將大量問世。科學將促使自然資源加速開發、加工、製造、銷售等……。科學醫藥和技術將使人類壽命平均增加一歲（如美國的男人平均壽命將由一九五五年的六六．六歲增為六七．六歲，女人由七三．五歲增為七四．五歲）光景。

以上所述國防科學，將使人類重視約束自己和別國不致爆發大規模互毀戰爭；民生科學將使人類珍惜生命的意義和生存的興趣與肩負起對人類未來的和平幸福境界之大責重任。這些，產生了一個結論，那便是：科學教育的目標是防止戰爭和福祉全人類！

人類在科學發展史中，其目標是準備戰爭和贏得勝利。幾千年前的農業科學和幾百年前興起的機械工業，大多與戰爭有密切關係。今日我們生活在高度科學藝技之中，每一個國家的政治、外交、國防、民生等決策的擬訂，均受着科學藝技的影響。因此，這便須要認真的檢討：所有每一國家的政務是否考慮到科學藝技的配合協調運用？科學社團對於日益加深的人類責任有無充分認識和成熟的準備？

人類眼前緊迫的問題是國防科學所加於互毀性戰爭的危機；另一個不可忽略的問題是民生科學所加於經濟競賽與技藝戰爭的意氣爭鬥。

竭盡全力繼續軍備競賽，是否能夠藉以延緩世界互毀大戰的發生？經濟與技藝的爭鬥（稱為「技藝戰」和「經濟戰」），是否有助於人類福利及世界和平？

這兩個問題的答案，前者既不能在國防科學中找得到，後者也不能在民生科學中找得出來；它的正確答案，只有從科學教育中去發掘出來！因為，不論科學藝技本身如何突飛猛進，但它的決策者依然是人！而人又必賴教育以陶冶之，使「智者進焉，愚者止焉，偏才者專焉，全才者普焉。」（國父語）「我們人類是求文明進步的，所以人類便要求知識。求學的意思便是求知識。」（同上）今日的科學教育，不是求文明毀滅的教育，也不是只求一國之內富強的自私教育；其着眼點必是全民性，其用力處必須是福祉全民使世界得以因科學藝技而和平幸福並邁向「天下一家」及「大同世界」的最高境界。任何違反此一崇高目標的科學發展，絕非其政權之福，亦非其國家之福，更不是人類之福！中共匪幫搞「尖端科學」全力擴展軍備並發展核武器，招致海內外異口同聲譴責，便是說明。蘇俄改革經濟制度（准許人民私有財產）及撥二千億美元用以改善民生，以及美國的向貧窮宣戰和「大社會」制度，更是顯明的例證。我中華民國的技術援外，也是以科學福祉全民的事實。

科學時代潮流如是，「順時者昌」，怎可忽視？

科學教育的作法

民國五十四年十一月卅日「工商日報」「曾報導美國的「西門石學院」（一九六六年九月開課）。這是美國，也是世界第一所新制大專院校，其要點是把中學最後兩年課程和大學最初兩年課程連合起來在同一學校上課，學生在讀完第一、二年課程後，可以拿到中學畢業證書，在修完第四年課程後可以獲得初級學院畢業文憑，如欲深造，可入大學高年級肄業。其目的在使高中生在最後兩年不必為考大學而準備沒興趣及不必要的功課浪費時間和精力（亦即中學畢業後免試升大專）。因為現代中學生太注重大專入學試了，所以失去了教育的真義；而且傳統式的大專太注重全能學生的訓練（要學生在每個科目都達到相當的分數），不適合今日激進的科學專長需要。

筆者認為「西門石學院」這種教育方法，是本文所述科學教育作法的最佳構思，是造就高級科學理論（學術）和科學工藝的最佳途徑。因為任何一個人都不可能是全才！以邱吉爾首相比喻，他可能在英文及歷史兩科拿到甲等成績，但在數學及自然科學方面或在乙丙等，平均起來，邱氏將非成績優良生；然而是否可由此斷言他是一個平凡的人才呢？

根據這一邏輯，科學教育的作法，便是向專長（專才）教育方面着力！大專如是，職業教育尤當如是！

台灣現正擴展職業教育，茲就此陳述台灣職業教育現況、改進要點和發展方向如下。

（下轉第二版）

和平被絞殺了！

來者不善

今日與明日

共艇反正

本月九日毛共海軍一艘登陸艇在殺死幾名作惡到底不肯回頭的共幹之後，順利駛到馬祖，距離李顯斌、李才旺駕機來歸的時間尚不足兩月，毛共的海空軍都向自由來歸，顯而易見，主因是毛共政權崩潰瓦解之象已露。

李顯斌是毛共空軍人員駕機來歸的第一次；因為空軍雖然受監視極嚴，畢竟是在天上，長空萬里，逃走的機會較多，海軍則較難，逃走的機會較少，若被發覺，必遭包圍轟炸，尤難逃避。所以海軍人員即使有心反抗暴政，但在時機未到之前，不敢輕易行事。因此，更使人覺得這次毛共海軍來歸是真難得。

李顯斌駕機來歸時，只有一個人，大家意見容易取得一致，同心協力飛向自由；但這次毛共登陸艇上卻有十一個人，其中七個人意投奔自由，另四人則不肯，於是在艇上展開一幕喋血戰鬥，結果四名冥頑不靈的共幹被擊斃，自由志士也死了四人，只剩下三人駕艇逃到馬祖。從這段經過可以看出自由獲得是如何的不易。

喜劇變成悲劇

七名反共志士四名在海上捐生，剩下三名吳君歷盡千辛萬苦到了馬祖，就國家來說，就他們個人來說，都是極值得慶幸的事；再看三人的照片，最多不過二十四五年紀，小的一個還不到二十歲，報國之日正長。不料就當他們從馬祖乘機赴台時，中途被共機擊落，連同機上十人，全部葬身海底！消息傳出，所有中國人同感哀傷。就以香港而論，在輪船在公共汽車隨處可聽到嘆息聲。

說老實話，這種悲劇的造成，責共產黨的人少，責政府的多。官方報紙責毛共滅絕人性，不守公法襲擊無武裝飛機，這都是徹頭徹尾的廢話。共產黨幾時有過人性？有人性還是共產黨嗎！說到公法，更不必談，大家都記得毛共飛機在公海上面襲擊過國泰航機，那是英國的民航機尚且會被它打下來，何況我們同它是敵人，而又是從馬祖起飛載運反共志士去台北的飛機。

這次事件我方第一大錯不當在反共志士未到台北之前發佈新聞，第二大錯不應派無武裝飛機去接運又不派戰鬥機護航，此項責任究竟在空軍抑在海軍，還是應由其他人負責，政府當局非追究出責任，明令公佈，以釋羣疑不可。因為海外同胞對此事過於憤激，萬不能不了了之。（何如）

談「少吃飯運動」

自由談

在大陸上，毛共所謂「運動」，已不知有若干種類了，幾乎每隔三五天就要強迫全體民眾從事某種運動，而其作用總不外是「謀財害命」四字。最近毛共因為糧食缺乏，還要瘋狂備戰，又掀起了「少吃飯運動」，勒令人民枵腹替共黨苦役勞役，死而後已。

古今萬國的專制獨裁暴虐政權，卻未見有禁止老百姓少吃飯的。中國歷史上最暴虐的商紂與秦始皇，也沒有這樣狠毒殘忍的政令。這比秦始皇「坑儒」，亙古罕有的浩劫，苗民何辜，遭此荼毒，思之曷勝憤慨！

三年前，我在澳門遇到一個由大陸出來探親的故人之子，年紀很輕，曾經跟他在旅舍中作了兩次長談，展開思想辯論，我問他：大陸上人民被迫天天作苦工，然吃不飽，穿不煖，咱們撇開政治觀點不談，僅此生活情形，人生的意義何在呢？他就背誦共黨所教導的台詞答曰：「為着創造下一代人的幸福，我們這一代人自然要犧牲的。」我說：「蘇俄共產政權已建立近五十年了，如今全國人民還是吃不飽，穿不煖，房屋也不夠住，像這樣悠久的犧牲下去，試想要到幾時才可望創造人類幸福以求未來的生存？拋棄現實的生存於渺茫，這是北方諺語所謂『玄得很』，你覺得還有價值嗎？」他沉吟有頃然後說道：「過一天算一天」。言下表示着一種不勝傷感的心情。我本想說服他去逆効順，他亦似乎懂得了我的意思，最後握別時他說：「我若不講前進的話，怎能出來探親呢？」明乎此，大陸人民對共黨政權的觀感如何，思過半矣。

人類為着適應環境，甚至痛苦皆可忍受，惟有飢餓絕對忍受不了。毛共的「少吃飯運動」，就是壓迫人民不吃飯的餓死運動，這樣的政權如果能夠長期存在，寧有天理！它現在已到了「日暮途窮，倒行而逆施之」的階段，大陸上的民眾，每個人都是陳涉、吳廣之輩，只要受到一些外來的打擊，內部動亂必然紛起，美國政治家，對毛共這項大弱點有沒有認識？

馮子先生

國大臨時會議問題種種
監察院選舉餘波已平息

（本報台北通信）國民大會代表臨時會議定於二月一日開幕，該會秘書處已在積極籌備之中，增添了若干臨時職員，共襄盛舉。關於各個代表的旅費與出席費支給標準，秘書長谷正綱曾囑國大代表聯誼會討論決定一個概數，俾便向政府洽商辦理。

日前該聯誼會特為此事集議商討時，僉認為從上屆會議到如今，閱時已歷六載，物價指數增高了若干倍，自不宜仍按上屆大會所訂的數額（台幣五千元）支給，至少也要加倍纔對。然有浙江代表王培基獨具慧心，別有高見，他說：咱們何必為着開會的旅費與公費而向政府爭多論少，這未免太寒傖了，且給社會人士以不良印象。很簡單的辦法，可依照政府最近自動決定從五十四年七月份起，增加「憲政研討委員」每月公費台幣乙千元這項數字，請政府將七月以前的這項公費，按月計算，一律補發，即不必再談錢的事了，這樣似乎十分合理，且不致遭受物議，不亦宜乎！憲政研討委員會成立已有五年多，若按照王代表建議的辦法，每位代表即可領台幣五萬元以上，實大佳事。這項意見當場決議通過了，政府是否採納，尚不可知也。

除却公費問題而外，各位代表們目前熱烈議論的，就是臨時大會的主席團人選問題。政府主張即以上屆大會的主席團諸公繼續任職，但大多數代表不贊成，認為非重新選舉不可。現由有關方面分別疏解洽商中，是否不發生爭執，亦很難說。因為上屆那般主席團人物，不是老朽昏庸之輩，即為資望與才識皆屬下乘的角色，十九都是不夠格的。關於行使創制、複決權一事，原係臨時大會的唯一課題，將來在大會中必須通過，不成問題，問題在如何行使的方式上。政府當局固不反對臨時大會通過此案，但希望勿置常設機構，而如陳侃先生在本報所指述的方式，授權總統於適當時期行使之。然國大代表們認為如此辦法，實際就是徒具虛文，永不行使，焉乎可呢？有的主張授權總統於每兩年內召集大會行使一次，也有主張由代表們每年自行集會一次的；看情勢，授權總統來召集大會這項大前提是決定了的結論，爭執的焦點只在兩年或三年集會一次這問題上。上月廿五日國大代表舉行年會時，有位代表登台演說，認為此時此地不宜行使創制、複決權，立即激怒了大衆，譁然指其為「護航隊」，幾乎演出一幕「鐵公雞」，即此可見一般代表的心情了。

本報前次通信所談監察院因選舉副院長而引起三位執政黨籍委員的紀律問題，現在雖然由於蔣總裁寬大為懷，不致成為大問題了，但不能毫無下文。據聞已將這三位委員在國防研究院受訓十個月的學籍予以停止，而黨籍則無恙，如此即可謂從輕發落了。這三位委員就是馬慶瑞，李守中，王澍霖。他們泰然接受這項處分，並無怨尤，只對朋友表示，副院長選舉方式是無記名秘密投票的，何以見得我們三個人不是投的張維翰呢？記者曾以此事叩問一位在國防研究院講課的老師作何感想？他笑謂：「我只是跟學員講學，並未教他們投票的方式，恕不負『教導無方』的責任。」可是，國防研究院第八期仍遵照院長指示，暫停半年再說，無形中，三位監委乃連累了許多準備入院受訓的同志，殊非始料所及也。（穀生寄）

科學教育發展的目標和作法

（自第一版轉來）

（一）台省職業教育現況：現有各類職校一百二十一所，學生共達十萬零六千八百餘人，另在各校附設實用技藝訓練中心四十三所，每年訓練學生約八千人。各職校分配為農校四十一所、學生近三萬人，工職二十四所，學生一萬五千一百餘人，商職三十五所、近五萬一千人，水職四所三千一百人，護產職校七所、一千四百九十六人，家職十所、八千九百九十三人。另有新成立的市政職校等五校未予計入。

（二）台省職業教育改進要點：從台省職校現況可看出台省職校擴展之重點，有着重大之隱憂！比喻說，仍重農（農校四十一所最多）重商（商職三十五所第二多，但五萬多學生則高居第一）；工職及水產職校與護校現況，僅從外表數字看，就不能配合本省工業起飛，發展漁業，及公共衛生保健計劃。再說師資缺乏、經濟拮据、教材陳舊、設備欠缺、教學方法不能推陳出新，學生實習之實際次數與內容與課程配合不盡相符，校外參觀實習太少等問題，均有待改進。

首先，職校教育必須配合國家目標和社會需要，協調各種全面教育計劃（長期綜合教育計劃）而釐訂方案及實施步驟。但是由於國內各級和各類教育主管機構相繼釐訂的許多教育計劃，分析其內容，往往是本位的、孤立的，不但缺乏共同的觀念、觀點與全盤性、長遠性的廣泛基礎，甚至計劃與現實不配合，計劃與計劃間也不能配合使相得益彰。這其中的主要原因，是我國至今尚無國家長期綜合教育的計劃。可是，科學教育又必須配合國家目標，在長期教育計劃下才能有效推展，也才能適應社會發展需要，也才能對前述師資、教材、教學方法等問題提出改進辦法，擬定發展方向。

（三）台省職業教育發展方向：今日人類生活在技術高度發展的社會裏，全賴科學技術繼續順利進展的功能，而此功能全仗科學教育的發展方向是否正確有效而定。目前台省職校的重點是創辦五年制職校，配合實施志願升學方案將職校逐步改為省立，着重工業教育與擴充單位行業訓練，配合海洋資源的開發而着重水產職校教育，農業教育着重畜牧暨農森林以及農產品加工製造，商職則改為分科（分會計、廣告、銷售、珠算簿記四科），試行創辦工商業服務業教育，試行學徒制度及執照考驗制度，逐漸減少初職教育而加強高級職業教育。

（四）科學教育作法的構思：以下為筆者管見所設計的藍圖，在縱的方面是基於國策確定科學教育方針，在橫的方面是配合當前國情和未來發展以確定健全的體制和密切的協調。茲據此分述如下：

（一）成立國家科學教育研究發展之專門機構，俾統一步調，調濟需求，以免各自為政而節省人力物力及時間。該機構負責擬訂基礎科學教育，專精（職業）科學教育，高級（師資及科學學術與理論人才之培植）科學教育之推展計劃。上項三階層之教育必須是文武合一的教育，以構成整體系統的國家科學教育。

（二）科學教育政策的決定：負責國家科學教育政策的決策機構，必須擬訂合乎國情及時代的科學教育政策。這個政策必須是有生命的——針對需要，因應制宜，日新又新；有體系的——計劃週詳，協調良好，按步就班，循序漸進；有定型的——確定目標，建立制度，擇善固執，貫徹始終；整體性及完全性——重點選擇，階段的劃分，教材的編印，補助教材的生產，分發運用及設備器的永久性，教學方法與實習的加強與革新。

（三）科學教育制度的釐訂：必須注意要分權、單一、專精、普通（技能重於經驗，乃基礎科學教育的重點，並重視實用超過理論），代訓（文武代訓），交流等制度。茲簡述之：分權制度使依其權負其責以發揮其長；單一制度使教育不重複，非必要者不教不學；專精制度又分正規的與特定的各本需要而推展；代訓制度是學校與社會、國防科學與民間校院之彼此委託代訓之教育方法；交流制度是使文武師資及校院與民間專家交流經驗及彼此學習使教用打成一片，是學術、理論、技術、經驗、作法之相互溝通，以取人之長，捨己之短，使事半功倍。

結論

民國初年，即有「民主與科學」之說，但是當時並未提出整體性、完整性、可能性的具體推展科學的方法，而且衆說紛紜。今天，欲言科學教育，便應本諸自力更生、篤實踐履、樂觀奮鬥之精神才行得通，行得有績效。拙文瀝陳我國科學教育的目標和作法，雖包括了本體論和方法論，但限於個人學能及篇幅，芻蕘之獻，就教於諸先進暨知識青年。

一九六五年的回顧
——民主國家與共產集團鬥爭一年來總結算——

何浩若

蘇加諾之庇護共產黨，據筆者的觀察，從好的一方面講，是想避免印尼的內戰；從壞的一方面講，是想再利用各方的均勢來恢復他的政權。蘇加諾雖是「終身總統」，但他的健康情形太壞，這也是引起政變因素之一。現在的陸軍雖然仍需要他做傀儡，印尼共黨也希望利用他挽回失敗的局面，但蘇加諾想和往日一樣的玩弄各方的力量統治着印尼，在世界政治舞台上興風作浪已不可能了。他存在的日子已經有限，印尼在最近的將來也許會陷入紛亂的局面。在蘇加諾統治下所造成的經濟紊亂，也將使反共的軍首領頭痛。有一個插曲可以報告各位讀者的，在政變後第八天，就是十月八日，耶加達有五十萬人的大示威遊行，反對印尼的共產黨，他們高呼打倒共產黨的口號並且放火把共產黨總部燒為平地。奇怪的是共產黨總部的後面，有一座正在建築中的三層水泥大廈，那是印尼共產黨新的總部，示威羣衆却未予以破壞。有人說，這象徵着舊的共產黨打倒了，也許將來還有一個新的。蘇加諾不是在大喊要組織一個新的共產黨嗎？那預備留下來的新房子，也許是那新的共產黨來住的。經過這次政變和反共，雖然未能將共黨斬草除根，但是國際共黨在東南亞的力量大大的被削弱了，不僅馬來西亞減少威脅，蘇加諾也無法再在亞非會議興風作浪，至於那所謂中共印尼寮國北越北韓的反帝軸心更是無形的解體了。不論印尼的前途怎樣，在目前，在一九六五年總算是民主國家一個大大的勝利。

三、蘇俄在一九六五年，因為工業農業的失敗被迫作轉向自由經濟的改革

一九六五年的蘇俄可以說是沒沒無聞，自從赫魯曉夫去職以後，一年以來，蘇俄的首領們，沒有像赫魔一樣的叫囂恫嚇。美國加強援越，布里茲涅夫和柯錫金雖說過可能引起核子大戰，但始終沒有對北越作有效的援助。毛共毫不放鬆的攻擊蘇俄。最突出的是本年九月廿九日毛共外交部長陳毅所舉行的記者招待會，他向美國挑戰，他說美國要打就快一點打，明天也可以，讓詹森決定吧！他說讓英國的帝國主義者印度的反動份子和日本的軍閥一齊加入！他最後大聲憤怒的喊「讓現代的修正主義者也加入從北方來進攻我們！」據參加這個記者招待會的英國記者報導，陳毅竟向蘇俄挑戰要美俄合作來向毛共進攻，這實在太突出了。但是蘇俄像洩了氣的皮球，彷彿大聲說話都不敢，一副可憐像，是不是蘇俄改變了呢？不是的，原來蘇俄發生了困難，自顧不暇。蘇俄最大的困難，就是農業工業的失敗。農業失敗，人民沒有麵包吃。工業失敗，生產等於停頓。現在先說蘇俄的農業吧。

一九六四年赫魯曉夫之被逐，農業政策失敗是最大原因之一。赫魔自稱為農業專家，他以糧食減產來攻擊史達林，他正式公佈說一九一三年俄國小麥的生產量是八千六百萬噸，但是到了四十六年之後，在一九五三年，就是在史魔死的那年，小麥生產量却只有八千二百萬噸。這時候的人口已較一九一三年增加了四份之一。他把這個責任完全放在史魔身上。他以農業專家根據蘇俄一九五八年的豐收，定了一個七年糧食增產計畫，每年增加百分之八。到一九六五年，他估計蘇俄增加的糧食，以人口作比例，比美國還要多，將為世界各國之冠。他對糧食增產也可說盡到最大的力量，他不惜耗費人力到西伯利亞去墾荒，他要把化學肥料從二千萬噸增加到四千萬噸。他預備以八十億盧布來興修水利，但據塔斯社的報導，實際用了一百五十億盧布。但是結果怎樣呢？到了一九六三年，單祇小麥一項就短收了七百萬噸。一九六三年的糧食生產比預期數短收了百分之三十二點六，比一九五八年也短少了百分之廿一點七。因為糧食缺乏，短少飼料，肉和蛋的生產量更為減少。假如不是獲得民主國家的援助，蘇俄這個共產國家在一九六三年就應當全面崩潰的。（三）

四國五強觀戰記

揭幕之日，五強健兒齊集球場，儀式開始，日本鋼管、韓國、菲律賓、中華、莒光，魚貫進場；每隊先頭，有一位美麗的小姐率領前導。樂聲奏起，先奏日本國歌，然後依次是奏大韓民國、菲律賓、中華民國國歌。只有當奏菲律賓國歌時，他們個個以右手按着胸膛，有如教友們禱告樣子，這是菲隊與衆不同之點。除了菲律賓隊穿着西裝外，其他各隊都是穿着球衣。各國國歌奏完，由楊老將軍（森）致詞，他的致詞不到一分鐘便告結束。然後球員出場。

四國五強的序幕戰是由我國軍代表隊莒光對韓國。這是一枝由國軍精英所組成的隊伍，士氣昂揚，技術優良。戰火燃起，由楊森將軍開球，莒光健兒大顯身手，打得韓隊落花流水，大獲全勝，出人意料的贏了二十餘分之多，果然不負衆望。全場球迷歡聲雷動，體育文化活動中心呈現一片歡欣鼓舞的氣氛。（三）

瀛海異趣談

俄人邪教德豪寶派

・桑雅・

德豪寶派的人，以宗教信仰受迫害爲理由，向加拿大政府申請移民入境。當時加拿大政府，對於該派宗教教徒的暴行，一無所知，同時看到他們的照片，現出一派寧靜慈祥的農民臉譜，於是便准許他們移居。到一九〇三年，加拿大政府，才曉得「引狼入室」，才曉得這些移民，並非善類。那些德豪寶派的男女，在附近的市鎮，公開脫衣遊行，他們卅人以上一組，在徙區裏裸體穿揷着。亦有一組在夏天裏裸體而行，加拿大政府當局派員前往警告，同時把他們圍住，盡驅進一木屋中。他們不肯穿上衣服。這晚警方將門打開，點起燈來，於是夏蚊如雷，數以千百萬計的餓蚊飛到那裏，向這班裸體狂徒，飽餐一番。第二天，他們自動穿回衣服。起作體遊行。由那期間，政府派出調查員一前往調查，可是德豪寶信徒可能事事都不肯應允，他們自幹的守口如瓶，一些話也不答，除非他們願意，否則甚麼都不願動的。他們有着秘密的訊號，藉聖詩傳遞命令，即使在途中，一條圍裙，一條領帶結，也是個訊號。他們自把金錢家宅，和學校焚燬。在一九一〇年，三十二名的德豪寶信徒四十二天搞飢餓運動。他們無論結婚和生子，都不肯到當地的註冊署登記。不久，他們內門了，二十歲的領袖柏德華竟被內教徒謀刺而死。他們將一枚炸彈放在火車的一個座位上，那是柏德華乘火車旅行的座位，結果炸彈把他炸爲肉醬，同時還有九名乘客，無辜被炸死。

他們的內門，並沒有因柏德華遇害而止，他的兒子柏德華二世，下令他的隨從把他父親的墳墓修飾，結果被爆毀。經過重建之後，又再度被爆。這樣的爆毀，持續好幾年。同時，他們的裸體遊行，和教徒參加的數字，日益增加，而教裏的教徒貧乏情形，一年甚於一年，他們却歸咎於政府。但這派宗教的領袖，却需花數千萬元，以維持教徒的生活，及答應替他們另找地方移居。

柏德華二世想操縱整個教會，他主張裸體運動，強迫父母和兒童，裸體參加他召集的會議。在會議中，那領袖善待年輕的女子，他曾告訴一位少女，說她無法獲選爲地球神的王國的妃子，因爲她還有丈夫在旁。接着他下令所有的男女老幼上床，命令夫妻可雜交。而他本入選了兩名年輕貌美的少女，帶到他的宿舍裏，享受着他自創的神交。」

柏德華二世不只好色，而且愛財。爲了要獲得一筆財富，他計劃來一個大騙局，在一個月或一月以上，他向跟隨他的門徒，取去了四十二萬四千美元。他是個衝動的賭徒，而且是個「長敗將軍」，那些職業賭徒，非德豪寶教徒，在他那兒贏了不少錢。但是他底門徒，仍然不斷的把錢進貢給他。

德豪寶教的教徒，是多妻主義。像有一個莊里貝道的男子，公開承認有五個妻子。柏德華二世的繼承人米高莊奧壓，在繼任時，已六十一歲，那些教徒以焚燒工廠，住宅，校舍，爲慶祝新領袖登基，於是又爆炸前任各領袖的墳墓以慶祝。（中）

阿月

卑靖

一羣孩子圍過來了。她似乎覺察到了我的窘態，便站起來和一個比較眉目清秀的女孩嘀咕去了。

約莫過了五六分鐘，那個女孩怯怯瑟瑟地走到我的跟前，用生硬的國語對我說：

「先生，阿桑（日語、太太意）太謝謝你。下個月拜媽祖，請你吃拜拜。」

原來是這麼回事。我笑了，她也笑了。這笑是會心的笑，也是默契的友誼。

台灣經過日本五十年的統治，雖然在傳統上仍保持着中國的精神；在風尚上却有了很大的變化。顯然地，他們沒有解脫中國專制思想的枷鎖，同時又接受了日本奴化教育的勒束，因而形成一種極不正常的社會現象。以我在「大里」這個村子裏，三個月來的時間的觀察，我發現他們的衣食住行，都與我們大陸有着很大很大的懸殊：

在衣的方面，大致說來他們都不講究。尤其是光復的初期，城市裏稱得上富有的人家，也很少以毛絨絲綢的貨色作爲炫耀的。在形式上，五十歲以上的男人都穿對開布扣的短式衣褲，女人多穿大衣襟短襖和長裙；五十歲以下的男人則是日本中下層社會的土布西裝和夾克，女人便形形色色都有，其中也有穿日本和服的。足履除了老太婆的小脚以外，大多數是木屐和赤足。其他的裝飾品，據說在日治時代，金子的顏色他們也沒有看見過；現在有部份的男人，已經戴上很笨大的戒指了。

在食的方面，他們保有我們三十年前的民風，採用牙祭制。拜拜的時候，除了牛羊和蛋類，樣樣葷菜都要齊備，而且份量很重，貧窮的人家也不例外；平常的日子則油水也鮮少使用。可是在社會上，他們却太重男輕女了。他們的男女是不能共桌，經常的情形是爺爺老子吃了，兒子孫子吃，然後才輪到奶奶母親，媳婦孫女。若是遇上請酒宴客，女人就連端菜的份兒也夠不上了，只能躲在廚房的角落裏，分嘗些微殘餚和剩飯。

在住的方面，幾乎清一色是榻榻米大坑合睏。男女老少祖孫婆媳全都滾在一床，是一種特殊的情調。我曾經幾次暗地打趣說：也許祇有他們才眞正地體味到天倫之樂吧！

在行的方面，男女祇能同在田裏耕作，工廠做工；但不能一道上街買東西。他們各自遊玩的時候，男的可以單槍匹馬，女的却必須拖兒拖女。

根據以上的幾種跡象，我得到一個結論：他們的一切行爲，彷彿都與今日男女平等的時潮相逆背。可是其中有一點，却又非常令人費解，台灣的酒家和娼寮的林立，遠較大陸任何省份來得茂盛；他們的社交也很隨便，就是最保守的鄉村，也不像大陸上那樣把男女之間的交往，劃出一道深深的鴻溝。

也就因爲這種關係，我這篇故事裏的主角，終于正式和我通話了。她眞費了一番苦心，爲了要表示對我的感激，還特別臨時學了幾句簡單而不太通順的國語。

我始終不會忘記，那便是她的孩子跌傷後的次日清晨，我剛起來嗽口的時候，她從米粉廠担了一担餵猪用的豆水回來。經過我的門前時，她故意將豆水從肩上放下，作休息狀。

「先生，你早！」她很吃力地，「有吃飯嗎？」

「剛起來哩，還沒有生火。」

「我沒有發笑。」

「哦，這樣。」她愣了一陣，又突然想起說：「我也有知道，煑飯嗎？」

「難道你的先生不會煑飯？」我想起她有三個孩子，這樣清早出去工作，照我們經年流浪過的人的習慣，做丈夫的應該體恤妻子的辛勞，幫忙做點家事。（六）

我們爲什麼要研讀三民主義（七）

・楊力行・

俄帝的附庸國受着它的統治，亦步亦趨。當自由稍露曙光的時候，便會產生強烈的自主，所以，慢慢地不願意受其統治了。至於已到日暮途窮的遲執迷不悟的中共匪幫，更是不堪言狀了。

我們研究兩次世界大戰的結果，便深切知道：三民主義確實合乎世界潮流，適應世界潮流的產物。所以，我們必須精研三民主義。國父曾說：「潮流有如黃河、長江之大水，不可阻擋。三民主義就是順應世界潮流的產物；」所以，我們必須精讀三民主義。」再說，我們國憲法既是依據三民主義而制頒，可知我們的立國精神完全是基於三民主義的，凡是中華民國的國民，都應該瞭解三民主義，中國人民研讀三民主義不僅合理而且合情、合法。因此，教育部增訂三民主義課程，最近又重訂其課程新標準，是絕對正確的措施。因爲，反攻聖戰主要是思想戰爭，要滅共和遏阻第三次世界大戰的發生，唯一的武器就是宏揚三民主義，實行三民主義。

四、結語

總之，千言萬語，萬語千言，總括一句話：正確的主義是客觀的眞理，是人生的理想，非精研不可。而三民主義合乎我國六、七億海內外同胞（力行按：蔣總統在民國五十四年國慶日發表「告全國軍民同胞書」中稱：我國人口總數爲六億，而華府最近修訂出版的一九六五年份「美國政治手冊」所載：中國人口新數字爲七億二千萬，故併存之。）全民的利益，合乎國家需要，順應世界潮流。並且，三民主義的力量，過去已經先後推翻了滿清王朝，打倒了北洋軍閥，更戰勝了日本軍國主義的侵略；現在，又已將台灣建設成三民主義的模範省。我們要堅決的相信，在不久的將來，更能一舉摧毀匪僞政權，光復大陸拯救中國同胞於水深火熱之中，來完成國父的志願。所以，我們務必切實研讀三民主義，信仰三民主義，實行三民主義，宏揚三民主義，實行三民主義於中國、亞洲，乃至全世界，俾能促進世界於大同，責任甚艱鉅。尤其應遵照蔣總統在「民國五十四年元旦告全國軍民同胞書」中的明白昭示：「必須抱定以三民主義戰勝一切，和反攻必勝，復國必成的信心！更須在台、澎、金、馬全力推行三民主義，作爲光復大陸的前驅。而光復大陸之後，我們更要以建設台灣爲模範省的業績，作爲建設三民主義新中國之藍圖。」此爲天經地義的培元固本工作，願我朝野上下共勉之。（完）

清代水師整建紀詳

羅雲

光緒季年，朝命大臣，查閱長江營伍，實存長龍、舢板戰船凡七六二艘，飛划六四二艘，水師弁兵一萬零七十九人。其自荊州以上，湖江至宜昌巴東，漢陽以上，湖江至襄陽隕陽，湖南之湘江沅江，江西之吳城以上諸河，各疆吏自設防營。其淮河一帶，自正陽關至洪澤湖，及江蘇境各支河水師，隸淮陽鎮標。光緒間，改設江北提督，凡清江營、洋河營、廟灣營、佃湖營、洪湖營及葦蕩營均隸屬之。自鎮江以東內河各汎，及太湖水師五營，則統以江南提督。凡各省內河有水師者，悉改舊式，一準長江水師。其海口原有之狼山鎮、福山鎮，仍如前制，由鎮將督率大號戰船，巡防內海。惟狼山鎮，兼隸長江水師提督。每營設大舢板船二〇艘，並設大號戰船數艘，多置炮位，爲巡緝內洋之用。總計長江經制水師凡二十四營；其中副將六營，參將七營，游擊十一營：

1 岳州設總兵官，置中軍中營游擊，戰船三三艘。
2 沅江設參將，屬岳州鎮左營。
3 荊州設副將，屬岳州鎮後營。
4 陸溪口設游擊，屬岳州鎮前營。
5 漢陽設總兵官，置中軍中營游擊，戰船三三艘。
6 牌州設參將，屬漢陽鎮後營。
7 田家鎮設副將，屬漢陽鎮前營。
8 湖口設總兵官，置中軍中營游擊。
9 吳城設參將，屬湖口鎮左營。
10 饒州設參將，屬湖口鎮後營。
11 華陽鎮設游擊，屬湖口鎮右營。
12 安慶府設副將，屬湖口鎮前營。
13 太平府設長江水師提督衙署，置中軍中營副將，分防金柱關以下江面至烏江。
14 大通設參將，屬提標後營。
15 蕪湖設游擊，屬提標右營。
16 裕溪口設參將，屬提標左營。
17 金陵草鞋夾設參將，屬提標前營。
18 瓜州設總兵官，置中軍中營湖擊。
19 孟河設游擊，屬瓜州鎮右營。
20 三江營設游擊，屬瓜州鎮左營。
21 江陰設副將，屬瓜州鎮前營。
22 狼山鎮總兵，循舊日之制，撥水師二營，兼隸長江提督。原統中左右三營，朝埔揚州三江泰州泰興掘港各營，悉仍其舊。惟通州設綏通營，置游擊各官。
23 海門廳設綏海營，置副將各官。
24 巴河設游擊，屬漢陽鎮右營。

總之，有清一代之水師，無論規模組織乃至船械之設計與運用，均爲遠邁前代，燦然可觀者。其事之敗，乃時會迫遷，而非規劃不力也。（完）

古代數學家祖冲之

·方式程·

南北朝時代雖然是一個戰爭頻繁、社會混亂的時候，但文學、藝術、科學等在這個時期却都獲有很多新的成就。

祖冲之，字文遠，當南北朝的南宋元嘉六年（公元四二九年）生於河北省涿縣。祖氏在少年時代就對科學有着濃厚的興趣，他虛心地吸收了許多前輩的研究成果，再通過自己不倦的深入鑽研，使他後來成爲一個在數學、天文學、機械製造等方面都有卓越成就的大科學家。他在數學上的某些成就，至今還受有國際的推崇與重視。

祖冲之精確地重定了「圓周率」的數值（圓周率是用來計算圓的面積或周長的一種數值，也即是每個圓形東西的圓周長度和圓的直徑的比較數值），是他對科學最光輝的貢獻。

我國古代的數學家對圓周率的算法是走在世界的前頭的，周一徑三的記載很早便有了。西漢末年的劉歆已求得圓周率三·一五四七，東漢張衡的「開方十」，魏晉間的劉徽得三·一四一六。張衡推算的已比外國早得多；在印度約後了五百年，在亞拉伯約後了七百年，才在它們的數學著作中見到同一的數值。劉徽的稱爲割圓術，他用折綫逐步地來接近曲綫，用多邊形逐步地來接近曲綫所包圍的圖形；用圓內接六等邊形、十二等邊形、二十四等邊形的邊長之和，來逐步推算圓周的周長。這種進步方法的運用，不僅奠定了圓周率推算的科學基礎，同時還闡明了積分學上長度和面積的基本觀念。

百年後的祖冲之，把圓周率推算得更精密了，並且使它已走上漸近值論的大道。他精確地證明圓周率該是三·一四一五九二六與三·一四一五九二七之間這兩數的平均數，即三·一四一五九二六五；並用七分之二十二與一一三分之三五五做疏率和密率，其密率較歐洲的荷蘭人科侖（Ludolfvan Ceulen, 1540-1610）的最早紀錄（公元一五七三）早一千多年。他是全世界第一個將圓周率的準確數值算到小數點後七位數字的人，比其他國家的數學家要早一千多年。日本學者曾建議把圓周率改稱爲「祖率」。這是祖冲之的光榮，也是所有中國人的光榮。

此外，他又從劉徽的「九章算術」裏提出的開平方、開立方的算法，求得一般的二次和三次方程式的正根。他們二位在方程式論上的貢獻，也是走在世界的前頭的。

大小涼山譚倮儸

恨海

大小涼山是一個與世界絕緣的神秘地方，它的面積橫跨四川的雷波、馬邊、峨邊、屏山；西康的昭覺、西昌、寧南、會理、越雋等縣。涼山山脈，是雅龍江和金沙江的分水嶺，山巒叢雜。大小涼山以茅崗爲界，茅崗以東爲小涼山，以西爲大涼山。這地方大部都在北緯二十八至二十九度與東經一百〇三至一〇四度之間，北界大渡河，東北與四川的犍爲、宜賓爲界，東南有金沙江，是四川與雲南的省界。大小涼山區高原，就是果羅（均人旁，以下同）族的生息之地。

果羅人的來源

果羅人是從那裏來的？大小涼山不是他們的原產地。根據記載，他們是由滇西滇東而來，他們進入四川，是在晉代建元六年，「蜀人李壽縱獠入蜀」。「獠」古音「勞」，「獠獠」衍爲果羅不知爲何時。果，赤身也，有人以爲果羅本不穿衣服，故名。

果羅有黑、白二種，今四川又呼爲白夷和黑夷。黑羅人的地位，反較白羅人爲高。黑羅人自以爲是純血種，自稱爲黑骨頭。他們的婚姻限制非常嚴格，婚姻限於門戶相當的黑羅，而且常婚嫁於姑舅表或姨表之間，他們以爲這樣是維持純血統；如果有與白羅人發生性關係，則男女雙雙要處死。他們通姦法律規定：貴族婦女與自由人或奴隸之男子或漢族男子通姦，被人發覺者，由親戚強迫犯姦男女同時自殺；未婚成年女子與人通姦，受孕後不向家長供出通姦之人，則迫之自殺；自由人或奴隸拐逃貴族階級子女與殺死同族者同屬處死。

黑貴白賤的怪族

世界人類，以往白貴黑賤，而果羅人實恰恰相反。白羅人原來都是黑羅的奴隸，民國以來漸漸可以贖身爲自由人。至今白羅一部爲自由人，他們只爲貴族的黑羅戰爭、營造、耕種、畜牧、納稅、掠物及協助婚喪等事務，不受身體之買賣、鞭撻、誣辱等待遇。但遇到保護人困難時，則可以典當本人。巫師及鐵木工作人多屬這一階級的人，其首領的地位僅次於黑羅，稱之「鍋樁娃子」。一是完全奴隸的白羅人，這種人由於搶劫、俘擄、購買、押質、交換、饋贈而來，完全猶如財貨，無一切自由可言，使其後代完全同化爲止，故有「頭道娃子」「二道娃子」之稱。生殺之權，完全操之於貴族。貴族僅給予土地、農具、牲畜等，使其生產，俾得贖身，成爲自由人。

生死的怪事

果羅族人生死習俗，非常奇怪的。當一個嬰兒墮地後，就把嬰兒放到豬槽內，用冷水洗澡。此後終身就不洗澡。產婦於嬰兒尚未開始大小便時，吞服一隻煑熟的雞蛋，如產生一男一女的孿生胎時，則男女將來的婚嫁必須同時舉行，否則是犯禁忌，不能生存。產後一月，產婦抱兒回到娘家，設宴親友，客人必須送禮。此時產婦必須把頭上的帕子除去，換戴圓帽，這表示已脫離了姑娘階段而爲有子女的婦人。嬰兒出世五、七、九日，產婦抱兒出門，請巫師打羊、唸經、趕鬼，父親爲嬰兒剪髮，由父母或祖父母命名。命名之前，則請巫師推算流年，如命宮不佳，則向牲畜敬酒，取名「牛兒子」、「青馬兒」或「狗兒子」等俗名。如生母命宮不佳，則取名「布多」或「衣母」等名。如嬰兒本人命宮不佳，爲防夭折，則用「畢母子」「師孃子」「叫化兒」「小偷兒」；或以漢人官名，如「制台」或「軍門」等名。女孩子到了十三至十七歲時，須舉行成年儀式，請巫師趕鬼，宴請親友，換去幼時的單髮辮及二接裙，將髮分梳雙辮，穿上三接裙、戴耳環。

（上）

年節的遊藝節目

曼玲

春節給孩子們帶來了希望，也替成人們帶來了回憶。春節的回憶總是溫暖的，洋溢着柔和和歡悅的感情。茲將春節裏，北方民間的數種遊藝節目，在此時會，介紹給海外讀者供作消遣。

跑旱船

旱船是用竹篾紮編的，四週糊上彩紙，形如舢板，極其輕巧。特出的是下面空蕩蕩的，便於花旦兒站在其中，提着彩船遍遊大街小巷。

玩這玩藝兒，少不了鑼鼓手、車伕，一行三五人，敲敲打打，叫叫鬧鬧，十分熱烈。「船」中的花旦是男扮女粧，塗脂抹粉，穿紅著綠，賣弄妖艷，令人捧腹。另有一位紅鼻子白眼圈的醜船夫，一副寶相，更是叫人好笑。

船夫繞着「旱船」，隨着鑼鼓節拍，一前一後，手執划槳，搖呀搖呀的；花旦外做裏合，船兒飄呀盪的，唱起輕鬆的小調：

「正月裏來正月正，王祥爲母臥寒冰。孝心感動龍王爺，一條鯉魚跳龍門！」

「二月裏來龍抬頭，閨閣女兒上翠樓。花顏引得人爭看，一心等着拋繡球！」

「三月裏來是清明，妹子打扮去踏青。百花競放桃李笑，盼得春來莫負春！」

衆人合唱：呀兒伊兒呀，呀兒伊兒喲海喲！

除了這類時令小唱之外，還有調情逗樂的表演，花腔花調，表做動作，也都蠻「惹火」！

比如演「看龍舟」，船伕前後把槳，載着旦角，搖來划去在河中遊行：時而微波蕩漾，船兒籤呀籤的；時而漩渦盤旋，連連打轉；時而順水滑行，船兒快如流矢；時而逆水而上，一進一個倒退，……象徵動作；眉目傳情，種種表現，就同眞的划舟一樣，極爲傳神。

捉海蚌

捉海蚌是二個人的動作，另配以小喇叭及小鐃鈸，以作爲表演時的節拍。

海蚌的殼子，是用劈開的竹子編成的，雖然像兩扇方桌那麼大，但却非常輕巧。殼的裏面，再糊一層白紙，外面塗上黑白綠相間的波紋，看來與一個大的蚌殼一樣。蚌，也都是由年輕健壯的男子來裝扮，穿上紅綠衫褲，頭上一條油黑漂亮的大辮子，看來亦頗蕩人心弦。

配的捉海蚌的老頭兒，也是由一個年輕人裝飾的，帶上了白鬍子，再在額上塗上幾道皺紋，走起路來雖然彎腰駝背，但是却也蒼勁有力。（一）

江淮年事拾零

馬小梅

多的有二十多份，少的也有七八份。神紙前供上酒、菜、若干杯，熟雞一隻，熟魚一條，豬肉一塊，熟鴨蛋一個，鹽少許，刀一把。焚香禮拜，只限於男子。拜畢，由家主將一份份神紙焚化升天。然後用刀取魚鱗一兩片，雞冠肉少許，豬肉一小塊，同放入酒杯中，然後灑在焚紙灰的四周地上，用意是感謝諸神的保佑，一年之中，闔家大小，都能平安度過。

陳年飯和聚寶盆

故鄉風俗，新年的頭五天不吃新煑的飯菜。表示年年有餘的意思。菜，由於臘月裏做得太多，當然不成問題。飯呢？便只有在除夕晚上，煑一大鍋米飯，用一個大缽子裝得滿滿的，上面插着一尺五六寸高柏樹枝，針葉上套着一枚制錢，外面夾上一個白棗，名曰搖錢樹。後插一枝陳飯旗，高約三尺，乃是用一根蘆柴，外裹紅紙，上面剪貼些財神像，和合利市像，以及三枝戟，俗名平升三級，每年臘月二十日後，市面上便可以買到的。兩旁插兩枝冬青樹枝，四周排些橘子，棗兒，龍眼，糕餅等等。然後將缽子放在神案旁，這叫做陳年飯。新年的頭幾天，每天挖一些出來熱着吃。煑陳年飯的鍋巴，須小心的把他剷起，外面黃黃的，象徵着一個黃金盆。裏面也放些棗兒，龍眼，花生，栗子，橘子，糕和饅頭等等。放在陳年飯旁邊，這叫做聚寶盆。蓋取其吉祥之意也。

接灶與天燈

接灶是除夕晚上的事。比送灶麻煩多了。除夕晚把廚房裏整理乾淨，鍋裏放滿清水，灶神前的供品，和送灶時一樣。家主先把新的灶神紙，貼進龕子裏，然後禮拜默禱，卜請灶君下界。由一個男孩跪在一旁，焚化着紙錢。倘使運氣好，灶神爺不刁難，一下子卜出上上來，（家主用兩塊神木懸空擲下，一仰一合，謂之上上。和寺廟中神前卜具一樣。）便表示灶神爺下界了。倘使不順利的話，可以連占十多次，得不到上上。這時家主可以起身，命人四處檢查，如有不清潔的地方，立刻弄乾淨了，然後再卜。（記得筆者小時，有一年父親接灶，我在一旁焚化紙錢，一連卜了十多次，都沒有上上。父親急起來了，令家人到處檢查，結果發現龕膛裏睡着一隻貓，把貓趕走後，灶神居然便降臨了。）灶君下界後，家主仍然要再占卜幾次，那問的是明年家中人口平安否？財源茂盛否等等。一卜好，最快也得一兩個小時。最後全家大小，依次禮拜便稱完成了。

（中）

香港早年特種職業

·太平·

一九三八年五月間，港府對華人入境採取新辦法，規定華人來港，不論乘船或乘車，入境時每人須提出港幣二十元作保證，否則拒絕入境。當時華南一帶烽火漫天，有些貧民希望來港另謀出路，但如無現欵二十元「照保」，入境時便會遭遇困難；幸而有些投機份子想出辦法，在省港船或港澳船泊岸時，設法混到船上去，搭客中如無現欵二十元「照保」，他們有銀紙租賃，出到碼頭外，即原欵交回，另繳「租金」二元。在當年，碼頭和車站附近，都有不少人幹着這項特種職業，每人每天所獲利二、三十元，在所多有。但在本港施行入境限制以後，租賃銀紙生意便做不成了。

一九三一年間，有些意志薄弱的女人，因貪圖小利，竟被私梟利用她們的髮髻，作爲偷運鴉片的工具。當年女子剪髮的風氣不像今天這樣流行，舊式婦女未婚的仍留着長辮，已婚的髮上梳髻。有些婦人被利用髮髻偷運鴉片，每次獲利若干，作爲一種職業。其始緝私人員對此未加注意，縱使搜查，亦不會搜到婦人髮髻，後憑綫報，破獲漸多。因此，當年婦人的髮髻，會一度引起緝私人員注意，尤以從碼頭登陸或車站入口者爲甚，竟連累並無走私的梳髻婦人亦發生麻煩，私梟輩亦可謂累人不淺了。

一九四〇至一九四一年間，永樂街公烟分銷處門前，每天有千餘人露宿街頭，輪購公烟，由於人數太衆，界綫劃分東西，形成男女雙方的防地，原則上是不容侵犯的。但到了晚上，往往爲了「霸位」而發生糾紛，嬉笑怒罵，喧鬧不休。當年寶公烟這樣規定，不論男女，近位佔先時，每人可購得大烟一支，小烟兩支；遠位而後至的，每人僅購得小烟三支。他（她）們每天炒烟轉寶圖利，視爲一種職業，前者可賺一元三毫，後者可賺四毫半。

過去本港每當水荒嚴重時，挑水伕大肆活躍，特別是一九〇九年，一九二九年；一九三一年那幾次水荒中，許多住戶都要向挑水伕「買水」。挑水伕的水多取自山坑，水價高低，每視水源是否困難而定，通常每担代價由一毫至三毫，樓宇愈高，代價愈昂。可是，至水荒解決後，挑水伕的生意立刻大受影響。（二·完）

內政部台誌字第○三一號登記

自由報

THE FREE NEWS

第一八一六期

中華民國僑務委員會登記證 台僑新字第三三三號登記證
中華郵政台字第一二八二號執照 登記爲第一類新聞紙類
（半週刊每星期三、六出版）
每份港幣壹角
台灣零售價新台幣貳元
社長：雷嘯岑
督印人：黃行憲
社址：香港銅鑼灣高士威道二十號四樓
20, CAUSEWAY RD 3RD FL. HONG KONG
TEL. 771726　電報掛號：7191
承印者：大同印務公司
地址：香港北角和富道九六號
台灣分社
台北市西寧南路[illegible]號二樓
電話：三○四六
台郵撥儲金戶九三五二

越南戰局和得了嗎？

黃炎

最近美總統詹森對越戰採取大規模的和平攻勢；首先藉聖誕節爲口實，對北越停止轟炸，繼即派遣大員如副總統韓福瑞，駐聯合國代表高德柏，國務院巡迴大使哈里曼等，分赴歐亞各地區——包括東歐共產國家——奔走游說，表示美國渴望停止越戰的誠意；詹森總統又發表了美國對越戰談判的十幾點意見，除聲明和談并不附帶任何先決條件外，且允許越共所提的和談四原則一併商討，連幽默式的「越南人民陣綫」，亦認爲可以參預談判。這好像是美國在越戰中打了大敗仗，自信沒有制勝之可能的「紙老虎」心情，非委屈求和不可了，其然，豈其然乎？

美國謀和的意向

美國當局表示亟於和談的用意，不外兩點：一爲美國乃是眞正的民主國家，政府措施，內政外交的重要措施，如不多數人與論一致支持，即不能一意孤行，同時，所欲爲；民意的支持，即不能一意孤行。自美軍入越從事反共戰爭以來，美國國內以一般左傾幼稚的大學教授爲首，倡言反對直接參預越南戰事，醞釀後，即有青年學生和民衆，不斷發生反對越戰的游行示威，包圍白宮請願，且有當衆撕毀入伍證的非法行爲，其黑人亦受共黨煽動，在東海岸地區發生前所未有的大規模暴動，損失生命財產不少，因而迫使白宮當局設法舉行兩次全國性的電視大辯論，專題討論越戰的利害得失，且數白宮總統特別助理彭岱出來主持這場辯論事項，替政府的對越南政策作辯護，希望博得民衆的諒解，不復反戰，情形可謂緊張之至。白宮爲要使民衆相信政府決無擴大越戰意念，同時亦相信美國確有謀和誠意，又派遣大員分赴國際間游說解釋，特別對東歐共產國家爭取諒解，以期先行消弭國內的紛擾，一定可戰可和的基礎。

滾出非洲

胡志明的子彈

二爲對北越表示美國并不以武力毀滅北越的心理，祇要北越不以游擊隊侵襲越南，恢復原有狀態，和平即可定。戰爭言和來。自美俄罷交以後，蘇俄及毛共對立，毛共勢孤，越共企圖使蘇俄援助，陷於孤立，而乃使不復有向的困境，俄國毛因力戰外關係擴張，不能

間北越與中共矛盾的證明，北越雖與蘇俄及毛共都有關係，但仍以毛共爲主，北越可與蘇俄相處，但不能與毛共分開；若美國把握這一點，由此而與蘇俄的間隙，作有利於美國的發展，這無疑是美國的最大爭取。

和談不容易實現

切慣，毛共是專以暴力，反對和平的，其所以在一連串的談判中，顯然的是要共產黨的革命路線，不容輕易放棄。[illegible]

（全文部分字迹模糊）

海爾邦之言

今日與明日

英國出席軍會議大使海爾邦爵最近發表談話，指毛共在二十年後，將成爲世界一如第二次大戰後的蘇俄，其影響今後世局的重心，在亞洲及非洲，而不在歐洲。所見，就我們記憶所及，海爾邦爵似乎是第一個公開承認世界重心在亞洲而不在歐洲的英國人，他的意見甚公正，十分可佩；但若就其觀點來說，似乎尚待研究。

首先要指出，毛共今日成爲世界之害，已無人不認，是有近的中共與亞洲國家同遭荷蘭的毒害的證明。中共雖然今日以火燒到萬里之外，何況蘇俄，但毛共與蘇俄基本的情況不同。首先是中國的工業基礎不能與二次大戰前後的蘇俄相比，全國人民雖多，所得有限，再由於浪費，財富無知，加之黨棍家工人農民的消極抵抗，故其已有成就，以此而論，加上一般國際水準之下，可能威脅到美國其力量甚至說，原無可能。

癥結所在

但是毛共今日成爲世界尤其是亞洲和平的威脅，確是事實，其故何在？我們以爲爭之事，其不是毛共眞有力量，而是由於西方各大國當政者自私短視所造成。

人們若肯冷靜地一想，二次世界大戰之後，國際道德的普遍低落，才是造成今日禍害之源。當一九三一年日本強佔了中國東北四省，扶植了一個滿洲國，蘇俄也乘機在外蒙古扶植了一個蒙古共和國，就其性質而論，與史大林一手扶植的共產組織原無太大分別；但是直到二次大戰爆發，世界上就沒有一個像樣國家敢承認偽滿同偽蒙兩政權；要說承認了是承認既成事實，則當日偽滿同偽蒙兩政權的存在也是事實，而且兩偽政權只是有損於中國領土完整，並無害於世界和平，而兩偽政權的人民生活也遠比今日毛共區生活要好上百倍。可是到了今日毛偽政權的國家竟達三分之一，認毛偽政權的世界上沒有公理正義，和平又從何談起？

毛偽政權本是一個稻草人，但由於野心家及一批無知份子從中渲染，把它當成了關子，以爲可以代表六億中國人，可以代表一部份共黨政權，實它最多只能代表一小撮當權份子，都是共產黨員，最近反正的空軍人員代表他們？總之，世界要和平，免於大禍，唯一辦法就是協助中國政府光復大陸，此外什麼都是空談。（何如）

毛共有有一切時間，都可以拖延，蘇俄的判斷，所以和談未必爲和平之路。

實際上毛共越南戰爭之後，就是[illegible]

美國雁有的途徑

希國不相可排衝，望的人，利派國，實和告教用兵，是談敏越軍參毛，很運中共事戰共，謝動。所權此蘇不，的成，以不的俄敢，功美得害印直

[illegible]

最近印尼軍界、政黨和各界民衆的反共運動，表現的意志，大有將日趨積極，印尼軍民之勢。蘇卡諾無可奈何，祇好聲稱要出國養病，藉以逃避，此。如何，他出國旅遊，更將使印尼的反共行動無所顧忌。

印尼這次反共運動，大致與民國十六年春間我國的清黨運動，以及國民黨首起發難的情況，與民國十六年春間實行清共的情況，大致相同。由軍人首起發難，所異者只是國民黨中的共黨份子尚未掌有武力，印尼共黨只是在軍中的滲透力量稍有，假使印尼共黨亦有武力，很可能滿足於封持一部分軍隊，作亂而已。

今後印尼政府亟應注意共黨份子的地理形勢，據一個島嶼上，負隅作亂而已，行赤化工作，隨時必大。

印尼反共與排華

最近印尼軍界、政黨和各界民衆的反共運動，表現的意志，大有將日趨積極，印尼軍民的事，即爲穩定局面，改進人民生計與生活，致力於條明庶政，以杜塞共黨的宣傳煽惑，纔是根絕共禍的上策。尤其是關於管理衆人之事的思想與方法，決不可效法共黨那套邪術，有意無意地墮入了共黨魔道而不自知，間接即是替共黨造死灰復燃的機會。譬如因憎恨中共救印尼共黨顛覆而遷怒華僑，隨便加以凌虐，這便是大大的失策。旅居海外的華僑，十九都是抱有反共非共的思想的，印尼當局過去厲行親共政策，對反共的華僑肆行迫害，使住在該國營生的中國人，爲着生存關係，表面上不得不表示親共態度，如今印尼在反共運動之中，又藉此採取排華行爲，於情於理都說不過去。目前印尼經濟情形之惡化，最大因素就是過去那種盲目排華運動，爲厲之階，再不反省警覺，後患將不堪設想！

毛共對於旅居海外的華僑，以其多數皆不贊成共產主義，素來歧視而不予以保護。中華民國政府應該對海外僑胞的安危特別關切，印尼雖然跟自由中國沒有邦交，咱們亦須發佈聲明，表示不能漠視海外僑胞枉受迫害的嚴正態度，且不妨要求聯合國人權委員會實行調查，這樣至少可使盲目排華的東南亞各邦政府有所顧忌，稍事歛迹，亦使海外僑胞知道祖國政府對他們并未忘懷也。從前西方列強每因護僑而不惜訴諸戰爭手段，現在咱們雖講和平，然不能唾面自乾，坐視僑胞被人非法排斥而不加以聲援吧？

馮乙先生

從現在起到一九七零年 可能有十國製成原子彈

計爲比加捷印以義日荷瑞典及西德 特別是西德如決製造力可捷足先登

（倫敦通訊）現有新的及權威的證據，顯示今日的世界，或會突然處于散佈核子武器的門檻。據英國戰略研究學院剛剛完成的報告說，美國與蘇俄及其他國家，對此非常關注，認爲核子武器技術的散播亟須制止，否則，會似洪水的泛濫，難于控制。

報告說，又有十個國家，現在已有或不久將有製造原子彈的潛能。他們是比利時，加拿大，捷克，印度，以色列，義大利，日本，荷蘭，瑞典和西德。

這些國家，大部份已能製出作放射武器的布（按有金字旁下悉同）。倘若他們認爲必要，每年可製出三百零三枚原子彈。從現在到一九七零年，這十個國家足夠的布，每年可製成一千〇二十三枚原子彈。

有一點須鄭重指出：這類國家，因政治理由，現時反對發展核子武器；但他們都已有辦法製造，倘若世界局勢迫他們改採這決定。

目前所謂「核子俱樂部」的成員是美國，蘇俄，英國，法國及中共。其中，祇美國與蘇俄是眞正擁有核子武庫。但今後不久，另有十個國能加入。上列的十國，其中已有研究核子製造的裝備，或在裝備強有力的核子「反應器」。這項裝置，很易改裝，成爲產生製彈材料的布。

此外，鑒於美國推出原子和平計劃，及其他原子國家亦有計劃，所以可能有十國或二十國，今後亦會有製彈能力。

現時，祇有美國一國，對於運到海外的原子爐（反應器），會設法防止被濫用。但即管如此，倘若那國家要破壞與美國訂立的協定，仍然可以製軍火的。

美國官員，對散播核子原料沒有適當保管，公開表示關懷。美國原子能委員會的巴爾費利會指出：到一九七〇年時，世界各地原子爐可以產生萬公斤以上的布，足夠製造一千七百枚核彈的。他指出，印度，日本，以色列的進度，已到決定製彈的程度；這樣，便能引起十多個國家照辦。所以，他希望能有方法進一步制止製造趨勢的蔓延，以防現在協議失效。

英國戰略研究院相信，印度極可能成爲第一個加入「核彈俱樂部」的國家的第一號「候選國」。雖然中共爆了核子後，印度總理仍堅持印度必須避免發展核武器，然而，倘若中共成爲「完全核化」時，這項「無核」的政策，便須考慮了。這即是說：不僅要製彈，還須懂得發射。

研究院的人指出：印度的核子技術，最低限度與中共齊驅，可能比中共更進步。英國調查，已知道印度的原子爐，有能力每年產生兩枚原子彈原料。他們正另建四座電力原子爐，完成後每年便有潛力能產原子彈二百三十八枚。

印度原子爐中，有兩座係美國與加拿大助建，印度自己建兩座。此外，印度有一所價值一億四千萬美元的化學物品分裂製造廠已設立。這家「分裂廠」，正是可以製造把布變成武器的最後過程的工廠。

倘若印度因政治理由，從今起去發展核武器，一年內他們便可爆原子彈的。

有人以爲加拿大在核子方面發展「落後」，但實際上，加拿大的核子研究成就，優於法國。加拿大現時每年可製六十枚彈，到一九七〇年，其份量每年可製二百四十枚。加拿大且有布出口給別國。

人們都同意，倘若西德要自己製原子彈，他們比較歐洲其他「未有彈」的國家爲先。西德現時已有了五座製布的原子爐，有兩座完全由波恩控制，最少量每年可製原子彈十枚。一九七〇年，他們便有五座原子電爐，所產的量每年可製一百八十六枚。但西德現時是受國際條例限制。

英國戰略研究院說，世界多國輸出「和平使用」的核子能電爐後，所謂管制其效能是可疑的。

美國權威人士指出，美國輸出的原子裝備程序，與英法加有別。大部份美國輸出的「和平使用」原子爐，要改作軍用是困難的。但其他國家輸出的原子爐，要改爲製造核武器則很易。

下列是現在及一九七〇年產布製彈的十個國家的比較表：

國名	現年產布可製彈數	一九七零年彈數
比利時	五六	五六
加拿大	六〇	二四〇
捷克	〇	三〇
印度	二	二三八
以色列	一	？
義大利	一三四	一三四
日本	三四	九四
荷蘭	〇	一〇
瑞典	三	三五
西德	一三	一七六
統計	三〇三	一，〇二三

側寫監察院總檢討會

本報記者張健生

監察制度的先天缺點是：沒有控制政府用錢的權；糾彈案件的效果受制於司法權。現在有關機關正在審議公務員懲戒法修正草案，按照修正草案規定，凡是簡任官員有違法失職情形，不必經由監察院提案糾彈移送懲戒機關審議，改由該違法失職之簡任官員的服務機關主管長官逕行懲戒，分別予以撤職，休職，記過，罰俸及降級之處分。同時規定：案經決定懲戒處分後，如當事人不服該項懲戒處分，得申請復議。而現行制度則規定，簡任官員必須由監察院將彈劾案連同證據移送公務員懲戒會審議（懲戒法第十條），薦任以下官員之記過與申誡，得逕由主管長官行之（同法第十二條）；而且是一審終結，不得復議。

准此，則修正草案無異使監察權完全落空。使政風更加敗壞。何以言之？假使修正草案如此規定，這是一個大漏洞。比如某一貪污案中之簡任官員，由主管長官撤職，休職，記過，罰俸，降級處分。問題是：行政機關首長對部屬有記過，降級處分之權，當然有記功獎勵升級之權，假使上半年度記大過一次，則下半年度記大功二次，功過相抵，該貪污不法官員的年終考績，居然名列優等。一個非法的公務員，遇到這樣的好長官，當然有恃而不恐。如同一貪污案中有甲乙丙三人，甲是主犯，但由於甲平時擅長吹拍，或有其他特殊關係，因此，主管長官對甲僅休職或記過處分；乙丙二人爲從犯或爲不知情者，應從輕發落，結果因平時不擅吹拍，又無特殊背景，所以主管長官亦予以休職或記過處分。這個時候，乙丙二人不服，認爲處分過重，乃向監察院陳情檢舉；而監察院認爲甲應該撤職，乙丙不應休職，將原處分案件退回去。在這種情形之下，監察院與原辦機關，勢必發生爭議，請問，該怎麼辦？

因此，監委王冠吾在總檢討會上除了報告他出席中央設計考核委員會審議該修正草案的經過情形外，並提出來檢討。他說：「必要的時候，我可以把資料拿來給大家看看」。該修正草案，殊使人有開倒車之感。

監察制度先天之不足，本來可由後天之「調養」而使其健全。然而不幸的很，後天的缺點，尤其人爲的因素，更使其僵化。後天之失調，係因經費之不足，所以監察院缺乏專門人才與人手不足，進而使調查案子的時日受到限制。其中最大的原因，病源還是發生在監察委員的任期上面。假如依照憲法規定任期六年的話，監察院的金字招牌恐怕還要响亮些，起碼不至於像現在這樣僵化，沒有朝氣。（一）

一九六五年的回顧

——民主國家與共產集團鬥爭一年來總結算——

何浩若

一九六三年蘇俄向民主國家購入小麥的數字實在驚人，計從加拿大購入六百八十萬噸，從美國購入三百萬噸，從澳洲購入一百八十萬噸，此外還從法國和西德購入六十萬噸的麵粉，有了這批小麥，蘇俄總算是渡過了一九六三年的難關，到了一九六四年糧食生產的情形在赫魔大力掙扎之下不見好轉，赫魔便就此垮台了。赫魔下台以後，糧食生產的情形是否好轉呢？到了一九六五年，不僅沒有好轉，而且情形更壞。蘇俄今年向加拿大所購進的小麥，就值美金六萬萬元，還不包括運費和手續費在內。據專家估計今年蘇俄所要購入小麥的數量將超過一九六三年，這是如何的驚人啊！假如不能獲得民主國家的援助，蘇俄這個共產國家，豈不是要再度崩潰？蘇俄購買小麥的價款係在歐洲出賣黃金，蘇俄的存金最高的時候會達到三十億美元，現在已經不到廿億了。西伯利亞出產黃金，但每兩成本要超過美金七十元，得不償失。好在奴工制下，並不需要付出成本，但出產的數量仍然有限，不能長靠出產的黃金來買小麥的。

現在再談一談蘇俄工業的情形，據今年九月間西德國際社的報導，一九六五年蘇俄經濟情況之壞，只有一九二〇年蘇俄經濟大衰落開始之前那段時間可以比擬。我們知道列寧在一九二一年實行新經濟政策，這就等於說，一九六五年蘇聯的經濟情況已和一九二〇年一樣到了非徹底改革不可的境界。

經濟情況當然包括工農各種企業在內，蘇俄農業的情形，上面已經報導過了，蘇俄工業的情形，究竟惡劣到什麼程度呢？據蘇俄自己的報導，單就一九六四年一年而論，就有二百五十七家工廠等於完全停頓，沒有出品，理由是這些工廠所製成的商品沒有人要。至於那些有出品的工廠，國家貿易機構，因爲他們的出品不夠規格也大量退貨，據統計，布匹退貨高達百分之二十，襪子退了百分之十，鞋子退了百分之九。像電冰箱一類的貨品，因爲不易買到，是不會退貨的，但是在一年以內，電冰箱製造工廠收到了五萬六千多件指責的函件。在這樣情況之下，退回的貨品堆積如山，等於廢料，而整年停工的工廠，一樣的要由國家支付薪資和維持費，現在只好恢復利潤制度由各工廠自足自給，由各工廠自行負責，從推銷出品着手，如有贏餘便可分紅；反過來講，如繼續虧損呢，那就要由工廠自行賠償了。

蘇俄共產黨執政達四十八年，並沒有實行共產主義的配給制，也沒有停止交換市場，祇是在生產任務化和分配補給化的原則之下，由國家貿易機構收買國家工廠的出品轉售人民，因此國家成爲唯一的生產者和唯一的賣主。但是工廠對於出品不投消費者的所好，不講求推銷，人民不肯購買，國家貿易機構也只有出之於退貨一途。這樣一來生產那能不陷於停頓呢？一九六五九月廿九日蘇俄共產黨中央委員會在聽取部長會議主席，也就是蘇俄的柯錫金總理的演講以後，一百七十五位委員，無異議的通過了他所提出來經濟改革方案。柯錫金演講的題目是「改善工業管理達成工業生產經濟刺激的加強和圓滿策劃」，改革方案注重利潤分紅推銷和個人負責。在今年十月的初旬聞名世界的經濟學者海耶克教授訪問台灣，他向聯合報的記者說：「蘇俄經濟改革方案是蘇俄爲挽救目前經濟危機和解決目前經濟困難，由共產主義轉向自由經濟的措施，這無疑的給予共產主義以殘酷的打擊。」我們引用這位名經濟學者的話來說明蘇俄經濟改革是一九六五年民主國家和共產集團鬥爭的一大勝利。（四）

四國五強觀戰記

第二場是中華對日本，球迷首先爲中華隊加油，因爲中華隊在吉隆坡戰績欠佳，輸給日本十幾分之多，大家要爲中華隊加油，以報一箭之仇。「迷姐」們手舞足蹈，不斷叫好，當中華隊投進一球時，一陣歡聲，聲震球場，「迷姐」們一聲尖叫，四顧爲之驚措。迷姐們看球的興緻不下於「迷哥」，她們不但爲「中華加油」，而且更有爲她所偏愛的球員加油，手舞足蹈，情不自禁。當裁判偶有失誤時，她們也特別敏感，尖聲一叫「裁判加油！」附近的觀衆，不免應聲回顧，彼此會心一笑。當中華健兒大顯神威，節節領先之時，迷哥迷姐們莫不笑逐顏開，掌聲不絕於耳。中華戰日本，長人張鈞之大展雄威，一手擎天，掌握了制空權，迫得日本俯首稱臣。中華健兒果然不負衆望，力雪前恥，全場觀衆歡聲雷動。

序幕之戰，中華菁光雙雙奏凱，旗開得勝。球迷們又有品評的資料。久看球賽，便成了「球評家」，球迷們對某一場的勝敗的因素，分析得瞭如指掌，說得頭頭是道。當局者迷，旁觀者清，這句話用在老球迷身上，是最恰當不過的了。在散場途中，球迷們個個笑逐顏開，爭說「今晚眞過癮」！打勝了皆大歡喜，這是人之常情。（四、完）

台少數縣市教育科 武斷決定教科用書

（本報台灣北部記者袁文德航訊）台省少數縣市教育當局，假藉統一該縣市中等學校教材爲由，飭令所屬縣市（私）立學校採用教科書籍，先經由形式上的校長會議決議，實則由教育科武斷統一規定，逕向那幾家出版商採購。此中大有文章。

台省各縣市（私）立中等學校教科書的採用權，在二十二縣市局，可說絕大多數都是授權於各級學校校長，直接負責處理的。但苗栗、屏東二縣與衆不同，十數年來，教科書的採用決定權，一直是被操縱在教育科長手裏的，理由據說是爲了方便學生中途轉學時不致遭遇教材不一的困擾云云。（未完）

滬海異趣談

俄人邪教德豪寶派

·桑雅·

當米高第一次召開大會時，所有的門徒，赤身露體的跪下數小時。接着米高與另一位男子，作蒸氣沐浴。同浴的還有一位迷人的婦女。當浴罷，米高走出來，對衆人說：「你們可以隨便躺下，席地爲陽台，男男女女，可以作樂，不用畏羞和恐懼」。

過了一個時期，教會人士，反對米高，把他的住宅燒光。他率同六十五名貞忠之士，到加拿大溫高華島徙居。

一九五八年，加拿大的皇家委員建議應把那些暴亂，縱火，投彈，殺人，開槍的德豪寶派人拘捕依法審訊；兩年後政府明令執行。在審訊中，一位德豪寶派的證人供述公妻的經過，他說：他們沒有私有妻子，從來沒有要婦女作自己的私有妻子，亦沒有這種觀念。

他在移居加拿大後，曾犯縱火而被判入柯拔皇子感化院受管教兩年。他還說在領袖米高登基前，已是個裸體主義的人。

另一位證人是女性，她供說易妻的情形：當時有六男六女，她和丈夫加入這次易妻的集會，那時她對丈夫表示，在集會中，他不是她的私有丈夫，而是會中所有女性的丈夫。

在一九五〇年一個名蘇魯堅的騙子，是個無家可歸的流浪漢，但他出生於蘇俄，曾研習德豪寶教，於是他混進德豪寶教裏，加入爲教徒，教會方面深信不疑，接納入教。他以積極的行動和說話，使其他的教徒信服，情願爲他建一幢新居和供應傢具，而且還給他買了一部新車。教會人士，認爲他適合任領袖的人才，於是選出他爲領袖。他學着固有領袖的一切行徑向婦人吆喝，鞭打男子，施展他底獨裁手段。還買了一根籐杖，專毆打那些背叛和非教徒的人。在一九五〇年的六月，估計他積聚的財產達十萬美元。在他加入教會時，袋裏不名一文，而他一直依賴着教會。一九五二年，他離開加拿大前往烏拉圭安居。他雖身在異地，但仍然以函件控制加拿大的德豪寶教徒，他們仍然把款項匯給他。在信中，他常常吩咐教徒進行投彈及殺人放火的勾當。吩咐他們與波作浪，無事生非。一九六二年，他們所幹的殺人縱火，投擲炸彈的事件，是德豪寶教徒「輝煌」的一頁。

他們以二百零八個雷管，自製計時彈炸毀高達三百六十四尺的電力轉輸站的鐵塔。有些雷管太舊，而漏出硝酸甘油，大部份都是教徒偷回來的。他們在建築地盤工作，在工作中乘管工不覺，偷了雷管，藏在飯盒中，或衣袋裏，甚至汽車的手套格。婦女則把盜來的雷管藏在衣袋，乳罩，銀包，鞋盒，購物袋，或寬身的底裙。

當地的警察偵探，無法進行調查的，因爲往往給那些暴民所驅逐，連衣服也給扯破。會有兩名警員遭婦女們坐壓着，其他男人站着一旁，笑得彎起腰來。每個警察，很討厭被派到那兒進行調查的。

加拿大政府對於這些外國的「嘉賓」，已經到了忍無可忍的階段，事實上他們確給予加拿大，無數的煩惱。殺人放火，裸體遊行，這不但以道德淪亡的風氣侵襲文明安定的社會，還威脅着市民的生命安全。所以加拿大政府通過法例，對於擾亂治安，殺人放火之犯罪，嚴厲懲處。在三年前，這種不法的教徒，只餘下三份之一而已，其他的已經覺悟前非，不少爲過着正常生活的加拿大人把他們同化。

（下）

蓬瀛曲集序

工專教授源寧韓鏡塘，收藏名貴書籍不少，如程乙本紅樓夢，明版三國演義等，皆陸續影印問世。因此他對印書特感興趣，而有印蓬瀛曲集之議。在八年前，韓君決定斥資新台幣五千，請師大名教授元曲專家汪薇史，就遏雲閣曲譜與衆曲譜，集成曲譜等，選出經常所唱的曲子，凡卅九折，經由焦承允清繕腳本，全用工楷。夏煥新審訂板眼，郁元英校對纂輯，歷時一年，終影印完成，用絲綫裝訂，頗爲古雅。此集梓成，薇史爲序，其扼要之旨，在辨明歌壇指鹿爲馬之雜聲，其中牌調及唱詞，雖與正譜，偶有出入，然固江南菊部所宗，不失爲由俗求正之梯航，終勝彼道冠鼓手之腔橫行而僞託也。茲錄汪氏原序如次：

吳歈著於東南，菊部之盛，輒舉金台春申。而虞山娛湖，永嘉寧海，又並爲吟諷淵藪。所謂竹葉石片，調皆水磨之裔。至若弋陽高陽，雖亦間雜水磨曲，然實視同野狐之參禪，未嘗登諸雅奏也。自華部競起，雙弄益衰，子弟白頭，淚說天寶；水磨道見大畧。雖各譜僅采菊部俗腔，去正甚遠，爲律家所病，但其主腔板眼，猶未盡達水磨軌跡。夫水磨嗔於萬曆以降，即有正俗之分。學士之口，引腔就律。優伶之口，損律就腔。相互齟齬，竟亦共存不廢。抗戰前後，吾蘇道冠之流，及滬音鼓吹之徒，間橫笛奏水磨調，度曲家惡紫奪朱，輒擯斥之。有志之士，因於假日，發起蓬瀛曲集，每來復聯奏一次，度水磨之正聲，完曲藝之本末。狄君君武，趙君友琴，蔣君慰堂，張君清徽，韓君鏡塘，復贊導之。聞風而聚者數十人，亘三年而彌盛也。聯唱既久，各有江南菊部所傳舊譜，韓君鏡塘力主彙編成集，以供吟玩。由夏君煥新審訂板眼，焦君承允清繕腳本，韓君更貲助而行之。至其間校勘纂輯之功，郁君元英尤懇懇焉。全書按腳色，裁定劇目，計時日分編，出版名曰蓬瀛曲集。不曰譜而曰集者，蓋志存南部菊部腳本之原來面目，不復計其正俗之校緻。昔懷庭之成納書楹，近人寅廬之編集成與衆，皆爲懲俗口之傷正。

（未完）

憶玉軒雜綴

朱滌秋

韻，反賴詞客騷人，社集傳唱得，存緒餘。近五十年來，若粹存，遏雲，六也，春雪諸譜之纂輯，琵琶，荆釵，還魂，白兎，幽閨，西廂諸劇本之翻印，殆皆由曲友社集所倡導。而昔年大章，大雅，鳴盛，大夏，同福，金福等，江南舊菊部所用之腳本，亦藉上譜，得

渡海以還，知音漸少，偶遇劇場上橫笛而吹，載歌而舞者多誤指爲崑曲，不復更知水磨調。尚不可得，遑論雅正？此眞十年成世有難言矣。夏君煥新，焦君承允，王君鴻磐，王君道之，郁君元英，盛君成之，毓君子山，周君家黌，皆度曲

阿月

卓靖

「我先生會吃飯。」她更顯生硬的，「台灣的男人是不可以有煑飯的！」

「要是沒有太太的人怎麼辦呢？」

「老母做。」

「母親也沒有呢？」

「姊妹嫂嫂做。」

「一個孤人又怎麼辦呢？」

「這樣嘛——」她的眼睛眨了幾眨，「討飯吃！」

我雖然已經知道了台灣的風習重男輕女，但却沒有料到台灣男人的權柄是這等的高貴。我本想再繼續問她：像我這樣自己煑飯吃，自己洗衣服，自己縫針綫，在他們的心目中將是怎樣的評價？但當我發現她不但言語回答不了這些問題，眼睛與手勢也難能爲力時，便祇好留待以後再求解答了。

我開始學習台灣話了。我深深地明白，要想在這個村子裏早一天生活得有意義些，如其要他們來遷就我，不如我先遷就他們。

也許是我天賦有語言的天才，也許是連年流浪，養成了摹仿方言的習慣，從開始學習到第三個星期，我的閩南語運用，便能夠勉强應付了。

于是我對于我這篇故事中的主角的各方面，也得了進一層的了解。

原來她的名字叫做阿月。那天向我收房租錢的老頭是她的父親；但他不是我的眞房東。他的名字叫做劉廖木水；而我住的房子的產權保有人則是劉金旺。劉廖木水可以說是劉金旺的哥哥，也可以說是劉金旺的姊夫。

這種關係乍看起來，的確非常複雜，後來我才知道台灣的戶籍辦得嚴格，凡是女人出嫁以後，在身份證的姓名欄上，必須冠以婆家的姓氏；相反地，如果男人是招贅，也同樣地要加上女家的。劉廖木水這個名字，就是根據這種關係產生的。

然而我不能理解，劉廖木水既然正式成爲劉家的宗嗣，替劉家生過兒養過女，爲什麼在產權的享受上，又如此不公平呢？他們的住所，雖然也與我住的屋子相毗連着——在最左端的拐彎處，却是曾經做過牛欄的。慢慢地，我有，一個好管閒事的老太婆告訴我，這種局面的成因，是劉廖木水沒有出息；偏偏劉金旺又是最善於斂財的緣故，劉金旺媽謝世的那一年，正是劉金旺最得勢的時期。又逢政府積極建設台灣的從農業社會進入工業社會的新興時代裏，發了財。財與勢是連在一起的，正如雷電必然要閃在一起。

我們有句俗話：「富人朋友多，窮人親戚少」，形容人們之處世，眞是有它的獨到之處。在這個以金錢權衡人格的社會，這個近代文明的進化，致使人們的智慧範圍擴大了，給人們的感情支付，受到了精力的箝制和分解，台灣曾受過日本人的統治，人情味就更加淡薄了。

（七）

新三國

周棄子著

開場白

『天下大勢分久必合，合久必分』，這是羅貫中在『三國演義』中開卷明義的說法，也是他的歷史哲學，不可以小說之言，等閒視之。易曰：『否極泰來』。天氣冷到極點，可能就是轉暖的開始；熱到了極限，就是轉寒的開始。只不過人間世萬事萬物的變動，不及自然界那樣循着一定的規律罷了。但如果說『天下大勢分久會合，合久會分』，這大概是沒多大問題的！

三國在中國歷史上，也是一段小分裂時期，也是一大分裂的開始。這種分裂局面，一直要到唐太宗才得眞正是『合』（統一）。

『分久會合，合久會分』，這種歷史定律不僅在中國如此，在世界各文明古國亦莫不然。中國歷史上，朝代時間最久的是『周』，有八百八十年，然而東周却是分裂的而不是統一的，佔去了一大半時間；春秋戰國之世，却是一個極大分裂的時代，更談不上統一，只是表面上共同尊奉一個宗王而已。諸侯則各自爲政，互相雄長；並且以那時的幅圓比較三國時代，更差得太遠，西周只不過黃河中下游的兩岸。唐代約三百年的天下，但也不是三百年都是統一的，眞正統一只有一百三十七年。自安史之亂以後的局面，藩鎭擁兵自立，割據一方，形同列國。以後的宋，元，明，清各代的統一時間，仍不如漢朝統一的時間久，明，清二代稍爲好些，但比起漢代的四百年天下的統一，仍是遜色多了。喜歡讀歷史的人，我們能夠分析出來『分久會合，合久會分』的兩種趨勢之所以然，那麼我們所得到的益處就更大了。研讀三國史的人，獲得了『分久必合，合久必分』的道理，便沒有白讀。

或者有人質問：我們已經有了一部很精彩的『三國演義』了，爲什麼還要寫『新三國』。這是開宗明義的課題，應當首先向讀者報告，這也許就是我之所以要寫『新三國』的目的。三國演義很精彩，又熱鬧，我們也公認它是中國古典小說的名著。隨着三國演義的流佈，中國人不知道三國演義故事的，可以說少之又少，不識幾個大字的人，他可以把三國演義的故事說來如數家珍。在中國民間有兩句俗話說：『眞三國，假封神』。大家一致都認爲三國演義是眞的，所以大家便把三國演義當通俗歷史來讀。因其認它是眞的，大家也就毫無惑疑相信三國演義就是歷史了。其實這不對的。

三國演義雖然大半是歷史上有的事實，但『三國演義』却不是『三國史』。爲什麼？『三國演義』是『小說』，『三國志』才是『歷史』。換言之：『三國演義並不等於三國歷史』。小說之不是歷史，和『戲劇』之不是歷史一樣，因爲小說和戲劇是以誇大，渲染，以吸引讀者爲能；而小說家更有他寫作的旨趣。如水滸傳，封神榜，西遊記等小說，有的內容是神怪故事，有的是歷史故事，有的是社會現象；但歷史小說所表現的不是歷史，神話小說所表現不是宗教，它是借用歷史人物，故事，神話，來表現另一目的。如果以三國時代的歷史眼光來看三國演義，那就不對了。

（一）

除夕風俗與屠蘇酒

·漁翁·

陰曆十二月晦日，俗稱「除夕」，謂革除舊歲而為新年也。王安石詩：「爆竹聲中一歲除」。古時以火著竹，畢剝有聲，謂之「爆竹」，相傳為驅鬼之用。施宿會稽志：「除夕爆竹相聞」，意在化癘而為祥和也。

周處風土記：「除夕夜圍爐團坐，達旦不寐，謂之守歲」。蓋一年三百六十五日中，僅餘此一宵，而不願隨便虛度過去。

唐史青上玄宗書云：「子建七步，臣五步之內，足塞明詔」。明皇試以除夕詩，即矢口吟曰：「今歲今宵盡，明年明日來；寒隨一夜去，春逐五更回；氣色空中改，容顏暗裏催；風光人不覺，已入後園梅」。帝稱賞，授左監門衛將軍。可是後人僅誇七步詩成，而不知有五步者。孟浩然詩：「守歲家家應未臥」。

又唐代詩人賈島，嘗於除夕，取一年中所作詩稿，以酒脯祭之曰：「勞吾精神，以是補之」。可謂奇人奇事矣。

宋朝文學家蘇東坡，除夕與毛維瞻小酌云：「歲行盡矣，風雨淒然，紙窗竹屋，燈火青熒時於此間得少佳趣，無由持獻，獨當為愧，想當一笑也」。風緻飄然，不愧一代之大手筆。

據玫瑰閣雜俎載：「司書之鬼，名曰『長恩』，除夕呼其名而祭之，鼠不敢嚙，蠹魚不生」。傳長恩為掌管藏書之神，有治鼠虫之權能，可作齊東野語觀。

余鄉有一寒士，於除夕撰一聯貼於門上，曰：「今歲平平過，明年好好多」。到翌日元旦，抬頭一望，又是：「今歲平平過」，認為有語病，乃扯下來，改書為：「去歲平平過，今年好好多」。一時傳為笑談。

屠蘇，酒名，昔人居屠蘇屋以釀酒，故名。每歲除夕，以藥浸井中，元日飲之，辟不正之氣。相傳為華陀之方。

據荊楚歲時記：「正月一日，長幼以次拜賀，進屠蘇酒」。董勛云：「元日飲酒，先小者，以小者得歲，先酒賀之」。此風流傳，已非一日。

唐時，元旦飲屠蘇酒，韓愈詩：「天街小雨潤如酥」，以春初微雨之細，能潤澤萬物，如酥酒之初熟而味甘潤也。宋時，尤為盛行，蘇東坡除夕詩：「不辭最後飲屠蘇」，王安石元日詩：「春風送暖入屠蘇」。今則除了詩人吟味，引用屠蘇，而酒肆中已不復見有此名稱矣。

大小涼山譚倮儸

恨海

病人死去了，親友遠來弔唁者，到距死者屋外二百步內，即放聲大哭；入屋內，死者家屬以酒杯交弔者，哭聲即止。死者如是患痲瘋或梅毒，或者未滿半歲的嬰兒，必須用土葬，其他皆火葬。葬後一二日至二月，須請巫師來「做靈」，供祀靈位，至相當時日後，由巫師將骨灰送到老林箐洞內。

奇怪的百事禁忌

愈未開化的民族，禁忌迷信則愈多，這是人類社會之所同。但各原始民族的禁忌，則是五花八門，奇奇怪怪。果羅人的禁忌特別的多，最大的禁忌是男人的頭。果羅稱男人的頭為「天菩薩」，為男子身上最神聖的部份。人不得亂摸男人的頭部，尤其是女人更摸不得。其次是不許人在廐房中大小便，不許用油炒菜，以防鬼物聞香而至。其他黑白羅人共同的禁忌甚多：如母鷄夜啼，鷄啄食自生的蛋，母豬自食豬兒，羊咬死羊兒，母豬懷胎久不生產，牛羊產生怪胎，小鷄突然死亡，獵狗入林尾巴膠在樹上，鳥飛入室內，蛙跳入室，蜘蛛入室內結網，蛇在室內現身，路上遇見蛇交配，或吞食其他小動物，烏鴉亂叫，老鼠跌入水缸，水缸漏水，竹生雙枝。關於人為的，有馬在室內配鞍，有鞍的馬帝入室內和拴在祛上，滑竿直抬到村口或門前等。凡是遇到以上的禁忌，必須請巫師誦經唸佛作法，以驅除惡鬼，消災袪邪。

迷信鬼神花樣多

迷信鬼神，也是原始人類為甚。果羅人所信的神，有家神、山神、天神、日神、月神，雷神，牛瘟大王，豬瘟大王等。他們所信的鬼更多更怪：如癩子鬼使人生癩子病。猴子鬼，吃活人的心肺，防不勝防。三頭鬼，落下又生。客家鬼最凶惡，常居鍋樁之旁，可令人致富、變窮或死亡。師孃鬼，是師孃死後變成，為害甚烈。果羅人很相信盟誓，盟心的方法，與川人差不多。普通行的有兩種方法：一是「吃血酒」砍鷄口，就是用刀把鷄砍死，將鷄口開割開，使鷄血由鷄口流入酒中，共同飲之，然後發誓。一為「開牛皮」，就是先將一條活牛打死，剝下全身牛皮，在木架上張開，頭東尾西，與共誓者自尾部鑽入，旁立者高聲狂吼，鑽入者從頭部出來，然後飲鷄血酒，仰天唸咒，咒詞唸畢，將血酒一飲而盡。果羅人又有三種迷信的判別是非法：一種叫做「捧鏵」，被告祝告神明後，持燒紅之犁鏵前行九步，放白布其上，如手未灼傷則無罪。一種是「摸蛋」，當着被告及證人，在沸水中摸蛋，不會被沸水燙傷者無罪。再一種是「嚼米」，原告被告在證人面前各嚼白米一撮，吐出來檢視，米帶血色者負。

戰爭與和平

人類與戰爭似乎是有生民具來，果羅人也時常有戰爭的爆發。他們的戰爭起因甚為簡單。因與他民族嬉戲或爭論而致殺人，因受他民族侮辱而自殺者，被他民族侮辱而失面子不賠禮者，本家女子被別家男子誘姦而不賠禮者，實實上被人欺侮，或吃虧而不肯賠償者，討賬不遂因而自殺者，報祖先之仇者，土地被他人侵佔而不退還等等。這些糾紛，皆可導致他們戰爭。這在文明人看來似乎是未免小題大做了。但是以上的糾紛，如果是獲得賠償，也可以化干戈為玉帛。如殺死一貴族，應賠命價一千二百四匹馬，自由人一百二十四匹馬，自殺貴族七十四匹，無馬可折算銀兩或布匹。

戰爭萬一不可避免而爆發，即以木刻通知本族。又要請巫師預卜吉凶。然後男女老幼，全體都得參加，少年男子在頭上結「天菩薩」，裹五色綫，尖端紅球，十分威風，高唱戰歌。戰勝的人常封財物，趕牲畜，綁婦女，燒房屋。戰敗者舉族遠逃，或另闢新土，或依人籬下，以圖報復，冤仇永結，世世無已。但可由第三者從中調處，舉行盟誓。還有一種奇妙的停戰方法，由一黑羅少女，盛裝往戰場之中，散下頭髮，脫光全身衣服，雙方無不立即停止戰爭。這是他們最後的求「和平」之法，這種戰爭叫做「打冤家」。一個女人可以立止和平，這又較文明國家的民族更進步若干年了，能不說是奇妙嗎？（下）

年節的遊藝節目

曼玲

表演開始時，漁翁在前面，作踏水摸魚狀，海蚌卻在他的身後靜悄悄地將殼子一張一合地跟着漁翁走。當漁翁發覺自己所要獵取的目的物來了，於是急忙從肩上取下網來，網張開後，精彩的表演開始了。

這時，在小喇叭的吹奏，與小鏡鈸的拍擊下，表演出很多動人的動作來；如張開的網向海蚌身上掠去，網不住，又再網，逗來逗去，卻把漁翁摔倒了。還有當漁翁撒網時，沒有把海蚌網住，一條臂反被蚌殼鉗住了，老漁翁慌手慌腳，痛苦萬分，掙扎半天，好容易抽出手臂來，因為用力過猛，趁勢兩臂撐地，翻了個「馬車輪」，於是又贏得了一陣的掌聲。

抬槓

「抬槓」，是兩個人的肩頭上真正抬了一條「槓」，用來表演各種動作的。「槓」一拳頭粗，長有三，四公尺，是一支帶有韌性的木棍。木槓中間綁上用蘆葦席子紮好，外面包以像「錢搭」（北方用以裝零星物品，中間一面開口，可以搭在肩上的袋子）一樣，內罩木架，放在地上不會歪倒，抬起來作為重心的東西。蘆葦席上紮以各色綢質彩帶，插着各色小旗，上面還繫有很多如胡桃大的鈴鐺。

表演時，兩個個子一般高的壯丁，將「槓」放在同一肩上，利用木槓的彈力，一邊前進或後退，一邊將「槓」在肩上彈起來，但卻始終不准用手扶。這樣一下一下的彈起落下，落下彈起，鈴鐺便一次一次有節奏地發出鐺，鐺，鐺……的響聲。鈴鐺很多，但聲音卻只有一個，同時各種顏色的小旗，隨着前進或後退而迎風招展。因為表演時並不單是這麼一條「槓」，而是幾十條同樣的「槓」，始終穿梭般進進退退，走出很多花式來，所以非常好看。

「抬槓」表演比較難的是「換肩」和向後轉。換肩時前面的人把槓彈高些，頭一低便可換到另一肩上；但後面的人卻就難了，因為不能任意低頭，而是要換肩的當口，迅捷無比地將「槓」由肚子前面換到另一肩來。向後轉時兩個人要規定暗號，採同一動作，同時一併連肩也換了。「槓」雖不重，但功夫如果練不到家，還是不敢輕易出場的。因為功夫不好，換肩或向後轉時，很容易將「槓」掉到地上來，那麼在衆目睽睽之下，丟人可就丟大了。（二）

江淮年事拾零

馬小梅

接過灶，便是敬天地，拜祖先遺像，而後團坐一桌喝酒守歲。在守歲前有一件事，可以提一提，那便是點天燈。城市的人家，在正屋左方屋簷下，掛一根橫木，家裏有幾個男人，便在橫木下掛幾個紅色的燈籠，從除夕晚上起，一直到第二年二月二日。每天晚上把它點亮。鄉村人家，在門前廣場上，豎起一根旗竿。竿頭有一個滑車，把紅燈綁在一根橫竹竿上。每天晚上點亮後用滑車把它拉上去。

聽卜及迎喜神

除夕夜，吃好守歲酒。大半文人都有聽卜的雅事。所謂聽卜，便是出門走走，注意聽到的第一句話，如果是吉利的，那麼明年一年的運氣便好。如果不吉利，運氣便不佳了。至於走向那一方，卻有個定法。那是守歲酒後，把鍋裏放滿水，用一個舀水的瓢，浮在水上，看瓢蒂朝那一個方向，出門便向那個方向走。聽話後，便可以回家了。據說清末，南通縣有一位探花，當他中探花的前一年除夕夜晚，想出去聽卜，偏偏鍋裏的瓢兒，指向北方，探花家門，正對北方的城牆。探花無法，只有走到城頭，走了好久，也沒有聽到一句話，正想回去，忽然聽到城牆下面一聲「中啊」。原來是城牆下面一位挑水的人，告訴另一個人說，「水很中呀。」結果第二年，探花真的中了。其實這不過是偶然而已。

迎喜神是元旦清晨，家人都起了身，由家長率領全家大小，手上拿着三枝線香，開門出去，把香放在喜神方的地上（每年曆書上都有元旦日喜神的方向），然後依次向喜神方作揖三次，表示迎接喜神之意。（下·完）

丙午元旦

南鴻

（一）

遺民淚洗舊山川。故國旌旗在眼前。

運厄龍蛇俱過了。揮戈躍馬看今年。

（二）

鐵鳥南來奔自由。洞庭一葉已知秋。

海疆又報樓船捷。好趁春風播九州。

（三）

三戶終看覆暴秦。況今四海盡歸仁。

興亡自古關天道。歷盡嚴冬便是春。

（四）

百萬貔貅正枕戈。沖霄士氣足降魔。

健兒已許今年願。痛飲黃龍奏凱歌。

過年談滿漢全席

·廣聞·

過年無非好玩好耍好飲食，特別是食，我們中國獨步天下，嘉餚異味，美不勝收。且談談滿漢全席。對飲食有興趣的人，無不嚮往着一嘗或一看「滿漢筵席」，它是集中滿漢兩族的名菜精華，由傑出廚師精心調製出來的筵席。

滿漢筵席創於乾隆年間，傳說是乾隆下江南時，某大臣特地羅致名廚數十人，設計出來招待皇帝。

筆者有幸，曾在廣州目睹過一次，是由廣州各大茶樓酒家合資設的，目的在表演廚藝，歡迎各界人士參觀。陳列的時候，人山人海，盛況空前。

滿漢筵席開出四天，連接的食譜，每天包括正餐二席，每席七菜三湯二甜，一共十二道菜；早餐，午茶，宵夜各一席，菜餚細數不等，着重點心。四天共二十席，另外還有看果數席。所安排的菜餚點心有二百多種，佐料都是經過精選的，刀法更美觀，每一片都切成圖案花形。顏色的調配，器皿的裝置，也都很講究。使觀者有如參觀畫展的感覺。

菜餚為南北兩類；北方菜色味濃厚而油膩，紅綠參差，像油畫一樣給人一種鮮艷強烈的刺激；江南菜恰巧相反，它像國畫一樣，雅淡清新，個中感覺，只可心領神會，而不能以言語來表達。

烹飪分有煎，煮，蒸，炒，[illegible]，燉，焗，烤等，菜香四溢，參觀的人莫不唾涎三尺。每一樣菜都起一個吉利的或雅緻的菜名，例如鹽蒸魚翅叫做「洪福無涯」，梅子鷄叫做「雁落梅林」。此外，尚有各種新鮮珍貴的果品。因為沒有吃的機會，參觀者對各席中印象最深的，要算「看果」一席。

所謂「看果」，是用麵粉配上顏色，點綴各種人物，動物等放在席上給人欣賞的。「看果」，小的只有花生米大，大的卻要放滿一張十二個人座的圓桌面。（上）

內政部台報字第○三一號內銷證

自由報

THE FREE NEWS

第一九六一期

中華民國僑務委員會登記證台僑新字第二二三號
中華郵政台字第一二八二號執照登記為第一類新聞紙類
（每星期六出版）
每份港幣壹角
台灣每份新台幣伍角
社長：雷嘯岑
督印人：黃行審
社址：香港銅鑼灣高士威道二十號四樓
20, CAUSEWAY RD 3RD FL. HONG KONG
TEL. 771726　電報掛號：7191
承印者：大同印務公司
地址：香港北角和富道九六號
台灣分社
台北市西寧南路壹壹零號二樓
電話：三〇三四六
台郵撥儲金戶九二五二

恭賀春釐

本報同人鞠躬

太空冷戰與美國太空政策

·彭樹楷·

冷戰的本質，是一種統治權的對抗。其中一方維持着並擴展着他的侵略性、挑戰性的壓力，企圖壓迫對方臣服於他的意旨下任其擺佈，因而迫使另一方起而接受挑戰，乃維持着並強化他的防禦能力。

美國的基本國家安全政策的基本目的，是維持並強化他的防禦能力，用以嚇阻挑戰者的侵略擴張，並希望藉此能力迫使對方放棄侵略的企圖。因此，美國是志在和平而不是要軍事武力的戰爭。

為推展這個志在和平的目的，美國的一切作為包為政治、外交、軍事以及科學、工藝等，是要求對所有的戰爭，諸如全面的或有限的，核子等新武器或普通傳統式武器，大規模的或小型的戰爭，予以有效的嚇阻——要使所有的侵略者深信任何的攻擊，都是無利可圖的；並要使所有的侵略者領悟不宜藉軍事武力戰來謀求私利，而改用遵循國際外交途徑解決爭端，及藉和平競賽來富民強國，並以福祉全民的成就來爭取全球的向心。然而，美國也準備以戰爭來迎接戰爭，這就是所謂「報復」政策——包括「彈性對應」（Flexible response）、「小限嚇阻」（Minimun deterrence）——如今越戰所為的「不求勝的戰爭」、「超量殺傷」（Overkill）、「巨型報復」（Massive retaliation）。

綜合美國的一切努力，是在建立一支蒙受第一次挑戰時有迎戰的能力；在遭受第一次攻擊後尚具有還擊的能力。基於此一目的，美國要求在全部太空競技中的最後決賽之全盤勝利，而不重視太空科學發展過程中的枝節性落後於對方。例如，搶先發射人造衛星的是蘇俄；可是，首先以偵察衛星、遠程雷達、遙遠太空追蹤雷達等聯合構成的太空監視系統之建立，則是美國（以技藝嚇阻也）。又如，首先發射載人太空船的是蘇俄；但是美國的載人太空船卻後來居上，表現了衆多優異的技術。再如，蘇俄的月球無人太空船搶先拍攝了月球照片，但是美國拍的月球照片更多而清晰，並且搶先把美國的無人太空船送到金星與火星軌道，而且更多的太空科學探測（如地球太空的幅射帶、太陽軌道上質子的探測、記錄、地球形狀等以及通信、氣象、導航衛星之發射）都是美國佔了上風。更為重要的是：美國決定要贏得太空冷戰第一階段的最後勝利，這便是搶先送人登陸月球並安返地球。同時，美國為了預防萬一蘇俄太空人首先降落月球，美國就要竭全力把一組美國人搶先送到火星上去！

冷戰的勝負，關係美國和自由世界的安危；而太空冷戰抑又是冷戰中的唯一主角，美國必須結合全國和全世界的智慧與一切力量，期以贏得太空冷戰的控制權與最後勝利。可是，這幾乎是夢囈，美國不獨無法結合全世界的力量，他連自由世界都難以取得協調、例如由法、英、意、西德等歐洲國家聯合組成的「歐洲太空組織」就拒絕美國的參加；甚至美國國內至今尚無一個統一的美國太空政策！

詹森似乎承繼着甘迺迪的太空政策構思。

甘迺迪在一九五八年擬訂的美國太空法案中，堅持着他的「國家太空」方案。在這個方案下，產生了「軍事太空政策」及「和平太空政策」。

美國的國家太空方案，是以致力於全人類之和平與福利為目的；同時明文規定（見國會決議全文）國防部負責軍事性的太空活動以確保美國與自由世界之安全。正如甘迺迪設計而為後任總統支持的描述：「美國太空的任務，是協助維持和平，保證我們的能力能夠在和平中生存得更好。」

太空政策的本義，就是國力決鬥，既要鬥智也要鬥力。要贏得太空冷戰的勝利，是需要智和力的配合運用的！力相同時，便要求以智來打破力的平衡；智相同時，便希望以力來打破智的平衡；智不相同時，便希望以力來補智的不足；力不相同時，便希望以智來補力的不足。

從一九五七年蘇俄搶先發射人造衛星、美國即起而迎接太空挑戰以來，各類用途的太空器、各種太空科學工藝和技術、以及太空探測與太空人太空航行的種種競賽中，美俄兩國忽前忽後、忽早忽遲等現象，便是既鬥智又鬥力的說明。這兒所說的智，是指有關太空競賽的種種設計、組織、工藝技術的研究發展等；這兒所說的力，是指人力、財力、物力、智力、體力、道德力、精神力等而言。

太空發展的結果，勢將破壞任何平衡以及人民的生活與生存環境。我們不希望冷戰持續，我們盼望政策只是單純的為了共同的幸福與繁榮。正如聯合國和平使用太空委員會一致決議，向聯合國大會提出、經一一二個會員國全體通過的「法則宣言」（Declaraton of Legal Principles）所決議的——「太空開發與使用應以人類利益為準；……，在開發和使用太空方面各國應彼此合作，相互支援；……：各國應將太空人視為人類在太空的專使，予以一切援助……。」

在東西兩方政治觀點未能一致以前，在地面（含空中及海洋）裁軍與核子禁試未能達成協議以前，太空冷戰仍將持續，美國的太空政策仍將是「和平」與「軍事」雙管齊下。可是，當我們看到太空軍事用途的奇異發展和太空武器系統的毀滅能力不斷加強之際，我們所担憂的並不是我們這一代現仍活在世上的卅二億人民，而是整個人類歷史的中斷！

這就是「人民戰爭」

拉拉扯扯

今日與明日

毛共與舉世為敵

自從一九五五年亞非會議尼赫魯把周恩來帶入國際壇坫以來，仗着周恩來的巧言令色與中國人民[illegible]，毛偽政權[illegible]在國際方面迷惑了不少新興國家。不過騙術終有窮時，害人之事作多了，也沒有不被揭穿之理。一九六五年是毛偽政權在國際上大現原形的一年，統計亞非國家，已經承認了毛偽政權的國家，去年與毛偽發生齟齬的將近十國。而今年，無疑地又是毛共在鐵幕國家中被唾棄的一年。一九六六年過了還不到一個月，首先是同古巴鬧翻，先斷絕了以米易糖的交易，使古巴經濟陷於困境，繼而破口大罵，指名罵卡斯特羅造謠。到此毛共這個大憨與古巴這個小惡，算是徹底鬧翻了。

其實最初古巴共黨原是傾向毛共的，尤其是美國封鎖古巴時，古共更是一面倒向毛共，聽憑毛共安排。後來所以疏遠，當是由於毛共的援助口惠而實不至，不似蘇俄援助雖少，尚能兌現。相權之下，古共自然又倒回祖家了。

繼古巴之後，越共大概也有了問題。謝立平到河內活動的結果，北越共黨也顯而易見的轉向俄共，雖然目前尚不致接受和談，但在內心已背棄了毛共。

印巴問題

蘇俄苦苦要調解印巴之爭，本來與共黨教條是不合的。列寧說混亂是革命的資本，共黨那有希望和平的？可是蘇俄竟然要調解印巴之爭，發表非戰宣言，實在還是為了對付毛共，恐怕毛共趁火打劫。可惜沙斯特里突然死去，印巴之爭能否真的解決，前途亦自難料也。

值得注意的是印總理繼任人選，竟是尼赫魯女兒、甘地兒媳英妲拉．甘地，一個寡婦。似乎在近代史上，以女人而担任總理的過去只有錫蘭的班達拉乃克夫人，也是一個寡婦。班達拉乃克夫人執政時，行動乖張，措置國事更是任意胡為，最後雖被反對黨推翻，但錫蘭左傾所受之害，至今仍清除，最近錫蘭現政府還破獲了毛共的顛覆企圖。

至於尼赫魯這個女兒，其心術之不端一如其父，尼赫魯生前所作壞事，十九皆由英妲拉所促成。舉其犖犖大者如反美，強併克什米爾與巴基斯坦交惡，在國際上為毛共作虎倀；其他如欺凌尼泊爾，屬滅阿薩密少數民族，無一不是英妲拉直接參與，有時她的意見還超過其父。像這樣一個心術不端的女人，一旦成為印度的統治者，恐怕自由世界又從此多事了。

（何如）

自由談

中華民國行政院最近對台灣各舞廳的營業稅率，由年徵新台幣廿萬元增為卅萬元，并規定嚴厲取締色情表演。此乃值得讚揚的善政，不能無言也。

舞廳應課重稅

跳舞這玩藝原係舶來品，與吾國固有文化不相干。自歐風東漸以來，咱們中國人對於西方國家所恃以自立自強的良法美政，如科學與民主之類，總是徒託空談，不切實際，隔了百多年的時間，派赴西洋留學的智識份子已不知有若干萬人了。然到今日還在「落後地區」之列，不特科學不發達，即比較不費氣力的民主政治，亦依然尚在學步之中。唯有西方的一些陋習惡俗，很迅速地全盤西化，維妙維肖，有些地方并且青出於藍，尤有甚焉。凡屬妨害善良風俗，浪費精神物力的事情，莫不一唱百和，靡然追隨，而以文明生活自命，跳舞即其最著者。

西方社會的跳舞會，名屬於社交作用，是一種高尚的禮儀，而以外交場合尤為盛行。一經流傳到東方來，橘逾淮即成枳，一變而為都市腐爛生活的低級商品，而變而為販賣色情的人肉市場，極盡荒淫下流之能事，所謂脫衣舞、裸體舞也者，特別宣傳，廣事號召，以致社會上許多純良的青年男女，有意無意地墮入這類跳舞的陷阱中，殘賊青年身心，妨害善良風俗，把跳舞會原始的高尚意義，全部汩沒了。

中央政府移至台灣初期，曾經禁止商業性的舞廳開設，允屬明智。嗣後逐漸弛禁，而舞場乃如雨後春筍，層見迭出，近年來，藉夜總會名義而濫搞色情表演者，比比皆是，政府不予查禁，僅是課以重稅，可謂寬容矣。「壯士軍前半死生，美人帳下猶歌舞」，已認為不大應該的事兒，而給詩人以譏責之資。今值國難深沉，臥薪嘗胆之秋，而諸轂之下，乃充滿着狂歡亂舞的色情光景，麻醉人心，腐蝕國魂，思之殊堪憂慮。俗言「寓禁於征」，我認為對舞廳營業，年征稅額卅萬元台幣，未免太輕微，至少亦得課以五十萬元，若說負担不起，儘可自動關門！如果沒有跳舞廳就會影響到反共救國的前途，那就應該免稅才是吧？

馬五先生

滿城風雨大概過了
日片進口糾紛獲協調解決
監院彈劾新聞局長案已胎死腹中
未了餘波為十二家片商一則指責啓事

（本報記者台北航訊）行政院新聞局長沈劍虹官運亨通，監察院彈劾沈局長的提案胎死腹中，鬧得風雨滿台灣的日片進口糾紛案，經有關方面協調後，現暫告一段落。

緣此間片商一一八家，陸續向監察院控訴新聞局長沈劍虹處理日片進口事件，罔顧國家利益，且有利用職權圖利他人之嫌疑。案經監察院受理，並以「五三監台院調字第一八八二號」函件囑監委王枕華調查。王委員為明瞭案情起見，乃於五十三年十二月三十日赴新聞局依法調卷；當時適沈局長未在辦公室，乃與該局主秘接洽，並留條書明需調之案卷。但未獲回音。旋於五十四年元月四日又往該局，亦未獲得同意調卷。最後，由監察院函行政院，始將有關案卷查封調回監察院。由此而糾紛開始。有人說：監察院與新聞局間之不愉快事小，而新聞局拒絕調卷，其對監察權之行使，則影響頗大。

查行政院新聞局所擬訂之「五十三年度日本影片配額輸入注意事項」草案，規定輸入日片三十四部，除配給中日合作策進委員會二部外，其餘三十二部，分由甲乙兩類影片公司、行、社、廠、商分配。甲類配給二十二部，乙類配給十部。

所謂甲類片商，係指配予具有日本劇情長片進口實績者而言；至「實績」之計算，則又規定為：「自四十六年七月一日起至五十一年六月三十日止期間內，具有日本劇情長片進口實績者，方可申請分配。」

所謂乙類片商，係指具有攝製國語劇情長片者而言；而「實績」之計算，規定：「自四十八年七月一日起至五十二年六月卅日止期間內，具有攝製國語劇情長片實績者」為限。

同時，該草案並規定五十二年度及五十三年度未輸入台灣之日片六十八部，均於五十四年度中一併追加輸入。而五十四年度之三十四部在五十五年度追加輸入。

當前述辦法公佈後，此間片商強烈反對，先後有百餘家片商向監察院控訴。因為該辦法中規定之有「實績者」，實為經監察院糾正由行政院廢止的「代理制度」；此一制度為保護少數特權商片，頗不公平。因此，監察院於五十四年八月間再度提案糾正行政院。

至於沈劍虹圖利他人有違公務員服務法部份：王枕華委員提出彈劾案，於五十四年十二月二十七日開審查會，依照規定，彈劾案須經監委九人以上之出席審查，始得成立或否決。那一天，出席審查會之監委，計有：陳訪先、劉行之、曹啓文、孫玉琳、黃苑軒、張建中、張秉智、田欲樸等十人，超過法定人數，審查會不致發生問題。殊料由於事機不密，為外界所悉，結果，張秉智、田欲樸二位委員，中了調虎離山之計，被人請走，而簽到簿所簽之名亦塗銷，因而使該次審查會流產。由此可見，監察權之行使，雖常受阻撓，究其根由，監察委員多少亦應負失職之咎。

事後，監委王枕華等極為憤懣。監院又定於同月三十日舉行內政、財政聯席會議，開會通知與議事日程均發出，而日程排定由王委員報告該案調查經過。不料，屆時該聯席會議根本未舉行。當記者探詢若干監委時，他們均笑而不答。當天晚間，有關方面舉行「日片進口糾紛案協調會議」，由陶希聖先生主持，出席者有：監察院長李嗣璁、副院長張維翰，監委黨部書記長侯天民，監院內政外交委員會召集委員龐一山、郭學禮及調查監委王枕華；行政院長未出席，秘書長謝耿民，政務委員陳雪屏，第六組組長龍運鈞，新聞局長沈劍虹，電檢處長屠義方，外交部亞洲司代表，中央第一、四兩組及政策委員會古換模等人。會中決議三點：第一、取消五三、五四兩年追加輸入日片六十八部。第二、援辦五十五年度日片配額三十部，輔助國片十部，在五年內進口日片實績十部五十二年實績十部。第三、如片商再無理取鬧，由行政機關吊銷其營業執照。

至此，監察院與行政院間之問題宣告初步解決。但遠東等十二家仍刊登啓事（一月四日），指責王枕華委員「利用職權」，「枉法瀆職」。現王委員正在依法處理中。此一節外生枝的糾紛，如何了結？且待下回分解。（劍聲）

一九六五年的回顧
——民主國家與共產集團鬥爭一年來總結算——

何浩若

四、一九六五年的美國因美共鼓動黑人暴動和學潮反使政府和人民反共意志加強而堅決支持越戰

甲、民主國家必須受到刺激才能下決心作戰

美國是一個真正的民主國家。我們必須瞭解民主國家的傳統戰略是被動的而不是主動的。像這樣的一個國家，必須要受到很大的刺激，才會萬衆一心動員起來和敵人作戰。決心作戰以後，民主國家便能發揮她的潛在力拼命。毛澤東說美國是紙老虎。其實美國不是紙老虎，而是一隻睡虎。老虎睡着了最好不要去撩他。拿根小樹枝去刺睡虎的鼻孔，就像我們所說的「捋虎鬚」，一定會使老虎大發雷霆的。刺激美國參加第一次世界大戰的是德國潛艇擊沉商船「魯西坦尼亞號」（Lusitania）。該輪包括船員及乘客共有一千一百九十八人，全數殉難。許多美國人以為歐洲戰事和他們沒有關係。「魯西坦尼亞」商輪被擊沉以後，他們才感覺到德國的殘暴和人類受到的威脅大。刺激美國參加第二次世界大戰的是「珍珠港事變」。這一刺激確實是太厲害了。這一根樹枝便把這隻睡虎的鼻孔刺得流血，使美國海軍作戰的主力差不多消滅了。但是這一刺激也使美國全國動員，以雷霆萬鈞之力摧毀了日本和德國。

乙、毛澤東的「心臟革命論」

美國故總統甘迺迪喜歡看偵探小說「第七號情報員」，是衆所週知的事實。大家也知道，毛酋澤東喜歡看「水滸傳」和「西遊記」。據說毛酋最欣賞母夜叉在孟州道賣人肉的那段故事，因為不僅殘忍而且夠味。毛酋也喜歡孫悟空大鬧天空。他看到那猴子屁股是紅的，便說孫悟空可以代表共產黨。孫悟空確實是要革玉皇大帝的命的。他身上也確實帶着紅色標誌。不過孫悟空還有一手絕招，在打不過敵人的時候，便設法變成蚊子一類的小虫，飛到酒杯裏面讓敵人吃到肚裏去。假如敵人是吃人的，便乾脆讓他吃下去。孫悟空到了敵人肚裏以後，便翻觔斗豎蜻蜓，大鬧五臟。毛酋澤東很能運用新名詞。他把孫悟空這一套叫做「心臟革命」，說要打倒「美帝心臟」必須要發動美國的「心臟革命」。但是毛酋和他的共黨如何能鑽到美國的心臟裏去呢？原來毛酋以為不必如此費事。美帝這一個大妖怪，在一百多年以前便吞下了許多的「內革羅」（Negro）人，一直在美國肚子裏作怪。只要毛酋能和這些在美國的黑人認親，這些發動美國肚子裏的心臟革命便不成問題。因此毛酋澤東在一九六三年八月八日便和美國的黑人認親了。他在那天發表了一篇「呼籲世界人民聯合起來反對美國帝國主義的種族歧視支援美國黑人反對種族歧視的鬥爭的聲明」。他把美國的黑人認做「我們在美國的黑人同胞」。毛酋認親的時候正值美國共產黨因赫毛的鬥爭分裂。擁毛的這一派被美共開除黨籍，便另行組織了一個「進步勞工同盟」。這個同盟的領袖叫愛普頓——是一個自承擁毛的黑人。去年（一九六四年）七月十八日紐約黑人的大暴動便是愛普頓以「進步勞工同盟」的外圍組織「哈林區防衛會」發動的。此外親毛的美共還在美國費城於一九六二年正式成立了一個「非美國民黨」（African-American Nationalist Party），發表了篇解放宣言，並且仿照共產黨的組織成了一個政治局來策動暴力革命。其實「心臟革命」也並不是毛酋發明的。問題是「美帝」這個大妖怪不該在一百多年以前招來許多黑人。第二次世界大戰以前日本軍閥便在秘密的在美國的黑人中組織「黑龍會」進行心臟革命，不過沒有成功而已。現在讓我們報導一點一九六五年美國黑人暴動的情形。

丙、一九六五年美國黑人的暴動

一九六五年美國各大城市如洛杉磯、芝加哥、春田等處續有黑人暴動，而規模最大的則首推洛杉磯。這次的暴動發生於一九六五年八月十一日。發生的原因和一九六四年美國紐約各地的暴動相同，因為警察拘捕黑人罪犯，街頭的黑人便羣起毆打警察。但這次的事件爆發以後，黑人便形同瘋狂，到處焚燒搶刦與警察發生混戰。後經加州州政府調派國民兵一萬餘人前往鎮壓，歷時一週，始將亂事平息。事後調查，在七天的暴動中計有三十四人被殺，八百八十三人受傷，三千一百二十四人被捕，七百四十六幢房屋被焚燬，全部損失包括火災搶刦在內共達一億七千五百餘萬美元，成為美國有史以來最惡劣的一次暴動。（五）

側寫監察院總檢討會

本報記者張健生

誠如馬空群委員所說：「在現行的制度上，對於公務員的違法失職行為，可提糾彈案」，至於「如何處理，權在別的機構。所以監察院糾彈案不過是代表人民送出一張訴狀而已。」至於糾正案，政府是否採納，還得聽其自便，糾正案本身並無拘束力。實在說來，是一個具文」而已。從這幾句話中，可以窺見監察制度先天的缺點了。

由於人為的因素，致糾彈案發生下列缺點：第一是提案不夠慎重，提案委員的草率加上審查委員的疏忽。第二是提案委員沒有大公無私的精神與嚴正的態度。第三是提案在審查會上受到「護航」委員的阻撓。

而調查案件往往因人力財力和技術的關係，未能盡到調查的能事。比如，調查的時間性規定為十天（現行改查旅費十五天），其中又有長程與短程之分；一個案子的調查旅費，短程者數百元，長程者也不過千元左右。如遇到稍為複雜的案子，如何能在十天至十五天內把它調查得水落石出？監察院查案的方法，除了看看有關公文書或問問關係人外，並無新的設備與新的方法搜集證據，明知某案有問題，但對之還是沒奈何。

比如我國駐外使館人員，常常被當地華僑控告到監察院，像這種的案件，監察院是無法實地調查的；依照慣例，都是行文到外交部或僑務委員會查詢。當然，事實上外交部也很難查覆的，往往都是交由附近使館人員去調查，而被調查者也是外交人員，或者與被調查者也是很好的朋友，於是就很少有結果。調查報告不是說「並非事實」，就是說「事出有因，查無實據」。這等於沒有調查。因而業務委員說：「對於許多貪污、舞弊、違法的事實，我們只好聽外交部的一面之詞，自己沒有辦法去查」，「祇好相信它」。「對於駐韓大使館被華僑搗亂的事，假如我們能夠派人到韓國去住兩個月，看看華僑的反應，也許可以知道實際的真象；如果不能這麼做，我們實在應考慮這種調查的方法」。

由於環境特殊，使中央級民意代表無法改選，其任期經大法官解釋後變成「終身職」，監察委員當然也不例外。而潔身自愛的固然很多，但極少數人則難免有越軌行為，像幫忙親友工作之類的「八行書」也就滿天飛了，甚至不惜利用法院去恐嚇人家。最高法院出了一個缺，爭當者有十多人，大家都找監委員寫介紹信，因此使最高法院長謝瀛洲頗感困擾，不知如何是好。因為寫介紹信的都是監察委員，而謝瀛洲又是司法院副院長候補人中最有希望的，假如答應張三而不答應李四，勢必影響未來副院長之同意票，故左右為難。不料，有位監察委員親自說：「有位監委員你非用不可，他是代表某個地區的，你如果不用，將來副院長要監委行使同意權時，票子有問題」云云。金越光委員在檢討會上說：「這當然是一種威脅恐嚇的話，不管這位監委是誰，竟出自監委之口，學識與教養都有問題」。結果，最高法院長謝瀛洲怕得罪監委，只好用考試的辦法來解決這個問題」。這是監察委員之一事例，足以說明有些監委是如何濫用職權而有特無恐。（二）

台少數縣市教育科
武斷決定教科用書

其實，中途轉學的學生，畢竟是少而又少的。相反的效果是，因為教育科的此一決定，不僅使校長的權職被剝奪，就是子弟就學人數衆多的家長，亦同受其害的。原因是教育科既已操縱此項權職，當然更可以決定今年初一國文採用甲出版社的，而明年又可改採用乙出版社的；這樣一來，今年哥哥在校購買的課本，明年弟弟就不適用，非要化錢另買不可。如此不僅出版商可以多鑽門路，大做生意，那些玩弄權術的當事人，更是可以提高身價，乘機大撈而特撈。

即如屏東縣五十四學年度第一學期各級教科書的採用，表面上固是經過校長會議投票決定的，實際則是校長們在會議時並未舉行投票，而是教育科負責人把印好的票發給校長，飭其回校後慎重選擇後再把票內印妥的詳細目錄圈定送科彙計；然後以多數票決定為採用，並分別通知各該校依照統計決定選向出版商訂購。此所以屏東縣五十四學年度所採用教科書，多屬三，四流出版社，而台灣，正中等都被刪除了。這其中如果說沒有文章，誰相信嗎？（完）

瀛海異趣談

澳洲青年紋身熱

·桑雅·

那個穿着黑色恤衫的年輕漢子，給一口針刺進他的手臂皮膚，一下一下的刺出了NANCY字樣，周圍則刺出一些花卉。當完竣之後，他看着那些剛刺在手肘至肩膊的紋身，感到十分驕傲。他解釋「南茜」是他底一月大的女兒名字。另外的一個JOAN，刺在兩心交疊裏，是妻子的名字。這名字是在他們訂婚時，刺成紋身，以爲銘記的。

這個年輕漢子，就是數以千計的澳洲人，習染了世界上最古和最奇的玩意。在許多世紀以來，紋身的風氣，曾受多方面批評，但是在許多國家，仍然對紋身發生了濃厚的興趣。

在澳洲，職業性的紋身藝術家們，每星期最少替三百名顧客刺紋身。那些紋身圖畫，各種奇形怪狀的動物，花卉，及表達愛史，冒險，驚人的情景。最普通是繪刺人心。大部份的顧客是在廿五歲以下，女孩子光顧刺紋身的很少。但是不少十多歲男女學生，刺着皮膚，醮以墨水，藉以作爲結黨的儀式。

澳洲墨爾砵市芬蓮德街，有一間紋身館，裏面的牆上，懸放着許多圖畫設計，包括旗幟，骷髏頭，龍，心，玫瑰花，和跳舞女郎。如果館裏所有的圖畫樣本，顧客均不喜歡，那末可以自行設計，交由紋身師刺上，但是在代價方面就較昂了。如圖畫和顏色複雜，需刺數小時，那麼久，則所收的價錢爲十五仙令至三鎊。

一個具有卅年經驗的紋身師替一位顧客的手臂準備紋身，先用刀片將要刺的地方，除去毛髮，再用一團醮有消毒藥水的海綿擦擦，以爲消毒防腐，接着敏捷的刻了一些輪廓，最後刻着永遠不變的圖畫了。

這位紋身師父說：在近許多年來，顧客的口味，沒有多大改變。目前的年輕顧客，都喜歡標準的設計紋圖，而沒有特別刁難的設計。唯一的轉變，就是喜歡鮮明的色澤，過去一般都是藍色而已。

究竟爲什麼那些青年人，喜歡紋身呢？根據他們的行動表現，那只是一種表露慾而已。有些人則只是喜歡而已。

那位紋身師表示：不願替女性刺，更不會向男子作胡亂的要求而爲。因爲他們的要求，有時十分特別的。他希望一般青年對紋身考慮清楚，那就是切勿在手指或手上刺，否則只有使他爲難的。

年紀太幼的青年，刻刺紋身，在澳洲很引致輿論攻擊；近年來維多利亞省由於社會人士的攻擊，當局通過一項法例：未滿十八歲的人，不准紋身。

紋身最大的問題，也許在於不喜歡的時候，怎樣除去。一位男子在手背上刺上「我愛雅絲慕麗黛」的字句；但是當他和這女郎決裂分手之後，追求另一位女郎戴黛莉，而手背上的字句無法擦去，他不禁後悔不已。同樣，一個少女，陷於上述的情況，往往在結婚的階段，產生愛情決裂的悲劇。

但是膚淺的紋身，可以循冷結的程序而除去，尤其是物理治療家，特別擅於治療冷結治療，使紋身的位置肌肉產生水泡，則那些色澤隨着結而消逝。但深陷的紋身，需施矯容術。

許多人在年輕的時候，因一時的興趣，跑去紋身，可是到年紀稍長，却後悔起來，請求專家，替他們除去那些討厭的紋身。加拿大的紋身師霍比上醫生，是其中一位第一流的紋身師，他替顧客紋身，也替他們脫除。他將一些氯化鋅的溶液，醮於紋身綫條裏，然後再塗上硝酸銀，最後把紋身原有的顏色消除，只留下輕微的疤痕。

紋身所用的紅色，易於根除，可是濃厚的藍色顏料，却十分困難。紋身往往施於動物身上，以爲辨認標識。在美國許多醫院裏，常在初生的嬰孩足板下，刻上紋身的記號，以免把嬰孩混亂。

阿月

覃靖

因此劉廖木水和劉金旺的關係，也像是物理學的相對論一樣。劉廖木水越是懼怕和迎逢有錢有勢的舅子，舅子反而越是鄙視他。如今劉金旺已經民意選爲人民喉舌，躋身于議壇之上。他雖然拋棄了貧瘠的農村，遷移到熱鬧的城市去做體面的紳士了，却情願把座落在這個村子的屋子空着，或者租給外人，也不讓姊夫居住。據說如果不是因爲討人喜歡的阿月的存在，他們連牛欄裏棲身也不可能。

也就因爲這點恩典，阿月有一次還語重情長地對我說：

「我的舅舅很愛我哩！」

「到底怎麼個愛法呢？」

我調侃的回問她，已經改用閩南語了。

「啊——」他緊閉着眼睛回憶着，「我媽媽死了以後，我爸爸三番五次提出生活壓迫的藉口，要把我賣到酒家去做侍應生；幸好終於被我舅舅阻止了。」

「你舅舅怎麼阻止的呢？」

我又問：「他是不是答應供給你們的生活費用？」

「他就說了一句不可以，我父親就不敢再提了。」她睜開眼睛慈笑着，「後來父親要分田給我們種，舅母當時沒有承諾，後來和舅舅商量好幾天，才叫大表哥來告訴我們，把這個『大里腳』的兩分旱田，讓我們試種稻麥，如果收穫能夠達到七成，就答應照一般佃戶一樣，分給我們二成。」

「你舅舅眞是個好人，」我雖然大半出于譏諷，却還是很爲她慶幸。我知道台灣酒家的侍應生，儘管名義上是一份正當的職業，實際上那種燈紅酒綠的萬花筒裏，每一個涉足者，都懷着醉翁之意不在酒的心情，可憐的陪酒者，又豈能不受到靈肉的虐待呢？如果她眞的被父親送進了酒家，無疑的也就是跳進了火坑。

可是後來那個老太婆又告訴我，劉廖木水并不因此就放過了自己的身上。一次賺到一筆可觀的金錢，他便決心要在她的身上撈回永久的勞力，所以阿月的命運也和她媽媽的一樣，當她二十歲的那一年，憑着父母之命，媒妁之言，又做了招郎的繼承者。這是做父親可行的權柄，舅子沒有資格干涉；更何況阿月的底下，還有一個兄弟和一個妹妹，年齡比她相差七歲和十一歲，劉廖木水可以藉口家事離不得長女。

然而，我很懷疑，爲了滿足本身的逸樂，世上竟有不顧兒女的幸福的父親！

台灣人幾乎清一色信奉佛教。雖然他們所拜的神靈非常別緻，有媽祖、國姓爺、大路公、薛府王爺、黃府王爺等等，但他們一切膜拜的儀式，確實承繼了小乘佛教的衣鉢。由于這種緣故，他們一致相信因果報應的說法。在鄉村，這種說法就更加盛行。凡是我接觸過的人們，都認爲阿月的命運是一報還一報的證明。因爲劉廖木水是個不爭氣的招女婿，進門以後給劉家惹來不少的麻煩和災禍，并且活活地氣死了阿月的媽媽。

（八）

「至若清末民初，各曲社之印腳本，則又爲杜花部諸腔之纂擴。今蓬瀛曲集之纂輯，乃在辨明歌壇指鹿爲馬之雜聲，其中牌調及唱詞，雖與正譜偶有出入，然固江南菊部所宗，不失爲由俗求正之梯航，終勝彼道冠鼓手之腔橫行而僞託也。徵言前來，樂爲序之。（民國四十七年）戊戌大寒日薇史。」

吳稚老紀念粥會

民國五十一年三月二十五日，台北舉行粥會，有紀念吳稚老而印行之特刊，正面爲三十年前稚老登黃山圖，布衣布褲芒鞋，大有羽化而登仙之概。由李石曾煜瀛題：黃山上之壽石蒼松元老圖十一字。內頁爲李靈伽恭繪吳敬恆先生畫像，由梁寒操題：情厭凡夫富貴，目空俗子功名；縱浪大化中，不喜不悲。舌翻西海新潮，心倦宗邦舊物；逍遙塵鞅外，奇慧奇癡！敬書稚暉先生禮讚。

其另一內頁，有記稚老募捐事，「歲壬子（民國元年）夏，四月十九日，國民會假上海新舞台募愛國捐。是日，稚老化裝丑角，褭藍布長衫，腰束大帶，鼻塗白粉，頂上紮一小辮，繫以紅繩，手持小鼓，一擊之而有聲，跳躍出台。在台上唱自編「蘇灘」一段，詞既通俗，又雅馴，且滑稽；台下掌聲不絕，此起彼落，情緒熱烈。唱既華，即勸觀衆踴躍輸將。鬮座爲之感動，紛擲大小銀元及銅幣如雨。移時，稚老以爲未足，乃跪台前，連續叩首不止。愈叩愈急，而台下紛擲銀幣者，更急如飛蝗。甚至有以戒指，手鐲投諸台上者。稚老乃起立，對衆大聲曰：「謝謝諸位男女來賓！我勸大家捐錢，我不捐一錢，我下不了台；我只有把腰間所有的錢，一齊和大家的錢，併入一堆，湊湊也算我吳稚暉裝點門面，湊湊熱鬧！」言畢，自將腰帶一鬆，若干銅元，嘩啦一聲，盡墜於地！乃從滿堂掌聲中，鞠躬而退。」

封底有峨嵋雙猿圖片，由杜負翁題詩並誌云：稚老生前最愛此峨嵋山猿猴照片，其圖面爲猿猴並列……[illegible]……母子相擁樂天倫，慈孝涵一片眞情。目光炯見精神，物性同人性尊。中華文化之薰，嗟彼之人蛇心。夫婦父子互門爭，同類自殘遍地腥。非人非獸復非禽，仁者！至此濫觴，對低回感何深！澤以喩彼將何云？能無俯仰愧情！淼淼海天白雲，峨眉山色難尋，長憶巫峽蒼涼，鳴猿三聲淚下霑衣襟。（二）

憶玉軒雜綴

朱滌秋

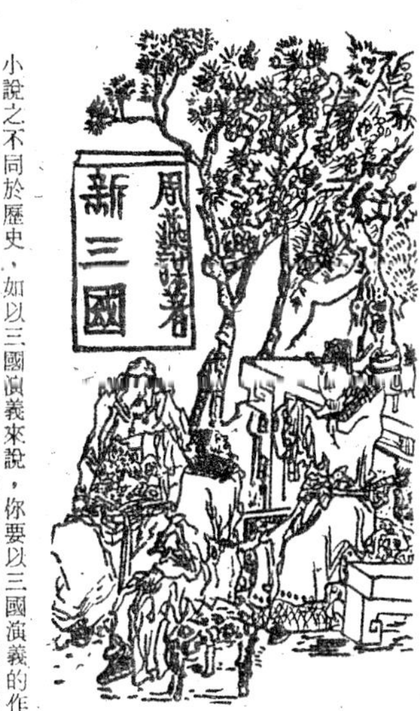

小說之不同於歷史，如以三國演義來說，你要以三國演義的作者的生平和他的時代背景，來看三國演義，那就抓到癢處了。羅貫中之寫三國演義，他並不是要寫另一部三國通俗史，他是借三國時代的歷史，人物，來發揮他對當代政治和社會的不滿；他是有所爲而發，不是把文言改譯或通俗的口語就完了的。因爲他是有爲而發，所以他就不惜改變了歷史人物的個性，面目，以及行爲等等。一個眞實的人物，一切並不單純，今日之我可與昨日之我挑戰。今天是柔和的性質，明天也許會剛强起來，變一個大脾氣了。小說人物則不同了，個性單純化了，爲了要單純化，因此，劉備，關羽，張飛，孔明，曹操，周瑜，魯肅，蔣幹全變了。這些主要人物的面孔、個性、行爲都有所改變；那麼，演義就不等於歷史不是很明白嗎？有國士之風，爲一世虎臣的張飛，竟變成爲一個大老粗、魯莽村夫；孔明變成一種茅山道士神仙的模樣；魯肅變成爲一個毫無所知的老好人；與公瑾交、如飲醇醪的周瑜，變成爲氣量偏狹的小氣鬼等等；不是都大變特變了麼？人物的面孔性格都變了，這不是已經打破歷史麼？

近人李辰冬氏說：『羅貫中是在怎樣誇張事實，附會事實，歪曲事實，改正事實，補充事實，而來創造他的人物；如此地創造：他整個推翻了三國志的史實，而重新創造了一個新的歷史，新的世界，新的帝國，能說他「想像力太少，創造力太薄弱麼」？敢於推翻歷史，敢於反抗時代，敢於以自己的感情，而重新創造一個完整的，動人的新天地，能以說他是「沒有天才的文學家麼」？：：敢於反抗當時的黑暗政治，而重新創造了一個光明的，富於理想的，生氣勃勃的帝國，能以說他「不是高超的思想家麼？」』

這一段話正是代我說明了『三國演義並不等三國歷史』。文學家的寫作，是在表現他心靈中不得不表現的意識，他的意識決之後，他可以用神話的故事，也可以用當代故事，也可以用歷史故事。如果看三國演義，而以三國故事的本身下工夫，是不會了解三國演義的，那便落於『三國演義就是三國歷史』的錯覺裏面。再如從三國時代的社會情形去考察，去了解三國演義，也同樣抓不着痛癢的。『三國演義並不是三國歷史』，這也就是我要寫『新三國』的動機了。

『新三國』是根三國正史及裴注、糾正三國演義的妄乖正史，恢復三國人物本來面目和本來性格，根據正確的史料，以故事的體裁寫出來，化生硬難讀的三國志爲易讀易懂而趣味的新三國，使三國演義的人物，『反樸歸眞』，『還他們本來面目』；這就很明白，筆者之另一目的，是在糾正三國演義的創作，和匡正三國志的廻護之筆。因爲三國志之成書，距當世甚近，諸多有關曹魏、司馬晉等史實，陳壽都不敢直書，隱於當道。所以本傳除三國志及裴注之外，另據後漢書、晉書、三國志旁證、考證，二十二史考異、十七史商榷以及有匡翼、糾正三國志的古籍，來糾正三國志的廻護及其謬誤之處。此其與『三國志』所不同者之一。（二）

趙譚演出的困擾

名票趙培鑫，借反共藝人譚硯華回國，將近兩月，猶未公演，一般觀衆，望之若渴，最近已由大陸救災總會，軍人之友社，請他們演出四天，殊可欣慰。自從國軍文藝活動實行以來，民間票友串戲，就大受困擾，因爲他們精擅文武場的朋友，不能應邀，就成爲打的沒有，拉的沒有，此時此地，趙譚兩位，也受到這股氣氛，便費了好多麻煩。並且即或可允，也許獅子開口，所謂名琴手李嘉熙也不來，是什麼作祟，眞難分解。然而人算不及天算，王克圖已厭倦劇團工作，而請辭，願意相助，打的也解決，我們才有四天好戲可看，眞是不很容易，爲之一快。

經過此次的波折，以後再唱，琴是無問題，打的仍希望在民間物色，即或稍嫩，不妨，訓練使之純熟，較爲穩妥。硯華想唱的戲，聞同文某君相告，去年已有人唱過，不妨查考一下，如有演過，想無問題，不妨與某君聯絡，商問演出劇團，下次請其合作，當可迎刃而解，可以酬願。某君必可提出具體的報告，以作參考。這次公演改爲四日，很好，前次晤談，感到六天，似乎稍多，留待下次再玩，目前情況，似與前兩年微有不同，以平劇常有演，觀衆興趣不太高潮也。

國劇繽紛續錄

姿婆生（四十三）

社長于歸　郎才女貌

華岡國劇研究社社長徐露，是大鵬劇團的紅角兒，紅鸞星動，最近于歸王企祥先生，還對夫婦，是有良媒，而郎才女貌，可算佳天成，也是環境造成，當爲徐社長王先生賀。承蒙不棄，寄柬囑往參加茶會，實不敢當，而請柬客氣萬分，竟用「蒞臨」，何其謙也。用公證結婚，而茶會招待，切合時代的典型，不用狼吞虎嚥的大嚼，是經濟而大方，希望以後的向其看齊！徐社長經濟有點基礎（包括房子通貨），我也以秀才人情，奉送賀軸，題曰郎才女貌，是紀實也。我想賀客之中，多半是天作之合，佳天成，福祿鴛鴦，可沒有把個性講出來，回憶民國四十年在女師禮堂，初觀女起解，即認爲小天使，那時候恐怕僅十二歲，足見我的目力尚不走樣，在華岡劇社成立的時候，俞先生讓其任社長，即是爲她餞路，我曾告朋友，恐怕露茜將有好事，不出所料。今後結婚禮成，身份不同，是博士夫人而兼社長，總不能常常唱戲，有失身份，應該夫唱婦隨，共圖發展所學，相信總有一天要到美國去，學問藝術當應並進，我希望不是一板三眼，而要把中國藝術，如何帶到歐美去，要他們多能瞭解，然後去表演，即易看懂。（未完）

淺談國名的由來

伍劍蓉

世界上每一個國家都有其名稱，而且都是有其來歷的。人們也許對某一個國家的名稱會感到莫名其妙，爲什麼會叫這樣的名稱呢？其實考其來龍去脈，絕不是偶然的。如我們中國，外國人稱中國叫做China，這究竟是什麼意思？關於這問題，有人認爲是從Tsina演變而來。即是說：以前外國人稱中國是Tsina的，這個字的意思是「秦朝的土地」。所謂「秦」，即是指建築萬里長城的秦始皇。到後來，慢慢地演變成爲China。然而，這不是中國固有的稱號。

日本是Japan，這也不是原來的稱號。時至今日，連日本人也用這個名字，不過像中國的China一樣，把逐漸蛻變的名字作爲正稱罷了。其實日本人本身叫他們的國家是（Niphon）的，這一名稱是有解的，就是「日出之地」的意思。

印度國號是India，那是「恆河流經之地」的意思。

緬甸人對自己的國家另有他們的稱呼，意思是「強壯的人」。那是從前武士階級的稱號。至於這個英文Burma的名稱，不過是英國給他們的，並非他們原有的稱號。

阿拉伯是一個沙漠最多的地區，因此，他們稱爲Arabia是有其意思的，就是「沙漠的居民」。

伊朗，這只是近代改變的稱號，他們以前的國號叫波斯，Persia，是有其含義的，可以解作「老虎」，也可以解作「波斯人之地」。

西班牙，Spain，是個英文名字，但他們仍另有一個西班牙名號，那就是（Hispain），它的含意是「兎」。奇怪吧？爲什麼把國名叫兎子！不要奇怪，原來他們也是有其來源的：古代的加太基人，在該地發現許多兎子，因爲古代該地是盛產兎子之地，所以才取了這個名稱。

義大利Italy，這個名字的由來，是因爲從前有一個國王的名字叫做Italy的，因此，他們以他們國王名字來做國名的，這也爲了紀念一個前王而訂定的。

巴勒斯坦，是個遊牧之區，Palestine，是「生人之地」的意思，這不是很有趣嗎？由一字解作「遊牧」的演變而來。他們以前的國號是叫「迦南」。

俄羅斯Russia，是從「羅斯」得來的。羅斯（Russ）是什麼東西呢？原來是從前佔據俄國領土的民族的名稱。

法蘭西France就是法國。以前的法國並不叫這個名稱，以前名叫Gani，他是法國原始主人的名字。爲什麼高盧國後來又會改名法蘭西呢？那是由於他們被法蘭克人所征服之後，就把國號改爲法蘭西的。

德意志（Germany），簡稱是德國，不過以前[illegible]這個國號的。從前叫做Monges，後來又拼成羅馬形式的Germanus，它的意思是「隣近」。

英格蘭England，是「英格蘭人之地」的意思，現在英格蘭所用的另一個字Angleterre是德文，意思亦爲「角地」。在五世紀的時候，從德國來的人征服英國，然後移居於此。

愛爾蘭Ireland，這是近代的拼法，以前的拼法不同。而這個國號的意思，是「愛爾蘭的土地」。

蘇格蘭Scotland，本來蘇格蘭不是這個名稱，以前名叫「加里多亞」。本是高盧族人的土地，但在三世紀時，被愛爾蘭北部蘇格蘭人所佔據，於是改做蘇格蘭。

威爾斯Wales，意思是「外國的人」的意思。（上）

王大娘釘缸

民間傳說王大娘是個女妖的頭目，缸是她的寶藏，裏面儲是妖魅鬼怪。有一天，她的缸破了，須要鋸補，於是便請「釘缸鋸碗」匠來補缸，誰知道這鋸補匠是「土地爺」的化身，特意去「收拾」她的，於是二人就鬥起法來了。在鋸缸這段過程中，穿插着很多說科打諢，直到「土地爺」打破她的缸，這個節目便算完了。

這個娛樂節目，祇有二個人扮演，因爲簡單通俗，很多鄉土俚語，極能迎合村民的興趣。

年節的遊藝節目

曼玲

王大娘一角例由男人扮成一個媒婆式的婦人，頭戴假髮，腦後梳個像蘿蔔那麼長的大抓髻，臉上塗滿厚粉，還抹上幾點黑點，兩腮更塗上胭脂，像猴屁股一樣，雙耳各掛大紅紙一枚，身穿一件長可及膝的大紅棉襖，兩條褲管足有一尺寬，腳下梗用帶綁住，口裏還叨着一根很長的旱煙袋，看起來令人非常厭惡的樣子。

補缸匠是一個小丑打扮，一身短裝飾，兩撇八字鬍，頭戴高高的尖型帽，肩膀上挑一付擔子。表演時二人一來一往，另配以小鈸和六孔小喇叭。開始時，扮補匠的先唱，到一段落時，王大娘再接唱。表演中調情逗眼，噱頭十足，誰而不虛，煞是有趣。唱的詞句，通俗粗淺，村民聽來非常過癮。特摘錄數句如下：

男唱：一根扁擔兩頭光，擔起擔來遊四方；急急忙忙來得快，不遠就是王家莊。王家莊有個王員外，他有一個大姑娘；大姑娘長得頗好看，就是一滿囊（北方人稱「頭」的土語）黃水瘡。前行來在十字口，吆呵一聲釘碗來龍鋸大缸。

女唱：王大娘正在繡房坐，忽聽門外鬧嚷嚷；雙手打開門兩扇，原來是個釘碗鋸大缸。

男唱：順手放下鋸缸擔，扁擔靠在妳屁股上。

接着二人作抬缸狀，一邊抬缸一邊嘰噥聳肩，飛眼調情。然後男的坐下作補缸動作，且心不在焉地直瞟王大娘，並接唱：

我一邊補缸一邊看，兩眼不住的看着王大娘；我越看越看越好看，一錘打破妳的缸。

女唱：小小鋸缸匠你好大膽，竟敢打破你老娘的缸。

男唱：既然打破妳的缸，我擔起擔來走他娘。

到此，這則玩藝就結束了。——（完）

江山美人

「影劇與歷史」之十四

周遊

「江山美人」開始了「黃梅調」插入電影的唱詞。尤其是唱「做皇帝要專長，我做皇帝比人強」！逗得鄉下姑娘李鳳姐芳心忐忑，堪人尋味。在平劇之中的「遊龍戲鳳」與「驪珠夢」即是全部江山美人的情節。平劇之前段爲「梅龍鎮」，後者爲「驪珠夢」。（亦名「游龍戲鳳」）

無論「江山美人」，或者「遊龍戲鳳」也好，劇中的明武宗，都不失爲一個風流天子，攸哉遊哉，隨意調戲村姑一番，觀衆都可心扉洞開，不禁心嚮往之的。可送武宗一個「風流天子」的雅號，未免太雅了。其實武宗一點也不雅，他根本就把李鳳姐強暴了事，後還拿出天子的證件嚇嚇村姑。說他是個「色情狂」或者「色狼」，還會錯嗎？下面起碼也可說他有三不該：

一、武宗以帝王之尊去逛酒家，而酒女却是一個妙齡少女——李鳳姐，他就見色心起，百般挑逗，鳳姐故作不解，進而追在酒店中，鳳姐逃入臥室，武宗又隨後追至臥室。鳳姐閉門不納，武宗誑其開門，而入，向鳳姐求歡。鳳姐不理，調戲婦女已達極點。

二、鳳姐拒絕其要求，武宗就以皇帝的證物示以威嚴，使她想起那金鑾寶殿中的龍顏，是何等威嚴尊崇，不要說是一個鄉村姑娘，就是一個地方上的不大不小官兒，也休隨望他一望。皇帝拿出他的「派斯」，一個個鄉下姑娘還有啥話說？怎敢反對？只有任其獸性了之。

三、以一個皇帝之尊，在酒家嘻皮笑臉，調戲民女，打情罵俏，簡直成何體統！

或許有人認爲：正德皇帝，封了李鳳姐爲妃子，頗具民主作風，值得讚揚！一則皇帝微服出巡，玩玩民間婦女，又有什麼大驚小怪的？而且武宗還有例可援。歷史上有名宋徽宗做了領頭作用，又何獨責於武宗？宣和遺事上說：「徽宗於宮中列市肆，令宮女賣茶賣酒，自己妝了乞丐在市上行乞，以取其樂。」難道他眞是同情貧民嗎？明史上却十分贊揚武宗的「明睿」。可是我對於「梅龍鎮」上正德皇帝，令人有一種惡劣之感。而且調戲良家婦女是犯法的行爲。戲劇固然是戲劇，但是實際上武宗的行爲更爲粗獷野蠻，妄恃暴力。他雖是在梅龍鎮逛酒家，而附近的保鏢打手密佈，一有風吹草動，李鳳姐還想活命嗎？

明武宗的逛酒家表演，後來又作爲康熙的楷模；康熙三次南巡，在秦淮「六朝居酒家」裏，看上了酒家的老板娘，表演一「一夜風流」，朱娘爲明實後裔，康熙因朱娘的關係，而重修明太祖陵。其中情節好似「梅龍鎮」的翻版。因梅龍鎮一劇在清初已有演出，李良年的「秋錦山房集」中有宮府詩云：「龍沙燕尾承平日，北顧頻煩王聲游。尚有羅裙傳樂府，翻隨羌管作邊愁。行宮寂寞雙槐樹，御風消沉舊酒樓。白馬青絲何限恨，徐常功業總荒邱。」良年爲康熙詩人，所謂「尚有羅裙傳樂府」「御風消沉舊酒樓」。皆爲鳳姐之事而發。清初距正德不遠，而已傳入樂府，可見並非出自稗官虛構。

「江山美人」的風流韻事雖然未見列入正史，而「明武宗外記」則爲史官所記，其所記都是事實。武宗曾到宣化，與民間婦女繾綣者甚多，鳳姐必其中之一女子而已。正史作者常諱言人君之汚史，惟以外記補之也。然而有載籍可稽的，武宗橫行在宣化一帶地方，並非亂作。

「江山美人」本事見白牡丹小說，及野史之「明武宗外紀」。以及清季民間傳說之明武宗遺事，如清光緒季年間，吳鄉有明武宗遺事五則，其中一節述其事甚詳：

帝在宣府，有女子李鳳姐者，年十四五，有殊色。其父設酒肆，以鳳姐當壚。是時其父適在外，帝微行過之，見其風神綽約，國色無雙，不禁迷眩，入肆沽酒。鳳姐送酒來，帝誤以娼妓之流，突起擁抱入席。鳳姐驚喊，即掩其口曰：「朕爲天子，苟從我，富貴可立至」。先是鳳姐恆夢身變明珠，爲蒼龍攫取，駭化雲煙而散之。聞言頓悟，任帝闢戶解襦，落紅殷褥，實處子也。帝大悅。（一）

過年談滿漢全席

廣聞

我能看到的「看果」席，有二件最特出的浮雕：一件是「丹鳳朝陽」，丹鳳是用彩色麵粉捏成的，一羽毛眼睛用乾果點綴，用子絲綴成，形態生動，太陽用櫻桃排成，白雲用瓜子排成，很像鱗片，好像在翩翩飛翔的樣子。另一件是「郭汾陽百子祝壽圖」，是以麵粉做成一個亭樓，郭子儀和夫人坐在亭中間，周圍是一百個麵捏成的胖娃娃，有的在舞獅打鼓，有的在爬樹採桃，有的下跪拜壽，形態都是生動活潑，而可人的。當時有一位法國的雕塑家看了，認爲是了不起的藝術品！知道是廚師的製品，不勝驚異，卻感嘆的說：在手藝和陳設上，一位參加工作的，已不及上代的老廚師十分一。

前幾年，有一批華僑在本港，出三千元港幣向一家著名的酒家，訂有一席眞正的「滿漢筵席」，那酒家也想表現一次，打算聯合幾家來做，後來竟因人才缺之，繼起無人，而沒有做完，實在是烹飪藝術上的重大損失。（下一完）

內政部台報字第〇三一號內銷證

自由報

THE FREE NEWS

第六二〇期

中華民國僑務委員會頒發僑報字第二三號登記證
中華郵政台字第一八二八號執照登記為第一類新聞紙類
（逢三、六出版每週兩期）

每份港幣壹角　台灣每份新台幣壹元

社長：雷嘯岑
督印人：黃行寶
社址：香港銅鑼灣高士威道二十號四樓
20, CAUSEWAY RD 3RD FL. HONG KONG
TEL. 771726　電報掛號：7191
承印者：大同印務公司
地址：香港北角和富道九六號
台灣分社
台北市西寧南路二號二樓
電話：三〇三四六
台北郵政信箱二九二戶

再論行使創制複決兩權

·劉砥中·

創制複決兩權的行使，由於國民大會臨時會的即將召開，已如箭在弦上，不得不發。而近來台灣的幾家商業性報紙，幾乎無日不在批判國大代表之不宜行使兩權，等於發動圍攻。甚至港方有一家週報透露，有少數知識份子，將有護憲運動之鬧劇出現，一池春水或將被無病呻吟的人們所吹皺。本人愛國情殷，蚤夜思維，耿耿難安。爰將行使兩權的有力論據寫出，以公同好，或可澄清視聽，略補時艱。

一、國民黨領導革命數十年，犧牲若干先烈之血，無非欲使三民主義開放出燦爛之花。在革命與執政期中，均以「主義不行，黨員之恥」為長期口號，實行兩權，即為實行國父遺教中所示之「直接民權，間接行使」，亦即現行憲法中所訂之「代表全國國民行使政權」。（二十五條）如有人從中阻撓，豈非違反若干年來國民革命之目標？如國民黨內之同志亦有參加反對者，豈非自摑其頰，自壞長城，開倒車的舉動嗎？

二、行使兩權，已在國民大會第三次大會時所增訂的臨時條款內，有了具體的規定，且曾組織機構研擬行使辦法，在第三任總統任期內召開臨時會討論後為之。此一與憲法有同等效力之臨時條款，既可依據而選舉總統，當可依據而行使兩權。所以，目前的問題是研究如何行使的方式，決不能談應否行使的橫話。況所設研討機構乃現任總統主持領導，研究了將近六年，并曾依法公告徵求海內外各界表示意見，結果有百分之九十八點九贊成實行；如不實行，即為違憲，而且違反民意。代表全國國民的國民大會，負得起違憲違背民意的責任嗎？人民既賦其能，復奪其權，說得通嗎？

三、第一屆國民大會在南京開第一次大會時做錯了兩件大事：第一件是選錯了違背民意的副總統—李宗仁，終于在四十二年第二次大會時仍由第一屆的代表們罷免了他，總算贖了罪愆。第二件便是張知本等一千餘人所提的修憲案，沒有交大會通過，而用臨時條款交換了憲法第二十七條二十九條的修改，所以事隔十八年，人民的政權仍如兩腳桌子擺不穩，兩輪汽車行不通，直到今天再來吵嚷爭執，國家人民的生命財產，已有了重大的犧牲，政治型態也成了四不像的體制，所謂權能區分，所謂全民政權，完全扔到九霄雲外去了！國民大會純然成了一個總統選舉人大會，所謂直接民權，間接行使，也成了鏡花水月。六年祇是畫兩個圈圈的國大代表們，對得起選民、對得起自己嗎？今天這大錯已鑄成，補救已嫌為時太晚，但能改變過來，以向歷史交代，總算明智之舉。昨非今是，知過能改，憲政前途，實利賴之。

四、政府目前以建設台灣為三民主義模範省為目標，民族主義已在抗俄反共的工作中具體表現，民生主義也用耕者有其田和都市平均地權，及大量興建國民住宅等項政策逐一實行，且博得海內外歌頌，完善的土地改革政策，且引起並世各國資為借鏡。惟民權主義中的精華，國父獨創的權能區分制度，和「直接民權間接行使」的全民政治制度，仍被擱置，實有極大缺陷。所謂模範省，倘國父之創見能在政治制度上放一異彩，亦將為世界各國之困惑於三權憲法者所取則，又有何不可呢？

五、台灣應以東方瑞士自居，俾加強國際認識。台灣與瑞士有相同之天然條件，即風光旖旎，幅員雖小，而物產殷富，安定繁榮，為各國觀光客所艷稱。惟瑞士之民主政治，已做到全民政治，世界各民主國家均作為典型。台灣因未行使兩權，政治運用與民主制度，向不能與瑞士媲美。吾人宜迎頭趕上，博取東方瑞士之雅號，期為舉世所宗，為世界大同鋪路。

六、記得總統有一句很有號召力的口號說：「反攻以三民主義為主，武力為從」。我們已用民生主義的土地政策和經濟政策，打擊了共產主義和人民公社的邪惡宣傳，人用事實粉碎了共匪的荒謬措施，等於在解決民生問題的戰場上得到了空前的勝利。如再在民權主義方面加上實行兩權，便可使國父的政治創見——權能區分全民政治——也是主義的精華得到實現；以民主對集權，實以王道對霸道，豈不又可在民權主義的民主自由戰場上打一個大勝仗嗎？

七、台灣為一極良好的政治實驗區，尤其在實行全民政治方面，確為得天獨厚。創制複決兩權，為全民政治的必要措施，如在台灣能徹底試行，將來反回大陸後在廣大領土內實施，便可輕車熟路，可暢行無阻，否則將如盲人摸象，不知從何著手。抗戰期中，陳辭修先生在湖北施行二五減租和物物交換以及配給制度等項手法，試行土地改革和新經濟政策，期達到實行民生主義的目的。來台主持省政後，因而胸有成竹，且得總統領導有方，故能大刀闊斧，遂行十大政策，成效卓著，收到事半功倍之效。足見先經實驗的施政方針，對政治的設施是有百利而無一害的。

八、中央與地方實行兩權，無礙黨國大計。憲法及國父遺教均有規定，[illegible]，亦可補偏救弊。尤其訓政時期之若干法令，早已失去時效，仍為現政府所引用。如作立委三年可做律師會計師之規定，以及增加支出之提議等違憲行為，時有所聞。立法院各熱門委員會召集人之競選，足以說明其中是暗藏春色，不足為外人道。最近台灣發生冒用立委名片遂行詐欺之事實，亦可說明特權者所產生之副作用極為惡劣，如能用兩權以制衡之，必有去腐生新之效。

十、現留台國大代表維護法統之國大代表，雖因無經常工作，[illegible]此一千五百餘人，為大陸各區域各階層人民所票選，其代表性極為普遍，一旦反攻大陸，在各地區將發生酵母作用。

（下轉第二版）

無動於中

置身事外

今日與明日

亞洲從此多事

印度國會果然選出英迪拉·甘地為總理，這是印度的不幸，也是自由世界的噩耗，整個亞非集團又將從此多事。自從尼赫魯死後，沙斯特里上台，一方面因為印度國內尼赫魯留下的問題太多，貧窮、疾病、饑餓，以及對巴對毛的戰爭，足夠頭痛，加之沙斯特里為人穩重篤實，不喜亂出風頭，所以在這一年多時間內，印度本國問題雖然未見改善，但卻沒有在國外興風作浪，因此，所謂亞非集團少了一個首惡，也就替自由世界少製造了許多麻煩。

不幸沙斯特里在塔什干因病死去，更不幸印度國大黨選舉領袖時，親西方的前財長德賽競選失敗，尼赫魯的女兒英迪拉·甘地當選，對於未來的世界尤其在亞洲，將有一番極壞的影響。

西方養癰貽患

尼赫魯在世時可以說是美國及自由世界的附骨之疽，吃穿仰給美國，卻無一事不使美國頭痛。幸而天奪其魄，早日焚骨揚灰，去了自由世界一個大害。不幸距離不到兩年，竟然印度總理又落到他這個一向自認偏左的女兒身上，今後必然在國際上興風作浪，為共產集團充當馬前卒，是可以預料得到的。這是尼赫魯女兒天生劣根性如此，原無足怪，值得研究的還是自由世界的態度。當英迪拉當選國大黨領袖不到二十四小時，美國總統詹森即發出邀請，請她在二月一日訪問美國，總統如此迫不及待心情，使人感到印度有什麼力量值得美國如此重視，我們實在百思不得其解。就戰略形勢說，印度發揮的反共力量不及一個金門島，要說龐大的人力，事實上卻是既饑且懶，年年不夠吃，而已成了人類永遠的負担，其對於自由世界的危害，十六年來更是罄竹難書。我們眞是越想越不明白，美國究竟何愛於印度。

美國應團結忠實的盟友

美國戰後二十年來最大的錯誤，[illegible]

自由談

是非問題

亂世的是非標準是最混淆難言，然而亂世的人，卻最多是非爭論問題，眞係此亦一是非，彼亦一是非，是非之言，胡批瞎纏，罔知所屆，而以知識份子為罪魁禍首。

知識份子自恃讀了幾句書，常識比較一般尋常百姓充足些，遇事好批評議論，有所主張，而遇事多不肯慎思明辨，憑着客觀立場來鑑衡，且沒有半點忠恕的觀念和反省工夫。古人所謂「躬自厚而薄責於人」的義理，一味地站在個人利害本位上，昧然無所容心，一味曉曉詐，自以為有百是而無一非。這種情形在政治上表現得更普遍，明明是違法犯紀或營私舞弊的事，偏要強詞奪理，文過飾非，實在說不過去了，就拿出「革命」口實來作擋箭牌。「革命」的本質乃是為目的不擇手段的非常舉動，也就是無法無天的暴亂行為，所以「革命」之說非社會之福也。決不可視為常談，隨便倡導，否則天下未有不大亂的。

眞正的是非必須以情理法作評判主臬，「行有不慊於心，則反求諸己」，別人反對我的意見和行為，且即反省一下是否合乎情理法的標準，這叫作恕道。凡屬勇於任事而不憚改過的人，是君子人也，論事一定成功。可是，古往今來的政治人物，試問有幾個具備了這種精神呢？政治生活之所以混亂，基本原因即是缺乏恕道，治者是些自命為聖人賢士，而視他人為蠢材傻瓜的剛愎自私之輩。是非當然混淆，功過為之錯亂，而人心亦即趨於陷溺了。

秦政暴虐，社會喪亂，是非顛倒，正義蕩然。劉邦以「革命」之徒據有關中，首頒約法三章，殺人者死，傷人及盜抵罪，是非分明，決無假借，而且朗爽簡要，沒有例外，再也不使用革命手段了。他在掌握政權之後，振拔起來。假使叔孫通那般毫無是非正義感的知識份子仍居顯要，唯以個人利慾是務，不知廉恥為何物，漢朝的天下能維持下去嗎？是非不明，公道不彰的社會，永遠不會開明的，士大夫其念之哉！

馮[illegible]先生

中華民國五十五年一月二十六日　　自由報　　星期三　　第二號

招商局革故鼎新 張壽賢出任艱鉅

（本報台北通信）整頓招商局方案已經在立法院審議了一年多，最近幾告定案，仍不外根據交通部長沈怡所訂計劃，另設營運機構，專負開展業務之責，簡化一切手續與職員，而由舊有的招商局單位處理善後事宜。招商局之所以陷入疲癃殘疾狀態，主要原因是從大陸撤退來台的職工太多，而航業範圍縮小了，以致坐吃山空，有蝕無賺。有些技能高強的航海技工，多被其他的航業界借調或羅致以去，剩下來的人員，生活困難，閒着無聊，但公家又不能不照料。現在新成立董事會，由原任交通部政務次長張壽賢担任董事長，今後的問題尚多，能否起死回生，還是不敢樂觀的。詳情試看張壽賢董事長最近發出的「告招商局同人書」，即可概見矣。他指出：

（一）機構必須精簡：部令核定本公司管理人員，以七十人為最高限額，未被留用人員為數之多，情緒之不安，概可想見。交通部特設置招商局人員安置委員會專責處理，凡已屆退休年齡者，辦理退休；年齡尚未屆退休而志願他就者，比照退休辦法，辦理退職；此外，安置委員會將調查各同人專長，徵詢志願，分別研訂帶薪轉業辦法，各機關如有工作繁忙，限於編制預算，無法增添人員者，均可就同人中專長與志願洽請借調，仍在安置委員會支待遇。總之，對於未被留用之人員，非因其資格能力不能勝任而未被借重，祇因機構精簡，人員限額，其間不能不有留與不留之分。留用同人應加倍關切未留用同人之處境，而毋或稍有驕矜；未留用同人亦望體念事勢之必然，而勉抑其遺珠之憾。庶幾為公為私，相忍相諒，蔚為同事多年親愛精誠之美德。

（二）未來之經營方針待策劃：此次交通部延聘各股東代表董監事人選，除壽賢一人係專任而外，或係行局主管，或負部處重責，均皆一時碩彥，才能均勝於壽賢，深信今後招商局之經營，在各董監事共同策劃之下，又得全體同人之一致奮勉，對於過去社會所加於招商局種種的批評，必可湔雪，對於未來之光明前途，定可開闢。壽賢願與各同人矢其忠誠，戮力以赴。

（三）企業化之理想應追求：我國經濟發展，日在進步之中，國營事業之現行管理辦法，已不足適應此一轉變趨勢之需求。交通部為整頓招商局，曾延聘專家長期研究，經濟部並特設企業化委員會專責設計，專家學者以及社會輿論，評述尤多，本公司今後之經營，必須走上企業化之路，了無疑義。行政院在國營事業管理法令尚未通盤修改之際，而對於本公司之要求，則特許以行政措施設法解決，更可見行政最高當局之關切與支持。故今後本公司之經營辦法，能否符合企業化精神，不特在本公司為創局，亦且足為其他國營事業重要參考。董事會對此自必審慎研究，斟酌至當，而後有所決定。甚盼我全體同人，各抒所見，共同為企業化之理想而努力。

（四）建立董事長與總經理之正常關係：社會對於國營事業董事長制與總經理制看法每多不同，實則董事長係由股東代表所推選，總經理則係董事長提名經董事會約聘。董事長主持董事會之職權，不宜干預總經理之職權；總經理執行董事會之決策，不能違背董事會之決定；其間分際至屬明顯。經濟部對於所屬國營事業權責劃分，訂有詳表，交通部對於本公司亦頒有權責劃分表，自應恪遵。壽賢雖在交通部任職五年有餘，除總經理副總經理有接觸外，其他均非素識，人員配備，業務執行，依照權責劃分，悉由總經理徵詢各主管意見而負責決定。本公司過去之積習能否革除，今後經營之能否順利，悉視留用人員之人選是否適當，而留用人員之是否適當，則又取決於全體同人之口碑。深信總經理及各主管必已盡其最大之努力，作最適當之選擇。壽賢隻身來公司服務，秉承交通部決策，與各董監事共同為整頓招商局而效命。深盼各同人相與共勉，為此一事業之轉變與革新而貢獻其忠誠與智能，公司前途，實利賴之。

一九六五年的回顧
——民主國家與共產集團鬥爭一年來總結算——

何浩若

美國歷次的黑人暴動何以未釀成大變，首應歸功於解放黑奴的林肯，更應歸功於美國的民主政治。在開闢美洲新大陸之際，把黑奴販賣到美國去，而種下今日的問題，當然是一個大錯誤。但是林肯總統不惜一戰來解放黑奴，可說是眞正的解放戰爭。美國的民權法案是終止歧視黑人的最好的辦法。民權法案公佈以後便可廢除南部十一州對黑人投票的無理的限制，使一百多萬的合格黑人取得投票權。但是在這次民權法案公佈的第二天就發生了洛杉磯的大暴動，這也許是一個最大的諷刺。也表示美國的黑人糾紛，不是一紙民權法案所能解決。美國現有黑人約二千萬，約佔人口總數百分之十。黑人一般的收入比白人低，因此比白人窮。以紐約的黑人為例，據紐約市立大學教授克拉克的調查，黑人平均的家庭收入僅及白人的一半，黑人的失業多於白人兩倍，自殺的黑人比白人多六倍，嬰兒死亡率兩倍於白人，平均壽數也比白人少了六歲。白人即令不歧黑人，本身也有着優越感，造成種族之間的無形藩籬。各大城市的黑人住區常為貧窮罪惡的淵藪，再經共產黨滲透鼓動，遂一發而不可收拾。

現在再說毛酋澤東的「心臟革命論」對美國的影響。毛共對於美國的瞭解確實不如蘇俄。美國這隻好睡的老虎，最好不要去撩撥他。因此蘇俄發明了一套和平共存無痛生產的麻藥。這種麻藥最合美國人的胃口。蘇俄老大哥並沒有放棄革命，祇是不要提高美國的警覺，讓老虎呼呼大睡，等到心臟病發作以後便挽救不及了。毛酋澤東是一隻土豹子，根本沒有看過老虎睡覺。他不僅要拿樹枝去刺老虎的鼻孔，而且要在老虎的心臟裏面大鬧。老實說，美國不會因為黑人暴動而崩潰的。黑人暴動，祇能促起美國人民反共的自覺。這種自覺性，一九六三年美國共和黨總統候選人高華德說得很清楚。他說：「在美國的街道上，在美國的家庭裏，在美國的教堂中，對於個人安全的不斷威脅，是每一個有理智的公民所關心的」。他又說：「歷史告訴我們，假如政府不能肅清街上的暴徒，讓他們隨意殺人搶劫，那就等於替專制獨裁舖路」。現在美國人民，因為黑人暴動，受到安全的威脅，也有失去自由的危險，已經知道要如何決定了。讓毛酋澤東搞心臟革命吧！民主國家不受刺激是不會堅決反共的。

丁、一九六五年美國的學潮使美國的秦檜變成了美國的岳飛

一九六五年美國的學潮和黑人暴動一樣的刺激了美國的人民，加強了政府和人民的反共意志。但是美國學潮說明了另外的一個要點。那就是美國共產黨和同路人可以滲透政府，在人民沒有提高警覺的時候，（也就是老虎睡着的時候）出賣美國的盟國。但是這些同路人想出賣美國那就不容易了。美國的人民對於錯綜的世局未必人人能夠瞭解，對遼遠的盟國，也許漠不關心。那些滲透政府的美共，便可偷天換日的出賣盟國。希斯和拉鐵摩爾之出賣中華民國和威廉魏南之出賣古巴，就是在這樣的情形之下進行的。現在美國人民已經受到刺激而提高警覺了。假如有共黨的同路人滲透了政府，想在對越南戰爭中出賣美國，那就必定會被美國多數人民所指責。這時候這類左傾的同路人也許會來一個一百八十度的大轉彎，由美國的秦檜變成美國的岳飛。這樣的轉變可以在一九六五年的學潮中找到事實證明的。一九六五年的美國學潮眞是如火如荼。年度一開始，各地的大學生便遊行示威反對美國參加越戰。有的學生為了反對越戰，默坐抗議，有的則滔滔不絕繼續講演。美國聯邦調查局局長胡佛的報告說得很清楚。他說：「這個運動是反對政府的，也是國際共產黨陰謀的一部份。其目的就是使美國造成一種反戰的空氣，使美國政策混亂。美國政府也瞭解這種情勢。但是美國是一個民主國家，過去最高法院有過判例，認為示威、請願，及其他的羣衆集會，是屬於言論自由的範圍，是合乎憲法的，除非損害公共秩序，才構成犯罪。」（六）

側寫監察院總檢討會

本報記者張健生

隸屬於監察院的審計部，經常受到批評，如審計人員的素質與操守，據吳大宇委員說，省政府的審計人員到各地方政府機關查賬，接受人家的招待不說，還有上酒家的情形。按照公務員服務法規定，公務員是不可以接受招待的，否則，即屬違法。而上酒家更是不法行為，絕對不可以的。然而事實上，監察委員查案，也有住人家招待所的情形，所以形成上行下效。就情理言，由於出差旅費不足以開支，情有可原，但也是不符合法理的。試問，查案委員怎能做到「公正嚴明」呢？怎能沒有私情呢？這些，均足以影響監察權的行使。

依照程序規定，監察院委員查案，分為院會推派調查，委員會輪派調查及自動調查。凡是監委自動調查案件，必須向秘書室登記，由院依照輪序另行加派委員會同調查。今春有人檢舉林務局標售林班的標價低了，案由監委劉行之調查，並詢問林務局長沈家銘，又將原檢舉人「領到審計長室，把這件事跟審計長談了一下，後來沈家銘回來到審計長室問商人「標價「怎麼低了？」（錄劉行之的話）准此，劉委員已進行調查，但不合自動調查案件的程序，因為劉未依照法定手續登記，所以監院未加派委員會同調查。因此，曹德宣委員公開檢討這件事。他說：他和陳翰珍委員調查丹大山林班案時，水里坑林管處羅處長與陳委員是北大同學，首先告訴曹委員，說劉行之委員自動調查林務局標售林班一案，如有包標或違標，我甘願負責云云。後來農林廳長說：「某監委率同職員張重農和商人，欲將已投標的林班，多加五百萬元接受林班，不然的話不行。後來這位委員帶職員去調查，搞得非常之僵，沈家銘局長並已允廢標，呈報農林廳長轉省府，黃主席很震怒地說：「豈有此理，委員率同職員敲竹槓」！廢標終於不准。曹委員又說：「商人孫海對我說，監察院職員張重農假周一西的名義要林班」。

劉行之委員為此事當時曾公開說明經過，並承認調查這件案子，但對曹委員的「這個案子自動調查還是院裏輪派調查？」沒有說明。這顯然是不符合自動調查的規定。

今後監察院應從「公正嚴明」上樹立權威，使一般「亂臣賊子懼」。若干委員自己已警覺到「任重道遠」，並發覺部份委員職員有越法行動，所以才在檢討會上提出來檢討，這是可嘉的現象。不過，人們希望監察委員要做到自正而後正人，把敗壞的政風扭轉過來，使好人有出頭的機會，國家才有前途。（三、完）

張山鐘病歿之後 屏東政情起波瀾

（本報台灣北部記者袁文德航訊）屏東政界聞人張山鐘病逝後，迄記者寫這篇報導日（十二月三十日）止，僅十又六日，而地方上敏感人士，對屏東未來政情的演變，已在紛紛議論之中。

按屏東縣轄有三十三鄉鎮市（其中包括一個市，三個鎮，八個客家鄉，八個山地鄉），擁有七十餘萬人口，全縣面積二、七七五、六〇〇、三平方公里，是台省最南端的縣份，因氣溫高而雨量沛，適合農業生產，縣民約有百分之七十為農民，故有農倉之稱。

據某些熟悉內情的人士分析：屏東地方派系之來源，實始於民國三十九年十月一日台省地方自治實施之時。因當時張山鐘膺選為屏東首任縣長，而另一政界聞人林石城（現任省府委員）則同時當選為縣議會第一屆議長，而成為屏東政壇雙雄。繼而林石城又當選蟬聯二屆議長。（一）

再論行使創制複決兩權

（上接第一版）

況中華民國在聯合國之地位，亦賴此一千餘人鞏固法統維繫憲政而取得。選舉總統副總統的兩張神聖票，實為國脈民命之所寄，焉得不加以珍護？有人說：「他們是祖國各地區國民的標本，合起來是個代表人口代表版圖的中華民族，他們每一個人，是共產洪流下上帝給每一省每一縣留下的諾亞，他們代表祖國鄉土的本色，彷彿社稷壇上取自全國各地區的土。」海外國民只有大陸三十分之一，因此，國大代表的比重增高三十倍。今天，他們坐在一起開會，行使政權，根據憲法廿八條規定，仍是名正言順，永垂青史的國大代表。他們長期追隨政府效忠國家，也是黨國數十年培植的精英。倘能多給以研究機會，多使了解實際政治狀況，多得到一些民主政治運用的經驗，也等於為國儲才。一旦大陸光復，徵召其參加重建工作，必可為國家之堅固基石，為什麼還要予以歧視呢？

總之：人民沒有權，政府就無能。要政府有能，一定要人民有權。此中至理，唯悉民主政治之奧義者方能領會，凡夫俗吏，洞昧心之論，盲目行為，實不足以喻此。本位主義者之歪曲言論，自私行動，絕不能以一手掩天下人耳目。既有蔣總統之英明領導，尤希國大代表們，本其應盡職責，好自為之！毋負大陸億萬同胞之重託，實所企盼。

瀛海異趣談

法國的「牛排之戰」

·桑雅·

法國這民族，是一個熱情的民族。法國這國家，是一個奇妙的國家。當然，法國的許多事情，也是奇妙的事情。記得當年孟德法朗士當總理時，為了提倡節約，勸導上學的兒童把早上的飲料由酒換為牛奶，結果全國大譁，節約政策不但沒有行通，幾乎引起嚴重的倒閣風潮。最近幾年戴高樂執政，把憲法修改了，情形好得多。前些時除了要應付阿爾及利亞問題和柏林問題所發生爭執之外，在國內，「牛排之爭」竟掀起一次高潮，洶湧澎湃，正面臨到攤牌階段。許多人都在推測，這次由廚房裏所發生出來的問題，是否將決定法國的未來？假使政府當局不能適當地處理，即使這次「牛排之爭」不如想像那麼嚴重，但是其後果仍然值得十分注意的。

法國人的喫經，在歐洲大陸上極負盛名，有的人甚至於把「吃的藝術」列為法國文化的一部分。這次「牛排之爭」，也是由吃而起的。最近，法國的商業部長米蘇非，為了要改良巴黎的食肉供應，整頓巴黎畜類屠宰場，減低獨佔的肉類售價，因此而跟許多既得利益者發生衝突，引起這場紛爭。

原來，巴黎的拉維里特屠宰場，是歐洲最大的一座屠宰場，八十年前在名小說家左拉的筆下曾出現過，但到現在並沒有絲毫改良，還是那麼又臭又髒。場裏門禁森嚴，一向拒絕參觀，據混進去看過的記者說，這座屠宰場硬是一座「臭城」，連起碼的衛生都談不上；中央的廣場是血跡，屠夫們的衣上混雜着血污腥味，可能已經有二十天不曾洗過了。最近米蘇非部長前去視察，竟有三隻老鼠含着肉塊在他跟前奔馳。而屠宰場中也自成格局，設有銀行，郵局和飯店。此外，拉維里特屠宰場的惡習陋規頗多，每天有多少牲口送進去無人知；場裏不設任何磅秤，重量全憑批發商一句話；場裏也沒有冷藏設備，主事者都假定在二十四小時之內可以把肉銷光，但事實上兩三天賣不完是常事；零售商也不管這許多，把陳肉略加「裝飾」，仍以頭等價格賣出去；一切損失，一股腦兒都由僱主來承擔。除了屠宰場中的毛病之外，在售價上，這些惡勢力連結成一片，形成一個壟斷市場，儘可能加以提高。肉類市場是法國最大的貿易事業，每年貿易額高達二十一億，其中中間剝削不知為數若干。

這些在米蘇非部長眼裏，自然不舒服，於是決定改革。他先從肉排價格管制開始，命令售價降低百分之二十，每磅售一元七角，價錢一律明碼，懸在店門上，並嚴格劃分肉類的等級。同時下令屠宰場自行整頓，使其合於二十世紀的水準。

對於米蘇非這項措施，家庭主婦自然目之為英雄，但卻引起許多意想不到的後果。先是屠戶們要設法使主婦們仍然屈服在牛排的舊價之下，接着肉商公會為他們執行政策；而罷市；肉商和屠戶之間對於米蘇非充滿着仇恨，其中有的甚至說：「假使他不是這樣把皮包骨頭，我就要把他宰了。」另一個說要把他放在切肉機器裏。但是，米蘇非並未因此而退縮，他相信賣肉的會先讓步；他所以規定牛排價格於先，就是因為牛排買賣佔肉類生意百分之六十。假如做生意的還不識相，連其餘的畜類肉價，政府都要規定一個最低限價，這會使肉商們更叫苦不迭。

但是，事情的演變並非是如想像那麼簡單。肉商屠戶雖然有一部份願意接受政府的措施，也有一部分堅決反對的死硬派，他們監視着動搖分子的行動，碰爛買主的車子，隨時準備使用暴力，使那些小本經營的生意人，感覺到進退維谷。這時候阿爾及利亞的叛將薩朗的秘密組織出現了，配合這股不安的氣氛，竟有點山雨欲來風滿樓的樣子。

如今，這場「牛排之戰」已經接近攤牌階段。據說法國人的胃是最美敏的器官，戴高樂政府觸動了它，竟引出這樣一場對政府有影響的風波，不管將來演變如何，戴高樂碰到這種始料未及的棘手問題，免不得要傷些腦筋的了。

阿月

草靖

根據迷信的演繹，阿月的丈夫，眞是青出於藍，更勝於藍，比劉廖木水祇有過之而無不及。所以很多上了一點年紀的人，為了顯示他們的見解深遠，經驗豐富，都在暗地對我預言，總有一天，阿月也同樣地要被氣死的！

我自然不相信這種迷信的揣測；但我確信阿月的終身幸福是全被葬送了。這是封建思想的餘毒，每一個招贅的男人，必定有他所企圖的目的：不是貪圖女方的美貌；便是貪圖女方的錢財；再不便是貪圖逸樂。

然而我很奇怪，自我住進這間屋子，幾乎天天都與阿月見面，我不但沒有聽見她訴說過關于丈夫的長短，而且我所看到她的一切表現，也全是滿足現實的笑容。

「阿桑，」我于是半開玩笑地探討了，那是一個雨天的上午，她從市場買菜歸來，可能是生意的關係，她的氣色很好。「你的先生是不是也姓劉？」

「是的，也姓劉。他的名字劉賴宗枝。」她矜持地回說：「在戶口上，他是我的配偶；戶長是我。所以你不能叫我做阿桑。」

「是不是要我叫陶勒（閩南語，即當家的）呢？」我打趣地。

「那也不好，」她眯着眼睛笑了，兩個酒窩旋得很深。「人家聽了會笑你是草地人（閩南語，意指高山族人）。」

「到底我應該怎麼稱呼你呢？」

「嗯——」她眨着眼睛思索着，「你還是叫我阿月吧！」

「如此說來，你還是一個女人。」

「我當然是女人，」她答現靦覥地，「可是我要做男人的事情。」

「到田裏種田是不是？」

「在台灣，種田、伙柴、做工、理髮……一切下苦力的事情，都是不分男女的。」她歇了一下，又說：「我的意思是說，我是戶長，自然要担負起一家的生活的担子。」

「可是你的配偶是不是也像一般做太太的一樣，在家裏操持家務呢？」

「我前次不是已經告訴過你，」她斜給我一個白眼，像是一種極微的責備。「台灣的男人做乞丐也不要飯的。你想他還會像你一樣洗衣服、縫針綫、帶孩子嗎？」

「這太不公平了。」我說，「這是一種莫明其妙的憤慨。「你既然要做女丈夫的工作，他又為什麼不做男太太的事情呢？」

「我不會講了。」她的眼睛瞪大了，臉上抽搐着，半晌說不出話來；最後不知為了什麼驟然之間，她的面頰和眉頭也就垂了下去。「你問這個幹什麼？」

我的確問得太過度了。探詢別人家庭的私隱，是不道德的行為；當我深一層想到自己是個單身漢，而對方又是有夫之婦的時候，我的頭也無形之中低了下去。我不但歉疚本身的說話過于放肆；而且想到可能招致許多外方的非議。（九）

憶玉軒雜綴

朱滌秋

楓橋夜泊

第六次台北粥會，也有特刊，是楓橋夜泊圖，為紀念張溥泉而作。卷首有畫家傅狷夫所畫楓橋夜泊，題句為壬寅五月，寫唐人詩意，余未嘗遊其地，以想像為之」狷夫，眉端有錢泰尹大鈞篆書，楓橋夜泊圖。卷內有影印張溥泉遺筆並附跋語云：余夙慕寒山寺勝蹟，頻年往來吳門，迄未一遊。湖帆先生以余名與唐代題楓橋夜泊詩者相同，囑書此詩鐫石。惟余名實取恢久之義，非妄襲詩人也。中華民國三十六年十二月滄州張溥泉記。此事經過，有吳湖帆及溥一乘的識句與兩牘如后：

吳記云：余以張溥泉先生名，與唐張繼相同，乃請溥伯欣先生轉求書楓橋夜泊詩，不意書成翌日，溥公即作古人，遂成絕筆，是亦前生文緣也。爰付刻石，樹寒山寺中，留此佳話。并將溥君函刻于下，眞迹贍史館保存云。丁亥冬吳湖帆識，黃懷覺刻。

溥函云：湖帆先生左右：申江奉教，諸承欸接。別後俗冗，兼以屬件尚未報命，致紲箋候，歉仄無旣。楓橋夜泊詩，屢事敦促，因張溥老近日勞瘁過甚，故遲至前三日始行書就。越一夕即作古人矣！史館同人欲予保留；繼又因執事對於此紙，自具勝緣，自應將眞蹟寄呈。惟懇尊處於上石之後，仍將原紙寄還史館，俾其保存，作為紀念品。希賜俯允，感戴不盡矣！天寒手凍，草草不恭。敬頌台綏，並候儷福。溥一乘拜啟，三十六年十二月十七日。

溥函之後，有瑞安姚琮味辛題詩云：蘇台麋鹿古今愁，夜半楓橋可少留。從使籠凍重策杖，鐘聲海外獨清適。另有王壯為書王陸一吳中紀懷詩：不定紅裳道路勞，自成親貴楚辭招；花時城郭狂人淚，輕往寒山寺夜潮。再錄馬君武題張溥泉先生遺墨：鉅人實墨信難求，拓本楓橋夜泊留。欲把踐名碑上刻，何年我再過蘇州！

安懷音在壬寅（民國五十一年）記張溥泉先生最後遺墨與詩云：民國三十六年冬，余方奉職中樞，一日，張溥泉先生書楓橋夜泊碑文，余在場親覩先生揮毫，其地點在南京明故宮黨史陳列館內，而時間則是午后。

尚憶是日南京晝晦，窗外飛雪；室內燃燈。先生書畢，命懸掛共觀，余微窺其色，似甚悵意。此乃十五年前事，猶歷歷深印余之腦海。除此碑文遺墨外，先生尚有最後遺詩二首，皆是重九所作，亟併錄之：

丁亥九月業金山天文台登高：嘉節快登臨，霜花發高秋，浩蕩天東心，見翠彥。游目騁奇懷，糕醴延齡鷹。風雲撫八陔，玄黃尚龍戰。何以慰蒼生，孰挽乾坤轉。揮筆搖星晨，文光迴宇宙。努力保歲寒，行健期朂倦。（三）

新三國

周[illegible]著

「新三國」另一特點，是秉春秋之筆的精神，對於以詐術之巧取與豪奪而行篡竊的曹魏、司馬氏政權，則以口誅筆伐；對於蜀、吳之與國，則以平等與國一視其建號，糾正陳壽三國志之帝魏而寇蜀吳的謬誤。開宗明義，『新三國』正是一部「新三國史話」，比「三國志」生動而有匡正之功；比「三國演義」純正而有歷史之價值。此即筆者撰「新三國」之動機也。

『新三國』還有幾點好處，那就是把古代的地名，古今不同者詳述其沿革；古代職官名稱加以解釋；大事紀年，以公元比照說明；對於參與故事重要人物，略述其生平。讀「新三國」可以增益一點史地常識，這是應當在開場白中交代一下的。

二、漢末的地理藍圖

說了許多，還沒有說熱鬧的場面，和刺激的戰爭，讀者們也許有些不耐煩了。請讀者暫忍耐一下，讓我把一些問題解決了，將使讀者更覺得心快神怡的。我的「新三國」不是『演義』；演義是純文學的東西，「新三國」是文學與史學參半的。文學固然趣味盎然，引人入勝；然而歷史也未常沒有神味。文學作品雖然富於情趣，以滿足感情為第一。歷史的文學作品，讓你了解了事實的眞相，滿足了求知的慾望，又何嘗不是一種快樂？滿足感情的刺激所產生的趣味是淺薄的。要求人滿足感情為已足，不能叫人不用心去想，去追根究底，那「三國演義」所說的打仗奇謀、外交手段、離奇奧妙，要是你仔細用心去憑着事理想一想，就發現作者所說的話是極其幼稚的。只好令人起一時之快，騙騙小孩子罷了。我這「新三國」如在有歷史知識或有求知慾的人看了，是不會比三國演義乏味的。即使一般常人看了，也不會覺得乏味的。「新三國」做的是學問通俗化的工作，也做了滿足感情的工作。所以我要請讀者暫時按耐一下，把三國之前後地理知識了解以後，也是一種不會即刻烟消雲散的趣味，它將深刻地使你感到安慰的。

東漢時的地理大勢，行政區是劃分十三州，其中十二州是各有一刺史，只有一個州沒有刺史，而是叫司隸校尉的。分別列表如次：

幽州，包括河北省的北部，熱河、遼寧兩省，還有朝鮮半島的北部。因為朝鮮在漢時也屬中國的版圖。

冀州：河北省的南部。

幷州：山西省的大部分，及陝西省的北部，和察哈爾、綏遠之一部。

涼州：現今之甘肅和寧夏兩省。

青州：山東省的東北部。

兗州：山東省的西部，和河南省的東北部。

豫州：河南省的東南部，和安徽的江北。

徐州：山東的東南部和江蘇的北部。（長江以北）

揚州：江蘇、安徽的江南及江西、浙江、福建三省。（三）

國劇繽紛續錄（四十四）

娑婆生

社長于歸郎才女貌（續）

不妨就妳所擅的戲，籠統譯成英文、到美國後再印，甚至分送各大專學校參考。妳能就此點，去用功夫，將來在平劇界的聲名，不僅是現在能唱能做的美譽。因為妳有此環境，不可放棄，而王先生在業餘也必能抽一些時間為之，幸觀成功！

現在風氣確已大有改變，妳們多找知識份子，為終身伴侶，與以往劇團，相去幾有千里，是國家之幸。自從妳倆婚事宣佈，劉秀擾跟進，有了祝先生，唐寶雲再跟進，訂了戚先生，這郎才女貌，將造成不少對的璧人。結尾再贈一語：以後劇事，越少唱，越名貴，是顛撲不破的期望。妳倆是快樂無比，可是俞先生却辛苦為妳們忙，夠累了！

可勝的逞威

台大的平劇社，成立約有十餘年，一向以旦角挑大樑。但是到了畢業，坤票倒有十之七八，飛向美國深造，很少留在國內。不是如此，閔家榮如何能娶得廿五歲得博士的上官筱慧。自從張昭泰昭平兄妹出場，近二年來，差不多是生行抬頭。可是泰平兄妹今夏畢業就事，於是屈列的青衣花旦兩門抱的，蘇可勝，遂顯脫而逞能。

可勝頗勤於表演，崑曲平劇多來得了，於是名聲一天一天的擴大，且有獨點無匹的姿態。她在歲暮二十二日，應工專之邀，在大禮堂，演龍鳳呈祥，飾孫尚香，儀態夠得為全劇的鼇頭。不過崔有倫的劉備，盧力先的喬玄，不是不好，總覺稍軟，故成一枝獨秀。前有張錦齡的宋江閣院，做作尚可，不過嗓子稍低，她是電視平劇社的一員。

元月二日台大慶祝元旦同樂晚會，我因先看封君平許賀雲的豫劇木蘭從軍，到院稍遲，僅聽可勝的起解會審。配角非常嚴整，李景嵐的王金龍，楊學奇的潘必正，劉興漢的劉秉義，可說在大專院校中的上選，神情獨到，非常生動。可勝的蘇三，起解時的新腔已不少，會審更多，完全多是琢磨張君秋，音色就別有好聽，而一氣唱來，娓娓動聽，是愈唱愈有功夫。看來她的威力，是有增無減，尚在謀演瀟湘夜雨，是崔文媛猶未覓得也。

忠勇的兩柱

空軍忠勇劇社成立以來，已不斷的演出，由於社長姚全黎，總幹事蕭南勳的鼓勵，經顧問哈元章劉鳴寶的指導，唱了五六次，由於經費無問題，故不感困難，而衣箱是大鵬劇團理當供應，因為主持人是徐王民英夫人，責無旁貸。（未完）

淺談國名的由來

伍劍蒼

威爾斯以前叫做「坎布里亞」，這名稱是因住在那裏的人都是坎布里人。在他們還沒有被羅馬人征服以前，他們仍集居一起，所以英國人叫他們做「威爾斯」，亦即「外國人」之意。

智利，是印第安馬拉語，意即「世界的邊緣」。還有另一個說法是：當西班牙人於十六世紀佔領印加國京城庫斯科時，問當地人往西南去是什麼地方，但印加人沒有聽懂西班牙人的意思，以為他們在問天氣，因為南半球是北暖南寒的，那印加人答他說：「智利」。其實「智利」印加語「寒冷」的意思。就因此一誤會，西班牙人一向都稱庫斯科以南地區為智利。

多明尼加，西印度羣島的多明尼加，與海地共佔一島。因哥倫布在該島登陸的一天，正是星期天，而拉丁語的星期天的發音，就是「多明尼加」。

墨西哥，是從印加之語「墨西哥」蛻變而來的。「墨西哥」是現在墨西哥國境內最大的族名，這一族之所以叫這個名，因為他們所崇信的戰神名叫「墨西特里」。而「墨西特里」又不是「戰神」的意思，而是那位戰神的名字，正如我國迷信說法中的財神叫比干一樣。

哥斯達黎加，中美的哥斯達黎加，其發音在西班牙語中就是「富饒的海岸」。因為該國境內，土地肥沃，氣候溫和，出產豐富，西班牙人一上岸就叫它為「哥斯達黎加」。所以直到它獨立，仍然叫這名字。

巴西，十六世紀初，葡萄牙人佔領現今巴西土地之一部分時，巴西出產最名貴的東西就是紅木，這種紅木當地人就叫它為「巴西」，因此就以此為名了。巴西首都「里約熱內盧」，也就是葡萄牙人起的，因為一位航海家到里約熱內盧海港外時，誤會那海港是河，又因為那時候正是元月，所以他們叫這港灣為「元月的河」，發音即如現名的——里約熱內盧。

玻利維亞，是令人費解的。為什麼玻利維亞會拿外國人名字作為自己的國名呢？原來玻利維亞早於一六八三年，即淪為西班牙殖民地，稱為上秘魯。於十九世紀初，南美北部出了個英雄人物，戰敗了西班牙，成立了哥倫比亞共和國。那位民族英雄名叫西蒙·玻利瓦爾。他建立了哥倫比亞之後，又揮軍越過西南的安地斯山進入秘魯，協助其他南美人與西軍週旋，「上秘魯」，即在西蒙·玻利瓦爾牽制協助下，於一八二五年脫離了西軍控制而獨立。或因「玻利瓦爾」太人名化，所以稍加更改，以「玻利維亞」作國名。

厄瓜多爾在印加語中，即「赤道之國」，因該國正在赤道之下故名。

薩爾瓦多，與中美危地馬拉及洪都拉斯為隣的薩爾瓦多，其發音即第安語「火山之國」，因其國內多火山故也。（下）

江山美人

「影劇與歷史」之十四

周遊

適李父聞喊趨救，門已閉矣。惟聞室內叡聲顫振，佩玉鏘鳴，其女氣促音嘶，若不勝強暴者。急奔告弁兵，絲擁而入。見帝拔關出，兵士伏謁，叱令將鳳姐歸豹房（即帝在宣府所玩樂之所）。爵其父三品卿，賜金千兩。欲封鳳姐為嬪妃，命其自擇，鳳姐固辭曰：「臣妾福薄命微，不應貴顯，恐於身不利。今以賤軀事至尊，竭勝榮幸之至。伏願陛下早回宮闕，以萬幾為念，則臣妾心安，較爵賞尤榮矣」。帝頷之。因賜鳳姐玄衣玄裳，益顯嬌媚，故不強易宮裝。鳳姐常於枕畔進前，委婉屢勸，帝乃擇日還京，與鳳姐並輿齊驅。至居庸關，風雷交作，鳳姐睹關口所作四大天王，怒目生動，眩暈墜馬。帝親扶之。疾忙外退，駐蹕行宮。視鳳姐伏枕泣曰：「臣妾自知福薄，不能侍宮禁。請陛下速回。」帝曰：「若是朕忍棄天下，不忍棄愛卿，決不歸矣」。鳳姐一慟而絕。帝甚哀憐，命葬關山之上，寵以殊禮，用黃土封瑩。一夜盡變為白，其陰靈猶不敢受也。帝追念其言，奮然曰：「小女子尚知以社稷為重，安忍背之。」遂還宮。此乃「江山美人」之所本也。續明武宗為李鳳姐之美，願棄江山而不顧棄卿，可見正德乃是一個十足的風流天子。若不是鳳姐一慟而死，眞可謂是「不愛江山愛美人」也。

然正史載帝在豹房，百官交章勸諫，皆不納。而誰知一弱女子，三言數語，力能回天。故其遺事書評曰：「萬明柔克，此功不可泯也。至今過關隘者，遙指白塚，鑄譚其事」云云。此乃文人筆下生花，諸多穿插附會，多出捏造，不可盡信。

其一為明武宗在二十幾時，常幸大同一帶遊蕩。其二為武宗確會在宣府一帶搜求婦女。設「豹房」，收民間婦女實其中歡樂。其三是大徵女樂，納晉王府樂工楊騰妻劉氏，稱曰劉孃孃。

其他如正德十二年九月，上駐蹕宣府。時江彬宣府人，欲挾上自恣，遂誘為西北之行，既幸宣府，遂營鎮國府第，上之樂遂忘歸。每夜行，見高大屋即馳入，或索飲或搜其婦女，居民苦之，至有陰賂彬求免者」。此乃武宗曾遊蕩宣府之證。

又：「是年冬，立春，上迎春於宣府，備百戲，別飾大車數十輛，雜坐僧人婦女於其中，每輛數十人，合至數百（傳維麟明書作數千人）。乃如僧數，懸毬於車蓋，而敵僧頭以當之。車既馳，則頭與毬觸，上視之大笑以為樂。十二年春復幸宣府，會慈恩康壽太后崩，上還自宣府。」

觀此，可想而知武宗是如何之荒唐。又如十三年，上復北幸，駐蹕宣府。初江彬勸於宣府治行在，越歲乃成，應費不可計。所收復窺豹房所儲珍及巡幸所收婦女實其中，上甚樂焉。每稱曰：「家裏」。還京後，數數念之不置。彬欲專寵，俾諸幸臣不得近，仍數導上出。及再度居庸關，戒守者上，毋令京朝官出關。蓋厭大內，初以豹房為家，至是更以宣府為家矣。（二）

為學主實行的教育家顏元

裴碩

顏元，字渾然，號習齋。生於明崇禎八年（公元一六三五），死於清康熙四十三年（一七○四），直隸博野人。因父親做了蠡縣朱家的養子，小時也冒姓朱。他的幼年生活是很孤苦的：一面讀書，一面耕田。

外族的侵凌與生活的困難，使少年時代的顏元曾有過逃避現實的想法：學神仙。但他的頭腦是清醒的，不久便回到人生的路上，從事實學。他努力耕田，習醫，學技擊，學兵法，設塾教里中子弟。

顏元早年會崇拜過程、朱、陸、王的學說，終在實踐中衝破它們的空疏，從舊壘中衝殺了出來，並向它們作反戈的一擊。他認為求學的途徑不在講而在習——從實際行動中以求對事物的了解和認識，所以他把所居改名為「習齋」。

對於宋明理學的反科學性，在清初諸儒中，顏元是突出正面反對的一個，確乎他有不拔的戰鬥精神。他說過：

「立言但論是非，不論異同。是，則一二人之見不可易也；非，則千萬人所同，不隨聲也。」

他認為宋學的愛靜空談，不僅無補現實生活，且足以壞人才、敗天下。他會這樣毫無閃躲地向它攻擊。

「必破一分程朱，始入一分孔孟。」

顏元的親身參加農民的勞苦生產工作，使他對農民生活理解得很深，同時還鑄造了他對事物的新觀念，他認為一例如對於「盜」的看法，他並不以為當權者所痛恨的「流寇」為盜；另外他極不滿意當時的土地分配制度，認為不勞而食的「一人數十百頃」，而終年胼手胝足的「數十百人而不一頃」，以及「盡萬人之產給一人」都不合理。他主張把土地平均分配給從事生產的農民：「天地間田，宜天地間人共享之。」有些近代教育家說：他的土地平均之義，實包含近世最早的進步民主主義內容。

顏元的教育理想基於他的治學主張：反對空談虛理，着重實用實踐的教育。他強調的「習」，即實用實行。他認為讀書是為了做事，廢讀書不可，為讀書而讀書更不可。其次，他認為文字不能代學問，如讀醫書不等於學醫，讀禮不等於習禮。他引證古人讀書在學，所謂博學不是以讀覽羣書能事，主要是學實際之事。由此可見他的目的，在培養有實學而能實用的人，而不是死讀書、背誦和貪多務博而以欺世盜名的人。（上）

抵制毛貨運動歌

·綠衣·

街前，民生日用誰能捐？開門七事人皆然，主婦忙碌採果上市，備辦用品愛新鮮？衣服裝飾，看貨如山積堆市壓，婦女裝飾增麗妍，兒童玩具口涎滴，選擇莫倒，只恨少金錢，五光十色俱齊全，貨價如……

敬告諸君莫買錯，有錢切勿買毛貨！買了用後自思量，定然覺得心難過。如泥灰。緣由聽我從頭說，毛貨說罷使人大陸被鞭笞，自從毛寇竊大陸，大好神州成地獄！億萬同胞被奴役生涯極慘酷！拼命增產夜挑燈，人力拖犁作牛耕。生產收成俱榨盡，人民無飽食；寒無衣布人三尺，一日得油無幾滴。食不飽，病無更難醫藥覓。可憐少女做新娘，作嫁衣日入廚難舉火，只將「球藻」小孩母，啼饑號寒無人顧。老弱惟待死，父道路！億萬同胞血淚枯，毛寇仍然濁澤漁，拆屋挖墳肆搜括，千村萬落盡成圩！

毛寇榨取無鉅細，當年拿去貢俄帝。自從翻臉變成仇，轉把物資輸海外。毛寇民間骨髓敲，搾取物資不費鈔。既無成本那計利，任意賤價作傾銷！傾銷目的搶外滙，攫得金錢添軍械。武力增强逞淫威，騎在人民頭上來！窮兵黷武民何辜，「一窮二白」不在乎。不要人民穿褲子，資財投進原子爐！

勿謂毛貨價格賤，其中慘狀寧不見？人民血淚與脂膏，充滿其中每一件！勿謂用貨貪便宜，徒然為敵添財資。一分金錢一子彈，自由世界增危機！毛寇宣傳愛「國貨」，誰人愛國買毛寇偽政權，國家非福添災禍！或言毛寇固堪憎，買貨或可蘇人民。其實錢落毛寇手，同胞何曾得一分？

毛貨傾銷到海外，對於當地更有害！沖垮市場經濟崩，民生凋敝擾社會。共謀活動得乘機，顛覆叛亂相繼施。當地若然成赤化，禍患無窮悔已遲！

毛貨之害大無比，總而言之須抵制！抵制毛貨救同胞，同時也是救自己！抵制之道實無他，不買不用任自家。大家都不用毛貨，制其死命毛必垮！

內政部登記證內版台報字第〇三一號

自由報

THE FREE NEWS

第一二六期

中華民國僑務委員會創辦
台教新字第三二三號登記證
中華郵政台字第一二八二號執照
登記爲第一類新聞紙類
（半週刊每星期三、六出版）
每份港幣壹角
台灣零售價新台幣試元
社長：雷嘯岑
督印人：黃行警
社址：香港銅鑼灣高士威道二十號四樓
20, CAUSEWAY RD 3RD FL. HONG KONG
TEL. 771726　電報掛號：7191
承印者：大同印務公司
地址：香港北角和富道九六號
台灣分社
台北市西寧南路壹壹零號二樓
電話：三〇三四六
台郵撥儲金戶九二五二

台灣省的戶政

·楊力行·

最近應台灣省政府民政廳主管戶政之科長劉燕夫及台北市政府民政局戶籍課長吳逸眞兩位先生之邀，抽暇參觀了台北市各區公所戶政，最後還到台北郊區某山谷中地下室中參觀換發新的國民身份證的核校工作；我對於許多埋頭苦幹的戶政工作人員，及看到排列在辦公室和資料室隧道中的七十年來的完整無缺的戶政資料，深感興奮，特將觀感所及，扼要報導并提供意見如下：

一、年來人口激增情形較爲特殊：台北市爲戰時首都所在地，亦爲政治、軍事、經濟、文化之中心，工商林立，百業鼎盛，因之近年來人口激增，戶籍動態頻繁，而戶籍業務亦倍增繁忙。就人口增加率言之，本省光復後之次年，民國卅五年底人口，有一七一、七五四人，現時截至五十四年十二月底止，已增加至一、一三五、五〇〇人，增加率爲百分之四百十五。以辦理各項戶籍案件數量比較，在光復後接辦戶籍初期只有辦理動態登記及抄發戶籍謄本，工作項目既少，工作數量亦不多，目前僅區公所一級，在五十三年度辦理各項戶籍登記及填發國民身分證、戶口名簿、印發戶籍謄本、發送戶籍通報及查詢答覆等案件，發印鑑證明、編訂門牌、受理一般更正或變更案件，答覆人民詢問有關戶籍事項案件竟達一、五〇三、四七八件，實破歷年來最高件數紀錄。但辦理是項工作之戶政員額並未按照人口增加及戶籍事務繁忙之實際需要作比例之調整，致使各區公所戶籍課門庭若市，戶籍人員常有應接不暇之勢，較之其他縣市情形特殊，亦即北市推行戶政工作較感困難之一點。

二、發展戶籍業務配合施政需求：本省戶政在日據時代警察機關兼辦理，戶口爲統治台胞之工具，自光復以來，蒙蔣總統指示：移歸民政部門接管後，近廿年來已奠立良好之戶政基礎，在配合政府政策及適應地方自治企求及適應地方自治推行之原則下，已發揮高度戶政效能。例如地方自治組織之建立，以人歸戶，按戶建鄰，依次而上，由村里而鄉鎮而縣市，均以戶口爲基礎，是故縣市鄉鎮區村里政務之推行、社會福利及公共衛生措施、勞動力調查、舉辦義務勞動、學齡兒童調查、辦理各項選舉、役男身家調查及征召業務、退役後備軍人之異動管理、地方稅捐查定課征，以及實施土地政策，舉辦勞工保險等等，在在必需戶籍登記資料配合運用。尤以近年來戶籍登記資料運用之廣泛，更爲社會各階層所重視。就五十三年度台北市各區公所共印發證明用戶籍謄本達六五九、七八二件之多，即足以證明戶籍登記之效用，進而促使業務之發展，其正確性已爲各方面所信賴。他如政府各機關需要各種戶口統計資料，以及各大專院校爲研究人口問題計，也常來市府索取各項有關統計資料，聯合國人口研究專家，參觀北市戶政時，對我國戶籍登記制度所具之基礎及各項人口統計之資料均有讚許。是以目前戶政業務之發展，在戶籍登記效用而言，乃普及於全國國民，在供給戶籍統計資料而言，已爲社會各部門行政所採用。

三、推行便民服務加強督導考核：戶籍事務爲最基層與民眾接觸之工作，凡屬居住轄區內人民，亦莫不與戶籍有關，是故辦理戶籍工作，果能切實便民服務，誠可影響人民對政府之觀感。台北市府有鑒於此，深感便民服務之重要，特訂定「台北市各區公所辦理戶籍登記便民服務競賽辦法」及「台北市戶政工作考核督導考核要點」，分別通飭各區公所實施。對便民服務方面，例如：辦理聲請戶籍登記、填發國民身分證、印發戶籍謄本、辦理印鑑證明、發送戶籍通報及處理一般申請案等，均有分別規定辦公時限，盡求迅速，以應付人民之需要。在內部業務處理方面，運用科學管理之原則，簡化處理程序。提高工作效率，尤其注意各戶籍人員平時服務態度，務必做到誠懇和藹。如聲請人要求辦理事項格於戶籍法令規定，未能照辦，仍應婉爲答復。又在便民措施方面於各區公所普遍設置櫃台，以免申請人較多時發生擁擠，妨礙秩序及影響工作效率。櫃台或櫃台上面懸掛工作組牌，標明承辦里別或項目，使人民望之一目瞭然，減免申請人查詢之煩。櫃台外走廊設置座椅及茶水，以供人民申報戶籍時休息飲用，并可調劑多數人同時申辦須稍等候之情緒。戶籍課辦公室顯明之處製掛各種申報戶籍登記程序表解圖樣，使人民易於明瞭各項申報手續。市府並隨時督導抽查各區工作辦理情形，排定督導項目及日程，分赴各區公所實地督導抽查考核，按照戶政專業人員工作獎懲標準，分別獎懲，藉使各項業務均衡進步。

四、辦理換發新式國民身份證：台省自民國四十三年普換國民身份證，迄今已十餘年，市民所持國民身份證，久已破損或模糊不清，[illegible]換發新式國民身份證，[illegible]防止[illegible]。[illegible]利用民國五十四年十二月[illegible]戶口普查[illegible]，始辦理[illegible]國民身份證[illegible]等準備工作[illegible]民身份證[illegible]開始實施[illegible]四月廿六日同時於各區公所[illegible]。各區公所事先按里鄰排訂換發日程，[illegible]派員分期分里公告，並[illegible]公所戶籍人員赴各里辦理[illegible]及依照[illegible]身分證[illegible]成年度[illegible]。

五、戶政與警政、役政聯繫：（一）戶政與警政[illegible]

（下轉第二版）

有苦自己知

自顧不暇

今日與明日

美將恢復轟炸北越

自從聖誕停火，美機停炸北越以來，到現在已逾一月。在此一月中，美國派出五路和平使者，遍訪除去毛共及北越以外，與越戰發生關係的國家，其中包括羅馬教皇、柯錫金、戈慕卡、狄托、納薩等人在內，但此舉對於事實毫無裨益。越共依然猛烈攻擊美越軍，明攻之外，又進行暗殺、綁架；美國對北越却因尋求和平的關係，迄未進行轟炸，相較之下，士氣消長實有極大關係。最近美國朝野已開始覺悟，恢復轟炸北越之聲，先由上屆共和黨副總統候選人、眾議員米勒提出，目前民主黨重要人士也作同樣呼籲，認爲美機轟炸北越才是越戰解決的辦法，捨此不圖，一味進行和平運動，實屬緣木求魚。這話當然是對的，因爲共產黨只認識武力，空口說白話徒讓它看不起。

魯斯克之言

美國國務卿魯斯克最近發表談話，指出毛共是亞洲禍亂根源，美國今後所要面對的威脅不是蘇俄而是毛共。這段話大致是正確的。其實毛共何止是亞洲禍亂根源，實在是整個世界的禍害。試看非洲的達荷美，中非，上伏伊達與它相距眞是十萬八千里，竟然也受其害，近鄰的國家越泰菲馬更不必說了。甚至一貫親共媚共的兩印（印度、印尼）也被整得焦頭爛額，尼赫魯含恨而斃，蘇加諾也來日苦少，說來還不是受了毛共的害。總之毛共不亡，這一個世界想平安大概是很困難的事。魯斯克的看法雖然對了，若於美國還拿不出決心消滅毛共。

旁觀者清

菲律賓新外長，曾任過十年駐華大使的羅慕斯先生最近發表一篇談話，促請美國以後勤力量援助國軍反攻。此事經友邦外長說出，最爲可貴。因爲目前國軍不能進行反攻，其故不在於第七艦隊橫亙其間，而實在是由於後勤力量不繼，一旦登陸，將如進了沙漠，大軍不但要自備糧食，還要負起救濟收復區災民的責任，台灣雖有此力量，但苦於艦艇不足，戰事愈擴大，兵力愈廣，後勤補給愈爲重要。因此，國軍必須有充份的後勤供應，始能展開攻擊，此已是不爭事實。美國過去不肯支持國軍反攻大陸，據說是怕自身陷入泥淖，我國政府屢次聲明無須美軍參加，可以獨力解決叛逆。但美國當局總不敢相信。此時經羅慕斯外長說出，以旁觀地位，說話也許比我們說出更有份量，深願美國當局能注意及之。（何如）

閒話貪污問題

馬王先生

官吏利用職權與機會而發生貪污，都認爲是不可饒恕的事，非嚴予究處不可，這話當然很正確。但我研究貪污行爲之所由來，其中情形不一，應該分別省察。

在承平時代，社會生活安定，生計多端，物價亦相當平穩，官吏的固有俸給皆足以贍養家室，職位高的尚有富餘可以積蓄。人皆具有羞惡之心，決沒有視貪污爲義所應爾的官吏，[illegible]者，有之，祇是由於個人平日生活糜爛，奢侈，或者爲要滿足妻妾虛榮慾望的關係，一時利令智昏，接受非份的儻來之物，總之，這種貪官污吏究竟是少數。到了亂離之秋，社會秩序不正常，人心亦浮動不安，官吏的待遇較諸承平時代更菲薄，日下降，而物價却直線上升，日常生活費指數與俸給收入額相差甚鉅，除了極少數的高官大吏以外，一般的公務人員皆過着窮困、艱苦的日子，無法撐持下去，所以「精神勝過物質」的說教，誰也不能餓着肚皮而爲公家服務。在這種殘酷的現實情况之下，官吏們相率見財起意，利用職權與機會而收受賄賂，索取紅包，可說是普遍現象，處此，明知故昧，俗言「昧良心出於無奈」是也。猶之乎過去軍閥時代，領餉的人長年不發薪餉，教士兵們枵腹作戰，因而每攻佔一個地區即肆行劫掠民財，事後那些官兵們高談軍紀的道理，比任何人都透闢啦！貪官污吏何嘗不知道貪污是犯法的，然迫於飢寒，只好挺而走險了。因此，亂世的貪污風氣特別盛行，乃事勢所必然，認爲是不足怪的尋常之事，不貪不污的倒是異數呢！

此外還有一項助長貪風的惡法，即所謂「與受同科」的法例規定，這末一來，受賄者祇要手續完備，沒有漏洞，而行賄者將有出來作證之憂了。所以，亂世官吏之悍然貪污，肆無忌憚，殆屬勢所必至，理有固然，光靠頒禁令，發文告，致訓詞這類勸世文式的方法，希望消除貪污風氣，那是不會發生絲毫實際效用的廢話一堆，徒勞無益也。

改善公教人員的待遇，修正「與受同科」的惡法，樹立綜核名實，信賞必罰的政風，實行議親議貴，法律沒有例外的公平政策，然後以重典嚴法繩其不肖的貪官污吏，如此雖不能担保政治絕對清明，這種以苞苴爲政之腐敗現象，我敢相信將不復存在了。

國大代表臨時會議前夕

行使兩權問題現有兩種對立趨勢

焦點在三年或兩年召集會議一次

（本報台北通信）國民代表臨時大會快要開幕了。近來在朝在野的人士，皆以國大臨時會問題爲談話之資，因爲這次大會是要討論行使創制、複決兩權的方式問題，而非研究應否行使的理論問題也。職是之故，國大代表與執政黨方面，現時頗示緊張氣象，各有主張，亦各有活動。

執政黨方面是不贊成此時此地行使這兩種間接民權的，爲的是要避免政治上的紛擾，勿令影響大局。所以，一面通告國大代表中的所屬黨員，對此問題除𨋢遵照總裁指示外，個人不必有所主張，以表示嚴正的紀律。同時由中央黨部與行政院分別召集所屬黨員舉行座談會或小組會，前者按省區單位逐次舉行，而以中委一名綜持其事，後者由行政院長邀約從政的國大代表——凡在公營企業機構服務者均屬之——分組討論，而指派其中的一位代表爲組長。這兩種會談的課題和主旨，就在說服大家莫堅持行使兩權的主張。但表面情形並不樂觀，贊成行使兩權的人佔着大多數，而且引出國父遺教與憲法明文作護符，說來振振有詞，理由充分，使在座的反對派無從作正面的辯論，形成一面倒的趨勢。繼而使用個別說服方法，或作個人訪問，或作集體議談，輕描淡寫，申述行使兩權的弊患，究竟效果如何，殊不可知也。

國大代表方面亦劍及履及，熱烈活動，業已發生「行使兩權公約」簽名運動，分組派人進行簽名工作，再就國代們居住地域，隨時召集小組會議，以期一致團結，到底不懈。每一省區的代表中，誰在「護航隊」——即反對行使兩權者——之列，皆已排定「黑名單」，特加注意，大有不達目的不止之勢。在野黨的代表們十九皆屬於反「護航」的潛艇戰士，義無反顧。記者親聆一位執政黨籍的代表聲言：「我的黨籍，早已交還黨部，等於沒有黨籍了，如果因爲主張行使兩權而遭受開除黨籍的處分，殊無所謂」。表示其不顧一切的奮鬥精神。他們不但是要行使兩權，且主張由國大代表自行集會行使之，每年一次，沒有討價還價之餘地。

執政黨和大多數國大代表間，對於臨時會議課題的觀點，距離如斯遼遠，非有折衷辦法不足以善其後。到了必要時，唯有搬出蔣總裁這張王牌來，對黨員訓導一番，聲述自己並不反對行使兩權，但須合情、合理、合法而已。怎末辦呢？原則上將來是走「授權總統」定期召集會議行使這條路，另外訂定召集的期限，或三年一次，或兩年一次，但不設置新機構，以免成「太上立法院」的形勢。將來在臨時大會中所爭論的，就是二年或兩年行使一次這項問題，而以有驚無險的場面閉幕。

關於臨時大會與第四屆正式大會時期的代表公費問題，迄今仍由秘書長谷正綱與中樞協商之中，據說尚未作最後決定，大概兩次會議中，每位代表支給台幣三萬元左右，似無問題。唯代表們深受着生活窮乏的物質威脅，又感覺六年間憔悴京華的精神苦悶，好容易挨到發生剩餘價值的機會，自忖年華老大，來日無多，必不願意輕輕放過，如果不得其平，在正式大會時難免不生波折，這就看執政當局的肆應方略如何了。（元月十九日消然於台北）

一九六五年的回顧

——民主國家與共產集團鬥爭一年來總結算——

何浩若

上面的報告說明了美國學潮的性質。但學潮的繼續發展下去，必須在合法的程序下予以處理。因此，政府和反越戰的學生同意了舉行有關越南問題的強迫聽講運動。第一次全國強迫聽講運動是五月十五日在華盛頓舉行。反越戰的教授和學生推出代表來和政府的代表舉行辯論會。從五月十五日上午九時起到五月十六日的上午一時止，所有美國各大城市的電視台和廣播電台一律轉播。就是小城市中的小電台也轉播達七八小時之久。另外在二百多所的大學裏面，都張掛了布幔就像電影院一樣，好讓學生看到辯論的情形。這可以說是美國的空前大辯論會。代表反對政府的政策的發言人是芝加哥大學的摩根滔教授（Prof. Hous Morgantau）是一個有名的左傾的學者。除去摩根滔以外還有其他的左傾份子。政府方面原是由彭岱和羅斯淘來代表的，但是彭羅兩氏臨時有事出差，改由國務院的顧問，加州大學教授斯卡拉皮諾（Prof. Robert A. Scalapino）代表政府發言。這個人就是本文所指的變岳飛的秦檜。他的轉變，留待後文再行交代。

這次的辯論，因爲彭岱沒有出席，結果並不完滿。因此在一九六五年的六月廿一日，在華盛頓的喬治城大學舉行第二次強迫聽講的大辯論。這次政府方面的發言人由彭岱主持，反政府方面的發言人則仍是摩根滔和其他的幾位教授。大辯論會雙方所持的理由在這裏無法報告。有一點要說明的，就是這樣的辯論會要眞正的民主國家才能舉行。雙方所持的理由，知無不言，言無不盡，可以使全國人民明辨是非，知所選擇。

現在再來談一談美國變成岳飛的秦檜。一九五九年十一月，美國參議院外交委員會發表了一個有關遠東政策的研究報告。這個報告便是有名的「康隆報告」。事實上並沒有康隆這個人。這篇報告是加州大學的政治學教授斯卡拉皮諾寫的。康隆報告的結論是驚人的。斯教授認爲中國大陸的人民已經接受人民公社，而台灣的老百姓並不擁護國民政府，因此康隆報告不僅主張台灣獨立，而且主張廢除東南亞反共公約，把美國的軍隊撤出亞洲。康隆報告自然也主張承認毛共政權。這位寫康隆報告的斯卡拉皮諾教授在報告發表以後，便隱約以將來美國駐北平的大使自命，並且獲得同路人的援引而參加國務院的工作。根據上述事實，斯教授是一位道地的美國秦檜。他不僅反對越戰，而且主張承認毛共，把美國軍隊撤出亞洲。他的主張不是和美國反越戰的學生教授一致嗎？爲什麼他又代表國務院和反越戰的教授們大開辯論會，而且眞替政府辯護呢？讀者要知道，這位斯教授已經參加國務院工作，而美國又是一個民主國家。不[illegible]論，也就內心不能不這樣站，在他既代表政府的立[illegible]岳飛。[illegible]祇好變[illegible]是美共[illegible]，我們不[illegible]變，正合乎[illegible]我們在這[illegible]一個眞正[illegible]民漠不關心的共黨和同路人可以很容易的出賣美國的盟友，如希斯、拉鐵摩爾之流，出賣古巴，威廉魏南[illegible]是滲透美國政府的同路人要出賣美國便不容易，便會受多數人民的反對和指責。根據這一理由才使美國的秦檜變成岳飛。

[illegible]後，美國的學潮和黑人暴動，加強了美國人民和政府的反共意志。大暴動以後，經過了洛山磯的黑人已經暫時相安。但是美國的學潮，並沒有因爲兩次強迫聽講的大辯論而停止。一九六五年的秋季開學以後，各地續有反對越戰的示威遊行，而且參加的大部份是大學生。這些參加反戰運動的大學生，當然是全大學生的少數。據調查還不到全數十分之一。但是共產黨的策略就是要以少數人來擾亂多數人的聽聞。美國共產黨曾經在一九六五年十一月發動全國性的遊行示威，十一月廿七日遊行集會是不犯法的遊行示威。群衆包圍了白宮，詹森總統還很輕鬆的說：「他們不過是示威，不犯法的」。示威遊行是合法的，但是不代表多數人民的。民主國家的風度，但是反戰而撕毀兵卡則屬一犯法而必須判罪。從前美國一般的人民對共產黨所導演的遊行示威已司空見慣了，漠不關心。但是現在不同了，自從今年十月以後，美國反共和支持政府的人民也舉行一連串的支援越戰的遊行示威。（七）

台灣省的戶政

（上接第一版）

警察機關在戶口查察時，所得戶籍資料亦隨時通報戶政機關，各區公所兼戶籍主任、副主任與有關警察局戶口局員隨時保持密切聯繫，各級戶警人員並定期舉行戶警聯席會報，配合聯繫堪稱密切。（二）戶政與役政單位之聯繫：各區公所每日受理戶籍異動案件，有關役男及後備軍人部份，均依規定於兩天以內以聲請書副份分別通報區公所兵役課供作役男及後備軍人管理異動之依據。關於役男及後備軍人國民身分證之核發，均有送會兵役課加蓋各種役別戳記。並定期舉行戶役警聯席會報，檢討得失，以爲改進之參考。

六、戶籍法令規定較寬，執行頗有困難：我國戶籍法立法精神，係採「申請主義」，旨在養成人民自動申請戶籍之良好習慣，誠爲推行民主法治之最高理想，

行。惟因缺乏強制性之規定，執行不免發生困難。且以民主制度推行未久，人民守法精神尚嫌不夠，尤其值茲戡亂時期配合動員需要，各有關機關對於戶政工作之企求更加殷切，因此嚴密戶口查記，已爲今日重要工作之一環。但欲談民主自由，一切規定似不宜太嚴，倘爲配合動員戡亂，則又不得不稍帶一點強制性，俾能有效掌握；二者似有矛盾之處，如何使之恰到好處，誠屬匪易。以今日之實際情形觀之，人民怠於申報戶籍不能如期提出申請，或因規避某種義務，對其戶籍動態或身份變更事項故意不申報者，戶籍法雖規定有罰鍰之處分，但一經催告，如仍不履行申報義務或拒絕不繳納戶籍罰鍰者，並無強制執行之辦法。似此對於嚴密戶口登記，不無影響，如何特別補充規定或修改戶籍法令，使能配合非常時期特別需要，亦乃當前重要課題之一。

在聽取劉、吳兩位對中國五權憲法學會同仁所作有關台灣，尤其是台北市的戶政簡報後，我也曾提供幾項意見：一、爲重視戶政，以一事權計，似可援地政局、兵役處之先例，在民政廳之下專設一戶政局。二、台省人口已逾一千二百萬人，而領有身份證者，計有七百八十萬人，工作相當忙繁，辦理戶政工作，一切宜科學化，我旅美學人楊俊夫婦所發明的圖書館打卡機，目前已普及於歐美各國，我中央研究院亦已開始使用，戶籍卡片亦可大量採用，既省時又省事，何樂不爲。三、今後青少年開始請領國民身份證時，最好將新的身份證，稍爲改大，每五年加貼本人最近半身相片一張於身份證上及戶口簿存根上，前者由區鄉鎮公所加蓋鋼印於其上。如此，則每一個人自十五歲開始請領身份證時貼有相片一枚，嗣後每五年加貼新近所拍相片一枚，如此極便於查考，更有裨益戶警合一的運用。最後一項是我於十五年前出任台灣省警備總司令部、政治部少將副主任兼代主任時，即商陳當時的副總司令鄭冰如中將設計的，如能實行，豈不更好。

五十五年元月十八日深夜寫於台北新莊妙諦齋。

張山鐘病歿之後

屏東政情起波瀾

也許正因爲林石城當選蟬聯議長，所以張山鐘當時以爲自己蟬聯二屆縣長該是可以篤定的了。豈知林石城中途放棄蟬聯議長寶座，而與張山鐘對抗，參予二屆縣長選舉。黨內提名的決戰：照當時形勢推斷：張山鐘獲黨內提名競選蟬聯，此是決無疑問的事。此不僅張山鐘個人作如是想，就是許多縣民，也曾作如是觀的。那曉得通過提名的，正是林石城。張山鐘在第一回合（黨內提名）失敗後，爲挽回頹勢，一度會考慮爲違紀競選，省府當時爲息事寧人，乃協調俟其縣長任滿，交卸後，出任省府委員之職。

林石城的進入政壇，第一步即當選議長，兩任，再而蟬聯二、三屆縣長，之後又是兩任省府委員，可稱一帆風順。林石城成功的主要條件，是處事能當機立斷，且善於口才，也有豐富的行政經驗。但因此，張山鐘與他便形成了派系之爭，而且愈演愈烈。

林石城於二、三屆兩任縣長期間，對已派勢力的培養，已臻頂點；在絕對優勢的選戰下，林石城任滿後，董錦樹繼之而起，理應無礙。惟董錦樹當時正值四屆議長任內，在董個人言，因之於競選資本，再說黨內不一定提他的名，於是在多方面的考慮下，乃暫時放棄縣長爭奪，而使李世昌輕取四屆縣長。林派雖失卻這一着，總算執掌縣政權柄，林派的董錦樹仍掌握着議會的勢力，使該派在任，原有人事上的佈置，當時未有動搖。張派當時則認爲李世昌既屬已派，如今已取回縣政大權，在人事的安排上當可極盡己願。豈料李世昌做了縣長之後，而都不大理會，實行我行我素。而亦因此，李世昌乃備受攻訐，僅任一任四年，便被張派後起之秀張豐緒所擊敗了。

張豐緒當選五屆縣長後，一般說來，該是張派勢力起死回生的重要轉捩點，惟不幸張派首領張山鐘竟死在他兒子張豐緒的縣長任內，雖算可以無憾了，但因他之死，屏東地方派系之爭，恐將接踵而至。

張山鐘死後，張派面臨考驗的第一課是即將選舉的第四屆農田水利會會長。屏東農田水利會現任（第三屆）會長藍家精，不僅是張派旗下的大將，且跟張山鐘還有姻親關係。民國五十一年底，當前任會長黃道宜任期屆滿，依法不得競選連任時，當時有意問鼎會長寶座的有葉慶源、董錦樹等。其中尤以董錦樹活動最力，大有勢在必得的樣子，但終過一番密鑼張鼓，而因財力不繼，而敗於藍家精之手。（二）

瀛海異趣談

巴黎家庭飯店風光

桑雅

一提起巴黎的家庭飯店（Bistro），許多人便會本能地想到那是小型的法國式餐室，裝飾得花花綠綠，燈光幽黯，鋸屑滿地，供應簡單的法式食品，索價不太昂貴。這些說得都對，只有一點，就是有些家庭飯店却是十分花費的。在巴黎那些吃客們，對於家庭飯店有其熱情而偏好的，各有其自己的一套說法。店的大小當然是一個重要的因素。好咬文嚼字的認爲家庭飯店不宜過大，否則便與一般餐館無二了。地點應隱僻些，內部也不必虛張門面，重點還是在於酒餚應嚴格求其精美，其他倒無所謂。

實在說來，是否是一個家庭飯店，還應看它的氣氛如何。一個上好的家庭飯店之造成，其奧妙就全在於它的氣氛。一個眞正的家庭飯店應該是親切可嚀，一團和氣，使人立刻有賓至如歸之感。店裏大部份的事情，應該都由老板娘招呼顧客。顧客彼此之間都非常熟悉。許多家庭飯店的老板不愛宣傳，更不歡迎觀光遊客，但如你的行爲斯文，對於酒餚能夠欣賞且表現興趣的話，則二次、三次光顧，老板也就待其他常客一樣的歡迎你了。每一個好的家庭飯店都有它的常客，這些人多數是居住在隣近的。他們視飯店如家，各人有其固定的座位。甚至客人的飯巾也都存放在櫃枱後面壁架上一定的格子裏，每天來時自己取用。

和一般的餐館不同，家庭飯店的開設，不僅在於牟利，而且爲了享受此中樂趣。當然老板們也樂得開銷掉他們的生活，但主要的還在於消遣和興趣之高，甚至寧願經營這種飯店而敵擬法蘭西銀行。如果爲了賺錢，則老板們自可大吹大擂一番，抬價取巧，迎合過往的貴賓，賺上一筆的。

一個家庭飯店的大小，是難以下一界限的。最理想的經營，是老板夫婦再加上兩個伙記。少數幾張桌子，大理石桌面再用紙舖上。坐椅和櫈子等，都應該十分簡單，好讓顧客親近而坐，更能造成一種融融洽洽的家庭情趣。堂內也有一個櫃枱，老板便在櫃枱後面料理一些開胃的小食。牆上不妨掛上二三面鏡子，一幅當代名人像片和一張鐵路的招貼，但厚的地氈，有大鐙的大門及其他豪華的裝飾等都是禁忌的。多數家庭飯店對此均固執不變。

飯店的菜單必需能表達出一種親切之感。每個良好的家庭飯店都有幾隻拿手菜而引以自傲的。菜單有些是用青蓮墨水寫在紙上的；或者用粉筆寫在黑板上。而通到廚房的小門雖設常開，所有佳餚的美味，可時時隨風吹來，香氣撲鼻。家庭飯店裏的菜餚，大多是貨眞價實，十分道地的。

到家庭飯店吃喝，原是很有趣味的事，不過有時也會感到失望。而當一個家庭飯店壞的時候，也可能壞得很厲害。家庭飯店大多藏有眞正的好酒。你不妨請教老板或老板娘，當天有些什麼好菜，而配合這些菜餚，應該喝那種好酒。家庭飯店的菜餚，上得都很慢，因爲多數的光臨者，原爲一快朶頤，旣非來此談生意，更不願爲咖啡或飲酒而躭延時刻。事實上，有些家庭飯店竟匆忙得連一小杯咖啡都不供應，要喝？請到別處去。

最好的家庭飯店自爲帶有地域性的法國式烹調。老板們都是聰明的傢伙，他們以最好酒餚供應顧客。他們並不企圖與那些著名的三顆星餐館或豪華大旅社的餐廳一較短長。家庭飯店裏的菜，多是直接盛在各人盤子裏的，量極豐盛，兩個人分食一盤，也不致爭多論少。酒是照實付錢，一瓶酒你喝去多少就算多少。多數家庭飯店不供應餐後的點心，因爲考究的吃客，往往餐後用好的乳酪，抹抹嘴巴就算了。

多數好的家庭飯店都是座上客常滿的。而且每週休業一天，不過並不一定在星期天休業。所以要去就餐，最好預先訂坐。但縱使如此，也得按時前往，否則便過時不候了。家庭飯店裏的情調與習俗，完全是輕鬆的法國風味。那並不會使你望而却步，反之，佳餚美酒大可使你快朶頤享受一番。

一段很長的時間的沉默，我的理智在爲自己鑄成的過錯而懺悔。我祈禱神靈降福予她，使她像我一貫所見到的，讓歡樂的笑容，永遠掛在她的臉龐，過幸福的生活。想來她已經了解了我內心的愧意；我一直在等候她移動她的腳步了。說不定她也爲她付出的責備而懊惱着。她走得很緩慢，沒有再回顧我，我自然也沒有抬頭來送她。

這以後，我有一個多月沒有和阿月說一句話。好幾次我發現她有接近我的跡象，我都預先設法躲避了。我的確應該與她疏遠一些，甚至于我還想把過去與她的一切交談，都從思想的網中漏出去。我自己深知我是一個透支感情的人，我眞怕長此下去會給彼此製造出更多的煩惱；最少我怕嘴閑舌長的村人們捏住飛短流長的話柄，影響她的名節。

阿月

覃晴

然而，人的行爲就這樣矛盾，我越是想把它們忘懷，它們反而暗地在我的心田裏萌出新芽。這是無可理喻的。在那一個多月的時間當中，阿月和她丈夫的一舉一動，更加深刻而顯明的印進了我的心坎。

那是一個颱風過後的中午，惡氣流的餘威，替它所虐待過的地區留下一陣豪雨；整個的大里村，像是在哭喪着。我百無聊奈地坐在門口，欣賞一對貓兒的嬉戲。驟然間，我被一個孩子的啼哭聲，分散了注意力。劉賴宗枝氣沖沖地走了出來，手裏提着一個布包袱，嘴裏嘀嘀咕咕地咒駡着，眼角不知是沾染的雨水還是淚珠？因爲他走得很急，我看得不太淸楚。

「阿爸，阿爸，」那孩子跌跌絆絆的追出來了，是他們三歲多的女兒阿麗：「你不要走嘛！」做父親的對于孩子的乞憐，彷彿沒有聽見。他迅速地消失在朦朧裏，沒有任何反應；留下小女兒在雨中淋打。我又不能不暫時忘去心中的忌諱，把孩子拖進屋來，由食物櫥中拿出一小塊留作早點的麵包，塞住她哭喊的喉嚨。大約過了十分鐘的光景，阿月又在我的門口出現了。她的臉上雖然沒有掛着惱怒的標記，却收斂了往昔常露的笑容，使我感到很詫異。（十）

重陽感懷：白下晴空逢重九，羣賢齊上大集成。寂寞八年辛酸盡，歡顏共向秦淮傾。紫蟹肥鱸佳肴備，兵後何處覓菊英。故舊生死感滄桑，赤眉猖弄江淮兵。養癰貽患謀國疏，萬事之本在正名。王謝江山不稱意，大好佳節不出城。主人舉杯勤勉勵，從此神州必光明。

詩伶嬌艷秋

艷秋分與女郎名，前後能爲蟬緩聲。兩舌一簧歌一曲，一聲雛鳳一聲鶯。玉京嬌俏艷秋雙，一樣歌喉東渡江。廣雅往吟雙白璧，眞能鳳譜曲南腔。減減偸偸嚦嚦佳，紅紅記曲五言諧。若教隔着雲屛聽，誰是伯偕誰仲偕？賓玉何須辨眞假，宮槐畢竟有雄雌。李龜偸得雲裳曲，轉作長安好女兒。

閒來無事，翻書攤邊頭佇立，彷彿好些失侯故人眼前，居然有着一兩冊烟黃了封皮，斷了綫，捲了邊的手抄本，風吹雨打，無人展閱。隨手抽出那深藍皮面的一冊，輕輕一拍，拍落一層灰，瀰漫飛揚中，翻開這沒有或失落了書簽的綫裝手抄本，首先投入眼簾的，就是這詩篇。字跡淸秀工麗，顯然女子手筆。篇末贅着一行小字：「甲子秋，樊山老人題贈，嬌艷秋恭錄並識。」

憶玉軒雜綴

朱滌秋

這原來是詩伶嬌艷秋的芬芳遺墨，塵埃堆積，何異香塚白骨，四十年前，韻事如烟雲。

詩伶嬌艷秋，滿洲旗族閨秀，能詩能唱，工書善畫，名滿舊日京華。眞想不到她的閨中筆墨，竟淪落在破紙爛冊堆裏。眼前輕浮人兒的腦際，那裏還記得她這才貌無雙，歌成絕唱的麗人兒？又翻了一頁，端秀整齊，一筆不苟地寫着——

昔日惜惜有十索之詩，蘇婉儀有四恩之曲，今嬌艷秋作春閨十詠爲：

春起——紅日當窗懶下牀，爲郎憔悴欲斷腸；嬌癡小婢眼慵起，報道花開並蒂香。

春夢——相見無緣夢見之，個郎消瘦減風姿；綿綿情話誰驚覺，百囀黃鸝在柳枝。

春惱——萬籟無聲玉漏殘，孤衾單枕度春寒；願如蝴蝶乘風去，夢裏尋郎拾墜歡。

春夜——愁裏光陰最斷魂，盼黃昏到怕黃昏；孤燈枯坐無情緒，細卜金錢落淚痕。

春倦——生憎日長似小年，桃花帶雨柳含烟；嬌呼小婢烹茶去，倦倚妝台學坐禪。

春恨——鴛鴦惆悵隔天涯，雙宿雙飛兩願賒；猶憶當年花事好，周郎花下品[illegible]

春怨——惱人無[illegible]諸，綠慘紅愁[illegible]斷腸；私枕[illegible]招展鬥；女伴[illegible]

春愁——[illegible]吟風味月憶前塵，伶俐怕看菱花鏡[illegible]

春思——[illegible]憔悴東風懶上樓，月夜陪郎笑語[illegible]

春色——[illegible]嚦嚦鶯[illegible]風柔月媚，笑說傷神[illegible]儂心苦[illegible]

她的詩，做得耐人尋味，很可以細嚼，一讀再讀。我在舊書攤前，不忍釋手，站得兩腳發了麻，令人神往。

[illegible]家陳澄之（筆名方丁）[illegible]十年九月，記嬌艷秋[illegible]，其在書房壁上，掛有京[illegible]寫有一闋詞，調寄「思越人」，云：螢燈明，珠簾[illegible]一笑嫣然。爭看[illegible]雙雙粉腿蹁躚。綺羅[illegible]見，豐神更覺輕倩。[illegible]香頸轉，橫波媚睨郎[illegible]妙好辭。（四）

新三國

周燕謀著

荊州：河南的西南部，和湖南湖北兩省。

益州：陝西省的南部和四川、雲南兩省。

交州：廣東、廣西兩省，還包括現今之越南。因越南在漢時還是中國的郡縣。

司隸校尉：河南省的西北部，山西省的西南部，以及陝西省的中部。

漢朝的行政區域，州以下是郡，郡以下是縣。縣的長官，人口多者稱爲令，少者稱爲長。郡的長官稱太守。都是地方行政官。自縣以下全爲自治關機。郡之上爲州，州長稱刺史，是中央的監察機關，而不是行政機關，只督察地方官吏之失職與否，自己不得干預行政業務。其所監察的對象注重在太守。州的長官刺史，而後改爲州牧，那是靈帝時改的。刺史改州牧的議論是這樣的：

刺史的責任在監察太守，但刺史的實際官位却比太守小，資格也比太守淺。政治權力的運用是要大官去治小官，不可以小官去治大官。小官治大官可能有諸多不便，威望不夠。所以必須要把刺史改名爲州牧，名符其實地去做太守的頂頭上司。在當時未有人發明政治權力制衡作用之前，也不能說他們的不對。所以，我們批評古人是很難得公允的。我們今天便認爲監察和行政是兩個權力系統，監察權一系的官兒，可以監察行政官，是一個職司監察，不是和行政官來比較官位的大小的。而在事實來說，則行政官要有相當資格較深的人去做，監察官應用資格較淺的人；因爲行政官要有相當的經驗和手腕技術，所以要用資格深的人；監察官則主要在檢舉糾彈，破除情面，要有此種傻勁。如果經驗多了，變了老油條，事事畏首畏尾，其弊尤大，反而收些制肘。而且漢代的監察是一年一任，如果太守要給他爲難時，也許早離開這地方了。中國人有句俗話說：「不怕官，只怕管」，就是這個道理。如今天的監察委員，那怕你是部長，行政院長，省主席，他照樣彈劾、糾舉、質詢。古代的地方勢力，如土豪劣紳，只限於地方，他們離開本地也沒有了作用。所以漢代的刺史是有相當的價值。前漢主張改刺史爲州牧的人，其論見固有不能達，但是在二千年前的時代，是不可想象的事。所以在行了不久，便改回來。但是，到了東漢末年，而此論復起，主張最力的人便是劉璋的父親劉焉。他的理由是：

四方多亂，非有資望重的人去不能鎭攝；而資深望重者又不能使其爲刺史，而不得不改爲州牧以示隆重。當時朝廷採納了他的意見，便派了幾個資深望重的人去做州牧，其他不太重要的地方仍是刺史就夠了。過了一個時期，一個做了不久刺史，資格漸深，名望日隆，然後升爲州牧。論當時的情勢：有實力的人，無論稱爲刺史或州牧，其割據一方，總是一樣有威望。能夠霸佔一方，其勢又不能不升爲州牧。如劉表，若非有州牧之制，他這種名望很高的人，就不會久任一州的刺史的。（四）

忠勇的兩柱（續）

他們演出的長處，是凡角色，皆由社員串演，不須仰仗內行。即龍套門子刀手，多是如此，純粹票友担任，大有以往故都春陽友會的作風，為北市票社所少見。

近今在歲暮廿九日於介壽堂慶祝新春，又舉行同樂晚會，有蕭南勳、黃安國的別窯，孟繼麟、趙福東、廖羽珍的射戟，凌霄居士陳寶霞的汾河灣，徐渝蘭、王保、陳顧鳳雲、曾憲坤的會審，陣容頗盛。這裏一談該社的兩柱：徐渝蘭、陳寶霞。

徐渝蘭即以前的徐復玉，現任華岡國劇研究社副社長，為總司令的掌珠，也無庸贅述。將來也許再入大鵬，是現在忠勇的一塊美玉。陳寶霞恐知者尚不多，是劉鳴賓的太座，扮相頗秀麗，因有乃夫的薰陶，戲路也很寬，能唱也有不少齣，前見其演殺家，頗能曲曲傳神，亦近年旦角中的人才。農曆正月燈節，該社有戰馬超，龍鳳呈祥排出，孫尚香是渝蘭抑寶霞，猶未完全確定，因寫兩柱，以告讀者。

國劇繽紛續錄

（五十四）姿婆生

評華後

反共藝人譚硯華，因家庭受盡共匪的荼毒，才下了決心，與趙培鑫聯袂歸來，回返祖國，就其志向，值得贊許。也可為自由祖國添枝新苗。一幌三月，尚無動靜。與李湘芬來時不同，一齣醉酒，連唱十九場。因其回來的方式微有不同，且自備川資，可是志願則是一樣。最近大陸災胞救濟總會，與軍友社聯合主辦，請她在兒童戲院連演五天，二天是紅娘，三天是勸玉釧拾玉鐲鐵弓緣龍鳳呈祥。除了呈祥的孫尚香屬青衣，其餘均為花旦。在今年歲首，忽有花旦抬頭，劇壇的趨勢，又為一變，說來也是可喜。譚氏演出以在匪區多年，有許多不能演，遂感戲路不太廣；演過以後，尚須加以整理刪勘，再行重請名家編過方可。祇要是老戲而無匪區攙雜者，也必須呈請核准，如霍小玉其一例也。

當救總召集招待會，也是有正義之士提出劇碼的大軸，應以戲為歸，尤其賓客須分清。於是勸玉釧紅娘始列大軸。培鑫也謙謙風度，為提挈硯華，當即首肯，此不爭碼子的作風，今始見到。至於協助演出，得到海光劇隊允可，使此五天之中，兒童戲院，天天爆滿，其成果實為豐碩。再加周金福更是一天趕兩角，尤為出力不少，所以一場戲，演得精采，並不偶然。事後詢之同好諸友，多說做唸與台型均好得很，可惜嗓子略差。而張育黎兒的評言，可算一新耳目，是不易之論。（未完）

海嘯樓談薈

賀耀組從政秘辛

諸葛文侯

民國十七年（一九二八年）夏，賀耀組率領國民革命軍第四十軍隨蔣總司令北伐時，師次濟南，與日本侵華軍隊驟然衝突，發生震驚全球之「濟南慘案」後，日本政府向我國要求懲辦賀氏為和談條件，我政府拒不接受，蔣總司令駐節泰安，傳令賀與方振武等部，退出濟南，繞道北伐。未幾，中日和議告成，賀以抗日有功，頗負時譽，曾建議中樞，謂中日終必決裂，吾國急須未雨綢繆，積極準備，而以統一軍政軍令為首務，請自陝始，將四十軍交由統帥部整編調遣，樹之風聲，旨在試探統帥對彼之信心如何。蔣公嘉納之，調賀氏為軍中樞，初任國府參軍長，繼遷參謀部次長，旋受命為軍事委員長侍從室主任，倚畀甚殷。然賀氏殊鬱不樂。以未躋居政界顯貴之列，深悔當年解除兵柄之失計，故於十九年中原大戰時，拒受津浦路前敵總指揮之職，要求將其舊部（由四十軍改編者）下，乃可奉命，然第八師方由朱紹良統率在贛省剿匪，賀乃不諧。

迨蘇聯構遣事變發作，中俄復交，我政府鑑於西北邊防，首在拓展交通，關係由陝甘直達新疆公路，派朱紹良率軍赴甘肅、寧夏一帶坐鎮督理，明令任命朱氏為甘省主席，而朱氏堅決請辭，且潛赴杭州西湖靈隱寺閉關休息，拒不見客。中樞知不能強，乃以電召在浙賦遊之賀事軍務之蔣銘三（鼎文）入京，命其承乏甘省主席一職，銘三亦以對政治不感興趣，婉辭之。蔣公謂：「西北邊防重要，不可無人前往主持，君既不欲從政，可遴舉妥當人員以自代」。銘三答以容仔細考慮再覆命。

當蔣公與銘三談話時，侍從室幹部王世和竊聞之，迨銘三辭出之際，王語銘三：「請您做做好事。」「咱們這位主任——說的湖南話，大家聽不懂，他報告或請示，他亦茫然莫辨，彼此都受罪。然剛才委員長教您推薦甘肅主席人選，何不推薦賀主任呢？」蓋賀說話純屬湖南鄉音，而王世和寧鄉人言談，多係甯鄉音，因而困苦也。閻銘三難逢適當人選，以遂脫殼之計，即翩然身入蔣公治事室，欣然道：「報告委員長，甘肅省主席人物已想到了。」蔣公詰以何人？答曰：「侍從室主任很好，可教他去。」蔣公謂：「你去徵求他的意見罷」。銘三即尋賀貴嚴告以詳情，賀喜出望外，慨然同意，謂「承蒙老兄栽培，敢不奉命」。於是，中央即明令派賀氏代理甘肅省主席職務，斯為賀貴嚴涉身政界之始。

賀在甘肅施政逾年，以成績欠佳而去職，又回任軍委會辦公廳主任兼委員長侍從室主任，可謂得邀寵眷也矣。然賀洎是即迷戀於行政高位，自恃對國家統一軍政軍令有功，非封疆開府不足以償其私慾。

自交卸甘省主席職務後，念念不忘情於湖南主席之位，百計以求得遂而終失望，侘傺無憀之餘，於對日抗戰結束復員後，竟趨入反動途徑，在上海組織「太平洋學會」，與一班反動人士沆一氣，進而投靠毛共帳下，晚年屈任所謂「華中水利部」參事，受劉斐驅策，按日持杖步行至公廨于役，抑鬱以死，孽由自作，不足惜也。

為學主實行的教育家顏元

·裴碩·

他反對宋儒的主張習靜，而實施勞動的教育。他說：「養身莫善於習動，夙興夜寐，振起精神，尋事去做。」他所定的課程有六藝一門，學生必須各執一藝，每課講解後都須實習，並要他們輪值去做洒掃、汲水、燃火等工作。

他對學校所規劃的設備和分科也是有獨創性的。六十二歲時，他應聘主持肥鄉漳南書院，企圖在那裏實現他的教育理想。他計劃在院下分設四齋，性質類似現在大、專學校的分系：「文事」、「武備」、「經史」、「藝能」；「藝能」、「教水學」、「火學」、「工學」、「象數」等科。院中央廳正是大課堂，左右為學生、工人宿舍，教室備有演習工具。這樣科目繁多，設備充實，並且注意實習的學校，在當時是僅見的。書院剛開學，即遭大水災，他自此歸家不復出。

十七世紀顏元注重實用實踐的主張，和現代某些人物所宣揚的實用主義是形似而實異的。顏元提出的主張是針對當時的空談虛理而不問世務，死啃經書以獵取功名的社會風氣，而二十世紀初在一個「打倒孔家」的國度裏發展起來的實用主義，都可說是一種以金錢價值作為判斷一種東西或一個觀念的是非眞偽的標準的市儈主義哲學。顏元的重「習」，其素樸論點不屬哲學理論的研究，而僅在於科學意義的專門職業，他想藉此導引出一個屬於科學知識的世界。

雖然顏元的整個思想體系受時代限制仍脫不出主觀的範疇，但他極力反對當權者所提倡的程朱之學，對土地問題主張平均分配，在教育原則上把「制藝」（應試的八股文）放在無足輕重的地位；這些思想和行動，在當時都是代表新生的東西。

顏元「生於窮鄉，育於異姓，飽受憂患」（梁啓超語），自然也學無師承；但他卻能以堅苦卓越的戰鬥精神和樸素求眞的科學態度，衝決舊思想的堤防，主張「天地間田宜天地間人所共享」（他的弟子李恭（土旁）的「均田論」是這理論的繼續與發揮），並在教育方面提出新的理想和規劃，借用某名家的話，他「確是一個忠於眞理的大儒」。

三百年前，我國有這樣的人物出現，他的地位不該置於同代的歐洲的培根、笛卡兒等人之下吧！（下）

女人談夫妻

鈔

△你要妻子眞心愛你，唯一辦法，是要你眞心愛她。在你們之間只有誠字，而找不到謊言。——羅斯福夫人

△應該要培養夫妻之間的共同嗜好，否則會失去家庭生活的意味和藝術的。——莎岡

△夫妻之間的感情乃是脆弱的東西，正如其他易碎而珍貴的東西一樣，需要很小心才能保持，不可大意。——賽珍珠

△夫妻間的愛，應該是一個美夢的達成。——南丁格爾

江山美人

「影劇與歷史」之十四

周遊

又：凡車駕所在，近侍先掠良家婦女，以充幸御，至數十車，在道日有死者，左右不敢聞。且令有司償廩之。別具女衣首飾為賞賚費。遠近騷動，所經多逃亡，上不知也。此乃武宗之風流賬。而平劇遊龍戲鳳則表現太過文明矣。

「明武宗外紀」及野史所記，在宣化一帶的風流帳，並未渲染過甚。惟其對鳳姐有過嘉許之處，正德在當時强掠民女不知多少，何只李鳳姐一人？其他則無聞。正史上有名的倒是一個樂伶，名劉孃孃，乃晉王府中樂工，且為有夫之婦。可見他是一個色情狂，根本談不到有情。其他民間女子都是擄來的。惟獨李鳳姐是幸運嗎？也許鳳姐兒長得特別漂亮，中了武宗之意而已。如果李鳳姐不從他，武宗不會張牙舞爪才怪！武宗所設的所謂「豹房」是做什麼的？讀過明史的不會不知道，這就是特設的宣淫之所。上有好之，下必甚焉，臣下們便以搜羅民間美女以邀功。打聽到有漂亮女子，擄入「豹房」，獻與皇上。此與隋煬帝之「迷樓」實際是同一性質。

野史上的李鳳姐，好似一個很識大體很有國家觀念的女子，替她寫出了一些美談，如欲封鳳姐為妃時，鳳姐辭曰：「臣妾福薄命微，不應貴顯，恐於身不利。今以賤軀事至尊，爲勝榮幸之至。伏願陛下早回宮闕，以萬機為念，則臣妾心安，較爵賞尤榮矣。」又記「鳳姐枕畔筵前，委婉屢勸，帝乃擇日返京。」云云。李鳳姐乃一村姑，竟能道出如此「萬機為念」，這也許是作者對武宗的一大諷刺，所以以下便說：「若是朕忍棄天下，不忍棄愛卿，決不歸矣。」那就是「不愛江山愛美人」了。在「外紀」作者心目中，鳳姐兒比武宗高明多了，這不是一大諷刺嗎？

（三、完）

金門的樹

·克勞·

張修秀兄在正氣中華報，報導了廿二篇關於金門的樹。從開始種樹，到樹已成林，以及今後對植林的計劃和理想，寫的細膩盡緻。

我到金門不到一年，天天接觸樹，時時看到樹。碉堡前面是樹，碉堡後面也是樹。路上有行道樹，山上有樹海。看的樹越多，對樹也就沒有什麼了。

不過，我住到眞正樹林裏，那是八二三炮戰以後植起的樹，現在已經有兩人多高。早上有鳥聲，清脆悅耳，我却喜愛起來。

金門之所以有這麼多樹，山上是樹，甚至於田園邊上也都是樹。大家重視植樹，當局也督促植樹。祇許植樹，不許砍伐樹。

「八二三炮戰前有沒有樹？」我問一位老金門的伙伴。他吸着香烟，望着我。「有。沒有這麼多。」

「炮戰中，這些樹不是受到傷害嗎？」我又問。

「炮彈把那些樹全部毀掉。現在的樹，炮戰以後植起來的。」

「十年樹木。這些樹長的好快啊！」

「在這海島上植樹，的確不容易。石頭既多，水份却少，不易植活。但人定勝天，這些戰士們用各種方法，終於將這些樹植活了起來。」

我也吸了一根香烟，我在想：過去是不是有樹呢？

於是，我問了出來。我首先問：

「你參加古寧頭戰役吧？」

「參加了。」

「那時，有沒有樹林？」

「沒有。一片洪荒。」

不容易來一次金門，所以我到處走走。有朋友，有同學，也就很方便。

我的同學，散佈在各部隊，到處都有。

有一次，我到烈嶼，離共匪最近的地方。我一下船，我便驚住了。那些樹，就像黑森林般的，雄赳赳、氣昂昂。戰士們在樹下出操上課休息，他們那古銅色的身體，粗壯的臂膀，實在可觀。

我問我的同學：「這些樹什麼時候栽的？」

「聽說不到三年。」（上）

內僑警台報字第○三壹號內銷證

自由報
THE FREE NEWS

第二六二期

中華民國僑務委員會登記證台僑報字第三三號
中華郵政台字第一二八二號執照登記爲第一類新聞紙類
（半月刊每月一日、十六日出版）
每份港幣壹角
台灣零售價新台幣貳元
社長：雷嘯岑
督印人：黃行靈
社址：香港銅鑼灣怡和街二十號四樓
20, CAUSEWAY RD 3RD FL.
HONG KONG
TEL. 771726 電報掛號：7191
承印者：大同印務公司
地址：香港北角和富道九六號
台灣分社
台北市西寧南路壹零零號二樓
電話：三○三四六
台郵撥儲金戶九二五二

假使我是國民大會代表
——爲中華民國將選舉正副總統而寫——

陳大絡

自去年歲末國代諸公舉五位資深代表，定期晉謁總統以來，海內外各級人民團體，紛紛掀起上書恭請總統競選連任第四屆總統的高潮。這是全民由衷的表現，是國家將興的禎祥之兆！他爲政以德，並世無雙，其德正純，其功業則可以與天地參矣。「凡有血氣者，莫不尊親。」唯有德高望重的蔣總統領導復國建國的工作，才能使人民自然歸向，此乃順天應人理所至當。筆者籍屬之地，所產生之代表和候補代表，都身陷大陸，無法行使國民所賦予之職權，參與正副總統之選舉，個人忝列中華民國國民，憂國憂民，願抒一得之愚，謹望各級人民團體不但要上書蔣總統恭請競選連任，而且還要用個人名義以書面口頭申述願望，支持國代諸君，以鼓舞其榮譽心與責任感，以期達到蔣總統競選連任第四屆總統時，能得到百分之百的選票當選，以示舉國一致擁護之赤誠，開創民主國家最高選票當選總統之紀錄，此迺爲國人所馨香禱祝者也。至於副總統一職乃輔弼總統掌理國家政事，任重道遠，繫國家之安危，亦不能率爾行事，必須具有基本條件者出而競選當選，將來才可拓展國運，造福黎民。筆者秉於國民之職責，又豈敢作壁上觀？故雖不善爲文，而願將觀感所及，聊綴數語，俾供國民大會各位代表先生們，於舉行國民大會選舉副總統時之參考。

能篤信主義者：

「歲寒，然後知松柏之後凋。」舉世混濁，清士乃見。大陸山河，變色而能卓然自立者，可說都是忠貞之士，但是其忠貞亦有程度深淺之別。昔當勝利復員後，藉口政治協商，取媚匪幫，瓦解民心士氣者有之；又當三十八年時局危急，民心惶悍，見蔣總統被迫引退時，見利而不思義者有之；大陸撤守時，見危而不授命者亦有之；發表空妄言論，採取觀望態度者更有之。但是能與國家安危與共，「臨大節而不可奪也，「始終如一，言論積極，而有建設，亦不乏其人。此種謀國之忠，爲國之勇，誠信卓著，行可爲表。這些人由於不同之表現，足可顯示其品格與氣節。如昔時陽奉陰違，反道而行，未能篤信三民主義者，時下雖有所謂之成績，亦當追溯其閱歷，總期使白璧無瑕之人出而競選，方能符合國人之願望。「家貧出孝子，亂世識忠臣。」設若誤選對國家有二心的人來襄理國事，其國必敗。對三民主義信仰不堅的人來襄理國事，其國必弱。因爲三民主義爲立國建國之最高原則，不可須臾離也。所以「忠貞」與「信仰」，乃選舉副總統時必須同時兼顧的。

有豐富學識者：

今天我們所要推行的是人才政治，所謂人才應具備的條件很多，品德經驗都不可缺少，但最重要的還是學識。因爲「學問爲濟世之本」，必須有豐富學識的人，才能担當國家之大任重責。就當世人才而言，誰不乏之賢者；但是「焉知賢才而舉之？」「舉爾所知。」我想支持有學問的人，出來競選副總統，無非是讓他多盡一點本分的責任而行其義罷了。舉有學問的人，則能做到：「舉直錯諸枉，能使枉者直。」復能以他的豐富學識，來輔佐元首，則能當機獻策，分勞分憂，庶幾運籌帷幄，臻國家於富強康樂之境。

卓著功勳者：

孟子對用人方面曾向齊宣王愼重建議，他說：「左右皆曰賢，未可也；諸大夫皆曰賢，未可也；國人皆曰賢，然後察之，見賢焉，然後用之。」今天是民主時代，每個人亦應抱着這種的態度。但是要怎樣用賢才而治國呢？則必須考察其經歷，是否能「見利思義，見危授命。」起碼要做到「大德不踰閑」的地步。果能舉用有功勳的人，則以他的功勳來輔佐元首，更能號召大陸上億萬民心歸向，以我們的德政對付大陸的暴政。「政者正也，子帥以正，孰敢不正？」「子欲善而民善矣。」只要仁政的行使，還怕不能除暴安良，促進國泰民安嗎？

德高望重者：

政府各級公務人員之任用，皆有資格一項之限制，唯副總統之競選，捨年齡之外，別無任何資格之限制，其所可依賴的，恐只有憑其功業和德望。依中華民國憲法第四十五條：「中華民國國民年齡滿四十歲者得被選爲正副總統。」準此可知，未滿四十歲之國民，就無法取得副總統候選人的資格。語云：「四十而不惑，」未達不惑之年，可說很難奠定事業之根基，更無法期其成大功。歷史上雖然也有少年得志，叱吒風雲的人物，但畢竟是極少數，且因緣際會者，這總非常態。所以憲法規定國民出生年齡滿四十歲者得被選爲副總統是有道理的，我們自當予以遵循。但是最重要者，還是要着重在其人對國家的貢獻和高尚的品格與情操。所謂「高山仰止，景行止。」必須有高風亮節，才能被人所崇敬，所以德望與功業乃不可或缺的條件。倘能支持德高望重者競選斯職，則可以其德望輔佐元首爲國人之表率，更能顯出元首格外之偉大。因之副總統候選人的遴薦，必須以客觀立場愼重物色。果能如是，則朝無倖進之人，野亦無憂鬱之士了。

「舜有天下，選於衆；舉臯陶，不仁者遠矣。」今有民主國家新中國，舉有才有德之人輔佐元首，則國家必能復興；現在我們正朝向最光明的憲政大道上邁進，「經天下之大經，立天下之大本；」亦是「邦有道則仕」的時機。「故舊不遺，」「敬大臣，則不眩。」「聖明的元首在上，有道之士，必能勇於爲國效勞。此次孫科博士回國參加國父百年誕辰慶典，是忠孝的表現，其影響心士氣，實非淺鮮。幷希望他當仁不讓，出而競選副總統。筆者相信全國各地精英之國民代表們，代表全國國民行使政權，如能選國父哲嗣孫科博士輔佐元首，以其學識聲望襄贊中樞，必能鼓舞海內外同胞，效忠領袖，以完成復國之大業。筆者與孫科博士素昧生平，純出於大公無私，本文雖無高深理論，但皆由衷之言。質諸國民大會代表諸先生和有關政黨人士及讀者，以爲如何？

喧賓奪主

與虎爲鄰

今日與明日

美軍增援越南

就當毛共與越共同聲拒和之際，美軍四千人又在南越登陸，當地美軍又對越來邊境共軍發動一次猛烈攻擊。這是自從聖誕停火以來美軍對越南共軍予以最大打擊，證明美軍在越共拒和之後，不得不恢復軍事行動，用武力來解決越南問題。又據星加坡海峽時報消息，馬來西亞總理拉曼透露美總統詹森已決定日內恢復轟炸北越。拉曼的消息自有其根據，相信是得美國官方的通知。

在美國國內所謂和平份子近已銷聲匿跡，大規模的反戰運動不再出現，反之主張徹底打擊共黨的正義人士却越來越多。最近詹森總統邀請共和民主兩黨領袖到白宮開會，商談恢復轟炸北越問題時，據說出席人士大部主張擴大轟炸範圍，最低限度應包括海防河內，甚至補給越共軍火的基地中共區，運輸路綫的越寮邊境都應當予以轟炸。此點足徵美國有識之士日漸增多，對詹森總統自然也是一大鼓勵。

毛共的反美統戰

最近一個月來，由於美方尋求和平，派出五路特使，於是和平掮客也越來越多，不論宗教領袖，各類政客，都想作成這筆交易，紛紛出頭以調人自居。這批調人有一個不約而同的見解，就是爲了表示中立，以見信於共方，必須痛責美國，然後再談和平。其態度有類於最近被毛共折磨而死的投機份子、無聊政客羅隆基相同。羅隆基當年曾咬定共產黨有百是而無一非，國民黨有百非而無一是，結果羅隆基却在是非裏面送了性命。共產黨對他也不會感激的。

其實美國今天在越南所進行的戰爭，可以說是人類有史以來，除去中國對日抗戰外，最正義的戰爭。美國既無愛於越南土地，也無求於越南的資財，完全爲了維護一個弱小國家不致遭受共黨奴役爲出發點，却犧牲了一千多條人命，數百億的金錢，結果還招到並非共產黨人的指責，世間不平之事，寧有甚於此者！我們身處在越南周圍的人不妨想一想，使無美軍在越南作戰，今日還有沒有泰國？有沒有馬來西亞？就連香港命運如何，也很難說。

發動援美滅共

因此，我們建議所有愛好自由的國家，尤其是與越南息息相關的中韓菲泰馬各國人士，應該發動簽名支持美國在越南的正義行動，將簽名書遞交當地美國大使館，鼓勵美國當局再接再勵，有始有終；不但在越南消滅共黨，還應該領導全世界愛好自由人士共同消滅萬惡共黨統治，恢復所有人類的自由。（何如）

自由談

近閱台灣報紙上的社會新聞，載有一位開營業汽車的司機王金山，送次在車上拾得乘客遺落的皮包，內藏大量金錢與重要物品，事後發覺了，立即根據乘客下車的地址，原件送還，堅却物主的酬謝。事證昭彰，歷歷可數，中有女作家孟瑤（現任星加坡南洋大學文學講師），即因此深受王金山的義行感動，對王氏願事之以師禮，不時函候他的起居，傳爲佳話。

據新聞記者登門訪問這位司機先生的結果，知道他一家大小九口人，住在台北市區專堆垃圾地帶的貧民窟中，負担頗重，生活極其清苦，而臨財毋苟得，夷然行義以求其心之所安。亂世人心多險詐貪殘，乃竟有王金山其人者，以僅僅受過小學教育的資質，居然砥礪廉隅，恥納儻來之物，信乎「伏義多屠狗輩，負心盡是讀書人」之言爲不誣矣！

愧煞貪官污吏

今之貪官污吏，無一不是受過高等教育的知識份子，他們利用權力機會，集體貪取苞苴，肆行無忌，而託詞於公務人員待遇菲薄，活不下去。然則司機先生王金山的生活情況，視政界中之一般中級幹部所過的日子，相形之下，何啻霄壤之別，他能夠拾金不昧，有所不爲，然貪官污吏們却藉故勒索賄賂，恬不知羞，這又作何解釋呢？所以，專拿待遇菲薄來替貪官污吏辯護解嘲，那是不周延的說法。官吏的待遇固然太低而不足以養廉，但官吏中亦有許多自甘藜藿，過着奇窮奇苦的生活而潔己奉公者，我所認識的朋輩中，就有這種守道固窮的人。可見貪污風氣之形成，社會環境和政治制度的關係甚鉅，待遇問題實屬次要。

我常懷疑：台灣隨時表揚好人好事，却未見表彰過一個廉潔刻苦的公務人員，是何道理呢？誠然，廉潔原是官吏職份內應有的守則，貪污纔是例外，但爲政風，振奮人心計，勵行信賞必罰，激濁揚清的政令，不是應該的嗎？否則薰猶同器，涇渭不分，貪官橫行騰達，廉吏沉淪憔悴，祗好「禮失而求諸野」，要從低層社會羣衆中尋求正人君子，反映着政治人物的齷齪相，吾爲此而不能已於長太息也！

馮玉先生

北極冰天雪地分界線上 美俄雙方武裝緊張對峙

距離阿拉斯加州的港岸僅廿二哩，有一個地方的面積五千碼，是美俄之間的「無人地帶」。說得更明白些，是美俄對峙的前綫。兩大國的士兵執槍面面相覷地站着。這條前綫被堅冰及海水分隔着，大家受的最大威脅是北極的氣候，也許是戰爭不致因而一觸即發的原因。

未去過北極前綫的人，以為置身斯境，看到的將是北極熊，愛斯基摩人及一片結凍的荒野。實際上許多景色不是在電視電影上的情形。美俄前綫另有一種氣氛。背着衝鋒槍的蘇俄士兵，突然從一間木屋出現，他看見了陌生來客，站了片刻，再進入屋內，消失了踪跡。美方的狀況是兩百尺以外的士兵，住在小流動舍屋及愛斯基摩人的冰屋內。這裏容納了七十個愛斯基摩人。

對面是六英里長的大狄奧密島。它不過是一塊巖石的島嶼。向東端約一千英尺，也是蘇俄的警衛哨，從美國陸軍的強力望遠鏡看過去，幾乎可以用肉眼數出蘇俄士兵制服有幾個扣子。中間隔開的是一片堅冰，由北向南伸展到地平綫去，一望無際。此處是世界之頂，美俄兩國分享着一處邊界，并無傳統的三英里水域極限，把它們的領土分開。

這一片隔開大與小狄奧密島的結凍海峽，無異把亞洲與北美隔開，堅硬中央是國際子午綫，劃開了彼端為星期一，此地是星期二。倘若從望遠鏡看過去，能看見那邊的日曆是一月十九日星期二，此地仍為十八日星期一日上午進早餐的時間。當然，真正彼此監視前綫情況的是在距離更遠的設備。小狄奧密島以東廿三英里，一個山上的雷達及陸地上的空軍飛機在不斷監視着。蘇俄方面的西伯利亞等隱藏地，一個蘇軍事瞭望站也向美國監視着。

這一條不會發生戰爭的前綫，常有飛機作巡邏，彼此的長程噴射機闖入對方領空，探察雷達敏感的程度。白令海峽上有巡邏艇在飛馳着。每年三個月的解凍，隔開雙方的堅冰，變為兩英里半的水域，了配備了強力雷達的漁船，向阿拉斯加及西伯利亞沿海搜索着。

雖然處於冷戰的形勢，但是美俄兩方有一個共同敵人是烈風。因為不尋常的寒冷及惡劣天候的關係，這架麥觀前綫的飛機，是兩個多月以來在小狄奧密島降落的唯一飛機。

這裏的「前綫」有一支愛斯基摩人組成的斥堠隊，他們是志願單位，由美國政府把他們編成的，都操很流利的英語。卅五歲的愛斯基摩上士羅拔蘇祿克說：「起初在北極担任工作是害怕的，但是，我們在此地與俄軍有非常正確的關係。與柏林的空中走廊的緊張情形不同，祇要闖入領空數百碼即遭槍擊。」他對於我們表示剛才乘搭飛機經過俄領土上空的驚駭，認為是不必要的事。

羅拔蘇祿克透露，愛斯基摩斥堠隊是分小組担任偵察工作，有時候一人出勤，工作是監視陌生人，報告任何可疑的事件，防守着這個荒僻的邊界有敵諜潛入，提防俄特務收買阿拉斯加的愛斯基摩人，把他們編成西伯利亞斥堠組。

除了上述所看見的小屋內消失的蘇俄士兵，及用瞭望鏡看得清楚的遠處俄軍，愛斯基摩兵還告訴我們，在山的彼端亦有俄軍營房。蘇祿克上士說：「他們有某些設備在山上，但是不比這個大。」我們還看到俄軍警衛交班的情形，他們是用手勢訊號聯絡的。有時候俄兵拖着軍犬，有有時一架輕型飛機降落，美方才日不轉睛地監視。

本來愛斯基摩兵是獵獸及打漁為活的，現在蘇俄軍隊在海面解凍時，還准許他們在海上捕魚，祇要不登上俄領土的島嶼。在小狄奧密島的北極愛斯基摩人，最大的收入是充當國民警衛志願軍或阿拉斯加斥堠隊，雖然他們表面上無薪餉，但美政府補償他們不打獵狩漁的損失，付出相當數目的金錢。（上）

台灣民用航空突飛猛晉

—華僑社—

由於科學的發達，飛行工具的改善，各地區之間的距離已日見縮短，在「時間即是金錢」的工業社會觀念下，從空中飛航的需要觀察，不但可以看出人口與勞動的狀態，而且，也可以看出各該地區的經濟情形。

中華民國目前雖祇擁有台灣一省及福建省的一部份土地，但因為中共的暴行，[illegible]北作為航行的中心交叉點，如就整個遠東區的航空路綫網察分析，我們便不難發現，穿梭於太平洋及印度洋之間的航空路綫，絕大部份是以台北作為中繼站的。因此，台北目前不但是中華民國空運的起點，而且也是國際航空事業東半球的一個中心點。

下面，是以台北為起點或中間點的航空綫路：

甲、國內航綫：計有（一）民航空運公司的台北——台中；台北——台南綫。（二）中華航空公司的台北——花蓮綫；[illegible]馬公——高雄——馬公綫；台北——台東綫；高雄——馬公綫。（三）遠東航空公司的台北——高雄綫。（四）復興航空公司及永安航空公司的不定期航綫等。

乙、國際航綫：計有（一）民航空運公司的台北——香港航綫；台北——香港——曼谷綫；台北——馬尼剌綫；台北——沖繩——大阪——東京——漢城綫；台北——沖繩——東京——漢城綫；台北——沖繩——東京綫；台北——沖繩——大阪綫；台北——漢城。（二）國泰航空公司的香港——台北——大阪綫；香港——台北——東京綫。（三）西北航空公司的台北——沖繩——東京——西雅圖綫。（四）日本航空公司的東京——大阪——台北——香港綫；東京——沖繩——台北——香港綫。（五）泰國航空國際公司的曼谷——香港——台北——大阪——東京綫；曼谷——香港——台北——大阪綫。（六）菲律賓航空公司的台北——馬尼剌綫。

除了上述的定期航綫外，緊急的商業貨運，及大批的觀光旅客，還可以租用飛機，作不定期的飛行。舉例說：一九六五年的九月，因為台灣接了一批聖誕禮物的訂貨，這些禮物是台灣產的電晶體收音機，必需趕上聖誕節送禮之用，便交由民航空運公司直運美國。其他最顯著的，是每年在台求學的僑生，於學成返回僑居地，亦分別租用飛機，作不定期的航行。（上）

一九六五年的回顧

—民主國家與共產集團鬥爭一年來總結算—

何浩若

最重要的還是美國朝野的領袖，自詹森總統以下，包括教育界的領導者，都起來仗義執言指責學潮的不當，而加強了美國政府的決心。我們在這裏無法報導美國左派在共黨策動下反越戰反徵兵的叫囂。但是這些叫囂和運動反而刺激了美國人民，加強了政府的反共意志則是事實。

五、一九六五年毛共在非洲的失敗和第二屆亞非會議的延期

甲、毛共侵畧世界的藍圖

毛共的偽國防部長林彪在紀念抗日戰爭勝利二十週年的時候，發表了一篇論文，再度透露毛酋澤東夢想征服世界的全盤計畫。林匪的論文除去把抗日勝利的戰功竊為己有外，特別強調毛共所主張的暴力革命。他坦白的主張以「戰爭改造世界」，從「槍桿裏出政權」。他說明毛共的人民戰爭是要以「世界鄉村」包圍「世界城市」。他所謂「世界城市」是西歐和北美。他所講的「世界鄉村」是亞非兩洲和拉丁美洲。毛共要發動人民戰爭顛覆各國政府，先取得世界的鄉村再進而包圍世界城市。這自然祇是毛共匪幫的幻想，也是列寧從亞非兩洲進入歐洲的迂迴戰畧的再版。中央日報去年九月廿七日的地圖週刊，在林匪論文發表之後，曾經把毛共企圖侵畧世界的計劃作成一個藍圖。現在我們引用這個來作一個簡要的說明：

毛共侵畧世界的路綫是完全和列寧的遺策相同的。列寧在一九二〇年所發表的巴庫宣言有這樣的一段話：「祇有八萬萬亞洲的人民，堅牢的和我們站在一起，祇有非洲全體的人民和我們握手，祇有全世界無數的人民準備接受共產主義的時候，才能燃起世界革命的火炬。……到歐洲去的路要從亞洲的中國和印度走，北京才是進入巴黎的大門。」

由到歐洲去的路要從亞非兩洲走，引申到美國去的路要從拉丁美洲走，再引申到到城市去的路要從鄉村走，毛酋澤東侵畧世界的藍圖是完全與列寧遺策一致的。列寧的遺策認為要征服歐洲，不能出冏牙利平原正面作戰，必須迂迴的由亞非兩洲回到西歐。他以為要赤化亞非兩洲必先赤化中國。列寧的遺策就是以中國大陸為主體的。根據此一戰畧，列寧於一九二一年組織中國共產黨，原期於一九二七年奪取中國政權，由鮑羅庭主持來召集亞非會議的。在這裏，自由世界的民主國家應當感謝中華民國和蔣總統。因為中華民國的反共，延緩了蘇俄赤化中國的時期二十二年，使得亞非兩洲許多國家有獨立的機會。但是蘇俄赤化中國的工作終於在一九四九年完成了，也順利的於一九五五年在萬隆召集了第一次亞非會議，企圖赤化亞非兩洲。毛酋澤東始終一貫的執行着列寧的遺策，順利的向亞非兩洲推進，一直到一九六五年，才在亞非兩洲受到打擊，而使第二次亞非會議無限的延期。

乙、打擊毛共亞非兩洲的新興力量——陸軍

亞非兩洲在一九六五年，產生了一個新興的力量，對毛酋澤東赤化亞非兩洲的工作，予以無情的打擊。這個新興的力量就是所謂許多亞非國家的陸軍。先從第二屆亞非會議說起吧。亞非會議對列寧侵畧世界的遺策有着傳統的不可分離的關係。第一屆亞洲會議是於一九五五年四月十八日在萬隆召開的。那時正值韓戰之後，奠邊府一戰法國在北越失敗，共匪氣焰高張，尼赫魯蘇卡諾之流紛紛向共匪獻媚。不過從整個形勢說來，共匪要在萬隆會議赤化亞非兩洲為時已晚。因為這時候的亞非兩洲殖民地均已紛紛獲得獨立。他們雖然痛恨白色的帝國主義，但也恐懼赤色的帝國主義，怕當附庸國家。此後因世局變化，毛俄分裂，這個對列寧遺策有傳統性的會議便遲延了十年之久。毛共於積極經營亞非兩洲之後，決定一九六五年二月在阿爾及利亞召開第二次會議。毛酋選擇阿爾及利亞做開會的地點也有特殊理由的。阿國是非洲最親共的政府，毛共曾以五千萬美元的貸款收買其總統班貝拉。阿爾及利亞抗法的時候，也曾獲得毛共的援助。二月的會因為阿國罷工的關係，會場未能如期竣工，改至六月。六月間，正當亞非會議即將開幕之際，毛酋澤東便遭遇着第一個陸軍政變。六月十九日拂曉，阿爾及利亞的國防部長包米廸尼統率着陸軍，推翻了班貝拉而取得政權。這位陸軍的首領包米廸尼對毛共並不買帳，亞非會議因此無限延期。（八）

張山鐘病歿之後 屏東政情起波瀾

藍家精在職三年來，表面雖頗為不錯上，大有表現；但實質上，藍家精的作為，如（一）違法引用妻弟劉漢家為事務股長；（二）迫使職員參加己子所經營的人壽保險；（三）拒絕繳付電費；（四）無限制的聘雇職員，安插私人等，皆為人所不快。三年後的現在，依法應改選水利會長了，依照目前情勢，有意參加角逐此一會長寶座的，有黃道宜、蔡李嵩、葉慶源、董錦樹，另外還有鄭任縣長李世昌。一般的分析：未來四屆會長選舉，藍家精除非能獲得執政黨的提名，或能有一綫當選連任的希望，否則如果實行自由競選，則藍家精當選的希望是微乎其微的。

屏東政界曾經紅極一時的董錦樹，自從退出六屆議壇，而參予五屆縣長提名敗陣後，深居簡出，幾成默默無聞。近因張山鐘逝世，這位素有政界好好先生之稱的董錦樹，又被人們視為政壇未來的無價之寶了。有識之士的看法是：

（一）張豐緒雖擊敗李世昌、董錦樹而獲得黨的提名，與另一候選人黃振三（青年黨）競選，以多出三萬多票而當選五屆縣長，但視事於茲一年又七月，除了以私人利害關係，或過去的政治恩怨，調動了人事主任，教育科長，建設局長以及在地方建設上鋪設幾條小型的柏油路而外，未見更多的政績，值得一提。尤其是增建學校等等的空頭支票，開出了一大堆，究竟何時能予實現，縣民的眼睛是看得很清楚的。

（二）張山鐘原是張派主持人，現在死了，張派勢必由張丰緒繼承衣鉢；張丰緒對這方面可說是門外人，能否肩負艱鉅，殊成問題。

（三）張山鐘在世時，他兒子張丰緒競選五屆縣長，僅多青年黨的黃振三三萬多票，如下屆張丰緒再與之對抗，未必能有再勝把握。

四難有適當人選能與黃振三對壘。至於林派，除董錦樹而外，亦屬空虛。董過去雖曾違紀競選議長而被開除黨籍，但事後又恢復黨籍了。在黨的立場固然不允許他這種投機取巧者存在，然而在現今的政治動態形勢下，他具有各方面的優越條件如：（一）他有十餘年議長行政經驗，（二）為人忠厚淳樸，（三）他如能獲執政黨的提名支持，黃振三絕對俯首稱臣。因此，衆認未來六屆縣長，因張山鐘之死，其最適當而又能應付選舉環境的，祇有董錦樹一人。（下、完）

瀛海異趣談

英王室人員各存專長

桑雅

這是一個正常的皇室人士的訪問，史諾頓伯爵正與一位又聾又啞的女童交談。他用手勢來交談。他訪問約克郡的一間地毯製造廠，使他看見這位女童，道麼可愛，便上前與她交談了。但從這一個小事件，大家便曉得英國的皇室人士，實在是多才多藝的。

一位記者眼見及此，曾當場詢問史諾頓伯爵是何時學懂用手勢與聾啞者交談的。

他沒有回答這個問題。但事後那記者查出，他幼年時代，曾因爲患小兒痲痺症，身體局部癱瘓，便在利物浦醫院留醫，當時醫生恐怕他從此殘廢，不能走路了。就在這段時間，他從另一病人學曉了手勢語言的。

事實上，史諾頓伯爵的才能不單在攝影，他本身是在劍橋大學讀建築的。還有，他對于時裝設計，也很有心得。至于零碎的家務工作亦有一兩手功夫，如刨木、修理水喉等。他的太太瑪加烈公主對于時裝繪圖，很有幾分工夫，算是夫唱婦隨了。

有一次雅麗珊郡主拿了一幅手繪的時裝彩圖給倫敦時裝設計大王哈尼爾說：「這是我的朋友設計，你替我照樣縫製吧。」但哈尼爾一望便知道，這是馬加烈公主的作品。

至于雅麗珊郡主本人，對于室內設計也十分了不起。她的浴室，完全由她自己設計的。說起來，英國皇室人士，不少是與建築方面有緣份的。告羅士打公爵的李察王子，便寧願別人稱他爲建築師哩。菲臘親王年幼時的嗜好是在檯上砌木以及拼湊木飛機之類遊戲。數年前，他發現溫莎堡的地方實在太荒廢，乃願自作實地勘察，結果利用該處空地，改建堡內房間。此外，他也擬于繪油畫，每年的菲臘親王賽狗冠軍得到的那大座銀杯上面的圖案，也是由親王本人設計的。女王的白金粉盒上面的圖案，是特別製造的，是出于何人之手？不用說，是菲臘親王。

查理士王子年紀還輕，但他的陶器作品曾獲得不少獎金的讚譽，在學校的工藝展覽會，他的作品風頭最勁，最受人注意。去年內，共展出過八次之多。他還懂得吹喇叭。爵士或古典音樂都能應付。

根德公爵也有音樂天才。他是一個非凡的爵士樂鼓手。他曾有一次客串演出，大受歡迎。至于溫莎公爵，不僅曉得吹蘇格蘭風笛，還會作此類曲譜。他那首名作「馬洛加進行曲」，是蘇格蘭衛兵隊常常演奏的。

信不信由你，如果英女王、皇太后、瑪加烈公主、雅麗珊郡主、安妮公主及根德公爵等齊集一起，都是可以表演一場好雜耍的音樂劇的。他們每人都能拉得一手好鋼琴哩。

瑪加烈公主的戲劇天才，是衆所週知的，連名演員彼得斯汀諾夫也讚不絕口。她年輕時，常在皇宮內大唱「加你到現」，使女皇也感到不耐煩起來。她所喜歡唱的乃是「我是愛她史東的守門者」。

皇太后一次訪問軍部製衣工廠，當她看見一襲空軍飛機師的「恤」，她用手摸了一下，然後自言自語地說：「噢，這種「恤」我也縫過哩。」這是真的：第一次世界大戰期間，她在加拉米斯堡內以縫衣裳來渡日；第二次世界大戰期間，她便練習用口徑點三八的手槍射擊，「眼界」非常準確哩。

英女王對于相馬，很有獨到之處，是跑馬圈內人士所公認的。根據去年的成績，她已是名列第五的馬主。贏馬最多的馬主單上，她也是第六名。原來她常常把自己養馬的情形拍攝下來，然後在放映中細心研究其得失。她對于鳥類也有心得。

英女王的觀察力是非常銳利的。有一次，她面前擺滿了幾張伊利沙伯女皇一世時代的文件，其中一些簽名是冒充的，但英女王只看兩眼，便找出那些假冒的筆跡了。

爲了各人的前途計，如果上述的王室人士是普通平民，那麼菲臘親王應在建築界方面發展，馬加烈公主不妨進入娛樂界，她必會出人頭地。查理士王子與安妮公主兩人，是音樂界人才。至于英女王伊利沙白二世呢？是最好在蘇格蘭場服務了。

阿月

覃靖

「你的宗枝幹什麼去了？」我不由自主的問她。

「回娘家去了。」她眼球中射出些微激怒的光芒。

「我實在不懂你們的風情。」我很蠢惑的，「在大陸，我祇聽見過女人回娘家！」

「你這就是少見多怪，」她不期然的在孩子身邊那椅子坐了下來。「這個家是我的，他生氣了，當然在這裏蹲不住。」

「他生氣了，」我楞了，「爲什麼？」

「還不是爲了要錢！」

「你向他要多少錢？」

「你的腦筋太壞了，」她又用眼睛奕奕地盯視了我片刻，說：「前次我不是曾經告訴過你：掙錢的是我，用錢的是他嗎？」

「……」我猛悟自己又一次犯了多嘴的毛病，臉紅了，便不再出聲。

「他向我要錢去玩酒家，我不給他；也是眞的沒有錢。他就生氣了。」

「……」我仍然不敢應和。

「唉，先生！」也許她是一時情感的衝動，也許她眞把我當作了唯一的知音，她終于吐出了心中的怨氣。「我實在把他沒有辦法，每次遇着這種情形，他就鬧着要回娘家。以前我怕被別人知道笑話，到迫不得已的時候，便去東借西扯，滿足他的慾望；現在我實在是告貸無門了……」

「我不懂你爲什麼要借錢給他去玩酒家？」我實在忍耐不住了。

「這是無可奈何的呀，」她乞憐地說：「我是一戶之長，不能不供給他吃，供給他化！」

「你可曾想到，」我厥痛地，「這樣做的後果，給你的是痛苦，給他的是墮落？」

「唉，」她長嘆一聲，「這是注定了的命。算命先生早就對我說過了！」

「命運操縱在每個人自己的手裏，」我鄭重的說：「你不能完全依賴迷信。」

「你的意思我不明白，」她說：「我母親生時告訴我，不要怨命。神靈替我們安排了生，同樣的，也會替我們安排死。」

把一個人的生存的活動價值，完全歸咎于一個虛無飄渺的命字，實在太可怕了。如果這種古老陳舊的觀念，在二十世紀的今天，仍然籠罩着我們的社會，那我情願贊同「人生如夢」或者「人生如戲劇」的論說。因爲夢還有美夢和惡夢，戲劇還有喜劇和悲劇；做夢的人和演戲的人，爲了迎合實際的需要，在夢中和舞台上多少還有一點點競爭的跡象，唯有屈服于命運的安排，則我們整個人類的進化歷史，再也沒有不終止的理由了。

我找不出幾個適當的句子駁正她。對于一隻在泥淖中過慣了的鰻鱔，要它到大河裏順流游行而不跳躍，不是一件輕易的事。

「不管怎樣，」我下意識的走動了幾步，又正視着她說：「你現在必須趕快換個法子，試着勸他走正當的路。你們都還年輕，往後的日子還長着哩！」（十一）

近視眼，是最普通的一種視覺上的缺陷。患近視的人，無論看近處的事物，和平常人並無不同，但對較遠一點的東西，則感到模糊不清。在美國，究竟有多少近視眼，有關機構雖然未曾發表過一個正確的數字，但許多權威專家認爲，平均在每三個人中，總有一個人患有或輕或重的近視。

近視可以分成許多種，直到目前爲止，尚無絕對有效的藥物及治療方法。戴用適度的眼鏡，是比較最普通也最有效的彌補方法。雖然有些人認爲做各種簡單的眼運動可以防止及治療近視，但這種說法並無科學上的依據。醫生們認爲，嚴重的近視有導致失明的危險；同時，患近視眼的人，也特別容易感染其他的併發症，如綠內障、白內障及其他的眼疾等。

造成近視的新學說

席見田

一個視覺正常的人，眼睛的晶狀體及角膜上形成適度的焦點。患近視眼的人，他的視綫焦點集中在視網膜的前部，因此看遠處的東西就覺模糊不清。這種症狀可能起因於眼部其他的缺陷，如眼球前後部距離太長及晶體彎曲等。先天近視的人爲數極少，通常，都是在童年種因的。這些由於過度讀書、工作而引起的近視，俗稱爲「學校近視」。如果粗心的父母在當時沒有發現或發現未予及時治療的話，孩子就會變得膽小、自卑，成績下降，對上學失去興趣，甚至成爲「問題兒童」。這就是爲什麼在小學內特別重視視力檢查的原因。所以，父母應該隨時注意孩子們，是否具有下列的徵候：①孩子對遠處的事物看不清楚，上課時無法看黑板上的字，球賽時看不見記分牌上的分數；②讀書時把鼻子接觸到書本，看電視時喜歡坐在距電視機很近的地方；③眼睛斜視。父母如果發現孩子們有了以上三種中任何一種的徵候，就應該立刻把孩子帶到醫院去做徹底的檢查。

近視眼的程度發展的很快，許多輕度的近視，在一年中就變得很嚴重。多數的近視眼都發生在八歲到十一歲之間，在廿五歲以前，近視的度數都會逐日增加。過了這段時間，感染性就比較小，但並不是說就可絕對的避免。近年來，醫生們認爲燈光太强或太弱，工作過份辛勞，營養不良，都是近視的病因。一部份權威認爲遺傳也佔了一個很大的比例。另一方面，有些學者確信心理因素對近視也有絕對的影響。因此，目前的研究趨勢，都是從這兩方面齊頭並進，如紐約視力研究中心的威廉．勞德博士，就是眼科及心理學的雙重權威。

紐約馬哈頓眼科醫院權威醫師布雷卡登博士，最近應公共健康署之聘，從事對近視的研究。利用各種新的儀器，卡登博士着重研究由近視而引起的併發症，如綠內障及近視網膜分離等。同時，他也想藉各種實驗，來證明近視是由於鞏膜SCLERA衰弱而引起的學說。經過這些縝密的研究及不斷的實驗，眼科醫師有信心的認爲在不久的將來，治療方法將會出現。

新三國

周燕謀著

所以有人以爲漢末州郡的跋扈，據地自尊，擁兵自專，不聽中央節制，擾亂了政治體制，甚至把漢朝的垮台之罪，都委之於此，那就未免言之過甚了。

最後談到司隸校尉。這官是漢武帝所設立的，因爲當時有巫蠱之禍，設司隸校尉，是鞏固首都治安的，有似今日之首都衛戍司令。後來事過境遷，此等特殊性質漸漸消失，乃使其監察數郡。在此來說，是與刺史無異的。所以後漢之十三州，有一州不設刺史而設司隸校尉，其故在此。明乎此，以後有許多諸如此類的官名、地名，讀者就不會感到不知所云了。

三、宦官與外戚之爭

漢室江山之所以「分」，可以說是「分在外戚與宦官的手裏」。但是，外戚與宦官爲什麼那樣得勢而跋扈？尋根到底，那就是東漢和帝起，以後的九個短命皇帝，因其年幼無知，雖然看是皇帝坐在金鑾殿上，但實際却不是他們坐在上面，而是外戚們坐在台上，那一班可怕的皇親國戚，和外戚對立的一般宦官。短命皇帝懂得什麼？全是由外戚宦官一手包辦。外戚與宦官兩大勢力的消長，就整個把漢家的一統江山「分」了。

再溯及西漢的大亂子，也是外戚與宦官攪出來的，不同的是西漢外戚盛於宦官，東漢則宦官盛於外戚而已。西漢外戚盛，故初則呂產呂祿幾危漢祚，後則王莽遂移漢鼎；而宦官如石顯之輩，雖嘗擅權，然未如東漢之橫行，肆無忌憚，是西漢之亡於新莽，實亡於外戚。東漢爲外戚與宦官迭爲消長。然宦官與外戚之互相傾軋，對立鬥爭，其不同於西漢者：宦官之圖外戚，則宦官常勝，如竇武之見殺於前，何國舅進之見殺於後。可以說東漢自和帝以後，一百多年的歷史，實際上即是一部「外戚宦官鬥爭史」。下面不妨把鬥爭的經過簡略地畫出一個大輪廓，以明其梗概。

東漢外戚之所以跋扈得厲害，最大原因是由於娃娃皇帝登極，於是乎便有垂簾聽政，外戚干政的事情產生。先是竇、鄧、閻、梁四外戚專橫亂政。娃娃皇帝沒有辦法。那些與娃娃皇帝終日接近的宦官看不過去，才起心幫小皇帝去打倒那些專橫的外戚。因此宦官又漸漸地得勢了。而宦官即復專橫起來，文武百僚都得仰宦官的鼻息，賄賂公行。若干正人君子見宦官得勢，紊亂朝綱，便批評朝政，恰巧在姓竇的外戚當政，就是竇融的後代。竇融原是光武帝的知己之交，但是在王莽末年，竇融却是割據一方的羣雄之一，他很有眼光，認爲光武帝這人很英雄，有前途，而自動把他霸佔的土地讓給了光武。

竇融的曾孫竇憲。竇憲的妹妹做了章帝的皇后。章帝死了，竇皇后便成皇太后。於是便以皇太后之尊，垂簾聽政。抱來的兒子，是一個娃娃皇帝，等於傀儡。竇憲以外戚之勢掌握兵權，先後兩次打敗了北匈奴，耀武揚威。當他得勝回朝，部下一些驕兵悍將，無惡不作，諸如搶掠百姓錢財，霸佔民女。

（五）

自由報

國劇繽紛錄（六十四）

娑婆生

譚硯華演後（續）

譚氏是宗荀派，荀是走調底而重在柔媚，故於梅程尚三位之外，得到成功。幾年前唱，荀派者，祇有梅硯生一人，當其在永樂唱時，我即勸其多排幾齣，終以劇本難獲，卒未如願，漸至飄落走港，現在影片的導排，收入勝於演戲，聞說很不錯。硯華以初次露演，不願打高調門，以免發窄，因此較高的腔，微嫌其弱，可是音色夠柔夠。某報有云，某君向不喜看勘玉釧，但看了譚硯華，雖不完全像荀，確有荀味，值得看看。我想硯華的戲，多半是何佩華等所授，也有點折扣。但此次所演，多是荀氏的拿手，是擺在眼前，演後的結論，要多吊吊嗓子，至少張上半個字，方可充分應付。

論她扮相是相當的美，關臉亦有神采，服裝有雅淡不俗的氣概，臉部表情，夠得逼真，嗔，笑，羞，活潑，皆能顯出。此點在軍中劇團的小一輩中，多吃虧在臉上少有戲味，因此不能十全十美，未達完全化境，希望她們要研究。即以鐵弓緣來講，所有演者，對嗔羞均未到百分。大家多說她的紅娘勘玉釧很不錯，我以為拾鐲賣弓也何嘗遜色？且認為此兩齣，如有晚會，不妨再演一回，因與別人演的略有不同，可請他們去研究觀摩。至於身段之中，略有顛倒了次序，是應以情理加以糾正，俾成完璧。荀派戲本，在台灣尚能找出十齣八齣，假以兩年時間，把它學成，可以稱傲。到是青衣不必多學，待水到渠成，順理而成章。嚴格來講，不要像旁人一樣，隨便亂唱，一以荀為歸。其次談蹻，花旦為了身上的婀娜，應有深蹻。但是不會，不必勉强，肯學一些固然是好，不學也無謂。梅蘭芳首先不學蹻工，也是成名。徐露亦未以蹻來自驕。主要充實戲量最緊要。她請謝太太去懇白玉薇傳授，白將還居台北，正可請教。白玉薇說並未婉卻，問題在於要「誠」。從她三年五載，此前輩名伶，必可特別指點，因她腹笥很廣，早年四玉之中，論聰明要數她，也在上海竄紅一時，決沒有錯。她在台灣授徒，也有數十，到現在，誰是得意弟子，還找不出。譚硯華能有耐心，也許可以得到既。是玩戲，必求大成，幸勿錯過時機，蹉跎光陰，青春其不再來也。

新型晚會的創始

我從前常有一個願望，希望票友玩戲，最好不去倚仗內行，因為他們總有一些瞧不起。在台灣為了票友要內行幫助，以致常有名坤票常受他們利用，攏唱格桌，為他們解困，實際上等於賣錢，也即是半內行！（未完）

毛姆其人

樂念之

憑着一枝墨水筆，寫了二十五個劇本，一百三十本小說，及一百二十篇短篇小說的英國偉大作家毛姆，在國際文壇上享譽六十多年悠長的時間後，經於上月十六日早上因中風返魂無術而死在他生時最喜歡的那間別墅裏面，同時亦死在他生時最心愛的那張床上。他享壽九十一歲。而他的去世日期，距離他的九十二歲生辰只有五個星期而已。

在二十世紀的作家裏面，為了找尋小說及劇本的材料而遍遊全世界各地區的，似乎首數毛姆一個。他在晚年的時候曾經說過這樣的一番話：「當你要寫一篇小說的時候，你不能夠坐在家裏等候小說題材的來到你的面前。你必須到外面去找尋。」事實上，他一生裏面所寫的二十五個劇本，三十本小說，及一百二十篇短篇小說，全部是用環遊世界的時候所發現的題材及資料寫出來。說得更貼切一點是：這位二十世紀大文豪為了寫作而周遊列國。他的寫作資料來源，包括英國，法國，義大利，馬來亞，婆羅洲，中國，及南海等地區在內，同時亦來自他經常乘搭的輪船上面。

對毛姆來說，遊歷是他的最强烈願望。雖然在已屆高齡的階段，他一樣提起遊歷便眉飛色舞。他曾經在一九五九年到過香港。他最後的一次遊歷是在一九六〇年實行的，目的地是遠東。當時他已經是一個耳患重聽，視力衰弱的八十五歲老公公了。但他認為那一次遠東之行，是「我一生裏面最妙不可言的航程之一。」

當毛姆年屆九十歲高齡的時候，他仍然念念不忘的希望能夠重遊義大利「那不勒斯灣」那個名叫「蓋普里」的美麗小島，希望再次前往柬埔寨的易哥窟廟宇廢墟憑弔，或者重臨摩洛哥的「瑪雷克殊」地方。然而，他的私人醫生却阻止他冒這種重大的風險。毛姆在九十歲生辰那天向到訪的朋友表示：「我的醫生對我說：『如果你想到那些地方去的話，去吧！可是，屆時你會一去不復返的。』」

在九十歲生辰的那天，毛姆乘坐一輛汽車從法國的尼斯前往蒙納哥，跟一位老朋友共進午餐。事後，這位偉大作家向人表示：「我雖然無法出洋遊歷去慶祝九十歲的生日，但是我畢竟有機會坐汽車到蒙納哥去跟一位如假包換的『老』朋友共進午膳，這總算是一件賞心樂事。」

名成利就的毛姆，跟一般發達後便怕死的富翁完全不同。他不單只不怕死，而且向人表示經常等候死神將他帶離這個人世間。他甚至在九十一歲的生辰那天，要求那位在過去三十六年的長時間裏經常追隨左右的秘書雪爾，每天晚上祈禱的時候，希望他（指毛姆）在第二天早上永遠睡而不醒！

由於患耳內障這種眼病的緣故，因此，毛姆的部份視覺宣告喪失。就另外的一方面來說，由於年事已高的緣故，他已經失去正常的聽覺。同時記憶力衰退，又加關節炎的痛苦。這一切，令年老的毛姆感受很大的痛苦。也為了這些痛苦，他希望早些去世。他曾經在好幾年的時間裏面不能不借助一個畸形治療法的圓球體去執筆寫作，希望減輕關節炎的痛楚。然而，每寫一個字的時候，仍然是痛苦的。在他的一生裏面令他最困惑的就是口吃。

毛姆於一九二七年在法國的尼斯東部買了一間俯瞰地中海的別墅。這間別墅有一個種滿橙樹及檸檬樹的花園。這位作家生時最喜歡在這個花園裏散步，或者悠然坐着欣賞地中海的景色。在他那個陽光充滿的客廳裏面，他擺滿來自東方的裝飾品。在一九六四年十二月，毛姆在別墅的園地中散步的時候曾經跌倒，但是只有腿部輕傷而已。

雖然毛姆本人是一位戲劇藝術大家及小說家，但是他却謙遜的表示：「我只是一個[illegible]。」毛姆寫過好幾個非常成功的劇本，其中之一就是「雨」。這個故事的女主角是南海地方的一位妓女，一位基督新教的牧師為了拯救她的靈魂，而進行改造她的工夫。然而，這位妓女却拒絕這位牧師一番改造她的盛意，而且更進一步地諸多誘惑這位牧師。「薩狄湯遜」顯然非常成功，這個短篇小說後來被改編為話劇及搬上銀幕。由於故事內容動人及演出成功的緣故，因此「薩狄湯遜」便成為家傳戶曉的妓女代名詞。至於毛姆寫的「剃刀邊緣」，可以說是他的自傳——講述他接受醫學訓練經過及遭遇。（毛姆原是學醫的。）

紅線盜盒

「影劇與歷史」之十五

周遊

紅綫盜盒，影劇都有演製；在平劇中乃是梅派的戲，也只是梅蘭芳獨有之戲。本劇節略，電影由折，平劇從唐代的兩個節度使結兒女親家開始，失實復還為止。電影故事由折並先對紅綫女之來歷及其父母均有交代。其劇情如下：

紅綫乃是一個江湖英雄之女，由其父傳得一身好武藝，遠近男人甘拜下風。乃父受友人所託，請其探聽田承嗣叛亂虛實，卒以紅綫爭相偕行，沿路賣藝為生。在賣藝中認識了田承嗣兒子，並與田的兒子意氣相投，結爲投契，旋又拜紅父為師，學習武藝。田承嗣因欲招賢各路英豪，擺下擂台，紅綫化裝男人前往打擂，大敗衆教師，卒因寡不敵衆，危急之際，紅父趕到，乃將衆教師打敗。田承嗣見他武藝了得，將之請入田府，延為教席。正中紅父下懷。但田府內衆教師見紅父後來居上，甚表不滿，對紅父深加嫉妒，暗中欲害之。

田承嗣早已心懷異志，有併吞薛地之企圖，即派紅父前往薛府刺殺薛嵩，並暗中派囑一教師隨行，暗中監視之。紅父到得薛府，知悉薛嵩係好官，不忍下手。一夜二人正在屋上探視，又見薛嵩正漏夜辦公，教師屢促紅父下去刺殺，紅父無奈，只得縱身下屋，遂大聲呼叫，以驚動薛府衛士；衛士聞聲四面上，圍住撕殺，教師在屋上乃暗放一鏢，使紅父中傷而被擒。教師遁去。

紅父被擒，紅綫獲悉後，不顧一切獨往田府探視。紅父被囚在牢中，紅綫探訪紅父，命紅綫速往薛府，保護薛嵩，立功之後，再救乃父。紅綫遵命行事，乃於深夜前進薛府，見薛嵩說明其來意。薛嵩甚佳其志，遂同往牢中放紅父出來。紅綫即刻深夜前往田府盜得寶盒而歸。田承嗣失寶大驚，以為自己手下能人衆多，而寶盒被盜，心甚詫意。次日，薛嵩修書一封並寶盒遣專人送歸田承嗣。承嗣觀後，愧懼交感，遂不敢有異志。最終，紅綫與田承嗣之子結婚。穿插一段兒女私情。

然考紅綫傳唯紅綫一人，紅父母具無。另外兒女私情也是原作所沒有的。「紅綫傳」一乃是唐時藩鎮跋扈下之產物。最後紅綫是辭薛嵩而去，不知所終。紅綫傳雖屬古代傳奇小說，但非全屬子虛。先錄原傳以觀，再述其評語。（一）

快樂人生之鑰

楚功德

為什麼有許多青年男女認為生活沒有樂趣？最大的毛病，還是在他們自己不去尋找快樂。那麼，又如何去尋找快樂呢？

尋找快樂，並無絕對的方法，雖大智者也不能驟然得之，祇有在日常生活中，用最大的信念和耐心，由經驗中得之。因為各人有各人的意志與需要，希望與處境的不同，但一般看來，人們並不善於尋找快樂。其實有許多人如果知道尋求快樂的途徑，他一定比現在更快樂。下面列出的「快樂九大要素」，雖不是得到快樂的絕對保障，但是至少可以應用於所有不能找到圓滿快樂的人。如果讀者能得到它，我深信你一定比現在更快樂些。

（一）快樂的人善於自處：快樂的人，必是最能自處的。因為對自己不滿，是人生最大的痛苦。世界上最好的朋友，就是你自己。你的日常起居、生活習慣等，如果你肯加以注意，那麼就會發現你自己是如何的可愛了。世界上最大的樂趣，就是在孤獨時能不覺寂寞，從緊張中得到鬆弛，來享受回憶、幻想、和夢似的希望的人。

（二）快樂的人是作對他有興趣的工作：一個人最糟糕的事是希望作實業家，但他精神困頓，身體疲倦，一些都沒有因為他的事業的成功而快樂。一個不健康的人，比什麼都痛苦，從皮膚以至全身各部，都感到不舒服。但所謂健康的身體，也包括一切有殘疾的人，如跛子、聾子，如果能在他們能力所達的範圍內，做有趣的事，能夠自己找快樂，把本身的缺陷置之度外，這也可以稱為十分健康的人了。所以眞正健康的人，就是在他大部份的時間內，生理上和心理上不覺痛苦，對於各種擾亂處之泰然。司機駕駛一部好的汽車，若是不喜歡他的日常生活，就會引起不滿，最易引起疲勞，最後未有不駕車失事的。所以，人人須不怕改造日常生活中的困難，立志增進生活的樂趣，去爭取幸福。在美國，五六十歲的老先生老太太還上大學去唸書，在別人看來，這是多餘的，然而在他們而言，兒子已經自立了，自己正好有空去唸點書，以增進智識。做自己願意做的事情，這不算很快樂嗎？

（三）你有足夠金錢嗎？我們都知道，金錢本身毫無價值，但却是可怕而最有用的東西。它的價值，是在乎你對於它是否善於應用而已。金錢雖然需要，但不可太多。試想：如果一個人有吃，有穿，有住，有樂，不是與天下大富無異嗎？所以此處所說的金錢，只是指自食其力的獨往而言；一個人自食其力，不餘不欠，就是人生最大的樂事了。（上）

金門的樹

克勞

「長的這麼快。」我驚奇了。

「今年又植了很多樹。」同學說：「我就植了五十株。我的時間寄托在植樹上。」

他又帶我參觀了林區。每隔二公尺就有一棵樹。樹是那麼整齊，那麼修剪得齊齊整整，枝椏都沒有。這些樹，都是有專人照管的。

「每天還澆水吧？」我問。

「一天兩次。一是早上，一是下午。」

「怪不得樹長的這麼好，這麼快了。」我在心裏說。

我記得我在大學時，到了植樹節，我們都植起樹來。有鬆軟的土，良好的水份。但過了一個月後，再檢查植下去的樹，不是枯死，就是變那麼一點點兒大。一個人對所作漠不關心，一定會造成夭折的。所以，我由此得到的結論：一分耕耘，一分收穫。

金門的軍民，都可稱得上：堅人。他們一心一意的備戰。抱定着：

共匪從那兒來，就在那兒消滅。

以致於：他們刀出鞘，彈上膛。枕戈待旦，隨時想給共匪一個好看！（中）

自由報

THE FREE NEWS

第三二六期

內政部台報字第〇三一號內銷證

中華民國僑務委員會登記證
台教新字第三二三號登記證
中華郵政台字第一二八二號執照
登記爲第一類新聞紙類
（半週刊每星期三、六出版）
每份港幣壹角
台灣零售價新台幣貳元
社長：雷嘯岑
督印人：黃行賢
社址：香港銅鑼灣高士威道二十號四樓
20, CAUSEWAY RD 3RD FL. HONG KONG
TEL. 771726　電報掛號：7191
承印者：大同印務公司
地址：香港北角和富道九六號
台灣分社
台北市西寧南路壹壹零號二樓
電話：三〇四六三
台郵撥儲金戶九二五二

危險勿近

視若無睹

信心和紀律

自信、互信、共信，爲構成成功事業的三大要素，是現代各級領導的精義。自信須具膽識和遠見。互信仰賴仁慈與堅定。共信則希中心思想及遠大目標。

彭樹楷

（一）信心

對自己的信心，是來自他能洞察內外，了解主客觀形勢；對團體的信心，起於相信其團體較敵方或他方爲堅强，不論所發生的情況如何，他將繼續信賴他們；對其所屬的信心，起於瞭解；對所屬幹部的信心，是由於共信所產生的目標深信不疑！人類易於爲其骨肉親情及家鄉而冒其生命的危險，較之對抽象的政治主張爲尤甚也！

人間無信，不可爲人。何況衆人之領導者乎？子貢問政，子曰：「足食，足兵，民信之矣！」子貢曰：「必不得已而去，於斯三者何先？」子曰：「去兵。」子貢曰：「必不得已而去，於斯二者何先？」子曰：「去食。自古皆有死，民無信不立。」孔子論政，以兵、食、信三者爲經國之大事，而謂必不得已時，兵食均可去，而信必不可少。信者何？信即不二，即矢志不渝，篤實踐履之謂也。如此，始能集中衆志，發揮能力，以智知仁，以勇行仁；以仁爲中心邁向目標！無仁則成殘民以逞的暴力集團。領導者必須以仁的胸懷修身、謀國，而後才能愛民恤士，共圖大成。如勾踐投醪飲士，田單與士卒分功，吳起爲士吮疽，兵乘爲民制親調藥……皆爲史例。

現代各級領導者，如缺之信心，必招致情緒緊張，遇事猶疑寡斷，既不能把握機會，更不能創造和運用機會！

信心並非靜態的情緒，而是連續性的波動。視主客觀環境，擴展個人和團體的共同意志；使自己和團體能對他自己負責，對他的能力自信，對他的領導者信仰，在自尊與互尊中各竭所能。

領導者的自信、互信、共信關係，影響個人和團體的成敗極大！吳無孫武爲將，豈能長驅入郢？秦無白起之才，焉得兼併六國？齊有田單，才能復國！唐有汾陽，始言中興！德意志賴興登堡而崛起歐陸。法因拿破崙而稱雄一世！瑞典諾貝爾火藥工廠之執世界民營軍火之牛耳，得力於三萬員工的共同信心！上例無一不在說明領導者唯有信心，始克爲民之司命，爲國之干城！

具備自信、互信、共信，才能使「人盡其才」。中國政治精義，夙主爲政在得其人。孟子說：「不用賢則亡。」班固說：「政無大小，以得人爲本。」司馬光說：「爲政之要，莫若得人。百官稱職，則萬物咸治。」所以，范純仁說：「自古天下治亂，繫於用人。」用人不當，足致敗亡。如虞去百里奚而亡，秦穆公用之而霸業成；漢高祖用三傑以開創漢室；楚項羽不用范增卒至自刎烏江；玄宗用一楊國忠即引起安史之亂……。所以，諸葛亮諫後主要「親賢臣，遠小人。」良以國家興亡、團體成敗之機，皆在用人臧否而定。而用人又必信人。信人始能使人盡其長。

由自信、互信、共信而使人盡其才，亦即今日所言智能任職之意。智能任職的基本因素，在於領導者能以思想開導他人，能在言行方面使人信服，能於品德方面感化別人！其中最爲主要的是：眞誠純潔、堅定不移的信仰心；高度的榮譽感和責任心；正確的中心思想與遠大的目標。

信者，無易爲本。言不易行，行不易文，法令不易人，人不易法令，刑賞不易事，事不易刑賞。舉國一於政，萬民一於法，三軍一於令。否則國無信不一，民無信不立，君（領導者）無信不尊，軍無信不強，將無信不威，戰無信不勝。自信不固，互信不生；互信不固，共信不立。上下左右交相信，則政成，法立，令威，軍強，國固矣！

（二）紀律

任何領導者紀律的表現，是必須遵守該領導者所屬社團單位和國家習慣與行爲法則之態度；亦即遵守已接受的社會習慣。而行爲法則一般說來是根據公正，品性之完整，自我成就，以及個人之尊嚴等各種理想——健全的領導者之紀律，即此法則之基礎，反映於對所領導者的尊敬，禮儀，以及歷史責任感。

紀律即領導者所接受作爲基本人行爲法則的標準，是道德的，法律的，權責的，以及正義和禮貌的行爲表現。在此表現中，乃有信心、恒心、毅力、誠意、謙虛、冒險、特性、公正、立志、超俗、客觀寬恕、引過讓功、抑已揚人、以及忠、勇、智、嚴等浩氣與德性。如此領導者才能領導住自己（持已也），才能以此領導住他人（馭人也）。下述是幾件史例之簡述：

信心：義大利的加利略，根據研究創出地動說，因與當時教義相背，被捕下獄。但至死仍堅信其說爲正確。

恒心：奧國科學家孟德爾用豆配種研究了十二年，終於創孟德爾定律。愛廸生窮十七年時間，失敗了一萬五千多次，終於發明了蓄電池。

毅力：英人斯蒂芬孫在研究實驗蒸氣推力時，其親人都嘲笑他，並與他斷絕往來。但斯蒂芬孫不折不撓，終於發明了火車頭。

謙虛：大科學家牛頓發明了許多定律，但他不以爲這是「最後的眞理」。愛因斯坦常被人問及「你就是偉大的愛因斯坦嗎？」他總是答說：「我是愛因斯坦，但不是偉大的。」

今日与明日

美機恢復炸北越

不出世人所料，美國總統終於下令恢復轟炸北越。道理很簡單，美機停炸北越一個多月時間，越共並無求和之意，却乘此時機大量運輸軍隊及武器到南越，一切都是爲了戰爭。美機的停炸並未能使他們悔禍，只是給他們一個喘息的機會，在軍事觀點上，是最危險的事，美方將領均認爲停炸北越只有使越共軍增加力量，此外別無用處。詹森總統在權衡利害之後，不得不發出重炸北越的命令。

美國再度轟炸北越，在國際間已引不起激動，除去毛共之外，就連蘇俄也不過表示遺憾而已。所謂亞非集團的一批搗亂份子也未開口。因爲大家都看得清楚，眞正不肯和的是越共，美國除非撤出南越，否則轟炸北越也只是一個最低的行動。

反對力量仍多

在美國國內並無大規模的反對行動，一些無聊取鬧的示威遊行是沒有了，但是一部份所謂民主自由派人士，一向以左傾自居，想藉此譁衆取寵，提高自己的政治地位，於是就專門同政府唱反調，以顯示自己立場公正，態度客觀。如曼斯非爾同傅爾勃來德這兩人，就是典型例子。

曼斯非爾率領一個代表團到東南亞訪問，專程去訪問驅逐美國大使，斷絕邦交的柬埔寨元首施哈諾，曼斯非爾在施哈諾處究竟得到什麼益處不知道，但是回到國內却指責泰國侵略柬埔寨，激惱了泰國外長乃他納招待記者予以痛斥。若非美泰邦交一向敦睦，泰國當局又素識大體，也許曼斯非爾這一篇言論，就會促成兩國邦交的破裂。一言喪邦，此君有焉。

傅爾勃來德到未出國惹事生非，但是却在國內大放厥辭，反對美機轟炸北越，引得英國工黨及自由黨議員聯齊向他致敬。風頭是出足了，其如國家何？

毛共攻擊美艦來港

最近美國軍艦官兵來港渡假，這本是極平常的事，毛共却又抓住這機會展開謠言攻勢，先由海外幾個毛報帶頭，一批爪牙跟着狂吠，指美國以香港作爲基地以進攻大陸。接着毛僞政權竟像煞有介事的向英國政府提出照會，指責英國協同美國侵略。此種無理取鬧的作風，只有更增加了毛共的醜態，不過，由此也可以看出毛共作賊心虛，恐怕美國有一天協助中國軍隊反攻，所以看見老虎就發抖，要大喊大叫一番壯膽，說開了不過是如此而已。（何如）

自由談

言志

據朋友告訴我，有人看了我在台灣出版的回憶錄——「我的生活史」——內中敍述着我在日本留學時期即加入國民黨，跟共黨份子鬥爭的經過情形，不覺驚詫道：「噢，他亦是國民黨嗎？」——說這話的人，相信他決非出於惡意，而是比我年輕得多的新進人物，且可能是個國民黨的同志。由於不瞭解我的身世和經歷，見我多年來在報紙上寫的政論文字，每有批判廳政得失的言詞，乃憑其個化的思想，把國家公民和政黨黨員的份際混爲一體，認爲既是國民黨員，即不幹政治活路而是純粹的凡民，亦不應該批評本黨政府的廳政得失，却不問是否屬於建設性的忠告善道之言，更不明白民主政治的義理是怎末回事？以爲總要像他那種思想，才算是黨的忠貞份子。

記得三年前，我到台北遇見老友監察委員陶百川兄，閒談中，他笑語道：「老兄，你我現在都被看作國民黨內的『社會賢達』呀！」意思亦就是有人以百川兄常常糾舉政府官吏的缺失，認爲黨性太不堅强了。實則黨性之强否，要在險阻艱危的環境中纔可以考驗其眞實性。當卅八年大陸淪陷之秋，有些過去以國民黨爲衣食父母的人物，跑到海外即逢人大罵國民黨，迨進入台灣後，又以雙料忠貞份子的姿態出現，反而指別人黨性不强者，頗不乏人，我可以舉出許多實證來。區區在那種危亡階段中，却公開在報紙上謾寫反共文字，繼續十年不輟，罔顧個人的禍福利害，也未置意於黨性問題，但求其心之所安而已。如今乃有人懷疑我不是三民主義信徒，這從那兒說起呢？

我不想爭論政治上對個人的是非問題，更無意於希榮邀寵；政治上本來就沒有甚末眞是非，個人的榮寵尤不足掛齒。孔子云，「曷各言爾志」，只想告語不知我者一點志事，即我在國民黨的歷史將近五十年了，不管別人對我這項歷史價值的觀感如何，我自己却十分珍視的。雖天翻地覆亦不願意毀棄，而在理性範圍之內實行言論自由，那正是三民主義者應有的守則，造次必如是，顚沛必如是，義無返顧也。

馬五先生

遠遠超過原訂成長率
去年度台省農業增產
較前年高達百分之六

我國國民經濟的結構，雖在不斷改變中，數年來由於工業發展迅速，故工業生產與國民總生產的比例提高，而農業生產則相對的減低。這種現象為我們經濟發展過程中，必定發生的現象，並非農業生產減少，工業生產增加，而係在整個國民生產總額的比率上，有了升降的差別。即使是在高度工業化的國家中，農業仍然佔着重要地位，而我國一向以農立國，不僅粮食及部份加工業，需賴農業為基礎，即在目前我們的產品輸出，仍以農產品為主，外匯收入亦以農產品居首。今天我們的工業得迅速發展，所需資金亦靠農業所得支持。因此，我們仍繼續加強農業生產以促進國家經濟的發展。

自民國五十四年（一九六五）起，開始實施第四期經濟建設四年計劃，政府已將農業成長率，定為平均每年為百分之四．一。主要為除供應國內粮食需要外，並發展農產品外銷事業，促進農產品加工及農村就業。五十四年度為實施第四期四年經建計劃的第一年，農業生產的成長率達百分之六左右，較原計劃的發展目標成長率平均每年百分之四點一，超過一點九（約百分五十）。在各種農產品中，增產較快的有：粮食比上年增加百分之三點八，再度打破了以往的增產紀錄；特用作物（糖、香蕉、洋菇和蘆筍等）雖然由於國際糖價下跌，使糖的輸出值較為減少，但這一差額已為香菇（比五十三年增加百分之七十六）、洋菇（比五十三年增加百分之四十三）、蘆筍（比五十三年增加十倍），這三項外滙收入增加了六千萬美元，而獲得彌補，且使成長率提高。

五十四年度開始前，我經濟主管當局曾檢討過去一年實施經建計劃情形，指出：今後農業生產，要做到土地與水資源的高度經濟利用，加強農產加工品拓展外銷。同時中國農村復興聯合委員會分析：過去台灣農業的發展成就之稱令人滿意，應歸功於台灣農業技術的進步，克服了天時所加的影響。

對五十四年農業計劃，擬訂了十二項重點，包括：繼續增加粮食生產，改善國民營養，發展外銷產品及可能外銷的新產品，發展農產加工事業，增加農村人口的就業機會等。計劃的主要項目，均經達成。計為：

（一）增加稻米的單位產量：對稻米生產，將繼續加強各項生產技術改進的研究及試驗，並計劃於五十五年度增加五十個地區的水稻綜合示範工業，輔導農民瞭解各種技術的綜合效果，逐漸普遍推行。

（二）配合多期作栽培制度擴增雜粮面積：對甘薯將儘量擴大冬作面積，對花生將擴大在蔗田、茶園及果園的間作，大豆亦儘量擴展冬作面積，並推行玉米、甘蔗等的間作。

（三）發展外銷作物，爭取農業資源的最高報酬：農復會將協助政府研擬各項有關改進外銷農產加工品運銷制度，使產、製、銷三方面的利益，能達到「公平分配」，並且使依照「以事業養事業」的精神發籌措各項「產品研究發展」的基金。

（四）促進畜牧飼養的效能及生產運銷：今後台灣牧業，重點為：發展乳牛事業。農復會正在推行乳業長期發展計劃，輔導及促進在彰化以北的低山丘陵地帶，設立乳牛牧場，繁殖種牛及犢牛，並計劃推行以村里為單位的集中酪農區。

（五）促進漁撈作業機械化及發展遠洋漁業：農復會將協助增建海外作業的漁船，使漁業管理企業化及科學化，加強及增設海外漁業基地，協助訓練船員及管理人員。

（六）促進改善林相和發展木料加工事業：台灣林地面積有二百一十四萬公頃，農復會將以四八〇法案物資協助濫墾地造林，發展經濟價值高而且成長快的樹木及竹類。

（七）促進水資源的開源與節流：水資源開源包括灌溉、排水、地下水、開墾及防洪等。今後開源計劃，所需投資較大，所以節流應與開源並重。節流方面應注重已開發水源的經濟利用，加強輪流灌溉設施，及加強渠道內面工程等。以減少漏水之損耗。

（八）促進山坡地資源綜合性開發保育及利用：農復會計劃設立「山坡地開發保育利用實驗區」，作為進行全面規劃，作為全省山坡地的示範。

（九）促進農業推廣、運銷、信用三項為農民服務的業務，並對農會以外的農民組織，如漁會、水利會及青果合作社等，分別協助其發展，以加強對農民服務工作，來刺激生產。

（十）繼續推行村里衛生與家戶衛生工作，及加強家庭婦嬰衛生、教育、改善家庭飲水、廁所、排水溝、通氣、採光、防濕等衛生工作。

（十一）提高農業技術及農業經濟的研究水準，培養優秀的農業技術人才。

（十二）加強國際農業合作，協助反共國家發展農業。

除增產稻米以應人口增加的需要外，必需繼續使農產品的多元化，以求生產價值較高的農產品，這是農業發展的一個重大轉變趨勢。近年來外銷農產品如香蕉、洋菇、蘆筍、橘柑等產量與外銷數量的激增，已充分證明台灣農業對市場能靈活的迎合實際需要。因此，主管機構及農業技術輔導單位，針對此情勢，刻劃出了努力改進生產技術，及發展農產加工事業的重點計劃，期使農業走向現代化與企業化的途徑，以適應國內外市場需要，並配合國內工業的發展。（華僑社）

一九六五年的回顧
——民主國家與共產集團鬥爭一年來總結算——
何浩若

毛酋澤東在非洲失敗，想策動印尼政變使印尼成為一個共產政權來挽回面子。那裏知道和阿爾及利亞一樣，他又遇着了印尼的陸軍。印尼的轉變是一九六五年共產集團最大的損失，把亞非會議第一次會議的地點萬隆也送給了印尼的陸軍。毛酋原想以剛果來控制全非洲的，想不到剛果也發生陸軍政變，而使反共的政府堅強起來。雷堡剛果自左姆貝辭職以後，政局便動盪不安，也正是共匪有機可乘之時。想不到在一九六五年十一月廿五日剛果發生不流血的政變，由陸軍司令莫布杜取得政權，並由議會選為下一屆的總統。同時在另一個非洲國達荷美，在十一月廿九日，也發生陸軍政變由陸軍參謀長索格羅將軍掌握實權。有一點相同的就是莫布杜和索格羅都是第二次取得政權。這兩位將軍在第一次取得政權以後，便將政權歸還文人。等到政局不穩定有受共匪侵害的時候，才再度出來維持，彷彿變成了一種穩定的勢力。不僅是在亞非兩洲，就是在拉丁美洲，陸軍也時常變成反共和維持政治安定的主力。

丙、對所謂反共新興力量的分析

當前亞非兩洲和拉丁美洲各國的陸軍已組成為一個反共的新興力量。筆者以為我們必須要正確的認識這個陸軍代表什麼？在民主國家和共產集團對抗的局勢中，陸軍既然明顯的反共，自然不是代表共產主義。但是陸軍干政，是不是代表民主呢？當然也不是。然則陸軍代表什麼呢？筆者以為是代表民族主義。還有一點須要說明的，一個軍事力量包括陸海空軍，為什麼在這些反共政變中沒有海空軍，祇有陸軍呢？這個問題較易答覆，因為亞非和拉丁美洲的國家比較落後，軍事力量是以陸軍為主，有海空軍的其力量亦微不足道，故在政變中，多由陸軍將領出來領導。這些陸軍政變也並非軍人干政。像剛果和達荷美在第一次陸軍政變後，便和平的將政權交還文人，並沒有由軍人繼續執政。剛果第二次陸軍政變也是循着憲法程序，由議會選舉莫布杜做總統。剛果的憲法也沒有規定現役軍人不能充任總統。因此陸軍政變並非完全的軍人干政，而有很正當的動機，這動機便是民族意識。孫中山先生曾說過二十世紀是三民主義的世紀，他反對人壓迫人，階級壓迫階級，民族壓迫民族。從反壓迫的立場看三民主義，民生主義不僅反對資本主義，也同樣的反對共產主義。為什麼呢？因為資本主義是有產階級剝削無產階級，而共產主義則是無產階級壓迫有產階級，這都和孫中山先生的思想不合的。現代的民主國家是由資本主義蛻變而來。資本主義的國家曾經以帝國主義的姿態把弱小民族變成殖民地，是以民族來壓迫民族的，同時也是以有產階級來剝削無產階級。但是資本主義國家已從剝削轉變為民主國家以後，自己不再剝削無產階級，而從階級調和，同時也讓殖民地成為獨立國家，亞非的新興國家大多是由殖民地獨立的。共產黨原是主張工人無祖國的，共產集團要假借民族主義之名來鼓動殖民地革命，不尊重國家主權，對印尼就是一個最好的例。毛共接受蘇俄或中共的附庸，但是民族觀念是不能使亞非民族的正反。因為這個民族意識才使亞非兩洲和拉丁美洲國家的陸軍成為反共的新興力量。

丁、亞非會議延期

六月將在阿爾及利亞舉行的亞非會議延期，和召開的第二屆亞非會議決定無限期以後，還拖了一個尾巴，那就是決定在一九六五年十一月五日召集所謂亞非高層會議。在這個高層會議的籌備會裏面，印度曾經提議請蘇俄參加，而被籌備會議否決。原來毛共要爭取亞非會議的領導權，便說蘇俄不是亞洲國家，不准參加。毛俄在亞非會議明爭暗鬥已非一日，籌備會否決印度的提議原在意料中，但出乎意外的是十月一日印尼流產的政變。自印尼陸軍反共以後，亞非會議的形勢已面目全非。許多非洲國家鑑於毛共策動印尼政變和對付印度的態度，已大部覺悟，不再受毛共的誘騙。蘇丹還決定解散其國內的共產組織。毛共鑑於形勢變遷，亦不願參加高層會議，因此，所謂亞非高層會議，就和第二屆亞非會議一樣，也宣告無限延期了。這不能不說是共產集團對赤化亞非兩洲的一個大大的失敗。（九）

台灣民用航空突飛猛晉
——華僑社——

據統計：以台北為終（起）點站的旅客，去（一九六五）年已達四十五萬人左右，飛行的次數共達一萬六千餘架次。這誠然是個不很大的數字，但如果以人口的比例及地域面積計算，其百分比是可觀的。

站在中華民國政府的立場，一貫的政策是儘量輔導空運事業的發展，交通部民航局長顯遜岩說：政府的着眼點是提供對各航空公司服務，像力改善機場的設備，督導航行的安全等。他又說：如果各航空公司需要開闢新的國際航綫，民航局是儘量予以爭取的。至於民航業務中所包含的「飛航設備與服務」及「航空運輸」這兩部份，前者是民航局主管，後者則是由國內外公民營航空公司經營的。由於航空運輸，像增添飛機及改善對旅客服務的事，各航空公司均有其特別作風而不同，但「飛航設備與服務」的推展，中華民國政府當局則一直沒有停止，一九六五年起的四年四期經濟建設計劃中，改善航空設備且列為重要的項目。

根據已決定的計劃，為使今後的旅客增加便利起見，將從改善台北國際機場着手，在現在的機場東端，擴建新的停機坪，並延長登機走道及月台，增添過境旅客免稅商場，添裝自動電梯、空氣調節、及電視設備，以加強對過境旅客的服務。其次，是改進飛航管制設備，預定在台北國際機場，加裝「機場搜索雷達」（ASR）及「機場精確雷達」（PAR），使航行於台北國際的航機，獲致更大的安全。在地面設施方面，繼續分別訓練飛航管制、通訊、氣象及消防等人員，以應各航空公司日漸發展的業務需要。同時，為使穿航於台灣上空航綫的飛機，獲得充分的助航，對在台北及台灣南部的恒春兩地多向導航台內，裝置「距離指示裝置」，使在航綫中的飛機瞭解其飛行的位置，同時完成台北國際機場內的「目視滑降道燈光設備」（VASI），共策航空中的安全。

在國內航綫設備方面，民航局已決定在一九六六年五月，完成高雄小港機場的擴建工程，使與花蓮機場成犄角，增加台灣北部、南部及東部間的飛行量，以疏運日見擁擠的旅客。

中華民國台灣省的民用航空事業，近年來有突飛猛晉的情勢，而未來的發展，在舉國上下致力於各項經濟建設及培養觀光事業的大前提下，其前途將是光明的。（下）

北極冰天雪地分界綫上
美俄雙方武裝緊張對峙

愛斯基摩兵的任務，除了上述的偵察還，担任搜索及拯救工作，把氣候狀況報告拯救飛機，不時派出滑雪車把患病及受傷的人接回來。

至於在北極的美俄前綫，受敵方的偸襲的危險是否很高？在白令海峽的前綫是不虞受攻擊的，倘一場戰爭開始，必定是投擲核子彈。目前在北極雙方的最大敵人是寒冷的氣候及冰雪，甚至俄兵也曉得，在這條前綫上喪命在寒風的機會，比吃槍彈的機會大幾十倍。

愛斯基摩兵的住屋，在深藏的山邊內，經過一條十五英尺長的隧道，進入一個頗溫暖的房室，有三層厚牆隔着，外邊的結凍點冷氣不能侵入。他們的寢室眞有土耳其浴室的溫度，滿佈着熊皮及海豹皮，的獵人之家。

美國有一個特工組織單位在此地，專門記錄愛斯基摩人搜索的情報。所謂情報，就是他們出海打漁，把耳聞及目見的東西，逐一報告。村民供給的情報，代價很妙，發現一名俄兵，獎給食物兩罐及一些菜蔬，看見一架飛機，獎給一支步槍，一個雷達站，獎一輛新的滑雪車，更大的情報獎賞更巨。（下）

瀛海異趣談

機師活埋泥淖三天

桑雅

陸軍少尉拉諾爾迷途了，他駕着他的P四十吉隼鷹式戰鬥機在佛羅里達州湖沼地帶上空，辨不出方向。他曾企圖用無綫電與沙拉蘇達的空軍基地聯絡，但一直接不通，顯然無綫電也失靈了。燃料已逐漸告罄，他開始焦急了，不停盤旋，希望找到適當降落的地點。

突然間，他發現西北方有一個小市鎮，附近看來是一塊麥田，料想可以在上面安全降落的。于是，他首先在該鎮的上空低飛兜幾次圈子，希望引起地面居民的注意然後前來救他。

機上那盞汽油紅燈已亮了，這是一個警告，他遂立即按鈕伸出輪子，準備着陸了。但他再低飛時，竟然發現下面並不是麥田，他却太遲了。下面是一大堆荊棘，大約十呎高，其下是泥沼之地，那時快，那時遲，他的飛機已衝前而下，直撞入泥沼之中了。

拉諾爾並沒有受傷，但他已被困于泥沼之下，座位上的皮帶仍未鬆綁。這時，水已開始滲入了。他知道他要逃生，必需爭取一分一秒的時間；首先，他努力掙脫了皮帶，但水已浸過他的頭部，同時，控制桿壓住他的胸部，而頭上是那扇保險的蓋，是非容易揭開的。他再努力一次，便暈過去了。

他再醒過來時，那是一個下午三四點鐘的時份，是那天上午九時被人救出來的。他記起來了——當時，水不斷滲進來，他對自己說：「不要這麼緊張，快有人來救我的，保持鎮靜及體力要緊。」但沒有人來。

水越來越冷，還有一陣陣難聞的臭氣，他感到發抖了，夜已來臨了。他似乎聽見有人在上面說着：「有人在下面嗎？」他立即大聲回答：「有呀，快救我出來。」對方又說：「不要害怕，我們快下來的了。」

天亮了，他發覺那些人聲不外是一種幻想，他知道死期將至了。在泥沼之下，他依然伸手不見五指。他企圖設法把機身鑿開個小洞，但大部份身體在泥中，發力是非常艱苦的，而且，他的體力越來越削減了。忽然他又似乎聽到上面有人聲，他尖叫，用力撞機身，但仍然沒有什麼反應。事實上，他本人不知道——有誰會聽到他的呼叫呢？因爲他已埋在泥地五十呎之下，整架飛機是覆轉的。

他實在太疲乏了，他的神智已陷入昏迷中。他墮機的日子是一九四二年十一月三十日星期一，之後，他總共被埋了七十二小時。在這段時間內，在不斷的掙扎下，他能夠把機罩鑿穿，伸出手臂來。這時他不禁吃了一驚，原來外邊是又硬又帶軟質的泥。

到了這個時候，他只得開始伸手把外邊的泥草抓進來，希望掘成一條小隧道。他拼命的「掘」着，到第二個晚上，泥土中已有一個蘋果箱那麼大小了。到天亮時，他把腳伸出去，那時已有十二乘十八吋的空間了。但是座位上的泥越來越多。

幾經辛苦，他才把身體鑽進洞裏，深及胸膛，鼻子恰恰在水面之上，他的腳在上面不停擺動，把泥向上推，結果，其中的一隻腳似乎戳穿地面了，腳趾感到空氣的流動。

不過，如何能夠把整個身體鑽出泥洞，仍是一個困難，他能夠脫離險地，相距不過五六吋，但對于他這比五六哩還遠。

這時，他已埋于地下許多小時了，上面的人們早預料他已喪生，因爲他們根本無法找尋機身的下落，那些蘆葦及荊棘把機骸蓋住了。

結果，他作了廿多次的嘗試，每次他都作深呼吸，和用極少容量的空氣，才告把全身埋在水與泥中，作最後的掙扎向上爬。到最後關頭，他的肺葉似乎要爆炸了，隨時可能窒息而死。他作一次垂死的掙扎，他終於獲救了，就在草叢中，他吸進第一口新鮮的空氣。他已被埋了七十二小時了。

星期四的下午三時，他才醒來，然後在暮色蒼茫中，向不遠的田莊前行。這一次逃生的經歷，是拉諾爾畢生難忘的。

名城威尼斯「不過如此」

心堅

威尼斯是在意大利北部的一個名城。這個水城，據說是由于千多個珊瑚島連結而成。因此，這個島城的交通工具是小船「幹都拿」，成爲世界知名的東西，其實「幹都拿」並不美麗，它能夠成名，全靠「幹都拿」的船伕。他們差不多一律着一件鬆白相間的運動衫，着白長褲，頭帶草帽，而這個帽子又有兩條紅絲帶。船上高大、結實的身材，兼能歌善唱，他坐了「幹都拿」的遊客在水鄉之中不覺寂寞。因此，「幹都拿」世界知名。

威尼斯的名字和在人們的心目中，都有一種優雅的幻影。其實威尼斯的建築全是十八世紀的，而河水是污濁的。假如各位有機會到威尼斯遊覽，頂多是三天就夠了。除了乘坐「幹都拿」之外，可作一次半日的威尼斯巡禮，包括世界有名的古老玻璃廠。到目前爲止，威尼斯出的彩色玻璃，和各種玻璃製品是非常出名的。

其次是威尼斯廣場，那兒是威尼斯最廣闊平地。這個廣場又名鴿子廣場。那兒有成千的鴿子，它們毫不畏人。那兒更有餵鴿子的糧的東西，遊客們是喜歡買十個八個是拉粟米來餵鴿子的。爲什麼有這麼多不怕人的鴿子呢？原因是意大利人不吃鴿子的。尤其是這些老鴿，更沒有人吃。

在威尼斯廣場，深夜，都有樂隊演奏。而且這些樂隊的水準很高。筆者雖然是門外漢，但是也覺音韻悠揚，一杯在手（如「咖啡」），樂在其中。如果你是「大客」，準備了貼士給樂隊，你可以點奏名曲，甚至請那些歌手，高歌一曲。還有一點，你的耳朵聽出耳油之外，眼睛也會有「冰淇淋」可吃。不少青年男女遊客，他們的調情把戲，使你目不暇給，嘆爲觀止。

威尼斯有一種交通工具很似香港的渡海小輪。不過它是由第一站起，左邊一過站，右邊一個站，沿着威尼斯主要的「街道」行駛。這種小輪比香港渡海小輪便宜。另一方面，香港人講排場，自然在「的士」嘩啦。在威尼斯則是坐「嘩啦嘩啦」。那種小電船十分漂亮。至於價錢呢？不很貴，却亦非便宜。

威尼斯的生活程度比羅馬低得多。一般二流酒店，包早餐晚餐的約爲四元美金。遠中午一頓要付錢，約爲五元半美金。[illegible]，每日三餐僅收四元半。威尼斯名產玻璃之外，就是珊瑚飾物。例如頸鍊、耳環、別針，經濟實惠，若要經濟而不實惠的，那是玻璃飾物了。

總結的說：威尼斯在筆者心目中的印象，是「不過如此」四個字而已，正所謂「聞名勝似見面，見面不如聞名」也。

阿月

覃靖

「我不敢說你的話不是好的，」她沉思了一會，說：「可是台灣是這種規矩，凡是入贅的男人都會說：『你不給我錢化，那我爲什麼要改姓呢？』」

「僅僅這個思想，就應該用一把火來焚燒。」我又有些氣憤起來。「你是不是估計過：像這樣，你用錢所買到的欣悅，抵償得了你身受的痛苦的價？」她語塞了。眼睛緊地閉着，似乎還隱隱地有些濕潤。我不忍再用話戳傷她。

很久很久，她扶着女兒站立起來，報給我一個愁苦的笑容，便牽着孩子蹣跚地走回去了。

五天過去了，劉宗枝還是沒有歸來。在顯影于外的生活方式上，阿月似乎並沒有改變，照樣每天早晨天剛亮時去粉廠挑餿豬的豆水；回來以後，照料一頓簡單的早餐，給小兒子吃一頓奶，便去菜場賣菜；下午多半還是在田野裏耕作。但是，從她那深鎖着的眉宇間，我看出她的情緒的確是萎靡了。

由于幾個月來的接觸，我自信對阿月有了更深刻的了解。她不懂得什麼叫做達觀與樂觀；但她滿足現實，皈依命運的安排，而臨一切的不幸遭遇，都能逆來順受。也就因爲這樣，她在盲慾的苦笑的淚渦裏，洗滌了身受的各種打擊的創傷。

唯有這一次的家庭糾紛，竟使得她的笑痕完全消逝了，她那兩個酒窩，雖然更加深凹，却像是盛裝苦酒的杯子，再不予人甜美的感覺。

我爲她難過而憂鬱，正如德國美學家佛拉斐爾斯的分享理論所說，她的一顰一蹙，都在我的情感匣子裏，起着極大的共鳴作用；而且由于這種共鳴作用的慫恿，我也確像一位英國老婦人看「哈姆雷特」到最後決鬥的一幕，大聲警告飾演哈姆雷特的演員說：「當心呀，那把劍是上過毒藥的！」

我幾次想對阿月提出，她與劉賴宗枝的結合是不合情理的，如其長時間地苦熬廝守，不如截釘斷鐵的折散了伙；但是，爲了忌諱，也爲了道德的約束，我又沒有胆量說出口來。最後還是極其理智的勸她，趕快把招贅的丈夫接回家來。

「爲什麼？」她那時仍在餘怒未息之中。

「爲了家庭的幸福。」我友善地。

「我沒有這麼賤，」她說：「這次的錯不在我。我已經想清楚了。」

「如果你眞想清楚了。」我繼續冷靜的，「你應該知道，宗枝是完全以太太自居的，你不去接他回來，他就會撒嬌到底。」

「撒嬌到底就撒嬌到底，」她還是很倔強的口氣，「我還落得一個清靜。」

「這樣決不是解決問題的辦法。」我如同一個法官一樣，「同時，已往的過錯，你也不能推卸責任。」

「你們男人總是衞護男人！」她睜大了眼睛。

（十二）

新三國

後來以爲和帝年幼無知，和他女婿郭舉同謀，想把和帝暗殺了，不料事機不密，被和帝發覺，命心腹太監鄭衆，先下手爲強，把竇憲吃了之後，又逼他自殺。這是太監得勢，外戚吃虧的一幕。

鄧家外戚，是鄧禹的後裔。鄧禹不僅是光武帝的好友，而且又是同學。鄧禹的孫女嫁給和帝，和帝死了，她也就效竇太后故事，垂簾聽政。她的哥哥鄧隲也效竇憲故事，執掌兵權。鄧隲爲人似乎比竇憲高一着，乃弟鄧遵也是炙手可熱的人物，司空袁敞得罪了他們，嚇得只好自殺，將軍任尚與鄧遵爭功，被解到京城斬首棄市。到此，鄧家外戚，權傾人主，羣臣側目。這都是佔了鄧太后的關係。等到鄧太后死了，太監李閏的獻計，逼令鄧遵、鄧隲自殺。

閻家外戚不如竇、鄧一家來頭大，但是她的心却比竇、鄧二太后狠毒。她是安帝的皇后，却不許安帝有兒子。有姓李的宮人，生了兒子，她便把李宮人鴆死。這個兒子劉保，偏偏被立爲太子，她沒有法子誣陷，教安帝把他廢了。安帝死了，她升爲皇太后，仍是垂簾聽政故事，她的哥哥閻顯執掌兵權。抱了劉懿立爲皇帝。這位娃娃皇帝短命，只做了二百多天傀儡皇帝就死了。那李宮人所生劉保，本已被廢，此時，劉保得到太監孫程的幫助，乘機政變，把閻顯全家一網打盡，閻太后也被關了起來。這一幕也是太監得手，外戚失敗。

梁姓外戚，算是最狠的一家。順帝梁皇后的父親梁商及其兄梁冀得勢。梁商平易之徒，梁冀却是最兇的惡霸，最狠的貪官。順帝死了，梁皇后以皇太后之尊臨朝，重演竇太后、鄧太后、閻太后的故事。梁冀做了大將軍，冲帝、質帝都是傀儡。質帝稍爲聰明一點，梁冀便不喜歡，把他毒死，另立桓帝。爲了控制桓帝，又把自己另外一個妹妹嫁給桓帝，爲第二個梁皇后，但她却不能獲得桓帝的歡心，鬱鬱而終，她一死，梁冀便遭受滅門大禍。這一場鬥爭，是五位太監幹的，是單超、具瑗、唐衡、左綰、徐璜，這五宦官都封了侯。梁冀貪括民脂民膏値三千萬，差不多國家一歲收入的一半。算得上是一個大貪佞！

幫助桓帝打倒外戚梁冀的五位太監，和以前幫助皇帝打外戚的太監不同了，他們不但不是出於忠心保皇，而是有組織有野心的一丘之貉。從五人封侯之後，天下大權就操在這五個宦官的手上，單超且不止封侯，而且還拜車騎將軍。這五個宦官樹立不少朋黨，「虐偏天下」。

繼五人威權的宦官，有靈帝時的曹節（曹操的曾祖父）、王甫。桓帝一死，皇后竇氏照例又以皇太后臨朝，父親竇武爲大將軍。竇武比起以前一些外戚學識廣博，他出身是教授（博士），所以他很同情那般被關起來的「黨人」，如李膺、陳蕃等人，因此，他一做大將軍，便想掃清擅權的宦官，不料事機不密，反被曹節、王甫等十七個宦官殺了。

（十）

新型晚會的創始（續）

不意我的願望，由於英老文頁兆槐三兄的領導，前天空軍之友晚會，竟予實現，的確是新型的創始，在戲劇史寫下此頁，應大書而特書。

這個新型，誠如陳樹清兄所談，打破了角兒自傲的階級觀念。試問大軸壓軸的主角，肯在開鑼戲中充邊配？眞是道地的玩票台灣沒有見過。因此即使軍劇團不能應邀助陣，也無所謂，難不住票友們的唱唱票房，似可考慮與空友看齊，少化一些寃枉錢，搞成票友唱一場，至少在一萬三四千，落得他們笑哈哈。再則打鼓要四千，胡琴要三千，多是有些那個，玆略談空友演出的情況。

彩樓配：竇釧是方夫人孫若蘭，她的進步很速，二年前祇能唱起解，自從去年唱春秋配後乃大進，嗓音很好，腔調也規矩，確是不賴。配搭的了環，是潘美娜蔣洵瑜，皆漂亮。王孫公子是王英奇、趙之杰、龍翰章、沙秀山。英老飾丑角，爲了想竇釧把球拋給他，甘願剃鬚；幾句上海話，很有趣。李景嵐的平貴，王家偉的院子，張平堂的老仙，多是大才小用，不拘角色，可稱之至。

國劇繽紛續錄（四十七）

姜鑾生

別窰：由文頁社長自告奮勇出陣，扮相很英俊，起霸亮相極有神態，唱句吃調，雖不高，却很耐味。鳳仙的寶釧，在七八年前台中的中台雅集爲初見，自到台北未見演過，因爲熟練，自屬不凡。在訣別時的哀緒苦況，可說力透情景。她演此戲，對所配的平貴，選擇很嚴格，要旗鼓相當的。

跑坡，回窰，算糧：此三折的寶釧，皆由潘嫦任之，約有一時半。以功力深，唱腔生動，經驗豐，做作自然，亦是在舞台演了多次，祇算糧是臨時才學，一無琢鑽。蓋腹笥既廣，信手可拈，扮相之美，尤其餘事。但所定平貴却有三位，趙之杰、李懋竹、李心佛。心佛的算糧，是見義勇爲，小試身手。他與趙原在國光唱過，自跑坡迄登殿止，一氣貫串，是行家也。之杰與懋竹調門皆不低，所以武家坡很不錯，加以美娜的張腔迭奏，遂使此戲的份量很高。

算糧的配搭，孫若蘭的金釧，李瑛的銀釧，之杰的王允，家偉的王夫人，景嵐的院子，翰章的蘇龍，張平堂的魏虎，這些配角，不是晚會，到那裏去找！

要刀實爲銀空山的一幕，王允魏虎仍是算糧的原班，表情得很緊湊。馬達江海由關玉山、沙秀，分任，不賴。要一提四龍套，由李懋竹、張宗禮、劉寅、王之藩分飾，以後登殿仍這四位，其精神可佩。

談作官之道

諸葛文侯

作官有作官之道，懂得其中訣竅的人，那怕是皂隸之材，庸愚之資，亦可以蜚黃騰達，位居顯要，乃至於擅專威柄，炙手可熱。如滿清乾隆朝的宰相和珅，原是個替皇帝抬轎的「鑾儀衛」隸役，因爲深通作官的三昧，終致位極人臣，官運亨通，權傾中外；而其財富亦可敵國。這便是很好的例證。

作官的要訣，因時因人而有出入，概言之：其未得之也，相度當時的權貴人物，體察其個性與癖好，百計逢迎，悉力貢獻，嗜財者餌之以厚利，好色者誘之以女色，附庸風雅者應之以珍貴古玩。總在結其歡心，構成親信門客的關係，自不愁沒有居官之日了。其既得之也，對上奴顏婢膝，烟視媚行，但求迎合意旨，邀取寵信，以博得忠貞份子的身份，雖昧廉寡恥，賣友滅親，亦在所不顧也。對下驕倨作態，訑訑拒人，言談行動皆摹仿在上者的聲容姿式，表現自己係一不折不扣的當代顯要之流，決非尋常官吏可比。對於本位的職務，隨時採取推、拖、騙的技術，肆應各方，圓滑備至，而以經常開會議，造表報，喊口號，貼標語爲能事，表面上十分忙碌，實質上一無所有。但到了在上者檢討稽考庶政得失之時，工作報告書盈尺，統計圖表俱備，說來頭頭是道，看來像煞有介事，自然弋護信任，許爲不可多得的幹練之才，超擢升遷，可立而致也。

作官有數忌：一忌個人有抱負，必期見諸實施，遇事勇於負責，要致君於堯舜，努力興利除弊，福國利民；二忌有所不爲，凡是卑鄙齷齪，昧良黑心之事，不特不屑爲，而且不願看，表現着重視人格的個性；三忌說實話，是則是，非則非，不文過護短，不矇上欺下，可以行則行，可以止則止；四忌不貪污，要以廉吏自任，以致影響同寅儕輩，減少「紅包主義」的普遍性，損害集體貪污的前程，作官的人有一於此，包管他走投無路，一敗塗地，如能免於撤職查辦，身繫囹圄之災，那就是萬幸了。

如果有人問：你既然深諳作官之道，言之鑿鑿，何以不設身處地，施展其法術，以躋於達官顯宦之列呢？此無他，我不該多認識幾個字，多讀幾句書，中了孔聖人垂教的毒而不能自拔，祇好自甘淪落了。

紅線盜盒

「影劇與歷史」之十五

周遊

潞州（山西長治縣）節度使（史稱昭義節度使）薛嵩家有青衣紅綫者，善彈阮咸。（琴名形似月琴）又通經史。嵩以之掌牋表，號內記室。時軍中大宴，紅綫謂嵩曰，羯鼓之聲，頗感悲切，其擊者必有事也。嵩素曉音律，曰：如汝所言。乃召而問之。曰：其妻昨夜身亡，不敢求假。嵩遽令歸。是時至德（肅宗）之後，兩河未寧。以河陽（河北磁縣北）爲鎮，命嵩固守，控壓山東。殺傷之餘，軍府草創。朝廷命嵩遣女嫁魏博節度使田承嗣男；又命嵩男娶滑台節度使令狐璋女。三鎮交爲姻婭，使使日決往來。而田承嗣常患肺氣，遇熱增劇，每曰：我若移鎮山東，納其涼冷，可以延數年之命。乃募軍中武勇十倍者，得五千人，號外宅男，幷厚其廩給。常令三百人夜值州宅，卜選良日，將併潞州。嵩聞之，日夜憂悶，咄咄自語，計無所出。時夜漏將傳，轅門已閉，杖策庭除，惟紅綫從焉。紅綫曰：主自一月不遑寢食，意有所屬，豈非鄰境乎。嵩曰：事係安危，非爾所料。紅綫曰：誠命某者，亦能解主憂也。嵩聞其語異，乃曰：我不知汝是異人，我暗昧也。遂具告其事。曰：我承祖父遺業，受國家重恩，一旦失其疆土，百年勳閥盡矣。紅綫曰：此易與耳，不足勞主憂。暫放某到魏城，觀其形勢，覘其有無。今一更首途，二更可以復命，請先定一走馬使，具寒暄書，其他且待某却迴也。嵩曰：倘事或不濟，返速其禍，又如之何？紅綫曰：由某之此行，無不濟也。乃入闈房，飾其行具，梳烏蠻髻，貫金雀釵，衣紫繡短袍，繫青絲輕履，胸前佩龍文匕首，額上書太一神名，再拜而行。倏忽不見。嵩乃返身閉戶，背燭危坐，常時飲酒，不過數合，是夕舉觴，十餘不醉。忽聞曉角吟風，一葉墜落，驚而起問，即紅綫迴矣。嵩喜而慰勞，問事偕否？紅綫曰：不敢辱命。又問曰：無傷殺乎？紅綫曰：不至是，但取床頭金盒爲信耳。某子夜前三刻，即達魏城，凡歷數門，遂至寢所。聞外宅兒止於房廊，睡聲雷動，見中軍卒步於庭下，傳呼風生。某乃發其左扉，抵其寢帳，田家親翁，鼓跌酣眠，頭枕文犀，髻包黃縠，枕前露一七星劍，劍前仰開一金盒，盒內書生身甲子，與北斗神名。復以名香美珠，散覆其上，然則揚威玉帳，坦其心豁於生前？熟寢蘭室，不覺命懸於手下。寧勞擒縱，只益傷嗟！（二）

毛姆其人

樂念之

「阿山頓」的故事—則根據他本人在第一次世界大戰期中參加情報活動的事實做基礎而寫成。至於「月亮和六便士」，却是個針對藝術家保羅果更飛往有太平洋遊歷的事件而寫成小說。毛姆曾經坦率地表示：「那些表示書中人物純粹是他們幻想出來的分子的作家『事實上都是說謊者。』」

毛姆於一八七四年一月二十五日誕生於巴黎。他本來立志做醫生的，而且已經獲致醫生的資格。然而，由於他在一八九七年發表的第一篇小說「蘭莎」轟動世界文壇的緣故，因此，他決意向寫作的途徑發展，同時這本小說奠定他在其後六十多年的時間裏面的文壇聲譽及地位。他最著名的作品就是「月亮和六便士」，「剃刀邊緣」，及「人的約束」。他那枝墨水筆令他成爲非常富有的「富翁」，他曾經估計他的墨水筆替他賺了一百五十萬英鎊（指從電視及電影兩方面所獲的版權收入而論），至於出版的收入尚未計算在內。毛姆於一九一六年結婚，但於一九二九年離婚。他的太太於一九五五年去世。毛姆只有個女兒，但爲財產繼承問題而曾經上演一幕父女對薄公堂的悲劇。（下）

快樂人生之鑰

楚功德

（四）你有好奇心理嗎？好奇心，最能激發人的樂趣。一個人，如果對生活在他週圍的是甚麼都不知道，這是一件最可憐的事情。「生命」本來是用不盡的「富源」，我們可以慢慢地用技巧去爭取它，由於好奇而得到進步。

（五）你的求知慾曾否停止？我們可以這樣想，世界的推進，會因爲我們的存在而產生；你我間的每一個人，都能用他們的經驗、智慧、能力來改造世界，留傳史冊。而智識的增進，在另一方面，也是對個人的一種保障。如許多人，還不知道原子彈是甚麼東西，那他如果身歷被炸險境，當然不知所措了。自由的源流是知識，所以，人生不斷的學習，才是達到快樂的眞正道路。

（六）你能否愛別人？我們生長在這人的世界內，人與人之間互相有需要，互相要協助，才能產生快樂。那些幸災樂禍者，才是天下最傻的傻子。與一個善愛的人，有幽默感的人，長期相處，是人生最大的幸運。各人在日常生活中，應該培養幽默感，以得人間永久的樂趣。

（七）你的能力是在繼續培植嗎？很多人的腦子，還是和一張十四世紀的地圖差不多，簡單而空洞。天下有無數的天才，因爲無人發掘而湮沒，這是一件何等可惜的事情！人與人的能力，並不完全相等，但須高低各盡其用，而快樂也就在「人盡其才」中，慢慢產生。生命是一條最豐富的源流，人人該用好學不倦的精神去探索，才能得到眞正幸福。

（八）你可曾動過愛情？愛是人生的目標：把人生所有的精力，領導上去。愛的力量可以驚人的增進工作效率，學習速度和身體健康以及生命的活力。一個浴在愛河中的人，才是度量最大，胆量最大的人，一切聰明的人，他（她）可以把火花似的愛情，保持永遠新鮮，而使生命豐富。

（九）你是否有確切的自信心？世上最大的悲劇的產生，都是由於缺之自信心而起。人，有了自信，就能變得坦白、爽直、寬大，決不再因爲一些小事，放在心中，以致終身不安。有許多眼角裏藏着悲哀的人，就是因爲在心底有着重大而不可告人的秘密所致。想要得到快樂，就該把我們的心胸放寬，在坦白、直率裏得到自信；那麼，快樂就向我們招手相迎了。（下）

金門的樹

克勞

但他們仍然植起樹來。仍然在不計較所有：名與利、利害與得失，而祇是本着自己的本性而奮門着。

有一次，大專學生勞軍團來的時候，他（她）們問我：「你們不寂寞吧？」

我笑笑，反問了他（她）們！「你們以爲我們寂寞吧？」

他（她）們面面相覷，不知道說什麼好了。

「就憑了這些樹，」我說：「我們也就不會寞寂了。」

我這話絕對不是掩飾，不是吹噓。金門沒有這些樹，環境也就沒有這般優美。

就是那樹呀，
那樹呀，
使這塊圖畫上，
有了生命力的，
表現啊！

這首詩，我不記得是那個寫的。這首詩，却把金門的樹說活了來。

由於這些樹，使軍民永浴在戰鬥的春天裏。那些戰地的小姑娘，也因這些樹，一個個都清秀而美麗起來。

樹改變環境。

樹更能創造環境的！（下）

丙午新春試筆兼示華僑德明香江諸子

蔡俊光

舉頭復見萬家春，白馬投荒尚有鄰。
可許龍蛇言蟄伏？當周甲子命維新。
三冬寒盡身方暖，七律詩成味更醇。
且趁花時好清賞，一觴一詠亦精神。

乙巳除夕憶鄉中兄弟

壓歲已無阿母錢，何論今夕是何年！
兄驚久客天涯夢，不復連枝大被眠。
縱酒固難祛百感，買花聊以共餘妍。
世間紛說內蛇去，引我歸心倍浩然。

自由報

內版台報字第〇三壹號內銷證

THE FREE NEWS

第六二四期

中華民國僑務委員會頒發台僑新字第三二三號登記證
中華郵政台字第一二八二號執照登記爲第一類新聞紙類
（半週刊每星期三、六出版）
每份港幣壹角
台灣零售價新台幣貳元
社長：雷嘯岑
督印人：黃行審
社址：香港銅鑼灣高士威道二十號四樓
20, CAUSEWAY RD 3RD FL.
HONG KONG
TEL. 771726　電報掛號：7191
大同印務公司
地址：香港北角和富道九六號
台灣分社
台北市西寧南路壹壹零號二樓
電話：三〇三四六
台灣撥儲金戶九二五二

明瞭共產黨的戰法

吳文蔚

在報紙上看到一篇以「目擊越共作戰記」爲題的報導文字，內容畧述在越南的戰場上，白晝並看不見有戰爭的跡象，同時也看不見一個越共游擊隊，村莊及市鎮的商工和農民，仍然是照常做他們的工作。農村的人民家裏，有時候越南政府軍來，有時候越共游擊隊來。遇到作戰時，農民看見軍隊，聽見炮聲，不避不理。不管是越南政府軍也好，越共游擊隊也好，同樣不聞不問。反正打仗是司空見慣，不干老百姓的事，所以老百姓完全是持着中立的態度。可是一入夜晚，那情形就不同了。遍地都是越共游擊隊，處處都是槍炮聲。下午村裏還住着越南政府軍一連兵，一夜之間，就被越共游擊隊解決了；一座大河上的鐵橋，白天還有越南政府軍把守，黃昏時，就被越共游擊隊炸斷了。像這樣情形，日有數起，防不勝防，夜夜都有戰爭在進行着。可是一到天亮，槍聲停息，農民還是到田裏工作，情況一如平時，並看不見一個越共游擊隊的影子云云。

消息又稱：美國如果進攻北越，胡志明即命令他的軍隊與美國打人民戰爭。

甚麼是人民戰爭呢？一言以蔽，就是大陸匪共慣用的游擊戰。明白些說，游擊戰，也就是越共的戰法。而越共的戰法，又完全抄襲的大陸匪共的戰法。它們這種戰法，雖然是有幾種定理，如敵來我退，敵退我追、敵疲我打、敵駐我擾、以大吃小，沒有把握的仗不打等等，但總括起來一句話，所謂游擊戰也者，純粹是一種「利害戰」。就是共產黨先把它們的「主義」灌輸在每個戰鬥員的腦子裏，使每個戰鬥員都一齊跟着共黨的政權走。又用威迫利誘種種霸道手段，使在其範圍內的每個人民都得變成共黨的戰鬥員，聽它擺佈，替它賣命，這即是所謂人民戰爭。人民戰爭就是游擊戰，游擊戰就「利害戰」，使人民離開它的組織，即沒有了生活與生命，如是而已。

游擊戰是以情報爲主，政治組織爲輔，軍事其次。在抗戰時，共產黨唱的一個游擊隊歌，其中有兩句是：「沒有吃，沒有穿，敵人給我們送上前；沒有槍，沒有炮，敵人給我們造」。在這兩句歌詞裏，充分的表明了情報在游擊戰中的作用。

共產黨利用霸道手段以打游擊戰，把孫子所說的話都實行了。孫子說：「善戰者，動於九天之上，藏於九地之下」。共產黨怎樣實行這兩句話呢？「就是到敵人跟前，敵人才知道我來攻；同敵人住一起，敵人還不知道我是他的敵人」。所以說：共產黨眞是九條尾巴的狐狸精！我們吃它這種虧，眞是不可勝計。最早的一次，如抗戰期間，我九十七軍於一夜之間即遭其全部解決。勝利後，戡亂之戰，我軍在沂蒙山區，在魯南地區各戰役中，迭次損傷，都吃的這種虧。這次美軍在越南作戰，屢聞越共游擊隊襲擊美軍機場、營房，消息傳來，每次都是損傷美軍飛機數十架，死傷美軍幾十甚至百餘名等等。而美軍駐越部隊，由四年前的數千人增至如今的接近二十萬人，飛機輪番轟炸，地面部隊配合越南政府軍不斷出擊清剿，直到現在，似還沒有找到越共的主力所在。像這種打法，再打下去，別說是消滅越共，即使美軍增兵再增兵的結果，怕連一個起碼的「迫和」，也還難以達到目的。

共產黨打的是霸道「人民戰爭」已如前述，我們今天如要戰勝共匪，從事反攻，光復河山，一定要用王道「總體戰爭」對付之，否則決不爲功。孟子說：「民爲貴，社稷次之，君爲輕。」我們第一個要點，就是發動無比的民力。孟子曰：民非水火不生活，昏暮叩人之門戶求水火；菽粟如水火，而民焉有不仁者乎？我們有了無比的民力，第二個要點，就是充分的給予民食。第三個要點，我們有了無比的民力，給予了充分的民食之後，才可以行之以政治，納之入組織，使民效死弗去。這樣的人民，才不會受匪威脅利誘；這樣的軍隊，才能經得起打硬仗，不會被敵打亂、衝散。像這樣打不亂、衝不散的軍隊，別說是以一當十，就是以一當百，也是勢如破竹，無往不利了！「故君子有不戰，戰必勝矣」！正是此理此勢。

共產黨的戰法，是超過一般戰畧的，概括起來，可分如下三種：

第一種是面的戰法。這種戰法，有三個方式，一是擴張與滲透，把現戰場擴張成一個面，以妨礙其敵人的一切交通和增援。二是正規戰配合游擊戰，打擊敵人的主力。三是全面的面的戰法，是用以明擊暗，以大吃小。這種戰法最主要的一點是代整爲零，集零爲整，遇到強敵，就分散開，遇到弱敵，就吃掉它。這種方式，是以政工爲主體，幹部士兵爲工具。共產黨實施這種方式，不但平時在講堂上有教育，並且時常有演習。如他的軍隊每到一地，即有許多政工男女，到老百姓家幫助洗衣掃地，見了年老的喊老伯和大娘，見了年幼的稱兄弟和姊妹等，表面用說服，實則行用控制。兩法併行，使老百姓和它的軍隊打成一片，見了我軍說假話，對共產黨說實話，處處是他的耳目，處處是他的敵人的陷阱，然後實行以人吃小，以明擊暗的手法，解決了他的敵人。

第二種是敵後戰法。這種戰法。是政治重於軍事，他運用第一種形形式式隱藏起自己，迷惑住敵人，再集中兵力，奪取敵人對抗的後方要地，孤立了前面的敵人，使敵人不戰而退。然後乘敵人撤退之中將敵消滅。如東北戰役中，新六軍攻佔彰武時，匪即集中兵力打瀋陽，使廖兵團撤至中途而殲滅之，即爲一例。

第三種戰法是人海戰法。人海的人字，不是說它的野戰軍，而是說它的野戰民。人海戰法，是決戰攻城時用的。所謂沒有把握的仗不打，打時一定甘冒犧牲，用龐大的人海向火海輪番猛衝，爭取勝利。大陸剿匪時，如四平、長春、錦州、開封、濟南、太原等，幾無一處不是用的這種戰法。

共產黨的戰法，雖概分三種，實際上是一個，這一個戰法，就是游擊戰。也就是胡志明要對付美軍的人民戰爭。所謂「人民戰爭」也者，就是共產牽着人民的鼻子走，靈活其情報，控制其運用，利用政治組織之謂。但我們如用王道的「總體戰爭」對付之，它就必然完蛋了。

「要喝什麽？」

「無可奉告？」

美越領袖會議

今日與明日

美總統詹森突然決定飛檀香山會晤越南共和國領袖，詹森總統此項決定因事先未有絲毫風聲透露於外，所以舉世都感到驚奇與關注。認爲對南越局勢將有一項新的發展。對南越當局來說，自然也有一番意外之感。根據西方的消息，認此爲詹森此行在與越南當局會商戰局，更重要的是有關越南政治的革新問題。

目前越南政局又有一種暗潮，據傳部份軍人不滿意阮高奇總理，有意發動政變，日前謠言阮高奇失蹤，就是某一部份人士故意放出的空氣。而阮高奇自己也對外聲稱有人願付與十萬美金代價，請其任駐外大使。此中消息撲朔迷離，因此引起揣測，認爲詹森總統會晤越南領袖，用意在促使改革內政。

重心不在內政

不過若作深一層想，以詹森總統地位去勸告友邦領袖改革內政，也是不可能的事。因爲這樣就變成了干涉內政，詹森總統決不會如此作。而且也爲越南當局所不能接受。其會談內容，主要當仍爲越南當前局勢。美國亟欲求和，新年過後派出五路使者，而且放出求和條件，可以准許南越共黨公開活動。凡此種種皆非南越政府所能忍受，而且也足以腐蝕民心士氣，此南越政變謠傳之所以來，政府也陷於惶惶不安。詹森總統此行，無疑對此將作一明白的交待。

其次，據詹森總統宣佈，此次會談重要議題爲對南越農村發展計劃的研討。這段話相信是眞的。因爲詹森總統以前曾提出越戰一旦停止，美國願以十億美元發展湄公河的諾言。此項援越計劃，當只是發展湄公河計劃的一部份。

總之，詹森總統此次赴檀島會晤越南領袖，其內情並不如想像的重要，對越南局勢亦不會有太大的影響。

談和新路

羅馬教皇保祿六世最近提出一個辦法，要通過中立國來解決越戰。詹森總統當即復電表示贊成。教皇雖然未說明中立國是指的哪些國家，但可以相信決不是大吵大鬧要大家承認它是中立國的柬埔寨，當然更不會是尼赫魯所留下的「不結盟國家」印度，當是眞正的中立國，若非瑞士便是奧地利，也可能加進去瑞典。這些國家中立是夠中立的了，問題是僅憑中立會使毛共接受和談嗎？中立國又有什麽辦法能使胡志明擺脫了毛澤東的控制？這些都是不可想像的事。對於教皇此項建議，我們眞看不出有何成功的可能。（何如）

知恥說

馬五先生

名作家林語堂氏最近在台北公開發表的言論中，有一段話說得很有意義，他認爲：「一個知恥的人，自然會知道向上和進取」。反過來說，凡是恬不知羞的人，一定無所不爲，而以下流自安也。

在亂離衰敗的社會中，沒有是非羞惡之心的人，到處可見，其中最突出的，殆莫過於一般號稱爲「四民之首」的士大夫之流。認識中國字不到兩三百個，寫上一百字的文稿即別字累累的傢伙，偏要以作家自居，亂寫一些文章在刊物上發表，且自詡爲「我的文章很精采」，別人瞧着嘔心作嘔，他却洋洋得意，招搖過市。在野時每以民主鬥士姿態，倡言爭取民主生活，振振有詞，鏘鏘有聲，一旦置身仕途，所作所爲的無一不是跟民主主義背道而馳，甚至於比他過去所攻擊的政敵更爲專橫哪！

環顧政治人物，那種下流無恥的情形，尤其不忍卒睹。許多讀書有得之士，一行作吏，便無足觀，豈但「無足觀」，爲着固位邀寵，連自己的人格亦可以犧牲糟蹋，滿不在乎。對人極盡上諂下驕之能事，處事沒有絲毫責任感，一是皆以官僚主義爲本。試看近數十年來紆青拖紫的三公九卿羣中，幾曾見有風骨嶙嶙，以政見政策爲進退的人呢？滔滔者盡是些笑罵由人，好官自爲的厚顏覥覥之輩。在君主專制時代，尚有正色立朝的大臣，認爲義所難安、理有不愜、法不能枉的事情，不惜犯顏極諫，而置個人的休戚榮辱於度外，這對社會人心很有振拔作用，今日號稱「民主世紀」，此風却未之前聞了，這眞是時代的悲哀！

社會上如果充滿着毫無是非、羞惡、惻忍之心的人生觀，大家只有爲目的不擇手段，爾詐我虞，無所不爲，人與人相處，除却私人利害關係外，聞不到絲毫正義公道的氣息，形成一種麻木不仁的封閉社會現象。這樣的社會，雖有少數知恥向上、勇於進取的人士，然形格勢禁，無可奈何，祗好自甘淪落，以期苟全性命於亂世，而國危矣！

中國若要復興，必先人人知恥，有所不爲，其他都是徒亂人意的廢話！

對行使兩權問題 國代有兩個提案

一主張每年均自行集會一次 一主張總統決定召集與日期

（本報記者張健生台北航訊）國民大會代表對修改臨時條款有兩個提案：一個提案由國民大會聯誼會所擬議，主張國民大會爲創制複決權之行使，每年六月一日起自行集會，會期半月，必要時得延長之；另一個提案係由國大代表李壽雍、葉秀峯等所提，則主張國民大會爲討論創制案或複決案之集會，其召集與日期，均由總統決定之。由於兩案的意見相左，所以各自展開一場劇烈的簽署運動，實爲國大臨時會前哨戰。

國大憲政研討會第二次全體委員會決議之「動員戡亂時期臨時條款修訂草案」原文爲：

茲依照憲法第一百七十四條第一款程序，制定動員戡亂臨時條款如左：

國民大會臨時會，制定國民大會創制複決兩權行使辦法並行使之，不受憲法第二十七條第二項所附條件之限制。國民大會爲創制複決兩權之行使，每年六月一日起自行集會，會期半月，必要時得延長之，不受憲法第二十九條之限制。

立法院對於行政院移請之覆議案，仍以三分之二多數維持原決議時，總統得咨請國民大會複決，行政院院長應否接受或辭職，即以複決之結果爲準，不受憲法第五十七條第二款第三款所規定之限制。

國民大會創制案，立法院應依照所定原則於限期內完成立法程序；如逾期仍未完成時，國民大會得自行制定，移送總統於收到十日內公佈之，其效力與憲法第一百七十條所稱之法律同。（以下爲新增條文）

其餘除臨時條款原第四項第五項刪除外，仍維持原條文。

這是民大聯誼會所提。

國大代表李壽雍等所擬「動員戡亂時期臨時條款」原文中之新增部份：

茲依照憲法第一百七十四條第一款程序，制定動員戡亂時期臨時條款如左：

動員戡亂時期，爲適應動員需要，國民大會得制定辦法，創制中央法律原則與複決中央法律，不受憲法第二十七條第二項之限制。

國民大會爲討論創制案或複決案之集會，其召集與日期，均由總統決定之。

同時主張修正國民大會創制複決兩權行使辦法草案初稿。修改之條文如左：

一、草案第四條規定：「國民大會對於中央法律有創制權」。而實際上國民大會所得創制者，應爲中央法律原則而非具體條文，蓋法律條文之制定，涉及立法技術，固宜仍由立法院爲之也。故在此條原文「中央法律」之下應加「原則」二字。（修正爲「國民大會對於中央法律則有創制權」。）

二、依據國父遺教建國大綱之規定，國民大會祇就中央法律有複決權，原草案第八條之（政府移請覆議案，立法院仍維持原決議時，得由總統咨請國民大會複決之）規定，乃將複決權之行使，擴及於覆議案，與國父遺教顯有未符。因此，原草案該條規定以及與該條有關之第十二條（總統咨請之複決案，須備具咨請書，敍述理由，並附送有關文件。）應予刪除。

三、查國民大會組織法第七條第一項規定：「國民大會代表資格審查委員會，提案審查委員會，紀律委員會，必要時得設特種委員會。」觀此規定，各該委員會之設，顯因開會期間有其必要，若在閉會期間，即無分設各種委員會之餘地，此在各國國會通例，莫不皆然。因此，原草案第十三條（國民大會爲行使創制、複決兩權之需要，分設各種委員會，分別研究各種法案。）應予刪除。

四、國民大會創制複決兩權行使辦法，由本次臨時會通過後，其公布施行，固宜由總統爲之，惟原草案（第十八條）定爲「咨請總統於十日內公布施行」。其十日之限期，未免對總統權力，過事拘束。

因此，修正爲「本辦法由國民大會制定，咨請總統公布施行；修正時亦同」。

總之，國民大會代表對修訂臨時條款與兩權行使辦法草案，原則上都一致同意，而所不同者係對國父遺教的見解相異，與兩權行使的方法及時間緩速而已。國大聯誼會主張立即行使兩權，國大代表李壽雍等則主張：何時行使兩權，由總統決定。至於常設機構，認爲無此必要。至於根本上反對修改臨時條款而達到行使兩權者，祇有少數的國大代表，估計僅達三、五十人而已。

立法院有一項書面質詢 強調此時此地不宜修憲

（本報記者元月二十九日台北航訊）立法委員喬一凡認爲：此時此地不宜「修憲」或「修訂臨時條款」來行使創制複決兩權。他在一項書面質詢中，要行政院長將他的質詢轉送國民大會秘書處，作爲參考。

喬委員質詢說：查「現行憲法」，於國父遺教，不能盡符，有識之士，早加詬病。而於國民大會，政權之不能充分行使，幾同於美邦[illegible]議，於權能劃分之至意，相去尤爲殊遠。然「現行憲法」既爲我全國人民所接受，自爲我立國之根本大法。處此國事非常，退居台省之時，尤應「永矢咸遵」，以繫全民之望。豈可輕言修改，而動我國本？復查「現行憲法」第二十五條之規定，「國民大會依本憲法之規定，代表全國國民行使政權」。是國民大會，對於政權之行使，須「依本憲法之規定」，非言修改本憲法以便利行使之也，固甚明白。如爲便利自身行使政權，而竟修憲，或適用「動員戡亂時期」增列有利於自身之臨時條款，則國民大會之本身，頗有陷於違憲之嫌。是以國民大會對於政權之行使，自應依據憲法第二十七條第一、二兩項之規定，而「關於創制複決兩權，除前項第三第四兩款規定外，俟全國有半數之縣市，曾經行使創制複決兩項政權時，由國民大會制定辦法，並行使之」。業已明白規定，豈可加以曲解？時危事艱，風雨不已，同舟須共濟了。

喬委員的質詢文，至記者撰此通訊時，此間報刊並未刊載。然此項質詢却傳遍國民大會，接踵而來的是各種各樣的諷評。

一九六五年的回顧

——民主國家與共產集團鬥爭一年來總結算——

何浩若

但是共產集團會不會放棄列寧的遺策呢？不會的。就在亞非高層會議宣佈無限延期以後，在一九六五年的十一月二十六日，倫敦的工人日報，也就是英國共產黨的機關報，便宣佈將於一九六六年一月卅一日在古巴的首都哈瓦那召開反帝國主義和反殖民主義的國際大會，據稱將有一百個國家的代表參加，將聯絡亞非兩洲和拉丁美洲的落後國家，共商反帝和反殖民地的策略。據工人日報稱，籌備會議設在捷克首都，籌備主任是席巴Yousel el Sibai由十八個國家籌備，亞非和拉丁美洲各由六個國家代表。亞洲的代表國家是毛共與日本、印尼、印度、蘇俄和越南。這一會議無疑的是由蘇俄策動的。會議的地點決定在古巴，也有很大的意義。古巴最近派代表觀察了華沙會議，蘇俄對古巴也增加了軍援。古巴已經從親毛共轉而親俄，毛共將無力再拒絕蘇俄參加一九六六年一月卅一日的古巴反帝大會。但是因爲毛俄的意見不一致和亞非國家的覺悟，這一反帝大會即令不延期也不會有很大的結果的。因爲篇幅的關係，一九六五年一般國際局勢的檢討，和一九六六年一般國際局勢的預測，祇有留待下次再行報導，並乞讀者原諒。（十、完）

國民大會二三事

——本報記者張健生——

第一屆國民大會臨時會，於二月一日在台北中山堂中正廳揭幕。臨時會係依據四十九年三月十一日國民大會第三次大會第六次大會修訂之臨時條款第六項而由總統召集。臨時會任務爲討論「國民大會創制複決兩權行使辦法草案初稿」。

（一）

此間輿論對國民大會行使兩權問題，幾乎一致反對；但如此龐大的輿論壓力，國民大會主張行使兩權派的代表毫不重視，其理由是：今日之台灣，是否有眞正的民氣？值得研究。他們認爲：民氣受到拘束，比如由李萬居主持的公論報，可算得上是一張獨立的報紙，借乎這張報紙雖然存在，事實上李萬居已經與這張報紙無關了。這足以說明此間沒有眞正輿論的事例之一而已。東北籍國大代表高心一在一次會議中會列舉公論報事件來駁斥輿論的反對，並說明此間民氣。

由國大代表發行的刊物，一致支持創制複決兩權行使辦法草案初稿。唯一的例外，是由國大代表朱文伯、張希爲所發行的「民主潮」雜誌，在今年一月十六日出版的三〇六期，有一篇社論：「國民大會行使創制複決兩權的商榷」，及一篇由國大代表宋益清執筆的「這部憲法」專論。

「民主潮」雜誌是代表青年黨臨全會派的言論機構，一向批評政府措施。該雜誌社論認爲：此時此地，無論修改憲法或修改臨時條款以行使創制複決兩權，與現行憲法體制與精神均不相符，必然影響政治的安定性，在反攻復國的現階段，確應愼重考慮。

該社論結論說：平心而論，「種瓜得瓜，種豆得豆」。今日國大代表們力主修改憲法臨時條款，貫徹國父遺敎，行使創制、複決兩權，並非全無根據。十多年來，名爲行憲，實則行政措施，立法原則，往往與憲法精神相違，而思想領導方面，則重遺教而輕憲法云云。

（二）

民社黨方面，平時與政府接近的人士，如黃孟剛、余仁美等國大代表，則有樂觀其成的心情。比如由國大代表余仁美所發行的黨內刊物——「民主社會」，就是這種態度。而屬於民社黨「六召集人」財務委員會的黃孟剛，他在民社黨國大代表團成立的那天，就有這樣的一句話：「誰反對行使兩權，就開除其國大代表團團籍」。事後，據記者從側面探悉，黃孟剛是針對六召集人之一的某國代而發言的。

至於民社黨多數派的統一委員會中的國大代表程糾之等，內心裏雖然反對行使兩權，但始終沒有見諸文字，或公開表示反對，而只是在私人談話中有此表示。爲什麼他們不公開說明立場呢？當然與政治恩怨有關，但主要的還是由於高度政治藝術的運用與涵養所使然。

民社黨統一委員會方面國大代表不僅如此消極，而且還有人函請張君勱在目前不要談「國事」，尤其對行使兩權問題，以不談爲上策。

（三）

春節期間，記者曾與許多國大代表接觸，他們指責外間有所謂「兩權與錢」的流言，係惡意中傷。目前，民間盛傳：國大代表爭兩權是名，爭取差額待遇是實。此一流言，是否「查無實據」呢？一位參加某項座談會的同業，他也是國大代表，就會公開說過「兩權與錢」的話。

此外，據悉，凡是沒有參加第二次、第三次大會而出席這次臨時會的代表，將無席位可坐。而第三次大會選出的主席團主席，其席次仍排在前座。所以有人預測，這次臨時會將有更精采的節目演出。據說，編排席次的一位職員，爲此，幾乎三個通宵沒有睡眠，因爲他們所排的席次未得秘書處的同意，所以變動三次才成定案。（一月廿六日）

省府尊重輿論新的表現

台各舞廳年費增卅萬元

詳細辦法已擬就。議會通過即實施

（台北通訊）本報一月二十二日出版的第六一九期中，馬五先生在「自由談」專欄內主張台灣所有「舞廳應課重稅」！他在結語中說：「俗言『寓禁於征』，我認爲對舞廳營業，年征稅額卅萬元台幣，未免太輕微，至少亦得課以五十萬元，若說負担不起，儘可自動關門！如果沒有跳舞廳，就會影響到反共救國的前途，那就應該免稅才是吧」！

總算台灣省政府尚能從善如流，已於一月廿九日由台灣省府決定各舞廳年費再增卅萬元，俟議員通過後實施。聞者莫不歡欣。

按省府提高省境各舞廳年費的決定，係在最近的一次省府委員會會議中獲致決議的，意在以收寓禁於征之效。

新的舞廳年費征收標準，每家舞廳較之目前增加三十萬元一年，其征收辦法如下：（一）台北市各舞廳，將由廿萬元增至五十萬元。（二）基隆市、台中市、台南市、高雄市各舞廳，將由十五萬元增至四十五萬元，（三）其餘各地的舞廳，將由十萬元增至四十萬元。

提高舞廳的年費，已在新的舞場管理辦法中訂明，省府即將送請省議會通過後，公佈實施。

新的舞場管理辦法，將限制舞廳的開設，並禁止辦理營業性的臨時舞會。家庭舞會的舉行，則將以婚慶大事爲限。（楊力行）

瀛海異趣談

傳單也有收藏家

·桑稚·

世上炸彈有許多種，但戰略專家的意見，最能打擊敵人的士氣的是——紙彈。到今時今日，大家不能不相信，筆確比劍鋒利；一張措詞恰當的傳單，對付敵人，所收到的效果，可能比一個眞正的炸彈還厲害哩。

目前，越戰仍在進行中。最近當美機飛過北越河內上空，居民紛紛出奔命，但噴射機投下的不是殺人的炸彈，而是六萬份傳單，每一份上面都印着指控北越領袖拿米粮送往大陸來換取槍枝，供應越共作戰。

這種紙彈戰術，當然不是由今日始。一九五六年間，中國政府的飛機飛越大陸上空，散落了數以百萬計的反共標語傳單。如果追溯更遠的一點，第一次世界大戰時期，一個報界人士諾奇力夫首先發明這種攻心爲上的戰術，他當時據說把傳單投在德國各大城市及前綫的上空，他堅持到底，直至英國政府答充爲止。

一九一八年間，聯軍所投下的紙彈的數目，共達二千六百萬張，但若與世界第二次大戰期間中的比較，眞是「鷄碎咁多」而已。單在歐洲，英國皇家空軍投下的數目是六十億張，而美國方面，是八十億張。照這個數字，世上每人可分配四張之多了。

不過，世上竟有人眞的搜集這種政治性的傳單，像集郵一樣那麼熱心，他便是赫霍克郡山列治區的區克蘭。他今年四十五歲，是當地郵局局長。但他曾是海員。他所搜集的傳單，價值達一萬鎊。

二次大戰時期，盟軍的傳單的對象是平民而已。但德軍的目的則在減低軍隊的士氣，使他們無心打仗。一個當兵的男人，心中最思念是什麼呢？當然離不了愛人，妻子，父母及子女了，德軍便集中這個心理弱點，作傳單攻勢。

義大利蒙卡仙奴之役，英軍的士氣大受影响，因爲從天而降的傳單是這樣的——一幅楚楚可憐的女孩肖像，上面孩子般的字跡寫着：「爸爸，要活生生的歸來呀！」然後，另一種是——「你們肯定你的愛人或太太不是正與美國大兵鬼混嗎？」

對付軍中王老五的傳單是一幅內感的女郎，上面註明：「請細心欣賞一下，很可能這是你最後的一次欣賞她了。」有時，傳單上所寫的不過是一些錯誤的情報，目的不外動搖敵方的軍心。

安尼奧之役，盟軍被敵軍夜襲，之後是雪花片片的傳單，拾來一看，原來是把「生活雜誌」的封面，改爲「死亡雜誌」，上面還有一個戴上鋼盔的髏骷骨頭，使人看了不寒而慄。還註明歸西日期是一九四四年。

一九四〇年馬奇諾防綫之役，德軍投給法軍的傳單是一幅法兵受傷纍纍的照片，他們在鐵絲網裏不斷呻吟的樣子，上面的文字是這樣的——「你們的女朋友已被英軍擒去了，在這前綫上，痛快地送命吧。」

紙彈的效果如何呢？沒有人知道確切的。英國空軍副元帥哈里士曾這麼對記者說：「我認爲傳單是不產生效果的，敵人拿來作爲廁紙之用而已。」

但戰略心理專家李察．告羅士曼却這麼說：「紙彈的效果是不可能估計的，這是一個心理的問題。」

下面的一個故事是相當傳奇的——盟軍戰略專家地瑪計劃捏造一個希姆拿推翻希特拉的故事，目的使德軍的陣營大亂。他把一篇盡忠希魔的發誓詞全文印妥，只把希特拉的名字換上希姆拿；還有，僞造一大批郵票，希特拉的肖像也換了。怎知，一位職員犯了一個小錯誤，竟把少數的郵票提早發出，冒做得太像了，郵局竟然通過，也沒有人發覺有什麼不對；爲了這個原故，這個計劃只得拖住。

結果，從中漁利的是集郵家，到現在，印有希姆拿肖像的德國郵票是價值連城的。

上面提及的那位區克蘭，他那傳單收藏品中，最珍貴的一份是「緬甸死亡傳單」，這是當年由英國空軍部投下的「勝利快訊」，投下的數目已不多，同時，當時的日軍已提出警告，如有人持有這種傳單便斬首，于是敢收藏的人更少了。

區克蘭說：「收藏傳單只不過是我的興趣，實在很難賺錢；它不像集郵那麼普遍，有一個市場共同交易哩。」

西方妓院的起源之探討

黃老克

雖然有些類人猿似乎也爲了取得一點食物而賣淫，可是動物界裏並沒有像妓院這樣的東西存在。妓院純爲人類的制度，其起原已爲時間所湮沒。不過，說來奇怪，妓院的起原似乎是有宗教性質。當然，這種宗教並不是基督教，而是先於基督教無數年前的宗教。這種宗教禮讚交媾和受精，其極則爲崇拜母神。對母神之崇拜當時遍及整個歐洲，甚至播及印度等其他地方。

在母神的崇拜中，性是被視爲神聖的。而且性行爲也可能被視爲一種祀神儀式。在某等宗教典禮中，這種祀神儀式由祭司與處女舉行。其對性行爲之尊敬如此，不難推測當時的廟宇會提供性交的機會，作爲一種祀神之禮甚或祈禱之代替。除了給予性交的機會外，有時廟宇方面並以各種設備給予那些慷慨貢獻的人。不過，像普通妓院一般的設備是沒有用的。

當時的情形大約是這樣的：一般廟宇大概是位於一些近海岸的希臘小城上，到地中海彼岸去經商的商人與水手們回來時，一同步上廟宇，一同聚集在那裏，向母神唱讚美之歌，然後向那些穿着白袍的女祭司進貢。這些女祭司不是女奴，而是可愛的少女。那些慷慨貢獻的人，被女祭司們帶到廟宇旁邊的房間去，領受他們的「獎賞」。

在閃族宗教等稍後的宗教中，各廟宇不但有美麗的女祭司，而且有男祭司。不但有普通的性愛設備，而且有同性戀的設備。同性戀在當時並不被視爲壞事，反之是很正當的事情。

自然，這種祀神的廟宇是不會久存的，不久後便降爲方便外國水手們洩慾的地方。如果到羅貝（義大利古都）去，便會看到這樣的一個妓院：這個妓院有一個旋轉柵門，限制男人衝到裏面去。內面有一道狹窄小樓梯，通至樓上的房間；可憐的女奴們，就關在樓上的房間內，讓水手們去洩慾。有時水手們成羣結隊的去喝酒、賭博，到疲倦時會有人提議到妓院去，大家接受這個提議後，便一起湧進那條小巷，再向那所妓院衝去。可是妓院裏那道旋轉柵門每次祇許一個人進去，而且有兩位司閽者維持秩序，要先付錢，然後方能挨次進去。

（上）

阿月

覃靖

「那是你的偏見。」我想了想，不欲加以辯護，「說眞話，這樣賭氣和僵持，祇會鑄成更大的錯誤。你不能一錯再錯，必須重新用正當的愛來培植彼此的感情，而且必須使他知道愛和被愛，體認一個家庭是愛的總滙合。我們對它的責任，男女雙方都不可藉任何的理由而逃避，不論是那一種形式的婚姻。」

「可是什麼才是正當的愛呢？」她迷惘地看着我。

「這個問題不很容易解釋。」我臉紅了。雖然我已經渡過了人生的一半路程，但由于進年在戰禍中跌觔斗，還沒有正式嘗試過愛的滋味。如今面對着一個誠摯而愚蠢的少婦，我將如何表明我的戀愛理論，使她認清眞正的立場呢？「據我想應該是愛對方的人格和名譽，并不是滿足對方一切不正當的慾望。」

她沉默了。大概是已經被我說服。雖然她并不見得完全懂得這些，却終于接納了我的意見，在第六天下午，便揹着最小的兒子到宗枝的家去了。據街鄰說，這是她婚後第二次去那裏；第一次還是四年以前的事。

招贅的丈夫回家來了。阿月的臉上又像雨後初霽一樣，恢復了甜美的笑容。我的心情也開朗了許多。我沒有過問他們夫婦是怎樣言歸于好的，事實上我也不必多此一舉。

又過了好幾天，我確實知道劉賴宗枝一次都沒有出過大門；他雖然僅僅在家幫忙帶帶孩子，阿月那種開心的神氣，已經難以形容了。有時候竟獨自輕聲地哼起歌仔戲來。

那天是星期日，我因爲下午準備進城去造訪一位患難中的好友，上午便把積壓了五六天的髒衣服，全部拿出來清洗。我首先一律打上肥皂，然後慢慢地搓揉，那樣子比起她們鄉村的婦女，跪在河邊的大石頭上捶擂，確實費力多了。

「先生，」阿月輕盈地走來看見了，她笑眯眯地對我說：「你如果需要找人洗衣服，別人二十塊錢一個月；我祇要十塊。」

「你爲什麼突然想起又要幫人洗衣服呢？」我甚爲詫異的說。

「因爲——」她的臉上隨即浮起了一層薄薄的陰霾。「我們斷了一筆大債。」

隨後，她便輕描淡寫地告訴我，劉賴宗枝出走的那五天，並沒有回他自己的家。阿月那天去找他，祇見到他的二哥三哥和二嫂。他們對于阿月的驟然降臨，一時也感到非常奇異；但却比以前親善多了。二哥二嫂慇懃地留她母子吃了一頓飯，并且極度的安慰她，一定要教訓不成器的弟弟痛改前非。尤其是三哥，除了當時責罵兄弟的荒唐以外，更一再叮囑阿月，以後有什麼困苦，不要悶在肚子裏，短少什麼告訴他們想辦法；雖然他們也是窮人家。

（十三）

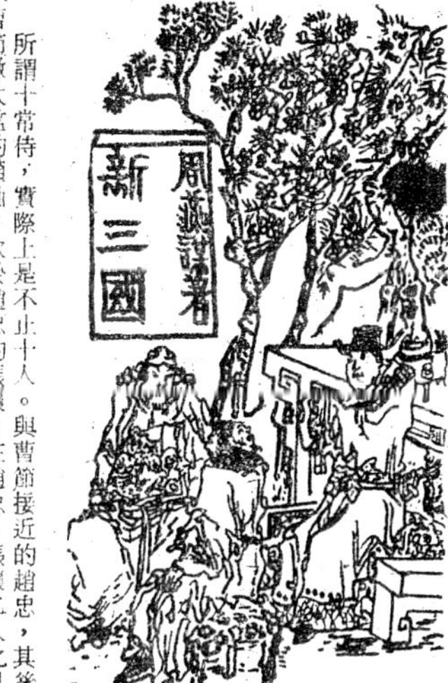

所謂十常侍，實際上是不止十人。與曹節接近的趙忠，其後繼承曹節做太監的領袖。次於趙忠的張讓。在趙忠、張讓二人之外，還有十常侍。十常侍的父兄子弟，布列州郡，所在貪殘，爲民蠹害；百姓之寃抑無所告訴，故圖謀不軌，聚爲盜賊。這是歷史上記十常侍作惡的一筆。如果不是十常侍及其羽黨到處作惡，黃巾賊便不會攪起來。所以有一位郎中張鈞，向靈帝上了一道本章，說只要殺了趙忠、張讓等十常侍，黃巾可以不打自散。但靈帝却聽官官的話，以爲張鈞也是黃巾一份子，把他下獄，一直關死在牢裏。盧植和皇甫嵩是兩位打敗黃巾的功臣，却被私通黃巾的宦官張讓所深惡着，不但沒有獲得升官，反而獲罪。而私通黃巾的宦官竟列爲討平黃巾的首功。這眞是不平之甚！也是天下大亂的因素。

靈帝是一位神經病患者，十足的低能兒，昏庸之甚，可謂空前。歷代只有貪墨之官，沒有貪墨之君，爲一國之君，富有四海，他竟賣官鬻爵，三公官開價一千萬，侯爵五百萬。曹操的老子曹嵩，便是花錢買來的太尉，後來曹嵩逃難到瑯玡，帶了不少金銀財寶，被陶謙所派的衛兵見了眼紅，以致送命。可見曹嵩也是一個大貪官。他花了本錢，難怪他狠狠的扒上一筆，自然還得利上加利。曹嵩因財送了命，這筆帳曹操給算在陶謙頭上，後來曹操打徐州，所過皆屠戮，並且聲稱是復仇，徐州人民遭到一次大屠殺，泗水爲之不流，曹操可算得是一個屠夫。像曹嵩這樣的貪官，在靈帝時代，比比皆是，老百姓焉得不造反？靈帝又是一個活寶貝，他愛騎驢子，用驢代馬駕車。有良馬不用，正和他有一流人才不用，而用下駟之才一樣的飯桶。他在宮中玩膩了，就叫宮女們在宮中開旅館，自己扮作商人去開旅館，這不是活寶貝嗎？漢朝的江山，也就在君臣亂、外戚跋扈、宦官弄權之下，從根本上開始『分』了。

四、黃巾賊的來龍去脈

後漢之亂，除了外戚與宦官之外，在地方的亂子就是所謂「黃巾」賊。黃巾賊是從那裏來的？這件事必須細說源頭。很多人都知道，在江西的龍虎山上，有一個張天師，張天師是誰？就是三國時代割劇漢中的張魯的祖父張陵。張陵是江蘇豐縣人，他是到四川鵠鳴山學道的。要學他道的人，要五斗米，所以又稱爲五斗米道。到張角時又稱米賊。張陵把道傳給他的兒子張衡，張衡傳給兒子張魯，又傳了其他許多姓張的。張角是承受於張衡的。在後漢靈帝中平元年（公元一八四年）七月，這種脫胎於道教的黃巾的起事，在巴郡有張修，在漢朝人所稱三輔的地方，（今陝西省城一帶）有駱曜。在東方有張角兄弟。張氏兄弟是鉅鹿人（今河北寧晉縣），他的徒衆稱他的道爲太平道，在民間活動的技術就是用符水替人治病。而張修和張魯之間有一筆血債糾纏不清。本來張修和張魯都是劉焉手下的軍官，劉焉要他二人去奪取漢中。既得漢中之後，二雄併爭，張魯便暗將張修殺了，併其徒衆。於是張魯便說他的道是起於祖傳的。其實是大有問題。

（七）

國劇繽紛錄

姿婆生（四十八）

新型晚會的創始（續）

大登殿：其精采之處，是四位名坤票，一齊登場。除了蔣洵瑜飾賓釧，楊鳳仙飾代戰公主外，其餘的潘美娜孫若蘭亦與孫經禮李瑛四位同飾宮女。這是特別加角，無非烘托賓釧代戰兩位娘娘，更顯突出。洵瑜是名伶白玉薇的高足，過去演出多次，此戲本定在五四年春上演，因身體弱而嗓音啞，將近十月，自製冠帔，所費不貲。那段二六與十三咳，皆清朗可聞。鳳仙演代戰，與前面的賓釧，是另一副姿態，更漂亮，表情更有神。蔣女士選此配陪，確有眼光，一時瑜亮，相得益彰。她自演蕭后二皇娘後，對唸白頗有勁頭。英老是近乎學汪，這位平貴，實大聲宏，唱句朗澈，即十五排後照樣聽得很清楚。後來拜岳母的一段唱工，較少安實有過之。惜乎戲不大，未全展其所能也！容待再看南天門以過癮。家偉的王夫人，大露其老旦好腔，實為難得聽到，且等再聽探母的佘太君。他學余派也很不錯。生行名票劉福民，以此次老生不少，願配車伕，義讓之風可佩。另有特點，在請柬上將此次演出的名票，以及文武場名票，逐一介紹，極為清楚，皆是浸淫平劇有若干年，亦即空友之一幅藍圖，可作其他票社參考。

吳家姊妹

省立復興中學，在今年歲初於復興崗政工幹校，舉行慶祝元旦師生同樂晚會，節目有歌唱，舞蹈，平劇三項。平劇由該校訓導主李傳琪安排。李是以前福建督軍李厚基的公子，研究平劇多年，唱淨角，很有味兒。共有兩齣，一是梅龍鎮，二是法門寺。這齣法門寺是為復興劇校秘書姚傳蘇新婚以後，與其夫人劉維貞合唱。劉女士在中南部唱過多次，以前空總排過十二五花洞，她是潘金蓮之一，已好久不唱。是日，趙廉宋巧姣多有樣兒，不輸於內行。李君的劉瑾，聲音渾厚，唸白乾脆，饒有氣魄。而梅龍鎮是盤復薇、吳定琪小妹合演，極為精采。

定琪現年十三歲，肄業古亭女中，乃母股四小姐，為故交股公篤的掌珠。這次是第一回登台，唱唸均合標準，扮相秀麗可愛，動作亦活潑，一嗔一顰，很有意思。服裝亦雅淡適宜。台上攢動，把鳳姐的心理，曲曲傳出，前途未可限量，是可喜也。定琪的愛好，完全是向乃姐定璋看齊。定璋年十七，肄案北商，在中興大學法商學院於慶祝五四年青年節，在護專禮堂，演出女起解，僅學了兩個月，以扮相端秀，唱腔優美，報紙多有佳評。吳家姊妹，是最近發見的新苗，將來當為介之於各票社見見，增其見聞。

養鳥的人

劉杰

當我看到鳥時，我便想起養鳥的人——丁文來。

丁文來是我大四的同學，性情溫柔，我們在學校裏喊他女人。他有時也提出抗議：

「我明明是男人，為什麼說我女人？」

「你的性情是女人。」

「我們說。」

「你們簡直侮辱我！」

我們知道他不會發脾氣，也不會惱火的，所以我們說：

「就是侮辱你，你又怎麼樣？」

於是，他就忍受下來，避開了我們。

大學畢業，各走各的。我在部隊裏就了一年，一打聽，找事很困難。有許多同學失了業。他們都是有父母的，失了業也就沒有什麼。我是半工半讀完成學業，家又不在台灣，如果我失了業，那就要餓肚子。我想了許久，我就決定留營。

因為留營，便有了十五天假期。我又回到台北，於是，在重慶南路遇到他。他穿着香港衫，手上攜着東西。他見到我，就握住我手說：

「從你臉色看，你一定很寫意。」

「那你比我更寫意。」我說：「你現在做什麼？」

「我吧？我是董事長了。」

「還是你有辦法。你在那兒做董事長？」

「我自己公司裏。請到我公司去一趟吧？」

「離這多遠？」

「沒有多遠。」

但我同他到的地方，其實就是他家。他的一間美好的房間，養的都是鳥。我問他的公司在那兒？他說：

「我說的就是養鳥公司。」

「養鳥公司？」

「現在找事情要有人事，我沒有人事，祇好自己想辦法。於是我還就養起鳥來。」

我拍着他的肩膀，我說：「你不是公司的董事長，而是養鳥的人。」

「公司董事長，名字好聽許多。」

這時，他母親從外面進來。他把我介紹過後，他母親要我坐在客廳裏。

那天，我穿的是便衣。他母親倒了一杯茶給我，便問我在那裏做事？

「我在部隊裏。」我說。

「你不怕苦吧？」他母親問我。

「老太太，」我說：「現在的部隊不是過去的部隊。現在部隊，不是那麼苦的了。」

老太太望着我，我繼續說：

「我們伙食吃的很好，每餐有三菜一湯。每餐都有肉的。到了月尾，還要打牙祭的。」

他母親聽着點點頭，我繼續說下去：

「官兵水準也提高起來了。起碼的知識，也在初中左右。同時，部隊可說就是學校。」

他母親凝神的聽下去，我又說：

「在那裏可以把自己鍛鍊成堅強的人。養成堅忠不拔的個性。」

「哦，那丁文來也可以到軍中去。」

「自然，」我望了望他，我說：「不過，那兒不能培養他為養鳥的人。」

這時，他站了起來。他大聲的對我說：

「我本來就不是養鳥的人。」

三個月後，我接到丁文來的信，信箱乃是軍中的。丁文來終於放棄了鳥籠，堅強的站了起來。

（三）

紅線盜盒

「影劇與歷史」之十五

周遊

時間朧焰烟微，爐香燼委，侍人四布，兵仗交羅。或頭觸屏風，鼾而嚲者；或持巾拂寢而伸者。其乃按其簪珥，縻其襦裳，如病如醒，皆不能寤。遂持金盒而歸。出魏城西門，移行二百里，見銅台高揭，漳水東流，晨雞動野，斜月在林。忿往喜還，頓忘於行役。感知酬德，聊副於諸謀。所以當漏夜三時，往返七百里，入危邦，一道經過五六城，冀減主憂，敢言其苦。」嵩乃發使入魏，遺田承嗣書曰：「昨夜有客從魏中來云，自元帥床頭，獲一金盒。不敢留駐，謹却封納。」專使星馳，夜半方到，見搜捕金盒，一軍憂疑。使者以馬箠撾門，非時請見。承嗣遽出，使者乃以金盒授之。捧承之時，驚怛絕倒。遂留使者於宅中，狎以宴私，多其錫賚。明日專使齎帛三萬疋，名馬二百匹，雜珍異寶以獻於嵩曰：「某之首領，繫在恩私。便宜知過自新，不復更貽伊戚。專膺指使，敢議親姻。往當捧轂後車，來在麾鞭前馬。所置紀綱外宅兒者，本防他盜，亦非異圖。今並脫其甲裳，放歸田畝矣。」由是一兩月內，河北河南信使不絕。忽一日紅線辭去。嵩曰：汝生我家，今將安往？又方賴於汝，豈可議行？紅線曰：某前本男子，遊學江湖間，讀神農藥書，而救世人災患。時里有孕婦，忽患蠱症，某以芫花酒下之，婦人與腹中二兒俱斃。是某一舉殺三人，陰力見誅，蹈為女子。使身居賤隸，氣稟凡俚。幸生於公家，今十九年矣。身厭羅綺，口窮甘鮮，寵待有加，榮亦甚矣。況國家治慶且無疆，此即違天，理當盡彌。昨至魏邦，以是報恩。今兩地保其城池，萬人全其性命，使亂臣知懼，列士謀安。某一婦人，功亦不小。固可贖其前罪，遂其本形。便當遁跡塵中，棲心物外，澄清一氣，生死長存。嵩曰：不然，以千金為居山之所。紅線曰：事關來世，安可豫謀。嵩知不可留，乃廣為餞別，悉集賓僚，夜宴中堂。嵩以歌送紅線酒，請座客吟朝陽為詞。詞曰：「採蓮歌怨木蘭舟，送客魂消百尺樓；還似洛妃乘霧去，碧天無際水空流」。歌竟嵩不勝其悲。紅線拜且泣。因偽醉離席，遂亡所在。

考「紅線傳」為唐人袁郊作，但有明列「五朝小說」及「唐人說薈」，均題名為楊巨源作。然此不足信。紅線傳原為「太平廣記」卷一九五，下注為「甘澤謠」。按唐書「藝文志」云：「甘澤謠」一卷，唐袁郊撰。

（三）

新年瑣記

漁翁

唐代詩人韋應物寄李儋元錫：「去年花裏逢君別，今日花開又一年」。宋朝詩人謝枋得慶全庵桃花：「尋得桃源好避秦，桃紅又是一年春」。句中皆下一「又」字，以表示光陰像流水般的過去，一年復一年，使流亡人不禁有：「鄉心新歲切，天畔獨潸然」之感！

今年丙午，午屬馬，俗稱「馬年」。馬為六畜之一，並居六畜之首，[illegible]唯馬是瞻。有龍馬精神，然後可建非常事業，以至於馬到功成。易經：「馬壯，吉。」謂之「吉年」，誰曰不宜。

「一元復始，萬象更新」，認為元旦，乃除舊歲，迎新年的最吉祥日子。楊巨源云：「詩家清景在新春」，故今古文豪詩人，往往於一年開端之元辰，而有試筆之作。筆者，高樓獨坐，看水看山，偶成二首，藉抒所懷。

昨宵猶是說蛇年，今早即言丙午天；大地春回新氣象，滿城風送舊雲烟。人皆把筆題元旦，我亦揮毫寫彩箋；看水看山無限好，野花啼鳥也欣然。

光陰如箭又如梭，春到人間感慨多！放眼漫觀新歲月，回頭忍見舊山河。三千里外家何在？十六年來客裏過；待擣黃龍方縱酒，陶然再寫太平歌。

閱數日，為筆者六五生朝，親友宴賀，席開成七言一律，卜算子一首，寫在下面：

記我出生辛丑初，算來六十五年餘；隔牆能聽低聲語，伏案猶看細字書。放眼靜觀皆自得，此身窮健有誰如？而今不計榮枯事，惟效簑翁坐釣魚。

記得避秦來，五十方初度。今日韶華六五春，過眼如朝露。把筆寫詩文，蕭瑟無佳句。安得中山酒一杯，醉解流亡苦。

客居觀塘，離市區頗遠，少囂塵氣，收烟月於囊中，濟紛華於塵外，不啻世外桃源。新正得閒，約二三知己，登山頂，效牧童牛背之歌，步水涯，作漁父鴨頭之釣，弄月吟風，不知何處是家鄉也。

此間有一社區服務中心，內設圖書館，架上今古典籍甚多，足以啟茅塞，快心志，提精神也。每年新春舉辦徵聯比賽一次；去歲，筆者倖列冠軍，今居其次。感文字隨年齡而衰，故於頒獎之夕，口占一首：

去歲徵聯許冠軍，今朝降作第三人；學而退化緣衰老，詩怕頹唐越認真。莫道簑翁能詠事，也曾草檄走風塵；此來百粵文身地，欲覓知音共賞春。

韶光易過，又是元宵，此地居民，卓有古風，玩龍燈，舞獅子，以慶良宵，熱烈之狀，不可以言語形容。「春宵一刻值千金」。誠不願隨便虛度，而效古人秉燭夜遊也。

戰地貢糖

克勞

我在中學時，就讀到：到「台灣糖，甜津津；吃在咀裏甜在心。」而到了戰地，那貢糖的滋味，就更不可以筆墨形容出來的。

戰地貢糖是個什麼樣呢？小小的，方方的。像酥糖，却又不是酥糖。說軟不軟，說硬不硬。我們年輕人善歡吃，年老的人也善歡吃的。

我初到戰地，做了一次土包子。

我到金門城。這是戰地中惟一的大都市，就如台灣的台北一樣。街道整潔，清爽，美觀。店門口擺了很多用玻璃紙包起的糖。我問是什麼糖？那店員小姐打量了我半天，然後掩着咀巴笑。

「你連這個也不知道。」我臉兒發燒，不是味道的。

「我剛到戰地。」我說：「我在台灣，沒有見過這種糖的。」

「啊。」

然後，她告訴了我：貢糖。

「貢糖？」

這名詞我也沒有聽說過，感到別緻而驚奇。

「嗯，這是金門特產。」

「自己做的？」

「嗯。」

於是我進而問了，「是用什麼做的呢？」

「地瓜。」

我哈哈大笑起來，我說：「既然用地瓜做的，就應該叫做地瓜糖呀」。

「這名字比較文雅。而且買的人特別多。」

「多少錢一斤？」

「十二元。」

「這麼便宜？」

「你要吧？」

我買了半斤。

（一）

內政部登記證台報字第〇三壹號內銷證

自由報

THE FREE NEWS

第六二五期

中華民國僑務委員會頒發
台教新字第三二三號登記證
中華郵政台字第一二八二號執照
登記為第一類新聞紙類
（半週刊每星期三、六出版）
每份港幣壹角
台灣零售價新台幣貳元
社長：雷嘯岑
督印人：黃行書
社址：香港銅鑼灣高士威道二十號四樓
20, CAUSEWAY RD 3RD FL.
HONG KONG
TEL. 771726　電報掛號：7191
承印者：大同印務公司
地址：香港北角和富道九六號
台灣分社
台北市西寧南路壹壹零號二樓
電話：三〇三四六
台郵撥儲金戶九二五二

國民大會應如何行使兩權

·程再玄·

行憲的第一次國民大會臨時會，終於正式開幕了，十八年來，此一慘淡經營之行使兩權和修憲序幕，經過若干斡旋和商討，到今天總算露出了曙光，這是全民政治的民權運動得到進一步的實現，實為三民主義五權憲法的信奉者值得欣慶的事。雖然有若干商業性的報刊加以抨擊和誤解，甚至厚誣國大代表們為「爭權其名，實則奪利」，但依法、依情、依理，此一次會議之必須決定使行使政權機關之職能加強，則為不可否認的鐵律。保護三權憲法的鏢客們欲故入人罪，硬要以莫須有冤案，陷害忠良，實等於桀犬吠堯，吳牛喘月，雖屬衆口鑠金，終有大白於天下之日，想為智者所同情，忠於謀國者絕不附和。莫須有三字，無以服天下，希望國大代表們能堅忍耐煩，勞怨不避，乃能期於有成。

此一次會議之最大任務，第一為對第一屆國民大會第一次會議所定之：『至遲於民國三十九年十二月二十五日以前，召集臨時會，討論有關修改憲法各案。』作一交代。其次則為對第三次大會決定的『創制、複決兩權的行使，於國民大會第三次大會閉會後，設置機構，研擬辦法，連同有關修改憲法各案，由總統召集國民大會臨時會討論之』一節付諸實施。此時此地，必須行使兩權，已如劉砥中先生前在本報所刊之兩文，國人當已共喻。惟兩權究應如何行使，實為國民大會諸先生的莊嚴課題，凡屬國民一分子，均有貢獻意見之責任，因諸位代表所有之行為，乃直接民權，間接行使，吾人亦有授權之必要，茲就一得之愚，特為借箸而代籌之。

一、此時為戡亂時期，憲法不便修改，經海內外各界一致研討之結果，已成不爭之論。基於後法優於前法之觀點，臨時條款已成為補充憲法，乃當前立國之寶典，國民大會有一最大之權為修憲權，應按憲法一七四條修憲程序，仍以增訂臨時條款為不二法門，決不宜再走第三條道路，多立門戶。

二、此地為中國一省，亦為各方所稱道之三民主義模範省，創制、複決兩權，乃國父遺教中所載「權能區分」之要務，乃主義中的精華，為國父的創見，必須明定規章，謹嚴試行，期使將來大陸光復後，作為有力之依據，逐漸普行於各縣市，使三民主義之光輝，能朗照於光天化日之下，使民主自由之實，澤為全民所薰沐。以此而作對大陸人心之強烈號召，以此而與大陸之集權暴政作強烈對比，不僅有助於反攻，抑且有益於建國，大好河山，實為民主政治馳騁之優良環境，俗語說「好的開始，成功了一半」，今日之試行創制複決兩權，即為光復後全國摹仿之張本，一切措施必須從大處着眼，小處着手，必須使國民之生命財產得到合理合法之保障，毋意、毋必、毋固、毋我，明智的代表們，當更喻此。

三、創制複決法律，應選擇重者大者，凡有利於國民者必創制之，有害於國民者必複決之，使國家利益與人民利益相結合，得到合理之保護，不至受無謂損失。尤其我國立國已久，法令多如牛毛，往往處理一件事，可引用之法條有若干種，似是而非，均可依據。執事者即可在此種隙中大耍其手法，作恩舞弊，玩弄人民，鄉愚受其蹂躪，即飽學之士，亦無法辨明其真偽，無法確定其是非，寃案山積，終難昭雪，安得不使人民困擾而詬病呢？行憲將二十年，不僅訓政時期之法律多未廢止，甚至某些大清律例及外國法條，亦常被偶加採用，繁複無當，殊堪髮指！國民大會既代表人民出而負責作創制、複決工作，必須設各種委員會，分別將汗牛充棟之法律予以整理，眾多之牛毛予以爬梳。在定期會議中予以複決廢止，或綜合利弊得失而加以創制。此種工作極為繁重，并不如一般淺見者所想之簡單，國民大會代表如願盡責盡能，作為畢生事業亦嫌過晚，何至無案可提，無法律可資創制、複決呢？立法院委員四五百人，工作了十八年，尚不能使泰山減一粟，大木飄一葉，吾人已嫌其有怠忽之處，國民代表自己來替人民担起重担，當然要嘔心瀝血以盡責盡能，為人民除去荊天棘地的繁複法律，絕不宜再卸仔肩，貽譏後世。

四、國大代表們既為人民爭得主權，必須全力以赴，猶恐不及，其本位工作已極繁重，絕不宜再干外務，分力分心，引起社會詬病，蹈怠忽職守之覆轍。因此，部分代表們應早辭去兼任官吏，及其他損於體制尊嚴之公務從業人員。況兼任官吏，政權治權之分野混淆不清，其所創制、複決之法律，勢必引起各方懷疑與責難，實有聲請廻避之必要。為使國人耳目一新，為使法治精神得以嚴肅樹立，為國人所共諒共鑒，此點首要之圖必須做到，方能達到共信共守之目的。

五、人民請願案及政府預算案，應有機會過問。保障人民生命財產，乃國家設置機構之主要目的，國民大會代表人民行使政權，倘治權機關之一切措施，均符合民眾需要，均能解除民間疾苦，人民當可安居樂業，不至無故惹事生非；倘人民因不得其平，請願而走向國民大會，則可知其所含怨毒實深且重，有不得已之苦衷，如不予以宣洩排解，無路可走時，勢將挺而走險，故國民大會亦應有受理請願案之權。國家預算乃納稅人之脂膏，國民大會既稱為代表人民行使政權，對預算案之允當與否，亦有加以臧否之必要。如目前台灣所課之戶稅，早已為人民視同苛雜，政府雖有取消之擬議，十餘年來，稽征如故，迄未停止，實為增加人民負担之不合理稅制，人人皆曰苛擾，國民大會安可不聞不問？

以上數端，不過犖犖大者，卑之無甚高論，但即此數事，如能做到，即可開物成務，燮理陰陽，治合輿情，不僅有利於戡亂動員，亦可促成復國建國，希望於詳定辦法中，加以採納。

大合唱

體無完膚

今日與明日

美越公報

美越兩國首腦在檀香山會議之後，發表聯合公報，說明兩國在越南作戰的決心。公報中說越共要美國撤出越南作為和談條件，則再作戰二十年亦作不到。這兩句話實大聲宏，足以塞奸人之胆！以美國那樣富強的國家，詹森那樣雄傑的總統，早應該說出這種話來，不僅可使毛共知懼，讓胡志明有所抉擇，也使一些企圖混水摸魚的政治掮客知所警戒，所裨益於越南政局者，等如投進十萬大軍也。

古巴毛共交惡

古巴與毛共之間的衝突，已達到白熱化。毛共平時以恩人姿態，到處罵人，罵自己國家不算，甚至罵一貫為它幫忙的尼赫魯，罵未曾謀死的蘇加諾，罵赫魯曉夫，罵法共首領多列士，意共首領陶格里亞蒂（已死）；只要稍拂其意，可說是無人不罵。不過這次同古巴交惡，算是碰上了對手。毛共一貫罵它的「兄弟國家」頭子，總是「修正主義」「帝國主義走狗」一類名詞，而目前的卡斯特羅卻一口咬定毛共是帝國主義。較帝國主義走狗及修正主義更進了一步，因為帝國主義走狗畢竟還不是帝國主義，一旦不作走狗時，仍然還是「兄弟」；「修正主義」雖然萬惡，但本身也還是共產主義，只是修正了一些，假若不修正又改回原路時，也還是兄弟；只有帝國主義是無法改造的，絕對是勢不兩立的敵人，非拼個你死我活不可。卡斯特羅何如此恨毛共？最近才透露出來，原來毛共曾預備滲透顛覆古共的武裝部隊。共產黨是靠槍桿生存，沒有槍桿就沒有生命，印尼共黨大小頭目可為前車之鑒。任何一國共黨都離不了槍桿，尤以打家劫舍起家的毛共與古共為甚。毛共所以與俄共決裂，眞正原因也為了俄共要控制毛共的軍隊，而今毛共「己所不欲，偏施於人」，異想天開偏去控制古共軍隊，自然要惹起卡翳子反感，破口大罵了。想起毛澤東當初為了俄共要控制毛軍，破口大罵赫魯曉夫時，眞使人覺得天道好還，何相報之速也。

親毛份子應知警惕

由於俄共要抓毛共的軍權，毛共要抓古共的軍權，這一連環套吵成一團，可使一些親毛份子如施哈諾，馬里總統凱達，坦桑尼亞總統尼雷爾，幾內亞總統杜爾之流，應當多想一想：你們與毛澤東，最多是個朋友，赫魯曉夫、毛澤東、卡斯特羅兄弟也，兄弟尚且你想殺我，我想害你，朋友還能交嗎？再看看印尼，達荷美，中非的經過，即使不為國家，光為自己，也應當所抉擇了。（何如）

自由談

民主的觀念

近代的中國人，只有國父孫先生最懂得民主政治的精義，何以見得呢？見之於他所垂訓的「政治是管理眾人之事」和「天下為公」這兩句名言。

許多搞政治的人，心裏未嘗不嚮往民主政治生活，可惜觀念錯誤了。在朝的官吏，對人民說是要作之君、作之師，在野的士大夫說是要以天下為己任，先天下之憂而憂，後天下之樂而樂，用意固屬未可厚非，毛病就是昧於民主政治的眞諦，依舊抱着中國儒家那套不合時宜的思想，認為「民可使由之，不可使知之」，把人民有權的義理抹煞了——弄得權能不分。

政治既是眾人之事，管理眾人之事者只是受眾人委託服務的公僕而已。公僕遇事即應以眾人的意志為服務守則，豈可以「君師」自居而獨斷獨行乎？主權既然在民，任何人即不能自封為大好佬，而要以天下為己任，你縱然才高八斗，學富五車，眾人若未選舉你出來作公僕，你還是一介平民，先憂殆無異自尋煩惱，後樂亦與眾人不相干，自拉自唱，抑何可哂耶？

眞正的民主政治就是與論政治，與論是代表眾人意見的。所以，執政者關於國計民生的一切措施，必須以與論的向背為指導原則，不能一意孤行，我慢擅專，否則便是極權獨裁，成了民主的敵對者。所以，美國政府對於越南剿共戰事，儘管準備不惜擴大範圍，軍方人士更竭力主張以全力制止越共侵畧，然由於國內與論有反戰傾向，詹森總統祇好接受眾人的意見，分遣大員向各個有關方面進行和談工作，而且表示着委曲求全的態度，明知其不可為而為之，用意就在適應與論的要求。等到大家知道共黨好戰拒和，其曲在彼之後，民眾自然會一致支持政府的決策，再無異議，而政府乃可暢行既定政策，無所顧忌了，這就是眞正的民主政治。明乎此，即知美國在過去兩次世界大戰中，皆以被動地位參戰之所以然矣。

人類進化到今天，連宇宙觀都大大的變化了，咱們如果要過民主生活，就得把舊有的觀念各自檢核，重新奠立，纔有希望。中國儒家倡立的混政治與倫理為一談的說法，實在不合時代潮流了。

馮之先生

國大臨時會議開端情況

—兩權行使方式共有三派主張

（本報台北通信）國民大會臨時會於二月一日正式開幕，到記者寫此通信時，歷時已閱三天了。在此三天之中，會內會外有若干情形，值得報導的。

大會揭幕之日，首先由秘書長谷正綱報告開會事宜，他對國內外被邀到場觀禮的中外來賓，以及出席會議之代表等，並未循例有所招呼，一登台即高聲謂「國民大會秘書長報告」，但除宣讀總統召集令外，連出席代表的人數幾何，亦未加以報告，未免失之簡畧。次則以代表徐堪等人的名義，提議推舉張知本爲主席。張氏行年已屆八旬，體軀短小，鬚髮斑白，站在主席台上，與宏敞之會場景象殊不協調，迨他領導衆人宣讀誓詞之際，簡短的二十幾個字，由於句讀不甚清晰之故，全場聲音嘈雜不一律，轟轟然，嗡嗡然，有若置身於鬧市中，殊欠雅馴也。

二月二日舉行預備會議，研究大會主席團應否重新選舉的問題。事前多數代表皆主張非另行選舉不可，認爲即由上次大會主席團八十五名主席繼續承其之的辦法，於義無可通，於法無所據，一致表示反對，顯然形成兩派對立態勢，相持不下。繼有人提議以推舉方式，把上次大會的八十五名主席推爲候選人，作一次表決，藉以減少麻煩，亦不失選舉之意旨，反對派的人還是不同意，紛紛登台陳述理由，最後有江西籍代表李士褒發言，前半段暢述重新選舉主席之必要，振振有詞，博得掌聲不少，後半段却認爲本案不必再討論，請主席將上項提議付表決，而用舉手表決方式。主席王雲五並未徵詢衆人意見，立即宣告停止討論，將上屆大會主席團全體名單提出表決，據查報有六百八十人舉手贊成，多數通過了。有人說，李士褒原係主張重新另選主席最力的人，可謂「忽然改變態度」的「陣前起義」之士矣。

二月三日舉行全體會議，討論國民大會議事規則，而以重要議案表決時採用何項方式爲妥當這一問題爲中心。這也有兩派相反的主張，一派人主張用記名投票，一派表示負責，主張無記名投票，另一派人發抒獨立自由意旨，各逞雄辯，滔滔不歇。主張無記名投票派周世傑發言之後，有河南籍代表羅伺服走上登言台，先遞一信件給主席余井塘，一迴身對衆宣稱，他和周世傑等人接得匿名信警告他們不要投票方式堅持記名投票方式，否則將有生命危險云云，且謂該匿名信件的封係「國民黨國民大會中國民黨黨部」公用之物。羅氏連說帶鬧的大鳴大放，台下許多人皆不知爲的甚末；旋經主席宣告羅氏等有人恐嚇信給羅氏等人事，大家實在無聊已極，此風決不可長。在會議開幕前夕，演過一次劇，業已傳遍國民大會的執政黨十幾部負責人，僱有一批打手，準備對付一般跟政府唱反調的代表們，以致有若干民黨籍的代表未能遵循本黨指示主張，爲之慄慄危懼，因其聲稱要上書總統，請求保護個人的安全威脅，現在又發生匿名信件，特有些人要大鬧特鬧了。下午會議時，對於記名不記名表決方式，由薛岳提議，原有議事規則，不必變更，結果多數通過。

從本月四日起，大會進入這次臨時會的主要課題階段了。這次大會是專爲討論國民代表行使創制、複決權而召集的。代表們磨拳擦掌，躍躍欲試。政府方面，對於國大代表行使兩權的原則，自無異議，但望能遵守幾點範圍：一不違背「太上立法院」的形成，增加行政上的困擾；二期行使創制、複決之時期和次數不宜硬性規定；三創制、複決只可限於中央法律原則，不宜涉及立法技術[illegible]

[illegible]

讀者投書

同舟共濟乎？同舟共「擠」乎？

讀貴刊元月二十六日談「是非問題」一文，引起我甚多的感慨，忍不住也想說幾句話。我是一個很喜歡閱讀的人，舉凡一些富有正義感、眞理性的文字，尤爲我所偏愛。可是近年來，我却在此間讀到一些「是非不分，黑白顚倒」的怪論，使我感到十分困惑，不知究竟什麼才是「眞理」？什麼才是「正義」？因爲發表這種怪論的人，也是打着「正義」、「眞理」的旗號的。

不容否認的，任何一個社會，有其光明的一面，也必有其黑暗的一面。對於一些好人好事，固然要大加讚揚，以鼓勵人心；而對於那些假公濟私的不法份子，以及許許多多危害社會國家的醜惡行爲，也必須予以揭發，以便讓人知所警惕。例如在我們這裏有所謂「密醫」問題，據一項調查統計，台灣全省合法醫師約六千四百名，而非法醫師却有一萬四千九百名；這些黑牌醫師遍佈全省，公開給人治病，因之報紙上也就時常出現密醫草菅人命的新聞。像這等關係着全民生命健康的大問題，難道說還不值得提出來檢討嗎？可是竟有人指稱這種檢討，或類似這種問題的檢討，都是一種「罪惡的行爲」！起先我幾乎也爲這些頂着國家民族的招牌的人所發出的議論而矇蔽，後來我才漸漸看清楚，他們只不過是借用「國家」這塊招牌，來「借題發揮，排除異己」罷了。聽他們的語氣，似乎只有他們的主張才能救中國，所謂是「反共只此一家，別無分號」。因之，凡是與他們見解不同的人，都一律被他們判爲「叛國份子」。這實在是太專橫了！這樣的態度，怎配稱民主社會？這個樣子的「輿論」，怎能使人心服？小時候聽長輩們談起，在北平有所謂「眞王麻子剪刀店」和「老王麻子剪刀店」，究竟誰的貨色好，我想最好還是讓顧客自由選擇。如果顧客選中了眞王麻子的剪刀，那麼老王麻子先生不必看着眼紅，不要急着去「搬弄是非」，借刀殺人，或去挑撥有權勢的人，給眞王麻子戴上一頂「某種帽子」；因爲這樣做法，只是一種不光明的手段，不會使人感到心服。何不平心靜氣的坐下來檢討一下自己，何以我的貨色年來不受顧客歡迎？前幾年在這裏有人爲了角逐一個大學校長，主張「派一架飛機把胡適這一班假民主假自由的人，空投到大陸去」，據說這是一種巧妙戰術的運用，眞是無獨有偶，現在則又有人主張把那些不同他們見解的人，一律以「叛國」的罪名抓起來送進監牢。我不知道這種「巧妙的戰術」，[illegible]反攻復國是一項艱巨的工作，不是少數人能包辦得了的，正需要大量爭取「化敵爲友」，豈可爲了逞一己之私，而「化友爲敵」？年前不是有人著書立說，呼籲要「同舟共濟」嗎？言猶在耳，我們怎可以倒過來，「荳萁相燃」、「同舟共擠」呢？[illegible]站在純正讀者的立場，說出我心中所要說的話。

台灣基隆讀者江鶴濤 元月卅一日

東德人慾橫流其勢洶洶

共黨表面假正經實則推波助瀾

—柏林通訊—

東德的理想婦女偶像經已澈底改變了。多年來，在廣告牌上，在雜誌和報紙裏所顯示出來的，是一種完全沒有誘惑力型的女子——一個工作婦女穿上一件寬濶的罩衣或者是毫無樣式的服裝，那是一點也沒有顯露它的穿著者的身裁的，而且時常是遮蓋着雙腿。最極點是母性的胸脯在扣着鈕子的襯衣下面隱現一些輪廓。秀髮通常是掩蔽在頭巾的下面，臉部完全不施脂粉，她雙足是穿上一對重重的工作鞋。

性感在俄區和東柏林受到人們的蔑視，也爲官方所不容許。據說，性感這種東西是妨碍人們有清晰的政治頭腦和思想的。在一九六一年時，東德一雜誌曾稱：「性的浪潮是由報復心重的帝國主義者所創作出來的，其用意在使他們本國的人民沒有其他心思去討論重大的問題，如反對核子戰爭等。」

可是自一九六一年以後，東德共黨改變的調子了。以前所鄙視的，現在不僅予以容忍，而且多少還得到官方的鼓勵。近來俄區的雜誌和報紙已經發現，謂女人可有胸脯和大腿了，並且說，纖腰和圓臀可能看來是悅目的。

一向以嚴肅見稱的「國民日報」最近突改作風，刊登穿魚網泳裝的美女照片。青年男女擁抱和接吻的圖片不再是罕見了。甚至黨報和官方報紙也經常刊出美女穿比基尼泳裝的照片。裸體照片昔日只限於雜誌偶一刊登，每逢出版之後迅即銷清，現在這些裸照竟准許參加攝影比賽。那些一絲不掛的婦女被拍攝的照片，是作各種運動姿態的，極盡誘惑之能事，現在可公開陳列，使人嘖嘖稱奇。還有，「新柏林人畫報」刊載「烏斯丹達裸體主義者」的特輯，圖文並茂，洋洋乎大觀。

電影業是不能漠視這種發展的。國營的「狄法」電影公司的女明星，一向所穿的服裝，表現出樸素無華，現在她們已爭妍鬥麗，在奇裝異服上用功夫，證明她們的誘惑力，足與她們的西方姊妹競爭短長了。

一部名爲「婚禮進行曲」的影片是最先破戒的，片中有一幕描寫愛情的鏡頭，女主角簡直和裸體模特兒差不多，只是遮掩着最重要的部份。在別方面，最好機會表現睡衣或內衣褲的誘惑性的，就是在偵探片中的穿插，特別是那些加插嘲笑西方特務人員的鏡頭。在這類電影中，那些愛情鏡頭可以用政治上的口吻說：「看看我們的敵對者，是多麼不知人間有羞恥事啊。」

性慾的浪潮一經開始由西歐和東歐捲來以後，東德共黨政權便無法加以遏止。在波蘭和捷克，「社會主義者的假正經」很久以來便已視爲陳腐落伍。波蘭和捷克的女子皆不欲被人們視作同志，但願視作女人，而她們的衣著和行爲也就盡情表現魅惑男人的能事。當然的，凡是既經社會主義兄弟國家准許的事，自不可以在「德意志民主共和國」（東德）內予以禁止的。不過，東德共黨有兩件事是反對成功的：其一是不許脫衣舞，另一件是東德境內不准舉行選美大會，有如其他東歐國家一樣。

東德青年看見舊式共產黨對女性的觀念已告落後，莫不覺得快慰。當然，那種陳舊的觀念不是他們自己的觀念，但它已迫使他們採取矯飾的態度。許多婦人和女子現時的服裝比以前所穿的，時髦得多了。她們都穿高跟鞋子。唇膏，指甲油，香水和面粉，現在越來越更普遍採用了。專替女人服務的理髮業蓬勃一時。青年人公開承認，認爲一個女子的外觀是最重要的。這是顛倒男性的主要條件。若干年在致函報紙發表他們對女人的見解時說：「一個女人，除非她是性感，否則是毫無好處的。」又說：「女人的一雙媚目是最使男人着迷的。」一個青年在答覆爲什麼他的太太的問題時，甚至說：「因爲她有一雙美麗的大腿。」

這種理想偶像的迅速變態由工作女子一變而爲比基尼式服美女，經已使到若干青年失去服裝的意識均衡。東德共黨中央委員會，自由德國青年團，以及醫生、心理學家和教育家，最近聯合舉行一項調查，透露若干使人不快的結果。很多青年人竟公言驚人的男女孩子生活哲學。他們認爲男孩子與女孩子間的親密關係，是趨時的行爲。他們聲稱，你必須給予她自然需要。又有些青年說，愛情是一種浪漫的概念，在此時代是無法解釋的。年紀不到十五歲便做母親的，其數字不斷增加，可能就是這些見解的後果。[illegible]

[illegible]

瀛海異趣談

西西里與美國黑社會

·桑雅·

在西西里，一批人在一間似乎荒置着的農莊裏會議。他們喁喁細語，但談話中有許多美國俚語。會議完畢，他們回去那不勒斯或甚至更遠的地方去。約十天後，一個美國黑社會人物的屍體出現於布魯克林海旁區，前腦和後腦各中一槍。這是西西里的會議的結果。美國警方對這事的看法，漠不關心，他們認爲這祇是另一個「黑吃黑」事件。但是，這些能下令於幾千哩外殺人的黑社會人物，究竟是誰？他們怎的那麽神通廣大，從地中海的一個落後的島嶼，控制着一個能夠派人進入太空和拍攝火星照片的國家的黑社會？國際馬非亞用什麽方法以取得銀行、製衣廠、以及數以百計的合法的商業機構的控制權呢？

海洛英、娼妓和敲搾，這些都是這個黑社會用來支持他們的方法，但現在他們不再依靠這些了。現在，它可能是紐約第五街的一間銀行，或布朗克斯的一間肉食公司，或在紐約的一間賭館。在一九六五年，住在柏克路及衣服麗都的人，再不是絕對可敬重的人物了。

這個吸取了數以百萬計的美國人的金錢的黑社會的幕後人物，是那些從西西里的馬非亞堡壘，統治他們的帝國的被解出境的美國人和西西里人。那可怖的西西里的馬非亞，與美國式的科沙諾斯特拉的聯繫，建立了不到二十年。他們於二次世界大戰後不久才建立起來；那時候，美國司法部與移民局合作，把五名義大利出生的黑社會分子，押解返義大利原籍，其中包括已故的美國黑社會頭子查理斯（幸運）魯西亞諾。

最近的事件，揭示把黑社會分子解返原籍是一個大錯誤。如果他們仍留在美國，美國的司法人員最低限度可以監視他們。現在，他們在西西里發施號令，使美國司法人員疲於奔命。

義大利警察，最近拘捕了十名馬非亞高級人物，他們所犯的罪名是私運毒品，其中一人，是西西里人，另一人是十七年前被解出境的美國黑社會人物。這個美國人，是「三指」高波拉，現年已七十五歲。一九四八年，他是科沙諾斯特拉的肯薩斯分部首領，曾經下令殺了十二個人，據說，他曾親手殺死了三個人。他被解出境後，成爲了魯西亞諾的助手；一九六二年，魯西亞諾逝世，他控制着這個黑社會組織。據前任美國緝毒局駐羅馬辦事處主任施拉古沙說，高波拉被解返義大利後，繼續他的「闖天下」的工作，不把魯西亞諾看在眼內，後來由幫會中人調解，使他們兩人合作，由魯西亞諾任「大路元帥」，高波拉任「二路元帥」。

被捕的那個西西里人，是「二路元帥」。他是七十二歲的羅蘇，在西西里的馬非亞有深長的歷史。他的生活樸素，不追求奢侈享受，祇爭取權力。信不信由你，羅蘇控制了馬非亞那麽多年，卻未曾被判過罪。

除了兩位「元帥」之外，被捕的還有一個名叫加拉伏羅的美國人。他於一九四三年，曾因謀殺一個紐約編輯嫌疑而被控訴，但因無證據而獲釋放。加拉伏羅是美國黑社會的高級首領，爲紐約的約瑟巴巴拉的親信人物。

馬非亞首領們最近落網，卻揭發了一九五七年美國黑社會首領安那斯達西亞在紐約市一間理髮室被殺案的秘密。安那斯達西亞之死，是馬非亞首領下的令。兩個西西里人偷入美國，殺掉了他，即飛返西西里。這就是紐約人都找不到兇手的理由。因爲紐約社會人物都未見過這兩個西西里人。安那斯達西亞被殺的理由是侵吞公欵，馬非亞最高當局殺他以警效尤。

馬非亞與科沙諾斯特拉的合併，這，不是說美國化的黑社會的理想和方法的改變。他們不再作通常的非法活動。賭博、敲搾、暗殺、販毒及其他的非法經營，仍然繼續。但黑社會人物投資於正當商業的，也愈來愈多。如果美國要消滅黑社會的非法活動，除了地方當局的努力之外，還要有國際合作才行了。

阿月

覃靖

于是阿月的氣憤在米湯裏溶化了。劉賴宗枝被他的三哥從賭場裏抓了回來；而且在三哥嚴厲地斥責下，他眞的變得老老實實，像女人似的痛哭了一場。事後才知道，原來他這一次沉浸在賭窟裏五天，除了身邊的現欵輸光以外，還虧了兩千元的賭債。

表面倔强的阿月，心腸是柔軟的。她認爲祇要自己的丈夫能夠澈底悔悟，一切的過失都可以原諒。因此，爲了償債，她慷慨地把兩條豬出售了；祇可惜她一年的勞碌賠了進去，還得另借高利貸六百元。

「你這樣洗衣服，要洗多久才能有六百塊錢呢？」我替她痛惜。

「洗兩個月，我又可以買小猪了。」她很心安理得，彷彿美麗的遠景，眞就要實現似的。

「依我看，」我不便潑冷水，「你還是讓宗枝出去做點事吧！」

「他能做什麽呢？」她緊鎖着眉毛說：「既沒有讀過書，又沒有一點氣力。」

「氣力是運用出來。」我說：「他的年紀並不大，又沒有殘廢。」

「他連一担豆水都挑不動呀。」

「那是你慣他的！」

她不再爭論了。眼睛不停地眨，彷彿在追溯一切的往事那樣。

又過了一陣，她極其扭妮看我一眼，紅着臉說道：

「我還是讓他在家享福好；出去了，外面的壞女人要勾搭他！」

我又怔然了，難道這也算是愛的解釋嗎？可憐的阿月，爲了要抓住一個招贅的丈夫的身體，竟不惜自己做牛做馬；可是她這一番苦心，我眞不敢相信，劉賴宗枝能夠體會得到多少！

果然不出我的所料，阿月才幫我洗了一個半月的衣服，劉賴宗枝的行動又越軌了。

那是一個週末的晚上，我因爲把衣服交給阿月洗後——其實我很後悔這樣做，也許正因爲這樣，阿月由于終日的忙碌，以致減少了對招贅丈夫的監督，造成劉賴宗枝太多外出的機會——感到非常無聊，便到城裏去看了一場法蘭辛那屈主演的「金臂人」，電影散場以後，已是午夜十一點鐘，蹦蹦車已經停止行駛，我祇得慢慢地蹓躂着回家。（十四）

西方妓院的起源之探討

·黃老克·

而且上樓的人數，也要和樓上的妓女的數目相等，人多時祇有輪候，一個下來，一個上去。水手們是粗魯而且喝酒的，因此自然會發生爭吵與毆鬥的事情。另外有些比較高尚的妓院，牆壁上繪有一些迷人的圖畫，在色情畫中，有的淫污穢不堪入目。

羅馬人在公共浴室裏所造成的巨大吸力，後來導至男女兩性同浴，並自那個時候起，這種制度便與雜交發生關係。其後一千年內，仍然如此，而且時至今日，還有這種情形。

後來猶太人脫離了閃族的舊式宗教，而創立上帝之崇拜，譴責性的崇拜；這種宗教更獲得更爲嚴肅的基督教的增强。可是，在這些宗教勢力下，妓院還是很普遍，特別是男人因經商、戰爭與其他環境而離鄉別井時，尤其如此。一般水手與士兵們，乃是妓院的常客。

不管當局如何制裁，妓院還是存在，而且在中世紀時代，妓院似已達至旺盛的境地。

廢除奴隸制度後，大概迫良爲娼便成爲不很易爲的事情。人們也許以爲有了自由，女孩子們便不會蠢笨至自願賣身爲奴，因爲做奴隸與做妓女，工作毫無異處。然而，她們卻自願爲奴。

女子當娼往往會賺得大量金錢，可是所賺的錢，每每落入鴇子之手。他們可以和社會地位比較高的人廝混，不過和這樣的顧客結婚是不尋常的事情。

娼妓經常有許多危險，如酒與麻醉藥之誘惑，被失意客謀殺等是。由於舉世非難娼妓，於是有秘密小集團之形成，在這種集團內，她們會互相認識，而且聯結一起。就是因爲有這種趨勢，才導致女人入妓院當娼的制度。自此以後，妓女獨個兒「工作」的危險被消除了，她經常與別的妓女同行，而且有人替她兜客。雖然所賺來的錢，自己只得到一少部，但這對她是不重要的。

性與酒的結合，乃是由來已久的事情。也正是爲了這個原因，妓院裏往往有美酒出售。有的地方，妓院採取這樣的形色：樓下一部份是咖啡室或著沙龍，樓上一部份才是妓院。美國有些妓院咖啡室一部份內放映電影，可是這不是一種普通的娛樂，而是放映淫褻的影片，以刺激顧客，使他們忍不得要到樓上去光顧那些裙釵。

除了上述的變遷外，自初期以來，妓院之變化極小。一九二〇年代在美國開妓館的阿德勒女士，曾在其「一所房屋並非一個家」一書裏，記載着她的經驗。她在書中描繪了最豪華以至最下流的妓館。據她說：最豪華的妓館裏，美艷的妓女們都有侍僕，頭髮經常捲曲，噴以香水，指甲經常修剪，身體經常受按摩，常有富貴人物一連光顧數個星期。最下流的妓院則有時間規定，每人只限逗留十五分鐘。這種妓院只爲賺錢，衛生潔淨是次要的事情。

對妓院問題要如何辦理呢？它們是傳播性病的地方，對衛生健康極有害。一般妓院不但不改善妓女們惡劣嗜好，而且有時鼓勵她們服食麻醉藥與喝酒。在英國，一家妓院被破獲後，會受到制裁，其老板會被罰款，會將妓館搬到別的地方去。

雖然法律禁止妓館之開設，可是有錢人還能找到妓館享樂，每一個國家都非難妓館，而且有法律禁止其開設，然而，沒有人能將它們廢除。（下）

周燕謀著

新三國

一、張角兄弟起於鉅鹿，是東方。被孫策殺掉的于吉，是琅邪人，即今之山東諸城縣，其地亦在東方。

二、爲什麽五斗米道跑到四川去？到四川傳道也屬可能，然而四川卻無影响。張魯的母親是懂得鬼道的人，常在劉焉家中進出，然並未言及她的道和她丈夫張衡、公公張陵有關。然則張陵究竟是個什麽樣人物，殊不可知。

三、張魯到漢中之後，殺了張修，因其爲人畫符唸咒治病，大傳其道，人民信仰者不少，故其道大行，然而又不能說他的道是承張修而來，只好說是他祖父三代的家傳，不便說他是出於仇敵張修。張魯的五斗米道既爲人民所信仰，拿來裝在自己祖父和父親身上，在當時環境來說是光榮的；而且三代相傳，根底深厚，又可引起人民的篤信之心。其實所謂天師其人，完全是張魯把他祖父捧出來的，而後來自稱爲他的子孫的人，居然代代以天師自居，歷代的朝廷，代代加封「天師」「眞人」等封號；假使張陵有知，也會含笑九泉的。

雖然張魯的五斗米道不是起於張陵，但爲人治病，使人思過，給人唸咒畫符水喝，這種教卻是早就有的。在漢末三國之初，張修、張魯、張角、于吉等，在民間活動大致相同，張角所不同於其他人的，便是含有政治作用，和後世的洪秀全之組織『上帝會』先後如出一轍。張角等聲稱「蒼天已死，黃天當立」。漢末的老百姓沒有太平日子好過，叫天天不應，所以張角說蒼天已經死了，代之而起的是「黃天」，對信徒宣揚，必須人人頭上戴上黃帽子，這象徵「黃天」，便可得救。漢代的「巾」就是帽子，黃巾就是黃帽子，也就是黃帽賊。張角以宗教糾合民衆，引入政治革命的道路上去，煽動人民造反，奪取天下。他分遣弟子八人傳道四方。信仰他的人，包括漢代的青州、徐州、冀州、揚州、荊州、袞州、豫州。後漢道八州地方，要包括今之江蘇、安徽、江西、湖南、湖北、山東、河南、河北八省。黨徒有數十萬衆，把他們部署爲三十六方。大方萬餘人，小方六七千人。一朝事發，他只要一個命令出去，黨徒便會同時並起。他的口號是『蒼天已死、黃天當立』，今天的讀者看了一定很奇怪，怎麽天會死呢？如以今日眼光去看，以爲那不過草寇的瞎說吧了，或者不求甚解了之。其實不然，動搖人心的口號標語是要一般都能懂得才有效果，假如沒有人懂，或造什麽謠，它能一紙風行，就證明那時的人是懂得的。須知古人的思想見解和今人大不相同的。我們今天說「天子」或「皇帝」也不過是一種笑話。但在古人說天子，則眞以爲他是天的兒子。皇帝是天的兒子的思想起源甚早，到漢代仍是極其迷信的。漢高祖斬蛇起義的故事，史記漢書都有記載，說是有莽蛇當道，漢高祖拔劍斬之。當高祖走過之後，又有人走過這地方，見有老嫗夜哭。人問她哭什麽？她說：我的兒子被人殺了。路人問她兒子是什麽人？被何人殺死了？她說：我的兒子是白帝的兒子，現在被赤帝的兒子殺了。路人以爲他瞎說，她卻忽然不見了。（八）

國劇繽紛續錄

鑿婆生（四十九）

開台與封箱

梨園行例規，每逢農曆歲末，必唱一天戲封箱，劇目非常精采，再至於聯合起來，唱一晚臨時窩窩頭義務戲，將售劵所得，統統發給苦哈哈（即跑龍套打雜等人）。到了台灣以後，旁的規例仍在貫澈，獨此兩事，從未有過，祇大鵬唱一回義演以救濟，以後不再續辦。爲什麼如此，因隸屬軍中劇團，每月有餉可領，不必再救濟。所苦民間的藝人，無從希望獲取。在大名角來說，實在不夠其身份，難道你有溫飽，忘了旁人，有地位的人似乎說不過去！

每逢農曆歲初，在元宵以前，必有開台戲一二天，以班爲歸。在台灣往年有大鵬復興多如此辦，明駝在某年亦在護專禮堂唱了四天，結果賠了三萬多，從此不敢再做。有了這種原因，人家懶做，我們又何必起勁。在提倡年劇的主觀中，不唱不演，似乎不免差勁，今年尤其更甚，太冷淡了。自從各劇團歸國軍文藝活動中心，大家多聽信兒，他們沒有計劃，當然就沒有了。使愛看國劇人士失望！

往事已無法補足，盼望主持的大員，在今年歲末明年歲初，安排一下。最好就靠近台北的劇團，每年開台一次，封箱一次，每一劇團，各演一天，定以爲例。如此方見更加燦爛。果能加以考慮，予以實現。有則很好，無則少談提倡，莫怪狂直！

蘭靜得殊榮

我曾有一個客觀，軍中不能過份依照以往大陸的辦法，仍用明星制，宜乎稍求平勻。現在面臨事實，已得證明。大鵬自徐露出嫁，就沒有人能完全頂住，似乎有點費事，因爲份量比重，很難完全相等。復興自王復蓉赴馬來亞，即無法演出，即使邀同周復嬌程復琴，也不能等量齊觀。訓練她們的老師，似乎應該改觀念！從前北平劇校有四玉齊名，這辦法很對。話說回來，我談蘭靜殊榮，也不無有相連的關係，她的殊榮，是在日本，並非國內。

蘭靜的虞姬恨（別姬），在國內似未演過，到日本因徐露不能去，祇好由她來演，傳說演了二次，居然不遜於徐。這殊榮是配搭出乎尋常，鈕方兩充車伕，嚴莉華、邵佩瑜、王鳳娟、蔣治萍侍女，這滿台嬌顏充塞，無怪觀衆贊美。其實在國外固應如此，而在國內亦何嘗不可爲之！這多甚於內行的陋觀，好像要講台柱，有分寸，不能隨便相配。此看法似乎應該廢棄！永遠如是，欲求發展不免有碍。我對劇事喜歡直言，不作趨奉，以爲要用另一副手腕，亦要使角兒明白：這是爲整個榮譽，非獨個人也。

日出

・劉杰・

在日出時，我想起三年前的一件事情來。

我那時住在新生南路二段，早上起來很遲。有一天，我在太陽還沒有出來時和同學們趕到公園，因爲我們在公園集合，然後到獅頭山旅行。

太陽正像年輕的小伙子似的那麼有勁的往上爬。太陽照在樹上，那黃黃的色彩，非常之美麗。

「可惜，我的照相機裏沒有彩色底片，」一位女同學說：「不然把這美景攝下來，說不定就可以得獎的。」

這時，我看到一位將近八十歲的老先生，正在樹林裏打太極拳。

「你看，」我說：「這是給我們年輕人的諷刺。」

「我不贊成你的說法，」又有一位同學反駁我，他說：「那老先生願意這樣工作的。」

雖然他這麼說，但我們都屏息靜氣的，欣賞老先生的太極拳。他那一舉一動，都使我們羨慕起來。

十五分鐘後，老先生停了手腳，把胸口的衣領也解開來。他滿臉紅光，精神飽滿，眼光炯炯。

「老先生，」我走過去對他說：「你的太極拳使我很羨慕。你練了多久？」

他爽朗的笑着，說：

「十年。」

「十年？」我驚住了，我說：「十年都沒有停止過？」

「自然，」他摸摸鬍鬚說：「唯有有恒，才可以使體格健康起來。」

「那麼老先生每天都起這麼早？」

「唔，」他說：「和太陽同時起來。因爲在日出時，而練練身子，那是很有益的。」

突然，我想到我的房東老太太，年紀還不到五十歲，却就病痛纏身，腰也曲着。這房東老太太，晚上睡的很遲，要來上四圈衛生麻將，所以早上也就爬不起來。與這位八十歲的老先生相比，那眞是不可同日而語了。

「老先生，」我對他更崇敬起來了，我說：「你年輕時，身體一定很好。所以──」

「你完全說錯了，」他糾正我的話，他說：「年青時，我和你們一樣。早上睡覺，不到上課的時候，就不爬起來。

「因此，我到中年時，全身都是病。胃病，心臟病。還有頭痛。

「我開始服藥，但那到底是消極的。在我到了老年，我的病痛加重起來。

「一個人有了病，你知道那是十分苦痛的。」

「一天，我和老友們談話中，我覺得他們體格比我好。經我一問，他們就告訴了我。

「那就是早起，和日出交個朋友。我就這樣養成習慣，加之練練太極拳，我的體格逐漸好起來。

「於是，病也就好了起來。」

這時，同學們都來了，把老先生團團圍住。

當我們同學統統到齊，我們向老先生告別離開，我們同學就說：

──今天早上上了一堂最好的課。

「是呀，明天我就早起了。」

「爲了自己的未來，和日出交個朋友，却是正確的。」

現在，我的身體壞下來，老人的話却在我耳邊響起來：是的，我要下決心，在日出時就練練體格了。

冰河時代之馬

漢威

在歷史上的冰河時代（公元前六十萬年到公元前二萬五千年）的變更期內，仍有許多動物和植物保留到今日，在其中最離奇的，是有一種馬，現在名叫佩斯華爾斯基馬，牠們的形狀正像遠古時代一樣，沒有改變。這種在史前的馬匹，在今日蒙古的西部邊境和阿爾泰山麓的草原，仍有少數可以尋到，在歐洲和美洲的幾個大動物園也有畜養。

據動物學家的研究，現在世界各種馬都是從佩華爾斯基馬所變化出來。並不是由某一種類，直接相傳繁育下來。在經過六十萬年來的氣候改變，散在各地的馬也因適應環境，在運用和習慣謀求生存的方式，轉變成了今日我們所見的許多種馬。

在石器時代的人，照着他們的週圍所見動物而繪畫。現代著名考古家阿比貝路爾在法國、西班牙和非洲的許多巖穴裏發現古代人類的繪畫，最早的人類美術，推測可能是在公元前二萬年，所描寫的動物多是古代長毛象、野牛、牛、馬、馴鹿和鹿。從遺下來的獸骨，可以推定那些動物也會供原始人做食糧。在拉加斯巖穴裏面所發見的一幅牆畫，描寫有五種不同的馬匹，牠們泰然相處。從圖中所見，我們很容易認得出有一種是跟現今英國的修得蘭小馬相同。

動物學家聶拿教授在一九三四年曾指出，歐洲的各種野馬都是佩華爾斯基馬的後裔，他定立各種類的學名。根德諾比斯博士在一九六二年發表論文，支持聶拿教授的理解爲合。這些在史前叫做蒙古野馬，是在一八八一年由俄國著名探險家佩斯華爾斯基所發現，據當時的動物學研究權威竇質哥夫說：「若果在我們所尋到的馬尾的肉骨部份和尾部有比較多的毛，牠們是跟我們所馴養的褐色小馬一樣，我肯定佩斯華爾斯基馬是在石器時代人類經已將牠畜養。「關於發現的地點不甚詳細，祇說在大戈壁沙漠東部的松加利亞。但在一八八九年又捕獲多匹，地點在卡森草原。隨後又在得清斯查拉紐魯山嶺間小隊發現。

在本世紀開始時，有五十四匹佩斯華爾斯基馬被捕獲而運歐洲。德國動物學家費爾士芬茵是第一個在克里米亞特關一個畜養的場所。在一九〇二年英人夏珍伯將四匹佩斯華爾斯基馬運倫敦，牠們顏色從暗褐色到褐色，可能因經過長途的運輸和水土不服，在抵步後不久，祇得一匹生存。佩斯華爾斯基馬的鼻子是花白，腹部比較普通馬器爲膨脹，腿部的顏色較深與有條紋，的鬃毛是直豎略有脊紋。身高由十二掌到十四掌（量度馬的尺寸，每一掌約四英寸）。

英國第十二代畢德福公爵，曾任倫敦動物學會會長，畜有十二匹佩斯華爾斯基馬，五隻爲雄性，七隻爲雌性，後分送與在英國的各處動物園。佩斯華爾斯基被認爲有最純粹的血統，摩亞博士曾作一項很詳細的調查，他將所有在動物園內或私人所畜的佩斯華爾斯基馬加以登記，包括名字、出生的日期、地點、雄性或雌性等等，照所知受畜養佩斯華爾斯基馬，最長壽的一匹名叫費爾的雌馬，牠生於一九二六年七月十三日，於一九五九年六月六日在美國華盛頓病死。

在一九六〇年的登記，世界各地所畜的佩斯華爾斯基馬合共不過六十匹。又照賓尼哥夫教授的推測，現松加利亞野生的佩斯華爾斯基馬，數目不會超過四十匹。牠們的數目在驟減，頻於絕種。有許多國家嚴禁獵捕與傷害外，更請各養有佩斯華爾斯基馬的動物園或私人要小心照料牠們。

紅線盜盒

「影劇與歷史」之十五

周遊

又有晁公武「郡齋讀書志」云：「甘澤謠一卷，載譎異事凡九章。咸通（公元八六〇──八七〇）中久雨臥病所作，故曰『甘澤謠』。」此傳既出於甘澤謠，甘澤謠爲袁郊撰，實爲可信。說爲楊巨源所作，不可信。

考袁郊字之乾（舊唐書作袁都，之乾；新唐書作之儀）此袁郊從新唐書。之乾從唐書作陳郡汝南人（舊唐書）生卒年月不詳。唐懿宗咸通時爲祠部郎中，會與溫庭筠酬唱。咸通九年（公元八六八）作傳奇文一卷，凡九則，皆記譎異之事。直齋書錄解題：「咸通戊子自序，以其春雨澤應，故有甘澤成謠之語，以名其書。」汪辟疆「唐人小說」稱其文辭之騁宕，設想之超奇，使之馳逐於裴鉶、皇甫枚之間，正未可策其後先也。

「紅綫傳」所產生之時代背景：「紅綫傳」爲唐代最著名之武俠小說之一，唐代之所以產生此小說，則多半爲當時之政治及社會背景所造成。鹽谷溫云：「唐之中葉以後，藩鎮節度使非常跋扈，擁兵權而不奉天子召命，殆成獨立之勢，因各蓄死士以從事暗殺，所以所謂劍俠遂得橫行當時，於是關於劍俠小說遂發生了。」此說亦爲劍俠發生之原因。鄭振鐸亦云：「到了唐的末葉，時勢日非，軍人亦益橫暴，各自割據一個地方，不聽中央政府的命令，他們更各自爭戰、併吞、連橫、合縱，天下騷然，民間受苦亦甚。於是在無可奈何之中，有一般富於思想的文人，便創作種種劍俠的故事，聊以自慰。劍俠是站在千妥萬穩的立場上，而以橫絕無敵的絕技來除暴安良，或爲人報仇雪恨的。因爲他們直接抵抗的不可能，民間便自然的要造作出超人們的劍俠故事，欲借重他們以掃蕩他們心中所惡的。道正和『義和團』和『紅槍會』之產生於清末及我們的時代中的情形頗爲相同。更有一點也足以促進劍俠思想的傳播，那便是這時的佛教故事的大量宣揚。在佛教故事裏，有的然的故事是太多了，騰空而去，霎時而返，乃是他們的常談；『上窮碧羅，下黃泉』，更是他們所奢語的神通。又道士們也時大顯神通。這些情境，都是足以促成劍俠故事成長的背景。」對於產生此種小說之背境，作了一個更精詳之說明，是值得我們參證的。無論什麼神話或劍俠故事及小說的產生，莫不有其產生的時代背景。因其時代背景不同，所產生的小說類型也因之而異。上無道的產生水滸之綠林英雄型小說，君主暴政的天災怪異的神話小說和故事。（四）

戰地貢糖

・克勞・

金門的物價，比台灣要貴的多，但貢糖便宜。本地出產，貨眞價實。

貢糖的銷路，並不是運到台灣上市場的，而是我們這些人帶回去送親戚、朋友、同學的。

有一次，我的好幾個伙伴，因公回台灣，就買了很多貢糖。

「這東西便宜，送人最適合，又做了人情。」伙伴說。

「這倒是實在的。我以後也買貢糖送給同學。」我也有這種感想。

由於我們買的多，使貢糖的市場逐漸繁盛起來。戰地的三個城市，以賣貢糖最多，也最賺錢。我問過一位小姐：

「一天做多少貢糖生意？」

「不一定。」

「最多是多少？」

「一千多元。」

「少呢？」

「那就難說。五六百元。」

（二）

自由報

內政部台報字第〇三一三號內銷證

THE FREE NEWS

第六二六期

中華民國僑務委員會頒發 登記證僑字第二三三二號

執照 中華郵政台字第一二八二號 登記爲第一類新聞紙類

（半週刊每星期三、六出版）

每份港幣壹角　台灣零售價新台幣貳元

社長：曾耀岑

督印人：黃行奮

社址：香港銅鑼灣高士威道二十號四樓
20, CAUSEWAY RD 3RD FL.
HONG KONG

TEL. 771726　電報掛號：7191

承印者：大同印務公司

地址：香港北角和富道九六號

台灣分社

台北市西寧南路壹壹零號二樓

電話：三〇三四六

台郵撥儲金戶九二五二

關於三民主義教學研究問題（一）

楊力行

三民主義內容廣泛，教與學均宜特別認眞，首重師資，次重方法；如何研究？一曰：根據文獻，融會貫通；二曰：參考科學，注重事實；三曰：闡明奧義，把握特殊；四曰：引伸發展，釐定制度。本此基本原則去作，方可收到：整理、闡揚和實踐的功效。

一、當前三民主義的教學研究情形

三民主義既爲一部偉大的思想著作，應我們的教學研究，應以國父全部遺教爲經，以蔣總統及黨國諸元老和先進們的有關言論爲緯，以釐訂研究的目的和方法，比如：研究的目的是在整理，則所用的方法不同；研究的目的是在闡揚，則所用的方法不同。推而至於研究的目的是在實踐，則所用的方法更不同。但是，當前台灣各公私立大專院校、軍事學校及高級中學三年級之三民主義的教學情形頗不一致。即如：大專及軍校則已於民國五十三年起改授「國父思想」，內容較爲廣泛，就教育部有關方面所擬教材大綱，及台灣各大專教授所表示的意見看來，則爲：國父傳記、哲學思想、民族思想、民權思想、民生思想及比較研究六部份。另一研究戰地政務期間之大專國父思想教程，亦分爲：總論、哲學思想、民權思想、民族思想、民生思想及結論六部份。總論中包括：思想淵源；結論中包括：實踐成果。此兩種課程內容，大同小異。國防部戰地政務局因而邀集專家學者着手編撰「戰地大專國父思想」及「戰地高中三民主義」教材。至於高三的三民主義教學，因爲升學競爭劇烈，要在一年之中講完三民主義，而每週照規定只有兩三小時的教學時間，實在太匆忙。因此，教者就只能粗枝大葉地照簡單的教本講述而已，學生也就只能囫圇吞棗地似懂非懂的在學習了，所得是極爲有限的。平時既少有機會發問，亦鮮能找出問題來求解答，到考試時，也就只有生吞活剝地死啃強記以應付之而已。請問學習心得之謂何？更談不上研究心得了。至於其他社會人士平日自動研讀三民主義者，除少數學者如任卓宣教授等之畢生致力研究外，那更是鳳毛麟角了。還有社會青年之爲參加高普特考，大專畢業生之因參加留學考試而讀三民主義者，其目的亦不過在應付考試而已，也說不上有什麼研究三民主義的興趣。尤其各高級中學的三民主義教學更屬滑稽，既少三民主義的專任教師，所有三民主義課程亦不過由文、史、公民等教師兼授而已。甚至於還有以初出茅廬的年輕大專學生執教者。即以此次三民主義教學研究班而言，從二十二歲至三十歲的研究員便有二十一人之多！他（她）們很少對於三民主義有深入研究，且學識經驗都有所不逮，何能肩此千斤重擔？慨乎言之，亦不過濫竽充數而已。這絕不是危言聳聽，事實的確如此，毋庸諱言。

二、中興新村的暑期三民主義教學研究

中國青年反共救國團總團部有見及此，特透過中央黨部、教育部會同台灣省政府與教育廳，於民國五十四年舉辦暑期青年活動之便，特在七月廿五日至八月七日的半月中，召集所有公私立大專的國父思想及高中三民主義教師數百人，假中興新村台灣省訓練團舉辦三民主義教學研究班，集體研究三民主義教學改進事宜；報到之初，我即向教育長杭世騏將軍當面提出「改進國父思想及三民主義教學研究具體意見」六項，翌日又分送書面報告給救國團主任蔣經國將軍、省府主席兼主任委員黃杰將軍，及教育廳長兼副主任委員潘振球先生，其原文如左：

甲、組織三民主義教學研究會——黃主席在七月二十六日致開幕詞時，曾指示：宜切實注意三民主義教學之研究與改進，意義至爲重要。如所週知：三民主義爲我立國之最高指導原則，而反攻復國之聖戰首重政治戰，尤以思想戰爲最重要！今日青年之思想訓練，亦以三民主義教學爲主，爲期精誠團結三民主義教師及隨時研究改進教學計，擬請即以本屆三民主義教學研究班全體研究員爲基礎，成立「三民主義教學研究會」，即在八月七日結業時，正式宣佈成立，推定負責人，並於結業典禮完成後，繼續召開成立大會，選舉理監事，積極推行會務。

乙、編印三民主義標準課本及教師手冊，以利教學——三民主義偉大精深，內容廣泛，而教本衆多，繁簡不一，採用選擇，深感困難。甚至有很多未經中央審定合根之自編教本充斥其間，難免傳會、誤解。乃至每校每班每一教師所採用課本不同，如此各自爲政，流弊至大，影響極巨。應請根據新頒課程標準，明定統一教材，請中央邀請本黨理論專家學者，集思廣益，根據國父思想及蔣總統訓示編印大專用「國父思想」或「高級中學用三民主義標準課本」，通令全省公私立大專及高中一律採用。如前面所述已在編印之「戰地大專國父思想」及「戰地高中三民主義」教材適宜，亦可採用，以資統一，而利教學。同時，並須編印「國父思想」及「三民主義教師手冊」，廣集資料，詳加註釋。下期開學瞬屆，在未編印上述標準本冊以前，仍請中央暫時選定：前中央宣傳部副部長任卓宣教授新著之「國父思想要義」爲大專教本。前救國團副主任、現任中書局董事長胡軌學長所編、經教育部審定之「高級中學三民主義」教本，或王珮編經中央黨部審定之「三民主義（包括總統有關訓示）精義」爲高中教本。除此以外，其他版本，一律不准採用。

夢遊病者

如何是好？

非洲

今日與明日

艾地之死

日本朝日新聞晚刊發表在印尼的特派員發來消息，說明艾地已被捕并處死。艾地被捕地點在中爪哇梭羅，一向被認爲是印尼共黨的大本營。在十月一日暴動失敗後，艾地就跑到梭羅去，打算發動「解放戰爭」，結果却沒有人響應。印尼陸軍的傘兵及裝甲部隊又很快趕到，最後艾地只好放棄了叛亂計劃，藏在一名「同志」家中。到了十一月二十三日的夜間，陸軍搜索隊趕到他的住處把他捉住。這其間的經過報紙未曾報導，由於被捕的僅有艾地一人，估計可能還是那位「同志」的告密，否則斷不致如此之巧。本來共產黨員的信條，必要時犧牲同志以保全自己是絕對應該的，也不能盡以我們的道德標準去衡量共產黨人。

艾地的教訓

對於印尼共黨何以會敗得如此之慘，看了艾地供詞之後可以全部了解，一言以蔽之，是得不到老百姓的擁護，在羣衆中沒有基礎，表面看來好似一座金碧輝煌的樓台，却建在浮沙上，一陣風吹來就變成一堆瓦礫，也是事有必至，理有固然，不能單責印尼共黨沒有用處。

在艾地供詞中還怪中俄共黨未能及時予以援助。不知國際共黨的特性也是如此，到了必要時犧牲另一國共產黨並不奇怪。艾地的叛變如果能得到部份成功，佔領了印尼一部份領土，則毛共一定搶先支持，出錢出槍，必要時還可以派志願軍去；及至看到印尼共黨失敗已成定局，毛共當然不敢再插手，以免開罪蘇加諾。

艾地與毛澤東

這次印尼共黨的全軍覆沒，表面看來是陸軍的功勞，實際還是老百姓的力量；陸軍只是肅清重要城市叛亂份子，捉獲了共黨頭目，眞正全面消共的則是印尼全國人民。據荷蘭報紙報導，印尼全國共黨被殺的達二十萬，經陸軍捕獲處死的無論如何也不會超過兩萬人，其餘都是各地人民自動起來消除，一夜間斬芟略盡，鄉村幹部全數被殺，因此，印尼共黨連一排武力也未組成就烟消雲散了。

全世界自由人士都把艾地作爲毛澤東的影子，認爲毛澤東將來一定要走上艾地這條路。這項意見當然不錯，但是還不夠深入。我們要知道印尼共黨雖然萬惡，畢竟未掌握政權，既不能發號施令，也不能任意荼毒人民，更不能控制人民的胃，要全國人民有得做沒得吃。只因爲背了共產黨的惡名，人民就恨之如此之深；一旦毛共崩潰時，試想大小共幹尚有噍類乎。（何如）

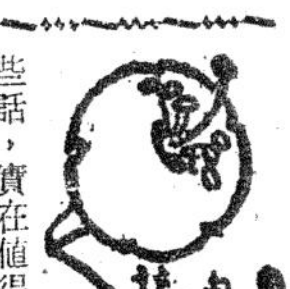

生於憂患

馮三先生

古人說「生於憂患」，又謂「逸豫可以亡身」，這些話，實在值得今日住在台灣的各界人士深加省察而警惕之。

記得十年前中美安全互助協定簽訂後，有位政府大員曾對人說過幾句語重心長的預言，他躭心大家相信台灣從此安如磐石了，因而減少戰鬥的勇氣，馴致惰性滋潛，影響反攻救國的大業。如今看來允屬卓識。

現時的台灣，不特安全無虞，而社會生計與人民生活，經過中華民國政府十幾年間的積極建設，工商業突飛猛進，較諸十年前優裕多了。職是之故，各界人士包括文職公務人員在內，內心上皆潛存着以台灣爲安身立命之所的觀念，朋友往還閒談時，每沾沾於如何設法弄好經濟基礎問題，經常爲着求田問舍而殫精竭慮，無微不至。一般財力雄厚、或是隨時有辦法弄得到金錢的特殊人物，除却講求個人享受之外，相率把兒女們假留學之名，送赴美國居留，慢慢地成家立業，具備着雙層國籍，必要時即可由兒女接到新大陸去作寓公，計畫周密，十分妥當。試看台灣報紙上廣告欄內，每天連篇累牘刊出家長公告兒女在美國結婚的啓事，即知吾言爲不謬也。

這般人在表面上，當前「毋忘在莒」的口號喊得響亮，當着稠人廣衆之前發表演說時，總是高談反共救國的義理，慷慨激昂，氣沖牛斗。實際上只是人云亦云，聊以應景而已。我敢武斷地說句挨罵討嫌的話，祇有蔣總統眞正是宵旰憂勤，念念不忘光復中原還同事，等而下之的人，似乎都成爲個疑問號了。何以見得呢？見之於一般社會大衆的宴安逸樂情調，見之於一般公務人員沒有革命精神的腐敗政風，見之於文教界充溢着沒有朝氣的頹唐浪漫現象。

個人要創造大事業，必須從困苦的環境中奮鬥不息，歷盡險阻艱難，纔可望成功。國者人之積也，處在國運遭逆，危急存亡之秋，朝野上下，人人如其沒有自立更生，而依人作嫁，安不忘危的意志與表現，寧有作爲乎？所以目前咱們的急務是要轉捩風氣，振作人心，這項責任完全寄託在政治人物身上，而以改革政風爲基準，不知袞袞諸公的意下如何呢？

台灣省新聞業 檢討台灣報紙

（本報記者台北航訊）此間「時與潮」週刊，在春節後的一期（一月二十四日出版）以近兩萬字的篇幅，來檢討台北「今日的報紙」。雜誌批評報紙，在近二十年來，屬於創舉。「時與潮」社論指出：台灣今的報紙，「在排印技術上確比十幾年前進步得多，形式上也美觀得多」。但「言論主張和新聞報道」內容方面，不但沒有使大家「滿意」，「反而有退化的現象」。凡是「逃避責任義務的報紙言論，以及背離了公意的主張和批評，是不折不扣的反道德、反正義、反羣衆、反理智的，其結局只能蒙住了讀人的耳目，使其更愚，助長社會的黑暗，使其更暗，拖纏國家的腳步，使其癱瘓。」

它指責此間報紙並不重視：「人權」，「公正」或「攻訐」個人，或超然的「報道」。這裏的報紙，「在互爭『第一大報』的虛狂誇張之下，有的用色情，有的用劍俠，有的用調侃，有的用恫嚇，有的用神怪，有的用挑撥，有的用揭人私隱，有的造謠誹謗，展開了惡性競爭的種種花樣」。競爭的結果，是「新聞中被涉及的人物，縱不自殺，也要陷於永難在社會立足的深淵，斷送了一生」。

又說：此間報紙常有「替權勢作發言人或代言人的新聞報道，報喜或粉飾太平的虛偽宣傳，歪曲或抹煞事實的專欄特寫，判決書式的新聞標題，都是背棄報紙職責的表現，也都是混淆是非的證明」。「為什麼我們的報紙致於這樣作法？整整十年的『報禁』政策要負全責」。

因此，該週刊提出兩點要求：

第一、請政府立即開放報禁，打破少數獨佔而不求進步的僵局。

第二、請現有報紙改變作風，讓讀者能看到適合他們需要的言論和新聞。

此外，該週刊以「專訪」欄刊載新聞界人士對「今日的報紙」的看法和意見，包括中央社負責人馬星野，政大新聞系主任王洪鈞，大華晚報董事長李荊蓀，公論報創辦人李萬居等。在這許多老報人中，記者特摘錄其中三數人的意見——這並不是不重視其他人的意見，而是限於篇幅。

中央社社長馬星野認為：「今日報紙的社論都嫌太長」。「應該開門見山，把意見發表出來」。同時，「一般報紙喜歡用文學筆調寫標題，這是不適當的。這些標題詩詞歌賦全部搬出，讀者非有文學涵養便無法領會」。

用文學筆調寫標題，此間報紙社會版最為顯著。此一風格，創於聯合報社會版，今則一般報紙都起而效尤。

大華晚報董事長李荊蓀對報紙在新聞報道方面的看法是：

「報紙應該作人民的喉舌，但不能夠代替法院的功能」。就大華晚報近數年來在社會新聞方面而言，的確有相當的進步。比如，在不久之前，該晚報對楊玉城涉嫌工程舞弊案，有一次，以整版的篇幅來報道這個案子，且有所謂黨外人士集會檢討之新聞報道。當然在當時為「獨得」新聞，結果被人利用而影響報紙本身。我在職業記者的立場，理應順便說一說。

政大新聞系主任王洪鈞認為：「影響報紙使其不能發揮功能的因素很多，壓力是來自多方面的；報人自己又何嘗能免於自我的矛盾」云云。

國大臨時會預備會側記

——本報記者張健生

國民大會臨時會開會典禮，於二月一日上午十時在台北中山堂中正廳舉行，出席代表一三八二人，大會由八五高齡的代表張知本担任主席，總統在會中致詞。

政府首長、立監兩院院長副院長暨立監委均以來賓身份觀禮。這是政治季節的開始。

記者罷採 臨會風波

當然，在政治季節裏最活躍的應該是政治記者，但是，採訪國大的「政記」都有先見之明，活躍是有限度的，所以政記都循規蹈矩，安分守己，僅求無過足矣。

殊料，由於國大新聞官的官僚作風，「政記」們在忍無可忍的情況下，而發生一幕「罷採」半小時的插曲。這件事發生在當天下午四時許，時值臨時會第一次預備會進行有關國大主席團應否改選的問題，大會主席薛岳，議程討論國大代表六提案：有關國大臨時會主席團選舉辦法案。提案資料由會場幹事發給在場代表，而拒發給記者。國大新聞組長朱虛白坐在記者席上，還不知道是不是有意視而無睹，記者不便妄測，不過，當在場記者數十人集體退席罷採以示抗議之際，這位口口聲聲為記者服務的朱組長，竟問道是什麼回事？你說糊塗不糊塗。當他知道事態嚴重時，才請示國大副秘書長鄔繩武，經核准照發，朱組長不得不到三樓記者接待室請大家幫忙、合作。採訪國大新聞的記者們始得於請託而恢復工作。

這次國大新聞組一開始，對記者們供給的都是「公報」資料，而記者所希望的參考資料，則敷衍了事。如會場席次表，明明的寫著「國民大會臨時會會場座位席次號碼圖」，非秘密文件，而新聞組長竟說是三次大會的席次表，因而有一位同業對他說：「我們又不是瞎子」。如國大代表通訊錄，既無「密件」字樣，又未「編號」，新聞組却推，拖，支吾其詞。如該新聞組通知新聞單位在一月二十三日前到該組辦理採訪通行證，在採訪通行證未發下前，記者出入中山堂必須憑「證」通行。像這些情事，怎能說是國大新聞組服務的「成果」。

兩派提案 壁壘分明

國大代表案：關於主席團是否改選的提案，共有六件，分為兩派。修憲派主張改選國大第三次會主席團者，有：國大代表周士傑等二十三人，羅甸服代表等三十四人，蔣慰祖代表等二十一人。這三個提案，實質是三而一，一而三。

其選舉辦法主張：國大臨時會主席團主席八十五人，由大會代表就候選人總名單用無記名連記法選舉之，每人圈選五人，得票較多者當選，票數相同者以抽簽定之。所謂總名單，以每一代表產生單位選出一位，不以本單位產生之代表為限。代表五人合推一名，但每一代表以推舉一次為限。

依法第三次大會已終了，所有議程皆進行完畢，主席團之任務已經完成，主席團亦隨之結束。如第三次大會主席團主持臨時會議，於法不合。

然而，王兆槐代表等五一二人提案，認為國大臨時會係依第三次會議通過修訂之臨時條款而召集，且專為討論行使創制複決兩權辦法連同修憲各案，這次臨時會為第三次大會未經議畢所存議事之延續。可由第三次會主席團主持會議，不必另行選舉。

青年黨籍國大代表劉璧璋、張一麥、蔡雲程等三十一人提議：國民大會臨時會主席團應由臨時會出席代表選舉產生案。（上）

國大臨時會的幕前與幕後

本報記者張健生

為時八天的國大臨時會，已於二月八日圓滿閉會。臨時會主要的議題：修訂動員戡亂時期臨時條款及通過憲政研討會所擬訂之「國民大會創制複決兩權行使辦法」。

二月七日下午，國大臨時會舉行第三次大會，討論並通過「臨時條款」。原臨時條款第四項：「國民大會第三次會議閉會後，設置機構，研擬辦法，連同有關修改憲法各案，由總統召集國民大會臨時會討論之」；及第五項：「國民大會臨時會由第三任總統任期內適當時期召集之」。均刪除。

國大為行使兩權，在不修改憲法之慣例下，乃循修改臨時條款途徑，因此，新增臨時條款解除憲法第二十七條第二項之限制，其規定：「動員戡亂時期，國民大會得制定辦法，創制中央法律原則與複決中央法律，不受憲法第二十七條第二項之限制（新增）。」這項規定，是在朝派與在野派國大代表共同的意見，故沒有什麼爭論。

舌戰、輕鬆

而辯論最烈的是兩權行使之集會與日期，以及設置機構的問題。代表在朝派的李壽雍案，則堅絕主張：不設置機構；至於國民大會為討論創制複決案之集會，其召集與日期，均由總統決定之。

而代表在野派之顏澤滋案，則主張：國民大會行使創制複決兩權，每年六月一日自行集會一次，不受憲法第二十九條之限制。國民大會創制或複決之法律，移送總統於收到後十日內公布之，效力與憲法第一七〇條所稱之法律同。經立法院之覆議案，經立院維持原決議時，總統得咨請國民大會複決之。

由於雙方在臨時會第二次大會中展開一場舌戰，林紫貴代表是顏案的主將，也是討論兩權行使的第一人，他侃侃而談，提出三個原則，兩個問題，以及兩點感想。林代表的感想是：一、會場氣氛可否輕鬆些，為了代表們長壽計，「文章可幽默，辦事可輕鬆」些，不要太緊張，因為在會場的代表們，六十歲至六十九歲的有四九二人，七十歲到七十九歲的有一三五人。在過去的六年中，死亡的代表有一一六人。假如不輕鬆些；隨時都有因緊張過度而發生意外的事件。二、代表發言的機會要均等。如果登台「唱戲的人」都是些熟面孔，台下的「觀衆」會退票的。

林代表的話寓意深長，既諷刺又幽默。

兩權、牛腿

河南籍代表安瑞麟，由於主席台上參謀人員對其立場不明瞭，所以他才有機會登台「表演」。他以傳教士的聲調，他用牛的四條腿來喻四權，因而引起哄堂大笑。他駁斥「此時此地不宜行使兩權」的言論，說：「聽話的牛會傷人嗎」？「此時此地不宜行使創制複決兩權」，那麼，「只宜行使貪污權嗎」？凡是「反對兩權者都是為了保障既得權益」。這是指責立法院。

蔣慰祖代表很露骨地說：「如果想把國大第四次會開好，必須先把臨時會開好；若要臨時會開得好，則討論修訂臨時條款時，就不能用表決的方式來壓迫少數代表，必須讓大家發言，並尊重少數意見。」

因此，在二月四日、五日大會討論兩權議案時，其間執政黨會分別召集黨籍國大主席團主席同志舉行座談會，聽採黨籍代表主席的意見，最後，黨方並指示兩點，希望黨代同志執行黨的政策，支持李壽雍案。

殊料，執政黨籍代表有若干人仍不接受疏導，於是，在二月六日，執政黨復又召集全體黨代表同志，在台北市郊集會，一方面加以疏導，一方面說明中央對行使兩權問題的意見。經過種種幕後的協調，以及疏導，代表們在國家利益重於一切的前提下，而中央也認為顏澤滋提案不無道理，再加上于野聲的「政治閒話」一句，朝野兩派各自讓步，而接受特種審查委員會五召集人所提折衷方案。

鬥智、戰場

五召集人為薛岳、張其昀、陳啓天、孫亞夫、王雲五等，所提折衷案關於集會和日期部份，臨時條款增訂規定：「在戡亂時期，總統對於創制案或複決案，認為有必要時，得召集國民大會臨時會討論之。」又：「國民大會閉會後，設置研究機構，研討憲政有關問題。」

修訂臨時條款的問題，在二月六日臨時會第三次大會中圓滿解決。

前述各節，為國大臨時會在討論兩權行使案之幕前幕後經過。現在，記者就雙方在會前之種種，簡單敘述其概要，這些漏網新聞，至今未失其新聞意義，且係憲政史上的佳話，故應加報導。

查在野派國大代表以國大聯誼會為主戰場。在形式上，又分為由周士傑代表主持的「憲政座談會，及由顏澤滋代表等所領導的「兩權派」。前者主張修憲，後者則反對修憲而力主修訂臨時條款行使兩權。實質上是殊途同歸，目的在行使創制複決兩權。

去年底，顏澤滋所提：國大創制複決兩權之行使，建議循修改臨時條款途徑，茲擬具修訂草案，敬請公決案。即暗中進行秘密簽署。他們為慎重起見，復由周士傑代表等提：提請大會通過憲政研討委員會決議之修改憲法案的有關行使創制複決兩權條款，以實現國父遺教，奠定權能分立體制，促進民主憲政案，來掩護顏案之連署工作。果不出他們所料，周案正在半公開方式下簽署時，即為國大黨部所悉，於是遭遇阻擾，故周案簽署之代表為一百十人。是時，顏案之簽署工作已足三百人以上之法定，馬上停止。這一種聲東擊西，轉移目標之戰略，的確「棋高一着」，否則，顏案是無法提出的。假如沒有顏案來對付李壽雍案的話，則兩權派勢必「全盤皆輸」，更不會有今天的結果：誠如翟宗濤（兩權派）代表等所說，就是這一點成績，得來實非易事。

幕後、秘密

當國大黨部獲悉周士傑代表等提案內容後，立即採取對策，一方面發動黨內外國大代表支持李壽雍提案之簽署，一方面勸阻國大代表不得支持周士傑提案，同時成立各種小組，如在中央服務之國大代表，由行政院成立十人小組，加以連繫運用。其他如台灣省政府等，均有類此小組。此一措施，的確使在野派國大代表困擾。

為此，他們復由無黨派大連市選出之國大代表高心一等出面，提出主張：無記名投票方法一案，來支持服務政府機關代表的意見，因為這些代表或主張秘密投票；並測驗一下代表們是否支持顏案。結果，高案簽署代表為五百八十人，這一行動，成績既優良，無異替顏案打氣。儘管在表決時因多一百餘票而否決高提無記名投票一案，可是精神上的收穫勝於一切。

這就是國大臨時會幕前幕後的經過，也是一場艱苦的奮鬥。

滬海異趣談

洋人迷信風俗種種

・桑雅・

「龍血」這種東西，在藥房內可以買到的，是製造鞋膏必要的原料，不過，亦有人認爲它是一種催情劑。但其實，它不過是提煉自棕櫚上的果實——紅色的樹膠液。最近伯明罕的一張報紙刊登了一段廣告，說明家有巫術秘方，敎人如何服用龍血才能獲到意想不到的效果。結果呢？在七天之內，一共收到二千多封信。其中一封是女性寫來的：「我希望你能救救我，我的丈夫有外遇了。是的，我知道他本人不願去的，但他是中了魔，那妖精一出聲，我丈夫便六神無主了。我希望你能給我施過法術的龍血，讓我丈夫吞服後，便可以不被那妖精纏住了。」

信不信由你，那婦人果然得到回音了——「挑選任何週五晚上，當任何人已入睡後，你便把龍血洒在露天火燄上面吧。這樣，便可逃過了桃花刦運了。不過，要緊記的是，一邊洒龍血，一邊呼喚你的丈夫的名字。在廿四小時內，他自然會重投你的懷抱。」

這種「金石良言」，是什麼代價呢？每一個問題解答只收兩先令六便士吧了。

原來洋人也喜歡此類的「求神拜佛」的。另外，鍾士華特與奧爾登所著的「星相預測」，每年都是暢銷名單上列入五名內的。

他們常常在報張上登廣告，其口號是：「這是一本帶給你好運的書。」有誰不喜歡好運呢？每本售價六先令。

這種迷信，不單在英國普及，在美國來說，大部份人都相信兎仔腳是可以袪邪的，于是，人人都喜歡買一兩隻回來，收藏在袋裏。兎仔腳也有貴有平，從六便士到五鎊，單在去年，共售出一千萬隻之多。

感冒研究委會正努力不懈地埋頭研究如何有效地殺滅傷風菌，但人們常願付五先令，徵求一個人的意見，他的寓所是在咸甫直郡的新科力大廈，聲稱能醫離奇雜症，不過拿手便是感冒。

他這麼說過：「如要醫治傷風，方法十分簡單，你得從自己頭上拔了一根頭髮，然後夾在兩塊塗滿牛油的麵包中間，將這三文治拿給狗吃，對它說：『祝你幸運，由你病，我却身體安康。』」

究竟靈與不靈，那只有天曉得，但付出的錢，對方已袋袋平安了。

如果你認爲有人在你身上落了「降頭」或施了「毒咒」，那麼，你肯付五先令，對方便敎你如何破法了——「你把三條蚯蚓捉來，割了它們的頭，然後加糖、露水及酒精，在瓶內發酵九日才飲，連飲九天，便完全恢復過來了。」

有人落「降頭」之類的事情比較罕見，如患了風濕病又如何呢？難怪一些銅手鐲如此暢銷了。據說，它們能夠把風濕惡魔趕走的，方法是怎樣呢？那麼，請你，再付五先令吧。

在倫敦市面上，有不少驅邪或吉祥的飾物，最風行的兩種如下——①女二K金的愛爾蘭人像，每個五先令六便士。②象徵權力與智慧的金匙，每條高達五鎊五先令，還附有說明書——「凡身上携帶這條金匙，萬事皆吉，無論你考試、求職、追女人，它將帶給你意想不到的效果。」

人們對幸運之神之熱望，各地均相同的。印度南部的一種變色龍尾巴，數世紀以來，當地居民視之爲吉祥之物，因此，變色龍越來越珍貴了。巴里島上，土人喜歡把蛇涎、兒童淚水及了椰子汁混在一起而製成靈丹，而那些椰子，必需是孕婦坐過的。

在羅馬，大家都知道有一個神泉，歡迎人們擲錢許願，靈驗與否是閣下之事了。這個羅馬之泉，每年人們拋硬幣，也有廿五鎊的收入。倫敦動物園的鱷魚池，他吸收了十五鎊。至于約克郡伯靈頓放光花園的水池，每年把硬幣收集起來，竟達三十五鎊。不過，最大的「斬獲」是京士威爾的靈泉，總數達一百鎊。

又有一些人願意求敎于吉卜賽女人。最近西柏林一個這樣的女人被控棍騙，把一名女孩子的廿五鎊完全騙去，結果罪名成立，所罰繳的欵項也是廿五鎊。

有一名法國男子把一棵廿六年前的古樹買下來，他到處宣傳這是一棵橫財樹，竟然把木材劏成碎片而公開出售，每片五先令，結果也一樣有人搶購，其中一週的收入竟達一千鎊。

阿月

覃靖

經過夜市場時，內面吐出一陣濃郁的酒香和淫褻的喧囂，偶然中我又聽見一個頗爲熟悉的放蕩的笑浪。

這種打情罵俏的場合，在我潦倒的初期，是經常涉足其間的，此時由于某種好奇心與同情心的驅使，我又燃起重遊作戲的念頭。

我順着那個熟悉的聲音，走進一爿名爲「杏花香」的公共食堂，隨即由一個叫做罔市的酒女來迎迓我。她含情脈脈地將我拖到二層樓第二號小鴿子籠裏，眞像相別多年的情侶，要找一個秘密的所在，暢吐相思之苦似的。

鴿子籠裏僅有一只五支光的小紅燈泡，殘昏的光綫射在依偎着我的酒女臉上，簡直如同一張精靈的假面具，有一種可怕的嫵媚，逼人的妖騷。我的官能暫時失去了自主的作用。

我們斜對着一張鋪有尼龍枱布的小桌子坐下，桌上早就預備着兩瓶特級清酒了。

「先生，你貴姓？我又忘了。」酒女裂開的吸滿血汁的嘴巴。

「我們是老相識呵，」我逢場作戲的說，「我可是知道你叫罔市。」

「是呀，」她漏出兩顆金牙說：「很多客人都曉得我的名字，我却很不容易記得客人的尊姓大名。我的腦筋太笨。你也有好久沒來過了，是嗎？」

「你是不是很想我呢？」

「是嘛，我差不多天天都想你。」她挨到我的身邊，「我們今天應該好好談談。要幾道什麼菜？」

「隨便你點好了。」我說：「我今天有兩百塊錢。」

「那要這麼多，」她又挨着我的耳朵，輕聲問道：「要不要在這裏過夜？」

「我——」我的神經像被針戳了一下，「我恐怕在這裏睡不着！」

「格格格，格格格。」她發出一陣假惺惺的淫笑。「我是很愛你的啊！」

我沒有再說什麼。我相信她是愛我的，因爲我有兩百塊現鈔。

酒女下樓叫菜去了。我點燃一支香烟，驅除內心的慌張和邪念。

一對男女的猜拳聲又傳進我的耳膜，那聲音正是我所熟悉的。因而我又猛然記起今夜踏進這爿酒家來的目的，隨即跨出鴿子籠的門檻，沿着黑暗的走廊到厠所去，結果證實了我偵探的綫索沒有錯誤，在第五號發現了女的也是我的老相識美紅；男的背影向着門口，但并不難判斷他是劉賴宗枝。

（十五）

好湖山的瑞士

林詩

「世界公園」——瑞士，這是一個多麼美麗吸引的名詞。筆者幼年讀地理的時候，當老師講述到「世界公園」的瑞士，就頗爲神往。到了成年後，在雜誌、報章上看到「世界公園」的時候，筆者有一種懷疑的心情，懷疑：「盡信書不如無書」。瑞士眞當得上「世界公園」這個雅號嗎？

筆者由意大利的鐵道進入瑞士邊境的時候，不覺暗叫一聲：「好一個世界公園啊！」瑞士，果然是名不虛傳，對「世界公園」的雅號，受之無愧。

瑞士的山，沒有一個是牛山濯濯的，或者看去不順眼的。瑞士的山頂大多終年積雪，山腰是石的，山腳有樹林，極爲悅目。有等山下是湖沼，這種山光湖色，相映成趣，眞是人見人愛，嘆爲觀止。而且山間有溪流，有小瀑布，點綴雅緻不少。

香港的富翁們，每每以住在××灣、××山，就認爲是美麗的天堂，高度生活享受矣！假如他們到過瑞士，看過瑞士「耕田佬」或者「手作仔」們的山邊，湖畔，溪傍的「崩加路」（別墅式石屋）比之香港任何的××灣，××山濶佬們的別墅，眞有天淵之別。香港的自然環境，絕不能與瑞士比較。固然，香港的天氣不會在華氏十度以下。可是瑞士會在零度之下。但是，瑞士的夏天不會流汗，濕度不份像香港百份之九十幾。筆者心目中，如果發達，中馬票，第一個居住地方就是瑞士。

居住在瑞士另一好處是，沒有膚色的界限。瑞士人似乎是天生的和平主義者。筆者在瑞士之時，接觸到的瑞士各階層人物，不論男女，他們都是站在平等立場。筆者在歐、美各大都市裏，也會有多少膚色的界綫。但是瑞士的富家小姐們，在餐廳裏和黑色的侍役交朋友，談笑自若，不以有色爲低等民族。瑞士的「蘇黎世」是瑞士的工業中心，「蘇黎世」是一個寧靜都市。筆者在這個工業城，想買一個瑞士手表；可惜得很，瑞士表在瑞士并不平。一般名廠手表，除了特殊高貴的「手工製者」之外，一般形式中價表，比香港貴。大富翁、大富婆到瑞士買表之目的，是要「獨有」。普通一個手表的身價，超過港幣一萬元以上的，據說它是獨一無二的「名表」，最低限度，它的廠主，是不會再做一個相同的手表出賣。其次瑞士表廠的高價手表，（在港幣二三千元以上者）它是有分東方型與歐洲型，美洲型。因此，東方人到瑞士揀一個歐洲型表回來，就是高貴的新欵手表了。歐洲人却要買一個東方型的以示特別。筆者看了表的牌子和售價，是不敢購買。「日內瓦」不只是以「政治」出名。而且湖光山色可愛。「日內瓦湖」的景色，是筆者心目中二十名城裏面，首屈一指的。尤其是日內瓦湖邊的美麗小姐，坐在石欖上晒太陽，吃午餐，這幅美麗風景之中，襯托着這些美人兒，眞是可圈可點。

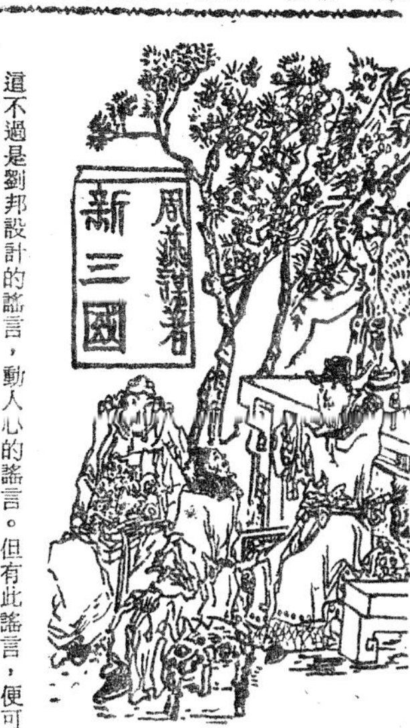

這不過是劉邦設計的謠言，動人心的謠言。但有此謠言，便可證當時的人有此思想，造出來足以搖惑人心。什麼是赤帝白帝，正和張角所說的蒼天、黃天同一道理。張氏弟兄三人，號稱天公、地公、人公，即是天地人三才，是經過進化後的宗敎思想。在古代却不是如此。古人所祭的天，只是代表一種生物的功用，祭的地只是自己所居住的所耕種的一片土地。中國是農業立國，古代的農作物是靠了四時的自然氣候的變化，而生長成熟的，古人看了這種變化，都以爲有一個天神在暗中主宰着，所以有靑、赤、白、黑四個天帝。靑帝主春生，赤帝主夏長，白帝主秋收，黑帝主冬藏。都是靠土地的，所以四帝之外，又來一個中央黃帝。土爲黃色，所以又有一個黃帝，以主土地的隨時變化。這是古代很早的五行思想，把物質分成五類，那便是金、木、水、火、土。把五行來分做五方和四時，則木在東方，屬春；火在南方，屬夏，金在西方，屬秋；水在北方，屬冬。這是因爲春天草木生長，夏天炎熱，火的性是熱；秋天草木枯了，其景象是沉暮的，是金屬兵器的；冬天寒冷，水是寒冷的東西。如此配合，是有相當自然條件和因素的，因此人們也很相信五行的說法。而土呢，古人則以自己所居之土在天地之中央的，自然其位在中央，其次序也就自然擺在四方之中央了。古人看天上的五帝，是應該依序來管理人間之事的。所以爲天地人的主宰，必須是天帝的兒子。所以一個朝代的更換，便是這一個天帝的子孫，讓給那一個天帝的子孫。即所謂「五德始終」。野心的政治家，便利用人們所看不見的天帝來騙老百姓；一個野心家要想造反，必定造一種謠言，說是什麼天當死，什麼天當活，以動搖人心，實行造反，如果在今天當然不行了。談到「五德始終」有兩種說法，一是依相剋的次序：木德之後該金德，金德之後該火德，火德之後是該水德，水德之後該土德，土德之後又該木德。一是依相生的次序：木德之後爲火德，火德之後爲土德，土德之後爲金德，金德之後爲水德，水德之後又是火德。在秦和西漢前半期，是依着相剋的次序。故秦以周爲火德，自己爲水德，漢朝又以土德。西漢末年，却用相生之說了，於是以周爲木德，自己爲火德，把秦丢掉不算了。後來曹丕篡漢，又自以爲是土德。張角所說「蒼天已死，黃天當立」，自然是想做皇帝。如果依相剋的次序，應當是「黑天已死，黃天當立」；依相生的次序。應該是「赤天已死，高天當立」才對。但不知道是作何解釋。總之他說此話，是想取漢而代之是顯而易見的。不過我以爲張氏弟兄太淺陋了一點，不足以担當領袖的大任。他弟兄三人的稱號便大有不妙的地方，而且十分幼稚可哂。張角自稱「天公將軍」，「公」是爸的意思，自稱是天的爸爸；以前的野心家乃自命爲天帝之子，而張角却反過來。張梁爲「地公將軍」，是地的爸爸；張保爲「人公將軍」，是人們的爸爸，這不是幼稚而可哂嗎？張氏弟兄竟然攪起三十六萬之衆，但缺乏優良幹部，所以也不堪一擊。

（九）

國劇繽紛續錄

（十五）　鍳婆生

白首藍衫。

中興國劇社第四次彩排，慶祝新春同樂晚會的首夕，大軸爲失空斬，由馮著唐兄演失街亭斬馬謖，包明叔兄演中間的空城計；這王平的做作，特別是張大夏的王平，張平堂的馬謖，聲色俱厲，頗能動人。記得戲劇春秋第二期有人寫當時的叔岩，大夏兄不妨參詳一回，便更出色。明叔在此社中彩排四次，每次登台，矍鑠可佩。而白首藍衫，確是別饒生氣。

趙班斧兄爲明叔登台，贈送一聯並書其句云：「白首藍衫堪絕俗，清風朗月自悠閒。」他這副贈聯，深堪玩味。因爲民間的藝術，全由這幾家票房在推動，是屬於公營機關演出，多半是機關化錢，每年並無多大的預算，唱演的角兒，是出力不出錢。大專院校的演出，經費有限，演員全部是學生，可是行頭不太好。另有名票演出，多半是爲人搭桌，配搭角色，多用內行。而獨是幾位白首藍衫的年老票友，却雅興湍飛，過幾時必有一台戲，似乎平劇的重心，多在這幾位研究有素，富有經驗的白首老人身上。他們對平劇依然在推展，勇氣勝過中年人，事實擺在面前。這到要研究何以他們能如此，還不是專門在肯化錢（所化亦不太多的）而是不肯輕舍這平劇。請看三年五載平劇是主要的活動觀念，與推展，仍在這羣白首藍衫來維持。因爲名伶演唱，必求謀利，消費力薄，何能致之。

莉沙．盧燕香

今年春節，得到朋友送一份可貴的禮物，是陳紀著的「美國訪問」，長約四十萬字，分訂三厚冊，（每冊三百七八十頁，計一百八九十張）售價須在八十元。因爲其中有很多圖片，我就先翻閱圖片，才發見聞名已久的莉沙，盧燕香。

盧燕香是在洛杉機的電影明星，似乎與平劇無大關係，但是陳氏在洛杉機十一天，因她住普萊茅斯街，特去拜訪，寫出的記錄：「盧女士於大陸淪陷前，陪同家人由滬赴港，旋來美國。初在芷特里美國陸軍語文學校教中文，後經友人多方慫恿，到好萊塢施展抱負，經過努力，她在電影界飾演東方角色方面，獲得優先地位。過去數年，担任許多片子的主角，同時她也參加製片技術工作。我拜訪她時，派拉蒙正拍馬龍白蘭度主演的「醜陋的美國人」，她就被派技術工作的一員。盧女士有修長身材，面龐美麗，眉清目秀，說標準北平話。她母親李氏，曾是民國十幾年時代的坤伶泰斗，享名全國，後來謝絕歌台，受梅蘭芳私人之聘，任葆玫葆玥等的教師。看見我，如見故人，不由得談些伶工近況，關懷之情，令人深爲感動。」（未完）

老黃

·劉杰·

有一天下午，我在火車站過時，正好一輛計程車馳了過去，接着便有很多人叫了起來。於是，不到一分鐘，所有的人都往馬路上擁擠過去，警察跑過來也阻止不住。

「到底發生了什麼事呢？」

我這樣想，還沒有找到答案，那人叢中就有人傳出聲來。

「出了車禍。」

「那人已經暈了過去。」

「我還看到那人在流血。」

接着，我又聽到有人下評語了：

「那開車子的，眞是該死。」

「警察已經把他抓起來。」

「叫他多坐幾天牢，讓別的開車人要提高警覺。」

大約受傷的人送走了，人叢便逐漸散開。可是，還有許語的：

「我看到的，那個人是救一個小姑娘才受了傷。」

「那是那家小姑娘？」

「不知道。」

又有人關心起那小姑娘來：「那小姑娘有沒有受傷？」

「那個人受傷了，小姑娘自然沒有。」

「那個人眞是偉大。這樣的人在社會上很難找到的。」

「是呀。」聽說，警察在他身上找出證件，原來是軍人。」

「軍人？我有很多朋友是軍人。那是誰？也許我會認識的。」

「你快請到醫院裏去看看。」

「那個醫院？」

「我祇聽到說：八〇一總醫院。」

「你擠在前面，那個軍人姓什麼？」

「黃。」

「不會錯吧？」

「那證件就是補給證。我親眼看到的，那還會錯吧。」

「軍人眞是偉大。」

這時火車進了站台，大家一齊擠着到月台上。而我呢？我却有特殊的感受。也許我自己是軍人，所以我叫了三輪車，到了總醫院。

這受傷的黃，正是我認識的。我喊他老黃。他在金門，和我就在一起。

有一段時間，我和他在大胆島生活着。那時，有個晚上，發現了海上的目標，指揮官下命令射擊，那目標還沒有消滅。當時，他就向指揮官報告，他要到海上探個究竟。

「你一個人去？」指揮官問。

「我一個人。」

他肯定的說：「把情況明瞭了，我再回來報告。」

指揮官准許他去。三個小時以後，他安全回來。原來是匪的小艇，距離島很遠。之後用炮轟，才把那小艇打沉下去。

我從那時起，對他的英勇，不禁在心頭上崇敬起來。

現在，老黃受了傷，幷仍然在昏迷中。病室外面，除了我之外，還有小姑娘的父母，西裝的紳士夫婦在揉着眼睛。

我眼睛微微閉起，我祈禱上帝佑護他，賜福給他。

憶印度的阿格拉古城

蒙浩仁

印度西南的阿格拉，是蒙古鐵木眞後裔巴布爾進佔印度而建都的地方。那裏有巍峨的宮闕，高聳雲霄的回教堂尖塔，是一個富有濃厚回教色彩文物薈萃的都市。

阿格拉古城，與紅堡一樣，但規模却較宏大。這個城堡，是四百多年前由巴布爾的孫兒阿克巴大帝費時八年的光陰，自一五六五至一五七三年方告竣工的堅固紅砂石堡壘，計消耗了一百萬鎊方告完成。

這個古老的城堡，有厚牆兩重，高七十尺，周圍爲一英里半。在外遠眺，巍然矗立的城牆就像一座紅山，城內是蜂房似宮殿。從大門內進，第一座是嘉汗吉宮，是一座署帶中亞細亞風味的興都式紅色層樓。再過去是古城最美的部份，那裏有一座用雪白的大理石砌成的後宮，是風流的嘉汗大帝的兩位女兒與宮娥居住的宮闈。它的屋頂是孟加拉式，作彎曲形，飾以金葉片片，在陽光下閃閃發亮。與後宮的乳白恰成强烈的對照。室內壁上有許多小洞與神龕，是供公主與宮女放置首飾珠寶的。其屋樑與牆壁，都有金銀雕鏤的綺麗的刻畫，足見昔日王宮的豪華氣概。

宮內的一個供給公主出浴的地方，取名「鏡宮」，是一所土耳其式的浴室，地上是大理石雕刻的魚兒，壁上鑲嵌着許多鏡片。遊客只要打火機一亮，室內即充滿了如秋天晚上的螢火蟲般閃閃爍爍。設想奴沐浴其間，誰不產生瑰麗的遐想。

宮內的另一座建築是八角亭，名爲「素馨樓」。凡遊客登臨參觀，看守者會放水讓他們欣賞奇景的。當水源暢流時，只見清澈的流水正語般慢流過宮中的淺渠，用寶石嵌刻着的紅花綠葉，在波浪中一閃一閃，使愛沉思的人會聯想到潮濕的沙灘上的卵形小石，而那大理石雕刻的蓮花在流水中含苞待放，在流水中浮動，像快要被水冲去似的。這是自然的景物，但這是人工的設計，爲的是滿足王族的享樂。假如你身處其中，你會有何感想呢？

古城中的一座「勝利城」，其建築是有一段小插曲的。因爲阿克巴大帝的妻子，多次生產的子女都是夭折了，到他二十七歲時，他唯恐沒有兒子繼其霸業，當他在史克里的地方見到了聖人沙林時，沙林不但預言他將得到一位太子，且可保證能繼承他的雄圖大業。結果這預言終告實現了。他爲了表示對聖人沙林的感激，爲他的兒子取名沙林，又建築了這「勝利城」，並遷都於此。當時他率領着大隊人馬，由持矛槍的羽林軍護衛開道，接着是紮着燕尾旗的象隊，后妃與如花如玉的數千宮女和隨行的貴胄官僚，使此城頓成熱鬧。但不過十四年，他們終因缺乏之食水而放棄了它。就在這「勝利城」的中央廣場，是一個用各色一尺見方的石塊鋪成的大棋盤，皇帝與皇后下棋時，由穿上五彩繡錦衣裳的宮女隨着棋子的地位走動。這是一個怎樣的場面啊？帝王的驕侈淫佚眞由此可見一斑了。

城內的金鑾殿，修飾得很華麗，外面是雕鑄玉柱，拱道弧門，內壁亦金銀彫鏤。其中的密議廳中的一巨柱，上置阿克巴的王座，大臣坐在四角，較低級的大臣與貴族，在樓下站着敬謹地聆聽王命。

阿克巴的另一項建設，是爲聖人沙林用大理石建築一間玉潔冰肌的小祠堂，內爲聖人的大理石棺槨。不能生育的婦女，至今還成羣結隊的趨此膜拜求子，香火特盛。陽光通過精雕圖案的大理石窗櫺射進來，像是把希望帶給人間。

遊覽阿格拉古城的人們，也許對它有一個特殊的印象，就是其建築都是富藝術色彩的。城牆，各式宮闕，爲紀念戰勝的凱旋門，石製的象廄和鬥象塲，無一不是精緻的彫刻，都是古代印度的藝術作品。

紅線盜盒

「影劇與歷史」之十五

周遊

「孟姜女」故事的產生，是因秦始皇的暴政苛法，及荆軻等之武士精神的出現。其他諸如「孝子型」、「節烈型」、「高士隱士型」、「仙佛型」等，皆莫不有其社會及時代背景使然。雖然文人的杜撰，但大半都有一些當時的時代背景的影子。如「紅綫傳」之薛嵩，是確有其人。薛嵩爲龍門人，以騎射膂力著稱；豫安祿山之亂，晚爲史朝義守相州，寶應元年，朝義破，嵩迎降。代宗廣德元年，任薛嵩爲相、邢、洺、貝、磁六州節度使，頗有治名。大曆中累官至尚書右僕射，封平陽郡王後卒。

另一節度使田承嗣，爲唐盧龍人，爲安、史部下驍將，後降僕固懷恩，三遷至魏、博、滄、瀛等州節度使，加同中書門下平章事，封雁門郡王，寵其軍曰「天雄」，跋扈不可一世。

另一節度使令狐彰，傳中爲田承嗣之子的杖人，爲唐富平人，初從安、史，後欲自顯其節，悉藉士馬州縣獻欵，肅宗大悅，拜滑、亳、魏、博等州節度使，後封霍國公，因母喪而失明卒。

又一薛嵩座客冷朝陽，爲金陵人，代宗大曆四年（公元七六九）舉進士及第，與盧綸、錢起……爲大曆十才子之一。諸如此類人物，皆爲當時藩鎮大員，而且皆爲同時之人，他們在當藩鎮跋扈之時，各畜死士，其中能人甚多，也許有此奇人之傳述於當時。這並非是無稽之談。確是有其史實可稽的。本傳除紅綫一人之外，其他是有史實作根據的。所以附於本傳，我不能說它完全是憑空捏造。本傳人物史實上之年代，唐肅、代二宗，至作者袁郊時，爲唐懿宗時，約百年左右成書。此時的唐朝中央，仍是外强中乾，對於藩鎮之擁重兵依然一籌莫展。卒至亡唐。故後來宋太祖有見及此，乃削弱藩鎮權力。但其頭重腳輕之失，亦爲其憾。利弊參半之政治得失，要亦不可免者。

（五、完）

戰地貢糖

·克勞·

可是一般店的出賣貨品，就沒有這樣高的。這也難怪貢糖的店也就特別多。

由於我愛吃零食，每次到街上就買一點貢糖。零賣一小塊五角，最便宜了。

那一小塊貢糖，含在咀裏面，既甜且香，而且還十分可口。也不需要用牙齒咬。在咀裏，它就自動的化開來。

我寫一封信給我的女友，我提到貢糖，特地描述了一番。

「那你就寄一點給我吃。」她在信中說。

我也眞的寄了給她。她吃過後，又來信說：

「眞如你說的，這貢糖味道眞好。下次，你還可以寄給我。吃了貢糖，我就想起寄糖的人來。你不會反對這個吧？」

貢糖價廉，一個月內寄上三兩次，一點兒問題也沒有。

同時，我的碉堡內，經常都有貢糖的。諸如：日前有個同學來，我倒給他一杯白開水，就附帶一包貢糖。

「你眞享受。」他再一打量，叫了起來：「買了這麼多貢糖，準備開福利社？」

「不，我是自己吃的。」

「這樣，我經常來了。」他笑着說：「有貢糖吃，不來，才是傻瓜。」

的確，我碉堡的貢糖沒有缺少過，更沒有斷過。我晚上，肚子餓時，便取出貢糖放在咀裏。有時，我在深夜起來小便，也還丟一塊貢糖在咀裏。在戰地，多吃點貢糖，使我對戰地加深印象。如果離開戰地，再起吃貢糖，那就沒有這麼方便。有個同學退伍，我對他說：

「好好多吃些貢糖，以後的機會沒有了。」

「我帶回去。」

「最好吃在肚子裏。」

（完）

內政部登記證內台報字第〇三壹號

自由報

THE FREE NEWS

第六二七期

中華民國僑務委員會登記證　台僑新字第三二三號登記證　中華郵政台字第一二八二號執照　香港郵政局第一類新聞紙類
（逢星期三、六出版）（半週刊）
每份港幣壹角
台灣零售價新台幣貳元
社長：雷嘯岑
督印人：黃行雲
社址：香港銅鑼灣高士威道二十號三樓
20, CAUSEWAY RD 3RD FL, HONG KONG
TEL. 771726　電報掛號：7191
承印者：大同印務公司
地址：香港北角英皇道九號
台灣分社
台北市西寧南路壹壹號二樓
電話：三〇三四六
台郵撥儲金戶九二五二

領海領空與太空主權問題（上）

・彭樹楷・

意見紛歧的國際問題很多，領海寬度，領空高度，以及太空主權問題，似乎最為複雜。在此科學工藝競賽激烈與自由極權思想水火不相容的時代，如果這三大問題仍爭論不已，糾纏不清的話，人類便不可能有持久的和平與真正的自由可言！

如欲謀求國際對這錯綜複雜千頭萬緒的領海、領空、與太空主權達成協議，則有賴各國政治家、法學家、文化與宗教人士，以及全世界所有關心人類前途的人們共同一致提供他們的智慧和影響力了！

領海寬度問題

自一七〇三年法學家Bynkerspoek首先創議領海寬度為三浬以來，領海寬度便成為爭執不已的問題，自三浬至二百浬，都曾有人倡議，並為各該國的政府所堅持，但均未獲協議而取得國際公認——包括三浬的領海寬度在內。

Bynkerspoek倡議的三浬領海寬度之理論依據，是以由陸地向海上控制的炮擊射程為範圍，當時陸上大炮以海岸為基地的射程為三浬，故為各主要海洋國所贊成；直到二次大戰期間，英、美、德、日及其他較強的海軍國，都承認三浬為領海的界限，在國際法書中，三浬是一般公認的領海最大寬度。

二次大戰後，許多前為各大國殖民地或屬地的區域，紛紛成立的新國家，由於誇耀他們的主權，乃熱烈盼望伸展他們的管轄與控制權之範圍；有些落後地區的國家，為了阻止他國接近其海岸，乃希望擴展其領海的寬度；有些嫌忌殖民主義的國家，則以護漁為由，乃逕自將其漁業管制區延伸至數十浬至三百浬。

一九五八年第一屆國際海洋法會議在日內瓦召開，三浬的領海寬度為多數國家聲稱不能適合目前及未來需要，但新提案卻也未獲超過出席者三分之二的多數通過，僅同意交付下屆會議繼續討論。在這次會議時，英美兩國曾主動提出六浬為領海界限外加六浬為漁業管制區的提案，但因這提案附帶條件「凡各國在別國領海十二浬以內從事捕魚達五年之久者仍保留其歷史權利」，不為多數贊同，故以四十五票對卅三票反對被否決。當時蘇俄也提出主張「各國可以在三至十二浬的界限內自行規定其領海寬度」，也以四十七反對票對廿一票被否決。

第一屆海洋法會議雖未達成對領海寬度的協議，但各國大都了解六浬的領海與外加六浬的漁業管制區，頗適合各國利益；然而「捕魚的歷史權利」却不為多數國家歡迎，因為這將危及漁業落後國的海洋經濟資源。

人類史上第一次對於領海界限不同要求的文件，是在一九三〇年海牙會議時提出，係供編纂國際法之用。當時，三浬被認為最小領海限度，至於領海的最大界限則未達成協議。其表決情形為贊成三浬者十七國，贊成四至六浬者十七國，贊成十二浬為領海寬度者一國。蘇俄則僅提議「國際海上水路之使用必須在不受干涉的狀態之下」。此提議未獲重視而且也不切實際。

一九六〇年三月在日內瓦召開的第二次國際海洋法會議，主要提案只有兩個：一是三浬至十二浬範圍內自行規定其領海寬度；一是六浬的領海寬度外加六浬的漁業管制區。表決結果，原則上的六浬再加六浬漁業區為三分之二多數所採納，但其附帶條件「歷史性捕魚權」却未被一致同意，因而問題仍未獲致協議。主要反對者為蘇俄及沙地阿拉伯，最後提付表決時，僅以五十四票贊成，僅以一票之差未達三分之二度多數而遭否決。

六浬之外再加六浬漁區的提案因一票之差未被通過之後，美國即宣佈他仍堅持他的三浬領海寬度之傳統立場，並獲那些以往習慣以三浬為界限的海權國贊同。因此，領海問題依然存在，並由此而使國際關係更複雜，危及了公海的自由與同盟及聯盟的防務，進而危害而由世界各國間的團結，因為自由世界多為海洋國家之故。例如：美洲曾有中美和南美國家片面決定伸展其領海寬度自四浬至二百浬不等的界限——智利、厄瓜多爾、祕魯所簽署的聖地牙哥宣言，聲稱由於外國無限制的捕魚影響他們的魚產量，故提出二百浬的海疆要求，並規定在其領海範圍的二百浬以內外國捕魚者應繳納費用；不久，哥斯達黎加、薩爾瓦多、瓜地馬拉、墨西哥等國也先後伸張其領海界限至二百浬。這情形，嚴重地損害了西半球的防務與美國的利益，所以未為美國同意並堅持「三浬的領海寬度」必須在西半球維持。但美國却也同意顧以多邊的基礎與各國協商捕魚和護漁問題方面。又如在北大西洋英國與冰島那種糾纏不開的捕魚權爭執，使得北約組織因冰島抗拒而造成嚴重打擊，更由於英國派軍艦保護其魚撈作業，引起冰島共黨藉詞作打擊英美和北約組織——共在一九五八年九月四日宣稱其領海伸張至包括香港島的十二浬寬度時，英國既沒提出抗議，何故對冰島的十二哩領海要求却派海軍進入十二浬內？何故在政府抗議之外，還發起英國私人機構抵制經售冰島所產的魚呢？至於遠東方面的日本與南韓的所謂「李承晚界線」——六十哩的領海寬度——所發生的爭執，則是我們所熟知的事。在南亞方面，印度於一九五六年宣佈其領海由三浬推至六浬，並在對於鄰接其領海以外的一百浬大陸礁層的海床與下層土地作完全的主權要求。此外，印尼主張十二浬領海寬度，如認為印度洋的十二浬，執行其主權於數千個島嶼的四周，則將危及澳洲的貿易、航路以及與東南亞公約組織的交通線。

綜觀以上分析，發現領海寬度問題之不能達成協議，不外政治作用、經濟因素與心理疑忌三大原因。蘇俄主張十二浬限度，任何不少於十二浬的擴張，均屬切實際的——是蘇俄藉此削弱美國自由世界的力量；美國堅持三浬，同意後則另加六浬漁區，是基於其國的經濟利益。至其他主張多數十二浬至二百浬者，屬於心理疑忌作用。

大失所望

再退幾步！

今日與明日

波共調解俄毛之爭

最近波蘭共黨頭子曾試圖調解俄毛之爭，此項活動在前年羅馬尼亞曾行過一次，結果被毛政權拒絕，羅共總理毛雷爾親自跑了一趟北平，未得到絲毫結果，以後俄毛關係愈來愈惡劣，至於世界共黨不入於楊即入於墨，已經沒有中立者，自然也就說不到調解了。

此次波共頭目戈慕卡出面調解俄毛之爭，顯然是受到俄共授意，因為當前世界共黨頭目中，除去俄毛之外，自以戈慕卡的聲望最高，尤其是當艾地已死，狄托已脫離共黨陣營，夠份量作調人的，只有戈慕卡一人了。同時戈慕卡是共黨集團第一個接受美援的國家，接受美援雖然不為毛共所喜，但也象徵波蘭畢竟是走着獨立自主的路綫，這點是有調人資格的。其次在戈慕卡上台時，據說赫魯曉夫曾有意派兵干涉，因此是受到毛共勸告而停手，因此毛共對戈慕卡也算有舊恩，戈慕卡出作調人，自不會過份偏袒俄共，因為具備了這麼多的條件，所以俄共才要戈慕卡出作調人。

調處經過

戈慕卡這個人，在共黨頭目中向以陰沉出名，他這次調處方式也十分巧妙，他並不大張旗鼓要担任調人，却先寫信分致毛共阿共，要求毛阿共黨會，共同擬定援助越共，對抗美國的步驟。在戈慕卡本來想法，毛阿共如能接受此項條件，自是共黨集團之福，不能接受，只當沒有這回事，彼此也不失面子。不料阿共接到戈慕卡來信後，竟然破口大罵，罵俄共領導人是叛徒，決不同叛徒在一起開會。阿共公開斥罵之後，毛共報紙立時予以轉載，而且也大罵俄共與美國結成軸心對付毛共。到此，戈慕卡調處算是完全失敗，俄毛之間的裂痕也就更深了。

俄共的陰謀

俄共此時苦苦要同毛共和解，即在阿共大罵之後，真理報，以祝賀中[illegible]條約十六周年為名，仍然呼籲毛共息爭，實在是想引誘毛共參加預定三月在莫斯科舉行的國際共黨大會。此一會議，俄共佔絕對優勢，毛阿共如若出席，事實上等於犯人受審；而且毛共若出席了這次會議，就等於放棄了過去所堅持的教條主義，改走俄共的修正路綫，這一點也是毛共無法接受的。

共產黨本是一羣鬼，目前正在進行鬼打鬼，既無道義也無原則，什麼主義都是騙人的鬼話。這樣一直鬧下去，最後總是同歸於盡，到時就天下太平了。（何如）

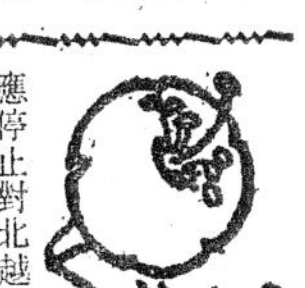

現代人類的悲哀

美國一位參議員漢墨爾，對越南戰事主張美國飛機應停止對北越投擲炸彈，改投以塑膠製的惡兆標誌，如女人與狗的標誌，以及紙牌骰子的么點等等。他認為這是利用北越人民的無知與迷信，以說服他們終止戰爭云。首先發明原子武器，擁有優越的科學技能的美國，竟有這種知識的民意代表，真是阿彌陀佛，罪過罪過！

此公大概熟讀過吾國的「三國演義」，知道穿八卦衣服的諸葛孔明，曾在前綫對司馬懿投以婦女褻物，希望激怒敵將起來應戰的那套小說家構想，因而建議美軍在越南不妨效法孔明的故智，使用女人與狗和骰子么點這類不祥之物，激起越共的厭戰心情，趕快停戰言和。這表現着美國一般人士對越南戰局的恇怯觀念，令人聞之噴飯不已，亦覺可憐之至。

世人總以為美國的最高民意代表如參議員者，一定都是些才智超羣的傑出之士，實則大謬不然。民主政治的精髓就是選舉代議士和行政官吏，享有充分的政權。這在理論上固然很正確，但事實上人民普選出來的議員也罷，官吏也罷，很少是選賢與能的結果——根本就沒有這回事。因此，我們常在報紙上看到美國一些參議員發表的幼稚言論，殊不足奇，即如參議院外委會主席傅爾蒲萊特之流的智慧，并不比上述這位參議員漢墨爾為高明，而咱們台灣省議員之中，竟有經營妓寮的人物，亦不是甚末怪聞了！

對相信唯物主義的共產黨鬥爭而害怕使用實力，妄想以迷信方法來制服他們，這不是天大的笑話嗎？美國人憑其直覺的主觀思惟，認為在共黨統治下的人民，亦有自由意志與權力來左右執政者的一切措施，或戰或和，人民可以作主的。正如五年前我旅行西德時，在大街上偶遇一位老漢，他以莊重的態度大聲向我說道：「毛澤東那小子把中國弄得一團糟，你們的人民為何不投票教他滾蛋呢？」當時我只好捧腹大笑而已。幼稚由於無知，西方人士根本不瞭解共產黨的本質是怎末回事，更不知道東方各國的文化傳統和社會生活習慣是何狀況，以其滿懷的優越感，對東方問題——特別是反共問題，隨時大發議論，不知所云，殆所謂百事皆有說詞，而百事皆不知其所解，但對現實政治却具有潛在的影響力，這纔是現代人類最大的悲哀，於漢墨爾何責乎！

馮玉先生

崇洋一念害死人 中國小姐悲哀多

（本報記者匡謬台北航訊）自由中國的男女青年有一種趨向，那就是以「一向外發展」列爲第一志願的。男孩子向外發展的第一個目標，那就是被認爲富甲世界的美國。女孩子也不甘「後人」。前者是拼命考「溜美」，只要一溜到了美國，富貴功名便在掌握了，那管他國家大事，與他何干。女孩子則拼命找「洋丈夫」，只要一沾上洋人，[illegible]自雄，以爲便可以享受高等的外國生活水準，一張飯票在手，似乎萬念皆休了。

我們在安定聲中，舉行了三屆「中國小姐」的選美大會，由此門徑出來的「中國小姐」，令人刮目相看，一登龍門，身價百倍。這種選美會，無異給中國的女孩子開了一道登「龍門」的途徑，沒有眞才實學的女孩子，只要「得天獨厚」，也可以一露粉黛，一旦登上「中國小姐」的頭銜，何愁沒有「洋路」。至少也可以獲得一般達官貴人太少爺和富商的青睞。可是人生不是科學，如二加三等於五，一點不差。有的「中國小姐」固然「登門」之後，果然達到「洋目標」，找到「洋飯票」，可是有的「中國小姐」，却落在悲哀之中，大上洋當，眞是可悲也已！男孩子崇洋且勿說，女孩子之崇洋，更有後來居上之勢。只要鑽上「名女人」的舞台上，則是「奇貨可居」，有利可圖。可是，雖然有「得天獨厚」之名，却鑄定了「紅顏薄命」的乖舛。命不由人，徒嘆奈何！幾年前，有某將軍的千金小姐，挾了一位洋夫婿在國人面前耀武揚威，竟然大罵中國人，她可不知自己是什麼血統。戀愛自由，某將軍沒奈何他的女兒，千金小姐不顧父親的反對，硬要嫁洋夫婿。結果遠渡重洋如願以償。可是後來消息傳來了，那一位「洋丈夫」是一位擦皮鞋的，家庭貧窮，返美之後，仍操舊業。某小姐大上洋當，如啞子吃黃蓮。有苦說不出。

具有「中國小姐」和「環球小姐」頭銜的李秀英，自從登上名女人舞台之後，在國內獲得某人的獎學金，溜到外國，美其名曰「留學」深造，結果是在美國下海當起脫衣舞孃來，日賺美金數十元，台北各報刊競相報導，連脫衣舞的大照片，圖文並茂，登了出來，社會上掀起了一遍譴責的怒潮。然而馬後放炮，無補於事，笑罵由人，美金我自賺之，舞照跳之，脫照脫之，恬不知恥。

另一位「名歌星」于璇，也是「名女人」之一，在自由中國風靡了不少歌迷。去年找到一張印度飯票，父親大加反對，但該妹不顧也，硬要以嫁印郎爲榮，自以爲自由中國養她不活似的，非印郎不嫁，結果如願以償了。偕同印度夫婿遠走高飛，度蜜月去了。可是不到三個月的時間，她就帶着愁容回到台北來了。印度丈夫趕來台北，促她履行夫婦義務，她却悍然拒絕，置之不理。三個月的功夫，儼然判若兩人，不知她內心作何感想。可歎也！而今這位名歌星，仍舊重披歌衫，在台北各酒店重操故業。有一次在某晚會台上獻唱，報幕員剛剛報道：「于璇小姐爲各位客串一首××歌」時，台下觀衆不期然而然的大開汽水，使得這位歌星十分尷尬，差點下不了台。這是社會人士深表不滿的徵戒，可惘亦可歎，大有早知今日，又何必當初之感！

榮獲第一屆「中國小姐」頭銜的林靜宜，最近也原形畢露，原來她現在的夫婿，是「橫刀」奪來之愛。她把一位有婦之夫和三個孩子的男士搶了來。她奪來的有婦之夫是一位牙醫師，當那牙醫師在留美期間，他的太太在台自力謀生，並撫養三個小孩。等他回台之後，開設了一家牙科醫院，生意興隆，賺了不少錢，他的太太在此時本當享受一點幸福，誰知此時却被中國小姐林靜宜，以「中國小姐」的雌威，「橫刀奪愛」了。據他的原配太太對記者說：「因爲她是中國小姐，我拼不過她，只好在離婚證書上簽了字」。這一內幕新聞，直到五十五年元月十二日才透露出來，要不然社會上許多人還在歌頌她是一位具有內在美的中國小姐呢！是悲是喜，且聽下回分解吧！

五十四年九月二十一日，又有一位具有「中國小姐」頭銜的鄭慶甯，在閃電式愛情下，堅決地要嫁一張洋飯票，她的洋夫婿是一位工程師。鄭慶甯自從當選了中國小姐第六名之後，一直被一些大酒店羅致，視爲尤物，在各大酒店主唱，收入甚豐。但爲了下嫁洋夫婿，把她收入甚豐的好差事通通辭掉，堂而皇之在法院公證結婚。在新聞極端貧乏之中，台北的各報刊是連篇累牘，巨細不遺，頗使一般尚未出閣的「準中國小姐」爲之羨慕不已，大有「有美者亦若是」，或可效而法之之感。嫁得洋夫婿的鄭慶甯，在當時曾發表談話，她說洋夫婿飽斯嘉窮追不已，愛情信寫得熱情火辣，深具誠意，而且洋夫婿又文質彬彬，一派斯文，因而徵得家長同意，決意下嫁云云。

時間不到三個月，岔子就出來了。原來鄭慶甯的洋夫婿是美國華盛頓州下令通緝的通緝犯，被他遺棄的太太指出，鮑斯嘉從華盛頓騙到夏威夷，夏威夷騙到香港，再由香港騙到台灣。飽斯嘉在中國大飯店結婚所花費用開出的支票，而今已退票，原來他的支票已經是拒絕往來戶了。元月十一日，記者往訪時，她的媽媽及姊姊都爲之痛哭不已。原來她在「洋飯票」吸引之時，只曉得鮑斯嘉有一個前妻，說是離過婚的。鄭慶甯說：「那時因雙方已經發生情感，也就不計較許多了。」可是而今呢！却大上洋當，悔之已晚。現在鄭慶甯住在台南娘家，洋夫婿在香港。只有望「洋」興嘆了。

由於以上這些名女人的「崇洋」風所得的不幸遭遇，眞所謂「紅顏薄命」歎！這也可作爲一些尚未出閣的名小姐前車之鑑吧？千萬別再蹈「當初喜洋洋，事後淚汪汪」的覆轍，否則就更可悲了。

抵制共貨趨向國際化

·華僑社稿·

去年十一月廿四日，全球華僑代表在台北集議決定强化推行抵制匪貨運動後，亞洲若干國家和地區也感到匪貨傾銷爲害之烈，故分別以直接或間接的方式來抵制匪貨，或是由政府當局以政府的權力來施行，或是由工商團體出面提倡，或是由國會議員個人奔走呼籲。它們抵制匪貨運動，或是基於反共國策，或是爲了工商利益，無論如何，都是與我們華僑抵制匪貨運動相得益彰，更促成我們華僑抵制匪貨運動將可收事半功倍之效。試就它們初步的措施，作下面的報導。

南韓不容許親共日人經商

（一）中央社韓國漢城十一月廿九日合同電訊報導：韓國外交部次長金容如說：日韓恢復正式外交關係後，韓國政府將不容許親共的日本公司在韓國經商。

（二）中央社越南西貢十一月廿八日及十二月七日電訊先後報導：越南政府對華僑抵制匪貨運動甚爲重視，因爲在反共戰鬥中，經濟戰實爲克敵致勝的一環；越南治安當局對囤積匪貨的兩間商店主人，已拘留偵訊，對付那些販運共匪貨物的奸商，已予懲處。

（三）由香港廠商聯合會所主辦的香港工展會，於十二月七日揭幕，該會於事前招待記者，呼籲推行「香港人用香港貨運動」以挽救目前香港經濟面臨的危機。香港經濟危機的形成，雖然有許多因素，但不可忽視的，就是大陸匪貨的傾銷。最近六年間，共匪對香港的輸出，已搜刮了香港的貨款一百億港元。由於匪貨的輸出，是無所不有，而且不計成本的傾銷，致使香港中小型的輕工業廠家以至百貨商店，抵抗不了大陸匪區同類物品的賤價傾銷，陷於被迫關門或奄奄一息的窘境。新界的農場更受打擊。因此，香港的廠商歇業的已有八百多間，失業人數將因之增加。

大馬購貨對象將轉向台灣

（四）中央社台北十一月二十六日電訊報導：馬來西亞上議員拿督陳東海說：馬來西亞過去在英國統治下，每年向共匪購買價值二億美元的物資，現在馬來西亞獨立了，他們要將這筆二億美元的購買對象，由共匪控制的大陸，轉向台灣。他決心努力朝着這個方向做去，以促進中馬兩國的密切合作。

從上面的報導來看，這四個國家和地區的直接或間接抵制匪貨措施或運動，都是有助於我們華僑抵制匪貨運動的推行，「良好的開始，就是成功的一半」，這是值得我們奮發自勵。我們要利用這一運動的有利形勢，因應各地不同的環境，積極爭取國際間同情合作，以期收事半功倍之效。

韓國政府採取「不容許親共的日本商人在韓國經商」的措施，雖然是針對少數的親共的日本商人，但它的意義，是對日本政府放任少數投機商人從事對匪貿易的警告。中華民國政府迭次提出嚴重的交涉，美國政府也不斷的忠告，而日本政府不顧國際間的道義，推諉其責任，以它的生產過剩需要對外推銷，中國大陸爲其過去產品的良好市場爲藉詞，匪日間的貿易，在近三年來因匪俄交惡而有增加，但在日本方面，並不足以解決產品過剩問題，而共匪却藉此彌補了俄援斷絕所缺乏的若干物資，並乘機向日本進行滲透活動，致令日本左傾政黨與社團坐大。現在日韓復交，因而使日本產品可向韓國輸出。因此，日本能及時停止對匪貿易，才是上策，否則其他反共國家按照韓國政府的措施，日本對外貿易的損失，不僅是少數親共的商人了。

保護香港工業防共貨轉口

香港之所以有今日的繁榮，是從中國大陸到香港避難的反共中國人與海外華僑的共同貢獻，一方面他們在香港共同創辦了新興的工業，另一方面海外華僑盡了銷行產品的最大努力。共匪以香港爲主要的傾銷市場，一方面妄圖打擊反共的中國人所創辦的新興工業，進而控制香港的經濟命脈，以加强它在政治上對香港殖民地政府施以各種壓力；另一方面是藉香港爲自由港的便利，使匪貨可銷行於海外其他地區，且不擇手段的冒充香港產品，以銷行大不列顛聯邦的各國間，獲得優惠。且更以它不計成本的傾銷，同樣的使東南亞各國的新興工業受到打擊。因爲香港居民有百分之九十九是中國人，尤其是因不滿共匪暴政逃到香港的難民，他們更熱烈響應「香港人用香港貨」，共同挽救香港的危機。而且還要呼籲香港政府採取特別措施，以保護香港工商業及防止匪貨的自由轉口輸出。

陳東海先生的卓識，足以代表具有中華民族血統的華人的意見。馬來西亞的華人，有着不少親友在中國大陸，直接間接受到共匪的迫害。又馬來西亞建國的前後，共匪都在極力阻撓和破壞，無論在私在公，馬來西亞人民對共匪不應予以助長，故我華人更應熱烈響應陳氏的建議。

國大臨時會預備會側記

——本報記者張健生

此一提案，與主張改選主席團之周士傑等提案，不謀而合。由於此一趨向，因此，代表有關方面的國大代表王廷拔、王昌華（大法官）、張旦平（律師）等三十二人提：請另行制定國大臨時會主席團選舉辦法，以利會務進行案。其辦法：

一、主席團主席八十五人，由出席代表以第三次會議主席團爲臨時會議主席團候選人。二、第三次會議主席團如有出缺時，以其原選舉結果，得票次多數者，補列爲臨時會議主席候選人。三、由預備會議臨時主席，將主席團八十五人全部名單，提交大會以連記名舉手方式推定之。四、本辦法經國民大會臨時會預備會議通過施行。

臨會主席 原班人馬

預備會議第一次會議於二月一日下午舉行，主席薛岳，討論前述主席團是否改選的問題，經三小時餘激烈辯論，但無結果。翌日，即二日上午九時，國大臨時會舉行第二次預備會議，主席王雲五，經一小時的討論，主席王雲五即以果斷的手法，接受劉振鎧代表四十九人之臨時動議，把王廷拔、王昌華等三十二人之提案，提付大會表決，停止討論。當時在場國大代表爲一〇五八人，終以六八四票通過王廷拔等之提案。因而，也種下了許多代表攻訐王雲五「專制」、「獨裁」的根由。

查此項辦法經通過後，等於提名第三次會議主席團，爲臨時會主席團之候選人，是國大的創例之一。但上次主席團主席祇剩下七十六人，有胡適之等八人死亡，另有郭驥當選後而辭去主席團職務，在當時，原想由莫德惠遞補，而莫德惠爲候補主席第三名，前兩名爲使於莫之補選，亦有辭職的打算，不料此案在第三次會議時竟引起軒然大波，於是只好作罷。這雖是一段憲政「史話」，然今天回想起來却頗有意味。

在王廷拔之提案、及王兆槐之提案中，有一共同的特色，即該兩案中之連署代表竟有第三次會議主席團主席薛岳等三十多位主席，主張不另行改選主席團。如王兆槐提案中之連署主席有：薛岳、李壽雍、葉秀峯、劉崎、裴鳴宇、韋德懋、王民寧、高信、唐舜君、馬超俊、白崇禧、李宗黃、谷正綱、關吉玉、畢澤宇等多人。如王廷拔提案中之連署主席有：關吉玉、張旦平、葉秀峯等人。

臨時會預備會議在討論主席團是否改選時，第三次會主席團主席竟主張不改選，誠憲政史空前創作，也是策士們的好主意，怎不使反對兩王案之代表俯首稱臣。

三項創例 懶惰選舉

第三次會主席團候補主席者有黃珍吾等九人。在表決主席團主席八十五人時，在場代表一〇五八人舉手表決，結果，以八一九票而通過。查國民大會前三次會議選舉主席團主席，是秘密投票而非記名舉手，過去是一票一人單記法，臨時會爲一票選八十五人的連記法，亦爲國大創例。形式上爲選舉，事實上仍屬原班人馬。因此，輿論評議爲用「懶惰」的方式來處理「選舉」，促使國大臨時會自失莊嚴，嚴肅的氣氛。新瓶裝原酒，飲酒人心裏有數。

（下）

瀛海異趣談

非洲努爾族的怪風俗

·桑雅·

非洲——這個世界第二大洲，「人類的發祥地」，具有比任何地方更多的部落特性與語言。其部落中有一個是上尼羅河谷的努爾族，這個民族以同性戀，特別是女人同性戀著稱。

努爾族乃是非洲最純粹的土著與原始民族之一，他們共有三十萬人，是由鄰近各文化與語言相同的部族所合成。這個民族主要是以畜牧爲生，牛奶是他們終年的主要食糧，他們以新鮮的牛奶與玉蜀黍混合煮成奶粥，或者讓其發酸成爲乳酪。榨奶的工作由婦女與兒童担任，每日兩次，除非沒有女人工作，否則男人是不准榨奶的。

努爾族的生活重心是婚姻、家庭與兒女。男孩子與女孩在青春發動後，便有許多試驗性做愛的自由，可是結婚乃是每次戀愛的目的，而在最後選擇時，女家必須贊成男家的意見。

男女新婚時，非至有孩子後，不准住在一起。女的要在祖家家園的一所茅屋居住，而男的則在其祖家居住，有時到妻子那裏渡宿一夜。到第一位孩子出生後，他才被接納爲女家之一員，在女家同住至孩子斷乳時，再雙雙到男家去居住。男的在其父親之家園內，建一所小屋供妻子居住，女的還居這所小屋時，首先在其新家室內建一道泥牆，以供奉其祖宗的神靈。

有的男人會娶姨太太，取了姨太太後，元配夫人並無特殊地位。多妻現象通常是起於元配無後而來。男子死後，其妻子必須留在其族中，在這種情形之下，是以「鬼婚」來補救。死者的兄弟或者近親以他的名義娶妻子，而死者的「鬼魂」被視爲合法丈夫，所生的孩子也用他的名字取名。

努爾族並實行一種女性同性戀，同性戀者並舉行某種結婚。「丈夫」通常是一位不妊的女子，由一位近親或朋友替她們「生子」。孩子出生後，這位女性「丈夫」做這孩子的「父親」，以「丈夫」的名字取名。

努爾族的女性同性戀者取用一種人造的男性器官。這東西通常是一種以熱帶植物，香蕉樹或者甜蕃薯的根做成。

用以做成性器官的曼陀羅花根莖，是由喬裝男子的女子挖掘。曼陀羅是一種古代植物，非洲人一向相信它具有神魔與特徵，狀若人體小像。其根莖只在晚間挖掘。

曼陀羅花的葉子開得好像麥穗的葉子，其內層葉子捲成一個螺旋管。那位「男性」女子把它的葉子摘出來後，再以一種用大茴香磨成嫩粉，然後用蜜糖加以軟化的膠液，塗在手指上，加以磨擦。經過小心的處理後，那位同性戀的「丈夫」便將這塊曼陀羅花葉放在一個經過精巧挖孔的根莖之內，以便將來應用。

這個曼陀羅花根莖大約八寸長、二寸濶，其頭部有一個小小的開口，使那塊含有男性精液的葉子之末端畧爲伸出。

這種精製的器官之外面，一切粗糙的纖維都經小心地除掉，因此表面好像青苔一般柔滑，（曼陀羅花的以粗糙纖維著名。）它有堅韌的特性，而且像堅硬的樹膠一樣彎曲。

我們對原始民族的性行爲越知道得多，人類性行爲的多樣性，對我們越發顯然。

關於三民主義教學研究問題（二）

·楊力行·

丙、高中公民與三民主義內容要避免重複——高中公民內容與三民主義教本頗多重複之處，且十餘年來鮮有修訂，教材陳舊，亟應予以增訂重編，且應將台灣一切建設成果編資料，至少每一學年予以補充修正一次，俾其理論與事實相符，而利教學。至於三民主義教學特發生之疑難問題，應由中央設立專門機構負責統一解釋，俾有遵循。

丁、愼選三民主義師資——十餘年來，全省高級中學中從無三民主義專業教師之設，僅由公民及史地等教師兼授，視爲副科，師生多不予重視。今後宜以三民主義爲主科，由本黨籍資深且係專攻法律、政治、經濟、教育、哲學等社會學科教師愼選任之。最好能在政大、師大及政工幹校等大專院校分別設立三民主義學系及三民主義研究所，負責培養三民主義專業教師。目前則宜舉辦教師登記或檢定合格後，仍須由省訓團或革命實踐研究院或國防研究院三民主義研究所分別予以調訓。（力行按：台灣省教育廳已據此開始辦理三民主義教師的甄審及考選工作，深感欣慰。）

戊、統一課程名稱——目前大專已改三民主義爲「國父思想」，中學則仍爲三民主義，高考則爲「國父遺教」，其他普檢特種考試亦然。鄙意以爲前者仍以稱三民主義爲佳，因其內容仍以三民主義爲中心也。其他亦然。蓋中華民國憲法第一條明白規定：「中華民國基於三民主義，爲民有、民治、民享之民主共和國」，三民主義爲我立國最高指導原則，所以名正言順也。如果，一定要改的話，倒不如一律改爲「國父言行」，或「國父遺教」之爲當也。

己、明定大專及高中學生三民主義及國文不及格者均予留級——爲加强教學，以堅定知識青年對三民主義有堅定之信仰，以養成其熱愛國家民族，明禮、尚義、知恥、守紀律，擬請明定：凡大專及高中學生之三民主義與國文有一科不及格者，均不准畢業。其他各種考試之三民主義與國文不及格者，亦不予錄取。俾使其人格教育和科學教育及國學俱能均衡發展，而收生活教育之實效。則國家幸甚，青年更幸甚矣。（事後證明：半月間討論者均未逾此範疇。）

中國青年反共救國團台北市團務指導委員會，於參加三民主義教學研究之台北市各校教師北返未久，於八月十四日在台北學苑該會召開座談會，由私立大同工學院院長兼主任委員林挺生先生主持，致詞表示歡迎後，我被邀即席報告參加半月研究經過，並提請台北市爲加强三民主義教學計，必須作到：

一、請教育部、廳及各縣市教育局、科，轉飭各督學隨時抽查國父思想及三民主義作業。

二、舉辦三民主義論文比賽，分教師和大中學生及社會人士三組。

三、舉行三民主義演講比賽。

四、大專及高三學生應隨時舉行三民主義測驗。

五、比賽評分時，無分公私立學校，宜絕對公平。

六、舉行三民主義觀摩教學，主講者並須先作教材，當場分發。

七、在教育即生活，生活即教育（Education for life is education in life）原則下，加强生活教育多作露營活動。

阿月

覃靖

重新回到我的酒座時，阿市酒女已將酒菜佈置整齊。我開始狂飲起來。

「呃，阿市，」我喝了半瓶子悶酒，禁不住又問道：「第五號是誰呀？」

「啊，原來你半天不開腔，是在吃美紅的醋。」她拿起自己的杯子喝了一半，剩的一半倒在我的嘴裏。「我告訴你，那不要緊。那個男的是草地人，美紅不會對他傾心的。」

「那個男的是誰，你知道嗎？」

「是一個鄉下人的招贅丈夫，最近天天騙老婆的錢到這裏來泡，被美紅畧施小計，就迷昏了頭。其實他是賴蛤蟆想吃天鵝肉！」

「他叫什麼名字？」

「我聽美紅叫他宗枝。」

「哦！」我不由感喟一聲。阿月的命眞苦啊！

大約十二點多鐘，我才踏着酒後踉蹌的步伐回家。這一夜自然是徹夜失眠了。

事後好幾天，我看見阿月，我就爲她傷心；但我不忍把事實的眞像告訴她。我想，如果她知道了，將是她無法擺脫的致命傷。

可是紙總是包不住火的，阿月既不是聾子，又不是瞎子，那能不知道呢？

阿月知道了，她幾乎是瘋了。他們夫婦大大鬧了一場，整個村子的人們都被驚動了。奇怪的是誰也沒有想到，一向沒有出息的劉賴宗枝，在這一次的難堪中，竟會老羞成怒，做出所謂眞正大丈夫的行爲——遠走高飛了。

于是這個家庭的悲劇，又趨入另一個高潮之中。

劉賴宗枝的遠走高飛，給阿月帶來一場重病。

我更爲這件事不平起來，特別是阿月的父親，也趁時候打落水狗；因爲阿月的體力不能爲他工作，他更逼着阿月母子搬出豬欄。

她們母子還有什麼地方可搬呢？自己的父親如此；喜愛她的舅舅，由于官場的事務繁忙，當然更管不了這許多；至于招贅丈夫的二哥和三哥，雖然而已講得漂亮，也祇是心有餘而力不足了。

眼看着阿月走到了絕路上，站在人道的立場，我似乎應該扶她一把，而且我自信我的力量能夠辦得到。但是我怕別人，尤其是劉賴宗枝發生誤解，以爲我是有不正當的企圖，那將造成他們這不成正統的家庭一個永久的裂痕。

時間彷彿是在陰鬱的氣氛中爬行着，接連十幾天，我既感慨而氣惱，這種人世間的寡情現象，也許是日本統治期間所遺下的餘毒。雖然在這個小村子的社會裏，也有一兩個有正義感的人，講了幾句公道話；但他們僅能使阿月獲得搬家的緩刑。至于在她病中，母子的生活費用，劉廖木水仍然堅持不盡義務；除非阿月能夠抱病工作。（十六）

新三國

周[illegible]謙著

可是因爲他們一鬧，使得漢室的廣大土地，都騷擾了起來進而震撼朝廷，而造成一個「亂世」；亂世之中，許多人便趁火打刼，有的眞有一番抱負，有的根本就以擁帝爲名，實行搶奪之實。一些稍有本領的人，更是大好良機，所謂「亂世出英雄」是也。

除了外戚、宦官、黃巾之外，各地還有亂子，如西北馬騰和韓遂、王國等，割據甘肅，東進及於寶鷄。在南方有一個觀鵠、自稱「平天將軍」。要不是有孫堅在那裏坐鎮長沙，亂子就鬧大了。

在東北方面，有一個張純，他殺了右北平太守，又殺了遼東太守「護烏桓校尉」，可見勢力不小，冀東、遼甯、熱河都是他的勢力範圍，難怪他也自稱起天子來了。

在北方有一位郭大，起於西河縣白波谷，進侵河東二郡。那時有一位胡人叫做休屠各者，也在山西一帶騷擾，并州刺史也被他殺了。白波賊直鬧到袁紹雄踞的黃河以北之時，才被消滅。

所以漢末的局面眞是天下擾亂不休，到處都有亂子。靈帝似乎感到事態嚴重，決心在洛陽練兵。等他慢慢練吧，回頭再說明一下漢末的地理環境，以便在說到戰爭的時候，讀者有一個較淸楚的了解。因爲古今各地的地名劃分及更改大有不同，如不把漢末的地圖描繪出來，則有使人難以捉摸的感覺。

五、劉關張平民起家

三國時代，是一個「人才出頭，英雄得志」的時代。這時候，外戚和宦官的勢力，已是日暮途窮的末路，那些僅憑門閥貴族以生存的人，也相繼的倒了下去；即使稍有才華的所謂「四世三公」的袁本初兄弟，在這大時代中，也經不起考驗，被譏之爲「冢中枯骨」。此時的大英雄、大豪傑的領袖人物，可以借用曹操的一句話：「天下英雄惟使君與操耳。」曹操以英雄自居，可是他是生在一個亂世，他走上了「奸雄」的路子，如果他生在治世，倒算是「治世的能臣」。所以，如以中國傳統精神來論英雄，天下英雄只有劉備、。劉備不僅是英雄，而且他是英雄中的領袖人物，也是仁和正義剛烈人物的代表。這不因他是漢室苗裔而提高他的身價，在當世的漢家宗室，尚有幽州牧劉虞、荊州牧劉表、益州牧劉焉、兗州刺史劉岱，都是漢家宗室，而且都是擁有土地人民和軍隊的州牧，地位崇高；然而這些人都無所表現，開始動亂，便被人併吞。劉備雖然是漢室苗裔，但他却是一個落魄王孫。他白手興家，橫行天下，建功立業，豈不是三國時代的眞正大英雄領袖人物麼？下面我們查一查劉備的家譜以及出生本末吧！

劉備字玄德，涿郡涿縣（今河北涿縣治），是漢景帝子中山靖王劉勝的後裔。（劉勝爲景帝第九子，孝景前三年立爲中山王，劉勝是一個樂酒好肉的王孫，妻妾不計其數，兒子有數的一百二十餘人。死後諡曰「靖」，所以史稱爲「中山靖王」。漢書卷五十三有他的傳。）劉勝之子劉貞，在漢武帝元狩六年，（元狩武帝第四年號，歲次甲子，當公元前一一七年）封爲涿州陸城亭侯，後來因爲欠繳納貢祭金而被除掉了侯爵。（十）

莉沙・盧燕香（續）

這段文字，我深疑盧這位梅家教師，姓李氏，不知是何人，紀瑩（水旁）未予詳記，無從知曉。同時想到以前曾有傳信，燕香也唱過平劇，想必是乃母所授！這位明星對東方來講，似不及關家倩阮蘭絲爲著名，可是在好萊塢却赫赫有名的。

國劇繽紛續錄（五十一）

姿婆生

大鵬的午場

大鵬劇團發展平劇，唯一的可稱，是星期日的早場，爲旁的劇團所不肯辦，他們毅然行之，已有數年，頗博取大衆的贊譽。從前在介壽堂，我曾提到似乎地區太偏，不能吸收廣大的觀衆，宜遷至西門町較爲適合。自從發動國軍文藝活動以後，即遷至舊國光戲院，論理應該是地利人和，可以蓬勃，但是却適得其反，以致賠累而收支不能平衡，茲畧爲檢討。

大鵬的早場自遷國光後，改爲午場，不知北市觀衆，下午的事支配較多，看電影，吃咖啡，聽歌唱，甚至抹幾圈，此其一，對於看戲的勁頭不大，此其一。改了午場，票價調整爲每人三十元，比較晚間的平劇便宜十元，而份量相距甚遠。軍公教人員的收入，沒有漲三倍，不肯薄利多賣，此爲失算。至於欲謀減稅欵，似乎國家不能因你的賠貼而減稅，主要是如何推展須用手腕，此其二。院租太高，下午租用也要千元，比晚間僅少數百元。廣告費支出太多，似可節縮，少登報紙，有華報即可以了，多登也無大作用，此其三。演出戲碼，很少是已成名的幾位，多是小一輩，不能吸引人，而看白戲的恐怕不少，以二十人算，就是六百，此其四。現在聽說，行將停輟，永久不辦。照軍中作風祗有前進，沒有退後，何況可以藉此讓小一輩練習，這功虧一簣，未免可惜而是遺憾，應用人謀來作補救。

在筆者的淺見，（一）仍宜恢復早場，十時至十二時，避免在下午與電影院衝突。（二）院租應減爲半數，不超過五百元。同時降低票價，最高爲二十元，餘類推。（三）向各軍中康樂單位宣傳通知，如最低爲十二元，半票僅六元，每週確定人數，備休假的軍士來參觀。其他如購團體票在五十張，應爲一千元，可以優待減收。（四）對於贈券儘量減少，因爲也起不了多大的作用，如果一方面儘量贈券，一方面却苦賠貼，未免矛盾。這樣的再試，我的動機，盼望依舊存在，不要泯滅。如連這一點，都不能維持，如何不興喟慨哉？

誌美洲十一奇

・鄭欲耘・

（一）世界最熱的地方

在美國加州東部有一處叫做死谷，是地球上最熱的地方。這個死谷長一百五十哩，濶度爲十哩至三十哩。那裏的氣溫常常高至華氏一百六十四度，但有隔幾年，竟有一次高至一百八十度。這個溫度只低於華氏沸點溫度（二一二度）三十二度而已。

那裏雖然是一塊荒野，但蘊藏有金、銀鑛，印第安人和一些掘金鑛人在那附近居住。

（二）奇怪的河流

南美洲有一條河叫做卡西怪爾河，這條河流有時向這邊流，有時向那邊流，成爲一條奇怪的河流。原來它一端通到奧利諾科河，一端通到亞馬遜河；亞馬遜河流域下大雨時，河水高漲，便通過卡西怪爾河而入奧利諾科河；當奧利諾科河水高漲時，則通過它而流入亞馬遜河；這樣便成爲兩頭流的河了。

（三）可怕的湖

在加拿大英屬哥倫比亞省的鐵彌斯卡明湖，是世界最神秘和最可怕的湖。它突然會生起風波來，每年溺死在湖裏的有好幾百人。據說湖裏似乎有巨大的怪物在興波作浪，但沒有人知道它的眞像。由於湖的附近有金銀鑛，掘金的人須經此湖，所以這個湖雖然可怕，還有不少人願意去冒生命的危險。

（四）不沉之湖

美國猶大州的大鹽湖，被稱爲不沉之湖。湖長十五哩，濶五十哩，含鹽量達五十億噸。由於湖水含有大量的鹽，浮力極大，使你入水不會沉沒的。

（五）能殺猛獸的種子

南美洲有一種植物的種子叫做「惡魔之角」，它的果殼有尖銳的針，野獸的腳一旦被它刺入，就會腫痛得無法行走。野鹿的鼻被它刺入，更可能痛苦致死。又有一種硬殼果實，其鋒利就像鐵錨一樣，當獅子在地上打滾時，它會刺在獅子的身上，獅子如果用口咬它，便會梗在喉裏，無法取出，結果使獅子餓死。

（六）奇異的跳豆

墨西哥有一種會跳動的豆，是一種奇趣的玩物，這種豆原是箭樹的種子，像靑色的咖啡豆一樣。蝴蝶產卵在豆花上，牠生出的幼虫深入花的子房，子房有三個細胞，裏面各有一顆種子，幼虫便攢進種子裏去，牠不時伸縮着前後腳，因此就使豆跳動起來。每年七月，墨西哥人收集這些奇異的豆，運銷各地，作爲兒童的玩物。

（七）牛奶樹

拉丁美洲有一種奇怪的樹，叫做牛奶樹。只要在樹上砍一下，不夠一小時，就會流出一公升的「牛奶」，當地人把它作「牛奶」喝。

（八）毒蘋菓

誰都知道，美國的蘋菓很甜，但在美國佛羅列達州公園，竟有一株毒蘋菓樹，它的名字叫曼次尼拉樹。樹的汁液和菓實都有毒，如果被菓汁沾着皮膚，皮膚便會腫痛起來，癬癢幾天之久。據說，印第安人所用的毒箭，便是用箭尖浸在這種樹的汁液裏而成。

（九）會發光的植物

南美洲又有一種會發光的植物叫做「賽波」。它的汁液有燐光，每當夜裏汁液滴下來時，就像下着「火雨」一樣，十分好看。

（十）蛇肉罐頭

美國中南部俄克拉荷馬州的奧岐尼地方，每當響尾蛇冬眠過後，捕蛇的人就大批出動，他們捕蛇後就剝取它的皮來做皮帶，皮包之用，其肉則製成罐頭，味極鮮美。香港人好食蛇羹，不妨一試。

（十一）天然的復活蛋

南美洲的鷓鴣又叫做復活鳥，因爲牠所生下來的蛋，竟有藍、綠、淡紅、紫、黃等顏色，是一種天然彩色的復活蛋。

冰島人物秀美人情溫暖

・林錚・

冰島爲北大西洋中的一個大島，距離歐洲大陸約一千公里。全島面積一〇三，〇〇〇平方公里，人口一五四，〇〇〇，首都雷克雅維克，冰島的第二城市爲亞庫雷立。

遠在千餘年前，歐洲人便發現冰島，並在那裏居住，建成一個「獨立共和國」。一二六三年被挪威佔領，一三八一年受丹麥統治，一九四四年，冰島完全脫離丹麥，成立冰島共和國。

冰島境內是一個大高原，火山及溫泉甚多，尤以南部的希拉火山最著名。冰島雖然接近北極圈，但因受暖流影響，氣溫較同緯度的其他地方爲高。首都雷克雅維克七月間的溫度平均爲攝氏十一度，一月間爲攝氏一度，最低溫度爲零下七度。冰島的內陸則較寒冷，散佈着廣大的冰河。

漁業在冰島的經濟中，佔着最主要的地位，全島有百分之二十以上的人口從事漁業，一九五三年捕魚量爲三六二、六七公噸。該島最著名的魚類爲鰍魚，鰵魚及鯿魚。加工製成凍魚，乾魚和鹹魚，運銷歐、美、非各洲。魚及魚產品佔該島出口總額百分之九十。

冰島土質很差，可耕地僅佔全島總面積百分之〇點四，有百分之三十的人口從事牧業。農作物以馬鈴薯、胡蘿蔔出產較多，又有少量的大麥出產，糧食不夠自給，必須靠進口。畜牧業中以飼綿羊業最重要，一九五三年有綿羊五四四，〇〇〇頭，馬三八，〇〇〇匹，牛四五，四〇〇頭。

從事工業的人口約佔百分之二十，主要工業爲魚類加工工業，和其他食品等輕工業。冰島除較豐富的水力資源外，其他自然資源很貧乏，只產少量烟石，硫磺，褐煤和泥炭。亞庫雷立是工業比較發達的城市。

冰島內陸交通很不方便。全國沒有一條鐵路，沿海雖有公路，但每當大雪或冰河解凍之時，路即不能通行。有許多崎嶇的道路，只能騎馬經過，因此馬匹成爲冰島人的「的士」。空運則較爲發達，經常有班機來往首都和幾個大城市之間。

冰島人屬於斯坎底拿維亞族人，身長，秀美而壯健。他們有自己的語言文字；而且在幾個北歐國家中，以冰島文保存得最完整。自第九世紀以來，差不多沒有什麼變化。

一般說來，冰島人很喜歡詩歌，在這小小的國家裏，詩人十分多。有許多人也能隨手寫出押韻的詩。畫家，彫刻家，書法家，音樂家，都受到政府獎勵和津貼。

每一個成年人都能讀書識字。住在離城市較遠的鄉村兒童，是由教師担任在各村輪流教讀。許多人在兒童的時候能操一種外國的語言。英語在冰島也相當普通。

冰島人是歐洲第一個使用印刷機的民族，他們在一千六百年以前，就印了四十多種書。科學家認爲除了古代希臘以外，沒有一個地方在古代有像他們那麼高的文化水準。

冰島人很好客，每天在適當時間，他們必定以咖啡和家裏的美味餞食來供奉客人。他們最喜歡吃的一種食品，是用酸奶油和乳酪攪到起泡，然後加以奶油和糖。他們所製的餅食，也多用挪匀的奶油作爲主要的材料。有一種魚脯，也是冰島人所喜歡吃的，吃時要用手撕着鱒魚和鮭魚、牛奶，馬鈴薯，麵包等，都是他的重要食物。

冰島女子，皮膚十分幼滑，頭髮多是金黃色，所穿的衣服，欵式合時，顏色鮮艷。年紀老大的女人穿着相沿下來的服裝，多是黑色的服裝鑲着金邊，此外，還佩掛着許多飾物。最奇趣的是冰島女子出嫁之後，並不稱爲某太太，而是呼其乳名，據說，這是千餘年前所傳流下來的風俗。

馬年談千里馬

漁翁

今年丙午，午屬馬，故稱「馬年」。人有賢愚，而馬亦有良劣之分；良者曰「騏驥」，即千里馬也。國策：「騏驥盛壯之時，一日而馳千里」。劣者曰「駑駘」，即馬之鈍頓者，楚辭：「乘駑駘而馳驅」。又諸葛亮文：「庶竭駑鈍，攘除姦凶」，乃自謙之喩也。馬年談馬者多，而余所論者，千里馬耳。

韓文公作雜說：開宗兩句：「世有伯樂，然後有千里馬」。按伯樂，字孫陽，爲古之善相馬者。嘗過虞坂，有騏驥伏鹽車下，見之長鳴。伯道下車泣之，以良馬不得志於時，引爲太息也。文公又曰：「是馬雖有千里之能，食不飽、力不足，才美不外見，且欲與常馬等不可得，安求其能千里也？」此喩治國者不知善用有才之人，使之投閒置散，文公亦藉以自明其所志也。

據國策：「古之君人，有千金求千里馬者，三年不能得。涓人言於君曰：請求之，君遣之，三月得千里馬，馬已死，買其骨五百金，反以報君。君大怒曰：所求者生馬，安事死馬，而捐五百金！涓人對曰：死馬且買之五百金，況生馬耶？天下必以王爲能市馬，馬今至矣。於是不期年，千里之馬至者三。」俗云：「重賞之下，必有勇夫」，千金買骨，即所以招馬之來歸也。

再說，馬之少者曰「駒」。楚辭：「寧昂昂若千里之駒乎？」三國志：「魏曹休年十餘歲，太祖舉義兵，易姓名，間行歸，太祖曰：此吾家千里駒也。」又晉苻朗，宋張敷、梁蕭瑛、任昉，均有此稱。按休爲曹操之姪，後之人，稱姪爲千里駒者，本此。但也有稱子姪之儁秀聰穎者爲千里駒，足見駒馬之難得而可貴。

筆者，有姪在台爲立委，曾得一男，在歲內能辨「之乎」，聞之喜成五言一律：「又聞榴結子，聽罷更怡愉。樂水稱多智，讀書定不愚。竇公誇五桂，宋代羨三蘇。異地相期許，吾家千里駒。」書此，以寓馬年之兆。

「春風得意馬蹄疾」，爲人生最慰快之事，相信蛇歸運轉，馬到功成，爰成二首，以抒所懷。

當年千里許名駒，此日落爲海上凫；莫謂龍鍾憐我老，也曾馳騁識長途。

每逢伯樂一長鳴，願傍終軍去請纓；今日風雲開景運，果然馬到慶功成。

金門的星期天

・克勞・

「到山外去吧？」

「有車子嗎？」

「十分鐘的路，還坐什麼車子。」

今天，星期天，沒事。在碉堡內也太苦悶，還是出去走走。

又是雙日。放一百廿個的心，沒有砲戰。不成文的約定：單打雙不打。金門固若金湯，八二三那麼猛烈的砲火，九十萬噸的砲彈也無動於衷，還在乎這一丁點兒嗎？

有太陽，不太猛烈。

路上人很多。街上人更多。都是男的，都是軍人。還有車子多。公共汽車，計程小汽車。到處都是。每個店面都擠滿了客人。

「怪不得有這麼多做生意的。」我對朋友說：「這兒做生意，百分之百的賺錢。」

「你要在這兒做生意？」

「我若是老百姓，我就在這兒打開市場。」

「你不怕砲彈？」

「這麼多人都不怕，我怕什麼。」（一）

內政部登記證內版台報字第〇三二號

自由報
THE FREE NEWS

第八二六期

中華民國僑務委員會登記證僑台新字第三三三號
中華郵政台字第一二八二號執照登記爲第一類新聞紙類
（半週刊每星期三、六出版）
每份港幣壹角
台灣零售新台幣貳元
社長：雷嘯岑
督印人：黃行雷
社址：香港銅鑼灣高士威道二十號四樓
20, CAUSEWAY RD 3RD FL. HONG KONG
TEL. 771726　電報掛號：7191
承印者：大同印務公司
地址：香港北角英皇道九六號
台灣分社
台北市西寧南路安樂里號二樓
電話：三〇三四六
台郵政劃撥金戶九二五二

領海領空與太空主權問題（中）

・彭樹楷・

這三大原因的消除，領海寬度問題才有達成協議希望；如何消除這三大原因，則非本文主題矣！

領空高度問題

從一七八三年氣球時代，一八八七年飛船時代，到一九〇三年飛機發明後以迄一九六六年的今日，領空的高度問題，一直成爲爭論不已的問題。甚至何謂空間，也沒獲得一致的定義和界說。連帶而來的國家空權，空間所有權，至今也都無法達成統一的解釋。

一九一九年十月巴黎會議第一次討論領空與國際航空問題。這是鑒於一九一四年德國藉詞法國飛機侵犯德國及中立區上空而宣戰並帶來第一次世界大戰的原故。爲預防類似事件，那次巴黎會議訂了國際航空章程，規定「每一個國家，在其領土上空保有完整的獨佔性主權」，並爲世界各國所認可。在一九四四芝加哥會議又予以正式認定，同時進一步規定：「在公海及無人地區——無人居留及未經公認獲有國格社團之地區——的上空，在不妨礙其他國家同等權益原則下，任何一國之飛機均可自由飛行。」「領土上空完整的獨佔性主權」與「公海及無人地區自由飛行權」雖爲各國公認；但，問題在於「領土上空」的高度，亦即何謂空間與空間的高度？同時，由於領海寬度爭執未定，故何處是公海也糾纏不清，所以有關領空權的根本問題並未獲致協議。下面是空間、國家空權、空間所有權、飛行權的歷史文件摘要——

空間：何謂空間？高度止於何處？這是爭論不已的兩大問題。巴黎會議及芝加哥會議先後同意「飛機是一種藉空氣之反作用將其支持在空中之飛行器」，因而從空氣之高度劃定空間的高度從而確定領空的高度，便爲一般法學家所注意。可是，由於航空科學工藝的突飛猛進，飛機的高度不斷增加，甚至發展到「航空太空飛機」可不藉空氣而能在距地面一百哩以上航行；並且，空氣層的高度也因經緯度、四季與晝夜以及地球自轉與整個太空星體之旋轉而不同，近年太空探測證明整個宇宙都存在着稀少的空氣份子，因而使空間的定義與界限乃愈爲混淆。有些法學家建議根據地球物理學的氣象學學理制定「所謂空間，係指地球大氣層所及區域而言」。但，地球大氣層本身既無明顯界限，又因自然因素使其高度不時變動，所以也不易據此制定空間的高度。另外，有人提議以飛機飛行高度的極限爲空間高度的極限，也因飛機高度不斷增加，且各國爲保密而不宣佈其新飛機的高度，因此也不切實而無補於解決空間界限問題。

國家空權：我在一九六五年三月廿五日台灣出版的「政治評論」半月刊，曾以「太空時代空權思想的新觀念」爲題，發表對空權思想的新觀念說：「面對突飛猛進的新武器，和日新又新的國防科學技藝……啓廸今日新武器系統下的空權，所代表的國防科學技藝……啓廸今日新武器系統下的空權，所代表的是一個國家或一個集團的整個力量。其空權體系與思想是完整的，不可分割爲空軍空權、海軍空權、陸軍空權；由於全球性和三軍通用性武器系統的不斷問世，使得「一國空權」的形態成爲歷史，進而趨向「共有空權」或「同盟空權」。此種發展並不動搖杜黑和密契爾的空權理論，而是該理論的擴張，強調「爲確保國防安全，必須有充分能力控制天空、獲得制空權」。

但，問題在於天空的界限，亦即前文所述空間的高度未能確定，故國家空權所及的範圍便無法確訂。雖說世界各國已公認「各國均保有其領土上空的完整獨佔性主權」，並公認「任何國家均可在公海上空自由飛行」，但仍無益於解決國家空權的根本問題。如國家空權範圍不能確定，國家領空主權也就難獲解決。如果世界各國形成數大集團，在「共有空權」或「同盟空權」達成協議，與新武器系統的發展突破國家與集團乃至半球或全球範圍，國家空權及同盟空權便失却意義，也許問題就能迎刃而解矣！例如以月珠爲基地可對半個地球執行監視任務；以軍用太空器（如轟炸戰鬥攔截衞星及太空站，又如通信偵察等衞星和太空漫步者所構成的全球性武力系統）担負國防任務，則各國便將失却空權價值，設使不能抗拒與消滅此項表面爲和平用途科學探測，實質爲軍事監視的航空或太空器以及月球基地，則國家空權便失去其作用；如此則有關領空的一切爭執，亦將由於事實上的不再需要而將此問題從國際事務中刪除矣。

但是，短期內不可能每一個國家都有太空器與核子、電子、光子、等新武器系統。因此，國家空權——更爲各國所需要，沒有一個國家樂意他國經由新科學技術窺視其國防軍事機密的。所以，這個問題在未來的國際會議上將更受重視，爭論將更趨激烈。

空間所有權：對個人來說，自十六世紀以來，無論從習慣上或是法學上來說，都承認「天，不論有多高；地，不論有多厚；凡有土地主權者就土有這一切。」因此，都市裏的地產持有者，他便有建築任何高度的高樓在其土地上之自由；鄉村的土地所有人，他便獲有其土地地下的資源。這其間，各國政府基於國家公衆利益，頒訂不同的限制法律，約束其國民或外人在其領土內的種種權益，使土地所有人對其土地上空與地下，僅有作一般與合理運用的權益；這些約束因係國內內政主權，故問題不大。

沒有腦袋

悔之已晚

今日與明日

毛阿交惡

繼古巴與毛共鬧翻之後，毛共剩下的唯一「兄弟」，細小的共黨國家阿爾巴尼亞又告脫幅，逐漸和毛共走上分裂之途。目前已經看出的跡象之一，波蘭已經恢復了地那拉大使館，波共首領戈慕卡且曾致函阿共首領霍查，促其參加俄共召開的大會，共同商討在越南對抗美國。此項函件雖經阿共宣佈，且大罵蘇俄是叛徒，但對波蘭的關係却近了一層。跡象之二，阿共於二月十四日與南斯拉夫簽訂一項貿易協定，並且說明今後的貿易範圍將逐漸擴大。此種趨勢必然要引致兩國恢復外交關係，其意義就不尋常了。

阿爾巴尼亞與南斯拉夫有其歷史性的宽仇，一如韓國之與日本。南斯拉夫統治者歷來皆覬覦阿爾巴尼亞，到了狄托主政初期，史達林也答允南斯拉夫併吞阿爾巴尼亞，以後由於史狄之間發生分裂，阿爾巴尼亞獨立始被保留下來。因此阿爾巴尼亞始終把南斯拉夫當成大敵。以後阿俄分裂，也由於赫魯曉夫主動拉攏南斯拉夫引起了阿爾巴尼亞的疑慮，逐漸浸潤而成。所以說這次阿爾巴尼亞與南斯拉夫接近，不論在阿爾巴尼亞或在整個共黨集團，都是一件大事。

阿毛疏遠的真固

阿爾巴尼亞疏遠毛共，按說應該沒有政策上的歧異，因爲阿爾巴尼亞的獨裁者霍查與毛澤東都是史達林份子，其作風專制獨裁，罔顧人民死活，完全相同，直到今天相信蘇俄，史達林主義仍有捲土重來之日，共產主義仍有統治世界之時。其觀點既然一致，自無政策上的衝突，主要原因當是由於經濟上的困難。

除去非洲少數幾個沙漠國家之外，阿爾巴尼亞當是世界上最窮的國家，雖然人口只有一百五十萬人，尚趕不上世界上一個中型的都市，但是由於境內多山，可耕地太少，生產技術落後，加上共產黨的統治，因此，糧食及日用品奇缺，若無外來援助即無法自存。過去原靠蘇俄援助，與蘇俄鬧翻之後投向毛共，也就靠毛共爲生。

在毛澤東本意以爲蕞爾阿爾巴尼亞一百多萬人口，不到上海的四分之一，就算全由毛共養活也是輕而易舉的事，當時可能拍胸担保負責一切開支，阿爾巴尼亞才敢放胆大罵蘇俄，作毛共的馬前卒。但是，毛共援助阿爾巴尼亞工作正式展開後，才發現運輸成了大問題，雖然糧食衣物皆不必費本，但運輸費負担却十分巨大。以後又進一步組織「中阿遠洋輪船公司」專門運輸援阿物資，可是，由於這是單程生意，回來無物可載，輪船公司又虧本，毛共漸感不支，物資供應不上，阿共只好「抱琵琶另向別彈」了。（何如）

莫名其妙

馮二先生

美國一位退役的將領蓋文將軍，建議美軍停止轟炸越共地區，并撤出四面受敵的戰爭據點，只用陸軍固守着十七度綫舊有地界，以免有與毛共進行「錯誤戰爭」之虞。他認爲美軍祇能在工業資源豐富的中國東北境內跟毛共作戰，而不可在東南亞這種錯誤的地點，與毛共從事錯誤的戰爭。

記得當年韓戰激化之際，美國五角大廈的將軍們主張和談的理由，亦說美軍是在錯誤的地點，跟錯誤的敵人進行錯誤的戰爭，如果戰爭擴大到中國東北境內，必將激起蘇俄參戰，觸發全面核子戰爭。如今在越南打不了越共，依然重彈老調，刺刺不休，而其論據自相矛盾，莫可究詰，可哂孰甚耶！

美國叨着兩次世界大戰之光，富甲於全球，一躍而成爲世界大好佬，國土居於大西洋彼岸，奄有閉關自守的地利。因此，表面上對全世界要以「糾合諸侯，一匡天下」的霸主自任，內心裏却害怕眞有戰爭，毀壞了本身的安全繁榮生活，唯一躭心的事情，只怕共產主義禍延及身而已。於是乎，對全球每一角落的共黨釀亂行爲，皆表示特別關心，用金錢鼓勵受害地區的人民爭取自由，積極反共，大言炎炎，有聲有色，然又不願意別人採取武力反共的行動，祇可劃地爲牢，盡力固守，聽從美國擺佈玩弄，作爲跟共黨進行妥協的籌碼，而美其名曰「嚇阻政策」、「雙料報復主義」。實際是害怕被別人拖入反共戰爭的漩渦中，目的在避戰苟安，虛張聲勢，期待共產集團將有自行崩潰之日。所以，美國的國策是「自固吾圉」，她領導自由世界的反共原則是「靜以待變」，談到實力反共問題，即不惜自我嚇阻，動則藉「核子大戰」的紙老虎來嚇唬人，却不肯示弱認輸，乃隨時編造一些似是而非的口實以爲解嘲之資，如上述蓋文將軍的高論便是最好的證明。

俄共與毛共看透了美國大少爺色厲內荏的心情，遇事運用流氓手段相對付，喊打喊殺，盛氣凌人。流氓固知道大少爺是好擺場面、怕打出手的，因而常常表示磨拳擦掌的姿態，對大少爺施展心理攻勢，取得不勞而獲的意外成果，而以蘇彝士運河一役，表演得最成功，現在對越南問題重施故智，眼見美國大少爺又要縮手了！

反共運動是以文化思想爲主力的，美國的文化精神究竟是甚末？中心思想安在？區區自慚譾陋，實在莫名其妙，因而對美國領導自由世界的反共作風，亦就莫名其妙也！

流行性感冒襲港 來勢頗兇猛可怖

（本報訊）曾經一度使港九三百多萬居民傷盡腦筋的流行性感冒，現在又進襲香港，連日來港九公共醫院與私家醫生醫務所，無不長龍處處，診治的都是骨痛、咳嗽、陣寒、陣熱、疲憊無神的流行性感冒病者。

港府醫務當局已完全證實本港現已遭受一項溫和性的流行性感冒的侵襲，而且病者的數字，日漸增加。

若干醫生認為此類流行性感冒對兒童尤為危險。醫務當局現正密切注視，該類流行性感冒侵襲的情況。

有關當局呼籲居民：在這個乍寒乍熱的春天，謹慎飲食。同時，促請父母，非有必要，不可使孩子在公衆場所中逗留。倘使發覺孩子有發熱症象，應立即送醫診視。

據說：本港之遭受流行性感冒侵襲，可能是飛機旅客自歐洲傳播而來，因為，這種A二型的流行性感冒，正與侵襲英國及歐洲的同一類型。由於港九人口稠密，假使壓制不及，港九居民受流行性感冒的打擊，將相當重大。

本港於九年前的四月間，曾經過一次流行性感冒病嚴重侵襲，當時港九新界各區公立醫局，加開夜班，中西醫生診所，無不「客」滿，黃牛黨橫行醫院診所之間。

流行性感冒病菌，無孔不入，學校險些停課，港九兩巴士公司和電車公司，就有四百餘員工病倒，電車與巴士行車次數，屢受波及。當時電車由一百卅八輛減至一百廿八輛，中巴亦由一百五十五輛減為一百四十五輛。洋行與政府機構，無日不有員工請假。漸漸病菌進入監獄，駐港海陸空軍人，亦多遭受波及。

港年來嚴重罪案數字大增

（本報訊）本港嚴重犯罪案件，仍相當嚴重。去年比較前年增加四分之一。其中廿一歲以下青少年，被檢控者，佔總數字達百分之卅二點六，尤見嚴重！據警務處長十七日發表之統計數字顯示，一九六五年內之嚴重犯罪案件，比一九六四年增加三千八百九十五宗（計百份之二十點四二）。

增加之案件主要為盜竊、扒竊、爆竊、監守自盜、入屋行竊、藏有非法工具及盜竊車輛內之財物。

在增加之犯罪案件中，有五百十七宗（百份之三點四六），係經警方採取額外之戒備及預防行動後所破獲者；有一千零五十二宗（百份之六點三）則與商業犯罪有關。

該年度內，有九千五百九十一人因犯罪而被檢控，此數字比一九六四年增加一千四百三十三人，（百份之十七點六）。

二十一歲以下被檢控者有三千一百四十七人（佔全部被檢控者百份之三十二點六），較一九六四年增加四百〇九人。彼等所犯之罪名大部份為各種盜竊，偷單車，其他之行劫，嚴重傷害他人身體，扒竊及入屋行竊。

在呈報之二萬〇〇〇七宗案件中，有一萬四千三百九十八宗已經破獲，使整個破案率達百份之七十二，較一九六四年之破案百份之六十九為佳。

在九千五百九十一名被拘捕之人士中，計由市民拘獲者有一千一百六十四人，由刑事偵緝處人員拘獲者六千三百一十一人，軍裝警員拘獲者則為二千一百一十六人。

該年度內，毒品案件之破案稍為減，計共破獲此類案件一萬八千四百三十一宗，比一九六四年減少一千八百二十宗（百份之九點二）。一九六五年其他犯罪案件共三十一萬零五百七十一宗，比一九六四年增加七萬零九百二十八宗（百份之二十九點六）。

增加案件主要為交通，販賣及賭博等違例案件，其中關於違反交通則例者幾近五份之二。

蘇卡諾不敢反共有秘密 行為不檢被俄拍成電影

——紐約通訊

風流的印尼總統蘇卡諾，最近大吹大擂自己不受美國的行賄，表示自己清高嗎？可是他卻被蘇俄要脅，不得清算共黨！蘇俄憑金錢的力量嗎？絕對不是，祇不過是手裏拿着與他有關的一部「小電影」而已，以此向他進行敲詐，他無話可說。

內閣裏，美國要出五萬美元收買他，倘若他同意把西方國家的思想，傳播到整個印尼去，這筆錢會很快的到他手上，可是他不要這筆「骯髒」金錢！下令此人滾開！可是，他卻不敢提起共黨對他的行賄，他接受過無數次，他亦絕口不提他曾入蘇俄佈的陷阱裏。華府是健忘的，用金錢收買他嗎？真是天曉得的事。誰都知道他對于國庫的款項，是予取予攜的。他不能抗拒的是肉慾引誘行賄，是蘇卡諾不敢向內閣說的。

這個溫柔陷阱是多年前的，當他訪問莫斯科時墮進去的：他通知印尼大使館出點辦法，因為蘇俄的寒夜，恐怕他的熱帶血液凝固。他建議每晚至少要兩三個女人，來保持他的體暖。

蘇卡諾的要求傳到那時的赫魯曉夫的耳朵裏，老赫通知秘密警察頭目施洛夫，由他選派了最艷麗的女間諜，去迷惑蘇卡諾。她會操流利的法語英語及華語，而且深通床笫技術，當蘇卡諾到達時，這個金髮女特務，也混在歡迎的行列中，她又陪着到莫斯科郊外廿英里的豪華別墅。

這間別墅佈滿竊聽器及錄音機，臥室的牆壁有拍電影的「開關」，鏡頭直接對準大床。別墅由上至下，無論廚師與侍役，全部是特工，他們表面上操持家務，實際兼操縱着電子窺伺設備。介紹給蘇卡諾的這個靚女人，其名宋雅伏哥夫，據說是蘇俄一個將領的千金，蘇卡諾乍見之下，驚為天人，他的兩隻淫眼及兩隻怪手，一直沒有離開她。即夕成其好事了。此後，蘇卡諾訪問克里米亞與黑海，一直攜着宋雅的。但他們每一句交談的話，都被錄下來，每一行動，尤其是在大床上的顛鸞倒鳳的狂態，完全給拍成了電影。

在他們的未婚蜜月未過完之前，宋雅已從他的口上探出了印尼的最高政治、經濟及軍事秘密了，蘇卡諾回印尼未幾，他的陸軍司令內蘇寶要下令肅清共黨，抓了許多共產黨徒，封閉了共產黨報紙，可是蘇俄的一個代表出面了，他去找蘇卡諾，而且向他出示一部份裸照，及在房內作妖精打架狀的影片。

這個蘇俄官員單刀直入的對蘇卡諾說：「赫魯曉夫同志認為你可能喜歡這些訪俄的紀念品。」真是夠晒挖苦，此人而且對他坦白說明，這批打架「紀念品」將複印幾萬份，分贈蘇卡諾的友好、支持人士及敵人，除非他下令停止在印尼進行整肅共黨。蘇卡諾駭汗四冒，祇好立即勸說內蘇寶將軍停止清除印尼的赤色份子。

這項世界上最古老的敲詐方式，詭計得售了。然而，這不過是啓端而已；蘇卡諾被蘇俄抓着許多黃色的「痛腳」，慢慢受敲詐。不久，蘇俄新任駐耶加達大使伏爾柯夫將軍，親自去找他，他自稱是宋雅的父親。這個白髮的蘇俄將領對蘇卡諾說：「你快要做老豆了！」

這個消息及記錄文件已證明可能是真實的，把這個印尼的獨裁者置於更尷尬的境地，祇好俯首任由蘇俄擺佈。這一次又從命的把親蘇份子安插在印尼政府担任高的職位。

蘇卡諾的行為又弄得中共向他施以敲詐。所謂中共大使前赴總統府找他，要求蘇卡諾告訴他，究竟因何清除共黨。最後蘇卡諾祇好出諸「黑魔術」一計，把俄大使弄走。他召來著名的峇里島巫醫，向伏爾柯夫「落藥」。數星期後，此蘇俄人突患大病，返回莫斯科治療。後來伏氏在俄的死訊傳到耶加達，蘇卡諾深信這全是巫醫的力量。

不僅蘇俄供給蘇卡諾滿足他性慾胃口，在世界各國每到一地，都要有美女與他作樂。美國國務院存有高度秘密的報告，關於蘇卡諾訪美找女人詳情。

他在奧國時，邀請了一個中國籍室東的十四歲女兒乘汽車漫遊維也納森林，當這個少女的父親 [illegible] 一小時後，此位父親 [illegible] 蘇卡諾已去了日內瓦，但在房 [illegible] 少女赤裸及暈過去，好像剛才吃過藥物。這憤怒的父親要控告蘇卡諾施暴，但奧國當局把他拒絕採取行動，事情未擴大而止。

新竹二三事

本報記者袁文德

△新竹市代發動罷免副主席案，起因雖屬於政治恩怨，但畢竟還是有其道理的！

提議發動罷免副主席彭溫金的劉春木，原係前任（五屆）代表主席，於任內（五十二年）曾爆出罷免主席風波，當時副主席亦係現任的彭溫金，彭不但未支持劉春木，反於幕後參予罷免活動，使劉倍受威脅，幸經有關方面疏導，罷免案始胎死腹中。接着五十四年元月選舉六屆正副主席，彭溫金轉而支持現任主席鄭鐵鏡，迫使劉春木臨陣退却。這是種下劉、彭政治恩怨的實際情形，但劉春木現在提議發動罷免彭溫金副主席的職銜，雖難免被人誤為是一種政治恩怨的報復，其實，彭溫金自當選六屆副主席以來，除了參加過第一次定期及臨時大會外，即一直因違反票據法被法院通緝而逃匿在外，對會務及市政之影響，猶屬事小，然而代表會副主席居然是負債纍纍，逃匿無蹤的通緝犯，這一名譽的毀損，是一種莫大的恥辱。其餘的三十九位代表 [illegible] 提議罷免，當屬理直氣壯的。現在理由書已送達市公所，彭溫金亦同時被法院通緝到案拘押。為免造成市代罷免先例，彭溫金自動提出辭職，倒還不失是明智之舉。

△新竹客運公司涉嫌逃漏鉅額營業稅案，居然是由該公司的監察人提出檢舉，不可多得，確實值得嘉許。

公司，新竹汽車客運股份有限公司，自四十一年至五十年止，涉嫌逃漏鉅額營業稅款，經該公司前任監察人陳金水提出檢舉後，省財政廳與司調局桃園站調查結果，該公司應繳營業稅四千三百萬元，營利所得稅及印花稅七百萬元；而該公司當時僅繳七百萬元營業稅及印花稅，餘營利所得稅應繳之款，拖延逾兩年之久。客運公司既無自動繳納之意思，有關稅捐稽徵當局，因何亦未予積極追繳，原檢舉人陳金水復於二月十一日向監察院、財政部、司調局提出陳情，要求查究。據有關方面答稱：依照規定，新竹客運公司對查定應繳納的營利所得稅款，表示不服時，可以依法提出行政訴願，所以該案必須等待行政訴願案結束後，始能作合法的處理。不過，儘管該案在如何依法處理，原檢舉人所提出的陳情 [illegible]

△竹北派出所五位警員 [illegible] 僅予調職處分了事。[illegible] 刑法上所訂的未遂犯條例 [illegible]

周中峯處長主持台省警政以來，各方對他可說是倍加讚譽 [illegible] 竹北派出所五位警員 [illegible] 處分！[illegible]

屏東二藍有新聞

藍家鵬真除秘書實缺 藍家精依然藐視功令

（本報屏東訊）藍家鵬辭去副主任秘書 [illegible] 而真除秘書實缺 [illegible] 二月廿一日提出辭去副主任原職之簽呈 [illegible] 此次提出辭職，純係迫於外在的壓力 [illegible]

[illegible] 藍家精 [illegible] 省水利局 [illegible]

瀛海異趣談

澳洲土人武器保美鈴

·桑雅·

人類征服月球的最大問題是在到了月球之後怎樣回到地球來。這要得最安全的解答，然後才有人敢登陸月球。但早已有人提出這個奇妙的理論，若照澳洲的保美鈴（譯名）的原理而製造出一種飛行器，或可促使很快成功。保美鈴究竟是什麼東西呢？相信有很多人不知道的。

澳洲的保美鈴是在當地的原始人的一種最有效力的武器，每一個男子在傳統上都學曉使用。澳洲雖沒有遠年的記錄歷史，但推測在幾千年前，土人經已有用它，到今天仍是他們常隨身的東西，它看來像一根略彎曲的木棒，長度由十二英寸到三十英寸不等，土人用來拋擊野獸、飛禽或敵人，手法準確，正是百發百中，被擊的對象會被擊斃或受重傷。

據說澳洲人發明保美鈴的經過是：當他們留意到在澳洲生產的油加利樹的樹葉能夠抵禦風力，像出擊後而再回來，他們就照這種樹葉的形狀製造成保美鈴。它是完全用木雕成的，沒有駁口。當它被拋出，在碰觸及物體之後或不中也會自動折返，回到拋擲者的手上。這種輕便的武器，分爲兩個伸直的臂，有尖銳的角度相折，或成直角，這是照長度而分別製成。由此可知土人也有數學的常識。

照澳洲百科全書的解釋，投擲保美鈴的方法，把它執起一端，遞到投者的頭部後，凸面在左邊，凹面向前，擲者的手臂急速用力從手腕運動，更跑前幾步，來增加他的力量。保美鈴向前，在一個垂下的角度，首先是直向，但不久就變爲平衡，平面底向下，它也可能在一端觸地後就跳躍很忙，它在空中飛行，在旋轉一個直徑約一百碼的大圈子後，續作兩個到五個小圈子，再返回被拋擲的位置。

澳洲的保美鈴是像在澳洲的許多種動物，是在當地獨有的。白種人初抵澳洲時，看見面貌醜陋的赤身土人。拋擲那種武器很準，它會回到拋者的手上，他們懷疑那種武器配有機件，後來查實它不過是完全用木雕刻出來的東西，他們又懷疑土人施用巫術來使它服從命令，最後查知種種都不是，它不過是照着力學而造成那種來回的行程。

這並不是保美鈴本身具有的能力，道全靠投擲者的技巧。近年來，在澳洲的白種人也多學習那種拋擲保美鈴的方法，它已變成一種新的玩意。更傳到外國去，每年有大量輸出。去訪問澳洲的遊客多購買留作紀念，更有的人將它贈送給親友做聖誕禮物。在本港也有人有這種古老而又新奇的玩品，但並不是用來玩耍，否則鄰居的窗子或汽車的玻璃多會被不成功的投擲而打破。但曉得玩保美鈴的人，確能將它弄回到自己手上的。在澳洲雪梨埠的商人法蘭克唐納蘭是當今投擲保美鈴的冠軍，據說就是由他提倡這種奇趣的運動。一次他在雪梨的一間戲院表演，他站在舞台上拋擲保美鈴，在提心吊胆的觀衆的頭頂上頻頻掠過，發出噓噓的聲響，每次都安全回到他的手上。他想表現出擲保美鈴的容易，他站在雪梨的一座最高的大厦頂上，擲出保美鈴，它離開七十五碼之遙，再旋轉回到唐納蘭的手上。他曾連續拋出四十九次，沒有一次失敗，據他說玩這種東西並不困難，祇要專心就行了。

阿月

覃靖

然而可憐得很，在疾病、憂愁與飢餓的三重痛苦襲擊下，阿月的病況卻是一天一天的沉重。她身上臉上的飢肉消瘦了下去，眼睛和骨頭長大起來；她的淒涼的呻吟也逐漸微弱了。

反復思索了好幾天，我猛然想到一個嚴重的問題：一個愛好生命的人，當她很冤枉的受到死亡的判決，將會以最後的眼淚氾濫墳墓的土地。

我不能再顧慮得太多了，祇要在良心上和法律上，不造成罪過，我應該幫助她一下。

于是我像一個謀殺者一樣勇敢地闖進了阿月的黑棚子裏。

「先生」，阿月看見我了。她那從不流露的淚水，便在陰暗的光綫中，湖湧般地滾到鬢邊：「宗枝不會回來了！」

「總有一天，他想通了會回來的。」在這種時候，她還念念不忘不爭氣的招贅丈夫，我怎能不安慰她呢？

「到那時候，恐怕我已經死了！」她有氣無力的說。

「不要這樣想，」我說，並且以堅定的目光注視着她。「假如你自己不想死，假如你希望宗枝有一天改過自新，假如你願你的孩子們，幸福的長大成人，你是可以活着的，也是應該活着的。」

「唉——」她避開我的視綫，癡癡的望着破爛的棚頂。「擺得明白的事實，前面等着我的是墳墓！」

「阿月，」我終于沉痛而遲滯地走到她的床沿，從衣袋裏拿出兩個月的積蓄四百塊錢，放在她的枕邊。「你必需自拔起來！你現在最要緊的是治病，也唯有病好以後，才可以等待宗枝悔過回來，才可以使孩子們得到幸福。我希望你能接受我的這四百塊錢，作爲醫藥費；但我不希望你有任何一個多餘的想法。我所以要這樣做，祇是因爲我是一個人！」

「謝謝先生，」她伸出抽搐的瘦手拒絕着，「我領你的情了……」

「我希望你的病早癒起來，勇敢的活下去。」我移開她的瘦手，慢慢的走出來。「但我不希望第三者知道。」

「先生——」她困難的掙扎着坐起半截身子，終因氣力不支，又倒了下去。

回到自己的屋子裏，我深深地吐了一口氣。目光無意識地投向窗外的田裏。猝然，一隻水鳥從天空撲下來啄食，又迅速的掠過我的頭頂。我默默的想：「這就是生命！」

阿月的惡運，始終沒有一條永無止境的路。她的病好了，生活的担子卻更加重了。

台灣尤其有一個不良的風習，大多數的人都喜歡打腫臉充胖子。每凡遇到拜金拜錢的時候，就彷彿是舉行揮霍競賽大會：賓客的衆多，酒餚的佳美，富有的人家，以公諸于世，炫耀門庭的光彩；貧窮的人家，也情願高利貸欵，不敢草率了事，作爲別人恥笑的資料。

阿月早五六天就和我打過了招呼，要我這個月陰曆十五到她家吃拜拜，她一點沒有提到在報答我的施予；但強調了我們之間的友誼，也致使我不便藉詞謝絕。可是，就在那幾天，我看見她爲了籌措拜拜的資金，而出賣了生命的汁液，一直到深夜一兩點鐘，還在編織草蓆和帽子。（十七）

關於三民主義教學研究問題（三）

·楊力行·

八、充實三民主義教學設備。

九、多提供匪情研究資料，以利教學。

十、在三民主義教學研究會未正式成立前，先以定期座談方式行之，每月至少一次，由救國團主持之。

當時雖然獲得在場者一致鼓掌通過，但迄未見諸實行。

三、略談我的三民主義教學研究情形

我於上三民主義課時，除事前有充分準備，並蒐集有關資料，一面講授分析、歸納、演繹和比較研究，如講人口問題時，必從馬爾薩斯的人口論談到國父的人口論，推演到目前的中外人口論，重質不重量的優生理論。一面編印有關資料分發給學生們作參考外，我又還特別重視學生隨堂筆記，每講完一章或一節時，必指出其重點所在，並鼓勵學生多發問，我決不「師心自用」。由於講授內容還算豐富、生動，故學生均能聚精會神靜聽，甚至其他班級學生亦多佇立門外旁聽，有時甚至擠得水洩不通，且有要求至其班上課者。雖然這要求辦不到，但其好學之情則殊可感也。至於在台灣省訓練團三民主義教學研究班研究情形之熱烈生動，亦爲有目共見之事實，茲亦略舉一二如下，以見一斑。

在數十次三民主義教學研究課程及座談會中，曾有台北建國中學三民主義教師陳鑫先生有一次公開宣稱：「此次大專聯考三民主義試題中有一知難行易與知之非艱，行之維艱兩說，在基本精神上有何相通之處」一題，題意不通，各師生均茫然答不出，特向張鐵君所長公開請教，並要求其轉達聯招會及教育當局，向所有三民主義教師有個明白交代；否則，實無以對學生也」等語。言下極爲得意，且儼然是在代表所有三民主義教師及五十四年高中畢業生發言。不料張所長竟答以：「此題要實不通；不但高中畢業生答不出，大學生答不出，你們三民主義老師答不出，連我這個三民主義研究所所長亦答不出。」我在全場一片寂靜的氣氛下，雖然不甘緘默，但爲謙冲及敬老（張所長將近古稀之年，且係二十餘年老朋友）計，僅、在休息十分鐘時，暗中提醒張氏（麥穗歧兄亦在座）以今年大專聯考三民主義命題者，爲政大教授周世輔先生，此題出得頗有技巧，答案簡單明瞭，就是一個「行」字；請其繼思後，於下一堂開始時，公開說明之。不過張氏不但未在第二堂研究時說明，即第三第四兩堂中亦未加說明。雖然張所長的專題報告定爲「各種三民主義教本的檢討」，但是，他始終沒有一句話涉及本題。至於座談會中的其他學者、專家、教授，我最佩服任卓宣先生的四小時「三民主義與各種主義的比較研究」，內容豐富，條理分明，真不愧爲國民黨理論專家。其他諸子的專題報告似嫌冗長甚至呆板。這事實顯示，我們研究三民主義確實不夠深刻精到，有待改進之處很多，應予正視，并立刻設法才好。

新三國

於是劉貞便成了無爵的王孫，就在涿縣住下來了，傳了幾輩始傳到劉備的祖父劉雄，曾舉孝廉，官至東郡范令。他的父親劉弘，曾作過涿郡的官吏。

劉備生於漢桓帝延禧五年。（公元一六二年）劉弘死得很早，因他是一位廉吏，身後十分蕭條，玄德和他母親相依爲命，以織蓆賣草鞋來維持生活。他家的東南角籬上有株非常茂密的桑樹，約有五丈之高，遠遠的望去，那下垂的樹蔭，好像是小車。來往的人見了都很奇怪，有的人認爲那是一顆非凡的桑樹，是產生貴人的象徵。劉備在小的時候，和一些小朋友們常常在這樹下遊戲，他對那些小朋友說：『我必當乘坐這羽葆蓋車』！（羽葆蓋車，即華蓋車，皇帝所乘者）他的叔父劉子敬聽了，大爲驚奇，教玄德不要在外面亂說此話，如果被官兒們聽到，我們這家就有滅門大禍了。從子敬的話，可知漢末的政府，是沒有言論自由的，亂世不怕亂事，只怕亂說。

玄德年十五歲開始遊學，與同宗劉德然和遼西的公孫瓚，俱事故九江太守名儒盧植。盧植字子幹，是他同郡的鄉賢，少師事名儒馬融，通古今之學，靈帝建寧中徵爲博士，累遷尚書。黃巾賊起，拜中郎將，曾破黃巾魁首張角。日後董卓肆虐朝廷，議欲廢立，衆文武皆唯唯，獨盧植抗論『不可』。董卓將殺植，議郎彭伯評諫得免遭殘戮，但免了他的官。盧植便隱於上谷以終。（後漢書卷九十四有列傳）玄德事此漢末名臣爲師，而且又是一個正人君子，有一『道不行，乘桴浮海』之氣節。這對於他有很重要的影響力。另一人公孫瓚，也是玄德同鄉，與相友善，玄德以兄事之，可見他是一個喜歡交朋友的人。當玄德在學期間，他同宗同學劉德然的父親元起常常資助玄德，與自己的兒子同等待遇，劉元起的太太却很不高與他這樣做法。元起說：『我們劉家有這樣好子弟，是我們劉家的光榮』啊！

玄德少年時的風度，史書上記述甚詳。說他不喜歡讀書，却喜愛狗馬音樂，美衣服。身高七尺五寸，垂手過膝，能自視其耳，當世所以有人稱他『大耳劉備』。這是非凡者之異像。玄德的性情寬和仁厚，沉默寡言，喜怒不形於色，少有大志，最喜歡結交天下豪傑。這些條件，正是那古代的亂世中成功創業的資本。如這種人，最能獲得一般有血性的青年朋友所喜愛，故在他同儕中的青年朋友，都樂與他交遊。那時是個亂世，正是一般創業者的大好時機，青年苦悶，在當世想找出路，最好的途徑便是當兵去，殺賊立功便可做官。玄德的志向却與一般青年朋友不同，他眼見漢家的天下在開始動搖，外戚竊命，宦官弄權，盜賊蜂起，立志爲漢室政權起衰振弊。他懂得要幹這轟轟烈烈的事業，最急切的本錢就是要有一批具忠肝義胆，剛烈勇武的英雄，與之結合，共同創業打天下。

與玄德同郡的另一位英雄人物，那就是剛烈勇猛的張益德（演義作翼德，此人性情勇猛異常，深重義氣，身軀碩壯，武藝絕倫，有萬人之敵。張飛也正是二十出頭的青年，抱負不凡，也喜歡結交英雄豪傑。可惜他少讀詩書，雖有大志，却無領袖才能。（十一）

國劇繽紛續錄（五十二）

鶯嬰生

賣雞姑娘

大鵬訪問日本歸來，所得成果，是鈕方雨不辱使命，在日本大賣力氣，出盡了鋒頭。為了連演幾場拾玉鐲，唱得可以，做得精細，大阪的市長送她一個徽號，名曰賣雞姑娘。不是動人也得不到，方雨的芳心，大可為慰，也是紀念。她唱了十幾年的戲，尚未有封號，這次無意中獲得，亦是緣也。

方雨的劇藝，自從改串小生，她的花旦戲即成止境，可惜了把這塊美玉。老友李嘉有曾與詳談，總教我是向大鵬相勸，他們那裏能聽從？為了小生演得漸入佳境，才被李翰祥看中，成為五鳳之一，拍了好幾部片子，皆相當不錯，一路順風，也許漸成紅角。在方雨個人來講，收穫不小，可是在電影圈闖蕩三年五載（除非出嫁，即淡了）更有好景在未來。就整個平劇來講，卻失了一位好花旦，祇有讓徐蓮芝去搞！再以環境來說，演電影有前途的，演平劇不能發跡，那位能掙十萬八萬，除非有捧的有甘送，那還可以。前者某報在談方雨的未來美景，那還能跳出電影圈嗎？我才不信！不過既進影圈，要努力往前走，也許可以接替凌波，要把劇情有深刻的表現，注意後起的，要接踵而來，不是玩的。

賣雞姑娘，該多珍重。傳言在談戀，也未始不可，不過還是要一位學者，不是大腹賈，才可出人頭地也。她的遠景正在燦爛而未盡也。多的賣雞，現在也有世襲指揮這類典型，慎加物色，可有成也。

燈節的佳劇

今年春節後，民間票友僅中興社的國大代表演了兩晚，餘無活動。正愁劇事闌珊，以至於斯，忽奉亞老貽柬，欣知落霞平劇社在二月五日（燈節）於三軍托兒所有一場晚會，劇目非常精采，為之一快。開鑼搖錢樹，張復華的四姐，大有七八年前的茅復靜氣概。李復良的哪吒，是名門虎子，功力夠俏。林復瑜的悟空，亦出色動人。其次為鳳還巢，配搭之齊整，近所少見。其角色支配如下：

程雪娥由沈亞尼夫人飾，她向來不肯唱吃重戲，為的是太累，大概過年興緻濃厚，破例為之。她的梅派可說北市僅有。前次唱會審後，杜夫人呂女士與我不謀而合，請她演西施，所願此齣演後，復興當協助為排，並讓復蓉也看看，她的唱做，毋庸費詞看了便知無誤。其次李關東（雪雁）居然嫁了周金福（朱煥然），亦是台上從未有過，千載難逢的一同，可看之至。其他如曹復永的穆居易，很俊秀，盤復薇的程浦，很老到。齊復強的周公，公大聲宏。葉復潤的洪功，可說是老成持重。最後的程夫人，也請孫復韻，可算是每角皆好，提調的選派，確有眼光。此一鳳還巢就不同尋常，個個有勁，實是今春第一齣好戲，（十五日立春）亦丙午初的佳話，爰為記之。

頭痛病與男女

·林錚·

毫無疑問的，在人類所繼承下來的苦惱中，頭痛是最為普遍。在國際上頗負盛名的蒙特費爾醫院頭痛科主任費德門博士曾經指出：「凡去看醫生的病人中，有一半以上是患有頭痛」。其實還有很多患頭痛的人，並沒有去看醫生，只是服用止痛藥以求止痛而已。

由醫學調查人員在近幾年所作調查報告的結論中指出，婦女特別容易患頭痛，絕大多數中都是患偏頭痛與「神經緊張」的頭痛。偏頭痛通常是一種慢性的頭痛，影響婦女比影響男人至少要多一倍。有些科學家甚至於指出，女性患者九倍於男性患者。不過最普通的一種，還是神經緊張的頭痛，佔所有頭痛的十分之七。

費德門博士認為：不論是神經緊張的頭痛，或是肌肉收縮的頭痛，都是令人厭煩的。這種痛苦經常是一樣：頭後部、頭部與肩部的肌肉收縮得很緊，痛苦可能很短，但可能痛幾天，或幾星期，然然好了又發。這種頭痛與偏頭痛不同，通常是在憂鬱或緊張的時候發生，而不是在其後發生。

由於生理與心理的特殊原因，婦女們感受神經緊張的頭痛比較多。

神經緊張的頭痛，顧名思義，就是在日常生活中由於各種不同的壓力、憂鬱與緊張而引起；實際上每一次頭痛中都牽涉到情緒的成份在內。研究人員指出，婦女所以多患頭痛，是因為她們對每天的緊張情緒容易反應。

費城傑佛遜醫學院神經學系的副主任懷特博士指出：女性頭痛的成因與男性頭痛成因相同，但是女性內分泌腺的過程，加強了對於情緒的反應，而使她們的頭痛與男人的頭痛在主觀方面有所不同。這些不同之點包括：婦女引起頭痛的原因較多，比較容易引起頭痛；婦女身體的組織對痛苦反應的程度要嚴重些。這種痛苦的嚴重性，使她更緊張，並且容易再發生。

費特門博士曾說過：「我們治療病人，不僅醫治病痛，同時也注意情緒的反應。神經緊張的頭痛，比偏頭痛要溫和一些，因此阿斯匹靈或者類似無麻醉性而混合有鎮定劑的止痛藥，對於大多數的頭痛最為有效；因為對這些混合劑的藥，比對純止痛藥的反應要好得多。

醫學博士與社會科學家曾指出：各種有關婦女患神經緊張的頭痛原因，其中包括有厭煩、寂寞、月經、撫養孩子的辛勞，情感沒有適當的發洩，單調的工作，以及缺乏戶外康樂活動等等。因為一個家庭婦女必須處理很多的家庭問題，她要作一個妻子、母親、管家、採購員、女主人、司機、老師以及家庭護士等。

就生理而言，婦女在某些方面比較男人不同：男人的身體可以忍受較長時間活動，婦女的五官比較敏感，晚上可以聽到很小的聲音，並且對燒東西的味道也容易嗅覺到。

婦女的身體機能也不同，體溫比較容易變異，比較容易臉紅、眼花；同時脈質不均衡的情形比較普遍。她們的神經系統比較敏感，因此對於氣候也很敏感，而氣候又經常可以影響頭痛。

就心理而言，費特爾博士與謝爾博士在他們研究神經過敏症與憂鬱的報告中指出：「女性比男性多憂鬱」。其他的研究人員會發現一種證明，那就是婦女們有一種內在的混亂，容易恐懼。

就社會而言，婦女對承認她們在社會上地位的慾望比男人強；所謂「主婦」的名稱，在外表上已失去吸引力，而婦女也不再為這個名稱所迷惑了，因此她們容易感到不安與氣餒，因而引起神經緊張的頭痛。當婦女頭痛一發作，那麼也就比較痛苦。

艾爾伯斯博士曾經指出：「女人因頭痛而尋求止痛者，也比男人多；其比例為三與一之比。其中原因，可能是婦女的頭痛，比男人頭痛更嚴重些」。

西廂記

「影劇與歷史」之十六

周遊

「西廂記」為中國愛情文學之巨擘，相傳王實甫寫別宴前數句，即行昏倒於地。「碧雲天、黃花地，西風緊，北雁南飛。曉來誰染霜林醉，總是離人淚。恨相見得遲，怨歸去得疾，柳絲長，玉驄難繫。倩疏林，你與我掛住斜暉。」此一段金聖歎極致讚賞，非無因也。在此鶯鶯叮嚀張生道：「荒村雨露眠宜早，野店風霜起要遲。鞍馬秋裏，無人調護，自去扶持。」這種體貼之情溢於言表而入於心肺，實可謂中國愛情文中之代表作。惟金聖歎主張驚夢以後不必再畫蛇添足，筆者深有同感。才子佳人的團圓夢已成為說部及戲劇的的陳腔濫調，此難怪有人說中國文學缺乏之悲劇意識，非無因也。

「西廂記」本王實甫作的雜劇，他的藍本是出於唐人元微之的「會眞記」。但「西廂記」與會眞記的結局不同。如以文學價值而論，「西廂記」反不如「會眞記」來得高明。「會眞記」能脫離「團圓」的窠臼，與紅樓夢之另闢文學蹊徑同樣高人一着。總之此一愛情文學作品，由傳奇而演變出無數文學作品，如宋人趙德麟之「商調蝶戀花」十闋；金人董解元之「弦索西廂」；元王實甫西廂記雜劇；明人李日華的「南西廂傳奇」；清人查繼之的「續西廂雜劇」；他如所謂「翻西廂」、「竟西廂」、「後西廂」等，不一而足，雖然文詞互見，要皆源於元微之的「會眞記」而益加恢宏者。「會眞記」以張生賦會眞詩三十韻而得名。由元微之的傳奇，演譯如許多作品，其影響之大，流傳之廣，實可想而知。男女戀愛之事，古代視為背於禮法者，然此種人性之存在，古往今來從未曾減；相反的還愈加深廣，且為人們謳歌讚賞，此無非人之天性，出長自然，決非冷酷乾燥之禮法所能裁制消滅，其激蕩人心之處，至為強烈。故鶯鶯傳西廂記在這方面之地位，其重要性可知。今天把張公子戀崔小姐的故事，由文學作品、小說傳奇、戲劇舞台，又搬上了第八藝術的銀幕，據筆者觀之，眞可說是多釆而多姿，有聲而有色了。

在西廂記中，張生和鶯鶯小姐的造型，成為近六世紀以來中國知識青年男女對於異性之追求的像偶，和莎翁的名作「羅密歐與茱麗葉」，正是東西輝映的愛情典型之巨擘。同時風靡了半個世界。論其價值，各有千秋，其震古爍今於文壇，可謂無獨有偶了。

（一）

碧水荃灣鹿苑門

山水客

在九龍荃灣，荃灣戲院對上的三棟屋與石圍角之間，便為「鹿野苑」座落之處。鹿野苑係一道家佛門清靜地，佔地面積頗濶。「鹿野苑」時刻都有着一種靜肅莊嚴之態，兼且亭樹樓台座立，並有魚池，林木花卉，儼然一佛教園林。「它」雖然是佛門清靜地，但對光臨參觀的人却大表歡迎，故而假日遊鹿野苑，實為一最佳去處。加以來往交通方便，亦不太費時。論乘車，在旺角碼頭前乘九人的士前往，為時不會超過半小時；乘小輪則由港島方面的統一碼頭乘每半小時開一班的小輪，需時亦只不過四十五分鐘。

「鹿野苑」又有「棲霞別墅」之稱；進口之處有二，一在三棟屋，門楣上書有「鹿野苑」三個大字；另一則在石圍角，門楣上有書有「棲霞別墅」字樣，並有門聯書曰：「誠心燒香何必遠求勝境；有意拜佛此處即是名山」。很多人不明就裏，常誤會棲霞別墅與鹿野苑係分兩家，却不知它們實二為一，一而為二。但這也難怪，因為兩地的進口處在兩處不同名稱的地域，距離亦並不近，若沒有細心觀察，着實也很難弄得清楚的！

「鹿野苑」與「棲霞別墅」的稱號由來，也是可資考究的：鹿野苑，攷佛典有謂：「在中天竺波羅奈國，佛成道後，始來此說入諦之法，度憍陳如等五比丘，故名仙人論處，一曰「仙人住處」。「道修成則成佛」。今荃灣之鹿野苑，其命名的由來，其意想亦出發自此。另攷又云：「諸鹿之住處，故名鹿林。」攷之則前者較可取，蓋各方接觸，從無聽及荃灣有發現過鹿的蹤跡。「棲霞別墅」，據說是「棲霞寺」的分院，「棲霞寺」乃是金陵（今之南京）有名的古剎禪院。

跨過「鹿野門」的門檻，行上十多步，即發現左面有種菜蔬的菜地；越菜地之旁，則係一富有莊嚴神聖不可侵犯的古老大佛殿，高四五丈，頂為耀目生色的綠瓦，由右至左見有大約一尺的「日增輝」三個大漆字。殿宅前寬濶的廊廡及憩息台，設有坐椅，遊人可隨便坐用休息。斯時，只見寺僧二三，或坐或立，正在談古說今，東拉西扯的談興正濃。而另一角則可見另有寺僧雙方正全神貫注的對奕。又見一僧人，雙手向後交叉，漫步廊廡外潔淨無塵的曠地上，一會仰首望天，像在欣賞浮遊天際的雲層，一會又低首而行，像在沉思，而當再舉首望天的剎那間，他發出了一絲微笑，笑什麼呢？大概他望着變幻無窮的浮雲，想到人生的變幻亦似浮雲般變化無窮，故而有所領悟而一笑吧？此情此景，是何其超塵越俗？塵俗的凡夫婦輩，處身其境，心境亦為之「清靜」多了。

（上）

金門的星期天

·勞克·

「你的口氣倒不小。」

「這是事實，」我說：「不是口氣。」

「我很愛聽你吹牛皮。」

碰到這傢伙，我就沒辦法。自在大學開始，就是槓子頭。還在宿舍內打過一次架。

「我不歡喜你這樣。」我叉着腰說。

「簡單，你搬出去！」

「我要你搬！」

「要動干戈吧？」

他的個子大，又是籃球選手。我讓了他。但他是個好人。那顆心，特別可愛。槓子抬過後，馬上就修好。要是裝做生氣不理他，他便道歉陪不是。

「我請你坐咖啡室。」

他的可愛，使我們友愛祇有增加，沒有減退。到金門，我和他一起的。

我和他是書虫。到街上，光臨的是書店，書攤子。金門沒有書攤。

於是，我和他又到書店。全是人，擠的連走路地方也沒有。書堆的像小山。

老闆我們認識。常跑書店，也常買書，就沒有特殊的生疏。

「有沒有新刊物？」我問。

「文藝的？」

「嗯。」

「有。生活。剛到。」

老闆說着，便遞過來一本，厚厚的。我每期都買的，沒有斷過。

（二）

自由報

THE FREE NEWS

第六二九期

內政部登記證內版台報字第○三[illegible]號

社長：雷嘯岑

督印人：黃行[illegible]

社址：香港銅鑼灣高士威道二十號四樓

20, CAUSEWAY RD 3RD FL. HONG KONG

TEL. 771726　電報掛號：7191

承印者：大同印務公司

地址：香港北角和富道九六號

台灣分社

台北市西寧南路壹陸零號二樓

電話：三〇三四六

國大臨時會議之回顧

·張振夏·

國大代表臨時會議已經閉幕有日，第四次正式大會繼之而起，本月十九日業經閉幕了。第四次會議實際是選舉人大會，職責只在選舉正副總統，會期雖有一個多月，然其性質并不比臨時會議重要，就某種意義上設想，臨時大會的關係尤其鉅大，因爲它是遵奉國父遺教而擧端實行創制、複決權的開宗明義第一章，這對國計民生前途的影響不淺，是國家治亂安危的關鍵所在。

可是，吾人檢討臨時大會的成就，似乎不盡合乎理想，且有若干地方値得注意的。國民大會之享有創制、複決權，憲法上明文規定，不成問題，大會一致通過，政府誠意接受，固其宜也，問題在如何行使的方法。創制法律與複決法律不是簡單的事情，平時如果沒有專家學者分門別類的悉心研討籌劃，一旦貿然實行，談何容易！大會雖決定設置研究機構，但并未釐定名稱和職責，如說不妨以原有的「憲政研討委員會」承其之，則此一委員會的唯一職務只是研討行使兩權的基本辦法，現在行使兩權辦法業經大會決定公佈了，這一機構即已失却存在意義，應在撤消之列，若名稱仍舊，至少亦須另訂組織規程和工作範圍才於事有濟，名不正則言不順，言不順則事不成，臨時大會對此存而不論，則所謂行使兩權還是虛有其表而已。看情勢，非要等到光復中原河山後，行使兩權這回事殊不容易實現吧？不錯，憲法規定有五分之二的國大代表聯名請求行政元首召集臨時大會以行使兩權，政府即應照辦。這畢竟是一種非常舉動，沒有特殊必要，不宜輕率從事，如其眞有此種非常擧動，那可能會要激起政潮的，目前在台灣似不應有此一擧，將來回到大陸後，又不必有此一擧了。所以，國民代表大會行使兩權這項創擧，祇能說是由第一屆國大代表確立原則，樹之楷模，俾他日有所遵循，離實行的時期還遠呢！

查國民大會組織法第八條規定：「國民大會非有代表三分之一以上人數之出席，不得開議，其議決除憲法及法律另有規定外，以出席代表過半數之同意爲之」。再查國民大會議事規則第十四條規定：「會議中出席者於必要時，得向主席聲請退席，但其退席人數之計算不影響」，[illegible]就是指明大會表決議案時，必須以代表報到「出席」人數爲基準，而不能以「在場」人數爲基準。[illegible]人數之多寡爲[illegible]「可」或「否」決的根據。然這次臨時大會中表決「議事規則」和「行使兩權方案」時，皆以「在場」人數爲計算標準，可謂於法無據。實際上，就是少數[illegible]堂堂最高民意代表通過[illegible]法案，乃是議會輕率重要決案，而不聞有惋惜提出異議者，殊堪慨歎！[illegible]行爲不說，來日方長，成事不說，希望國大代表諸公今後不要忽視法治精神才好。

在這次臨時大會中，表現着幾種極不[illegible]

[illegible]

今日與明日

印尼鬧潮

印尼總統蘇加諾宣佈改組內閣，更動了極少數的人，却把國防部長芮蘇賢免職。這件事在印尼來說，稱得起是一場大變動，在注視下擧世都在注視印尼局勢發展：陸軍會不會反抗？蘇加諾是不是又要左傾？乃是任何人都想知道的答案。

這個問題要說得遠一些。芮蘇賢同蘇加諾就未曾融洽過。蘇加諾是爪哇人，一貫以爪哇人爲中心組成統治集團，猶如毛澤東之大湖南主義，所有要津皆爲爪哇人。但芮蘇賢却是蘇門答臘人，在爪哇人眼中看來，蘇門答臘人不應該佔據政府重要位置。蘇門答臘人也因爲受不了歧視、壓迫，曾於一九五六年爆發一次政變，在蘇門答臘的武吉丁宜組織一個革命政府，最後是失敗了，但也打擊了爪哇人的統治地位。

芮蘇賢的情況

芮蘇賢曾因反對蘇加諾被解除職務。最初蘇加諾是有意控制軍隊的，一九五二年蘇加諾任命自己親信爪哇人與投友爲陸軍參謀長，遭到陸軍副參謀長代理參謀長魯比斯及所有將領的反對，與投友無法到差，使陸軍上下團結一致，不僅剷除了共黨，也威脅了蘇加諾的地位。蘇加諾一時也難以下台。最後雙方找出一個折衷，選派參謀長，於是就選到了芮蘇賢。

及至芮蘇賢平了蘇門答臘之亂，威信大爲提高，蘇加諾雖然忌他，但礙於情勢也不能無緣無故的把他解職，於是就採取明升暗降的辦法，升芮蘇賢爲陸軍參謀長，却以爪哇人耶尼爲陸軍參謀長，並在軍中安置私黨，製造不和，削弱芮蘇賢的地位，其情形有類於毛澤東之對朱德。假若印尼不發生政變，芮蘇賢也未必能久安於位；不意共黨製造假消息說蘇加諾即將病死，慫恿印尼共黨發動政變，殺死六名陸軍將領，

前途展望

蘇加諾此時敢斷然下令解除芮蘇賢國防部長的職位，自然他是經過一番深思熟慮的。因爲芮蘇賢的地位，實際上已威脅了他的生存，所以不得不作孤注一擲；另一方面，蘇加諾也可能在軍隊中掌握有一部軍力，自信可以抵抗芮蘇賢的壓力，而陸軍內部的不和，也使他增加了信心。不過，話雖然這樣說，印尼局勢仍在未定之天，即使芮蘇賢不會出面反抗，其他的軍人感到兔死狐悲，也會起而反抗的。總之，蘇加諾倒行逆施的結果，不但斷送了印尼，也埋葬了他自己。

（何如）

[illegible]

開會與「民權初步」

區區稽數十年之經驗，深知開會這項玩藝，有一種累試累驗、放諸四海而皆準的必然律存在着。[illegible]

[illegible]老年人，也無分男女，都得悉心研究，愼思明辨而篤行之，纔能夠在會議中解決問題，也可以使會衆中的才智之士，樂於發表意見，得到開會的益處。在人數衆多的會議中作「轍爾滿」（Chair Man）尤非具有高度智慧、熟讀「民權初步」者，難以勝任，愉快，一向貓阿狗都要作主席結果，一定糟。最近在台北望而生畏，不想說甚末了。舉行的民意代表大會中，有一位軍人出身的「轍爾滿」於執行職務時，聲言「本席過去曾經大小數百戰」云云，火藥氣味十足，好像要跟會衆大打出手似的，這成甚末話呢？

[illegible]及其弊也，有如市場上劣幣驅逐良幣的現象，讓那些好說話的英雄好漢們，儘量表演，廢話連篇，笑話百出。

想當年國父所著的「民權初步」刊行之初，我拜讀一遍後，覺得太繁瑣了，認爲開會發言，事屬平常，何需乎那樣多的規律呢？如今經過了數十年的見識，纔知道那是搞民主政治生活的必要經典，無論是青年、壯年

嚴格的說來，咱們中國各界人士對於會議這回事，都尚在幼稚園時代，國父的「民權初步」應該人手一冊，仔細省覽纔行。可是，大家昧於會議之道，却又喜歡開會，因而無論大小會議皆流於形式主義，浪費時間，徒亂人意，眞是粵語所謂「無衰攞來衰」，何苦來哉！

我害怕開會，也討厭開會，如果說，非開會即不能反共救國，那我就祇好以「逃避現實」的落伍份子自安了！

馬五先生

[illegible]

[illegible]修正，何者應保存，然後建議總統召集臨時會，一律加以複決法，却不必重新創制要，律一原則，徒滋紛擾，第一屆國大代表祇以亦能夠完成這項使命，可就無愧職守了。向說此民交代老，選一般的時要創制在台灣實行，使一事實上創顧慮、孔多，複決權時期大會從限制[illegible]

[illegible]

多多益善

仇恨種籽

國大第四次會隆重揭幕
張君勱擁護蔣總統連任

本報記者張健生

國民大會第四次會議已於二月十九日在台北中山堂開會，這次會議的主要任務是選舉第四任總統副總統。誠如開幕禮主席王雲五代表所說：「這是一個具有歷史與時代意義的偉大會議。」這次「會議在這裏所作的，則必永垂青史。」

在野的民社黨中央統一委員的國大代表王西清、成開勛、程文熙等發表聲明，「擁護蔣總統競選連任」。由於該項聲明富有代表性，所以引起國內朝野人士的注意。

該項聲明尚有六點意見。

第一、第四任總統副總統之選舉，本（民社）黨不擬推出候選人，支持中國國民黨提名之候選人。當前反攻復國有賴蔣總統領導，本黨一本朝野合作精神，擁護蔣總統競選連任，以固國基，而利反共建國大業。

第二、蔣總統昭示籌開之反共建國聯盟會議，確為當前團結海內外一致反共復國之要圖，本黨極表擁護。希望執政當局於此次國大會議閉幕之後，立即進行召開，俾以我國反共建國聯盟為基礎，採取主動的積極的外交活動，進而促成亞洲聯盟，以加速匪偽政權之早日崩潰。

第三、請政府轉請美國基於反共之共同目標，考慮繼續對我國之經濟援助，尤以富有攻擊性之最新武器的大量軍援，須請繼續增加，以充實我國反共軍備。

第四、請第四任總統依憲法第四十條之規定，明令大赦及特赦，用示寬仁大量，予受刑人等以自新報國之路。

第五、全國軍公教人員生活清苦，請政府妥籌財源，繼續改善待遇，以慰忠勤，而勵廉隅。

第六、在憲政體制下，依政黨地位平等之原則，請政府採用英國對於在野黨魁，與閣揆同等待遇制度，應正式列入國家預算案。

查民社黨統一委員會係創黨人張君勱所承認並直接領導在台的唯一組織。該項聲明由張君勱署名而由在台的王西清、謝漢儒、廖鏡存（秘書長）、劉中一（發言人）等署名負責發表的。

據該統一委員會發言人劉中一在記者招待會上公開表示：該黨主席張君勱會回國的。假使執政當局在國大四次會議閉幕後，立即召開反共建國聯盟會議，並邀請的話，張君勱一定回國參加，因為他愛國家重於黨事。最近，張君勱致函台北民社黨人，有謂：「政府既以召開反共建國聯盟會議，諸事彼此商妥之後，自有與同仁相見之日。」云云。

聽說：隸屬於民社黨中央統一委員會的國大代表如楊金虎（台籍）等正在醞釀提案：請第四任總統依法行使大赦、特赦、減刑及復權之權。倘此項提案獲國大會議通過，即交由新任總統執行。楊金虎代表等此舉，係執行該黨中央的決策。

國大將設機構研討憲政問題

國民大會聯誼會已擬訂「國民大會各種研究委員會組織綱要草案」，共十條，設十五個研究委員會。原草案如下：

第一條：國民大會依據動員戡亂時期臨時條款第六項之規定，在閉會期間，設左列研究委員會，研討憲政有關問題：

第一研究委員會：研討有關憲法事宜。

第二研究委員會：研討有關行政事宜。

第三研究委員會：研討有關立法事宜。

第四研究委員會：研討有關司法事宜。

第五研究委員會：研討有關考試事宜。

第六研究委員會：研討有關監察事宜。

第七研究委員會：研討有關中央與地方均權事宜。

第八研究委員會：研討有關國防事宜。

第九研究委員會：研討有關外交事宜。

第十研究委員會：研討有關基本國策事宜。

第十一研究委員會：研討有關國民經濟事宜。

第十二研究委員會：研討有關社會安全事宜。

第十三研究委員會：研討有關教育文化事宜。

第十四研究委員會：研討有關邊疆地區事宜。

第十四、十五研究委員會分設台中、台南，研討有關憲政事宜。

國民大會於必要時得增設其他研究委員會或特種研究委員會，由各委員會聯席會議決定之。

第二條：國民大會各研究委員會委員由代表自由參加分任之，以一百五十人為最高額；每一代表以參加一委員會為限。海外代表及因交通關係不便出席研究委員會者，採用通訊研究辦法。

第三條：國民大會各研究委員會各設召集委員，其名額以各委員會參加委員人數為比例：二十人以下者一人，二十一人至四十人者二人，餘類推，最多不得超過七人。由各該委員會以無記名單記法互選之。

第四條：國民大會各研究委員會為綜合研究，設綜合委員若干人，由國民大會第四次會議主席團主席暨各委員會召集委員担任之，並互選常務委員十五人組織常務委員會。

第五條：各委員會日常事務由常務委員會交秘書長處理。

第六條：各研究委員會每週開會一次，由各委員會召集委員召集之。每三個月舉行綜合會議一次，每月舉行常務委員會一次，每年十二月下旬舉行各研究委員會聯席會議一次，均由常務委員召集之。國民大會秘書長副秘書長列席綜合會議及聯席會議。

第七條：各研究委員會設秘書長一人，編纂委員一人，由秘書長商承常務委員會遴派專家充任之。

第八條：各種會議開會時，配置之紀錄幹事及其他人員均由秘書處派充之。

第九條：各種會議議事規則與各研究委員會研討辦法，及辦事細則等，由秘書長商承常務委員訂定之。

第十條：本綱要經國民大會通過後實施。

台蕉佔輸出品第三位
任何行業難望項背
台省蕉農收益劇增
較四年前多達十倍

根據正式的統計，中華民國台灣省蕉農的收入，是可觀的，他們在民國五十五年度（一九六五年六月止）的收入，將為民國五十一（一九六二）年的十倍。較台灣任何的行業的收入增加為速。

而台灣省的香蕉輸出，目前年達約六千萬美元，僅次於糖及紡織品，佔輸出品的第三位。除了各種費用及稅收，產地蕉農實際所得共為三千八百零六萬美元。就台灣農村的經濟言，這是很可觀的。

目前台灣香蕉的產銷，政府是採取有效的輔導政策的，由外貿會組設「香蕉產銷輔導小組」，專司其事，聘請農復會委員蔣彥士兼任召集人，外貿會、農復會、台灣省農林廳、會交通處、檢驗局、合作事業管理處、中央信託局等機關，推派代表担任小組委員，從事產銷的輔導工作。自從民國五十二（一九六三）年二月成立以來，生產量及外銷量大為增加，至民國五十四（一九六五）年止，外銷量已達到七百五十萬簍（每簍重量為四十八公斤）。國際市場以日本為主，佔百分之九十五，其餘為琉球及香港等地。為使香蕉市場在今後能起多邊貿易的作用，外貿會的香蕉小組，目前正計劃開拓新的貿易地區，包括紐西蘭、澳洲、美國、加拿大，以至歐洲諸國。

根據外貿會的正式統計：民國五十一年共輸出一一九八、八四三簍，值美金八、一三九、一〇二元，蕉農收入為新台幣一三五、四六九、〇〇〇元（新台幣與美元之比為四〇比一）；至五十二年稍為增加，輸出總量為[illegible]；至民國五十三年，產量大增，輸出總額達[illegible]美元，蕉農所得達新台幣八四九、八六七、〇〇〇元；至民國五十四年又增加至七、五〇〇、〇〇〇簍，值美金[illegible]元，蕉農所得為[illegible]元；至五十五年估計，蕉農所得將不會比五十四年差。

從上述的數字看，我們不難瞭解，在政府的有效輔導之下，蕉農的生活，由於收入迅速的增加了十倍，其生活的改善，也是顯而易見的。

高雄屏東為主要產地

台灣目前的經濟型態，正由全面的依賴農業，逐漸轉向工業發展。不過，具有深厚的農業基礎的台灣，農業色彩依然是非常濃厚的，但由於台灣係一個海島，其農業的耕地面積有限。

中日經濟合作之過去與未來

·華僑社稿·

中日兩國基於歷史及地理的關係，於戰後在我國以德報怨之下，與我國台灣省進行密切的經濟合作，無論在貿易、投資與技術合作等方面，均在我國經濟發展上佔着重要的地位。但是，在美國停止給予我國經濟援助後，中日經濟合作將進入一個新的紀元，且已由去年四月間樹立了里程牌，這就是中日貸款協定。在此後五年間，日本將給予我國一億五千萬美元的貸款，協助我國進行生產與交通事業建設。此項貸款將分別在十五年至二十年內償還。每五千萬美元，係按年息三．五、五．五、五．七五等三種不同利率給予利息。我國將在五年中運用這筆貸款進行以下十一項經濟發展計劃：（一）高雄開闢第二港口計劃，（二）重建台北大橋計劃，（三）改善基隆及高雄港口設備，（四）下達見水力發電及輸配電計劃，（五）建立一貫性作業煉鋼廠計劃，（六）改善唐榮鐵工廠設備計劃，（七）建立新肥料工廠計劃，（八）台灣製糖設備更新計劃，（九）台灣機械公司更新計劃，（十）發展台灣電訊設備改善計劃，（十一）台灣鋁業生產設備改善計劃。我國政府將向日本採購各項生產設備及勞務，藉以進行各項生產事業的更新，俾以提高生產效率，以及擴大台灣港口吞吐數量，以適應台灣日見增加的進出口貨品的需要。所以，此項貸款將使我國在經濟發展上充實資金力量，而加大其速度與幅度，對我國經濟有利。因之，我國樂於支付年息。

但就日本的立場言，此項貸款協定所獲致的利益，或且遠較我國為大。因為日本在連年大幅度的「設備投資」之下，生產力的急速發展，本銷及外銷市場的推拓顯然是趕不上，因之，在一九六四年所顯示的「經濟蕭條」狀態，頗見嚴重，如企業利潤普遍下降，「倒風」熾盛，及股票價格失常的低落，這些事實都顯示日本人企業對於急需擴展海外市場，其中尤令人耽心。據東京商工興信所調查：一九六〇年日本企業倒閉事件計一、一七二件，倒閉金額六五、一五七萬日元，一九六一年倒閉件數減為一、一〇二件，但是金額却增加至八〇、三九四百萬日圓，一九六二年倒閉增至一、七七件，金額亦增至一八四、〇三八百萬日元，較上年增加一倍奇。一九六三年件數與金額均較六二年同降，但是一九六四年却見大幅增加，件數為四、二一二件，為一九六三年二倍半左右，金額為四六三、一一五百萬日圓，較一九六三年之一六九、四五百萬日圓幾乎增加了三倍。而去年還有繼續增加之趨勢，就上半年的統計倒閉企業已達二、九九〇件，年率接近六千件，金額亦增至三〇七、九五三百萬日圓。有效的挽救日本企業的倒閉事件是迅速開拓海外市場，以海外的購買力來支持日本企業的繼續進行生產。日本與我國貸款即具有協助日本銷售產品，支持其企業免於倒閉的危險之作用。

就以上簡括的敍述，我們瞭解中日貸款協定的實施，對雙方經濟均屬有利，但由於日本企業於去年加速倒閉的情形看，我們深深的感到這份貸款對於挽救日本企業倒閉之危機似有「杯水車薪」及「遠水救不了近火」之概。所以，我們認為在執行上應予加速，俾宏其效果，以濟日本企業之急，俾和緩日本企業倒閉之危機。此外，在今後合作規模之繼續擴大，與中日雙方貿易金額的繼續推廣方面，我們以為中日雙方均宜研討，期能全面展開中日民間工商企業的密切合作，以維持日本經濟的高幅度成長率與輸出的擴大率。同時，也能在此種情況之下，增加我國的生產投資，創造就業機會，以適應青年就業的需求。另一方面亦將由生產投資的增加，促致國民總生產額的提高，以支持人民平均所得與生活水準的向上。我國雖負担了借款期間的利息以及償付外資的利潤，但是我國仍將得到應有的利益。

中日經濟合作是一個範例，雙方基於平等條件之下的經濟合作，是利益均沾的。我們樂於在這種同一的基礎上與東南亞任何民主國家進行經濟合作，而促進各國經濟發展。

來函照登

一、貴報於五十四年十一月三日第二版刊載貴報記者台北航訊，標題為「郵政局內竟有『衙門』」，略以郵局竟有一個衙門化的單位，實令人感到美中不足，該公共關係組不設在人們容易找的地方，卻設在郵局的另一樓上（按：公共關係室設於樓上已有十餘年，樓下因無適當處所可以容納），外面去接洽事務的人，竟要填會客單。新聞紙類辦理登記也在該組。記者曾代辦一次新聞紙登記，走進大門，卻被門衛擋駕，並要我填寫「會客單」，要填的內容真是令人笑掉大牙。所會何人？本來是辦公事而來，偏要我填會客單，我問填什麼人？填誰？他說填公共關係組，辦公事還要填會客單，恐怕天下少有此種機構。」（周燕謀）

二、貴報此項報導，實有誤會之處。蓋台北北門口之大廈內，除郵局外並有電信機構，為免局外人隨意出入，合設門衛，由郵電雙方共同管理，行之多年。如有訪客接洽公務進入該廈時，填具簡單之會客單，並無慢客之意，亦為目前各機關普遍採行之辦法。此種情形，當邀鑒諒。至於新聞紙類登記案件，台北郵局問訊服務窗口亦可辦理，請予答照。

惠予披露，此致

香港自由報

台灣郵政管理局啓

瀛海異趣談

英國造幣廠關防揭秘

·桑雅·

一位英國造幣廠負責人這麼說過：「在美國，造幣廠內，軍警林立，監視一切工人的行動；但在這裏，情形便不同了，凡是硬幣出入之處，必經過一個磅機，這個機是非常精細的，重量相差毫釐，也可以察覺出來的；甚至布袋的濕度，也被計算在內，因爲每天隨便拿十個布袋，放在空曠地方吸收濕氣，然後秤出其重量作爲那天的準則。」

晚上呢，晚上那些硬幣全被鎖在一間特製的密室之內，那度門是四呎厚的鋼板，重六噸之巨。在那裏打劫，正是銅牆鐵壁，插翼難飛的。

在戰前，在鑄幣廠工作的人員，每每是世代相傳的，父傳子，子傳孫。那麼，如發生什麼意外，可以追查。現在，時代不同了，這個制度也不存在了。不過，一切的職工都事前受嚴密調查才獲准合格，不過，意外事件仍然會發生。例如一九五七年間，一位職員在那裏已工作了廿年，忽起貪念，偷了九個先令，結果被解僱了。在戰時，一位十五歲的孩子混入密室內，偷出了一袋價值百鎊的銀幣藏起來，然後每晚逐個逐個運出造幣廠。他終於被捕了，在烟囪上仍搜回四十鎊的銀幣。

這正是道高一尺，魔高一丈。難怪最近發現了一枚一九五四年鑄製的便士硬幣，英國專家完全不相信，爲什麼呢？因爲照理這枚硬幣是不存在的。皇家造幣廠官員解釋道：「不錯，一九五四年間，我們鑄造了數百枚便士硬幣，但發覺環境上不需要，于是立即將它們全部鎔掉。」可是，事實證明了至少有一枚是成了「漏網之魚」，這枚硬幣目前的價值，非常驚人，達一萬鎊。經過數名專家的鑑賞及檢查過，都證實這枚硬幣並非贋造的；那麼，當時怎會逃出被鎔掉的命運呢？那是一個無法解釋的謎了。

去年英國鑄幣廠的鑄幣紀錄是一億四千四百六十二萬八千二百六十八個，至于其中過程有沒有差池，那只有天曉得了。

每一個朝代轉換，照例鑄造一些紅色金幣。這些金幣是很有歷史價值的，這已成爲硬幣收藏者的目的物。由于是金幣，所以廠方對于製造過程必需保密，此外，儘量設法改善減低金碎的損失，以免職工從中混水摸魚。

不過，鑄幣廠本身對于製幣紀錄的合金，愈來愈「孤寒」了。一九二〇年的硬幣，銀質佔十分之九，到一九四七年，銀銅已各佔一半了。此後，再難找純銀的了。凡是那時製造的銀幣已陸續回籠，銀行是有一副特製機器，專負責檢出這種純銀幣。這樣一來，政府無形中增加了國庫收入，以去年爲例，檢出的銀幣，共值一百萬鎊。

已流通的六便士，是銅鎳合金的，去年鑄造了十三億七百萬枚。至于先令是一千九百萬枚，其總值是七百餘鎊。

別以爲祇有鑄造廠的安全措施使政府頭痛，英國銀行每年都面臨一個傷腦筋的問題，一方面要推出新紙幣，約爲二十億張的數目，另一方面要把一些殘舊紙幣燒毀。

好像後者的安全措施，比鑄幣廠的還嚴密。在未焚毀之前，還要檢查眞否其中有僞幣，這份工作由女性担任，因爲女性較爲小心，而且，爲了使她們集中精神，每天只工作一個上午。

那些殘舊紙幣被運往焚燒場所時，一樣是如臨大敵，平日要出動兩架警車作爲保護的，其過程且一直透過無綫電與總部聯絡。

阿月

覃靖

拜拜的前一天，家家戶戶正忙着做米糕麵餅之類的祭祀供品，阿月却在我的門口，焦頭爛額的踱了好幾趟，好像是想同我說些什麼，終于又沒有說出來。到了下午三點鐘光景，我無意中發現她揹着小兒子，挑着一担空籮筐出門了。據她的妹妹說是去買糯米。

一切的不幸便在這一天發生，阿月出去以後，壓根兒就沒有回來。

次日清晨，我被嘈雜的爆竹聲和劉廖木水的咒罵聲從惡夢中鬧醒。劉廖木水見着我，更加粗聲而惡毒地詛咒阿月，說使他失盡了面子。我預感到事態變化的嚴重了。

要發生的終於發生。太陽剛費勁地跳出雲幕，給人間送來了熱和力的歡笑，却同時也給人間燃起了悲和哀的火焰。一個我所陌生的陸軍軍官找來了。他首先告訴我說：「阿月瘋了。」原來這位軍官曾在我住的屋子，住過一段時期，雖然兩夫妻都是外省人，却與阿月相處得很不錯。他很明瞭阿月的一切遭遇，也很同情阿月。

然而，照他的平鋪直敍，是昨天下午將近用晚餐的時候，阿月跑到他的家裏，同他們說：劉賴宗枝到外縣去做工去了，家裏很清閒，希望幫他太太做點雜事消磨時間，順便掙幾個錢貼補家用。

他們都比我更清楚劉賴宗枝的爲人。他們知道阿月所說是謊言，尤其懼怕將來劉賴宗枝節外生枝；但又不忍看着阿月母子挨餓受冷。結果在有條件的原則下，答應了阿月的請求。條件是阿月每天早去晚歸、他們不留宿她。

然而昨晚到了十一點多鐘，阿月仍然藉詞推搪不願回家，後來經他兩夫妻再四敦勸，才算勉強地離開了。但不知阿月到那裏去轉了一圈，又去敲他們的門了。

聽他述說到這裏，我像一個偵探家，發現了一個大漏洞，便打斷他的話問道：

「阿月到你府上的時候，是不是挑着一担籮筐呢？」

「是一担空籮筐，」他回憶了一下，「當時我內人就問她幹什麼去來？她說今天是大拜拜，本來想到劉賴宗枝的二哥家要點糯米做菜頭巴，因爲剛到門口，劉賴宗枝的二嫂便問她：『嬸嬸給我們送什麼拜拜了？』她一聽這話，就不好意思再進去了。」

「嗯，」我若有所悟地又揷一句：「這的確是個不小的刺激。」

「這其中還有什麼原因嗎？」他不明所以的問。

我于是又把近一個月來的經過情形，原原本本的轉告了他。

「你想想看，」我說：「她的目的是想去找宗枝的二哥討點糯米，是回來維持這次拜拜的面子，那曉得還沒有進門，就先吃了二嫂一記悶棍！」

「難怪她昨天晚上一直嘀咕着二嫂的厲害。」他這才明瞭了。

「後來呢？」我又問。

「她十一點鐘走的時候，是挑着空籮筐出去的；兩點鐘再回來敲我的門時，籮筐不見了。臉色變得慘白。」（十八）

關於三民主義教學研究問題（四）

·楊力行·

迨次日（八月四日）整個下午在電化教室舉行擴大綜合教學座談會時，教師團諸位組長、輔導委員及教育廳各位科長、督學，專門委員黃季仁等等亦列席，首先又是陳鑫先生起立發言，重複他昨天向張所長提出的問題，要求輔導委員周世輔、宋嘉祥等教授及教育廳官員明確答復。在大家沉默無人發言的情況下，爲打破沉悶而又尷尬的局面計，我以爲命題的周世輔先生一定會起立答復；但是，他始終沉默不言，其他人士亦然。於是，我當仁不讓，也是「不得已」的發言說：「我本不願多說話，但是，我的眞知眞能驅使我不能不說幾句。我認爲這個三民主義試題出得很好，答案可繁可簡。繁的則可寫幾百或幾千甚至幾萬字；但是，簡單明瞭的說就是「知難行易」即孫文學說，旨在使人人知道「知難」而不可輕視知識，去努力求知，以提高民族文化，促進科學進步，使人知道「行易」而羣起實踐，奮發有爲，不至畏難苟安。「知之非艱，行之維艱」爲殷相傳說答殷高宗之語。「知難行易」之目的在勉以行求知。「知之非艱，行之維艱」之精神，同樣在勗人以知付行，故其重點在「行」，「行」的基本精神是相通的。因此，更簡明的說就是一個「行」字。君子論學宜客觀，不可武斷的說「通不通」的問題，只是見仁見智，求其觸類旁通也。」

不料某先生立刻起而反駁我說：「楊先生如此說法，既無學理根據，又在國父遺教和蔣總統訓詞中找不到解釋，更在三民主義原本及各教本中看不到。君子講學論道，實在不能亂扯」云云。於是，我也立刻起立委婉的答復說：「在所有三民主義教本中的「心理建設」內，大致都有扼要的說明：如：現時大家手中都被分發有的胡軌和張鐵君（與涂子鏻合編）及周世輔、熊惠民等所編各三民主義課本中之「力行哲學」或「三民主義的哲學基礎」章節內，都有說明。如：胡本一六九——一七四及張涂本一七四——一七六暨周熊本的一七五——一八二頁中都有簡明敍述，有目共見。而且，都是根據國父遺教及蔣總統訓詞而加以綜合闡揚的。如國父的「能知必能行」「不知亦能行」；蔣總統的「以行而求知，因知以達行」；「力行就是革命」，「力行以求知」；「行」而求「知」，「知」必能「行」；「行」因「知」而「行」，「知」或「行」以達「知」，「不知亦能行」：「行」而後「知」等。然後「行」道和王陽明先生的「知是行之始，行是知之成」和「知而不行，只是未知」；「知行合一」之說相互表裏的關係。由此可知國父的「知難行易」學說，與殷高宗相傳說所說的「知之非艱，行之維艱」兩相反的學說，其在基本精神上相通之處。不但就是一個「行」字上的解說，而且是依據國父思想及蔣總統有關訓示，和美國諸先賢言論而發；而且，和美國的教育哲學所標榜的 Lerning by doing 的基本理論脗合。足以瞭然無疑，而豁然貫通矣」。

新三國

周燕謀著

漢末之季，連皇帝竟賣官斂財，其他地方大小官兒更不待言。地方土豪與地方官吏皆一丘之貉，欺壓良民，無惡不作。故而英雄豪傑，打抱不平，殺人亡命，無處無之。關羽的出身本末，史書上雖無詳細的記載，但據歷代筆記、說書人的話本，以及民間的口碑，大家都說他是打抱不平，殺人亡命而到涿州，這是當世最可能的事。關羽本字長生，後改雲長，可能他殺人亡命之後改的。此人本籍河東解梁人也。（今山西的解縣）關羽顯靈異，在隋代已有之，荊州玉泉見靈跡。（見益州名畫錄）可知從五代時起，已盛行關羽畫像。中國各地所流行的關羽畫像，大致相同，都是丹鳳眼、臥蠶眉，五綹長髯，面如重棗，此非三國演義造謠，而是演義之所本。（演義成書於元末，畫像起自五代）這些異相並非全屬子虛，乃本於民間口碑文人筆記。關羽此時尚爲二十餘歲之青年，後之美髯，乃屬史志本傳所有。羽貌堂堂，赤面體魁，武功膂力皆萬人之敵。個性矜驕，剛烈忠義，痛恨階級人物，而善待士卒，能御衆。自殺人亡命來到涿州，先與張飛相識，英雄見了英雄愛，青年見了青年歡，二人志趣相投，性格相近，也有共同目的。飛爲地主，當然不慮衣食，且益德在涿郡乃爲英雄人物，關羽亡命至此，不難相遇。益德少雲長數歲，以兄視雲長，雲長愛之如弟，二人相得甚契。難怪演義有「桃園結義」之說，想是由於口碑及說書而來，不可厚非。其實劉、關、張三人的感情已經超於同胞手足的情義，結與不結，無損於劉、關、張三人的偉大。

玄德、益德（演義作翼德非）具爲涿郡知名青年英雄，雲長既識益德，不難知遇玄德。漢靈帝中平元年，（公元一八四年）黃巾賊鉅鹿（今河北平鄉縣）張角等起事，地方各州郡各起義兵。玄德久有撥亂反正之志。中山（今河北定縣）大商張世平、蘇雙等，乃販馬鉅子，往來涿郡之間。遇劉、關、張三人大異之。乃以手下良馬、金錢資之。人力物力皆備，玄德乃在本郡鄉里廣募徒衆，鄒靖等亦相應來從，爲校尉供驅馳，雲長、益德爲左右股肱。

漢靈帝中平元年春（公元一八四年），鉅鹿黃巾賊張角等叛亂，擾亂地方，其勢甚衆。州郡各舉義兵、玄德率關張及校尉鄒靖，征剿黃巾，首建戰功，除爲安喜縣尉（安喜縣在三國時代屬冀州中山國屬縣，即安憙，本名安險；章帝時改，地在今之河北定縣東三十里。）縣尉是一個掌管捕盜賊，維持一縣治安的小武官，大縣有二員，小縣一員。到任不及一月，督郵以公事到縣，玄德以事求謁，督郵以賄賂未通，稱病不見，玄德大怒，直衝進去，將督郵綑綁在大樹上，將縣尉印信懸掛在督郵項上，折下樹條，痛打數百，欲殺之而後快。督郵苦苦哀求，乃將之釋放。於是玄德棄官亡命。不久大將軍何進遣都尉毋丘毅到丹陽募兵，玄德與關張率部投效。到了下邳，與黃巾賊遭遇，玄德力戰有功，除爲下密丞。（十二）

國劇續紛錄

姜婆生（五十三）

大宛顯新型

歷年來默籟評，以爲京朝派勝過海派。而呈現在眼簾者，却多半是海派的，如紅梅閣，秦香蓮，趙五娘等。偶與豁老談起，京朝角兒演海派戲的不少，結論是海派足貴。尤其狸貓換太子，更是突出，已有劇團演過，我就很喜看。到不如乾脆，把海派推出，也許可挽回低沉（有的上座三四成）的趨勢。大宛劇團這次公演，推出三劇新戲，是七擒孟獲，白綾記，聖僧收悟空。七擒孟獲有五音聯彈，久不聞此調，爲之一快。相信與十八羅漢同樣，必定滿座，桐春的看法是不差的。

大宛素以關公戲，猴子戲擅稱，武行很可以來得。不過因爲演過次數不少，未能如在藝術館首演關公戲之夕，全場爆滿。此後應改演海派，以佈景爲號召的海派戲，準可叫座，爲了江南人士想看亦久矣。在第三輪公演，不妨竟演狸貓換太子，連台三四天，或四五天。人之常情，物以稀爲貴，戲亦如此看法。常演的武家坡定軍山鎖麟囊等，已不爲觀衆所欣賞，欲求改風氣，何妨注力於海派。再是每次演出，聽唱者至多佔百分之三十五，而看戲的，可能有百分之六十，唱做精到的如章遏雲、金素琴、秦慧芬、張正芬等，也不能準保力不強，不看戲不至於挨餓的。桐春極瞭解現情，希望安排多演燈光佈景很優美的戲，來作振作。十八羅漢也可再來，多作決策。陸光酬答大宛，加演十八扯，夠義氣的。

父女同台

中興國劇研究社，是幾位愛好平劇的國大代表所組織，純屬玩票性質，每年唱一二次明碼彩串，是大家分攤用費，你出三四百，我出五六百，將所有的票子（入座券）平均一分，由各位去分送朋友，絕不推銷票，道地的清客串。這種氣氛很高超的，也即道主見令人欽佩。可惜台灣類如此種格局太少，發現二五票房公演，也是如此，才算有點其他不論男女名票唱一次，要推銷票，有點如牛內行！

今年春節過了，中興國劇社有兩場慶祝晚會，也是第四次彩排。登場人物比往年爲多，有田代表夫婦唱坐宮昭關，先生唱坐宮，太太唱昭關，學言菊朋的。再是失空斬，馮代表唱失街亭，包代表唱空城計，張代表唱斬馬謖，包代表自製八卦衣，化了近兩千元。（未完）

火車上

·劉杰·

「你在彰化上車的？」

「你看見我上車？」

「你有坐位就告訴了我。」致文。

「你不應該是少校。」我說：「我爲你叫屈。」

「爲什麼？」

「你這麼聰明，不應該如此的。」

「好，你在挖苦我。」

我和致文是好友，却有五年沒有見面。在大學讀書時，我和他不同系。他讀化工，我讀中文。但和他却住在一起。

那是很巧的事。我正找不到房子發愁，我的同學李便告訴我，他說：

「致文也許有辦法。」

「他有什麼辦法？」

「我領他。」

「你要見一見他吧？」

「在那裏？」

「新生南路。」

我在晚上見到他，他一聽到我沒有房子，便要我住在他一起。他那房子很大，可以住兩個人。他又給我找了一張床。

他的房子不大好，又住在樓上，下大雨時，還會漏雨。我問他爲什麼住這種房子？他說租價便宜。一百五十元一月，這樣便宜好的房子，自然租不到好的。

我和他相處十個多月，發現他十分刻苦。他在學校回來，很少到街上走走的，總是在屋子裏做功課，讀課外書籍。他也很少花錢買書，他在中央圖書館，和美國新聞處借書。

有一次，我邀他去看電影。他對我友善的笑笑。我說：

「我買票。」

「我還有功課沒有做完。」

「我眞當心你的眼睛會」「上帝會幫助我的。」

我每個星期，至少要看一場到兩場電影，因此他勸我還是用功讀書好。

「也許我這話是一種不禮貌，」他說。「我很笨，我祇能這樣說。」

他在學校裏的成績也是最好，女同學對他有美好的印象。我認識姜鈴女孩子，她讀外文系三年級，她就對我說：

「致文是很可愛的。你和他住在一起吧？」

我點點頭。

「你眞幸運。」

「你似乎對他很有興趣。」

「別笑我。」

之後，我把這事告訴致文，致文是笑笑，沒有表示什麼。這使我很不愉快。我說：

「你這態度，該有修正的必要。」

「你以爲我就和她談戀愛？」

「爲什麼不可以呢？」

「魚與熊掌不可得兼。」

「所以你會被書本害了你。」

「那就是我的幸福了。」他說：「一個人沉醉在書本的國度裏，就沒有眞正的苦惱。」

舅舅在香港，所以我的境況轉好了，寄給我一部份的錢，我找到房子就搬了，和他見面的機會也少了。甚至於好幾天也見不到他一次面。

我在那枝是星期六下午，在國園碰到他。

我向他打招呼，他居然說：

「我很懷念你。」

「你還住那間房子？」

我問。

「我和那房子已經有了情感。也許我離開台北，我才離開。」

於是，我和他又談了些未來的事業。

「畢了業，有什麼打算？」

「如果考取公費，機會就不能放過。」

「另外呢？」

「我沒法申請到獎學金的。」

「不要灰心。」

「那你呢？」

「目前沒有法子，也許……」

時間也就那麼快，現在我和他離開學校已有五年，他還是那樣子，而我却變了許多。今天在車上和他相見，怎不有這些追憶呢？追憶是一種甜蜜，也是未免淡淡的悲哀。

碧水荃灣鹿苑門

山水客

說到「清靜」，並無半點誇張，它既不似沙田西林寺的轉，又不似距「它」不遠的「東普陀」般熱鬧，實在是得天獨厚！奇怪的是，遊人對「鹿野苑」好像是裹足不前，甚而雖逢假日，遊人也是寥寥可數，不知爲何？其實，它確有可遊的價值啊！即拿它那迴異凡俗的境界來說，已是甚爲難得了。

殿宇底蕪欄上，放着盆盆的花草，紅的、黃的、紫的，姿色亦婀娜多彩，叫人目不暇給。

殿宇內有佛堂，分佈着排排整齊的坐椅，是「唸課堂」吧，內裏冷冷清清的，只一兩位寺僧在細念「阿彌陀佛」！

與大殿遙相對的是一個頗大的魚池，曰「放生池」。池右鼻水之上，建有小亭一座，稱「護生亭」。憑欄低望池底的游魚此去彼來的美麗姿態，可謂別有一番情趣了。

池旁一壁，乃記放生池之建成，更有兩副發人深省的題聯，其一云：「引水成池遠援鷲岸勝境；有魚休餌長留鹿苑生機。」其二（此聯係題於護生亭）云：「事親在於孝，愛物本乎仁。」不遠處的一口水井，本是自用，但鑒於附近居民缺水者衆，遂大開方便之門，每日定出一定的時間，方便居民進入取水應用。出家人方便爲懷，於此可見。

再跨過另一小鐵門，一口巨大的涸井，其深約十多尺，居然養有十隻大小龜。

最後顯現眼前的是一座名爲「迎賢亭」的四方形凉亭。凉亭側，有一紀念碑，碑上刻着：「若舜德公禪師之紀念碑」「門人明常叩立，民國三十七年四月初八」等字樣。按若舜德公禪師，原是南京棲霞寺中興時的方丈，後來香港信徒等敬誠邀請若舜德公方丈移錫香江，宣揚佛法；不久，因皈依者日衆，於是便設鹿野苑，以爲棲霞寺的分院。此亦即「分院」的來由。到民國二十八年若舜德公離金陵棲霞寺退休，即息隱於荃灣之棲霞分院，直到民國三十七年圓寂。以後由其門人明常重修，始有今日之規模。現鹿野苑的主持仍爲明常老禪師。

於此，特引某先生紀棲霞別墅詩爲收筆：

「棲霞勝地今何在？碧水荃灣鹿苑門。半日清閒僧共話，悟眞疑是給孤園。」（下）

西廂記

「影劇與歷史」之十六

周游

可是，雖然文學作品造詣甚高，而鑿空虛構，僅憑其妙筆生花，總是不如有眞實體驗來得親切動人。「西廂記」之美，美就美在故事的眞實，尤其美在最先敘述故事的人，即是當年飾演這故事的男主角。拙文似乎有掀開張君瑞公子的底牌之嫌，其實至情的文學作品莫不是從人間而來的，揭穿了愛情文學，總是人間文學，元微之先生也用不着躲在幕後。把他們的幕掀開，所謂「西廂記」的眞正主角，正是中唐時風頭最健文學家元微之和他表妹的戀愛史。除他們表兄妹之外，西廂裏還有一位特殊人物——紅娘。這了頭在劇中最受人喜愛，毫無條件，犧牲自己成全別人，她却是女主角呢！她的戲比崔小姐重。因此，中國人的婚姻中，除了媒婆之外，又塑造了一位可愛的紅娘姐來。我們不是也稱爲自己傳達愛人佳音的人爲紅娘嗎？紅娘因之也成了中國小說戲劇中一位特殊的典型人物。紅娘姐由於她本身也是一位荳蔻年華少女，甚於自己一股懷春擇偶的情懷，推己及人，同情張公子和鶯鶯的好事難諧，不惜冒險涉嫌，挨打受罵，爲他們穿針引綫，促成好事。而紅娘之名，便自然而然成了一型男女介紹人的代名詞了。

何以說張君瑞就是：「會眞記」的作者元微之本人呢？這並不是我的發現，前人早有發覺了，證據確鑿。現在「西廂記」已經上演過了，讓我先談一談「會眞記」和「西廂記」二者的特色以及不同之點以後，再揭穿他們的謎底。

「會眞記」寫的比「西廂記」出色的是崔鶯鶯小姐。崔小姐第一次和張君瑞相見，是迫於母命，久之乃至。「常服悴容，不加修飾，垂鬟黛接，雙臉斷紅而已。」可是她却仍然是「顏色艷異，光輝動人。」「自命好色而不淫的張生，已經不覺驚爲天人，忙爲之禮。而她因爲不願出來，所以「凝睇怨絕，若不勝其體。」「張生稍以詞導之，不爲之對。終席而罷。」這是寫一個中國閨女蘊重、淡然自若的典型。她這樣拒人於千里之外，而張生却愈爲她之冷若冰霜而迷惑。由於紅娘姐的牽綫，春詞爲媒，張生竟「踰東牆而摟其處子」；想不到鶯鶯小姐却端服嚴容，大打一頓官腔，弄得張公子置身無地，十分尷尬。「待月西廂下」的詩箋，挑逗得張公子情火千萬丈，而偷進花園却給澆了一瓢冷水，等到張生完全絕望心灰意冷之時，忽然「紅娘携枕而至」，崔小姐呢，「則嬌羞融冶，力不能運肢體。」

（二）

金門的星期天

·克勞·

「多少錢？」我問。

「九元。」

我掏出十元送過去，他找我一元。要給我包好，我說不用，包好了，我還是要打開。

「喝杯茶吧？」

「謝了。人多，你做生意。」

金門因爲有了星期天，軍人大都出來走動走動。緊張了六天，星期天便是最好的調劑。金門也有茶室，就在公共汽車對面。

看看錶，時間還早。

「喝茶。」我提議。

「不回去吃飯？」

「這兒館子多的是，」我說：「什麼口味都有。不回去就不回去。」

「我身上沒有錢。」

「我付。但我祇付麵錢。」

喝茶，看報。看昨日的報紙。慣例，星期天沒有飛機，沒有船，也就沒有報紙。整個在休假。習慣了，也就沒有什麼。

我初到金門，星期天沒有報紙，別扭！像失落了什麼，說不出不好受的味道。像吸烟人戒烟似的。

「下午看電影。」朋友說：「你付錢吃飯，我付錢看電影。」

「這倒很公平。」

「我一向主張：機會均等。」

「我不喜愛高調。」我說：「最好先下雨，然後打雷。」

「我了解你，」他說：「不然，沒有你好受的。我的個性不容許你說這些話。」

「但我說了。」

茶室裏又進來好幾個人，位置都坐滿了，清一色的軍人。茶便宜，兩元一杯。可以喝到三個小時，祇要你有耐性。

街上人就是這麼多，川流不息，公共汽車和計程車裝走了一批，又來了一批。一直到晚上九時。

我和他却在六點便回去。一天的消散，心靈上得到放任的收穫。明天，倘若有砲戰，我就給共匪那兎崽子一點顏色，打的他們抬不起頭來！（完）

內政部登記台報字第〇三一號

自由報

THE FREE NEWS

第〇三六期

中華民國僑務委員會登記發行
台教新字第三三二號登記證
中華郵政台字第一二八二號執照登記為第一類新聞紙類
（半週刊每星期三、六出版）

每份港幣壹角
台灣零售每份新台幣貳元

社長：雷嘯岑
督印人：黃行寶
社址：香港銅鑼灣高士威道二十號四樓
20, CAUSEWAY RD 3RD FL. HONG KONG
TEL. 771726　電報掛號：7191
承印者：大同印務公司
地址：香港北角和富道九六號
台灣分社
台北市西寧南路壹零號二樓
電話：三〇三四六
台郵撥儲金戶九二五二

領海領空與太空主權問題

（下）

·彭樹楷·

可是，如以一個國家領土上空的豎體空間所有權來說，在新飛行器（飛機、火箭，無人航空或太空器，飛彈，電子戰系統等）不斷服役之際，舊問題加上新爭執，便是空間所有權發生更不易謀致協議的原因。

飛行權：私人飛行器在國內獲有自由飛行權，但仍以不致造成妨礙他人自由為原則，以不危及公衆安全為要務；如進入他國境內上空，則涉及國際法領空主權問題。即使是國家航空器進入他國國境時，情形亦同。這其間所發生的問題，一為國有飛行空間（National Flight Space）；一為自由飛行空間（Free Flight Space）。就國際法一般原則來說，每一國家均有自其領土、領海、公海，以及無人地區起飛之飛行權，可在該國國有空間內，公海及領海上空與無人地區自由飛行而不需徵得其他國家之許可。但在進入他國國有飛行空間上空時，則需事先徵得該國之許可；否則，即構成領空侵犯罪——私人飛行器亦然。即使是集團間（如民主集團、共產集團、中立集團、不結盟集團）已達成協議的「同盟空權」時期業經到來。在原則上說，二個國家也應尊重同盟友國的飛行空間權。如能經由此一過程達成下列問題的解決，則不獨飛行權獲得解決，即所謂領空主權亦可望藉此達成一致的協議。這些問題是：硬性劃定各國飛行空間的上方界限；制定某一新制度以管制自由空間的飛行任務不得用作軍用；列入國際裁軍會議事務，要求達成和平使用飛行權；確定領海寬度上空空間界限以及公海和無人地區上空界限之飛行任務和飛行權；經由聯合國協議將高過領空界限的空間獻作和平用途，並由聯合國管理。上述問題之解決首先需要各國付出真摯的友誼與善意；否則，問題將永難獲致協議，而世界緊張局勢也難望緩和或鬆弛。

俄國大餐

戴高樂：「別管閒事」

太空主權問題

一九五七年蘇俄搶先發射人造衛星成功時，赫魯曉夫即根據其法學家所云對世界宣稱「蘇俄人造衛星並未侵越任何國家，而是那些國家因地球自轉關係從蘇俄人造衛星下方經過。」自那以後，美、英、法、加拿大、日本、意大利等國發射人造衛星，既未如同蘇俄的強詞奪理宣稱一番，也未聞有任何國家提出其太空器侵犯領空主權的抗議。雖說如此，但這並不意味同意太空是合法的自由飛行區，卻也無從提出反對太空是自由飛行區的學理依據。因為，截至一九六六年二月，國際尚缺對太空定義、太空區域界限的一致看法。以地球物理學來說，地球本身即宇宙中一個星體，其本身即存在與運轉於宇宙太空之中；以氣象學根據大氣層引起的天氣變化來說，在中緯度六百哩以上的大氣份子即無直接天氣影響，一千二百哩以上的大氣分子即逸出地球大氣層奔向茫茫太空；以人體生理學來說，距地面八萬呎以上人體如不經保護，則在數十秒鐘內死亡。然則，太空界限究應從何算起？更何況上述數字又因地球緯度、四季、日夜不同而有異？同時，由於地球既有自轉後又有繞太陽的公轉，且整個太陽系亦在空中運行，如謂對某部份太空保有主權，實屬毫無意義。

可是，如果太空主權不能獲致協議，則今後國際間糾紛必更複雜難解。例如，某國在月球上佔有某一地區，則自行將其領空主權延伸至月球，他國是否承認此一既成事實？又如某國在其領空試爆巨型核彈或正發展中的光電子武器，因大氣循環等關係而危及他國安全及電訊交通等，是否構成侵犯罪？

現行國際飛行協定僅係針對主權國之領空而言（即一九四四年支加哥會議的協定），該協定與共匪集團無關，因此他們認為不受該協定的約束。事實上，該協定對領空的定義和界限並未作明確的確定。而且，該協定的對象是藉空氣上升的飛機而言，對不藉空氣而飛行的太空器，自當不受其拘束能力的限制。

由於人類從事太空活動日趨增多，為免地面國家因威脅而發生糾紛，許多國際法學者，海事及航空法律界人士，曾依據海事法及航空法企圖擬訂一部國際太空法。可是，由於領海及領空均未達成協議，故太空法依然停滯於學理探究階段；並且由於國際間的習慣而公法向無太空之說，太空探測不時帶來新發現（如整個太空皆有空氣，僅成份與密度不同），更使太空法之研議不易下手。更是為主要的因素，便是各國多缺乏誠意與善心來謀求國際問題的解決方法。我在今年元月份「法律評論」曾以「國際太空法與領空主權」為題，談到「太空主權的確定，必先有賴領空主權的明確界限劃分。」

有的國家元首，曾以個人身份呼籲成立國際協議將太空獻作和平用途；或是倡議禁止太空作為軍事目的之用。可是，科學工藝成品及技術，無法嚴格區分和平及軍事用途。例如偵察衛星，既可作和平用途用以及早發現地面上各種自然及人物災難，又可作軍事用途偵測敵情。其他所謂科學探測的太空器，其探測資料既可福利人羣亦可危及交戰國之安全。因此，「將太空獻作和平用途」即使是達成國際協議，亦將無助於人類的真正和平。因為，問題的重點不是科學工藝及技術，而是國家領導者的意圖！即使是各國均決定太空絕不用於非和平目的，但「和平」一詞的定義到底為何呢？氣象與通信衛星既可視作和平的工具，却也同時具有重要的軍事價值。「和平」是否意味着軍事武力戰爭以外的情況呢？那末，所謂經濟戰、思想戰、文化戰、科學工藝競爭、新武器的研究發展等，是否就是「和平」的現象？經由全球通信或電視衛星網的廣播，能保證不與自己國家利益相衝突？蘇俄共產集團容許他的臣民自由收看自由集團的電視麼？反共國家准許他的國民收聽共產國家的衛星廣播麼？

可是，如果為了國家的眼前利益而阻礙與科學息息相關的太空探測工作，却屬不智之學。截至目前，尚無國家擬在聯合國藉投票表決硬性制定太空主權法，乃可欣慰的事。否則，那些絕大多數沒有太空器的國家聯合投票，則少數從事太空航行的國家便要受到約束及限制了。（下轉第二版）

今日與明日

有趣的政變

加納總統恩克魯瑪為了調停越戰，往訪共區，二十四日剛抵北平機場，接過女童獻的花，在劉周兩酋左右陪侍下，走出飛機場時，傳來了加納政變的消息：安克拉少將領導的民族解放委員會已經順利接收政權！這一來恩克魯瑪的總統地位先成問題，雖然當晚還接受了劉少奇的「國宴」，但次日的一切節目都取消了。世間尷尬之事無過於此，大快人心之舉也無過於此。

就恩克魯瑪為人來說，前半段尚不失為一個有志之士，在一九六〇年加納獨立之前，恩克魯瑪不僅是黃金海岸的領袖，也是西非洲一切民族運動的象徵，聲望之高，黑人領袖中無人可及。不料其正式取得政權後，却完全改變了以前的諾言，對內實行獨裁統治，以特務警察維持政權，所有反對者全部被關進監獄；甚至干涉司法獨立，把最高法院判決案件宣佈無效。加納本來是一個富饒地區，舊名黃金海岸，可可出產佔世界第一位，可是自恩克魯瑪的社會主義經濟政策實行後，已經物資奇缺，民不聊生。人民在自由與麵包兩者俱缺之時，對這個政權已經深惡痛絕，願與偕亡了。

自食其果

恩克魯瑪對內實行血腥統治，對外又以親共為能事，在英聯邦二十幾個國家中，加納是唯一承認越共河內政權的國家。因此上次英聯邦會議推出調處越戰代表團，曾推恩克魯瑪為團員，即受到越共及毛共的拒絕。當時越毛共稱：如恩克魯瑪個人來訪，至為歡迎，至於他以英聯邦調處越戰代表團的身份，則恕不接待。恩克魯瑪碰了這次釘子仍不死心，繼續同越毛共接觸，終於安排了這次訪問時間，也替國內反對力量造了機會，就當恩克魯瑪去了北平，他的陸軍總司令去了阿的斯阿巴巴開會，反恩克魯瑪的軍人輕易發動政變，推翻了歷時六年的恩克魯瑪獨裁政權。假若恩克魯瑪不愛出風頭，不離開首都，政變可能還不會發生。恩克魯瑪固然咎由自取，說來還是受了毛共之害。

恩克魯瑪政權被推翻之後，整個阿克拉市內漫入狂歡，恩克魯瑪六尺高的銅像也被拉倒。人民固然除掉了枷鎖，周圍國家如多哥、上伏爾達、喀麥隆，甚至連象牙海岸在內，都如釋重負。今後少了一個顛覆的力量，幾個鄰國都可以與加納和平相處下去，不必猜疑。尤其是多哥前總統被刺殺的事，不會重演，從此西非少一個大害了。（何如）

談自由

淺見與睿智

西方社會有句俗語，說「哲學家都是些瘋子」，這是庸俗的淺見，實為不通之論。

庸俗的人對於事物的現象和問題，只問是甚末（What）和怎樣（Which）的情形，哲學家却要追問為甚末（Why）會發生那樣的情形，要從根本上講求解決之道。這當然比較深刻徹底，決不敷衍從事。但俗人懂得眞理者很少；一般庸俗的見解，而世事亦表裏不一致，表面上說得好聽，看似很美，實際却醜陋不堪，以政治生活為尤甚，幹的多是些不可告人的醜事，說來滿口道德仁義，福國利民的理論。哲學家不相信這套魔術，要尋根追底，剖析其本質，批判其是非，憑着眞理作顯微鏡，把醜惡的原形顯露出來，使它無所隱遯。於是乎，衆人便認為是個「瘋子」，是不通達世故人情的狂夫了。

對日抗戰完畢復員後，我回到南京遇着一位曾在中學教過我的國文老師，他問我：「現在幹着甚末活路？」答曰作新聞記者，專寫社論。他黯然道：「年近五十歲的人，應該務點正業了，作記者是正業，好自為之罷！」這位老師說的話，即是哲學家的談吐。他知道我過去在政界瞎混了許久，認為那是不務正業的行為，而今迷途知返，退作新聞記者，算是人生頗有意義的事情了。若在庸夫俗士看來，他不教我鑽營官職，揚名顯親，却贊許門人淪為沒有出息的新聞記者，還不是瘋子嗎？然而我這位老師說的確係見道之言，具有精湛的哲理，只可對通人傾吐，不足為俗士道也。

屈原以讀書有得之士，而擇業不慎，投身污濁的政海中，終致憤然謂「衆人皆醉我獨醒」，不惜一死了事。這在哲學家的觀感中，認為屈子亦係醉夢中人，并未通達哲理，是個十足的「書呆子」而已。既然搞政治，就得絕聖棄智，昧良黑心，恬不知恥，無所不為纔對，說甚末衆醉獨醒的廢話呢？

世俗之所謂聰明人，其實盡是些鄙夫俗士，而被譏為「瘋子」的，却係睿智過人的絕頂聰明人，信不信由你！

馮王先生

爲了他胞弟被押 高玉樹玩弄手腕

（本報記者台北航訊）台北市長高玉樹在台北市政府業務會報中決定，命各單位主管必須於短期內，調查有無類似公共工程處砂石假報銷弊案，以便早日處理。萬一有的話，是否公佈，必須加以研究。

高玉樹這決定，明眼人一看便知他的弦外之音。他是有所謂而爲的。據接近高玉樹並熟悉台北市政的人士透露：過去歷任市長的送禮費用暨用台北市政府名義送禮的經費，與現在台北市議員每人每月所領一千元之研究費（每年七十多萬），都是在法定修建道路預算中之砂石經費假報銷的。比如，本屆（第六屆）市議員在競選時，就有若干候選人的競選費用，是由市政府砂石經費中支付的。這是前任市長任內的事，但高玉樹很清楚這些事。

現在，高之胞弟省議員楊玉城，因涉嫌台北市公共工程處職員廖大㵾等砂石假報銷貪污一案而遭押於台北地方法院看守所。法院在扣押楊玉城前，由於省議會正在召開第三屆第六次大會，按照法令規定，必須獲得省議會之同意法院才能逮捕拘禁楊玉城。因此，台北地方法院只好函請省議會同意，而省議會於去年十二月十一日正式函復法院同意，但附帶的條件是：必須「有顯著罪嫌，確有證據爲前提。」該案經台北地檢處以懲治貪污條例第四條規定，將楊玉城等十多人提起公訴送地院刑庭，台北地院刑庭於今年二月九日開第一次審理庭，庭訊詳情經此間各報刊載後，省議會議長謝東閱、議員李建和等四十五人，認爲楊玉城省議員涉嫌該案「並不若外傳之嚴重」，乃依刑事訴訟法第一百二十條前項規定：「被告經訊問後，未有逃亡、湮滅僞造證據之虞者，或本刑爲五年以上有期徒刑，而無羈押之必要者，得逕命具保責付，或限制住居。」函請台北地方法院「准予保釋」。

省議會四十五人之此項請求，一方面有法令依據，一方面基於維護民主法治的原則，本屬無可厚非。但進一步分析，足證若干省議員們的素質低落，對民主憲政的原則認識不夠，所以才有同意在前之請復又不同意拘禁，求保釋在後。比方說，當初激烈主張同意法院逮捕楊玉城的省議員有賴榮木、陳重光等多人，現在賴榮木等也參加了聯名請法院「准予保釋」。這種行爲表現，充分說明了他們是出爾反爾，前言不對後語。實在是台灣省的地方自治前途莫大的悲哀。

其次，台北地方法院院長曹偉修對此間大華晚報記者說：「雇東或服務單位，無權申請」保釋被告。這句話是針對省議會謝東閱、李建和等四十五人函請「准予保釋」而說的。假如此說成立，則去年十二月一日台北地檢處函請省議會同意逮捕楊玉城，豈不是件不可思議的事？台北地檢處首席檢察官也也應「撤職查辦」，而省議員李建和等四十五人函請曹院長「准予保釋」，更應該屬於非法胡鬧，應負干涉司法獨立審判之責了？然而，人們並沒有看到或聽到有關政府當局對台北地檢處首席及省議員四十五人有任何責難或處分。人們很希望司法當局對這件事應加以研究檢討，以免將來再發生類似案件，致鬧笑話。

有人說，台北市長高玉樹既公開對市政記者宣佈：「命各單位主管必須於短期內，調查有無類似公共工程處砂石假報銷弊案。」而司法機關爲何不自動指揮司法警察像偵查廖大㵾等貪污案一樣的積極偵查呢？眞叫人有點莫名其妙。

過去，好多人都說高玉樹很有兩手，頗不平凡；但從他這次的行動來觀察，其玩政治的手腕十分明顯，到底是「高度藝術化」呢？還是低能而拙劣的表現呢？

瑪嘉烈公主傳略

·港府新聞處稿·

瑪嘉烈公主是英王喬治六世和伊利沙伯王后的幼女，一九三〇年八月廿一日生於蘇格蘭的格林美斯。那裏是她祖父母斯特拉斯摩爾伯爵伉儷的祖居。

公主跟長姊伊利沙伯女王同在家中受教育。她跟姊姊一樣愛好房外運動，是一位優秀的女騎士，游泳家和熱心的園藝家。她曾參加女童軍爲幼女童軍，並於一九四二年四月成爲白金漢宮女童軍第一連的成員，其後並繼任當時的伊利沙伯公主爲該連的巡邏隊長。其後她又成爲海童軍，並於十八歲那年，成爲海童軍的一名司令官。她現在是聯邦海童軍領袖。瑪嘉烈公主年輕的時候是一個勇敢而富冒險的孩子。在大戰時期，曾率領她的巡邏隊完成一次嚴格的攻擊訓練課程。這個課程是由近衛軍的訓練軍曹編擬的，內容包括若干迫眞的演習，例如穿越附有炸藥的路障鐵絲網及由繩索橫渡溫沙大公園的峽溝等。

小公主年方六歲，首次參加國家大典。當時她身穿藍色曳地長裙，頭頂金王冠，在西敏寺參加父母親的加冕禮。她仍在少年就開始担負公共酬酢的任務，並成爲蘇格蘭兒童團的名譽會長。

一九四七年初，公主隨父王及母后與伊利沙伯公主訪問南非。同年十月訪問北愛爾蘭，並主持聯合堡壘輪船公司新船「愛丁堡堡壘」號下水典禮。

同年十一月，伊利沙伯公主與愛丁堡公爵結婚，瑪嘉烈公主在大婚典禮中充任首席嬪相。兩位公主向極親密，婚禮之後，瑪嘉烈公主便不得不和她的姊姊分離了。一九四八年九月，瑪嘉烈公主代表喬治六世，參加裘麗安娜女王登極大典，這是她的第一次在海外担負的官式職務；亦是她訪問歐洲大陸的首次。自此之後，她曾多次赴歐陸，訪問西歐許多國家。

一九五三年七月，公主陪同伊利沙伯皇太后再訪非洲，參加南羅德西亞的羅德斯百年紀念展覽會開幕，並在該國作短暫旅行。

公主於一九五五年首次單獨赴聯邦國家訪問。這次她前往加勒比海地區，她的儀容及同情心，以及她對所見所聞的關注，使她獲西印度人民的衷心敬重。她隨於一九五六年秋訪問東非洲的肯雅，坦桑伊喀，毛里裘斯及桑給巴爾等地。

一九五八年四月，公主再赴加勒比區，這次她是以女王特使身份前往訪問，並主持新的西印度聯邦立法議會成立大典。隨後並訪問英屬圭阿那及英屬洪都拉斯。同年稍後時間，她首次訪問加拿大，她在七月抵步，參與不列顛哥倫比亞省的百年紀念慶典。其後遍訪亞伯大，薩克其萬，安大略三省，復經魁北克前往東部濱海各省訪問。在安大略時，她成爲加拿大總理的貴賓。

公主在歡渡蜜月時，又曾訪問西印度。

一九六〇年二月，女王宣佈同意瑪嘉烈與安東尼·阿姆斯特隆瓊斯先生訂婚。同年五月六日，他們在西敏寺成婚，並於七月遷入肯盛頓宮，該處現已成爲他們在倫敦的住所。

一九六一年十月，阿姆斯特隆·瓊斯先生被册封爲斯諾敦伯爵及林萊子爵。當時並宣佈說，他的夫人的新名銜應爲「斯諾敦伯爵夫人瑪嘉烈公主殿下」。他們的長子林萊勛爵，生於一九六一年十一月三日，命名爲「大衛·阿爾培查爾士」。他們的幼女沙拉·法蘭西絲·伊利沙伯·阿姆斯特隆·瓊斯小姐，是一九六四年五月一日降生的。

瑪嘉烈公主是一名藝術鑑賞家，她又跟母后一樣愛好音樂，時常隨母后參加愛丁堡藝術節。她本人亦諳鋼琴音及唱歌。一九五七年十二月，她獲倫敦大學頒予名譽音樂博士學位。這個學位是由她的母后以倫敦大學校長資格頒給她的。公主的另一興趣芭蕾舞，曾任薩德勒氏及威爾斯基金的贊助人。這兩個芭蕾舞團兼學校於一九五七年特許成爲「皇家芭蕾舞團」。由公主担任首任會長（女王任贊助人）。

公主在十八歲那年，自動要參觀各種機構，包括下議院在內。自那時起，她對國民生活的許多方面，都曾作切實的研究。最近幾年，公主曾充分担任皇室方面的許多公開活動，對福利機構的工作，尤感興趣。一九六〇——六一年冬，她在夫婿陪同之下，代表女王參加比利時國王與花比奧拉公主，以及挪威阿絲德烈公主與佐漢·范尼爾先生的兩項婚禮。一九六二年，她是女王參加牙買加獨立典的特別代表。一九六四年，她應邀主持在丹麥舉行的英國週開幕典禮。

瑪嘉烈公主是許多團體的贊助人或會長。她是巴烈度氏兒童院會長，英國土風舞學會贊助人，聖約翰救傷隊見習學員總監。她又是全國防止虐待兒童會會長（女王登基前曾担此職位），救助殘廢兒童委員會會長兼主席，北史他佛郡基爾大學校長（她曾獲該校名譽文學博士學位）。公主又爲若干軍團的團長。她個人對這些團隊歷史與活動極感興趣，各團隊常將各自的最新消息郵寄給她，她並盡可能接見這些團隊的指揮官。一九五四年九月，公主奉委爲阿歷山大皇后皇家陸軍女護士團的團長，這個職位以前是由她的故祖母瑪利太皇太后担任的。公主又是林肯法學院的院長。

公主曾獲得聖約翰女爵士勛銜，一九四七年榮獲印度王冠勛章，並於加冕授勛時，獲得維多利亞大十字勛章。荷蘭女王登極時，公主曾獲授荷蘭獅子大十字勛章。當她赴比利時國參加比王婚禮時，又獲頒里奧波德勛帶。當故王喬治六世政躬違和及當女王伊利沙伯二世出國時，公主均曾任國務諮議委員。

領海領空與太空主權問題

（上接第一版）

這樣，便將迫使人類永遠困居於地球大氣層而茫然無知，對可能來自其他星球的非善意訪客便將感到手足無措，同時也無法解開至今仍待探測的謎底（如地球的誕生、生命的來源、生命的控制與製造等等）。

太空探測開發，是人類空前偉大而最爲壯觀的事業，不容許任何國家阻礙。太空軍事發展的趨勢，嚴重的危及了人類的安全，在不容許却已阻止不了的情形下，適當的太空主權及制訂一項太空非軍事及中立化的協定，却又屬於必須。可是，太空主權確是不容易解決的人類問題，非由人類全體奉獻性的努力研究與協商不可。

假定領海寬度同意爲六哩；領空高度止於地球大氣層（其分對流層、同溫層、外氣層，領空高度止於地球大氣層，即係止於外氣層而言）。又假定協議太空起於外氣層之頂，則分割太空爲幾個區域使成爲主權管制區、和平使用區、自由航行區，並嚴禁具有殺傷生命與破壞毀滅能力的太空器進入太空，如此將可望完成一部爲各國接受的太空法，太空主權問題便可望因此迎刃而決。

但是，上述假設如欲成爲協議，則非所有國家領導者捐棄私慾，眞心誠意同爲人類歷史之延續，爲世界文化之進步而貢獻一切力量不可！

太空時代，是一個偉大的時代。生存在這一時代的人們，是幸福却是痛苦的。太空時代，更是爲人類億萬代子孫作出最爲莊嚴貢獻的時代，也是爲我們子孫作出最佳服務的時機。我們樂見太空探測由我們這一代揭開序幕，我們恐懼我們的地球老家因太空藝技而毀滅；因此，我們迫切的需要解決領海寬度、領空高度、以及太空主權這三大問題。這比核子禁試與世界裁軍問題尤爲重要！

（完）

毛貨汎濫港市場 打擊港工業廠家

（本報訊）毛共控制的大陸貨品的向香港傾銷，已有日益增加的趨勢，不但向港輸出的貨值一年比一年增加，並且輸出的品類愈來愈擴大；在過去三年內，對香港影響最大的，就是香港的入口商、批發商、零售商，今後三年內對香港影響最大的，將是香港的大、中、小型工廠。

雖然過去三年內大陸貨品在香港市場展開了推銷網，已經使香港的小型工廠一向靠本銷市場的，逐漸被大陸同類貨品所侵取，但中型廠及大廠有歐美及其他遠洋市場可以發展，尚未受到大陸同類貨品的競銷威脅。然而現在開始，大陸貨品已有進一步威脅香港的中型工廠與大工廠，使香港工業界對前途產生一種很大的隱憂了。

現在大家可以看到的，祇是大陸來貨控制了香港糧食市場及日用品市場百分之五十，尚未看到的是大陸的原料性貨品與工業半製成品以「滲透」方式來威脅香港的中型工業與大工業。其實，大陸貨品在香港推銷，品種之多，幾乎可以與日本貨品爭短長，除了麵粉及塑膠原料、塑膠製品，尚未有向香港推銷之外，其他物品幾乎是應有盡有。

最值得注意的，就是大陸很多種工業用的原料及半製成品運來香港，沒有標明他們的產地，以無牌子的姿態任由香港商家混充香港產品出售。這些貨品當然有一部份本銷亦有一部份出口，對香港的工業打擊將日益擴大。因爲一部份外國買家認爲這一類「香港產品」比較其他香港產品價格廉宜，於是向香港另一些廠家訂購也要壓低價格纔肯落單，這樣，香港的眞正產品便受到很大的影響。

現在舉出幾個例子證明，大陸貨品在香港傾銷威脅香港工業及香港大廠的事實。首先是大陸鋼鐵及水泥，近來繼續降價在香港競銷。大陸圓鐵到港船邊交貨每担只爲廿八元八角，但香港生產的圓鐵每担（出廠價）要三十元。於是部份五金商把大陸圓鐵混充香港及日本圓鐵出售，貨單沒有寫明是大陸圓鐵，香港建築商及出口辦庄都被瞞過。大陸水泥船邊交貨每噸已降至八十元，其目的是針對青洲英泥，因此青洲英泥連迭降價來應付大陸水泥競銷。大陸幼支棉及羊紗也以低價及無牌子的方式在香港濫爭市場。香港出產的廿支雙股羊毛紗每磅八元，但大陸羊毛紗在香港售價每磅爲六元八角[illegible]漸侵奪香港產品的銷路，今後香港的棉紡工業及毛紡工業部會逐漸受到打擊。

中華民國五十五年三月二日　自由報　星期三　第三版

瀛海異趣談

丘八變成女人內衣專家

·桑雅·

美國一個「丘八」，成爲女人褻衣權威專家了。一個大兵怎能成爲女人褻衣權威專家？這不能不從第二次世界大戰時期，當兵時的「剪貼女郎」，給他的靈感。現在這個「丘八」去美國好萊塢的服裝界建立了他的帝國，把盈利與享樂混在一起。

這位「大兵」女子褻服專家梅靈加，生活是那麼寫意，每天由上午九時至下午五時，都是混在脂粉叢中。他每週四十小時的工作，是設計怎樣把柔軟的絲質料子，包在女人的身上，現在成爲世界上著名的絲質內衣公司了。從側面看，梅靈加外型頗似電影怪傑和路迪士尼，其實他卻不像是一個專門依靠女人的胸罩及游泳褲與睡衣揾食的人，不過他在女人不覺中卻成爲乳罩大王。他把著名的女人，諸如伊利沙白泰來、珍曼絲菲、蘇菲亞羅蘭的體態弄得更美。他光是郵購生意，每年有幾百萬美元的營業額，有連鎖的商店廿間，分佈整個加州。這個成就不過是廿年內的事而已。

梅靈加對女子褻衣業發生興趣時是遠於一九四六年，大戰剛結束，法國力圖奪回過去法國加力女人服裝權威的地位，法國的設計家，爲了達到目的，開始把女人極度美化及新奇化，對女子的裙子長度，剪裁長度及足踝部，甚至型式整個有變化，好像把女人放在一個馬鈴薯袋內無異。但是卸下戰袍不久的大兵梅靈加，對於在海外作戰時掛在床邊的「剪貼女郎」記憶猶新，且引起他新的靈感，他相信女人的衣服無論穿在外面或內面，均應是有挑撥性，極高度的女性化，旨在向男人展示她的性感。因此他設店製造。

初時他在紐約的東區，坐在一張寫字枱的辦事處動腦筋，開始在小型雜誌的背頁，宣傳他設計的女人褻衣，都是非常有性感的物件。一年之內所售出的黑色女內褲，數目之大，其利潤足夠他遷往加州西海岸，發展他的世界。

加州南部是大胸女人集中地區，她們都把自己豐滿的肉體，炫耀一番，當然不是裸露。何況十多年前裸風未盛，因而加州成爲梅靈加的新發明內衣的考驗場。不久，無數女人用郵購方式光顧他的產品。他刊印一本出品名錄，內容的豐富，包括女人貼身的一切最小用品，穿上去都有天然的視覺。

梅靈加設計了透明的睡衣，在家裏穿最易使丈夫不移情別向，乳罩是從底部把一對雙峯向外挺，看來更圓更美。而兩點式泳衣的泳褲，是低腰的遮掩物。在這樣要運用思考的生意，他手下的職員做的工作，一切都是領先的，在設計家尚未發明露乳泳衣之前，梅靈加手下的設計人員，已發明了垂直吊帶的胸圍，早已出現了露胸的形象，與今天的赤裸相去不遠，美觀的效果，有過之而無不及。

而他最大胆的設計，是替美國把一種緊身的女泳褲，弄得到處風行，完全貼身，看來似是黏上去的，曲綫畢呈。然而他發明的乳罩，却成爲女人恩物，各階層的女性，都樂於光顧那名字奇怪的乳罩，有所謂「高閣」「珍貴貨物」「雙重炸藥」。他的顧客包括了家庭主婦、應召女郎、模特兒、大明星，還有平凡的女性，包括年事很大的婦人，光顧他買些樸實及簡單的黑色內衣。

各地郵購的女主顧，芳名雖然保持秘密，但是不乏是三軍將領們的太太，國務院大官的妻子，國會議員及普通政客的家室，都在名單內。

當雜誌正在力吹噓裸露時，梅靈加的各種女人身上支持物，還是銷路可觀的，由此看到他的見解正確。他現在研究的是怎樣設計？應該替女人穿多少？才能使她「裸露」，而非刻板的把女人脫得一絲不掛。因此裸體也是一種高度的藝術呢。

阿月

「她如果能夠到手一點糧米，」我說：「大概不會半夜再去敲你的門了。」

「我真後悔當時不給她一些錢，」他極其懊喪地，「我也實在不知道她的情形，」

「這那能是你的錯，」我說，「我也同樣後悔昨天看見她焦頭爛額的情形，而沒有問她的究竟。」「可是你現在打算怎麼辦呢？」

「她現在大概神經錯亂了。」兩點鐘的時候，我內人告訴她還早得很；她硬指着月亮說是太陽出來了。從半夜到黎明，嘴巴就沒有停過，不是哭，就是笑，要不就瘋狂地咒罵，」他各思索了一下，「我負不了這麼大的責任。我想還是要她的父親把她接回來。當然我願意盡我的力量，付給她的醫藥費。」他站在他的立場，「我是無可非議的，打擾了他一夜，根本談不上作工，便情願付出一筆小小的代價，已經夠義氣了。」我想到劉廖木水那種不配作父親的行爲，心坎上又抹上一層陰影。

「你相信劉廖木水會這樣疼愛他的女兒嗎？」我反問他。

「這是屬于法律的問題了，」他胸有成竹的說，「如果劉廖木水不照我的意思辦，我可以報警察局。」

到底還是軍人懂得作戰的方案。于是我便陪同他一起去催促劉廖木水，迅速採取行動了。

阿月回來了。事實她的情況沒有那位軍官所說的嚴重，她還是走着回來的；祇是這個黨人的消息傳開以後，整個大里村的老老少少，無形之中便對她另眼看待了。

劉廖木水和阿月剛穿進那塊曬稻麥的曠場的時候，這個圍的確是起了一陣大哄，全村子的人們都擁了來，并且換了異樣的面孔來迎着。劉廖木水也許認爲這是受了侮辱，也許到此便自顧自已經盡到了責任，仍下阿月一個人在曠場的中央，像是被困在重圍裏的孤軍；着大步，先一步邁進自己的屋去了。圍睹的人羣，圈子越圍越小了。大家七嘴八舌地問長問短，有的是同情的關懷，有的却是無聊的揶揄：

「阿月，你有什麼不舒服嗎？」

「阿月，你知道今天是大路公（即這村中廟宇的主神）的生辰嗎？」

「趕快去拜拜大路公，大路公很靈驗的！」（十九）

關於三民主義教學研究問題（五）

·楊力行·

四、怎樣研究三民主義？

論及如何研究三民主義時，除在本文第一節開始時，已略有論及外，依我的研究心得和看法，不外下列四個方法：

一、是根據文獻，融會貫通。——所謂文獻，就是指國父的所有著述而言，祇要記錄下來的，信而可徵的，都爲我們研究的資料。根據這些資料，反覆思維，加以融會，貫通成一體系，便是我們對於三民主義的認識。在這中間，最要注意的，是徵引詞句，決不可斷章取義，專門迎合自己的意思，而把握全般，注重原來的場合。譬如：國父所講的話，究竟是在什麼情形之下說出？前後的意思怎樣？應該研究明白後，會觀其全，而不可隨便引用，致犯曲解附會的毛病。我們研究三民主義，是要從國父所有的遺著中，找出其思想的脈絡，順理成章，按照他的意思，組成一個完整的體系，而不可根據各人自己的觀點，另外拿一些東西，加在他的頭上，硬說是國父的思想。這好比庖丁解牛一樣，要「依乎天理，……因其固然，技經肯綮之未嘗」（莊子養生主篇），才不會發生錯誤。

二、是參考科學，注重事實——三民主義爲一種科學的主義，我們要研究它，闡揚它，必須參考各種科學，評判新發生的事實，才能得到新頹的理解。譬如：民生問題，國父說：「社會主義與專制政體極不相能，故不能存在於專制政體之下」，「滿清政府之所謂國有，其害實較少數資本家爲尤甚」。現在，拿蘇俄和中國大陸匪幫的情形來看，便覺得這幾句話很有道理，共產主義非以民生主義作前提，根本不能實現。美國副總統韓福瑞今年元旦來台訪問時，亦有此認識。

我們研究國父的學說，不是要把它泥古化，拿去與玄學思想結合，變成一種「黨八股」；而在使其現代化，與新的事實相連繫，成爲科學的理論。任何一種主義，如不能與時俱進，吸收現代的知識，必然漸趨落伍。馬克斯的社會問題，其所以發生錯誤，原因就在他所知道的都是已往的科學事實，他當時由自然科學出發看，重在必然的因果規律，認爲資本主義發展，一定要產生階級鬥爭，才能達到社會主義；殊不知後來的科學證明：事物的因果規律是相對的，或然律（Probability, or Chance）的，通過民主政治的作用，資本主義就可社會化，而不必要有階級鬥爭。像這類的情形，真是不勝列舉。所以，要研究國父的學說，固可作爲參考一切科學和事實，印證國父的學說，然而必須從文獻的基礎出發，以之補足，結論乎出來的學理，其所獲的結論，闡揚便與國父的學理無關。國父在「民族主義自序」中說：「尚望同志讀者本此基礎，觸類引伸，匡補遺缺，更正條理」。就是這個意思。

三、是闡明特殊與奧義——我們要認識一種學說，把握它的特殊內容，把握特殊的奧義，必須把握它所包含的特質，是它與別種學說不同的特質；要了解這種特質，才能知道它的奧義。然則要用什麼方法才可以了解呢？祇有比較法——把三民主義拿來與其它主義比較，看它在理論上有些什麼分別，自然能夠了解它的特質。

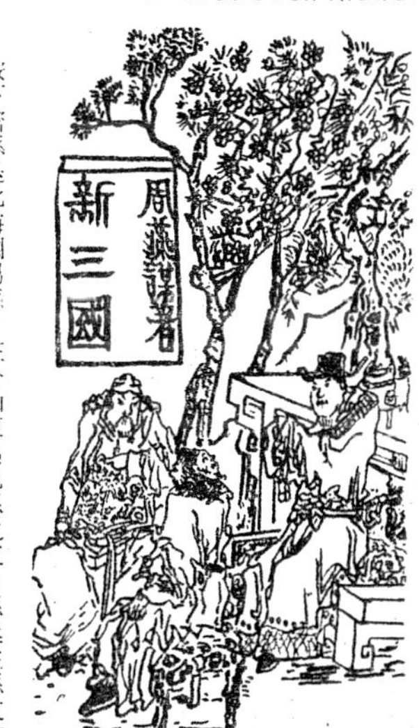

按下密縣是北海國屬縣，在今山東昌邑縣之東。縣丞主縣文書典知倉獄，猶今之縣市主秘兼法官。因朝中無人，做官非常不順，打了幾次黃巾有功，連縣官都沒有做到，督郵還要索取賄路，漢末的政治賄路公行，是不足爲奇的。他這主秘沒做好久，復去官又做高唐尉，（山東禹城縣）不久升爲高唐縣令，被黃巾賊所破。無奈何又投奔老同學公孫瓚，公孫瓚已經做中郎將了；以老同學之故，表玄德爲別部司馬。這司馬與衆不同者，是自己有部曲，領別屯部衆者。不久派往青州刺史田楷，以拒冀州牧袁紹。作過幾次戰，很有戰功，但是只做了一個「試署平原縣令」是暫代性質。（根據後漢百官志，平原在漢時爲郡，並非封國，此云平原相不知何故？）有一個縣吏劉平，平素輕視玄德，恥爲其部屬，暗中買通刺客，使刺殺玄德。那刺客不知爲誰，史書上沒他的姓名；他很有良心，以爲玄德乃一廉吏，爲民除害，不忍刺殺，並將原委以告而去。可見玄德甚得人心之一斑。

獻帝初平二年，與公孫瓚鄰近的冀州牧袁紹，攻打公孫瓚，玄德與田楷屯兵在青州齊國。袁紹大敗公孫瓚於界橋。

同年，曹操爲了要報父仇，大軍攻打陶謙的徐州，徐州牧陶謙告急於田楷，玄德與田楷同往援助陶謙。其實曹操以報父仇爲名，實則想奪取徐州一塊軍事要地。這時候玄德只有一千餘人，另得幽州的烏丸雜胡騎兵及飢民數千人。到了徐州，陶謙以四千丹陽兵撥與玄德。到此，玄德乃離開田楷而歸陶謙，謙表玄德爲豫州刺史，屯駐小沛。（小沛即豫州沛國所屬的沛縣，在今江蘇沛縣東，所稱小沛者，乃是別於沛國所治之相縣。）玄德東奔西跑至今，始得出頭爲刺史，刺史的官職不小。（前已言之）因其爲豫州刺史，故時號爲劉豫州。劉、關、張三人以重義剛烈而結合，英雄投契，三人親同手足，玄德年長，雲長、翼德皆以兄視之，大庭廣衆，關張侍立左右，冒險犯難，出生入死，三人一體；在那庸君、幼主、官污、吏貪、賄賂公行的社會中艱苦奮鬥，由平民白手起家，數討黃巾有功，雖然官卑職小；本一股愛國忠君之熱忱，曾舉義兵，聲討董卓，因其實力太小，未有卓越表現。但其匡扶漢室之志，撥亂反正的行爲，實爲後人所敬仰。待人馭衆，深得士心，時人重之，此其成功立業的大資本也。

六、曹操的家譜

曹操在歷史舞台上扮演的是何如人？有人以爲是「三國演義」把他寫壞了，替曹操鳴寃。我認爲這都只抓到一點點理由，作危言以聳聽，自鳴卓識，標新立異。其實那觀點才是眞正受了三國演義的害，會看演義而不會讀史之過。

曹操字孟德，沛國譙人，即今之安徽亳縣治。陳壽的三國志對他的稱謂，可謂煞費苦心，在魏志中，始稱「公」、次稱「王」，其次稱「武帝」。在蜀、吳二志中一律稱「曹公」。這是歷代史家稱謂最濫的一個。曹操又名吉利，小字阿瞞。（十三）

國劇繽紛續錄

（五十四）　鬱學生

父女同台（續）

第二天開代表的釣金龜，張代表的太平橋，章代表的夫人唱罵殿，馮代表的狀元譜。所可稱特色的，太平橋似乎是火燒李克用，歷史上也有此紀載，台灣伶界尚未演過，可算是票友示人以顏色了。我對如許伶工，未能老戲新排，常常洩氣生歎！

另有特色，也即我所寫的「父女同台」。據說演坐宮的鐵鏡公主，與唱罵殿的賀后，那位張萍萍小姐，是張代表的掌珠，乃父演老生武生，其女唱青衣，確是家學淵源，指點有方，故而有此成就。不知道是否初試，抑已演過了？但即使能戲還不多，造詣相當有功夫，決沒有錯，該傾耳去一聽，也是在今春留得佳話。文場方面，特別是劇評人文紀（焦家駒）出場操琴，也是難得，不知他拉幾齣，使可多聽？當國曆歲暮，齊察電台請名票錄音，有兩段很特別的，是關文蔚的焚棉山，唱介子推坐草堂的慢板。（此戲也排好，沒有機會演出。）再是馮耆唐兄的狀元譜，皆是我所請，爲的是特別而有示範性。我與馮兄訂交，第一次在碧潭唐舜君家中，就聽此齣饒有余味，尤其是「不肖兒男」的尾腔特佳。請他唱此段的理由，即因廿八日要登台，教人聽到先聲可稱。

今年春節，平劇相當冷靜，曾問復興劇校，因復審赴馬來亞，沒有人頂這一份兒，不唱。大鵬是徐露出嫁，也是如此。今後的劇星制，應加考慮，要平勻發展，連做個模樣，唱二三天都沒有，如何談提倡？試看話劇與義演，照常蓬勃，還是譚硯華露了幾天！這種情況，不免興歎，論說起來，不是內行有這規律嗎？所以中興這兩天晚會，應拍手喝采！

少樓的唱腔

台灣劇團對於文昭關特別盛行，在電台播音，先放楊寶森，很少放王鳳卿，至於言菊朋的，少之又少。其實卅年前，滬漢兩地的票房，甚至倡寮亦多學言。老友康君在漢識一姝，名小紅，獨擅言派戲，每召來中，必唱昭關臥龍弔孝讓徐州三齣，輾轉相介，於是大紅而特紅，有時也唱「一段自盤古。那時的楊寶森，無人以爲貴，誰也不相信在台灣却走死運而紅，究其原由，以心想唱昭關，本錢不足，祇好走達高必躲的路子，算是走時！

菊朋子少朋，原學馬連良，菊朋引以爲恨。不意大陸變色，菊朋早故，少朋又走回來了，重回言派，完全因爲他要張少樓所感而起。（未完）

免疫學與避孕

·智達·

避孕丸可能成爲歷史陳跡了？這是靠不斷人死不休嗎？非也，不信，請聽聽一位世界著名婦科醫生的意見吧。他指出：不少醫生已從事一項新試驗，成功的話，這是避孕方法最簡便最可靠的方法；實行的話，那麼任何避孕方法及避孕工具，都成了廢物。

首先，一個問題必須要解決的，這個方一個婦人不能生育，是其丈夫影響所致，那麼，該婦人是否會有敏感反應的現象嗎？

還有一個問題——男女交媾的結果體內是否會產生特殊的化學合物因而導致不孕呢？

此類問題的研究不是自今天開始，不過一直沒有大規模地探討及實驗。這門學叫做「免疫學」。即是探出人體對外來的病菌的反抗素。目前，不少美國醫生都埋首在免疫學理方面研究避孕的方法，成功的話，世界人口澎漲的問題，便可迎刃而解了。而且大家不用爲避孕丸的副作用而發愁。

不久之前，在波士頓市，發生一件不尋常的事件，是這樣的：一個丈夫的皮膚移植在妻子的身上，施這項手術的地點是該市的嘉烈醫院。該婦人是有過好幾次流產紀錄的，所以，醫生在她身上進行一個實驗。她的名字叫愛蓮·波蒂莉夫人，廿八歲。在一九五八年至一九六二年間，她共懷孕四次，但每一次都帶來悲劇，三次是小產，一次是胎死腹中。

當她第五次懷孕時，波士頓的醫生便提出要求，希望她合作做一個試驗，這個試驗目的是挽救腹中那個小生命。

這個試驗過程是怎麼樣呢？很簡單，就是把她丈夫手臂上的一塊皮膚，移植在她的手臂上，當她懷胎八個星期後，這項手術便得進行。波蒂莉夫人限見自己屢次流產，這次自然樂意合作了。至少，這還給她一線生機，她實在太愛生孩子了。

結果，她的美夢實現了，一九六三年十月十日，她的孩子出生了，是一個女的，她歡喜莫名。過程母女均平安。

在過去四年來，這個皮膚移殖方法會在六十六名女人身上實驗過，她們均有小產的紀錄的，而且不止一次。成績很不錯，百分之七十（即四十六名）均能平安的生下孩子。

倫敦威瑪斯密夫醫院的婦科主任布朗教授對這事件的評論是——「這是反乎常理的，我仍抱有懷疑的態度。」然後，他鄭重指出：「這種方法是要經過許多次的實驗才能獲得證明的，單在波士頓一個城市，並不能代表一切的」。

不過，他又承認一個事實——夫婦兩人體內的化學合物是有「免疫」的功能的。數年前威瑪斯密夫區有一位女病人，在懷孕期間，當時，胎盤患上癌病，他們相信免疫學的道理，果然把她治療好。免疫法是醫學界的一個新希望哩。

在這方面心得的是彼得華爵士，他是倫敦部國立醫學研究的會長。他證實了一個理論，把甲體內機體注射入乙體，是會產生抗毒的作用的，這是最天然的免疫法。

這個方法既然可以催生，也同樣可以控制懷孕了。那麼皮膚移植法顯然帶來了一線生機了。器官移植有時失敗，未能繼續生存，活動下去，自然不是人體內的化學合物不適應所致。一胎兒與胎盤也是一種「移植」，九月懷孕之後，便成了嬰孩。有時，過個反抗性的是「成形」過早，理由就是夫婦間的化學合物不調和所致。如果證實免疫學的可能，流產不但可以防止，還可以進一步控制人類的生育了。

人壽幾何？

據生物學的研究，哺乳動物的壽命，應該是該動物由初生至完全發育爲止所需時間的五倍。萬物之靈的人類，從生物學立場看來，也不過是哺乳動物之一，但人類身體的成長，男子平均到二十五歲前停止，女子則到二十三歲。因此，男子應該活到一百二十五歲，女子一百十五歲才對。

但是，實際上，女子較男子的壽命平均要長的多，這可能包括許多社會的原因。

禮查特博士曾研究壽命的預算法，他認爲從統計學上來說，一個人的壽命，應該是：「雙親享年之和，加祖父母、外祖父母享年之和，然後以六除之」。

關於人類的天壽究竟有多少這個問題，已經有了許多說法，例如英國的哈當爾教授，藉歷史上的調查結果認爲人類的天壽是兩百歲。德國的費飛蘭教授也同意這個數字。現代的醫學告訴我們，藉科學的方法，人類的天壽延長到一百三十歲左右，大概是極爲可能的！

馬球運動「鹹魚翻生」誌畧

·陳大文·

沒有別的運動或遊戲比馬球更需要人與獸類的充份合作。有人說馬匹與騎士聯合來玩馬球已有很久的歷史，但也有人說馬球不過是在現代才有的一種運動，誰是誰非，就要有一番查考了。

自我國唐代女子打馬球的陶器出土後，它告訴我們在那個時代，我國已有馬球比賽。但馬球並不是由我國發明的，我國的馬球乃由西藏傳到的，現今英文「馬球」是「普羅」，這是由西藏人叫「球子」的譯音而成。西藏則從波斯傳入馬球。據說在公元前五百多年，波斯國王達拉斯在位時，馬球在那個國家內是很普遍的遊戲，但在後來不知如何逐漸消沉了。

近代馬球再次興盛，起源是在印度。其實，印度人玩馬球是從我國學習得來的。當印度由英國統治時，駐印度的英國軍人看見印度王子與貴胄打馬球爲樂，他們也仿效着組織馬球。當邱吉爾年輕時，他曾任英國騎兵隊的低級軍官，他在印度也學會了打馬球，更担任隊長。他畢生愛好這種運動，直到差不多六十歲時，因體力的關係才停止出場比賽。馬球在一八六〇年間由曾駐印度的英軍將之帶到英國，不久後第一個馬球會在英國成立，後來就先後傳到其他國家。

馬球的玩法從古到今沒有多大的改變，祇有人數的增減。現今的馬球比賽，每一方面的球員四名，玩法是跟曲棍球和足球大同小異的。有人說馬球是在馬上玩的曲棍球，但馬球員總到頂不歡喜，因爲馬球比曲棍球的發明早上二十多個世紀呢。馬球場需要很廣濶的草地，長三百碼，濶二百碼，大過足球場約八倍。

因爲比賽劇烈，愛護馬匹，不願他多受損傷，故馬球比賽的時間雖然規定爲一小時，但每隔三分鐘就休息一次，在換過馬後，彼此繼續比賽，在中場休息五分鐘，計算起來，確實對抗的時間有限。但馬匹跑得迅速，同時騎士的目力銳利，思想靈敏，手法快捷，應付起來是很吃力的。（上）

西廂記

「影劇與歷史」之十六

周遊

在此下情，「西廂記」却又比「會眞記」寫得出色了。不僅出色，而且大胆的描寫。作者元微之借張生的口說道：「繡鞋兒剛半折，柳腰兒勾一搦，羞答答不肯把頭抬，只將鴛枕捱。雲鬟彷彿墜金釵，偏宜鬆髻兒歪。」其下接着「我將這鈕扣兒鬆，把縷帶兒解；蘭麝散幽齋」。張生則唱：「我這裏軟玉溫香抱滿懷。呀！劉阮到天台！春到人間花弄色，將柳腰兒欵擺，花心輕折，露滴牡丹開。」其實眞正精采傳神的妙筆却不在此，而在一個第三者——紅娘的冷眼旁觀，由她口中說出來，那眞是傳神之筆。當崔鶯鶯小姐羞見夫人，紅娘加以譏笑：

「當日過月明纔上柳梢頭，却見人約黃昏後；羞的我腦背後，將牙兒襯着衫兒袖。猛凝眸，看時節，則見鞋底尖兒瘦。一個恣情的不休，一個啞聲兒厮耨。呸！那其間可怎生不害半點兒羞？」

說是神來之筆，其焦點在「則見鞋底尖兒瘦」一句上。鞋底踏在地上平常是瞧不見的。而紅娘從窗口偸偸看覷，猛見到鞋底尖兒瘦影，驚於鶯鶯小姐的脚忽然變了位置，然後始看到下文，豈不是神來之筆嗎？

「會眞記」評鶯鶯的爲人，則「藝必窮極，而貌若不知；言則敏辨，而寡於酬對；待張之意甚厚，然未嘗以詞繼之。時愁艷幽邃，恆若不識。喜慍之容，亦罕形見。」可見她是一個深於情而又極富理智的女子。她和張生之意志薄弱，易於衝動的個性，恰恰相反。所以她早已觀察到張生必將移情，終棄前盟。有時「獨夜操琴，愁弄悽惻。張竊聽之，終不復鼓。訣別之夕，方爲之一奏，她「恭貌怡聲，徐謂張曰：『始亂之，終棄之，固其宜矣，愚不敢恨。必也君亂之，君終之，君之惠也，則沒身之誓，其有終矣。又何必深感於此行？然而君既不懌，無以奉寧。君嘗謂我善鼓琴，向時羞顏，所不能及。今且往矣，既君此誠。』」說得何等婉轉而堅定，寫出鶯鶯是一個女中強者。後來她委身於人，終不與張生一見，僅賦詩一章以謝絕之云：「棄置今何道，當時且自親，還將舊來意，憐取眼前人。」這時候的張生已另有新歡了，他視功名如探囊取物，要中就中，不中就不中。西廂記的壓軸戲是「拷紅」，老夫人拷打紅娘，紅娘挨打之餘，提出老夫人的「三不該」全盤托出，使得老夫人改悔，終於成全了他們的好事。但有一個條件，就是要張生高中歸來，才能完娶，她崔家從來不招白衣女婿。這一點張公子倒不是難題。就西廂記最後的大團圓，就是來了個高中歸來的大團圓。這是中國愛情文學的公式老套。（三）

艷星談性感集粹

·林錚譯·

所謂社會文明突飛猛進的今日，不論美國片也好；歐洲片也好，甚至一向保守和神秘性的東方各國所拍攝的影片也好，「性感」一項，似乎已成爲目前世界各地大多數製片人士極爲重視的一環。儘管在銀幕上所表露的方式不盡相同，但無可置疑的是，性感對一部影片的賣座號召力，却有不可磨滅的卓效。就拿轟動全球的「鐵金剛」一占士邦的影片集來說，固然已故作家艾恩佛萊敏的原著小說佈局結構十分出神入化，成爲罕見成功的間諜小說，一搬上銀幕，在劇情方面即以先天性的優勢壓倒了一切其他類似情報諜戰片而遙遙領先。可是，片中啓用一批新面孔的性感肉彈，無可懷疑的鑄成鐵金剛片集順成有史以來最賣座和最轟動的影片（已壓倒了「亂世佳人」）與有力焉。由此可見，「性感」一項，在目前影片中所霸居的重要地位之一斑了。（一）

內政部台報字第〇三一壹號內銷證

自由報

THE FREE NEWS

第六三一期

中華民國僑務委員會頒發
台敬新字第三二三號登記證
中華郵政台字第一二八二號執照
登記爲第一類新聞紙類
（半週刊每星期三、六出版）
每份港幣壹角
台灣零售價新台幣貳元
社長：雷嘯岑
督印人：黃行奮
社址：香港銅鑼灣高士威道二十號四樓
20, CAUSEWAY RD 3RD FL, HONG KONG
TEL. 771726　電報掛號：7191
承印者：大同印務公司
地址：香港北角和富道九六號
台灣分社
台北市西寧南路壹壹零號二樓
電話：三〇三四六
台郵撥儲金戶九二五二

有待解決的勞工問題

——從社會安全計劃說起——

・楊清藻・

自勞工疾病保險發生弊端，經台灣省醫師公會公開宣佈，指出勞工受到歧視與不平等而呼籲重視勞工之後，社會對此問題深表關懷，當時各報並先後提出討論。

而「時與潮」週刊，對勞工有關的失業問題又作了若干專訪報導，足證這一問題的重要性，不容忽視。際此政府推行安全計劃階段，筆者爲使各方對有關勞工問題能有較深之認識，特就此問題加以討論，期對社會安全計劃之推行，能發生拋磚引玉之效。

西方的安全計劃與勞工

勞工保險制度是屬社會安全計劃之一部份。所謂社會安全計劃，乃西方工業國家鑑於工商業發展之後，都市人口密集，失業人口日增，貧窮與失業，威脅着社會的安寧，爲杜防資本主義經濟所導致之流弊，而採取一種預防措施，均衡一部份社會財富，調協各業間的矛盾與衝突，用以維護社會的秩序。因此，有所謂社會安全計劃的產生。然則，社會安全計劃之對象，實質上與勞動人口有着不可分割的連續關係。所以，推以社會安全計劃，使不能不重視勞工問題。

勞工會有些什麼問題？在封建及傳統資本主義制度之下，勞工在社會上，沒有平等的權利與地位。僧侶與貴族，視勞工爲三等國民，他們一直處在被剝削的階級。直至工業革命之後，工人成爲工商業的支持者，是構成國家富強的基本力量，由於新的認識與估價，勞工才開始由被剝削的地位上解救出來。在人權上認爲：「天賦人權，一律平等」，在經濟上認定：「生產是來自勞力與資本之合作」，勞資雙方的結合，應是互利的行爲。除了工作業務的分工，彼此的地位是平等的，沒有從屬與附庸的關係。應各有自由，幷互相尊重。這是勞工地位獲致尊重與改革的政策思想基礎。瑞典經濟學大師維克塞說「勞動者地位之改善與社會全體公益不可分」，其學理便基於此。由是西方國家，便有勞工政策的擬制與實施，使勞工能在政治、經濟、法律、文化及社會上獲得平等的地位，並由國家立法以保障之。例如：在經濟上，工人們可享有股權，與資本家分享利潤；在維持他們的利益時，可以罷工，抗議。工會與勞工當局，進而可以公開請求調查資方盈利與收支情形。在文化方面，享有出版書刊，發表意見之自由。在社會上能集會結社，組織公會，俱樂部，甚至成立政黨，英國工黨便是由幾位勞工肇創的。由於勞工地位的提高，社會的歧視觀念便自然消除，任何工作在社會上便沒有榮譽與卑賤之分，以往貴族意識也自然不能存在，使階級間的矛盾與衝突便無形消滅。這是他們均衡社會矛盾，解決勞工問題，以達到社會安全理想的一種辦法。

我國勞工的一般現況

我國的勞工政策，在某一最高理論上，或者說是善美的，然而實際情形如何？由上列新聞以觀，乃有待本身的問題，勞工非勞工的醫生提出呼籲，即可想見一斑。固然一部份勞工在公營組織之內，享有較爲安定之生活，但此種情形是屬局部現象，或隸屬一種經濟較爲寬裕的機構才能辦得到，絕非通盤整個的社會所使然。且若干辦法的設計，又常以主管者個人的認識與觀念，經常變動，各行其是，故更缺乏一種健全的政策基礎。若照傳統觀念，普通主管便很難不受士大夫觀念的影響，而多少存有封建的意識。所謂「崇德懷恩」，是上對下，主與僕的從屬觀念，是一種賜恩政策，沒有平等的地位。它完全喪失了「個人」人格的尊嚴，與國民的「基本權利」，以今日觀之，便違背了時代的精神，是不民主的，落伍的。

至於其他不會納入公營組織之勞工情形如何，據台北市博愛路某大百貨公司人員告筆者稱：台北各公司員工作來並無統一規定，完全聽由店主之好惡爲之。工作情形雖不盡相同，但每例假不能休息，則每家大致無異。就其所在公司而言，雖每月訂有輪休，而輪休必須扣薪，員工惟恐扣薪，便終年不敢休假，這與其他工商業國家星期三下午及星期六與星期日休假情形迥然不同。每晨八、九時上班，至晚十時或十一時打烊，中經十四、五小時，除進膳與便溺外，整日立於櫃台之內，既無坐椅，亦不能離開位置，體質弱者根本不能支持。若干新進女店員工作一日便覺腿青臉腫，第二日便辭退而去。不僅如此，據稱某公司員工下班之後，一概不准閒讀書報，為避免次日工作情形不佳，防止消耗精神，迫令睡覺。台北計程車駕駛須日夜連續工作達二十四小時。類此情形，非獨違反勞工法的規定，亦構成肇禍的綫因。至於若干私營紡織廠，工場，礦場，工地，農場等之工人，包括童工、女工，被不法處待情形更在在皆是。由此可見勞工之生活、經濟、人格，一直處在極不健全的社會狀態之下，勞工疾病保險即其一例。上述諸般不合理現象，一方面固因社會進步未達完全成熟階段，一方面亦因勞工界人士本身努力爭取不足所致。

實行勞工政策有利國家

國父孫中山先生，爲救中國，期求以成爲一個現代化的國家，達到永久和平與繁榮之坦途而致力革命，幷着手擬製解決若干重大問題的指導原則。第三期的革命，便附有解決農工問題的使命，三民主義及第一次全國代表大會宣言與國民黨政綱皆擬出了解決此一問題的指導綱領。惜在大陸期間未曾實踐，及至政府還台，實行三七五減租，耕者有其田，始解決了農人問題，安定了農村社會。然勞工政策至今仍未能實施，以致勞工仍多處於不甚合理的社會狀況之下。對國家社會安全不無可慮。誠爲不幸。

（下轉第四版）

自食其果

各展所長

今日與明日

恩克魯瑪下場

加納被推翻的總統恩克魯瑪終於悄然離開北平，乘蘇俄飛機去了莫斯科，行前還大言不慚的說要返回加納奪取政權。說來好像煞有介事，但實際情形恐怕只得一個講字。假若恩克魯瑪能以取回政權，恐怕太陽真要從西邊出來了。當然非洲還有少數左傾國家支持恩克魯瑪，如馬里同幾內亞，尤其幾內亞將爲恩克魯瑪暫時定居之地。另一方面據說恩克魯瑪在國內還有一千名裝備精良的衛隊，可以作爲倡亂的資本，但是，我們仍然斷定恩克魯瑪決無東山再起的可能，因爲他失盡了人心。

衆叛親離

屈指算算近二十年來所有被推翻的政權首腦，受到全面反對者無過於恩克魯瑪。在一般想像中，恩克魯瑪執加納政權十五年，平日以加納及黑非洲救世主自居，加納每次大選，他的人民大會黨都是得全票，按說在政治上應有牢不可拔的勢力，那知其結果竟如秦朝一樣，戍卒叫，函谷舉，楚人一炬，可憐焦土」！僅僅幾名軍人發難，一舉就推翻了他的政權，解散了他的黨，逮捕了全部閣員，一夜之間，瓦解冰消。這還可以說由於武力，但在國外的加納人若眞的擁護恩克魯瑪，也還有選擇的機會，不料也都在一夕之間改事新主。最顯著的是恩克魯瑪派駐北平與莫斯科的使節，以恩克魯瑪與俄毛的勾結，可以預料到這兩地「大使」，必然是心腹股肱。可是恩克魯瑪在北平還未走，北平那個「大使」即宣佈服從新政府，取下了使館內恩克魯瑪的像；而恩克魯瑪還未到莫斯科，那個大使又宣佈服從新政府，照樣取下了大像。接着駐西德大使也採取了同樣行動。更妙的是他帶出來的外長奎森沙基被派去阿的斯阿巴巴開會，希望取得非洲團結會議支持，此公竟然未去，該會議只好接納了新政府的代表參加。照這種情形看來，恩克魯瑪若能取回政權，則當年張勛復辟絕沒有失敗的理由了。

恩克魯瑪之惡

恩克魯瑪倒台之後，加納新政府發現他的衛隊竟有俄毛人員，已被擊斃拘捕者幾達二百人之多。距離阿克拉十七里處爲一秘密訓練營，由毛共派員訓練非洲叛黨，已受訓畢業者達二百人，包括鄰近各國及南非、葡屬地。假使恩克魯瑪不倒，非洲再遲兩年非天下大亂不可。恩克魯瑪倒台後，毛共人員變成過街老鼠，腿快的跑去開羅，未跑掉的在街上隨時被人毆打，毛共竟向加納政府提出抗議，却未曾檢討自己是否有挨打之道，這眞是作惡過多的報應。（何如）

自由談

東西文化思想觀

東方人的戰爭觀念，主張戰至最後一人，決不投降，凡是在戰場上被敵人俘虜而生還的，社會大衆皆投以輕視的目光，認爲是個懦種。過去日本人對於生還的被俘將士，非教他「切腹」自殺不可，所以日軍在二次世界大戰中雖然慘敗，却少有集體投降的。

西方人的觀念恰恰相反，在戰場上自忖難以取勝時，馬上高撐白旗，表示投降。作了俘虜的軍人回到本國來，社會人士相率稱讚獎許，視爲英雄人物。美國軍人在韓戰中被毛共俘虜的幾十名之中，且有廿心爲毛共效力，發佈文件誣指美軍在韓戰場使用過細菌戰者，昧良叛國，莫此爲甚。但他們以後決定回國時，香港的美國領事館派員在邊界照料迎接，如待貴賓，他們走回本國後，政府亦不究問他們的叛國行爲，還讓他們對新聞記者大發議論，說是說非。

東方人在政治界作官，聲言「爲貧而仕」，要以作官來解決家人生活和生計，貪污乃其應有的行爲，所謂「升官發財」這句流行語，大家聽來不以爲怪，能夠藉作官而扒得鉅量金錢的，一般人健羨不已，許爲幹才。至於品德方面更隨便，認爲私生活與公務無關，不必過問。

西方人多是把自己的生活基礎奠定後，才開始涉足政壇，公然收受賄賂是十分顧忌的，稍有嫌疑，輿論譁然指摘，議員紛紛查究。當年美國杜魯門總統任內的侍從副官，因爲接受了別人贈送他的一件貂皮大衣，被輿論揭發後，立即宣告去職。英國前任陸軍大臣普洛佛穆，爲着跟一個浪漫的名女人交往親近，招來社會大衆的責難抨擊，祇好黯然掛冠，無話可說，且斷送了一輩子的政治生命。這類事情若發生在東方，包管暢所欲爲，百無禁忌。

西方人對於宣誓很鄭重其事，凡有違背誓詞的，即係犯法行爲，若被檢舉屬實，法院依法判罪，決毋寬假。東方人把宣誓鬧着玩兒，尤其是官吏，根本視宣誓爲兒戲，誓詞上「余決不妄用一人，妄用一錢」云云，實際是廢話，誰也不肯遵守，也沒人過問，但宣誓這項無聊的儀式，大家照樣舉行，恬不知羞。

綜觀上述諸端，證明東西文化思想之迥然不同，人們的觀念亦就各異，孰是孰非，請大家慎思明辨而衡量之，國家治亂興亡之道，基於是也。

馮二先生

俄作家達爾西斯投奔自由
在英招待記者獲鼓掌叫好

．倫敦通訊．

按照以往的慣例，新聞記者絕不於招待會結束時鼓掌叫好的。但在最近訪英的蘇俄反共作家達爾西斯在倫敦舉行的記者招待會終結時，與會的記者竟大聲鼓掌叫好不已。

雖然他穿着一襲普通的啡色西服和花方格領帶，在他微微偏首向來自全世界的百餘名記者致謝時，其神情大有古羅馬貴族的風範。

事實上，這位曾以在西方出版反共作品而被蘇俄當局閉於一瘋人院作為懲戒的俄國作家，是值得為人稱讚的。最近，他又被蘇俄官方報紙描繪成一位「精神病患者」，其措詞的惡毒與粗鄙，為史達林時代以來所僅見。

誠然，達爾西斯是一位最勇敢和最清醒的作家。他倔強，精明，熱情，而又富於幽默感。最近他會在莫斯科與那位在報上著文抨擊他的記者會晤。據他在記者招待會上透露稱，當他述其不安協的反共觀點，那位蘇俄記者竟感到有些惶惶不安，繼之睜大一對眼睛，以一種惶惑的語調稱：「怎麼，你已經發瘋了。」

達爾西斯以一種肯定的語調，稱蘇俄政權為一種「警察法西斯蒂」！共產主義祗不過是一種名稱，其真正面貌乃一種警察法西斯蒂主義。他曾身為共產黨員廿年，但終於不免對共產主義幻滅，而加入反共的行列，原因是他認為共產黨實際上為一個龐大的匪盜組織，反動而不法。

在他於倫敦向記者發表談話的時候，也就是莫斯科法庭公開審訊兩位蘇俄反共作家之日。此次審訊是在鄰近莫斯科動物園的一幢四層樓黃色建築物舉行，而且禁外國記者入內聆聽。維時，被控的兩位作家辛尼夫斯基與丹尼爾曾公開承認以筆名在國外出版其作品，但絕不認罪，而且聲稱如果他們的著作，曾為別人利用為反俄宣傳品，則不過是對純文學的一種誤用。

就某種程度來說，這種答辯或許有點牽強。但文學畢竟是一種時代社會的反映，他們兩人均年約四十，而且已經結了婚，在俄國文壇上，他們均是成名作家，在文學方面造詣甚深，辛尼夫斯基身材矮小，且蓄有鬍鬚，其在西方出版的小說「審判開始」一書，描繪史達林統治後期的蘇俄社會概況，其中多哲理性的分析，和於其所著的「實驗世一平實」一部具有權威[illegible]紀蘇俄政治史」。其次，高碩而黝黑的丹尼爾，是一位詩人，擅於翻譯，但其著作並不豐。他以筆名阿克在西方出版的「莫斯科誕生」一書，「一部狂想曲」，其書題為對獨裁政府大屠殺的一種描繪，內容十分的精彩。

但這種審判實際上帶有一種警察法西斯蒂色彩，因為這一般蘇俄報紙對審訊過程的報導，使人發生一種戈培爾及其納粹術語[illegible]

[illegible]

目[illegible]但實在是一種錯誤。在抵達倫敦之日，達爾西斯曾對蘇俄政府的暴戾，提出嚴重[illegible]譴責，而且對被控的兩位作家否認控罪，表示無比的崇敬，原因是這在蘇俄政治審判史上，為一椿罕見的事。

就克姆林宮的行徑來看，有許多蘇俄事物，仍不曾為目前的集體領導所澈底解決。無論如何，此種審判反共作家事件，絕不應僅視為一種文學的風暴。相反地，這是一椿政治性的案件，或者說，蘇俄今天仍有一種潛在的政治暗流存在。在另一方面，此次審訊，也充分的顯示，姑無論蘇俄秘密警察組織的如何殘暴、有效和勢力龐大，卻絕不能震懾一個人的精神力量，使其向極權勢力屈服。

事實上，這三位作家已經截穿所有蘇俄政府的一切努力和詭計：達爾西斯曾大事攻擊共黨的暴戾，而辛尼夫斯基與丹尼爾兩人則拒絕認罪。從共黨思想觀點而言，此次審判反共作家，並不會獲致任何成果；由於對被控者公開審訊和判處徒刑，共黨政權的暴戾和不法，已昭然若揭，所謂「欲加之罪，何患無詞」，足以為這種審判寫照。

正如達爾西斯於蘇俄秘密警察作出槍斃恫嚇時稱：「你可以將這具無助的軀體槍殺，但我的精神將永恒的活下去，至少說這些著作已經在外國刊行了。」

瑪嘉烈公主訪問南非洲記
她認為那是給她最深刻印象的旅行

瑪嘉烈公主正在香港受到很隆重熱烈的歡迎，即如一次華人大宴會，份金每人達七十五元，但是爭[illegible]的招待，相信這樣熱鬧鋪張盛意，永久會有一個最良好的記憶。瑪嘉烈公主曾訪問過許多地方，（見上期本報發表之英國新聞處稿），但她認為給她最深刻印象的，是她隨同她的父母與姊姊一同訪問南非洲英屬各地。集鄰人士對這一回的皇家訪問是更有認識，因為英王伉儷與他們的兩個女兒所到的地方都會發行紀念郵票。

在第二次世界大戰結束之後，英王喬治六世以在戰時勞碌煩忙，神經緊張，體力耗損，故決意出國旅行，作為調攝。他攜帶他的家屬，訪問南非洲英屬各地。旅行計劃在一九四六年早期已開始佈置。這是瑪嘉烈公主首次正式與人民在公眾場面上有接觸，表現她在皇室方面的責任，同時這是她的首次出國旅行。所以她覺得最有趣味。英王更帶他最寵愛的兩個副官同行，一個是皇家空軍飛行大隊長彼得唐生，另一個是英國海軍准將維殊廉臣。

伊利沙伯王后跟她的兩個女兒對於這次的旅行[illegible]，當時英國仍行配給制，皇室人物在非洲要不失體面，此行也含有政治意味，英國下議院就提議多給皇室和隨員購買衣料券，使他們能縫製充份的衣服。南非羊毛管理局贈送給伊利沙伯王后、伊利沙伯公主（即今之英女王）和瑪嘉烈公主每人一件名貴的羊毛大衣。對於英王本人，衣服不成問題，因為他有很多套夏季制服和便服，畢竟男人就是男人，對衣着是隨便的。

英王一行等訪問南非，決定乘英艦「先鋒」號前往，在一九四四年十一月由伊利沙伯公主持下水禮的。到了南非之後，他們要訪問許多地方，所以要用皇家火車做大本營，特在事前製造八輛特別的火車廂，先運到非洲，適合在當地用出六輛最佳的車廂，成為一列。瑪嘉烈公主在幼年時會暈車浪，所以英王特別吩咐在各車廂安裝避震器。這列火車作為皇室之家凡兩個月，長達差不多三分之一哩，英王的車廂設在居中一個車廂，此外有客廳，餐廳，四個睡房，附有浴室，車上有空氣調節設備，更安裝有電話，不獨在車上可以通話，更可以打到外處去。

英王、王后與兩個公主及隨員於一九四七年二月一日從倫敦動身，原定由皇家驅逐艦護送到滑鐵盧轉，而登艦的，但因天氣惡劣而取消，在英艦「先鋒」號啟碇後，駛出碧斯吉灣時就遇上大風浪，伊利沙伯公主與瑪嘉烈公主都是容易暈船的，她們就躲在她們的母親的艙裏，直到船駛離摩洛哥海岸後，風平浪靜，英王、王后與兩個公主纔在甲板上漫步晒太陽。

唐生在每天晨早都到英王的套房去向他請安，英王經常對他說：「帶瑪嘉烈到甲板玩網球吧。」或「跟我們一齊游泳吧。」在艦上有一個濶十六尺的泳池。

當戰艦經過赤道時，在艦上舉行一種傳統的遊戲，由艦員扮海神與王后，作種種戲謔，除英王夫婦得免外，其餘凡初次經過赤道的人都要聽海神的命令，他們都要被海水淋一下。

當戰艦抵達，英王夫婦與兩公主登岸，受到在角城的五十萬居民的熱烈歡迎，他們留在那裏三日，參加國會，官方歡迎大宴和私人及團體宴會等等，隨後他們就登皇家火車——他們之家。在他們所經過的小城和鄉村，居民都佇立并搖旗表示歡迎，更有不少人騎馬追隨，送行一段路程。

英王規定每一個星期日為他們的家人團聚的日子，他們四個人在這一天多同在一塊，他們有一個很甜蜜的回憶。他們在平日落火車到附近步行，遊覽名勝或舉行野餐，瑪嘉烈公主最愛吃烤肉和當地製的噢喱羊肉。她覺得很高興的是參觀在奧斯洞的畜駝鳥園，主人贈給她一些美麗的駝鳥羽毛和一隻駝鳥蛋，她帶到火車煎荷包蛋吃。她認為最恐怖的一次是當她跟她的姊姊伊利沙伯公主往參觀蛇窟，在那裏畜有毒蛇很多，作榨毒液汁製藥之用，當兩個公主來到，那個管理蛇的人特抽出幾條毒蛇，它昂首吐舌作撲噬狀，驚得瑪嘉烈差不多要大叫出聲。

皇室人物來到納杜爾，停留四天作當時南非總統史末資元帥的嘉賓。他向他們指出在當年南非戰爭時，邱吉爾被波亞的賓泰將軍的部下所俘的地點。後來他們到了杜賓城，他們參觀賽馬，遭遇在馬場發生混亂，乃由評判的爭執而引起。英王等繼續他們的旅程到斯威斯蘭，在火車未抵達時，土人已跳舞和唱歌來迎駕。他們駕汽車往遊覽古加國立公園，看見許多種野獸在自然的環境裏行動。他們在佩多利亞城停留了一星期後再去約翰尼斯堡，英王、王后、兩個公主和兩個副官穿上白色衣服，戴上鋼盔，降落金鑛下看鑛工工作，甚感興趣。

行程快將結束，他們改乘飛機到羅得西亞，英王與瑪嘉烈公主同機，王后與伊利沙伯公主另乘一架飛機，因照英皇室的規例，皇室人物不能同乘坐一架飛機的，恐怕失事，後繼無人。英王等在羅得西亞停留一個星期，他們參觀在非洲的大奇景之一的維多利亞瀑布，在瀑布附近的小島，一個改名叫伊利沙伯，另一個叫做瑪嘉烈，來紀念這兩個公主的訪問。他們又曾去憑弔羅得西亞的建立者西爾羅德斯的墳墓。

在離開羅得西亞之後，英王、王后、伊利沙伯公主與瑪嘉烈公主就結束了他們訪問南非的旅程。

任何行業難望項背
台省蕉農收益劇增
較四年前增加十倍

提高品質　調節產銷量

因此，邊際土地的利用，便顯示出其驚人的價值。目前，台灣省種植香蕉的地區，大部均在具有亞熱帶氣候的台中縣以南，尤其是高雄及屏東縣，為主要產地，其中除了部份地區係利用山坡邊際土地種植外，大多數均在平地種植。

政府在輔導蕉農增加產量方面，也是不遺餘力的，作有計劃的推廣種植香蕉，選擇優良的蕉苗供應蕉民，積極在台灣各地設立香蕉示範園，邀請農業專家，技術專家，深入蕉園地區，指導；同時由外貿會及省府組成「香蕉輔導小組」，擬訂香蕉技術機構的專家，防治蟲害，作有計劃的研究，減少蟲害，提高品質。這項計劃實施後，就香蕉的生產而言，蕉農們所收的實益是很大的。

這個「香蕉輔導小組」，除了直接輔導蕉農的生產外，在輔導外銷方面，實施了「五五制」，即由青果貿易商及香蕉生產社團各承辦一半的外銷業務，其目的為（一）平衡香蕉產銷社團的利益，亦可使生產者從外銷業務中獲得利潤，但為使貿易商依然在開拓國際市場的根基，使其得以維持。（二）藉生產者自辦外銷而激勵貿易商，使其改善外銷業務，謀求發展。

中華民國政府在對外銷的售價方面，亦依據國際香蕉市場的價格，予以調整，使香蕉每簍（四十八公斤）所得新台幣提升至二〇三元（約美金五元一角），使蕉農的收益，佔外銷售價的百分之八十。

外貿會的香蕉產銷輔導小組，為了使香蕉的外銷情形穩定，保持蕉農的利益起見，特別在香蕉產地附近，增建了集中裝箱檢驗場一百多處，並在高雄港的卅一號碼頭，建造了一座香蕉冷藏庫，總面積達七千一八百平方公尺，為遠東最大規模者。其樓下為冷氣設備的倉庫，二樓為鋼架廠棚，共可儲存香蕉十萬簍，可以提高香蕉品質，及調節產量及銷售量，避免無謂的損失。同時，在運輸方面，亦將運輸香蕉的船設備，汰舊換新，內部均係冷氣設備，使其在到達消費者的手中時，依然保持其嬌嫩的色、香、味，藉以刺激消費者的食慾。

由於政府及蕉農的充分合作，台灣省的香蕉產量，不但在外銷上為政府賺得每年總輸出百分之十一點二三的外匯（約六千萬美元），改善了蕉農的生活，而且其產量的多寡，也直接影響到日本市場的香蕉價格。由此可見，在目前的台灣農村經濟言，香蕉的生產是重要的。（下）（華僑社）

瀛海異趣談

美「換妻俱樂部」揭秘

·桑雅·

換妻，只是歐西人士的「玩意」，東方人聞之不禁搖頭嘆息。而在好幾年前，美國已組織了一個「換妻俱樂部」，而我（按係本文的原作者嘉麗何自稱，下同），就是這個會的一份子。目前，我們的會一共有廿五雙夫婦，其中有一位卅五歲的太太，她已結婚達十八年了，而且還有兒女，事實乃是，她對這個「俱樂部」也發生了濃厚的興趣。

或者你會奇怪：我是一個有家庭、有兒女、也有丈夫的女人，爲什麼也會參加這種玩意呢？——我的態度是：這種「玩意」其實也非始於今天，我覺得：這樣一方面可給人快樂，而一方面自己又享受到愉快，何樂而不爲呢？

我的丈夫艾廸，是一個喜歡新玩意的人。有一天，他在一本裸體雜誌上看到了一則記述旅行野營的文章，這樣他便靈機一觸，認爲假如集合了多雙志同道合的夫婦們在一起，也是一種無上的樂趣。主意既定，首先我們便着手找會員。由於這種玩意涉及法律問題，因此在選擇方面非特別留心不可。到底，終於找到了，他們都會經受過高等教育，並且有一共同點是：喜歡喝酒。在芸芸會員中，他們的身份包括醫生、護士、律師、電影明星、商人和模特兒。當然，在會員中，家庭主婦的數目佔了一半，他們大部份都有了兒女。

我們集會的地點都是選擇在酒店舉行，時間通常是在週末。在決定了時間和地點之後，我們便在報章上登出如下的一篇廣告：

「一雙卅五歲和卅七歲的青年夫婦，願意和其他的夫婦們共渡週末。在集會時，我們將舉行多彩多姿的節目，係攝影和人體美的研究。但有一個條件：凡參加者必需在二十八歲以上。」

第一次廣告發出之後，我們收到了數百封的來信，來信之中有些竟然是來自加拿大。最後，我們在數百封來信中選擇了五十位，也即是廿五雙夫婦。

進一步，我想到我們這個集會應該如何保秘？否則，一旦被警方發覺，我們的煩惱便來了。——還是艾廸有辦法，他首先和酒店接頭，爲了使計劃順利完成，他不得不扯了個謊，說是爲了結婚之喜，需要好幾個較大的房間來招呼客人。但是，該酒店的主事人感到事情太特殊，他拒絕了。幸好我們其中一位會員與另一家規模較小的酒店接頭，扯謊說是開同學會，地方問題才獲得解決。

到了星期五晚上，我們的會員們都到齊了。外表上，我們此舉不會使人懷疑的；我們的女性會員，完全是家庭主婦模樣；而男性會員，他們不是商人，就是在事業上大有成就的人物。我們齊集了之後，第一項「節目」就是全部脫個清光，而且，誰也不會感到這是難爲情的。跟着，我們彼此便毫不拘束地展開談話，由普通的新聞談到笑話。進而，在一段談話中，我們彼此可以選擇自己的「對象」，只要雙方同意，那末，「玩意」便可展開——一雙雙的走進各人的睡房。

經驗告訴我：我們每一位會員都是有相當社會經驗的，因此，我們都感到這種「玩意」毫無污穢的成份。反之，我們感到這實在有趣極了。有一次，我這樣問一位女會員：

「珍妮，當妳知道別個女人可以帶給你丈夫更大的性滿足時，你有什麼感想？」這個問題，非但珍妮無法立即答覆，而其他的女會員也是如此。

實在說，我們從星期五日晚上，一直玩到星期日早晨，或是玩到參加的主婦們都感到百份之百的滿意爲止。

關於三民主義教學研究問題（六）

·楊力行·

國父說：「歐、美有歐、美的社會，我們亦有我們的社會，彼此的人情風土不相同」。因爲情形既各不相同，所以解決問題的辦法，也不能相同。三民主義無論在哲學、政治、經濟等各方面，都有它的特質，與其它主義不同，就是這個原故。

譬如：馬克斯鑑於歐洲各國私人資本發達，造成貧富不均的現象，主張階級鬥爭。但這種辦法根本是錯誤的。民生主義與馬克斯主義，內容却就根本不同。

民權主義和民族主義也是一樣，它們雖然是由歐、美的近代革命思潮出發；與民主政治及民族主義有相同的性質，而其制度和原則却不一致。研究三民主義，就在把握這種特殊情況，才能了解獨立精神之所在；否則，便要發生錯誤的見解。我們用別的主義去和它比較，是要明其異點，而不在求其同點。這是很要緊的！

四、是引伸發展，釐定制度——研究三民主義的目的，是要求得實行。如何可以實行？這就要引伸到事實中去，發展它的邏輯，釐定成爲各種制度。世界上無論任何學理，當它拿去實行以後，總要遇到許多困難，經過許多修正，才能合於事實。共產黨把列寧在俄國所實行的政策，叫做「列寧主義」，而說它是「馬克斯主義的繼續發展」，雖嫌牽强，總亦是不得不然。

國父的「實業計劃」一書，對於中國經濟建設的途徑，分門別類，綱舉目張，規劃得非常清楚；然而他自己却說：

「至其實施之細密計劃，必當再經一度專門名家之調查，科學實驗之審定，乃可從事。故舉之計劃，當有種種之變更、改良」（物質建設自序）。

我們要把三民主義應用到事實中去，釐定各種制度，解決各項問題，必須本着下例的步驟，求出實踐的方案：一、看世界各國對這問題的解決，有什麼先例可循？二、國父在原則上規定，要我們如何去解決？三、中國現在的事實，有什麼特殊的困難問題。四、把這些研究清楚之後，在不違背遺教的原則下，儘量擷取各國之所長，定出一種切實可行的方法，打破實際的困難。這是我們從三民主義中，看國父解決問題的態度所體驗出來的方式，今後對政治、經濟、教育、軍事等一切問題，都應依照這種方式去求解決。

有許多人，因爲事實發生困難，與主義的原則多不相合，便拋開主義，去遷就事實，這是不對的；還有些人，死守着主義的原則，不知發展，只是背誦幾句文獻，而不能夠靈活運用，也很錯誤。我們要既合主義，又合事實，去處理各項問題，才是活生生的實踐三民主義的基本之道。

以上四項，是我三十多年來研究三民主義的基本原則；要做到這點，纔能收到整理、闡揚和實踐的功效。而不會曲解附會，斷章取義，變更它特有的本質。特爲舉而出之，俾作研究三民主義者的參考。（完）

阿月

覃靖

「你的阿麗（她的女兒）哭得厲害哩！」

「你的阿龍（她的長子）在廳裏睡覺哩！」

「到我家吃蕃頭巴去！」

「到我家吃米粉去！」

「…………」

「…………」

阿月不願答復這些問題，也不願接受他們的邀請。說眞的，她就是爲這件事傷透了心。過度的疲乏，使她有氣無力的坐在地下，兩只眼睛緊緊的閉着。

然而圍睹的人們，并不因此就放鬆了她，仍然不停的請問和揶揄。後來，她似乎知道，這場戲如就這樣演下去，將沒有結局；祇得改用悽厲的笑聲來作爲對策。

她的笑聲確實太悽慘了，那是屬于心靈深處的痛苦的呼嘯；但我沒有料到，那些愚蠢的村人們，竟會以此判斷阿月是眞正的瘋了！

于是大家又議論紛紜起來：有的主張請個土醫生來看看；有的主張請個巫婆來驅邪；有的主張搬大路公到家來拜拜；有的更主張先把她禁錮在黑屋裏，免得發生其他的意外。

爭論了老半天，還是一點沒有結果。沒有一個人是眞心爲阿月設想的。我實在忍無可忍了。

「你們不要再這樣要猴兒把戲了，」我大聲地咆哮着，「讓她先回去休息休息吧！」

也奇怪，平時那些村民對我并沒有重視過，現在雖然沒有人贊成我的意見，但也沒有人公然反對我。圓圈卽時開了一道缺口，阿月便自動的站立起來。她似乎很感激我替她解了窘，無神的眼睛盯視我良久，嘴角展出一個陰冷的苦笑，才踉蹌的走回家去。

根據一切的觀察和判斷，我確信阿月的神經是眞的受了重大的創傷；但決沒有到達無可救藥的程度。

這眞是最悲慘的一幕，阿月終于被冷酷的關進黑屋了。劉廖木水不但沒有設法爲女兒醫治的意思，更是怕長期拖延的麻煩。劉金旺呢，根本就沒有來過問他喜愛的外甥女，也許他自始至終就不知道這些小事。在比較上，還是劉賴宗枝的二哥三哥，對弟婦要關心些，曾經愴惶失措的來探望過兩次，但也祇是愛莫能助，而且他們費盡了心機，也不能將不成器的兄弟找回來。

我深信這樣的拖下去，後果將是不堪設想的。每一個人在生命旅程的十字路口跌倒之後，得不到愛和撫慰，都會瘋狂或死亡的。但是，我能有什麼作爲呢？除了給她道義上的支持以外，還能給她愛和撫慰嗎？我承認她是一個值得愛的女人；然而她是有夫之婦，中國人的禮教觀念，不但不容許我有任何的行動，連這種想法也是一種罪惡。（二十）

新三國

周燕謀著

王沈的「魏書」完全是拍馬屁之作，是曹丕下命令要他撰寫的，而且是當代人撰當代之史，王沈又是魏臣，讀者想像得到是如何？所以王沈說曹操是出於黃帝高陽氏陸終之子，一直扯到漢相國曹參之後。眞是大拍馬屁。無足深怪，凡是作傳的人都是同一潮流，不管是什麼人，只要做了大官，他的祖先一定是古代的帝王名人等等了。陳壽的魏志說他的祖父是曹騰，騰字季興，做過中常侍，這個官是贊導內事，顧應付。自和熹太后稱制，乃以閹人爲之。漢末的十常侍，是攪垮漢室江山出名的。在明帝永平中，名額只有四人，十常侍是以後漸增的。曹騰是一個閹人，自然沒有兒子，他養了一個養子，是夏侯氏之子，和夏侯惇是從父兄弟。夏侯氏滿門在曹氏政權內，非常吃得開，都是任要職，置爲腹心。曹騰死後，在魏明帝太和三年（公元二二九）始追尊爲「高皇帝」。（後漢書卷一百八，宦者傳中）曹嵩繼騰爲中常侍，以賄賂爬上太尉之尊，前面「外戚與宦臣之爭」中已詳言之。因爲他是賄賂而來，做官也就大加搜刮。後來辭官歸時，被陶謙的部下幹掉了。

曹操少年時代，已表現他有機警權謀，而又任俠放蕩，不治行業，愛好飛鷹走狗，游蕩無度。他的叔父常常告訴曹嵩，說曹操的壞話，曹操非常討厭他的叔父。有一天在路上碰到他的叔父，曹操便佯裝中了惡風。於是他的叔父便奔告曹嵩。中了惡風，口是歪的，面是斜的。曹嵩叫曹操來問，見曹操沒有中風。於是問其故。曹操便說是他叔父造謠生事。以後凡告曹操的事，曹嵩便不大相信他了。

曹操祖宗三代，都是貴族豪門，少年的一段時期，已經打好學識基礎，他的文學也可能在此時奠定的。當時有睢陽人梁國，時爲豫州刺史，橋玄字公祖，南陽何顒，字伯求，（南陽襄鄉人）時爲荊州刺史。這幾個人，非常賞識曹操，對他的期望很大。橋玄介紹他交了一個深通兵學的許子將。於是博覽羣書，特好兵法，抄集諸家兵法，名曰「節要」，又註「孫武」十三篇。有一次曹操問許子將，要許子將批評他是何如人。許子將不答。曹操再三問之，許子將說：『你是一個治世之能臣，亂世之奸雄』！曹操聽了，哈哈大笑而去。漢末是什麼「世」？「亂世」無疑。曹操的才幹性格，正是適於「亂世」，所以他成爲歷史上有名的「奸雄」，乃絕非偶然的。

曹操二十歲就舉孝廉。孝廉是東漢之制，二十萬人中舉一人。可見曹操二十歲已經是鋒芒畢露青年人。不久又做了郎官。此制是光武始用孝廉爲尚書郎。朝中有人好升官，不久又除洛陽北部尉，這官兒是隸屬司隸校尉之下，掌京師北城巡徼，如以後之五城巡防一類。不久，又遷爲袞州東郡頓丘縣令。曹操任洛陽北部尉的時候表演得很精彩，他掌握京師四門的治安，造「五色棒」，縣門左右各十餘人，執五色棒，有犯禁者，不管是誰，皆以棒殺之。有一次蹇碩的叔父犯禁，即被棒打死。於是豪門權貴皆畏憚之。（十四）

國劇繽紛續錄（五十五）

婆婆生

少樓的唱腔（續）

不過張少樓的唱腔調，是有點韵味而具變化，也有些地方，非常特別。究竟能否勝賓森，尚不能定，總之稍有拔高聲音，音色還可以！

日前中興國劇社春節彩串，有一段夫唱婦隨的佳話，是田代表唱坐宮，田夫人唱昭關，她完全學張少樓，此地尙是第一次，無人能如此唱法，覺得很新穎，大家多以爲異。我在半年前，曾在復興電台雅集，聽她唱過，深幸台北除嚴秋心、陳惠君以外，又添一座，也已記述。不過這次明場已大部份更改，唱是很不錯，惟張氏所唱的錄音，來到台灣太少，似嫌不夠。最近電台播出的「長亭會」也是，因爲此種原因，田夫人尙須考慮！如唱換子等，似非仍學言不可。

龍吟展演期—胡錦出陣

龍吟劇團參加公演，前以行頭太舊，奉准特予免列。國防部隨即撥發治裝費十萬，以充實陣容。但是劉春緣長領到欵項，各樣添製，未及一半，欵又告罄，必須將舊的重洗，否則在台上一半是新的，一半是舊的，非常難看。原擬在大宛或干城演過之後，以時間趕不及，再行呈請展延。大概他們的演出，最早恐怕要到四月中，看朱殿卿確是不易，須要再過二月，且聽消息！

劉隊長又顧慮角色不夠煊染，北來力請胡錦去參加陣列，更壯聲勢。胡錦在中華文化研究院傳播系攻讀，並允軍中電台主持節目，因此聲請休學一年半，並辭軍中台事，業已南行報到。她年近二十，而極吃平劇，已有根底，隨母驪珠同住，排練新戲，大概已定鴛鴦劍紅娘，其他如斷橋春秋配則加稍理便可。公演之時，也許有她唱三四天，這劇壇新鶯，嗓音好聽，又是另一副姿態，也是且行添座，殊屬可喜。

驪珠授戲，進度很速，例如何復真現在能演有十五六齣，較在復興劇校時多了七八齣。因她學的時候，絕不懈怠，有限期不稍荷，龍吟師生均全力以赴，爲其優點。龍吟演出如可實現，則北市劇團又多一支生力軍。余貽書劉隊長，軍中作風是有進無退，不宜以條件不夠而氣餒，較之抗戰時期的克難，已勝强十倍，欣見來茲。

干城的演目

耘野自台中寄來干城參加第二次公演劇目，前所擬的有半數採用，是紅娘，趙五娘，薛家將，漢津口。安排得也相當平勻：打嚴嵩，唱五天，觀書，砲城，關羽傳，漢津口，休息。第一——三兩天無戲可休息。而此次有兩齣演關公，他因桐春在前，不能多露，被例爲之，是好久不唱了。（未完）

薩孟武先生七秩壽言

・雷嘯岑・

昔先民不輕言壽，必其德行事功卓然樹立，足以矜式羣倫者，親朋故舊相與稱觴祝嘏，用彰仰止之忱，禮也。後世田舍翁年豐儲五斗粟，輒張壽筵以夸耀於鄉鄰，雅俗奚似，唯如吾友薩孟武先生者，乃可壽矣。孟武平生懷大道以駕說於天下，天下多宗之；立德立言於士林，亘數十寒暑而不輟，著作滿是，朝野多仰之；而孟武猶歉然以爲未足，修德勵行，孜孜靡懈，信乎其爲今之有道君子也。即此以壽孟武，義等壽世壽人，夫奚愧哉，夫奚愧哉！然愚所以壽孟武者猶不止此。蓋以孟武之才之學之品，甚足當代，見重當世，取富貴如拾草芥，而孟武澹泊自守，清貧自得。平居待人接物，和光同塵，從不立異鳴高，而於義有未愜者，凜然不可稍貸。年登耆耋，矍鑠如壯士，仍不失赤子之心，適與其道義相輝映。愚與孟武年相若，莊生所謂畸於人而侔於天，孟武有焉。遭逢亂世，益友難求，微斯人其誰與歸乎？今歲二月廿八日爲孟武七旬攬揆之辰，海內外知交欣然聯名徵詩文以上壽，爲孟武暨德配林夫人壽，愚久與孟武游，知孟武深，譽茲盛會，緬懷高風亮節，謹述所見以申頌禱之私，以告世之未知孟武者，庶與古義不相舛馳，若夫阿好諛詞，固非愚所應有，亦爲孟武所不取也。民國五十五年丙午二月廿七日雷嘯岑謹譔

說臉譜郵票

・朱瀚秋・

郵政總局今年決定發行一種特別性的臉譜郵票，是表現吾國古有的臉譜，與東方藝術的精彩，自有郵票以來，爲特殊的貢獻，確應稱揚其卓見與遠識。流行在國際間，爲另創一格。其發行者凡四種，是：廉頗、關羽、張飛與如來佛，由邵大椿設計繪製，用彩色精印，非常鮮明，是爲郵票中放一異彩，可記之至。

論發行郵票，選用國案，必有其主題：（一）偉大人物的紀念性。（二）國有特徵的表現性。（三）工業成就和創造性等。臉譜郵票即屬第二類。古來臉譜，無慮數百，其中選用，大有區別，即是妖怪型，盜寇型，神像型，正史所存疑的形態，皆不宜採列。也即所謂以忠臣、良將爲歸，表出成仁取義的精神。此次選用的臉譜，未知有無邀請名家研討。廉頗、關羽、張飛均是忠臣良將，而又以如來佛爲陪襯，似乎不太合式。難道就找不出第四位嗎？

吾們的國家，對人民的信奉宗教，完全自由，並未規定信仰佛教。而這郵票發行出去，國際間也許認爲中華民國是信仰佛教的，不無一觀感吧？所以選用如來佛，有些不甚適當。或有相佐，郵局選用色澤，是重在美觀，不計其他。姑舉一例，美國前援印羅斯福夫人像郵票，以示景仰。後來考慮到羅夫人自大戰結束以後，中心思想即傾向贊助共產，與國策不吻合，後來似未發行。筆者認爲好，但不宜與廉關張同時發行，應歸納到純取佛像爲主，再予發行。希望郵徐公商先生如果明年再有發行，當建議先決定主題，再予檢覺，比較適當。百密一疏，然耶否耶？

馬球運動「鹹魚翻生」誌畧

・陳大文・

玩馬球所用的桿子長四十八寸到五十二寸，擊球部份像一枝雪茄煙。馬球是用楊柳或竹所製成的，重約五安士。各球員多戴厚的通帽，一用以遮日光曬晒，另則可免被球擊中頭部。每上短袖運動衣，東腳同顏色作一隊的區別，套上白色手襪，褲與長皮靴。普通比賽是兩個球證，在大決賽或國際錦標賽則增加一個旁證。馬球比賽因爲賽的時間少，今仍沒有一個球隊在一場比賽打破入十球的紀錄。

馬球是富有人家的運動，因爲馬匹的購買、訓練和飼養和其他雜費，需要很多錢。在一場比賽中，一個球員要換很多匹馬，這些要經過相當時間的訓練，牠必要很強壯，跑步快，最小每小時能跑得超過廿五里，在兩馬互相追逐時，速率更差不多要增加五十里。馬與馬常常碰撞，不難因此而喪生。普通出場鬥快的馬在賽完之後，通常最少有幾天的休息才能再出賽，但是在馬球比賽所用的馬匹，經同一場劇烈的比賽後，經過廿次到五十次的檢查，認爲合格，在翌日可再出場。

英人從印度傳馬球到英國，因爲在印度時出場比賽的馬都是土生的小馬，故在早期的馬球比賽，規定所用的馬不能高過十四掌（每掌約四吋）。但現今已取消限制了。每匹的體量多超過六百磅。

全世界有兩個馳名的馬球錦標賽，許靈威錦標賽在一八七六年開始舉行，威遮士打盃國際比賽，由英國對美國的比賽。在一八八六年開始舉行。奧林匹克也有將馬球列爲比賽的項目。英國與阿根廷曾各得過兩次金牌。現今在南美洲各國，馬球是各富有或有其地位的男子最普遍的運動，馬球能手多自出那些國家。不過英國也不差，愛丁堡公爵與他的兒子儲君查理士王子都是馬球健將。

在戰前，香港常有舉行馬球比賽，地點多是在新界方面。當英國皇太子即後來英王愛德華八世、現今溫莎公爵於一九二二年四月訪問香港時，受到本港官民的熱烈歡迎。皇太子特抽出時間，到銅鑼灣作馬球比賽，由他本人所乘的英艦「顯著」號的艦員所組成的馬球隊與香港隊對賽，由英艦的一個青年海軍少校進入一球，得到全場的歡呼，你可知道那個軍官是誰嗎？他就是在後來在第二次世界大戰時期，英國的大名鼎鼎的海軍領袖蒙巴頓。（下）

西廂記

「影劇與歷史」之十六

周遊

現在應該談的是「西廂記」的眞主角，也就是元微之眞正的情史。這不是小說、戲劇，這是歷史。張生（珙，字君瑞）就是元微之。元是中唐時代的傑出文學家，有神童才子詩人之譽。九歲能文，十五歲明經，二十前後風流瀟洒，正是佳人追求的對象。由此我們可以想到元崔倆的戀愛，實在太不平凡了，不但男才女貌，而且男貌女才。除了互相羨憐吸引之外，更是天生的一對璧人。「才」與「色」的交織，再加上中表之親，及扶危解難之恩，他們怎能不墜入情網呢？以元微之眼光之高，目空一切，而且又自命是「眞好色者」，乃一見鶯鶯便覺神魂顚倒，如痴如醉。

元微之傳奇說：「崔氏婦，鄭女也，張出於鄭，緒其親，乃異派之從母」。據元微之自撰陸氏姊墓誌說：「予外祖父睦州刺史鄭濟」。白居易作的微之母鄭夫人墓誌，也說夫人係鄭濟女。另外唐崔氏譜：「永寧尉崔鵬，亦娶鄭濟女」。元稹之母和崔鵬的夫人，正是嫡親姊妹，而元稹與崔鶯鶯小姐正是表兄妹了。元稹自撰的姨母鄭氏墓誌說：「其既喪夫，遭軍亂，微之爲保護其家備至」云。此與傳奇中所謂「蒲地兵變，張生請吏保護崔家」完全符合；而西廂記中的反賊孫飛虎搶親，張生挺身而出，爲之解圍，就是由此來。所不同的是西廂記中元崔二家並非表親，張是一個白身，而崔家則是一位相國夫人。

根據唐書元稹傳說：「幼孤，母鄭氏賢而文，親授書傳」，故元微之九歲能屬文，十五擢明經。微之之文才，得力於母教，而崔鵬的夫人和微之的母親是姊妹，自然也是書香名門，所以都孕育出一雙玉人來。從遺傳和教育學二者觀之，可以斷定張生即微之本人無疑。

根據年齡推斷：元微之生於唐代宗大曆十四年（公元七七九），卒於文宗太和五年（八三一）傳奇裏說張生二十二歲，正與本傳相合。而西廂記中說小生今年二十三歲，正月十七子時生，這是想像擬作的。白樂天作微之墓誌說：「以大和五年薨，年五十三」。如倒推五十三年，微之正是大曆十四年生的，至貞元十六年，（西元七七六）就是傳奇中張生和鶯鶯相戀的一年，也正是二十二歲。而崔鶯鶯小姐才芳華十七，西廂記中加了一歲不算多。

再根據韓愈作微之妻韋叢墓誌說：「微之作婿韋氏時，始選爲校書郎」。微之年譜，貞元十八年授校書郎，其年二十四歲。根據微之自作的「夢遊春詞」說：「當年二紀初，佳節三星度；韋門正全盛，出入多歡娛」。所謂「二紀初」，即是二十四歲，也是他和韋氏結婚的那一年。與傳奇中說「後歲餘，張亦有所娶」的話若合符節。張君瑞不是元微之是誰？（四）

死者是誰？

兩個女人站在行人道上觀看一隊出殯的行列。

當她們看到第三十輛汽車經過時，其中的一個突然問另一個道：「誰死了？」

「我不知道，」另一個女人答道：「但我認爲死者一定是在第一輛汽車上面的。」

待解決的勞工問題

（上接第一版）

台灣光復以至今天，這個島，非獨承擔了中國悠久歷史延綿的責任，並進而要建設爲一個三民主義的模範省，負起光復大陸重建中華的使命。則推行國父民生主義的指導劃下，勞工福利，蓋勞工疾病保險爲勞工福利的一部，亦求安全計劃與社會安全計劃目標，若單獨限於注重勞工保險，以感問題致待整個勞工政策之能量仍嫌不足。依筆者之見，勢有須整個勞工政策之確立地位，即須使勞方面的經濟政治法律，勞工若干主客觀條件在社會普遍地位重視環境之下，任何有利於勞工的部份措施，其效果未之必理想，社會的計劃當不易於佳境，制度與現實如其處，社會的結構亦必欠堅實。舉凡一種計劃的擬制，必須洞悉時代背景，順應各項問題的發展情勢，予以通盤設計解決。社會安全計劃與勞工問題亦應如此。筆者認爲：若干現象之被視爲落伍或保守，乃由於與該項問題有關之若干人士對該項問題，祇要粗加理解認識與夫問題觀念能首先獲得改變，困難自可克服。這就是要國家的上層建築有了一個高度民主的間架，開明理性的民主領導於上，精神的規範產生了，如此，非獨勞工疾病保險及社會安全計劃，與理想，國家之現代化與社會的新秩序的建立，亦必能期其實現矣。（完）

內政部台報字第〇三壹號內銷證

自由報

THE FREE NEWS

第二三六期

中華民國僑務委員會頒發
台教新字第三二三號登記證
中華郵政台字第一二八二號執照
登記爲第一類新聞紙類
（半週刊每星期三、六出版）
每份港幣壹角
台灣零售價新台幣貳元
社長：雷嘯岑
督印人：黃行實
社址：香港銅鑼灣高士威道二十號四樓
20, CAUSEWAY RD 3RD FL. HONG KONG
TEL. 771726　電報掛號：7191
承印者：大同印務公司
地址：香港北角和富道九六號
台灣分社
台北市西寧南路壹號二樓
電話：三〇三四六
台郵撥儲金戶九二五二

唯有解決毛共始能終止越戰

·吳文蔚·

美越兩國領袖，在檀香山會議結束後，曾經發表宣言與聯合公報，宣示四大鬥爭目標：一、擊敗越共，二、建設新社會，三、穩定經濟，四、建立眞民主。詹森總統會後抵洛杉磯又發表演說，強調要「幫助越南人民在兩條戰綫上求勝，一條戰綫是軍事的，另一條戰綫是消除社會不平、飢餓、疾病、和愚昧，以及對政治冷感的搏鬥」。

又美國副總統韓福瑞二月十一日在西貢說：「在越南正在從事兩項戰爭，一項戰爭是對抗越共，另一項戰爭是對抗愚昧、貧窮、和疾病，兩項戰爭均必須獲勝」。

詹森總統和韓福瑞副總統對於美國在越南正從事於兩項戰爭之說，自極正確。惟消息中並沒有說明詹森總統所說的兩項戰爭是如何求勝法？及消除社會不平是指的社會什麼不平？如果把消除社會不平和對越共的戰爭勝利聯在一起，作爲美國今後對共產主義侵略自由世界的一個政略根據而實施，則美國不但是在越南戰場上可以獲勝，即對世界各地區的共產集團的侵略行動，亦同樣的可以穩操勝利無疑。

今日美國在越南那個小小戰場上所用的軍事力量，足與韓戰相埒，比之第二次世界大戰時在一個小地方對付日本軍閥的力量，以及對付納粹德軍的力量，均有過之，而無不及。惟是用在以毛共作後台的越共胡志明的軍隊身上，不但是難望使越共屈服，終止戰爭，而且連起碼的「迫和」目的，亦未必辦得到。這是什麼道理呢？明白些說，美國對越共用的軍事力量是很夠大的，惟是這個龐大的力量完全用到錯角上去了。這是共產黨毫不考慮接受言和的唯一憑依。爲什麼共產黨居然這樣厲害？此無他，政略不同而已。

如果有人問，越共胡志明的實力眞比二次大戰時的日德納粹軍力還龐大嗎？不是的。那時的戰場，是軍力對軍力的比較。那時納粹的軍力，敵不過盟軍的軍力，納粹的軍力逐漸處於劣勢，只要軍力一垮，一切都跟着完蛋。現[illegible]共產黨作戰，始終不跟美軍打正面戰爭，這情形就和我們在大陸戡亂剿匪時的軍事行動一樣，共匪始終不跟國軍決戰。如果是共匪肯決戰的話，延安一決戰，共匪即被殲滅；張家口一決戰，共匪老早完蛋；那裏還能談到以後的東北戰場和華北戰場呢？共產黨以不決戰施行滲透、消耗、圍困而求勝，等你的實力消耗殆盡，他的實力增長龐大的時候，他才跟你決戰。所謂「一不明瞭的仗不打，沒有把握的仗不打」，等待他跟你決戰的時候，他便調上十倍於你的軍隊實行人海戰術，一舉而把你殲滅。今日美國在越南的軍隊，正踏入國軍在大陸時的覆轍，而越共胡志明的戰法，完全是跟大陸共匪一個模子裏來。當年美國嘲笑國軍無能，今日美國軍隊在越南戰場上的無能，比之當年大陸之國軍，有過之而無不及。當年國軍對共匪作戰的種種困難，今日美軍在越南可以說是都眞實的體味到了。這並不是說在越南的美軍不夠多，軍事力量不夠大，軍事指揮官不夠高明，作戰部隊不夠精良和勇敢，而是政略的不同，軍事力量打不到目標，擊不到越共的要害。相反的，越共的實力，却層層包圍着美越聯軍，步步盯着聯軍的咽喉，你要他「言和」，他要你「退出越南」再談。如此戰法，如何能了？

我們有必須明瞭共產黨造亂的憑依，是他認定現社會的三個弊病，可以作爲實行共產主義侵略世界一個有利空隙：一個是激起殖民地人民的生活遠不如工業國家人民生活的不平感，而設法抵制以求解放；一個是工業國家以工業品向落後國家換原料品，使落後國家的人民工作收穫減少之不平，又爲共產主義鼓舞侵略之一大空隙；再一個是私人資本之發達，造成勞動者享受降低之痛苦的不平，使共產黨煽動階級鬥爭有可乘之隙而以之造亂。他以此三個弊病，抓住經濟的條件，組織人民，造成鐵幕，以恐怖赤化之手段清算富人，恐怖了貧民，使個個人的生產工具均須靠共產黨的政權分配，使人民離開了共產黨即不能生存，脫離了共產黨即無法生活，造成淸被迫做控制局面。使人民被迫做他的偵探，被迫做他的情報員。以此法用在戰場，作爲他的政略戰術的根據。故強大的軍事力量不能勝他，因爲他不是以軍力對軍力，而是以民力對軍力。軍力對軍力，是以舟碰舟的戰法，大船可以碰碎小船，輪船可以碰壞木船；民力對軍力，是用以水覆舟的戰法，即使強艦噸位再大，力量再強，也敵不過波濤洶湧的巨浪，[illegible]在海中佈置許多暗礁和水雷，又用偽裝遮蔽了[illegible]共產黨用上這以水覆舟的戰法對我們作戰，我們的隊伍少，他調上百里以內的軍隊一晚上把我隊伍解決；我們的隊伍多，他調上數百里以外的軍隊數日把我軍解決；我們的隊伍再多，他調上千里以外的隊伍十餘日把我們的軍隊解決。人民全被他控制了，共軍的任何調動，我們都不知道，我軍的一舉一動，他完全都知道。這樣一來，就成了我們的軍隊分散開，被他打死，集結起來，被他困死。[illegible]

（下轉第二版）

通行無阻

一點小意思

今日與明日

幾內亞的鬧劇與醜劇

恩克魯瑪被推翻之後，眞正變成了喪家之犬，無處容身，在北平待不下去，到了莫斯科仍然沒有棲身之地，就在絕境之時，幾內亞的總統杜爾邀請他到幾內亞首都康納克里去，才算解決了恩克魯瑪的居留問題。

不料恩克魯瑪飛到康納克里之後，杜爾突然宣佈將幾內亞總統及人民黨（幾內亞唯一政黨）總書記相讓，恩克魯瑪竟然也未推辭。這一戲劇性的排演，使舉世國家驚疑，嘲笑，恩克魯瑪與杜爾這一對難兄難弟，可說是「古之所無，今亦罕有。」

杜爾的陰謀

杜爾所以讓位，決不是眞有吳泰伯的高風亮節，實在具有一種很深的陰謀，因爲恩克魯瑪與杜爾實在是同惡相濟，但無論在聲望、能力上，杜爾皆不及恩克魯瑪之幾內亞的國力尤不能與赫赫有名的黃金海岸相比，而恩克魯瑪竟然失國如此之易，杜爾不免想到「行將及我」而與兎死狐悲之感，所以杜爾一定要想辦法把恩克魯瑪送回加納，奪取政權，救恩克魯瑪實際上也就是救他自己。

不過，加納新政府不但獲得全國軍民一致擁護，而且已得重要國家如中英美的承認，要想以顚覆或滲透方式予以推翻，使恩克魯瑪復辟，已爲不可能之事，所以杜爾才想出這樣一個絕招，宣佈恩克魯瑪從今後成爲加納與幾內亞兩國的元首，這樣就可以堂而皇之以幾內亞的兵去加納平亂，俄毛共自然也可以予以武器人員支持，在加納造成內戰形勢，使加納新政府無法穩定下來，即使恩克魯瑪不能復辟，但是能在加納佔據一角之地，依然可以僭稱加納總統，在國際上也增加了錯綜複雜的形勢。

但是，杜爾這種陰謀大概是必然落空，姑不說幾內亞的兵力決非加納陸軍對手，而且兩國也不交界，中間隔着象牙海岸，是目前西非洲最穩定、最堅強也是最反共的國家，杜爾若打算從另一左傾國家馬里滲入，又隔着剛被反共軍人接收政權的上伏爾達；看來杜爾實在無所施其技，不過徒留一個笑柄！也許因此引起幾內亞人民更大的憤慨，不久也會起而革命，推翻另一個暴君，屆時這一對難兄難弟將要聯袂逃亡了。

最慘的還是毛共人員，在加納眞的變成過街老鼠，人人之外是隨時被捉去剝光衣服，在馬路上暴打，這項消息，毛報却在加納政變後的十天，被打後的八天，才把它公佈出來，可以如此「大國」，「太可憐了。（何如）

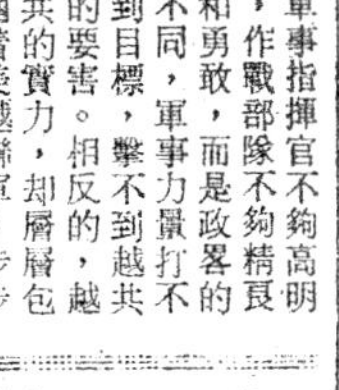

信教與吃教

任何一種宗教的義理，總是勸人崇善去惡，其宗旨允屬正大，作用亦復純潔。西方列強如英美德法諸邦，如果沒有宗教精神來維繫人心，陶鑄人性，而專憑其資本主義與科學技術的發展能力以立國，全球人類早已重罹浩刼，同歸於盡了！

人類信仰宗教的動機，祇要眞是爲求精神上有所寄托，藉以減少日常生活上的煩惱與苦悶，那就具有立己立人的功用，不特未可厚非，而且殊堪崇尚。最壞是存心「吃」教，却沒有「信」教的意念，這便是宗教之蠹，殘賊社會人心，貽害國家前途，莫此爲甚。吾國佛教流行最早，佛學之昌明亦與儒學相頡頏，因而眞正信仰佛教的人固然多，「吃」佛教飯的亦不少。但這些吃佛教飯的人，若跟近代吃洋教的情形比較起來，可謂小巫見大巫也。

髫齡時我在鄉里瞧着那些信奉洋教的無賴漢，藉耶穌、天主教徒的名號，欺壓良民，武斷鄉曲，連縣官亦對他們側目而視的情狀，印象頗爲深刻，却不了解這是「吃教」的行爲；及壯，閱讀義和拳之亂暨所謂「天津教案」的紀述，乃領悟一般僞宗教徒蒙着洋和尚的老虎皮，無惡不作，以致激起民變之所以然，而吃教的觀感即存在了。無知民衆或地痞流氓居心「吃」教，爲害尚屬有限，一個高級知識份子如其不是正心誠意地皈依宗教義理，言行一致，而藉教會關係以營私，其流毒社會之深鉅，殆不堪設想。這類人，表面上裝出虔誠的宗教徒模樣，滿嘴掛着十誡的說法，像煞有介事，實際行爲却卑鄙惡劣，不堪聞問，他的作惡程度，與其所冒竊的教徒地位成正比例，眞是言僞而辯，行僻而堅，對他們決不能以常理常情相測度，因爲他們的生理和心理都是反常了，做起壞事來，每每出乎意想之外，駭人聽聞。

明乎此，即知中國自義和拳之變以來的一切「教案」，盡係一些吃教者釀成的，而與宗教本身無關。任何宗教皆有其崇高的作用與目的，它對人類生活的禍福利害如何，就看它的信徒是信教的多？是吃教的多呢？吃教的洋和尚固然可鄙，吃教的土和尚尤其可惡，這是我積數十年之經驗而得到的結論！

馮之先生

台灣香蕉產銷問題的癥結

·本報記者張健生·

近數年來，由於工作和生活的關係，我極少離家遠遊。今年春節期間，因內子身體欠佳，致在春節時連台北市郊都未去過。

國大臨時會甫告閉會，外貿會香蕉產銷輔導小組、香蕉青果公會與聯合社於二月十二日共同邀請國會記者俱樂部同仁至中南部作爲時五天之遊，並實地訪問，我才有遠足之機會。這是閒話，書歸正傳。

經濟奸商唯利是圖

台灣爲亞熱帶地區，盛產香蕉，且大部份均外銷，以換取外滙，主要的市場爲日本。這對海島型經濟環境，自有裨益。政府爲充裕國家外滙收入，爲增進蕉農利益，對香蕉產銷業務，實施「五五」制的輔導政策，對香蕉生產、外銷與運輸的幫助很大。此時復値日本方面，改採香蕉自由輸入制度，更促台灣香蕉產銷數量，突飛猛進。但由於政府之輔導政策計劃未週，加上青果合作社、青果公會間之磨擦，互相攻訐「放水」，於是好景不常，供過於求，而發生內鬨，致各奔前程。甚至有青果公會理事長王諸岡等多人，不但利用雙重身份來打擊自己人，而且以日商身份公開到泰國去採購泰蕉運至日本，來抵制台蕉。此所以立法院有「經濟漢奸」之質詢，監察有專案調查小組之設，省議會有撤銷輔導小組之倡議（省議員蔡李鶯）。現在又有人主張產銷一元化。由於內部不團結，由於輔導辦法欠週詳，更由於奸商不顧國家利益，其結果是在我之主動權復被日本商人收回。主動權既不在我，當然要仰人鼻息。而最倒霉的不是別人，直接受害者爲蕉農，間接受損失的是國家。不過，有許多人已經發了財。

香蕉增產漫無計劃

據調查統計：目前台灣各地區蕉園面積共有四萬三千九百零六公頃，其分佈情形如下：

高雄青果運銷合作社所轄地區爲二萬零八百五十八公頃。

台中青果運銷合作社所轄地區爲一萬八千二百七十四公頃。

台灣省農會所轄地區爲二千二百零七公頃。

新竹社所轄地區爲一千六百一十七公頃。

花蓮社所轄地區爲八百公頃。

台北社所轄地區爲一百五十八頃。

香蕉產量自四十九年之二百三十七萬九簍（每簍四十八公斤）增至五十四年之八百萬簍。今年預計產量爲一千四百萬簍至一千五百萬簍。香蕉外銷自四十九年之一百零一萬三千簍（外滙收入爲七百餘萬美元），增至五十四年之六百九十七萬九千餘簍（外滙收入爲五千五百零七萬三千多美元）。

近三年來，日本進口台灣香蕉數量之統計如下：

五十二年，日本進口台灣香蕉爲一百二十六萬四千六百九十七簍，佔其進口總額%二一·二七。五十三年爲四百十四萬五千八百六十三簍，佔其進口總額%五三·三七。五十四年爲六百九十七萬九千四百三十七簍，佔其進口總額%六○。由於外銷數量年增，所以蕉農的所得收入也增加，由四十九年每簍香蕉的產地價九十六元，增至五十四年的一百九十八元。這是政府輔導的成果，誰也無法否認的事實。（一）

國風第二期十五日出版

（本報訊）國風文社主編之「國風」第二期定於三月十五日出版，該刊內容是以追尋眞理，維護正義及發揚我中華民族精神爲宗旨。該刊物係非賣品，但歡迎索閱，索閱者只需附回郵票及地址，寄九龍城信箱九二九七號，即可獲該社寄贈。

新竹二三事

·本報記者袁文德·

△新竹市代罷免副主席彭溫金案，投票結果，雖然祇是有驚無險而已，但因此却使得個人間的政治恩怨，和地方派系的爭執，愈益加深其程度。

台灣自實施地方自治以還，全省各地鄉鎮市代表會因公私問題發生爭執，而引起發動罷免風潮的，時有所聞，並非新竹市代所獨有。如屏東縣內埔鄉代表會，就曾有過罷免主席的事件。不過那些事件大都是風風雨雨的鬧一陣子後，經地方人士勸說、調解，即告平息的；祇有新竹市代，竟於三年之內，連續兩次發動罷免前任主席劉春木，現任副主席彭溫金的事件，算是打破了紀錄。新竹市先後兩次罷免風潮，均因正式投票表決結果，同意票未達出席代表的三分之二，而使得罷免案不成立，却反使而個人政治恩怨與地方派系的裂痕，愈演愈深了。眞是何苦來哉！

現任副主席彭溫金，因濫開空頭支票，違反了票據法，被新竹地院判處罰金新台幣八萬元。他初因無力繳付這筆法院的罰金，而逃匿在外，後因罷免案的掀起，而潛回解決時，被逮捕到案，現仍在新竹少年監獄執行中。自彭入獄後，其親友等曾爲之籌足罰金，但爲顧及彭今後生活，乃決定留該欵爲彭刑滿出獄後的生活費用。如是，彭溫金的六個月牢是坐定了。

但屆時對彭溫金罷免案，是否如何江連代表對劉春木的一句戲言：「一年後你還可以發動罷免……」，而再度捲土重來？確是難以預卜的。

△新竹縣境內有大小戲院二十九家，其中竟有二十家的安全設備不合規定。但究竟何時能予改善至符合規定？未符合規定期中又將何以處理？均找不出下文。

自基隆市的大世界戲院於春節期間，發生擠斃兒童七名、擠傷九名的悲慘事件發生後，各地警察機構旋即會同有關當局，展開全面檢查，結果新竹縣境內竟有三分之二的戲院的安全設備不合規定。消息傳出後，五十餘萬縣民對此無不誠惶誠恐。警察當局雖然在一面限令改善，同時又將檢查範圍擴展至其他公共場所，而其結果只是發現不合規定的愈廣愈多，改善的日期却殊爲渺茫。因此，縣民的要求是：前車可鑑，凡安全設備不合規定的戲院，應先予勒令停業，俟其設備改善至符合規定，經檢查無誤後，始再准予復業。而不應讓他們「邊營業，邊改善」。因爲後一辦法不但無保證可言，萬一發生意外，責任該由誰負！

唯有解決毛共始能終止越戰

（上接第一版）

筆者認爲，我們的三民主義中的民生主義，就是解決社會不平的最好武器。我並不是說要叫美國也以我們的三民主義爲國策，而是說民生主義的「平均地權，節制資本」，就能彌補共產黨所乘的社會三病態空隙，制止了其造亂的根源。同時民生主義也完全符合美國林肯總統所倡導的民享主義。申言之，民生主義，就是針對共產主義的毒素而最能根治社會病態的大同主義。

今日美國欲在越戰中求勝，惟有改變政略，以大同主義制服侵略世界的共產主義，讓亞洲人解決亞洲問題。以大同主義的政略，開放中華民國對大陸反攻的行動。請蔣總統率領我們中國軍民反攻大陸，摧毀毛共政權。毛共政權一旦摧毀，不惟越戰的勝利立至，而亞洲的種種問題，同時也可迎刃而解。

不可否認的蔣總統爲全世界反共最堅强而又爲最英明的唯一的領袖。中華民國軍隊對共黨作戰亦爲最有經驗最具戰鬥力的。自由中國軍民在大陸淪陷，痛定思痛，磨勵以須，積極奮鬥的整軍經武之下，必能衆志成城，以哀兵必勝的堅強意志，蕭清共匪地下的諜報人員，去除了他佈置的暗礁和水雷，組織起民衆，實施總體戰；安排上我們的暗礁和水雷，完成我們以水覆舟的戰法，使我們的軍隊個個長上千里眼，共匪的軍隊個個變成雙瞎子，使匪的軍隊分散了被我們打死，集結了被我們困死！

今日大陸共匪控制了每個人民的身體，以暴力造亂，侵畧世界。蔣總統則以仁心良知吸引住大陸六億同胞的心。所以我們一旦發動反攻，大陸同胞必扶老攜幼，簞食壺漿，以迎王師。爲對共匪作戰，攻心爲上，攻城次之，我們以正道攻邪魔，反共之王師，必以秋風掃落葉之勢，和鐵輾壓鷄卵之力，摧毀毛共政權。越戰自然勝利在握，亞洲獲得安定，世界獲得和平了。（完）

台灣肥料公司五十四年度生產記要

——台北通訊——

一、五十四年台肥公司生產實績

（一）肥料部份：五十四年實際生產各種肥料計：氮化鈣二六，六八九公噸，過磷酸鈣一九五，八五○公噸，化成氮磷八，○二五公噸，複合肥料二一，○○○公噸，尿素七九，八三四公噸，硝酸錏鈣四八，六一○公噸，硫酸錏一二三，六○○公噸。如將氮肥部份一律折合爲含氮百分之二十，磷肥部份一律折合爲含磷酐百分之十八，鉀肥部份一律折合爲含氧化鉀百分之五十，則總共生產各種肥料六二七，七九五公噸，較以同樣方式折算之當年各種肥料計劃產量四六七，○○○公噸，約增產百分之八、三，並較以同樣方式折算之五十三年度各種肥料實際產量六○○，八三四公噸，約增產百分之四、五。

（二）主要副產品部份：五十四年度實際生產電石二二，四二一公噸，較當年度電石之計劃產量二○，○○○公噸，約增產百分之一二、一。由於台電公司枯水限電關係，較五十三年度之電石實際產量三一，七八一公噸，減少約百分之二九、五。

二、五十四年台肥公司有利於生產之因素

台肥公司五十四年度各種產品，在增加產量，提高製造效率，品質管制及減低成本等方面，由於各有關部門同仁努力合作，均已獲致相當成效。茲將有關生產部門之各種有利因素簡述如下：

（一）生產設備之維護：五十四年度，台肥公司各廠對於生產設備預防保養制度繼續加强實施。故各廠因生產設備故障而停工之情形，已減少甚多。如第一廠之生產設備，自建廠迄今已卅餘年，顯已十分陳舊；第二廠之硫酸製造設備亦已瀕報廢邊緣，修理頻仍，卒賴維護得宜，而仍能維持高度產量與製造效率。第七廠電解槽已逾越大修期限甚多，必須停工檢修，亦因增產關係，兼之保養得宜，得以維持生產於不墜。實已顯示機械設備之保養與維護，著有成效。

（二）生產技術之改進：五十四年度台肥公司各廠重要生產技術之改進，其成效較著者如第一廠將電爐之電極加以調整，減少放流次數，則電石品質提高，產量增加。又該廠石灰爐冷却室通風口處，加裝風車一台，可節省燃料甚多。第三廠利用間置器材，自行製造磷肥連續製造設備一套，已使過磷酸鈣產能提高，節省人工，產品品質均一，製造效率增進。該廠又改以硫酸硝酸法產製化成氮磷及複合肥料，以液氮代替部份硝酸，則生產較易控制而可增加產能。第五廠將硫酸錏結晶槽眞空度液封裝置及冷却器除濕系統加以改良，已使操作平穩，減少意外停車及提高成品品質。第六廠加裝冷却水沙濾槽，減少冷却水之排放，年可節省約百萬元。第七廠改良硝酸吸收塔內部溢流板，使尾氣中二氧化氮含量減少，加强冷却設備，使滯流現象減少，硝酸產量增加。

（三）品質管制之加强：台肥公司各廠礦，對於品質管制之實施，向極注意。第六廠之品管成績，經參加全省品管競賽，曾獲團體首獎。其他如第七廠加強成品包裝重量之控制，每年可減少損失數十萬元。現台肥公司各廠均已釐定步驟實施全面品管，冀能更進一步增加效率，減低成本。

三、五十四年台肥公司不利於生產之因素

台肥公司五十四年度生產方面曾遭受若干不利因素之影響，其較重大者如下：

（一）枯水限電：台電公司五十四年三月初枯水限電，延至五月初始獲恢復，台肥公司第一廠及第七廠均被迫減產。五十四年十月底，因深澳電廠故障，又被限電，台肥公司第一、第五、第六、第七等廠均受影響，被迫全部停電或部份限電。後第五第六兩廠雖得恢復供電，但第一及第七兩廠迄年底止仍在限電狀態中，故該兩廠肥料產量，因之減少甚多。

（二）颱風頻仍：五十四年七、八、九各月，本省數度遭受颱風侵襲，台肥公司第四廠蘇澳石礦，第六廠及第七廠均曾蒙受損害，產量均畧減少。

四、五十五年度之展望

台肥公司五十五年度各種肥料之計劃產量，如將氮肥部份全部折合爲含氮百分之二十，磷肥部份全部折合爲含磷酐百分之十八，合共約爲六○六，五五六公噸，較以同樣方式折算之五十四年度計劃產量五七九，六五六公噸，約增加百分之四、六。五十五年初，第一廠之第二號電石爐擴建工程即將完成，電石產量當可增加甚多。第三廠之磷酸工場亦將興建完成，化成氮磷及複合肥料之產量，當可予以增多；其餘之磷酸，可供產製過磷酸鈣，以供外銷。五十五年秋，第七廠之燃油製氫工場將完工，則硝酸錏鈣之增產計劃可望達成。深信台肥公司各廠必能繼續努力，妥善籌劃，就增加產量，改良品質以及提高效率各方面謀求進步，則五十五年度之生產目標，當可順利完成。

瀛海異趣談

倫敦「大鵬鐘」的故事

·桑雅·

近來大鵬鐘在香港出盡風頭，因爲在本月三日開始舉行的英國週標誌上有它，最大的一個是懸掛在滙豐銀行總行的前門，最小的一個是在英國週辦事處所發出的宣傳封票。

大鵬鐘或叫「大宵」是世界聞名的東西。在倫敦的名勝，「韋敏斯特宮」——是英國國會的官方名稱——是首屈一指，而大鵬鐘正是它的一個主要部份。遊客看見它的外貌，古舊莊嚴，往往誤會它已有幾百年的歷史，正像西敏寺一樣，其實它安設到今天不過一百多年。

多年以來，不斷有人想縱火焚燒去那座古老的韋敏斯特宮，都未成功，直到在一八三四年十月十六日，有兩個在那裏日夜燒火取暖上議院內的工人失愼，發生火警，差不多將那裏的建築物焚毀。

當新的國會在一八四四年進行建築時，決定再安裝一個大時鐘，照在當時的英國工務大臣宣稱：「一個華貴的鐘，要眞是鐘中之王，在世界上所看見最大的一個；在倫敦市區內可看見它的面貌和聽到它的聲音。」國會就交這差事給皇家天文學家喬治雅里負責進行，但雅里不敢獨自担當，就找到一個多才多藝的律師兼數學家、天文學家、建築家和時鐘設計家鄧爾信來幫助，後來雅里退出，便由鄧爾信主持。他聘請著名時鐘製造匠且特照他所設計的式樣製造，在一八五二年開始工作，誰知且特不幸在翌年突然逝世，時鐘還未完成，一年之後才由他的兒子佛德烈繼續把它造成。但其時鐘樓還未築好，時鐘便被放在工廠裏五年，來試驗機件。報時敲響的大鐘，由查理士巴利爵士設計，交由韋特查佩爾鑄廠製造，重十三噸半，高七呎半，鐘口直徑九呎，乃在英國最大的鐘，直到一八八三年聖保羅大教堂重十六多噸的大鐘鑄成後，才屈居第二位。

一八五七年各樣都準備好了，在一個炎熱的夏天下午，英國工部大臣鵬查敏何路爵士在國會和大衆討論那個新造成的大鐘的名字，經過一番辯論都未有結果，弄到何路爵士滿額大汗，他從袋裏抽出一條大的絲手巾，那巾上繡有「BEN」字，鵬查敏的英文縮寫；這被旁坐的一個議員看見，就隨口叫說：「叫它做大鵬吧？這未嘗不好」。此言一出，引得全院的人大笑，但最後決定就用這個容易叫的名字。

當新鑄成的大鐘從鑄製廠搬到韋敏斯特宮時，用十六匹經裝飾的壯馬牽行，在鐘上插有一枝英國國旗，大衆夾道歡呼看熱鬧，搬運工人費了極大的氣力和心思才能夠將它搬到離地面約三百二十呎的鐘樓，時鐘的四面外框，各高四十呎，濶四十呎，上鐘樓去要爬五百級才可到達，想參觀的人可先預約，每次祇准二十五人。

大鵬鐘在初掛後不過一年就破裂了，隨後加以修補，但發音有一點啞，但很清晰，它的聲音可說是獨具一格。大鵬鐘的播傳，遠在無綫電播音之前已經開始，它的聲音是居住在倫敦的人，歷四代都認識。在八九十年前，在倫敦出版的當地地圖是繪有許多紅色圓圈，大鵬鐘是在各圈子的正中心，鐘聲傳到各區所需要的時間，四秒鐘可傳到維多利亞火車站，六秒鐘傳到倫敦橋，十一秒鐘傳到皇家阿爾拔堂。人們聽到那個大鐘的響聲就去較他們的手錶。時鐘的快慢，經一百多年，大鵬鐘被公認爲是在世界上最準確的時鐘，它的機件簡單，失時可容易較準，每天最多不過有十四分之四秒的變動，但可立即調整得依時。

大鵬鵬的聲響首次從英國廣播電台播出時是在一九二三年十二月三十一日，宣佈一九二四年新歲來臨。隨後接到許多人來信請求繼續播出它的聲音，大鵬鐘就變成那個廣播電台的永遠僱員，在新聞時事的報告前便可聽到它的聲音，隨即由廣播員說：「這是倫敦」。

第二次世界大戰時，大鵬鐘曾有一度不是直接播出，乃改用唱片的錄音放出，這是在一九四四年六月十七日開始，因爲德國用飛彈轟炸倫敦，若果大鵬鐘的聲響直接播出，敵人從它的聲浪測出在倫敦的風力如何而放射他們的武器。直到一九四四年九月四日，飛彈的威脅消失，大鵬鐘才恢復正式直接轉播。在戰爭期內，大鵬鐘曾遭遇十二次轟炸，最厲害的一次是在一九四一年五月十日，時鐘外框的石刻與裝飾都炸爛。

大鵬鐘在晚間因用燈光照耀，在遠處也可望見。它强健，可靠與精緻，難怪每一個英國人都津津樂道。

電話機與公共衛生

由於電話機經常被人使用，使人想到它的衛生問題。有些人甚至懷疑會傳染疾病，而某些推銷所謂「電話消毒器」者危言聳聽的宣傳，更加深了電話使用者的在這方面的恐懼。這種情形，不祇在我國如此，在美國以及其他地方亦然。

那末電話機究竟會不會危害公共衛生，甚或傳染疾病呢？在一九六三年秋季號的 Bell Telephone Magazine 上，美國電話電報公司醫藥主任忠黎醫師及工程部門的司密斯先生，根據芝加哥大學已故衛生和細菌學系名教授左丹博士 Dr. E. O. Jerdan），及哥倫比亞大學醫學院公共衛生設施學教授恩默生博士 Dr. Haven Emerson，美國衛生教育福利部公共衛生署傳染病處處長朗梅爾博士 Dr. Alexander D Langmuir，美國康納爾大學醫學院病菌研究室主任兼公共衛生學教授基恩博士等的許多專家學者，六十年來不斷研究的結果，合撰了一篇文章，對前述問題作詳盡的剖析，說明電話機無害於大衆健康，更不會傳染疾病，玆將其結論摘錄如下：

——在經常使用的公用電話送話器上，確曾發現若干細菌；但是，這些細菌大部屬於通常在空氣中及塵埃中可以發現的，且對人類無害的幾種類型的細菌。

——產生疾病的微生物，被放置在送話器上時，很快就死亡，幸存者亦消失其傳染能力。

——和口部接近的送話器上，所收集到的細菌數量，並不比其他物件上的多，例如與耳部接觸的受話器上，甚至於像電話亭門的把手等。

——電話和所產生的健康威脅，並未比別的物體所產生者爲大，例如鈔票、錢幣、欄杆、公共圖書、房門把手、以及其他經常與手接觸及暴露在空氣落塵中的物體等。

所謂「電話消毒」服務，除了美學上的目的之外，並無任何用處。每週都經過「電話消毒」服務的電話機，在外表上似較未經「服務」的乾淨，但是在細菌汚染方面，兩者在程度上，並無實質的差異。

「電話消毒」不但無任何實際價値，更不幸的是許多消毒藥物對電話服務及電話設備，會產生損害性的影響：有些溶劑會損傷電話機的塑膠，使染上汚損，或者使塑膠褪色失去光澤，附加在送話器的「消毒器」，更有礙電話的正常使用，影響通話。

阿月

覃靖

我不能毀滅自己，更不能加速的毀了她。

于是必然的後果出現了。五天以後，她由昏迷的沉睡中甦醒，扯亂了自己的頭髮，撕破了自己的衣裙，搗毀了自己的傢俬，嚎啕痛哭，詛咒人世的滄桑……

我的心情完全失去了平衡的控制。她那陣陣的嚎啕，聲聲的咒詛，自己對自己肉體的虐待，震撼着我的每一個有機細胞；可是那些嘴閉的村人們，却把這一些不忍卒睹的現象，居然當成可笑的新聞在那裏傳播了：

「阿月眞的瘋了！」

「阿月的奶奶露出來了」

「阿月的頭髮扯光了！」

「阿月罵她爸爸是王八旦呢！」

「阿月罵宗枝是馬格野鹿（日語，禽獸意）！」

「…………」

「…………」

這種行爲太殘酷了。我開始產生了恨這個村子的意念，當然這種意念并非針對着所有的村人們。

然而更加遺憾的事情，也在這個時候發生。正當我下了最大的決心，不顧一切的批評，籌措一筆欵項，準備將阿月送進神經病醫院去治療的時候，上級頒佈了一道命令，我的職務調動了。

我懷着極度不安的情緒，離開了大里村。臨行之前，我還同劉廖木水打了一次交道，要他照着我的心意去辦，阿月的一切醫藥費用，由我負担；但他祇是唯唯諾諾，同時從某方面看，他彷彿還有些懷疑，說不定他更將劉賴宗枝出走的原因，也牽連到我的頭上，雖然我再三向他表明，我是基于一個人的良心。

我毫無辦法，祇得先到新的機關報了到，三天以後再回到大里村來；可是時間晚了。大里村再也覓不到阿月的蹤跡了。據村人們輕描淡寫的告訴我：就在我離去的那天晚上，阿月也失蹤了。村人們既然沒有一個人願意去打聽她的下落，自然也就不會有人知道她的下落。

從此以後，阿月的影子，她那雙會講話的眼睛，一對圓圓的酒渦，便在我的腦海裏，成了兩個大大的疑問號：她還是痊癒了呢？還是離開了這個塵世？

（完）

蹇碩是一位弄權的宦官，大塊頭，肚滿腸肥。後來因爲他塊頭大、被靈帝任命爲西園八校尉的元帥。何進、袁紹、曹操都在他的統屬之下。他棒打蹇碩之後，許多大官大員便有些感到不便，但是，又不便說他不對，只好設法把曹操調到頓丘縣去當縣令。

縣令作了不久，被內召爲議郎，官兒漸漸大了，這大概是他父親（中常侍曹嵩）的關係，不然沒有那樣快。議郎隸屬光祿勳，秩六百石，無定員，職司獻替備諮詢，有似今日參議、顧問之類。在議郎任內，也很有作爲。他鑒於大將軍竇武、太傅陳蕃等謀誅宦官，反被宦官所害，他便在靈帝面前上書，說陳蕃竇武正直而見害，奸邪盈朝，善人壅塞。其言甚切。但是，靈帝是一個低能兒，周圍都被宦官包圍，曹操的意見根本不得一顧。事後爲了敷衍塞責，來了一道官樣文章，下了一道詔書，要三府舉奏。此時都漆黑一糰糟，官官相護，誰願開罪權貴？因此賄賂公行，彊者惟怨不見舉奏，弱者守道，多被陷害。恰恰那時各地又有災異，皇帝正好問他得失，有此機會，曹操又上書靈帝，說三公所舉奏者，專回避貴戚，打蒼蠅不敢打老虎。靈帝雖然知道了，也沒有用，只把他的意見告知三公了之。其後政事日非，曹操知道忠言逆耳，不是一朝一夕，乃是積因成漸，無能爲力。也許曹操看到這低能皇帝，貪官汚吏，顢頇當道，要想澄清吏治，非動大手術不可，否則這樣說說不但無用，可能還會遭到暗算。曹操敢於如此大胆放言，一方面也因爲他父親是太尉，祖父也是做過大長秋（是皇后的官，掌宣傳官中命令）封過費亭侯。一直都是做內官。關係搞得不錯，不然曹操也很危險的。

到了靈帝光和末年（一九七——一八四）黃巾賊起事，拜騎都尉，征討潁川賊。這官兒屬光祿勳，俸祿升到二千石，是監羽林騎兵的職責。他征討豫州郡賊子，不久又遷濟南國相。濟南國隸青州，所下有東平郡等十城，國邑在山東歷城縣東七十五里地方。「相」職如郡太守，秩二千石。濟南國相，掌管治民、治軍、司法、治安等工作。在那屬下十餘縣內，十之八九的縣長都是阿附權貴，贓汚狼藉，曹操到任之後，幹掉了七八個混蛋縣令，下令禁止淫祀，故能姦宄逃竄，郡內肅然。

曹操在濟南相任內，也表現得很有政聲，時間也較長。後遷東郡太守，（東郡隸屬兗州，轄濮陽等十五縣）但是曹操沒有到任，請求內調議郎。曹操因見於他自己的作風，與時下政治環境乖違，不但不能發展抱負，恐怕觸犯權貴，反遭陷害，所以他請內調爲議郎，一則在京師可常與皇帝接近，進一步可作退步的階梯。果然，他的構想得以實現，調議郎不久，他就稱病告歸鄉里。

回到老家（安徽亳縣）之後，在城外築起一座別墅，他這一段生活倒非常的寫意。春夏二季，用以讀書寫作，秋冬季節則以打獵自娛。但與其說他是退休，不如說是避禍。因爲在當時無論是中央或地方，都是一塌糊塗。中央的權臣專朝，貴戚橫恣。地方官員也是阿附權貴，賄賂公行。（十五）

干城的演目（續）

蓮芝也唱五天，紅娘，貂蟬，接白門樓串呂布，蝴蝶夢，宇宙鋒，趙五娘。第二、四兩天無戲也憩息。此次突出有兩天青衣，一天小生，爲前此所無。如果照此演變，不難踵接徐露，從前我的判斷，會將逐漸成事實。在大劈棺一戲，前面的蕩，後面的翻身，花旦重頭戲，以前吳素秋童芷苓皆以此起家，要一演再演，演到精采無比，至第三輪更可一現大翠屏山與金山寺，當愈生色。年紀也漸大，趕速努力，今年來爭取榮譽，惟在勤學不可懈。

這回軍文藝活動，愈演愈感困難，要排出的戲，旁人所未演者。此次的薛家將與貂蟬，確是不常見。（復興的碧有不同，未帶人頭會）似乎別家有些不勝應付，獨干城在埋頭苦幹，期在創新的成就，倘加以充實，不難騰達而爭雄，訓練演員，似不必顧慮旁人掣肘，要具勇氣，因是爲國爭光，無絲毫副作用。梨園規律，決無阻人上進的惡風氣，幸勉乎哉！

國劇繽紛錄（五十六）

婆娑生

教部劇社第一聲

教育部平劇研究社，自去秋成立，迄已半載，因閻部長劉司長的倡導，推展頗爲積極。今年農曆春節，該社舉行新春聯歡會，邀集名票舉行清唱。閻部長因公赴屏東，特地趕回致詞，他認爲忠孝節義，是中國固有道德，而平劇包含此種意義極多，應積極倡導，以維護良好的社教。因在致詞以前，聽到關文蔚唱審頭，特予贊稱說，抗戰時期，他在西南聯大執教於昆明，假日常聽關女士演唱，深致欽佩，不意相隔廿餘年，又在台灣重逢，歌喉猶昔，不勝欣慰，希望關女士多多爲平劇努力，以期發揚。他也知教部劇社爲實踐研究，將在三月中演出一場，關氏已允被邀參加。

在清唱多段以後，幹事程亮宣佈排練探母回令，經過探詢，始知決定唱四郞探母代回令，其角色分配，是常志誠飾前四郞，關文蔚飾後四郞，（大概自會弟以後）余美玲飾公主（大鵬脫離後的學生，名票余梅里的姊姊。）賈厚英飾太后，程亮飾楊宗保，其餘人選未定。最近傳來消息，恐怕此戲太大，改演羣英會，那末探母回令祇待看二五的上演矣。

羣英會的支配，關文蔚的前魯肅後孔明（借東風），常志誠的前孔明，程亮的周瑜，李德財的黃蓋，而蔣幹一角或將邀林向榮，其餘亦未決定。論兩戲則以羣英會爲較火熾，以後慢慢再來，有的是時間可安排。（未完）

國民參政會軼事

諸葛文侯

對日抗戰初期——民國廿八年——創設之國民參政會，其性能雖與憲政體制之民意代表機構有別，然對國事亦有充分之建議與質詢權，而參政員人選遍及全國各黨派、各省市暨職業團體，多數皆係一時俊彥，可見官選與民選代議士之結果並無軒輊，甚至官選者更充實而整齊也。

參政會每半年舉行大會一次，會期中有十天規定爲對中央行政機關實行質詢工作，在質詢期間，不特共產黨與各個在野黨派所屬參政員，對中樞政務紛紛提出問題，嚴切詰究，即執政黨人士亦當仁不讓，暢所欲言，且常集矢於財經部門諸首長，孔祥熙、宋子文每首當其衝，其氣氛之熱烈緊張，視今日之立監兩院殆有甚焉。然孔宋等政府大員皆能虛心傾聽，從無拒諫飾非之詞色。素有大炮聲名之執政黨籍參政員黃宇人，每次會議必對着孔氏轟擊一番，孔氏休休有容，迨大會閉幕前，票選駐會委員時，孔氏且移座與黃接近，將選票寫妥「黃宇人」三字後，驟然揭示於黃曰：「我是投你的」，表示毫無芥蒂之意念，似此行政大員之優良氣度，殊堪稱讚也。至於國民參政會之建議案，則有如今之國大代表提案然，雖經大會通過，亦祇是送交政府採擇而已，十九皆束之高閣，存而不論，並不發生拘束力。因此，所謂社會賢達派參政員陶孟和，曾撰打油詩一首以咏之曰：「參政大員好威風，半年只有十天兇；任你喉頭講出血，怎奈當局[illegible]裝聾」。

某次大會時，由青年黨領導人物左舜生担任主席，當會衆熱烈討論議案之際，要求發言者紛起爭先，秩序殊爲凌亂，台下有人高呼：「主席，你看過『民權初步』沒有？」左氏憤然持議事日程向桌面一擲曰：「我沒有看過，老子不幹了！」即走回台下座位，旋宣佈休息五分鐘，再議。

民國卅四年冬間，毛酋澤東應邀至重慶時，曾參加參政會茶點歡迎會，登台暢言「和爲貴」之義理，最後高呼「蔣委員長萬歲」口號，蓋彼深慮或將久羈重慶，不能自由遄返延安巢，故作此僞裝姿態以欺人耳。毛酋致詞畢，衆皆目笑存之，無人置喙，僅有鄂省參政員胡某一人發言，謂在中國近代史上，以布衣而創造大事業者，只有明太祖與孫中山二位，如今乃有毛先生。將毛酋與國父相提併論，恭維備至，令人肉麻。胡某繼謂：「我有許多好朋友，都在毛先生那邊工作」，頗有獻媚結交之意。會衆相顧愕眙，別無應聲者，唯錢新之顯露不快之色，持杖退席。然時間甚短促，未便匆匆散塲，主席乃宣告休息片刻，隨便閒談。旋有與胡某同籍之參政員朱君，趣語胡某云：「老兄今天的說話，似乎太過份了一點。孔子說，邦有道，危言危行；邦無道，危行言遜，值得注意注意」。胡抗聲答言：「現在不是邦有道嗎？」朱君笑謂：「是的，是的，你去講罷！」

國民參政會創立伊始，中樞銓衡參政員人選時，對於若干應予羅致，而未具有黨派或職業團體代表性之人士，苦無適當之冠詞以相稱謂，汪精衛乃想出「社會賢達」四字，今已成爲法定名詞矣。第二屆參政會在重慶改組，參政員十九皆蟬聯，唯章伯鈞在落選之列，於是，青年、民社兩黨以及共黨諸參政員頗滋疑懼，倡組「民主政團同盟」，專以保障在野黨派人士之參政權爲職責，不談國計民生。嗣後共黨從中刦持，變質爲反政府之政治集團，青年、民社兩黨相率退出，乃被共黨及其同路人據爲叛亂工具，殊非始料所及也。

西廂記

「影劇與歷史」之十六

周遊

根據元微之贈白居易的作品中可見端倪。元微之和白居易乃知己之交，號稱「元白」，媲美李杜，他們可能無話不談的。微之給白居易的百韻詩中寄樂天云：「山岫當磨翠，牆花拂面枝；鶯聲愛嬌小，燕翼玩逦」。其下註云：昔予賦詩云：「爲見牆頭拂面花」，時惟樂天知此事。」所謂「此事」者，當然是「跳牆而摟其處子」的那回事了。

根據元微之春詞二首中，隱隱藏鶯鶯二字可見。傳奇中所謂「立綴春詞二首以投」紅娘的，西廂記作者完全採用，其詞說：「春來頻到宋家東，垂袖開懷待好風；鶯藏柳暗無人語，惟有牆花滿樹紅。」其二云：「深院無人草樹光，嬌鶯不語趁陰藏；等閒弄水浮花片，流出門前賺阮郞」。可惜他這二首明朗的春詞沒有刊入傳奇文內，否則那就更明顯了。而戲曲家只採西廂中的作品，沒有找到眞正主角的東西，却是一點遺憾的事。其他元微之想念鶯鶯的詩，在他詩集和傳奇中大相吻合之作甚多。在此姑舉錄其目，不必冗贅。

鶯鶯詩二首，離思五首，古決絕詞三首，這三首中之文情，正是內心的刻畫。贈雙文一首，雙文是指「鶯鶯」兩字。雜憶五首；另外一首最露骨的曉春詩云：「半欲天明半未明，醉聞花氣睡聞鶯；娃兒撼起鐘聲動，二十年前曉寺情。」這不是他回憶二十年前他和鶯鶯同宿西廂的美夢嗎？在他的傳奇中說：「自是……朝隱而出，暮隱而入，同安於曩所謂西廂者，幾一月矣」。他那「一段情」的回憶，又是多麼的香艷甜蜜呢！他竟直認不諱了啊。

元微之的情史，是相當多的。他離開崔鶯鶯小姐之後一年多，便與朝中豪門的千金小姐韋氏女結婚了。但是他和崔氏是眞正的戀愛，和韋氏是正式的結婚，很富於西洋愛情文學作品的情調。韋氏女是豪門千金，在才色方面雖不如崔小姐，但她的好處是官塲氣派十足，在物質方面，門楣方面，均超過崔小姐多了。元微之做官的一帆風順，也是沾了韋氏的光呢！韋氏是一位賢妻良母，爲他生下了幾個子女，但皆中途夭折。韋氏最後死於難產。韋氏死後，他又續絃了一位裴小姐，裴很有才學，可稱爲女詩人，但是他們之間多少有點距離，在愛情上總有些不大融洽。在他的詩集中，有關鶯鶯和韋氏的作品者甚多，提到裴氏者少。西廂記中是沒有這些的，因爲要找出西廂的眞主角，所以順便把元微之的戀史全盤托出，以窺一個全豹。

元微之除了一個戀人，二個妻室之外，另外還有一個鼎鼎大名女校書作他最後一個女朋友。那位女校書就是薛濤小姐。她是一個官家女，也是歷史上流落風塵中的才女之著者。元微之自失去鶯鶯後，雖然有家室，但鶯鶯和他間之愛是沒有找到補償的。以薛濤而論，可以抵上半個鶯鶯，但薛濤之才尤過之，而色則不如。這是他做監察御史時，到四川的一段情，在此也順便提及。

可見這一化名張生的元微之，只眞算得上是一個風流才子。只可惜的，歷史上眞正的才子佳人沒有團圓，而文學作品——西廂記中的才子佳人倒眞正團圓了，讀者諸君以爲誰幸誰不幸？（五、完）

眼鏡是中國發明的

·仁厚·

△古埃及人對製作木乃伊究竟有多大的訣竅？

許多人認爲古埃及人有一套「秘密的防腐法」，事實全非如此。最近科學家發現，古埃及人的木乃伊所以歷久千年而不腐爛，完全得力於埃及的乾燥的沙漠氣候，而非防腐法。科學家並列舉證據說：於同一時代同一技術在其他地區製就的木乃伊很快就腐爛了。他們認爲氣候因素的影響很大，在乾燥的沙漠氣候中，細菌最不易繁殖。

△在蘇俄可以打高爾夫球嗎？

不可以。在整個蘇俄，沒有一個地區設有高爾夫球場。

△在世界上那一國人說話說得最流利？

法國人居首，英國人與美國人次之。法國人於一分鐘內說三百五十個音節，英美人於一分鐘內說二百二十個音節。

△美國有幾位總統沒有受過正式大學教育？

九位。他們是：華盛頓，傑克遜，林肯，凡布蘭，菲爾莫爾，強森，克利夫蘭，泰勒，杜魯門。

△爲什麼人類和大多數的動物都是兩隻眼睛？

這是爲了要判別物體的距離關係。每個眼睛的視角皆略有不同，眞正的距離是兩個眼睛的視綫匯交到觀察者距離；如果不幸只有一隻眼睛，則將失去這寶貴的能力。

△爲什麼有的雲彩是白色，有的雲彩又是暗色？

這是因爲雲中含有大小不同的水粒的緣故。水粒小，這些水粒便如小的結晶體一般反射光綫，雲彩便發白色；水粒若大如水滴時，它們便吸收光綫而不再反射，雲彩便呈暗色。

△爲什麼蛇的舌頭老是伸出來？

蛇伸舌頭是爲了聽外界的聲音。因爲蛇沒有耳朵，但是它的舌頭上却有許多感覺靈敏體積極小的神經突起，可以探測外界的聲波。搖動的舌頭更可分別附近的各種聲響。

△爲什麼西洋人的眼珠發藍？中國人的眼珠發黑？

這是因爲我們眼珠的眼簾中含有細小的顏色體，故發黑色；而西洋人却沒有，故發藍色。眼珠的眼簾裏微小的無色粉體，僅吸收長而色彩淡的光綫，反射短而發藍色的光綫。

△烤麵包會不會減少了卡路里？

不會的。烘烤只會使麵包裏的水份減少，而水是沒有卡路里的。

△撕成兩段的鈔票，要拿去掉換時，是否把兩段都持往銀行？

只需把較大的一段帶至銀行裏掉換。但如果剛好撕成同樣的兩半時，就得把兩半都送去。不要故意去撕斷鈔票，那是犯法的。

△佛里特街有什麼特別含義？

那是倫敦的報館集中地，正如十六年前上海的望平街之爲報館集中地一樣，亦就像美國紐約的華爾街爲財政金融中心一樣。倫敦還有其他著名的職業街道，例如哈利街是醫生集中處，播恩德街是衣商集中處，針綫街是銀行業集中處。

△眼鏡是誰發明的？

根據大英百科全書記載，中國人（另外還有其他的人）在十世紀之初就已發明用放大鏡裝在鏡架上以供閱讀之用。

艷星談性感集粹

·林錚譯·

可是，眞正在銀幕上演出大胆或賣弄性感的年輕艷星們，對性感的看法，又是怎樣的感覺呢？美國暢銷SBI娛樂權威雜誌的專欄記者威利喬遜，特地訪問了二十多位青春艷星們，互相交換意見，談了些性感與電影跟她們的直接影響和看法。現在讓我們且來聽聽她們中的幾位對性感有些什麼獨到的見解：

目前已成爲戰地（越南）盟軍營房床頭剪貼女郎取代了昔日葛蘭寶的愛姬森瑪小姐，她認爲在水銀燈下暴露胴體演戲，並不是件好差使，但只要應用得法，性感却是神聖的云云。（二）

內政部登記台報字第〇三〇號內銷證

自由報

THE FREE ...

第三六三期

中華民國僑務委員會登記
台教新字第三三三號登記證
中華郵政台字第一二八二號執照登記為第一類新聞紙類
（半週刊星期三、六出版）
每份港幣壹角
台灣訂價新台幣弍元
社長：雷嘯岑
督印人：黃行實
社址：香港銅鑼灣高士威道二十號四樓
20, CAUSEWAY RD 3RD FL. HONG KONG
TEL. 771726　電報掛號：7191
承印者：大同印務公司
地址：香港北角和富道九六號
台灣分社
台北市西寧南路壹壹零號之二樓
電話：三〇三四六
台郵劃撥金戶九二一二五

民有、民治、民享溯源

・楊力行・

從林肯上溯，尚有：席道爾、派克、韋恩斯特、詹姆斯、門羅、威克里夫與耶穌降生前四百年古希臘哲人克里昂等歐、美政治家及學者們，均曾先後提出民有、民治、民享的說法。今則已分別成為美國的國訓和中華民國憲法的主旨，與三民主義合而為一了。

國父在其「心理建設自序」結語中曾說：「要建設一政治最修明、人民最安樂之國家，為民所有，為民所治，為民所享者也。」此文編列在「標準本高中國文」第五冊第一課，編者高明等，其註「民有、民治、民享」云：「為美國大總統林肯之名言。」同時，所有大專院校「國父思想」課程及高中、高職三民主義教本，與所有闡揚國父遺教的各家著作中，亦莫不如此強調。實則似是而非，也太簡率。如所周知，國父是一位偉大的革命領袖，他治學重在闡精擷華，而無暇作考據。編教科書則不然，尤其是集八位「國學名家」共同編輯所謂「標準國文教科書」，似乎不宜如此偷工減料也。須知：美國第十六任大總統亞伯拉罕．林肯著名的「蓋次堡演說」（The Gettysburg address），是在一八六三年十一月十九日，為紀念蓋次堡之美國內戰——南北戰爭陣亡將士公墓落成揭幕典禮上有感而發的。他在那短短得全文尚不到十句，只有二百六十七個英文字的講詞中，字裏行間，無不有力地說明了人類自由、平等、博愛的偉大精神，其全文漢譯如下：

「距今八十七年前，我們的祖先在這個大陸上創建了一個新的國家。此一國家孕育於自由，並獻身於「人類生而平等」的原則。

「現在，我們正在進行一次龐大的內戰，以考驗此一國家；甚至考驗任何致力於自由與平等的國家，是否能夠永垂不朽。我們今天就是在這場戰爭的一個偉大戰場上集會，我們來此，是要把這戰場的一部份，獻給那些為了國家生存而犧牲的人們，作為永久安息之所；我們這樣做是很應該的。

「但是，從更大的意義來講，我們不能奉獻此一塲地，也不能使其成為聖地。因為曾經在此奮鬥的勇士們，活着的或者死去的，他們的奉獻，已經使之成為聖地，遠超過我們增減的力量。全世界的人士將很少注意到，同時，也不會永遠記得我們在這裏所講的話。但是，他們却永遠忘不了那些勇士們在這裏建立的豐功偉業。現在，我們活着的人們在這裏所應該做的，乃是獻身於先烈們所未完成的工作。今天在這裏的我們，應該委身於先烈們遺留給我們之偉大任務。鑑於這些光榮的死者，我們應該加倍努力於他們所鞠躬盡瘁的原則。在這裏，我們已有高度的堅定的決心，務使死者不致白死；使這個國家在上帝庇佑之下，而有自由的新生。並使我們的民有、民治、民享的政府，將在這世界之上，永垂不朽。」

其後，美國當局透過國會，將其精短不朽講詞的最後一句：「我們的民有、民治、民享的政府，將在這世界之上，永垂不朽。」鑄刻成碑，垂為國訓，永立華府。我們國父手著三民主義之初，即認其民族主義的真義和民有（Of the People）民權主義的真義和民治（By the people）及民生主義的真義和民享（For the people）不謀而合。

國父旋於民國十年十二月七日，在桂林對七十六個機關學校和民衆團體歡迎會上講演「三民主義為造成新世界之工具」，及在「實行三民主義之具體辦法」講詞中，均強調說：「兄弟所主張的三民主義，實在是集合古今中外的學說，順應世界之潮流，在政治上所得的一個結晶。這個結晶的意思，和美國大總統林肯所說的：「Of the people, By the people, anb For the people」的話是完全相通的。這句話的中文意思，沒有適當的譯文，兄弟就把它譯作：「民有、民治、民享。」但是，什麼是民有、民治、民享呢？國父又曾在民生主義第二講中說：「這個民有、民治、民享的意思，就是國家為人民所共有；政治為人民所共管；利益為人民所共享。」何以為三民主義與民有、民治、民享相通呢？國父在「黨員須宣傳革命主義」講詞中更說：「民族」即民有也。天下者，天下人之天下也，非一、二人所可獨佔。民權，即民治也。從前之天下，在專制時代，則以官僚武人治之，本總理則謂人人皆應有治之之責，亦應負治之之責，故余極主張以民治天下。民生，即民享也。天下既為人人所共有，則天下之權利自當為天下人人所共享。」國父又曾在「開發陽朔富源方法」講詞中說：「林肯所謂民有、民治、民享的原是指美國的民主政府說的：民有的，是指政府屬於人民，不是屬於君主或貴族；民治，是指政府由人民組織而成，即官吏是由人民選舉的，法律是由人民代表所創制的；民享，是指政府的一舉一動，都要符合人民的利益。把民有、民治、民享，從政府的範圍擴展到國家的範圍，便成為：「國為民有，國為民治，國為民享。」接着，他又在另一篇「發揚三民主義思想」的文章中說：「是三大主義皆基本於民」和「國以民為本」之中國古老說法完全相同。所以說，國父的三民主義與林肯所主張的民有、民治、民享的「民本思想」是完全相通的。與自由、平等、博愛無異。

中國國民黨繼承遺志，奉行三民主義至力，因於民國三十五年十二月二十五日，在南京由國民大會制憲時，在中華民國憲法第一條中便明白規定為：「中華民國基於三民主義，為民有、民治、民享之民主共和國。」意義重大。我每於講投三民主義及心理建設自序至末語時，經常除綜合國父思想及蔣總統有關訓示予以詳細講解外，並作簡釋之曰：三民主義的民族主義是不許國內少數特殊份子的專制獨裁，更排斥一切外來的侵畧，這便是民有。民權主義是沒有政治上的特殊階級，主權屬於全國人民，這便是民治。民生主義是沒有貧富的懸殊，人人均能過幸福的「均富」生活，這便是民享。換言之，民有者，其主權屬於人民所有，與國有對稱也。民治者，民主國家人民參與政治，亦即全民政治是也。民享者，「正德利用厚生惟和」，國家的一切建設均為求人民所享用者也。所以，民有、民治、民享，實為三民主義的理想及其目標。」應是不會有人持異議的。（下轉第二版）

力不從心

還是他大些

今日與明日

南越聯軍大捷

在南越廣義省美越韓聯軍獲大捷，北越共軍正規軍一團，在廣義省被圍數日之後，遭到聯軍的猛烈攻擊，現已完全崩潰，被擊斃及被俘達一千五百人以上，所餘殘餘不到五百人，已四散奪路奔逃，潰不成軍，全部殲滅是指顧間事。

這是美軍介入南越戰爭以來，殲滅越共正規軍最多的一次。但其意義尚不僅在軍事方面，更重要的是政治方面。目前美國參議院正舉行辯論，參院三大妄人之二的摩斯與傅爾勃來特（另一人為曼斯菲爾）正在大放厥辭，攻擊美國在南越戰爭無法取勝；少不更事的羅拔甘迺廸又主張讓越共參加聯合政府，使詹森總統深感困擾之際，突然獲得空前大勝，使大部份正義人士都鬆了一口氣，可以理直氣壯答覆姑息份子：越共並非不可戰勝的，真正的問題在於自亂步驟，為敵張目。也許一批妄人可以稍為斂跡。因此可以說廣義之捷的收穫，政治更大於軍事。

泰勒將軍奇計

自從麥克阿瑟將軍以後，公認為美國最優秀的指揮官泰勒將軍，最近發表談話，主張美國派艦封鎖海防。

泰勒將軍在艾森豪時代任陸軍參謀長，因為不滿艾森豪的姑息政策及懦弱個性，任滿之後自請退役。甘迺廸繼任總統，請其恢復軍職，重任陸軍參謀長，旋升參謀長聯席會議主席。詹森總統繼任，信任更有加於前，以後派任越南大使，去年始卸職回美。

今日美國在越南所實行的政策，藍圖即泰勒將軍所手訂，詹森總統對之倚畀一如往日。目前泰勒將軍主張以魚雷封鎖海防，斷絕越共政權對外海上交通，再以飛機猛烈轟炸中越邊境鐵路、公路交通，破壞所有道路橋樑，使越共生困、即使不因此崩潰，也非求和不可。此點無論欲求得勝利或以戰求和，皆為唯一可行之道。惜乎大部份美國當政人士對此仍感懷疑，以為若封鎖海防可迫使蘇俄參戰。其實蘇俄真有心參戰，又何待封鎖海防？美國此時實不必再將蘇俄參戰放在心上。即使毛共公開參戰的可能性幾乎也等於零，因為毛共本身力量如何？毛澤東及幾個大頭目心裏有數，真的在越南燃起戰火，到時國軍必展開反攻，偽政權將於數月之內瓦解冰消。真能如此，大陸同胞到得救了。

總之，時局已入重大轉捩點，越南戰爭不久也將見分曉，一切情形都在向好的方面去變。（何如）

自由談

疑問莫釋

我讚美民主主義的理想，亦嚮往民主主義的生活，**但對民主政治的實質，却發生莫大的疑問。**

民主政治的精髓是選舉，由人民選舉行政官吏與代議士。民主政治的運用方式是會議，遇事集思廣益，詢謀僉同。可是，無論選舉也罷，會議也罷，實際上都是名不副實，離題甚遠。以言選舉，民選決不及「官派」之多少還有些選賢與能的成份，一般愚騃闒茸的暴發戶人物，很難僭據官位，操賤業以營生的傖夫，更無從濫竽於政壇。以言會議，官選代議士的知識水準比較整齊，討論問題時即不致胡鬧瞎纏，笑話百出，表現着百事皆有說詞，而百事皆不知其所解的怪象。

這些民主政治的缺點，都屬先天的必然性，無可救藥。原因是民衆絕大多數平日對政治隔膜不感興趣，且教他們從事選舉，并不明瞭誰賢誰能，不是憑着個人的感情好惡以投票，便被無聊的野心之徒所操縱收買，結果賢能者多難入彀，愚頑者常慶彈冠。假使普選及第的官吏和議員們，盡係庸俗之輩，也還罷了，他們縱然不能做出福國利民的好事，亦不致胡行妄為，貽誤蒼生。無奈壞人每能利用羣衆盲從的弱點，乘機竄發，混入政治圈內，又假藉民選的招牌，睥睨一切，濫權瀆職，肆無忌憚，寖成為職業的民意代表，而在羣衆中具有偶像作用，儼然是時代英雄了。

英儒蕭伯納有言：「民主政治是偶像崇拜者的集合，貴族政治是偶像的集合」，這話很有道理。但所謂「偶像」的意義却有差別，即前者十九都不夠偶像的質料，後者纔是如假包換的偶像人物。

民主政治又係浪費政治，無論精神和物質皆浪費得驚人，且由於物質的浪費而間接流毒社會，促進政治上的貪汚風氣。在產業不發達的國家搞民主政治，要想剷除貪汚，建設廉潔政府，那比放射火箭進太空探測月球的真象更困難。怎樣彌補民主政治這些缺陷，我想除却加強國民教育和大力發展產業以外，別無良策，然這種工作又非咄嗟可以辦到的，急傷風遇着慢郎中，此其所以令人悵惘疑問而莫釋也。

馮王先生

台灣香蕉產銷問題的癥結

·本報記者張健生·

輔導辦法不夠週全

現在的問題是：供過於求。我們的香蕉市場是日本，而日本的消費量爲每年約在八百萬簍左右。而我高雄青果運銷合作社在今年的產量爲一千一百餘萬簍，除去外銷日本以去年銷日數量（包括台中蕉）爲例不過七百萬簍，加上內銷數約三百萬簍外，還有一百多萬簍香蕉沒有出路。爲此，該合作社一反過去鼓勵蕉農種植香蕉的措施，乃又鼓勵蕉農把香蕉園恢復爲耕地以減少損失。因爲現在每甲土地必需國約需兩萬元。據調查：每甲土地可植香蕉一千六百株，每株香蕉的成本爲三十五元至四十元，依此計算，每甲土地的成本在五萬六千元至六萬四千元之間。而每株香蕉樹可產二十台斤至二十五台斤香蕉，則每甲土地可產香蕉三萬二千台斤至四萬台斤間，而每台斤香蕉的成本爲一元六角至一元七角五分之間。此乃產地成本價格，而目前台北市價每台斤售二元而已。

這個問題暴露了輔導蕉農沒有做到計劃生產的工作，也說明外貿會對國際消費市場沒有盡到調查之能事。這種依賴心理的弱點，產生了「聽天由命」、「靠天吃飯」的觀念。由於觀念不正確，才發生不應發生的問題與現象。所謂輔導，所謂政策，不知從何說起。如果有計劃有政策，就應該有香蕉加工外銷的措施纔對。

比方說，高雄青果合作社，基於生產過量而鼓勵蕉農恢復耕種水稻或其他作物，然而台中青果合作社正以商爭購台中蕉爲理由，而鼓勵蕉農植香蕉，並協助蕉農開發山坡地，解決蕉農施肥問題，加強防災設施，推廣風草之種植而保持水土，凡是蕉農增植一株香蕉即補助八元。這些措施旨在增加生產，由去年之一百五十萬簍增至今年預產三至四百萬簍。這樣的措施，無以名之，雖謂之「自相殘殺」，亦不爲過也。人們不禁要問：政府既有輔導機構之設，爲什麼沒有全盤計劃？有人把責任推到：「政府依法不得積極限制農民種蕉，致無法做到計劃生產工作。」但這是「官話」。不提「法」便罷，如講「法」就該問：行政院外貿會香蕉產銷輔導小組，究依據什麼「法」而成立的？立法院完成立法程序沒有？然而它的職權，在中央涉及內政部、經濟部、交通部、農復會；在省則涉及到農林廳、社會處、檢驗局與交通處的職掌。

不肖官吏 玩法弄權

這裏可以列舉另一事例來證明有關機構對香蕉問題的處理是如何的不公平妥當。關於香蕉的檢驗，由於有關當局以臨時辦法來變更國家規定，如高雄地區檢驗降爲百分之七點五，在台中、雲林地區仍照國家規定爲百分之一五，在同一省區境內，竟有兩種不同的措施，豈能違法，而且是在玩法弄權，以達到貪墨的意圖。

據高雄縣農民出身的省議員黃占岸說：五十四年高雄青果運銷合作社外銷秋冬蕉，被政府不法官員擅自制定臨時措施規定，其辦法如下：（一）香蕉熟度，凡此期間以八分半爲限，不過高過低，生機不旺蕉、倒蕉、過期蕉必須剔除。（二）香蕉形狀必須完整，不得有單層蕉、三層蕉、獅頭蕉、雙連指蕉、扭歪指蕉，及過度彎曲蕉。（三）每果平均重量不得低於一點五公斤，果指長度必須滿十四公分，每簍裝量以二十把至三十把爲限。（四）包裝竹簍及其他包裝材料必須符合檢驗局規定之標準，並由技術員檢查後使用。（五）港口檢驗按現行抽樣檢驗比率加倍抽驗，其品質不合規定之容許度減爲百分之七點五。（六）其他未規定者，仍照國家標準辦法。（七）陸地搬運裝卸由合作社嚴格監督，業者小心辦理。碼頭搬運裝卸請高雄港務局加强督導碼頭工人特別小心，必須利用三十一號碼頭及冷氣庫。

黃議員認爲上述七點臨時措施辦法，有違我國外銷香蕉檢驗暫行標準，是違法的規定。按國家制定外銷香蕉檢驗標準辦法，其容許度爲：（一）每批中不合左列標準者，以果手計算，不得超過總果手數之百分十五。查國家制定檢驗標準辦法，係政府十數年來聘請專家、技術者，會同檢驗局技正，實驗、抽查、檢查、研究出來的辦法，不能隨便讓少數的官吏任意變更，喪失國家尊嚴，貽害蕉農，影響外銷信譽，損失外滙收入。此項措施，爲何獨對高雄地區檢驗降爲七點五%，而對台中地區雲林地區仍照國家規定爲一五%的容許量？爲何厚此而薄彼？實令人費解。

「聽說外貿會會負責人維護青果公會少數特權者，在計劃大量投資種植泰國蕉，運往日本打擊台灣香蕉」。黃議員說：「巧合的很，本年度高雄秋冬蕉大量生產，運往日本之際，泰國蕉被高雄蕉打擊，虧損至巨；故少數奸商（指有雙重身份之華商）用美女包圍該負責人，擅自變更檢驗制度，規定臨時七點措施，旨在打擊高屏地區蕉農。」這是否「自相殘殺」的鐵證？

利用矛盾 從中取利

因此，黃議員說：「蕉農希望政府廢止在港口抽檢，應再在產地嚴格檢驗，以免雙重麻煩，雙重損失。」

他痛斥外貿會袒護少數特權份子，致使香蕉外銷日本之主動權，再度由我國被日本奪回去。「香蕉貿易，自日本實施自由化後，從過去香蕉貿易權操在日本人手中，由我政府取而代之，但沒有好好運用。」由於「外貿會袒護青果公會大戶會員，在日設置分支機構，亦華亦日，逃同僑商特配，其獲利居銷售總額之六五%以上，常以「回扣」導致套滙惡果，擾亂日本金融，因而日本政府下令組織香蕉輸入組合，奪回主動權，使台蕉價格降低，令人可嘆！」（二）

民有、民治、民享溯源

（上接第一版）

茲進一步探究林肯在準備其上述演講詞時曾找到一位他任律師時代的夥伴給他預備了一本演講的參考書，那是十九世紀演說家席道爾·派克的書，當林肯看到：Democracy is direct Self-go Gernment, over all the people, by all the people, and for all the people的時候，他對於「民治主義是直接的自治政治，由全體人民而來，受全體人民的管理，爲全體人民的福利」一則，特別欣賞，即用紅鉛筆畫下記號，而運用到他的演講詞上，因而成爲轟動世界「名言」。

林肯不是抄襲，而是模仿的創作，且用得很好。但是，派克亦不是自己創造的，他是模仿自當時政治家韋恩斯答海恩的話，而加以改造成演詞的，韋氏原文如下：「The people,s go Gernment made, for the people, made by the people, and ans herable to the people」。也就是說人民的政治，是爲人民而設，爲人民所管理，並爲人民謀福利。」

再說：韋恩斯特也不是獨創的！因爲，早他三十年的美國第五任大總統詹姆斯·門羅 James monroe 1758—1831）也曾說過相似的話，不過，他把演講詞改爲散文罷了。更進一步說：門羅總統也不是自創的，而是從五百餘年前十四世紀英文聖經翻譯者威克里夫在「聖經序言」中的「名言」中改造而來的：「The bible is for the government of the people, and for the people.」這句話好像跟林肯「名言」更相近了。

可是，威克里夫也是模仿改造而來的！因爲，早在耶穌基督降生前四百年，古希臘的哲人克里昂對雅典人民的演講詞，譯成英文：「A governor shall be for the government of the people.」。由此可知，古希臘該是歐、美民主政治的發源地了。至於，克里昂的思想淵源又是從那裏或那一位古代賢哲的話改造而來？祇以年代久遠，學海無涯，現在，似已不可再稽考了，可能這思想是中外古今所共有的。因爲，我國唐虞時代的禪讓政治，湯、武之革命和尚書所云：「民爲邦本，本固邦寧。」又說：「天視自我民視，天聽自我民聽。」以及孔子禮運大同篇和孟子說的「民爲貴，社稷次之，君爲輕」。與「君之視臣如草芥，則臣視君如寇讎。」與「聞誅一夫紂矣，未聞弒君也！」等民本（國以民爲本）、民天（王者以民爲天，民以食爲天）之說，亦曾有明顯的民主思想存在也。

由以上抽絲剝繭的探索有關民有、民治、民享之名言的研究、修正、運用的過程，可見兩千多年來，名言總是名言，源遠流長，永垂不朽；古今中外諸先聖先賢，用字雖稍有異，但其意義却大致相同。而似乎並不是偶然的巧合，因是出乎人類大致相同的智慧。而此，我們可以肯定，所謂「民有、民治、民享」之說，由來已久，祇因林肯之列入著名的蓋次堡之政策性演說，和我國父之創立三民主義，及制憲時明白列入憲法第一條，而爲舉世所重者也。（完）

國大四次會議素描（一）

國會記者邀谷秘書長餐會

·本報記者張健生·

國會記者俱樂部爲澄清若干問題，特邀約國大秘書長谷正綱先生舉行餐會，事經國大交際組排定餐會，於三月一日中午在中山堂堡壘廳舉行。谷秘書長在大會散會後，立即趕來參加，出席餐會之同業達七八十人之多，餐會由國會記者俱樂部主席主持，並致歡迎詞，然後谷秘書長致詞。

谷秘書長謝意歡意

谷秘書長首先向國會記者表示歡意。他說：「國民大會原來沒有新聞組之設，所以與國會記者聯繫不夠。現在國大新聞組工作人員，係由各方面調來的，有許多地方不週到，請各位原諒。在臨時大會時，由於時間短促，代表們的問題又繁多，一直沒有與各位見面，至表歉意。」又說：

「臨時大會之所以成功，可以說是各位的協助，進而由於各位正確的新聞輿論反應，這一點非常感謝。」谷秘書長繼續說：「國大第四次會議與臨時會的性質不同。臨時會議是凍結憲法第二十七條第二項，解除國大行使兩權的限制，並且有了具體的行使辦法。關於行使兩權的問題，第二、第三次會議，國大代表們對行使兩權都有要求，而且是熱烈的；這次臨時會能圓滿的達成任務，平心而論，這不能說不是民主政治運動是漸進的。雖然不能立即可以行使兩權，但這是一種進步的可喜的現象。」又說：

「臨時會成功有兩大要素：一是總統的德望；一是各位的合作。這個適當的結果，是由於各位正確的報導而來的，所以我要特別感謝。」又說：

「國大第四次會議，是依據憲法第二十九條規定召開的。該條規定國民大會於每屆總統任滿前九十日集會，由總統召集之。其主要的任務是選舉第四任總統，所以它的政治意義很大。其任務很鉅艱。」

國會記者提五問

至此，谷秘書長便與記者們一起開始用餐，大家邊吃邊談。國會記者所提出的問題，歸納起來計爲：（一）新聞組對應該發的資料而不發，如有問題請教時，不是一問三不知便是愛理不理的樣子。（二）國大新聞組重視台北同業，歧視外縣市同業，這種態度應不應有？（三）觀念不清，認識不夠，且失立場，所謂新聞組；應爲新聞同業解決問題，故新聞組非官府衙門，然實際正與此相反。（四）外傳新聞組招待國會記者到新北投上酒家，帶粘娘，並且經常招待記者進餐館，希望谷秘書長一查，澄清這種不名譽的傳說，因爲這種傳說有損人格尊嚴，且對國大無益。（五）請谷秘書長對未來副總統人選的背景說一說等等。

這些問題，谷秘書長都一一的先記在一本日記簿上，最後加以答覆。他說：新聞組工作人員是由各方面調來的，朱組長是由我託沈琦與謝然之物色推薦而來的，由於工作人員名額少，所以聯繫不夠，服務不週到。這次節省事務費用達二百八十萬餘元；爲何要節省，因爲這些錢都是納稅人的汗血，應杜絕浪費。因此，我得罪不少的人，而各方介紹信達一千一百多封。我訂一個原則，由人事組決定，但我沒有用一個私人。至於外傳招待各位到新北投上酒家，預算上固然沒有這個項目，但政府官員不應該上酒家，我相信各位也不會去。我要徹查，如果有這樣的情形，一定嚴辦。同時，調整新聞組的工作人員，務使大家滿意。今後國大將考慮設置一個類似新聞組的機構，以便加强聯繫。

共黨而外沒有敵人

谷秘書長說：「有一件事你們沒有說出來，那就是警衛森嚴。這不是防代表，也不是防記者，而是爲了防諜、防盜、防火。」他說：「我生平除共產黨而外沒有敵人」。

關於副總統人選的問題，谷秘書長說：要到三月七日召開的中國國民黨三中全會時，才能揭曉，「現在我也不知道到底是誰呀！」

記者按：副總統人選問題，外傳有七人之多，到底提誰的名，誰也不清楚。大家都在推測說很可能有「黑馬」。

滬海異趣談

百二十年存款故事

桑雅

大家還記得幾乎使賭城蒙地卡羅的銀行破產那個賭徒嗎？他叫查理士·威爾斯。但現在，不妨認識另外一個人，他是五十六歲的約翰·法蘭西斯·波寧。他究是什麼人呢？他不過是一個爵士音樂家，不過，他可能成爲使英倫銀行破產的第一人。

爲什麼呢？如果你前往英倫銀行，那些負責人不會答覆你的問題的，但如果你前往訪問波寧本人，便不同了，他會詳細對你述說這個經過。他鄭重對你說，是英倫銀行欠了他四億鎊。

這從何說起呢？據波寧的口述，原來他的曾祖父曾於一百二十年前，把二萬八千鎊存入英倫銀行，但直至現在，一直未提取過。那麼，連利息在內，便達四億鎊之數了。

本來，這類事件，銀行方面每年都會遭遇到兩三宗，但每次都證實對方不外經濟漢或騙子。但這次波寧事件，有點不同了。

在過去九年內，波寧本人搜集了不少文件，它們是可以充分證明是英倫銀行欠了他的錢。

至于波寧本人初時又怎會知道這一回事呢？那是一九五七年三月間的事——當時他住在芝加哥北區，忽然收到一封信。寄信地址是加拿大的蒙特里銀行，內容是要求清理帳目。銀行方面有關尋死者佛特力·波寧，一八八〇年，有關他的消息便消失了。其存款數目約有一千二百美元（即四百鎊）。

當然啦，同樣的信件，同時寄出給世界各地姓波寧的人；但芝加哥每週入息一百元的波寧收到後，肯定相信自己便是信中所提那個人。波寧立即行動，他往米執安州的一個市鎭，那便是他曾祖父的出生地，他往人口局調查，看看有何紀錄。他調查不到任何線索，但他不氣餒，他直接前往墳場找個水落石出。

一天早上，在奇奈公衆墳場內，波寧果然找到了一塊四呎長的碑石，幾乎埋沒野草叢中，碑上刻字已被歲月蝕掉不少，不過仍隱約可見——佛特力·波寧，死于一八八一年二月十日，享壽五十七歲，十月零廿日。」波寧發現了這塊碑石，使他喜出望外。

現在，他要做的事是找到他出生的證明；既然有了逝世日期，那麼，當局很容易追查到死者的出生正確的地點——曉爾斯頓爾。他立即飛馳往該地，找到人口登記處的多莉絲·布絲，她是一個老處女。

她聽了波寧的故事，十分感到興趣，乃自願幫忙他找尋資料。同時，波寧又在該地的墳場打轉，找尋祖父的下落。說起來，一切都很偶然——那天下雪，他的汽車滑跌，撞倒一塊碑石，一看之下，正是踏破鐵鞋無覓處，得來全不費功夫，上面刻着的名字是阿披基·波寧，旁邊便是她的丈夫。

于是，他的身世逐漸明朗了。佛特力是一個富有子弟，文件證實他在曉爾斯頓爾這個地方，擁有二千八百四十二畝土地，現在，在這些土地上，已建了不少房舍。當波寧要求他們拿出地主的證明，他們拒絕，並以召警爲威脅。

幾經辛苦，波寧終于發現了一個事實，根據佛特力的稅務紀錄，他有一個信託戶口，是在英倫銀行的。也許連天公也同情波寧，一場雷電，把郊外一間古老木屋劈開了，裏面發現了佛特力的信札及日記，這幢屋子也是他的，那是一百年前的事了。

那麼，目前的屋主呢？眞是太巧合了，那使人更難以置信，那便是幫他忙的布絲。些文件指出佛特力當年每月都收到英倫銀行方面寄來的利息存摺。計算之下，波寧統計存款約達二萬八千二百五十鎊之巨。但自一八四八年到目前，未付過利息，豈不達四億鎊之數？

在英國的檔案紀錄，波寧的祖先是約翰·波寧，一八〇三年是倫敦市長。佛特力·波寧，他的銀行是一八二六年與英倫銀行合併。還有彼得·波寧，是一七〇〇年東印度公司的董事長。波寧得到上列資料，便立即飛往倫敦——是去年二月十四日，他往見英倫銀行的總書記，說明來意。但銀行方面拒絕付款，理由是，他們翻查紀錄，並無此項存款。

波寧不得不請西門律師，代爲辦理這事，他相信是可以勝訴的。波寧對記者說：「英倫銀行方面無需一次過把欠款項付清的，這點我很通情理。他們可以每次付百份之四，即每年一千三百萬鎊。」

目前，波寧已計劃如何動用這筆橫財：一部份撥歸慈善機構，在芝加哥建修道院，在倫敦建孤兒院等。

憶緬甸南北兩個城市——毛淡棉與密支那

夏曰本

緬甸有兩個地方最使我念念不忘，其一是南緬的毛淡棉，另一是北緬的密支那。後者更足使凡爲黃帝子孫者發思古之幽情。

毛淡棉是緬甸南部的主要都市，位置在薩爾溫江的出口處，濱臨馬達班灣，是一個既有好山，又有好水的海港城市。那裏的山水像我國廣西的桂林；其海港有如山東的青島，秀氣得很。確是緬甸的風景區，人間的佳境。

棉城四周都是山，但最引人注目的，便是橫亘於棉城平原的毛淡棉山。它是由無數此起彼伏，若斷若續的丘陵岡巒組成的。遠遠望去，宛如一條游龍。每一座山頂都建有浮屠，涼亭，僧舍，舍利塔；汽車可直達高峯，踞坐其巔，全市景物，盡收眼底。那停泊在薩爾溫江面的各式各樣的大小船隻，那隱藏在椰林、芭蕉林中的教堂，學校，住宅，那開放在半山之間的雲霞似的孔雀花，勃斗花，緬桂花，爲遊客繪上了一幅色彩鮮明的「南洋風情」畫。

清晨，當你遠眺淡淡的遠山，你常會看到一絲絲的白雲繚繞於具有人形的奇峯危石之間，像泰戈爾筆下披着輕紗的印度女郎；像敦煌壁畫中的飛天仙女；像芭蕾舞劇天鵝湖裏輕盈妙曼的姑娘；輕綿綿的，輕飄飄的，鬆散散的，彷彿正在虛無飄渺之中冉冉而降。似是夢幻！但如又是眞實的，美妙極了！

[illegible]

千里達嘉年華會記

漢松

英女王伊利沙伯二世與愛丁堡公爵在最近訪問在西印度羣島的各英國屬土，受到各地人士的熱烈歡迎。他們對於千里達人表演的音樂和舞蹈，是最爲讚賞。英女王更說在去年英國舉行的英聯邦藝術節，千里達的歌舞團得到最好的評論。這次她到千里達，能夠看和聽到羅賓和更好的表演，使她和她的夫婿永遠留存一個最甜蜜的記憶。當地人士認爲英女王能夠在事前編定更適合的旅程時間，剛在他們舉行每年一次的嘉年華會時來到，使得場面更熱鬧。

嘉年華會在西印度羣島、中美洲和南美洲各國是一個瘋狂的盛大日子，各地舉行的日期雖有不同，但大多數是在天主教的聖灰瞻禮前兩日舉行。聖灰瞻禮都是在星期三日，但在每年的日期不同，今年是在二月二十三日。在這一天天主教神父要把聖枝灰祝聖，抹在他自己和教友們額上，提醒他們是從土裏來的，將來也要回到塵土裏去。所以大家要痛悔已往的罪過，多多做補贖。在這一天就是封齋期開始，在從前的教規是比較嚴格的，一般人從這天起直到耶穌復活節爲止，要節食而不得吃肉類，同時不能舉行歡樂宴會等等。所以在開始封齋的前兩天，要舉行狂歡，因爲在過後就要沉默一個多月了。聖灰瞻禮的前一天也叫做懺悔星期二日。

在千里達的嘉年華會開始於那們海島，西班牙人統治的時候，跟天主教會的宗教慶祝儀式有大的關係。但在法國革命時，有許多法國人逃亡到千里達居住，獲得很深刻的印象，所以在今日，加力騷所用的字眼，解釋那些舞蹈和嘉年華會的特別節目都從法國而來。嘉年華會開始於懺悔星期二日的前一天，它繼續直到懺悔星期二日的午夜十二時爲止，其時，特別的鐵桶音樂隊停止演奏，所有盡情歡樂的人拖着疲倦的身體回到家裏去，但在每一個人的腦海裏都計劃明年的嘉年華會。

在各種傳統的假面具和沒有戴假面具的跳舞，鐵桶音樂和加力騷歡曲都最受歡迎。但特別受大衆注意的是奇趣的嘉年華會的服裝，作水手，紅印第安人，蝙蝠，小丑，乞丐，燒火伕，盜賊和龍等等打扮化裝的人，在街道上遊行，由多隊音樂隊先導，也有許多穿着美麗衣服或奇特的衣裝隨行。戴面具的人都不時移開呼吸新鮮空氣。每一年參加的人都勾心鬥角，設計他們所穿的衣裝更爲華麗，面具更爲趣緻。在從前的日子，祇有富有的人能夠負担得起，普通人都穿着相傳下來的衣服，粉紅色，藍色或白色的印第安人，軍人或是小丑。今天有不少人費三百到一千美元定製一套嘉年華會的衣裝，其中有花一年時期來設計和縫製而成。奇趣的服式現在是十分普遍的，一個化裝的紅印第安人所戴的頭上裝飾，有高達十呎到十五呎的，那是用籐架，羽毛和彩珠的裝成，雖然并不很重，但佩戴者要不時取下來憩息。除了人物之外，更有人高舉各種用紙或布紮成的魚類和獸類等等。統而言之，現今的嘉年華會是將過去的傳統與未來的新花樣來作比賽。

新三國

中央的權臣專朝，貪威橫恣。地方官員也是阿附權貴，賄賂公行。唯有權貴享樂，小百姓只是倒楣的一份子。要改革這種政風，不是簡單的事。一個人起來硬幹那是非常危險的。曹操是絕頂聰明，人物，經過十餘年的官場，認清了「官場現形記」。所謂「雖有智慧，不如乘勢」。曹操這一番走得漂亮。

在他一段官途上，曹孟德表現得的確不錯，是一個有正義感有作爲的青年官吏。以他的才幹，最好是作一個職司監察的刺史。可是他並沒有一步登天，由地方官一步一步幹起來。在這段政治舞台上，他領悟到權力的重要，也懂得權力的可怕。曹操做到學而優則仕，仕而優則學」。做了一陣官，得了一些做官經驗，又來讀書，這對於他來說是有很大好處的。如果照他那青年時代的一股硬派作風，衝勁，一直幹下去，恐怕沒命了。

曹操在故鄉讀書的時間，尤有一件可稱的事。原來有冀州刺史王芬，是一位有大名於當世的人，和南陽人許攸，字子遠，另一個安徽宿縣人周旌，連結了一批豪傑義士，因對當局不滿，要想廢掉靈帝，立合肥侯（是誰無可考），將此事與曹操商議。曹操不同意他們的做法。曹操並不是滿意靈帝的政府，而是因爲王芬等人所計劃的政變根本不可能成功。雖然靈帝不好，但是廢立之事談何容易？弄得不好，不但滿族受禍，可能要大流血。曹操不同意他們的政變，是因爲他們的力量不夠。所以他對王芬等人說：「……今諸公獨見曩者之易，未覩當今之難。……造作非常，欲望必克，不亦危乎！」可見他不同意的理由。王沈的「魏書」却大大的歌頌一番曹操這一見解，值得稱頌。王芬等稱兵，聲言廢靈帝，帝敕王芬罷兵，不久又徵他進京。王芬當然不敢去。可是響應者無人，只好丟了官印逃亡，到平原就自殺了。許攸這人少與曹操、袁紹是好朋友，經過曹操的相勸，可能他知難而退了，不然他不會活到被曹操所殺。許攸初事袁紹，紹敗後歸曹操被殺掉。曹操在此悠閒歲月中，正是待時。暫時讓他等待，回頭再說外戚何進與宦官的一場惡鬥，引入了一隻豺狼，漢室的江山，就是引狼而亡了的。

七、何進與蹇碩的一場鬥爭

漢朝的天下之「分」，可以說是「分」在最後一次外戚與宦官之爭。何進想威脅他的姐姐，結果把一頭豺狼引了進來。天下從公元一百九十年開始，一直亂到晉之一統，即晉武帝太康元年，（公元二百八十年，）足足鬧了九十一年的紛擾。說來何進眞是一個大糊塗虫。

何進是一個什麼樣人？應當有所交代。何進字遂高，南陽宛城人。他的異母姐姐被選入掖廷，初爲靈帝貴人，有寵。拜何進爲郎中，旋遷虎賁中郎將。不久外放，爲潁川太守。靈帝光和二年，（公元一七九年）何進的姐姐立爲皇后，又把何進調回京師做侍中河南尹。中平元年（公元一八四年）黃巾張角起事，拜何進爲大將軍。（十六）

教部劇社第一聲（續）

也許前面有旦角戲。我的希望，祇要常唱，時常唱，特別是關文蔚有一齣焚棉山，假以時日，足使大家看看。在過去的慣例，許多票社犯一毛病，往往是少數人的自我消遣，別人輪不上去，廢然而退。於此希望教部以爲前題，要大羅全市名票，大家陸續獻演，以期更爲廣大，多采多姿。否則僅是三四人的模樣，便不像「國立」的氣派與格局，是望執事諸君有以深思之也。

國劇繽紛續錄（七十五）

姿婆生

蓮芝漸深研

干城劇團這次公演，將徐蓮芝的戲碼安排爲殺安站，青衣戲有宇宙鋒，花旦戲有紅娘大劈棺，小生而兼花旦的貂蟬，接白門樓，在台北僅王復蓉演過，徐姝如此演來，頗有多采多姿之態，較其旅台北時已吐氣揚眉。自從瀟湘夜雨演唱成功，加之干城對其力加愛護，曾指派該隊應多使演青衣戲，使其改進作風，以活潑而走端莊，期成完才。此次已部份實現，下次將促其演金毛會審醉酒，更多增色。徐姝能演之戲不下有四十齣，在目前的坤旦，尚少有這樣人才，三年以後，相信更有大成！

大劈棺爲以往吳素秋、童芷苓等成名作，北市伶界坤旦很少有演者，亦未極精的功夫，徐姝對此戲已揣摩多年，今始復重排，增加氣氛，作大膽的嘗試，試看前後的功力，頗夠水準，不負所望。她還有大聚屏山亦頗不賴，前在紅樓看過，大概第三輪中，將請組長隊長再令其試試，我曾以實實劇藝，爲主觀要求，想其必試演，也許此充分努力以赴，要求成名，必要做到，尤其崑曲也必定要學，方可說文武崑亂不擋，如研學思凡、遊園驚夢、刺虎等，恃必需會演。因漸入深研。

談薛家將

幾年前會與名票數人談到如薛家將，却迄無人連續演出，而薛丁山的紅鬃烈馬，則屢見不鮮。以往名伶言菊朋以讓子稱，劉鴻聲以舉鼎觀畫擅長。台北的北派老伶有唱馮，伶界祇李金棠、周正榮唱過，沈老擅唱，獨彈，相信其餘的以爲此種戲沒而不爲之，無他人前次干城北來公演，可，又將連演事告長，何妨試一試。干城的安排，大概是前面爲薛剛鬧花燈，以後，隨接法場換子，觀畫跑城，由周麟崑任之。我未曾看過麒派的觀畫，據有位票友相告，與譚派的不同，要看後始知。至於跑城則家喻戶曉，看了多次，也惟麒氏獨精。麒崑以年老，麒氏的弟子，當不輸於乃師，他當自。讓麒氏或精力不夠，（但相信不致）那他（未完）

出洋八景

巴伯

老友王雄白來臺，見其左中指纏紗布，問故，答以係「車門傷友」故事重演。此語殆有典故，出自蜀中舊事，頗爲發噱，將其敘出。

爰投共之劉文輝，在四川防區時代縱據川西，統率二十四軍，據地自雄，爲擴充軍力，派其親信軍需處長某赴滬購買軍火，此公足跡未出夔門，初次啣命出國，道經上海，笑話百出，誠所謂道地「土包子下江南」也。都其事跡，會盛傳一時，資爲談助。謹錄之以資自由報副刊。惟年久記憶容有訛誤，馬五先生熟知蜀中掌故，如未知有以匡正否耶？

第一景　水淹大東

某抵滬，寓大東旅社，賃一套間，附有浴室，開啓熱水龍頭，某不知關閉，任其溢出，由浴室而寢室，而走廊，洋洋乎浸及全樓。某亦在浴室內大聲號叫，驚動茶役，將其救出。

第二景　旅社罵茶

晨起呼茶役拿「報紙」來，侍者拿「包子」一盤進，某大怒，罵侍者爲蠢豬，我叫你拿報紙，朗個拿一盤「包子」？旋指几間昨夕之報紙曰：「我要的是這個報紙！」侍者狀至驚愕，答曰：「啊！儂要申報紙，拿申報紙好啦！儂以爲儂肚皮餓要吃包子哩！」某更氣，又罵：「你當啥茶房，話聽不清，眞該死！」侍者曰：「啊！儂要開水（滬音讀如KAI-SHUI）就拿開水好啦，爲啥要發格大脾氣？」

第三景　一品驚艷

某不諳英文英語，出入公共場所尋覓洗手間時，見所示者爲英文，標明男用女用，但不知選擇，友人告以簡單識別方法：凡英文字長者：「GENTLEMEN」爲男用，字短者「LADIES」爲女用，至簡單，某其牢記於心。某夕應友邀赴一品香吃番菜，內急，即赴洗手間，門上寫英文字「MAN」爲短，另一門上寫英文字「WOMAN」爲長，乃昂然至字長之門推門而入，適一西婦正擬其肥臀坐落，大驚失色，西婦亦發現莽漢闖入，怒不可遏，直衝而出，立賞以耳光兩記！某難堪窘態萬狀，返身而退。

第四景　舞場碰包

某夙慕上海舞場情調，某夕央友偕其至舞場跳舞，目迷五色，耳迷五音，大樂。遂偕舞孃下舞池學步。某初不知舞池地板光滑，踉蹌轉顚，一跤摔在舞池上，狀若餓狗吃屎狀，扶起後額間墳起，現一青紫大包。

第五景　車門傷友

某友乘汽車至旅社來訪，某親送至樓下，並攙扶其登車，友正向其揮手道別，某則迫不及待迅將車門關上，恰將友之手指壓住，致受傷不輕。是爲「車門傷友」之一幕。

第六景　落海留洋

某寓滬時，忽遊興大發，至吳淞炮台瀏覽吳淞口景色，且乘小舢板遊港口，不愼失足落水，幸爲出海之日本商輪救起。惟商輪已出口不能返棹，遂隨輪攜其赴長崎，抵埠後又爲其購票乘另一日輪送之返滬，某得免費來往滬日一次。

第七景　隔玻吐痰

某抵法，聞巴黎有玻璃屋，甚有名，亟往觀光。至則果然有一玻璃房，且可購票欣賞色情表演，某嘆爲奇觀，逸興遄飛之餘，忽痰擁喉間，不吐不快，乃噴口一吐，全貼於玻璃之上，爲鄰座客糾舉，罰款後已。

第八景　佛堂按丫

軍人至暮年嘗多佞佛，一以趨吉避凶，一以示懺悔之意，某固未能例外。於宅邸設有佛堂，晨夕拈香頂禮，並持唸珠，朗朗宣佛號，習以爲常。自出洋歸來後，仍恢復舊日功課。某日，正在佛堂功課時，侍婢捧點心以進，某見侍婢荳蔻年華，婀娜婷婷，忽然獸性大發，即以強力將侍婢推倒於蒲團上，意圖非禮。婢驚愕不已，又不敢公然抗拒，惟仍不免掙扎，相持間聲達戶外，爲大婦所聞，排闥而入，始將醜事驚散。然此事已爲僕婢所盡悉矣。

宋名賢宗澤其人其事

東山

宋賢宗澤，字汝霖，義烏人，元祐進士，有文武才。二帝北狩，以副元帥從磁州入援，屢戰皆捷，徙知開封府，入進東京留守，北方呼爲宗爺爺，金人不敢復犯東京。澤前後請帝還京二十餘疏，俱爲姦人所抑，澤憂憤成疾而卒，謚忠簡。有宗忠簡集。澤之節義，自足千古，固不能以文臣目之。澤自幼豪爽有大志，靖康元年，以陳過庭等列薦，充和議使，澤曰：「是行不生還矣」。或問之，澤曰：「敵能悔過退師，固善，否則安能屈節北庭以辱君命乎」。勤王之議，首倡之，但爲汪伯彥等所抑，衛南之役，澤度將孤兵寡，不深入不能成功，因下令曰：「今日進退等死，不可不從死中求生」。士卒知必死，無不以一當百，斬首數千級，金人大敗，退却數十餘里，澤計敵衆十倍於我，今一戰而却，勢必復來，使悉其鐵騎夜襲吾軍，則危矣，乃暮徙其軍。金人夜至，得空營，大驚，自是憚澤不敢復出。澤再上疏曰：「天下者，太祖太宗之天下，陛下當兢兢業業，思傳之萬世，奈何遽議割河之東西，又議割陝之蒲解乎？自金人再至，朝廷未嘗命一將，出一師，但聞姦邪之臣，朝進一言以告和，暮入一說以乞盟，終至二聖北遷，宗社蒙恥，臣願躬冒矢石，爲諸將先，得捐軀報國恩足矣」！上固寬其言，壯之。此其氣概，而謂文臣可擬之乎？澤降賊，尤有遠略，時河東巨寇，擁衆京城，澤單騎馳之曰：「朝廷當危難之時，使有如公一二輩，豈復有敵患乎？今日乃汝立功之秋，不可失也！」善感泣曰：「敢不效力！」遂解甲降。復有楊進，擁衆三十萬，王再興、李貴、王大郎諸寇，各擁衆數萬，往來京西，淮南，河南，北，侵掠爲患；澤遣人諭以禍福，悉招降之。此其智略，誠有足多者，而謂文臣能之乎，又請斬張邦昌、耿南仲輩，以謝天下；梟李景良、郭俊民之首，以安人心；斬趙世隆，以肅軍令；澤之威名，遂以大著，北方聞其名者，常尊憚之。澤之忠誠，能感人及物，故陝西，京東、西，諸路人馬，咸願聽其節制。岳飛初隸麾下，犯法將刑，澤一見奇之，曰此將才也。會金人攻汜水，澤以五百騎授飛，使立功贖罪，飛大敗金人而還，遂升飛爲統制，飛由是知名。飛之功名，實由澤成之。方金人逼二帝北行，宗社失主，澤攘臂一呼，而河北義旅，數十萬衆，若響之赴聲，蓋由澤之忠忱義氣，有以風動之。似不當以其文德，而掩其武略也。

中國唯一的女皇帝

武則天

「影劇與歷史」之十七

周遊

武則天電影由李麗華主演，有人說她把武則天一角演活了；劇情大致與歷史吻合；但未免太過顯示武則天的「了不起」，即儘量表現其能，而避其淫亂之事，則不可不知。中國歷史上的女人，武則天該是最幸運的一個，在幾千年當中，在億萬的女性中，只她一人竟以「唐」之國號，自爲女皇帝十二年。她是女人中唯一無二的女皇帝。但是，無論你是什麼人，名氣高了，誹謗亦隨之。何況在中國幾千年男性社會的歷史，認爲女人干涉政治，已是絕對大逆不道的，更何況女人而竟掌握政權？故武則天道女人，無論她「有什麼了不起」，也難免成爲衆矢之的。無疑，凡是一切不好聽的名詞，都可以集中在她的身上。而女人最不易得人原有的，就是「不貞」。「不貞」也是攻擊女人的最佳武器。武則天之被渲染爲萬惡不赦的淫婦，又何足怪哉？駱賓王替徐敬業寫的「討武氏檄」中，就有「洎乎晚節，穢亂春宮。潛隱先帝之私，陰圖後房之嬖。入門見嫉，娥眉不肯讓人。掩袖工讒，狐媚偏能惑主。」等句，多麼沉重。其實，所謂穢亂春宮云云……不過是指她原爲唐太宗才人（宮中職位）。高宗爲太子時，入問太宗疾，和則天一見鍾情。太宗崩，則天削髮爲尼。高宗時蓄髮入宮，旋即爲皇后，政事悉爲她獨攬。這段歷史記載雖然很簡單，但亦不難看出：高宗和則天相愛之深。削髮爲尼的一段經歷，包含着多少悲歡離合！這在小說上眞是夠纏綿悱惻的。

但是，除了她的美貌之外，還有她更可愛可佩之處。而亦因此一來，她的才能，便成了所謂「狐媚」了。如果要以當時中國的傳統道德而論「道德」，我以爲唐高宗就是一個「大逆不道」的傢伙！武才人明明是他的父輩，他偏要納她爲妻，難道天下的女人死光了麼？後來一切政事悉委於則天，爲他處理，武氏乃乘機大封武家班底，培養「特務」，李治竟不知不察麼？我可以這樣說：「周武的十二年江山是李治自送的」。武則天原本不過是想做一個皇后就至矣極矣，她連做皇帝夢也沒有想到，到她居然能做皇帝！可以了解，在她的腦海中，根本就沒有女人做皇帝的可能，更不知道世界上有女皇帝這回事。讀者們以爲然否？

唐代以後，人們更是無所顧忌的攻訐武則天。民間傳說，武則天死後，她的老皮囊還被人姦了一次，恰好湊成姦夫百個的數字云云。甚至史籍憎恨她，於此可見。「人心」之記載，亦謂當時奏章公開推薦面首而有「其物甚雄偉」等褒語，其實是難以令人置信的。不論武則天的私生活如何的放浪，但在公開的場合，何致於那樣不顧自己的尊嚴，那個臣子又竟敢在奏章上寫「其物甚雄偉」的話呢？在下面不再多說，再把武則天的歷史敍述一點。（一二）

艷星談性感集粹

林錚譯

森瑪小姐說：「我很自傲我的半裸照片能在越南反共產的神聖戰爭中成爲美軍以及盟國健兒們的床頭前貼女郎，我有這份榮幸能提高自由戰士的意氣和調劑他們思鄉心切以及其他心靈幻覺上的慾望滿足，是我畢生最大的光榮，這是神聖的。可是，我堅決反對在銀幕上做邪蕩性的胴體暴露，甚至以色情來滿足觀衆，那是可恥而低級的事。因此，我在選擇影片劇本時，對這一點非常重視。」

近二年來，一直在影城好萊塢拍片的法國籍紅星克勞黛阿加汀娜CC小姐，却是位反對性感賣弄的肯春女星。最近好萊塢一直謠傳她跟佐治查格里斯由於攜手拍過二部影片而過從甚密，艷聞頻傳。關於性感的看法，CC小姐對訪問記者說：「無可否認的，今日電影觀衆對性方面的表露影片極爲熱中，這並非好現象。我一向認爲性是私人之間的事，亦是秘密的；一公開了，似乎就成了罪惡之源。所以，我反對性感在銀幕上的大胆暴露和猖獗。可是事實上，今日的影片，莫不以性感來作號召的手腕，尤其歐洲新潮派影片尤甚。就因爲我不太願意接受色情性感的劇本，我來到了美國拍片，這引起了不少法國國內人士的指責的抱怨。我很遺憾他們不諒解我，但我相信總有一天他們會了解我的。（三）

自由報
THE FREE NEWS
第六三四期
中華民國僑務委員會頒發
台數新字第三二三號登記證
中華郵政台字第一二八二號執照
登記爲第一類新聞紙類
（半週刊每星期三、六出版）
每份港幣壹角
台灣零售價新台幣貳元
社　長：雷嘯岑
督印人：黃行簪
社址：香港銅鑼灣高士威道二十號四樓
20, CAUSEWAY RD 3RD FL.
HONG KONG
TEL. 771726　電報掛號：7191
承印者：大同印務公司
地址：香港北角和富道九六號
台灣分社
台北市西寧南路壹壹零號二樓
電話：三〇三四六
台郵撥儲金戶九二五二

台灣實施都市平均地權問題

・楊力行・

一、前言

國父在民生主義第一講中解釋「民生」的意義說：「民生兩個字是中國社會向來慣用一個名詞；我們常說甚麼國計民生，不過我們所用這句話，恐怕多是信口而出，不求甚解，未見得含有幾多意義的。但是，今日科學大明，在科學範圍之內，拿這個名詞來用於社會經濟上，就覺意義無窮了。我今天就拿這個名詞來下個定義，可以說：民生就是人民的生活，社會的生存，國民的生計，羣衆的生命便是。我現在就是用民生二字來講外國近百十年所發生的一個最大問題，這個問題就是社會問題。」

我們遵奉國父遺教研究民生的意義，可以把他分成廣狹二義：狹義的就是個人的生命，亦即「人民的生活」，也就是食、衣、住、行、育、樂六大基本需要。廣義的就是團體的生存，亦即「社會的生存，國民的生計，羣衆的生命。」社會的生存就是社會組織的方法，社會進化原理，和社會計劃，國家土地政策，國民經濟建設等重要經濟發展。羣衆的生命就是民生的歷史觀，天人合一的人生哲學，互助進化的社會觀的重要精神建設。

蔣總統曾說：「人民至上，民生第一！」國父在民生主義中首先提出解決土地問題的辦法，就是「平均地權」，務求作到「地盡其利」的「均富」境地。由此可知「平均地權」爲國父偉大的政治理想，也是理想的經濟政策之一。台灣省奉行國父遺教，不遺餘力，自民國三十八年政府播遷來台後，首先實行「三七五」減租，繼之以「公地放領」，完成「耕者有其田」政策；十餘年來恪遵蔣總統英明領導，又進一步實施「都市平均地權」，且列爲首要工作。茲特簡述台灣省實施都市平均地權概況，以供海內外讀者參考。

二、立法經過

（一）五十三年二月六日，總統明令公佈修正的「實施都市平均地權條例」。

（二）五月五日經台灣省議會根據上項修正條例，通過修正台灣省施行細則。

（三）六月二十七日台灣省施行細則呈奉行政院核定修正。

（四）六月二十九日台灣省政府正式公佈，完成了立法程序，作爲本省實施都已平均地權工作的依據。

三、重要內容

（一）規定地價——各縣市政府及陽明山管理局對於轄區內的都市土地，先期辦理地籍測量及土地登記。先使地籍總歸戶，而後分別區段調查並評議規定統一地價，予以公告，由土地所有權人按宗自動申報。

（二）照價征稅——地價稅採累進制，其累進起點，以各縣市局都市土地七公畝的平均地價爲準（不包括工廠用地及農業用地），徵收稅率按申報地價千分之十五，加至千分七十爲止。自用住宅面積三公畝以內，則徵收千分之十。爲防止操縱，對於不在地主的土地，其地價稅予以加倍徵收。

（三）照價收買——申報地價低於公告地價百分之八十以下者，由政府照價收買。每戶地價在一萬元以下者，全部發給現金，超過部份則以債券償付。土地所有權人如有改良土地情事，其改良費用及已繳納的工程受益費，均併入地價內計算。

（四）漲價歸公——都市土地所有權人自行申報地價後，土地的自然漲價，以徵收土地增值稅，逐漸收歸公有，其稅率如下：

1土地漲價數額超過原規定地價或前次移轉時申報的現值數額未達百分之一百者，就其漲價總數額徵收增值稅百分之二十。

2漲價百分之一百未達百分之二百者，徵收增值稅百分之四十。

3漲價百分之二百未達百分之三百者，徵收增值稅百分之六十。

4漲價百分之三百未達百分之四百者，徵收增值稅百分之八十。

5漲價百分之四百以上，超過部份全部收歸國有。

（五）土地使用——縣市政府對於都市計劃範圍內及其新擴展地區所需土地，得限制其使用人爲妨礙都市建設的使用，同時得視都市建設發展的需要，選擇適當地區，實施區段徵收，加以整理分割，分宗出售與需要建地的人建築使用。

四、實施現況

（一）公告并申報地價——台灣省政府五十三年七月十日公告全省六十個實施都市平均地權都市的地價，七月十日結束，綜計各縣市局應申報七十七萬二千九百五十筆，已經由土地所有權人自動申報的，達七十五萬零二百三十七筆，申報率達百分之九十七．〇六。

（二）開始徵收地價稅——台省府接受省議會建議，呈奉行政院核定，五十三年上期地價稅，暫仍按照地價及舊稅率征收，以後自當逐漸依照新定地價及新定稅率辦理。

（三）低價土地一律收買——台省府依法對於低報地價達百分之八十以下的土地，決定一律照價收買，現已籌撥土地三百萬元，另發行土地債券一億元，交由土地銀行發行，各縣市局辦理。

五、未來展望

都市平均地權的目的，在使社會達到均富，安和與樂利，並謀地方建設的發展，依社會福利條例的規定，將漲元歸公的收入，供有幼、養老、救災、濟貧、衞生等公共福利事業，與興建國民住宅及公共福利建設之用外，至於都市平均地權所增地價稅的收入，原則確定爲社會福利基金，選擇當前迫切需要的社會福利事項，對於需要的地區情況加强辦理。爲此台省府已就下列初步擬訂的要點，研究具體實施的辦法：

（一）加强輔導國民就業，舉辦職業訓練，以增加國民就業人力調查及就業輔導的條件，並辦理量調查，調劑人才供求。對失業民衆必要時，得爲臨時性之收容或調集，採以工代賑方式，興建各項公共工程如道路、水利、清理環境衞生等，使人力資源合理使用，發揮高度效能。

（下轉第二版）

燒殘的腊燭

大掃除

今日與明日

蘇加諾終於倒了

被西方國家稱爲第三世界最聰明的人（實際是最狡猾的人）蘇加諾，終於聰明自誤，在左支右絀情形下，把政權交給軍人。至於這次是眞心移交，還是被迫作一個這樣形式，以完成法律手續，目前還不太了解，但是無論如何，蘇加諾的統治是結束了。這位自稱印尼「革命的偉大領袖」，最後却成爲革命的對象，想起西非洲那個「救世主」恩克魯瑪，目前已成了喪家之犬，銅像進了造幣廠，座石也交給了壓路機。當年所謂中立國五領袖，尼赫魯早已焚骨揚灰，還留下一個無法收拾的爛攤子，禍延他那位寶貝女兒；恩克魯瑪，蘇加諾相繼倒台；剩下的納薩狄托「還能消幾番風雨」？當年以買空賣空而起家的人，目前已似秋後黃葉，自然飄零了，誰說天道無知呢？

蘇加諾有必亡之道

當年的「中立五鬼」論人品以尼赫魯爲最壞，論行爲却以蘇加諾爲最荒唐。照蘇加諾的行爲，若在民主國家必然是當政三月就會被議會推翻，但在印尼却竟然執政二十年！實不是由於蘇加諾的手段高，實在是因爲印尼人民的知識過於低落。雖然如此，也終於有一天忍無可忍，爆發了全國性的反共運動，由反共而反政府，把火頭燒到了蘇加諾的身上。

歸結這次蘇加諾倒台的經過，可以說百分之百的是咎由自取。當九卅事變之後，印尼陸軍雖然大舉清共，但對蘇加諾個人並無敵意，假若蘇加諾眞的明辨是非，以國家爲重，毅然下令宣佈印尼共產黨爲非法組織，盡逐左傾政客，回到自由世界，全力解決經濟困難，則其地位尚可保存一個時期；最低限度也還不失爲一個改過之鬼。

但是蘇加諾却自感日暮途窮，寧倒行而逆施，仍然要擺出左傾姿態，維持權力平衡，免去納蘇賢的國防部長職務，重用共黨隱蔽黨員蘇班特里奧，終致引起學生大示威；在蘇加諾衛隊槍殺五名學生之後，更是火上澆油，非迫使蘇加諾下台不可了。

這次學生示威有幾個重要插曲：一是毛共人員又變了過街老鼠，不但行在街上被打，就是躲在窟裏也被示威學生趕到「大使館」、「總領事館」、「參贊處」、「新華社」，打個稀爛，汽車被燒，「國旗」「國徽」被丟進毛坑，幹部被打傷多名。一是學生要燒蘇加諾的小公館，張貼標語禁止輸入小老婆，當是指蘇加諾日本小老婆根本七保子而發。更妙的是反共示威學生竟有蘇加諾的子女在內！一個人孤立到如此程度，還不倒台，寧有天理？（何如）

白談

會議的作用

開會的正當作用是集思廣益，徵取多數人的意見，以期解決問題。但是，開會的結果只見副作用大行其道，正作用徒託空談。預會的人數越多，副作用就越大，這是民主制度的致命傷！

老子謂「知者不言，言者不知」，這兩句話的意義，在稠人廣衆的會議中，表現得極具體而眞實。凡在會議中最好發言的，十九都對問題沒有深切的研究和瞭解，祇是發抒鋒頭主義，希望引起大衆注意，讓他構成出色人物而已，因而百事皆有說詞，然百事皆不知其所解。預會羣衆則以看熱閙的心情，樂得欣賞一些鋒頭主義者的表演聲色，聊以消遣，對於問題的解決，無所措意。於是乎，對問題抱有眞知灼見的少數人，祇好緘口不言，嗒然搖首太息了。

會議是一種組織體，自需要有爲大衆服務的主幹人物，以便推動工作。然在推選主幹人物時，大衆幷不明瞭誰賢誰能，但憑着主觀好惡或私人關係選擇對象的標準，而鋒頭主義者即乘機得勢，終能達成出色當行的

四十年前，我在北京參加一種人數較多的會議，有一個姓夏的青年人，誰也不知道他是幹着甚末職業，他在選舉會議主席團之前，登台大聲演說道：「兄弟姓夏，名叫夏一跳（大衆哄笑），願意替大家服務，請投我一票罷」。結果他所得的票數乃最多，這便是羣衆心理的象徵。

會議如其是臨時性的，主幹人物多半就是夏一跳之流，一哄而散，徒貽笑柄於人間。倘若是常設性的，那些極少數的主幹人物，即自然而然地包攬、把持會務，成爲寡頭專政的局面，趨於民主制度的相反路綫，而大衆亦盲從之，自己已經變成了趕羊人驅策下的羊羣，還以爲是過的民主生活呢！

因此之故，要想獲致開會的正當作用，祇能求之於人數稀少的場合，就咱們中國人的習慣看，祇要有十人以上的集會，爭論就必然興起，若有百數人參加會議，那更不得了，爭吵不已，怪象百出，民主政治之神，未有不望而却步，避之若浼者。天下事名實不符的比比然，而以開會爲尤甚，不知喜歡開會的先生們作何感想？

馮五先生

台灣香蕉產銷問題的癥結

·本報記者張健生·

省議員蔡李蕊在質詢時，「建議主席黃杰轉請中央解散外貿會香蕉輔導小組」，「而由省政府直接輔導」。她指出：「該小組將高屏地區應分配給蕉農之款，保留九千多萬元，說要補助台中青果合作社，作爲差額彌補」。但實際上是「以混水摸魚的手法，從中圖利」。因此，高雄青果合作社「在不得已」的情況下，「召開蕉農會員代表大會，準備積極抗議」。外貿會一看「情況不佳，非常着急，乃拜託省合作事業管理處長親自南下處理，同時，答應歸還鉅款了事」。從此以後，「輔導小組就懷恨在心，找機會打擊高屏地區合作社」；「爲此，暗中勾結不良華商，以種種手段，挑撥離間，使合作社與華商傷感情」。並「利用矛盾從中取利」，「或者默認華商去影响日本有力之蕉商，促進日本通產省下令組織香蕉輸入組合，限制台蕉。尤其是打擊高屏地區之香蕉，默認華商向外國購蕉輸入日本，與台蕉競爭。輔導小組不但不運用國家力量去禁止，甚至暗中鼓勵。這種出賣國家的行爲實不能容許」云云。

團結合作 一致對外

如何解決台灣香蕉外銷與實施計劃生產，以及使台蕉年產一千五百萬簍順利外銷，乃當前急務。台蕉外銷主要市場爲日本，但自去年開始，除台蕉銷日外，另外如泰國、菲律賓、越南、馬來西亞等國，以及匪區之廣東香蕉，均有輸往日本，因而台蕉由過去的求過於供而變成供過於求的滯銷局面。加上台灣產銷團體之不合作，與政府之輔導無方，豎若干商人之作祟，而使日本政府採取行動，成立香蕉輸入組合，將中日香蕉貿易之主動權奪回，致台蕉前途不可樂觀。故現在必須採取對策，政府應負促進台蕉產銷團體團結合作，一致對外的責任。其次是積極開拓日本以外地區的國際消費市場，如紐西蘭、韓國、西德、美國等地。積極籌設香蕉加工廠，並推展計劃生產，改進集貨、包裝技術，加强保護香蕉品質，減低生產成本，以物美價廉去爭取國際市場。同時，按照香蕉產季，機動調整價格而達到以價制量，調節數量，以符合外銷市場。對雙重身份之華商，如發現非法行爲時，比方購買泰蕉抵制台蕉，比方「回扣」套滙逃稅之貿易商，應立即嚴懲，以儆效尤。

倘官商勾結，有不法行爲時，監察院與治安機關應澈底追究，務使玩法者有所懼戒。如像高雄香蕉冷氣庫之興建，耗費蕉農之汗血達四千餘萬元，外間盛傳有弊端，姑不論此傳說正確與否，但有兩點，頗使人們懷疑：第一、此一龐大工程，不是公開招標，而以「估價」方式由高雄港務局「審訂價欵」而承建。在四項工程中，高雄港務局所印之小冊子中未將「冷氣設備與安裝部份」之「審訂價欵」列出，這是何故？第二、據高雄港務局說，該冷氣庫「待決問題」有五項，其中最重要的問題是「庫門安裝空氣簾（Air Curtain）」應該安裝而未安裝，這是什麼緣故？難道說空氣簾的價格比整個冷氣庫的造價還要貴嗎？由於缺少此項設備，使該冷氣庫失去應有的效用。

總之，所謂台蕉外銷之問題複雜，所謂產銷一元化，這完全是人爲之因素。由於私利重於公益，由於觀念不正確，由於措施欠公平妥當，所以問題越鬧越多了。

這是記者經過這次實地訪問所獲得的初步的認識。這當然不是專挑壞的講，而是要拿出勇氣來面對現實，以求解決問題。光說瞎話，是沒有用的。

（三、完）

印尼親共閣員 十六名已被捕

（星加坡航訊）到達這裏的報告說：包括外長蘇班德里奧在內的十六名內閣部長，已被印尼新的軍政府逮捕。

這些由消息靈通的旅客帶到這裏的報告說：一些政治領袖和廿名印尼情報官員也已被逮捕。被捕者大多是共黨或親共分子。蘇班德里奧與第三副總理沙勒正被扣留在耶加達的總統府中。

其他的被捕者，有宣傳部長阿克瑪地、基本教育部長蘇馬約以及電力部長和郵政局長。

消息說：有勢力的國民黨傑出政治家沙斯特羅米約也已被捕。被扣留的廿名情報官員，是蘇班德里奧的國內間諜網的一部份。

這些報導引述耶加達陸軍官員的談話說：「即使蘇卡諾要繼續庇護蘇班德里奧也已不再行了。」

這些報導說：新强人蘇哈圖中將和前國防部長內蘇寶將軍，似已穩定地控制全國。

關於台北大橋改進計劃質疑

香港自由報社編輯先生大鑒：

本人是　貴報忠實讀者，略具工程常識。頃閱報消息，當局即將着手改建台北大橋。事關國防交通，科學技術，謹就台灣省公路局改建計劃，提出質疑數點，敬請　貴報賜予披露。並希省公路局總工程師公開答覆，無任企感。此頌

撰安！

讀者姜正謹上

五十五年三月一日

（一）所謂「按兩百年洪水位爲計劃依據，兩端引道坡度限制，均需採用高架道路，不但經費大龐大，……暫以「百年計劃爲準」云云。請問一次完成二百年計劃與一百年計劃經費相差多少？有無精確數字，證明龐大或不龐大？

（二）如先完成一百年計劃而後抬高橋面，先進各國有無前例？

（三）公路局已否做過抬高設計？抬高橋面是否有萬全把握？請提出將來抬高之詳細設計。如在數年之內，堤防提高，該橋勢必隨之抬高。是以抬高橋面一節，不可徒託空言。因此改建之前，必須知道將來抬高橋面所需經費若干？

（四）將來抬高橋面經費，加上現在一億四千萬元，總計應需多少？已否作過精密計算？

（五）如現在一次完成二百年計劃，所需經費，是否比一百年計劃加高？究竟相差多少？

（六）如果一次完成二百年建橋計劃的技術與經費，比現在一億四千萬元再加將來抬高的錢反較便宜，是否絕無可能？應請公路局總工程師考慮後明白答復。

（七）台灣省政府黃主席，暨交通處陳處長，年來對本省交通之改進與發展，莫不悉力以赴。未知公路局對以上質疑六點，已否作詳盡之報告？

（八）茲屆國民大會四次會議在台集會，欣逢　總統蔣公八秩大壽之年，舉國一致恭請競選連任。將以建設台灣爲三民主義模範省之經驗，作反攻復國建國之張本。國家長期發展科學之目的，首重國防工程技術之改進，新建台北大橋爲國際觀瞻所繫，尤宜慎重將事，公開徵求設計圖樣，獎勵科學新進人才，運用智慧報效國家，踴躍應徵。俾可擇其最善最新最經濟之設計方案，而後施工。斷不可以落伍圖樣，浪費國帑，無視國人追求太空科學競賽之新觀念，而貽笑中外是幸。

素仰　貴報言論公正，爲民喉舌，用本君子愛人以德之義，特於該橋未招標施工之前，就科學技術觀點提出上項意見，免公路當局將來遭受省議會之責難，甚至勞動監察委員。尚望貴報披露以後，派記者訪問工程界前輩趙國華（台北工專校長）虞兆中（台大土木系主任）諸先生，對此質疑是否值得考慮？況我國青年傑出工程人才甚多，土其事者，萬不可欺天下以無知，扼殺後進貢獻國家的機會，使整個中國工程界蒙不進步之惡名。尤爲區區所盼禱！又本人所聞，我國內外青年工程師，對一次完成二百年改建台北大橋計劃，較公路局一百年計劃經濟美觀，且可節省大量器材而新穎。當此反攻前夕，一切人力財力物力，均應作合理支配，俾能一以當十，號召大陸人心，加速摧毀匪僞政權。亦庶可符合交通部沈怡部長所示一次完成二百年建橋計劃之宏謨。

國大四次會議素描（二）

行政院長應否報告施政并備質詢

·本報記者張健生·

三月二日，國大第四次會第三次大會，議程是：上午由行政院長嚴家淦作施政報告，及外交部長沈昌煥報告外交。下午檢討國是及質詢與建議。

下午之會於三時二十分開始，主席于斌。第一位發言者爲代表林紫貴，他手持「新聞天地」，指責該刊不應該該罵國大代表。說因爲該「新天」的言論，影响國大代表名譽，並損害政府威信，問政府爲什麼不採取行動，予以制裁？顯然失職。林代表要政府依法懲罰「新天」。

記者還記得在第三次大會時，台北發行的「政經半月刊」，因批評國大而引起一場風波，該刊就此「壽終正寢」。這是六年前的事。至於「新天」事件，下文如何呢？

林代表發言後，蘇友仁突然提出程序問題，質問主席于斌：政院首長爲什麼沒有列席？不聽代表的質詢，將來如何答覆？此語一出，會場秩序大亂，像台北中央菜市場一樣，你一句，我一句，七嘴八舌，嘜個不休。有的代表大喊說休會抗議，有的代表叫着散會，也有代表主張休息十分鐘。整個會場亂烘烘的，許多代表紛紛站起來。這樣的情形，僵持近十分鐘。最後，解鈴還是繫鈴人，蘇友仁代表建議主席：休息十分鐘再開會。於是主席宣佈休息十分鐘，這時已三時五十分了。

不久，鈴聲大响，代表們紛紛進入會場繼續開會，行政院長嚴家淦、副院長余井塘（國大代表）、秘書長謝耿言，在國大代表鼓掌聲中進入會場，這場風波，始告平息。

到底，國大代表有沒有質詢行政院長之權？行政院長應不應列席國民大會作施政報告，並備質詢？中華民國憲法並無此規定。誠如國大代表賈永祥所說：「憲法未規定國大代表有質詢之權，但「國民大會議事規則」第五條，則規定「國民大會開會時，得聽取政府施政報告，檢討國是，並得提出質詢與建議」。這是法規，所以很弱，然而情理上還說得過去。」

行政院長嚴家淦向國民大會提出施政報告並備質詢事，已引起立法院的注意，首先提出質詢的是立委員魏惜言，他說：「三月二日，行政院長嚴家淦上午向第一屆國民大會第四次會議第三次大會提出施政報告，下午並列席備詢。查此次國民大會集會，係總統依憲法第二十九條所召集，其職權爲憲法第二十七條所明定（選舉、罷免總統副總統，修改憲法，複決立法院所提之憲法修正案）。行政院長提出施政報告及答復質詢之場所與時期，亦明定於憲法第五十七條第一欵（行政院有向立法院提出施政方針及施政報告之責；立法委員在開會時，有向行政院院長及行政院各部會首長質詢之權）。嚴院長此次列席國民大會提出施政報告及備詢，在憲法上究竟根據何章何條？於（憲）法無據之事行政院長公然爲之，是否違憲？」

魏委員說：「據謂：嚴院長當日下午本未到會，嗣因國民大會以休會爲威脅，乃率副院長含笑到會。」而「嚴院長此次列席國民大會，是怕國民大會彈劾罷免呢？還是屈服於何種壓力呢？」

國大代表口口聲聲以代表人民行使政權而自豪，以制憲而自傲，這確是無上的光榮。然而國大代表何以抬人牙慧？何以行使職權而不遵守自制之憲法規定，將何以正人律己？爲爭所謂質詢豈不是自貶身價嗎？爲了憲政前途着想，爲了代表們崇高無上的職權着想，希望代表們不要因小而失大，不要因此而予人口實。

台灣實施都市平均地權問題

（上接第一版）

（二）擴大社會保險等，視當前社會之實際需要，逐步擴大範圍分類分期實施，使成爲有系統之社會保險制度。

（三）加强社會救助，辦理貧苦民衆老弱殘疾、孤苦兒童及各種緊急災害之救濟，並對傳染病、精神病、殘廢病患者加强防治；尤當擴大貧民免費醫療，以適應貧苦市民之需要。

（四）增建國民住宅，以利居民，並以廉租方式供應貧戶勞工居住。擴建販賣市場，以利攤販小商營業謀生。并已自民國五十四年起開始辦理，成效卓著，且擴及軍公教人員住宅。

（五）推進社區發展，鼓勵人民以自身力量，配合政府措施，從事於環境衛生、家庭副業、育樂活動、及一般市民家庭生活的改善，以謀都市社會問題的解決。

六、結語

綜上所述，可見政府實施都市平均地權，絕非爲了財政，完全是以徵稅的手段，達到平均地權的目的。因此，台灣省政府今後因實施都市平均地權而增加的利益，全部均將之用於基層民生主義建設，爲廣大的羣衆謀求最大的福利，眞正做到「地利共享」，「取之於民，用之於民」。同時，本省貫澈都市平均地權政策的實施，不僅使地權分散，而且促進土地的利用，更可加速本省經濟建設與繁榮。全省同胞在享受「耕者有其田」政策的豐碩成果以後，自應進一步忠誠支持這個福國利民的政策，使本省建設成爲三民主義模範省的偉大抱負，早日具體實現。進而促致迅速反攻復國的勝利成功，而完成建設三民主義新中國的歷史任務。（完）

滬海吳趣談

百怪千奇離婚理由

·乘雅·

世界上離婚的人，都各有各的理由，這裏是一些較爲有趣的！

不久前，在加里福尼亞州，有一個年屆七十的古稀老婦新娘，她與一個同等年齡的老翁結婚僅兩天後，便獲准將婚姻廢除。她對法官說：「這只是在名譽上結婚而已。」法官同意即使在晚年時間，新娘也對羅曼史樂此不疲的。

在新澤西有一名叫袒德遜的男子，他的妻子向法官投訴，說她的貪心無厭的丈夫，實在令人不勝負荷，她說：「他終天要我和他造愛。」法官也同意她提出的離婚理由，准予離婚。

有些聰明人，把婚姻的事情，下了一個定義說：「一個繫着活結的誓盟，情易結也易解。」從種種離婚案件看來，這似乎是十分眞確的定義。每年都有數以千計的人從婚姻的結裏滑了出來。一位檢察官把離婚的男子叫到證人台上作供，這位檢察官問道：「你說當下班回家，發現一名男子藏匿在廁所裏，是嗎？」「是的。」這位丈夫答道。問：「而且此事在一段很長的時間裏，經常發生的嗎？」答：「是的。」問：「這使你受了許多精神的痛苦，不是可想見嗎？」答：「當然是啦。」這位丈夫還怒不可遏的說道：「從來沒有一間房子是掛着我的衣服的。」他終於也獲准離婚了。

一名米蘇里丈夫，向太太提出離婚，這位丈夫指控說：每當在電影院看戲時，鏡頭上出現穿浴衣的女郎，或者演七脫舞，她就要丈夫走出戲院，站在走廊外。[illegible]

[illegible]

名女子取得離婚勝訴，她作供時說：因爲她的丈夫扮鬼嚇走岳母，企圖把岳母大人騙出屋外。[illegible]

[illegible]

錢的史話

期　生

[illegible]

憶緬甸南北兩個城市

——毛淡棉與密支那

夏日本

毛淡棉是可愛的，她有如一個健美、天眞、無邪，充滿青春活潑的少女，[illegible]，獨得自然造化之妙。

[illegible]

逢「街日」則四山來趕圩集的卡欽人、擺夷人、藏族、和栗粟、尼泊爾人、馬魯等族民不少，所以那裏非常熱鬧。華僑也有數百年來在那裏經商，運來日用品，與當地的土特產交流，作外地生意，對當地經濟繁榮，貢獻至大。密支那城有一「中國遠征軍陣亡將士公墓」，是安葬抗戰時中國入緬軍隊陣亡將士的，四周以木柵，公墓有如一小花園，大門前的牌坊莊嚴，刻有青天白日國徽，肅穆。

在密支那東南方八莫城遠的，有一個新名的「威遠營」，那是明朝大將劉挺的結營所在。時爲萬曆十二年（一五八四年），緬王莽體瑞攻服諸蠻，因而脫離明朝宣撫司的統制，明廷派遣劉挺遠征，攻克緬王，重復稱臣入貢。

有一巨大碑石，用花岡石刻成，長六尺餘，寬四尺，中央書有「威遠營」三字，每字面積有三尺方，右所刻蘊藏着古代英雄威風，蒼勁雄渾，碑上刻着：「大明征西將軍劉綎誓衆於此，拓開築壇，三宣恢服。」誓曰：「六慰拓開，三宣恢服，蠻夷永遠不貳，心服不犯，刀刃不兒。」洗甲金沙，[illegible]南人自養，孟密宣慰司、隴川宣慰司、木邦宣慰司，萬曆十二年三月十日立」等字。該碑於民國十七年由華僑發現，爲人永久之誌。將其出土保存，作爲[illegible]（下）

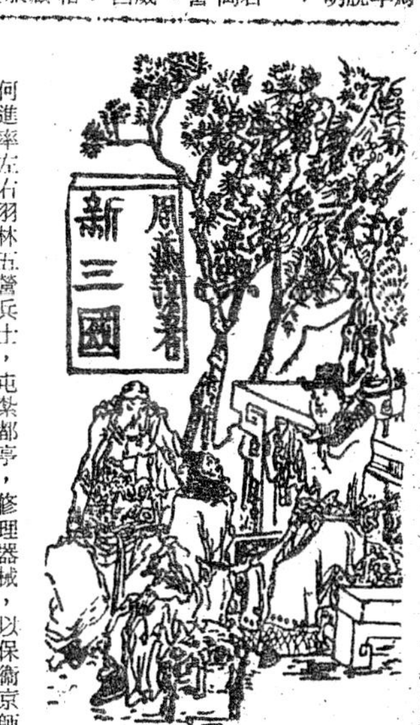

何進率左右羽林五營兵士，屯紮都亭，修理器械，以保衛京師的安全。張角一枝別黨馬元義，企圖在京師叛亂，被何進人證具獲，以功封愼侯。

靈帝光和五年，（公元一八二年）天下滋擾，望氣者以爲京師當有大兵，兩宮有流血之禍。有大將軍司馬許涼，和假司馬伍岩，二人對何進說：「太公六韜，有天子將兵的事載着，可以威鎭四方。」何進以爲有根有據，便奏明靈帝。皇帝也是一位草包，只知有亂子必須要練兵就是。於是下詔，何進大發四方兵丁，在平樂觀下練兵。同時築了一座大壇，上面建十二重五采華蓋，高十丈。大壇東北築有小壇，一樣有九重華蓋，高九丈，列步兵騎士數萬人，結營擺陣。天子穿了甲冑，親自臨軍，駐大華蓋之下，何進駐小華蓋之下。天子稱無上將軍，行陣三匝而還。詔使何進統率全軍屯駐在平樂觀下。

糊塗低能倒是靈帝，他命何進練兵鞏衛京師就好了，他又成立一個西園八校尉。又另外挑選了一個大笨牛宦官蹇碩來做元帥。他以爲蹇碩塊頭大，就命他做元帥，統領八校尉。這八校尉中，倒還有幾個人才。最大錯誤，靈帝不應該把何進也歸蹇碩屬下。八校尉是：蹇碩爲上軍校尉，虎賁中郎將袁紹爲中軍校尉，屯騎都尉鮑鴻爲下軍校尉，議郎曹操被徵爲典軍校尉，趙融爲助軍校尉，淳于瓊爲佐軍校尉。又有左右校尉。蹇碩督司隸以下連何進一般外戚都爲屬下。蹇碩雖然擁兵於中，可是他仍然畏憚何進。於是蹇碩與諸常侍共同在靈帝前說話，要何進去討伐西邊的邊章和韓遂。何進知道蹇碩詭計，乃上表遣袁紹到東邊去平徐、兗二州的亂子，因此故意延緩行期。

何皇后生了皇子名辯，王貴人生皇子協。羣臣請立太子，靈帝以爲劉辯輕佻無威儀，不可爲人主。然何皇后又有寵，而且何進又居重權，久之帝仍不能決定立誰好。靈帝到了病重的時候，詔蹇碩受遺命，劉協受託於蹇碩。碩又素輕忌何進兄弟。及帝崩時，蹇碩在帝左右，他預計先把何進幹掉，才可能立劉協登極，於是在宮中埋伏武士，準備等何進入宮殺之。何進聞帝病篤，即刻進宮，恰碰到蹇碩的司馬潘隱，是何進的舊交，見何進入宮，暗示以眼色，何進趕快從小道歸營。引兵八屯駐紮在自己的官邸，一面稱病不入宮。蹇碩的陰謀未得實現，又不敢再立劉協，只好立何后之子劉辯爲帝。何皇后臨朝，又是效竇、鄧、梁、閻諸外戚故事，何進爲大將軍，與太傅袁隗輔政，錄尚書事。

何進輔政後，以袁紹兄弟累世寵貴，借重爲之羽翼。而蹇碩心不自安，與中常侍趙忠，要那些宦官，即所謂十常侍，共謀誅何進。十常侍之中，有一個名叫郭勝的宦官，是何進的同鄉；何太后及何進之能夠貴幸，郭勝出了一大把力的。所以郭勝親信何氏，便將此事與另一宦官趙忠商議結果，不從蹇碩計劃，並且把蹇碩的書信給何進看。

（十七）

國劇繽紛續錄

鋆婁生（五十八）

談薛家將（續）

我以為演戲，要如此演法，等於是整本。尚擬要求此次演後本，下次不妨演前本，如馬上緣，樊江關，蘆花河，大破金光陣，（即梨花產薛剛）則是後面開打，也不妨一試。如是則薛家將成為干城的絕活，盍共謀之。

力行的龍鳳呈祥

最近報載國劇欣賞會，將於三月杪演出龍鳳呈祥，人選一律是票友，而皆為台北市著名的。昨接向榮寄券，又知私立力行英語補習班，第一期學生結業同學晚會，於二月杪在三軍托兒所唱平劇，也有龍鳳呈祥，則此戲正在走紅。茲先將力行所演記之。

力行演出，首齣為武昭關，是蔡善功周亞夫所演，他們兩位在過去是商社的中堅，後來轉入中廣。蔡君獨擅張腔，迷之不舍，以前在國光會唱祭塔，學得很像，這次也不例外，大可聽聽。龍鳳呈祥的角色，屬於商社者，有茅承信的前喬玄，後魯肅，文宗明的國太，周亞夫的後趙雲。茅君在商社獨挑唱過兩次，蘇武牧羊三娘教子，皆哈元章指點，對馬派有心得。宗明的老旦為唯一的，亞夫能開打。屬中信局者，有蕭翔鵠的劉備，是關文蔚的弟子。李景嵐的周瑜，小生獨擅。佟樹聲的孫權，是名票佟樹藩介弟，唱淨很有勁。祗有林向榮為招商局名票，工丑行，有冷雋味。韓平子裴松林是久著名於票界。這齣配搭相當緊湊，可與將來的龍鳳呈祥，能似大巫小巫否，要看他們是否卯上，看後再談。

干城逞鋒

我前談國軍文藝活動，主要在有活力，而戲碼整、硬，方能吸引得觀衆。姑以六個劇團來計算，再加添補話劇，就算兩個月，一年就有六次輪到，也就演四十二天。如何有四十二天的戲碼不重複，假使翻舊帳再唱，也無所謂，不過觀衆沒有第二回的胃口，除非眞是好戲自當例外。這活動範圍如何能熱烘，是在各位劇隊隊長的袖裏乾坤，可是千萬不能洩氣，趕緊排戲為上。

干城這次演出，因為大家迷於麒派，與及徐蓮芝的卯上，（指劈棺與五娘）票房紀錄很好，約在五萬左右。活動中心的負責人堅邀繼續七天，問題是匆匆排不出戲來，勉續兩天，將關羽傳翻作漢壽亭侯，情節畧異；再把趙五娘重演，已極盡其能，也是創特別記錄，以示後之接演者。可說是大逞其鋒，前所未有也。（未完）

聽新人唱舊劇

馬五先生

台灣平劇集團的角色，以空軍大鵬社比較整齊，尤以旦行徐露、嚴蘭靜頗負時譽。徐露出嫁後，嚴蘭靜乃躍居旦角首座了。

本月六號晚，大鵬社在「國軍文藝活動中心」——即國光戲院——演出全本四郎探母，劇中人鐵鏡公主由嚴蘭靜飾演外，陳家凱、崔富芝分飾前後四郎，高惠蘭去楊宗保，張素貞去四夫人，徐智芸去佘太君。這些角色都是新進人物，我以初次欣賞的心情（只有嚴小姐的戲，兩年前曾經看過），特別注視。

陳家凱的前四郎出場唸舊引子「被困幽州，思老母，長掛心頭」，而不隨俗採取譚派的「金井鎖梧桐……」這項晦澀之詞，殊為得體。他的唱腔調門雖不高，路子尙屬正規，唯在出關前唱「在頭上……」一段快板，尺寸不無失調之處，足見工力猶待習練。被擒時的「吊毛」很俐落，差強人意。崔富芝的後四郎，祇演「見娘」「哭堂」兩場，嗓子不賴，學余叔岩的腔調亦庶幾近似，祇是個子太短小，看來有些不相襯和不壓台之感，天賦所限，無可如何也。

嚴小姐的公主，頭飾和服裝都欠考究，記得齊如山先生在生時，某次我倆一道在新生社看徐露的鐵鏡公主裝束，他就笑謂：「你瞧，這那兒像是京朝派的玩藝呢！」我說：「如老不妨指正一番」，他說台灣根本找不到正宗的旗裝首飾，沒辦法了，祇好象徵式的對付了。嚴小姐去公主的面部表情，總是一派嚴肅氣氛，毫無變化，似應研究改進為是。猜心事的西皮倒板「……打坐在皇宮內院」，未將「打」字唱成「達」音，「皇」字唱作「荒」音，可謂難得。舊時的四大名旦，只程硯秋未把這兩字唱倒而已。繼唱大段西皮慢板時，小動作尙能適應劇情，且少摹仿張君秋那套充滿殺伐之聲的野狐禪唱腔（嚴素來喜歡學習張腔），算是進步了。整段唱詞中，只有唱「冷落少歡」一句要了一次花腔，但在我聽來，似乎不算很好。嚴小姐的歌聲很清脆，微嫌缺乏圓亮韻味。若論音調，張素貞去四夫人出場來唱那幾句西皮原板很不錯，圓潤爽亮兼而有之。高惠蘭的楊宗保，道白與唱詞皆夠格，因係女性，臉上缺乏英俊之氣罷了。徐智芸的佘太君，嗓子帶沙音，不知是否由於男性的關係呢？

場面上胡琴，以崔富芝出場後所換的琴師為佳，手音好而又純熟沒有火氣，十分中聽。可惜「坐宮」一場不是他操琴，否則嚴小姐所唱的大段西皮慢板，或許更有相得益彰之妙用。

綜觀上述各位演員，都是新進可造之材。我認為現時台灣平劇界第一是缺乏優良的師資，其次是沒有彼此觀摩競技的機會，人才雖多，很難鑄成大器。譬如新進坤旦徐蓮芝，資質很好，扮相和嗓音皆屬上選，就是沒有良師益友，因而不容易弼成第一流名角的器宇和技藝，實在可惜。自電影興起後，皮黃戲劇漸趨衰歇之境，加以本身有若干不易改革的先天缺點，長此下去，終將歸於沒落也。

「毋忘在莒」釋義

河南籍國大代表安瑞麟，為舉國奉行之「毋忘在莒」運動，列舉本事有乖史乘，時下聲議紛紜，曾在大會提案指正，聞有五百餘代表連署。中國詩經研究會亦發表公報，認為一誤不容再誤，簡述史實數點如左：

一、毋忘在莒，典出春秋，管仲暨鮑叔牙之言，安代表已臚列甚詳。

二、按諸綱鑑，田單復國，在周赧王卅六年，時齊地皆已屬燕，獨「莒」「即墨」未下；及燕惠王即位，田單縱反間，王使騎刼代將，樂毅遂奔趙，田單乃大破燕軍，復齊七十餘城，迎齊襄王自莒入臨淄。同年（周赧王卅六年），齊襄王有幸臣九人，語王曰：安平君內撫百姓，外懷戎翟，亂天下之賢士，其志欲有為也。異日王曰：「召相單來」！單所任貂勃聞之，稽首於王曰：「周文王得呂尙，以為太公。齊桓公得管夷吾，以為仲父。今王得安平君，而獨曰單。安得此亡國之言乎！夫安平君以惴惴即墨三里之城，五里之郭，而反千里之齊；當是時而自王，天下莫之能止。然計之於道，歸之於義，以為不可；故棧道木閣，而迎王於城陽（即莒也）。今國已定，民已安矣，王乃曰單！嬰兒之計不為此也」！王乃誅九臣，而益封安平君萬戶。

三、綜上所論，田單復國，明明在「即墨」一城，故有「迎齊襄王自莒入臨淄」與「夫安平君以惴惴即墨三里之城，五里之郭，而反千里之齊」也。故「毋忘在莒」，係出於齊桓公史實。且桓公一匡天下，亦如安代表所言，較田單復國為大也。

該會理事長何南史並因此而賦詩二首，表示共鳴欣讚之意。

其一

雨雨風風一手當，先生同類古之狂。
曾經護憲成雙峙，再起高潮動萬方。
歲月無端詩自壯，河山未復氣彌強。
人生高處爭青史，安計嚣嚣說短長。

其二

曾為騷壇定大綱，桂冠不許在炎黃。
年撐壯氣開奇局，日遣詩情傍戰場。
五億同胞猶苦楚，三千世界莫荒唐。
齊桓在莒毋忘意，再定神州掃虎狼。

武則天

「影劇與歷史」之十七

周遊

武則天是中國唯一的女皇帝，她承襲唐朝的統治權，國號曰「周」。正式建號在公元六八四年，滅於公元七〇四年。武則天係許州（今河南省屬）人。她年輕時已被選入宮，侍奉唐太宗李世民為「才人」一職。到唐太宗死了，年輕的她，被許多反對她的人逼到感業寺為尼。但是她作女尼的時間不久，因為李治（唐高宗）早愛上了她，命她蓄髮後，暗暗接進宮中做起昭儀，（宮中職名，其位次於皇后）來。不久，唐高宗廢了原配的王皇后，立武氏為后。

唐高宗後來懶得管事，他把很多國家大事讓武則天去處理，她亦因此才對治國之道，吸收了不少經驗，再加上她過人的才能，所以很快成了政權中重要人物。而漸漸的高宗竟將全盤政事委之處理。如此一來，她的幻想才起了一種大變化，才萌起掌握政權的野心。朝中很多大臣反對她，但由於她的精明、正直、治事不紊，所以高宗並不顧順大臣們的意見而褫奪她的工作和權力。這樣幾乎過了三十年之久，高宗死了，先由武則天的兒子李哲繼位。為了李哲不滿其母氏的為人，而武氏又以李哲不孝順，於是她把皇帝給廢掉了，另立她第四子李旦為帝。不久，她又對李旦不滿，據說同時也是李旦不滿武氏之淫亂，武則天便實行親自主政，受羣臣的朝賀。如此主政六年，她進一步來個大幹，把國號改了，自為皇帝，然而仍立李旦為太子。

在此一時期，武則天充分發揮了她的才幹，我們不可以因她淫亂而抹煞其才能。她的才能是有史可稽的。如趙翼二十二史劄記亦讚其「知人納諫，有不可及者」。陸贄謂「太后能收人心，擢才俊，當時稱知人之明，累朝賴多士之用」。舊唐書本紀更讚她：「不惜官爵，寵豪傑以自助。有一言合，輒不次用；不稱職，亦廢誅不少假。務取眞才實賢。」「知才善任，權不下移，不可謂非女中英主也」。再則，武氏的虛懷與雅量，也是歷代帝王中少有的，如她看到駱賓王的檄文，不但沒有柳眉倒豎，而且還大為惋惜的說：「有如此人才而不用，宰相之罪也！」

武則天的淫亂也是不必掩飾的，但那是站在男人的立場說的。她在初為皇后稱帝時，一切尙稱兢業，但後來私生活漸漸糜爛，初與白馬寺和尙薛懷義相戀，不久，又寵張易之和張昌宗兄弟。張氏一門皆做顯官，張昌宗被封為公爵鄴國公。

武則天在政治上有一絕招，那就是運用「特務」。因此造成政治上一些紊亂和恐怖，所以她地位卻更非那些反對者的機智過人，可以一件事為代表：一次，她到上苑賞花，實則她是要召見一些反對她的人到上苑，時值冬天，花未開，武則天悟到此一點，尚知不尋常，立刻密令人到上苑連夜製造暖爐（用炭火）增高溫度，並送給反對派諸人了一首詩云：「明朝遊上苑，火速報春知；花須連夜發，莫待曉風吹」。（二）

艷星談性感集粹

林錚譯

「那麼以後，你是否也不回國拍片了？」

「這也不，只要劇本適合我的意，我是樂意回國拍片的。」CC小姐做了一個莫可奈何之狀，苦笑着說。

在影壇擁有今日「性感皇后」之稱的好萊塢艷星卡露碧加小姐，自從主演「江湖男女」和一代性感皇后珍哈露的一生事跡影片「珍哈露傳」而艷名大噪之後，影城人士一提到性感，就會想起她。卡露小姐對於銀幕上性感的表露，又是抱有何種態度呢？

卡露碧加笑着直說：「雖然有許多人都把『性感皇后』的大帽子，戴在我的頭上，其實我對於這頂帽子，是一個確實怕戴的人。因為弄性感是一個票房的需要，銀幕上我不得不這麼做；可是，我也還有我的立場，那就是超出範圍和過份的，我都不幹。所以，我還是想走眞正演技派的角色戲。到底性感是青年人的專利玩意兒，一步進徐娘半老的年華，性感逐漸衰退凋萎了。為了本身的將來，眞正演技派的戲路，是理智而又成功的。」

有「好萊塢太妹」之稱的安嘉瑪烈小姐，是目下電影圈子裏最出風頭的青春紅星之一。她曾訂過二次婚，但相繼解約了，鬧得滿城風雨，令人莫測高深。這位來自瑞典的女星，日漸走向大胆暴露性感，像她在「龍蛇爭霸」中所飾演的角色，一個水性楊花的少婦，即為十足的性感作風。她的改變，換來是毀多於譽，不過她對性感的看法卻是這樣的：

「女人跟性感，是生下來就具有互相連帶不可分離的關係，所以人人告訴性感寶座，原因不外乎此。我也感到性感是一種表露，往往令人大倒胃口，亦要有一份天才，並非輕易低級之舉，我認為要跟上今日時代的潮流，影片之藝術成功，性感應與演技並重才對！」

歌星貝蒂杜陂結婚四年之久的仙杜拉蒂，已是二個孩子的媽媽了，但她的舉手投足間，卻還是充滿了孩子氣。當記者問起她對於性感的觀念時，仙杜拉蒂調皮的說：「每一個女人都具有性感，那有什麼重要的？不是去拿胴體作賤的價錢嗎？問我要不要在銀幕的大胆色情演出？他，我才不拍賣哩！」（四，完）

內政部台報字第〇三三號內銷證

自由報
THE FREE NEWS

第五三六期

中華民國僑務委員會頒發
台警新字第二二二號登記證
中華郵政台字第一二八二號執照
登記爲第一類新聞紙類
（半週刊每星期三、六出版）
每份港幣壹角
台灣零售價新台幣貳元
社長：曾嘯岑
督印人：黃行賢
社址：香港銅鑼灣高士威道二十號四樓
20, CAUSEWAY RD 3RD FL. HONG KONG
TEL. 771726　電報掛號：7191
承印者：大同印務公司
地址：香港北角和富道九六號
台灣分社
台北市西寧南路壹壹零號二樓
電話：三〇三四六
台郵撥儲金戶九二五二

關于國民大會應否質詢國政之我見

·李洛九·

連日以來，有人誤解國民大會對國政之質詢，一則說是「違反」憲法，再則說是「私人」爭權。如非別有用心，在我個人觀感上祇是見怪不怪；但又不能不以個人淺見來有所說明，藉邀政府諸公參考。以免妄語傳播，淆惑聽聞。

誠然查遍憲法，在表面上實無片紙隻字，規定國大有質詢權。但我却敢斷定：我們國民大會對中央政府施政報告，有當然的質詢，却不必很嚴肅的說它是「權」。既是當然，就不必和立法委員以及省縣市議員一樣，把他們的「質詢權」列舉在憲法或法律上。因爲立法機關在本質上和行使政權的機關根本不同，故必須規定出來。爲什麼國大有當然的質詢，因爲中央政府是由國大選舉總統而組成的，由行政院長來代表總統作六年一次的施政報告，是基于憲法第二條之規定「中華民國之主權屬于國民全體。」表示對全國國民負責。既有報告，就不能不有所質疑，否則我們對選民又將如何交代？因爲國大權責太高，所以不可輕易視質詢爲「權」，藉昭慎重，以明責任。

質詢的本意，是問，是謀，是咨。古語說：「訪問于善爲咨，咨親爲詢。」就一般的說，學生能對老師爲學問而質疑，才算好學生；朋友能對友朋，相互質善詢惡，才算好朋友。國大爲最高民意代表，向政府當局質詢國政當否，事屬尋常，如非愚昧無知或別有用心的人，能說這是「違反」憲法，是「私人」爭權的行爲嗎？

又有人認爲已故行政院長俞鴻鈞先生，當年曾拒監察院之邀請備詢，許爲『正確』。因爲彼時權威的法學家曾經對此作了定評。我不好再來指責「死人」，故意傷害道義。至於說余代表井塘先生現任大會主席團又爲行政院副院長，出席大會準備應答質詢，究係以何項身份到會？我對這一個滑稽突梯的說法，暫作這樣解答：「假如有人說，立法委員以兼任律師身份出席法庭，對方當事人問你：『你是立法委員，還是替別人打官司的律師呢』？實在不值一笑！」

國父說：「人民管理政府，如果把權和能分開了，也要像工程師管理機器一樣，在民權極盛時代：……人民只要把自己的意見，在國民大會上去發表，對于政府加以攻擊，便可以推翻，對于政府加以頌揚，便可以鞏固。」關係個人，懍于斯言，重大，假如在檢討國是和質詢國政的時候，我誓願不敢稍涉次，甚至滲入毫厘的私見在內。

關于國民代表大會的質詢，自第一次、二次、三次實行到了今天，十八年來假如眞與憲法有違反的話，我想大法官就應該早已解釋認爲「於法無據」了。既然這樣，我們却不可妄自非薄，要視質詢爲準備不久的將來實行創制複決兩權的張本，但是個人一定在自我約束下，更審慎更有分際的去作。因爲我們的質詢實不僅在行政院範圍以內，依憲法第二十五條，國民大會代表全國國民行使政權，你要它對應執行的權責——憲法第四條，第三十條一至四款，和創制複決兩權之行使，都不針對事實，加以考詢，而去盲目代表人民行使政權，如非喪心病狂，又怎能對延續國家生命之法統政權機關之行權問政，去加以侮蔑損害呢？假如依憲法第三十條第二款彈劾案，監察院向本會提出，必要時也得邀請監院當局蒞會，以備質詢。尤其依第三款接受立法院提出憲法修正案時，必然要邀請立法當局蒞會，以備質詢。因爲立委先生中不乏專家，料想他們也必然樂意接受我們的「訪善」「咨親」的質詢，這更不能說它是違憲吧！我國憲法是成文憲法，我國國民大會的質詢，在另一事實上已形成慣例了，這「慣例」就是不成文憲法，世界不乏先例，恕不多贅。

世界各先進民主國家的國會，對質詢制度，有不同的成例，值得我們觀摹，在原則上分質詢爲兩種：一爲普通質詢；一爲正式質詢。在執行上前者可採口頭或書面，無嚴格拘束性，被詢的方面可答可不答；後者則須用書面，有嚴格的拘束性，攤牌的倒閣，多由此而發生。例如英國是採雙軌質詢制度的，如果他們正式質詢時，如果面臨着嚴重問題也須休會若干時間，來一個會後協調，再不然才採取不信任的倒閣投票。法國是單採正式質詢制度的，執行時也極嚴重，如果面臨問題嚴重，就立刻採取最後步驟，予以倒閣投票。日本也倣用了這樣單一嚴格的正式質詢制度。

我們行使治權的立法院議事規則第六十七條：「立法委員對於行政院長及各部會首長之施政方針，或施政報告，及其他事項，有疑問時，得提出口頭或書面質詢，如有重要事項須經立委二十人以上連署或附議並經院會議決，得定期質詢之。」我很明白的 [illegible] 國對任何議士個人的質詢 [illegible] 注意採納，但是值得頌揚的。可惜的是：社會對我們各級議壇也深切詬病，輿論界連篇累牘的加以指責 [illegible]

數十年來，本會同仁 [illegible] 和海內外輿論 [illegible] 主張，促進政府開放言路，早日反攻 [illegible] 救國聯盟 [illegible] 爲了擴大民主，集思廣益，以挽救民族國家。國民大會對復國大計，原有守有 [illegible] 一次集會時，發言之 [illegible] 孤臣孽子的心情，照例對國政作必要之質詢，在沒有若大驚小怪之處，何必「李逵」型的人手執板斧，横衝直撞，霸道地把民意機構的質詢權，看作是 [illegible] 利品，寧非咄咄怪事！（下轉第二版）

自討苦吃

壓不住了！

今日與明日

戴高樂爲虎作倀

當全世界的人們，從非洲的加納到亞洲的印尼，甚至連上中美洲的古巴都在一致大反毛共時，只有法國的戴高樂却衆醒獨醉，仍然大力表現着親毛的姿態，在國際場合上只要是有關中共的問題，法國代表必然攘臂爭先，爲虎作倀，表現十足對毛共巴結的態度，可鄙可哂。

最近法國更進一步獻媚毛共，竟將中國駐聯國文教代表在辦公處所趕出，强佔房舍，預備移交給毛共僞使館。聯國文教組織設在巴黎，中國駐該組織的代表在巴黎應享有外交豁免權，這不是中國外交人員直接與法國之間的問題，而是法國政府向聯合國挑釁。看到這種作風，不由得使人想起蘇加諾，早幾年在耶加達召開的亞洲運動會，蘇加諾爲了獻媚毛共，竟然拒絕中國代表團入境，違犯了體育法規，結果那次運動會被世界奧林匹克大會判爲無效，於是光明堂皇的亞洲運動會變成了耶加達運動會，蘇加諾枉作小人，騰笑國際。不料就當蘇加諾被迫交出政權時，戴高樂又步其後塵，舉世滔滔，何小人之多也。

反華反美反盟國

戴高樂倒行逆施之處尚不止此，最近突然宣佈退出北大西洋公約，引起該公約全體國家的一致抨擊，目前除法國之外的十四個會員國正在開會商討對策，英國外相認爲是不可補救的缺陷。

本來北大西洋公約的起源是由於二次大戰後西歐國家受到共黨集團的威脅，由法荷比盧組成的同盟，以後加上英國逐漸擴大始有今天的規模。美國加入北大西洋公約，出錢出力保衛西歐的自由，首當其衝受保護的就是法國，二十年來法國得到安全，全受北大西洋公約之賜，也實在受美國之惠。

再從經濟方面來看，若非馬歇爾計劃的援助，法國經濟未必能復原，說不定已被共黨統治。假若當年美國把馬歇爾計劃用在法國的援助，撥三分之一給中國，大陸即不致淪陷。美國何負於法國？戴高樂却爲了私人之間一點小忿，不惜與美國爲難到底，目前竟然變成與十四盟國爲敵了。

戴高樂以親共爲得計，聯俄爲新的外交政策，殊不知道如此以來，對西方盟國固然有損，而眞正受損害最大的還是法國本身，不久就可以看出端倪。東有毛僞政權，西有法國的戴高樂政權，均成爲舉世唾棄的對象，戴高樂這個老悖也許還在沾沾自喜呢？

（何如）

蘇俄政府最近判處兩個文藝作家——辛雅夫斯基、丹尼爾——的徒刑，罪狀是他們「將客觀的眞理，置於黨的利益之上」。這充分說明了在共產黨統治下的人類，只是一羣奴隸，不許有知識，更不得追求眞理。

即此可知生活在共產社會中，決無是非可言，資本主義社會的學者專家，認定太陽是從東邊出來的，黨說太陽是從西邊出來的，纔符合黨的利益，纔是正統的馬列主義的思想路綫。美國一些大學教授打電報給俄共頭子，請勿判罪辛雅夫斯基、丹尼爾，可謂對牛彈琴，自討沒趣。卅年前，美國哲學家杜威，因托洛茨基在墨西哥被刺案，曾約集一般學人組織國際審判法庭，裁定托氏係死於政治謀殺，罪魁就是史達林，然史魔悶聲不響，當伊嘸事。杜威等人原以爲可以博得世界輿論的同情，共產黨人却把輿論看成不值一顧的廢話。至於對共黨談正義公道，那就等於向娼妓談貞操，可哂已極。有時甚至作了它的精神俘虜，可憐孰甚哉！

由於俄共之凌虐文藝作家，中共之隨時對文化人士所謂「整風運動」，十足地證明共產黨最仇視的幷非資本階級人物，而是高級知識份子。因爲知識份子遇事有見解和主張，要以眞理來衡量是非得失，不願意盲目地被別人牽着鼻子走，這就犯了共黨的大忌，應在清除之列。所以，凡屬眞有知識的讀書人如果 [illegible]

共產社會的是非

在共產社會中，只存在着無是非的是非，爲着黨的利益——實際是統治階級的利益，不妨昨是今非，而以昔日之我，與今日之我對抗，美其名曰「唯物辯證法」。憑着唯物辯證法這項符咒，可以指鹿爲馬，可以淆亂黑白。世人每每不甚了解，膜着「唯物辯證法」這一名詞，認爲是了不起的發現，心理上對這新名詞感到震懾，[illegible] 共產黨自趨死亡，[illegible] 瘋，不辨菽麥的蠢材，[illegible] 罪惡，傾幼稚病者的 [illegible] 活定律，客觀的眞理，只能隷屬於共黨利益而存在，所謂唯物辯證法則也者，[illegible] 共黨實施騙術的咒語而已。

馬五先生

國大代表第四次會議近況

對選舉主席團和秘書長曾有爭論
最關心設研究行使兩權機構事宜
全部提案限本月廿日前討論完畢

（本報台北通信）第一屆國民代表第四次大會，開幕已有旬日了。在這十天期間的經過情形，有些事象值得報導一下。

大會的第一項重要事件，就是選舉主席團，在投票前夕的預備會議中，曾有皖省代表湯志先提議每位代表可圈選主席團人選五名，修正每票只選一人的舊有方法；有河南代表羅甸服提議代表應有罷免主席之權；這兩案皆未獲通過。羅氏另又提案主張大會秘書長應採取無記名投票選舉方式而產生之，過去由主席團提出人選向大會報告後，台下應之以鼓掌聲就算通過了的方法，實與「民權初步」的規定不符（民權初步指明鼓掌不能作為大多數表決的根據）。他所提大會可以罷免主席團原案的聯署人計有廿七位代表，但當大會提出討論時，竟有十位聯署人當場聲明撤消，因而付表決時只有七位代表舉手贊成。至於票選大會秘書長案亦因有些聯署人臨時撤退，不足法定的提案人數而夭折了。但在第一次大會表決秘書長人選之際，安徽代表章正綬登台演說指摘秘書處，表示對谷正綱不信任的意思，且對谷氏以「滿分」票數當選主席團之一的情況，有所議評，當時會場中引起了一陣騷動。谷氏亦不服氣，要求主席准許他發言，他以激動的詞色申述其廉正奉職狀況後，對於一百票當選主席團這回事，認為是代表同仁的愛護所致，本人並未花錢購買選票；又說，有少數代表常作非法要求而他未便同意，以致開罪於人云云。不料這話又激起一種餘波，章正綬當面要他說出是那個代表向他作過非法的要求？新當選的主席團人物，亦有人詰問他究竟誰個是花錢買票的？不了了之。然軍代表在休息時因為攻擊谷氏不休，跟東北籍的某代表幾乎動武，一個說「我要揍你」，一個持着板櫈說「你來呢！」幸得在旁同仁勸解拉開，三本鐵公雞乃未演出。

在選舉主席團之前，各方面人士皆希望張岳軍先生的當選票數能列首位，因他有被提名為副總統候選人的可能，事先應該造成一種聲勢。四川籍代表本來準備競選主席團的任覺五、黃仲翔等人，亦因此放棄了，把票數集中於張先生。結果，谷正綱搶到了第一名，而張先生和薛岳以同票數居於第三位。事後有人評判谷氏太不懂得政治藝術，只顧自己出鋒頭，却忘記了運用政治的訣竅，其然，豈其然歟？

大會主席團和秘書長選舉潮過去之後，即為聽取行政首長的施政報告。第一次（本月二日上午）行政院長嚴家淦登場，他將預備好了的長篇報告書對來讀完畢後，就離開會場了，曾有人起來提出質詢，但代表們不知道，查詢方知嚴院長已不在會場，於是羣情譁然，認為蔑視國大代表，旋有福建代表蘇友仁提議「休會」以示抗議，主席張知本休息十分鐘，秘書處馬上通知行政院，經過五十分鐘之後，嚴院長再來大會場答復質詢，幾經說明，告無事，實則憲法規定，行政院只對立法院負責，嚴院長作過施政報告後離開會場並沒有錯。

記者問過國大秘書處負責人，為甚麼國大會議要開一個多月呢？據說，由於法令規定國大代表會議要在前任總統任期屆滿之前九十天頒佈召集令，下任總統要在當選後兩個月纔就職，其中有卅天的時間，不能教代表們在旅舍閒着，因而想出聽取施政報告，以及赴各處參觀國家各項建設這類消磨時間的辦法，寔非得已也。

目前國大代表們最關心的事情，即為將來設置一個研究實行創制、複決權的機構問題。據聞執政黨「中央設計委員會」正在草擬這項研究委員會的組織法，大致是常設各個小組研究，每月舉行一二次小組會議，參加小組會議的代表，將比照立監委員在開會期間支取公費的成例辦理。因此，各代表報名參加第一提案審查委員會的人數最多，共有九百餘人——第一審查委員會主管關於憲法暨不屬於其他審查委員會的提案——競選召集人特別熱烈，可見住在台灣的人，對於政治上不大相干的名位，亦擴臂爭取之不遑，好像有甚末重大作用潛在着，殊難索解。

從本月五日起，國大代表將事會外活動：五日齊赴陳故總統墓地致祭，七日分成若干小組，每組十人，分赴外島和各個經建與軍事機構參觀暨勞軍。另一部分代表就留在台北召開各種審查提案的會議。十號以後再舉行大會討論提案，限於本月廿日以前，全部討論完畢。最後選舉正副總統後，功德圓滿，廿五日宣告閉會。（三月五日寄於台北）

關于國民大會應否質詢

國政之我見（上接第一版）

最後我拿出立法專家的底本，來作我們國民大會執行質詢國政之範疇，兼以就正有道君子：

（一）前幾年已歸道山之陳茹玄先生，曾于四十三年二月廿一日在中央日報發表「國民大會的最高權責」一文，開明宗義就說：「五權政制以國民大會為傳達民意、監督中央政治的樞機，監督方法則用選舉、罷免、創制、複決四種行之。選舉所以進賢，罷免所以退不肖。此為對人的監督；創制所以良法，複決所以去惡法。此為對法的監督。政有良吏，國無惡法，求治津梁于斯至極，人民更復何求？這監督政府的四權，國父稱之為政權，亦即歐美政治家之所謂『人民主權』者是」。又說：「至于行政、立法、司法、考試、監察五種權力，皆政府治理國務之權，即國父所謂治權，亦即歐美政治家之所謂『政府權』者是。當政府違反民意，舉措失當時，人民可透過國民大會行使其監督權，以資糾正。在這種場合，國民大會是依照人民的意志執行其監督政府最高的職責，並不是侵入政府權為之代庖」。國大權責既如此至高至大，他對有關國家盛衰存亡之大計方策，當然有所質詢。

（二）查制憲國大會議時，樓桐蓀、何遂、鄧公玄、何春帆、陶玄、張維翰代表等三十人，為國民大會爭取兩權時，所具理由，一則說：「行憲之國大，允宜早行四權，作地方之模範，樹全國之風聲」。再則說：「若謂創制複決權與立法權有重複之嫌，更屬誤解！」三則說：「創制複決權，為人民管制立法之權，與立法院普通之立法權，截然兩事，前者屬于政權，而後者屬于治權也。國大之政權與立法院之治權，明辨至此，又何疑慮之有？彷徨紛擾者可以休矣！」

以上為個人感想之縷陳，亦情迫不已之所由出，但願以「聖主不憐雙鬢白，老臣只有寸心丹」的語句來表達我的情懷，希望當代明達之士，不吝指正，幸甚！

苗栗婦女領袖 黃秀芬建樹多

（本報苗栗航訊）苗栗縣各界於三月八日假縣議會禮堂舉行婦女節慶祝大會，此次大會之總幹事，係由黃秀芬女士擔任，會場佈置非常得體，秩序井然，深得苗栗各界的好評與讚許。

黃秀芬係廣東省人，畢業於廣東省立女中高中師範科，執教於苗栗，現年四十歲，是苗栗縣立文林中學黃校長夫人，現任苗栗縣婦女會常務理事，能者多勞，她埋頭苦幹，默默無聲的站在工作崗位上，為轉移社會風氣，建立婦女戰時生活組織，領導苗栗婦女發揮女性天職而努力，用能多所建樹。（王永亭）

國大四次會議素描（三）

—最受重視的幾個提案—

本報記者 張健生

國民大會代表的提案，可以說五色繽紛。其中為朝野各方所重視的提案，如宋益與李序中提：請政府定期召開反共建國聯盟會議，擴大政治號召，團結海內外力量，以利反攻復國；如楊金虎提大赦建議第四任總統就職日頒行全國大赦政治罪犯恩令，以隆盛典。楊代表為台灣籍，其提案簽署者五十五位代表，台籍代表佔二十二人。

先談宋代表所提定期召開反共建國聯盟會議案。該提案之理由：以政治謀團結，因團結發揮力量，反共建國，捨此莫由。我國在「九一八」事變後，有洛陽國難會議之召開，抗日戰爭前夕，舉行廬山談話會，繼之有國防會議，有歷屆國民參政會，凡此皆是循政治途徑，團結朝野，匯集力量，抗戰因而獲得勝利。三十八年大陸陷匪，政府播遷台灣，朝野領袖志士仁人，流亡海外，在野有超黨派救亡之呼籲，政府有召開反共救國會議之發議。陽明山分次談話，計劃中之末次即為政治團結。年來，蔣總統一再宣示，號召反共建國聯盟，但以各種關係，延宕至今，未能實現。茲以總統重選，政府更新，政治達於高潮，乘此時機，成立反共建國聯盟，則總統所召示之政治反攻，已操勝算，消滅共匪，復我國土，指日可待。

宋案之辦法，分為：一、定於本年內召開反共建國聯盟會議。二、總統、副總統就職，行政院改組後，即正式成立反共建國聯盟籌備委員會，由朝野黨派、無黨派人士參加協助推進，使其圓滿召開。該提案連署人有四十三位代表，包括各黨派人士。

李序中等四十人所提早日召開反共建國聯盟一案，有一點與宋代表提案相異，那便是「請政府在憲政體制下」召開。其他內容與辦法，與宋案大同小異。迄記者撰此稿時，尚未見有反對召開反共建國聯盟會議之提案。根據目前情況，此一高度政治性的會議，是否在今年內召集，則尚在未定之數。

查行政院對國大第三次會決議辦理情形表列：「關於反共建國聯盟會議之籌開，事極重大，尚在洽商策劃中。」同時，行政院在該表中也指出：陽明山會談「最初決定四次舉行，嗣因有關方面決定，建立反共建國聯盟，比會談方式更為恢閎具體，遂中止第三次第四次會談。」

在國大第三次會時，有關反對召開國是會議之提案，計有：林有壬等二十三人提：請大會闢正「召開國是會議組織臨時政府民意機構」等非法主張，以維民主而護法統案；王星華等二十一人提：為建議政府慎重考慮召開報端所載之「救國會議」案；趙炳坤等一三二人提：反對召開所謂「國是會議」或「反共救國會議」，以維護憲法規定及憲政常軌案；冷欣等三十二人提：國是會議，大會應有所聲明案等四案。

楊金虎所提：建議第四任總統就職日頒行大赦政治罪犯案，案由為：總統蔣公連三任在職，公忠為國，海內歸心。值茲第三任期即將屆滿，復國在望，尤賴老成。羣倫愛戴，函電敦請連任。本會同仁等一致掬誠表示擁護在前。蔣公連任第四任總統，天經地義，毋庸再加頌讚。惟世界民主國家總統連獲四任，美利堅開國一人。（編者按：原文如此，誠恐有誤）蔣總統獲選連任，實堪嬔美。於此，依循國家歷次傳統，欣逢國家大典，允宜施行仁政，以鼓舞人心士氣，開創更光輝之史頁。蔣公英明睿智，高瞻遠矚，歷任總統，朝乾夕惕，未遑寧處，以廣謀全國安樂，以增進國際聲望，其目的純為國家利益，作復國建國之企求。則屆第四任總統就職榮典，實行恩施以宏大德，其明令頒行全國大赦政治罪犯，予久被縲絏之犯民，撥雲見日，改過自新，化戾氣為祥和，亦撫輯人心，集中全國一切有形之力量，完成反攻大陸準備，鞏固反攻基地安全，實為國家當前所需之盛事。

緣忖此輩政治罪犯，其當年之犯意，或係昧於時勢，或因感情衝動，魯莽輕率，觸犯國法，何莫非誤認為其個人之愛國心所導致。然此屬思想錯誤問題，非如一般窮兇極惡殺人放火冥頑不靈者所為。則一遇機緣許可，藉悉世局推移，深明復國責任，豁然憬悟，何難變躁急為溫良，易不羈為忠謹，以供國家最高領袖之鞭策，爭為國家效命。於此茲懷想此輩犯民，久經政府感化教育之薰陶，日受蔣總統之崇高偉大精神所感召，定早痛自悔艾，埋首淬勵，勞其筋骨，苦其心志，以俟政府開恩憐恤，獻身報國。綜其各犯感化進度，早在教育測驗紀錄中，赦令差等，一聽政府審密出之。史稱唐太宗縱囚仁政，將不能專美於前。誠以恩德入人之深，移人之速，至能激發人信義之心，寧舍生以服從政府法令，有固然者。

茲者：反共復國主觀條件具備，所需確保反攻基地安全，同仁等業，經蔣總統懇切昭示。則值國家大慶，實行大赦令，以便久幽囹圄之犯民，不再有向隅之嘆，實為後方人心有效之一措施，符合蔣總統迭次號召匪窟人民棄暗投明參加復國陣營之意旨，而倍加親切昭著。況人性常道，因親及感，以至其所關係之友朋，情感相通，休戚與共。一旦躬逢國恩，給予其所關係之人獲得自由自新，寧不歡欣鼓舞驅，以相勗勉，以聽候反攻復國之馳驅。其足資以固結後方人心，增加有形無形之反攻力量，更為堪預期之事實。

基上，為國家第一，團結第一，於蔣公連任第四任總統就職之日，實行大赦全國政治罪犯，集中全民一切力量，以為反攻復國效力，確為國家亘古未有當前需要之盛典，反攻大陸前夕，定能寒隔海之賊胆。

此一提案之詞句，有人稱之為「文情並茂」。

瀛海異趣談

英國的服裝博物院

·桑雅·

巴斯城在英國森瑪薛郡，離倫敦約一百零六哩，乘火車約兩小時可到。在那裏有一間服裝博物院，陳列着由十七世紀到現今的男女服裝。這間博物院設立到今，不過四十年，每年吸引了許多遊客，但它是由偶然而產生出來的。

在一九二八年接近聖誕的時候，桃麗絲摩亞夫人到約克郡的溫斯利達爾鎮探訪她的家姑，她留在那裏過聖誕節。摩亞夫人就提議在那個快樂節日，舉行一個猜字謎的集會，邀請各參加的婦女，穿着家藏的古老衣服，作為一種新的玩意，她們從各種服裝來找她們的話題。摩亞夫人本人穿着一件由她的家姑贈送給她的一件華麗衣服，據說那服裝是相傳下來已有兩三代的東西；在聖誕節那天的歡聚會，各參加者都穿起家中收藏的古老衣服，那就好像舉行一個古代服裝表演，情況非常熱鬧。事後摩亞夫人在夏樂基區的一間出售古物的店子裏看見一件用名貴的錦緞縫成的衣服，質料跟她的家姑贈送給她的那件衣服同樣好，同時價錢便宜。摩亞夫人本人是一個裁縫能手，她就將那件衣服買到手，想修改過以適於自己穿着。但當她拿起剪刀來裁剪時，她突然覺得，若將那件衣服修改過是會變樣的，這是十分可惜的了，她就停止進行。將那件舊衣服跟她原有的一件，一同收藏起來。她除了由自己出錢購買各時代的衣服外，更請人捐贈，不久已有相當多的收藏。她便在根德郡的伊利芝堡壘內舉行一個古代服裝展覽會，甚受歡迎。後來得到多方面的支持和協助，就在巴斯設立一個服裝博物院。原址是一個大會堂，地方濶大，一部份衣服是掛着，另一部份是用男女模型穿着，後面佈景是繪有各個時代的巴斯城的著名建築物或街景。模型和佈景的製成，是由摩亞夫人的女兒彭多娜小姐担任。巴斯城早已是英國的著名溫泉場，在古代已吸引了許多遊客，更有英國著名女作家珍奧斯汀曾在那裏居住，她所住的勃登尼街，到今天仍然沒有多大的改變呢。

在那個服裝博物院所藏最古老的衣物是在伊利沙伯一世的時代，在一六一〇年間的一件佈帽，一件三角胸衣和一件繡花的緊身上衣，都是無價之寶。在男子服裝中，有一件是在一七二〇年間所製，用眞銀綫繡成花樣的外衣，同時乃譚馬斯克柏特上穿過的。也有展出在同時期男子所穿的繡花襪子和男女童所穿的服裝等等。連各時代的內衣也有很齊全的展出。

看了那個博物院所展出的服裝，我們曉得，在十八世紀早期，英國婦女已開始用襯裙，即是將裙身橫起作傘形。同時她們的髮型也梳得頗高，當她們坐轎子或馬車時，要用絲頭巾或軟帽子來保護。在一七〇〇年間男子所穿的背心是長齊膝蓋，但後來逐漸縮短。有許多佈景是描寫在公共場所或是在家庭內，所看見的男女老幼都穿着在他們的時代認為最時髦的服裝。

在一九〇六年的游泳衣也有展出，女子所穿的是一長袖長褲脚，參觀者對此多會竊笑。在附近所展出的一件衣服，曾於一九〇〇年在巴黎舉行的世界博覽會中，由衣裝改革會陳列過的，表示女性不用穿上緊身胸衣，她們得到解放，所穿着的女子模型手拿着一枝小旗，寫着英文「婦女可被選舉」。參觀者有誤會她就是三八婦女節的發起人。

近代的男女服式十分齊全。一九二〇年間的則很平凡。在一九三〇年間的衣料已開始用人造絲。在一九四〇年有一個的不愉快的回憶，因受戰時的物資法令限制，每件衣服不能用多過四粒鈕子，兩條打摺和兩個衣袋。在那個博物院雖是一個時裝博物院，但那裏有許多衣服是歷史性重於時裝興趣的。有一件是英國著名詩人拜倫的阿爾賓尼亞服裝，這件是他在一八〇九年旅行歐洲各地時所購買的，他曾穿着來給著名畫家譚斯給了一幅人像。有一件阿剌伯人的白袍，是那個沙漠梟雄羅蘭士在一九一七年穿過的；在旁邊有一件他在幼年時所穿的天鵞絨衣服。

在皇家衣服展覽的玻璃欄中，所展出的衣服是有歷史性，和有時裝趣味的。它包括一件格子呢的衣服，乃英女王維多利亞所穿的。有一件在一九一〇年所製，阿歷山大皇后（即現今英女王的曾祖）穿過的華麗衣服。又有一件是瑪麗皇后一九四七年穿着來參加她的孫女伊利沙伯結婚典禮的禮服。

夏威夷夜總會風情畫

·成陵瑄·

夏威夷羣島的特徵是棕櫚樹，它們像無數枝神仙棒一般，招引着無數的遊客，到那充滿了熱帶情調的地方去。這個「人間樂園」久已聞名世界，孤懸在太平洋中部的海上，有着遼濶的海灘，碧海銀沙，再加上陣陣吹來的帶有香氣的貿易風，的確使人心曠神怡。每年來自世界各地（尤其是美國大陸）的遊客，絡繹不絕。

為了要適應事實上的需要，夏威夷首府檀香山的夜總會，已日趨蓬勃。那兒的夜總會和其他各大都市不同，它們是別有風味的。大部份的建築物都是用竹、木、棕葉或茅草蓋成，有一部份的地方，顧客們甚至席地而坐，像日本人一樣。原先是寧靜而樸素的夏威夷，自從有了夜總會之後，已變成笙歌夜夜，燈紅酒綠的「人間仙境」了。

檀香山首屈一指的夜總會，是「皇后的浪花花園」。這座花園原本是一位百萬富豪的遺業，佔地十萬七千零八十七呎，風景幽美。那位富豪逝世之後，客加改革，使一躍而成為世界上最美麗的餐廳和夜總會之一，全部可容顧客達一千人之多。

這是一個富有歷史性的地方，已故的羅斯福總統和麥克阿瑟將軍，當年即曾坐在那兒一邊喝着咖啡，一邊研究對日作戰的計劃。英國的溫沙公爵和夫人，最近也曾在這兒消磨過不少的時光。南韓前總統李承晚和夫人，也曾在這兒出現過。

這個花園夜總會之所以能夠吸引那麼多的顧客，完全是因為它有着一種寧靜的氣氛。顧客們在舒適的花園裏喝着又香又甜的熱帶飲品，席地坐着，細細欣賞由土人演奏的夏威夷音樂，實在是一種無上的享受。誰都知道，夏威夷音樂是最夠扣人心弦的，四弦琴的琴聲，簡直使你的心房隨着它的音波而跳動。

同時，到那兒去的人，更可以看到正宗的草裙舞蹈。草裙舞本來是夏威夷的土風舞，當地的女孩子從小便開始學習了。（上）

解答關于外幣郵寄台灣的幾個問題

問：外國鈔票可否裝於郵件內寄遞來台？

答：可以。本國政府目前准許外幣寄遞進口。

問：按照郵章裝有現鈔的信件，應以何類郵件交寄？

答：由國外寄遞進口者，應裝於掛號信或保價信函內。惟請注意者，平信（非保價或掛號）內切勿裝寄現鈔，這是萬國郵政公約及我國郵政規則所禁止的。

問：利用保價信函裝寄現鈔與利用掛號信，兩者有何不同？

答：保價郵件亦即郵件的保險，如有遺失被竊或被毀損時，在報價的範圍內郵局負有賠償的責任；掛號信的遺失雖亦可向郵局請求補償，但規定補償的數額以二十五金佛郎（約合美金八元三角）為限，而且造成損失的原因，如係不可抗力之情事，則不能申請補償，這在我國的郵政法上已有明白的規定。所以掛號信裝寄現鈔進口，其現鈔價值不宜太高。

問：現在究竟有那一些國家可以寄遞保價信函到我國來？

答：截至目前止，已有日本、瑞士、法國、香港、英國、馬來亞、星加坡、泰國、阿根廷、緬甸等郵政，可以寄遞保價信函來我國。

問：利用掛號信函裝寄現鈔進口，數額有沒有限制？

答：我國郵政與對方郵政商定的保價最高限額為五百金佛郎（美金一百六十三元），由掛號信寄台者其數額則未有明文限制。

問：利用普通掛號信與「限交本人親收」之雙掛號信裝寄現鈔，兩者有何不同？

答：很多國家的郵政（例如美國）都辦理收寄「限交本人親收」之雙掛號信，其不同處只是在掛號信封面上註明 "A remettre en main propre" 即（限交本人親收 Deliver to addressee only）；投遞的郵局即可投交收件人本人親收。譬如說收件人的住址為機關學校團體等，如為普通掛號信只投交機關學校團體之收發郵件人員簽收，如為「限交本人親收」的掛號信，那末收據上除蓋機關團體或學校的印章外，尚須加蓋收件人本人的圖章。利用限交本人親收的掛號信裝寄現鈔，當然比普通掛號信更見安全；這安全只是指郵件在郵局投交後之代收轉交方面。而在郵局處理方面，則普通掛號信與「限交本人親收」的掛號信都是同樣的十分審慎，對寄信人所負的責任，也是相同的。

問：這樣說來，所有與我國通郵的國家都可用普通掛號信裝寄現鈔來台，一部份國家則更可以「限交本人親收」的掛號信裝寄現鈔來台，再有一部份國家尚可利用保價函件寄鈔來台？

答：是。但有若干國家政府不准鈔票寄遞出口，故寄件人欲郵寄外幣來台，應請先向當地郵局查詢詳情。

問：是否尚有其他辦法，可由國外寄款來台？

答：有。我國現已與美國、日本、英國、法國、香港等恢復互通郵政滙兌業務，尚有其他若干國家不久亦可恢復。請你寫信通知在國外的親友儘量利用，但要特別勸告對方：「不要在平信內裝寄現鈔」。

新三國

周蘂詩著

於是何進便實行打擊蹇碩，終而使八校尉之軍，均由何進統領。到此何進更權重一時，袁紹常為何進畫策，可惜何進猶豫不決敗事。

在此時與何進同樣有勢力的人，便是驃騎將軍董重。這董重原本外戚，他的姑姑即是漢靈帝的母親，即董太后。董太后即是何后的婆婆，婆媳之間從來不對頭。董太后喜歡在背後說何后的閒話，何后知道董太后要驃騎將軍董重候機殺她，便將此事告知何進。何進會同三公，檢舉董后勾結宦官，收受地方官吏的賄賂。又以出身原為解瀆亭侯的夫人，沒有做過眞正的皇后，無非因為兒子靈帝得立為帝，才被尊稱為「孝仁皇后」，所以她應該遷出宮去，到解瀆亭侯原來的地方去住。在同時，何進又發兵圍了董重的驃騎將軍府，活捉了董重，免了他的驃騎將軍職務。董重自殺而死。這是外戚與外戚鬥爭的一幕插曲。

何進解決了董重，於是他成為洛陽唯一有權力的人，頗想實行袁紹的計劃，把太監一網打盡。就命袁紹做司隸校尉。（司隸校尉前已有說明）又用王允做了河南尹。可惜袁紹的計劃，何太后和他的弟弟何苗都不贊同。於是，袁紹又為何進計劃，命召四方猛將及豪傑引兵向京城，聲稱以除宦官為名。此事陳琳曾經給何進上書諫，何進不聽。於是西召前將軍董卓屯關中上林苑。又使府掾太山王匡東發其郡強弩，並召東郡太守橋瑁屯兵成皋。使武猛都尉丁原火燒孟津，火光照耀城中。皆以誅宦官為言。何太后仍然不從，何進之弟何苗也反對。袁紹恐怕何進變卦，乃脅迫說：『交構已成，形勢已露，事留生變。』何進只好同意。於是袁紹使洛陽方略武吏司察宦官，又促董卓趕快進兵平樂觀。到此何太后才恐懼起來。於是，把中常侍、小黃門一類宦官，全部勒令回老家。一些宦官到何進府謝罪，袁紹勸何進就此一齊幹掉，可是何進不聽。其中有一個有名宦官張讓，與何太后有故，張讓娶了何太后的妹妹做兒媳婦，頗得何太君的母親舞陽君的喜歡。張讓就託他媳婦在舞陽君老太太面前說情。何太后於是收回成命，又叫太監們進宮當差。何進見太后變卦，便親自入宮與何太后力爭，要太后盡誅宦官，以三署的郎官入守宮官廬。張讓等便暗中率領了數十宦官，持了兵器，潛伏起來；等到何進入宮，張讓詐稱太后有詔，召何進入省閣，張讓等將何進痛斥一頓，由尚方監渠穆拔劍把何進砍殺於「嘉德殿」前。何進之敗，敗在猶豫沒有獨斷。

何進被害消息不脛而走，何進的部下吳匡、張璋聞訊，欲將兵入宮。宮門緊閉，袁術與吳匡共攻不下。內有中黃門持兵守閣。日暮時，袁術用火燒南宮九龍門及東西宮，欲以威脅張讓等出來就捕。張讓等一干宦官入告太后，說大將軍兵反，火燒宮闕，攻打尚書閣，張讓將太后、天子及陳留王以及省內官員，使從複道走往北宮。尚書盧植，親自執戈守在閣窗之下，痛斥段珪。段珪懼怕，把太后放了。太后入盧植閣得免脅迫。（十八）

國劇繽紛續錄

姿婆生（五十九）

干城選鋒（續）

凡是公演必先於事前對於所演的戲有好安排，要迎合觀衆心理。若是閉門造車，未必能饜衆望。例如大鵬有一齣全本打金枝，即滿牀笏，鳳娟唱得不錯；爲何不排出？干城即是能從人所議，故少有成功。下次演出決不與第一二輪的戲重複，是爲可貴。也許有路遙知馬力紅樓二尤等，亦未可知。我希望各劇團多多就商那幾位名家才是。

畧談季少山

干城有一位小生，名季少山，玩藝尚不錯，不過他做作還不夠其靜，尤其舉步之時，兩手動作常把肩膀聳動。此在演呂布楚王孫等尚不覺得，到了演張君瑞傳朋李春發等，把灑雅灑落的氣氛大減。座中有人在說，不夠其文。我希望季少山注意，並非批評你不好，是要改進。演小生極難，雉尾、扇子、窮、武各有其一套，對於內在的心理，極爲重要。故以前的小生，姜妙香趕不上程繼先，而金仲仁趕不上姜妙香，王又荃也與仲仁相類似。

例如演紅娘的張君瑞，現在數劉玉麟，六七年有個朱冠英也很好。有一次其弟冠軍來台，署名游軍，與周繼曼演紅娘，其耍棋盤的身段，竟超過乃兄。究竟受了名師俞五薰陶，確是不凡。我的指望少山在文的方面，力加琢磨，因爲其中角色多半是書生。書生就要有書卷氣，所謂溫雅，不能過份用勁。若論趙寵就非常之難，文而要不瘟，是爲上上。梅蘭芳在北平唱，必請程繼先，不用姜妙香，因其味兒不夠。葉盛蘭出道，無所不能，遂得大成。體味此意，學藝尚須自檢。文紀說你們從簾外進簾內，今後角逐，永無止境。小生爲且角唯一的侍從，要多研究，始能克服困難，幸勿河漢斯言。

觀蓮芝宇宙鋒

干城這次公演，最好的戲還是宇宙鋒（指旦角），此是梅派的絕作，也即爲金素琴的名劇（根據郭兄所告）。秦慧芬也不賴，此外甚少有稱能者。人多說徐蓮芝的背衣戲，不成，這全憑唱工，却能非常精采。我也似乎早已料到，覺得洛神劇本付之，使她更進一步。道不是捧，盼其大成，來接金、秦兩位的一根棒兒也。下次如能將紅樓二尤與洛神推出，可說更上一層樓。

徐白兄在看大劈棺後，想聽宇宙鋒，即贈一券，互相推測，究竟能否應工？頂得下來嗎？姑待觀後再證。我倆在一起看完歸來，車中再互相證判。我提幾點：（一）修本所唱一段，一般皆唱原板，而梅氏初期唱慢板，後來改原板。比較起來慢板較原板爲稍難，蓮芝擇其難的來唱。（二）幾個叫頭的水袖，有單手，有雙手，有反手，各種樣子均好看。（未完）

酒徒秘密之研究

·林錚譯·

如果閣下是喝酒的，甚至不是有酒癮，只是逢作慶也好，亦請你讀讀這篇文字。作者是威廉斯·德曉博士，他研究酒與酒徒，已有四十年的經驗了。

你可能認爲自己沒有酒癮，隨時可以控制自己。是的，你可能有自信，但如果你肯花些少時間，把本文讀完，那你便知道事情不是這麼簡單了。

德曉博士的報告書，首先刊載于美國的醫學月刊；因爲內容甚有價值，於是今年初，又由「哈潑」雜誌轉載。

至於德曉博士本人，不是一個禁酒主義者，也不是非飲兩三杯不舒服的人。談及美國，他這麼說：「縱酒目前已十分流行，人口百份之十每天靠酒而活；還有百份之五是十足的酒鬼。以紐約市爲例，每年喝酒人數增多廿萬這麼厲害。」

據他的調查，四名酒鬼中有三名是爲了喝酒而飲壞了家庭幸福，喪失職業，甚至與親友不和等。他們爲了酒，常常說謊，甚至不擇手段去破壞別人的事情。總之，酒鬼已變成另一種「怪物」。

德曉博士認爲下列的成見是錯誤的：一個人上了酒癮是因爲他缺乏堅強的意志及有犯罪的心理。事實上，這一切是上了酒癮後才表現出來。

他提出了六種不同的程序——

（一）逢場作慶的人士，自然不會發生什麼難題。

（二）經常交際應酬，陪人喝酒，初時雖然沒有癮，但日子一久，危險性是有的。

（三）每天不喝點酒便感不快的人，這個階段表示「紅燈」亮了。在表面上，這種人一切十分正常、他以爲喝酒如喝下午茶一樣，殊不知他已做了酒的奴隸。此類人的個性是這樣的：（甲）他認爲有一天酒不沾唇，便感到無人生樂趣了。（乙）喝酒成爲交際應酬的必需品，與人斟生意的，非喝些酒便提不起勁來。（丙）工作之後，未返家之前，他必在外邊喝多少酒，才感到高興；否則當天晚上坐立不安。（丁）他把酒列爲日常必需品了，無論午、晚餐，甚至性交前，也要喝酒。

（四）酒徒——是無法逃出酒的魔力的了。喝酒已成了習慣。就算無此必要，也要喝幾口；因爲體內的機能已中了酒毒，沒有酒的「滋潤」，幾乎無法活動似的。長此下去，只有一個結局——悲劇。

（五）酒鬼——這與酒徒有別。到這個階段，他已不是「人」，是「鬼」了。一切都反常，成爲酒的犧牲者，無論生理與心理上，都有極大的變化了。這種人的精神已面臨崩潰的邊緣，他自暴自棄，自憐亦自恨。他知道自己已變得不成樣子，可是，他無法自拔。

（六）酒仙——喝酒後荒唐怪誕，但不喝酒時，一切都正常。

至於形成上酒癮的特殊環境有下列各種——

（一）教育與工作方面，失去中心。

（二）在人生旅途中，受盡挫敗，形成自憐及憤世嫉俗的心理。

（三）婚姻不愉快，這尤影響女性方面。

（四）心理、生理上不正常的人。

（五）長期受疾病折磨。

（六）平生沒有康樂方面的興趣或正常的嗜好。

（七）年老時貧病交迫，或者心靈空虛。

德曉博士提出了「十誡」，據說遵守的話，便不會上酒癮，誤了終生。他的十誡是——

（一）你需要喝酒時，偏不喝。

（二）喝酒時，學會慢慢喝，不可一飲而盡。

（三）常常把酒沖淡。

（四）不要每天都喝酒。

（五）不要瞞自己喝酒多少。

（六）肚子餓時，不可喝酒。

（七）不要養成隨時隨地喝酒的那種習慣。

（八）當你感到疲倦時，沖個熱水浴，然後再淋冷水。但不要想到喝酒。

（九）不要相信酒可以解愁。

（十）早上千萬不可喝酒。

說喬太守妙判

匡謬

「自古姻緣天定，不由人力謀求；有緣千里也相留，對面無緣不偶。仙境桃花出水，宮中紅葉傳溝；三生簿上註風流，何用冰人開口。」

以上是「今古奇觀」第二十八卷起首的一首「西江月」詞，它肯定婚姻乃前生註定，而非人力所能勉強。這是「喬太守亂點鴛鴦譜」故事的旨趣。以此故事拍成的「喬太守亂點鴛鴦譜」電影，是一部輕鬆風趣的古裝歌唱喜劇。

「喬太守亂點鴛鴦譜」故事，最早是出於「宋人平話」，這是宋朝仁宗皇帝喜閱的一部民間流行的故事書，當時是由供奉局的說話人（後代名說書人）口述，再以筆記之，專供皇帝閱覽的，日進一帙。如果皇帝閱了樂意，還得賞賜金錢。這些「宋人平話」，到了明代，才由馮夢龍綴輯，成爲「三言」小說。「三言」者，即是「喻世明言」、「警世通言」、「醒世恆言」。「醒世恆言」中，就收有了「喬太守亂點鴛鴦譜」。這故事在宋代已流傳在江南一帶；後來，抱甕老人把「喻世明言」、「警世通言」、「醒世恆言」三言之精彩者，及「拍案驚奇」中富於傳奇性者，精選了四十篇，合輯爲「今古奇觀」一書。於是「喬太守亂點鴛鴦譜」於「醒世恆言」之外，又採入了「今古奇觀」，列第二十八卷。關於抱甕老人，當是筆名無疑。其真姓名不可考，依筆者看來，可能是馮夢龍所編。因爲「三言」再加上「拍案驚奇」，就有二百種，所謂「卷帙浩繁、觀覽難周」，才選出四十種，名爲「今古奇觀」。

喬太守之判決書云：

「弟代姊嫁，姑伴嫂眠。愛子愛女，情在理中。一雌一雄，變出意外。移乾柴近烈火，無怪其燃。以美玉配明珠，適逢其偶。孫氏子因姊而得婦，摟處不用踰牆。劉氏女因嫂而失夫，懷士初非衒玉。相悅爲婚，禮以義起。所厚者薄，事可權宜。令徐雜便婿裴九之兒，許裴政改娶孫郎之配。奪人婦，人亦奪其婦。兩家恩怨，總息風波。獨樂樂，不若與人樂。三對夫妻，各諧魚水。人雖兌換，十六兩原只一斤。親是交門，五百年決非錯配。以愛及愛，伊父母自作冰人。非親是親，我官府權爲月老。已經明斷，各赴良期。」

喬太守寫畢，命押師當堂朗誦，衆人聽了，無不心服。並且三對新人，就在公堂舉行結婚儀式，由喬太守主婚，還各人送了花紅六段。杭州城都轟動了，都說「好個行方便的太守」。這正如今日法院的公證結婚，所不同的，是太守送了大禮。對於本案的判決，喬太守該說並沒有亂點鴛鴦，而且斷得非常公平。其判詞亦詼亦諧，但深寓懲誡之意。後人尚有詩一首讚喬太守云：

鴛鴦亂配本前緣，全賴風流太守賢；錦被一牀遮盡醜，喬公不枉叫青天。

武則天

「影劇與歷史」之十七

周遊

次且到上苑，果然萬花怒放，反對派以爲她有奪天地造化之功，便不敢輕舉妄動了。，由於武則天用人工催花的方法也傳了下來，後人因此種方法發明於唐代，所以稱人工催花爲「唐花」。

武則天眞能用好人，在她統治的時期，名相輩出，如狄仁傑、婁師德、李嶠、姚之崇等人，在歷史上都是有盛名的人物。我說歷史上最幸運的女人要算武則天，她雖然淫亂，但她能享八十一之高齡。在她病倒在床時，秋官侍郎張柬之等糾衆入宮，迫她禪位。而不久，她終於「壽終內寢」，並未死於非命。武氏富貴福祿壽考，極九五之尊，豈非最幸運的女人嗎？

歷來批評武則天的人很多，有的說好，有的說壞，其間多有某種成見。批評古人，最重要的是，不可有任何成見；不可以用現代的眼光和思想來看古人；對人不可有男女地域之別。例如一個皇帝有三宮六院，嬪妃至少數以百計千計；但是換上一個女皇帝，在私生活上需要幾個知心如意的男人就指爲淫亂，這未免有欠公平。我想：不僅是武則天作了皇帝需要幾個如意的男人，相信任何女人，在那個「極尊」的地位，都會那樣的享受一下。

可是她公私分明，公事毫不馬虎。今天有很多道貌岸然的達官貴人，自命爲道學先生者，滿口的仁義道德，三從四德掛在嘴上，但他的私生活，可能比武則天更爲糜爛。揭穿了不過就是那麼一會事。武則天是皇帝，而且是女皇帝，她的一言一行受人注意，所謂「十目所視」之下，偷一個男人沒有不被人知道的。武則天是女人，是在傳統下的「貞女」社會的女人，壞的字眼只有增加，不會減少。搜遍正史，她最爲男人們所憎惡的，也只有「淫亂」，其他恐怕就難以說得上。任何人都有長有短，眞的聖人能有幾個？人皆有長有短，我們作一個歷史的評論者，應當不隱惡，也不隱善，有什麼說什麼，才會令人心服！

武則天遺跡

從成都北行，過川西平原，便是廣元縣。廣元縣是川北的一座大城，是川、陝、甘間古的交通樞紐，那裏有不少歷史悠久的文物。出廣元縣城西，橫渡嘉陵江，在江上的西岸，你可以看到唐代以來所遺留下來的名勝古迹。其中與武則天歷史有關係的，有著名的皇澤寺。現存的皇澤寺石刻造像，還有六個石窟及二十八個石龕造像，都是唐代刻鑿的。但石刻造像因年代久遠，經過長時間的風吹雨打，如不知來歷，大都不加注意。

廣元縣皇澤寺又怎樣與武則天的歷史有關呢？據說：武則天的父親武士彠，在唐代武德七年（公元六二四年）曾任利州（廣元縣）都督，是年生武則天於廣元縣。後來爲紀念武后的出生，在皇澤寺內建則天殿，殿上有武后的石像。創建皇澤寺雖然不一定是武則天，但後人修寺，也有把武則天的出生與皇澤寺的修建並提的。如廣政二十二年立的「皇澤寺唐武則天皇后新廟記」，就說到武則天的出生與修建廟宇的關係。廣元縣的當地人對武則天也很崇敬，稱皇澤寺所在地（原屬上西壩）稱「則天壩」，白沙里」一名，明代稱「則天鄉」，這個地名一直沿用至今。（三、完）

玩暴君路易十五於股掌　法國奇女子蒲巴多

·仁厚·

在歷史上我們可以看到不少女子能利用她們迷人的肉體和圓滑的手段，把國家內的高層人士，如部長，閣員等政要，甚至統治一國的君王，玩弄在股掌之上，因爲在歷史上亦有不少君主是好色之徒。

即如法王路易十五便是一例。路易十五是路易十四的曾孫，因爲幼年即位，所以當時法國的政權是旁落在攝政王之手。輔助他的人大多都是各懷陰謀，意圖不軌，再加上他生性懶惰，奢侈淫佚，一天到晚都與他的情婦們沉醉在凡爾賽宮，置國事於不理，是法國歷史上最荒淫無道的君王。（一）

內銷暫台報字第○三一三號內銷證

自由報

THE FREE NEWS

第六三六期

中華民國僑務委員會頒發
台政新字第二二三號登記證
中華郵政台字第一二八二號執照
登記為第一類新聞紙類
（半週刊每星期三、六出版）
每份港幣壹角
台灣零售價新台幣貳元
社長：雷嘯岑
督印人：黃行誓
社址：香港銅鑼灣高士威道二十號四樓
20, CAUSEWAY RD 3RD FL. HONG KONG
TEL. 771726　電報掛號：7191
承印者：大同印務公司
地址：香港北角和富道九六號
台灣分社
台北市西寧南路壹壹零號二樓
電話：三〇三四六
台郵撥儲金戶九二五二

對當前政治問題的杞憂

・雷嘯岑・

自從第一屆國大代表第三次會議在台灣集會以後，我個人常抱有一種杞憂，即中華民國現行的憲政體制如果不變動，除非在三五年內光復大陸河山，依法改選中央民意代表，否則長此荏苒歲月，一般民意代表——特別是人數較少的代議機構——由壯而老，而陸續凋零了，有朝一日，或許會發生不足開會的法定人數之現象。

因此，我在上屆國大代表會議之際，曾經撰文主張修改現行憲法，藉以適應實際情況。蓋修憲乃極尋常的事，任何一個國家的憲法，沒有不經過修改的——而且不祇修改一次，即在非常時期亦然，美國憲法就在戰爭期間修改過，尤為習見；至於不成文憲法的國家，如英國，常隨時由國會製訂些法案以補憲法之不足。實施的措施，毫不稀奇。我國現行憲法創制之初，在「政協會議」中，為着遷就在野黨派（共產黨和其同路人之所謂民主同盟爭執尤烈）的意見，不以執政黨所提憲草為協商對象，而由張君勱先生將其個人平日構想，試擬的「中國憲法原稿」，交給「政協」同人參考，結果除了第一條文字加入「基於三民主義為民有、民治、民享之」這些詞句，以及將「無形」的國大代表會議一改為有形的正式集會外，內容百分之九十都是張君勱先生的原稿，通過即成為國家的大經大法了。可見這部憲法的先天本質即很脆弱，無論在學理和事實上，皆不免扞格難行之處，一望即知，人所共喻。迨國大代表第一次會議時，乃有「臨時條欵」之增訂，為的是暫時加強政府在戡亂時期的權力，國內和平秩序一經恢復，這項臨時條欵便要宣告廢止的。詎內亂日益加亟，馴致神州板蕩，大盜竊國，歷時十八載，而政府尚須從事戡亂救國之役，禍變之來，罔知所屆，固非始料所及也。

蔣總統遠在民國卅九年復職時，我即於「香港時報」撰文建議停止現行憲法之實施，成立軍政府，以便集中一切力量，迅奏反攻復國之功。當時居住台灣的一位法學家函告我，說軍政府制度未嘗不可試行，但恐因此而在國際間發生「承認」問題，轉滋紛擾，認為值得考慮。嗣後，我也不再彈此調了。可是，時間越過越久，政府還在台灣，咱們這些中央民意代表的任期一再延長而無從改選，我的杞憂終不能釋。

最近有若干國大代表提議修訂憲法上的「臨時條欵」，主張增列兩欵條文：「動員戡亂時期得設置動員戡亂委員會，決定動員戡亂有關之大政方針，并有處理戰地政務之全權，其組織由總統以命令定之」；「動員戡亂委員會對於中央政府機關之增減、調整、編制與職權，及選舉產生之公職人員（國大代表除外），因人口增加或任期屆滿而現能增選或改選之地區，以及光復地區能舉行選舉時，均得制定辦法實施之」；「以上兩欵之施行，不受憲法有關條文之限制」。按照這種條欵而設置的「動員戡亂委員會」，其權力超過對日抗戰時期的最高國防會議，不啻是「軍政府」的遺型。看條欵內容，關於中樞行政機構之增減、調整、編制與職權等，如果對於五院沒有變更，原是政府可以自由處理的事，并不涉及憲法問題。至談到由選舉產生的中央公職人員，只有國大代表和立監委員而已，「因人口增加或任期屆滿而現能增選或改選之地區」，亦祇有台灣一省。至於光復地區的民意代表改選，那是未來的事情，亦係當然的措施，假使我的家鄉光復了，即令政府不亟亟於改選國大代表，我也要自動向選民辭職，再不願參加第五次國大會議的。政府對於戡亂政務自有全權處理，無待特增條文，亦係義所應爾。所以增設這兩項條欵的實際效用并不怎末廣大，然因有「不受憲法有關條文之限制」一語，表面上好像很嚴重了。

我認為政府在非常時期應該集中權力，而其方法卻不必專在憲法上的「臨時條欵」中動腦筋，與其枝枝節節地把憲法有關條文予以凍結，給世人以議論的口實，即不如乾脆組織軍政府，名正言順地渙汗大號。因此而可能發生國際上的「承認」問題，實係揣測之見。近年來，中東和南亞與非洲各邦，隨時發生軍人奪取政權，廢棄憲法，組織軍政府的重大變局，國際間照樣對他承認建交，不成問題。只要自身有力量，站得穩，提得起，有辦法，不管實施任何政體，乃至於改變了國體，實力人亦一例承認，即屬合法，立國於強權世界，書生式的思想與作風，實在不合時宜。軍政府之說若有所顧慮，即不妨堂堂正正實行修憲。現行憲法經過十餘年來的實驗，漏洞甚多，窒礙重重，既非總統制，又不是內閣制，非中非西，不倫不類，為甚末不能修改呢？修憲原係國民代表大會的法定職權，政府儘可提示綱要，預定期間，交由國大會議討論通過，頒佈施行，無論如何亦比增加臨時條欵以凍結憲法上若干有關條文的辦法，完善多了，也冠冕堂皇之至。

若謂上述增訂臨時條欵兩項的重要意旨，是在準備軍事反攻大陸時期的未來需要，然而修憲工作比較繁重，不如採用增訂臨時條欵之策，輕而易舉，且使憲法原封不動，得以帶回大陸。那除非認定現行憲法確係完美無缺，適合國情的金科玉律，否則及時修改，不亦宜乎！老實講，我們對於這部憲法，現在只談修改，將來回到大陸後，便應根本廢棄掉，另外來過，把它原封帶回去，亦係無用的廢紙，實在沒有珍視之價值了。撤開政黨的立場，光就法學觀點和國情以研討憲法，民初舊國會制訂的「天壇憲草」，以及民十九年北平「擴大會議」所擬訂的憲草，都比現行憲法完美得多。談到民主政治生活，理論上很美麗動聽，實質上卻離題甚遠，在平時增加社會上的紛擾與浪費，在戰時祇有抵消行政效能、絆礙軍事行動的副作用而已。產業不發達，教育不普及，社會結構不健全，民眾對政治不感興趣的地區，強行歐美式的民主政治，我認為總是利未見而害已先嘗的虛誕玩藝。職是之故，我在思想上已有落伍的觀念，頗贊美古代那般開明君主制如唐太宗宋太祖的統治情形，對於國計民生的裨益，何嘗比現代的民主政治有遜色呢？我之所以甘冒時代大不韙，而倡言設立軍政府，不苟同以臨時條欵來束縛憲法效用，而主張根本修憲，其動機都是由於對民主政治之失望——也可說是「反動思想」。今日誰要能夠光復中原，還我河山，即擁戴他作皇帝，我也是樂意的！

乘機搗亂

妙想天開

今日與明日

印尼局勢步向坦途

經過十天的醞釀變化，印尼局勢已逐漸開朗，蘇哈圖將軍終於組成新閣，把親共的第一副總理兼外長蘇班德里奧，第三副總理沙利，財政部長尤弗夫等一律免職加以拘禁。其中還有一個更重要的人物也被軍方拘押，但為各方電訊所忽略報導的，就是沙斯特里阿米佐約。此人是印尼國民黨（比共產黨稍右一點）全國總會主席，印尼合作國會議長，一九五五年在萬隆舉行亞非會議時，此君正任印尼總理，成為當然主席，所以他就成為亞非會議空前絕後（事實上不會再開）的一位主席，因此頗為沾沾自喜。更由於亞非會議以中共為主體，所以特別親毛，專門在國內協助印共推行統戰工作，表面上不問實際政治，骨子裏卻是印尼政壇的紅顧軍師。此次軍方把他逮捕，實在說此人之惡尚勝於蘇班特里奧也。

仍要注意蘇加諾

就目前情形來看，蘇加諾是失勢了。但是，我們萬不能低估了蘇加諾的力量。經過二十年的時間，蘇加諾的勢力已遍佈印尼政壇，也滲透軍方，印尼部隊中下級軍官，不少是蘇加諾的豐沛子弟，這批人都是從小學時就受蘇加諾資助，由小學而中學，而軍校皆是蘇加諾出錢供給，畢業後安置軍中，居以要津，這批人對蘇加諾自然感激效死，牢不可破。他們究竟有多大力量，非我們所知，但是見到軍方對蘇加諾如此將就，最後為了蘇班特里奧留任問題，還要全體開會，可見軍人對蘇加諾實有顧忌，除非到了萬不得已，決不肯與蘇加諾翻臉。

新閣人選

印尼新內閣確實差強人意，大概自一九五五年哈拉哈普內閣倒台後，印尼尚未出現如此自由反共的內閣。尤其是日惹蘇丹被提為第一副總理，更具有深意。在印尼建國初期，開國元勛實為三人，即蘇加諾、哈達（前副總統）、日惹蘇丹。以後蘇加諾大權獨攬，將兩人排除，日惹蘇丹一度且被監禁，險遭左派殺害。但印尼人民皆視之為自由象徵，軍方捧出日惹蘇丹，證明今後確與左派一刀兩段。唯一美中不足的，是第三副總理又換了阿都干尼，此人十年前任外長，因貪污被軍方拘捕，蘇加諾不得已免其外長職，代以蘇班特里奧。此人不但是蘇加諾的聚斂之臣，而且是磅友，嫖友，品格最為印尼人所不齒，毒害華僑事也多是此人獻策，十年來僅担任合作議會秘書長。此次軍方拉他入閣，可能還是為了敷衍蘇加諾，將來恐怕會有後患。（何如）

無知的可憐相

近來美國的朝野上下人士，為着越南戰事前途，議論紛起，爭執甚烈，而以參議員傅爾布萊德，羅拔甘迺[illegible]搖惑人心的姑息主張，最足以沮喪士氣。這般[illegible]的民意代表，[illegible]共產主義的[illegible]，更不知道[illegible]人民的文化是何內容，[illegible]見解，基於[illegible]觀念，害怕[illegible]集團發生大戰[illegible]

國際經濟樞紐繫於倫敦，因而俄共乃採取盲目反對「英帝」的策略，教唆全球各地區的嘍囉，一致視「英帝」為死敵，且禁止俄人說英語，外來旅客操英語對俄人談話，對方即怒目相向，這是四十年前我旅行蘇俄的親身經驗。二次大戰後，美國取代了「英帝」的世界霸主地位，而其支配自由世界的實力，遠超過舊時的「英帝」。所以，俄共集團的世界革命目標，乃以「美帝」為首要了。毛共既以正統的馬列主義自居，指俄共為修正主義，罵克里姆林宮的羣酋是叛徒，它要把世界革命的領導資格，從俄共身上攫取過來，當然非極力反對「美帝」不可，否則沒有立場了，共產黨人是最講究思想路綫和立場的。

傅爾布萊德之流昧於這種常識性的思想體系與歷史經驗，口口聲聲抨擊白宮對越南的反共政策，理由是害怕美國要跟毛共作戰，那還得了嗎？殊不知毛共之必須仇視「美帝」到底，是為着實行正統的馬列主義革命路綫，為着爭取世界革命的領導權，義無反顧，不得不然，無論美國對越局怎樣委屈求全，企圖妥協，它亦決不會同意的。一九四九年毛共竊據中國大陸之初，美國當局教大使司徒雷登呆在南京向毛共結交修好，聲稱願以數十億美元相資助，而毛共置之不理，反美如故，今天它的地位和力量比較當年強勝多了，瞧着美國一派色厲內荏的形相，豈肯苟和的？我若是毛澤東，亦必不接受「美帝」這種好意，可憐美國那些偽自由主義者太無知了，嗚呼哀哉！

馬五先生

由本報一篇報道引來

監察院糾彈教師福利會

糾彈對像包括劉眞賴順生等

（本報記者張健生台北航訊）監察委員袁晴暉決定提案糾彈台灣省公立中小學教職員福利會前兼主任委員劉眞，以及日月潭、台中教師會館籌建會主任賴順生（現任台省教育廳副廳長），特教會前任總幹事林春輝等非法瀆職行爲。

教師會館營繕工程舞弊案，詳本報派駐中興新村記者熊徵宇以「掀開台灣省教師福利會偸天換日的爛帳」一文，發表於本報第四六八期至第四七四期，因此引起監察院的重視，由監察委員吳大宇等提案，經監察院輪派監委袁晴暉調查，終於提案糾彈。足證本報記者之報導翔實。

由於本案相當複雜，且屬於工程方面非專門技術人才是無法調查的，而袁委員不但費盡辛勞，把本案查清楚，同時大公無私，不畏權勢，提案糾彈，尤足令人敬佩。所以，該糾正案在三月九日提出監察院教育委員會討論時，與會委員全體支持通過，送行政院切實改善。

糾正案指出：該教師福利會組織規程，係四十八年三月報經台省府第五八三次會議通過，並頒發「關防」。該會設委員九一人至九七人，教育廳長爲當然主委而未經選舉，其中委員二五至三一人由主委遴聘，餘由（一）省立中小學校長推選代表十人，（二）縣立中學校長推選代表十二人，（三）縣市國校校長推選代表二三人，（四）公立中小學家長會推選代表二二人而組成委員會。並設常委一三人至一七人，由全體委員互選。委員及常委任期均爲二年。全體委員會議每年召開一次，常委會議每三個月舉行一次。該會設總幹事一人，幹事若干人，均由教育廳職員中調兼。

福利會基金來源：（一）中學學生家長每學期繳納十元，（二）國校家長則每學期繳五元。自四十八學年第二學期起，至五三學年第一學期止，計收全省家長會費新台幣四千二百二十八萬二千四百四十元二角二分。（三）公立中小學生「自由捐獻」，中學生二元，小學生一元，在同一學年期內，計收新台幣二千四百九十四萬九千六百廿三元九角六分。（四）接受省府特種教育基金會每年補助三十萬元，計新台幣二百六十二萬九千元。（五）社會捐助，計八十三萬一千七百十五元。（六）福利金孳息收入，計一百九十四萬四千九百元。該教師福利會總計收入福利金新台幣七千零六十萬六千三百〇四元一角。平均在五十一學年前每年收入八百萬元。五十一學年後，平均每學年收入達一千七百萬元左右。該會自四十八年二月至五十四年一月，共支各項福利新台幣五千二百二十萬〇四千三百〇九元六角二分。

糾正案認爲：該會收入基金數額龐大，組織未臻健全，法律地位迄未確定，逐漸變質，其不當措施應予糾正者計有：

第一、該會自四八年成立後，迄至廳長兼主委劉眞於五十一年卸任，總幹事林春輝於五十二年八月調職止，沒有訂立會計制度。因無會計制度，致發生浮報濫報情事。迨日月潭、台中兩教師會館工程次第完成後，方訂一範統原則性之「會計制度」。

第二、會計人員不得兼辦採購，主計法令明文規定。該會會計鄭長汀，係省教育廳主計室股長，奉派兼辦日月潭、台中兩教師會館採購物品工作，違背法令規定。

第三、該會在未制定「會計制度」前，對會計事務之處理係比照教育廳辦理，凡採購在五百元以上，必須三家商店估（比）價，以杜流弊。查該會自四十九年四月起，至五十三年三月止，超過五百元以上逕行採購而未辦理估（比）價者，計有一六四筆，合計新台幣一百九十六萬七千餘元之鉅。

第四、該會任意揮霍福利金者，據查該會撥付與教職員福利事業無關之開支，計有：

購國畫一張付二千五百元；

購中國叢書五部付二萬元；

購台灣畫集十冊五千四百元；

購器械運動理論與實技五冊四百元；

購台灣省政三冊九百元；

購朱熹全集一冊三千元；

補助教育輔導月刊六萬五千一百元；

補助教員寫作進修班經費五萬元；

補助中國語文學會稿費四萬三千六百八十元；

補助台北師範遷建宿舍施工費五萬元；

補助日月潭會館屏錦指導費三千元；

補助日月潭國校校長熊智銳宿舍費一萬二千三百元；

另兼職車馬費十三筆，六千五百元；

付張爵民整編「赴日教育考察報告」稿費三千元；

付教育廳員工春遊日月潭汽車租費八千元；

付剪報資料費六千元；

無息借給尹護輾一萬元；

墊付教廳賠償丁振武在美受訓費十八萬八千零六元九角。

補助教廳福利會春節活動費一千元。

第五、各校教職員最迫切的問題，爲宿舍擁擠不敷分配，該會理應設法解決，詎該會自四八年二月至五四年一月，撥付興建教職員宿舍貸款計五百三十五萬三千元，而支付興建日月潭及台中教師會館暨補助桃園教師會館，竟達新台幣二千五百八十六萬六千餘元，兩相對照，輕重緩急，殊不相稱。查日月潭教師會館自五十學年至五十三學年，平均每年虧損新台幣三十萬元，四年間，已由該會撥補短絀經費達一百十二萬七千零一元七角五分。台中教師會館自五十一學年至五十三學年，平均每年虧損四十萬元，三年間，該會已撥補經費一百二十萬六千九百五十二元三角。

第六、該會興建日月潭教師會館計支付福利金新台幣九百九十二萬七千四百八七元二角三分，興建台中教師會館計付一千四百五十四萬二千七百零一元八角八分。其不法者，幫助商人逃稅，圖利包商，違背法令及撥用程序。台中教師會館係違章建築，以不實事項登載於公文書向公務機關行使，及鋼窗工程舞弊等事項。

糾正案結論：該會現行制度及各項措施，尤其教師會館被省議會指爲「風化會館」，招徠商人與妓女，表演令人嘆爲止觀，顯然不合。有關違法失職人員，將另案彈劾。特予糾正，送行政院切實改善。

國大四次會議素描（四）

——涉及憲法條文的提案——

·本報記者張健生·

在國大代表提案中，有不少的提案，涉及到有關憲法條文的，如臨時條款剛經國民大會臨時會第三次大會（二月六日）中修訂通過，僅有三十三天，現在又有國大代表張知本等二十八人提案：「動員戡亂時期條款第三項之後，增訂：

「動員戡亂時期得設置戡亂委員會，決定動員戡亂有關問題之大方針，並有處理戰地政務之全權。其組織由總統以命令定之。」

「動員戡亂委員會，對於中央政府機關之增減、調整、編制與職權，及依選舉產生之中央公職人員，因人口增加或任期屆滿而現能增選或改選地區及光復地區能舉行選舉時，均得制定辦法實施之。」

「以上兩款之施行，不受憲法有關條文之限制。」

張知本等提案之理由中指出：「一、我國民大會本次會議，以選舉總統副總統，鞏固國家領導中心爲根本任務，爲順應全國人民之共同意願，審度反共情勢之迫切抉擇，付以領導完成光復大陸，拯救同胞之重責。惟按諸現行憲法，在平時洵爲民主之常軌，在戰時則殊難適應圓滿遂行統帥權之要求。際此敵我之間，戰勝於頭，實有迅赴機宜，以竟全功之必要。且戰時總統授權，民主國家先例具在，都能克著成效，制敵機先，有助國家利益之保衛，與戰鬥任務之達成。則當此反攻時機即臨，授權總統，成立動員戡亂機構，貫徹統帥權之實施，以應今後情勢發展，爭取反共勝利成果，實已刻不容緩。」「二、查依憲法第十七條之規定，選舉權爲人民之基本權利。我中央治權機關公職人員之依選舉產生者，任期早已屆滿，限於實況久未改選，遂使此一部選舉權未能行使。此在陷區同胞，迄受迫害，固屬無由表達其意志，然在自由區或光復地區之國民，殊無久不選舉之理由。尤其年輕一代，漸趨成長，其在社會各方面多所建樹之優秀人士，更屬今後復國建國之中堅力量，如以民意機構久未改選而無法容納，實爲國家之嚴重損失，且亦有失民主政治之眞義。至於人口自然增加，則亦當依法按其比額予以增加，以符規定，故在現能進行增選改選之地區，或光復地區能舉行選舉時，我國民大會應授權上述機構，適時有權決定辦法是項選舉，以開創政治新機，增加民意的代表性，使整個民主政治益趨正軌，實屬切要。」

該項提案是三月十一日以「限時專送」函寄執政黨籍國大代表的。各代表接獲這兩天代表們一見面，就談論這個案子。代表們的意見和看法是見仁見智，因而無形中形成一股暗流，這股暗流如果「疏導適當」，當然有利於該案之提出，討論而通過。由於代表們不約而同的脫口而出，說：「這樣一來，豈不違國大代表的職權之行使，都『授權總統』嗎？」許多代表更進一步的憂慮的是：「我們今後的生活將怎麼辦？」

此外，國大代表蘇友仁、于歸、劉心皇等二百多人，正在草擬一項與現行憲法規定立法院職權有關的提案，擬在臨時條款中增訂規定：行政院長由總統提名任命，不受憲法第五十五條、第五十七條之限制。現行憲法第五十五條規定：行政院院長由總統提名，經立法院同意任命之。立法院休會期間，行政院院長辭職或出缺時，由行政院副院長代理其職務，但總統須於四十日內咨請立法院召集會議，提出行政院院長人選徵求同意。行政院院長職務，在總統所提行政院院長人選未經立法院同意前，由行政院副院長暫行代理。

第五十七條規定：行政院依左列規定，對立法院負責：（一）行政院有向立法院提出施政方針及施政報告之責。立法委員在開會時，有向行政院院長及行政院各部會首長質詢之權。（二）立法院對於行政院之重要政策不贊同時，得以決議移請行政院變更之。行政院對於立法院之決議，得經總統之核可，移請立法院覆議。覆議時，如經出席立法委員三分之二維持原決議，行政院院長應即接受該決議或辭職。（三）行政院對於立法院決議之法律案、預算案、條約案，如認爲有窒礙難行時，得經總統之核可，於該決議案送達行政院十日內，移請立法院覆議。覆議時，如經出席立法委員三分之二維持原案，行政院院長應即接受該決議，或辭職。

高雄縣縣長與議長

同被地方人士控訴

監院決定交內政委員會處理

（本報記者台北航訊）高雄縣長戴良慶破壞政府三七五土地政策，藉勢估據人民承租耕地，有漁內選民違法之嫌；高雄縣議長吳尙卿，不遵守政府法令，非法改組旗山信用合作社，置內政部省政府命令不理。因而被地方人民柯珠清、黃丁福、黃黨、黃朝開、唐蔡抄、楊炫村、洪水灶、王立冬等向監察院提出控訴。案經監察院第九一次院會推由郭委員學禮、康玉書二人接見請願人楊炫村等之陳訴後，由郭委員提報院會，院會決定交內政委員會處理。

高雄縣長戴良慶被控：「貪瀆等罪嫌，請求依法嚴辦」。

柯珠清等在訴狀中指出：高雄縣永安鄉烏樹林段八二六、八二八、八二九號三筆土地，計面積六一點六五〇〇甲，係柯珠清等八十三人所承租，被告戴良慶藉勢估據，並利用主管首長之職權，圖其自己及第三人不法之利益，以矇混手段，違法瀆職，傷害天理。

前述土地俗稱百甲魚塭，日據時代，原爲柯珠清等八十三人世世代代生活所依據。光復前，被告戴良慶利用日人惡勢力（按：戴良慶與日本當時岡山郡守佐川爲結拜兄弟）强行估奪；光復後，仰蒙祖國賢明政府實施民生主義土地政策，下令辦理放租，其間不法官吏勾結地方土劣，百般推諉延宕，幾經折挫，最後經柯珠清等向總統府請願，由陳故副總統查明事由，下令責辦。終於五十二年二月二十六日由行政院、內政部、省政府等令高雄縣政府辦竣放租手續，發給柯珠清等租賃書面契約在案。並經高雄縣府依照柯珠清等租用面積，指定位置測量完畢，一一打下界樁，辦理過耕手續。

戴良慶當選高雄縣長後，第一件事，便是片面通知註銷租約，繼續估奪前述土地。嗣後，管理機關更改爲國有財產局，戴良慶以縣長身份之便，不將放租全卷列册註明承租人移交國有財產局南區辦事處，僅移交土地坐落地段及面積等文書，對於有承租人一節不加記載，故意湮滅公文書並使公文書記載不實，使國有財產局錯認該土地尙未放租，戴良慶隨即申請承買、承租；藉圖破壞土地政策，剝奪現耕農承租權益。

戴良慶未依三七五減租條例而終止契約，應負同條例之罪責。且有觸犯刑章僞造公文書等罪嫌。

（上）

瀛海異趣談

肉慾市場波多黎各

·桑雅·

聖胡安城的「粉紅色花園區」，堪稱是世界上最放蕩的地區之一，煩悶的聖多明各農村女郎，艷麗動人的古巴女難民，波多黎各的縱慾女人，都滙集在這個陽光充沛的「天堂」，盡情享受肉慾，相形之下使巴黎成爲一個道德城市。

這個在加勒比海島上的城市，人口約二十八萬，是美國領土內任意開放的地方，每年萬數遊客湧到，享受良好的氣候，美麗的海灘，合法的賭博及最健美的女人，零沽與自由的愛情蓬勃，也是吸引遊客最重要因素之一。自從一八九八年十月十八日，西班牙把波多黎各移交給美國之後，人們早已曉得聖胡安的女人夠靚。當年把這個島嶼解放的美國人，曾受島上無數的拉丁美洲人熱烈歡迎，她們是毫不顧忌的，拉丁美洲女人對於性的態度，非嚴謹的淸教派北美人所想像能及，這種情形過了五十多年，巨型噴射客機每星期把數千遊客載到此島，市面更加熱鬧。

從紐約乘飛機不過是三小時半，邁亞米乘機則一百四十分鐘，化的票價是四十七美元至六十二美元，到達這個天堂，就可以享受到他們十九世紀時代的祖先做不到，及環境不許可的選擇女伴。一九六六年的北美遊客可以選擇幾大類的女郎，首先是有一千八百名到二千三百名的女伴，從最廉價的十七歲當地「弄堂女郎」，以迄最有氣派的每宵二百美元的「個人女伴」，任從挑選，後者包括第一流的巴黎「性藝術家」，或是紐約、布宜諾斯艾里斯、蒙得婁、卡拉卡斯、邁亞米、羅馬以及夏灣拿的有絕色的女人。

在聖胡安港口附近經營一酒吧的喬治說：「這些掘金女郎們，通常把顧客帶進來喝一兩杯酒。祇要他們是健康的，這份生意倒不錯。當然，倘若誰有了病，大家有麻煩；倘若水兵或空軍人員染了性病，株連我這家酒吧，不准外人進來。因爲我的店號三分一的生意對象是大兵，我祇好對她們說明白，把身體弄乾淨些。」

幸而波多黎各當局，強迫賣肉女郎每星期一定要作身體檢驗一次，性病的傳染數字極低。時鐘廿五美元的「斬件女郎」，是在夜總會出入的，幾乎全無性病。六十分鐘的貨色多數是在酒店建立她們的基地。聖胡安城警局有一支規模不大而頗具效力的風化組，每星期必去山檔一次，當他們出動時，流鶯通常是避開一下，風頭火勢過去，才重張旗鼓。抓到了的是罰些小欵，但酒店主人打擊甚大，可能被關去監獄裏。因而該地有一個怪現象，酒店的眞正主人決不露面，要抓祇是「替死鬼」受罪，他躲在幕後。

這個小島爲何這麼多女人操醜業？因爲波多黎各雖然名義上是美國領土，但是工資待遇遠比不上美國本土，收入僅及紐約之一半，但是物價則與洛杉磯并駕齊驅。一位女秘書標準的薪金每週三十五美元，若與「弄堂女郎」比較也相差一倍以上，後者至少週薪」八十美元。零沽愛情的女人，在聖胡安城是頗形獨立的，她們相當的美，她們祇件遊，沒有三兩天的交情，是不肯對男人放一次交情的。她們似非以營業爲基礎，不受有力者的包庇或控制。

曾一度爲一個財主的波多黎各人，綽號「大艾米里奧」，他擁有七間「性」酒吧，及在附近經營四間酒店，有利便旗下的娼婦進行交易。年前他在加勒比海的另一個島嶼吃槍彈喪命。除了這個有組織的淫業，今日聖胡安城的淫業無論在價錢、鐘點及薦業手法上，都各自爲政，份子亦複雜，其中一個特色就是有許多正當職業的女郎。

不少外地的女人，祇在遊客季節來到這美麗的海島，掘金完畢又再暫時離開。仙蒂是這類的國際性質的「跑碼頭女郎」之一，她每年祇幹五個月，也許從紐約來到，逗留期間就是十二月至次年的復活節，遊客季節一過她就收拾行囊鬆人。這廿二個星期已夠她撈得盤滿砵滿，平均每週入息在八百美元左右。其他從南美洲各國甚至歐洲來的女人，也利用這個方法搵食。

夏威夷夜總會風情畫

·成陵瑄·

這種富有誘惑性的舞蹈，最宜於由高頭大馬和肌肉豐滿的女人演出，夏威夷女孩子的體格，正適合這種條件，因此她們跳草裙舞便顯得特別出色。跳草裙舞的女孩子的腰肢，雖然比其他舞娘的來得粗，但當她們演出的時候却柔若無骨，有如弱柳臨風一般，更加誘人。

除了草裙舞之外，每夜還有夏威夷傳統性的歌劇上演，歌劇是用鼓和角螺殼拍和的。聽慣了爵士音樂的遊客，在這兒可以換換口味，對於鼓聲和角螺聲會有一種特別悅耳之感。

此外，還有民歌演唱，這是一個新奇的節目，每次演出，總是席無虛設。時裝表演，也很受歡迎，這個節目是由美國聘來的模特兒負責演出的，目的無非是將當地最新型的服裝設計，介紹給來自世界各地的遊客；婦女們對於這個節目，最感興趣。到檀香山去的遊客，如果不光臨這個花園夜總會，實在是一個很大的損失。

威基基海灘，是夏威夷著名的風景區，這兒有一家著名的威基基海灘夜總會，主持人是一個中國籍的百萬富翁，他對於草裙舞演出的改進，花費了不少的精力和金錢。他不但在燈光和服裝方面大量投資，還要舞娘們穿上簡單的沙籠草裙，同時更聘請專家來指導她們如何表演性感的動作，以增這種舞蹈的吸引性。

此外，爲了加強陣容，他更從南海島嶼搜羅了幾個熱情如火的舞娘，表演南海熱舞。南海熱舞是人類社會中最具有挑逗性的舞蹈，它不僅具有脫衣舞的熱力，且在動作方面比脫衣舞來得更爲細膩。脫衣舞是靠暴露肉體來吸引觀衆的，南海熱舞却並不靠「肉體」作號召，單單是那些富有挑逗性的動作，已經夠使人魂飛魄蕩了！

威基基海灘還有一家著名夏威夷鄉村酒店，主持人也是一個百萬富翁，他不惜任何代價，極力保持古代夏威夷的原有氣氛，這是遊客們所最歡迎而最感興趣的。（下）

「屎坑草紙，各問本心」

李牧

那是一個早上閒着無事飲早茶，進去的時候我要了兩份報紙，可是在一盅兩件，讀完了早報走出來的時候，我這一個正牌「失魂魚」，一時有點錯愕了——我忘記了到底是那一個報攤的報紙。門前有的是三個報攤，剛好三個報攤都是落落大方的眞君子，他們的報紙沒有記上甚麼符號，我問那是屬於那一個攤位的，大家都說「無所謂」。一瞬間，難倒的是我自己。雖然一角子「租」兩份報紙是咱們社會裏獨有的事，雖然那不過是一角錢，我無端不想受別人恩惠，也無端不想剝削了他們中任何一個人的血本。雖曾走遍了天涯海角，一瞬間我眞的不知如何是好。我呆呆地站在那兒，要是三個攤位每人都付一角，他們未必肯受；要是隨便找一個攤位，又可能剝削了其他兩個。本來一角錢是小事，道義問題又是另一回事。我倒要問問「看官」，此時此際要怎末辦？結果我呆了半晌，還是其中一位替我解圍，他認了是他的，其他的也不反對，我才算打發了。但細思之餘覺得仍有漏洞，我覺得這始終未見得是一個完滿的答案。這一來又使我想到很多瑣屑的事情。

「問心」，是一個我們社會裏存在的美德。我們早就有了公厠，我們社會裏的公厠就是有一大叠的厠紙掛在那裏，用一個大竹筒，掛在那兒收錢。說得俗一點，所謂「屎坑草紙，各問本心」。想曾經在內地走動過的人，都會有過使用這些紙張的經驗。那兒沒有人看着檔口，而向安無事，用者不少給半個銅板，也沒有人連同竹筒打了走。這是我們社會裏的一個銅板的美德；這情形假如能擴大到整個社會去，假如做官的不歛財，不剝削，這一個世界，就是天下大同。

在英國社會裏，這一種問心的事情可也多着。我還記得在牛津這一個大學城裏，好幾個報攤到了出售晚報的時候，就從來不「看檔」。在英國，晚報不若我們這裏的五光十色，那一個攤位就只售一份「標準晚報」。報攤主人在那兒放了一大叠晚報，上面放一個好像麻雀箱那末大小的粗木箱，木箱上有一縫隙，用以放銅板。每份晚報兩便士，讀者經過，自己把銅板放進去，相信從來不會有人少給或多取報紙。更妙的是沒有人把那一個木箱也拿走了。這是一種有秩序的社會的表現。我想沒有人在香港的過海碼頭裏做這樣一個實驗，假如有人肯每天花一點錢，放一叠報紙，放一個錢箱，然後在遙遠的角落裏觀察一下，想一定會有很有趣的結論。我猜想這樣用一角錢就可以買到的道德，每一個人都不會願意失去這一個機會的。而爲了一角錢，就做了一個偷竊或高買者，想也是沒有人會願意的。這是一個有趣的建議。在英國，除了報攤之外，很多教會裏亦有這樣的事情，他們把教會出版的書籍刊物，絕對不設防地擺在那裏，而且有一個給放角幣的地方，書價早已標明白，你可以自己照料，選那一些書籍，你就照價放進角幣，然後你拿了你已付錢的書理，從教堂裏走出來，從沒有人會的。這都是良心問題。假如你在神的面前虔誠地禱告了，你又從神的口袋裏偷走了書籍，那還像甚麼話。

此外在倫敦的塔賴科爾加廣場，那兒有萬千的無主白鴿，或是在好些英國河畔的無主天鵝，從來沒有人偷偷地去吃燒乳鴿或是吃其天鵝肉。這都是一種社會秩序使人覺得良心的問題。一個人若能求心得之所安，那就生活得異常快樂，不然的話，就算是拿走了一張厠紙，拿走了一本書，或是用了一些不應動用的東西，都會感到不安，感到汗顏，那又何必？

這邊袁紹與叔父袁隗，矯詔樊陵、許相等斬之。何苗、袁紹又引兵屯在「朱闕」下，把趙忠抓到斬了。吳匡等以何苗反對何進謀誅宦官，又疑他與宦官同謀，於是對軍士說：「殺大將軍者車騎也！將士們何不爲他報仇？」何進平日對待士卒十分仁厚，深得士卒之心，聞言皆痛哭流涕說：「我等願爲大將軍報仇！」於是吳匡引兵與董卓之弟奉車騎都尉董旻攻殺何苗，把屍首抛於苑中。袁紹把北宮緊閉，勒兵把所有宦官一網打盡。宮中許多沒有鬍子的男人，也慘遭誤殺。袁紹又進兵排宮，有的兵士爬上端門屋上，攻打省內。張讓段珪逼迫帝及陳留王等數十人，步出穀門，奔往黃河渡口，準備到山西去，公卿多不從。有一個小官兒，是中部縣的一個科長，名叫閔貢，是王允派他跟在尚書盧植的後面，此時只有盧植隨同帝及張讓、段珪奔逃，閔貢趕上去手殺了數人，其餘的宦官只得投河自殺了事。這時候帝方十四歲，陳留王只九歲，兄弟二人與閔貢同行，帝一個人獨乘一馬，陳留王與閔貢同乘一馬，從雒舍南行。當時有童謠流行着說：『侯非侯，王非王，千乘萬騎走北芒。』此時董卓的兵趕到了，屯顯陽苑，聞知帝的下落後，趕往迎接。小皇帝看見董卓的兵就是哭，怕得要命。羣臣對董卓說：『有詔卻兵』。董卓此時氣勢凌人，滿不在乎地對羣臣說：『諸公爲國家大臣，不能匡正王室，而使國家播蕩，卻什麼兵？』董卓迎了帝及陳留王，並馬而行。在路上的言談中，董卓問帝及陳留王以禍亂的原因，帝不知其所以然，問陳留王，王答對得體，從頭至尾，原原本本說得無遺。由是董卓對陳留王頗有好感。董卓挾了帝及陳留王和他將兵入城。由是，兩個小羊羔，又入虎口了！漢朝的命運不絕不縷，觀史至此，其令人有『蒼天已死，黃天當立』之感了。

八、董卓之亂

三國的紛爭，起於獻帝初平元年，（公元一九〇）董卓進京，東方州郡起兵討董卓。

何進在未死之前，不該把豺狼一般的董卓引了進來。堂堂一個大將軍，又兼國舅皇親之重，想殺幾個手無寸鐵的宦官，有何難哉！爲什麼偏偏出此兒戲的下策？眞是令人難解。當時曹操即表示何進必敗。董卓進京，鬧得天翻地覆，震塌了漢室的江山。在此必先清查一下董卓的身世。

董卓字仲穎，隴西臨洮人（即今甘肅岷縣治），少好游俠，常常在新疆中往來，與羌人甚善，得了羌人的良馬不少。在桓帝末年，以六郡良家子弟爲羽林郎。羽林郎屬光祿勳，無定員，由羽林中郎將主之，職掌宿衞侍從。常由漢陽、隴西、安定、北地、土郡、西河等六郡的良家子弟補其職。

董卓其人有材武，力大無窮，能開『雙帶兩鞬』，左右開弓馳射。『雙帶兩鞬』，就是左右各掛兩張弓。爲軍司馬，隨同中郎將張奐（字然明，敦煌酒泉人。舉賢良對策第一，累官至大司農，以黨錮放歸田里。）（十九）

觀蓮芝宇宙鋒（續）

（三）每句唱腔的動作配合很準確，不是專在空間獨撒，而摸趙高的髯口，慢慢的摸，最後叫出，神情很好。（四）金殿裝瘋，出場即衣冠不整是對的，內心在胆怯，鼓出勇氣來裝，有很細緻的情緒。昂然舉步，架子十足。再則干城的安排很對，金殿上有黃門官太監武士共十二人，再加四位朝官，夠個樣兒。季少山的二世，比在紅娘中爲優，很稱職。可惜現在觀衆不愛聽唱，故上座平平。現在平劇要講噱頭！

此次公演，外間流言有捧團，那天文紀還問我，即告那是近於封建思想。捧干城則或有之，捧一人則未必，不過期之甚殷而已。如果說捧，那以前捧徐露的，豈少也哉，並譽爲後起的巨星，不分老幼，多如此，有團耶，無團乎？爲了使各位倴票努力於劇藝，這股捧勁，有如烟波迷濛，籠罩全市，亦有何不可？

國劇繽紛錄（十六）

姜嬰生

義奎演嚴嵩

張義奎是干城劇團副隊長，能戲不少，雖非正工淨角，但是二花極有精到。此次麟崑推出麒派戲，觀畫跑城，打嚴嵩，描容掃松，以及關羽傳漢壽亭侯，雖多不錯，談到輕鬆而出神，要以打嚴嵩爲更精采，其能神情周至，要數張義奎。嚴嵩配襯得好，使鄒應龍得儘量發展，充分予人以嘻笑之處特多。加上丁仲的嚴俠，亦盡情滑稽，便成精神飽滿的一齣。我以爲除跑城描容而外，應以此戲爲獨步。

嚴嵩是奸佞而極自私，爲了要控告常賨童，寧願在臉上打傷，這種做法比指鹿爲馬更甚。無怪其在鈐山堂夜半讀書，有高僧在隔壁聽得，歎曰，此人得意，民無噍類矣！因此演者非常不易，普通的皆是帶些瘟味，極少生動。義奎則不然。

義奎的演法，充滿奸逆之情，處處暴露十足自私，聞到對自己有利，喜態維肖，在被打時，活脫忍受去圖報，與麟崑針鋒相對，很有神氣。無怪輩代表的夫人在說，我看似乎勝過某團的角兒。眼力不差。麟崑的做作均佳，不過所唱，胡琴拉得稍慢，尤以忽聽得萬歲宣應龍一段，緊拉慢唱才是，不能多是慢點。丁仲的丑行有獨到，飾嚴俠更有神氣。孫玉麐飾常賓童，是坤角，扮相很溫雅。干城缺乏扇子小生，何妨訓練訓練，多讓其配演以補缺。

軍人、大學生、我

·勞克·

一

我是軍人，不是冒牌的，我是中華民國的職業軍人。

卅八年，我從上海來到台灣，祇是我一人，父母在大陸，兄姊在大陸。台灣話我不懂，我身上又沒有幾個錢。我那時住在台中清水，我說話本地人不懂，本地人說話我也不懂。本省飲食我又不大習慣，不到兩個月，我就病倒下來，我沒有錢醫病，甚而連吃飯都成問題。

這時，我被好心的一位軍官的幫助，他給我找了醫官來，每天給我注射針藥，說我是重感冒，叫我多休息。他們爲我診斷，不要錢，針藥錢也不要，我在心底下感激。一個人到了需要別人救濟的地步，痛苦與悲哀是可想而知；那種接受了救濟的感恩，就如久旱逢甘雨似的，我到現在還不會忘記，永遠永遠也不會忘記。因爲他們的善心，使我對他們特別接近，我也把我的情況說了出來。

那位軍官說：「我們都是從大陸上來的，自然我們會幫助你的。你這樣下去，而沒有工作，那也不是辦法。現在是同舟共濟的時候，你就到我們部隊裏來吧！」

我就這樣當起兵來，穿起黃色的軍衣，因爲我讀了幾句書，我在部隊裏受到很多優待：不出操，不參加集合，不參加早晚點名，不站衛兵，我祇是做文書，在辦公室抄抄寫寫，日子就打發過去。

卅九年我到學校受訓，我就留在學校。過去我在書本上獲得機械知識，那時我卻在機械上獲得實驗的知識，我在工廠裏當起技工來，修理汽車。

那時，軍品困難，口號是：保衛大台灣，發揮克難精神。我把廢品裝修成一輛輛的汽車，又把汽油車改爲酒精車，我在四十年便是克難英雄，蔣總統親自召見。這是我一生中最大的光榮，也算是我祖上的積德。

我大哥是公路局工程師，二哥做縣長，但兩個哥哥都沒有被蔣總統召見過。那段日子，我是快樂的，就如詩人說過：「走路帶着歌聲。」以後，我住在北部湖口。

二

我既然是軍人，我爲什麼又成了大學生吧？

我在大陸逃出來前，我是安大一年級學生，我讀的是中國文學系。

我正在學校讀書，住在安慶東門的學校，三〇六宿舍內。那時，人心惶惶，我們也沒有心事讀書，校方還維持上課，那時共匪還在相城，距安慶有一百八十華里；因爲政府在叫出口號：保衛大安慶，每天有兩架飛機巡邏，江邊上也多派了兵艦，又加增兵力，這些給我們壯了很多胆子，也給了我的信心。

可是，突然在一個晚上，安慶被包圍起來，槍聲炮聲交織起恐怖的樂曲。我們從床上滾下來。逃命要緊，什麼東西都沒有帶，有的連外衣也沒有穿。

我們逃到江邊，坐小火船過了江。我就這樣逃亡出來。

在台灣我給：一年準備，二年反攻，三年掃蕩，五年成功的口號振奮起來，打回大陸再復學也不遲，於是我把自己的生命及一切奉獻給軍營，爲了勝利，我可以犧牲所有。

直到我調到台北，那是四十九年的時候。台北的讀書風氣重，在安大的先期同學，他們都復了學。

「你怎麼不復學呢？」他們這樣逼問我，我沒有理由回答。

「就在部隊裏報復學。」他們說：「你個公文到教育部，就可以復學。」

但這公文足有三個月，也沒有見復下來。

我住在台北，這就可以選讀。我白天沒有功夫，一切聽別人支配，於是我在晚上選讀。我在五十一年修滿了學分，我成了大學畢業生。

三

這就是我，一個平平凡凡的我，我現在仍然是軍人。

我今年三十二歲，還沒有結婚，連個女友也沒有，很多人都爲我着急。

「再不結婚，就再沒有結婚的機會了。」

這個我不知道。我所接觸的是軍人。

我的朋友十九是軍人。我生活在軍中，一切一切，都是軍人。

我沒有機會接觸女人。也許我這一輩子也沒法結婚。有的時候，我也不免灰心、悲哀——人生一世，連個女人都沒有混上，那還有什麼意義呢？

可是！戰鬥氣氛使我的生命力堅強起來，我現在，活的不是和春天一樣的快樂嗎！

憶大馬的花園——檳榔嶼

鄧武德

檳榔嶼和香港同是小海島，也同樣有登山纜車，也同樣有扯旗山頂，但在那兒却有：極樂寺的龜池，瀑布公園的猴子羣，青龍廟內到處盤着的青蛇……這些你都見過嗎？

一百多年前，檳榔嶼（簡稱檳城）原不過馬來亞北部印度洋中的一個海盜出沒的小島。直到一七八六年，才被東印度貿易公司的一個職員佛蘭西斯·萊特所發現，由他向吉打的蘇丹以年金六千元租得。到了現在，檳榔嶼卻已經是一個人口五十多萬的近代都市了。

檳榔嶼市上的房屋，雖然多數還是一百年前的建築物，可是市容的整潔，卻是在馬來亞有數的。馬來亞的公路，原來就是很好的，在平坦柏油路上，就算有着千百輛的車子在飛馳，也不必怕會揚起多大的灰塵。下了傾盆大雨，也不必因爲今天沒有穿雨鞋而急着，只要天一晴，路也就立刻會乾的。

檳榔嶼不單是馬來亞北部的一個港口，同時還是一個最理想的休養的地方。馬來亞內陸和暹羅一帶的富翁，都在那裏海濱和山上建了許多漂亮的別墅，每年他們都到來住上幾個月。因爲是富人們避暑勝地，所以娛樂場所也特別多，單單電影院就有十一家。

說到美好的地方，舊關仔角和新關仔角都是散步的好去處。舊關仔角近些，可是新關仔角却更迷人。那兒沿着低低的海堤的馬路上，裝置着最新式的水銀燈。晚上水銀燈下的一切，都更加顯得迷人和悅目。要是女友同來的話，儘可以在海堤上找到一個適當的地方，坐上一二個小時，習習的海風和着路旁咖啡室播出悠揚的音樂，令人樂而忘返。

假如有私人汽車的話，還可以到更遠一點的公園中去兜風。逢巧是週末的話，又還可以聽到那聞名的市府樂隊的演奏。

檳榔嶼有幾個名勝風景區，是很美麗的，先談極樂寺罷。從市中心的五盞燈乘無軌電車或藍色公共汽車直達極樂寺底下的亞依談。一進山門，在那引到寺門去的石級兩旁，擺着好幾個用椰子殼製成的積錢筒，烟灰盤等小玩意的攤子；還有風景照片，價錢也很公道。檳榔嶼最著名的豆蔻也在這兒的路旁等着遊客去嘗試。

跑完了石級，一進寺門便是觀音殿；從這兒向右走，穿過一扇小門之後，便到了極樂寺的一個龜池。在一個直徑約二丈的池中，共養着千餘隻的烏龜，有大的有小的，有老到爬不動的，也有剛出生不久的。池旁有一個賣蔬菜的攤子，花一兩角錢，買一束蔬菜投下池中，可以看到千百的烏龜趕來，如果帶有攝影機，這一個鏡頭倒是頂有趣的！（上）

王魁與焦桂英

「影劇與歷史」之十八

周遊

王魁與焦桂英在台曾以話劇上演，十分叫座。按王魁各地方戲劇都有演唱，如最盛行的就有川劇。川劇中的王魁戲名曰「活捉王魁」，爲生旦最硬紮的唱工戲。現在台灣仍灌有唱片。在台灣上演「王魁」話劇是五十二年的事。

考王魁故事，是南戲中最早的戲，它始於宋光宗朝，爲永嘉人作趙貞女、王魁二種。葉子奇的「草木子」云：「俳優戲文，始于王魁，永嘉人作之。」可見「王魁與焦桂英」故事是最早的南戲。此劇大意是演書生王魁家貧，由桂英鼓勵讀書，並供以川資進京應試；後得大魁天下，中了狀元，就被韓相府招贅。桂英派人送信，魁不理，並將桂英休棄。後桂英無已，告之海神廟海神爺，然後自縊而死。陰魂飄到閻羅，命鬼差同桂英往王魁府捉拿歸案。

按王魁的故事，本出於唐人異聞，周密的「齊東野語」曾辨其誣。見於古人筆記的有兩種，引錄如下，是宋人張邦基的「侍兒小名錄拾遺」引「摭遺」云：

王魁遇桂英於萊州北市深巷，桂英酌酒求詩于魁。魁時下第，桂英曰：「君但爲學，四時所需，吾爲辦之」。由是，魁朝去暮來。踰年，有詔求賢，桂爲辦西遊之用。將行，往州北海神廟盟曰：「吾與桂英，誓不相負，若生離異，神當殛之。」魁後唱爲天下第一。魁父約崔氏爲親，授徐州僉判。桂英不之知，乃喜曰：「徐此去不遠，當使人迎我矣」。遣僕持書，魁方坐廳決事，大怒，斥書不受。桂英曰：「魁負我如此，當以死報之。」揮刀自刎。魁在南都試院，有人自燭下出，乃桂英也。魁曰：「汝果無恙乎？」桂英曰：「君輕恩薄義，負誓渝盟，使我至此。」魁曰：「我之罪也，爲汝飯生送佛書，多焚紙錢，舍我可乎？」桂英曰：「得君之命即止，不知其他。」

此段文字內容，在宋時已有流傳。按「齊東野語」中，王魁原名王俊民，字康侯，萊州掖縣人，爲嘉佑中狀元。這是一個「負心郎」型的故事，總是貧賤之時，海誓山盟，一旦做官富貴，則拋棄糟糠，男人往往如此。如「趙五娘」、「秦香蓮」及「王魁與焦桂英」故事等，都屬此型。最後總是受報應。還有一種是出在「情典」，較「摭遺」爲詳細。

王魁考試落了榜，住在山東萊州一個深巷的友人家中，遇到一個鄰居的艷婦，請王魁飲酒。艷婦姓殷，在酒席上對王魁說道：「有一個桂英的姑娘，生得十分艷美，而且賢慧；此酒乃是天之美祿，足下得桂英而飲天祿，是你明春登科的預兆」。（一）

玩暴君路易十五於股掌

法國奇女子蒲巴多

·仁厚·

當他邂逅他的情婦蒲巴多貴婦後，更沉迷在她的美色中，以致法國的政權落在讒臣之手。他曾經說過：「儘管災害會降臨法國，但我實在捨不得當前的美景。」直至一七八九年法國大革命爆發，路易十五與他的情婦同被送上斷頭台處，他仍至死不悟，主張不愛江山愛美人。

本文所介紹的奇女子——法王路易十五的情婦蒲巴多是一個聰敏過人的人，她有一套非常圓滑的外交政治手腕，時常巴結法國當時的大哲學家，文學家和藝術家，所以在初時極得那些哲學家和藝術家的支持。同時最重要的是她懂得如何取得路易十五的歡心，使路易十五的性生活感到滿足。（一）

內政部台報字第〇三一號內銷證

自由報

THE FREE NEWS

第六三七期

中華民國僑務委員會發照
台數字第三三二號登記證
中華郵政台字第一二八二號執照
登記為第一類新聞紙類
（半週刊每星期三、六出版）
每份港幣壹角
台灣零售每份新台幣貳元
社長：雷嘯岑
督印人：黃行智
社址：香港銅鑼灣高士威道二十號三樓
20, CAUSEWAY RD 3RD FL.
HONG KONG
TEL. 771726　電報掛號：7191
承印者：大同印務公司
地址：香港北角和富道九六號
台灣分社
台北市西寧南路壹壹號二樓
電話：三〇四三〇六
台郵撥儲金戶九二五二

論質詢權

蘇友仁

國民大會第四次會議日程表列有「政府施政報告及專題報告暨檢討國是及質詢與建議」的節目，這是根據國民大會議事規則第五條規定而來的。過去第一、二、三等次會議，行政院院長及部會首長，均應邀列席報告并備詢，其他各院院長亦有書面報告。此乃治權機關——五院對於全國最高的政權機關國民大會的尊重，以示對國民負責的態度。故行之有素，而未聞有異議的發生。蓋國民大會每次開會，集數以千計來自各區域、各職業、各黨各派的代表於一堂，政府首長開誠布公作施政報告，代表們於聽取之後，就其所見所聞，檢討得失利弊，質詢建議，獻可替否，盡其言責，政府勤求啓誨，抉擇採納，以改善革新，對國計民生，裨益非淺。不意此次竟有立法委員向行政院提出質詢，以憲法規定只有立法委員有質詢權，而國民大會代表則沒有此權，指斥院長等列席國民大會會議，提出施政報告及備詢為違憲。同時台北與論界亦以「國大代表可以行使質詢權嗎？」為題，對此有所批評。由於涉及憲政體制中職權的法理問題，筆者謹略抒管見，以就教於高明。

所謂質詢，就是質疑問難的意思，使疑難的問題因瞭解而獲得解決，并資以策勵與改進。但行之於國會權力機關，則形成為監督政府的一種權力，故名之曰質詢權。外國常分質詢權為普通質詢（Question）與正式質詢（Interpellation）。普通質詢，只是質詢人與負責人一問一答，不能成為全院的議題，不足以影響政府之進退，英國下議院之所行使者，通常均係此種詢問。正式質詢則不同，法國議員得提出正式質詢，經辯論後，繼以表決，倘對政府不利，表示不信任，則政府應當總辭。此種質詢有強制性，因此法國第三共和政潮迭起；迨第四共和時期，遂對國會正式質詢權之行使，加以限制，第五共和竟廢止之。大抵今日各國國會之所行使者，多為普通質詢。

其在我國，質詢權明定於憲法者有：「行政院有向立法院提出施政方針及施政報告之責；立法委員在開會時，有向行政院院長及行政院各部會首長質詢之權。」（憲法第五十七條）又立法院議事規則第七十一條第二項規定：「質詢事項不得作為討論之議題」。可見立法院所行使者亦為普通質詢。此外在憲法上雖無明文規定，而已經行使質詢權者，尚有國民大會、監察院及地方議會。國民大會質詢權規定在國民大會議事規則第五條：「國民大會開會時，得聽取政府施政報告，檢討國是，並得提出質詢與建議。」監察院規定在監察法第二十五條：「行政院或有關部會接到糾正案後，應即為適當之改善與處置，並應以書面答復監察院；如逾期二個月仍未將改善與處置之事實答覆監察院時，監察院得質問之。」又監察法施行細則第三十九條：「行政院或有關部會接到糾正案逾兩個月尚未將改善與處置之事實答覆者，應即通知有關委員會召開會議討論，得經決議，以書面質問或通知行政院或有關部會主管人員到院質問。」地方議會之質詢權，則規定於省縣市議會之組織規程，亦皆屬於普通質詢。行憲之後，均分別行使。但前年監察院要求故行政院院長俞鴻鈞到院備詢，俞氏以憲法無此規定拒絕出席而引起爭執。此次國民大會三月二日的大會上，又因行政院院長及部會首長未列席備詢，經質問後方始到會而引起爭論。這是一個亟待求得解答的問題。

嚴格說來，如在憲法沒有明文依據，政府首長倘拒不列席，殊難加以強制。但是一般民主國家的議會，無論憲法上有無明文規定，間多行使質詢權，政府首長很少拒絕列席答復。因為民主政治是「公意政治」與「責任政治」，政府首長向議會報告施政，接受質詢，以示對公意的負責，在一問一答之下，使人會瞭解政府之動態與得失，故公正廉明之政府首長自然樂於接受。昔虞舜設誹謗木，任人書政治缺失，其用意在此，自為人民所歡迎。反之，如政府首長拒絕列席，不但因此造成府會之僵局，且將使人民誤會政府首長必有不可告人之隱，而逃避責任，甚至引起不良之後果。是以質詢權之行使，遂成為民主政治之傳統精神。史高第氏（Hiram Miller Stout）在其所著英國政府（British Government 1952）一書中指出：國會質詢權之行使，已經足見議員之係代表人民行使主人翁之權力，而政府首長則須就其所掌事項，一一提出答覆，以表明其對主人翁所應當負之責任。是故最能清楚表示民主政府統治權力之係來自人民，與須對人民負責一項根本重要之精神。又政府首長面對議員，與經由報章雜誌之報導，而在全國人民眾目睽睽之下，答覆議員所質詢之問題，則在無形之中，已受有種種壓力，而須小心謹慎從事。讀史氏之言，對質詢權之意義與作用，可知梗概。

西方內閣制的國家，內閣對國會負責，質詢權之行使，近代以來愈臻重要，姑且不論。即三權分立之國家如美國憲法，政府首長不對國會負責，亦不列席國會，但其政府首長常應國會邀請列席各委員會作證備詢。西德憲法僅規定「聯邦議會及委員會得要求聯邦政府任何官員出席」（四十三條），并未列舉報告與質詢。而在其眾議院議事規程第七十五條規定有「大質詢案」、「小質詢案」與「口頭質詢」之方法，而行使其質詢權。我國國民大會質詢權訂定於議事規則中，是亦不能不承認有其法理根據。大法官曾繁康在其「質詢權之研究」一文中指出：產生一國憲法體制下之權力，因其淵源不同，可分為「一」列舉權（Enumerated powers or delegatedpowers），如憲法五十七條明文規定，授予立法委員之質詢權。「二」潛在權（Implied power），即對於某一權力雖無明文規定授予之根據，但該一權力實是潛藏在於憲法之所列舉另一重要權力之中，且為行使該一權力之所必需。若以質詢權而論，則國民大會倘行使質詢權，似即為一種潛在權力。蓋國父孫中山先生之學說，以為總統與五院之所享有者，是為一國政府之治權；至國民大會之所擁有者，則為一國人民之政權。（下轉第二版）

滾蛋！

陰影！

今日與明日

總統連任

國民大會第四次會議終於不負國民期望，選出蔣公連任總統。這雖然是海內外國民意料中事，但消息傳出，各方仍然充滿歡欣鼓舞，實在因為中國目前不可無蔣公領導——環顧當代中國人中，能以制毛澤東死命者，仍非蔣公莫屬。不但自由地區的中國人如此想，在共區的人民及共幹也都是如此想法，甚至毛澤東本人也不諱言蔣公為其生平最大敵手，而且也是無法戰勝的敵手。所以當前要說反共復國，拯民水火，除蔣公之外，決無人可任此艱巨。總統人人可作，但是威信則非數十年不能樹立，尤其是蔣公領導北伐、抗戰、戡亂建國，畢生精力貢獻於國家，其本身與中華民國已凝成一體，牢不可分，復國大業，是捨蔣公之外，無人可以完成的。

對政府官員的期望

不過，我們對未來局勢，仍然有不能已於言者：未來六年必然是我們反攻之年，總統僅僅處理軍旅之事已夠辛苦，雖然去過台灣，見過總統的人，無人不認為總統身體健康如五十許人，神清氣朗更非中年人可及，是為國家之福。但雖然如此，政府各部門也決不應當將所有大小事件完全推給總統一人負責，如此以來就有兩種不良後果，一面加重總統職責，分散了對國家大計的注意力，一面也引起外人誤會，以為總統無所不管，侵越了下屬的權限。這樣作法對國家、對總統都犯了不忠之罪，深願政府大員能挺起胸膊負起責任，作一個有為有守的政治家，不要作一個隨俗浮沉的政客。

應呈現新氣象

總統選出後，即將就職，國家應有一番新氣象，以迎接反攻，振奮人心。竊以為目前當務之急，首在廣開言路，團結異己。關於前者，此次國大會議期間已提出開放報業之案，以後未見下文。海外報紙刊物對此亦有所論述，皆以為民主政治種根於新聞自由，新聞自由就在於公平競爭。在少數報紙壟斷之下，既無公平競爭，何來新聞自由？自然去民主之途日遠。深願政府當局能在總統就職後，毅然頒令開放報業，予海內外人士耳目一新。

至於團結異己，則政府十多年來也進行不遺餘力，且曾召開會議，研究辦法，但苦於缺乏基本原則，終使所開之會不能發生力量，未開之會無法召開，是很可惜的事。目前當革新之會，政府可否拿出決心，召開一個包羅各方人士之救國會議，厘定綱領，萬眾一心，共同展開復國大業。何如？

自由談

貪污不妨合法化

馮元先生

輿論隨時指摘、抨擊政治上的貪污行為，監察院不斷的糾舉、彈劾貪官污吏，政府當局亦三令五申嚴禁官吏受賄納賄，法院更依法究處「東窗事發」的貪官污吏，此外還有立法委員常常質詢行政官吏的貪污事情，舉證指名，言之鑿鑿。朝野上下如此這般的痛惡貪污風氣，而廉潔政府始終不可得見，甚至貪風還演逾烈，視為家常便飯，所謂「紅包」也者，乃如同社會羣眾對親友婚喪喜慶節日的禮品，各依份際和能力而公開致送，認為義所應爾，事屬當然，授受者皆不感覺有甚末慚愧之處了。

然，貪污風氣原係「自古有然，於今維烈」的存在事實，我認為與其專說空話、徒具文而沒法禁止，以致徒擾亂人意，滋生是非糾紛，給社會大眾平添困惑煩惱，而使政府的信譽大受損害，到不如乾脆實施「賄賂公行」政策，使貪污合法化。東漢季世，靈帝曾經公開賣官鬻爵，把三公九卿諸官職，分等定價出售，史乘紀錄昭然。如今不妨沿襲古制，擴而充之，除卻大小官職，明訂應納「紅包」若干不等而外，凡是民間向各級行政機構請求辦理任何大小事件，均有一般性的明文規定紅包數額，如人民依法請求創設工商企業或學校，申請購買外來器材，以及官吏調補升遷等等，一律規定「核准費」若干元紅包等差，如刑律所訂若干年以上暨以下之徒刑，若干元以上暨以下之罰金然，列表公佈，俾有遵循。祇要是按照法定的紅包數額繳納後，主管官員即不再留難挑剔，一例照辦。這樣，既可免除當事人奔走請託，秘密行賄的種種困苦，亦可使官吏泰然淘金，不復冥行暗索，為紅包而多方延誤職責，且因而引起官非，妨礙政務；相反地必能增進行政效率，官民彼此心安理得，詎不懿歟？

政治生涯本來賦有先天的污濁性，壞在人們總是帶着假面具以從事，言必道德仁義，行則貪鄙卑劣，大家心心相印，你知我知，卻不肯打開窗戶說亮話，硬要做繡花枕頭，欺天下人以無知，貪污之風明明盛行，無法禁制，還要隨時高談廉潔政治，瞎話三千，何其傎也！

為着實事求是，減少紛擾，加強行政效率計，唯一有效的策略，就是貪污合法化，此外盡係不切實際之談。

台省遠洋漁業發展可觀 漁貨外銷創出空前紀錄

華僑社稿

台灣省漁業局統計，民國五十四年全省漁業總產量，截至十二月份止，累計爲三八一、六八八公噸，較上年之三七六、三九八公噸，增產五、二九〇公噸，增產率爲一.四%。其中近海漁業共生產一六〇、九二四公噸，較上年一六一、一五一公噸，減產二二七公噸，達成生產目標九六.四%。沿岸漁業生產三〇、六五五公噸，較上年度三二、一九一公噸，減產一、五三六公噸，達成生產目標九一.九%，養殖漁業，生產四一、六〇一噸，較上年度之五六、二九一一公噸，減產二、一三一公噸，達成生產目標九七.六%。遠洋漁業一三五、九四九公噸，較上年之一二六、七六五公噸，增產九、一八四公噸，達成生產目標一〇二.六%。至於漁貨的外銷，五十四年的外銷價值爲美金二六〇萬元，亦創下了空前的紀錄。

、去年台省漁產總量的減產，完全在近海、沿海及養殖漁業方面，分析去年漁業減產的原因，第一近海漁業主幹的中着網，與焚寄網漁業因暖性海潮（黑流）之主流東移，本省四週之水溫，遠較往年爲低，因此適溫性特强之迴游性魚類，如鰹鰮等，迴游路綫變更，魚羣密度，亦隨之稀疏。第二去年烏魚減產爲近年所少見，全年烏魚產僅十餘萬尾。第三最主要的是本省漁業，近年正趨向遠洋漁業的發展，所以在近海、沿岸及養殖漁業全面減產中，獨遠洋漁業創了空前的增產紀錄，足見政府年來致力於遠洋漁業發展之目標正確。

就目前情勢觀察，由於台省近海漁場愈來愈小，而且在下列兩項有利的因素下，就長期趨勢來看，發展台省遠洋漁業，遠景是非常良好的。第一漁獲率高，根據台省遠洋漁業作業情形，在大西洋作業的漁船，三百噸級的每艘每天漁獲量爲一噸半至二噸，一千噸級的每艘每天三噸半至四噸。在印度洋作業的，三百噸級的每艘每天爲二噸半至四噸，一千級的爲八至十噸。這種成績，爲最近八年來所僅見。第二是國際漁價大幅上升，去年度魷魚每噸價格爲三四〇元，現在已漲至每噸五二〇元，以目前魷魚價還有繼續上漲的趨勢，以當前的國際魚價來說，已創造了最近廿年來的最高紀錄。所以，政府和漁業界，現正把握一有利的因素，朝着下列方向，積極謀求台省遠洋漁業更邁進一步。

一、建造遠洋漁船：根據經濟部統計：民國四十一年台省僅有動力漁船二六、八〇〇噸，至五十四年則已增至一〇〇、〇〇〇噸，其中遠洋漁船佔最大的比例，就中尤以前世銀貸款七八〇萬美元建造之十六艘由一五〇噸至一、五〇〇噸級魷釣漁船，更負担了台省遠洋漁業的重要任務，爲了擴大遠洋漁業的經營，政府正全力協助漁業界添造更大的漁船，計劃於我國的五十三年中，增建遠洋漁船二萬噸，分爲兩部進行，自建部份，已於二月廿日向世銀副總裁艾威德提出貸款美金一千零九十萬元的貸款計劃，建造大型拖網船四艘，每艘一千五百噸，另建魷釣船廿四艘，每艘一五〇噸，使魷釣和拖網齊頭並進。此外，除建造新船外，並向日本進口不超過六年船齡的舊船，以供發展漁業的需要。

二、發展漁貨加工事業：台省漁類加工事業，尚未發達，爲今後台省漁業的發展計，劃適應漁產的增加，加强冷凍魚蝦外銷，並在高雄前鎮區，增加現代化冷凍魚類加工廠，以配合台省漁業發展及外銷。

三、增强漁業基地及運銷：加强國外漁業基地，同時配合國內漁貨儲藏及運銷，與有華僑合作的海外漁業界或華僑基地，與國內漁業界合作，目前海外華僑有越南、星加坡、馬來亞以及非洲等地區，營運情形異常良好，由於台省漁業今後致全力於遠洋漁業的擴展，尤有待於海外華僑的充分配合，共同促進對遠洋漁業的經營。

四、加强漁業建設合作，遴選人才赴國外學習，在國內則設立專門機構訓練，培養優秀漁撈技術人才，俾我國在最短期間內，得以有更多的遠洋技術漁撈人員，隨大編隊的漁船出海作業。

五、推廣漁業試驗發展中心，從事於漁撈事產的研究工作，加速台省漁業的發展。

六、漁業經營企業化：台省漁業今後的發展方向，既然是遠洋公海，其漁獲物又以外銷市場爲主，所以無論從作業效率或者是外銷市場的競爭來說，在組織上規模要大，在經營上要企業化，才能適應時代的要求。

七、生產設備現代化：近世漁業的發展，有賴於漁船動力化、漁撈作業機械化、使用魚羣探測器、無綫電雷達等設備，爲使台省漁業的發展，將朝設備現代化的方向研究改進。

高雄縣縣長與議長 同被地方人士控訴

監院決定交內政委員會處理

至於高雄縣議長吳尙卿違抗省令與中央命令，把持旗山信用合作社，玩法弄權，視部令省令如草芥，省政府在五十四年十二月十六日的命令說得很清楚。下面是省令：

（一）旗山信用合作社原爲旗山倉庫利用合作社，係經民國五二年四月七日第七屆第一次代表大會議決改組成立。

（二）新改組成立之專營信用合作社，爲充實股金，以符合規定，必須增至新台幣五十萬元，因而決議：社股每股定爲新台幣一百元，社員每人應認繳一股。其原有社員每股股金十元，倘仍認一股者，應繳補九十元，限至五十二年十二月底止。如逾期補繳者，除保留社籍外，停止其選舉權及被選舉權。因增加金額頗鉅，故如期繳足股金者，爲數不多，乃於五十三年六月二十七日召開第七屆第二次社員代表大會議決，延至五十三年十二月底。並募集新社員，以增多股金，凡屬新社員，必須繳足新台幣四百元股金始准入社。

（三）該社再行議定原有舊社員於五十三年十二月底尙未繳足股金，必須比照新社員繳滿四百元，始爲有效，否則一律拒絕受理，並不予選舉權及被選舉權。該縣府合作室趙主任以此種決議，關係甚大，深恐於選舉前發生糾紛，除將情請示外，並飭該社暫緩辦理選舉，應俟上級指示後，再行籌辦選舉事宜。該社社員總數五、四二一人，其中因未繳足股金而被停止選舉者二、二七八人，即未能參加第八屆選舉代表之社員爲數佔數額百分之四十强。該管合作室因據報有選舉糾紛，除將各點疑問，於五十四年七月二十一日呈請省管處請釋外，並於選舉前該社舉行之理事會中，指示該社應俟上級復示到縣專案通知該社後，再行籌辦改選代表，俾免發生事端等語。此種措施，至爲慎重，但未爲該社所採納。該縣政府於今（五十四）年九月三日又接奉內政部釋示：「合作社股，每股金額變更後，亦可分期繳納。在未繳足前，原有社籍既未消失，自仍享有選舉權被選舉權」。該社因有各項疑問，未得指示以前不聽主管機關勸導，遵予辦理社員代表之選舉，致百分之四十以上社員喪失選舉權及被選舉權，顯違部令。是否對該項社員代表之選舉生效？殊堪研究。（二）

國大四次會議素描（五）

—有關法制問題的提案—

・本報記者張健生・

關於民主法治的問題，關於司法審判問題，平時，我們經常聽到看到各級議會的批評。現在，我們可從國大代表之提案中看國大代表對這個問題的看法。

由律師公會選舉出來的國大代表戴天球、張旦平、包天放、余春葬、王培基、陳維、蔣慰祖等，現在台仍執行律師業務，因此他們天天與法院有接觸，代理當事人訴訟，所以對司法與法治問題有入木三分的瞭解和認識；他們的提案和意見，內容豐富，也很有份量。

國大代表戴天球等二十五人主張「制定違憲懲治法」，維護憲法的尊嚴與效力。其理由說：「近年來甚囂塵上，時聞人言曰，某一法規之爲違憲，某一政令之爲違憲，以及其他事項，謂其爲違憲者，更不勝枚舉。然違憲已違憲矣，已往姑置勿論，若將來上自中央政府，下至鄉鎮公所，以及各級民意機構，任聽其違憲，而不予以防止排除，制裁懲處，國家根本大法——憲法之尊嚴掃地，效力喪失，國本亦不免因此動搖。興言及此，惶恐無已。因思違警尙有懲處之違警罰法，違憲獨無懲處之法規，何以對違憲者寬縱如此！豈違警重於違憲耶？抑違憲不應重視耶？令人百思不得其解。或謂大法官對於違憲，可以宣告其爲無效，自無須再另行制定其他有關違憲法規之必要。惟查大法官係對於法律與憲法有無牴觸發生疑義時，得解釋其爲無效，並非對於任何違事件，皆可認定其爲無效。違憲者可以任意違憲，公然無所顧忌。但爲尊重憲法尊嚴，維護憲法效力，以及鞏固國本起見，認爲應制定違憲懲治法，將違憲應行處懲罰則，及審判程序，俱規定於該法中，使甘冒不韙，居心違憲者，有所驚懼，不敢明知故犯，攖受法網，違憲之風，始得以戢止」。

執行律師業務之國大代表富伯平建議行政院發行定期公報，將其所屬各部會公佈之行政法規統一刊登，並按年編印行政法規彙編，以利法令之推行。這項提議案，連署者有司法官展恆舉等五十二人。

富伯平代表說：查近代政治上之趨勢，政府所管之事務日多，從而一般行政法規之制頒，亦復有加無已。顧政府遷台以還，行政院既無公佈其所屬部會之統一公報，亦從未編印一部較有系統之行政法規彙編。雖少數部門有公佈其法令之刊物，但爲其職掌所限，當然偏而不全。司法部所刊行之司法專刊，與中華民國司法法令彙編，內容固較豐富，然究非行政法規之全部。按法令之推行，應以使民衆週知爲第一要義。倘民衆能對於法令之內容眞正明瞭，不惟有助於法令之推行，且亦可減少不肖官吏玩法舞弊之機會。

國大代表張一夢爲維護司法審判獨立，主張把全國各級法院應改隸於司法院，並希望在短期內切實實行。該案由翟宗濤等一百人連署提出。

張一夢代表等指出：依照中華民國憲法第七十七條「司法院爲國家最高司法機關，掌理民事刑事行政訴訟之審判及公務員之懲戒」之規定，現隸屬於行政院之司法行政部及各級法院，應即於行憲開始時，改隸司法院，以符憲政體制。惟行憲已十有八年，此案竟拖延未解決，殊有違於憲法第七十七條之規定。法院改隸一案，不是事的問題，而是人的問題。據大法官解釋，依照憲法，各級法院應改隸司法院，始合正軌；但政府迄未實行，實不能再予拖延，而有損憲政體制。

此外，尙有王善祥代表等二十七人所提：請政府加强發揮檢察效能案等。

由這些提案，國人對法治與民主的制度，是否已夠健全，當有深刻之瞭解。

論質詢權

（上接第一版）

但治權機關須對政權機關負責，故政權機關倘欲對於治權機關之施政有所了解，則在理似應出之以質詢。易詞言之，即憲法有關國民大會行使政權之規定（憲法第二十五條），而其質詢權，即爲國民大會列舉權之潛在權力，是其根本法理之基礎之所在也。曾氏之言，殊足以澄清國民大會行使質詢權是否違憲的概念。

抑有進者，從國父遺教而言，在五權憲法講演中曾說：「人民只要把自己的意見，在國民大會上發表，對於政府加以攻擊，便可推翻；對於政府加以頌揚，便可鞏固。」似乎在我國的質詢權是應該由國民大會行使的。從現行憲法而言，憲法第四條：「中華民國領土，依其固有之疆域，非經國民大會之決議，不得變更之。」及第二十七條第三十條，對總統副總統罷免權、彈劾權之行使，對立法院所提憲法修正案之複決等，無一非有質詢之過程不可。

其次國民大會有選舉總統副總統之權，雖憲法無明文規定總統對國民大會負責，基於潛在權之理論，總統是應對國民大會負責的。同樣道理，行政院院長由總統提名經立法院同意任命之（憲法第五十五條），行政院副院長，各部會首長及不管部會之政務委員，由行政院院長提名，請總統任命之（憲法第五十六條）。憲法僅規定行政院院長對立法院負責，而未規定對總統負責。但在理論上與事實上，行政院院長均應對總統負責。那麼總統向國民大會報告，並命令行政院院長及部會首長列席國民大會報告及備詢，亦屬法理所當然。美國憲法規定總統有任官權，而未規定有免官權，美國最高法院以爲總統免官權之權力，即潛在於總統任官權力之中。

基於上述，則國民大會開會時，邀請政府首長列席報告，檢討國是，質詢與建議，憲法上雖無明文規定，而列舉於國民大會議事規則之中並行使之，自有不可動搖之法理基礎，一切疑慮與誤會皆可以冰釋了。至於質詢權行使之程序，與其質詢者及答覆者所應注意之事項；以及質詢的限度？如何才不超出質詢的限度？如何才爲是答覆得體？皆非本文討論的範圍，恕不贅述。（完）

瀛海異趣談

天天星期日的地方

·桑雅·

學生、教師、洋行和銀行職員，政府公務員，誰不希望能夠得到每天都是星期天的日子，不用上課或上班？在美國西部的加里福尼亞州聖達蘇姍娜山嶺間，有一個名叫箱子谷的地方，居住的人，真的就認為他們每天都是過着星期日。這些遠離繁盛城市的人，自稱他們所居的地方是「WKFL」水泉。這四個英文字母是英文「聰明」，「知識」，「忠誠」和「愛情」的第一個字母。他們是遵照十戒和耶穌在曠野的講道而生活。他們的已故首領是法蘭士彭高域，後來改名為基利斯拿雲達，他在一九四九年創立了這個集團。

他們男女老幼有相同的目標，使到每一天都是星期日，而舉行禮拜的儀式。他們認為最簡單的舉動正等於最適合的心靈上的祈禱。各人相會晤是以擁抱作為標準的問好。他們也冀求獲得靈感上的提升，經濟上的保障，崇高的愛情，科學的發展與服務。

他們並不是當每天都是星期日而休息，其實他們是在世界上最勤勞的人。他們在一年內的唯一假期是由三月二十九日到四月一日。在這個指定的日期內，他們才能夠結婚，或舉行各種喜慶事。假定一男一女在四月一日相好戀愛，他們要等足一年才能夠結婚。

凡鞋商和出售剃鬚用具的商人看見在箱子峽谷居住的人都會眉頭皺，他們一定做不到生意，因為每一個居民都是赤腳的，每一個男子都留着鬍子。他們穿着一件寬濶的袍子，用不同的顏色來表示出穿着者的職業：淺藍色是醫學界，淡紫色是美術家或音樂家，灰色是自由職業或精巧的工人，綠色是沒有指定職業的人。

想參加這個離奇集團的人，年齡一定要超過十八歲，要居住在那裏起碼有三天，同時熟悉當地的情形，經過領袖查問身世和答覆多個問題，若認為合格，便可參加。但試驗時期是三個月，屆時最少要得五名以上的居民讚許和保證才能獲做一個正式的國民。他或她就要放棄自己的姓氏，單用名字，並且冠上兄弟或姊妹，像約翰兄弟，雅麗絲姊妹。他們生活樸素，食品簡單但充份，食時大家默默不得講話。到午夜時各人都要上床睡眠，起床和進食的時間都劃一，照所定的規例而行。他們自建屋宇居住，每一個單身男女各有自己的房子，結婚和有兒女的人則住在一個較大的房子裏。他們希望能在短期內設立一間小學、一間醫院。他們不想有一所監獄，因為在他們中現已沒有人犯罪而要被判監禁的。他們極少發生糾紛的事情。借債一項在那裏簡直沒有。他們都自食其力。現在計劃開闢一個農場，使糧食不需從外處運來。他們多是精巧的工人，製造各種用具，銷到外處，有人到來交易。

在箱子峽谷的成年男女，每一個都學會了救傷，每一個都是紅十字會會員。女性無論在什麼時期，除睡眠之外，都戴着女護士的頭巾，繡有一個紅色的十字架。以人口與地方面積來做比例，那是在世界上救傷隊隊員最多的地方。但極少用得着他們，最大總動員的一次，是在山林間發生火警。男女聞訊去搶救，受傷者祇有兩人，傷勢並不嚴重，但各人得到一個很難得的實習機會。

那個集團的發起人彭高域被當地人尊崇為救世主。他曾是一個積犯，坐監多次，所犯的罪，從小偷到寫信恐嚇羅斯福總統。他也曾被控告企圖凌辱兩個在他的集團中的婦女。在一九五八年某一天，有兩個信徒向他投擲卄細炸藥，他們同歸于盡。但大家認為他們的首領本是一等純良的人，不過受了魔鬼的誘惑，但後來又能痛改所犯的罪，改過自新。他被炸死也像為各人贖罪，故也稱做救世主。自後他們常懷念他的犧牲而在那裏沒有人犯罪。那個地方不甚歡迎外人去參觀，除非有任務。在不久之前好萊塢拍一部聖經故事影片，想借那裏拍外景，利用居民做配角，因為男女都不用化裝。但遭謝絕了。

自國際貨幣基金服務期滿退休感書

顧翊群

民國卅三年甲申春日，世界第二次大戰已有轉機之會，美國羅斯福總統為籌畫戰後世界經濟之重振起見，於商洽我國政府與英國政府之後，召開國際貨幣金融會議於美國白案之布列敦森林勝地，應邀參加茲會者計四十四國。各國代表團中人才傑出衆多者，當首推美英二國，而我國代表團則自團長太谷孔公庸之以下，任代表者有郭秉文蔣廷黻胡世澤等諸先生，任顧問者有張公權李馥蓀楊格等諸先生，任專門委員者有劉大中王元照諸兄。余亦以距該會議前八年曾奉派來華府與美財部折衝，出售我國之白銀而以美元為法幣準備，與羅總統有數面之雅，亦奉派任代表中之一人。我國代表團當時人才衆多，實可與英美二國者相頡頏焉。

該會議首於六月下旬開專家檢討會，繼於七月一日起召集大會。七月七日為我國抗日聖戰七週年紀念，各國代表集合舉行儀節，向我國政府人民致敬，典禮頗為隆重。會議歷時三週，於七月廿一日圓滿結束。中間雖有蘇俄代表團之多方留難而迭生枝節，然因美國代表團得我國與拉丁美洲諸國代表團之後盾，終克將國際貨幣基金與國際復興開發銀行兩機構之章程條欵順利的討論終了，而列入各代表團簽訂之協定。於是世界金融與經濟從茲乃步入於一新的階段。

基金於大戰終了後，在民國卅五年春正式成立，余奉派充任我國常務董事，其後轉任財務處處長以迄今日，所奉行之準則為「盡忠職守不忮不求」八字。光陰荏苒倐及廿載，今日基金會員國總數增至一百零三國，總資產及攤額各達一百六十萬萬美元，增加攤額至二百十萬萬美元之法案，亦經會員國大多數通過，先後得基金協助而幣制克能安定或對外收支恢復平衡者，計有五十餘會員國，對二次大戰後世界生產與貿易之擴張，厥功甚偉。

余於本年二月底年滿六十五歲，依照章則自基金退休，前此數日已迭蒙中西友好餞別贈言；廿八日晨基金常務董事會議終了後，總經理兼常務董事會主席許華洲氏致詞，對個人廿二年來在各崗位上盡力於國際貨幣金融之安定，與基金財務與會計効能之增進，頗有溢美之讚許，並以送別證書一通為贈。是晚許氏伉儷設宴，邀約中西共事友好數十人，為余夫婦餞行。（上）

國父思想與孔孟學說

·松柏·

國父在自傳中曾說：「幼讀儒書，十二歲畢經業」。又在「中國革命史」中說：「余之謀中國革命，其所持主義，有因襲吾國固有思想者，有規撫歐洲之學說事蹟者，有吾所獨見而創獲者。」更說：「兄弟所主張的三民主義，實在是集合古今中外的學說，順應世界的潮流，在政治上所得的一個結晶。」還在「三民主義之體系及其實行程序」中說：「中國有一個道統，自堯、舜、禹、湯、文、武、周公、孔子相繼不絕。我的思想基礎就是這個道統，我的革命就是繼承這個正統思想來發揚光大。」蔣總統亦在「研究總理遺教結論」中說：「總理的主義是淵源於中國固有的政治與倫理哲學的正統思想，而同時參酌中國現代的國情，摘取歐、美社會科學和政治制度的精華，再加以總理獨自見到的眞理所融鑄的思想體系。」

一、前言

有人說：「十八、十九、二十、三個世紀各與一大發明：十八世紀牛頓的「萬有引力」為空間的大發明，十九世紀達爾文的「物種的由來」為時間的大發明，二十世紀國父的三民主義為人世間的大發明。」牛頓和達爾文所發明的時間和空間的自然科學，幫助人類解決了很多困難，其影響已可概見。國父博大精深的三民主義，則是一種發明了人世間的社會科學，更可幫助人類解決一切的困難問題，其對中國，對世界的全人類的影響與貢獻，將是普遍的，鉅大的，深遠的。此正如孔、孟學說之於中國一樣。

近數十年來，海外海內有關國父思想研究和闡揚的著作雖多，然有關國父思想與孔孟學說的研究，則甚寥寥。以我所知：僅有故黨國元老戴季陶（傳賢、天仇）先生寫有「三民主義之哲學的基礎」，及陸軍指揮參謀大學政治教官丁媯上校，在十餘年前也寫過「三民主義與孔孟學說」小冊而已。高中及大專有關「國父思想」和三民主義的教本中，僅在「國父的思想淵源」章節中，略略論及，又如吉光片羽，殊為失之疏脫，對於先聖三大思想家之間的影響和闡揚之處，更鮮少論及。而在五十四年十一月十二日國父百齡誕辰紀念前後，台、港各報章雜誌和專集中所披載的朝野上下所為紀念字中，汗牛充棟；但是，筆者卻沒有看到一篇論及國父思想與孔、孟學說者，實在更是學人中一大疏忽。考其實際，孔、孟學說對國父思想的影響甚為鉅大，國父思想中對孔、孟學說更多闡揚之處，兩相契合，恰如孟子所說：「先聖後聖，其揆一也。」若合符節。謹以平時教學研究所得，作為國父百年誕辰的微薄獻禮。

二、孔孟思想綜述

孔、孟學說，廣博無涯。這二位聖者，在思想的領域裏，提出問題和原則，也提出了許多的解決方法。其範圍幾乎包括了人類思想的整個領域，舉凡哲學、政治、倫理、文學……均有涉及。現在提要鈎玄，就其有影響於國父思想者，綜合述之，約有下列數點：（一）

新三國

征幷州有功，拜郎中，（屬光祿勳左右中郎將，與左右署之中郎、侍郎並稱三郎）。旋遷武廣令（今山西代縣西）、蜀郡北部都尉，（駐汶江道，在今四川茂縣北五十里。）西域戊己校尉。不久免官，徵拜幷川刺史，河東太守，遷中郎將。討黃巾軍敗抵罪。韓遂等起涼州時，復為中郎將。討韓遂得「全軍」而還，拜前將軍，（前將軍與左右後將軍皆主征伐。）封 鄉侯（ ，右扶風屬縣，在今陝西武功縣西南。 鄉侯，即 縣之鄉侯也）徵拜為幷州牧。

董卓自幷州牧之後，聲譽日隆。至靈帝中平六年（一八九）何進把他調進京師來恐嚇老太婆殺宦官，他尚未趕得及，何進就命歸地府去了。來時容易去時難，這隻老虎入了市區，眼見花花世界，他怎捨得回何東去！他挾持天子，留在洛陽，和袁紹爭政權。此時有力量的人，除董卓之外就只有袁紹。袁紹有兵一團，另外七團兵力他可以調動，還有丁原的騎兵，與其弟袁術以虎賁中郎將所統率的禁衛軍，袁紹均能指揮得動。

董卓進城之後，他帶的先頭部隊共三千人馬，感覺自己的兵只有三千，要和袁紹爭政權，似覺太少。於是他把他的三千兵，白天進城，晚間化裝白姓出去，白天又整隊入城，周而復始。袁紹等以為他的兵如此之多，大家感到很大的威脅。

董卓進城之後，收了何進何苗的部曲。（部曲就是行伍，大將軍有五部，部有校尉一人，部之下有曲，曲之長有軍候一人）董卓又使呂布把執金吾（即宮外的警備司令，又掌管兵器。吾，禦也。所屬有武庫令、丞各一人，緹騎二百人。）丁原殺了，併吞其兵。丁原字建陽，累官至幷州刺史。呂布字奉先，五原郡九原人，是丁原的舊部，丁原為幷州刺史時，以布為騎都尉，旋遷主簿。何進謀誅宦官，把丁原調進京師為執金吾。董卓先以丁原有呂布，不敢動手，呂布弓馬爛熟，膂力過人，有飛將之號。董卓使人利誘呂布，呂布異心，殺了丁原，投奔董卓部下，封為騎都尉，親信如父子。這是一個薄情寡義，見利忘義的胭脂虎，後來又把他的乾老子董卓幹了，此是後話。

另外，董卓進京，做了一點令人吐氣的事：後漢宦官專權，誣指反對他的人為「黨人」，把那些人殺的殺，免的免，治罪的治罪，最輕的也是「錮」。錮是不准做官，在今天來說，是「永不錄用」的人。所以又稱為「黨錮」之禍。董卓初進京便把所謂「黨錮」解除。又替以前被宦官所害的人昭雪。而且還引用了一些名士，如知名的蔡邕，（字伯喈）便是其中之一個。但是董卓是一個粗猛的傢伙，也不懂得政治，沒有思想，開頭便做錯了一件大事，在當時來說，是一件非常大逆不道的事。那就是把何太后的兒子少帝廢了，另立獻帝。在封建時代，擅自廢立，是不可思議的大事，也是使天下人反對唯一好藉口的事，任何人都可以聲罪致討。

關於廢少帝的事，他曾經和袁紹鬧了一次談判。董卓主張廢帝，立王美人所生的劉協。（二十）

國劇繽紛續錄（十六）

鯊鑾生

復敏速前攢

在這下一代的伶工，現在可數的，祇有曲復敏，程復慧，崔復芝，鄒復薇，徐龍英幾位，但以天賦嗓音，則以復敏爲最具條件而較優。她也曾到香港一行，頗博佳譽。隸屬干城已有兩年，干城當局頗厚待之，爲的是一個人才。但是兩次公演所露並不太多，（這次因嗓受感冒，唱兩天。）覺得應該前攢，趕快充實能演的戲，姑以三十齣爲標的，那末下一代的王牌，也許由她掌握。前三月，遇見她，始知仍是復興所學的部份，即告速予增數。

豁老很愛其才，自動將完璧歸趙整理，囑爲轉致。此與曹會禱所演的不同，因曹氏將原本拼湊而失重點。豁老的整理本，貫串一氣。紅粉贈佳人，這份摯情，不能說輕。以復敏的嗓子應當多學一點劉鴻聲、高慶奎的戲。例如三斬一探，現在斬謖斬子已會，應加斬黃袍，可以承劉氏衣缽。劉氏的戲也很多，有機會當面談談可也。這次長板坡的嘆五更，唱得有樣，拔高之處更帥。而連環計的王九，在到花園的一段慢板，亦極動聽。希望其能與李金棠、周正榮看齊，要在自己努力。至多五年要出嫁了，便擱下來哉。高慶奎的戲也不少，如要逐戲列舉，是亦并不困難。蘆花河即其一，正以簡譜給之，不意已列演出，可見所見相同。復敏！應速前攢！

干城的趙五娘

趙五娘是琵琶記的主角，編成平劇後，台灣唱過的不少，似乎要算陳美麟薛宗淵那一次較完美。干城，具有一張王牌，是麒派老生，爲何不演？上次北來公演曾敦促之。不意時隔三月，竟告推出，是可喜也。他們所採劇本，也是以前的老本，趙蔡牛三位在尼堂相會，不是其他劇團所演，是改編的。老本比較簡練，改編的有如畫蛇添足，場子就多些。改良劇本應不以拖沓爲上，應採取集於中心者爲宜。冗場即易趨鬆懈，根本不必太多，而要合情理。

此齣共分十二場，趕考認師，旱災借糧，吵架吃糠，賣髮葬姑，描容上路，掃松下書，遇盜進庵，商議還願，庵會團圓，一串貫氣，頗爲緊湊。

在未演以前，曾問過蓮芝，麒金的描容上路的唱片，有無聽過幾回？她答應是有。金素雯的唱，好在情摯而具哀怨，不是紅梅閣那樣醋，能唱到如此，已屬不易。這段慢板蓮芝尚能神似，不過有二句具張君秋的味兒，那是流行性感冒，不足爲奇。（未完）

德國兩青年環遊世界記

・林錚譯・

魯爾斯廿五歲，摩勒呢？比他大一歲。他們是德籍，自稱是「吟唱詩人」，駕一輛小房車環遊世界。

一九六四年復活節期間，他們從德國生發。啓程時身上只有四十美元，兩個結他，以及一架 CITROEN 2CV 的新車。他們的夢想便是遊歷各地，清楚世界的面目，認識多些人。

到目前，差不多是兩年了，他們只完成了一半路程。他們曾到過奧地利、南斯拉夫、希臘、土耳其、伊朗、巴基斯坦、印度、不丹及錫金。由於他們無法駕車經過緬甸，乃折返印度的加爾各答。

沿途他們以賣唱爲生，有時是正式在台上表演，有時是在街邊賣唱。又曾經在電視節目中出現。不過，許多時候，在餐館或夜總會上客串演唱。留在加爾各答期間，在一些人幫助之下，他們乘飛機往星加坡，他們那輛車由海運到達。

從星加坡，他們駕車經過馬來西亞，前往曼谷。在那裏，他們大受歡迎，在夜總會受聘演唱一個時期。然後，他們再往永珍。他們知道有一條公路是沿着五五〇哩的湄公河的，直通往高棉。不過，在過去九個月來，這條公路已沒有任何車輛行走過，因爲沿途可能有地雷埋伏，而且還有山賊，游擊隊等。他們是無須經過這條路的，他們既然連一根槍也沒有，那更危險了。不過，他們終於抱着勇氣前進了。

這一段路使他們行走整整一個星期，其中一天，困難重重，只行走了十八哩。他們手中只有一幅手畫地圖，是在永珍時，遇見一位法國人替他們畫的。沿途好幾段路是不成路的，他們要斬荊披棘才能繼續前進。他們的車好幾次陷入地雷爆炸過的地坑，但他們夠幸運，眞的地雷却沒有觸到。

他們要搭船渡過湄公河兩次；有一次，他們被「打脚骨」要付五倍船資才准上岸。他們抵達高棉時，便獲悉是幸運兒，因爲在他們之前不久，也有兩個法國人嘗試穿過這條公路，事隔一個多月，他們一去無蹤影！又有一個瑞士籍記者，在這條公路上被一些游擊隊捉住，他們把他的眼睛挖出，舌頭割斷，讓他流血過多而死。

他們抵達後，袋中已無錢了，而且六條車呔已破損無遺。他們只得寫信往俄亥俄州的飛靴車呔公司求救，他們道出旅程的苦況，希望公司捐贈車呔。公司方面受了感動，回覆說有七條車呔在香港等候他們往取。

但他們怎樣才能前往香港呢？結果，他們做了一個時期苦工，湊夠飛機票錢，飛到香港。那輛車呢，由另一位法國友人負責由船運往。他們在香港逗留了三個月，然後才獲悉那輛車因爲失事，幾乎完全毀壞了。

香港的一位娛樂界人士提議他們前往西貢，因爲那裏駐軍甚多，需要演唱人材。結果，他們前往南越，逗留了七個多月，一邊演唱勞軍，一邊可以賺錢。好幾次，在前綫上，他們要一手拿結他，另一手拿槍來演唱，以防不測事件發生。在那裏，分分鐘都有戰事發生的。

他們回憶說：「有一次，我們在軍營空地上表演。初時，我們還有二百多名聽衆，但剎那間，一個也沒了，因爲在演唱中，敵人來襲擊了。我們站在空地之中，一時實在不知躲在那裏。一陣子彈之後，又恢復寧靜了，於是我們繼續唱了。事實上，每一次演唱，都有遠近的斷續槍炮聲作爲件奏。」

有一次，他們在兵士要求之下，一直演唱到天亮，他們所得酬勞是美金八十元；另外有三十元，是作爲賠償的，因爲他們的一隻結他已被流彈所毀。又有一次，他們演唱的地方，僅離北越邊境七哩而已。他們最常到的地方是大南。

這時，他們已有足夠金錢飛回曼谷，他們要花五百美元才把那輛車修理妥當。他們目前在那裏呢？他們已抵達澳洲了，正在從雪梨前往墨爾砵的路上。他們下一站將是日本或美國。（二）

憶大馬的花園——檳榔嶼

鄧武德

龜池的上一層還有一個金魚池，不過就沒有龜池那麼的能引人興趣。沿着池旁的石級再上去，這時在石級兩旁的大石上，可以看到許多人的題詠。

走完了石級便是金剛殿，進門便可看見四個丈餘高的怒目相視的金剛。再進去還有羅漢殿。上層還有藏經樓，裏面的藏經汗牛充棟，爲南洋之冠。

從藏經樓回到羅漢殿，再從右旁的樓梯下去，經過另外兩個院便到了寶塔的底下。一進塔，可以看到一座高約七八尺的玉觀音。從第一層到第六層，可以看到的盡是大小不同的名貴的緬甸玉佛。到第六層，可不能進去了，這兒週圍都用鐵欄圍着，裏面擺的是許多大少不同的金佛像和小金塔。

再上最後一層去，向四面望一望，整個檳榔嶼的市區都在眼底，一離開街市便是一片的椰林，風景美麗極了。

遊過了極樂寺，轉到扯旗山去罷。扯旗山脚就在極樂寺的左近，距離並不很遠，只要二十分鐘便可走到。那兒有一個車站，每小時便有一輛車子上山和下山。車子是縛在一條鐵索上，由山頂用機器拖上去的。當一輛上去的時候，同時就有一輛下來，只不過那裏上得更高一點而已。

這兒的山也和香港的不同。香港的山只有別墅、旅館，這兒除了別墅旅館之外，還有一個小小兒童遊戲場。

玩過了扯旗山，還有瀑布公園，華僑都稱它做「紅毛花園」。公園雖然佔地不廣，可是也有些奇花異果，園中的瀑布更爲生色不少。瀑布旁邊有一個很大的蓄水池，把瀑布中的水蓄積，消毒濾清後，再供給市民食用。園中還有一項奇趣，就是不時都可以碰見成千的猴子羣在樹上或草地上徘徊着。要是客人帶有水菓或花生，那麼牠們便會一直的跟着客人，搶客人的花生或水菓，直到遊客手上的東西都投完爲止。牠們絕對不怕人，因爲在這裏牠們的生命是有保障的，捕捉是絕對禁止的。

現在可以去遊靑龍廟了。廟是小得可憐，可是却也有它吸引遊人的地方。在小小的廟中的神壇上，香爐上，屋樑上，甚至於佛像上，都蟠踞着許多尺餘長的靑蛇，牠們都馴服得很，不會聽說咬傷過遊客。據說牠們的牙齒都早先被和尚們拔脫了。遊完上述幾個檳榔嶼的名勝，筆者說牠是馬來亞的花園，讀者們該就覺得一點兒也不爲過了！

（下）

王魁與焦桂英

「影劇與歷史」之十八

周遊

又說：如君有意淑女，我可爲君作介人。殷婦說畢，取一羅巾，請魁爲之題詩一首，與桂英爲信物。魁大喜，題詩道：

謝氏筵中聞雅唱，何人戛玉在簾幃？
一聲透過秋空壁，幾片行雲不敢飛。

殷婦將此詩送交桂英，桂英甚喜，並約與之相見。桂英見魁貧困，對他說道：「君可奮發讀書，四時所需，有妾爲君辦理」。此後王魁便朝去暮來，感情日篤。

王魁與桂英戀愛爲時約一年，朝廷有詔開科求賢，桂英爲魁準備川資，相送到海神廟，二人進廟拜謁海神，魁並在神前盟誓道：「我與桂英，誓不相；若生離異，神當殛之」。王魁到了京門，寄情詩一首與桂英。詩云：

琢月磨雲輸我輩，都花古柳是男兒。
前春我若功成去，好養鴛鴦作一池。

王魁考上了狀元，消息傳到桂英，桂英作詩一首以賀之，詩云：

人來報喜敲門急，賤妾初聞喜可知。
天馬果然先驟躍，神龍不肯後蛇蟠。
海中空却金鰲窟，月裏都無丹桂枝。
漢殿獨呈司馬賦，晉廷惟許宋君詩。
身登龍首雲雷疾，名落人間霹靂馳。
一榜神仙隨馭出，九衢卿相盡行遲。
烟霞路隱休回首，舜禹朝清正得時。
夫貴婦榮千古事，與郎才貌各相宜。

不久，桂英又陸續寄詩二首，其一云：

上國笙歌錦繡鄉，仙郎得意正疎狂。
誰知憔悴幽閨質，日覺春衣綵帶長。

其二云：

上都梳洗逐時宜，料得良人見即思。
早晚歸來幽閣裏，須教張敞畫新眉。

王魁登科之後，愛情來了一百八十度的大轉變，以爲自己大魁天下，豈可以一娼玷辱我的聲名，竟絕情不作答書；而魁父又聘崔氏爲婚。不久，王魁授徐州僉判，桂英聞知，更是喜極欲狂道：此離徐州不遠，當會派人前來接我。於是桂英便先着一人持書信前往徐州見王魁。時魁方坐廳決事，見桂英書，不由大怒，將書信撕毀。桂英聞知王魁負義，遂萌死念，竟自刎而死。

一日夜，魁在南郡試院獨坐，忽見一人自燭下出現，正視之，乃是桂英！魁問道：「你近來可好否？」桂英道：「君輕恩薄義，負約悔盟，使我至此。」王魁道：「這是我的罪過。我可爲你誦經拜佛，多焚紙錢，你饒了我罷！」桂英道：「我非要君的命方休。」

（二）

法國奇女子蒲巴多

玩暴君路易十五於股掌

・仁厚・

蒲巴多是在一七四一年在法國與一個中產階級結婚的，由於她的聰明、能幹而又漂亮動人，所以能在短短的五年內利用她的交際手段，一躍而成爲路易十五的情婦。次年，路易十五把她安置在凡爾賽宮。路易十五對她極其寵愛，特地爲她建造了一座行宮，並派了六十個僕人包括侍女，醫生，廚師專誠服侍她，此外每年均撥一筆巨額的欵項供她揮霍。路易十五幾乎每晚均駕臨其行宮，和她溫存一番。

她爲了取悅路易十五，對他曲意逢迎，千依百順，同時更利用她過人的才智、聰慧及誘的手段，博取路易十五對她的歡心。

路易十五是一個非常自私而冷酷無情貪新忘舊的傢伙，同時他更是一個性慾特強的人（他曾與一位奧地利公主結婚，在十二年間，奧地利公主爲他生了十名小孩。）當蒲巴多夫人在廿九歲的那年，由於縱慾過度，身體孱弱不堪，醫生也勸她不宜縱慾，所以她逐漸減少與路易十五接觸；路易十五發覺蒲巴多已不能滿足他的性慾發洩後，便逐漸疏遠她而另立新歡。這點對於常人來說，可以說是一個壞消息，但蒲巴多却有她的一手來挽回路易十五對她的寵幸。

（三）

內僑管合報字第〇三一號內政部登記

自由報

THE FREE NEWS

第六三八期

中華民國郵政登記認爲第一類新聞紙類

每份港幣壹角　台灣每份新台幣二元

社長：雷嘯岑

督印人：黃行督

社址：香港銅鑼灣高士威道廿號四樓
20, CAUSEWAY RD 3RD FL. HONG KONG
TEL. 771726　電報掛號：7191

承印者：大同印務公司
地址：香港北角和富道九號

台灣分社
台北市西寧南路壹零叁號二樓
電話：三〇三四六

本報特別啓事

爲慶祝青年節，本報自本期起，連續兩期，儘可能多刊有關文章，敬祈　讀者特別注意。

黃花精神與青年氣慨

——慶祝第廿三屆青年節致海外華僑青年

馬樹禮

距今五十五年前的辛亥三月廿九日，革命黨人在廣州起義之役，海內外志士仁人抱着救國救民的偉願，鼓其破釜沉舟的勇氣，踴躍赴難，爭先殺敵，以血肉之軀，冒槍林彈雨，碧血橫飛，浩氣四塞。這一役的結果，雖仍歸挫敗，但由於革命黨人所表現的轟轟烈烈的行動與其取義成仁的志節，誠足以驚天地而泣鬼神，振人心而破敵膽。因此相隔不及半年，武昌革命的義旗一舉，旬月之間，全國響應，滿清帝室卒被推倒，而民主共和的中華民國，遂告創建成功。

我們現在回溯當年革命建國的經過，應知辛亥革命的成功，決非偶然而致，卻有其必然的因果在。不明歷史眞相者，也許懷疑當日先烈們的慷慨犧牲，是一時的衝動，但如果我們細按史實，便可瞭解諸先烈的壯烈行爲，完全出於理智的選擇和愛國愛民的責任所驅使。他們並非不知革命事業之艱鉅危險，而且早就預料不免流血犧牲；然而他們爲了要完成救國救民的志願，他們寧信我國先哲所啓示的「人生不朽」的眞理，認定個人軀體的生命是短暫的，唯有對人類社會能立德立功立言者，方足以不朽而流芳千古。因此先烈不惜自己的身家性命，而以犧牲爲樂，爲榮。

關於黨人先烈可歌可泣的掌故事蹟，我們在這裏是無法一一臚舉的。現在隨便舉幾個例子，即可見一斑：黃克強先生是這次起義的主持者，起事之前，他早就寫好絕筆書寄出：「……今日馳赴陣地，……誓身先士卒，努力殺賊，書此以當絕筆。」事實上他言出即行，臨陣果然是身先士卒努力殺賊的，倖而是役僅受傷而未死罷了。朱執信先生本負其他任務，臨出發時剛來到，立即把長衫剪短，持槍加入戰鬥行列，大家阻之不可。譚人鳳先生年紀較老，鬚髮斑白，亦本非戰鬥人員，出發時在座，堅持參加，同志勸阻，譚忿然曰：「君等敢死，我獨不敢死耶？」林覺民先生與愛妻訣別書，方聲洞先生稟父函，均情辭並茂，此大家所口誦耳熟能詳的，不用贅述。喻培倫先生與弟培棣先生着赴義，臨陣時，人勸其一臂殘廢，不必冒險，答曰：「諸公具四體，不如吾偏枯人也。」李炳輝先生持親促其還鄉，不肯，寄詩答母曰：「……慚愧劬勞恩未報，只緣報國誤爲私。」做洋服工人的李晚先生，起義前告友人書曰：「任其事而怕死，非丈夫也！今明知無濟，只在實行革命宗旨，決以生命爲犧牲，庶足振聾發聵……其收效正不在遠。」農民出身的江繼復先生，爭任先鋒，領隊徐維揚先生憐其年老，阻之，江笑曰：「吾年雖老，尚少黃忠十餘歲，豈便無用哉？」先烈中最年輕的兩位華僑青年郭繼枚和余東雄兩烈士，在南洋時就力求返國參加起義，到祖國後復聯名致絕筆書與南洋同志，表明犧牲報國的決心。至於女同志諸如徐宗漢、胡寧媛、卓國華、莊漢翹……諸女士，或負責運械，或奔走帶信聯絡，亦莫不激昂奮勵，履險如夷，而絕無所懼。固然是役在舉義之前，固然個個踴躍爭先，而當挫敗之後，除浴血奮戰陣亡者外，其力盡被執者，又皆能慷慨陳詞，從容就義，貞忠壯烈，視死如歸。

我們從上面這些部份片段的歷史事實中，便可見出當年革命志士們的一切嘉言懿行，實無一不是從其愛國愛同胞的一種崇高的心理修養培植出來的。是以黃花先烈之骸骨雖腐，然其精神則永垂不朽，千秋萬世，都值得我們馨香崇拜而奉作楷模。政府之所以黃花崗紀念日作爲青年節，是具有深長意義的。

我們當前面臨的世局，毛共匪幫倘蟠踞大陸，暴政橫施而禍國殃民。革命先烈犧牲流血艱難締造的中華民國，命脈不絕如縷。今日我們慶祝青年節，紀念先烈，緬懷前賢的義烈行爲，當凜感本身責任之重大，而思步武前規，繼續完成先烈救國救民的未竟志業。毛共匪幫爲禍國家民族人類社會，其罪惡遠過於滿清帝室的闒弱腐敗，是故毛共實我們生死的大敵。「慶父不除，魯難未已」。我們目前的環境形勢，却比過去反清革命黨人所處的時代優越得多。我們有世界公認堂堂正統的中華民國政府，有在台灣的堅固反共基地和強大的國軍力量，有海內外衆多而一致團結的同胞、和友邦反共人士的同情和援助，還有不甘毛共奴役壓榨而渴望自由解救的大陸數億苦難同胞。現在，只要我們能效法革命先烈的榜樣，大家懷具以拯救國家民族天下蒼生爲己任的抱負，奮發殺身成仁捨生取義的精神，誓殲暴共，勇往直前，可以說一定能夠獲得反共作戰的勝利與復國建國的成功。欣逢佳節來臨，謹以此與我海外青年共同努力。

兩面不討好

毫無辦法

今日與明日

毛共拒絕出席俄共大會

俄共最近在莫斯科舉行廿三屆全代會，柬邀各國共黨出席觀禮。在過去這種會議毛共皆派出第一級頭目率團前往參加，如十九屆大會代表團長劉少奇，二十屆大會朱德，廿一屆大會周恩來，廿二屆大會劉少奇，這一次毛共却拒絕派團出席。

世人每每誤會了這次會議是國際共黨大會，所以毛共拒絕參加。其實這是完全不同的。國際共黨大會，專爲解決共黨內爭尤其是俄毛之間的鬥爭而開，毛共恐怕變成被告去受審，在寡不敵衆情形下丟其大人，不肯參加尚有可說，至於這次會議則是俄共內部會議，當然不可避免的會談到國際共黨內爭的問題，但畢竟不是主題，毛共代表團若去，俄共對於請來的客人也不能過份無禮，但是毛共賊心胆虛，竟然不敢去。

毛共孤立形勢

毛共杯葛俄共大會，即使能糾集到大批夥件，對俄共也無所損，因爲俄共自己的會議，客人來不來觀禮，並不影響會議的進行，所以俄共對此倒不太介意。反過來看毛共就慘了，截到現在爲止，除去在歐洲的阿爾巴尼亞共黨響應拒絕出席外，在亞洲到目前已經表明態度不願參加的只有黨員不過千人的紐西蘭共黨及唯中共之命是從的日共。一向被視爲在中共控制下的越共，已由其第一書記黎笋率領代表團過平赴莫斯科了。黎笋在平逗留三天，中共大頭目除去毛酋未露面其餘均曾與之會談，行時周恩來且曾親至機場送行。但此種隆重招待實在毫無意義，因爲黎笋畢竟去了，俄共所需要的是大家去，這不是共黨國際會議，不需要舉手贊成，也不怕發言反對的。

毛酋病重之謎

由於毛酋五個月來未曾露面，外界又推測毛酋可能病勢沉重，奄奄待斃。毛共宣傳人員爲此特別聲明否認，指是西方國家造謠。

毛酋染病已不是一朝一夕之事，右手麻痺不良行動，甚至不能把一支紙烟送進口裏，要靠左手去支援右手，這是西方記者親見的，並非造謠。至於其行動不便，開會時要女護士扶之進場，也在毛共宣傳影片上映得清清楚楚。所以說毛酋鐘鳴漏盡，已是鐵的事實。但要說馬上就會死去，倒也未必，因爲劉少奇適在此時去巴基斯坦進行國際統戰工作，如若毛酋眞的命在旦夕，劉少奇敢離開嗎？他能不担心頭把交椅被別人坐上嗎？（何如）

自由談

欺民衆以無知

馬五先生

由參議員富爾普萊特，毛斯爲首的美國會議員，加上一些左傾的雞蛋頭人物——即所謂大學教授也者，最近爲着美國對越南政策而大唱反調，在各大都市上搞出「聽證會」，利用電視廣播機構，嚣然爭辯，大放厥詞。同時又邀約政府的文武大員到參議院作證，像煞有介事。這眞是庸人自擾，無聊已極。

以二次世界大戰末期美總統羅斯福導演的「雅爾達協定」醜劇爲濫觴，把咱們中國的領土外蒙古斷送給俄共以來，杜魯門總統繼踵前修，再將整個中國讓毛共竊據稱尊，接着艾森豪總統乃坐視匈牙利人民的反共運動被俄帝武力掃蕩，事後纔派副總統尼克遜赴奧匈邊境上憑弔一下匈牙利人民的血跡。這都是自由世界在美國領導之下所受到的禍害，也就是共產集團在戰後威脅自由世界最強化的所由來。美國當局鑄成了這些貽害全球人類的大錯，幷未聞富爾普萊特之流有所檢討，而要求朝野有關人士分別向全國人民作證，藉明是非，却對越南一隅的反共小戰役曉曉譁咋，且搞出甚末「聽證會」的把戲，小題大作，搖惑人心，這不是舍本逐末的胡鬧行爲嗎？

在美國所有自命爲自由進步派的反對越戰份子，無論他是議員也罷，教授也罷，實際上對越南以及整個亞洲情形，盡係一知半解，莫名其妙的。他們志在出鋒頭，向民衆詐取政治資本而已。譬如參議員勞勃、甘迺廸之大發親共言論，爲的就是跟現任副總統韓福瑞爭奪未來的政治地位，不惜昧良胡綁，要將東方自由人類的鮮血，灌溉培育美國一般官僚政客的政權花果，其行可鄙，其心可誅！

美國一般民衆不特對於東方的實際情形，蒙昧無所知悉，即對歐洲事項亦很少瞭解，但他們具有選舉官吏的權力。因而美國每次舉行總統與國會議員大選時，競選人總是藉東方問題作爭取選票的資料，花言巧語，欺民衆以無知，富爾普萊特這般政客們策動的越南戰局「聽證會」，用意即在此也。美國乃是實行民主政治最徹底的國家，然其本質竟如此之糟，其他一切後進民主國家的選舉結果，其距離「選賢與能」的境界，殆如地球與月球相隔不知若干億萬里矣。噫嘻！

青年節四絕句（回旋格）

宗孝忱

修齡黃髮轉青春。東亞風雲運轉輪。
鼓舞澄清功烈偉，中山奉化兩天人。

帝制根除民意伸。修齡黃髮轉青春。
良醫活國活人術，碧血黃花效最神。

掃蕩欃槍復夏[illegible]。羣雄飛躍鍾山下。
修齡黃髮轉青春。誓殲列強稱健者。

神州亟待起沉淪。制敵財源敵自泯。
元首惟明祝眉壽。修齡黃髮轉青春。

香港各銀行工業貸款 下月一日起將予放寬

中型工廠業務可望獲合理發展

（本報訊）本港英商銀行，準備由新的會計年度（即四月一日）開始，放寬對工業方面的貸欵。有實力的華資銀行，亦將會步其後塵。如此相信很多組織健全的中型工廠，可望獲得銀行的支持，業務將有合理的發展。

據銀行界透露：現在英商銀行對於一些中型工廠，凡組織健全的，將由新的會計年度開始，放寬信用貸欵。所謂信用貸欵的主要目標有二，其一是收到海外買家的信用證，或D．P．的方式付貨的，都可獲得百分之百透支貸欵。其二為添置新的機械，祇要有充分的證明，就可以獲得貸欵。

這種新的放寬對工業貸欵措施，現在英商銀行已有了充分的準備，一俟審查完竣，即可開始給予信用貸欵支持。有實力的華資銀行，為了配合英商銀行對工業放寬貸欵的新行動，亦已開始作放寬工業貸欵的部署，預料四月一日開始即有明確的表現。

近月來銀行內部頭寸很鬆，但商場銀根仍然緊俏，這是極不協調的。銀行內部頭寸鬆，可以從同業拆息降低獲得證明，最近銀行同業拆息在住四厘半至四厘六二五。但所謂銀行內部頭寸鬆，並非一般銀行都是如此，其實有若干華資銀行因為經大部份資金放在地產方面，每月都要付出很大筆的利息給與商銀行，他們的週轉仍然是很困難的。不過英商銀行與一部份本身實力雄厚的華資銀行，現在積極研究把資金獲得正常的出路，首先採取的步驟是恢復放寬對工業方面的放欵。在過去的一年內（指會計年度），英商銀行以及一般華資銀行對於工商的放欵是傾向收縮的，工業方面，除了大廠仍然獲得英商銀行充分支持之外，中型廠一向與華資銀行來往的，因為華資銀行收縮放欵，例如收到海外買家開到的信用證，以及D．P．方式付貨的，華資銀行都不肯對信用證透支以及D．P．的買單。因此一般中型廠的週轉已不若一年前那麼靈活。至於添置機械改良設備，更難獲得華資銀行的信貸，於是中型廠的業務發展受到很大影響。

銀行界又透露一種新消息：現在有二百餘家中型廠準備改組及合併經營，以便配合英商銀行恢復放寬貸欵的新措施。因為這二百餘家的中型廠，本身實力是很薄弱的，他們最近與英商銀行接洽，英商銀行經過審查後，認為他們的業務可以繼續發展，但須要進行改組，或合併經營，方能給予他們信用放欵。所謂改組經營，就是把現在的資產負債加以整理，在人事上加以改革，使組織趨於健全。所謂合併經營，就是幾家中型廠合併成為一家大廠。織布業方面已有二十多家布廠正在進行中，搪瓷業方面亦已有十多家進行合併的行動，一俟改組或合併就緒，就可以獲得英商銀行的支持，業務將有新的開展。

高雄縣縣長與議長 同被地方人士控訴

監院決定交內政委員會處理

（四）該社原有社員五、二四四人，社股股數四二、三七二股，股金為新台幣五〇二、三〇〇元。該社於五十四年八月十五日呈報變更登記申請書，增股表等文件，均與規定欠合，經該主管機關縣政府合作室予以駁回。該社不依規定先行辦妥變更登記手續，即於今年八月二十二日，逕予辦理社員代表選舉，姑不論其動機如何？究其程序上似有未合。

（五）該社定於今年九月十二日召開第八屆社員代表大會時，依照法令規定，應於七日前，以書面載明召集事由，及提議事項通知各社員代表，唯查該通知書載日期（五十四年）九月五日，但在同一欄內之代表收到該項通知，係九月七日八時。郵局日戳為九月六日十九時，如以付郵為計算標準，則尚差一天。

（六）該社第八屆社員代表大會在投票選舉前，對會場選務人員如發票、記票、唱票，及輔導小組（負代書任務）等人員，係由蔡國琛一人建議，大會主席（吳尚卿）提名付表決，旋由主席吳尚卿宣佈名單，再以舉手方式表決通過。雖經其他代表提出異議，但未為吳主席所接受。

（七）選舉會場佈置，原將圈票處設於大會會場樓梯口，因部份代表提出異議，嗣經指導人員勸導，始行改善安置會場主席台左邊，投票櫃放在主席台中間，吳主席坐在主席台左邊，雖經許課長一再勸說，應儘量避嫌，將投票櫃遷離主席台，但未為吳主席所採納。

（八）指導人員許課長以該社選舉，已形成兩派競爭，理事候選人吳尚卿係現任該社理事會主席，有意競選連任，且為會場主席，較為表面化，為使避免發生事端，不得不認眞指導，開始投票時，即在會場週圍巡廻監督，並經指導人員告知各代表，如非文盲或殘廢時，均須依照規定親自圈選。時，即有代表許國琛、張東雄、林達等既已親自出席，非文盲又無殘廢，當其委託輔導小組代圈時，許課長在旁，即予勸導糾正，該三位代表均能聽從指導，親自圈選。

（九）代表林朝洲，於圈票後在投票櫃前（即主席台邊）將票亮與在旁之理事候選人吳尚卿觀看，許課長當場予以糾正，並促其速將選票投入票櫃，而林朝洲非僅不聽勸導，并將該選票再行展開一次，並指責許課長有妨害投票自由。許課長即將該選票予以保留，不投入票櫃，以免影響櫃內其他選票問題，並宣布該選票違反秘密投票規定，應視為無效，或作為疑問票，專案請示內政部處理。是時吳主席出面向許課長責問其依據何法令等激動言詞。在場之監事吳天洛亦起而指責，並抨擊指導人員，發表不滿鼓譟之言論，因而吳派代表數十人羣情激昂，叫罵喊打之聲隨之而起，使大會秩序紛亂。趙主任璧全趕來勸導無效，合作室李股長即護送許課長離開會場。該張選票由戴縣長（慶⿱）宣佈暫為保存，俟專案呈報內政部核示後處理。惟據代表林朝清稱：係因選票上墨水太濕，是將選票亮乾，又被電風扇吹開，使許課長誤會是亮票與吳主席看，竟將票搶去，並宣佈無效，我心裏實在不服等語。在場之監事主席柯財源，代表楊炫村，則證明其確有亮票情事。究其實情如何？現均已無保留，殊難斷定。唯林朝清於圈票時，如確因墨水未乾，自可在圈票處稍候較為合理，因圈票處至投票櫃，尚有一段距離，而在投票櫃前一再亮票，指為亮乾墨水，似較牽強，不合邏輯。

台灣省政府在令中核示兩點：

（一）關於該社選舉社員代表時，其中有二千三百七十八人被停止選舉權及被選舉權一節：「核與內政部釋示不合。應轉飭依照內政部釋示辦理。」

（二）該社召開社員代表大會，發出通知不及七日，核與規定不合，須依照內政部釋示辦理具報。

所控如果確實，說明一位由選民選出的民意代表，藉政治上的權力，竟無法無天，任意胡為，侵害人權，實構成台灣地方自治的汚點。像這樣的人，理應加以制裁，切莫讓這種風氣滋長。（三、完）

青年節勉海外青年

高信

我中華民族，立國於亞洲大陸，歷史悠久，廣土眾民，東方文明的光輝，照耀寰宇，今天不幸遭受歷史上空前的變局，河山破碎，國運阽危，大陸同胞陷於水深火熱，亟待援手。我們對於這一個民族安危的緊急關頭，如何扭轉時勢，開拓新運，以挽救我炎黃華胄空前浩刼，殆為我時代青年的歷史任務。今天欣逢第二十三屆青年節，緬懷先烈締造民國之犧牲精神，策於我們對中興偉業責任之艱鉅，謹竭愚抒所見，與我海外青年共勉！

（一）認識敵人

中國有句老話：「知己知彼，百戰百勝」。我們海外青年必然先要了解，誰是我們的敵人，方能齊一步驟來打擊我們的敵人，消滅我們的敵人。無疑的，我們的敵人祇有一個——就是共產黨。它是以仇恨為出發點，以唯物哲學為武器，以階級鬥爭為手段，它慣於採用的不外是下列三種方法：第一種是「騙」，共產黨訓練黨員第一課，是教它如何造謠、撒謊、騙人，它的哲學是說一百次假，假也會變成眞。它騙的法寶甚多，可用虛榮來騙你，可用金錢來騙你，可用女色來騙你，等到你發覺自己受騙了，悔之晚矣，祇好以「發瘋要人陪」的心理，和它同流合汚，為它利用，而拿這一種方法替它去騙別人。共產黨第二種方法是「嚇」，它如果騙你不到，就要恐嚇你，給你精神的威脅，給你工作的威脅，給你前途的威脅，最後給你生命的威脅。第三種方法是「拆」，共產黨人個個都熟讀矛盾論，它到任何一個地方都要控制，都要插入自己一隻手，它主要的辦法是播弄是非，製造矛盾，兩方對立，它便可從中取利，舉足輕重，自可達到拆的目的，收它預期的效果。

我多年來走過許多地方，許多橋社，也遇見少數青年上了共匪這三種鬼計的當，以致受其毒害，這是十二分可惜的事。我們今後必須瞭解共黨，一切都是虛偽的，要有富貴不能淫，貧賤不能移，威武不能屈的精神，它就騙不到了；要能堅定信仰，忠貞不貳之革命犧牲精神，它就嚇不到了；更要能團結合作，相處以誠，它就拆不得了。

其次我們試看毛幫血腥統治了大陸十六年，弄到人民衣不蔽體，食不果腹，猶厚顏以世界革命領導者自居。其實共產黨主義，蘇俄實驗了將達四十年，早已發覺此路不通，迫得近年採用利潤和獎金制度以鼓勵生產，無形中現在已採用局部的自由經濟制度，毛幫還抱着馬克斯這個失靈的神牌，實在已是落伍而過時玩藝兒。大陸青年看透了毛幫已走近覆亡的邊緣，故有李顯斌、吳文獻……等海空軍相繼來歸。在國際上，它不但與自由世界為敵，而且與它昔日的伙伴為敵，由此可知失道寡助，多行不義，終必自斃。這是我們必須認識者一。

（二）認識自己

我們始終堅持着東方王道文化之優良傳統，以仁愛為出發點，以立己立人為處世待人之準則，一切都以實現民治、民有、民享為鵠的，維護人性尊嚴，尊重個人自由，使人人有擇業、求學、遷徙、言論……之一切自由。耕者有田，收益均歸自享，故農民勤奮向上，生產直線增加。工商企業在政府指導下自由發展，故能作合理之競爭，各人發揮其才智，商品精益求精，使產業突飛猛進。我們試就國民所得來看，由四十九年每人平均五千〇一十七元，增加至五十三年的六千七百二十六元，四年來，逐年增加，增加率達百分之二十四；農業生產，近四年間平增每年增力率為百分之六點四，工業生產的總指數，四年間平均每年增加率百分之十五，其中五十三年，增加率竟達百分之二十五點八。至在教育方面，學童就學率已達百分之九十六點八，大、中、小學生總數達三百萬人以上，每四個人中，即有一個人在學，比世界上任何進步國家並無遜色。至於我們在軍事方面，多年來明恥教戰，整軍經武，建立全民作戰體系，積極加強部隊訓練，提高作戰技術，更新部隊裝備來加強作戰能力。總之，我們今日無論從政治、經濟、教育、軍事任何一方面都有驚人的進步，亦可以說已完成了反攻復國的一切準備。這是我們必須認識者二。

（三）結論

海外的青年僑胞們！我知道你們是在沉悶，或者愁苦的環境中過着生活，我知道你們還有些是在共產鐵蹄下受着恐怖的威脅，或者在種族歧視下過着不愉快的日子，但無論如何，其禍源都是因為共匪竊據了我們美麗的山河——中國大陸，才使你們有今日的遭遇。所以你們一定要挺起胸膛，痛下決心，效法黃花岡七十二烈士的精神，來轟轟烈烈地為驅除毛匪，恢復中華，而拼頭顱，灑熱血，為民前鋒，為中華民族的再造，為解救大陸億萬同胞，為維護世界人類自由和平而努力奮鬥。

海外的青年僑胞們！現在在這自由與奴役，光明與黑暗激烈鬥爭的時代中，我中華民族以至於全世界人類，正遭遇空前的災難，但是，民族復國的契機，往往即蘊育於這個空前的災難之中，所謂「多難興邦」，古有明訓。我們何幸而生於此偉大的時代，更何幸有偉大英明的 蔣總統領導全民為復國建國偉業而堅苦奮鬥。我海外青年僑胞已在國民革命史上寫下了輝煌的一頁，在今日欣逢自己這個光輝的節日，更當發揚傳統文化，體認自己的時代任務，奮然興起，重振民族精神，展開對共產匪徒的鬥爭，為扭轉時勢，開拓國運而共同努力，為自由幸福的三民主義的新中國，一定在我們這一代愛國青年的手中完成。

黃季陸談三二九英勇事蹟

立人

五十五年前三月廿九日的廣州起義，可說是同盟會成立之後，最偉大、最壯烈的一次革命行動，國父孫中山先生曾感嘆的說：「於此役中，吾黨菁華，付之一炬，其損失可謂大矣！然是役也，碧血橫飛，浩氣四塞，草木為之含悲，風雲因而變色，全國久蟄之人心，乃大興奮，怨憤所積，如怒濤排壑，不可遏抑，不半載而武昌之大革命以成。」由此可見三、二九廣州之役的價值與含義，絕非只單是一時革命起義事件而已。值此紀念前夕，特走訪國民黨中央黨部設計委員黃季陸先生，請其闡述黃花崗革命事蹟之意義與經過，吾人於追懷先烈悲壯事蹟之餘，得以效法其犧牲精神，為國奮鬥，以實現三民主義，完成建國復國之責任。

獨特的革命精神：黃季陸說：「我們從古今中外的任何一樁政治革命行動來看，參與者總是抱着成功的希望，而三二九廣州起義的偉大處，乃是參與此一壯舉的烈士們，他們不計較眼前的犧牲失敗，而把成功的希望期之於將來。他們明知必死，卻敢於慷慨起義，充分發揮了知其不可為而為的勇氣。由於烈士們捨身取義的決心，等於昭告全國同胞，革命事業，必須憑藉着熱血青年再接再厲的犧牲精神去換取的。」他舉例說：「林覺民烈士在事前曾慷慨向同志表示：吾輩此舉，事必敗，身必死，然吾輩死事之日，距光復之期必不遠矣！」也就是由於烈士們僅有偉大而獨特的精神感召，激起了全國各地的革命怒潮，因此才有辛亥武昌起義的成功。」

三二九之役經過：廣州之役的起事日期，依照原定計劃是在辛亥年四月一日，革命同志決議集中力量，選三千名敢死隊，以破釜沉舟之勢一舉攻下廣州。可是臨到起義前二十天（三月十日），溫生才烈士誤刺了廣州將軍孚琦，引起了清廷的警戒，也影響了全盤計劃，革命機關不斷被破獲，革命同志也不斷被捕殺，風聲鶴唳，革命同志行動受到了很大的牽制；到了三月二十六日，黃興拍電文到香港，暗示取消四月一日的起義計劃，以暫避風險。可是同志們早已抱定必死之決心，希望孤注一擲，這種精神感動了黃興，決定提前在三月二十九日起事。可是軍火的補給槍枝彈藥卻沒能配合好，全是零星得到，根本不足以應付當時需要。而且由於起義日期提前，由福建、安徽、四川、上海等地趕到廣州的革命同志，一共祇有千餘人，不及預定人員的半數。

起事那天，清廷事先已有所聞，總督府戒備森嚴，革命同志計劃分數路向總督府進攻，憑螺角聲為記號，同志們約定，在左手上纏以白巾為標幟。參加這次行動的大半都是文弱書生，他們從未受過軍事訓練，更不曉得拿刀放槍，但是他們卻個個情緒高漲，人人熱血沸騰，恨不得一舉殺盡滿虜，肇建民國。行動開始之後，革命同志即分頭展開厮殺，無奈清軍早有準備，黨人中了清兵埋伏，兩廣總督衙門尚未攻下，而各處去路反為清兵堵住，同志們死傷很多，在激戰中黃克強不幸被打斷了右手中、食兩指。同時由順德調回廣州的三營滿清部隊，其中有不少是革命黨人，早已由革命黨人聯絡好，他們策動新兵反正，偏偏因時間緊湊，進城增援時，未及將白巾繫起，就和起義同志遭遇，自相殘殺，反將革命黨人勢力削減，以致造成了這次悲壯的歷史慘局。

黃克強同志見大勢已去，只得改裝逃往河南，另謀再舉。此役，革命黨損失慘重，有的臨陣成仁，有的被執就義，直到四月三日，才由黨人潘達微冒險尋到了七十二具遺骸，合葬在黃花崗上，並立碑紀念，令人望風景仰，永垂不朽。

黃季陸指出：黃花崗之役遭遇難烈士們的身份，有留學生、教員、記者、工人、農人、軍人和僑胞。可見革命的救國救民工作已得到全國各階層的普遍支持，也證明了革命事業在國內每個角落，奠定了有力的基礎。

黃季陸慨嘆地說：三二九之役表面上雖然是失敗了，但其影響卻是深遠的，有黃花崗之役的失敗，也才有辛亥年十月十日武昌革命的成功，也才有中華民國的誕生。誠如中山先生所說：「斯役之價值，直可驚天地，泣鬼神，與武昌革命之役並壽。」

辛亥革命與臺灣

吳立人

在五十五年前的今天，我們的革命先烈用他們的熱血，在廣州市寫下了一頁光輝的史頁，為中華民國奠下了第一塊的民主基石。在這一次扭轉歷史的偉大行動中，有一位台灣籍的同胞兵，參加革命行列，浴血殺清兵，他就是台南的許贊元。據台省耆宿父老們說，黃花崗之役中，可能還有不少是台灣人。他們指出：不過當時台灣還是光緒十四年設省，名屬福建省轄，政府公文都是由福建省轉達，所以在台灣居住好幾代的人，籍貫也照樣寫福建省。

台灣是中國的領土，雖然過去被日本竊據了五十一年，但不論在歷史上、民族上、或文化上，台灣底一切，仍然是中國的一個支流。因此，中國大陸許多重要的運動，幾乎無一不使台灣受其影響，此中尤以民族運動及社會文化運動，其為顯然。

許贊元參加廣州之役的台籍義士，祖籍本是廣東揭陽，先世遷居台灣台南數代之久。

許贊元的父親許南英是當地的紳士，曾中過進士，台灣淪陷後，許老先生回到廣東，並出任福建龍溪縣知事，以後便在龍溪落了戶。許南英老先生以詩文名於當時[illegible]，許贊元是老二，最後一位子女老六，出世是在光緒二十一年，那正是中日甲午戰爭，台灣割讓日本之年。

[illegible]人登陸接收的時候，許南英曾受省同胞的擁戴，[illegible]以地方[illegible]防守，兵入[illegible]，無奈[illegible]台灣陷落之後，才[illegible]地無人，[illegible]然舉家渡海[illegible]，許贊元已經是十二歲的老二了。

許南英老先生回到廣東之後，[illegible]出任地方官，許贊元便進了當時的陸軍小學，[illegible]所以，黃花崗之役發生時，許贊元是陸軍小學的學生，[illegible]，被清軍所俘，[illegible]被釋放，據說，在民國二十二、三年[illegible]。

[illegible]中區，許贊元[illegible]縣長，[illegible]任過[illegible]第一任，[illegible]大陸人間就無論[illegible]是台灣人[illegible]的話[illegible]。[illegible]也是七十三年[illegible]辛亥革命[illegible]，是我國歷史上[illegible]結束了封建制度[illegible]民主[illegible]國家的歷史。

革命黨人大智、大仁、大勇的精神

澄飛

滿清末年，同盟會在東京成立後，這個革命團體的特色是：以知識青年為骨幹，差不多全國最優秀的青年留學生，都集中在這個新的革命團體中。黃花崗之役，就是以這批知識青年為中心人物。他們雖然都是文弱書生，但都是熱血沸騰，意志堅決，所以當他們在參加廣州之役之前，早就把生死置諸度外。人人都發揮了大智、大仁、大勇的革命精神，在黃克強的指揮下，衝鋒陷陣，視死如歸，所以才能寫出驚天地而泣鬼神的光輝史頁。

在舉事之前，黃克強、方聲洞、李晚、林覺民、都寫下絕筆書，寄給他們的父母、兄弟、妻子和朋友，這些絕筆書至今讀起來，還是一字一淚，特別感人。茲值第五十五屆青年節，特錄烈士遺書數通，與海內外青年朋友共勉之。

黃克強給李源水的絕筆書：「事冗，無暇通候，罪過罪過！本日馳赴陣地，誓身先士卒，努力殺賊，書此以當絕筆！即頌 籌安。」

方聲洞別父書：「……夫男兒在世，不能建功立業，以強祖國，使同胞享幸福，雖奮鬥而死，亦大樂也。且為祖國而死，亦義所應爾也。兒刻已念有六歲矣，對於家庭本有應盡之責任，祇以國家不能保，則身家亦不能保，即為身家計，亦不能不於死中求生也。兒今日極力驅滿，盡國家之責者，亦即所謂保身家也。他日革命成功，我家之人，皆為中華新國民，而子孫萬世，亦可以長保無虞，則兒雖死，亦瞑目於地下矣。」

李晚復兄絕命書：「此行成敗不可知，任其事而怕死，非丈夫也！今日決以死報國，實行推倒滿清宗旨，建設中華民國，事成或身殉，[illegible]！惟祈兩大人[illegible]弟[illegible]。」

林覺民訣妻書：「語云：仁者老吾老以及人之老，幼吾幼以及人之幼。吾充吾愛汝之心，助天下人愛其所愛，所以敢先汝而死，不顧汝也。汝體吾此心，於啼泣之餘，亦以天下人為念，當亦樂犧牲吾身與汝身之福利，為天下人謀永福也。汝其勿悲！」（上）

碧血黃花浩氣長存

兆麟

辛亥年三月廿九日革命黨人在廣州起義，由於當晚死難的烈士有七十二人葬於黃花崗，故史稱「黃花崗之役」。在這一役中，革命同志以全力在廣州發動，不幸失敗，死難者大半是優秀的青年學子，碧血黃花，浩然正氣，不僅大振革命聲威，同時也震撼了世界。因此，接着武昌起義得以迅速告成。所以黃花崗之役，也就是中華民國開國的序幕，實在值得大書特書。茲將是役的經過情形以及其對青年的感召與啓發略述如後：

起義前一日，黃克強召集廣州的同志開會，喻培倫、林文二烈士慷慨陳詞，認為革命軍只知有前進，不知有後退，事已至此，非我殺敵，即敵殺我，惟有同心合力，準備殺敵流血而已。克強聽了，至表同意。這天晚上，便商議翌日起義計劃，推克強任總指揮，分派各路負責進攻同志，並定廿九日下午五時半發動。

廿九日上午，廣州革命同志齊集小東營五號黃克強住所，有些香港和外埠的同志，也適時趕到，共有一百七十餘人，由克強分發槍械，並將象牙圖章、黑鋼時錶分發先鋒隊員，各人以白布纏臂，着黑橡膠底鞋作為標誌，另約定以吹螺為號。是日下午四時許，克強向諸同志激昂演說，群情激舞，又將大批短刀和炸彈分與眾人。

五時二十五分，克強率林文、李文甫、喻培倫等百餘人出發，何克夫、劉梅卿等競吹螺角，一時鳴聲震，氣壯如虹，直撲兩廣總督署。當時督署門前，有警衛數十人，克強猛攻，炸斃衛兵數人，克強乘機帶了林文等數十人，由側門入署，餘眾由喻培倫率領，伏門外防禦。克強入了大堂，又遭衛兵狙擊，同志杜鳳書即於此時殉難。克強見狀奮勇向前，直入後堂。等至內堂搜索時，兩廣總督張鳴岐已逃逸無蹤，克強就在牀上放下火種，督署便燒着了。這時敵人已愈來愈多，克強等退出，才得出署。另一衛兵排，旋被敵兵以排槍掃射過來，林文、劉元棟、林尹民等相距約五十一公尺，同志殉難。克強傷右手斷兩指，足部亦受傷，但仍能調度，將殘部分為三路：一路出小北門，接應新軍同志；一路攻督練公所，與同志喻培倫所部會合；一路由克強自己率領，衝出大南門。克強等到了雙門底，不久敵軍已到，克強打了一陣，四顧已無人相隨，乃退入小洋貨店中，開槍抵抗，擊中追兵七八人，才從容到屋後以水冲去積血，自縛指止血，改裝避入河南。其餘同志除陣亡以外，被俘的有喻培倫、林覺民、李雁南、羅仲霍、李文甫等三十餘人，彼等就義前均慷慨激昂，大義凜然。

至於脫險的同志，也有不少，如但懋辛是伏在廁所裏三天之後才逃脫的；嚴驥藏在雅片烟館兩天，改裝挑夫逃去；劉梅卿到雜貨店買了一根繩子，再行至小北門，繫繩樹上，拋過城外，見守城衛兵在抽烟談天，便擲下炸彈，隨即滑繩出城逃去。其他諸同志，則以喬裝和機智，分別脫險。

香港趙聲、胡漢民初得誤傳，以為改期起義，廿九日深夜知廣州起義消息，才盡率黨員二百餘人上廣州增援，卅日晨到達，分頭上岸，始悉事敗。城門緊閉，不得已折回香港。趙聲迷途，渡河南尋獲克強，二人相抱大哭。這夜，他們同下香港，克強入雅麗醫院治傷，因割指須動手術，徐宗漢用妻子名義簽字，黃徐姻緣，由此締定。

此次戰役，每位革命志士，都有為國為民的懷抱，如起義之前黃興寄給友人的信說：「本日馳赴陣地，誓身先士卒，努力殺賊，書此以當絕筆。」足見他這時已有不再生還的打算了。其他如林覺民、方聲洞等烈士的絕命書，也都抱着必死的決心，舍己以為羣。及到起義後，各烈士無不奮勇當先，臨陣力戰，雖身被重創，仍然奮鬥不已，是表現得激烈悲壯，可歌可泣。在這一役中，先烈們已把義之所在，視死如歸的壯志豪情，發揮得淋漓盡緻。

緬懷先烈昔日悲歌慷慨成仁取義的事蹟，不禁感慨系之。尤其自大陸變色後，黃花崗上腥氣漫天，烈士墓前狐鼠成羣，吾輩自應效法先烈的革命精神，完成復國建國的神聖使命，以慰先烈在天之靈。

回憶二十年前的青年節

王康

抗戰勝利後，中央政府定每年的三月二十九日為青年節，其用意是一方面紀念黃花崗七十二烈士，一方面是勉勵現代青年應效法革命先烈的犧牲奮鬥精神，為國家社會服務。在我的記憶之中，民國三十五年的青年節過得最黯淡而令人氣憤。

民國三十五年我在桂林主編廣西中央日報副刊，同時也在國立桂林師範學院附屬中學教書，除教高中各班歷史外，並兼高中畢業班導師。當時桂林師院院長曾作忠，是位灰色人物，教授大都是共產黨和同路人，例如歐陽予倩、穆木天等都是反政府的先鋒。附中校長段式斌雖然不是親共份子，但在左傾氣氛瀰漫的環境中，也不能有多少作為。當時的政治大環境是國共正在進行和談，共產黨在各級學校裏的滲透活動已到明目張胆的程度。左傾份子不承認三月二十九日是青年節，他們除對此節日冷嘲熱諷以外，並唆使學生消極抵制青年節的一切活動，例如教學生不參加慶祝大會，不寫壁報文章，不參加話劇的演出。

當時在桂林的學校還有國立廣西大學、國立漢民中學、廣西省立桂林中學等。漢民中學校長任中敏曾追隨胡展堂先生多年，是個忠實的國民黨員，辦學非常認眞。他對共產黨的滲透，是採取積極的抗拒態度。例如抗戰時期，共黨文特司馬文森曾在漢民中學教國文，後來任中敏發現他是共黨特務後，就將他解聘。三十三年冬桂林淪陷時，任中敏率全體師生，流亡到貴州，但仍弦歌不輟，抗戰勝利後學校遷回桂林。由於任氏激烈反共，共黨份子經常在報刊上寫文章罵他，我路見不平，拔刀相助，也在中央副刊加以還擊，經常筆戰，異常熱心。可是左傾勢力在桂林文教界佔優勢，所以三二九青年節的活動，只有形式，而無內容。我和校中幾位反共的同事，都感痛心疾首，但也無可奈何。那次的青年節，過得最氣憤，如與近年來在台灣舉行的歷屆青年節相較，其冷漠與熱烈的對照，眞有天壤之別。

五月四日，政府定為文藝節，只有小規模的集會，可是三十五年五月四日，桂林文化教育界左傾份子卻大事慶祝。他們在桂林師範學院大禮堂白天舉行慶祝會，晚上公演話劇，左傾教員和學生都傾巢而出。

當時廣西正鬧饑荒，桂北各縣野有餓殍，善後救濟總署運來大批美援麵粉，由廣西分署分發給饑民，受惠的飢民對政府的德政，無不感激涕零。（上）

辛亥革命的歷史意義

楊興生

辛亥革命在中國歷史上的重要意義，很明顯的包含了兩方面，第一是推翻了二百六十八年滿清部族政權的統治，實現漢滿蒙回藏五族平等的主張；第二，打倒了數千年來根深蒂固的君主專制制度。這項由 國父孫中山先生領導的民族革命運動之成功，不僅在中國歷史上，即在世界歷史上，也可以說是件偉大的事跡。

祖國名史學家蕭一山，以治清史聞名於國內外，蕭先生因為對中國近代史的研究造詣很深，因此他對於民國開創歷史，和 國父孫中山先生思想，也比一般人瞭解較深而有他獨到的見解。

蕭一山先生說：中山先生不但是中國的救主，而且他的思想，很顯然也是中國文化的產物，更重要的是，他把革命的對象、主義、方略，分晰得清清楚楚，指示得詳詳細細，並規定一種革命方略，作為實行三民主義的步驟與方法，指出革命應依軍政、訓政、憲政三時期循序推進，不能有所逾越。

這位史學家說，清末革命黨人那種為國奮鬥，不顧生死的精神，眞是值得我們敬佩。然而破壞之後，要建設又感知識不足了。他們不了解三民主義，不能悉聽 國父的指導，以致國民革命的初步成功，祇是把民族復興的障碍掃除了，取得中華民族的形式，而民族內在的種種困難，又接踵以起。因此，

國父本於這些痛心的經驗，遂不能不重新創造基幹，而有民國十三年的組黨建軍，作為繼續完成國民革命的基本力量，因此才有國民革命第二期的成功，以及八年抗戰打敗了日本的功績。蕭先生說：現在我們又面臨到更凶暴的敵人——中共和他的同路人。近代史實昭示我們，祇要我們能依照 國父的遺教向前邁進，民族復興是不成問題的，因為 國父已經在任何方面；無論文化、政治、經濟等等都替我們鋪好了光明的大道。祇要循着他的指針去走，一定可以步進光明的目標。

蕭一山先生從歷史觀點，說明由辛亥革命所掀起的驚天動地的民族運動，一定達到民族復興的一天；他的看法是積極而樂觀的。蕭先生說：歷史的法則本來是漸變的，變的速率越後越快。前一個時代的「因」，往往就是後一個時代的「果」，絕未有無「因」而生「果」者，也未見有「果」而無「因」者。且一個時代內的前「因」之「果」，與後「果」之「因」，常互為影響。祇就我近代民族革命的史實而論，也足以證明了。如果革命黨以消廷新軍的助力完成了辛亥革命，但他們在後一個時期中又相互牴觸而消長，如袁世凱壓制革命黨卒將北洋軍閥打倒，日本侵略中國，而中國全民抗戰打倒了日本帝國主義。「鑑往知來」，這些都不過是民族革命運動中一大波瀾。以整個潮流來看，奔騰澎湃，迴瀾逆轉，終久也要歸於海的。現在我們對赤色共黨戰鬥，就是幾百年來因果疊成的澎湃狂瀾，不久總要達到最後目的——民族復興的。

蕭一山先生同時還特別指出，無論那種革命，都不外是「應天順人」之事。天是什麼？就是世界潮流和歷史趨勢；人要什麼？不外獨立自由平等。那一個能順應，那一個能成功。他說：歷史的刷洗淘汰作用，原是毫釐不爽的。共產黨終歸要是滅亡的。

書生本色與革命元勳

沈宗琳

這兩年，由於于右任、鈕永建兩位黨國元老的先後謝世，使得大家有機會再度追憶一次革命先輩的氣度和風範。

以于右老和鈕惕老兩位說，可謂各有千秋。右老的個性是豪邁，這位幼年牧羊兒出身的革命耆勳，生就北國男兒的稟賦，他一輩子戲劇化的紀錄，從行動到詩詞，貫串着一股豪邁不羈的氣慨。惕老的個性是篤實，這位少年就讀於南菁書院的開國元老，生就是江南書生的典型，他一輩子謙冲淡泊的胸懷，在革命成功前後，始終是踏踏實實的作風。

然而，這兩位秉賦不同，個性相異的老前輩，卻具有共通的一點：那便是他們都不謀而合的獻身於 國父孫中山先生領導的國民革命。他們兩位都深深了解，必須以個人必死之心，才能求得國家民族的永生。因為凡是稍諳中國近代史的人們，都知道滿清末葉，以康有為和梁啟超為首的維新派，和以 國父孫中山先生為首的革命黨，目的都是救中國，觀念卻完全兩樣。維新派是主張君主立憲，維持滿清政府的正統；革命黨是主張實行革命，建立一個民主共和國。

如果就當時的情勢說，維新派要說服清廷變法，固然不易；但革命黨要推翻滿清，更是困難。照理，像右老和惕老兩位，年青時都已在文場中了舉人，而且也都已文名藉甚，要說由此而求得一官半職，決非難事。然而，當甲午戰爭（一八九四年）後，這兩位舉人，卻不謀而合放棄了仕途，獻身救亡運動。而在救亡運動中，選擇的不是和文人本質相近的康梁維新運動，而是嚮往了必須動刀動槍的 國父革命運動。這種自動自發的思想的轉變，觀念的轉變，以及其所表明的捨易就難的精神，實在是象徵了我國書生文人「為天地立心，為生民立命，為往聖繼絕學，為萬世開太平」的最高意境。

我們這個社會，往古今來，習慣上總認為：「百無一用是書生」。可是，眞正了解我國歷史演變大關鍵的，都不能否定書生在我國歷史所產生過的重大作用。且不說孔子孟子那樣主宰我們二千多年民族思想的書生，即令文天祥、史可法那樣悲劇性結束了一生的書生，其所流傳下來的民族正氣，又那一個中國人不肅然起敬。我們青年紀念黃花崗七十二烈士，論七十二位先烈的身份，留學生、新聞記者等就佔了十六位。而黨國元老中，十位中平均恐怕有七位都是文人出身。

今天，救國之道，反共之道，固然多端，但是，「書生本色」這四個字，還是最重要。在教育普及了的今天，誰都不是文盲。可是，如果在商言商，在工言工，在教言教，在公言公，而沒有如于右老、鈕惕老那樣的書生本色的氣質，則鼓動風潮以創造時勢，已不易；旋乾轉坤以復國建國，將更難。

怎樣紀念青年節

陳綺言

在五十五年前的今天，若干有熱血有抱負的海內海外中華青年兒女，為了爭取民族的自由，爭取國家政治的民主，受了孫中山先生的感召，團結起來向滿清帝制革命，犧牲於廣州，而在黃花崗上留有姓名的八十六位青年烈士。經過了這次壯烈的犧牲，喚醒了國魂，不數月而武昌起義成功，而中華民國誕生。所以，在今天——三月二十九日，是海內外中華青年兒女最值得紀念的一天，而中華民國政府於三十二年公布這一天為青年節，其意義是非常深刻的。

回顧過去中國革命運動史，每當國家危難的時候，就是海內外中華青年兒女奮起保國衛民的時候。其中最值得我們提起的是民國十五、六年間打倒軍閥完成國家統一的北伐，和民國二十六年展開抵抗日本帝國主義侵略的八年抗戰，這次輝煌的革命偉業，又是成千成萬的海內外青年男女在賢明的革命領袖號召下，團結奮鬥所爭取得來的。

今天是反共建國的大時代，是空前未有的大時代，海內外中華青年兒女所担負使命的重大，絕非任何時代所可比擬。當前的時代使命是維護民主自由，復興國家民族。換句話說，爭取我們民族的自由，國家的民主和民生的幸福，是肩負在海內外中華青年兒女身上，而每一個中華年青兒女必須抱着絕大的犧牲精神，始能担負這個重大的責任！同時，我們更要曉得：今天我們紀念的青年節日，是過去革命烈士用鮮血換來的，我們海內外中華青年兒女必須用我們的熱血來發揚光大！

誠然，今天海內外中華青年兒女有不少的苦悶，其中最大的苦悶是時代的苦悶。所謂時代的苦悶，主要是因為共產集團侵略勢力的擴張，民主集團國家不能以堅定的思想和行動來抵抗制裁它，也未能消滅共產主義的邪說，使大家對時代的依趨發生迷惘。其次是社會現實的苦悶，即是社會上種種投機取巧的、搶利爭先的、虛偽自私的現象，令人感到不滿，青年兒女們耳濡目染，觸發了良知，而感到苦悶。

其實，許多苦悶是動亂變遷的大時代所不能避免的。海內外的中華兒女應該知道怎樣自處，知道怎樣才不為時代浪潮所衝擊而迷失自己奮鬥努力的方向。（上）

丙午黃花節

南鴻

一自妖氛黯九州。白雲珠海兩悠悠。
黃花崗上英雄塚。寂寞蒙塵十六秋。
歷劫滄桑五五春。紅花碧血早成塵。
座談欲問當年事。白髮英豪剩幾人。
忠魂化鶴倘歸來。滿目瘡痍信可哀。
骨嶽血淵供試爆。誰憐國脈付飛灰。
風雨雞鳴欲曙天。運回剝復在今年。
王師策馬揮戈日。八六英靈慰九泉。
聞道羊城備戰忙。風聲鶴唳賊倉皇。
好看抗暴追先烈。革命成功又一章。
豈必豐碑紀姓名。獻身革命最光榮。
寄言海外炎黃胄。莫對前賢愧後生。

青年節的來由

曼玲

今年三月二十九日是第二十三屆青年節。大家都知道：訂定青年節的意義，是為了紀念民元前三月二十九日廣州之役，七十二烈士轟轟烈烈為國犧牲的助功偉跡。其經過的情形是這樣的：

民國紀元前二年，國民黨第九次在廣州革命起義失敗，黃興、趙聲等，又集合各省革命黨之精英於廣州，民元前三月二十九日，革命黨人重行舉事，猛攻督府，事敗戰死及被害者，叢葬於廣東省番禺縣城東北白雲山麓黃花崗上。初葬忠骸共七十二具，後人稱為七十二烈士。是役，尚有無確實姓名之先烈凡十餘位。

民國八年五月四日北平青年運動，影響甚大，中央曾訂五月四日為青年節。後又改為「文藝節」。

二十七年三月廿九日中國國民黨臨時全國代表大會集會武昌，決議組三民主義青年團，由 總裁兼任團長。六月六日公佈團章，七月九日成立中央團部。

三十二年三月二十九日青年團舉行第一次全國代表大會於重慶，大會為號召全國青年，效法革命先烈之犧牲奮鬥精神，担負繼往開來之偉大任務，經一致決議以三月二十九日為青年節，並經中國國民黨中央常會通過。民國三十三年三月廿九日舉行第一屆青年節，今為第二十三屆青年節。

自由報

THE FREE NEWS

內[illegible]台報字第〇三壹號內銷證

第六三九期

中華民國僑務委員會發
台教新字第三二三號登記證
中華郵政台字第一二八二號執照
登記為第一類新聞紙類
（半週刊每星期三、六出版）
每份港幣壹角
台灣零售價新台幣貳元
社長：雷嘯岑
督印人：黃行雷
社址：香港銅鑼灣高士威道二十號四樓
20, CAUSEWAY RD 3RD FL.
HONG KONG
TEL. 771726　電報掛號：7191
承印者：大同印務公司
地址：香港北角和富道九六號
台灣分社
台北市西寧南路壹號二樓
電話：三〇三四六
台郵劃撥儲金戶九二五二

現階段的世界局勢
——兼論青年反共的責任

王洪鈞

一、共產勢力之擴張

二次大戰之後，世界局勢緊張的根本原因在於共黨國家的擴張。共產主義的形成，自有其歷史背景，惟俄共政權經列寧及史達林的領導，更變本加厲的侵略、征服、與統治為其擴張的目標。戰後迄今二十一年，來自蘇俄或中共的赤色侵略，則無一日之中斷。當代青年有生以來即面臨着這個生死存亡的挑戰，實不能不具備精神之武裝，以免於滅亡。

（一）歐洲的形勢

共黨勢力之擴張，實際說來，在二次大戰期間已經開始。德國投降後，俄國即利用戰時在東歐及東南歐所獲之特殊地位，以及民主國家之戰後懈怠，而在歐洲動手。俄國於短短期間內，曾在波蘭、羅馬尼亞、南斯拉夫、阿爾巴尼亞、匈牙利、和捷克製造了共黨政權，形成歐洲鐵幕。繼而向南歐地中海國家伸其魔掌。至一九四七年，希共在阿、保、南三國共黨支持下發動叛亂時，美國始自夢中驚醒，而採取了斷然行動：由國會撥款四億援助希土，阻遏俄國在歐洲繼續擴張。同時，更有馬歇爾計劃幫助西歐復興。一九四八年，美國參院復通過范登堡決議以放棄孤立，積極在聯合國內建立防守同盟為兩黨一致之外交政策。此後，乃有一九四九年北大西洋公約組織之產生。

美國戰後在原子科學方面有極大進步，原子軍備力量大增，復因俄國也積極發展原子武器，乃形成原子僵局。好在在原子僵局中，美國始終保持絕對之優勢，使俄國不敢輕啟戰釁。再加上美國與歐洲國家之密切關係，無論任何糾紛皆不放棄立場，使俄國更是徒勢心計全無收穫。因此，俄共在歐洲的擴張從一九四七年以後，大致說來已被遏止。問題已僅在於鐵幕之解放，而非鐵幕之擴張。

（二）亞洲的形勢

但在亞洲方面，共黨之猖獗卻與日俱增。俄國對亞洲的野心早在帝俄時代即已開始。當俄共「二次戰爭」失敗立刻掉頭東向，在亞洲伸張勢力。首先成立外蒙古共黨，繼成立中共。第二次大戰期間，史達林在雅爾達會議中，以出兵進攻東北為條件，脅迫美國同意由我國承認外蒙古獨立。可知俄國久蓄赤化亞洲之陰謀。日本投降後，俄國一手飼養中共使其在各處叛亂，竊奪政權，終至一九四九年大陸淪陷。一九五〇年，俄國復支持韓共進攻南韓，未料美國突然改變政策，積極支援南韓，乃演出韓戰。韓戰尚未結束，祇是在休戰狀態之中，中共乃串同俄國控制越共，發動越戰，直到一九五四年，劃分越南為二。這是共黨勢力在亞洲擴充的主要發展。事實上，俄國和中共在亞洲各地皆從事滲透和顛覆的工作。譬如日共、菲共、馬共、印共、（印尼）、緬共、泰共，以及寮共皆是。尤其是寮國的情形與越南極相似。大體來說，在亞洲國家中，除了日本因為屬於已經開發的國家，日共的活動方式與歐洲共黨活動類似外，其他各國共黨多半是利用亞洲國家民族主義的思想與情緒，而演出所謂「民族解放戰爭」。

（三）非洲與美洲

亞洲以外，共黨勢力也在非洲和拉丁美洲積極展開。所不同於亞洲者，拉丁美洲因為毗隣美國，共黨活動較為吃力。二次大戰後，俄國祇在古巴樹立了卡斯楚政權。但當俄國企圖將飛彈運往古巴，建立俄國在美洲的軍事根據地之際，美國立刻與之攤牌，而使俄國鎩羽而歸。至於非洲，俄國和中共雖在不斷滲透，但非洲人對白色人種的種族仇視，俄國活動自然的受了限制，中共雖曾一度猖獗，可是近一年來已開始被非洲國家所唾棄。

二、亞洲局勢的複雜

如今，世界局勢最多變化、最引人注意者，莫過亞洲。共黨勢力一貫在亞洲擴展情形已如前述。自一九五七年以後，因為中共與俄國分裂而使局勢日趨複雜。

（一）俄毛的分裂

俄毛分裂之背景已無庸贅述。但一般評論家所忽視的一個因素，乃是韓戰和越戰與毛俄分裂的關係。中共參入韓戰自為俄國所唆使，中共雖因此負了重債，但另一方面卻更新了軍隊的裝備，並產生一種狂妄自大不怕與美國軍隊作戰的心理。一九五四年日內瓦條約，使越共與中共沾沾自得。這兩個原因也助使中共與蘇俄分裂，在共產陣營中獨樹一幟。

中共所以敢於俄國分裂，主要是看到俄國的原子軍備依然一籌莫展，而中共從第二次大戰之後，到處發動所謂「民族解放戰爭」卻無往不利；因而喊出了打「人民戰爭」的口號。去年九月更透過林彪等宣傳，用所謂「世界農村」，包圍「世界都市」的計劃。「中共人民的戰爭」就是戰略具體的說，就是自東南亞開始西向印度、中東、而入非洲，包圍歐洲；東向印尼，而拉丁美洲，包圍美洲。中共所以在越南和寮國亟謀擴大侵略，就是為了這個目的。美國雖說在越南採取積極抵抗的政策，但中共不升高越戰而擴大越戰也是意料中事。「九、卅」之變失敗，印尼共黨受到挫折，但蘇卡諾之為人原為狡猾政客，絕不致使印尼共黨完全失敗，必然在適當時機仍加以扶植，而收左右制衡之利。

（二）原子的陰謀

使亞洲局勢有重大潛在之影響者，還是中共發展原子武裝的陰謀。中共在沒有原子武器之時，故意宣傳原子武器之不足恃，其目的在於使西方國家產生幻覺，以為中共缺少近代戰爭的觀念。但實際上，中共卻在以降低人民的生活水準為代價，積極建立原子設施，兩次從事核爆，想在一九七〇年以前擁有原子彈和投擲的武器。

（下轉第二版）

逃出生天

危在旦夕

今日與昨日

劉少奇訪巴

就當印尼關閉了新華社，亞非兩洲反毛共已吹起了一陣旋風，把毛共十年經營吹得無影無蹤之時，劉少奇與陳毅突然去巴基斯坦訪問；就毛共本身來說，對此也可能寄以希望，但在我們看來，恐怕是白跑了一趟，最多只能落個自我陶醉而已。

目前在整個亞非兩洲，可以供劉少奇去訪問的地方，大概也只有巴基斯坦同阿富汗了。藉此去跑一跑，顯示自己還有朋友，並非完全孤立，未始不是一種宣傳手法。但是除此之外，還能得到什麼呢？

不過，劉少奇此行，毛共還是懷有一番陰謀：主要目的在挑撥印巴關係，破壞塔什干會議，既可打擊印度，也間接打擊了美俄兩國。尤其劉少奇選定這個機會去巴基斯坦，當係看準了印度總理英廸拉．甘地訪美，受到美國的逾格寵愛，巴基斯坦不免眼紅，劉少奇、陳毅抓住這個機會去進行分化工作，時間是選得不錯。

徒勞無功

可是，劉少奇同陳毅所進行的工作，看來是未生效果。劉少奇發表談話，聲稱支持巴基斯坦抵抗帝國主義侵略，措辭還比較含糊，陳毅則直截了當說是支持巴基斯坦抵抗印度侵略。

但是巴基斯坦卻不願「食死貓」。一貫左傾的外長布圖就公開說美國不必擔心該國會與中共勾結危害美國，因為中共只是朋友而美國卻是盟友。尤其布圖講這段話時，是正陪劉少奇、陳毅在巴基斯坦各地旅行，無異當面摑了陳毅一記耳光。

美國應重視巴國

巴基斯坦是回教國家，先天就具有對共產主義的防疫作用。世界回教國家公開左傾的，只有一個印尼，但是印尼一旦展開反共運動，數百萬共產黨員，一夕之間，斬芟略盡，可以看出回教徒的反共本質。最近幾年來巴基斯坦所以拚命左傾，一面是受了尼赫魯的壓迫，一面是向美國抗議，對於美國薄盟友而厚敵人（尼赫魯時代的印度實在是自由世界敵人）的作風，作公開[illegible]卻始終不覺悟[illegible]只好一步步向[illegible]魚，尼赫魯確[illegible]勢。

美國最近又宣佈全力援助印度粮荒，大有「包下來」之勢。對於印度這個人類的包袱，美國偏出以全力相助，最後所招致的損失是難以預計的。

（何如）

自由談

戴高樂正式聲明法國退出「北大西洋公約」的軍事聯盟體系，且要求盟軍總部暨美軍撤離法境。這無異於對北大西洋公約國投下一種烈性的炸藥，要把自由世界的集體防衛中心予以摧毀，可謂沒理性的瞎搗蛋！

美國當局為着這項意外的變局，深感煩惱，希望參加公約體系的十四個國家，共同發佈宣言，對法國表示譴責之意。然各國只是發宣言而不願責備戴氏，良堪詫異。「行有不慊於心，則反求諸己」，美國當局如其能夠反省一下，對於戴高樂的搗蛋行為，當知其決非偶然的。

北大西洋公約聯盟組織以美國為盟主，理有固然，若無美國的強大實力作中流砥柱，這項集體防衛事宜根本就搞不起來，而西歐在戰後的重重危機亦不容消除。但美國未免太過於以大亨自居，不特對於聯盟體系的政治軍事措施，完全要聽從美國的主張，即對於各個軍事單位的主管首長，亦須由美國將領充任，法英諸國的軍官祇能充當副手而已。似此強權主義的作風，在剛愎成性的戴高樂看來，自然認為難以忍受，就是其他各個盟友，亦抱存着敢怒不敢言的心情，試看十四個公約成員皆不同意宣言指摘法國的態度，殆可反證矣。

美國作何感想

美國對於西歐以外接受美援各友邦的軍事問題，其控制、干涉程度，更有甚焉。受援國家的軍隊，連使用美援汽油的自由亦沒有，軍隊尋常調動，非取得美方同意不可，否則即以停止美援相威脅。白宮大員哈里曼在東南亞視察時，公然宣稱「美國決不援助不聽話的國家」，一派強權主義的優越感詞色，咄咄逼人，不可嚮邇。從好的方面說，這是勇於負責的精神，然受之者痛感國家與個人的自尊心掃地以盡了。這便是凡屬接受美援各地區人士，皆對美國發生反感的基本因素。

所以，戴高樂罔顧大局的意氣用事，固屬不夠大政治家的風度，勢將誤人誤己；然美國這樣以大少爺脾氣來領導自由世界，亦復不足為訓。如此相激相盪，自由世界的集體安全制必起變化，乃至於名存而實亡，影響所及，適以增進大戰的速度。不悉畏戰忒甚、避戰不遑的美國朋友作何感想呢？

馮王先生

第四次國大會議的成就

增訂臨時條款　設置研究機構

（本報台北通訊）第一屆第四次國大代表會議開了個多月，今天閉幕了。在這次大會中，除却選舉總統與副總統外，最重大的問題就是授權總統，設置動員戡亂機構，在戡亂期間，總統有權調整中央行政機構和人事，對自由地區和光復地區的中央民意代表，可以增選或補選，對戰地政務可以自由處理，不受憲法之拘束。國大代表們爲着這項問題，曾經激起了一陣高潮，後來慢慢地趨於平靜，終告順利通過。這是戡亂時期的非常措施，關係國家前途甚鉅，將來在歷史上必然大書特書的，經過情形，值得報導。

代表這項提案，係由國大代表張知本、徐堪領銜提出，徵求大家簽署，以便交由大會討論。初稿規定設置「動員戡亂委員會」，對於由選舉產生之中央民意機構可以「改選」或「增選」，換言之，現有立監兩院和國大代表皆在改選之列。若干代表未加仔細研究即簽名爲提署人，兩天之內已簽有六七百人之多。後有人發覺國大代表亦須改選，而戡亂委員會不受憲法有關條文之限制，殆無異於自我宣告「死刑」，且公然凍結全部憲法，蓋原案列舉的各項非常措施，十九與憲法有關也。立法委員聞訊亦向行政院提出質詢，認爲破壞憲政體制，青年、民社兩黨人士則認爲現行憲法係經過全黨派協商結果，如今若要凍結憲法的大部份作用，仍非經過各黨派協商不可，一時輿情浮動，議論紛紛，以致許多業已在原案簽名的代表，臨時聲請撤消，且對原提案的領銜人，加以「知本忘本」，「徐堪何堪」的譏評，情勢頗爲險惡。嗣由原提案人與各方面再三協商，把「改選」中央民意代表這點刪除，只是「增選」「補選」而已，再將「不受憲法有關條文之限制」一語去掉，且不採用「特種審查委員會」——即由主席團與各審查小組召集人共同審查後，提交大會討論。第一審查委員會於本月十八日上午十時起，直到深夜十一時止，經過大會討論與小組審查爭辯，原案始告成立，次日（十九日）大會將審查結果提付表決之前，曾有人對於「動員戡亂時期，本憲政體制授權總統，得設置動員戡亂機構……」這段原文，提議將「本憲政體制」一語，移至「授權總統」句下，但未博得多數同意。事後有法學家指出：這句文字上下移動後，意義即大不相同，因權力即極大，可以不受憲法有關條文之限制，而政府只能「本憲政體制」以實施非常政令，多少要受限制了。

這次大會的第二項重要問題，即國民大會爲實行創制、複決兩權而設置「憲政研究委員會」。原案是由法律專家謝瀛洲代表提出的，大家對於「謝專家」的法學觀點，表示莫名其妙。嗣經大會修正爲公推總統爲主任委員（蔣總統係國大代表），副主任委員由總統指定。當本案未表決前，尙有人主張不應該硬性規定「公推總統爲主任委員」，雖然事實上必係如此，但不宜明白規定。另有人說：這些都是枝節問題，算了罷，咱們這班中央民意代表本身，將來動員戡亂委員會設立後，亦在「遣散」之列，泥菩薩過河，自身難保，何必多費唇舌呢」？因而無異議通過了。

最後引起高潮的[illegible]這其間的重要關鍵，即係「病患代表」六七十名之中的廢票較少。蓋病患代表們投票場所，設在大會會場病房邊過道上，周圍有人瞧着，無從秘密加圈，而候選人又只有一位，亦無選擇之餘地也。照此情形，嚴靜波比陳辭修更幸運，可謂得來全不費工夫啊！

國大會議閉幕前一日，有位陝西籍代表對人說道：「咱們陝西有句俗話，叫作『搨鷄（巴）敬神』，自己搨死了，神也得罪了！」另有人對這次大會的成就，作出一副口語體對聯云：「說甚末，亦沒有用」，「能這樣，就差不多」。再配以「搨鷄敬神」四字爲橫額，允屬描述這次大會情狀的絕妙好詞，可圈可點也。（三月廿五日發生於台北）

國大四次會議素描（六）

——增訂臨時條款案的波瀾

·本報記者張健生·

國民大會第四次會於三月十九日下午三時許，舉行第九次大會，主席賀衷寒，議事日程討論事項爲：張知本代表等八五二人提：擬請增訂動員戡亂時期臨時條款，授權總統得設置動員戡亂委員會，以適應反共情勢需要，完成反攻復國歷史任務。

案經大會廣泛討論後，即進行二讀會之逐條表決。原提案經國大第一審查會於三月十八日舉行第四次會議審查，修訂爲：「一、動員戡亂時期，本憲政體制，授權總統得設置動員戡亂機構，決定動員戡亂有關大政方針，並處理戰地政務。（二讀會表決結果，出席代表一一六九人，以一一四二票通過）二、總統爲適應動員戡亂需要，得調整中央政府之行政機構及人事機構，並對於依選舉產生之中央公職人員，因人口增加或因故出缺，而能增選或補選之自由地區及光復地區，均得訂頒辦法實施之。（二讀會以一一四一票通過）再經國民大會四次會第九次大會以一一三八票通過（在場代表一一六九人），授權總統，適應反攻復國之需要。

查張案於三月十一日，由國大黨部以（55）國黨伍字第一三五八號代電分函黨籍代表簽署，由於事先沒有做好協調工作，致許多代表們都感到莫名其妙。到十二日，代表們紛紛議論。在十三日的那天，由青年黨籍代表張一夢、黃歐波主持的一次座談會中，掀起護憲運動，「堅決反對張知本、徐堪等代表所提之修訂臨時條款案」，而提對案反對。參加座談會之代表王培基、黃孟剛、高心一、謝麟書、翟宗濤等數十人，均一致表示反對張案，並主張提出對案予以反對。

三月十五日晚，民社黨及青年黨國大代表舉行聚餐於會賓樓，到陳啓天、朱文伯、黃孟剛、王培基（國大主席團主席）及民青兩黨國大代表等約一百餘人，席間交換意見，咸認爲張知本徐堪等所提修訂臨時條款一案，形同廢憲。兩黨人士全體表示反對。將向執政黨有所建議，並一致決定：如果一意孤行提付表決時，民青兩黨代表，屆時迫得全體退席，以示抗議云。

同時，他們提出「團結應變方案」，說明：「現階段動員戡亂的戰略形勢，軍事上雖然以寡擊衆，政治上必須以衆擊寡。所以反攻復國團結第一，惟有在朝在野海內海外，團結一致，才能適應戰機克敵致果。「惟查張代表知本等所提修訂動員戡亂時期臨時條款以加強政府領導能力一案，目的雖在提高總統統帥權力，但因涉嫌毀棄憲法，徒然引起紛爭，破壞團結，實非反共應變之道。而臨時條款朝令夕改，亦失憲法尊嚴。上（二）月國民大會臨時會圓滿結束以後，國人均以第四次會議選舉總統副總統，進行必更順利，詎料張案提出以後，平地風波，會內會外擾攘不安。如果處理不愼，勢將影響大選情緒，實與愛護政府擁戴總統連任之本意大相違背。「有鑒於此，認爲張案應請由提案人自動撤回；或由大會決議予以保留」。並提建議：「第四任總統副總統就職以後，本年暑假期間，實踐諾言，召開反共建國聯盟會議，加强政治團結，擴大反共聲勢。由反共建國聯盟會議擬具革新應變方案，包括增選自由地區民意代表，建議政府採擇施行。在本年國慶節後，行憲紀念日以前，召開國民大會臨時會，依據臨時條款所規定範圍內，制訂授權政府原則，交由立法院完成立法程序。依此方式加強政府權能，各方觀感，既較執政黨主動提議爲佳，由於憲政體制不變，推行更少窒礙」。（上）

現階段的世界局勢

（上接第一版）

照西方專家估計，中共在今後五年內擁有原子武器並非不可能。但對西方國家而言，並不能形成嚴重的威脅。不過對亞洲國家而言，中共一旦有了原子武器，其影響有兩種。第一、中共的原子力量誠不足與美國對壘，但對亞洲國家却構成威脅。第二、中共有了原子武器，會對有色人種發生一種心理上的微妙影響。

因此，中共自一九五五年後，即積極從事原子武器的製造，而使人民蒙受生活上的重大痛苦。目前，共區同胞的食物配給量，食米係以一兩爲單位，布疋以一寸爲單位。正是所謂「不穿褲子，也要原子彈」。中共壓搾大陸同胞主要自然是透過增加出口，而套取外滙，購買製造核子武器直接間接有關的物資。此外，便是利用出口的收入資助各亞洲國家的共黨進行顛覆的陰謀。

三、保衛自由在青年

自由世界今日所面對的雙重威脅，如上所述，一個來自俄國，一個來自中共。祇要美國隨時對共黨侵略保持高度警覺，繼續保持優勢的原子軍備力量，俄國要想進一步侵略自由世界，恐非易事。另方面，中共的威脅，尤其在亞洲和非洲，却不容忽視。

中共今日在亞非兩洲的發展，誠然遭受堅強的抵抗。特別是最近一年來，非洲已經有五個以上的國家揭開中共的偽裝。亞洲方面，中共還有若干發展的條件。事實上，亞洲是中共赤化世界的主戰場。如亞洲爲中共所乘，則受影響的將不止是非洲和拉丁美洲，更是歐洲和北美。也就是說，全世界的自由人類終難免一場浩刼！

鑒古瞻今，抵抗共黨侵略確保人類自由的責任，必然落在這一代青年的肩上。開頭已經說過，這一代青年誕生於憂患之中，時時受到被共黨統治的威脅，實應比任何一代更瞭解共黨侵略的意義，更能以有效的方法阻遏共黨的侵略。

尤其是海外各地的華裔子弟，遙望祖國大陸同胞今日爲馬牛，他日可能成爲原子戰的炮灰，更應惻然發揮同情的精神，在一舉手一投足之間予中共打擊。中共今日既然利用其傾銷政策對海外大量輸出商品，我們最低限度可以拒購毛貨，使他的陰謀難逞。其他方面，也可以做更積極的反共努力，使中共政權在四面楚歌聲中，蹈於崩潰的命運！（完）

赤嵌樓下雜碎

本報記者大武州

△赤嵌樓自去歲改建以來，舊有木製樑柱已完全折毀，新建之赤嵌樓以洋灰鋼筋混凝土爲主。所謂古跡，理應保持其原有的一切；現在的作法，豈不是成了新跡？更使市民費解者：光看架子搭得滿高，做工的人却沒有，迄今工作半年餘，工程進行不到二分之一，不知啥子原因？前一月蔣總統蒞南市觀覽一下赤嵌樓，一時弄得有關機關慌了手足，臨時找了兩個工人在上面摩佯工，充充場面，並由葉市長當面大吹法螺，騙騙老人家。且赤嵌樓下一片亂糟糟，如今仍沒法解決，然而葉廷珪市長大言不慚的本領，總算「硬是要得」！

△議會開臨時會，審核預算，自來水廠以往均安然闖關，這次據說有部份議員，與水廠有了文章，引起大部份議員不滿，致自來水廠預算遭到削減。廠長曾培章搞得頭昏腦脹，大呼削不得，否則到搞不好水政，不能怪他云云。

△中山路圓環興建的國父銅像，未經審議，便擅自折標準鐘，變更地點，本報曾予披露。事後議會作成決議：請省府對失職人員予以處分，銅像經費悉數剔除。事情做得頗像樣；但是工程餘款六萬元，據說承包商鄭某其任議員哥哥，暗中走動一番，由省府一紙公文，經（少數議員）予以「原則同意」，議長亦就「如擬」，未經大會覆議，便否決了前項決議，餘款照付。不亦怪哉！民主政治的決案，轉了彎，何以又能起死回生了？

△議長林金興這次率領議員參與軍中訪問，臨陣竟開小差，而別縣市長都隨隊進退。輿論一致聲討之。這難怪南市議會始終「上樑不正下樑歪了」，「一誠不欺人」。

△由於乙種車輪牌照稅屆期，及綜合營利所得稅自動申報期關係，市稅捐處大排長龍，門庭如市。此情此景，深覺咱們同胞可愛，對政府之擁護，亦由此可見一斑。盼政府官吏均好好愛民，做事秉公守法，就算造福老百姓了。

△警局交通隊：不管白日夜晚，在各重要通衢均派有員警，專抓違警摩托騎士，而因此常常發生口角，[illegible]（上）

青年典範黃克強

湯翔

黃花崗之役，是推翻滿清專制政府最壯烈的一役，提起這一事蹟，國人都會想起黃克強，因為他當時是督戰的總指揮。

黃氏原名軫，字廑午，後來易名興，易字克強，寓「興我中華，克服強暴」之意。

早年，他入武昌兩湖學院，在校時對地理、體操兩科尤為精勤。他認為不通地理無以知天下大勢，不習體操無以強身有為。此外先生對詩、文、書法亦有所長，故當時被人譽為「文似東坡，字工北魏」。可見他是一位才識卓越的革命家。

後來，他到日本留學，入弘文書院。其時胡漢民先生亦在此校求學。據胡先生追憶先生的風範謂：「先生雄健不可一世，而處事接物則虛衷縝密，轉為流輩所弗逮。事無大小，輒曰：『慢慢細細』。余耳熟是語，以為即先生生平治己之格言。」

民前九年（一九〇三年），留日學生反對俄軍進佔東三省，黃先生參加組織「拒俄義勇隊」，請纓抗俄，但未為清政府允可，他痛恨清廷之無能，乃於是年六月，返國從事革命活動。十一月與劉揆一、陳天華等組織華興會於長沙。次年十月，謀舉兵於長沙，事洩，亡命日本。

民前七年（一九〇五年），中山先生由歐洲返日本，是年七月二十日以中山先生的興中會，黃先生所領導的華興會為骨幹，合併組成同盟會。

同盟會成立後，先生奔走於南洋各島之間，並潛入內地，聯絡同志，鼓吹革命。先生復親歷欽州、鎮南關、欽廉及上思，庚戌廣州、及辛亥廣州諸役，從事艱苦的革命戰鬥。

武昌起義後，黃先生坐鎮武昌指揮軍事，及南京臨時政府成立，受命為陸軍總長兼參謀長，專掌軍事。世人以為黃先生立名者，往往只偏重於他的軍功，此實不足以代表他對革命大業的貢獻。

當同盟會成立之初，由於組成份子彼此間事前既無深刻的了解，又乏真摯的友情；復以同盟會於成立前各團體用以憑藉之鄉誼、同窗、同行等觀念依然根深蒂固，因此同盟會成立未久，內部意見不免分歧，在革命工作進行中暗潮迭起，此時多賴黃先生從中維護，以其真摯的情感，忘我的精神，使革命工作仆而復起，革命組織離而復合。

清末的革命活動，以南洋諸島華僑捐輸作為經費的主要來源，不幸常有革命暗流發生，致影響捐款，此時幸賴黃先生親函疏解，終於大家捐棄成見，一致行動，遂有以後的輝煌革命成果。

民國前二年（一九一〇年）革命軍欲起事廣州，需款甚急，先生親赴各島籌措起義軍餉，以荷屬各志士湘籍同鄉不少，且與先生感情密切，黃先生力勸彼等同任艱巨，合力籌款，不久，僅荷屬一地竟得款三萬餘元，使革命聲勢為之大振。

由上述數事即可看出，黃先生長期的革命奮鬥中，能始終維護組織，並以畢生心力貢獻於革命事業，實在令人欽佩，直至臨終猶戒其公子一歐女公子振華道：「吾死汝勿泣，須留此一副眼淚為蒼生哭，則吾有子矣。」

可見先生為公的精神，悲憫的胸懷，至死不渝。更可見先生當年所謂的「名不必自我成，功不必自我立，其次亦當成功而不居。」這種器識宏達的人格和抱負，將永遠成為國人的典範。

革命黨人大智、大仁、大勇、的精神

澄飛

這些訣別書，有的情詞委婉，有的大義凜然，在很短的時間內，就傳誦全國各地。自古忠臣出於孝子之門，大家看到這批知識青年這種慷慨赴義、為國忘家的革命精神，沒有人不為之聲淚俱下的！

除了這些偉大的革命精神之外，還有許多更動人的事實。當時有一個壯士，剛上船趕往廣州參加起義時，突然接到父親去世的消息，但他並沒有回去奔喪，他哀痛的說：「此行失敗，我固然是死，萬一成功，我也要一死以謝亡父！」他這種盡忠全孝、犧牲小我的偉大精神，無疑確定了千古男兒楷模。

在革命同志中，有「聖人」之稱的朱執信，當起事的時候，他本來負有其他的任務，未列為選鋒隊員，可是他也自告奮勇的要求參加進攻督署。大家知道他身體很衰弱，他當時還穿了一身長袍，行動極不方便，都上前勸他不必去。他馬上拿起剪刀，把長衫的下半截剪掉，毅然加入行動。

另外有一個會製造炸彈的知識青年喻培倫，他也是一向身體多病，從前因製造炸藥，兩手曾經受過傷，運用欠靈，他於是役之前夕，不眠不休製成炸彈五百顆，身體很累，大家都勸他不要再參與起義，他憤慨的答說：「你們雖是四肢俱全，恐怕未必比我有用！」大家也就無法再加阻止。

轉眼間，轟轟烈烈的廣州之役已經過了半個世紀，但是役中華兒女碧血橫飛、浩氣四塞的革命史實，猶如就在眼前。我們今日青年所要效法的，就是要像黃花崗之役革命青年所表現的大智、大仁、大勇的革命精神。誠如總統昭示我們的：「祇要大家繼承國父和先烈的民族革命精神，忘身赴義，來衝破共產主義殘忍的黑暗時代，來拯救世界人類文明瀕於毀滅的浩劫，亦就可重建一個永遠不再有奴役、再有飢餓、不再有侵略恐怖的三民主義光明的、更新的時代。」（下）

自國際貨幣基金服務期滿退休書感

顧翊群

計廿二年前布列敦森林會議席上參預討論者不下六百人，而茲晚除余個人外，祇有基金之中央銀行服務處處長莫納達克及會員國滙兌管制諮詢處處長斯透克二氏，為當時參預者，廿年來始終共事，此夕尚克握手談舊。此外之各國代表，自美國毛根韜氏英國凱恩斯氏以下，大多已歸道山，現存者亦風流雲散不通音問矣；獨我國代表團則自孔庸公郭秉文張公權李馥蓀胡世澤貝祖詒諸先生以下，均雙鬢康強猶昔，且當時奉派而因另有要公未克出席之譚伯羽兄，則担任基金常務董事多年，繼續為國家宣勞。斯乃中華文化攸久，仁者必有壽之象徵也。

余自束髮受書學成問世以來，缺漏甚多，幸賴各師長先進以及友朋共事者之愛護匡正，未致重大隕越，時日不居，倏逢六五之年。自維生平對立德立功兩方面成就甚微，屆茲退休之會，志願於息影台灣之後，在立言方面努力。曾於是晚許總經理宴別致詞之後，起立答詞而陳述茲願，并謂許氏於此日對翊群夫婦之優渥款待，匪僅愚夫婦引以為榮，實亦使現任基金各處負責人學養優越於余者，得以體會許總經理步武古代燕昭王禮賢下士之深意，而日益努力效獻，俾基金之成效益彰，則個人所獲受如郭隗之待遇，實乃許總經理求賢若渴虛懷禮士之表現也。

許氏方在盛年，為當代法國哲人逝世未久之許華滋博士胞姪，與實存哲學家兼文學巨子薩特爾氏之中表。曾於基金成立後担任副常務董事，為安定法國幣制金融之幕後擘劃者。其夫人溫文儒雅，有林下風致，為歐陸文化之表徵。古語云：十年樹木，百年樹人。余於許氏伉儷見其徵矣。

昔漢代疏廣疏受叔姪退休返鄉，公卿等祖道送別者甚衆，唐代楊巨源年老歸鄉，韓文公退之撰文以送之。余之進德修業不及以上三公者十之一，然所受自基金共事者及華府中西友人之優渥寄望幾不下於三公。茲文之作，蓋在自我儆惕，謂年華老大德業學問無成，而所受自愛我者之期望，尚如此之殷摯。今後有生之年，應如何努力攻討，潛心力學，以俾對中國文化之光大，有涓埃之貢獻乎？斯乃所以報答諸愛我者期望之道也。

先祖蒼波公於清同治末年任湖南學政，退休返淮後闢勻湖書墅，而聚諸生講習經學算數於其中。所撰抱拙齋集中「勻湖理菊圖自贊」結語有云：「進非躁，退非高。水竹雲山之樂，勢所格而意所到」。小子不敏，請得從事於斯矣。（下）

辛亥革命成功的因素

文彬

中央研究院近代史研究所所長郭廷以，就「辛亥革命是成功、還是失敗」這個問題，作了一個客觀公正的評論。這位歷史學名教授很鄭重的說：「辛亥革命是成功的，但不是完全成功，它也有失敗的地方，那祇是局部的！」

郭教授說：「我們說辛亥革命有失敗的地方；因為它只推翻了滿清政權，並沒有達到建設三民主義新中國的理想。民權主義和民生主義姑且不說，就連民族主義也沒有達到。」

他說，民族主義的積極目的，在於對外爭取國際地位的平等。辛亥革命把清朝推翻後，許多人只顧爭權奪利，對於國家的國際地位，根本就置之不問了。他指出：三民主義在當時不能實行，有二大原因，一個是因為少數人對三民主義缺乏完全了解，一個是因為向軍閥惡勢力低頭妥協。

他接着分析說：雖然辛亥革命沒有完全達成國父的理想，但它的成就是顯而易見的。二千多年來的君主專制政體，因辛亥革命一役而被廢除，中華民國應運誕生，這不只是我國歷史上的一件大事，也是亞洲歷史上的一件大事；因為第一個民主國家在亞洲建立，這還是第一次！

郭教授說：「一種革命的成功，並不單靠武力，要知道心理精神作用極大。辛亥革命是精神的勝利，這種勝利，並不是一朝一夕獲得的。而是孫先生多年努力宣傳主義，號召同志犧牲奮鬥，尤其是辛亥年廣州之役影響最大。因此武昌一役水到渠成，一舉成功。」

辛亥革命的成功，與國父恢濶的胸襟，也有着切密的關係。郭所長說：「國父心地磊落，沒有偏見，能兼容並包，團結各種組織和團體的力量。他先組織了興中會，以後改為同盟會，團結了華興會、日知會和光復會等的革命力量，這證明了國父具有政治家的風度和修養，同時由於國父精誠感人，深得民心，這種工夫是很大的。」

一百多年來，尤其是鴉片戰爭以後，我國受到西方列強不斷打擊，關心國事的人，逐漸覺悟到：我們要挽救國家危亡的命運，非得有一個「救國運動」不可。這位名史學家分析說，當時「救國運動」的政治主張分成二派：一派是「緩進」的，倡議改良；另外一派則是「激進的」，主張「根本的改造」；也就是訴之於革命一途。

他表示：當時除開「留心世事」的人外，執政者及讀書人對於政治主張，也各有不同的見地。做官的像李鴻章、張之洞，讀書的像康有為、梁啟超，都有他們的時局主張。

這許多不同的主張，在後來，因為不切實際，一個個被證明失敗。郭教授說，失敗的因素很多，最主要的原因還是「對問題的了解不夠」。一直到孫中山先生出來，他真正提出了一套完整的救國復興方案。這個方案，固然是他的天賦比別人高，主要的是國父對時代了解深入，明瞭問題的根本所在。除了本身條件外，他的知識也有關係，這也可說是得之於教育。

這位近代史權威指出：影響孫先生的思想因素是多方面的；時代背景、社會環境、學校教育、傳統思想和天賦，因此使他的思想博大精深。同時，國父大半生住在國外，在近代社會中生活，見識既宏，遊歷尤廣，所以對於問題的見解，精闢深入與衆不同。

郭教授說：「孫先生了解中國根本問題所在，同時也了解中國必須走上時代的路，趕上時代，適應環境，這是孫先生一生努力的目標。因此，國父開始進行救國運動時，就一直注意主義的宣傳，從觀念上改變整個民心。」郭教授認為，這種主義的宣傳確實是成功的，革命黨人的赴湯蹈火，視死如歸的熱誠，感動了每個中國人。所以辛亥武昌起義一舉成功，中華民國應運而誕生。

這位研究我國近代史的名歷史學者說：我們今日的處境，和當年的革命環境極為相似，國父的革命策略，尤其是值得我們的參考，值得我們的借重！

回憶二十年前的青年節

・王康・

不料左傾文人在五四紀念會上警告廣西人民，勸他們不要接受美國的救濟，說美帝國主義的麵粉裏含有毒素，吃下去是要中毒的。晚上的話劇是歐陽予倩所編導，主題是描寫國軍開到東北接收，專門屠殺赤手空拳的老百姓。我目睹共黨份子如此滅絕人性，是非顛倒，就在報上加以揭發。由於他們的誣蔑和謊言都不近人情，且無常識，因此他們只有默認，沒有還手的餘地。

歐陽予倩除是桂林師範學院教授外，還兼任廣西省立藝術館館長，拿政府的薪津，却替共產黨工作，當時其他各地的文教界，也充滿了這種現象。新聞界也是如此。例如當時的廣西日報是廣西省政府的機關報，但主編副刊的却是一個左傾文人彭燕郊。廣西日報副刊和我所主編的「中副」完全針鋒相對，我強調「三二九」，他却重視「五四」。在共產黨的心目中，「五四」才是「青年節」，他們告訴青年，民國八年的「五四運動」是共產黨領導的，「更是胡說八道。民國八年中國共產黨還沒有出世，怎能領導「五四運動」？分明是中國國民黨領導的，共產黨却拼命向自己臉上貼金，這和近年來毛幫在大陸上揚言，對日八年抗戰是他們的功勞，一樣厚顏無恥。

大陸的淪陷，軍事上的失敗固然是重要的因素；但文化教育戰線上的崩潰，比軍事還早。例如三十五年初，是國軍在各個戰場上最佔優勢的時期，可是在桂林那樣的文化城，反共勢力却屈居劣勢，不能不令人擲筆三嘆！

政府遷台以後，從前在大陸上的怪現象都消除了。「三二九」是青年節，「五四」是文藝節，彼此界限分明，各有目標。每屆青年節，全國都舉行有意義的活動，熱烈慶祝，尤其選拔男女傑出青年的活動，意義特別重大。今天青年所負的責任，比辛亥年大不相同。那時革命青年的敵人是腐敗落伍的滿清政府，今天的敵人却是一個組織嚴密陰險狡詐的共產黨。打倒滿清政府，只要有高度的犧牲精神就可以成功，打倒萬惡的共產黨，除需要高度的犧牲精神外，還需要有高深的學問和高度的智慧，因為我們今天負有雙重任務，一面要反攻大陸，推翻中共偽政權，一面要在偽政權被推翻時立刻重建國家，使被中共奴役了十七年的六億同胞，能重見天日，享受自由民主的權利，度幸福愉快的生活。尤其是散布全球各地的華僑青年及數以萬計的留學生，更應加強團結，和共黨派在海外的統戰份子作戰，因為那些統戰份子，往往詭計多端，不擇手段，必須時時警惕，揭發他們的陰謀，使他們無所施其技。（下）

王勃與滕王閣

周燕謀

懷念起南昌，就令人想到名燦古今的天才神童王勃與滕王的閣。要知道當年的「滕王閣」是何等的景象，那正如王勃的「滕王閣序」說的：「南昌故郡，洪都新府」。稱它的富庶是「物華天寶」；論它的地勢是「襟三江而帶五湖」。講它的人文薈萃，正是「人傑地靈」、「勝友如雲」、「高朋滿座」；形容它的景色，是「層巒聳翠，上出重霄；飛閣流丹，下臨無地」。眞是何等的氣象！至論湖光山色，正是「鶴汀鳧渚，窮島嶼之縈迴」。而尤其那絕妙的佳句：「落霞與孤鶩齊飛，秋水共長天一色」。「漁舟唱晚，響窮彭蠡之濱；（鄱陽湖）雁陣驚寒，聲斷衡陽之浦。（指衡陽之迴雁峯）遙吟俯唱，逸興遄飛。爽籟發而清風生，纖歌凝而白雲遏」。眞是寫出了前人未有之佳作，千百年後讀之，尤令人歎絕。

滕王閣在南昌章江門外，前臨贛江，後倚閣市。閣乃建於唐高祖子元嬰任洪州刺史時，因元嬰封為滕王，故曰「滕王閣」。自王勃的名文「滕王閣序」後，鬨動文壇，歷代騷人墨客，登臨覽勝，題咏不絕。唐韓愈曾喻之為「江西第一樓」，從此滕王閣遂成為中國文學史上的勝地，良有以也。

王勃是一位「神童」，生於唐太宗貞觀二十一年，（公元六四七年）字子安，原籍太原祁縣，移居山西稷山龍門。六歲嬰齡，就才華四射，九歲時，就敢於「班門弄斧」，他曾指摘經學大師顏師古漢書註疏之誤，眞是一位亙古罕有的天才兒童。

年未及冠，才名噪於京邑，授為朝散郎，被沛王賢召為王府撰修。王勃不僅擅文學，而且對於經學、曆算、醫藥都有造詣。他的詩文，抑揚起伏，聲調迴轉，一變前代纖靡之風，不少佳妙絕句，震驚文壇，傳誦千古。他佳句今人用為典實者，如他寫的「送少府之任蜀州詩」云：「城闕輔三秦，風烟望五津。與君離別意，同是宦游人。海內存知己，天涯若比鄰。無為在岐路，兒女共沾襟」。千百年來，誰讀了「海內存知己，天涯若比鄰」之句，而不為之動情的？可是王勃雖是少年出盡風頭的人物，但在他的詩文中，尚有不得志之感慨，時有不平之鳴。好像「徒志遠而心屈，遂才高而位下」。他又把自己比作澗底之寒松，以流露他抑鬱的心情。他感慨的說：「不蠶而衣，不耕而食，吾何德以當哉！」後來因為他看不慣朝中迂腐顯貴，飽食輕裘，走馬鬥雞，沉墮聲色，不務民事，他就在心憤之餘，寫了一篇檄英王鬥雞文，激怒了英王，竟被逐出王府，離開京師。

王勃的父親時任交趾（越南北部）令，於是在被逐之後，便不遠千里，隻身南下省親。一路之上，尋幽探勝，吟咏大自然的風光。著名的「滕王閣序」，就在路過南昌時寫出的。在此時前人有一點神而化之的筆墨，說他在咸淳二年深秋，路過長江馬當時，夢見水神，指點他說南昌滕王閣有盛會，願助風一帆，送他前往。醒來時却是南柯一夢。但當他睜開眼看時，竟然一夜遠渡了七百里長江，抵達了南昌故郡。

此時正是咸淳二年，洪州牧閻伯嶼重修「滕王閣」竣工，為了誌慶，特別大宴賓客。同時閻伯嶼想在這宴會上顯露一下他的女婿吳子章的才華，預先叫他構思，以便即席成章。誰知却被王勃佔了光彩。新唐書王勃傳云：「九月九日，都督大宴滕王閣。宿命其壻作序以夸客。因出紙筆偏請客，莫敢當，至勃汎然不辭。都督起更衣，遣使伺其文輒報，一再報語亦工。乃矍然曰：「天才也」。遂請成文，極歡罷。」王勃對客操觚，頃刻而就，滿座大驚。酒罷而別，揚帆竟去。此事遂在古今文壇傳為佳話。（上）

怎樣紀念青年節

陳綸言

第一、要樹立對國家對社會的責任心：我們知道，責任心是來自每一個人的信心。時代的車輪不斷的向前奔進，共產主義制度違反人性，經過了蘇俄數十年來的實施，事實證明了它必然沒落；而社會是在緩緩的轉變，農業社會必然走上工業社會，在老枝上必然會孳生新芽，所以我們不必灰心，更不用沮喪。顧亭林曾說：「國家興亡，匹夫有責」。每一個中華青年兒女都應有個堅强的信心，應相信自己的本領能力，相信自己必然是舊社會的改造者，新時代的創造者。國家民族的命運操握在我們手裏，美好的未來正待我們努力奮鬥。每一個中華青年兒女祇有面對現實，改造現實，創造未來，這是每一個中華青年兒女對國家對社會所負當仁不讓的責任。

第二、要培養工作的能力：能力一辭，一方面代表知識，一方面則是道德。語云：「知識決定一切」，而國家與國家之間的強弱，不外是國民智力總和的競賽。今日科學進步神速，已進入太空時代，各種知識更是日新月異。所以今天我們中華青年兒女不但是要準備担當戰場上的實際戰鬥任務，同時應在圖書館裏，在實驗室裏，研究高深的學問，把研究的結果應用到各方面，來消滅共產極權政治，建設自由民主的康樂社會。況且將來建設的工作，千頭萬緒，更要待於各種智識能力的結合運用。說到道德，乃是一個人立身行事的的準則，而以謙遜和容忍，最為重要，這是引導青年兒女走上成功建立大業的途徑。

第三、要學習　孫中山先生的革命精神：　孫中山先生在香港西醫書院求學時期，即立志從事救國救民的革命事業，他在二十八歲那一年，使在海外的檀香山創立興中會，結合同志，推動革命救國運動。而且他集畢生的精力，為革命事業鞠躬盡瘁，百折不撓。無論環境是怎樣的困難，事情怎樣的艱鉅，他總是坦然處之，毅然行之。這一種自強不息積極進取的革命精神，給我們海內外中華青年兒女留下永恆的典型，是我們每一個人應該學習的，效法的。

今天的反共聖戰是世界性的戰爭。歷史告訴我們：每一個大的戰爭，要轉敗為勝，必須經過相持的階段和反攻的階段。目前中國大陸上人民反共抗暴運動的此仆彼起，中共偽政權日暮途窮的敗象日見顯著，說明我們反共聖戰已從相持的階段進入了敵守我攻的新階段；時至今日，正期待海外海內的中華青年兒女手攜手、肩並肩，積極奮起，來把智慧和能力貢獻於反共建國的大業，爭取民族國家的自由幸福！（下）

廣州辛亥三月革命史什詠

・羅稚英・

辛亥三月廿九廣州起義之役，革命黨人爭先上陣，奮勇殺敵，浩浩蕩蕩，轟轟烈烈，眞是使日月為之無光，山河為之變色。是役死難的烈士，初得忠骸七十二具，葬於廣州東北郊之黃花崗，後來更陸續查出先後死於此役者，尚有未同葬的十餘人姓名，共計八十六位。然後人多沿舊日習慣的稱呼，仍叫作「黃花崗七十二烈士」。而且也有逕稱這一次起義為「黃花崗之役」的。

是役也，國民黨集全黨之精華，作孤注之一擲，規模最宏大，而犧牲亦最壯烈。去年，我曾以「黃花烈士分詠」為題，於黃花崗諸先烈中，就其生平言行，或其當時成仁取義的壯烈事跡之有記載可考者，分別各以小詩詠之。

關於此役的經過，死事者的忠勇義烈，固然值得我們歌詠讚歎，其實凡是參加起義的，都無一不是激昂慷慨的英雄豪傑，無論男的女的，老的，的，無不值得我們崇拜效法。因此，我現在再把其中若干關於此次起義的人物事跡，予以敘述詠歎一番。想亦足為海內外青年們讀史之一助罷。當然，這裏也不過僅屬史實中之一小片段而已，其他值得一述者尚所在多有，則惟俟諸他日之陸續再加補充了。

（一）

庇能會議——當庚戌年廣州新軍起事失敗後，各同志多避集南洋。國父孫先生乃自美經日赴南洋，寓居庇能（即檳榔嶼），與諸幹部同志舉行會議，籌商再舉大計。並決定集中全黨力量，再在廣州起義。又決定以黨中精銳，忠勇敢死之同志五百人（後增至八百人）任「選鋒」，負發難之責。

庇能會議聚羣雄，不因屢敗減英風。決將大舉傾全力，黨內精華作選鋒。

（二）

籌欵超額——庇能會議既決定在廣州再大舉起義，並以「中國教育義捐」名義，籌募鉅欵，由各地同志認定捐額，大家踴躍輸將，籌得之欵，竟超乎原定數額。如馬來亞芙蓉之譚德棟，罄其現金千元及貨物五千元盡數捐出；加拿大域多利之洪門致公堂，變賣產業三萬餘元捐獻，皆其著者。

籌維鉅欵費商量，難能同志樂輸將。或徇衆議售公產，或毀家財罄己囊。

（三）

鄧澤如過門不入——鄧澤如協同胡漢民、黃興等，負責籌募起義經費，奔走馬來各屬州府，數過家門，都無暇與其家人團敘。胡漢民由暹羅過星洲將返香港，致芙蓉同志書，有：「如澤如兄之過門不入，國而忘家……」。同志間都以澤公呼鄧，即　總理孫先生也這樣稱他。

澤公走馬不停蹄，數過家門未會妻。不是忘情因報國，忍將雙耳聽兒啼。（上）

華僑青年讚

・燕生・

華僑青年尚正義。危時獨有澄淸志。黃花八六烈士中。海外青年四十二。
捨身革命何所求。不為功名不為利。宗邦多難歷滄桑。華胄忠貞從不貳。
八年抗戰舉義旗。返國請纓爭攘臂。前方救護建奇功。履險如夷驚神異。
神州赤禍痛沉淪。億萬生靈盡憔悴。僑居環境復變遷。風雨不堪離下寄。
僑情日夕盼反攻。重整河山光大地。此時苦悶人皆同。忍性動心誠不易。
青年有守亦有為。義不帝秦永牢記。汚腥商品競傾銷。購用無殊資敵偽。
良知激發在今朝。血氣之倫當共棄。夷齊恥食周家粟。況是同胞血和淚。
同胞血淚與脂膏。化作烟塵核武器。衆叛親離勢已孤。毛魔日暮窮途至。
王師返旆在馬年。神勇三軍看展驥。華僑青年再動員。報國抒忠竭才智。
同心同德一戎衣。掃穴犂庭指顧事。相期秋高馬肥時。黃花崗前同攬轡。

內政部台報字第〇三一號內銷證

自由報

THE FREE NEWS

第六四〇期

中華民國僑務委員會登記證台僑字第三三三號
中華郵政台字第一二八二號執照登記爲第一類新聞紙類
（每星期三、六出版）
每份港幣壹角
台灣零售價新台幣貳元
社長：雷嘯岑
督印人：黃行寶
社址：香港銅鑼灣高士威道二十號四樓
20, CAUSEWAY RD 3RD FL. HONG KONG
TEL. 771726　電報掛號：7191
承印者：大同印務公司
地址：香港北角和富道九六號
台灣分社
台北市西寧南路蔡家號二樓
電話：六三〇三六
台郵撥儲金戶九二二五

國父的科學思想
——「知而後行」論

·祁倫·

當選第四任副總統的現任行政院長嚴家淦先生，曾在立法院卅七會期首次會議中，就近年來的一般情勢與政府施政重點，提出口頭報告。其中有關科學一項，嚴院長說：「政府爲推行科學教育，……已於去年先後成立數學、物理、化學、生物、工程、農業等六個研究中心，……又於去年籌設了中山科學研究院，並經確定三項工作目標：第一、核能和平用途及防衛核子作戰的研究；第二、火箭及飛彈研究；第三、電子學應用研究。……」

我不想談這種偏重自然科學、忽視社會科學和人文科學的政策是否得當，也不想分析在經費拮据、設備欠缺、「領班」人才奇少情況下推行科學的實際效果如何，只想就孫中山先生的科學思想——「知而後行」來談談。

「知而後行」論源

國父解釋科學曾說：「科學者，系統之學也，條理之學也。凡眞知識，必從科學而來也。」國父據此把人類的進化分成三個時期：「一爲由草昧進文明，爲不知而行之時期；二爲由文明再進文明，爲行而後知之時期；三爲自然科學發明而後，爲知而後行之時期。」「知而後行」的開始，便是科學社會的崛起。

科學社會崛起後，便產生了以個人技巧研究發展與運用的「技術文化」（Skill of Arts），以羣體技巧研究發展與運用的「人文文化」（Humanisstic Culture），以謀求支配自然的「科學文化」（Science Culture）。

這種技術文化、人文文化、科學文化的產生，便孕育了國父「知而後行」論的學說。也證實了此學家的正確；更說明了「只有循此『知而後行』論途徑，才能有效創造出科學成果」！否則，既不能「自欺」亦「欺不了人」，而徒然「傷了感情」！

技術文化

希臘文明時代的發現琥珀摩擦生電、創立幾何學及天文學、首創地球是球形與地動說、創量子論、發現浮體原理應用槓桿原理、發明蒸汽機械、中國墨經記載光學與力學、中國蔡倫發明造紙術、以及哲人亞里斯多德，建立「科學之態度」，這些都是少數個人的「知而後行」的研究發明，緩慢而艱困地在宗教的阻力中向前推展，終於孕育了文藝復興的各項科學如化學、物理、電學、醫學、天文學等的步上「知而後行」道路，而不再在黑暗中獨自摸索，並開始重視羣體的集合探究。這期間的科學發展阻力亦逐漸減少，再沒有科學家因其研究發明或創見而遭受刑罪如創地動說的白魯納被處焚刑那種豈有此理的事情發生了。

一六四二年牛頓誕生後的所謂「啟蒙主義時代」，科學已呈蓬勃之狀，如：伽利略發明天體望遠鏡、刻卜勒發現行星運動法、科斯製成蒸汽機械、赫爾夢特發現炭氣、惠更斯發明有擺的自鳴鐘、以及牛頓的分散光綫和發明萬有引力、華倫海發明溫度表………，道些迅速普及於科學界和大衆生活的新發明，乃興起了「科學文明興起時代」，並揭開了「人文文化」的工業革命之羣體技術時期之序幕。

人文文化

工業革命之羣體技術時期「人文文化」的重要科學發明爲：播爾修發明溫度表、佛蘭克林發明避雷針、瓦特發明蒸汽機、哈格理佛士發明紡織機、庫紐發明蒸汽車、伏打發明電、拉巴基發現「質量不變律」、蒙哥爾非兄弟發明輕氣球、卡汾狄士證明水是氧的化合物、李希特爾發現「定比例定律」、勒納發明種痘法、卡汾狄士測驗地球的重量、優打發明電池等，道些介於技術文化與人文文化之間的發明，促使了具有遠見的國家領導者，開始運用科學充實國防、改善民生的構思，因而形成了在科學發展階段中的「國家主義勃興時代」的衆多發明。如：福爾頓發明汽船試航成功、德斐發明安全燈、史蒂芬生發明火車、尼厄普斯與達吉爾發明照相術、瓦士威發明電信、模斯架設電信機、禪巴發明棉火藥、基美斯發明電機、洛河發明內燃機、達爾文創「進化論」、諾貝爾發見炸藥、霍蘭發明潛水艇、愛廸生發明電燈、電話、電影攝影機等——千二百多種掀起科學發明的高潮，因而進入「科學文明隆盛時代」，揭開「科學文化」的序幕。其中尤以一九○一年馬可尼首次試驗無綫電作越過大西洋的通訊成功，和一九○三年萊特兄弟發明動機飛機試飛成功這兩件事，對日後的科學文化有極大影響。

科學文化

一九一一年國父領導中國革命成功。在這期間的重要發明爲：長岡發表原子模型說、浮萊明發明三極眞空管、麥奇尼可夫發現白血球活動等。一九一四年第一次世界大戰開始時，科學才首次在大規模羣體競技中，產生了新武器、及照相機系統、飛機、艦艇、坦克等。一九一五年，愛因斯坦發表相對論，一九一八年大戰結束；革命成功後，加強國防，科學的研究發展乃被普遍重視。一九二六年國父發表三民主義，首創以科學方法解決民族、民權、民生問題，並創「航空救國」論。一九三七年日本入侵中國，一九三九年德國宣戰，出兵；英、法向德國進攻，一九四一年日本偷襲珍珠港，蘇俄、美國參戰而掀起第二次世界大戰。原子分裂的技術大步前進，一九四五年七月美國試爆原子彈成功，揭開原子科學的新時代。從原子科學到太空時代以迄未來，科學完全是在「知而後行」的狀況下，減少耗費、避免重覆、節省人力、物力，作有計劃的集體努力，只有科學的知，才有科學的行，加速科學的突飛猛進。國父的「知而後行」論，其精華在此，其目的也在此！

無題

滾蛋

今日與明日
越南動盪

平靖了幾個月的南越局勢，最近又掀起風波，一批學生舉行反政府示威，進一步甚至擴大到反美，高呼美國人滾出去的口號。事情發展至此，就不是單純的學生運動了。

這次事件的起因說來十分簡單，就因爲越南政府免除了第一軍區司令阮正詩的職務。第一軍區所在地順化同峴港民衆、學生示威反對這項人事調動，要政府收回成命。越南政府自不會因學生出頭一鬧，就收回了人事任命，因爲此風一開，今後人事變動要先徵求學生意見，尚復成何國家？當時阮高奇政府就拒絕了這項無理要求，於是鬧事範圍更加擴大。及至佛教領袖介入，於是西貢也捲入漩渦，學生甚至提出要美國總統親自道歉的要求。無理取鬧，達於極點。

佛門罪人

越南本是佛教國家，到今天仍然是南越最大宗教。但是南越佛教却自成一格，所行所爲皆與佛門教義相反。我佛講慈悲，南越佛教徒却專門鼓動殺人。佛家講和平，南越佛教徒則專門從事暴動。和尚本來是出世的，南越的和尚却專門管國家的事，而且無中生有的製造是非。

南越局面惡化，自吳廷琰被殺始。而吳廷琰政府之倒台，佛教徒要負百分之百的責任。誠然吳廷琰政權末期，在其弟吳廷儒夫婦主持下倒行逆施，有許多迫害佛教徒的事，但也沒有不能使佛教徒生存的措置，可是佛教領袖却主使少數虔誠信徒當衆自焚，終於激起了軍人憤慨，導致政變，吳氏兄弟被殺，造成今日不可收拾之局！而佛教領袖仍然伺機製造事件，大概非鬧到亡國不止。

治亂世用重典

今天的南越局勢只剩下幾個城市，任何人都知道如若美軍退出南越，則南越政府不可能存在四十八小時。但是示威學生竟然高呼美國滾出南越！試問學生此種行動是爲誰服務？若說這場示威沒有共黨從中指揮，又誰能信？

回憶中國大陸淪陷，雖然因素很多，但當時各大城市的大學生受共黨指揮，到處製造事端，擾亂秩序，終致人心惶惶不安，促使物價飛漲，人心渙散，最後遭到陸沉之禍。而當時爲共黨拼命效勞的學生，到了毛僞政權成立後，十之八九皆受到整肅，截到今天爲止，可以武斷的說那批毛共職業學生仍然生存的百不一二，也還都送到邊疆地區去勞動改造，誤國誤己，死有餘辜。而南越學生又在步中國學生的後塵！治亂世用重典，絕對寬容不得。中國當局已誤，南越政府不要再誤。（何如）

自由談

人類憑着高度的智慧以發展科學，利用科學技能而發明超音速的飛機和進入月球的太空船，縮地識天并不稀奇，舊有的宇宙觀亦根本起了變化。最顯著的就是在東西文化思想上共同認定的上帝，所謂「上帝創造人類」，已成爲子虛烏有，先生所謂「一切聽天上帝安排」也，所謂「得罪於天，無所禱也」，這些說法盡係無稽之談，并不證明「科學萬能」之說了。許多人以爲唯有科學纔能解決過份不可測度的科學難題，能夠創進人類生活上的幸福，誰也應該高呼一聲「科學萬歲」！可是，科學積極發展的結果，對人類的禍福利害孰似不容易作出肯定的論斷。目前各國家製造的核子武器和人造衛星，都是從戰爭的設想，一旦使用起來，世界人類將毀滅大半，

科學的功過

人類寧非一大浩劫嗎？各國政治家儘管強調裁減軍備，主張把製成的原核子武器銷毀掉，實際是我們湖南話所謂「扯卵談」，絕對沒有那回事。原因是國家的分野猶存，民族觀念未變，全球的資源既未能由全人類共享有，強國拼命掠奪，自私自利，弱國向隅愁歎，徒喚奈何，戰爭因素不特沒有減少，而且變本加厲，更有甚焉。將來各個大小國家如其皆擁有原核子武器後，大家縱然害怕同歸於盡，不敢輕於使用，然戰爭還是無法消弭的。第一二次世界大戰時，英美德法俄這些主要國家皆擁有毒氣戰、細菌戰的秘密武器，但彼此皆顧忌不輕用。二次大戰末期，德國希特勒有意使用這種殺人利器，經美總統羅斯福提出警告，說要用就大家都可用，希特勒祇好縮手了。

大科學家愛因斯坦在生時，有人叩問他，萬一第三次世界大戰發生，各國將用甚末武器作戰？他答以用木棒和石頭。這決不是故作戲言，其中含有深厚的幽默味，即認爲人類的戰爭行爲雖不可免，但由科學發展而產生的兇殘武器，科學家皆有戒心，因勢將核子武器美國曾有人爲備住居而不用，英國場附近而嚇得來搬家的有恐懼核子戰爭臨發，狂的要躲避核子戰爭，英國數理哲學家羅素亦願意向俄共集團投降，希望共黨能以「仁政」統治英人，似此幼稚的思想言行，都是受着科學萬能之賜！人類的實際生活被科學抑眞是禍？是福？上帝被科學打倒了，就人類心靈上乃失去了主宰，神魄爲之不安，吾國老莊哲學提倡返乎自然，似乎頗有道理吧？

馮二先生

國大會議期中一段插曲
國大新聞組長朱虛白向女記者翟瑞靂道歉

（本報記者台北航訊）國大新聞組組長朱虛白公開向女記者翟瑞靂道歉後，此一幕妨害新聞採訪自由，致引起採訪國大絕大多數記者的公憤，及正聲廣播公司提出嚴重抗議的事件，到此結束。

谷正綱有禮　朱虛白失態

國民大會秘書長谷正綱先生，平時對人笑嘻嘻，和藹可親，為人處事固認真，却和氣，沒有一點官場中的習氣。然而國大新聞組組長朱虛白先生，曾任台灣省新聞處長，且為新聞界的老資格，現又為人師表，按理說，他對新聞記者的工作，及宣傳的重要性，當然有深刻的瞭解和認識，不致會有失態的事情發生。事實上，相當使採訪國大新聞的各報記者感到失望與遺憾的，是不應發生的事竟發生了。其態度之驕橫，被認為無以復加。

三月十七日下午五時許，當正聲廣播公司女記者翟瑞靂在國大新聞組趕發新聞時，因向該組打字員借閱尚未打字而擱置的新聞原稿，竟被新聞組組長朱虛白不問皂白將借閱之新聞原稿搶去，並大聲咆哮，當衆對女記者翟瑞靂肆意謾罵。以此顯已構成妨碍新聞採訪，辱罵女記者之行為，不僅違背國民大會發佈新聞之原則，且與出版法第二十六條：「新聞機構採訪新聞或徵集資料，政府機關應予以便利」之規定不合，並有辱記者人格之尊嚴，理應負誹謗之刑責。不過，這是告訴乃論，受害人有權告訴。基於此，女記者翟瑞靂將上情向她服務的正聲廣播公司提出報告。

李廉函國大提嚴重抗議

正聲公司當局查清此一事件之經過後，立即採取行動，首先支持翟小姐在問題未獲得圓滿解前，暫不採訪國大新聞，同時，於三月十八日，由總經理李廉出面，以（55）正秘字第一二九一號函國民大會秘書處提出「嚴重抗議」，並要國民大會秘書處「即就此事作適當之處理，請保證今後應尊重記者之身份，以維新聞採訪之自由」云云。

正聲廣播公司並將女記者翟瑞靂被國大新聞組組長朱虛白「肆意謾罵」之經過，函國會記者俱樂部而女記者翟瑞靂並將經過向國會記者俱樂部幹事會提出報告，要求聲援。國會記者俱樂部幹事會為愼重處理此事起見，乃由主席張屛峯於三月十八日下午四時許，陪同翟小姐等至國大新聞組，詢問朱虛白有無此事？事經翟小姐與朱組長當面對證後，朱組長並不否認有辱翟小姐事。但這位前輩雖承認有辱罵之事實，却要翟小姐向他先道歉，且不許國會記者俱樂部主席說話，並索閱正聲廣播公司致國會記者俱樂部之函件。因而引起旁觀者之不平。國記們目睹此情，簡直不可理喻，乃拂袖而去。

如此不落檻　新聞人物記

三月十九日，台北報紙把朱虛白罵女記者之事實刊布了，谷秘書長閱報後，立即查詢此事。據目睹者說：當時，朱虛白在谷秘書長那裏，臉上發白。

同日下午四時許，正聲廣播公司總經理，李廉，女記者翟瑞靂，國會記者俱樂部幹事張屛峯、姜聯成、羅璜，以及國大新聞組調用職員王大空、洪縉紳（均中廣記者）等人在中山堂光復廳，新聞組組長朱虛白始向女記者翟瑞靂表示道歉。朱組長說：「很抱歉，這件事是個誤會。假如我有錯誤的地方，現在表示向妳（翟瑞靂）道歉。」

至此，這場原不應發生問題的問題，始宣告解決。一位同業很幽默的說：朱虛白先生是當年上海市長吳國楨的部下；他在上海很久，對滬語「不落檻」的意思應該了解。否則起碼不會成為新官場現形記的新聞人物。（三月十九日）

國大四次會議素描（六）
——增訂臨時條款案的波瀾

・本報記者張健生・

前述為民青兩黨代表對張知本案的意見與建議。而立法院委員對張案也有不同的看法。湖南籍立法委員莫萱元在立法院第三十七會第七次會議提出質詢，據立法院新聞室三月十五日發布新聞：立法委員莫萱元對行政院口頭質詢全文如后：

主席，行政院各位首長，本院各位同仁，今（十五）天本席有六點意見提出來詢問請教；在我的書面質詢上共有五點，還有未寫的一點先提出來。一、維護憲法的尊嚴，不宜再行增訂臨時條款。憲法是國家基本大法，全國的官民均應遵守與維護，不容稍有損毀。憲法的修改在憲法第一七四條有明文規定，不容隨便修改。臨時條款有與憲法同等效力，非基於國家絕大的必要，自亦不宜隨便增訂。民國三十七年國民大會第一次會議制定動員戡亂時期臨時條款，規定總統在動員戡亂時期為避免國家或人民遭遇緊急危難或應付財政經濟上重大變故，得經行政院會議之決議為緊急處分，不受憲法第三十九條或第四十三條所規定程序之限制；並規定此項緊急處分，立法院得依憲法第五十七條第二款規定程序變更或廢止之。足見當時制定臨時條款之愼重。最近國民大會臨時會議增訂臨時條款行使創制複決兩權時，總統曾指示要將中華民國憲法完整的帶回大陸，此時此地行使兩權並非國家當前絕對的需要。因此，對於這部憲法，自不宜在此時此地以臨時條款的方式多所修改或凍結。近據報載又有國大代表張知本等簽署提案，再行增訂臨時條款，設立動員戡亂機構。不但已非國家當前絕對的需要和全國官民的一致願望，且將紊亂國家的體制，破壞歷年來政治上的安定局面。行政院長為國家行政最高首長，有盱衡國家全局的責任，對此項增訂臨時條款設置動員戡亂機構的提議，應該向　總統陳述意見，並呈請　總統善為調處，以免將來行政院遭遇絕大的困難，並遏阻國家政治動亂于無形。如嚴院長不願以行政院長身份向　總統陳述此項意見，即請將本席今日質詢的意見轉呈　總統參考。

至此，執政黨最高當局本「國是決之於公意，政權公之於全民」的至意，乃邀請青年黨陳啟天，無黨派于斌、王雲五，民社黨孫亞夫等代表，及張羣、謝瀛洲、谷正綱等代表，由執政黨秘書長谷鳳翔陪同前往，聽取各方面的意見。陳啟天並將青年黨及民社黨代表的意見，向　總統陳述。經過幕後政黨會談後，復由張知本將原提案第三項「以上兩款之施行，不受憲法有關條文之限制」予以刪除。同時，條文亦有修訂，較原條文明確。

據說：陳啟天曾將會談經過，向青年黨國大代表團全體團員提出報告，並徵求代表團同仁對張案之意見。

至三月十七日，國民大會第四次會舉行第八次大會，討論張知本提案時，是日上午十時四十分鐘，陳啟天發言表示青年黨的態度，他說：「張知本原提案，兄弟代表青年黨完全反對，堅決的反對。不過，張知本原提案業經修訂，即修正後之張案，兄弟表示支持。至於王雨生代表提：副總統缺位時，其任期尚有六個月以上者，應即補選案；及翟宗濤代表提：動員戡亂時期，行政院院長由總統逕行任命之，並對總統負責，以提高總統職權，加強行政效率，早日完成反攻復國大業案，我們主張保留。」

由於陳啟天的態度明朗，發言簡潔而有力，誠不愧為在野的領袖。這次，連許多識與不識的人，都說陳啟天是真正的民意代表。

之後，在討論主席團所提建議案：將張知本、王雨生、翟宗濤等三提案，交由八十五位主席與八個審查會召集人共同組織之特種委員會審查，由於多數代表反對，只好提付大會表決，當時在場者八九九人，贊成交特種委員會審查者三六六人，而贊成由第一審查會審查者為四四六人；於是，張知本、王雨生、翟宗濤所提三案，交由第一審查會審議。

三月十八日中午，總統以第四任總統候選人身份在中山堂光復廳邀宴全體國大代表。當天下午第一審查會在討論張案時，儘管發言盈庭，但反對之聲浪已少，最後挑燈連夜審查，終於在容納各代表意見之下，而通過修正案。這是張案提出後經過之概況。（下）

屏東縣府畜產課長等涉嫌冒領公款被偵破

（本報記者新竹航訊）屏東縣府畜產課長、技士等共同串通，以不實之事項，呈報省府，請求補助，涉嫌冒領公款，集體侵佔、中飽私囊，案經調查機關偵破。消息傳出，各方人士聞之譁然。

民國五十四年七月廿二日，省農林廳山地畜牧局，以「山畜字第二四五〇號」函頒「本局為倡導開發山地畜牧工業，經商承農復會撥款補助，並經擬訂『獎勵飼養毛、奶羊計劃』一種附發，請依照計劃規定事項轉知申請，於八月十日以前將申請書名冊送局憑核」。該畜產課長藍珍、技士鍾應堂、趙海水等認為有機可乘，乃遲遲不將上項辦法轉知所轄鄉鎮市，而延至八月六日承辦人趙海水提出簽呈謂：本案因山地農牧局獎勵數量甚少，尚且令飭各鄉鎮轉知轄內申請具報；恐時間不及，擬照附件上稿一件報山地畜牧局，可否乞示。同時擬定函稿及申請書等送核。稿經建設局長劉萬選初核後，送至秘書室，由總核稿秘書曾晌飴決行，於八月十九日以「屏府建畜字第四六九四五號」函，並檢具申請書七份報請山地畜牧局請求獎勵在案。

據有關方面證實：屏東縣府畜產課對山地畜牧局的「飼養毛、奶羊與獎勵計劃」，所填具的請求獎勵的申請書名冊為：

（一）蓬萊牧場，設於屏東獅子鄉，擁有母羊五十頭，純毛、奶用公羊一頭，計有古道段一號，一號之四什草一三〇公頃。該牧場原屬楊某所有，現已賣受給畜產課長藍珍，但產權等仍未辦理移轉登記。（二）鵝鑾鼻牧場，於恆春鎮南灣里路四十號，有什草八〇公頃，係洪兆庚業主所有。（三）林啟東（省糧食局派駐屏東調查員），於高樹鄉泰山村加網埔段三三之一，之五，之八，及三七七之四等地段，有什草三二公頃。（四）劉鼎隆，於滿州鄉長樂村，飼有母羊五十頭，公羊一頭。（五）藍愛淑（課長藍珍之妻），於屏東市中正路一五六號，飼有母羊五十頭，公羊一頭。於獅子鄉有什草五〇公頃。（六）鍾曾冉妹（技士鍾應堂之妻），住內埔鄉豐田村懷忠路六號，於獅子鄉有什草三〇公頃。（七）趙王秀琴（技士趙海水之妻），住屏東市青島街三十四號，於獅子鄉有什草三〇公頃。

又說：該七戶中除洪兆庚於獎勵補助款撥發後，領得五千元外，其餘款額四萬五千元雖未朋分化用，但已用藍愛淑之名義，將該獎勵款存入土地銀行屏東分行，並已利用該款標受另一筆法院拍賣的山坡地，圖以運用該項源源不斷而來的獎勵補助款，私自共同經營牧場。

然此一自認天衣無縫的美好計劃，竟於七個月以前即被調查機關所洞悉，迄二月間藍珍等始將該款由單位會計中領出，存入銀行，標受土地時，而即被調查機關以證據確實，予以偵破。

自藍珍等這項利用職務上之便利，以圖侵佔不法之所有的消息傳出後，地方各界人士紛紛猜疑，認為有關調查當局，對該課幾年來所主持的「綜合性養猪計劃」的獎勵補助，飼料、購買，防治注射疫苗等的養牛、養兔、養鷄、養鴨等的各種獎勵補助計劃經費運用的開支情形，均應一併予以澈查，如有疑竇之處，一應併案移送法院澈底偵辦，以杜不法。（袁文德）

赤嵌樓下雜碎

本報記者朱武州

△市府右側新聞股，警局派一警員專司椅市民服務，大概無人敢問津，所以只好「打夢腳」。坐在椅子上會周公，既安逸又舒服。

△話說市府社會科長徐錚，由社會股長而社會科長，平時燒香，能拜佛，光芒四射，在南市政壇上是最吃得開，兜得轉的風雲人物。十多年來，混得很不錯。這次災星照命，玩法玩出紕漏，鋃鐺入獄，市民莫不稱快。

據聞：此次司調局派來幾位年輕有為的幹員常駐台南，以打虎精神，首先向徐錚開刀。人們希望能再接再勵多打幾隻猛虎，以挽政治頹風，對台南地方不但大有裨益，老百姓更是有福了。（二）

台南市稅捐稽征處啟

一、查本市五十四年下期戶稅定於五十五年三月十六日起開征至五十五年四月十五日截限。

二、戶稅繳納通知書已由本處派員挨戶送達。如未接到納稅通知書請向本處第二課洽領。

三、逾期不繳者每逾三日照應納稅額加征滯納金百分之一逾期兩個月仍未繳納者移送法院強制執行。

四、特此公告。

瀛海異趣談

美黃色電視氾濫驚

·桑雅·

最近一位紐約的十歲女學童，在課室裏，給到教師目瞪口呆，因爲她回答問題時，其內容是使人吃驚的。教師問她：「昨晚你在家裏看電視，那麼，你學到一些什麼呢？」她是這樣回答：

「如何墮胎。」

她說時，一點羞態也沒有，正如俗語說：「眼都唔眨一眼」。當時，教師驚愕非常，只得繼續的授課。

這個實例，可充份證明美國電視節目是一些什麼東西了。通常是有關性衞生之類的節目是晚上十時後才播映，那鐘點之後，大部份的兒童都應上床睡覺了。但，有些不肯睡覺而看電視又如何呢！

現在，不妨把剛才的故事繼續講下去「那位教師初時以爲學生根本不懂「墮胎」爲何物，大概是人云亦云，因爲有些孩子喜歡說一些時髦話的，這樣便可以炫耀一下自己，證明自己是成年人了。所以那教師下課後便決定問個明白，怎知對方的答案更肯定了：「我真的知道甚麼叫墮胎。電視節目中已說明得清清楚楚哩。上面還說道是人生的必修課。」

原來這女學生所欣賞的是「女護士」這個節目，內容是講述一個十九歲的少女，因愛錯男人而失足懷孕，於是要進行墮胎了。墮胎的過程，完全在電視機的銀幕上出現，鏡頭計有隱道的大特寫。

每天中，此類節目，實在不少。與醫學上有關的，除了「女護士」外，還有「醫院」、「公衆醫院」等，較爲動聽的是「愛情生活」、「年輕結婚與秘密風暴」、「明日之愛」等，它們的題材，總不離開性愛！

所謂性愛是什麼呢？如通姦、墮胎、婚前性交，非法產子等。而且男女演員做愛的鏡頭，非常迫真。

就談嬰孩這個題材，這方面實在寫之不盡。不過，只是兩種大問題：不是懷孕，便是墮胎。沒錯，婚前便產子是不對的，不道德的。但那些節目，只管暴露，沒有任何教育的成份；而且，在無意間，還鼓勵進行墮胎。那麼年輕的女觀衆，看後有何感想呢？以「明日之愛」爲例，女主角比蒂是一個可愛的女子，但她愛錯了一個男人，與她發生關係後，便遭遺棄？大部份故意描述她懷孕時期所受的痛苦——精神與肉體上的痛苦。後來，安排她遇意外，流產了，她重獲新生。至於那位不負責任的男主角，並沒有受到鞭撻。

例如在「年輕結婚與秘密風暴」，女主角阿美受遺棄又懷了孕，但她夠聰明，立即嫁給一位平日追求她的男友，於是由他食了「死貓」，於是她「安全地」生活下去了。這究竟要表揚或宣示什麼呢？那只有天曉得了！

後來這個故事的發展更「妙不可言」，阿米結婚後，竟受不住「經手」者的誘惑重投舊情人的懷裏，于是他們通姦起來，因爲男的是有婦之夫。最後，還表明愛情之偉大，安排他們私奔，共同生活。可是，作者固安排他們終於犯了重婚罪，而受罰，作者的原意是什麼呢？一言以蔽之，在性愛上面大兜圈子。

在過去，不少人主張在學校設立「性教育」一科，但目前，孩子們在家裏，每天都上了這一課，雖然，這不是健康的「性教育」。爲什麼呢？理由很簡單，他們所看到的，安全是一些成年人的壞事而已，其中的教育成份少之又少！因此，外國人喜歡稱這種電影節目爲「肥皂歌劇」，水一沖，便什麼也沒有了。

不過，這些電視的製片人，認爲這沒有什麼不對，他們總愛這麼辯稱：「難道藝術不應反映人生嗎？難道我們的社會不是這個樣子嗎？難道每天的報章沒有此類新聞嗎？在許多時候，現實的事件比電視的故事更爲不道德哩。何不先讓下一代認清楚這個世界的面目呢？」

不過無論怎樣，電影節目加上色情色彩，最受益者仍是電視公司，因爲此類節目既受成年觀衆所歡迎，對于廣告收入自然增多了，例如避孕藥、衞生巾，甚至興奮劑等，均依賴這些節目作間接的宣傳。

談談所謂「太空主權」問題

·丘宏達·

在本報三月二日（第六三〇期）版中，刊載有彭樹楷先生「領海領空與太空主權問題」一文，其中提出所謂「太空主權」問題，認爲這是目前國際法中，尚未解決的問題。這個看法，顯然錯誤。因爲彭先生並未注意到太空法最近在這方面的發展。現將有關的發展簡述於下。

（一）所謂太空界限問題——儘管關於太空界限有學者提出許多不同的見解，但晚近的趨勢卻並未採取一種確定界限的見解（如五十哩或一百哩），而是採用一種實用的解決方法，即在人造衛星可以環繞地球運行的高度，即是太空；否則即是空中，在地面國的主權下。鑒於各國並未曾抗議過人造衛星的飛行，這種見解可說是已爲各國所默認，並可認爲是國際法的原則了。

（二）所謂太空主權問題——聯合國大會一九六一年十二月二十日通過了一七二一號決議：「請各國採納下列原則以爲探測及使用外空時有所遵循：（a）國際法，包括聯合國憲章在內，對外空及各天體適用；（b）外空及各天體可任由各國依國際法規定探測及使用，不得爲任何國家所專用。」到一九六三年十二月十三日，聯大又通過了一九六二號決議，這個決議定名爲「關於各國探測及使用外空工作之法律原則宣言」。這個宣言的第三個原則是：「外空及天體不得由各國以主張主權，藉使用或佔領，或以任何方法，而據爲本國所專有。」以上二個決議，都是以全體一致的票數通過，國際法學家多認爲這足以表示是各國所接受的太空法根本原則之一。由此可見對太空及天體（如月球等）根本不得主張主權（事實上也沒有國家主張過）。所謂太空主權問題，現在早已不是問題了。（在此讀者可能提出疑問，即聯大的決議是否可以創制新的國際法則？這是聯合國初成立時，學者多注意到的，但晚近的發展，即證明聯大的決議，尤其是全體一致票數通過的決議，可以作爲國際法的淵源之一。近年出版的歐美國際法課本，多半將國際組織的決議，列爲國際法的一個淵源）。

（上）

國父思想與孔孟學說

·松柏·

（一）孔、孟學說，以仁義爲中心：孔、孟學說的精髓所在，就是人的發現，人的價值之確立，人的行爲法則之確立。孔子提出了仁，他說：「仁者，人也！」又說：「仁者愛人！」「樊遲問仁，子曰：「愛人」」。由此可見仁與人的概念相涵，而仁亦即是人格之表徵，去仁則無以爲人。仁的目的在於愛人，即爲人己關係的確定以仁爲中心而確立人倫關係道德準則，規範社會的禮樂和行爲，使衆人的政治亦依這仁而產生。所以，孔子曰：「人而不仁，如禮何？人而不仁如樂何？」孔子又曰：「修道以仁。」「地道敏樹，人道敏政。」違背了仁則禮樂法制都不能得其中，其政則是暴政。仁愛思想傳至孟子而擴充爲仁義之宜。後儒釋仁爲心之德，義是行爲之宜。他說過：「仁，內也；義，外也。」但仍是認爲義是仁的外在表現。孔、孟仁義的思想，爲我國政治思想的根源。

（二）孔子的大同理想：在禮運大同篇裏，孔子曰：「大道之行也，與三代之英，丘未之逮也，而有志焉。大道之行也，天下爲公，選賢與能，講信修睦。故人不獨親其親，不獨子其子，使老有所終，壯有所用，幼有所長，矜寡孤獨廢疾者，皆有所養；男有分，女有歸。貨惡其棄於地也，不必藏於己；力惡其不出於身也，不必爲己。是故謀閉而不興，盜竊亂賊而不作，故外戶而不閉，是謂大同。」大同理想是孔子的最高政治理想，他在政治組織上，顯然是主張超越國家的界限的；在社會方面是主張去私心，謀公利外，除了人類有老壯幼弱廢疾之外，是要平等的；在經濟上各盡其所能，各取其所需。當然，這其所是他的一種政治理想或理想政治，所以，他一開始就說：「丘未之逮也，而有志焉」。

（三）孔子之德治政治的主張：孔子是主張以禮教化而化民成俗之德治政治的，子曰：「道之以政，齊之以刑，民免而無恥；道之以德，齊之以禮，有恥且格。」又曰：「聽訟吾猶人也，必也使無訟乎！」他這種德治政治的實現，是主張從兩方面着手：一方面由個人修養作起，從個人的誠意、正心、修身、齊家，以至治國、平天下；另外是從改善人與人之間的關係着手，以君臣、父子、夫婦、朋友間的相尚以道，相守以分，做到君敬臣忠，父慈子孝，兄友弟恭，夫婦有義，朋友有信，則社會自然得到穩定，教化大行，刑罰措而不用，以達到德治政治的目的。

（四）孟子的民本政治思想：孟子認爲人民、土地爲立國之根本，所以他說：「民爲貴，社稷次之，君爲輕。」他對於政府組織的產生，是主張決之於民的。他說：「天視自我民視，天聽自我民聽。」必定要「暴之於民，而民受之」。也同時，官吏的選用黜退，也要操之於民意的，孟子曰：「左右皆曰賢，未可也；……國人皆曰賢，然後察之，見賢焉，然後用之。左右皆曰不可，勿聽；……國人皆曰不可，然後察之；見不可焉，然後去之。」又曰：「所欲與之聚之，所惡勿施爾也。」

（二）

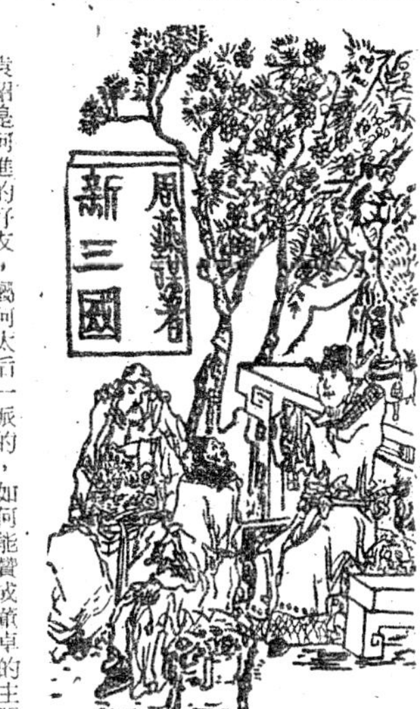

袁紹是何進的好友，屬何太后一派的，如何能贊成董卓的主張？而且王美人又甚爲太監們所擁護，根本上是敵對的。董卓自以爲目前是唯我獨霸，色聲俱厲，堅持他的廢立主張。袁紹此時也動了肝火，大聲說道：「天下能幹的人，也不止你董卓一個」！說了就抽身拂袖而去。袁紹出了洛陽城，渡過黃河，直奔河北了。

董卓氣走了袁紹，一面就回頭示意朝臣，藉口天旱不下雨，說司空劉弘應當負責，把劉弘免職，自己兼代。天不下雨在今天來說，怎麼可以怪人呢？可是在那時候，人民的思想是十分迷信的，遇有飢荒，連皇帝都要自責。董卓當然可以利用此藉口，在當時並非是無知之舉。代了司空之後，他開了一次廢立的會議，假裝了點民主。他召集文武百官，討論廢少帝立獻帝的事，他說：「誰要是不贊成我便軍法從事」。此時，偏偏就有一個不信邪的人，那就是盧植，是劉備的老師，也是漢末名儒馬融的學生；打敗過黃巾有功。他大胆發言，表示堅決反對，說了一篇反駁董卓的理論，義正詞嚴。董卓大怒，要殺盧植。幸虧蔡邕力勸，方得免於殺頭。（關於盧植前面有交代）董卓此時暫時容忍了下來，不歡而散。過了不到一個月，同年九月，董卓又召集了一次會議，講了一些古人廢立的先例，說「天子幼質軟弱不君」。眞是瞎說！「少帝幼質軟弱」，劉協如何呢？少帝十四，獻帝方九歲，誰幼誰弱？董卓這人非常奇怪，他這話倒是相反的。他根本想奪取政權，故意說少帝軟弱年幼。換一個獻帝只有九歲，不消說更好控制，更好爲所欲爲。少帝十四歲，若假三四年時光，董卓就不好辦了。所以他廢少帝是別有企圖的，此是路人皆知的心跡。結果董卓沒有給人發言，就獨斷獨行了。強迫何太后廢去自己的兒子，（少帝）另立情敵王美人的兒子（獻帝）。緊接着把何太后打入冷宮。何太后也是咎有應得，活應如此。她早聽何進的話，遣散了宦官，不把董卓引進來，那有今日？古今多少事都壞在女人的「婦人之仁」上面。董卓把何太后打入冷宮也有他一番說詞，他說她以前不曾孝順她的婆婆，（靈帝之母董太后，說見前）而這位董太后又原本是董卓的遠房本家。怪不得董卓下此毒手了。

董卓換了新帝以後，他當然是第一功臣。娃娃皇帝懂得什麼，還不是自作主張，把自己封了相國，封郿侯。縣屬右扶風，贊拜不名，劍履上殿。又把他母親也封了「池陽君」，復置家令丞。（池陽君，即池陽之君也。池陽屬左馮翊，在今陝西涇陽縣西北二里。）「家令」是公主所置的官，把他母親比作公主一般。他自己還了相國，還兼了「前將軍」的職務。不過他剛上台還很客氣。按照漢朝的將軍大小序列，是大將軍、驃騎將軍、車騎將軍；以下才是左將軍、右將軍、前將軍、後將軍。董卓不一舉而做大將軍，僅兼一個前將軍，實在是太禮讓了。但是，他的「相國」地位，却是極盡人臣的崇高了。漢代只有蕭何做過。漢朝爲了尊崇蕭何開國之功，感謝蕭何，所以才請蕭何做相國。以後從來沒有請別人做過相國。

（廿一）

自由報

國劇繽紛續錄 (六十二)

娑婆生

干城的趙五娘（續）

借粮一場，表情極好，一副可憐相，很深刻；勸其改嫁，則絕不同意，稍欠軟。她母吝嗇何能借米，酌給粗糠，爲後來吃糠張本。否則是米，則後之糠從何而得？居中勸公婆也尚對，不過時間稍多，扭成一團，後來冷落一旁。我以爲公婆吵架，不能太多，否則喧賓奪主。而況餓得要死，那有許多勁頭？應予器刪一點，點到即可。

吃糠一場，以前演的是蔡婆疑心五娘到廚房去看，才發覺。干城所演，是蔡婆呼喚，五娘上場，那五娘把糠碗帶來。似乎以去看爲是。我從前主張五娘不能兩次遇搶，干城改爲米由廣才所給，較合理。而五娘在尋夫途程中遇盜很近情，因爲包袱雨傘搶走，才落到進庵。描容一場的胡琴嫌慢，無法表出高潮。掃松一場，則大公所持的傘，似過於舉高，應稍放低，因爲掃是在下面的。而動作之間，須稍走靜。大公年七十，精神不太足。李旺表做俱佳，就是與大公對立而唱的一段，須要蹲低一點更好看。

蔡牛互商，進庵還願，才與五娘會面，叫將出來，五娘抱琵琶出來，唱一段類如孟姜女唱法的道情，把沿途行乞賣唱的曲調，於此點出，蓮芝唱得很不差。庵會見畫像圓，這畫像也起了作用，畫本的剪裁，多有呼應，不加冗場，是干城所選定極是。此戲祇有些微，尚須斟酌，使演得如火如荼，各盡其力，票房紀錄已到近萬，其號召可知。但望干城在勞軍場合，多演幾次，使三軍將士多能看到這好戲。熟能生巧，自然更精，也許爲他們的絕活，但有賴乎研討。

荀派抬頭

台灣劇藝，由梅而程，由程而張，自梅硯生走港，始終無人唱荀派。去年趙原唱過香羅帶，韻味還不錯，不過他嗓音很好，唱對於柔味尚嫌不足。迨譚硯華來[illegible]，演出紅娘，勘玉釧，拾玉鐲，鐵弓緣，皆慧生所擅長，恍惚似有荀派復行抬頭，將不斷的推出。我將再看她的霍小玉，是否屬荀。硯華的嗓音柔味極夠，宜演荀派。有人謂其嗓音不夠，實是誤解。試聽慧生有那句唱腔能夠響亮？要學荀派就不論談嗓！

最近消息，海光公演將有趙原的釵頭鳳，而干城下次公演，聞亦在排「香羅帶」，多是荀派的戲。看看是否能有幾成樣兒，全在演者的內心表現。寫此稿忽想起一事，現在豁老正整編「西湖主」，是慧生在上海所演，劇情非常生動，內有插幕，彷彿戲迷家庭，唱各種曲子，而主要的角兒，則唱荀派。不過錦囊妙計尚未揭曉，此本將那位角兒去排，等待一月，方可知曉，目前不便越俎代謀之。

王勃與滕王閣

周燕謀

王勃所描寫滕王閣景色，由滕王閣而贛江，由贛江而及於鄱陽湖，廻雁峯，聯想翩翩，意境深遠，眞是一幅長卷的山水畫。很多景色乃是由於聯想，滕王閣上是不可盡見的，想像也有其根據，我們如登臨廬山之頂，俯瞰鄱陽湖的秋天景色，我們就可以體察到落霞自天而下，孤鶩自下而上的齊飛，景色。自廬山而下有含鄱口，峯上有亭，有登臨遠眺，眞能使後人詩興大發。王勃最後作感慨的情調：「關山難越，誰悲失路之人；萍水相逢，盡是他鄉之客。」但是王勃不是自悲觀論者，但他雖數息命己的「時運不齊，命途多舛」。但是接着又吐露了他的壯志豪情：「老當益壯，寧知白首之心；窮且益」堅，不墜青雲之志。」但是，我們看世間多少天才人物，往往多不假年，造物者往往賦予天資，但又何不假其年？王勃在序文中似乎就有種預感似的。他說「時運不齊，命途多舛」，不久，在赴交趾的途中，就不幸溺死海上了。死時年只二十九歲的青年，眞可惜也。他年紀輕輕，就留了詩文有三十卷之多，是中國文學史上不可多得的珠璣。他寫的許多佳句也成爲後人常引的成語。「海內存知己，天涯若比鄰」，在人們求友的聲中，這句成語眞是擲之有聲，咏之可感的啊！

按「滕王閣」建於唐初，除王勃一序名爍古今外，當時尚有二王則被壓倒了。其餘二人，一爲王緒爲賦，王緒爲記，韓文公所稱三王是也。其後該閣各代皆曾爲之修繕。唐大中間閣燬於火，觀察使紇干重修。宋大觀元年至元統年間累經增華。前後撰記者，有右丞范致志，學士姚燧、虞集。宋熙寧時，呂南公登滕王閣詩，已有「帝子驕奢起高閣，到今遺歲爲增修」之一咏。「帝子今何在」之一句，正可以作呂南公咏歎，何以王勃竟先說了。明初太祖幸南昌曾宴詞臣於閣上，放陳友諒所畜鹿於西山。正統初，布政司吳潤，於滕王閣廢址築館，作迎恩堂。景泰中，都御韓雍，復於當後建重屋，復韓愈所取之「江西第一樓。」大學士陳循，少保劉儼，大理卿李奎並有記文。明成化乙酉年間，有司吳世貧爲布政使復其名爲「滕王閣」。明嘉靖丙戌，都御武陵陳洪謨撫江右，拆其舊而重建之。萬曆至崇禎，巡撫方大美相繼重修，俱有記文。清初復燬於兵。順治甲午，巡撫蔡士英又重建。癸未年間，巡撫張志棟，特建亭於閣左，以奉御書滕王閣序。丙戌閣災及亭，亭亦燬於火。同歲巡撫郎延極復建。雍正辛亥閣復燬，而亭竟無恙。乾隆丙辰，總督趙宏恩，巡撫余岳兆又重建。癸亥布政使彭家屏，復其舊額曰「江西第一樓」，刻石甕壁。已於閣後又建「迎恩亭」。丙申巡撫海成移亭於閣前。道光丙午，又燬於火，次年修復。咸豐癸丑之亂，同治年亂平，巡撫劉坤一重建，閣凡兩層，閣中置王勃序，有北平翁綱書記文，上層曰「江西第一樓」，後樓用小篆書韓文公記，門扁曰「仙人舊館」。這座名樓在叠經滄桑之後，終於在一九二七年全部廢塌了。

從上面一頁歷史看來，這座「帝子宮」的高樓，終於飽經滄桑之後，淪爲廢圩矣。遙想當年王勃作文之時，已有預言曰：「勝地不常，盛宴難再」，王勃的「命途多舛」一樣。然而王勃因此一文而名垂於千古，誠可謂不朽矣。今天我們在此時此地，披誦古人的文章，眞不禁有「浮生若夢」之感矣。（下）

邁亞美的魚鳥表演

大知

邁亞美植物公園，是美國南部最美麗的熱帶公園，裏面所栽植的熱帶植物，種類繁多，奇花異卉，十分鮮艷奪目。其中最吸引遊客的去處是「鸚鵡林」和「水族館」。

鸚鵡林在花園的盡頭處。在那叢林裏，各種各式的熱帶雀鳥自由自在的翱翔，對於遊客，牠們毫不畏懼，好像牠們是這叢林的主人或老住客。

雀林中有一個露天的表演場，當中有兩個敞開門的雀籠，馴服鸚鵡及麥喬鳥子，做戲的道具便放在裏面。導演是一個名叫唐璜的四十歲左右的人，穿着制服，亦莊亦諧。他在每次指導雀鳥表演時，先談談雀鳥性格及畜養牠們的技術，就開始表演節目。

他手中拿着一根小木棍，要那一隻鳥兒出來表演，便向那鳥兒就近一指，牠便飛到他的木棍上面，聽從他的指揮。參加表演的雀鳥，約有五十隻，多數鸚鵡，一部份爲喬鳥。表演節目有十四個，最精彩的是「拖車」，「兵操」，「選紙牌」和「舞蹈」那幾項，頗能引人發笑。

表演完畢，看客們如果喜歡，可伸出兩手作五角形狀，並要求導演令鳥兒飛在你的頭上，肩膊上或者手上，攝影留念。

邁亞美水族館是美國最具規模的熱帶水族館，館內面積達十五萬呎，所養的熱帶魚類，千奇百怪，任何一個遊客到此，都會流連忘返。

魚類表演場在水族館中央，有一個由鋼鐵和玻璃配合建成的巨型魚池，面積達二千呎，深達五十呎。池裏有千餘磅重的海豚，鯊魚，及數百磅重的劍魚，大石斑和烏龜等。外面有兩層樓梯，遊客可以分別在一二層樓上觀看魚類嬉戲。

表演節目，每隔一小時表演一次。導演是一個名叫傑臣的年輕人，穿着彩色的制服。他先吹號角，池裏面的魚即紛紛躍出水面，導演隨即在水桶裏拿出兩條小魚，每手執一條，高舉兩手，就見兩條大魚躍起十餘呎，張開大嘴巴把小魚吞下。

另又表演「打籃球」，這些水族演員們，用牠們的頭接力似的一步步把球兒頂近池邊，最後用頭一射，球兒居然很準的入網。繼而表演「穿龍門」，一個直徑約五呎的圓鐵圈，放在近池邊的水面，魚兒在指揮下一個個從圈裏跳過。接着又表演「廣播」，導演把一個傳聲筒，置於池邊水面上，即見一條海豚游過來，嘩啦嘩啦喊一番。還有是表演「跳舞」，一條鯨魚，竟然能配合着音樂，載浮載沉大跳其「華爾茲」。

最後一個節目，是一條巨鯨躍上一丈高的水面，啣着鐵練一拉，把一面美國旗舉起來。全部節目，歷時約四十五分鐘。每一個節目演完，導演必然會給魚演員吃一條小魚。因此，遊客們除欣賞以外，還可以悟出一個道理，那就是：魚餌之可貴！

廣州辛亥三月革命史什詠

羅稚英

（四）

黃克強絕筆明決志——黃克強（興）任統籌部長，爲此次起義的主持負責人。關於指揮作戰，雖預定以趙伯先（聲）爲總司令，而克強爲副；但因伯先曾任新軍部隊長，且曾駐廣州，人多認識，不敢早露面，要等確定了發難時間，才由港趕來指揮。故由克強先來廣州佈署。發難既定廿九傍晚開始，而伯先乘夜船，未及趕到。是以實際上亦由克強指揮。克強於廿五離港上廣州時，即決定以死報國，預寫絕筆書寄海外同志云：「本日馳赴陣地，決身先士卒，努力殺敵。書此以當絕筆。」

拜讀克強絕筆書，「身先士卒」誓非虛。倖留性命非圖免，始信人間大丈夫。

（五）

譚人鳳老當益壯——譚人鳳負責發動聯絡上海、南京、鄂、湘諸方面。起義時適在廣州。衆同志準備出動，他也要參加行列。同志們以其年老，鬢髮斑白，勸止之。他忿然曰：「諸君敢死，鳳獨不敢死耶？」黃興不得已，給他一槍。譚老一時興奮，竟誤觸槍機，砰然一響。黃興即將槍接回，對譚曰：「你到底不行呀！」譚老才快快作罷，沒有跟着出發。

鳳老年高髮已斑，爭先上陣氣如山。「諸君敢死吾何怕？」壯語千秋起懦夫。

（六）

朱執信割袍上陣——朱執信本來負責其他任務，未預於「選鋒」之列。諸同志正束裝待發時，執信適來到。他立即把所穿的長衫剪去下截，取槍裝彈，加入隊伍，出發上陣，並與黃興等列於陣前，指揮殺敵攻陷督署，搜張鳴岐不獲，與黃興退出至雙門底，遇敵援至，猛戰不已，且負傷，遂與黃興相失。幸均脫險，得慶生還。

執信心雄意氣揚，長衫截短便持槍。指揮若定眞神勇，恨未陳屍在戰場。

（七）

趙伯先悲憤而死——趙伯先（聲）原預定爲此役指揮作戰的總司令。因他曾任新軍幹部，駐過廣州，人多認識，不敢早露行迹，擬等確定發難之日，才趕來指揮。既而黃克強決定廿九傍晚起事，通知伯先。伯先與胡漢民乘夜船趕到，則見城關緊閉，不能入，且聞知城內起義同志遭挫敗，於是折回。又借行同志相失，遂一路乃渡過河南，始遇一同志，引至溪峽黃興中相見，兩人抱頭痛哭不已。伯先秘密偷渡返港後，悲憤鬱抑，遂得劇病，不及醫治而死。

伯先到港[illegible]，太息前途事已非。一病竟緣悲憤死，出師未捷壯心違。（中）

王魁與焦桂英

「影劇與歷史」之十八

周遊

王魁自夜見桂英之後，竟病倒床上，夜夜夢桂英索命，欲自殺。魁母道：「你何必這樣自戕呢？」魁道：「日與寃鬼相會，終不可免一死」。魁母召道士馬守素醮禳，守素夢至官府，見魁與桂英髮相繫而立。有人戒道士馬守素道：「你但知此不可救，就不要醮禳」。其後數日，王魁竟病死了。

王魁與焦桂英，在雜劇中，其名目更多。武林舊事的官本雜劇裏面，就有「王魁三鄉題」一本，元人尚仲賢的「海神廟王魁負桂英」，「賈本錄鬼簿題作「海神活取命」」一本，宋人夏聞的「王魁傳」，無名氏的「王魁歌」，明無名氏的「王魁傳」，元人柳貫的「王俊明休書記」，明無名氏的「桂英誣王魁」，明人楊文奎的「王魁不負心」，明人王玉峯的「焚香記」，都是有關王魁的故事，但後面的王魁不負心，又是文人無聊，爲王魁翻案的東西，但無人演爲雜劇。所演者，都是王魁負心的故事。（三，完）

內政部登記證內版台報字第〇三一號

自由報

THE FREE NEWS

第一四六一期

中華民國僑務委員會登記
台字第三三三號登記證
中華郵政台字第二一二八號執照
登記為第一類新聞紙類
（每週三、六出版）

每份港幣壹角
台灣零售價新台幣貳元

社長：雷嘯岑
督印人：黃行

社址：香港銅鑼灣高士威道二十號四樓
20, CAUSEWAY RD 3RD FL. HONG KONG
TEL. 771726　電報掛號：7191

承印者：大同印務公司
地址：香港北角和富道九六號

台灣分社
台北市西寧南路登發號二樓
電話：三〇三四六
台郵劃撥帳戶二五二九號

危難的越南前途

‧劉興漢‧

越南政局最近又陷於動盪不安的狀態中。各個都市上的青年學生和宗教徒，紛作反政府的示威運動，且夾以反美標語口號，情形比過去更趨複雜；同時越共即在西貢肆行反美的恐怖活動，美國軍人死傷百餘名。這證明共黨在越南地區的滲透工作愈演愈烈，影響民心士氣滋甚，瞻望越南前途，令人慄慄危懼，越南若不保，整個東南亞勢必完蛋無疑。

莫名其妙的美國戰略

美國對越南的共禍，既不惜採取軍事行動，出兵已逾卅萬人，白宮當局稱在未來數月內，將增加兵力到五十萬人，除却使用原子武器以外，一般的新武器——包括各式飛機——都用上了。可是，戰事始終不見勝利的迹象，而美國國內的反戰聲浪日高，以參議員富爾布萊特為首的姑息論調，洋溢乎朝野之間。越南內部紛亂不已，共黨對美軍的恐怖突襲行動加劇，更足以助長美國反戰運動的聲勢，最後迫使白宮當局重蹈一九四八年對華政策覆轍，讓共黨控制全越，而將責任推之於越南政府身上，說他們貪污低能，又不民主。

美國明知越共胡志明是在毛共卵翼教唆之下，大力侵襲越南的，如果怕害跟毛共發生直接衝突，根本就不應該派兵到越南進行反共戰爭；既然決計採取軍事行動，又以不求勝為原則，希望越共怵於空襲的威力，接受和談，遵守日內瓦協定，對越南停止游擊、滲透工作。這等於置貓兒於餌魚之肆，而希望它不攫食魚類，寧非幻想嗎？由於美國害怕因越戰而引起美、毛衝突之故，白宮當局雖派遣大員分赴自由世界各有關友邦游說，懇請各國派軍援越，却不贊成與越南相近的中華民國出兵參預越戰，而徵距離遙遠的南韓軍隊，——再赴越助陣。實則憑着美國這種不求勝的戰略，毛共只要給與胡志明以軍需和技術援助，即已綽有對抗美越軍的能力了，它何必費事來直接參戰呢？不特此也，毛共如其自信有與美國縱戰的勝算了，[illegible]然不要台灣出兵援越，它亦有其[illegible]理由，悍然[illegible]的，否則本[illegible]無把握的[illegible]原則，即令[illegible]到了河內、[illegible]共亦將龜縮[illegible]其量大呼大[illegible]際闇宣傳一[illegible]的侵略罪惡[illegible]美國當局一[illegible]宣傳俄、毛[illegible]裂火拼的可[illegible]現，同時又[illegible]若遭受自由世界的實力攻擊，俄共必與毛共併肩作戰。自我陶醉，乃構成美國對越南以及亞洲問題的戰略思想體系，可謂莫名其妙！

不知所去的美國政略

越南原係剛從殖民地生活中翻身起來的新興之邦，產業貧乏，文教與經濟能力皆甚薄弱，又受着共黨直接威脅，四鄰強壘，唯一生存亦發生問題，自由獨立，取得建設新興國家之時機和環境[illegible]

[illegible]

大掃除

不敢領教

今日與明日

郭德潔之死

郭德潔之死，已成為海外人士茶餘酒後談話資料，[illegible]李宗仁到廣州時，毛廣東省長林李明到飛機場迎接，郭德潔步履輕健，笑容滿面（照片上），並無絲毫病容；次日毛共中南局第一書記陶鑄召宴，郭德潔又同陶鑄夫人一叙了半日家常，毛報並無片紙隻字說她有病；及至到了南寧，更參加了一連串的酬酢，會見鄉親，所照的照片也是滿面堆歡，何曾有半點病態？不料就在會見鄉親後的第二日，突然專機運送北平，二十一日宣佈死去！而就在她死的一天，李宗仁發表[illegible]的談話，其中蛛絲馬跡有三點可以研究：第一，郭德潔之死，不是廿一日，可能在十九日運回北平時已經是一具屍體了。第二，郭德潔決非病死，已成定論。但是大家都認為她是憤而自殺，此點恐未必然。因為在毛共人員嚴密監視下，想自殺決非一件容易的事，女人自殺，若非服毒即是上吊，但依郭德潔處境皆無可能，因為服毒要買得到毒藥才可以，郭德潔有什麼辦法能到「國營藥店」去買到毒藥？至於上吊更不可能，因為毛共必然給她派了貼身伺候的護士，[illegible]她有什麼時間去上吊？除非她有勇氣在南寧一座高樓上跳下，否則她還是被害的可能性較大。也許她知道毛共某一件秘密，或者毛共驚於她的「相夫有術」，所以先下手把她解決了，[illegible]李宗仁就[illegible]乖乖聽「黨」的話。第三，由這次可以證明李宗仁所發表的談話不但非李宗仁起草，甚至發表後他也許不知道，否則不會在廿一日尚發表談話。

想起一大堆人

由郭德潔之死，不由想起了吳含（口旁）、田漢、翦伯贊這三人皆是老共產黨員，也是真正讀了書的共產黨人，[illegible]為毛共出了死力，但是今天[illegible]被鬥得死去活來。再多想一層，又不由得想起那位口口聲聲「國民黨有百非而無一是」的[illegible]羅隆基，[illegible]也許會知道共產黨百無一是，但是已經晚了！再多想，又想起彭德懷、黃克誠、高崗、饒漱石……一些在海外為了幾文津貼為毛共搖旗吶喊的人，何不也想一想？（何如）

越戰的可能結局

無論任何戰役，總是以克敵制勝為主，唯有美國對越戰的策略，竟以不勝不敗為原則，真是古今奇聞。這種戰法如果繼續下去，美軍只有敗退的份兒，何以見得呢？越共根據地及其統治區域安全無虞，[illegible]南越遠在東半球，[illegible]被共黨侵佔了，[illegible]越戰果真如此結局，世界大戰的進度即相應加速，而人類大浩劫終不可免，美國今日之畏戰避戰，適所以自貽伊戚而已。

[illegible]

如今瞧見越南宗教徒[illegible]何來呢？即此可知美國政治人物對越南的實質根本不瞭解，人云亦云，輕率指導，可嘆亦復可悲！

[illegible]

毋忘民族英雄

[illegible]

馮正先生

國大四次會議圓滿閉幕 中山堂寫下歷史的新頁

（本報記者張健生台北航訊）爲時三十五天的國民大會第四次會議，已於三月二十五日圓滿閉幕。來自各地、各單位的代表們，及調用的職員們，都已回到各人原來的崗位，而熱鬧一時及戒備森嚴的台北中山堂，也恢復了它的本來面目。但中山堂門前的「裝飾」尚未及時拆除，它像過時的「服裝」任人欣賞。而最後的一場「國劇晚會」，也將於三月二十八日晚結束。台北中山堂的歷史聲譽，將因此而又增高。因爲中華民國行憲後的第二、第三、第四任總統副總統，都是在這座大厦裏由國大代表選舉產生的。

報導輕鬆 更正嚴肅

記者在這篇通訊裏所要談的，有輕鬆的一面，也有嚴肅的一面。國大四次會議雖已曲終人散，還有不少的問題留給人們在討論着。

比方說，副總統當選人嚴家淦先生所得選票只有七八二張，僅及代表總額一四四八人之五四%，這是什麼原因？所以此間的報紙分析說，嚴先生得票不多的原因，由於東北籍主席團，在三月二十一日晚上，假僑聯迎賓館歡宴東北籍國大代表，並邀請副總統候選人嚴氏參加，「席間，有人希望將來在新內閣中，能有一位部長級的人選由東北籍人士出任。」但嚴氏未有「明確的答覆」；這樣一來，東北籍代表的票走失了大部份。這是得票不多的原因之一云云。

但此項報道，國大主席團東北籍主席于斌等出面「更正」了：「並無任何要求」，「絕非事實」。但此項更正，東北籍代表不滿意，復又透過「中央社」發佈新聞，這就更加重了疑竇。

閒話家常 傳說密談

據記者所瞭解，有關方面爲了嚴氏順利當選，同時擊破並澄清兩次投票的傳說，乃運用政黨政治的關係，由東北籍主席于斌、莫柳老等出面，邀宴東北籍全體代表一百八十人，由嚴氏與行政院秘書長謝耿民等作陪，因爲嚴氏已與東北籍代表有過一次聯歡，不好再由嚴氏出面。這樣的安排，有關方面確實煞費苦心。那天晚上，東北籍代表只有半數參與，席開九桌。主人是于斌，于的對面是嚴氏，嚴的左邊順序是莫柳老、謝耿民、郭外川、富伯平、關吉玉；嚴的右邊順序是鄒作華、寇輔仁、張振鷟、吳煥章。賓主之間，雖有「閒話家常」，亦僅止於「今後希望大家多多合作，多多幫忙」之類的不着痕跡而心照不宣的應酬話而已；

據一位不願透露姓名的代表說，東北籍代表中確有極少數的人事先曾與嚴氏的助選人員「密談過」。至於密談什麼事？自只有雙方當事人才知底蘊。

得票多寡 無礙大事

在副總統選舉票中的廢票有六三四張，其中確有不少的廢票是西南幾省和閩省代表所投。據說若干與何敬之私交甚篤的代表，並未依照何敬之的意思投給嚴氏。由於在我國政治傳統觀念方面，是講「關係的」、「門戶的」，基於這種與潮流脫節的觀念，所以廢票激增。

其次，是兩權派的代表，自由主義色彩濃厚；加上副總統助選團人士缺之語言學的涵養，逢人便說沒有問題，因而種下險勝之局。

有人責怪國大秘書處理有關代表要求配給居無屋的代表的公文，有欠週詳的考慮，而招致沒有房子住的代表們內心的不滿。在投票選舉副總統的前夕，國大秘書處將行政院答復國民大會關於優先配售公寓的公文，立即轉給全體代表。該項公文主要的內容是說明：配給公寓，正謀解決云云。而未答覆「優先」的問題。因此，在三月二十二日選舉副總統未投票前，國大會場內的氣氛不平凡，據一位會場幹事從樓上跑到樓下記者席，對記者說：「樓上有位皖籍代表謝某對代表們說，請大家注意，聯誼會的問題，還未解決哩！」

假如國大秘書處將這件公文，積壓一二天，則選舉副總統的廢票，可能不會有如許之多。不過，副總統的得票多寡，各方面的看法見仁見智。比如，富伯平代表說：「嚴先生的得票，恰到好處。」總之，有關方面，對副總統的選舉，的確盡了最大的努力。

國大四次會議素描（七）——增訂臨時條欵案疑慮澄清

本報記者張健生

除了副總統得票數爲人們所關心外，而國大通過的授權案，更是朝野人士所注意的一件事。現在這個問題經總統府秘書長和內政部分別對中央社記者發表談話後，可以說已澄清朝野人士的疑慮了。

臨時條欵第四項：動員戡亂時期，本憲政體制，授權總統設置動員戡亂機構，決定動員戡亂有關大政方針，並處理戰地政務。

張秘書長說：此一機構爲決定動員戡亂有關大政方針的決策機構，由總統直接主持，其性質與美國國家安全會議，頗相類似，其組織與參加人員，亦與美國國家安全會議大體相同。

張秘書長表示：依增訂臨時條欵之規定，此一機構既爲授權總統設置，則其組織編制，自應由總統以命令定之，其預算將納入總預算案中。

張秘書長指出：臨時條欵第五條現已明確規定總統對於依選舉產生之中央公職人員，因人口增加或因故出缺，而能增選或補選之自由地區及光復區，均得訂頒辦法實施增選或補選，自無再由行政院向立法院提出法案之必要。至總統爲適應動員戡亂之需要而調整行政機構與人事機構，均得頒訂辦法，以命令行之。而增選補選及調整機構所需之經費，仍須由行政院納入總預算案中送立法院審議。

至於怎樣增選補選，須俟具體辦法訂頒後才能實施。內政部官員說：條文中所指「自由地區」，是包括台灣省，屬於福建省的金門與馬祖以及海外地區。台灣省和金馬地區的增選補選，不致發生什麼問題；海外地區，由於環境變遷，須視各地僑情的反應。中央級民意代表的補選增選要等到動員戡亂機構設置後才能辦理，屆時，是否由內政部成立選舉總事務所，還是直接由動員戡亂機構負責辦理，目前也不得而知。

查張知本所提授權案，在三月十九日下午，國大四次會議第九次大會討論張提授權案時，邊疆民族代表富伯平發言討論時，說：「我是擁護張案的。但是，張案在文字方面如有疑問，這是很遺憾的！由於「授權」二字，將來在文義上的解釋可能不同而生疑問。大家都這樣的說，通常所謂授權，旨在加强總統的權力；如果授權案在文字上有疑問而不說得明白些，是不是授權落空？我想，原案眞意是，總統得以命令設置動員戡亂機構，不受立法程序限制。」代表王善祥認爲富代表的意見很寶貴，乃建議大會並獲得出席代表的同意將富代表的發言列入紀錄。

據立法委員黨部某委員對本報記者說：「依照臨時條欵規定，總統得訂頒辦法設置動員戡亂機構；調整行政機構及人事機構；增選補選中央級民意代表。國民大會得制定辦法，創制中央法律原則與複決中央法律。試問，立法院爲國家最高立法機關，代表人民行使立法權，此爲憲法第六章明文所定，而今臨時條欵既未對此項條文加以限制，將作何解釋呢？假使國際間對我非友好的野心份子，據此而曲解抨擊我時，我們又將如何解說？我們同意並支持授權案，但我們必須考慮國際間的觀瞻。我希望有關方面對此要有萬全的準備，才不致影響我在國際上的聲譽」。因此，有人認爲國大代表不注意立法技術，假如國民大會注意立法技術的話，前述情事當不致發生。比如，張案於三月十一日函請代表簽署的原案文字，與國民大會提案三四三號的文字，就非完全相同。按照通常的程序，任何提案一經提出後，如欲撤回修正，必須將修正案另行徵得原簽署人之同意而後再送交議事組，由主席團決定提付大會討論或送交有關審查委員會審查。這些程序，必須遵守。由於張案「是國家政治上的一件大事，不可在事先輕易對外宣洩」，所以在提出的時間上較爲匆促，此爲唯一的美中不足。如有充份的時間，則前述之程序問題，所謂代表不注意立法技術的批評與疑問，當雨過天晴。

未獲業主同意強行開工 石油公司鋪設天然氣管線 苗栗農民張新材被打重傷

（本報苗栗記者王永亭航訊）苗栗有此「怪事」！事緣中國石油公司，鋪設天然氣管綫，破壞銅鑼鄉農民張新材培種之高貴國藥「建瀉」數百坪，使業主損失慘重，要求該管綫工程處補償；該處路權組故意拖延並强行連夜施工，並有監工用十字鎬將業主張新材打成重傷。

苗栗縣銅鑼鄉中平村農民張新材，爲繁榮農村節省外滙，於三年前投大量資金，試種植高貴國藥材「建瀉」，（在國藥中主治：下痢、除濕、補腎、接骨、關節等症，）現已試種成功，將有收穫，竟遭中國石油公司埋設管綫，破壞數百坪之多。每坪每季可產種子十餘兩，每兩市價三千元，損失數百萬元。張新材對埋設天然氣管地點，曾請求稍偏東方，以避免損害其高貴藥材，但未爲該公司所接受。於二月廿五日未經業主同意，即由中華機械公司推土機强行推築工程道，造成重大損失。雖經業主一再請求，同時該公司工程處路權組長及該組李木基等人，雖曾允採種同時補償藥材損失，卻一方面加緊工作，擬造成事實，再作打算。三月廿日曾經銅鑼鄉民代表、鄉長，秘書等人協調會議，該公司却顯得毫無誠意。當時張新材之父，以九六歲高齡的老人，跪地哭訴，請求不要再破壞台灣僅有的一點高貴國藥品種，及張新材要求停止施工；不但未被接受，且被該公司王監工以十字鎬打成重傷。該公司工作人員曾表示：「即使打死，中國石油公司賠得起一兩條命」。簡直不成話說了。

三月廿日夜起，該工程處更集中全綫工具及工人二百多人，連夜强制施工。張家眼看投資數十萬培植的「建瀉」，就要被其澈底破壞，全家生活無依，乃請求苗栗警察分局作合理的處理。廿二日由分局長主持的協調會議，决議依藥材種標準折衷補償爲四十八萬元。但在補償問題，尚未達成正式協議時，該處並不顧信義，連夜施工，增到三百餘工人趕工埋設天然氣管。廿三日傾盆大雨不能工作，其後雨稍停，又繼續趕工不已，態度未免太過橫蠻。此事將來如何解決，容再續導。

赤嵌樓下雜碎

本報記者朱武州

△衛生局最近發表北門路一家聖心醫院，內中執業醫師並非本人者達數年之久，且作虛僞宣傳廣告。但台南市像這種以合法掩護非法的蒙古大夫多得不可勝計，招牌掛得光鮮堂皇，專做非法勾當；人工流產啦！美容啦！包醫性病啦！由留美專家主持其事啦！結果，根本不是那麼回事。如距聖心醫院不遠一家××總醫院及警局附近××美容醫院，前者爲一易姓黑牌醫師「觀火」，後者爲一曹姓蒙古大夫整治的，醫師執照都是租來的，據說很賺了一大筆造孽錢。但因公共關係頗不錯，乃未發生問題。衛生當局切勿再裝瞎，庶免鬧出人命案，再來追究，那就晚了。（完）

讀者投書 教育風氣問題

編輯先生：

教育廳潘廳長近日在地方教育行政座談會中表示決心徹底端正教育風氣，令人欣慰。以潘廳長實幹作風，必能劍及履及。筆者在教育界朋友甚多，謹就風聞數事提供參考：

一、部份教育廳官員與商人勾結，常利用職權向各校推介書刊、掛圖、儀器及各種教學用具，價格高，欵額均在千元以上，各校不敢、不能不買。

二、教育廳若干視導人員，要被視導單位支付旅館費、招待上酒家、舞廳、打牌。

三、教育人員升遷依據關係紅包大小，靠山高低。

四、省立中等學校增班經費及補助欵，教育廳主管人員有收回扣情事，加班每班五千元，補助欵一至二成。

五、教育廳若干官員編印教科書及其他書刊，向各校惡性推銷。

六、教育廳員工福利會規定各校購買較市面價格高昂之物品。

七、教師福利委員會不爲教師謀福利，各校每學期所交之欵項，供教育廳若干特權階級揮霍。

八、教育廳所屬台灣書店每年盈餘數字驚人但用不途明。

九、教育廳補助各校之欵額視各校所送紅包多寡決定，屛東農專因送主計室紅包被人揭發，案在法院審判中。

十、有後台有背景的校長胡作胡爲無所謂，如出大問題調到更好的學校。

十一、教育廳若干人員紅白帖子向各校散發，連做生日、生小孩，亦要校長送禮。

十二、教育廳宿舍賭風甚盛。

以上各節，望本有則改之無則加勉之旨，來一次自清，爲教育界開風氣。學子幸甚！教育幸甚！

讀者劉中堅

明天的北極

·祁倫·

北極，今天還很陌生；明天，它將成為人類的寶庫，地球海陸空交通的唯一直綫捷徑，國防的咽喉，氣候戰的基地，天然的大冰箱，療病養身勝地，名士隱居的最佳去處，文人騷客的快樂仙境，人類明日的天堂。

實庫：已由科學儀器探測確知的重要礦產為：加拿大和西伯利亞的石油，曼門斯克和羅里斯克的鎳礦，西伯利亞和東格林蘭的鉛礦，曼門斯克和安可雷基的銅礦，以及初步證實藏量頗豐的鎢、白金、鈾等其它金屬礦產。此外，蘇俄、丹麥、瑞士、挪威、英國、西德等國，在北極圈及格林蘭冰帽之探險隊所發現的礦產名稱，詳細地點，估計礦藏量等，均不像美國和加拿大那樣予以公佈，但一般推測，北極的金屬礦藏類與蘊藏量必定可觀。當地球泥地礦藏因大量耗費而日趨枯竭之際，當開採月球礦產及運回太空流星（內38.69%為礦藏，此係根據隕石分析所得數值）尚待謀求技術方法之際，北極的寶庫必將被重視無疑。

交通直綫：通過北極海底作為商業潛艇的航道，如同通過北極上空的航空綫及北極冰層之陸上交通，它可使蘇俄亞洲部份與歐洲部份的距離縮短百分之三十；將使得北美、歐洲、與亞洲更為接近——由北美至歐洲及日本的航空距離，在西方國家言，是世上最短的距離。美俄兩國均計劃製造核子動力潛水商船，使經由北美通過北極冰帽潛航至歐洲，開闢這條世界最短的航道。由於一艘貨輪的運輸量十倍於一列火車貨運，所以經濟價值至為誘人。目前美國已在北極冰層下建有供應一七〇位科學家的「世紀營」從事科學探測，蘇俄更是破世界紀錄地派了一百多個北極探險隊（多屬軍人）一俟研究清楚，這條「直綫交通」，便會迅速建立起來的。

國防咽喉：一艘潛航北極的核彈潛艇，便可使蘇俄、東歐及大陸華中以北地區在其射程之內；數世紀前的愛斯基摩族人由西伯利亞經北極圈至阿拉斯加的侵畧路綫，是敵人入侵美洲的最近路綫，並為最佳攻勢作戰路徑；先天的地理環境，使北極控制了北太平洋和大西洋，也控制了蘇俄在這一地區入海的兩條主要航路莫門斯克與波羅的海；北極地區是北美早期預警的重要基地；北極是一塊最具危險性的核子攻擊要地。……因此，在未來全球大戰中，誰能有效控制北極，誰便掌握了勝券。

氣候戰：溶北極某些冰山，將使世界海面普遍升高數尺至數十尺而陷部份海洋及海島國廣大地區陸沉（因西方國家多為海洋國或島國，故對自由世界威脅極大）；改變西伯利亞氣候以控制整個北半球天氣（蘇俄已從事試驗），這樣將影響這一地區各國的農作，危及其國家經濟矣！

天然冰箱：我們不知道是否已有國家利用北極冰層建築類似美國在北極的冰下新村「世紀營」那樣，建立一個或一些冰下糧庫及戰畧物質儲存庫；但是，為了備戰，或是某種目的的需要，北極冰層乃最佳天然冰箱，不獨防腐防銹，而且地表沒有標誌，且糧庫深入冰層而可防轟炸。

養病勝地：北極不獨寧靜，且空氣清潔，眾多微生物因嚴寒絕跡，特別是冰層下的新村，據美國「世紀營」探險家報導，除念親懷鄉心病外，眞是世上最佳養病勝地。又因為寒冷地區的人類普遍健壯及長壽（如愛斯基摩人），故北極乃最佳健身地，建議青年及聯邦部隊多往北極地區行軍演練。

名士隱居：廿一世紀初，將有民營北極冰層上及冰層下的居住區出售或出租，所有一切全自動及半自動的科學設備將使隱士生活多采多姿；所有今日千萬人口大都市的現代化享受，也將出現在北極新城，富商豪客及政壇退休等人士，只要腰纏巨金，便可在該新城過其豪華的生活！此時，志在寫作的文人騷客，當可在此發掘新靈感和新材料矣！

明天的北極：專家計算，公元二〇〇〇年間，世界人口增爆出百億大關，而目前可能利用的陸地完全供應居住，糧食生產，交通等外，尚需要10×10^6平方英畝的土地供生產糧食之用，因此勢必要節省居住地，交通地等，所以北極必將大量開發利用。

談談所謂「太空主權」問題

·丘宏達·

（三）太空法的根本原則——前面提到的大會一九六二號的決議中，共列舉了九個太空法的原則，現列舉於下：

一、外空之探測及使用應為人類全體之福祉與利益而進行之；

二、外空及天體可任由各國在平等基礎上並依國際法規定探測及使用之；

三、（已詳前畧）

四、各國進行外空探測及使用工作，應遵守國際法規定，包括聯合國憲章在內，以利國際和平及安全之維持及國際合作與了解之增進；

五、各國對本國之外空工作，不論由政府機關或非政府團體進行，以及對保證本國工作符合本宣言所定原則，皆負有國際責任。非政府團體在外空之工作須經所屬國家之核准與經常監督。國際組織從事外空工作時，其遵守本宣言所定原則之責任由該國際組織及參加該組織之國家負之；

六、各國探測及使用外空，應遵依合作與互助原則，所有外空工作之進行，應妥為顧及他國之同類利益。一國倘有理由相信該國或其國民所計劃之外空工作或試驗對他國之和平工作可能有妨害時，應在進行此種工作或試驗之前，舉行適當之國際會商。一國倘有理由相信他國所計劃之外空工作或試驗可能妨害其和平探測及使用外空工作時，得請求就此項工作或試驗舉行會商；

七、將射入外空之物體登記在案之國家，對於該物體內任何人員，在其停留外空期間，保有管轄及控制權。射入外空之物體及其構成部份之所有權，不因其通過外空或返回地球而受影響。此種物體或構成部份在登記國國界以外發現者，應送還該國，在送還之前，如經請求，該國應提出證明資料；

八、凡發射或促使發射物體進入外空之國家及自其境內或設施發射物體之國家，對於此項物體或其構成部分在地球空間或外空所加於外國或其所屬自然人或法人之損害，在國際上應負責任；

九、各國應視航天員為人類在外空之使節，遇其發生意外、受危難，或其在外國領土或公海上緊急降落時，應給予一切可能之救助。對此種降落之航天員，應安全迅速送回其所乘外空飛器之登記國。

（四）太空法的最近發展——除「通過上述決議外，聯大又訓令其「外空和平使用問題委員會」負責起草二個國際公約，分別規定太空航行員與太空器的救助與返還問題，及太空器物引起的損害賠償責任問題。委員會已着手起草；但至一九六五年底尚未完成，預期至美、俄雙方能獲致協議，如在今年九月開幕的第二十一屆聯大中，可以提出聯大討論。

國父思想與孔孟學說

·松柏·

政府組織的產生，官吏的任免，既以民意為主，那麼政府的政令，自然要以「保民、養民、教民」為上了。故反對殘民以逞的不義之戰，反對暴政。孟子曰：「爭地以戰，殺人盈野，爭城以戰，殺人盈城，此謂率土地而食人肉，罪不容於死，故善戰者服上刑！」他認為殺人以刃與政無以異，故曰：「為民父母不免於率獸而食人，烏在其為民父母也！」如果，有這樣暴君和暴政，是要加以革除的，由他對齊宣王的問答中可以看到，齊宣王問曰：「湯放桀，武王伐紂，有諸？」孟子對曰：「於傳有之。」曰「臣弒其君可乎？」曰「賊仁者謂之賊，賊義者謂之殘。殘賊之人，謂之一夫。聞誅一夫紂矣，未聞弒其君者也」而認為革命，去暴君，除暴政為應當的行為，這是他民本思想之高度的發揚。

三、國父思想淵源

一位思想家之思想體系的形成，並非是憑空而產生的，而且，不僅是受當代的影響，而且，受千秋萬代的影響。其中有因襲，也有創見。故國父在「中國革命史」中云：「余之謀中國革命，其所持主義，有因襲吾國固有之思想者，有規撫歐洲之學說事蹟者，有吾所獨見而創獲者。」國父已承認因襲吾國固有之思想，為其思想淵源的第一要素，其重要性可以想見。國父於民國十年冬在桂林答馬丁（Martin）按：鄒魯所編「中國國民黨黨史概要」中，將馬丁誤為馬林（Maring），將錯就錯，直至四十年後之今日，始由當時在桂林奉國父命招待馬丁的黨國元老鄧家彥老先生——已於五十五年三月十八日病逝台北，享年八十三歲——在台北各大報發表「談國父二三事」一文中說明：馬丁原為荷蘭人，後入瑞典籍，係共產主義信徒，於民國十年（一九二一）十二月廿三日以蘇俄民族與殖民地委員會秘書名義，由共產國際派為代表抵桂林，晉謁國父，以中國共產黨之活動，必須借助於中國革命勢力雄厚之國民黨，活動甚力。要求更正，故筆者首先更正如上。）問及其革命思想的根源時曾說：「中國有一個道統：堯、舜、禹、湯、文、武、周公、孔子相繼不絕，我的思想基礎，就是這個道統；我的革命，就是繼承這個道統，來發揚光大。」在事實上，堯、舜、禹、湯、文、武、周公的思想和學術，都集大成於孔、孟；捨孔、孟而外即無所尋求。由此可見國父「有因襲吾國固有之思想者」，亦即是因襲孔、孟思想。孔、孟思想學說，實為國父思想淵源中三者最重要原因之一。（三）

新三國

周棄子著

董卓何物，竟然自比蕭何，做起相國來！無恥之尤。董卓這傢伙不僅無恥，而且殘暴不仁，貪得無厭，愚昧無知，糊塗極點。下面且把他的壞事畧舉一些看看。

董卓之性殘忍不仁：嚴刑脅眾，睚眦之隙必報。他為了擺威風，隨便抓殺大臣。有侍御史擾龍宗因事見卓，因為忘了解劍，董卓竟搥而殺之，京師為之震動。又把何苗的棺材掘開，把屍骨「碎屍萬斷」，棄在路上，任人踐踏。又把何進之母舞陽君收而殺之，把屍首拋在苑中不許收斂。有一次他到「陽城」玩，當地老百姓正在「社祭」，（社祭與禮是農民祭土德的神，即如今鄉下之農民報賽時之演唱「草台戲」也。）他命令將士把那些男人完全殺光，把頭掛在車上，將婦女車牛財物搶走。回到洛陽的時候，便詐稱打殺土匪的戰利品，將士三呼萬歲，打開「開陽門」。開陽城門，即洛陽城的「建陽門」，洛陽南城東偏之門。在那裏焚燒人頭，把擄來的婦女賜與甲兵為婢妾。這種舉動土匪不如，其殘暴如此。

竟淫無度：董卓把宮主、宮女（幾個靈帝的女兒在內）妃子等，隨意淫亂，漂亮的選來長期享用。上行下效，他的部下擄掠百姓婦女、財物，姦擄燒殺，無所不為。

貪得無厭：董卓把國庫的珍寶，全部搬到自己家中，據為私有。他又破壞幣制，把五銖錢取銷，發行份量輕的新幣，使得物價飛漲，一担穀子售價幾萬，弄得民不聊生。但是，他還想沽名釣譽，任用了一些名流，以攏絡人心，除蔡邕之外，如陳紀、韓融、劉岱、孔伷、張資、張邈、劉表、韓馥等人，有的為卿，有的為刺史，對他自己的人，只給他帶兵。他這種行為是對自己有利的。連袁紹是他的仇人，也竟任命為勃海太守，以圖拉攏。可見他背後有人在替他出主意。誰知袁紹便利用他這太守的名義，號召天下英雄，成立一個聲討董卓的大同盟。

董卓之亂洛陽時，許多有識之士都跑了，知名的如曹操、袁紹、袁術、王匡等人，都先後逃出洛陽，回到故鄉待時而動。

董卓雖然任用了一些人，去到州郡做地方官，但派去的人大多數是反對他的。他初初信任尚書周毖，周毖字仲遠武威人。另外一位是城門校尉伍瓊，是汝南人。（那時的城門校尉，是掌洛陽十二城門，秩比二千石，每一城門有一個「候」，秩六百石。另有司馬一人。）這兩個人為董卓所親信。因此他兩人舉了韓馥、孔伷、張資、張邈等人，出掌州郡，而這些人到了官署之後，就糾結義兵，聲討董卓。董卓聞說這些人造反，一定是周毖、伍瓊同謀，於是不問情由，便將周毖、伍瓊斬了。

另外河內太守王匡（註：三國志以為「河南」，誤也。據魏武紀與通鑑皆為河內，故得屯兵其屬地河陽，而且東漢外官只有河南尹而無河南太守。）派了駐紮在泰山的兵到河南孟縣三十五里的「河陽津」（黃河度口）去駐紮，打算攻擊董卓的軍隊。（廿二）

國劇繽紛續錄（三十六）

鋆孌生

教部的晚會

教育部員工組成的國劇社，前與復興劇校聯合演出，在南海藝術館，劇目是張復華黃復龍林復瑜的搖錢樹。記得復興成立以後，以此劇頗轟動，那是茅復靜的張四姐，活潑，可愛，其時不過十歲。現易復華，則秀麗動人，武工不弱。其次是由馬來亞歸國的王復容，演春香鬧學。她不常唱崑曲，此為第二次聽到，身材長高，更見苗條，動作活潑，異常調皮。惜她頗醉心於電影明星，終久要飛去。趙復芬的杜麗娘，嫻靜可喜。

大軸羣英會，僅有三位票友，是關文蔚張緒祜程亮，其餘均是復興學生。而周金福飾蔣幹是獨一的。楊金榜的黃蓋，也少見的。程亮的周瑜，已演過多次，很有神氣。文蔚的前魯肅後孔明，是久經演出的了，而是晚特別的衝，很多精采。她對於這位陪演前孔明的張緒祜，卻很驚其嗓音之醇，竟未見過云云。

緒祜是陽明山管理局的資深票友，宗余派，唱腔很掛味，極吞吐之能；來台以後，很少登台，大概十餘年間，不過一二次，此番興緻忽濃，參加此陣，洵屬難得。倘文蔚讓唱借東風，當別有味兒，不過因馬派盛倡，仍由文蔚主之。我於廿五年在漢口，聽富英唱此借風，覺得比馬派並不有遜，因此時常想聽聽別的腔調，然而很難做到。

交行五九週慶

三月十五日為交通銀行五十九週行慶，先一月，嘉有寓鋒兩兄商如何籌備慶祝，交換意見，仍是請名票唱唱，比較輕鬆，明年六十週，再辦晚會。經選一流名票，由平劇社邀集四十人，來唱雅歌。七時半開始，來賓陸續到達，約一百二十人。此晚文武場面，全由空軍之友社同人担任，他們特為此集將例行檔期，暫停一次。票友而能互助，也惟空友有此精神，是可稱也。茲將是晚清唱的特點摘記於后：

首先是名票元老張釗薪唱一戰成功，接着交行同人李嘉有唱珠簾寨，魏永瀛唱失街亭，陶端梓唱戰太平，均是資深的老票友，且宗譚余，韻味很醇。接唱岳母刺字慢板，由孫復韻担任，腔調極嚮朗好聽。蔡善功來囑請李志舜唱草橋關，不是裘派，而是近乎少山，首歌聽到。以後有張平堂的坐寨盜馬，梁再勝的鎖五龍，皆鏗鏘動聽。雅集居然能有三位淨票，是少見的。高熾昌唱文昭關整齣，近乎奎派遺緒，更是少有，難得。

秋心偕愛女莉華來，我要她唱鐵弓緣，是其得意之作，一段南梆子有特別好腔，別人沒有。她說請其父唱，她不想唱，為了明天電視有戲。嚮說至再允，唱拾玉鐲。（未完）

小樓

劉杰

我這次從金門回來，就住在小樓上，這是真正的小樓，四周沒有房子，是荒蕪的空地，空地上有幾棵古老的樹，在炎日如火之日，這幾棵樹倒是很有用處的，可以納涼，遮太陽。

這小樓祇住我一人，樓下沒有人住，樓下的牆壁破壞，屋子裏還有些破桌子破櫈，一進去，那股霉味，就使人發嘔。我所以住在樓上，一方面空氣好，乾淨，另一方面每天早上起來，眼界放濶，也有新鮮綠色迎面來。本來，我可以不住在這小樓的，以我一個不太高的地位，也不太低的地位，我可以當時，他們也有這個意思，還在伙伴們一起的大房子，裏面隔起一個小房子，裏面放上一張書桌，又有電燈，還有個窗口，對住外面的公路，來往的公共汽車，人力車以及拖拉車，都逃不出這小窗口的鏡頭。

「你覺得這裏怎麼樣？」伙伴整理好，我走過去，他們便這樣問我。

「你們知道我是愛靜的。」我這樣說，使他們馬上領悟過來，這些伙伴都是很聰明，如果不敏感，不迅速，在炮戰中，那在戰地，老早就了，而他們居然連皮也沒有被一點，可見他們是有那麼一種能耐的了。

「還有一個地方，祇是——」伙伴說不出口。但由於我堅持，他們領我去看看，那就是這小樓。我的直覺，使我滿意起來。

「離當舍太遠，下雨天不方便。」伙伴們曾經這樣提醒我。

「我可以接受一次考驗。」我對他們這樣說，然後就住下來。於是，他們熱心的把這小樓切實的整理一番。我住的那間屋子，壁上先用報紙糊起，然後又用白紙貼上，天花板也是用白報紙貼起。全屋子都是白的，光線也就明亮起來。

伙伴整理好後，一位說：「這適合你看書。」

「我就需要這種地方。」我說。

「有一點，有一點——」伙伴說：「晚上恐怕有點那個，你怕鬼吧？」

「如果我現在是十八九歲，我許是怕的。」我說：「現在我也不怕鬼，我也不相信有鬼的。」

「其實，」他倒好心的說：「那邊就有衞兵，如果你膽子小就可以喊兩聲衞兵，那衞兵那個方向指指。」他說着，還用手向那方向指指。

不過，我說句良心話，在這幾個晚上，有點不習慣，生的床鋪，生的地方。我在夜裏醒過來好幾次，聽聽風在樹梢上的聲音，的確有點那個。但這祇是一下子的思潮，等我我燈扭亮，翻開書本，那就什麼都沒有了，什麼都釋然了。

我有十六年沒有住過小樓；在大陸上我家就有個小樓。我住在樓上，卅八年讀安大，我又是選擇在樓上宿舍，我現在還記得，那是二〇五室，我們幾個同學，在小樓上造成一個世界，那完全屬於年經人的。到台灣，我就穿上軍衣，自然小樓就和我離得遠遠的了。

這次榮幸住上小樓，對我還有溫故的感受！

廣州辛亥三月革命史什詠

・羅稚英・

（八）獻身革命衆女傑——是役黨中集結全黨精華人才以舉，衆多女同志亦踴躍參加工作，其著者如徐宗漢、胡寧媛、陳淑子、莊漢翹、卓國華、卓國興、黃志漢、李晚媛、廣妹、梁梅玉、梁綺川、何少卿、宋銘黃、徐佩瑤等。其他若同志中之妻、嫂、姊、妹、女兒，更多的是。她們或負責通訊連絡，或任帶槍械彈藥，有些飾作男同志的眷屬，有些偽裝辦理婚嫁喜慶，有或飾扮新娘，或扮主婦、傭僕、賀客，不一而足。她們利用花轎、棺槨、禮盒種種作為工具。總而言之，她們對于革命工作所運用的方法和技巧，都極為多彩多姿，而其冒險犯難英勇無匹的革命精神，尤足佩服欽敬。

雄心機智總無殊，巾幗何曾遜丈夫？低首羊城諸女傑，奇行美節不勝書。（九）

夏壽華智脫黨人——當事敗後，許多人知道警察教練所中多可靠同志，故走向所中逃匿。該所所長夏壽華，亦黨中人。他看見這些避難的同志，也就將計就計，把他們當作所裏的學員。因此拿了很多學員制服出來，擲於地上，對大家說：「你們還不快點穿好衣服出去巡查」？大家明白其意，於是都穿上制服，偽裝作警察教練所的學員，到外面出巡，乘機就逃亡脫險了。

壽華急智救同人，制服穿齊假出巡。遂得從容離險境，眞成有腳陰陽春。（十）

潘達微苦志葬忠骸——起義烈士，或為作戰陣亡，或為被執就義者，尸骸暴露。直至四月初三日，官廳才通知各善堂前往收拾，均移置於諮議廳前曠地。折臂斷頭，血肉模糊，慘不忍睹。黨人有潘達微者，當時身份人尚未悉，未被指名緝拿。他大着胆挺身而出，以熱心慈善事業的姿態，向廣仁善堂和各善堂董們，涕泣陳辭，不惜痛哭流涕，經艱辛奔走，才獲得華僑徐樹棠的同意，由廣仁善堂捐出沙河馬路旁一段地皮，作為烈士的墓地。將諸烈士遺骸殮棺成殮，並移於是處，並改其名曰黃花岡焉。

烈士遺骸滿路旁，達微痛絕淚沾裳。挺身獨任埋忠骨，岡號黃花萬古香。（下）

采桑子　秋夜日月潭泛舟

・孫曜翁・

秋聲不動秋山悄，松頂飛聽，潭底沉珠，湖面無風雪浪鋪。東西南北容與，三五人俱，水月清妙，一片冰心在玉壺。（一）

千年日月雙潭古，故老流傳，下有龍潛，昏睡蟄蟲夢正酣。東西南北舟容與，揮麈玄談，有酒忽酹（有瓦旁），明月清風人二三。（二）

水邊閃閃秋螢綠，點水成愁，點水成愁，鵲翅西風報早秋。三更裂竹高樓上，淚眼神州，淚眼神州，欲挽銀河使倒流。（三）

看來更比西湖瘦，薄霧籠湖，認有還無，窈窕秋山靜女姝。三更月到天心小，鬢與秋疏，心與雲孤，老矣烟波一釣徒。（四）

世間那有長生藥，但得心閒，便是神仙，可笑秦皇求大丹。方壺圓嶠知何處，海上三山，不在人間，稚女童男去不還。（五）

扁舟載得月明去，風蹙微波，冉冉秋羅，六幅瀟湘裙色拖。前頭便是毛家社，杵舞傞傞，鴃舌蠻歌，番女假童笑語和。（六）

・登臨拾級玄光寺，紅上浮屠，紅上浮屠，烟柳斜陽淡有無。鐘聲塔影依稀似，不是西湖，錯認西湖，笠屐秋風憶大蘇。（七）

一年明月今宵好，瀉盡秋瓶，斗轉參橫，鼙鼓心驚海角城。紵衣漸有新涼味，側耳傾聽，何處秋聲，墮地錚然一葉鳴。（八）

凄紅醉綠流哀怨，誰發清謳，風欵簫柔，人與蘆花俱白頭。管寧皂帽今非舊，海國悲秋，萬點紅愁，星斗光搖涵碧樓。（九）

嫦娥應悔偷靈藥，碧海青天，玉宇高寒，素袂凌雲欲下難。此生此夜不長好，月有虧圓，人有悲歡，明月明年何處看。（十）

烟籠寒水紗籠月，不是江南，錯認江南，柳影台城夢裏看。十年海外長流客，苦道生還，何日生還，一笛臨風雙淚懸。（十一）

纖雲四散星河淡，桂影婆娑，古鏡新磨，此夕清光應更多。人生有酒須當醉，老奈愁何，喚下姮娥，和我陽春白雪歌。（十二）

加價與風涼話

天星小輪公司一個發言人說，市民如果認為加價之後負担重，大可以捨頭等而坐三等。他這句話，實在是有先見。我看見有些漫畫家，描寫「小輪加價以後」的奇景，頭等祇有幾隻鳥兒，三等擠滿了人。他們一定以為如此可以嚇倒天星小輪公司了。殊不知，在人家看來，此乃「書生之見」。預料將來頭等加至三毫半，一樣「沒有影响」的。請捨頭等而坐三等云云，風涼話而已。

玩暴君路易十五於股掌
法國奇女子蒲巴多

・仁厚・

她改用溫柔熨貼的手段來取悅路易十五，使路易十五感到他們之間是有愛情存在，來代替性慾。同時心思靈活的蒲巴多更想出了一個方法來博取路易十五的歡心。她知道路易十五是一個性慾特強，好色成性的人，所以她特地在凡爾賽宮內闢了一個新行宮名曰鹿苑，並以高價在法國各地搜羅漂亮的處女，把她們囚禁在鹿苑內，以供路易十五淫樂，這些美女中最有名的瑪非，亦是路易十五的寵物之一。自蒲巴多為路易十五開闢了這一個新行宮後，蒲巴多更得到路易十五的歡心。

蒲巴多夫人死在一七六四年，當時有一位文學家曾為她寫了一篇墓誌銘，把她寫得淋漓盡致，上面寫着：「蒲巴多夫人做了二十年女僕，十五年娼妓，七年淫媒」。但她亦是一個有智慧，有野心，意志堅強的女子；同時她亦有一點小聰明，時常玩弄其政治手腕去巴結當時法國的哲學家，文學家如伏爾泰，孟德斯鳩，狄德羅，狄林巴等人，不時招待他們在家中互相交換意見，此外她更鼓勵藝術家和作家提倡愛國運動。

她對外的政策是主張法國要在歐洲獨立起來，不受外侮，但她對當時的教會及貴族社會並無好感。當代的有名的哲學家伏爾泰曾說：蒲巴多是一個聰明能幹的人，她更有圓滑的政治手腕把路易十五玩弄在股掌之上，是一個不可多得的政治奇才。

路易十五對蒲巴多的死亡，非常痛心，甚至他在蒲巴多死後四年邂逅新歡都巴利夫人時，他還時時記念與蒲巴多纏綿的情景。

儘管蒲巴多貴婦在當時名滿天下，但謗亦隨之，歷史上對她的評價並不高。她與路易十五同為後世歷史家所咒罵。（四、完）

內銷暫台報字第〇三壹號內銷

自由報

THE FREE NEWS

第二四六期

中華民國僑務委員會登記證僑新字第三三號
中華郵政台字第一二八二號執照登記爲第一類新聞紙類
（半週刊逢星期三、六出版）
每份港幣壹角
台灣零售價新台幣貳元
社長：雷嘯岑
督印人：黃行
社址：香港銅鑼灣高士威道二十號四樓
20, CAUSEWAY RD 3RD FL. HONG KONG
TEL. 771726　電報掛號：7191
承印者：大同印務公司
地址：香港北角和富道九號
台灣分社
台北市西寧南路…號二樓
電話：三〇三四六
郵政劃撥帳戶九二五二

普及科學教育・重點發展科學研究（上）

・彭樹楷・

去年四月六日，行政院嚴院長在立法院報告：「我國五十五年度政府施政計劃的重點」是「加强國防措施，促進科學研究發展。」

今年二月廿二日，嚴院長在立法院就近年來一般情勢與政府施政重點，提出口頭報告。其中有關「加强科學教育」的，嚴院長曾說：「政府爲推行科學教育，……已於去年先後成立數學、物理、化學、生物、工程、農業等六個研究中心，……又於去年籌設了中山科學研究院，並經確定三項工作目標：第一、核能和平用途及防衛核子作戰的研究；第二、火箭及飛彈研究；第三、電子學應用研究。」

爲「加强國防措施」而「促進科學研究發展」，這是世界潮流，理所當然。但，此一潮流，自核子僵峙和美俄緊張關係緩和以後，便有了顯明的變化。

「爲推行科學教育」而「……先後成立……等六個研究中心……」及「……中山科學研究院……」，却使我這個從事自然科學教學近廿年的書呆子搞迷糊了。因爲，照一般看法，科學教育，似乎不同於科學研究！這是由於兩者的目標不同，參預者身份和學技程度不同，作業程序和工作方式不同的原故。所以，不禁令人興起「科學研究乎？科學教育乎？」之感。但此非本文主題，故不多談。

這裏所要說的，只是强調我的看法——科學教育要普及、科學技藝要選重點發展。這也是我繼今年元月八、十二、十五日在本報以「科學教育發展目標和作法」的另一管見，敬希賢者指正。

（一）一點疑慮

在嚴院長兩次施政報告的「促進科學研究發展」和「推行科學教育」中，似乎全是屬於自然科學。當然，沒有人能否認自然科學能夠「加强國防措施」的力量之巨大；可是，想我們的嚴院長也不會不承認社會科學與人文科學對「加强國防措施」的密切關係吧？然而，在世界各强國並未完全忽視政治、經濟、社會、文學、藝術等社會科學與人文科學之際，我國何能單單偏愛於自然科學？總統蔣公常說「反共戰爭是以思想爲主的總體戰」，又有「三分軍事、七分政治」之說。即使是我們的社會科學和人文科學都是滿分，那麼「百尺竿頭更進一步」使能「精益求精」，豈不更可在這兩方面執世界之牛耳乎？以我們衆多「超國際水準」的思想家、文學家、政治家、歌唱家……，豈不能提高我國在世界事務的影響力？高齡九十的羅素一舉一動不獨英國注意，舉世亦爲之重視，便是近例。中共的什麼「國劇團」、雜耍隊和運動員的紛紛由亞洲、歐洲、非洲而拉丁美洲，能不值得我們警惕？蔣總統的一本「蘇俄在中國」，在世界反共鬥爭中注入了深遠的影響情形，嚴院長當然最爲清楚。然則，何爲又獨「鍾情」於自然科學而冷漠社會科學及人文科學呢？

（二）科學教育

國父說：「教育爲立國根本。」現代是一個科學時代，講究的是有系統、有條理的眞知識，推行科學教育以强國富民，乃各國政府追求的鵠的，非僅「加强國防措施」也。國父上李鴻章書曾有「夫人不能生而知，必待學而後知；人不能皆好學，必待教而後學。」教育的主旨在此。科學教育者，學識的傳輸也。豐富的、廣泛的學識，纔能產生異於常人的銳敏才智——先知先行的才智；支配與掌握的才智；知機與決斷的才智；明辨與揚棄的才智。

「先知與先行的才智」，一是先創造發明，一是先實行。支配與掌握的才智，乃是「人盡其才，物盡其利」的分工合作和組織管理工作。知機與決斷的才智，乃先知機而後下決斷之謂，即掌握成功之機，當機立斷地展開行動。明辨與揚棄的才智，乃是在是非非之中，取是棄非也。沒有普及的科學教育，便不可能有豐富的學識，也就不會有上述才智，便不易控制自己，更不能統御他人。

學識的功用除以上所述者外，主要則在人性和人格的栽培，使能在擾攘衆生中，能愼重的、堅定的追求一項理想。有理想則有希望；有希望則有生活眞趣和奮鬥的勇氣可言。缺之學識者，其人生多屬空虛；有豐富學識者，其人生必朝氣蓬勃而青春長存。

科學教育是一種長遠目標的持續工作，並非僅在某一年度始作爲政府施政重點！因爲，國家科學教育目的，是培植國民的生活能力。如不這樣，即無從奠定其思考基礎，無從培養其決斷能力、表達（語言與文字）能力、組織能力、領導能力、以及機智能力等等。

能力者，才智也，技藝也。才有專、通之分，智有高、低之別，技有優、劣等第，藝有深、淺程度。專才者多局限於自然科學人士，通才者多屬人文科學人士，社會科學人士似乎介於兩者之間。自然科學人士具備者多爲知識技藝，人文科學具備者則爲智慧。單純的知識技藝，不足以成大器；人生能手的智慧，則可成福祉全民的大業。拿破崙傳曾說拿翁寧願放棄整個意大利去換一個意國國家思想家或數學家，這就說明拿翁脫俗超凡及其所以維持百年令譽的原因之一，也說明一位卓越的國家領導者決不致忽視人文科學甚至社會科學而偏重自然科學的教育和研究發展。

（三）科學研究發展

科學的發展，必有賴科學的研究；科學的研究，必有賴科學的知識。

國父說：「科學的知識，不服從迷信，對於一件事，須用觀察和實驗的方法，過細去研究，屢次不錯，始認定爲知識。」具備科學知識，才能談科學研究和發展。

徒喚奈何

處處碰壁

今日與明日

九龍暴動

因爲天星小輪公司硬要加一個斗零的船費，引起了九龍暴動流血慘劇，實在是香港歷史上一件大不幸的事。

站在輿論界的立場來說，天星小輪公司此次加價無論情理，皆站不住脚，尤其是當銀行擠兌潮剛過去不久，人心尚未穩定下來，商塲所受的瘡痍亦未平復，天星此時突然加價，當然引起各界的不安，因爲過海加一個斗零雖是小事，但由此一個斗零可能引起普遍加價，在一般升斗小民看來，天星加價只是一個厄運的開始，若不急起反對，繼之而來的將不知有多少公私用品要隨之加價。大家羣起反對，自非偶然。

不幸變質

任何一個社會運動，初起時動機都是純潔的，但是一旦滲進去壞份子同別有居心的人，馬上就要變質。試以此次暴動而論，當七日晚上九龍暴動羣衆集結後，竟然掠瑞興公司，放火焚燒邵氏大廈，不知瑞興公司與邵氏大廈的主人究竟與天星小輪有何關連？就算退一萬步說，把暴徒這種違法亂紀行爲算是洩憤，也洩不到瑞興公司同邵氏大廈主人身上。次日又連人人公司也搶了。大家都知道人人公司是日本人的，日本人與全體中國人有深仇大恨未清，但是日本人與天星小輪加價絕無關連。此種行爲已不是示威而是刧掠，不是羣衆運動而是强盗行爲，如何能得羣衆的同情？由於一連三日的暴亂，被搶掠的商店固然身受其害，就是未受搶掠的商號，營業上也蒙極大損失，對暴徒行爲一定恨之刺骨。因爲正當商民需要的是安定，而暴徒却要製造混亂，只有混亂才能混水摸魚，混亂才是革命的資本。

港府應當機立斷

在三日暴動中，香港政府所採取的措施無可非議，雖然在八日晚上因爲鎭壓暴徒，不幸傷三人其中一人死去，但要算是死傷最少的一次，比起印度的暴動輒死傷數百人，港府的措施是可圈的。但這只是治標而非治本。暴動是過去了，剩下來的天星小輪加價又當如何？假若天星小輪加價仍然按原定計劃進行，則雖然市民不會再有暴動事件發生，可是感情方面却要留下一個大的創傷。如若港府能毅然決然下令制止天星小輪加價，並禁止一切交通事業加價，則這次暴動雖然遭受了慘痛的損失，也算獲得了一絲補償，則市民受惠就非淺了。（何如）

自由談

美國政府一面派遣大軍援助越南從事反共戰爭，同時又害怕要跟中共正面衝突，千方百計地誘懇越共言和，而國內以國會議員和大學教授爲首的一般高級知識份子，乃掀起一場反對越戰的大辯論會，不惜沮喪士氣，搖惑民心，影響所及，越南的佛教徒和青年學生聞風而起，不斷地遊行示威，藉口阮高奇政府不民主，表面要求實施憲政，實際就是反對越戰，因爲他們揭出了反美的旗幟，教美軍退出越南！

我們回憶當年毛共在中國大陸上釀亂之際，煽動青年學生們高呼反內戰口號，製造反美事件——如所謂沈崇事件之類——要求美軍退出中國，情節與今日的越南情形如出一轍，可悲的是美國人幼稚健忘，痛苦的教訓抵不過阿Q精神，越南的命運不卜先知，一定凶多吉少，終歸完蛋，整個東南亞亦就危在旦夕，毫無疑問。

哀越南

越南那羣佛教徒狃於過去反吳廷琰政府之役，間接受着美國方面的鼓勵支持而得到甜頭，儼然以民主鬥士自居，著甚末「領導委員會」，發言反政府到底，招待新聞記者，避不答復是否要與越共和談的問題。這那裏像出家人的氣質，實係不折不扣的政治和尚，通敵叛國，情節顯然，縱以叛亂罪，誰曰不宜？至於一般青年學生，祇是受着政治和尚們的蠱惑利用，莫名其妙的替野心政客火中取栗，斷送了生命還不知道所爲何來，試看十多歲的男女學生皆參加示威運動，即可知也。

阮高奇政府爲着國家的生存關係，對那些政治和尚加以懲處，亂象將不致繼續惡化。但是，好談民主自由的美國朋友，又必譁然指摘，且以停止美援相脅迫呢！這便是越南前途的政治之癌，可哀也已！

馬五先生

所謂南越民族解放陣綫 實為北越政權南方分部

—西貢通訊—

所謂「南越民族解放陣綫」，是一個僞裝民族主義的「聯合陣綫」組織。這一個北越政權的南方分部，已經不能生根立足了。在過去，這個組織主要操在中共之手，現在却括有親俄份子在內。

今天在越南戰爭中，越南政府軍隊及美軍已經揭穿了這個「解放陣綫」的假面具，北越正規軍隊已加入戰爭，協助越共游擊隊作戰。自從莫斯科與北平對這一「陣綫」的控制權，發生爭論以後，越共軍的士氣已轉入新的低潮。他們已不再談論如何作一次「決定性的大戰」問題，反之，他們重又回復到游擊戰的方式和技術。

這個「南越民族解放陣綫」就是現正在搞南越解放運動的核心組織。一般通稱爲「越共」。但是，那個北越胡志明的越南工人黨人有時也被叫着「越共」。因此這一來不免引起混雜。竟究這個「民族解放陣綫」是否獨立的？以及與北越和其他方面的關係又如何？這是需要加以解答的問題。

（一）所謂南越民族解放陣綫，原成立一九六〇年十二月二十日，自稱爲「一個反對美帝國主義和吳廷琰政權以及爲祖國和平與統一而戰鬥的南越人民愛國聯合陣綫」。

一九六二年從二月十六日至三月三日，這個「解放陣綫」召開了一次全體會議，結果作出下列任務：「所有越南人民團結起來對美國侵畧者和戰爭煽動者，作一種堅決的鬥戰；打倒吳廷琰所支配的黨羽……組織一個有廣大代表性的民族主義和民主的聯合政府………」這次會議也選出一個正式的中央委員會。一位西貢的律師阮友壽被選爲主席。（阮這個人是負責基本組織的）。

從一九六四年一月一日至八日期間，這個「南越解放陣綫」又召開第二次全體會議。

在這一次會議中選出了一個新的中央委員會和常務委員。其名單包括有：阮友壽，中委會主席；阿比、阿利奧，中委會副主席，也是西部民族自治運動的主席；伍智恭，越南人民革命黨的代表；醫學博士龐萬祥；佛教僧人桑米茲尼；胡坦發，是一個建築師與越南民主黨中委會的秘書長；傅乃川，越南解放軍隊（越共）的代表。這次由「越南民族解放陣綫」大會所選新的中央委員共四十九名，其中有十八名以上爲第一次的中央委員。再有十二個席位專爲將來人選保留。

這個「陣綫」也用下列口號騙人：「我們需要獨立！」「我們需要民主！」「我們需要足食足衣！」以及「我們需要和平統一的祖國！」依照黨綱和口號而採取的第一步，這個「解放陣綫」開始在南越發動武裝叛亂，建立「解放區」，殺害政府官員，沒收他們的田地，再分配與農民，實行「減租減息」，同時強迫農民參加其所謂集體生產組織——「生產互助團體」或「工作交換團體」。這種方法的最後目的是爲共黨自己保有糧食和其武裝叛亂而預備人力。

這個「解放陣綫」有其自己的旗幟徽號：上面爲紅色，下面是藍色，中間有一個金星。依照這個「陣綫」的解釋，紅色代表北越，藍色代表南越，金星代表南北統一。

一九六五年四月，由這個「陣綫」所發行的紙幣，已在湄公河三角洲出現了。大家都知道，這個「陣綫」不僅有游擊隊，而且有所謂「常規部隊」。另外特別値得一提的，就是這個「陣綫」甚至組有一個「內閣」，幷派遣使節駐在外國。

因此，在表面上，這個「南越民族解放陣綫」似乎在政治、經濟與財政、軍事方面均是獨立的。但是這完全是一種姿態，表示其已在南越作「獨立」發展。

（二）這種在南越的武裝叛亂乃開始於一九五九年。從一開始，越南政府即稱這些叛徒爲「越共」。這種越共的組織，即南越民族解放陣綫的前身。越共究竟是否民族主義者？或者是眞正的共產黨？

我們可以看出這個「解放陣綫」在其名稱上，冠以「民族」的字眼，不過用來混淆視聽而已！眞的，他們在表演一種民族解放者的角色，作得很像。但這種僞裝完全爲了易於吸收羣衆和贏取國際的輿論的。他們利用越南人反抗外人入侵的傳統，指控美國爲繼法國之後一個侵畧者，並且說那將會嘗試法國所嘗過同樣失敗的苦果。

在自由世界，相信祇有很少人會惑於這類宣傳，以致改變他們對越戰的觀點。事實上，這種所謂「民族解放」，如同東歐的共黨衛星國家的「民族陣綫」，和那個現仍存在的北越「越南祖國陣線」，以及二次大戰前各國所有的「人民陣綫」完全一模一樣，都是國際共產黨第三國際所採用的「聯合陣綫」戰畧的後裔。這種戰畧就是：以共產黨或共產黨員爲核心去與所有可利用的勢力攜手合作，以孤立或擊倒「敵人」。

在這個「解放陣綫」中，有眞正的學者，宗教工作者，智識份子與工人們。但他們都是共產黨的民族宣傳下的犧牲者。比如阮友壽本來是西貢區的一個「和平運動」的領導者。根據柏屈克・丁・亨利，倫敦大學一位講師的意見，他會在西貢遇到幾位認識阮文海這個「越南民族陣綫」前書記長和這陣綫的其他首腦，就指出這個「解放陣綫」的領袖們從沒有組織或領導任何運動的能力，他們全是些傀儡。那麼，那是誰在這個陣綫幕後繼續握有眞正的實權？（上）

與時俱進的台省中等教育

◦華僑社稿◦

近十多年來，台灣省中等教育的發展，不但在量的方面擴充很快，而且在質的方面，亦與時俱進。

以量的方面來說，到上學年度爲止，普通中學由日治時代的四十五所增至三九三所，學生人數由一二，八二六人，增四八二，五八〇人；職業學校由二十七所增至一二一所，學生人數由一四，六二八人加增至一〇六，八一一人；師範學校由三所增至七所，學生人數由五二二人增至三，七一八人。値得一提的，政府爲了提高國民學校教師的素質，另設師專七所，學生二，二八八人。更有進者，省縣教育當局爲了適應人口的劇增，擬在每一鄉鎮普設初級中學一所，在短期間內實現免試升學，延長國民教育的年限。目前，有幾個縣市已達到這個標準。

擴充班次 適應需要

教育廳長潘振球對中學教育，曾作過如下的談話：中學教育，適應需要，積極擴充初高中班次，增設初級中學，發展科學教育，逐年添置科學館及科學設備。本年起採用新編之物理、化學、生物及數學等科新教材，並定期舉辦中小學科學展覽，以激發青少年科學研習興趣。推行生活教育，以端正學生生活習慣，同時充實軍訓教育設施，以培育術德兼修，文武合一之有爲青年。職業教育，配合經濟建設，發展高級職校，今後增班設校，儘量兼顧各類職校之均衡發展及社會實際需要。建立職校畢業生免試升學大專制度，以鼓勵青年報考職業學校，緩和升學競爭情勢。加强建教合作，充實教學設備，注重生産實習。推廣實用技術訓練，使失學失業青年，藉以習得一技之長，目前止已有五十九科，歷年結業人數四萬餘人，大部均能獲得就業。從上面的談話，台灣的中等教育，不僅注意量的發展，同時兼顧教育的實用與發展平衡，質的提高。

加強設備 造就人才

爲了完成上述的目標，目前台灣中等教育大力推進的有下列幾項：

一、增設初級中學——加强職業教育。爲將來實施國校畢業生志願就業方案，將以一鄉鎮設一初中爲目標。又配合經建需要，加强職業教育，以培養各項建設所需的技術人才。爲此，一面縮減初職班級，改辦高職班級及五年制職業學校，一面將縣市職校逐年改爲省立，以充實其設備，造就人才。

二、創立教育建設基金——台灣省政府自四十九年起指撥台幣三千萬元，分三年編列預算，設置永久性教育建設基金，以低利貸與台省公私立學校，協助其完成必要之建設。

三、加强科學教育——科學教育的目的在培養員生研究自然科學的興趣，因此教育廳採取了三項措施：（一）輔導教育進修：由省立師範大學主辦中學數學及自然科學教師講習班，分期調訓公私立物理、化學、生物及數學專科教師。（二）充實科學設備：依照中學分組實驗設備標準，採購科學儀器、化學藥品、理化標本、圖書等，與建科學館加强實驗。（三）改進教學方法：舉辦各科教學座談會及自然學科教學觀摩會，以交換教學經驗，改進教材教法，

訓教合一 以奬代罰

四、舉辦職業教學活動——推行農工商各職校技藝競賽，配合各生產事業機關的實務，訂定職校學生校外實習辦法，舉辦工職環境整潔及工場養護，以培養職業學校學生技藝水準。

五、注重生活教育——教育就是生活，生活就是教育，所以在教學方面，務使學識生活化，因此特別留意現代生活的訓練與陶冶。工藝與體育教育爲各級學校所重視，莫不儘力提倡。訓育方面除了加强訓教合一，訓導要旨以奬勵代替處罰，注重自我教育，加强家庭連繫之外，特別重視課外生活的指導與管理，合羣互助互愛觀念的培養。這一點，中國青年反共救國團的貢獻最大。它不但使青年學生在身心兩方面獲得和諧與平衡的發展，更使他們的生活規律化、合理化，而造成優良的學風。

國大四次會議素描（八）

尾聲——小談國大秘書處事務

・本報記者張健生・

作弊

最後，記者所談的是有關國大秘書處的事務。據此間聯合報刊載：國大秘書處屬下的一個組，曾發生類似尅扣職員餐費的弊嫌云。這是指國大新聞組負責人有「尅扣職員餐費的弊嫌」。

在三月二十一日，國大舉行第一次選舉會，開會前，一位從記者席走到主席台上的同業，對谷秘書長說：「秘書長，假如國大秘書處有人涉嫌舞弊的話，怎辦麼？」谷回答：「我早就說過，一定依法嚴辦。」該同業俏皮說：「秘書長，今天將您一軍。」當時，谷秘書長一怔，人朝後仰坐。

於是，這便把三月二十日國大新聞組職員爲「誤餐費」的事與朱組長理論的經過告訴谷秘書長。「查國大新聞組法定職員名額爲三十三人，而經常辦公者只有十多人，每人每天的誤餐費十五元，但星期天爲二十元，三月份上半個月每一職員應得誤餐費四百元，這筆錢由新聞組朱組長經手全部代領。但朱組長未按規定將這筆錢發給每一位職員，而是有的職員領一百二十元，有的領二百元不等。職員們在私下相互探聽並查證，始恍然大悟，乃紛紛責問朱某。朱回說未發的錢存放在我這裏。經職員指責後，朱某只好補發差額。如無人指責的話……。」

谷秘書長聞悉上情後，至爲震怒，立即着新聞組洪姓職員將朱某請來，在主席台將朱某申斥一番。這件公案，如何了結，且待下回分解。

福利

旅居海外各地之國大代表約有一百二十餘人，回國參加四次會議的代表有二十多人。按照規定，凡是「在台」的代表，可以支領各項費用每月約三千餘元，海外代表每年回國一次，可領四個月，兩次可領八個月，三次可領全年，如一年四季不回國則分文沒有。此項規定，國大聯誼會的同仁認爲不公平，曾建議改善，惟至今沒有改善。

近來，外界盛傳國大代表在開會期間領了八萬元，甚至立法院也認爲是眞的。因此，採訪國大新聞的記者，特地請谷秘書長作一番澄清式的說明。

谷氏很坦白的說：自二月一日開始的臨時會，到三月二十五日止的四次大會，在將近五十天的會期內，每一位國大代表所領到的錢，只有三萬六千多元。海外代表除來回飛機票另算外，並另加二千元旅費。

據東北籍一位王姓代表說：每天可領出席費一百元，另有三十元的交通費等，合計不過一百三十元。直到現在，代表們根本未談福利的問題。

事務

國民大會秘書處在事務方面，值得檢討。據周士傑代表說：有一次，佈置科向總務組請領圖釘六合，但每合裏面只有二十隻圖釘，與原裝差了不知幾倍。結果，佈置科在請領圖釘的收據上特別註明：「六合一百二十隻圖釘」。此一事例，暴露了國大事務方面的弱點。

三月二十七日是星期天，谷秘書長邀宴採訪國大新聞的各報社、電台與通訊社的中外記者百餘人，席間，谷氏對新聞界的合作，表示謝意，並希望記者們就目睹耳聞不當情事提供意見，俾國大秘書處有不週之處加以檢討改進。但新聞界同仁都未提出問題，因爲這次餐會應該談些輕鬆的事和物。

不過，記者在此建議：國大職員全係由各機關或政黨方面調用的，其中政黨方面調（配）用人員的待遇有差。說者謂：這些調用人員既未按時上班又無固定工作，所以沒有誤餐費之類的津貼。所謂沒有固定工作，這是秘書處的責任。爲什麼不分配工作給他們呢？因而引起許多無謂的「閒話」了。（完）

瀛海異聞談

智勇兼備紐約一警官

・桑雅・

在紐約市警局服務的警長馬里奧，比亞芝，堪稱是當代最了不起的治安執法人員。他在街頭與匪徒槍戰至少受傷十次，而制服了無數的歹徒，星星監獄有一座牢房，禁閉的盡是他抓到的壞蛋。馬里奧的名字，匪徒聽到也發抖，寧願棄槍投降，免得飲彈送命。

一九五九年五月某晚，廿三歲歹徒波古，一站在紐約一個十字路口，他的口袋左邊有一支左輪手槍，右邊是現鈔二千一百美元，是他當晚攔路截劫的「成績」。在這深夜的悄靜交通燈旁，一輛大汽車在紅燈前停着，他上前「做世界」，用槍指嚇車內的人，並且說：「不要動，聽我的指揮吧」。

數分鐘後，車子到了第二〇五街，司機似乎很聽話。到了一個稍靜的地方，却不顧泊車，過了一段路，他突然煞車，左手伸入胸內，從腋下向後放了一槍！短桿左輪一響，火光照亮全車，可是打不中波古。

這個司機真是硬漢，他撲到車後座與波古糾纏，把他持槍的手抓緊。此時已有警車馳至，在糾纏中波古中了一槍，倒在血泊中。賊人完蛋了；他犯的錯誤是以爲這個司機是外國賭商的「帶家」，身上一定有大量鈔票。殊不知他却是紐約的最精明及手腳矯捷的警官馬里奧，即使在槍尖下也不屈服的。

馬里奧在紐約的警局工作廿年，他參加的槍戰次數，比任何警員爲多。在廿二次大槍戰，他擊斃匪徒二人，擊傷十五人。其他無數次的街道小衝突，許多歹徒俯首就擒。他本人是壞蛋的眼中釘，曾被用手槍、獵槍、酒瓶、利刀及鋤頭襲擊，幾乎被人勒死，但是每次受傷後，總是很快復癒，賊人聽到也喪氣。他因服務卓越及創下殊勳，先後領獎廿八次。這個肌肉健碩的義裔美國警官，拒絕了簽約拍電影，不然以他的一副英俊外貌，可以登上明星寶座的。現在他是紐約二萬五千名警務人員內，紀錄是最輝煌的一人。

馬里奧雖然是一位很英勇的警官，幼時但他所愛尋求快樂。一九一四年在紐約華盛頓街附近的第一〇四街出世，是三兄弟的大哥。此地的毗隣地區，是常發生暴力事件的東哈林區。他不參加田徑運動。他拳術及讀書，一九四二年而寧願學習警局受訓後派駐第廿四區，是一名巡邏警官，服警役的第一年即幾乎殉職：某天凌晨二時卅分，他聽到斷聲及喧吵，他上前排解，却被惡漢威脅一定「做瓜」他，此人奔上樓用酒瓶襲他。馬里奧警見此惡漢在一窗戶窺着，那時的歹徒勢力很大，警察鮮有敢向他們挑戰的，但馬里奧不怕，拔槍射了兩彈警告他。下午九時，馬里奧在當值前三小時，決定先發制人，他曉得今晚值勤時，歹徒必定不放過他。他把此惡漢捉到，這大漢似乎就範，在押往警署途中，却乘機拾起一個利鋤，向馬里奧擊襲！幸而他孔武有力，他是拳擊家，招架有術，還擊兩拳，此惡漢才被關在牢裏。

還有一次是被匪刺傷。一爛仔刦財刦色，晚間將一個過路女人，拖入弄堂內，要脅她：「把所有的錢交出來，再躺在地上。」這婦人很有些聰明，表面不怕，而且對刦匪露出媚笑，把錢交給他，低聲地說：「我們不如到酒店去吧。」賊人不知是計，隨她走了幾步，她發足狂奔，高叫救命！馬里奧與兩名巡邏警員聽到馳至，但該匪徒的步伐很快，他是長跑手，飛奔而逃，且越過一度欄柵；祇有馬里奧趕得上，此賊祇得拔出彈簧刀拒捕，馬里奧被刺得兩刀，但仍竭力把刦匪的兇器繳下，雖然自己倒在血泊中。

某晚，他在第九十六街地底車站的方向步行，在第九十五街二〇一號的五樓窗戶，一女人伸首出外高聲嘶喊，他知道是爆竊匪推門入屋。這次馬里奧也嚇一跳，他以爲是普通劫匪，豈料面對的是一名彪形大漢，身高六英尺三寸，體重二百四十磅，想推門進入此女人的住所，馬里奧叫他投降：「我是警員，你現在受逮捕了。」此人發出獰笑，揮拳打他，馬里奧不畏難，與他展開拳鬥，打得在地板上亂滾，賊人的重拳比他重八十磅，不容易克服，大批警員馳至，才合力把大漢逮捕了。而且開槍把這匪徒擊傷，因爲當時馬里奧幾乎被掘死了。

現在的飛仔猖獗，馬里奧祇對兇徒用武力，盡量避免向那些無知青年用武。他幾次在逃捕飛仔竊賊時，那些與飛不肯就範，尤其是偷車飛仔，非要追捕及開槍，無法將他們拘捕。有一次，他把紐約西區的十九歲偷車飛仔首領韋殊，開槍擊斃了，此奧飛在鳴槍警告時亦不停車，馬里奧祇好向車窗玻璃連發數彈，將飛仔殺死。

發揚國劇問題之我見

滌秋

台灣的平劇演出，是集中於台北，其他基隆高雄台中台南各市，幾乎微乎其微。爲了平劇不斷的上演，於是劇圈的目光，注視在台北，大有往年故都的狀態。伶角多，票友也不少，成爲如火如荼，狂潮迭起。但是愛好平劇者，常常來看，百分之八十，是因赤禍逃居來台的大陸同胞，本省的同胞，爲聽不懂，而不感興趣，不能如滬平津漢的經常客滿。

最近有幾位報界的編輯先生，如大華晚報版的萬存仁，民族藝海版的黃仁，自立影劇版的李政，華報菊壇版的敖鳳翔，攝影新聞平劇版的李熙，聯合舉行「國劇論評寫作人座談會」，備有茶點，在博愛路美而廉聚晤，聽取各位的意見，以報紙來作如何推展，如何發揚，頗爲鄭重。但能否從中採取方針，俾爲平劇謀進展，未始非保存國粹的大大助力，我很爲贊成。他們發通知來囑參加，在某場合遇到幾位大編輯，當面告知，我是寫稿人，不是劇評家，似可退席藏拙（因所寫的稀極廣泛，散見各刊。）現在許多以劇評家自居，有的名滿天下，當有特別的議論，可以發抒。筆者祇着淺薄之見，略陳鄙意，以作參考。敬就所發議題，逐項發註，以示能否完全做到，也許非易事，但始以試之，也許可收些效果，是有望於各編輯先生。

（一）如何促進國劇之發展

欲求國劇之發展，有兩項必要的步驟：（一）票價平民化。現在文藝活動中心演出，票價四十元，不論秦慧芬張正芬演時，祇是此票價，沒有彈性。即其他小角色演出，也如此。因爲從前的梅蘭芳，演出的票價，其他伶角酌減，於理不太合。以往故都的梅程荀尚，並未照樣價錢，有不同並無一律。再則求薄利，以實滿，應機動的隨時可改價，因爲四十元可以買兩張電影票，而照法定銀元兌率，等於十三元的銀元，以前決無如此之貴。

況軍公教人員的待遇，以普通職員每月收入有限，物價既貴，那有閒錢時常看戲？比如以前的富連成、斌慶兩社，天天演出，票價是銅元二十枚，合銀毫五分，所以每場必滿。故欲謀發展，票價不能不考慮。（一）

國父思想與孔孟學說

・松柏・

、孔孟學說對國父思想的影響

孔、孟學說既爲國父思想淵源中最重要原因之一，其影響是多方面的，而且，是長遠而鉅大的，蓋國父幼時，即受儒學薰陶，國父於自傳中曾云：「幼讀儒書，十二歲畢經業」。則孔、孟學說，幼年時即已銘鑄於國父的腦海中，對國父思想的形成，實有胎孕作用，更可以說國父思想的主體，多因襲於孔、孟，其所引證的事實和實用的方法，才是規撫於歐洲的。茲就孔、孟學說影響於國父思想灼然可見者，列述於下：

（一）中庸思想的影響：孔子提倡中庸之道，謂中者，天下之正道；庸者，天下之定理；應執兩用中，把握重心，則可保持平衡，無過與不及之弊。國父本此心傳和法則，集古今中外學說，吸其精華，補其偏失，推出新義，以順應世界潮流，進而啓導世界趨向，創造了精深博大完美的三民主義。

（二）仁義思想的影響：國父嘗云：「革命的出發點在於博愛」。因而嘗以「博愛」二字書贈黨人。二家兄纓甫在日本留學及東京加盟時，獲得國父此項墨寶，至今猶存家鄉中。革命就是行仁，是以利他爲目的，與孔、孟仁義的中心思想，契合無間。故國父提出了革命的人生觀，以服務利他，爲人生的正鵠，即所謂「人生以服務爲目的」是也！以確定民生是歷史的重心，仁愛是人生的基礎，三民主義的基本思想，亦在於此。故國父力闢馬克斯以仇恨爲出發點之階級鬥爭的邪說。又以互助爲人類進化的原則，以救達爾文進化論之失。

（三）大同思想的影響：國父亦常書「天下爲公」四字以贈黨人，又於黨（國）歌中首揭：「以建民國，以進大同」。「三民主義的最後目的，就在進於大同之境，可見孔子大同思想對國父的影響之深，國父服膺於大同篇中所主張的去私心，謀公利，使男女老幼各得其所，各盡其力，富源盡闢，家給人足。矜寡孤獨廢疾者皆有所養，由親愛和樂以進於大同。故其「人盡其才，地盡其利」的主張，和民族主義中的世界大同的揭示，以及民生主義中的「保民、養民、均富」的原則，實爲大同理想之實現；不過是更完備，更具體，更爲精深博大而已。

（四）德治主義的影響：國父三民主義中的民權和民生兩主義的實現，固然都依於法理，但是，國父對於民族主義，認爲我民族的道德高尚，故國家歷千萬年還能存在，更進一步主張要先恢復固有道德，然後，才能恢復民族地位。除了把示以忠、孝、仁、愛、信、義、和、平爲全民應遵守的八德而外，又以智、仁、勇三達德及禮、義、廉、恥四維爲軍國民教育之張本，可見其對於以德化人的重視。尤其是天下爲公的大同理想的實現，當然是以道德爲基礎的德治。國父認爲以德爲治可以達到其目的，與孔子的德治政治的主張，先後輝映。（四）

新三國

周[illegible]著

董卓派了疑兵，佯作平討陰河，另外潛派精銳部隊從小平津北渡、繞到後面攻擊王匡的部隊，把王匡所派遣的部隊打得大敗。死去八九。

一波未平，一波又起，各路州郡，警報頻傳，那又是一次天翻地覆，正是同盟軍討董卓的大局面。

九、同盟軍聲討董卓

三國的紛亂伊始，董卓袁紹都是要角，同盟軍又是袁紹爲盟主。到此應當把他介紹一下。

袁紹字本初，汝南汝陽人，就是今之河南商水縣西北。他的高祖父袁安字邵公爲漢明帝司徒。袁安生蜀郡太守袁京。袁京之弟袁敞爲司空。袁京的兒子袁湯爲太尉。袁湯生了四個兒子，是平、成、逢、隗。袁平爲左中郎將；但袁平早卒，袁逢、袁隗位至『公』，所以時人稱袁氏「四世三公」。袁氏天下知名。袁紹生得一表非凡，能折節下士，很多人爲他折服。曹操幼時也和他是好朋友。袁紹憑他「四世三公」的威望，和袁氏門生故舊之多，是有相當號召力的。

袁紹自從和董卓鬧翻逃出洛陽之後，先逃往黃河以北，寄居在勃海郡，即是今之滄州，雖然他有志舉兵，却苦無名義。治理河北的冀州牧韓馥，本是宮中的尚書，正是皇帝的侍從秘書，董卓爲籠絡人心，才提拔他做冀州牧。在入宮之前，韓馥也是袁氏的故吏，受過袁氏的提拔。今被董卓提拔後，又見董卓爲當今第一有實力的人物，他才奉命維謹，效忠董卓，對袁紹常具戒心。

袁紹就藉了太守的招牌，和袁氏在當時聲望，大招其兵，集草屯糧，勢力日漸壯大。此時韓馥態度又有了轉變，不但不效忠董卓，反過來擁護袁紹。董卓雖比袁地位高，但隔自己太遠，好漢不吃眼前虧。

袁紹力量壯大，羽毛豐富，便自號車騎將軍。韓馥又向他靠攏，自是雄據一方。

董卓自從殺了太后、弘農王、廢帝之後，天下紛紛同聲討逆，掀起天下之衆怒。董卓表曹操爲驍騎校尉，想重用他。曹操見董卓是一隻狼虎，不能共大事，在他身邊就會被他吞噬。於是變易姓名，奔往老家去。路經成皋故人呂伯奢的家，呂伯奢不在家，五個兒子待以賓客之禮，曹操起了疑心，以爲自己是亡命之徒，呂伯奢的五個兒子可能會出賣他，於是半夜裏起來把呂氏五子及家人殺得光光。心中一橫說道：『寧我負人，毋人負我』。逃到中牟縣，即今河南中牟縣東六七里。爲一個亭長（十里爲亭，承秦制）疑心他是逃犯，把他抓到縣衙中。因爲這時候董卓已有通緝曹操的命令到了中牟縣。縣中有一個功曹，史書上沒有記他的名字，心中明白他是正在通緝的要犯曹操，不過那功曹以爲曹操雖是通緝犯，但他却是一個英雄好漢，對曹操很表同情。（廿三）

國劇繽紛續錄（六十四）

談瓔生

交行五九週慶（續）

未及片刻，又改唱鐵弓緣，才聽到那呼哈的妙聲。岩華唱完，由秋心唱拿手的硃痕記反二黃，抑揚頓挫，十足言菊朋的味兒。寓老來告，董座想聽青衣，乃由方嫂孫若蘭唱法門寺叩閽慢板，味兒很佳。汪派名票李頭石，因尙須往中華文化學院，堅請提前唱取成都，古色古香，不同凡響。再由李景嵐唱羣英會，爲是晚獨一的小生。後來賈采文定唱玉門關，以時晚而不果，可惜。博梧也因事先行，卽唱沙橋餞別後段，他對此戲於調琢磨很到家，甚好。

是晚有不太完整的探母，無對白而有唱句。首先由趙之杰唱楊延輝，潘美娜唱四猜，兩位都搭會上台，當然熟練好聽。繼由賈馨園飾承玉兩小姐唱對句快板，而叫小番竟拔高，馨園功力可觀。此戲在月底她們唱明場。還定請賈厚英唱太后，她還不太熟記，臨時請兆槐爲說，卽便登場，音調出色可喜。下接張春小姐唱宗保，延輝的唱也很悅耳。原擬請復祖接唱太君，以無四郎六郎而罷。再接馮著唐的盜宗卷，是有口皆碑。養善功張道和合演二進宮的國太，多是張派，很不易。李懋竹、王英老合唱桑園寄子，爲可意盎然，不同現唱音節。時已九點三刻，東園也示範。要去，遂接唱完璧歸趙，他是孫派腔調與衆不同。最近杜夫人或將演出此戲。

高華兒原擬唱汾河灣散板，看鐵已是十時十分，改唱文姬歸漢散板，也有十餘句，由林萬鴻應再伴奏，是晚顯若未來，爲獨一的程派，宇老很驚其功力可佩。再一心佛唱洪羊洞爲國家，極饒余派的味兒。沈張老原定唱換子，以太座不適而先行。乃由徐龍英唱斬子，嗓高音響，是其拿手。黃音很懂票門，唱鴛鴦原板，幾句卽停。在此補述，目人我還請鄭鳳娟小姐，到了九時後，丑行滑稽大家熊濤自告奮勇，願意代鄭，嘯百白出，報一節目，附帶平劇社電話號碼，有如生意經，很可引人發笑。

羅倫以家務至十時始來，選唱宇宙鋒原板，發音雖好，可惜太短。柳董事長請加唱，以時間而辭。楊鳳采是電力公司的名老旦，道段釣金龜慢板，確乎夠響。崔少鶴來了的夜審潘洪，以時過十一點而止。原定林向榮半天，請他唱戲鳳四平調結束。董事長總經理皆俟客散始行，禮貌可說周至，皆大歡喜。

金門暑期戰鬥營

勞克

一、

上午，天氣很好，沒有大風，也沒有强烈陽光。是颱風剛剛過去的時光。

這時，朋友們開來一部車，問我到不到金門城？我問什麼時候回來？

「你要什麼時候回來？」

「我到暑期戰鬥營去一下，不知道可否等等？」

「自然可以。」

這些來自台灣每個角落，每個大專院校的二〇三位男女同學，他（她）們抵達戰地的那天早上，我就是那麼活躍，是那麼興奮，對於船上的疲倦，一點兒也沒有表現出來。他（她）們每個人攜着小包裹，裏面是自己用的東西，戴眼鏡的居多。

「以前到過金門吧？」我問。

「沒有。」

「聽朋友談起過？」我又問。

「自然。但百聞總不如一見，我們現在才直覺自己眞正在戰地。」

他（她）們對戰地的樹木青綠，遍地都是充滿朝氣，尤其看到民防部隊的訓練，不禁豎起大姆指來說：「他們了不起，眞了不起！」

他（她）們坐大卡車，直抵事先給他（她）們準備好了的營地，一面臨海，而又美侖美奐的金門中學。這營地取名爲莒城，是以毋忘在莒爲主題，去年發起配合戰地毋忘在莒運動，而普遍掀起狂熱的響應高潮。

二、

抵達金門城時，就看到營門「暑期戰鬥營」幾個大字，然後則是救國團的團旗。而在營地裏面，分爲男隊員與女隊員宿舍。男隊員爲碉堡，女隊員爲欄村，中間豎立花木蘭畫像一座，和「總統萬歲」的巨大的精神堡壘。

在這些可愛而又年輕的男女隊員中，他（她）們一見到我，就像鴿子般的飛過來。他（她）們都著上草綠色的軍裝，儼然是綠衣武胄了。

「你看我像不像？」師大女生王敏秀這樣問我，又擺出優美的姿態。

「像。」我說：「像極了。但你祇能稱做阿兵妹。」

她把小咀一翹，問我爲什麼？

「你年紀小，」我對她說：「你穿軍衣時間少。在戰地的小姐們，老早就穿上軍衣。你在這方面說，都是阿兵妹的。」她白了我一眼，隨卽搶白了我一句，說：

「就不能後來居上嗎？」

然後，他（她）們就把營地的生活敍述了出來。他（她）們對這有規律，有紀律的生活，興趣十分濃厚。一切合乎科學化，更合乎制度化。

「我們在第一天報到，我們的床位就有名牌，分配好。上面有鋼盔，有草綠色軍衣，而且都是那麼合身的。連我們鬥的亦都有。」

其他便是他（她）們的生活管理，以自動化、趣味化爲原則，使他（她）們在輕鬆時儘情輕鬆，充分表現出，愛美笑力的境地。

「這兒是戰地，你們有沒有聽到炮聲？」我問。

「有。」

「那麼你們害怕吧？」

「起先有點兒。一聽到炮聲，我們就進入碉堡。這兒的碉堡做的眞牢固，裏面又極乾淨清爽。戰士們住在碉堡，我眞羨慕他們的生活。」

我又問他（她）們最近有什麼活動？

「我們排演康樂節目，準備訪問碉堡的。」

「什麼時候開始訪問？」我問。

「雙日就出去訪問。」

他（她）們是以歌唱與舞蹈爲主，尤其這些女隊員們，她們都有特殊的藝術習能。

另外，他（她）們還有生活節目，聯誼會，聯歡晚會，以及參觀喊話站，婦女隊的訓練，和金門街道以及坑道等等。

三、

這些男女青年，對戰地的深刻印象：由鋼盔、刺刀，草綠色軍裝，以及粗綫條的兵哥組成的戰地，鞏固如金湯的金門精神。

「這兒離敵人太近，」政大同學方傑對我說：「但敵人就不敢越雷池一步。我們的軍事力量實在太偉大了。」

「共匪越雷池，就是送死。」我說。

這位同學有無限的感慨，他說：「沒有到過金門，就不知道金門的了不起。」他說：「金門的重要性，金門實在太重要了。」

其他同學也有同口碑，對金門的建設，整潔的街坊，整齊的街道，以及中央公路的平坦，全島用水泥鋪成，路兩邊都是千篇一律的美，整齊一致。台大同學趙文方說：「台北的基隆路，路路相比，也不能和金門比。」各種建設，其他如心理建設，都到達完善的境地。師大同學立志在學校出來，就到戰地來服務。他（她）們一致的表示：「唯有戰地，才見革新動員戰鬥的眞正實踐。」

我離開營地時，太陽正在頭頂上。他（她）們送我到營門口。我說我有時間，再會拜訪他（她）們的。

玉堂春

「影劇與歷史」之十九

周遊

玉堂春在平劇中，是十分叫座的戲，由王公子嫖院、關廟幽會、贈金回家、逼嫁蘇三、女起解、三堂會審，到王公子探監團圓。全本戀愛戲。其他各地方戲劇也有演出。製作電影，是邵氏公司出品，由林黛、趙雷主演。于五十一年在台灣上演。此劇受平劇的影響最大，男主角名王金龍，電影則以王舜卿名之。這是電影與平劇不同之處。

河南王公子，奉父命赴京收債，與一書童同行，債務淸理大致就緒，有銀甚豐。一日公子偕書童逛妓院，與名妓蘇三遇，蘇雅號玉堂春，老鴇以錢買得，但伊甚高傲，不喜客人則不願接。遇王公子，情有所鍾，王公子亦傾心相慕，初次卽以多金相贈。未狎而去。王公子自是心神响往蘇三，以後每日往親，老鴇以王公子多金，欵之甚恭，並爲玉堂春建樓以居，破費甚鉅。不一年，所收債欵用罄，鴇母則反臉無情，將王公子逐出。王公子遂流落京都，夜宿關帝廟中。遇往日賣果小販，具告老鴇無情，將其趕出院門，落得這般光景。小販對王公子道：「玉堂春自公子出院之後，誓不接客，並命我四處尋訪公子，不想今日得以相見。」小販卽往告玉堂春。

蘇三想念王公子，乃誆鴇母，必須往關帝廟上香。二人始得在廟中相會，抱頭大哭。蘇三對王公子道：「公子爲何不返家，尙流落至此何爲？」公子道：「非是小生不返家，怎奈川資俱已用盡，欲歸不得！」蘇三將暗藏首飾，贈王公子，教重整衣履，偏僕役購大箱二口，滿盛卵石，復進院中。老鴇見王公子復來，又見携有大箱金銀，好不歡喜，乃爲王公子設夜宴。二人重入樓台，老鴇不疑有他。不知公子已席捲所有而去。鴇母聞知王公子不見，卽打開銀箱查看，原來兩箱俱是卵石，老鴇大怒，將蘇三鞭撻險至於死。

王公子返家之後，蘇三被鴇母賣與山西一商人爲妾，妻皮氏甚狠毒淫蕩，乃外，及貿其未至，乃夫遂與隣居監生私通，乃大妒，將毒藥放置酒中，欲將蘇三毒死；蘇三遲疑未便卽飲，旋被其夫代飲之，不一時七孔流血而死。監生因欲娶皮氏，乃唆使皮氏告入官府，狀稱其夫爲蘇三所毒殺。旋因監生濟通關節，卽將蘇三入獄。（上）

爲「水滸傳」尋賊譜

匡正

「水滸傳」是中國文學名著中的傑作，其中人物活躍之狀，潑辣陸離，有龍飛於天，虎嘯於地之概。其結構之雄大，文字之剛健，人物描寫之精細，不獨爲中國小說少見，且足以雄飛於世界文壇。宜乎怪傑金聖歎極口稱揚，配以莊、騷、馬史、杜詩而稱爲天下第五才子書。在怪傑的心目中，認爲水滸傳是「史記」同儕的白話刺客、游史列傳。千百年而下，所謂那些英雄好漢，若存若亡，但其中人物的印像，在中國人心目中，却虎虎有生氣。取材於歷史人物的小說，能粉碎歷史，重新創造一百多個各異其趣的新人物，注以新生命，栩栩如生的活在人們的心目中，實非大手筆莫辦。

水滸傳所寫的本來就是一羣活躍的巨盜，取材也是南宋時代的「賊史」，但其中的一百零八位强盜人物，在中國民間一直被認爲是一羣有血有淚的英雄好漢的。本來是做强盜的勾當，何以受人們崇拜爲英雄？這大概是迎合了中國民族平民意識。胡適之在考證水滸傳中說：「讀者試看，所謂一百零八個强盜，那一個是甘心自願上梁山入夥的？每個都有『不得不』的地步，才走向水滸中去！這是眞正的平民文學！一部平民對於貴族政治表示反抗精神的偉大傑作。」巨盜之被視爲「英雄好漢」，這是應該歸功於作者的創作意識迎合了中國平民意識吧！林紓把「奧利弗，托斯特」譯名「賊史」，那裏面所描寫的却是市井鼠竊狗偷之輩，讀者看了，改變不了「賊」的觀念，那才眞是一部「賊史」。比起水滸中有血有淚的人物，決不可以相提並論的。

「水滸傳」中人物雖然被視爲「英雄好漢」，但其取材則眞正是南宋時代的「賊史」。以前也有人尋找過水滸中强盜人物的根據——包括胡適之在內。但是很遺憾，所找到的極其貧乏，只獲得四五個人有歷史根據。這也是由於「英雄好漢」的存在，標榜强盜，爲賊作傳的史家是不會有的，二十五史中尙沒有「賊史」列傳。但在中國史籍中，是有着「賊史」的存在，在史傳中去尋求，那一個朝代沒有「賊」，尤其是南宋時代的賊，眞是多如牛毛。其犖犖著者，如宋江等三十六巨盜、楊么、董平、李成、翟興、曹成、方臘、蘭溪靈山賊朱言、吳邦、劉縣仇道人，仙居呂師囊，方岩山陳十四，蘇州石生，歸安陸行兒等。參與剿賊的人也不少，如岳飛、張俊、韓世忠、童貫、張叔夜、辛興宗、侯蒙、折可存，以及宋江等（有云宋江招安後則方臘）。在以上諸人傳中，都包含着「賊史」在內。南宋末年，盜賊四起，外有强金侵略，因此才有「官軍莫敢攖其鋒」現象。當時盜賊遍及江南各地，參加征剿的人也不少。所以在剿降宋江及方臘史實中，形成錯綜複雜，糾纏不淸的「疑史」。在本文僅僅搜索梁山上一羣巨盜的來龍去脈，其他非拙文之所及。（一）

歐洲中古接生趣聞

○胡笙○

話說在密杜薩斯有一地方，有一位貴婦躺在床上，感到痛苦，覺得該生產了，生婆認爲應該請醫生，於是拜請醫生章洛，被拜請的醫生就來了，來到外面大廳，醫生手下和用人，就傳用手和脚爬進貴婦的寢室來，診視他不認識的病人。診斷完畢，他又照老樣子爬出去。（一）

訂正：本版上期所登「采桑子」詞作者爲孫淼翁先生，排字誤植曜字，合亟訂正，並向作者致歉。

編輯部

內政部登記證內版台誌字第〇三一二號

自由報

THE FREE NEWS

第三四六期

中華民國僑務委員會頒發
台僑新字第三三三號登記證
中華郵政台字第一二八二號執照
登記爲第一類新聞紙類
（逢星期三、六出版）
每份港幣壹角
台灣零售價新台幣貳元
社長：雷嘯岑
督印人：黃行憲
社址：香港銅鑼灣高士威道二十號四樓
20, CAUSEWAY RD 3RD FL.
HONG KONG
TEL. 771726　電報掛號：7191
承印者：大同印務公司
地址：香港北角和富道九六號
台灣分社
台北市西寧南路壹零號二樓
電話：三〇三六
台灣郵政劃撥二五二九

普及科學教育·重點發展科學研究（下）

·彭樹楷·

科學研究，是不能仰人鼻息的，也是不能容許「跟着走」的。否則，必無創見和新發展。

在千千萬萬的人、事、物中，只有三件事情騙不了自己也騙不了別人，那便是學識智慧能力、親情、以及科學研究發展。

不論是自然科學、社會科學、和人文科學，欲談研究發展，便必須有不斷的技術突破，包括一切前所未有的創意、新見、獨立的觀念和思想。只有衆多的技術突破，才能產生科學上的技術大革命，才能憑此技術革命凌駕他國，才能迫使敵人臣服此一力量之下放棄侵畧，才能憑此科學技術謀求福祉全民的富强大業。

（四）客觀環境與主觀因素

推行科學教育與從事科學研究發展，必須考慮主客觀因素和配合國家目標。

由於我國當前國情，國內報刊多偏重有關國防軍事自然科學的外電報導而鮮分析其社會科學與人文科學的進展，以至國人多有一種錯覺，認爲今日世界科學皆以認識、控制、利用宇宙自然萬物的實用科學爲主。

事實上，各富强國家並未放鬆基本科學的研究發展，亦未全力謀求國防科學而放鬆民生科學，尤未忽視社會科學與人文科學。例如美國的「大社會」政策，蘇俄的「經濟革命」，英女王破傳統的授爵「四披頭」，日本工商業之外的國民體育和文學，法國的藝術，意大利的音樂，荷蘭的建築工程，西德的醫藥……。他們的科學教育與科學研究，是以「睿知遂思」來平衡發展的；是以理智來迎合人類心智的成熟了解而使國家社會從而得以調和，用以鞏固國家力量和福利國民全體的精神與物質生活。在這種平衡發展科學「施政重點」中，影响了國人敬業樂羣，忠誠熾烈的樂於貢獻自己學識與能力，因而更加速了他們的「國强民富」和「繁榮安定」；同時也使得整個世界的文明得以「日新又新」，並藉此嚇阻了戰爭不致發生或擴大範圍，終將有助於導致整個人類的繁榮、和平與安定！

世界潮流如是，客觀的環境如是，既不能否認，也無法否認！欲言科學，能不考慮及此乎？

國家力量——人力、物力、財力、土地及礦產、國民知識程度、政治制度等因素，是科學教育與科學研究的主觀條件，必須配合得上，才能「門當戶對」結爲鴛鴦！否則，不是「怨偶」，也是「露水夫妻」！絕不能和諧的「白頭偕老」！個中道理，人皆了解，這裏不必浪費篇幅。

（五）一條大路

針對嚴院長施政重點報告的「促進科學研究發展」和「推行科學教育」，我認爲大路只有一條，這便是「科學教育要普及，科學研究發展要擇其重點。」

因爲我們處身廿世紀六十年代的知識世界中，人人都應具備生活上必須的時代知識。由於我們必須培植科學的繼承人，在科學教育中必須普及全部科學項目作「基礎」式的奠基工作，從基本科學著手，使我們的各級學校畢業生，一出校門，既有深造能力，也有就業學識；使我們的初級武學校畢業生，確能勝任他們在軍中的工作。並且，各人又都具備現代國民與世界公民的素養。可是，我們常見大專畢業生身無一技之長且有缺乏國民知識和道德的遊手好閑者成爲社會的負担；我們也聽說別人不願將較新武器供應我國因恐無人善予使用維護而形成浪費；更是親見沒有國家民族觀念的男女媚外者的醜惡言行。……，說明了「普及科學教育」的迫切性，也說明偏重自然科學技藝的不當；更何況這種偏重的科學教育僅限於書本文字傳授而少實作，原本就鮮有成效可言呢！

科學研究，即使是單純的一項如「電子學應用研究」就需要龐大人力物力財力和相當的自由環境。例如美國航空太空總署，動員了全美國電子專才與技術人員的總數達百分之八十，包括軍民公私團體學校及個人研究所等單位，預定經費佔整個「阿波羅」登陸月球計劃的經費總數百分之七十達二百八十億美元（阿波羅經費初步預算四百億元，後又增至六百億列爲預備金」！一艘雙子星座太空船成本四億美元中，百分之六十以上爲電子系統所耗費！

嚴院長施政報告曾舉出「核能和平用途及防衛核子作戰的研究、火箭及飛彈研究、電子學應用研究」等爲「經確定」的「三項工作目標」。很明顯的，這是不切實際的「確定」！如果在這「三項工作目標」中選一重點集中全力，則在現有人力物力財力情況下，或可勉爲「推展」。

自然科學的研究發展，不獨費錢、費時，而且需要通當的自由！如果買一點文具也要造預算、開估價單、呈請批准、然後採購，驗收、入庫，登帳，具領時又得填單呈批之後才能領用，那怎麼搞科學研究？僅憑幾部洋書、一些洋刊物，那是翻譯；頂多稱爲「讀書心得」而已。

結論

總統蔣公曾說：「今天的每一分鐘，就都是我們反攻復國的機運；每一個人，都應該提供其毫無保留的赤誠貢獻！」筆者不敏不智，坦陳愚見，知我罪我，非所計也。

幽靈復活

鬼魂凶座

南越政局更趨惡化

今日與明日

南越政府派去峴港的海軍陸戰隊已撤回，第一軍區司令已換了，宗室訂中將軍人情緒似乎穩定下來，內戰危機大致可以避免，但政潮却無法收拾了。

當阮正詩被免職之初，南越政府原派出阮文俊繼任第一軍區司令員，阮文俊似乎沒有解決紛爭的能力，依違其間兩面皆不討好，南越政府不得已又派出宗室訂中將繼任。宗室訂是當年推翻吳廷琰政府的三個重要人物之一，另外兩人爲楊文明與陳文謙，以後阮慶崛起，將三人免職，自任總理，宗室訂久已沒有下落，此次南越當局把他找出來收拾殘局，當然是深悉他有此能力與條件，果然宗室訂受命後，北部漸趨安定了。

佛教徒出面反對

目前南越政潮又變了質，本來是北部省份反對更換阮正詩，現在則變爲西貢佛教徒要推翻阮高奇政府。兩項行動雖然在時間上連成一起，但在目的上却絕不相同。而南越佛教徒本身也逐漸分化，其中穩健的一派以釋心珠爲首，主張與政府談判，促其改革，另急進的一派以釋智廣爲首，則聲稱要發動示威，推倒阮高奇政府。

阮高奇指摘釋智廣一派已被共黨滲透。就該派行爲看來，此說是有根據的，因爲在釋智廣領導下的佛教徒已變成了爲反對而反對，無論政府任何措施，在他們看來都是應該反對的。世間安有這種佛教徒，也沒有這種樣的愛國團體。

南越才難

從歷次政變看來，南越給人們一個概畧印象就是吳廷琰死後沒有一個足以總攬全局的人物，皆是德不勝才，野心大過能力，把個人利害置於國家利益之上，得勢則排除異己，惟我獨尊，失勢則興風作浪，不擇手段。國家皆是這種人，安得不亂。就吳廷琰倒台之後而論，眞正有資格稱爲「强人」，確實也使國家安定一個時期的只有兩人，即阮慶與阮高奇。

阮慶推倒楊文明維持一年多的穩定局面，本來可以長期安定下來，但阮慶忽然訂憲法，施行選舉，自己當選總統，於是爆發大亂，終至下台，黯然出國。

阮高奇執政以來，局面算穩定，詹森總統與之舉行香山會議，更提高其威望。不意阮高奇忽然要排除其最强對手阮正詩，終於鬧出這場事變，尚不知如何收拾。才難之嘆，中外皆然，說來實在可悲的很。（何如）

國際共諜

自由談

吾國派駐巴黎，久任聯合國文教組（Unesco）職員，現爲比利時大使館文化參事的郭有守，近被瑞士政府發覺他有替毛共作間諜的行爲，予以拘捕驅逐了。這是咱們國家的醜聞，令人驚憤不已。

數年前，他於回國述職，偶與我相遇於公共場合，閒話家常，他告以太太私自潛回大陸去了，言下殊無沮喪之意。我知道他太太是湘人楊度的女兒，而楊度曾是中共的黨員，其子楊公庶亦已附共，心裏不無異樣感覺。但因與郭相識頗久，覩其性格屬於戇愚一流，决未想到他竟有甘作共諜的可能，以貌取人，可哂也矣。

由於郭案之發生，我認爲政府平日對於公職人員的私生活暨其背景，必須注意及之。郭有守夫婦又未宣佈離婚，而郭有守於其妻投共之後，曾回到台灣一次。這些都是值得注視的情況，主管部門對於上述諸事，未必毫無所悉，如能及時警覺，預爲防範，當不致演出今日這幕醜劇吧？

郭氏的外表椎魯迂訥，對人對事，從無表示籌謀的們的讚賞，而認爲是可靠的忠實幹部。殊不知越是貌爲恭順，遇事表示沒有意見的人，其居心即越不可測，乃至敢於提主張，排衆議，犯顏直諫，個性堅强者，縱其見解未必高明，然其忠誠的心情却決無疑問。這道理也很淺薄，如果是心懷異圖的陰許之輩，他在表面上就一定要裝出唯唯諾諾，毫無作爲的庸碌姿態，藉以討取上峯的歡心，引他爲股肱心膂之臣，而其異圖的機會即更多了。郭有守便是這類人物，因而他在西歐從事於共諜工作多年，并未被本國政府察覺，即其妻公然投共之後，亦對他信任如故，最大原因就是所謂私生活與公務無關這種謬妄的觀念作祟。繼之以政治上覗有所不爲的貞幹之士爲異端，如脂如韋之徒爲賢才，陰賊險詐者爲忠良，而世亂乃愈演愈烈矣。

知人之難，古今同慨，共黨的滲透魔術又無所不用其極，過去那套任用和駕馭人才的方法，應該徹底改變了。

時代渣滓人物

共諜郭有守已滾回大陸

（本報訊）中華民國駐比利時大使館文化參事郭有守，最近被瑞士政府發覺他是替毛共在歐洲活動的間諜人物，予以拘捕序逐後，他已經公開投靠毛共帳下，回到大陸了。這類時代渣滓人物，若長久混在反共行列中，爲害不淺，滾開了倒是幸事。

郭的老婆楊雲慧是湖南湘潭人楊度的女兒，楊度原係早已參加毛共集團的老共。楊雲慧於四年前由法國遣返中國大陸，郭有守對人說他們夫婦離婚了，實係烟幕。自大陸淪陷後，郭奉派在巴黎工作，與其在香港共報作主筆的四川同鄉周太玄密切通信，在周未回到內地之前，郭曾藉回台灣述職之便，特來香港小住，跟周晤面，還有原在香港共報服務的孫師毅，於周太玄離港後，担任與郭聯繫的職責。郭之通共叛國行爲，歷有年所了，以其貌似迂拙，始終未被發覺。最近他走回大陸之日，孫師毅與郭妻暨其弟楊公庶，都到機場迎接，證明郭有守過去聲言夫妻仳離云云，完全是鬼話。郭有守替共黨作間諜已非短暫時期，而跟他在巴黎和比利時各外交機構同事的人，竟毫無所覺，可謂咄咄怪事。若不是瑞士政府揭破他的眞面目，他仍在比利時使館以反共的忠貞人士自居，貽禍不已呢！郭於本月七日逸走回北平的；當他在瑞士被捕逐後，我們駐在比利時的外交官員，何以未能設法將他弋獲押送回來，殊堪疑問。因此，政府今後對於駐外工作人員，應該切實考核甄別，不再因循大意纔是。如郭有守之所爲，對反共前途固然不發生多大的影響，但對政府在國際間的信譽不無損傷，似有查究檢討之必要吧？

恭祝蔣總統連任 台南縣舉辦教育展覽會

（本報台南航訊）台南縣政府爲恭祝蔣總統當選連任，舉辦首創全省規模最宏大的一次教育展覽會，於三月廿八日上午十時在新營鎮新營國校隆重揭幕，教育部長閻振興，省府主席黃杰，均親臨分別主持揭幕與剪綵。中央黨部，教育部，省黨部高級人員，省府各廳處長，全省各縣市長暨議會正副議長等，均蒞臨參觀。展覽會共分爲學校教育行政，國校重點輔導，美術，視聽教育，營養教育，家事，社會中心教育，社會教育，民族精神教育，商業教育等十大部門。其中尤以民族教育館最爲突出。該館是由省立善化中學、縣立善化初中、縣立新化初中、縣立六甲初中、縣立玉井初中、縣立白河初中、縣立下營初中等八校聯合主辦。民族精神教育館展出目的，在介紹南縣各公私立中學推行民族精神教育概況，並藉以啓發民族意識，闡揚我國固有道德，並健全人格，認識民族傳統精神，復興國家責任，從瞭解我國地大物博、山川壯麗、文化輝煌、歷史悠久，加强發揚民族性及保護國土觀念。下午二時卅分，省府黃主席假縣府大禮堂召集全縣中小學校校長暨南部各縣市警察局科室分局長以上警官，轉達蔣總統推行社會教育運動的指示，勗勉全縣教育工作人員和警察人員，徹底遵照蔣總統有關教育訓詞，從衣食住行環境衛生公共道德與行爲方面着手，使全省同胞建立一種新生活習慣。黃主席指出：由於政府有效運用美援，使本省工商業突飛猛進，社會繁榮，已經在國際上享有聲譽；今後在全省民衆共同合作下，定能使國民生活益加改善，進而完成建設台灣光復大陸的使命。（蔣蓋民）

讀者投書

新內閣應加强陣容

編輯先生：

我們在國外聽到三月七日蔣總統在中國國民黨三中全會開幕典禮的演說詞，非常興奮。尤以指出政府應盡一切可能「用新人、行新政」爲當前急務，眞可謂老成謀國，用意深長。目前國際局勢已漸趨對我們有利，這未來的六年（總統第四任期內），將是我們反攻復國的時際，所以，這是我們國家民族的生死關頭。我們的總統，雖仍是政躬康泰，但年已八十，必需要各方面的精英，集中起來幫助他達成這神聖任務。

這幾年來，無論報紙雜誌以及中外有識之士，對台灣軍事日趨壯大堅強，經濟日形繁榮穩定，無不稱頌；獨對政風，牛步遲遲，少有改善爲憾。這毛病是因爲人心泄沓，風氣頹廢，小人猖獗，君子隱匿。

所以，我們對第四任總統提出的新內閣，有下面幾點建議：（一）這應是一個反攻復國的內閣，大前題一定要明確。（二）起用較年輕有爲之新人，不論其屬任何政黨或無黨無派，祗以是否有「堅強意志，高尚節操，健全精神，幹鍊才能」爲標準，不權衡任何政治關係。（三）老官僚，新官僚及體弱長期有病（如某某每年必來美國一次檢查身體，且一住三四個月，此地美國朝野人士以及我國華僑與留美學生均莫名其妙）一概不再參加新內閣。（四）行政院在反攻時期，部會似不必增加，但爲集思廣益，多謀長策起見，應增加不兼部會長官之政務委員若干人。（五）內閣中至少應有一二政務委員是眞正懂法學之人（不必一定兼部會首長），若能羅致有國際聲望之法學人士如故司法院長王寵惠博士者尤佳，因反攻時期，必牽涉國際間有關國內法與國際法種種問題，需要若輩之聲望與大智來應付。

上述五點，我們認爲非常重要，請政府最高當局，嚴重考慮及之。

聶劍謹上

高雄工業區積極擴建

——華僑社——

高雄是台灣省南端的大都市，不但具有優良的港口設備，爲台省對外貿易的主要海港，由於對外航運的便利，所以台省大規模的民、公營生產事業，舉凡石油的煉製，夾板、水泥、鋼鐵、塑膠原料以及大部份的農產加工事業，均集中於高雄市，成爲台省重要工業區域。政府近年來爲發展台省的經濟事業，對於高雄工業區的投資擴建，銳意經營。除了擴展對外貿易，正致力於高雄港的擴建工程，以及高雄加工出口區的建設外，目前爲了適應今後經濟進一步的擴展，正計劃於最短期間內投入大量資金，籌辦下列大規模的事業。

開闢第二港口

一、開闢高雄第二港口：台灣省的國際港口，係以高雄、基隆以及最近擴建完成的花蓮港，爲船隻以及物資起卸的吞吐地，但以連年台灣經濟事業的發展，對外貿易迅速增加，全年物資的進出口總量已超過了各港灣的最大負荷。爲了適應長期經濟發展的需要，除了對高雄、基隆兩港口，繼續予以擴建外，同時已計劃在高雄地區開闢第二港口。第二港口地點決定在紅毛港的西北方，已於去年二月間成立工作小組，負責搜集資料，測量調查及規劃工作。並曾請日本港灣專家五人來台，作技術上的勘察，認爲確有開闢的價值。至去年九月底，業已完成地形測量、水深測量、風浪調查及研究工作，將於本年開工，預定七年完成。完成後可通過七萬五千噸級的貨輪，全部工程費約新台幣六億元。此外並擴建高雄小港民航國際機場。爲灣省第二國際民用機場，此項擴建工作，目前已完成了百分之九十，使原有一千七百尺長跑道，延長爲二千三百公尺，及新建導航和夜航等設備，以適應對外交通的需要。

籌建大煉鋼廠

二、籌建大煉鋼廠：政府研議多年，在台省建立一貫性大規模鋼鐵廠計劃，已接近實施階段。由於計劃中的煉鋼廠，規模甚大，所投資金甚鉅，所以對於此項工作異常愼重。曾邀請西德專家多人，來台調查籌設大規模煉鋼廠的可能性，根據專家的研究報告，認籌設大規模煉鋼廠，以強化我國的機器工業的基礎，並提高我國工業生產力量，確有必要。因此政府於去年開始即積極進行，並已於本年元月間成立促進會，負責推動。計劃中的煉鋼廠，廠址已決定靠近高雄港計劃中的第二港口附近，估地一〇〇〇甲，與開闢第二港口工程同時進行，預定五年內籌建完成開始生產。生產規模，由於根據國內市場調查，鋼鐵消費量增加甚速，在亞洲地區，台省每人的鋼鐵消費，僅次於日本佔第二位，所以已將原計劃年產量之三十萬噸，擴大至八十萬噸。建廠方案可能採取日本八幡製鐵株式會社所提供者；因八幡所提方案，比之美國及德國專家所擬方案比較經濟而切合實際。依照德國專家所提方案，總投資額需二億多美元，每噸生產成本在四百至五百美元之間；而日本八幡之方案，僅需一億多美元，每噸生產成本只二百多美元。同時八幡方案，係以生產鋼錠爲止，所產鋼錠交由省內其他各鋼鐵廠加工，對現有鋼鐵業務不致受到影響。據估計投資總額約一億八千萬美元，第一期需一億五千萬美元，第二期需三千萬美元。至於資金籌措，其中一半將招國外人士投資或貸款，日本之一億五千萬美元的貸款中，已列有四千萬美元，作爲建立大煉鋼廠的一部份資金。此外半數政府正設法在國內籌措。政府將一方面發行債券，一方面並由大煉鋼廠發行股票及公債，吸收社會人士投資。故大煉鋼建資金來源，將包括國外投資、貸款及國內官商投資等項。

建原子發電廠

三、籌建原子發電廠：台省年來工業的發展，電力已不敷應付，尤其在冬季期間，由於水源的枯竭，影響水力發電，因而不能不限制供電，對於工業的生產受影響。因此政府已決定在高雄擴建區內，增建一座發電量六十萬瓩的原子發電廠，刻正由美籍專家勘查設計。這座原子發電廠，將於民國五十八年完成，在計劃中最初的兩年，以石油爲原料，兩年以後才用原子爲原料。同時並在高雄港擴建區大林埔附近，籌建大林火力發電廠，發電量爲六十萬瓩，裝置三十萬瓩汽輪發電機組，分別於民國五十八及五十九年完成發電。

四、此外，（一）聞名世界的美國標準石油公司已決定投資美金三千五百萬元，在高雄港擴建區內設置一座規模龐大的海棉工廠，年產海棉鐵一百萬公噸。（二）政府爲發展台灣遠洋漁業，已在高雄深水前鎮建築第一座遠洋漁港，將於民國五十六年完成。（三）海外華僑中國航業鉅子董浩雲，投資高雄港設置五萬噸浮船塢，將於今年上半年完成。

從上面政府對高雄一連串的開發計劃，和外人及華僑的大宗投資，在去年開始的台省第四期四年經建設計劃中，高雄將扮演最重要的角色。

所謂南越民族解放陣綫 實爲北越政權南方分部

——西貢通訊——

有一位日本記者於一九六五年五月，自西貢通訊中報導，另一個所謂越南人民革命黨，其成員有百分之十至廿「民族解放陣綫」份子。另有一位日本駐英前大使於訪問越南後指出：「民族解放陣綫」的三分之一成員都是共產黨。基於這一原因，他說該陣綫不過是一個僞裝民族主義者的組織而已。顯然的，他認爲共產黨才是眞正的執行者。實際上，一個組織內有三分之一共黨份子，而又不受共黨所控制的事，這簡直是不可能的話。如果這是可能的，那麼共產黨就早已被排除於門外了。根據中共的聲明，各黨各派參加「南越民族解放陣綫」的包括有所謂越南急進社會黨，越南人民革命黨，無黨派人士，和各種民間團體，以及各宗教單位如佛教與天主教。所以，「越南人民革命黨」仍是這個「解放陣綫」的很重要的核心，而這個「陣綫」所作的完全是一種僞裝民族主義的共黨運動。

（三）這個「解放陣綫」與北越政權的關係究竟怎樣？我們可以說，那個「越南人民革命黨」是「一個越南工人黨」在南方的分部。同時，這個「解放陣綫」也是河內政權在南部的代理處。這一點我已在前面敘述了。至於越共（化名「民族解放陣綫」），那是與胡志明的「越盟」關係非常密切的。像通常情形，越盟也是一個所謂「聯合陣綫」的組織。依照一九五四年日內瓦的協定，當越南從十七綫劃分爲南北兩部份時，越盟在南部的份子也遂分作兩個團體，一個加入了河內政權，而另一個則留在湄公河三角洲和中部越南一帶。稍後，這個組織就變成爲現在的「民族解放陣綫」的核心。

西方的報導却常描寫這個「民族解放陣綫」爲一個獨立的團體，他們是根據河內自一九五四年即已強調「和平統一」，而當時這個「解放陣綫」的黨綱却强調「獨立」與「中立化」這一事實。但這個僅表示他們昧於共黨的「鬥爭」戰術，實際上，這個「解放陣綫」已經有其旗幟和貨幣了。而同時這一個以紅色爲背景一顆金星的旗幟，正是北越政權的「旗幟」。據說這個解放陣綫最近已採用北越的旗幟，其正式的旗幟，還不過尚待證實的是，這採用北越旗幟的究竟是「解放陣綫」的軍隊，還是北越在南越作戰的正規軍？至於「解放戰綫」所發行的貨幣，則胡志明的像已經印在上面了。他們在黨的事務上，接受越南工人黨第一書記黎笋的命令，同時其軍隊的組訓與指揮則由北越政權的「國防部長」武元甲所負責。（下）

瀛海異趣談

加勒比海風光旖旎

·桑雅·

從波多黎各的聖璜城乘飛機，約費一小時，從處女島的聖湯瑪斯搭航機約半小時，可以抵達加勒比海上的一個熱帶島嶼。這個名叫「聖瑪丹」的島，多的是金髮美女。此地是欣賞比基尼泳衣的天堂，在密佈棕樹的叢林裏，埋藏着無數的財寶，等候着幸運兒去挖掘。不過，你敢冒着藍眸紅髮美女，爲着愛情而殺人的危險，才可以去這個天堂。

聖瑪丹島是荷蘭與法國共擁有的島嶼，當地的金髮女郎眞是身穿最簡單的比基尼泳衣。她們不是外來的女遊客，而是十七世紀時登陸的海盜，或種蔗園工人的後裔。除了埋在深處的寶藏及美女，此小島賭博合法，是許多人不知道的。從荷區到法區之間的走私，反而屬於違法。島上相當蓬勃的工業是釀酒。此地的土酒有特殊妙用，盡在不言中。

有這許多適合男子消遣條件的一個小島，反而男性駐此島不多，幾乎全是女人世界，女人對這個島嶼，比男人更深刻，眞夠諷刺。女人瞭解此島的另一因素，因爲它是購物天堂。聖瑪丹島是個免稅港，英美的購買稅及奢侈品稅，完全不抽取的，這意味着一安士的名貴法國香水，在島上美金八元即可購得，但在美國每瓶要美金廿七元五角；在美國值三百美元的瑞士錶，此地僅付六十七元五角。其他各國的棉織品，首飾雜物，價值廉宜。

這個兩點式泳衣學堂，有人帶太太去的，一旦上岸，她便失蹤；她被便宜的物價所吸引離開了丈夫的身旁了。她忘記了他，絕不去注意他的行蹤，除非再上飛機時，才想到找丈夫。男的大有機會可乘。倘若在島上的菲腊斯堡，海灘最遠的距離，不會超過一百五十碼以外，因爲沿岸的小石屋在圍繞着沙灘的附近，遍植花圃。此處的海灘多半裸美女滑水，潛水，大家在海面浮沉。擺脫了太太，可以在附近的酒店作稍長的消磨計劃：沙灘上有電影上描寫的大海盜們的後代；島上的金髮女郎，因爲整年過着熱帶的生活，吸收太多的陽光，皮膚是金棕色的，但較之白種女郎的膚色更可愛，她們的剪水雙瞳是藍色的，當她們在海灘躺着，用軟弱無力的姿態，把豐滿的胴體撐起來，顯得極富誘惑力。島上的美人是赤足的。爲什麼把此地稱爲比基尼泳衣天堂呢？因爲你在法國的里維拉渡假海灘，看見最簡單的泳衣，與此地相形之下，仍感失色。聖瑪丹島的女人所穿的泳衣，寬度若一條狹窄的領帶，披在身上，有等於無，其實遮掩不了什麼。爲何她們的泳衣特別簡單呢？據說這是使皮膚可以盡量吸收空氣，不受海水鹹味影響的好方法。姑勿論作用如何，聖瑪丹島的女人穿的所謂泳衣，比一條領帶多不了幾多面積。

上述是島上法區的耳聞目見。至於島上的荷蘭區，在一家名叫小灣的酒店，可俯視整個海灘，是飲食、垂釣、潛水的好去處。小規模的賭場開設在此。荷區的特色是食物充滿荷蘭的氣味，豐富可口；而晚間在沙灘或屋內，僅穿兩點式泳衣跳舞的女人——亦更甜美。該區的海灘，一處比一處更美，在西端的辛浦森灣，簡直如置身南海天堂大溪地，你可以受大批金黃色皮膚的靚女包圍着，如置身肉林中。

到了聖瑪丹島，多少拾到一些寶物，空手絕無僅有。小孩子在海灘玩泥沙，少不免拾到一些古錢。至於在法區的天堂峯頂，據說埋藏着廿六萬枚古代硬幣，要出發掘寶，此地供給用具，可以租一匹馬及租用鐵鏟鋤頭，上山去尋寶可有老資格的響導，把遊客帶到各個山谷去，通過古時的海盜的墳墓，可以爬到山上去眺望海洋，駐足在從前海盜監視海面的據點。據文字記載，相信七洲洋大盜馬拉加保所掠得的二十六萬枚的硬幣，絕大多數埋在聖馬丁山的堡壘內。爲何沒有人努力發掘呢？據說這一批財物，被一個女鬼監守着，美麗的阿歷山亞的藍鬼，會把掘寶人的性命取掉的。

這個島上的傳說是此艷鬼，並非動手殺人，而是以美女姿態出現，引誘掘寶人拚命與他造愛，至精竭而死爲止。從前能逃掉的極少數。聖馬丁山的居民，相信誰敢動腦筋掘寶，必遭藍鬼迷惑，一夜狂歡，翌晨喪命。響導則表示半信半疑，因爲他們住在沿海地區。

發揚國劇問題之我見

滌秋

不可以爲別人搭桌，實一百或二百，此價很低。要知物價漲而國民所得未增，平劇票價不能與物價看齊，照現在的辦法，終久是沉落，時間問題而已。（二）巡迴公演是必要的，現在台北一區，幾乎是天天有戲，在基隆高雄台中台南各區，就很少了，即有也是歌仔戲之類。國軍文藝活動，不能專在台北，必須假定一三五月到那裏去演，二四六月到那裏去演。因爲劇團到外埠，多是勞軍，絕少公演，官兵看得到，民衆看不到。在台北是民衆看得到，官兵少來看（特殊的例外），適得其反。如何能使民衆難得看到平劇，如何能使他們愛好？我以爲今後應不定期自動的到基隆演三四天，再到台中去演，輪流行之，祇要院租廉，廣告費少，每天以三三千元的支出，也不致蝕本。如此方能普遍，再談發展！

（二）如何配合當前國策

當前的國策，是如何剷除泯滅人性的共匪，反攻復國，中興國家，是天經地義，毫無猶豫。平劇演出，具有通俗的社教性。曾聽到閻振興先生在教育部晚會，提到平劇是能表演「忠孝節義」，爲吾國固有的倫常，值得大事提倡。基於此點，我曾提出多演歷史上有懲奸除惡的戲，以作示範而加警惕。少演色情戲，助長談情說愛，不知國家的重要。少演盜寇戲，免鼓勵不良的太保橫行。少演神怪戲，免迷亂民衆的盲從。例如武行戲，有三國、隋唐、岳傳、英烈傳等可演，何必專在水滸宏碧綠等去演。我是說少演，不是說不可演，是劇團要顧到配合國策，不可專作賺錢賣座的打算。這也是吾人處在台灣，不能作改進的表現，一切依蘊在前二三十年中。簡單說一句，不夠其盡責！這一點多辦不到，也可知我們的腦筋如何！

（三）如何展開國劇理論之研究

關於展開國劇理論之研究，茲題目實是廣大而浩瀚，非三言兩語，所可能得到答案。我希望五位編輯可以選擇題目，提出來作討論，以求各位的高見，在合情理，憑經驗，寫一點文章出來，給讀者看看。不過鄙見認爲平劇是抽象的，一切多有象徵性，不可過份強事插添。而每個服裝多要合理，前觀少安演哭秦庭，申包胥逃出團城去秦乞師，身穿滾龍的衣服。是否他不知高慶奎以前穿什麼？所以伶角在演新戲，必須請教於年老的名票。（二）

國父思想與孔孟學說

·松柏·

（五）民本思想的影響：孟子的民本思想，影響於國父更爲深切。國父在民生主義中的「保民、養民」，無一不是以民爲本。孟子主張民貴君輕，國父更在民權主義中，主張廢除君主政權，採用共和，以選舉、罷免等權，完全操之於人民，與孟子所謂：「國人皆曰賢，然後察之；……國人皆曰不可，然後察之」之義，正相契合，且更具體可行。

五、國父思想對孔孟學說的闡揚

，歷代「博而寡約，勞而少功」是針對儒家思想最中肯的批評。也許是古代書寫工具缺乏的關係，所以孔、孟學說，多是原則性的主張，和片斷的語錄，而缺乏具體性和可能性。以後的儒家鉅子，如：董仲舒、韓愈、朱熹等，其努力都未能使儒家思想和學術更加趨於完善。至國父繼起，才使這個「相繼不絕」的道統，亦即孔、孟學說，得以宏揚和光大。國父的民生主義、實業計劃和民族主義中的世界大同之主張，爲孔子的未及見諸實施的大同理想，使其實現。國父的民權主義，更是孟子民本思想的宏揚。「博而寡約，勞而少功」的偏失，自國父才得加以補救，孔、孟思想至此而得到最完善的闡揚。

六、結語

眞理只有眞假之分，沒有新舊之別；但是，由於時代的不同，社會的變動，眞理的原則不變，在適應上則有待於新的補充和新的闡揚。由上面的陳述，可見：孔、孟的學說，實爲國父思想的基礎。很多人認爲國父是受的西洋教育，有關三民主義和實業計劃等，是現代科學思想、政治思想的結晶。加上三民主義的講詞中，對於孔、孟思想，很少稱引闡述，而認爲國父的三民主義和其思想體系，與儒家的孔、孟學說，鮮少關連！這完全是一種誤解和淺見。我們已從其「幼讀儒書，十二歲畢經業」的自述中，獲知其儒學功深，且在國父的思想中，找到孔、孟學說影響的脈絡。其次，孔、孟的學說得到國父才相續不絕，得到了新的闡揚，先聖後聖，不祇是隔代相望，而且，是易地皆然，放之四海而皆準，垂諸千秋萬世而常新，由此可以概見矣。

國父畢生具有偉大崇高的理想，堅強不拔的毅力和決心，是其輝煌成就的三大重要因素。是以集古今中外思想之大成，而創造發明其孫文學說，三民主義，釐訂建國的宏謨，是其革命成功的手段。而福國利民，促進世界於大同，才是終極目的。此種成就是空前的，值得吾輩有爲青年效法。

最後，我還要特別强調：我們讀聖賢之書，無分先聖後聖，都要學以致用，更要如文天祥於元世祖至元十九年十二月十八日就義前夕的衣帶贊所云：「孔曰成仁，孟曰取義。惟其義盡，所以仁至。讀聖賢書，所學何事？而今而後，庶幾無愧！」躬身力行，願共勉之！（五，完）

新三國

周[illegible]著

於是向縣令建議，把曹操釋放了之。曹操逃到了陳留，把自己的家財散了，招兵買馬。陳留有一位孝廉，名叫衛茲，也把全部家產送給曹操，募得義兵有五千人。這是中平六年（一八九年）的事。

漢獻帝初平元年（即中平六年之次年）春正月，各路起義兵的，有幾個州牧、刺史、太守及後將軍袁術等，現在分別先行交代一下；

盟主——渤海太守袁紹，不用介紹了。

盟友——後將軍袁術，字公路，乃是袁紹之從弟，司空袁逢的兒子。以俠氣見聞鄉里。舉過孝廉，除爲郎中、折衝校尉、虎賁中郎將。董卓廢帝後，封他爲後將軍。可是他也是明眼人，怕董卓吃他，出奔南陽，長沙太守孫堅殺了南陽太守張咨，把這地盤讓給他。

冀州牧韓馥，字文節，潁川郡人。（包括今河南許州、陳州、汝寧、汝州、禹縣、武陽等地）。當時的冀州，有魏、鉅鹿、渤海等三郡；又有常山、中山、安平、河間、趙等六國。（六國即六縣也）這些地方，略當於今天的河北山西二省及河南黃河以北、奉天遼河以西。州治在常山國高邑縣，即今之河北柏鄉縣北之地。

豫刺史孔伷，字公緒，陳留人，即今之河南省陳留縣。當時的豫州，領有潁川、汝南二郡，及梁、沛、陳、魯四國，略當今之河南以東、安徽以西一帶地方。此人善清談，鄭泰稱他「清談高論，噓枯吹生」。

兗州刺史劉岱，字公山，東萊牟平人，漢太尉劉寵之後。父親劉輿，（一名方）乃弟劉繇，吳志有傳。當時的轄區，有陳留、泰山、山陽、濟陰等郡及東平、任城、濟北三國。略爲今之山東西南、河南之東南、河北之大名府等地，郡治在山陽郡昌邑縣，即今山東省金鄉縣西北十里。此人做過侍中，累官至刺史。

河內太守王匡，字公節，泰山人，即今山東省泰安縣北之泰山縣。此人輕財好施，性好任俠，少與大儒蔡邕甚好。何進爲大將軍，他在徐州發彊兵五百入京師。何進敗了之後，他逃回鄉里，董卓又拜爲河內太守。河內屬司隸校尉，領懷縣等十八城。郡治在懷縣，即今之河南武陟縣西南。又河內爲大河以北之總稱；舊有河內縣即今之河南省沁陽縣。

陳留太守張邈，字孟平，東平壽張人。陳留即今之河南陳留縣。

東郡太守橋瑁，字元偉，是橋玄的族子。先爲兗州刺史。此人有威、恩並濟之風範。

山陽太守袁遺，字伯業，是袁紹的從兄。先本爲長安令，由張超介紹太尉朱焦，說他有「冠世之懿，幹時之量，其忠允亮直，固天所縱。包羅載籍，管綜百氏……。」曹操也很賞識他，曹丕「典論」中有記載。可見他有文才。山陽，在今河南省修武縣。

（廿四）

復興選新人

復興劇校造就的生角，畢業後，走的走，倒嗓的倒嗓，現在僅存盤復蘅葉復瀾兩人。加以訓練，可以繼武曲復敏。葉倒嗓近一年多，仍未恢復，再看兩年，如不恢復，很難復原。尤其在倒嗓時間，絕對不能演重頭戲。記得余叔岩在春陽友會養嗓時期，從未演唱工重頭而偏在重做，如打漁殺家，掃雪打碗，狀元譜，戰蒲關，青石山之類，慢慢的來，養，終於養好。葉因劇評人的捧，自傲得很，因此最近唱珠簾寨，極爲勉強。在這情況，復興祇有選新人。

國劇繽紛續錄

（五十六）　鑒嬰生

好，近今盤復蘅是廣東台山人，她的嗓音漸漸見好，演劉備（並非配角），而蓋玄用盧復蘭，爲之耳目一新，得了成功。她在「金盤盜」之中，亦唱盜魂鈴，把幾段罵曹折進去，很不賴。再復蓉復芬復玖復玲的四霞，美麗動人。再復起，臉調比葉復瀾在這次唱探母的四郎，從會弟兄們分別的四句，很夠鏗鏘。希望復興將盤盧兩位多加訓練，生角一行，可以重振光輝。再則老五復玹，以前祇演花旦，這次初唱蕭太后，着實有神氣，腔音，似比復蓉的清脆，富有味兒。應從此多排，以便復蓉如果從影，可以接替乃姊，準無疑義。復興選新人，覺得他們的未來，不久可恢復以往的輝煌，此在乎戲提調善爲安排，至要也。

海光有新戲

國軍文藝活動，由各劇團輪流演出，主要是在「推陳出新」，如果老是武家坡風還巢，不免令人倒胃口，表示國內的新劇拿不出來！再則海光劇團編了劇本，却不上演，也未免可惜！海光劇團這次又來公演，態度是前倨後恭，非常謙遜，並且排出兩齣新戲，是鍛頭鳳與新編戰太平，爲之一喜。克常忙了多日，把戰太平的錯誤，刪去其瘢，而添加小生青衣花旦，經過陶冶，此戲便另有一番面目了。

徐大隊長榮邀茶敘，帖子未註明，幸虧事先徐告，否則不堪其餓。以後請予加註茶點，彼此方便。除李申的報告與說明，使人恍然，其餘的議論，爲看盧復蘭新近唱探母，祇好退席。座中有名滿天下的人，高舉盜他的票，表示我已取到，旁若無人，不覺好笑。所謂劇評人，多注重在這票，夫復何言呢。

我經歷所見，當場表現，不過臨行告之趙原，希望每次公演，必須有一二齣新戲，即如彼之梅香綠鴻鸞喜，使亦不差，以表茶敘之酬答。（未完）

看電影贅言

誠齋

最近在香港映演的中國電影「甲午風雲」，係毛共的製造品，內容完全描述滿清光緒廿年（西曆一八九四年）中日戰爭之役的經過史事。據毛共宣傳，這部影劇是根據清宮舊檔案的第一手資料編製的，起初係由某一「文工團」編演話劇，認爲很成功，然後改製的電影；且仍以在話劇中飾演李鴻章和海軍「致遠」艦長鄧世昌這兩個主角搬入銀幕上，表示對於這部影劇的眞實性特別重視。甲午中日戰役的前因後果及其實際戰況，近代史料甚多，歷時不過七十二年，人們記憶猶新，一般青年人只要平日稍爲看過坊間出版的甲午戰爭紀述者，皆能洞悉其梗概，決非歪曲宣傳所能搖惑的。我以研究近代史的情趣，抽暇觀看「甲午風雲」一次，乃知共黨抹煞事實，基於政治目的，專作歪曲宣傳，實在不足爲訓。

甲午戰役的時代背景，內部有主和主戰的「朝議」爭執，前者以李鴻章爲首腦，後者以光緒帝師傅翁同龢爲中心。李之所以主和，是他知道政府原有的海軍建設經費已被慈禧太后提去建造頤和園了，自光緒十三年以來，即未曾添購過一艘新的兵艦和一尊大炮，舊有兵艦的航行速度亦已落後——一小時祇能航行十四哩，而日本兵艦可航行廿哩——他預料戰爭的結果必無倖理，希望利用國際列強對中國問題的矛盾因素，施展所謂「以夷制夷」策略，企圖消弭這場沒有把握的戰爭，爲國家保存一些元氣。外有英俄法德，這些國際列強對中日雙方從事構煽玩弄，妄作左右袒，英國袒護日本以制俄，帝俄忌嫉日本而對中國表示同情。此時的美國，尚沒有干預中國問題的能力，只是強調其所宣稱的「門戶開放，機會均等」政策而已。

李鴻章深悉這種國際形勢，就產生了他的「以夷制夷」思想，後來帝俄強迫日本放棄其割讓我國遼東半島的要求，因而種下日俄戰爭的禍根，也就是李氏這項「以夷制夷」策略所使然也。至於中國的主戰派，並不諳悉敵我雙方實際情況，祇是仰體光緒帝維新圖強的意旨，不滿意李鴻章對慈禧太后的恭順保守作風，憑着書生之氣，極力主戰，以期一逞，居心固屬愛國，結果於事無濟，國家却吃了大虧！

「甲午風雲」的劇情，把李鴻章形容成爲賣國媚外的奸臣，臨到戰事勃發時，還不許海軍出海應戰，由於海軍提督丁汝昌與部將鄧世昌之抗命作戰，纔有甲午之役，這是極不公道的歪曲宣傳。對於國際列強當時爲着甲午戰役而向中國政府活動的經過，只渲染美國公使替日本撐腰，又塑造一個入了美國籍的日本間諜羅皮爾，利用美國駐華使館參贊身份，潛至威海衛偵查我國軍事佈署情形，繪圖送給日軍。

在甲午戰役中，帝俄對中日兩國的活動比英國尤甚，影響亦最鉅，然毛共竟將帝俄避開不提，對英德法各國亦輕描淡寫，而特別張揚美國從中作祟。這些全是毫無故實的胡扯，爲着反美關係，不惜變造歷史，欺天下人以無知。

在甲午戰爭中，「致遠」艦長鄧世昌英勇抗戰，壯烈犧牲，固然值得讚美，但影片中指述他開足馬力去撞日軍主力艦「吉野」號，却非事實。當時日軍的旗艦是「松島」號而不是「吉野」。致遠艦以每小時十四哩的航行力，要去追撞每小時能行廿哩的日本主力艦，當然辦不到。影片中又把一個擅自發炮攻擊日本兵艦的水兵王國成，說成是曾經參加太平天國之役的王某後裔，認爲他「腦後有反骨」，可謂瞎扯胡謅。對鄧世昌則恭維他收留被「濟遠」號管帶方伯謙革職的水兵王國成，且晝夜跟威海衛民衆接近，民衆亦將「衛國保民」的匾額抬送到「致遠」艦上。這也是共黨不顧時代眞實的瞎宣傳，即是發噱的自說自話。李鴻章、丁汝昌、鄧世昌、方伯謙等，都是甲午戰役中的眞實有關人物，但在影劇中表演的情節，除却李氏不主張貿然作戰這一點以外，皆與史事不符。李氏後來到馬關議和時，曾被日人暗殺受傷，即可證明他是不賣國媚外的人。李鴻章在中國歷史上的評價是功多於過的，既是歷史戲劇，不宜抹煞史實而捏造劇情，[illegible]黨變造歷史的宣傳毒素，故不憚費言如此。（完）

為「水滸傳」尋賊譜

匡正

宋江等三十六人爲盜，史有明證，畢沅的「續資治通鑑」一九十四卷宋徽宗宣和三年三月書：「淮南盜宋江三十六人橫行河朔，轉掠十餘郡，官軍莫敢攖其鋒。知亳州侯蒙上書，言江才必過人，不若赦之，使討方臘自贖。帝命侯蒙知東平府，未赴而卒。又命張叔夜知海州。江將至，叔夜使間者（斥堠，今所謂間諜）覘所向，江徑趨海濱，刦巨舟十餘載鹵獲。叔夜募死士得千人，設伏近城，而出輕兵，拒海誘之戰，先匿戰士海旁，伺兵合，舉火焚其舟。賊聞知，皆無鬥志，伏兵乘之，擒其副賊，江乃降。」宋史徽宗本紀也書：「宣和三年三月，淮南盜宋江等犯淮陽軍，又犯京東江北，入楚、海州界。命知州張叔夜招降之」。宋史張叔夜傳所書，與續資治通鑑完全相同，宋史侯蒙傳亦同。除「宋史」「續資治通鑑」各傳外，最詳細的是大宋宣和遺事。不僅有三十六姓名及渾號，並詳載花石綱、生辰綱、蒙汗藥、李師師底事。宋江的結局是被招安，討方臘有功封節度使。更進一步的明朗，尚有龔聖與作宋江三十六人贊並序。宋人周密的「癸辛雜誌續集」轉載之。周密爲宋理宗紹定五年至元武宗至大元年人，歷時甚近。每人渾號姓名，外有四句贊言，如「呼保義宋江：不假稱王，而呼保義，豈若狂卓，專犯忌諱」。如「大刀關勝，豈雲長孫？雲長義勇，汝其後昆。」因限篇幅，不必全錄。另外淸人陸友仁題「宋江三十六人畫贊云：「睦州盜起壓連北，誰挽長江洗兵革。京東宋江三十六，懸賞招之使擒賊。後來報國收戰功，捷書夜報甘泉宮」。（見翟灝「通俗篇」）淸人趙翼的「簷曝雜記」及王士禎的「居易錄」均載有張叔夜招安梁山濼（水旁）榜文：「有赤身爲國，不避凶鋒，拿獲宋江者，賞錢萬萬貫，雙執花紅。拿獲盧俊義者，賞錢百萬貫，雙花紅。拿獲關勝、呼延灼、柴進、武松、張淸者，賞錢十萬貫，花紅。拿獲董平、李進者，賞錢五萬貫有差。」王士禎在「居易錄」中又說：「七修類稿言「錄鬼簿」（元卞梁鍾繼先著），載宋、元傳記之名，而於此傳（水滸）之事尤多。」「行朝紀補」謂江淮巨寇宋江羽黨，董平、阮氏三雄、柴進、花榮、燕青、張淸、朱武等十餘人，據楚南十數縣，歷九載至紹興六年，始以所部萬人歸岳飛；平等以不滿朝政請辭官，飛留之不可，遂入天台山爲黃冠，後不知所終云云。足見水滸有根據的人物資料並史小說不應受歷史所拘束。歷董平、李成、彭玘、李忠。尚水滸中爲好漢，在史傳爲官，亦有之。如關勝是河南的守將，被漢奸劉豫降金，關勝反對被殺。李逵在水滸中赫赫有名，他是密州將官，「通鑑輯覽」說他殺了長官而降金人，但宋史則無其事。（二）

玉堂春

「影劇與歷史」之十九

周遊

王公子歸家，被乃父怒斥，旋乃折節讀書，連登甲科，乃後擢御史，巡按山西錄囚，乃得以雪蘇三之冤。王公子復與玉堂春團聚。

情典中的玉春堂

玉堂春故事，各地有不同的情節，如男女主角人物姓名之不同者甚多。茲錄「情典」中「玉堂春」一文，俾便與影劇故事作一比較觀。（此故事載「情典」摯愛篇）

河南王舜卿，父爲顯官，致政歸，生留都下，支領給賜，因與妓玉堂春姓蘇者狎。創屋宇，置器飾，不一載，所費罄盡，鴇母有繁言。生不得已出院，流落都下，寓廟中。有賣果者見之曰：「公子乃在此耶？玉堂春爲公子誓不接客，命我訪公子所在，今幸無他往！」乃走報蘇。

蘇誑其母，往廟酬願，見生抱泣曰：「君名家公子，一旦至此，妾罪何言！然胡不歸？」生曰：「路遙費多，欲歸不得！」妓與之金曰：「以此置衣飾，再至我家，當徐區劃！」生盛服僕從往，鴇大喜，相待有加，設宴夜闌，生席捲所有而歸。鴇知之，撻妓幾死，因剪髮跣足，斥爲庖婢。

未幾有山西商人聞名求見，知其事，命鬟之，以百金爲贖身。踰年髮長，顏色如故，攜歸爲妾。

初，商婦皮氏，以夫出，鄰有監生，挽嫗與通。及夫娶妓，皮知之，置毒酒中，妓逡巡未飲，夫代飲之，遂死。監生欲娶皮氏，乃唆皮告官，云：妓毒殺夫。妓曰：「酒爲皮置」，皮曰：「夫始詒爲正室，不甘爲次，故殺夫，冀改嫁」。監生陰爲左右，妓遂成獄。

生歸，父怒斥之，遂矢志讀書，登甲科，後擢御史，按山西錄囚。潛訪得監生鄰嫗事，逮以來不伏囚，潛匿一吏於庭櫃中。監生、皮氏與嫗俱受刑於櫃側。官僞退吏胥，鄰嫗年老，不堪受刑，私謂皮氏曰：「爾殺人累我，我只得監生五金及兩疋布，安能爲若受刑？」二人懇曰：「姆再忍須臾，我罪得脫，當重報！」櫃中胥聞此言，即大聲曰：「三人已盡招矣。」官出，胥爲證，俱伏法。王令鄉人僞爲妓兄領回籍，陰置別邸爲側室。

（本片邵氏出品，由林黛、趙雷主演，于五十一年在台北新世界等院上映）（下）

歐洲中古接生趣聞

胡笙

上述是發生在一六五八年的事情，但在過了一百多年後，男醫生接生的事情還是很不習慣和彆扭的。這種拘謹的觀念，是無知與迷信所使然。

後來，在男醫生幫助接生形成社會風氣之後，男人還需要在黑暗中摸索，雙手伸在床單下面進行接生。往往是在產婦與醫生之間繫上一條被單，被單的一端是結在醫生的脖子或其身體的其他部份上。

據一八一四年發表的「接生法」規定，房間通常是要黑暗的，蚊帳要放下來。即使是這樣，一些「故作弱質」的婦女，在陣痛劇烈難受之前，還是要拒絕男醫生作產前診視的。醫生們被通知，如有一位未婚女子在房間中的時候，不可作分娩前的診視。

這種在黑暗中接生嬰兒的事，是一危險的行動。臨床經驗豐富的史米里醫生，就有一次偶然剪錯臍帶的部位而致產婦流血不止，後來終於搶救安全，獲得產婆的稱讚。他在事後說：他在一生中從未有這樣地驚恐過。（二）

內政部登記證內版台報字第〇三號

自由報

THE FREE NEWS

第四六期

中華民國僑務委員會登記
台灣新字第三三號登記證
中華郵政台字第一二八二號執照登記爲第一類新聞紙類
（中週刊每星期三、六出版）
每份港幣壹角
台灣零售價新台幣貳元
社長：雷嘯岑
督印人：黃行響
社址：香港銅鑼灣高士威道二十號四樓
20, CAUSEWAY RD 3RD FL. HONG KONG
TEL. 771726　電報掛號：7191
承印者：大同印務公司
地址：香港北角和富道九六號
台灣分社
台北市西寧南路壹壹零號二樓
電話：三〇三四六
台郵撥儲金戶九二五二

用新人、行新政釋義

·陳侃·

筆者自認是時代落伍的舊人，對政治生涯已經沒有甚末興趣，但愛國心情并未衰退，且由於身受國破家亡之痛苦，更昕夕期望中華民國政府及早規復中原，還我河山，誰個英雄豪傑能夠肩負復興大任，撥亂反正，總是無條件地尊崇擁戴，甘作順民。因此之故，對於時人甚囂塵上的所謂「用新人、行新政」之道，試作客觀的批判，以就正於讀者。

所謂新人，應該是指未曾在政治舞台上扮演重要角色的俊乂之士，其中又分爲在朝和在野的兩種人物。一般秉掌簿書、浮沉於宦海中的中下級公務人員，儘多幹濟之才，祇因沒有奧援，不善奔競鑽營，久居下位，無從得當以自見，就變成廢材了。若夫棲遲民間的知識份子，雖用世心切，而請纓無路，且格於資歷的法令限制，如果沒有「人事關係」——包括小派系與裙帶關係，要想在政界佔取一種末秩微祿地位，亦戛戛乎其難哉！古人常有徵辟巖穴隱逸之士，破格錄用的求治作風；也有正色立朝，爲國求賢的宰輔大臣，每以薦舉人才爲己任；更以開科取士的謹嚴制度，對及第者循序授官任職，依績業而黜陟遷擢，無所假借。這樣，政治上自然形成波瀾壯闊、新陳代謝的活躍氣象，可以達到「人盡其才」的理想境界。今人則異是，用人求賢的範圍只在私人小派系中兜圈子，在野的隱逸之士縱然才高八斗，學富五車，若不能攀援門路，丐得「人事關係」，唯有老死牖下，與草木同腐的份兒。至於開科取士的形式猶存，而實質迥異，考試與任用不相聯繫，虛有其表，聊資點綴罷了。在民主憲政體制之下，民意代表限期選舉，固不失其爲登庸新人的良好途徑，然厄於現實的患難環境，歷時將近二十年，亦復依然故我，無法更新。積此數項原因，所謂用新人的口號雖然人同此心，一致高呼，而實際還是在口號階段。

最近國大代表會議通過臨時條款，授權總統調整或增減中央行政機構，增選或補選自由地區和光復地區的民意代表，宜若可以實現「用新人」的要求了。然筆者尚不敢作絕對的樂觀，何以故呢？人才是要經過陶冶鍛鍊而來的，平日既沒有儲才試才的運作工夫，又缺乏健全的人事制度，當局者縱有拔擢新人的意志，然由於見聞不廣，訪察難週，加之以私人主觀好惡的心理作用，仍不免局限於小圈子主義或「所識窮乏之皆得我」的感情支配之中，結果將有葉公好龍而眞龍不至，羊公好鶴而鶴皆不舞之虞，寧非大背初衷嗎？且新人亦有才不才之別，孰賢孰能，決非僅憑虛聲或外表詞色所可鑑定的。必也如曾國藩所詮釋的「廣收，慎用，勤教，嚴繩」八字訣，去私去蔽，身體力行，纔可望獲致新的人才，相助爲理。

「用新人」這一要求之所以產生，是對政治上一般「中朝大官老於事，但知感激徒媕婀」的舊官巧宦，深感失望而然。因此，現有的文官保障法規與銓敘制度固應加以改革，而久據要津高位，并無績業建樹的名公鉅卿，尤須退避賢路，讓新人來接棒才是。古人對於失職瀆職的官吏，除依法懲究其本身外，更究問原始論薦或援用該官吏之人，藉肅紀綱而昭烱戒。我認爲在今日國步艱難，人慾橫流的非常時期，這辦法似有施行之必要。

二

談到「行新政」，問題更不簡單。我們政府於對日抗戰復員後，結束訓政，頒佈憲法，還政於民，這是劃時代的新政。繼在台灣實行土地改革，推進地方自治，發展工商企業，加强經濟建設，乃至於改良農作物，釐定科學發展計畫等等，無一不是屬於新政範疇。顧何以時至今日，大家仍認爲政治未能配合軍事的進步，還要發生行新政的要求，更由國民大會授權總統，設置動員戡亂機構，採取非常的行政措施呢？此中原因，實與新政無關，試申言之：

任何一項政治計畫和方案，都是白紙黑字，而需要人才來推動的。行政人員要想完成任務，博得預期的效果，必須具有施展抱負，發揮個性的權力和環境，決非左顧右盼，憂讒畏識，而以開會爲服務之本，請示爲負責之本的作風所能濟事的。凡屬眞正有作爲、有辦法的行政人員，一定有他的見解和個性，遇事即不肯唯唯諾諾，敷衍塞責，如宋代的王安石，明代的張居正，乃至於清代的曾國藩胡林翼等人，都在歷史上奄有實行新政、中興國家的輝煌紀錄，但他們若不是君主信任之專，得到充分發揮個性，施展抱負的權力和環境，還不是一籌莫展的庸才嗎？唐太宗李世民能夠聽受臣下的諫諍意見，讓大家各盡所能，力圖報稱，而隋朝的佞幸之臣，亦在唐太宗驅策之下，變成卓然樹立的幹濟之才。所以，今日我們要求行新政的大前提，先須奠立新的政風，對於担當重任的行政官員，信任固然要專，應有的職權更不宜削減分割，尤其要容許、獎勵他發抒個性與見解，培養其勇於治事的責任感。必如是，即可使在朝在野的才智之士，聞風興起，以身許國，新人樂於投効，舊人奮勉圖存，任何新政皆不愁扞格難行了。政風如不革新，大家瞻顧因循，唯唯諾諾，相率以多做多錯，少做少錯，不做不錯爲服務守則，行政上分層而不負責，負責却不分層，一切責任皆推之於最高當局身上，那末，縱使超過古今的奇才異能之士充塞於政壇間，亦將徬徨顧忌，無所作爲，新人舊人，依然一丘之貉，新政云乎哉！

三

用新人、行新政之說，聽來似乎很新鮮，實際并無新義。政事的成敗得失，完全繫於執行的人，得其法，得其時，如舊人亦可以行新政，如已故的財經首長尹仲容，原係政府在大陸時期的舊人，但他到台灣來却施展了若干頗有績效的新政；沒有適當的機會權力和環境，新進人才或許更將無所措手足，而終趨於不做不錯的舊人之列。有人認爲中央各民意機構久不改選，是阻塞新人從政的最大障礙，這話當然有理由，因爲這些民意代表人數衆多，依時改選，可使許多新起的人才，得有過問政治的機會。但是，如果現有運用民意機構的作風不改變，即令盡數新人置身於其間，亦復猶吾大夫崔子，徒然以吃憲法飯過活，而在政治上發生不了甚末作用。舊人曾經新，新人亦將舊，本質上并沒有甚末差別的！

筆者認爲用新人，行新政這類說法，現還是枝葉問題，有的整個行政的體系，有如一部龐大而陳舊的機器，消耗甚大而生產力殊薄弱，光是換換螺絲釘，擦擦機器油，不甚管用了。今後且看最高當局本着國民大會的授權，能否把這部機器一切改造以適應時代的要求，跂予望之。

一視同貧

目中無人

自由談

舊調重彈

聯合國安理會最近接受英國的要求，通過以武力禁止希臘油輪運輸石油赴英屬羅德西亞的決議案，而英國軍艦立即在公海上實行這項禁運令，順利完成了任務，阿彌陀佛！

聯合國之有禁運令，肇建於韓戰期間，由美國提議通過執行的，目的是禁止自由國家以軍用物資——石油當然在內——運往共產區域牟利資敵。可是，在韓戰尚未完全結束時，西方商人即任意破壞禁運令，隨時把軍用物資輸入共區；板門店和談協定成立後，所謂禁運令早已成爲廢紙，而以英國反對禁運政策最力，常與美國齟齬不已。如今忽聞舊調重彈，眞令人不無隔世之感也。

假使聯合國當年對共區的禁運令，西方國家亦有如今日對一個小小殖民地羅德西亞禁運石油的嚴厲實行情形，毛共威脅自由世界的能力，又何至猖獗若是耶？羅德西亞的少數白種人倡言獨立，對自由世界的影響，連癬疥之疾亦是說不上，它祇是等於一枚蚊蟲在牛身上吸一下，無關痛癢的，祇是對英國利益有些損傷而已。即此可知強權主義依然盛行於國際間，毫無正義公道之可言，聯合國不過是強權主義者營私作惡的工具，甚末「世界政府」，甚末「維護世界和平秩序」云云，以及所謂聯合國憲章也者，盡是些自欺欺人的廢話，豈有此理！

記得第一次大戰後的國際聯盟，亦以維護國際和平的世界政府相標榜，最後由於英法兩國偏袒着意大利侵略阿比西尼亞問題，發生「經濟制裁」的爭執，各行其是，乃使「國聯」宣告收攤，而二次大戰從此加速勃發了。後之視今，亦猶今之視昔。我敢預言：聯合國壽終正寢的時間已不遠，大家拭目以俟世界末日之來臨吧！

馬五先生

今日與明日

善惡有報

一九五八年七月十四日，伊拉克首都巴格達一羣暴徒闖進王宮開槍打死了二十四歲的國王費薩爾二世，王叔阿不杜拉，首相塞德（西方世界在中東最有力的友人），推翻費薩爾王朝，改建共和國。領導這羣暴徒的首領是卡森准將，阿里夫上校。

伊拉克改建共和國之後，卡森自任總理，阿里夫任副總理。由於阿里夫是卡森任軍事學校校長時的學生，所以卡森對外稱阿里夫爲我的兄弟，我的兒子。中間過了不到半年時間，這對父子與兄弟之間又發生了權力衝突，卡森放逐阿里夫爲駐西德大使，阿里夫抗不受命，在總理辦公室拔槍要打死卡森，被左右衛士制服，不過卡森到沒有殺他，只是派人予以監視，不准其自由活動，如納薩之對其老上司納吉培。中間歷了五年的時間，卡森終於被伊拉克軍人與復興黨聯合推翻，和國王一樣死於亂槍之下；這一羣人感到羣龍無首，從幽居中找出阿里夫任總統。最初只是一名傀儡總統，大權操於執政的復興黨人之手。一九六五年經過一次政變，阿里夫運用權術，拉攏軍人，驅逐復興黨，始獨攬大權。不到八年時間，以一名上校，竟在弒君之後，躋於總統高位，說來算是幸運的了。不料在這次乘坐直升機竟在沙漠中失事，日期也是十四。比國王同卡森死得還慘，燒成了一堆焦炭。看到卡森同阿里夫的下場，眞使人感到天道有知，作惡的人終究必得惡報，欠人血債一定用自己血來償，毫厘不爽。

印尼群衆搗毀毛巢

就在阿里夫墜機而死的次日，印尼華裔羣衆兩千人衝入耶加達毛共「大使館」，將文件搬出焚燒，毛像毛旗撕得粉碎丟入屎坑，門前三架平治汽車，也打得稀爛。更證明惡有惡報到處都是一樣。

兩個國家交惡充其量是斷絕邦交，像羣衆這樣瘋狂襲擊的尚不多見。中國政府自從棄守大陸之後，駐外使節不少因駐在國承認毛僞政權而自行撤退，但行時定作有禮貌的辭行，聲明後會有期，而各該國有識之士也都依依不捨，備致歉意，幾時曾被人擲過一顆石子？這就是善與惡之分，絲毫假不得的。試看毛共印尼「使館」竟然藏有機關槍，悍然向示威羣衆開槍，這以來反而引火上身，一名共幹竟被流彈擊中血染征袍，更證明惡有惡報，引火終於燒了自己的身。在海外的毛幹如此，國內的前途又將如何？阿里夫就是毛劉周朱一批人的鏡子，小共幹更不必論了。（何如）

現有貨輪稍逾一百萬噸

政府積極鼓勵發展航運業

購船造船均可申請銀行貸款　并協助航業界開闢國際航線

拓展國際貿易，首先有賴航運的配合。自由中國在過去十年來的經濟發展，使生產力大量提高，產品外銷逐年激增，因此發展航運問題，成為今後主要的目標。國內商人以及海外華商均不斷呼籲政府積極研究發展並輔導民間投資協力辦理。

開拓貿易　輸出勞務

發展航業無論在開拓貿易，輸出勞務，賺取外滙，抑為團結僑心，敦睦邦交，以及用於配合反攻，支援軍需，都是刻不容緩的。政府特於去年四月間在交通部設立航業發展中心，針對我國航業目前亟待解決的問題，謀求解決與發展。經由經濟及交通主管機關協同加強中心的工作，決定：（一）對於購建船舶，將給予資金融通上的優待，由銀行視實際情形，進一步加強協助。（二）對於國內造船給予補貼，目前國內造船價格高出國外造價百分之十五，補救的辦法將由政府、造船廠及購船人員各負担百分之五。（三）協助航業界開闢新航綫，例如與東南非洲、歐洲及南美洲等地區，開闢定期航綫。該中心並已獲得聯合國特別基金援助美金一百萬元，並展開下列工作：（一）研究國際貿易與世界航運狀況，促進我國航業改善經營管理。（二）改善航行安全、船舶保養及貨物裝卸等事項。（三）辦理航業管理人員及船員訓練，增進我國航業人員的素質。（四）辦理政府及航業界委託的有關航業事項。半年來我們的航業發展，無論在商船噸位的增加或港口開發等方面，均甚積極且有相當成效，茲扼述如次：

加強班次　開闢航線

一、商船噸位及航綫方面：目前我國現有貨輪（二〇〇噸以上）一三八艘，總噸位為一、〇三五、二五二載重噸，（其中公營僅招商局與台航公司兩家約廿七萬餘噸，民營公司則佔七十六萬餘噸），已超過一百萬噸。較五十三年增加輪船十三艘，計一五八、三七九噸，較民國四十三年時僅四十餘噸顯然增加甚速。其中尤以去年度增加十五萬噸以上較為特出。關於航綫方面，目前台灣、西貢、曼谷、星加坡、檳城間之東南亞航綫已由招商局及復興航業公司派船航行，該綫每月一次，平均每月有三至四艘。年來除加強原有對美國東海岸及東南亞航綫的船隻及班次外，並將開闢中歐、中南美及中非新航綫。此外，並決定開闢中馬的定期航綫。

二、港口開發方面：（一）基隆港務局自行設計，榮民工程處承建的基隆港卅三號深水碼頭，全長二〇〇公尺，水深十一、五公尺，共耗資新台幣三千二百萬元，係排樁棧橋式之深水碼頭，可停泊二萬至五萬噸貨輪。（二）擴建台中港工程，經初步規劃完成，將俟大甲溪整治完成，解決流沙問題後，即可正式施工。台中港位於台中縣的梧棲，建港規模以全年吞吐量六百萬噸為標準，並以發展大工業區為主要目標；港內劃南部為工業港，中部為商港，北部為漁港。整個工程分為三期施工，需時十五年完成，總工程費新台幣三十一億八千四百六十九萬元。第一期工程完成後，規模與基隆高雄兩港現相似，二三期工程為擴建工業港，商港及漁港。築港完成後，中部進出口貨物，不必再由基高兩港轉運，年可節省運輸費用約新台幣億元。（三）開闢高雄第三港口，其位置約距現在之高雄港口九公里，即在紅毛港與中州之間。是處海岸平直，南北均無障礙，開港後興建防波堤，就能保持航道水深及港面平靜，預定開闢之目標，以七五、〇〇〇噸散裝貨輪滿載單向行駛自由進出港為準，全部工程費用新台幣四億六千餘萬元及美金四百廿萬元，分別由省府負担二億三千八百元，中美開發基金貸款二億二千八百萬元，日本貸款美金四百廿萬元。自本年元月動工先進行第一期工程，預定七年完成，到第五年時即可通行萬噸貨輪。

擴建高雄　基隆兩港

三、擴建現有基隆高雄兩港，經籌措新台幣八億八千萬元，用以擴建，計劃包括四大部份：（一）基隆港小型船渠興建計劃，以容納千噸級沿海輪船二艘，小型船舶三十艘，登陸艇三艘，暖風時可供小型船二五〇艘避風。（二）基隆港東岸淺水碼頭第二期改建計劃，增加碼頭六座，增加碼頭能量一百萬噸。（三）高雄港，十一、十二號碼頭改建計劃，以增加深水碼頭兩座，並延伸新濱碼頭以供海軍及澎湖專用。（四）高雄港開闢第二港口。

四、興建倉庫方面：基隆高雄兩港計劃興建大批倉庫及貨棚，添置裝卸機具。所需資金將動用中美經社基金，另由港務局投資及部份運用日本長期貸款等。

鼓勵僑胞　投資經營

五、其他由旅居海外航業鉅子出資，在高雄設置可泊十萬噸巨輪的浮塢碼頭，將由馬爾他島運台。

政府為鼓勵民間投資共同發展航業，規定輪船公司建造新船及購買現成船均得向銀行申請貸款或保證分期付款，凡建造新船如在交船前須付款百分之三十者，可照造價貸款百分之十五；保證分期付款為造價百分之七十。至購買現成船其係定期航綫船，貸款及保證分期付款照船價百分之七十，期限五年；不定期航綫輪船之貸款及保證分期付款，船齡在七年以內者為百分之六十，期限四年；船齡在十二年以內者為百分之五十，[illegible]（華僑社）

屏東二三事

·本報屏東記者朱湘鈞·

△屏東縣民選縣長張豐緒一上台就將縣府人事大調動，由人事主任開始，而教育科長，建設局長。特別是建設局長康玉湖，調動後，仍不斷遭受打擊，諸如：縣民投書向省府密告之類。省府當然發交屏東縣府查證報核；而在密查中，縣府即向新聞記者公開發表。如此一來，不論其是否事實，起碼對康玉湖的聲譽及給他精神上，是一種不小的打擊。而最近康玉湖局長因工商課的秘書公文延遲處分，縣長公文，站在縣府的大門口，向幾位新聞記者說：「康局長記過了，你們敢不敢刊登新聞」？鍾秘書如此做法，究竟是其本人與康局長有何恩怨過節？抑或是另有原因？就不可得而知之了。惟無論如何，總不能算是「高明」之舉。許多人便都不以為然。

△康玉湖調去台南後，他家眷還是住在屏東縣府的宿舍裏，原因是台南公家的宿舍太小了，康家人多，無法搬入。屏東縣府則以此為題，向康玉湖及台南縣府數次催討；台南縣府以無宿舍為由，曾正式公文及派人專程抵屏向張縣長說項，請其稍寬時日，但未得同情。據屏東現任建設局長劉萬還表示，他很同情康局長目前處境。劉局長本人的太太，因在台北任職，暫時不搬來屏東，對討回宿舍一事，他並未堅持。加以屏東縣府的宿舍，也大有人在借給外人住的，也有私下頂讓的，縣府為什麼不設法收回，而獨對康玉湖如此認真？據記者所知，兼任某兩報記者的某先生，就住在縣府宿舍。外間並有傳言，為迎接今年十月份省運而新蓋體育館的機會，由某先生冒稱違建戶，意圖獲得國民住宅優待興建的公有土地與貸款，以及違章建築之遷移補償費云云。曾有人向屏東地檢處及屏東縣政府提出檢舉，但時至今日，亦尚未見有所處理。

△台糖公司屏東廠的人事課長余光福的太太，對其年逾八旬的婆婆十分不孝，而余課長又畏河東獅吼，順妻而逆母。老人家雖年逾八十，仍要為兒子媳婦孫女洗衣煮飯，稍不如意，則受兒媳的閒氣。全廠員工同仁，莫不知之，惟因畏其主管人事，均敢怒而不敢言。最近余老太太患病不能行動，該廠婦女會[illegible]婦女節之名，[illegible]美西女士，與張靜文、劉秀妹兩委員，攜帶兩盒及隨同慰問品等，前往余課長公館慰問余老太太。詎料余太太竟以老太太不在為由，將攜帶物品慰問的人拒之門外，禮品則照單全收了。

戰地運動會與戰鬥青年

勞克

戰地舉行運動會，以青年救國團金門支隊的社會青年與在學青年為主。次之，便是軍中青年。

當運動會揭幕時，筆者訪問了他們。他們每個人，體格壯得小牛牯似的。

我訪問：被譽為古戰場的古寧頭的王文一青年。古寧頭的所謂古戰場，一是三十八年十月，共匪的數萬兵力在該處登陸，而被我軍打得落花流水。古寧頭的村莊，也整個受了洗禮，沒有一間房子是好的。二是八二三炮戰，炮彈落的最多也是古寧頭。平均每公尺有三顆炮彈，整個村莊被炮彈炸平了。自然，共匪的企圖心，還是想在古寧頭登陸的，卻不料又給我軍一個迎頭打擊。

「你參加什麼項目？」

「跑馬。」

「你過去常跑馬吧？」我問。

「不，」他笑着說：「我喜歡馬，也就時常騎馬。但我很少參加跑馬。」

「你在古寧頭有馬吧？」

「有。我們耕地就是馬。我對馬，也就不陌生的。」

「這次參加運動會，練習過跑馬吧？」

「練習過。」他說：「如果不練習，那就不敢參加跑馬了。」

其他還有跳高，武裝賽跑，手榴彈投擲等等。

一般人認為：運動會中應以籃排球，賽跑和跳高跳遠為主。但在戰地運動會，一方面重視這些，同時還重視：手榴彈投擲。軍中青年要參加，社會青年與在學青年，更是必要的節目。

我問了當地的救國團某人士，他說：

「戰地是以作戰為主。如果共匪侵犯，那人人是兵，村村是營。現在的社會青年，都是有訓練的，常常練習打靶，投擲手榴彈。唯有這樣，共匪才是死路。」

我「哦」了一聲。原來如此。

於是，我訪問了一位在金門中學的李文雄同學，他讀高二，個子中等，長臉。

「你參加手榴彈投擲吧？」

「是的。先生。」

「你能投擲多遠呢？請說你在練習時的成績。」

「六十五公尺。」

「你常常練習吧？」

「每個月都練習的。」他說：「因為這兒是戰地，我們有射擊，也有手榴彈投擲的。」

「真的手榴彈？」

「真的。」

同時，這些在學青年，十分仇恨共匪。他們一致認為：共匪從那兒來，就在那兒消滅它。

他們和軍中青年，有良好友誼。他們經常有籃排球隊在軍中作友誼賽；又利用過年過節，和軍中青年聯歡。

「你們喜歡軍營吧？」我問。

「自然喜歡。」他說：「我們先期同學，百分之九十都投考候補軍官的。」

「那你呢？」

「現在還沒有決定。不過，我對軍營有好的印象。」

還有來自烈嶼的社會青年。這些青年，更是常和軍中青年在一起。

烈嶼離共匪最近。在深夜，可以聽到彼此的喊話。軍中青年，是以戰鬥的精神，而使共匪不敢越雷池半步。社會青年，則在各方面鼓舞他們。

在六天的運動會中，充分表現了：爭取榮譽，而表現了合作，團結。他們每一項比賽完畢，就彼此敬禮和握手。

「對不住。」

「對不住，剛才沒有禮貌。」

「對不住，失禮的地方請你原諒。」

因之，他們在這次運動會中，青年們更大團結起來。在閉幕時，他們共同表示：

在一個旗幟下反攻大陸。

在蔣總統的領導下，完成革命的使命。

我曾和社會青年談論到他們的觀點，一位瓊林鄉的方小之青年說：

「有國才有家，所以我們就是以保衛國家為第一。」

「你以前在那個學校的？」我問。

「台北育達商職。」

「你是寄讀的？」

「是的，」他說：「那是八二三炮戰，學校沒法上課，我們才到台北讀的。」

「畢了業？」

「畢了業。」他說：「因為我出生在戰地，我也喜愛上戰地。所以——」

這些可愛的青年，他們在這次運動會相處得真好。可保證，未來在戰場上也相處得更好。

港美大學交換學生

[illegible]

瀛海異趣談

英太子留澳傳說有內幕

·桑雅·

在英國歷史上，皇室人士仍在求學時期，而遠離英倫本土生活，那是第一次。這位皇室人士，自然就是儲君查理士王子了。

他今年還不過十七歲，已在澳洲唸書，最近，還決定再逗留多一個學期。皇室聲明這一行動，完全是「兩國交換學生計劃」的一部份。可是據佐治、米雪亞的意見，這是「暫時流放的一個方式」。佐治雖是一個平民，但他與皇室人士常常接近，已有廿多年歷史的了。

理由是爲了什麼呢？是盛傳爲了一個十七歲的少女——黑髮美麗的仙杜拉．施賓絲。她與父母住在伊爾根，距離哥頓史頓學校八哩之遙，王子便是在那裏唸書。

仙杜拉去年舉行一次派對之後，謠言便傳開來了。原來派對中貴賓之一是王子。他已是很懂禮貌，十分謙慣，當時他與每一位女賓共舞，可是，他與仙杜拉跳了一隻又一隻，樂此不疲。

她的朋友如此憶述：「他們眞是天造的一對。她們一起的時候似乎很快樂哩。他抱得緊，不時用嘴唇輕擦她的面頰。他喁喁細語，她靜聽不時微笑」。

這不是他們第一次相遇。但這一次，最引人注目。

一九六五年的一晚，學校上演名劇「披娜科」。由于這個機會，校中男生認識了伊爾根女校的十五名女生，因爲她們是被邀請參加演出的。其中一個主要角式担任，她便是仙杜拉。劇中男詩歌班的是查理士王子。

據在場的同學說：他們開始便發生好感了，尤其是查理士這方面。綵排時，他們不時找機會一起交談。她在台上表演時，他的視綫永遠跟着她的動作。到正式上演時，他們已約好日後見面的機會了。

只是數週罷了，由于那個派對，他們又在一起了。他們離開之前，他還拉仙杜拉在一個角落，達數分鐘之久，他們還緊握着手。佐治對記者肯定地說：「查理士王子被派送往澳洲唸書，顯然是與這位平民少女有關。不少人已知道這個事實了，這不是我個人的幻想。」

倫敦泰晤士報也作這麼的報導：「在傳統上，王子的訓練，這一次似乎是有點突然中斷……」事實上，澳洲學校的一個學期只得三個半月，在這短促的時間，他能學到一些什麼呢？難怪最近宣佈要延長一個學期了。

在伊爾根女校中，仙杜拉與王子的戀愛已成爲公開秘密，總之，謠言滿天飛。一些女學生繪影繪聲，證明派對後，他們會面多次，其中一次在餐室相見哩。

不過，「美國雜誌」「電影月刊」專欄作者羅素親赴倫敦，訪問仙杜拉，她這麼說：「綵排時，當我知道王子也在場，我眞有點神經緊張，不知如何稱呼他。後來我們被介紹認識時，方式像普通朋友的一樣。我們交談之下，逐漸發覺不少意見是彼此相近的。」他說喜歡蘇里張及莎士比亞，我也是如此，他是一位跳舞能手，他什麼舞都懂得跳。這使我驚奇。因爲從樣子上看，他是相當嚴肅的。他問的問題，是其他男孩子不關懷的，例如——「我離開學校後幹什麼？我如何使用零用錢？」我發覺他是我遇見所有的異性中最和藹的一個。

「他很有幽默感，常常說笑。至於前往澳洲唸書這事，我覺得他事前是一點不知情的。與皇室人士交朋友，眞是戰戰兢兢的，常常恐怕滋生是非。現在，他去了，我個人仍不清楚究竟爲什麼。」

離開校不遠的一間餐室，通常是一班學生在那裏聚餐，在門外的牆上，有人用白粉在上面塗上「查理士愛仙杜拉」這幾個字。附近的一間酒吧的老板對查理士王子的意見是：「我們都覺得他總是十分快樂的。」佐治的意見是：「查理士與仙杜拉的友誼是十分正常的，只是皇室方面過份敏感吧了。」

白金漢宮的發言人最近表示：除了官式那次宣佈之外，不作任何解釋。不過，另一位發言人的反應是：「王子前往澳洲唸書一事是女皇與皇夫的主意；事後與英澳兩個首相商量，他們都表同意。」現在，王子離開英倫本土一萬四千哩那麼遠，但謠言仍不因此沖淡些。時間是一個最好的證人吧？

爲「水滸傳」尋賊譜

匡正

水滸中人物，在史傳中紀述最多的，除宋江之外，尚有董平。董平的勢力甚大。「中興雜記」謂紹興三四年，梁山水砦悍寇董平猶擁衆數萬，盤據楚南，自攸縣至衡陽十餘州軍，皆爲平有。平命其黨徒助民耕種，而取其穀十之二，因以餉軍，士飽馬肥，積聚如山；商旅雲集，納規例者無所犯；遠近多爲耳目，不以爲盜境也。其所居帥府榜曰「忠義堂」。聲言日夜待朝廷招安，以抗金人云。這些記載，正可作爲水滸作者之取材。梁山泊上正堂即曰「忠義堂」，山泊中也有耕作，宋江等人亦心存招安。董平的一篇「賊史」在宋史胡交修本傳中尤詳細。胡交修所上弭盜保民豐財裕國強兵經戎三要疏云：「昔人謂飢有麥飯，床有故絮，雖儀秦說之，不能使爲盜。惟其凍餓無聊，日與死迫，然後忽以身棄之於盜賊。陛下頒寬大之詔，用其自新之路，禁苛暴之政，豐其衣食之源，則悔悟更告語，歡呼而歸，不悔悟者黨羽削弱，必爲吏獲，盜可平而民可保矣。……日者翟興連四路，董平據南楚，什伍其人，爲兵爲農，不數年積聚充盈，雄視一方。盜賊猶能耳！況以中興二百郡地，欲強兵以禦寇，不能爲翟興、董平輩之所爲乎？」胡交修爲常州晉陵人，進士出身，亦爲南宋儒臣。陝西名帥胡世將即其從子，宋史交修一門，可見南宋盜賊熾盛之一般。董平在梁山上爲五虎將之一，以雙槍知名。建炎初，聚衆攻德安府，守臣陳規走之；過至潭州，重行嘯聚，以不附楊么故竄湘南而爲者。此人的結局是入天台山不知所終。

其次是關於討方臘的事，水滸與宋史均記載，而且爭論甚多。水滸傳宋江有討方臘，侯蒙傳云使討方臘，但未見下文則侯蒙已死。宋徽宗本紀以爲討方臘是忠州防禦使辛興宗，據童貫傳則爲宣撫使童貫；據韓世忠傳則爲世忠。討方臘可能諸路圍剿的戰略，各將皆有功，而且也有貪功冒功之事發生。先引童貫傳以見方臘的來龍去脈。童貫傳云：方臘者，睦州青溪人也，世居縣堨村，托左道以惑衆。……臘因民不忍，宣和二年十月起爲亂，自號聖公，建元永樂。（三）

發揚國劇問題之我見

滌秋

現在的伶工，沒有看到以前的，有一點閉門造車，成爲不倫不類。在此，應於某新排的戲演過後，提出問題，大家研究。期使每劇多能合理，不可有非驢非馬之態！

（四）如何鼓勵國劇之創作

以往的創作，多是每個劇人的文學侍從之士，所以各逞才能，成爲各個的劇本並不相同，積粉並陳。各演各的，都無相似。此四大名旦在劇藝上具有功績，也是許多文人的心血。所謂編劇者，也有酬報，或爲負責其生活，例如陳墨香以侍郎的公子，大清亡後，家道中落，遂由荀慧生養其餘年。現在劇本缺乏，自應鼓勵創作，不論電影話劇的劇本，以及小說，政府每年有獎金，獨有平劇付之闕如，即或部份有獎金，要視有關係方可取得，因此而新人肯編，或不能從事，即「老戲新編」，或「新劇創作」，皆是未見，如何鼓勵，端是要著。例如欣賞會所提供的花蕊夫人，王翎緣等，非特無獎，抑且劇團也不演，他們爲免劇本的編製所付的代價，逐走入「自導自演」的趨勢，所演出的難免潦草支離，唱句的首腦不正。爲了編者並非是當有文學的先生，如何能成？這樣情況，演變下去，勢必精華蕪棄，徒存糟粕，或竟成外國的情調與趣味，眞可歎也！

欲謀鼓勵創作，必須設置獎勵金，以資號召。此事應請教育部每年就社教基金項下，撥出三四萬元（有如滄海的一粟）來充六七個或七八個的創作獎，要合乎平劇的規律，顧到場子，扮演，作表等等，選派名家審核，合乎標準，即交劇團排演，不能束之高閣。逐漸就此改進，大可不必去抄襲舊本的演本，充作自編。希望教育部採納此議，來提倡平劇，使其發揚乎！

（五）如何建立嚴肅的寫作態度

在八九年前，台北的人士喜愛寫寫談談劇的，不過七八人而已，現已到了近卅人。有些人士爲了要看戲的希望送票，也作廣告式的寫作，再則捧的程度，也做到極盡其錦標，或則捧上天去，也許稱爲五花八門的惡形，見之報章，自鳴得意。因遭受到某隊散發印刷品，大罵劇評人的三白主義，閱者之後，慨然興歎！是誰作祟？竟有人告我：你們劇評人，斯文掃地。我即告你，原諒送掃地人。更有某坤票相告：你們劇評人有正邪之分。即詢是那位是正？那位是邪？則曰：不便奉告，總是沒有你。正的不少，邪的也有這種論調，只有撫心自問。我總[illegible]銘將軍去國之前，曾與同文言之：「請今後作適當的鼓勵」此言實爲踏實。因此欲建嚴肅的寫作，是全在五位編輯的取舍，批評要有物據，褒揚也要有據，不是阿孝妳眞俏，高興就捧，不高興就挖告或罵。如何能得讀者的尊崇？不再嚴肅如何再來恢復令譽？編輯先生多操心，以求建立好風氣！（三·完）

新三國

濟北太守鮑信，字允誠，泰山陽平人。他曾經建議袁紹，在董卓初進洛陽時，打他措手不及。可是袁紹不採納。他逃回家鄉去招募義兵，曹操約他同起事。他的濟北太守轄地有盧縣等五城，郡治在盧縣，即今之山東長清縣西三十里。他的弟弟鮑韜做濟北相。後戰黃巾陷陣成仁。

以上起義的各路英雄，共計十人，大家公推袁紹做盟軍總司令。每路各有人馬數萬，合起來有數十萬衆，號稱百萬大軍。這十人之中，以陳留太守張邈最爲積極，張邈的身後是曹操。當曹操逃出洛陽後，走到陳留，就和張邈商議，舉兵討董卓，張邈很贊同。袁紹就保了曹操爲奮武將軍。向誰保呢？應當是向漢獻帝保。但是皇帝能看得到表看不到表，他就不管它了。反正鮑、曹二人不待批准，便可以先做起將軍來了。

各路州郡同時聲罪致討。此時袁紹的兵屯在河內；張邈、劉岱、橋瑁、袁遺等的兵都屯駐酸棗，即今河南延津縣北十五里（是兗州陳留郡屬）；袁術的兵屯駐南陽，孔伷的兵駐在潁川；韓馥的兵駐在鄴縣，即今之河南臨津縣西南四十里（屬冀州魏郡）。這種態勢擺開，天下震動。董卓當然不安起來。但是，他一不做二不休，率性亂幹一通。董卓的兵雖強，然名不正言不順，且爲廢帝、弒后之逆行！不但得不到百姓同情，反而爲百姓所怨憤。而東方的盟軍很多，聲勢浩大，不可力敵。於是他想到從洛陽遷都到長安，他有兩點重大理由：一是、離東方較遠，而且有函谷關可守，東方的兵不容易到。二是董卓是西涼人，所用的兵都是西涼人，長安離他們老家較近。這可說是用兵的情勢如此。但是，遷都也應當有遷都的合理合情的辦法。可是他毫無計劃，蠻幹一通。他命令手下兵士強迫所有人民一塊遷走。當時洛陽人口有幾百萬，一齊遷走，眞是談何容易一件事！人民一路之上又恐有追兵，互相踐踏，病餓死者不可勝計，屍橫遍野。而董卓自己帶兵留在洛陽附近，一把火將洛陽皇宮、官署、民房，通化爲灰燼，二百里內沒有人烟，眞是洛陽人的浩刦！他又一面使呂布把漢朝皇帝和文武大官的墳墓掘發，把墓中珍玩珠寶一掃而光，這不比強盜土匪更可惡麼？難怪批評三國演義的人，要說說他是強盜行徑，不成氣候了。

當時東方的盟軍，大家一致眞心聲罪致討，董卓的兵雖強，但既師出無名，又爲老百姓所怨恨，這種部隊經不起一擊，最多一二次戰役就可以解決的。無奈袁紹是一個無謀的主帥，而又不大聽曹操的話。最大一個缺點，就是各個州牧、郡守都只想佔據一塊地盤了事，保存實力，沒有一個肯先進兵去嘗試一下。曹操看不過了，很慷慨地講了一篇高論，他說：「舉義兵以誅暴亂，大衆已合，諸君何疑？……今焚宮室，刦天子，海內震動，不知所歸；此天亡之時也，一戰而天下定矣。」（廿五）

國劇繽紛續錄

鍾變生（六十六）

海光有新戲（續）

其次是海光這次演出，好像新戲很多：陳宮很是新名稱，其實是捉放宿店戰濮陽白門樓。瑜亮鬥智是甘露寺回荊州蘆花蕩柴桑口。似乎不必巧立名目，以吸觀衆。再與唐滅巢聽照隴西散人之議，加註重編，否則前有飛虎山，今改珠簾寨，每次可以變樣，徒使人墮在五里雲霧中而已。

秘科同台

立法院慶祝總統當選連任，也有一場晚會，在中山堂舉行。由該院平劇社演出，忠勇劇社協助。這晚會有三個佳話，是秘科同台，夫婦同台，父女同台。玆畧談談。

科長章成一，唱趕三關，嗓音很不錯。八年前在三軍托兒所聽過他的奇寃報，很掛味，此次大才小用了。秘書王志賢唱龍鳳呈祥的劉備，吃調雖不高，但很有味，尤其平穩夠準。

王夫人蔣如瑤，演龍鳳呈祥的孫尙香，扮相俊麗，嗓音夠響，洞房的慢板，佳腔頗多。跑三叉花的姿態亦好。台上新成婚，台下早連理，是夫婦同台。

淨票趙福東的女公子菊英，陪章成一唱趕三關的代戰，身上很可以。福東自演龍鳳呈祥的張飛，已演過多次，很純熟而有樣兒，一副魯莽之態，活脫如現。父女雖不在一齣戲中，總是同在戲台上。以前信社在中山堂演過一次晚會，也有許多佳話，今於立法院爲再見。

是晚，徐強的喬福，章成一的魯肅，孟繼麟的周瑜，均有突出的表演。徐智芸小姐的吳國太，嗓音不低，動作亦好，扮出來有如少年老成，並疑花老旦之樣兒，是可稱的。

賈化打鑼鼓

國劇欣賞會舉辦盛大公演，慶祝總統當選連任，是台北市各名票大聚會合演的龍鳳呈祥，已經圓滿成功。怎麼樣的好，容另記述，先提提這位執行殺劉備的賈化。在開場跳加官的，即是賈化的前身，等到跳至快進後台，忽然把假面具拉下，露出眞面目，向台下一鞠躬！時代日新，加官也懂洋禮，已夠滑稽。待龍鳳呈祥再上，鑼鼓忽然停止，由賈化口裏自己來打，邊打邊走，可以噴飯。這是新猷，台北很少見過，逗得台下鬨然大笑，總是有趣。想當年的賈化，未必能懂這些，現在扮演，却有這一套，眞難得，下次可援爲例！（未完）

收音機

劉杰

我的辦公室，有了收音機，就不寧靜起來，那妹呀郎呀的流行歌曲，那高山青的，深水潤的民謠，我就皺眉頭。我並不是不喜愛這些藝術，我是需要眞正的寧靜。自我愛上了這文藝藝術，就必須要靜，就必須把自己變成辛苦的蚌。

我還記得，我在金門時，管的是收音機。有了收音機的人，就向我登記，沒有登記的收音機，一律不合法，也就一律取締。我那兒取締的收音機，就有十多架，收有電晶體的，也有大型立體的，上面還帶有電唱機。我取締的收音機，自己都可以暫時使用一下，但我沒有。我對收音機，並沒有太多的情誼。

爲了收音機，我傷害了友情，那時年紀太輕，火氣旺盛，我正廿八歲的時候。我在台北吃大二，在新生南路租了一間房子，住了兩個月，房租太貴，一個月住不起，我就再找一位同學。他一踏進來，就帶一架小型收音機，我和他一到宿舍，他的收音機便嘩啦嘩啦的吵個不休。他也有那個修養，開了收音機，一樣的看書，一樣的做功課。我幾次對他說：

「還是關掉吧，做功課聽收音機，就有點不大好。」

「現在有流行歌曲。」他說，他捨不得關掉。

「功課重要，流行歌曲重要？」我有些生氣，自然沒有表現在我臉色上。

「不聽流行歌曲，我就沒法子做功課。」

頭幾次我還忍耐過去，長期下去，我就發火。我對他說：

「我們爲了讀書，你這架收音機就要收藏起來。」

「朋友，這個我辦不到。」

「那末，我只好搬家。」

「你這人眞有點怪。」

「也許是——」

我也常坐咖啡室，如果有嘩啦啦的收音機聲音，那種咖啡室我就不會進去。輕微的聲音，就像情人在耳邊細語，那種音樂我還是欣賞的。在台北祇有美而廉，祇有金陵咖啡室，這兩家咖啡室，我是常去，而且咖啡女郎、老板都認識了。台中祇有南夜的地下室，稍爲好些。

我愛好靜，並不是因爲年紀關係。我今年三十二歲，需要靜，在我廿七八歲，一樣的需要靜。我那時就在軍營裏，爲了靜，我在深夜爬起來，在營區內散步。有了收音機，也就沒有靜的氣氛，失去了某些部位的眞正美。

最近我到台中，大荒就買了架收音機，電晶體，花了三百五十元。他告訴我，收音機的作用，是收聽英語教學。爲了讀書，而買收音機，我並不反對。可是，我一天到晚，想在英文方面下下功夫，却沒有實現的機會。大學出來，工作纏住我，瑣事使我心煩，有時看看文藝書籍，也祇能看到一半，就有電話來了，再不然就有事兒。在這個時代裏，爲了生活就奉獻出自己的所有，有時連休假天，也沒有空間一下，眞是的。

年紀大了，我也世故很多。交一個朋友，困難；失去一個朋友，却是很容易。一句話，一個臉色，爲了朋友，我對收音機還是忍耐下來。

但我憑良心說，我對收音機壓根兒就沒有好印象。

袁世凱醉心帝制

諸葛文侯

近人李劍農著「中國近百年政治史」，對於袁世凱何以要背叛民國，帝制自爲的原因深感茫昧。蓋以袁氏於民國二年以武力掃蕩南方革命勢力，切實統一寰宇後，廢棄臨時約法，解散舊國會，另訂「御用」政制，大權獨攬，威望崇隆，雖無君主之名，却有帝制之實，穩居終身總統高位，不成問題，何必冒天下之大不韙，硬要過皇帝的癮呢？但據近人張一麐所撰筆記，乃知袁氏和其長子克定，自始即醉心帝制，擬效法趙匡胤對隋朝柴氏孤兒寡婦之所爲，實行表演一幕「黃袍加身」的舊劇，祇以佈署欠週，功敗垂成；然後再有洪憲帝制之役。張氏係袁世凱的親信幕僚，久典總統府機要，其說詳非虛構。

據張氏指出：當民國元年南北和議告成，淸帝下詔遜位後，南京臨時政府聲明撤消，孫中山先生將總統職位讓與袁氏，派蔡元培、汪精衛、宋教仁等人北上迎袁來南京就任之際，袁子克定與湘人楊度等即秘密定計，策動駐在北京的北洋新軍曹錕部隊重施「陳橋兵變」故智，擬包圍袁世凱住所，強迫他拒絕南下，實行稱帝。詎此項密謀並未使當時領軍警衛京畿的馮國璋預聞，迨曹軍於夜間自城外鼓譟譁變入城時，馮部予以猛烈抵抗，曹軍不得逞，於是臨時變計，揚言索餉，在城外大肆刼掠，藉以掩世人耳目。事後袁氏對曹部官兵迄未有所究問，且藉此作爲不能南下就職的理由，脅迫南京方面遷就他，乃在故都新華宮踐登總統之位。這幕秘密把戲，只有張一麐這般極少數的袁氏心膂幹部纔能得其情，普通人當然莫名其妙。但湘人王壬秋似乎知道袁氏想做皇帝的隱衷，民國三年他受袁氏徵聘爲國史館長，初到北京任職時，先赴總統府晉謁袁氏，在新華門前下車，抬頭望着「新華門」匾額道：「哦，新莽門！」陪行人員告以「這是新華門」，他笑謂：「老眼昏花，認錯字了，該死該死。」

看到張氏筆記所述民元北京兵變的秘辛，即知後來楊度和袁克定等繼續進行「籌安會」工作，實係適應袁世凱要做皇帝的一貫心情，奉命行事的，而世人對洪憲運動的疑問，也就釋然了。不過，段祺瑞馮國璋原是袁氏一手培植起來的爪牙，他們何以對洪憲帝制竟表示消極攜貳的言行呢？據說是嘔了袁克定的氣，憤憤不平。民國四年元旦，段馮聯袂到總統府向袁世凱拜年，行跪地叩首禮，袁起身連稱不敢當，頗示謙[illegible]。二人辭出後，順便赴袁克定處致敬，亦以大禮參拜，而克定昂然受之，睥睨一切，段馮快快不樂，抱怨在心。嗣後段在北京常稱病不問事，馮回南京揚言袁總統絕對不贊成變更國體，且與反對帝制之梁啓超過從甚密，即種因於袁克定之驕倨無禮，段馮固不瞭解帝國與民國之區別爲何如也。

楊乃武與小白菜

——「影劇與歷史」之二十

周遊

楊乃武與小白菜之寃案，不失爲電影好材料；可是編劇者把小白菜寫成一個純良的女子，楊乃武也是正人君子一派人物，說他二人乃是一種純潔道義之交。其實，楊乃武在地方上也很愛多事，喜替人家提刀打官司，也好舞文弄墨、諷刺時政，地方官吏開罪不少。他與小白菜即是在風月場中認識的。尋花問柳自不在話下。小白菜即是風月場中取的花名。小白菜是一個妓女，後從良嫁了葛小大的。她與楊乃武有一段舊情。所以說楊乃武與小白菜之案情搞得如此大，就是乃武自己平素所爲以招致者。此一故事的轟動，並不是楊乃武與小白菜有什麼號召力，而是由於此寃案鬧大了之後，得以平反，朝廷爲之震動，社會爲之傳聞渲染，所以搞的東南半壁盡人皆知。文人見機敏作，筆之於記載，小說家更作爲取材之資，才將乜其擴大了。不然，一個士夫[illegible]有謀夫奪妻之事，也不[illegible]出色。如今日的重大社會新聞，異日定可作爲影劇題材無疑。

楊乃武之寃案平反始末，八十年來有關此一故事的傳說，頗多異詞殊聞。即是在當時清廷決定將此案提解刑部尙未平反時，餘杭、杭州、北京各地人士的傳聞就人言人殊：最初有人認爲楊乃武該死，繼而又異口同聲說楊乃武寃枉。當時浙江之一京官李慈銘即是一例，李慈銘的日記光緒元年十二月十八日記云：「自癸酉（同治十二年）十月獄起，傳至京師，凡浙之鄉士及大夫，蓋無不以楊乃武爲宜死也。友人中如譚仲修、陳藍洲、楊雪漁皆自杭州入都者，極口詈楊惡狀，雖予亦切齒痛恨，惟恐其漏刑或不速死也。而豈知事有大謬不然如此者！蓋非特折獄之難，而吾人之議論可不愼哉！可不愼哉！」此即一種紛紜之紀實日記。根據清廷當時參與其事之各大員的實錄及日記，可以窺見楊乃武寃案造成有下列諸因素：

一、楊乃武本身品格實有可議者。當他爲生員時，即喜作歌謠、謗詩以詆官吏，又喜替人捉刀興訟，好武斷鄉曲。因此其平時即爲當地官吏所切齒痛恨。當他的近鄰葛品連（豆腐店幫工）未娶葛畢氏前（即小白菜），即與小白菜有染。同治十二年楊鄉試得中，同年秋即被誣下獄，旋被革去舉人。於是鄉士落第人士對此等不端行爲，有些幸災樂禍心理，將此事渲染擴大，萬口一詞，是非難辨。

二、葛畢氏嫁葛品連後，曾被本縣縣令之子劉子和誘姦，復被糧胥何春芳偵知此一秘密威脅而與之姘。不料一日被葛品連回家相遇其室，於是互相詬罵，醜聲外揚。品連病死之後，劉縣令之子請人居間調解，願以白銀一百八十元息事，要葛母勿洩此醜事。但品連之母及小白菜之母，都以小白菜爲奇貨可居，相互爭執，品連之母以子死之故，先向衙門告了一狀。（一）

歐洲中古接生趣聞

○胡笙○

當年在英國有另外一種艱難的診視，那就是從背後來診斷一位孕婦。孕婦側臥着，在膝蓋間夾着一個枕頭，接生者不能揭視孕婦身體的任何部份。當年由於人體生理構造特別是性器官的情形都未公開，所以男醫生對被請去接生的事，都認爲是苦差。在十八世紀後半期中的接生婆，會承認她們對男性的對手進行「極下流和無恥的攻擊」。事實上，也有一些孕婦是特別害羞的，她們尤其不願將她們的身體裸露在一位男醫生的面前，而還要由他去「撫摩」或施手術」。這種拘謹的情形，在今天也並不罕見。英國「婦女雜誌」的一位讀者，曾在一九六二年寫信說：「我曾經常去看男性醫生，但是現在我需要進行一項生理手術，我的丈夫說應去看女醫生。這項爭論在我們間引起了糾紛。」

艾里斯醫生曾指這種古板的拘謹，使不少婦女喪失生命。有一位驗屍官在一九○八年寫道，他曾獲知幾宗突然和原因不明的婦女死亡事件，他說：當醫生在病人臨死前被請來的時候，他仍不知道他的病人正在因陰門靜脈瘤破裂出血，或其他有關性器官的疾病而死亡。因婦女們有時爲害羞而甘冒生命的危險，來隱瞞她們的症候。

身體上的禁忌，常常使夫婦間也不能一觀對方的裸體。艾里斯醫生說：有一個結婚廿年的男人，從未見過他的妻子完全的裸體。當時大多數已婚男人都是這種情形。在維多利亞時代，當妻子在晚間更衣就寢時，丈夫必需退出去客廳中，約半小時後，當妻子在室內敲門表示更衣就緒時，他才進來。

奇怪的是，有些女人不祇是因不美麗，而是因裸體而被丈夫或情人遺棄。一位七十歲的老婦人說：她一生中從未見過一個裸體的男人，而她的姊妹則一生更未詳細端詳過自己的裸體，因爲那一嚇怕了」她。

赫加特醫生指出：即使在今天，在勞工階級的人民中，「仍對裸體認爲是一種大羞恥，對赤身進行性活動也認爲是害羞之事。」（完）

內政部登記證台報字第〇三一臺號內銷發行

自由報

THE FREE NEWS

第五四六期

中華民國僑務委員會登記證
台報新字第三三二號登記證
中華郵政台字第一二八二號執照
登記爲第一類新聞紙類
（每星期三、六出版）半週刊
每份港幣壹角
台灣零售價新台幣壹元
社長：雷嘯岑
督印人：黃行寶
社址：香港銅鑼灣高士威道二十號四樓
20, CAUSEWAY RD 3RD FL. HONG KONG
TEL. 771726　電報掛號：7191
承印者：大同印務公司
地址：香港北角和富道九六號
台灣分社
台北市西寧南路壹壹零號二樓
電話：三〇三四六
台郵撥儲金帳戶二五九二二

推斷越南的未來局勢

・王慕周・

越南局勢由於阮高奇聲明在三五個月內舉行選舉，結束軍政府，情形似告緩和了。但是，我敢大胆預言：越南前途絕對未可樂觀。何以見得呢？

自從吳廷琰政府在「專制獨裁」的罪名之下被推翻以來，初由軍人當政，又發生政變，改爲文人政府。曾幾何時，文人政府乃受到一般專事爭權奪利的官僚政客，夥同若干六根未淨的政治和尚，串通軍人，煽誘各地區青年學生羣衆游行示威，大力反對，鬧得全國騷然，而給共黨以肆行顚覆活動的大好機會，迫使文人政府一籌莫展，知難而退，自動的把政權再交給軍人之手，敬謝不敏。如今那些政治和尚們又指軍人政府不好，要求文治派起來執政，翻雲覆雨，昨是今非，這不是咄咄怪事嗎？

越南原係剛從殖民地翻身起來的新興國家，文化落後，產業貧乏，社會結構極不健全，政治人才相當缺少。像這種情形，即令四境平靜，秩序安寧，亦須經過一段和平建設的過程，利用外來援助以培養國力，增進民智，作育人才，才可以談得到實行現代民主政治生活的話，如中東和北非的新興之邦，即其明證。埃及是文化最古老的國家，誰能說納薩政府不是軍人專政嗎？就是咱們中國，從民國肇建到大陸淪陷的卅餘年間，又何嘗實現過眞正現代化的民主政治呢？越南的情況更不同，多年來戰亂不已，迄無寧日，人民救死不遑，生存大感威脅，內有共禍侵襲破壞，外受國際勢力擺佈玩弄，國運常在危急存亡之秋。假使美國人當年不以自己的尺度衡量別人，對越南不亟亟於試行美式民主政治，而基於安定第一、生存至上的越南現實要求，對吳廷琰政府的「廸克推多」措施，稍加體諒，只求去其太甚——如歧視異教之類，而不採取推倒的手段，則越南共禍，將不致釀成目前這種猖獗狀態，殆可斷言。例如吳氏執政時期，憑着「戰略村」的建制，越共即沒法施展「以鄉村包圍城市」的游擊戰略，首都西貢更未見有共黨隨時竊發，使用猛烈炸彈進攻美軍宿舍暨政府機關的恐怖行動出現，吳氏垮台後，越南各地區僅有的一點民間防共組織體系亦已瓦解，繼其後者始終無暇及此，而禍亂乃日益加劇。這證明在內憂外患頻臻，社會動盪不安，人民生計艱難的環境中，決不適宜於嘗試美式民主生活——根本就不可能！

然而，越南的野心政客以及一般政治和尚，猶於推倒吳廷琰之役的勝算，總是假借「民主」旗號，沿用舊有方式，動則糾合僧侶與青年男女學生，表演「自焚」悲劇，煽動羣衆，游行示威，時而反對軍人執政，時而攻訐文人政府，目的祗在私人爭權奪利，政權有我一份，即爲民主，沒有我，便是獨裁，循環擾攘，肆無忌憚，甚至拾取共黨的牙慧，揭出反美標語，高呼反美口號，絕無絲毫共赴國難的心情。越南的宗教類別和政治派系又特別多，任何人組織政府，亦沒法使各個宗教和政團的所謂領導階層人物，相慶彈冠，皆大歡喜，而游行示威，自焚抗議的惡作劇，即有如走馬燈式的往復，編導演出，永無止境，適所以助長共黨的滲透顛覆活動，也就是替越共鋪設赤化全越的路徑，實與民主自由思想渺不相干。至於越南的軍人、派系亦多，權力更大，一個軍區司令控制着幾省地區，可以任命省長，把持轄區稅收，形同割據，加之以宗教或政團的關係，軍官們又不團結，每以槍炮爲爭奪權位的利器，隨時醞釀不流血政變，視同家常便飯。因此，越南政局之不會安定——即小康之局亦勢不可能，是必然的。軍人執干戈以衛社稷，目擊着國內政客們私爾忘公，耽於利慾的惡化現象，義憤塡膺，掀起政變風潮，亦係意料中事。其始也簡，將畢也鉅，僧侶、學生、軍人等，唆使鼓動政潮，推翻政府，皆非國家之福，此端一開，後患即無窮盡，所謂民主憲政生活，乃離題愈遠，可望而不可即了。

英美那些眞正的民主憲政國家，每逢對外戰爭時期，一般人民的自由權利，亦常常受到限制，理有固然。像越南這樣毫無民主憲政基礎的新興之邦，又値烽烟遍野，民不聊生之際，而隨時吵鬧着民主不民主的問題，使中樞政務常在紛更倣擾之中，這不是自暴自棄嗎？老實講，越南現階段的政治建設，只能從事「訓政」工作，還不夠實施憲政的條件，若勉強而行之，徒然激起內亂，對國家殊少裨益的。美國當局鑑於過去的覆轍，這次對阮高奇政府，雖不像當年對吳廷琰政府之始亂終棄，一貫的表示支持，却嫌不夠堅定。假使僧侶們反阮高奇運動開始時，美國即表示信任阮政府的鮮明態度，而不怕共黨攻訐爲干涉別國內政，我們相信越南局面即可穩定下來。何況所謂「干涉內政」的界說，亦成問題，如果美國表示支持友邦某一執政者，便犯有干涉內政的嫌疑，然則美國常常批評或指摘某一友邦政府爲不民主，爲貪污低能，且形之於外交公文書，這又算不算是干涉內政呢？

越南內部的政治情況如此，美國對越戰的軍事方針又如彼，衡前途，除了變亂連綿，共禍相應加深之外，實在尋不出可以使人樂觀的理由。安在？最重要的因素，就是目前并無一個能夠涵攝越南各界的領導人物，總持樞政。過去曾經一度執政的文人也罷，軍人也罷，似乎都不夠政治家的材料，現時教唆僧侶與學生反對阮高奇政府最激烈的若干政治和尚，其言其行，更不像個政治家的樣子，這才是越南的悲哀之處。要想挽救越南的危亡趨勢，唯一有效方法，就是美國改變現行的越戰策略，而以全力芟夷越共巢穴，取得軍事勝利，然後派遣政治經濟顧問與技術人員，協助越南政府從事建設工作，然而這是一種幻想。美國不特沒有戰勝越共的雄圖，而且願以妥協姑息的方法，跟胡志明能戰和言。如其越南內部政潮不息，外來共禍更甚，美國本土的反戰空氣即將濃厚，白宮當局很可能作「痛苦的決定」，接受屈辱的和談條件，終止越戰，試看魯斯克，高德柏這二位外交大員，日前發表關於越戰與毛共問題的言論，即思過半矣。

「人爲刀俎，我爲魚肉」，越南命運正向着這種結局演進中，自侮者人侮，自助者人助，我們希望越南全國人士一致振作，相忍爲國，好自爲之罷！

觸礁

詭計

今日與明日

印尼局勢明朗

動盪半年的印尼局勢，最近漸告明朗，首先是在四月十五日華僑商人在耶加達舉行示威時，向毛僞大使館提出抗議，館內毛僞人員竟然開動機關槍，於是激起羣衆怒，[illegible]破僞使館大門，焚燒了毛共文件。在雙方衝突時，毛共人員趙小壽胸部中槍。此事究竟是印尼示威羣衆在毛共幹部開動機槍之後，被迫還擊而擊傷趙小壽，還是毛共幹部自己擊傷以便移屍訛詐，都難確定。不過，經過這一鬧之後，倒說明了一項事實，就是反共的不僅是印尼人，也包括了華人在內。毛共在海外多年的宣傳欺騙及百般滲透技倆，倒眞是在人民之前破產了。

印尼清洗外交人員

自從一九五五年以來，印尼外長就由蘇班特里奧担任，此人現已證明是共黨地下人員，在他領導下的外交部，實際也就是共產黨的外府，所有派駐外國大使，尤其是駐在共黨政權的大使，全部是共黨人員。新政府組成後，對此頗爲注意，當即電召有問題的大使回國。果然有些人賊心胆虛，恐怕回去與艾地、約多同一命運，都拒絕回國，總計到現在爲止，抗命的大使已經有八個。其中首先叛變的是印尼駐毛共僞政權大使查禾多，此人原是隱蔽共產黨員，由於印尼共黨是走的親毛路綫，所以查禾多在北平更是唯毛共之命是聽，彼此相處甚爲融洽。此次印尼各方大舉反毛，毛共覺得甚難下台，於是唆使查禾多抗命，以爲可以藉此打擊印尼新政府威望。不知查禾多公開抗命，正是暴露共黨身份，印尼政府不必再有顧忌，立時將其解職、清除了一個潛在的敵人，未始不是毛共幫了大忙。

越南局勢緩和

目前的南越局面似乎也趨緩和，一般被認爲佛教急進派領袖釋智廣，已經變了口風，主張與政府當局一個機會，實踐還政於民的諾言，勸告學生及佛教徒暫時勿再示威，又聲言不反對美軍在越剿共。此類言論已比較正常，如若沒有什麼意外，南越騷動暫時當可停止。不過，就南越全局來看，若不能在軍事上打勝，政治方面的問題仍不可樂觀，因爲一旦軍民之間稍有不愉快事，馬上又引起示威浪潮，而且示威幅度一次比一次大，情況也一次比一次複雜，長此下去，終有一天演成不可收拾之局。

世間戰爭沒有不求勝的，只有美國對毛共戰事却力求打和。第一次用於韓國，已經損失慘重，此次又用於南越，更爲困難。深盼美國能在此間汲取教訓。（何如）

自由談

人類的大不幸

美國當道最近自作多情的向毛共大抛媚眼，狂送秋波，願與毛共政府從事所謂「文化交流」勾當，希望彼此邀請教授、醫師和新聞記者相互訪問，進而修好言和，先讓毛共政權進入聯合國。其詞甚甘，其情可憫，而其意態則甚卑屈。

詎毛共斥之爲「騙局」，不屑接受「美帝」這番好意。於是乎，美國務長官魯斯克即以尷尬的心情發表談話，指毛共橫蠻無理性，美國今後仍將反對毛共進入聯合國云云。很抱歉，我要用一句廣東話來批判美國當局這項動態：叫作「唔衰攞來衰」！

從韓戰到越戰，美國那種既不能強、又不能弱的半吊子策略——所謂嚇阻政策，毛共早已體察有素，莫逆於心，大胆的譏之爲「紙老虎」。現在眼見美國內部既有許多親共媚共的知識份子反對越戰，更有黑人不斷地發生動亂，擾害安寧秩序，還有執政的民主黨一般政客官僚，利用越戰問題爲政治資本，藉以爭取選舉勝利。毛共不是瞎子聾子，它洞悉敵人內部有這末多的矛盾與弱點，豈有聽受美國當道的甜言蜜語，而放棄其世界革命路綫嗎？這種極淺明的道理，雖三尺童子亦可以瞭解的。

至於美國隨時以聯合國席位作香餌，企圖誘惑毛共改變反美策略，尤爲極其幼稚而拙劣的思想。聯合國對世界安危前途，究竟尚有幾許的價值和作用，世人心知肚明，不言自喻。毛共至今未曾進入聯合國，且曾被聯大會議判定爲侵略者，結果不特對它無損於毫毛，而西方國家對它的妥協姑息態度，却較前更甚。在毛共心目中，視聯合國席位有若腐鼠了，然美國乃想以腐鼠作禮品，換取毛共不再反美的代價，寧不笑煞人也麼哥！

美國富強甲於全球，這是事實，可惜沒有深厚的文化潛力，然又居於自由世界領導地位，處處用其所短而棄其所長，以致捉襟見肘，自誤誤人，這眞是人類的大不幸啊！

馬五先生

郭德潔是氣死的

（本報訊）李宗仁之妻郭德潔，投入毛共區域後突以暴死聞，有人說她是自殺的，未必其然，因爲自殺要有勇氣，郭氏不足以語此。據記者所得消息，她是氣死的。

郭氏早已患有乳癌症，曾在瑞士醫治，施過手術，認爲沒有危險了。她跟李宗仁投奔大陸後，由共黨擺佈，教李氏到粵桂各地區行走參觀，到處發表談話，表示悔罪輸誠的降臣心情，郭氏亦隨行，眼見毛共對其夫的一切待遇，怏怏不樂，但又不敢稍露不滿的意念，抑鬱失望，因而精神萎靡，疲憊殊甚。迨隨李氏到廣州參觀時，郭德潔深感困倦難耐，曾囑「服務員」──實係奉命監視的共幹──替她找一個捶背的人，舒舒筋骨。服務員告以這是資本主義社會生活的腐敗玩藝，社會主義生活中沒有這類職業了。郭氏聞之不悅，對服務員略示辯難之意，而對方卽疾言厲色的說道：「你這種封建思想還未改變嗎？我黨服務員是爲人民服務的，職位雖微，人格並不低，你怎可以向我們隨便開教訓呢？請你明白些，現在不是甚末代總統夫人了，擺臭架子是不行的！」郭氏挨此辱罵，無可如何，而李宗仁還得從旁陪不是。經此一次大刺激，心緒惡劣萬分，滿懷憤懣無可發洩，女人的心思比較狹窄，乳部癌症創痕，卽行作痛，回到北平便臥不起，亦未延醫診治，未幾，淒然暴死了。

港工業去年所獲外滙逾半被攫奪
毛共大量吸取香港人膏血
長此繼續香港經濟將崩潰

（本報訊）中共在廣州舉行一年一度所謂「春季出口商品交易會」，香港很多行業內一部份商人都赴穗參加，根據熟悉情況的商人透露，今回交易會內大陸貨品繼續擴大對香港輸出，聯營及包銷的貨類及貨值都比去年增加，這是香港對中共貿易一種極不利的發展。因爲日本及其他外國商人，赴廣州參加「交易會」，都是採取平等的地位與中共進行貿易，一方面向中共訂購所需要的物品，另方面售回同等貨價的物品給中共；祇有香港商人赴廣州參加「交易會」是單方面替中共大大推銷貨品，他們實際上是中共的貿易工具，在香港搜刮大量外滙奉獻給中共。

最近五年間，中國大陸貨物輸港，是一年比一年增加的。根據統計報告一九六一年來貨十億零二千八百萬元，佔入口貨百分之十七；一九六二年來貨十二億一千三百萬元，佔入口貨百分之十八；一九六三年來貨十四億八千七百萬元，佔入口貨百分之二十；一九六四年來貨十九億七千萬元，佔入口貨百分之二十三；一九六五年來貨二十三億二千一百萬元，佔入口貨百分之二十五。由此顯示前後五年間，大陸貨物輸港增加一倍以上，尤其是最近兩年增加極爲迅速。今年首兩月份來貨三億七千二百萬元，預料今年全年來貨可達廿四億元以上。但香港貨物輸往中國大陸，每年不會超過五千萬元。在香港的經濟立場上，是對香港極爲不利的，因爲逆差那麼龐大，香港工業品每年輸出所獲的外滙，有半數以上被中共吸收去了。如果香港工業出品不能繼續增加，則香港經濟困難就無可挽救。

中國大陸貨物輸港最値得注意的是工業完製品及半製成品，尤其是棉紗布匹與衣服，最値得人們注意。因爲這一類貨品不但奪去港產品的本銷市場，更奪去港產品一部份外銷市場，對香港損害極大。例如棉紗布匹，一九六一年來貨二億七千三百萬元，一九六二年來貨二億七千四百元，一九六三年來貨三億零三百萬元，一九六四年來貨四億〇二百萬元，一九六五年來貨四億二千元。又如衣服，一九六四年來貨八千七百萬元，一九六五年來貨增至一億三千九百元，即增加百分之六十一。事實上，中國大陸來除了棉紗布疋及衣服之外，鞋類一九六四年來貨二千五百五十萬元，一九六五年增至二千八百萬元；鋼鐵一九六四年來貨五千萬元，一九六五年增至六千二百萬元。此外，如食糖、水泥等，都有控制香港市場的力量，已使香港的煉糖工業，受到大陸傾銷的重大打擊。

今後中國大陸貨物仍將繼續增加向香港輸出，尤其是輕工業品輸出增加的速度可能更大。要知道，中國大陸的食品多年來已經控制了香港市場，如果工業品也進一步控制香港市場，則香港工業卽使不會立見崩潰，但亦逐漸成爲癱瘓性的不治之症。

美軍空中拯救隊業績輝皇
在越戰中大顯身手，以往鮮爲人知

自從一九六五年二月美機開始轟炸北越以來，時常發生美機失事或遭共方炮火、飛彈擊落事件。在南越境內，從事對越共游擊隊作戰的飛機，直昇機，以至運輸機亦常有因機件失靈或被擊落情事。迄本年三月底爲止，據美軍公佈：在北越出事的飛機達二百架；而在南越境內的失事飛機，亦約有一百五十架。

但是，這些失事飛機的機員多數都是獲救的。這就是說，飛機雖然失事，但大多數的飛行員都慶再生。這實在是一種奇跡。

我們慣常可以從報章上讀到有關美機失事而機員獲救的新聞。例如四月十七日西貢的美軍發言人宣佈：「今日有一架B五七型坎培拉式美空軍轟炸機一架，在北越被擊落。該機係於向北越的高射炮陣地進行攻擊之後遭擊落的，失事地點在洞海西南二十二哩處，該機當時墜毁於山深林密之區。駕駛員與領航員均經安全跳傘降落，在四十分鐘之後爲直昇機救起……」

這是美軍對於飛機失事中的一種典型報導。但時常引起人們注意的，卻是飛機墜落山深林密之區竟能由直昇機於四十分鐘內將機員拯救出險，這是耐人尋味的。這就是美軍空中拯救隊在越南輝煌成就的表現。過去，這種拯救工作的組織與拯救方法一直保持秘密，外間人士殊難理解。這裏且將這種空中拯救工作概述如下：

失事機員　四百獲救

首先，拯救的成績是令人敬佩的。迄今爲止美國飛行員獲救的約四百名，其中百分之六十都是座機在敵方領空被射落，而機員終能平安脫險。

美空軍飛行員獲救的原因，一部份由於他們受到良好的訓練和精美的裝備。美每一轟炸機駕駛員在越南執行任務時，均帶有重達二十磅的救生袋一個，袋裏裝有特製的救生背心，小刀、左輪手槍，附有普通子彈，再加上儲水袋、指南針、收發無綫電機、救傷袋、襪子、肥皂、火柴、驅逐鯊魚器、量浪丸、救生橡膠艇、鹹水化淡器、染綠用具等等。並有新式的水裏能浮的膠翼，代替舊日的水泡背心。

這種救生袋每個價値美金二千四百元，但不少飛行員依靠它而重獲生命。不過，歸根到底，主要還是在於美國陸海軍及陸戰隊經過嚴格訓練的拯救隊，尤其是美空軍的空中拯救隊最有心得。

許多越過十七綫在北越領土內担任拯救工作的，是由新型的綠色長程HH三E式直昇機負責。這些機分駐於南越及泰國的基地，於出動時受轟炸機的指示，深入敵方的目標區，不顧地上猛烈的炮火，經常飛臨低至樹杪或敵軍炮火所及的地面上空，放下一根堅靭的繩子把失事的飛行員拉起。在被救的飛行員還在握着繩子綴吊到直昇機艙之時，該機卽以高速度飛離敵軍火網，飛回基地。

三軍配合　作業成效

多數的拯救行動，不論在北越或南越，均以在地面較多。但亦常有在海面拯救的。三月中旬，東京灣上曾有過一次令人感動的艱巨海上拯救工作。

當時，一架魔鬼式噴射機由美空軍皮爾遜少校駕駛，並有副駕駛員白賴仁上尉。於飛機遭擊中後，他兩人把機滑向海面跳傘降落，墜於離岸半哩的水中。他們展開救生筏之後即無綫電求救。在附近海岸上空駕着水陸兩用機巡邏準備緊急救援工作的韋斯登巴格上尉，於聽到求救訊號後的二十分鐘降落於皮爾遜附近的平靜水面。而與皮爾遜一同出動的魔鬼式轟炸機，早已在他們頭上環飛保護；但這時有兩架負責保護兩棲機的海軍「空中騎士」型戰鬥機已來接替轟炸機的保護任務。

這時，正當兩棲機上一個拯救員跳下水中前往救援皮爾遜時，岸上的共軍突然以步槍掃射；而當拯救員與皮爾遜同被拖近兩棲機時，一棵迫擊炮彈射來，把兩棲機轟毁並引起火燒，該機上的無綫電員及拯救員各一名殉戰。韋斯登巴格當下令機員棄機逃生。這時，水裏的皮爾遜、白賴仁、韋斯登巴格和其他三名機員一共六人都陷在海中。

海上拯救　典型事例

在天空警衛的「空中騎士」機連同小貓頭鷹號母艦派來的救生機就向敵軍的炮位方面發射火箭並投彈。同時，由約克郡號航空母艦派來兩架巨型直昇機飛到水面一百呎上空，其中一架用繩索吊起水裏的三個人；另一架剛吊起兩個，這時岸上共軍炮火又猛射過來，兩直昇機不得不趕快離去。這一來，剩下兩棲機的領航員柏萊士上尉獨自留於海裏。他曾經發出訊號五秒鐘但並無回應。

可是，他並非絕望，正當共軍派出一隊小艇要捕捉他的時候，由附近美國驅逐艦英僑號派出的直昇機及時抵達現場，低飛掃射共艇，並將他吊到機上迅速飛離險境。

這場緊張危險的空中拯救行動，顯示出美國三軍在戰地配合作業的成效。亦可見他們行動的迅速與表現的勇敢。也就憑這種勇敢的精神，與有效的行動，纔使失事的美國飛行員，仍有着很好的平安歸來的機會。

春風吹綠金門島

勞克

「春風吹綠金門島是戰地的一家門上貼的對聯。這對聯是戰地風情的眞實寫照：有綠的高梁地，有綠的樹林，有綠色的海洋。

我初次到戰地，就被這些綠色驚住。一個伙伴告訴我，他說：「金門島爲海上公園，到處都是春天，事物都在綠色中成長着。」

「過去有這些綠色吧？」我問。

「那你指的是什麼時候？如果說在三十八年，那這兒不但沒有綠色，卻是黃土、石頭的地方。沒有一點綠意。」

「那末，現在這些綠色是培植出來的？」

「完全對。」他說：「我們一面對付共匪，一面就建設。把這戰地列爲海上公園，也就成了戰鬥公園。」

我參觀過：休假中心的金湯公園，金門城的金城公園，以及湖光山色的古崗湖。現在古崗湖有了一個樓，名爲古崗樓，古色古香，也有電燈裝置。每逢假日，遊客特別多。湖中還有遊船。樓裏有優秀的喫啡座，有漂亮的小姐招待。每杯喫啡五元，眞便宜。不過，喝喫啡的較少，照相的比較多。我問過那照相的，我說：

「你一天可以作多少錢生意？」

「在新年裏，可以作千把元的。」

「平時呢？」

「四五百，六七百，這就不一定。」

照相生意這麼好，就可知道這兒的遊人很多。有軍人，有戰地小姐，還有些便是台灣來的觀光客。

有天下午，共匪的炮彈打來，正把那綠色的地瓜地炸壞。那地上再沒有綠了。可是不到三天，那地裏又種上了小麥。地也重新平過。又過了半個月，那小麥苗芽，青青的在地面上。

「長的好快呀！」我對那農人說：「眼看着它苗芽，很快的就可發葉子出來。」

「眞的，」他扶着鋤柄說：「共匪那王八蛋的炮彈雖厲害，卻還抵不過我們的毅力。炸壞了，我就重來。哈哈，到底我們戰勝了共匪。」

這就是實在的。假使戰地軍民沒有奮鬥創造、堅忍不拔的精神，戰地就沒有這麼多、這麼茂盛的樹林。這些樹林，矮的也有人把高了。滿山遍野都是。八二三炮戰，那些炮彈，把這些樹林炸壞。但炮戰一停，又是一批樹林長起來。「秀的梧桐」，春天來了，梧桐又會活過來了。

戰地永遠沐浴在春天裏，永遠在綠色中。有眞正的生命，有眞正的朝氣。

這些，就和早升的太陽往上爬呀，往上爬……

瀛海異趣談

露胸在美國漸成時尚

桑雅

男士們對于女性胸脯的觀念，是不是每個年代不同呢？是原始人崇尚「大胸乳」，還是文明人對于這些更為緊張呢？「大胸乳」是一種美嗎？還有一個普遍的問題：每個男子都情不自禁打雀叫眼望異性的乳房的嗎？

在美國來說，這一連串問題都逐漸受到廣泛的注意，據興里干大學的史古勒博士的意見，美國女性的以大胸脯作為炫耀之現象，又再次取得優勢了。他說：「她們為了加強這方面的本錢，眞是千方百計，其瘋狂程度，給人心理變態之感。」他強調說：「時至今日，女人越來越大膽，隨時喜歡暴露胸部，甚至找機會挑撥異性來欣賞。」

難怪若干社會學家預言，在未來七八年間，美國社會中，女人在公衆場所內露胸將如目前露膝一樣那麼普遍的一回事了。由于女性胸脯是容易招引異性的地方，于是，這個「版圖」非要廣大不可，所以胸脯越來越大越為珍貴；[illegible]一九四〇年間，女性標準大的胸圍數字是三十[illegible]呢？至少也要三十六才算合格。正如某香煙的廣告字眼——「每枝煙前一截才是重要的。」——一樣，前面一截才是受人重視的。胸脯既然受人重視，時裝方面也在這方面動腦筋。近五年來，強調美胸作風的計有——①「呼之欲出」裝，即是把雙乳擠在一起，露出乳溝。②半截乳罩，「三八錢」是僅僅遮住乳蒂。③這當然輪到無上裝了。不過無論什麼式樣，都是儘量暴露。

既然是大勢所趨，每個男人均愛大胸乳動物，那麼，不少女人天生條件不夠的，便要裝假了。說到義乳，目前美國在這方面十分發達。大部份是膠質的，但可替顯本色，與膚色一模一樣。最妙不可言是乳蒂加工後，便非常神似，配在胸前，就算戴上透明乳罩，一樣可以騙過異性的眼睛。

在西方國家，中古時代，女性的美并不落在胸部的。那時代的美女的造型是這樣的：小肚微突，臀部下垂，乳房細小，但穿緊身衣，將之擠高。當時男人最欣賞是纖重的雙腿。

文藝復興時，女性胸部仍沒有什麼「復興」，十八世紀時，胸成為時尚，直至亨利八世，才有眞正的緊身衣出現，但伊莉莎伯本人，衣著非常臃腫，胸前的半寸肌膚也沒有暴露。同一時間，威尼斯的婦女卻大不相同了，她們不但露乳，還在上面塗起脂粉來。

十七世紀始，形勢稍有利于胸脯了，查理士二世均對女性乳房發生濃厚興趣，大胸脯又風氣之先，但奇怪，十八世紀時，法國革命後，法國女人的乳房被擠得高高了。可是，第一次世界大戰後，女性開始隨便得多，[illegible]不值錢了。便于是[illegible]等上面下功夫了，[illegible]女性他們甚至忘記了自己也有乳房的女性。到頭來，有那一個男人喜歡女性坦胸無一物呢？事實上，一九四〇年間，這才是女性的特徵。不過眞正開始[illegible]，女性的乳房才[illegible]三十年代的名女人[illegible]珍哈露、等平[illegible]又是戰爭把女人胸脯帶回大地，已供男性欣賞。[illegible]乳的一個高峯了。本文開始時，便已說明這個現象，已[illegible]女性胸部[illegible]談及女性，目前[illegible]一種是注射矽膠[illegible]貴者可達三百[illegible]大的費用。[illegible]是包括亞洲人肉？[illegible]許多女性盲目[illegible]的悲劇，不可不[illegible]

為「水滸傳」尋賊譜

匡正

蘭溪靈山賊宋言、吳邦、剡縣仇道人、仙居呂師囊、方岩山陳十四、蘇州石生、歸安陸行兒皆合應之。徽宗始大驚。遣童貫，譚禎為宣撫制置使，帥禁旅以東。三年四月，生擒方臘及妻邵、子亳二太子，偽相方肥等五十二人。」足見方臘羣盜並非等閒，居然建號稱公，儼然君臨一方，與南宋朝廷抗衡。但韓世忠傳則云：「方臘反，世忠以偏將從王淵討之。時有詔能得臘首者，授兩鎮節鉞。世忠窮追，至睦州青溪峒，問野婦得徑，即挺身仗戈直進。度險數里，擣其穴，格殺數十人，擒臘以出。辛興宗領兵截洞口，掠其俘以為己功。」擒方臘則有童貫、辛興宗、韓世忠等爭功。童貫在水滸中是一奸佞。被招安者，童貫掠其功。水滸傳擒方臘者為行者武松。清人朱梅叔的「埋憂集」記云：「六和塔在進瀧浦上，塔下舊有魯智深墓，今毀矣。當日聽潮而圓寂，應在此處。進瀧下有鐵嶺關，說是宋江藏兵處。」又云：「江滸人掘地得石碣，題曰武松之墓。當日進征清溪用兵於此，稗史所傳當不誣也。」又清梁章鉅的「浪跡叢談」引陸次雲「湖壖雜記」云：「六和塔下，舊有魯智深墓，又言江滸人掘地得石碣，題曰『武松之墓』云。」這是關於遺跡的記載，可為一佐證。

關於收宋江事，今人方豪、牟宗三諸氏有以為是折可存。以得折可存墓誌為據。方豪的「宋史」稱：「三十一年春，余偶得折可存墓誌銘，謂可存於平方臘之亂後，「班師過國門，奉御筆，捕草寇宋江，不踰月繼獲。」既捕之，必殺之，況又辱之曰草寇乎？吾友牟潤孫兄，曾撰「折可存墓誌銘考證，兼論宋江之結局」（台大文哲報第二期），加以推測。謂貫性偏私，平亂諸將，非其親信，多不得償。則宋江因爭功而復叛，固有可能；受童貫親信諸將之妬而被陷亦可能。宋江以投降求贖之人，受諸將歧視，亦情理中事。可存之捕江，必受命於貫，其事當在宣和三年七月後、十二月前也。」按此說大有問題，且不論「折可存的墓誌銘」從何而來？可能性如何？僅依宋史徽宗本紀，續資治通鑑，宋史童貫傳等，均載降宋江在宣和三年二月，擒方臘在同年四月，侯蒙傳明言招降宋江以討方臘。宋江是否實參與平方臘不究，而各傳所記降宋江在前，討方臘在後均一致，尤其宋史徽宗本紀所書國家大事，當不會有誤，其他各傳亦無異言。折可存墓誌銘所記是先討方臘，後捕宋江，至謂宋江是因「爭功而復叛」，又顯係疑似之詞，未必可信。（四）

來論

今日台灣校長縱橫談

張紹炎

今日台灣的「校長」在教育界是一個相當有誘惑性的位置。多少人或常年兀兀焚膏繼晷，或鑽營奔波，大拉關係；目的就在弄個「校長」幹幹。一般教育界的人也好，不學教育而從事教育工作的人也好，似乎都以「校長」為其最後的奮鬥目標，一旦登上校長寶座，就有「位極人臣」之概，名利雙收，其樂陶陶焉！

然而，當校長，實在也不是一件好差使。任何一位校長都難免多少有些難念的經。此經說來話長，酸甜苦辣，五味俱全。筆者且就多年來耳聞目見，作一縱橫的分析，看一看今日校長的眞面目，而為一般學校教育的貧血症找出一些病源來。

校長是一校的靈魂，是一校的主宰，是一校的精神象徵，他關係整個學校的興盛與衰敗。他是學校的最高決策人，所有事務都歸他統轄。這是一個繁重的任務，艱鉅的工作。此一任務的完成，需要專門的知識，廣博的學養，堅毅的精神，高尚的人格和教育熱忱。然而，放眼當今，眞正夠條件、夠資格、夠能力以擔任校長的現職校長，又能有幾個呢？客氣點或可說：不乏其人。可是，事實上我們最常見的，卻是一些油頭粉面的馬屁精，和昏庸無能的窩囊廢，以（她）們高踞校長寶座，以「校長」之尊，顧盼生姿，威風凜凜！有識之士遙遙見之，誰不興「氣死我也」的憤怒和嘆息？學校的命運，居然落在這批庸才手上，寧不教人獨愴然而涕下麼？

校長任重道遠，用人不能草率亂搞。此教育法令本早已有明文規定。翻開教育法令，各級學校校長任用辦法，眞相「條條是道」，美不勝收。可是，十分遺憾的，那些規定硬是伸縮性奇大！可以如此，亦可以如彼。而且硬是找不出一條「必須具有專業訓練」的強硬規定。換言之，任何大專出來的公子哥兒，小姐太太，只要從事幾年所謂「教育工作」，而具有「成績」者，都可以校長一番。職是之故，有後台，有人替他搖旗吶喊，替他奔走吹牛，具體點說，只要他是當今權勢煊赫人物的門客走卒，或裙帶關係人，或遠房近親，他就可以很容易的手到擒來，登上校長寶座。所有什麼用人唯才，專業訓練等等都成了無關痛擾，成了欺騙大傻瓜的口號。這是一個「有辦法」的世界，「有辦法」的人，就能飛黃騰達，就能青雲直上；「沒辦法」的人，只好潦倒以終，倒霉一世。道是當今一個活生生的事實，有目共睹的事實。此一事實，使我不禁悲從中來，涕泗縱橫。

抬望眼，除開教育界，其他各界的大小主管先生，似乎都很重視「本科」出身的資格。所以然者，欲求其內行也。欲求其有效率也。可是，唯有教育界，唯有道個關繫民族文化之盛衰，國家命運之安危的教育界，卻可以不必考慮其是否「本科」出身。（一）

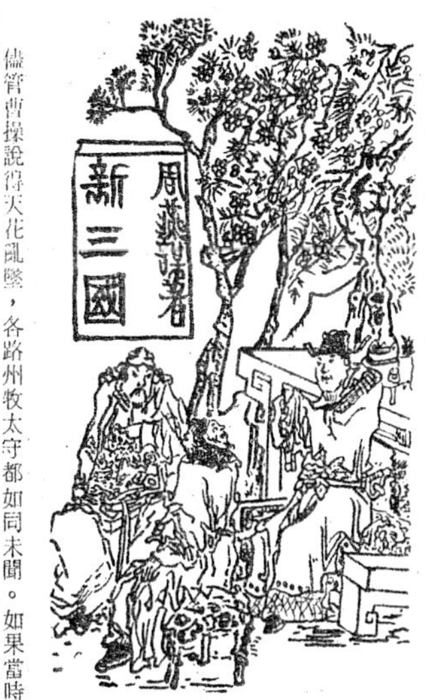

孫堅硬幹

儘管曹操說得天花亂墜，各路州牧太守都如同未聞。如果當時各盟軍指揮一致依曹操的計劃，董卓一定覆亡，三國的歷史一定要重新寫過了。曹操的計劃不被大家採納，一氣之下，他獨自進兵去攻打董卓。董卓兵力甚強，令諸侯全部人馬去打當然有餘，單憑曹操一個人的力量自然差得太多了。兵到了榮陽，即今之河南榮澤縣，給董卓的部將徐榮打得大敗。但是他卻支持戰鬥達一日之久。徐榮以為其他東方兵馬都和曹操一般能打，所以不敢追趕。

這時候董卓正慶幸自己勝利了，不料又引出一個硬漢來了！

董卓正在慶幸勝了東方的盟軍一仗，不料又從南邊來了一個硬幹的孫堅。孫堅是未曾加盟之一人。三國演義把孫堅、孔融、陶謙、馬騰、公孫瓚、張揚以及劉、關、張等，都拉在盟軍陣營裏的，其實是沒這回事的。

孔融由董卓發表為北海相，在職六年之久，除了與黃巾羽黨有過攻戰之外，不曾有其他的軍事行動。他後來被劉備保舉為青州刺史，不久被袁紹的兒子袁譚搶去了，才獨自投奔曹操於許昌去了。這是後事。

陶謙是靈帝朝的車騎將軍，黃巾初起時，被任命為徐州刺史，平黃巾頗功績，做到保境安民的地步。他未曾公開反對過董卓，而且在董卓死後，他還向董卓殘部所脅持下的朝廷進過貢，表示過好感。

馬騰在靈帝時，已在甘肅造過反，捧王國做皇帝，與邊章韓遂二人共事，曾經對董卓作戰，算是董卓的對頭。但他並未加盟。董卓遷都長安後，還拉攏馬騰，叫他去攻打袁紹，馬騰同意了的。公孫瓚此時正在熱河與烏桓作戰，名義上是降虜校尉兼遼西屬國長史，他根本沒有時間到河南來加盟。但和袁紹的交情不錯。後來為了恐嚇韓馥，袁紹叫公孫瓚偽稱董卓的徒黨，引兵南下。更可證他沒有參加討董卓了。

張揚，雖是丁原的舊部，但已事過境遷，而且已獲得了董卓的河內太守之職，對董卓十分恭順。

劉備與關張三人，在演義中，討董之役，表現得很精采，可是杯酒斬華雄的事，是羅貫中的傑作！華雄是誰斬的留到本節後面再說。劉備在此時，是官卑職小，是一個小小縣令。但是、不能說他沒有起兵討董卓。事實上反對董卓的人，何止那十個。不過因為他官卑職小，不會被人注意罷了。英雄記載有劉備在靈帝末年還陪同曹操到沛國去募兵，靈帝崩了，他自動募兵討董卓。以劉備之志，董卓之殘暴，人神共憤，他豈有坐視之理！他這時是否在曹操的部下，史書上沒有記載，因為他的官太少了。總之、英雄記說他募兵討董卓是可信的。加盟的諸侯不過犖犖大者。

孫堅也不是同盟一份子，他獨個人硬幹，攻打董卓，表現得非常精彩。（廿六）

自由報

賈化打鑼鼓（續）

這位丑角，是一個儁才，以前抗戰時期，在渝蓉一帶，常常彩串，並會唱老生，頗負時譽。在台北僅見過一次與陳鴻年演寶馬，把秦叔寶壓下去了。以後各票社演出，如需要丑角，不妨電話去商懇，祇要情摯意誠，諒必可以答應。我是想看他的戲，故妄爲宣揚能成，希望賈化不要以爲多事，實在是能者多勞，爲劇藝宣揚，亦理所當然，不知要罵否？

國劇繽紛續錄

姿變生（六十七）

送復嬌復玲行

明社票房在四月四日辦一場晚會，是送周復嬌出國赴西班牙學音藝，選定這兒童節，很有意義，爲讓一般兒童作爲示範。一個平劇演員而出國深造，該是破天荒的第一遭，以前沒有聽說過。復嬌聰明，有此雄心萬里行，比許多更成名的，是強得多。有機會做到此種動作，却捨不得一份待遇，仍在那裏唱。她不爲平劇想出輝煌之道，不免令人氣短，不及復嬌之有決心。玩藝的好壞，是另一會事，學問的造詣，二三年後的距離，就差得遠。張美崙隻身去羅馬，今有繼往者，可說大快的事。

臨別之前夕，再露一手的大英杰烈，也可說是她的拿手，選得更有意思。所謂臨去秋波，惹人記念，勉乎復嬌，前途珍重，要爲國增光；勿作搞七，醞釀愛波，以作國際間的視聽，切切勿忘。並望在那裏打定基礎，也可再介紹別位前去，使西班牙的音藝，能有中國的音韻，是一項大任務！不能專爲個人覓對象，才不愧是中華好女兒！

據華報刊布消息，同去的尚有王復玲、復晉、林萍三位，那末大家到國外互相照顧，情同手足，應無疑義。而學藝切磋，應不可自私，要相合而發揮，期使華僑瞭解，不勝其企望。送行例應踐客餽餞，我想一定很多。不過我却以諄諄美言，希望妳們在國外身體健康，前途無量，以作預賀而代宴！

哭

劉杰

說起來也許別人會笑，長了卅來歲的人，居然會哭起來。但我這次眞的哭了。過年時，同學們有家的回家，沒有家的到親戚家去，朋友家去。我呢？既沒有家，又沒有至好的親友。同時，我的個性，不願意打擾別人，寧可自己受點委屈。於是，在年夜孤單單的偌大的寢室，祇有我一個人。又聽到外面的鞭炮聲，此起彼落；想起兒時過年的快樂，想起溫暖的家，慈祥的父母，愛我的兄姊。現在這些人都在大陸。想着，想着，我的淚流了出來。我哭了。

感情脆弱的人，才承受不住情感的壓力，而就哭了起來。一部梁山伯與祝英台的影片，哭的人大有人在。女人固然感情豐富，在情感的悲劇裏，因受到感染，也就制止不住自己，而哭了起來。有些男人，也因看了梁片後，居然有哭的。上個星期天，我和同學看啞女情深影片，也爲女主角方依依哭了起來。我是感情主義者。看到別人哭，我的淚泉就開張起來。何況影片中的動人故事，那就非哭不可的。

記得小時候，算命先生說我適合做文人，不適當當軍人。可是，我却當了軍人。我在戰地裏，看到共匪殘忍的行徑，殺害自己的同胞。我除了憤恨外，還非常難過。倘若沒有那麼多伙伴，我會隨時會哭的。

女人是喜歡哭。所謂女人的法寶，一哭，二睡，三上吊。我見過朋友的妻，和丈夫吵架，丈夫有理由，但她不服輸，要丈夫賠不是，她就往床上一倒，哭將起來。這一哭，就把男人的心哭軟，也就遷就了她。我過去有個女友，在台中時，她要我買風衣給她。我那時沒有錢，我說現在不買。她不高興起來，且她非得到買風衣不可；於是，她就哭了起來。

哭可爭取別人的同情心。李宗吾在厚黑學一書中，說哭是一種致勝的法寶。劉備之所以有三分天下之一，就是哭。趙子龍救阿斗回來，劉備一哭，說險些損失了趙子龍的。我在金門時，有一女人哭着要我評理。她是和另外女人打架；因爲她一哭，我評了有理。事後知道，哭的人是不對。但她用哭的武器佔勝了別人。古時鳴冤，也是用哭的。

哭是一種發洩。男人的哭，總受到極大的委屈。我的同學楊揚，在大四時與阿莉戀愛，說好大學畢業，兩人就結婚。可是，楊揚一畢業，阿莉却和別人結婚。這一打擊，使楊揚沒有自殺成，却抱住我嚎啕大哭起來。我讓他儘情的哭，哭過後，他的情緒也就轉好很多。物極必反，倘若沒有適當的發洩，那就非走極端不可。

一般人對哭的評價，乃是弱者。受委屈的，是弱者。女人是弱者，就有哭的專長。但我認爲：眞正的哭，不是弱者，而是強者。有一次，我在金門遊玩，看到一個女孩子在海邊上哭起來。我問她哭什麼？她說她的救生圈被浪頭冲走。因爲她一哭，我就下了海。事後，她獲得了我撈起的救生圈，她在背後說男人都是傻瓜。我還看到過，女人欺侮男人，把男人當做下男，發號施令。而她在必要時，還是一哭。

哭是人的天性。呱呱墮地，就是哭。所謂英雄不流淚，並不是英雄不哭，而是把淚水流到自己的肚子裏。我本來是感情主義者，常常哭的。由於世故的因素，在某些場合，自己要哭，也必須控制住自己的情感，假裝着笑。這笑比哭還難受、還痛苦。

我聽到過狗哭、貓哭。狗哭，在一般人認爲是不吉利的。我記得，我在大胆島上，我那頭犬，就在夜裏哭了起來，如泣如訴，令人悲哀。之後，那頭犬咬住一個水鬼。水鬼是抓住了，而那頭犬却死亡了。我是不相信迷信的，由於這一事實的巧合，我也有點相信起來。

我對哭的人，自始至終抱有好感。所以，我處理事件，對於弱者，總是在精神上加以支援。還也許因爲我自己是情感主義者吧？

略談李宗仁（上）

諸葛文侯

愚與李宗仁於近四十餘年間，只是在應酬場中遇見過兩次，迄無私交往來，自然沒有甚末恩怨可言，茲篇所述，乃係個人對他的一些觀感而已。

民國十六年秋莫，李氏以國民革命軍第四集團軍總司令兼國府軍事委員會常務委員、國民黨中央特別委員會委員（此時寧漢剛告合作）諸要職，時愚于役皖省府委員，某夕，李偕白健生（崇禧）將軍自南京乘江安輪赴武漢，道經安慶，登岸入省府小憩，省主席陳調元備茶點招待，全體省委作陪。席間談到中樞黨政事宜，李頗多牢騷感慨語，愚謂：「德公何不仗義直言，指正其是非得失呢？」他答道：「你們可以講公道話，我却不便多說，因爲我是帶隊伍的人，多說兩句，別人就要罵我擁槍桿子的勢力威脅他們，加我以軍閥頭銜哪！」詞意甚謙抑，給我以初次相見的良好印象。越民國廿八年對日抗戰之際，李氏在鄂北担任第五戰區司令長官，曾回重慶公幹，我在程潛寓所第二次跟他匆匆晤面，未多談話他就辭別了。繼而在座的賓朋有人談及李氏對其妻郭德潔的一樁故事，大家讚美李德鄰的風度不錯。據說：郭德潔於對日抗戰發生後，在桂林創設一所婦女訓練所，經費當然由省府支應，然廣西財政困難，省府當局碍於李老總的面子，亦未便停發。旋軍令部長白健生回桂林巡察，主張撤消一些不必要的機構，以節糜費，婦訓所亦在其列。郭氏大爲忿恚，曾哭訴於李德鄰，李謂「白健生那種怪脾氣，我都懶理他，你何必跟他嚕囌呢！」郭氏亦就算了。所以，在民國卅八年以前這段時期，我對李宗仁的觀感頗好，但從卅八年，他代理總統職位以後，知道他是個政治上的土包子，庸愚多慾，丟盡了個人的人格和國格，觀感爲之丕變，難怪他晚節不堅，現在，終於靦顏向毛共稱臣了。

他代理總統職位伊始，即策動廣西省參議會首先發出通電，聲請李氏「眞除」大位，不悉憲政體制爲何物。迨中央政府遷移廣州，局勢危急萬狀時，而李不顧大局，匿居桂林拒不視事，說是沒有權力，居然提出請引退在野的蔣總統出國游歷的要求，幼稚荒誕極了。未幾，他瞧着美國發表的對華外交白皮書，以爲白宮當局對他有好感，乃棄職潛來香港，託詞就醫，竟以一國元首地位，向美國領事館申請赴美護照，由美領館轉請國務院「批准」（Approve）他入境，公然形之於公牘，眞是把中華民國的國格喪盡了！臨行還發表書面談話，聲言美國對中華民國的一切軍經援助，祇有他纔能夠處理支配，別人無權過問。當時我在「香港時報」撰文斥責他隨便胡來，罔知廉恥，希望他到國外去莫再丟醜失格，少留後世的罵名。

楊乃武與小白菜

「影劇與歷史」之二十

周遊

縣令劉錫彤深恐牽連其子，連累本人的烏紗不保，就假藉職權，上下其手；並利用楊與葛畢氏的關係及楊人緣惡劣之矛盾，刑逼羅織故入人罪。劉之敢於如此大胆妄爲，乃是有所恃的。原來他與大學士寶鋆是鄉試同年，可以照應，所以胡來。杭州知府陳魯又是素喜與士人爲難，故覆審時對楊不容其一辯，完全支持劉錫彤的原判。浙江按察使蒯賀孫，巡撫楊昌濬，以及其後奉派受特旨嚴行覆審的學政胡瑞瀾，都因官官相護而依樣葫蘆，始終維持原審之判決。

三、楊乃武冤案的主犯是粮胥何春芳與其奸婦阮桂金（即捕役阮德之姊）。獄起之時，楊乃武全然不知，即葛畢氏也不知道毒藥從何而來。但劉錫彤以兒子之故，必須羅織楊乃武之罪，一則護子，一則保官。用威脅手段逼令倉前鎮藥店主人錢寶生作供狀，指證楊曾在其店買毒藥。但幾次覆審時均未提錢寶生對質。可以說錢寶生爲此案大關鍵，但當淸廷嚴令胡瑞瀾覆訊時，錢即自縊而死，因恐到案時不實言則爲鄉里所不容，實言則將被考掠，不勝官吏之毒害，故急而自裁。由此亦可見劉錫彤的威風。而胡瑞瀾覆訊後奏章中也放過此一重大關鍵，只說錢業已病故。而且強調稱：「照刑部奏駁各節，行提本犯及應訊人證，逐加訊究，葛畢氏等供並無異，本可擬結；而楊乃武案經再訊，以爲必能翻動，頓改前供。查因姦毒斃本夫，事極秘密，旁人無從確見，自應以本犯供詞爲憑。此案並非他人誣指，而楊乃武圖逃其罪，逞狡獪伎倆，播散浮言，聞者率信爲眞有冤。抑現在楊乃武力健更甚，案情重大，人言紛紛。」故意暗示楊尚有越獄之可能，以威脅刑部迅速結案。

觀此，可見當時淸廷腐敗官僚之一般。楊乃武的確也有幾套，不僅仍能「逞狡獪伎倆，播散浮言」，並且事實上楊乃武當時曾使其妻及子兩次赴北京喊冤「京控」。這一冤獄卒能平反，這兩次喊冤的「京控」是很重要的措施。

至於影劇故事中，認爲此案之能平反，完全是靠刑部侍郎翁同龢的細心核察，並且佯作問斬前賞酒飯，將楊與小白菜拘於一室，由此據二人之對話而破案者。按翁本人的日記中記載是這樣的：

光緒元年十月十八日：浙江葛畢氏，謀毒本夫一案，經胡學使瑞瀾擬結。奉旨交刑部速議。今日御史邊寶泉劾奏：案情未確，請提刑部覆訊。旨以無此政體，仍飭刑部反覆研求，作速核復。

（二）

姜著「我生一抹」評介

。楊力行。

我生性最喜閱讀關於文史哲學方面之書籍，尤愛讀傳記文章。

友人現任總統府參事江山異生姜超嶽先生，近有「我生一抹」一書之刊行，不僅文字簡潔，內容純潔，版面淸潔，編排雅潔；而且，體制新穎，處處予人以奇花異卉，芬芳撲鼻的淸新之感。展讀至再，不忍釋手。

其內容全係其身體力行之自傳，敘事眞切：絕無時下文過飾非之弊，實爲最上乘之傳記文學也。計分：一、幼年瑣憶，二、坎坷家道，三、初涉世途，四、別關蹊徑，五、艱難歲月，六、遭時滄桑，七、行都雜志，七目；每目各繫若干則，共計一五四則；每則標題二字；末附紀念性之照片十二幀，補白則有壽序書牘等，無異一小型文集。另有「德音輯覽」截朝野名流學者之題跋，琳瑯滿目，美不勝收。

我與異生先生係芳鄰，雖不免相見恨晚，但時相過從，促膝長談，每至夜深，而不覺其倦困。異生先生賦性耿介，不同流俗，文如其人，只見個性，絕無妄言廢語；讀其文如見其人，如聞其聲，蓋可傳之作也。因集論語「不憤，不啓；不悱，不發」。「毋意，毋必；毋固，毋我」句以贈之。我素不喜寫書評及序跋類應酬文字，但如確屬具備眞善美如「我生一抹」者，則又例外，蓋不敢自私，欲以貢之同好也。

最難得的是全書一六二頁，共約十萬字，沒有一個錯別簡俗字；如果，要吹毛求疵的話，那就是標點符號僅有逗號和圓點二種，不夠明確；字體除小注及附錄補白均係新五號外，全書前半部係用老四號，而後半部則係新四號；且同一則中，更有新舊四號字體並用著。同一本書，而字體不一，有失美觀，此則美中不足者也。

中華民國五十五年四月九日寫於台北新莊妙諦齋

內政部登記證內警台報字第〇三三號

自由報
THE FREE NEWS
第六四六期

中華民國僑務委員會頒發
台僑新字第三二三號登記證
中華郵政台字第一二八二號執照
登記爲第一類新聞紙類
（半週刊每星期三、六出版）
每份港幣壹角
台灣零售價新台幣貳元
社長：雷嘯岑
督印人：黃行晉
社址：香港銅鑼灣高士威道二十號四樓
20, CAUSEWAY RD 3RD FL.,
HONG KONG
TEL. 771726　電報掛號：7191
承印者：大同印務公司
地址：香港北角和富道九六號
台灣分社
台北市西寧南路壹壹零號二樓
電話：三〇三四六
台郵撥儲金戶九二五二

男女兩性的數量分配與婚姻（上）

·張則直·

一、婚姻與家庭的功用

從人類的天性來看，我們古代的聖賢曾說：「飲食男女，人之大欲存焉。」今日的社會學家和人口學家也說：「男人們興趣最大的目標，畢竟是女人；女人們興趣最大的目標，畢竟是男人」。因爲人類有這樣的天性，所以能以兩性的愛爲基礎，擴充起來，發展爲種種制度，形成了物質和精神文明，促進社會的進步，和種族的繁衍。

在進步的社會，合法的結合兩性關係是婚姻，有婚姻而後有夫婦，有夫婦而後有家庭，家庭被公認爲社會組織的基礎，可見沒有家庭，就沒有進步的社會構成。在社會學上所稱的家庭，是指被社會承認、合法結合的夫婦二人，或包括二人以上的直系尊親和卑親屬，而以血統關係自然組成，共同生活的集合體。這和行政組織上的戶，範圍和性質，都不相同。因爲行政組織上，無論是共同生活或共同事業，只要在同一處所，同一主持人之下，都可稱爲一戶；同時，戶的容量，可能很大，也可能很小，大到包括幾百人，小到一個人。但是家或家庭，雖也有共同事業的經濟性質，但著重的是共同生活的血統關係；而且如果一個人，則不能稱之爲家或家庭。今日台灣的戶籍登記，有數量很大的「單身戶」，在行政或自治系統的里隣編制上，仍是一個基本單位，習慣上也可能稱之爲家；但除了因喪偶而成爲獨身者外，在學理上則不認爲那是一個家。

家，是以男女兩性的愛的結合而建立起來，是慈孝的倫理關係實行的基點，是生活和事業發展的依據，是生育和教養社會新血輪的溫室。自從共產極權制度出現以後，它們爲了消滅人性，摧殘自由，使所有的人都被奴役、被控制於暴力獨裁制度之下，首先是破壞家庭組織。這時政治學家又發現了家的價值，是保障人權和自由的最後堡壘。因爲有這個堡壘，每個人才可以依個人自由，從事於志願的、或拒絕非志願的行動和工作。而在共產極權國家，則沒有這種自由，每個人只在集體制度下成爲沒有血性的機械的零件。因此，自由國家的家庭制度，更值得重視，値得維護，具有特別的價値。怎樣使男女兩性的婚姻美滿，怎樣使家庭健全，進而求得國家和社會的健全，自是不可忽視的問題。

二、兩性數量分配對社會的影響。

男女，婚姻，與家庭，對於社會、政治、經濟各方面的關係，非常重要而密切。所以從很久遠的時代以來，都以「男有分，女有歸」，或「內無怨女，外無曠夫」爲社會景象和政治績效的最高理想，這理想看來很簡單，實際做到却極困難。在社會制度上，兩性間婚姻的對象、年齡門第，和婚姻的儀節，以及婚姻存續過程中的久別、離居、喪亡、和再醮等等因素，都會產生許多怨女曠夫。又兼經濟關係，無力結婚的男子，在中國社會也爲數不少。我們有一句俗話：「有剩男，無剩女」。意思是說，男人們常會因無力結婚，而致成爲獨身漢，女子較少受自身的經濟限制，則不難找到配偶。這樣看，似乎是曠夫較怨女更多。實際情形，如空閨獨守，標梅失時，再嫁困難，又或不幸淪落等等，女子較男子爲甚，所以怨女也不在少數。想要使這許許多多的怨女曠夫，都能得到幸福的家庭生活，牽涉到社會制度、風俗習慣、經濟環境等等，自不易做到澈底的完全的圓滿無缺。

以上所說，只是由社會制度和習俗造成的怨女曠夫，是在男女兩性的數量分配，接近相等的情況下所發生的，已經不易解決了。有些特殊地區的人口集團，特殊兩性的數量，相差懸殊，問題就更爲複雜。一般的計算男女兩性數量的分配，稱之爲兩性比例，有時按兩性各佔百分比若干來計算，有時以每百名女子有若干男子爲比例來計算，大體上以後一方法，較爲通用。例如某一地區的性比例爲一〇五，就是每百個女子中有男子一百零五人，爲男性較多；不足一百，則是男性較少。按自然出生的情形，各國的統計，都顯示男性畧多，但相差甚少；而死亡也是男性畧多，所以常能使兩性數量，接近平衡。不過在特殊地區，或特殊情況之下，則常有性比例極不平衡的狀況。

例如中國東北各省，長時期容納內地北方各省的移民，而中國大陸各省移民的習慣，常常是獨身男子，遠赴異地，開創事業。所以容納移民的地區，性比例常是很高，——男子甚多，而女子甚小——又如各大都市，常由腹地農村，吸收大量獨身謀生的男子，也造成偏高的性比例。大陸淪陷的前一年（民國三十七年）統計，東北各省的性比例，多數在一二〇至一四一之間，南京、上海、北平、天津各大城市，也都在一二〇以上；而大連市的性比例，高至一九四，幾乎每兩個男人，才有一個女人。

西方國家，如美國在開發初期，邊疆地區，尤其是礦業、和伐木業的工作區，也都有男性超出甚多的現象。其後逐漸發展，當這些地區，漸漸形成爲普遍市鎮之後，兩性人數，就逐漸趨於平衡。再有戰爭也是影響兩性分配的一項重要因素，因爲戰爭所犧牲的青年男子爲多，所以戰事終了之後，常使女子數量超出。此情形，以德國人口最爲顯著，第二次世界大戰以後，一九五〇年調查，西德人口的性比例爲八九·六；但在二十五歲至二十九歲及三十歲至三十四歲，這一階段，僅爲七三·八，及七三·三即。在每百個女子中，僅有男子七十三人。今日富足的西德職業女青年，不得不經常的到國外遊樂，以求調劑。

無論男子或女子的數量超出，最顯著的情形，是性的犯罪增加，道德觀念淡薄，聯帶使其他犯罪一併加多，女性常處於不利地位。男子數量超出，在西方社會所發生值得注意的結果，是「法律脆弱，生命價廉」。這結果在其他地區，差不多本也是相同的。一個社會如果有這種情形，就很値得憂慮了。

鼠輩休走！

非洲

不知利害

佛教徒

今日與明日

中達復交

醞釀幾個月的中國與達荷美共和國的復交問題，本月二十一日經我外交部宣佈已成功，我國將在達荷美首都重設大使館。這是一個可喜的消息，國人愼勿以爲「善小而忽之」。

達荷美本是自由世界一員，與我國邦交亦敦睦，前總統馬加會在五十三年訪華，爲非洲訪問中國的第二個元首（第一個爲馬拉加西總統齊拉納），不料回國之後，即被毛共收買的政客所推翻，組織非法政權，與中國斷絕邦交，承認毛僞組織。及至去年底，陸軍參謀長索格羅將軍發動政變，推翻左傾政權，驅逐毛共人員出境，中達邦交即有恢復之望，後經我外交部次長楊西崑去達荷美訪問之後，中達復交即成事實，這次不過是把事實公開而已。

否極泰來的象徵

自從政府遷到台北，大陸出現了毛僞政權之後，挾其宣傳、武力與金錢之優勢，在世界各地確實誘騙了不少國家承認了這個僭僞政權。最可悲的是，十六年來只見原來與中國有邦交的國家逐個與毛僞政權發生關係，從未有一個與毛僞政權建交的國家，迷途知返，重新回到自由陣營，與中國復交；有之，自達荷美始。這是一個好的象徵，也許不久將來許許多多國家都會走着達荷美的道路。萬事開始難，只要有人勇敢的起了腳步，跟上來的就自然多了。

還有幾國可以勸說

除去達荷美之外，還有中非共和國，其情況與達荷美完全相同，不必再贅述。可是中非共和國雖然同毛僞組織絕了交，並展出毛共在該國的顚覆組織，人證物證俱全，但是却沒有同中國復交。這個問題相信外交當局也在注意中。達荷美已經行之在先，中非自然隨之於後，按說是不會有太大困難的。

此外還有加納，雖然同毛僞政權過去關係較深，而且從來也未同中國建交，但是加納目前和毛共關係之壞，較達荷美、中非尤有過之，加毛之間已瀕臨絕交邊緣。我們大可從中用些力量，把加納拉回自由陣營。

其次再說印尼，一旦蘇加諾被推翻或放逐，中印之間恢復邦交的可能性也是有的，更應當早下工夫。

非洲爲今後我政府與毛共的外交戰場，必須派出像楊西崑這樣大使駐在象牙海岸就近指揮所有黑非洲的大使館，賦以全權，相信定可有成。像那些專憑資格的老人，應該回到台北休息了，非洲天氣過熱，也不是頤養天年的地方。（何如）

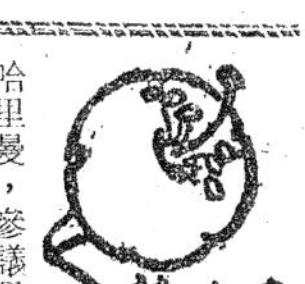

語無倫次

近來美國政界要人——國務長官魯斯克，巡廻大使哈里曼，參議員曼斯斐爾，楊格，羅拔甘迺廸，白宮特別顧問泰萊將軍等，紛紛發表議論，一致主張跟毛共修好言和，從速結束越南戰事，條件是贊助毛共政權進入聯合國，跟越共談判越南問題。一派和平妥協的詞色，得未曾有。然毛共一再斥之爲騙局，表示不屑理睬，它教美軍先撤出越南，承認越共政權再說，否則免開尊口！一方媚態可掬，秋波橫飛，一方怒目相向，惡聲大發，眞是嘆觀止矣！

就雙方這項宣傳戰的本質而言：美方是急不暇擇，語無倫次；共方是原則堅定，話不投機。咱們旁觀者認爲美國未免幼稚自討沒趣，硬要把「紙老虎」的帽子往頭上套，何其傎也！

最可笑是美國聲稱願意贊成「兩個中國」存在，却不問中國人是否有人同意這種謬說，假使全體中國人皆表示反對，又如之何，而事實上這是一定的，有如上海人所說：「談阿弗要談」。

美國朋友又預測毛共下一代的領導人物，將會和平轉變，不復採取仇美政策。這與英國哲學家羅素說共黨可能行右政的「高見」，自說自話，後先輝映，令人不忍譏笑，只覺得可憐可悲而已。

迷信唯物主義的共產黨人，除却講究實力的利害關係以外，一切都是廢話。他們心目中的和平與戰爭觀念，并無分別，爲着進行世界革命的利益所在，和平不過是戰爭的一種手段罷了。美國因害怕戰爭而低頭求和，適所以增加共黨的好戰心理，欲求避免「紙老虎」的惡諡，豈可得乎？

麥卡錫參議員一死，美國已少聞反共之聲，麥克阿瑟將軍云亡，美國更多見反戰之論，然美國又以反共產極權主義相號召，瞻念自由世界前途，危乎殆哉！

馮亞先生

台省鋼鐵工業入新階段 產品非但自給且需外銷

政府積極進行建立現代化鋼鐵廠

——華僑社稿——

近幾年來台灣各種工業的突飛猛晉，加以適應當前的國防需要，有建設一貫鋼鐵廠的必要，使台灣的鋼鐵工業，邁進一個階段，不但能夠自給自足，而且還得輸出海外。因此行政院已經把建立鋼鐵廠計劃，列爲今年優先進行的計劃，由經濟部和有關部會的首長們，組成鋼鐵廠計劃策進委員會，就建廠方案和財務籌集，作週密的規劃，希望現代化的鋼鐵廠，能早日成立。

建廠計劃分兩期進行

經濟部長李國鼎，在今年三月中旬，會對建立一貫鋼鐵廠計劃有所說明：預計分作兩期進行，第一期生產鋼錠五十萬噸，需要建廠資金一億五千萬美元；第二期再增產五十萬噸，需要擴建資金三千二百萬美元。這個計劃，已一方面經由世界銀行洽請一家美國顧問公司代爲審核，另一方面，則已分別派員到西德和日本，與兩國鋼鐵業詳細磋商。同時爲了儲備建廠所需的技術人員，已經把建廠工作，分成十六項專業，遴選幹部，到國外去受訓或實習，以配合建廠的需要。

一貫作業鋼鐵工業的建立情況，既如上述。而台灣當前鋼鐵工業的現狀怎樣？想爲讀者所急於知道的，茲特述其概況如下：

台灣的鋼鐵工業基礎本來十分脆弱，在清光緒十九年，爲了完成台北和基隆間的鐵路鋪設工程，才設置機器局，是開台灣鋼鐵工業的先河，從事修理及製造鐵路機械，兼修兵器和船舶。二次世界大戰爆發後，日本把台灣作爲南進基地，配合他們侵畧戰爭的需要，加强鋼鐵的生產，就在高雄創設「高雄製鐵株式會社」，在汐止創設「台灣重工業株式社會」，從事生產生鐵。原來林提灶氏在台北創設大同鐵工所，唐榮氏在高雄創辦唐榮鐵工所，翁金護氏在台南創設台灣製鐵所，各項製鐵工業，似乎有蓬勃的現象，但戰時受日本政府所控制，無法自由發展。光復時，日人經營的鋼鐵工業，陷於停頓狀態，經我國政府接收後，加以重建，乃得以加速發展。

鋼鐵生產的種類

台灣全省所生產的鋼鐵，在種類方面而言，包括有生鐵、鋼球、元條及其他型鋼，鑄鐵及鋼纜等，此外尚有一小部份馬口鐵皮和白鐵皮。

台灣全省鋼鐵的生產量，根據民國五十三年全年度的統計：生鐵有六萬一千八百三十七公噸，元鋼二十萬三千八百六十噸，型鋼三萬二千公噸，鐵綫六萬一千四百七十六公噸，洋釘四千五百四十二公噸，馬口鐵皮三千〇二公噸，黑鐵皮一百四十六公噸，白鐵皮二千一百三十九公噸，鋼管二萬五千噸。

在民國五十四年度，十一月三十日爲止的統計，合計總生產量爲三十四萬八千四百九十一公噸；如再加上十二月份的生產量，數量當能有若干增加。就金額方面來說，到去年十月爲止，合計新台幣一十七億四千一百萬元。在整個工業生產金額數字中，也佔着一個相當重要的地位。

外銷以越南爲主

在民國五十四年十一月爲止的去年所生產鋼鐵中，仍以元條及其他型鋼佔大宗，合計爲二十三萬四千七百二十五公噸，佔總生產量的百分之六十七點四。其次爲生鐵，計六萬五千六百六十一公噸。鑄鐵管爲三萬四千四百四十三公噸。此外，是馬口鐵皮和白鐵的生產量，比較民國五十三年度同期畧有增加。

台灣所生產的鋼鐵，大部份供應省內消費，有一部份較高級鋼鐵製品，在一貫性作業鋼鐵廠沒有建立以前，因爲無法自製，至不得不仰賴於進口，至於外銷，仍以越南爲主。一年來由於越南戰爭繼續進行，越南政府突然於去年十月三十一日前後撥發美金二千二百萬元，進口鋼鐵物資，使我國的鋼鐵工業界產品，有大量往銷的機會，今年當能帶來適度的繁榮。（上）

今後三個月例屬淡季 港各廠家各有算盤 爭取訂單不遺餘力

（本報訊）香港各行工業最近一般都出盡「八寶」，爭取海外的新訂單。可是歐美的大客商，對於今年冬季及聖誕節應銷貨品大額訂單差不多已經落齊，現在所能爭取的，祇是小額的訂單。也有一部份工廠沒有較好條件爭取出口訂單的，轉而在本銷方面打主意。所謂本銷訂單分爲兩個部份，一部份是完製品，供應本銷日用品之類，如衣著品及另一部份是半製品，供應另一些廠家加工後輸出的。

事實上，香港工業有接單的旺季與淡季，也有生產的旺季與淡季。以接單而言，每年二至四月間，是歐美客商向港訂購聖誕節及冬季貨品的階段，這一階段是香港廠家接單的旺季。五至八月，是接單的淡季時候，這時候即使有訂單接入，也不會很大量。到了九月，又是歐美客商向港訂購夏季應銷貨品的開始，直至十二月中旬才告一段落。以工業生產而言，每年五月開始，就是季節性的生產淡月，這一段淡月的時間，通常要到七月底纔結束。到了八月，就開始進入生產旺月了。

維持淡季不淡，一般來說是不容易辦到的。在過去，香港工業生產利潤比較優厚的時候，季節性淡月開工不足，廠家亦不會着急！但近年來因爲海外市場競爭固然相當劇烈，香港內部的競爭也呈白熱化，於是廠家的生產利潤逐漸微薄了。因此，一般廠家都要盡力爭取訂單，大單與細單兼收並蓄，希望維持淡月的一段時間開工可以接近正常。特別是經過了去年淡季的時間內因開工不足而發生較大困難的痛苦，今年爭取較多訂單以支持淡季開工，已是人同此心，心同此理。

從目前大勢觀察，香港工業在淡季內開工生產率不會像去年同期那麼低落，但亦不見得很正常。因歐美客商的聖誕節及冬季貨品大額訂單已經落齊，今後所能爭取的，祇是一些零碎的訂單而已。

作爲香港輕工業中主體的棉系的工業，現在已經有一部份廠家生產開始放慢。棉紡廠開工雖然很正常，不會像去年同期要實施減產，但其中一部份已有輕微的生產過剩狀態出現。織布廠有英國及美國配額的，現在還可維持正常開工，相信今後三個月開工也不會放慢。但沒有配額的廠家，現在已經開始放慢生產。製衣廠是棉系工業中開工生產最正常的一環，現在一部份大廠家且要趕貨出口。針織廠當中，織製羊毛衫的廠家開工生產尚屬正常，但織製棉衣的廠家開工生產率平均祇達到六成左右。漂染廠開工率僅及正常的六成餘。毛紡廠開工率約達八成。鋼鐵廠與搪瓷廠開工率約達五成左右。機器廠開工率約達八成左右。電池廠開工率可達九成。電筒廠開工率約爲七成。塑膠器具廠與塑膠花廠開工率接近正常的水準。玩具廠開工率約爲八成左右。毛巾廠開工率約達八成。

一般來說，在淡季中能夠維持正常的七成開工率，已經是難能可貴了。相信今後三個月內，除了鋼鐵，搪瓷廠，棉針織廠，漂染廠開工率較低之外，其他都可以接近七成或畧過七成的生產水準。

越戰美軍統帥韋斯摩蘭

——富謀畧，廣胸襟，有儒將風度

越南，是美國目前從事的一個最大的熱戰場，這裏有着二十四萬的陸軍，再加上空軍、海軍。作爲一個戰區統帥的韋斯摩蘭將軍，他不祇要事事指揮作戰，還要顧到軍事有關的後勤補給，運輸交通，醫藥、器材，以至對友軍的聯繫……綜括來說，這位駐越美軍總司令經常的生活是處於戎馬倥傯之中的。

他不是個老粗，識見豐富，有着中國所謂儒將風度，更充滿科學的頭腦。這些，可從他的工作充分表現出來。

現在，且一談他的將兵之道。一個美國記者訪問他的時候，曾提到如何指揮這麼大部隊的問題。韋斯摩蘭將軍說：「作爲一個主帥，可以用嚴厲的紀律指揮，可以用命令叫部下怎樣就是怎樣。但用這方式來推動部屬是不行的。要用一個人，必須使他明白他自己是一部機器裏面重要的一個輪齒，而他所要去做的是怎樣的重要。」

由於他深知長官與士兵應有密切的瞭解，所以，他是主張和士兵共甘苦的。所以，他每星期裏總有三四天在戰場上和士兵在一起。因此，每一個駐越美軍的主要部隊，他平均經常每十天或兩星期就去巡視一次。說來奇怪，他並不因這種奔波而感到困倦，反之，他更因這樣做而更覺得精神奕奕，好像一個政治家在他的選區會見選民的情形，令他得到重大的鼓舞。

韋斯摩蘭出巡，常是乘坐飛機或直昇機飛翔幾百哩，在空中吃文治當午飯，利用飛航時間翻閱各種文書，在沿途總停下來與若干部隊作簡短的談話。

他提到在越南作戰，殊非易事，後勤補給是個大問題。他指出不斷向政府請求增兵，是一件冒險的事，因爲軍隊來得快，而後勤補給的體系建立趕不上。因此，有時會發生補給短絀的困難。即如最近四月上旬美軍飛機及部隊出擊較爲減少，就因爲戰事發展太大，彈藥消耗多而補給接不上。

從整體來說，在他的手裏已經把後勤工作建立起來，以金蘭灣來說，是個最有力的明證。在去年六月的時候，那裏還不過是一塊荒僻的海濱，所見的祇有砂、石和荒野的樹叢草萊，且有着老虎出沒其間。但今日飛臨該處上空，俯瞰下面，就見到新建的可容六千人的營房，一條噴射機跑道，和一所醫院，伸展廣濶，交通路網和完備的通訊，更有儲油池，油庫。而另一條飛機跑道，正在興建中。其他地區，像古治地方，已由第二十五步兵師於越共的心臟區打出一塊供該師駐紮的基地，而空運師也以同樣的努力，在安基地方建出一個擁有一萬八千人的城市。這教人不得不大加贊嘆的。

說到韋斯摩蘭巡視部隊的情形，在場親見的人就會覺得他處事是如何仔細，精明。當他進入一個戰地營幕時，部隊的十多個高級軍官肅然立正注視着他行進。他坐下來開始說話了。這是個將出擊的部隊，他要教官上課似的詳細說明如何向這塊越共地區出擊。隨後，一班專家各就所司把他們關於交通、通訊、情報、炮隊運用，空中支援，對越南友軍的聯絡等項針對該區應行準備的，分別指陳。各員敘述之際，韋斯摩蘭時常會插口提問，作補充的指示。

在營幕的肅靜氣氛中，他問到有充分的空中支援嗎？已通知B五二巨型轟炸機在部隊出動之前先向目標區作必要的轟炸嗎？也計劃到要巨型機向別的地方轟擊，以牽制共軍嗎？在作戰之際怎樣配合巨型機的空襲？安全方面的準備覺得妥當嗎？工兵已準備執行他們的任務嗎？

這位將軍提到天然可供降落的地區甚少亦不適當，就要在森林裏將另闢一些降落地點。說到這裏，將軍就問：「我要知道工兵所用的電鋸好不好，我不願見到六呎直徑的大樹留在那裏而沒有除去。有足夠的電鋸應用嗎？醫院的設備怎樣？把原有傷病官兵撤至附近醫院，好騰出病床供即會來到的新傷兵應用這種準備做好了嗎？士兵們對於新發的W一六型步槍滿意嗎？有甚麼東西缺乏的？

等到各項有答案之後，韋斯摩蘭就稱贊他們計劃周詳，並預祝作戰成功，纔起程他去。

在韋斯摩蘭巡視聚葦地第一百零一空降師總部的時候，該師部隊適於昨晚和越共大打一塲，一個少校軍官特從戰地現塲飛返報告戰事經過，描述作戰的猛烈情形，和擊斃越共百人而美軍僅損失十二名的事實。韋斯摩蘭在聽他報告完畢之後，就問，已辨認出敵軍部隊番號嗎？鹵得武器嗎？未死的敵軍向那裏跑了？

最後，這位統帥就稱贊那少校和同袍做得好，并向他道賀。

從上述的事實，足以反映韋斯摩蘭的謀畧，胸襟，和做大事而不畧細節的作風，「大將丰度」對他來說並非過譽。

苗栗鎮水廠 確不滿人意

（本報苗栗通訊）本年二月廿四日報載苗栗鎮自來水廠廠長劉永安上年考績僅有四十分，被省府銓審會核定免職消息登出後，成爲苗栗鎮民茶餘酒後談資，見仁見智，莫衷一是。但據鎮民大多數反映，則以爲劉永安這次丟掉紗帽，確有應得，並列舉下列鎮民所不滿意之事實：

第一、劉永安自升任廠長後，對苗栗水石灰質太重，影響人體健康，用戶一再建議改善之事，從無具體辦法拿出來。

第二、維祥里幹綫水管及苗栗女中幹綫水管，一再請求裝設，竟置之不理。最後是拜托奉獻，自己出錢，才給裝設起來的。

第三、福麗里鬧水荒，龜山橋附近居民水管破壞數月，竟不予修理。

第四、勝利里一百號附近居民共用水管及水龍頭損壞，打電話十餘次請求派人修理，不加理會，最後還是附近居民自己出錢請工修好的。（王永亭）

瀛海異趣談

金像影后往往有噩運

·桑雅·

電影演員無不夢想得到金像獎，蓋「一登龍門聲價十倍」也。但金像並不是永遠帶來好運的。事實上，已有不少人相信，金像獎是有邪的，誰碰上它，便會發生不愉快的事件。這是迷信嗎？

我們不妨由去屆的金像影后說起。去年，茱莉安德絲憑「神奇褓姆」奪得影后之榮銜，她個人當然非常快樂。不久，不幸的事情發生了，她的朋友都說：「為什麼在這個城市，一旦你成功了，大家就想把你的婚姻千般留難，故意找出破裂的跡象，便加大宣傳一番了……」

但這是空穴來風嗎？

茱莉的丈夫是佈景設計師東尼華頓，他經常在馬德里，倫敦，紐約等地工作，不能與太太廝守；甚至茱莉說要往夏威夷渡假，東尼也不肯作陪。

這眞是謠言嗎？最近消息傳來，她已正式進行離婚手續了。

這是一個特殊的例子嗎？非也。一九六三年的影后胡德西妮露，在「牧野梟雄」的演出實在太優異，她被提名及入選，是非常值得的。

說到她的家庭幸福極了，丈夫是天才的藝術家，兩個子女，正是其樂融融。可是，在拍片的時候，突然中風三次，要動用腦部手術，幾乎因此失明哩。

他只是三十八歲，這個年紀，腦部中風是非常罕見的。為什麼呢？金像獎眞的有邪嗎？

由于她病倒，尊福導演的「烽火奇女子」，改由安妮賓歌羅鍾担任。

安妮是一九六二年的金像影后，她又有什麼不愉快的事發生呢？

安妮在「苦海奇人」中扮盲女教師，演技精湛，使人欣賞，她能榮獲金像獎，比胡德西妮露更為值得。她是一個不可多得的天才女星。

可是，眞巧合，她獲獎百元，眼睛立即發生毛病。她恐懼自己眞的會失明哩。經過一番治療，她才逐漸恢復信心；不過，她要休養半年，才能進行拍片工作。

一九六一年的影后的命運又如何呢？

她是蘇菲亞羅蘭，她的獲獎作品是「戰地兩女性」。

她與丈夫製片家加勞龐第的愛情屢遭波折，已被控重婚之罪，被迫離開祖國意大利。還有，她的志願依然無法實現，那就是她始終沒有生育。她常常這麼說：「我願意終生不要金像獎，但我要孩子。」

一九六〇年的影后伊利沙白泰萊，她在「應召女郎」有優異演出才被提名的。

後，一連串不愉快的事件打擊她：愛迪菲沙同她的愛情動搖了，她患肺炎，幾乎因此喪生，她甚至對友人說她不想活下去。曾有一個時期，她坐在輪椅上渡日。

最後，我們不妨舉多一個例，那便是一九五九年的影后西蒙薛奴烈，她的獲獎片是「金屋淚」。這位法籍女星當年大紅大紫，甚麼都有了，金錢，名譽，丈夫。說到丈夫，她是千萬女性崇拜的伊夫蒙丹，他是電影的大情人呢。

可是，西蒙眞能獲得蒙丹的愛情嗎？許多警探都目擊蒙丹陪伴馬莉蓮夢露，他們的婚姻已陷于破裂的邊緣，後來馬莉蓮夢露自殺斃命，才告一段落。

眞奇怪，對於男演員，倒似不受金像獎的邪氣所影響的。「紅顏薄命」便是這個原因吧？

現在不妨順便一說金像獎的價值。可以說，金像獎的主辦者——美國電影藝術與科學學院——不是一個代表性的機構，目前只有成員二千三百人，但每年參加投票的人，祇有千人吧了，其餘會因種種因素而棄權的。試想，二千人能代表甚麼呢？

美國電影演員協會擁有會員一千四百人，但參加影藝學院僅五百零二人；美國電影劇作家協會現有一千一百人，參加影藝學院的也祇得二百一十八人；至於屬於導演協會的祇得一百三十七人（全部會員是八百五十名），參加影藝學會了。其他美國電影技術人員協會更絕少參加影藝學會了。

各項金像獎的提名中，祇有「最佳影片」一項是影藝學院的全體成員有權投票的；其他各項，要有在那些方面專才的少數成員才有資格提名。在這種情形下，各項獎的提名共百五個，但一部片祇要三百餘票，便可入圍競選了，餘此類推。

金像獎的提名票數從不公佈的，大概恐怕影響影迷的心理，這卽是說，間接影響金像獎的「身價」了。

來論

今日台灣校長縱橫談

·張紹炎·

翻開中國教育史，自民國元年迄今五十四年來，由教育部長以至學校校長各級教育單位主管，有幾個是本科出身的呢！三四先生，電機匠，喇叭手……充塞教育界，掌握各級教育大權；試問：這些三山五嶽英雄好漢，雖各有看家本領在身，而於教育，畢竟是半路殺出來的程咬金，又怎能把中國教育帶上光明大道，臻於輝煌燦爛之域哉！多少人日夜攻擊今日教育如何如何，却從來不會有人想到這一個最根本的主管人物問題。用人不當，領導無人，而欲求其成績昭著，那眞是豈有此理之至。此理本極淺顯，奈何素為關心教育的人士所忽畧，豈衆人皆醉而唯我獨醒乎？我於痛心疾首之餘，特在此登高而大叫曰：教育界不是爛攤子，教育界不能讓那些江湖術士，打拳頭賣膏藥之流，橫衝直闖，如入無人之境。教育是國家命脈之所繫，教育應由「專才」主管，應由「專才」策劃。祗有如此，中國教育方有希望。否則，人人以為「教育」原無秘訣，稍識之無，個個都足以為人師表；有點關係，大家都可以充當校長。如今日，如現在，如此順其勢而往之，其不誤人子弟者，未之有也。欲求中國教育之振興，殆亦痴人說夢了！

今日芸芸校長，如稍作透視，稍作分析，大畧可得如下五大類型——這是一個非正式的估計，雖不中亦不遠矣。

一、政客型：這裏所謂「政客」，是指在政治圈子裏，寡廉鮮恥，投機取巧，奉承拍馬，阿諛諂媚而圖謀私利，而為達到目的不擇手段，亦卽以「政治」為招牌，而求自我發展之徒。此種人又名「馬屁精」。陰險、狡猾、有小聰明、能鑽營、有戲劇天才。他們常於一吹一拍，一逢仰之間，大償宿願，不亦樂乎。這種人總是禍亂之根源，成事不足，敗事有餘。於教育界尤其如此！

政客型的校長，以學校為大本營，從事各種政治活動，俾能「對我生財」，光宗耀祖。其教育，標榜「表面至上」，「形式萬歲。」是在沙灘上建築金字塔。是金玉其外，敗絮其中。其粉刷工作，可得金馬獎而有餘。此類校長是在搞政治，而決不是在辦教育。放眼當今，此類校長比比皆是。

二、名士型：這類人曾有所學，富「書生」本色，往往憤世疾俗，而又無法遺世獨立。處此滔滔濁世，極難與世融洽。他天眞，他率直，他可愛。他是一位堅強的自然主義者。他不知道「應付的術」。而且自古名士多風流，他有豐富的情感，但他絕不淫邪。世人却往往說他「生活不檢」，其實他是實實在在的「性情中人」。其教育，處處流露眞愛；使學生如坐春風，春風常吹；如沐春陽，陽光常照。師生打成一片，有歌唱，有歡笑。套一句現代教育術語，曰：兒童本位教育。惜乎不重虛名，不懂應付術，難得世人了解與同情耳。

（二）

為「水滸傳」尋賊譜

匡正

而且方豪所發現之折可存墓誌銘所記，和方教授的推測，前後矛盾。宋史徽宗本紀及各傳所記宋江事，皆在宣和三年二月，討方腊皆在同年四月。討新腊的人也不是折可存。如方教授的推測「其事在宣和三年七月後，十二月之前」，如此則離譜更遠了。折可存的墓誌實難以採信。

關於宋江的結局，我另外找到一點根據，那就是宋人洪邁的「夷堅志」（乙志）中說宋江是蔡居厚所殺。筆者按蔡居厚曾為侍郎。夷堅志云：「宣和七年，戶部侍郎蔡居厚罷知靑州，以病不赴，歸金陵，疽發於背卒。未幾所生王氏暴亡，三日復蘇，云如夢中有人相追，逮至公庭；俄西邊小門開，獄卒護一囚，枷械聯貫立庭下，別有二人舁桶血，自頭澆之，囚大叫，痛苦如不堪忍者。細視之，乃侍郎也。復押入小門，回望某云：汝今歸，便與吾妻說，速營功果救我，今祇是理鄆州事。夫人慟哭曰：侍郎去年帥鄆州時，有梁山濼五百人受降，既而悉誅之，屢諫不聽也。乃作黃籙醮，為謝罪乞命。按此梁山賊卽宋江等也。」宋江在宋史張叔夜傳，但云擒其副賊，江乃降。至於降後為蔡居厚所殺，而蔡居厚又以殺降遭冥譴，則人所未知也。此事又見清人俞樾「茶香室續抄」。宋史各傳中皆無宋江之結局，宋江被蔡居厚所殺雖為一孤證，但無一反證非之，姑作宋江之結局如此可也。

一部文學作品的人物刻繪成功了，他的生命狀貌似乎永遠活着；一個眞正的歷史人物反而數十寒暑而息。水滸傳中的梁山英雄好漢，至今仍活在中國人的心目中。但是那些被取材的一羣强盜，早已人不知鬼不覺了。然而這一部偉大的平民文學作品，是取材於南宋時代的「賊史」，多少尚有幾分眞實性，這是看了水滸傳之外我們應該知道的一點餘韻。「水滸傳」可名之為「賊史」，我以為是名符其實的。前人名「忠義水滸傳」，義似可通，但不知忠在那裏呢？

（五．完）

新三國

周藥師著

值得大書而特書的。除孫堅之外，只有曹操。孫堅是吳國開國的人物，在此應當先行交代一下。

孫堅字文臺，三國志說他是孫武的後代。他是吳郡富春人，小時候破盜匪聞名鄉里，於是作了府署假尉。有會稽妖賊許昌（也是妄賊），在句章造反，妄自稱為「陽明皇帝」，以其父為「越王」，眞是妄人。許昌和他兒子許韶煽動諸縣萬餘黨徒，騷擾隣近。孫堅以郡司馬，募招精勇千餘人，與州郡合討，破了「陽明皇帝」。以後又隨皇甫嵩、朱儁討平南陽一帶的黃巾。隨後追隨張溫，討伐甘肅的邊章、韓遂、馬騰，因此與董卓同過事。中平四年被靈帝任命為長沙太守。陳壽評論他是「勇摯剛毅，孤微發迹，有忠壯之烈」。可稱中肯之論。看他孤軍奮戰董卓，眞有股子傻勁。勇摯剛毅、忠壯之烈表現得無遺。

董卓橫行霸道，紊亂朝綱，孫堅非常憤慨。他個人獨自起兵，事前也未與袁紹商議過，更沒有連絡。他首先把荊州刺史王叡宰了。走到南陽，又把南陽太守張咨殺掉。恰巧袁術在那裏，他就把南陽太守給了他。荊州刺史被孫堅宰了之後，董卓就派了劉表來接管荊州。劉表能夠到荊州坐平，很不簡單。當時魯陽有袁術的部隊，南陽又有孫堅的大軍。他先單獨進了宜城，再把其他各地安頓妥當，剷除了結寨自保的地方勢力，然後進一步與袁術孫堅講交情。袁術的南陽太守頭銜，是劉表上的保薦。孫堅搶來的南陽，給了袁術，袁術也表示報達之情，也上了表章，保舉孫堅為署理破虜將軍，兼理豫州刺史。也就是行破虜將軍事，領豫州刺史。董卓同不同意就不得而知。反正漢末的官兒，無論大小，都是你保我，我保你，有官大家當，有錢大家用。因為那些保薦的官兒，在朝廷都有靠山的。皇帝不是飯桶便是娃娃皇帝，只有權臣作主。

但是孫堅究竟不同凡俗，除了曹操敢於攻打董卓之外，就是孫破虜一人。他打董卓是名正言順，有決心，有毅力，勝過袁紹的九個盟友。孫堅治軍魯陽，一到魯陽，孫堅就與董卓的部隊有了接觸。開始董卓派了大將徐榮對敵，孫堅就行使了豫州刺史的命令，以豫州刺史的名義，檄調各郡兵馬。潁州太守李旻應命而來，與徐榮惡鬥一場，不是敵手，被徐榮活捉去了。徐榮這人非常殘忍，他把李旻烹死。李旻的部下，多被捉去，用滾油澆在頭上炸油而死。董卓的兵將，多是殘忍成性的傢伙，與董卓的殘暴性情如出一人。

袁紹此時正在懷慶，按兵不動，眞無出息。他不趁此機會與盟軍卽時聲罪致討，積極行動，反而時與諸盟軍將帥宴會作樂。雖然在三月間把董卓迫得遷都，只留下軍隊在洛陽外圍候戰，袁紹却不敢揮軍北進。大致各路盟軍將領，都是想以「全軍為上」，「掠地第一」，硬拼倒不幹。曹操吃了敗仗之後，又跑到酸棗。找同盟軍袞袞諸公。他的計劃是：由袁紹率大軍再攻成臯，包圍洛陽，同時派人連絡袁術，要他去偷襲武關，進據西安，以切斷董卓的歸路。（廿七）

清明聽黛音

每年清明，另有一番情調，在家當祭祀祖先，這是傳統的美德。出外到故舊墳上祭掃，表示追思，不是無義寡情的朋友。今年清明夜，却因聽了播放平劇，引起無限的追懷，情緒不勝其歎息。就是警察電台播出名票王英奇敖鳳翔與故名坤票嚴黛瑞的南天門。殊爲感傷的，她的唱從此聽不到！她的逝世，既不爲錢財缺乏，也不是有涉情愛，我猜恐怕是安眠藥吃得太多而醒不過來，否則何必自殺？可是化一萬元票一次三娘教子，已是空前，也許絕後，留得這遺事，令人記憶。

國劇續紛錄

婁婆生　（八十六）

在英老與敖鳳翔黛瑞錄好此齣後，由警察電台初放。聽過以後，曾勸他們唱一次明場試試，所得結論，黛瑞主張慢慢的來，爲了場地與衣箱；她尤顧慮恐怕拍出來不太好看。一拖再拖，拖到在世無法得見。曾與英老談及，也悔不一唱。我在台灣見過胡少安李毅清演過，那是改良而有些變態。回憶北平看叔岩德霖在開明演出，眞是人間天上。此戲爲何無人肯唱？就因不能討好，難以叫座，大家就躲過了，即成絕響。

在春陽友會也看叔岩唱過，那年玉蓮記，是林鈞甫唱，座中同志，談到老譚當年與王瑤卿唱，在成仙走上高台進南天門，曹福望着小姐，三聲慘笑與一跺腳，那副神情，任何名伶都比不上來，於此可見。鳳翔陪他們兩位在此戲中，一串當舖朝奉，再串驢夫庶頭，眞有他的，可說難得！

新跳加官

月杪，國劇欣賞會在藝術館，演出了龍鳳呈祥，除龍套以外，幾乎全是票友，亦近今所少有。首先談談敖鳳翔的跳加官，跳得姿式不錯，踹開舉步，有個神氣。但此加官另有新猷，是把所獻出的旗，由聯合而作爲分開，每跳一次，獻出一旗，交給後面接旗人。從慶祝總統當選連任，到總統萬歲，共四面，由包緝庭、焦家駒、楊執信、崔少鶴四位接住，台上就有連貫的字樣，確是新頴而有意義，以後別家有晚會可以仿行。不過有一點，這四位接旗人，多穿西裝，似乎不太合式；最好也援着穿龍套，比較更好看。而加官是近乎神仙，在天上未必跟時代走，可是玩玩是無所謂，百無禁忌。這是爲十全十美，而無褒貶的妄言。

風雨之曲

劉杰

雨，落着，落着，

我站在騎樓下，我望着雨點，我聽着雨聲。我這時什麼也不想，我祇想到你。我倆在台北的時候，頂着一件雨衣在頭上，有時你的衣袖濕了，有時我的衣袖濕了，到了住的地方，你就嚷住頭，你說：「我一定買件雨衣！」我那時也是這樣想，兩個人一件雨衣，可是，我倆都是苦學生，在台灣沒有親人，能讀大學已經十分幸運了，我倆人被功課壓得夠重，生活的擔子又必須要挑起來，我那時在中央酒店做一個僕歐，你在中山北路一個浙江館裏當跑堂，我倆坐公共汽車上班，又坐公共汽車下班。我倆會面時，總是彼此投射着微笑。

北部在那段時期，晴的時候多，所以在晴天裏，我和你就把雨衣忘記，這也因爲我倆都是太年輕了的關係。同時，我和你每個人生活費已經夠節省了，還是見絀，亦字因此，就沒法存錢買雨衣。我還記得那一天，我倆從學校跑到公共汽車站時，突然下着大雨，就像傾盆一樣，你把雨衣推給我，我把雨衣推給你，於是，我和你的衣服都濕了，成個落湯雞。結果我倆人都感冒了，第二天誰也沒有去上班，經理就把我倆撤職。也因爲你不簡單，失掉一個工作，却是如此容易，我和你都靠工作生活下去，如今：…於是，我和你相抱起來哭了一場。

現在有了好幾年了，彼此都在人海中打滾，我在軍中，你在海外教書。但那些在雨中的日子，把我倆的友情繫的緊緊。友誼啊，在困苦中是多麼可貴！我聽着雨聲，我看着雨點，怎不叫我懷念起你呢？

跟着雨來的，便是風。風像戰場上的號兵，激起了我靈魂的沸騰。

你定是記得的，三十八年，那時我和你從大陸流亡，那時我倆都是毛孩子，也是剛讀大一的學生。在廣州，我倆身上分文沒有，語言又不方便，於是，我倆就報名去當兵。就這樣，我倆穿起軍衣，隨着部隊轉進，我和你在金門古寧頭。我還記得那晚上沒有星星，沒有月亮，穿了大衣，還有些冷的感覺。就在這晚上，共匪登陸了，我和你守在一個碉堡，把上來的共匪殺的倒在地上。可是共匪又上來第二批，又上來第三批，共匪是以人海來填我們的火海，那時，我倆人的彈藥也不太多，但我和你仍在堅守着。

直到天亮，援軍來了，我們開始反攻，也就是這時，衝鋒號音響了，那的的達達，的的達達，促使我和你把槍上刺刀裝好，又促使我和你衝了出去！

你的眼睛發紅，你向共匪的堆裏衝，你刺刀所到之處，共匪就倒在地上。你的刺刀上是血，你的身上，你的臉上也都是血！

突然，你轉回身來，你一個健步，刺刀從我肩頭上斜過去！原來我後面有個共匪，正把刺刀對住我，倘若你不刺死那共匪，那共匪就致我於地的。

可是，也就在這時，你哎喲了一聲，你却被共匪暗算上，一顆子彈從你要害中穿過。你就這樣成仁了。

你的死，給我是多麼大的啟示！你的血是花，你的精神，永遠活在我們的心上。

現在，我想起此事，彷彿你那高大的個子，粗壯的手臂，圓圓的臉孔，就在我眼前似的。

畧談李宗仁（下）

海嶠雜談

諸葛文侯

李氏到達美國後，急求與美廷聯絡，由甘介侯向白宮接洽，而一切不知按照國際外交通例，一個在任的國家元首到別國正式訪問當政人物，須經其外交使節與駐在國事先安排，由其外交主管當局同答，且負傳譯任務。當時我國駐美大使係顧維鈞，李氏教甘介侯越俎接洽，即屬於非公式的私人活動，難怪乃感覺爲難不便。經過了一個多月，仍由顧大使陪同李氏到白宮謁見杜魯門，而李氏滿腹私話和幻想，亦就不無顧忌，未便攄述，對方只表同情的感，彼此僅作禮貌上的簡單談話，隨即告辭。這是由於自身之謁陋無知所致，於人無尤焉。事後介侯向美國國務院主持遠東外交事務的某要員，秘密訪問李氏，聲稱美國願意支持李繼續作總統，領導民國反共復國，却不希望李在美國作寓公，盼李速回國，可在海南島或舟山羣島等區域設置政府，號召大陸，美國願以財力物力支援外，併以海空軍維護其安全等語，囑李即擬訂計劃，共同協商決定。然李深感此事無從着手，自將受到國人唾棄，又不敢回到台灣繼續代行總統職權，徨徬莫知所措。既而蔣總統在全國人民呼籲之下，宣告復職，李氏更失去了招搖的資格和口實，蛻變爲純粹的寓公了。此段趣聞係當年在美國常替李氏作招待員和舌人的某君，最近對人談出的，可見美國政治人物的對人藐視，亦與李宗仁相伯仲也。

事情發展到這種階段，李氏如果稍有知識，唯有向國內聲明辭卸代總統職務，且表示連副總統名位亦不再担任，願以在野之身，爲國効力。這樣，不但可避免日後國民大會那項罷免副總統的不名譽事件發生，政府或許寬赦李氏而付以相當的名義，供給生活費，讓他在國外安閒寄居，幹點國民外交工作以解寂寞，亦未可知。詎他愚蠢到不可想像的程度，竟在美國稱孤道寡，死七八賴，地尙要以「總統」自命，印製「中華民國總統府」的中英文銜名公用箋，對外行文事，甚至命令我國駐美主辦軍事宜而瀆職受處分的毛邦初抗不移交，貽笑萬邦，莫此爲甚，倒行逆施到這步田地，還有誰個中國人願意同情他呢！

胡適之先生在生時，曾告訴我一則李宗仁的笑話：李在美國住上了十年，還不能說一句英語，某次胡先生在美國請李氏吃晚飯，飯後替他叫好營業汽車，說明街道，送他回家；然李氏到了目的地亦不知道下車，司機問他的住址是在那一段，他不能答，司機只好停車在街道的盡頭，索取車資而去。李氏經警察帶領纔走回了自己的寓所。

李宗仁就是這樣的一塊稀奇！他晚年還要甘作降虜，決不料有言：「人的歷史是自己創造的，也祇有自己纔可以毀滅！」旨哉言乎，吾於李宗仁徵之矣。（完）

楊乃武與小白菜

「影劇與歷史」之二十

周遊

十九日：入署治事，索浙江司原奏，不得，怒斥之，僅而得見。細核供招，歷歷如繪，雖臯陶聽之無疑矣。然余意度之，葛品連聘娶葛畢氏用洋錢八十元，折錢六十元；品連係豆腐店幫工，烏得此巨欵？此一可疑也。葛品連腳上患流火，葛畢氏買洋參桂元用制錢一千付伊母家買藥；夫以貧家患皮毛之疾，竟用千錢買藥，亦屬不倫，此二可疑也。且京控稱該縣（劉錫彤）之子，曾與葛畢氏有往來，今結案僅據皂役供：本官之子早經回籍，並未取有該縣親供，亦屬疏漏。

二十日，到署細閱葛畢氏全案供招：……浙江司林拱樞者，文忠之第五子也，亦稱獄有疑。退訪夏子松，遇吳君仲愚於座；吳君餘杭人也，爲楊乃武稱寃。不期而遇，亦異矣哉。

二十一日，到署與桑老前輩（刑部尚書桑春榮）商酌，殊不爲然。浙江司林君拱樞，秋審總辦余君皆以爲是，辯論久之。

二十三日，函致榮侍郎（榮祿其時兼步軍統領），託催提督衙門抄送楊詹氏（楊乃武之妻）京控原呈。榮君以所抄摺底呈見示。則余所籤與原呈數條適吻合。然則此次所陳，不免彌縫之跡矣。長官如此，可歎可歎！

二十六日，入署，與桑公同春秋審處所擬葛畢氏一案奏稿，用余說駁之，令再審。

可見翁同龢與林拱樞（林則徐之子）處事明達縝密，而乃武之姊，赴京之「京控」更加強翁氏信念的文證。因此刑部奏請飭浙江再審。得旨允准。

刑部侍郎翁同龢原爲同治師傅，極得慈禧太后信任。是年十二月十二日，太后懿旨，派翁爲光緒帝師傅，更爲朝野清望所集。當時浙江士紳汪樹屏等十八人聯名請都察院轉奏，將楊案提解刑部審訊，十四日奉准。但刑部尚書桑春榮仍有意拖延，刑部侍郎邵祺只得請翁支持。翁的日記中有如此記云：「浙江司吉君順來回事，因楊乃武一案提人，紹秋臯欲拉余作主，與桑公齟齬」。

此案提解的時間，竟達近年，到光緒二年二月初，仍在京覆驗葛品連之屍。是年十二月初九日，翁同龢日記云：「浙江葛畢氏一案，提驗久矣，至是提知縣及葛品連屍，至今日檢驗：骨白而無毒，五城司坊及一千人證皆結無他說。甚矣，折獄之難，而有司者之不可不審慎也。此案余有駁議。」（三）

做夢與睡眠失眠

○三木○

儘管社會繁榮，科學日益進步，年來太空人且能遨遊太空，但睡眠一途，人們仍未能免俗。就拿最近乘太空船昇空的太空人，在那繞地球飛行的時間內，每天均抽出數小時的時間來睡眠，藉以恢復疲勞。人類每晚睡眠時間長短的問題，亦往往引起近代科學家極大研究的興趣。在較早時期，有部份科學家指出，一個人每晚應有八小時的睡眠，才能恢復一天的辛勞；但最近美國芝加哥大學的蒙盧教授在他本人的研究心得中指出：一個人每天睡眠時間長短的問題，最重要的視乎那人睡得安穩否？一個睡得熟的人，每天只要睡上六小時便能恢復一天的疲勞，但一個睡得不安寧的人往往睡上十小時或更長時間亦感不夠。蒙盧教授並強調指出，一個平日勞力的人往往比勞心的人更易入睡。

睡眠的蒙盧教授崇拜者。曾經有一個女學生對他說：星期日是她最喜歡的一天，原因是星期天學校不要上課，在那天她可以睡至下午三時才起床。往往她在下午三時起床後，閱讀兩小時小說、報紙。然後再爬上睡床，再尋好夢，且往往一覺便睡至星期一早上才起床。她覺得乃人生最大的享受。

另外有一個學生則說：他每晚放學回家後，例必睡足兩小時始用晚飯和溫習功課；若一天不睡兩小時午睡，他就會覺得冇晒精神」。此外荷李活的影星桃莉絲戴奴亦是一名渴睡者，她雖屆中年，但她每天均需睡足十二至十五小時，否則拍戲時就不能提起精神。所以她往往拍完一段戲，便抽空在戲棚內小睡一會。她常常對人說，小睡一會拍戲，倍感精神。（一）

自由報

THE FREE NEWS

第六四七期

內政部登記證內警台報字第〇三一號

中華民國僑務委員會頒發登記證僑刊字第三三二號

中華郵政台字第一二八二號執照登記爲第一類新聞紙類

（半週刊每星期三、六出版）

每份港幣壹角

台灣零售每份新台幣壹元

社長：雷嘯岑

督印人：黃行蕃

社址：香港銅鑼灣高士威道二十號四樓

20, CAUSEWAY RD 3RD FL. HONG KONG

TEL. 771726　電報掛號：7191

承印者：大同印務公司

地址：香港北角和富道九六號

台灣分社

台北市西寧南路二樓

電話：三〇三四六

台郵撥儲金戶九二五二

男女兩性的數量分配與婚姻（下）

·張則直·

三、台灣的兩性數量與婚姻

本來，自然的安排，男女出生各有二分之一的機會，所以相差不會太遠。兩性數量懸殊，都是由社會的、政治的、和經濟的原因所造成。今日台灣，恰好具備了這許多原因，所以性比例的分配，也相差甚遠。從台灣光復，尤其在大陸淪陷之前，大量的外省人口遷來台灣，而遷來的人口，男性佔絕大多數，使原來接近平衡的性比例，發生突出的變化。更須注意的，台灣的人口有一大部份未經登記，或已登記而視爲遷出、不列入統計的人口，這一大部份人口，幾乎全部是男性。所以僅從統計數字的表面看，自不能顯示出事實的眞相。目前許多關於台灣人口的研究，把這一點完全忽略，所以一切的推論和判斷，都不能得到要領。至於未登記的人口，究有多少？未便懸揣。不過公開知道的，未婚男性是在五十萬至六十萬之間；假定以五十萬數字列入，就可以看出性比例分配不均的嚴重性。現在根據「台灣省戶籍統計要覽」五十三年底的數字，把男女兩性的人數和比例，簡列如下，然後再把未登記人數列入，作一對照：

台灣省人口總數及性比例：時間民國五十三年底

人口總數及年齡		男	女	性比例
人口總數	12,256,682	6,294,935	5,961,747	105.6
〇—一九歲人口	6,649,271	3,413,992	3,235,279	105.5
二〇歲以上人口	5,607,411	2,880,943	2,726,468	106.2

從上面數字看，台灣省人口的性比例，雖然男性的比例較高，但還不太顯著；如果把未登記的幾乎全部是二十歲以上的男性人口列入，就可得如下結果：

台灣省人口的性比例，時間：民國五十三年底包括未登記人口

總人口及年齡	性比例
總人口	一一四．〇
〇—一九歲人口	一〇五．五
二〇歲以上人口	一二四．〇

台灣省男多女少，在總人口中每百人相差十四人，在二十歲以上的人口中，每百人相差二十四人。較第二次世界大戰以後德國女多男少的情形，恰好相反。這自然不是一個簡單的問題。婚姻狀況和性比例，雖然不一定是有直接的正當關係，但如果兩性的比例不均，自容易造成婚姻失時的結果。台灣省人口的婚姻統計，男女兩性都是以十五歲以上爲計算標準，目前台灣女性平均的初婚年齡，已有二十二歲；十五歲的標準，自是很低。現在把十五歲以上人口的婚姻狀況，和二十歲以上的男女人數，和未婚人數，簡列如下。

台灣省人口的婚姻狀況　時期：民國五十三年底

區別	十五歲以上人口 男	女
總數	3,433,672	3,250,363
未婚	1,170,373	807,691
有配偶	2,121,963	2,110,038
喪偶	112,820	308,497
離婚	28,516	24,137

區別	二十歲以上人口 男	女
總數	2,880,943	2,726,468
未婚	617,644	283,796
有配偶……		
喪偶……		
離婚……		

前表數字，二十歲以上的未婚男性有六十一萬七千人，女性二十八萬三千人，相差三十三萬四千人。這只是按已登記的人口計算的。至於未登記，不列入統計的二十歲以上的男性，當然也有少數已婚的，但已婚的都和他的眷屬，在常住地登記了，所以絕大多數未登記的男性，完全是多出於女性的溢額的。因此，二十歲以上的人口，共有男性三百三十八萬人，已婚的包括喪偶離婚者，共有二百二十六萬人，未婚的是一百一十二萬人。而二十歲以上的未婚女性，僅有二十八萬人，相差八十四萬人。至於十九歲以下的人口，同樣是女少男多，不過相差沒有這樣顯著。這多男性，無論有無結婚能力，因爲女性缺乏，事實上都無法找到婚配的對象。換言之就是每四個，二十歲以上的男性中，必有一個，不是無能，而是無法結婚的人。

僅僅三百多萬二十歲以上和僅有二百二十萬已婚的男人中，有這樣多的人無法結婚，難道這問題還不值得重視麼？

再台灣全省已婚女性，共有二百四十四萬人，離婚、喪偶者三十三萬人，有配偶而超過五十歲，不在生育年齡者三十三萬人（計三二九、三一一人），所以已婚婦女有配偶而在生育年齡的僅有一百七十八萬人，計佔登記的人口總數的七分之一，而這總數七分之一的有配偶生育年齡婦女，再除去十分之一，不因分離、別居等社會原因、阻礙生育的七分之一部份，和不能多育的一大部份，眞能多育而需要節育的，因此佔極小比例，對於近年節育宣傳，狂熱的全面節育的需要，是否妥當？實不無斟酌商榷的餘地。

四、怎樣解決兩性的數量懸殊問題

台灣男女兩性，數量懸殊的情形，是和大陸淪陷同時發生。這情形存在，已經十多年，一直沒有改善。以民國五十三年數字爲準，只是舉一端以概其餘。

（下轉第三版）

斷臂　傑作

今日與明日

支持越戰運動

最近南越綏和有萬人示威，發起支持越戰運動。這是一個很有意義之舉，早應該如此。不但越南人要起來支持越戰，就是所有自由國家，尤其是地處東南亞的國家，更應該發起此一運動，爲美國助威。

目前的世界是一個最不講道理的世界，自有人類以來，從未有似當前人類之缺乏理智——顛倒是非了。先從中國說起，中國政府受到內奸外寇的侵略，退守台灣，這種情形與八年抗戰政府遷都重慶原無二致，假若世界人類講道義的話，對這個艱難困苦爲自由而鬥爭的國家，即使不能予以切實援助，也應給予精神支持。但是不然，大家紛紛看風轉舵，承認毛偽政權。尤其以印度的尼赫魯爲首一小撮人，惟恐中國不亡，中國自由人士不被毛共殺死光，所以凡有害於中國者，爲不接替爭先，表現着比共黨還要共黨的姿態。他的結果如何？不必說了。直到今天，我們仍是亞洲及世界和平的擎天一柱，沒有我們守住台澎金馬，哪有東南亞？就連印度緬甸皆不能免。但是，靠我們保護的國家，又有幾個是眞心支持我們的？此其一。

美國打正義之戰

其次說到美國今日在越南的處境。美國在越南犧牲了這麼多的人力財力，換來了舉世的指責，全世界只見有到處示威的反美在南越作戰的，從未見一個地方發生支持美國的示威，眞是令人大惑不解的事。我們可以說，自有人類戰爭以來，堪稱爲聖戰的只有三次：第一次是中國八年抗日戰爭，第二次是中國反共抗俄戰爭，第三次就是美國在南越的戰爭，尤以後者爲最難。因爲中國的八年抗戰與此日的反共抗俄之戰，直接是爲了保衛自己國家民族之戰，間接才能說到保衛人類的自由；只有美國在南越的戰爭，一開始就是爲了保衛南越人民的自由。美國何求於南越？覬覦南越土地嗎？無此道理。想拓展南越貿易嗎？既無此可能亦爲數太小，美國決沒有在南越作戰的必要，所以然者，是爲了南越人民的自由。東南亞各國人民的自由，我們不妨想想，如果美軍退出南越，則泰寮兩國是什麼情況？如若泰寮不守，馬來亞、菲律賓固無論矣，即澳紐亦難防守，印尼更難自存，印緬亦將不免。美國人在南越流血汗，保衛了大半個亞洲的自由，所換來的是敵人的示威、破壞，朋友的冷嘲、熱諷，隔岸觀火。世間不平之事寧有甚於此者！希望自由人類要堅決起來，支持美國在越南戰爭，爲詹森總統助威，抵抗左派壓力！深願此一運動先自台北開始。（何如）

政治與權力

馬五先生

政治生活原是最污濁、現實而又極其殘酷的事情，沒有甚末是非功罪的定論可言，成王敗寇之所以然，只是權力關係。

成功的統治階級人物如帝王之類，很容易權力中毒，罔知所屆，因而貽後世以罵名者，比比皆是。秦始皇削平六國，統一中夏，建立中央集權的大帝國體制，整理劃一中國文字，奠定全國行政疆域，奠下了中華民族萬年不拔的強固基礎，垂範迄今，厥功至偉。祇因權力中毒過甚，不旋踵而身敗名裂，前功盡棄，變成了歷史罪人。實則秦始皇對國家民族的功勞，決不是後世那一大羣的帝王所可同日而語的。

在中國歷史上享有盛名的統治主，首推唐太宗李世民與宋太祖趙匡胤二人。這二位帝王之得天下、登大寶，都不是循着正軌而來的，實係運用政治陰謀而巧取豪奪者。但他們知道自己有慚德，乃採用逆取順守的方針以求治，避免權力中毒的弊害，對人對事皆表示誠信公正的精神，予天下人以共見，使大家忘記了他們過去得天下不以正的往迹，而讚歎悅服其運用統治權力的優良作風，認爲得未曾有。他們在歷史家的筆下，即博得了「明主」「賢君」的稱號。究其實，他們對國家建樹的績業，不及秦始皇遠矣。

凡是權力中了毒的統治階級人物，必然好用權謀術數，認爲天下人的聰明才智皆不及他，把權術視同求治的萬應靈丹，但憑爵祿與權威以驅策天下人，無所謂誠信，更不屑置念於公道是非，而使政治生活充分發揮其污濁殘酷的性能。於是乎，社會人心受着這種影響與刺激，一切言行相率趨於詐僞險巇（山旁），視忠恕仁愛思想爲迂濶不切實際之談，遂漸地構成「八表同昏，平路伊阻」的封閉狀態，政治風氣即顯示着貪殘腐敗的陰霾現象，天下沒有不大亂的。

唐太宗與宋太祖二人，基於自身內疚神明，外慚淸議的心理作用，實行逆取順守政策，容納臣下的諍言直諫，親賢遠佞，與功臣善全始終，以誠信安撫反側之輩，尊重讀書人，決不妄加凌虐殘害，很勉強地尅制支配慾，不中權力之毒，繼達成國家治盛業，爲後世所崇拜。政治人物沒有不嗜好權力的，善於運用權力，即成爲聖明之君，否則便是獨夫暴主，關鍵只在一念間而已。

四郊多壘。民命螻蟻

越南人民多抱苟全性命觀念

但求一息尚存養家活口便於願已足

對於任何主義的號召大多無動於中

越南之陷入戰爭中，到現在已超過廿年的歷史了。今天的越南人大多數已不能瞭解「和平」這個名詞了。任何一個越南人，不論他是共產黨人，或民族主義者，或中立主義者，都不敢預測在可見的將來，戰爭的結果會怎樣。一個普通的越南人，只有強烈的現實主義之思想，他會覺得製訂一個時間表，以推進各項政治目標，實在毫無意義。因此，他在物質和精神兩方面都迫得持着內向心理，只求個人生存，贍養一個快樂的家庭，便算滿足了。

可是，戰爭是存在的，眞正的，而且已成為越南人日常生活之一部分。為了這個原故，大多數的越南人已能夠把自己的生活，重加調整以配合戰爭環境了。據一位越南心理分析家說：越南人抵受戰爭的能力，尤勝於西方人之謀自身適應快速的現代生活。在西貢，患了神經病的越南人少過紐約市，雖然四週環境都鬧着厮殺聲，越南人口的增長快過美國的人口。尤以湄公河三角洲論，農民們在飛機大炮的轟擊下，仍能度其正常生活，而未嘗拋棄他們的禾田，這豈不是異乎尋常的活力嗎？

事實上，這不僅是活力的表現，而且是忍耐和抵受的能力。有一點頗堪注意的是，在過去十年，越南人未嘗製過一套戰爭的影片。反之，最近有一套歌劇片名叫「回憶」，內容是寫一對愛侶乘一輛光亮的汽車，駛經一條風景幽雅的鄉村，而不見有越共游擊隊的蹤跡。這套片在西貢放映之第一晚，觀衆爆塲。由此看來，時局雖然如此艱鉅，普通的越南人對於政治却沒有什麼興趣。有一位美國友人曾在一次餐會上要求越南朋友發表對時局的意見，但沒有一個人响應。受過相當教育的越南人，亦雅不願發表意見。

如果大多數的越南人對時局和政治取一種東方式的超然態度，甚至生厭惡心理的話，倒有少數份子對政治熱心關懷。例如自從吳廷琰政權傾覆之後，每一屆政府之傾覆，都是由於少數叫嚣的學生所發動。最近各地學生一連五個星期舉行反政府的示威，使阮高基政權的基礎都被搖動。

越南的學生界雖然積極的干預政治，他們內部亦有分裂的。在他們之中，有等叫做無政府主義派，近曾在順化和西貢兩地暴動。他們的目的只是敵視任何一個政府。西貢還有另一個學生團體擁有會員二萬，他們是極端的反共份子。這個學生團體的發言人曾說道：「中共企圖獨霸亞洲，作為太平洋區域的主人翁。為了反抗中共的野心，自由世界必須先轟炸中國大陸。又越南的共黨勢力被撲滅之後，越南必須恢復統一。」

和這個學生團體的政見相反的，又有一派叫越南的主和派，這一派亦只擁有少數勢力，其主要份子，是曾過西方教育的智識界。他們以為要以代替戰爭的途徑的是西貢的文治政府和河內方面的共黨政權開談判。和平的建樹是需要相當時間，忍耐和犧牲的。他們又認為越南今日所處的地位，正像法國在一八七○年後所處的地位。法國人費了幾年時間才肅清羅拔斯皮爾的過激勢力，然而擁戴溫和派的領袖，以建立自由思想制度。一個國家像越南之類，經歷過戰爭慘禍已歷廿年之久了，幾年的時間又算什麼呢？

在越南之一切政治團體中，可稱為最接近越南人民眞正願望者當係「佛教會」。在佛教會中主持世俗事務的領袖釋心珠，曾發表過他對時局的意見，其精義最能代表一般所謂守法安份的越南人心理，他有如左的一段：「戰爭是一個軍事。我本人是不懂軍事。一切的軍事消息只從讀報紙得來。越南前途的問題又怎樣呢？越南人民當然希望他們的國家重歸統一，擺脫了一切外來勢力。經過了多年的戰爭，越南人民實在厭戰了。」

和釋心珠一樣對軍事不感興趣的越南人實在不少。例如在嘉定省（距西貢不遠）有一個勤敏耐勞的農民叫李文來，是一個貧農，沒有土地。他的地主却容許在他在休耕時期，免租使用其一塊土地，作為在收割時期協助他的地主收割的交換條件。他自以為是一個幸運兒，為因他有一隻臂畧殘缺，而他的兩個弟兄則被徵入伍，現時並且已遠離家鄉，到前方去打仗了。為了這些理由，所以他免去參軍引為欣幸。

西貢雖然粮食供應缺乏，李文來對於這個問題，却感不到什麼麻煩。他把一造的黃瓜出售，所得便夠供應他的生活了。而且他所住的地方不在火綫內，可免受政府軍隊或越共游擊隊之困擾。他嘗對人說道：「戰爭是很複雜的事務。現在每一個人都願望和平了。却沒有一個人知道怎樣可以停止戰爭。就我本人說，我覺得我幸而做一個農民。我可以享受我的自由，我幹什麼工作都是自己喜歡，這豈不是勝過去當兵嗎？」

和這類貧農相對照的，還有其他許多可稱為富農的。貧富雖然有別，他們的消極的政治思想却是一般無二。例如一個富裕的農民名叫林文丹，四十歲，自己有一架拖拉機耕作，他自始亦只是一個貧雇農，現在居然發跡了，自置了十七克（英畝）土地。他藉美援程序的優越條件，購得一套新式的耕作器具。他所住的地方，多少受越共游擊隊所控制。他處於這種環境下只有對兩方敷衍，即是在中央政府和越共游擊隊之間「守中立」，換言之，亦可以謂效忠于兩方，也向兩方繳稅。他居住的地方日間見官兵來，入夜則撤去；而越共游擊隊則反是。他面對着這種情形，便不能不向兩邊討好了。

在越南，還有其他許多人都既拒絕接受越共游擊隊所宣傳的政治福音，同時亦不接納西貢政府的愛國呼籲。他們只顧為了個人眼前利益。

台省鋼鐵工業入新階段

產品非但自給且需外銷

政府積極進行建立現代化鋼鐵廠

——華僑社稿——

唐榮鐵廠起死回生

最近台灣鋼鐵工業中最值得鼓舞的兩件事；一件是唐榮鐵工廠的起死回生，帶來了鋼鐵工業的燦爛前程。本來該廠在民國五十三年度，資本總額為新台幣一億四千四百四十二萬元，業已虧損一億六千五百五十七萬元，淨值變為負二千一百十五萬元，已臨破產倒閉地步。所幸政府派遣了踐履篤實的企業家吳嵩慶氏，加以積極整頓，經過一年五個月，生產直綫上升，產品銷售激增，財務由虧損一變為盈餘，聲譽日隆，在國際市場，也已被人刮目相看。該公司自民國五十三年九月一日起至五十四年八月三十一日止，計生產鋼錠九萬八千七百七十八公噸，軋鋼品六萬八千六百三十九公噸，一般鋼品一萬五千二百十六公噸；比較前一年度的同期，鋼錠增產了一萬八千一百四十五公噸，軋鋼品增加七千八百四十八公噸，一般鋼品增加一千零五十二公噸。去年全年度的外銷金額，竟到達美金三百五十四萬六千元之鉅。其銷售產品，鋼筋為一萬一千六百六十公噸，軋鋼十公噸，槽鐵一千五百七十九公噸，扁鐵二百四十六公噸，盤元四千六百三十二公噸，鍍鋅鐵絲一千九百九十三公噸，黑鐵絲一千一百零二公噸，洋釘二百五十三公噸，矽鋼條四十五公噸。外銷地區計有越南、泰國、關島、香港、北婆羅洲、星加坡、菲律賓等地。

另一件是中國鋼鐵貿易公司的創設，使全國鋼鐵工業，產生了一個從事產銷的有力機構，主旨在擁護國策，推進外銷，並全力為同業服務。它的營業範圍，共有九項：（一）各種鋼鐵產品的代理，或自行外銷業務。（二）各種原料物料及機器的代理進口，或自行進口買賣業務。（三）接受生產工廠委託，擬具專業生產計劃。（四）接受生產工廠委託，檢驗外銷品品質及指導包裝技術。（五）接受生產工廠委託，改進生產技術。（六）設立保稅倉庫及一般倉庫，便利生產工廠。（七）代各生產工廠向各金融機構，洽借生產週轉資金。（八）投資於其他有關事業。（九）為生產工廠，作原料、物料進口稅欵保證，向金融機關作借欵的保證，及有關進口的保證業務。（下）

港原子收音機業異軍突起

去年出口值近一億三千萬元

目前訂單湧集雖淡季也趕工

（本報訊）目前是香港工業界慣常的季節性生產淡月的開端，但因各行工業的產品出口路綫不同，其中有的工廠現在已經減緩開工，但亦有的工廠仍要開夜工趕貨。這種不同的表現，就是個別產品出口暢銷與滯銷的不同反映。

例如香港的原子粒收音機零件製造廠，是目前香港工業圈內生產最蓬勃的一環，他們不但現在要加開夜工趕貨出口，並且接入了足夠維持今後四個月開工的訂單。這種現象，是目前香港各行業中比較最突出的。

原子粒收音機工業，是香港新工業之一，特別是近年來香港設廠製造原子粒收音機零件之後，這一門工業的生產，不是從前的原子粒那麼簡單，因為以前的原子粒收音機零件是由日本運來，利用香港低廉的工資以及出口接單的人事關係，在港裝配一具原子粒收音機然後出口。故此初期香港原子粒收音機工業，嚴格來說，祇能說是原子粒收音機的裝配工業。但自從香港設廠製造原子粒收音機零件之後，這一門工業已成為具體的生產，非復從前的面貌了。

由於今年美國和歐洲各地商人向港訂購聖誕節貨品比去年提早，原子粒收音機廠也就接入了很大量的訂單。本來今年聖誕節新訂單未接入以前，原子粒收音機廠接入了暑期訂單已有相當了，這些暑期訂單目前仍在趕製中，預計要五月份纔能交貨完竣。一俟暑期訂單交貨完竣之後，又要加緊製造聖誕訂單。故在一般工業界的概念上，五至七月通常是季節性的生產淡月，但原子粒收音機工廠今年不但淡月生產不淡，並且淡月生產更旺，這亦算是難見發展。

最近香港的原子粒收音機廠接入聖誕訂單，其中約有八成是來自美國的。今年美國商人向港訂購原子粒收音機最大的特點，是側重向中價貨訂購，設有長、波的原子粒收音機訂購最多，有長波而沒有短波，甚至連皮盒也沒有的下價貨，今年美國商人已經很少訂購。主要原因是同一貨色的長、短波原子粒收音機，日本出品價格比較香港出品高得多，美國商人因應環境增加向港訂購。其次是有長波而沒有短波的原子粒收音機，在英國市場雖然還有相當的銷路，但二者之間，訂價的距離不大，在美國市場售價，後者比前者約低百分之三十，因為有短波設備的原子粒收音機，性能比較良好，能夠收聽外國電台，美國商人側重訂購設有長、短波的原子粒收音機，是準備除了在城市銷售之外，還運到鄉村去推銷。

至於原子粒收音機零件，最近英國及歐洲各地商人也向港大量訂購，原因是日本的原子粒收音機零件訂價比香港約高百分之十，故此他們除了向港訂購完製品的原子粒收音機之外，對於零件訂購也很多。另一方面，供應本地加工的零件，製造也很繁忙，因為原子粒收音機廠要趕貨，製造零件的工廠自然也要趕貨了。

去年（一九六五）港製原子粒收音機出口，貨值一億二千八百萬元，比前年（一九六四）增加三千三百萬元，增加率為百分之三十四，可謂很繁榮。

香港在就工人

十七萬有餘

（本報訊）在本年三月止之六個月內，香港工業工人數目，較之過去六個月增加一四，四三一人。

據香港勞工處處長所發表之最近統計數字，迄三月底止，註冊及登記工業場所僱用之工人共三七六，七一一人；過去六個月，則為三六二，二八○人。

在上述總數中，紡織業僱用之男女工逾九萬人。

僱用工人最多之工業，包括製衣業（五三，五五五人），塑膠業（四五、二八二人），棉織業（二九、二○○人），針織業（二七、一九四人）及棉紡業（一九、五二八人）。

上述各行業，除棉紡業外，僱用人數均稍有增加，尤以針織業增加最多，僱員人數計由二三、○三九人增至二七、一九四人，淨增四千多人。

此等工業工人總數達一七四，七五九人，佔香港工業工人總數百分之四十六。

在三月底為止之半年內，在全體工人中，男工佔二一三，六五一人，女工佔一六三，○六○人。而在總數中，經理及文書人員又佔四二，六○四人。

在九，三○一家註冊及登記之工業經營中，據報尚有五，六五三個空缺，計男工者佔一，四一八個，女工者佔四，二三五個，經理及文書人員佔七十八個。

瀛海異趣談

無上裝根紮舊金山記

·桑雅·

法國大文豪雨果說過：「時間成熟的思想，是世界上最大的力量。」如果拿這句話來形容無上裝的出現，那是貼切不過的。今年，無上裝的狂潮已低減了；不過，舊金山夜總會無上裝女侍與警察鬥法那場仗，是有歷史性的，最要緊的是，——警察終于敗下陣來。到今時今日，我們不妨回顧一下當年的戰場。第一個問題是——誰穿上第一件無上裝在那裏表演呢？那便是芳華廿三的加露．杜達，她的三圍尺碼是三四．廿五．三六。她是舊金山北灘區「康多」夜總會的女侍，以前曾做過文員及舞女。

那晚，她全裸上身跳「潛水舞」。她這樣做，完全是老板的主意。他是三百三十磅的戴維．羅辛堡，是一個大肥佬，因為生意冷淡，看見報章上刊載無上裝出現的消息，他靈機一觸，便決定冒一次險了。更何況，他知道不久將來，有一大批遊客湧入三藩市，預料消費方面可達五百萬元，他認為這個機會不能放過。

果然，表演過第一晚後，不少「大粒佬」都前來光顧了，亨利、洛治、高華德等人的富家公子也來捧場，于是晚晚滿座，加露要每晚表演五六場。每位客人收費一元半。為了增加刺激，加露實行注射健胸，于是，尺碼立即變為四四．廿五．三六。加州人士，最崇尚大脯乳動物，因此，這個決定是招徠術之一。

不久，其他五十間餐館、夜總會立即爭相效尤。再過一個時期，洛杉磯三百多間酒吧之類公眾地方，也擺美人陣了。在西雅圖，一位無上裝舞女太受人歡迎，要奔走于兩個地方之間。至于賭城拉斯維加斯，更不執輸了。

由于這次成功，他出盡了風頭。羅辛堡的身體更胖了，多廿磅，加露也受人注意，因為一九六五年四月份的「花花公子」雜誌，有兩大頁刊出她的照片，她成為西方自由的公眾象徵。

加露第一次穿無上裝表演九個月後，才招引部份社會人士的反對，他們是「慈幼俱樂部」「北灘獅子會」「義大利天主教協會」「哥倫比亞公民會」「唐人街青年會」等。他們書面抗議，還有一公教報作後盾。終于四月的一個週四晚上，一名叫羅拉卡夫卡的警探奉命當場拘捕加露，罪名是「引人作不道德行為」。加露當然不認罪，羅辛堡實行上訴。當天晚上，被拘捕的共廿七人，包括老板在內。

第二天中午，一批警員衝入一個時裝大會，拘捕安卡絲，她是「一九六五的無上裝皇后」，三圍尺碼是四四．廿四．三六，完全是「正貨」，不是人工健胸的。她芳華廿一，巴黎出生。她被捕時，由警員把白布套在她身上而上警車。

同時，為了這事件，「公教報」與「年曆報」互相筆戰，非常激烈。

這個消息傳開後，著名專欄作家米奇實地採訪，對象是「地牢夜總會」的經理查理士，下面是兩人的對答——

米奇：你太太對于你的工作有何感想？

查：你有發現菜單上那位無上裝女郎嗎？她是吉蒂。三月間她來這裏工作，兩月後，我們便結婚。現在她在寫字樓工作。

米：是替你挑選女侍？

查：不，由我挑選。我要應徵者先脫衣給我看。不過容貌也重要的。

然後米奇訪問一個黑人女侍，她名叫雅蓮，廿六歲，未婚，是洛杉磯中學畢業生，會吃過兩年法律飯。

米：為什麼像你這樣的人材也在這裏工作呢？

雅：我來這裏工作，有兩個原因，搵飯吃，及考驗自己的勇氣。每週我可以賺一百五十至七十五元，包括小賬。

米：你們顧客對你的印象如何？

雅：男顧客較有禮貌，有些女顧客以為我們要把她丈夫搶去似的，有一次，竟然用烟蒂燒一個女侍的大腿。

目前，雖然還有不少人反對，但無上裝在舊金山已生了根，成為美國特色之一了。

來論

今日台灣校長縱橫談

·張紹炎·

三、聖人型：「聖人」是天地間無所不通的偉人，有巍巍乎大矣哉的味道。自盤古開天闢地以來，只出了文王周公孔子區區幾個大聖人，至今兩千餘年來幾成絕唱，而為人空自慕之頌之耳。此種人最大的表面特徵是：道貌岸然，神聖不可侵犯。瞻之在前，忽焉在後：巍巍乎喜馬拉雅山莫之能比，浩浩乎太平洋也顯得渺小無物。看起來，「定力」堅強，行止「穩重」，有女人演脫衣舞於前而目不轉視，白刃子刺過來而形色不變的氣派。令人見之，油然大興敬長之思。

聖人型的校長，絕非天生，而全是人工的裝模作樣。也是表面粉刷的一大藝術。他之所以如此裝腔作勢，為的是效法孔聖人的面貌，為人羣表率，而使人敬長，而提高其尊嚴，而博取社會上的一致喝彩與信仰。他們往往是金玉其外，敗絮其中。較之政客型的校長，有異曲同工之妙，或者更上一層樓。其於教育之各項措施，固能圓滑應付，而油水也照樣揩之。外似留芳百世，內則亂七八糟。公私兩吉，面面顧到，誠不愧為聖之時者也。

四、精神薄弱型：「精神薄弱」一辭為日語。中文則謂之「低能」，或「智能不足」，或「窩囊」。精神薄弱係由先天或由後天所形成。不論其起源如何，其為窩囊貨則一也。此種人飽食終日，無所事事，亦不知何所事事。整日迷迷糊糊，不知天高地厚，樂得一時是一時，得過一天算一天。安於現狀，不求長進。

這一類型的校長，對於教育完全是外行，可說一無所知。只因因緣巧合，一不小心，登上了校長寶座。可是他奴才成性，凡事唯唯諾諾，毫無主見；見人打躬作揖，點頭彎腰。一切都希望大事化小，小事化無，最好是不傷腦筋。飽食終日，隨俗浮沉。（三）

男女兩性的數量分配與婚姻

（上接第一版）

男性超出的社會，必致犯罪增多，好勇鬥狠，貿死輕生的事，所在多有，法律制裁的效果甚微。證諸台灣近年所發生的種種事例，總該確信無疑。前面說過，大陸的各大都市和東北各省，性比例懸殊，較台灣尤甚，但過去的大陸各省的情形，移民東北，或在都市謀生的男性，都可能定期返鄉；且某一地區男性較多，必有某一地區女性較多，只是一種暫時的偏枯現象，問題不難解決。但自大陸陷入匪區，台灣與大陸，完全隔絕，這樣長時期男女不均，對社會道德，地方安寧，自有很大的不良影響。

我們應該特別稱道，為數巨大的退除役官兵，尤其是士兵，它們雖然大多數還是獨身，因為曾受過嚴格的紀律訓練，都能吃苦耐勞，自立謀生，很少有違法亂紀的事。但對於一般人，却不能完全以「超人」來期望，人總是人，人的感情，必須有正當發洩，才可能有常態生活，而不致作奸犯科。因此社會各方面，對於這樣多無法結婚的男性，總不該淡然漠之吧？台灣省男性數量超出的問題，早經有人提到，只是在狂熱的節育宣傳中，不僅未引起注意，相反的却招集不少的譏評。其一，是認為這數字不正確，因為他們看到的是登記的數字；對於未登記的數字，就根本不提；再加他們強調的，人口是災害，對於未登記的這一大部份人口，除了造成性比例懸殊這一結果而外，實際是全人口中的精華，對國家貢獻最大的，年齡和職業也是在全人口中最有利的，因為是對人口的組織有利，所以他們就把這大部份人口完全抹煞。但無論為利為弊，事實上這些確實居住於台灣境內、或相當於台灣境內的人口，怎能不加理會？其二，是認為未婚男性，絕大多數是軍人，軍人在目前，就是不能結婚。但軍人服役，有一定年限，不能終身服役；目前退除役軍人已經年年有增加，它們的婚姻問題，不應該終身而不獲解決。何況無法結婚的男性，並不僅僅限於軍人，而是散布於社會各角落，每個人都可以看的很清楚，也不應該再把事實真相隱藏起來。其三，是說，幸而有這樣多單身的男性，不然人口增加更快了！對於人口增加快慢問題，不煩多說，這問題牽涉太多了。須知人口增加，如果是正常的，需要的，不一定就是壞事情。但無論人口增加增減，總以不造成社會病態為是。而男女分配不均，則是社會病態之一，怎可熟視無覩，反而有幸災樂禍的意味？

事實上如以全國為範圍來說，短期的兩性不平衡，並不是特別嚴重的問題。但像近年來的一般論調，一定要把台灣省的人口問題孤立起來看，那就比較麻煩。最好還是大家把眼光放遠，不要拘泥在台灣一隅。我們有反攻大陸光復大陸，消滅共匪的信心，只要大陸光復，多數獨身無偶的男性，都可以返鄉成婚，共度團圓生活。這是最有效，最根本的解決方法。其次是漸漸改變婦女寡居的社會風習。現在台灣全省有三十多萬寡居的婦女，這些人，按近期人口普查的資料顯示，在五十四歲以下的，約有百分之四十，她們如果能夠再嫁，可能對目前女性缺乏，稍有補救，不過還是相差很遠。再次是嚴肅道德生活，消除腐化，淫靡的頹風，不可在色情方面，對獨身的人們，再加誘惑刺激，好培養它們更高尚、更優美的情操。此外，只有期待着自然調整，但這樣是需要相當時日的。（完）

新三國

可是，那袞袞諸公對曹操的作戰計劃置若罔聞。按照曹操的計劃，如果袁術真肯行動的話，董卓是要吃大虧的，不止可切斷董卓的歸路，而長安的朝廷也一定動搖；那時前不能救後（長安），後不能救前，盟軍將打一個大勝仗。兗兗諸公不理曹操獻策之後，他一氣之下，又跑回安徽．江蘇一帶去招兵，募到四千人馬，率領到洛陽附近去作戰；不幸這四千人在中途又譁變，彈壓沒有效果，拔劍立斬數十人，結果只剩了五百多人，其餘的人一鬨而散。

另外還有一個肯拼的是王匡，但他的力量有限，而且陷於孤立。董卓在他未發動攻勢之前，已派遣了一枝奇兵繞到王匡的後面，把他擊敗。此外的諸盟軍將領都沒有鬥志，各懷鬼胎。只有孫堅不斷硬幹。他命令李旻去攻董卓吃敗仗之時是在初平元年的冬天，到了初平二年二月，又與董卓幹起來。董卓派了陳郡太守胡珍，（字文才）為大督護，做總司令，又派呂布為騎督，率步騎五千人，還有其他步騎將校都督甚多，羣龍互爭雄長。胡珍這人因急燥傲漫，將士深表不滿；他又不愛惜士卒，不按照董卓進兵計劃，使士卒徒勞飢渴。加上胡珍又和呂布不合，各自為陣，結果被孫堅打敗。這樣將帥不和的出兵對陣，豈有不吃敗仗之理。

孫堅的部隊十分整齊，董卓的大軍雖然隨着胡珍、呂布敗陣後趕到梁縣，但孫堅的部隊毫不驚亂，反而十分鎮定。董卓親自來了，看見孫堅的部隊整頓什陣，秩序井然，不敢妄動。此時孫堅却一聲令下，大軍依次開進梁城，董卓眼光光，孫堅的部隊進了城，董卓仍然不敢亂動，可見孫堅真的還有一套，並非等閒人物。可惜孫堅過幾天，他把部隊調到梁縣之東後，被董卓圍攻，寡不敵衆，孫堅只得帶了數十騎突圍而走。董卓的人馬緊緊追來。孫堅情急智生，他將自己頭上常戴的紅巾脫下，令他親近騎將祖茂戴上，於是，董卓的人馬只見戴紅巾的騎將追去。在危急之際，祖茂也心生了一計，下馬把紅巾繞在被燒過的一根柱子上，自己潛伏草中，董卓的騎兵望見紅巾者以為就是孫堅，重重圍困。等到大衆不見紅巾有動靜時，才知道是僞裝的。真的孫堅早已跑了。

孫堅突出重圍，收集部隊，集結在陽人，（地名，梁縣之西）準備在此與董卓一決雌雄。果然把董卓打敗，又把董卓的都督華雄刀劈馬下，大獲全勝。孫堅繼續追擊，兵抵大谷，此距洛陽僅九十里。董卓親自出馬，抵敵一陣，可是士氣已經瓦解了，抵擋不住，敗往洛陽之西澠池及陝縣二地去了。

孫堅勇敢異常，乘勝攻進洛陽城，他由洛陽宣陽門進城，（即洛陽由東數起的第三個城門）呂布抵擋不住孫堅的精銳，只得棄城而走。

董卓一敗之下，洛陽立不穩腳，只得分留一部人馬屯駐關外，自己却一股勁奔到長安去了。董卓這人也不甚簡單，他也會想到：假如有一枝部隊切斷他的歸路，或把長安的獻帝挾持了，他還幹什麼呢？所以他吃了敗仗就逃回長安是對的。（廿八）

國劇縯紛續錄（九十六）

鑒婆生

兩位孫夫人

各大名票演出的龍鳳呈祥，爲求多采多姿，決定請兩位坤票分演兩位孫夫人，也是輕易不多見。這孫夫人一位是潘美娜，她是二五（空軍之友）而兼在星期六票房走票的名坤票，玩平劇已近卅年，宗梅派，唱腔特別清脆，聞說是名伶高秋蘋（一名粉菊花）的弟子，能戲亦多，俯拾即是，大概能上台的有廿齣以上，現是北市很活躍的坤票。因爲她沒有名票的架子，而待人謙和，不自以爲了不起，尚在研究，可說少有。

第二位是從別宮起到回荊州止，爲二五名坤票楊鳳仙，她是雲南閨秀，却對平劇研究甚深，前在中部服務，演出有二十餘次，唱腔走大路子而近乎梅，尤其能反串小生，除全部貂蟬加串呂布，蘇小妹中前旦後小生，另如春秋配的李春發，拾玉鐲的傅朋，探母的楊宗保等，無不手到擒來，充分俊美動人，曾在空軍業餘競賽中，得了最好的女主角的金像獎。故此戲中的兩孫夫人，可云旗鼓相當，多是精采已極。頗想下次另有機會再行同台，以飽眼福。

道齣龍鳳呈祥，完全得力於星期六，二五，內政部三大票房竭誠義助，才得如此美滿。尤其各位琴票除執琴托腔而外，尚照拿份兒，每位兩百。我誠沒有見過，盡義務還掏腰包輪將，確是琴藝史上未有的創舉，道是各方面的交情所得成果。

無比的快聽

月之十日，張玉麟伉儷值崑曲同期地點在華安餐廳，適因無事而有美點，即往聽曲。旋往羅斯福路二段，聽吳家瑋琪兩姪吊嗓，由蔡國藩說腔，正在學習鎖麟囊，溫練春秋配。吃飯有道地的楊州獅子頭，甚可口。到了九時，急促北返回寓，爲了聽警察電台播送楊小樓梅蘭芳的全部霸王別姬，已有四十年未之聞也，實爲無比的快聽。

梅蘭芳的別姬，雖無多場演出，但是享名的傑作，就有別姬的自刎，有夜深沉配合劍舞，自無餘子可攝。他一生所請的霸王，前後有三位，在北平是楊小樓，從開始到以後，而楊的霸王爲他加了千斤重量，可說無一不佳。後來在滬漢用金少山，記得民廿四在漢，大家想看此戲，桑稼軒特自滬上接少山來漢，少山不慣坐飛機，提出條件，要與猴子同行，准許在飛機吸鴉片（由猴子伺應），戲份與梅氏同價，三項大事，件件依認。抵漢連唱三天別姬，票價照原定四元五角，加成六元，天天滿座。他留漢半月，在臨別又唱二天，戲份得萬元，爲最大收入。（未完）

重逢

劉杰

昨天我到高雄，在車上見到你。但我知道你當時並沒有看到我。

我怎好向你打招呼呢？你現在已是有夫之婦，也做了媽媽；我還是光棍一個，我不得不避避這種嫌疑。

但我還是忘不了過去我和你的戀情。我在大學出來，首先就認識你。我和你都有藝術的同樣愛好，在咖啡室見面時，你就說：

「我喜歡這地方；是有詩，有歌的地方。」

「我很重視我對你的友誼。」我說。

從這後，我和你來往漸密，每個星期都要見面一次。我和你在八卦山、中興新村、日月潭，都留下美好的記憶。

在日月潭的船上，你笑着對我說：

「在你身邊，我是多麼快樂！」

「我也是一樣。」我說。

於是，你朗誦一首詩：

輕輕地、輕輕地，
我倆輕輕地，再輕輕地，
在夢中做夢，
在潭中擁抱着愛。
輕輕地，輕輕地，
我倆輕輕地，再輕輕地，
我的歌植在你心中，
啊，上帝的光輻射着：
愛的光輝！

從這後，我們便相愛了。但，似乎上帝有意開我倆的玩笑，當你母親知道後，便大加反對，還把我大訓一頓。於是，你母親再不許你和我見面了。

這不怪你母親，祇怪我可憐。你母親說：

「你的書讀的再多，你也不配我的女兒！」

我當時多麼傷心！可是，更使我傷心的，不到一個星期，你的母親就把你許配給你的表哥。你逃出來告訴我，你哭的成個淚人兒。

你說：「我是愛你的！殺死我，我也不嫁給表哥。」

我陪着你哭，我被你的愛感動得不知道如何來安慰你。之後，我對你說：

「我倆一起去死吧！」

但當我知道，你的表哥就是我要好的大學同學，而且我在生活無着落時，你表哥曾救濟我。我就下了決心。

也許你當時不大了解我，我突然離開。我記得我留了一封信給你，我是流着淚這樣寫的：

「……………我再不愛你，我直覺到過去是一種錯誤。爲了怕這錯誤的再延續，所以我就以快刀斬亂麻，我要到另個地方去了。」

「你恨我是對的，那麼，你就恨我下去吧！」

「你和你表哥結婚是對的，我不說什麼，祇在此……」

我沒有想到，事隔幾年，在車上見到你。你大約也是住在南部吧？因爲這班火車祇到嘉義。

車上的人很多，我幾次都想向你打招呼，我都被壓抑下來告訴你：

我雖然有些痛苦，但看到你是幸福的，我也似乎獲得了快樂。

我祝福你。

清末官場艷事

諸葛文侯

滿清光緒末葉，御史趙啓霖（芷蓀）以彈劾工商部大臣載振納歌女楊翠喜爲妾一案，轟傳遐邇，聲譽大著，世人耳熟能詳，毋待贅述。唯世人但知段芝貴擲巨金購送楊女於「振貝子」，因而以道員超任黑龍江巡撫，致罣吏議，未到任即被免職了。然據當時郵傳部郎中湘人陳毅（貽重）於事後傳說，段氏係受袁世凱密囑而然的。

袁世凱於光緒卅二年冬間，奉旨解除陸軍統帥職權後，雖仍任直隸總督，但忖度清廷對他已有疑忌心理，急思有以固位之計。適載振到天津公幹，他原是當國的近支王爺奕匡（力旁）的兒子，素爲慈禧太后所信任，通過振貝子的關係爲袁說項，效力自然很大。因此，袁就教候補道段芝貴負責招待振貝子，陪着他作狎邪游。袁有妾楊翠鳳，亦係段氏奉獻的，段固知翠鳳之妹翠喜頗具姿色，即以重金將她購送於載振，未幾，官拜巡撫，招致了趙御史的彈劾。

趙啓霖的彈章雖然發生了作用，段巡撫免職，振貝子的工商大臣坐是去位，而趙御史亦奉旨申斥其沽名釣譽，遣歸鄉里作隱士矣。趙離京南下時，陳貽重郎中曾作了四首五言律詩相贈，在其第四首詩中附註有：「袁慰庭總督世凱，欲延芷蓀爲高等學堂監督，囑羅順循達意，故余尼之」等語，可見袁氏是害怕外人詗知此案內幕，致爲清流所鄙視，乃對趙故示好意，藉祛嫌疑，陳氏殊不贊成。陳的第四首詩云：

「亦有匡廬在，容君抱膝吟。半生芳草意，一寸卷施（草頭）心；去住休遺世，艱危恐自今。前途慎棲止，惡木豈無陰？」用意昭然可覩也。

趙氏罷歸湘潭鄉里後，陳貽重得到楊翠喜照片一張，即密寄給趙，且在照片旁寫有「公不可不識此人」一語，另附題七言絕句六首，其一云：「喝[illegible]翠羽戲朝曦，天上珠巢護碧衣，怪怯昨宵春夢惡，蒼鷹側翅擊空飛」。二云：「將軍巧計奪勛封，松壽雙名強笑儂，乍出花叢香未散，裙邊袖底幾游蜂」。三云：「翠鳳聲淸引洞簫，深深金屋更藏嬌，周郎威重孫郎貴，爭羨江東大小喬」。四云：「學梳宮髻試妝樓，仙樂仍誇鞠部頭，忽憶匈奴山色好，胭脂紅障玉顏羞」。五云：「春盡湘南一片帆，東風不解燕呢喃，只憐別院梨花雨，濕透珍珠窄袖衫」。六云：「宮袍掩面淚痕潛，愧對何郎傅粉顏，日暮餘園歌舞地，何堪重問謝珊珊」。謝珊珊亦係艷名噪著北地的歌女也。

宋人程松爲求官而獻美女於韓胄，取名「松壽」，韓問命名所由？對曰：「欲使鄙賤姓名常蒙相公記憶耳」。陳氏乃取以入詩，示譏刺之旨。

清末的政界固極腐敗貪污，然堂堂天潢貴冑私納一妾，即受到清議抨擊，罷職丟官，且連累其權傾中外的老父亦遭君上譴責，以視民國官場中不管私生活如何腐爛，品行怎樣卑劣，而好官自爲，無所忌憚的政風，似尚略勝一籌，可歎可歎。

楊乃武與小白菜

「影劇與歷史」之二十

周遊

情勢發展至此，仍有阻撓困難存在。又出來一個丁保楨爲此案辯護，並聯合湖北湖南朝臣攻擊桑春榮，因楊昌濬與胡瑞瀾兩湖人也。此事在李慈銘日記載之尤詳，日記云：「自海會寺覆驗後，寃誣大白，稍有識者，無不切齒胡（瑞瀾）楊（昌濬），思食其肉。而刑部尚書桑春榮耄而庸鄙，欲見好於外官，又覬覦楊昌濬之書帕，必欲從輕，比屬司官研訊楊乃武葛畢氏，強其自伏通姦罪。尚書皁保輕而妄，以劉錫彤爲大學士寶鋆鄉榜同年，亦欲右之。時貨藥者錢寶生之母及佐肆者，皆以質賓佃霜有無，羈刑部獄；今驗葛品連實病死，於是司官白皁保：可先釋二人，亦不許。時丁保楨以川督入覲，聞覆驗得實狀，大怒。揚言於朝曰：葛品連死已逾三年，毒化則骨白，此不足虛實。於是湖北湖南以胡楊同鄉也合而攻之，桑春榮大懼。丁保楨又面斥桑曰：此案何可翻！公眞憒憒，將來外吏不可爲矣。桑益懼。侍郎袁保恒、紹祺頗持之，不能奪也。」

至此發生兩大派之對峙不下。幸而出來一個王昕，挺身而起，奏劾一般官官相護之污吏。此事載諸李慈銘日記，亦是可信之資料，日記云：

「……夫葛一因病身死之人，羅織無辜，鍛鍊成獄，遍認淩遲重典，在劉錫彤固罪無可逭，獨不解楊昌濬、胡瑞瀾身爲大臣，迭奉嚴旨，何忍朋比而爲此也！。胡瑞瀾承審此案，熬審逼供，惟恐翻供，已屬乖謬；而其前後覆審各摺片，復敢狂易負氣，剛愎怙終，謂現審與初供雖有岐異，無關罪名出入，並請飭各省著爲律令。是明知此案盡屬子虛，飾詞狡辯，淆混聖聽，其心尤不可問。而楊昌濬於刑部奉旨行提人證，竟公然斥言應取正犯確供爲憑，紛紛提解，徒拖累。是直謂刑部不應請提，我皇上不應允准，此其心目中尚復知有朝廷乎？：且近年各省京控從未見一案平反，該督撫明知其寃，猶以懷疑誤控奏結，又見欽差查辦事件，往往化大爲小，化小爲無，積習瞻徇，牢不可破。

「……此案案情如此支離，大員如此欺罔，若非將原審大吏究出捏造眞情，恐不足昭明允而示懲儆，且恐此端一開，以後更無顧忌。大臣倘有朋比之勢，朝廷不無孤立之憂，臣伏願我皇上赫然震怒，明降諭旨，將胡瑞瀾、楊昌濬瞻徇情欺罔之罪予以重懲。」

王昕劾章，乃是針對當「內輕外重」的現狀而爲言的。他的一章劾奏，已使太后頗怒了。李慈銘日記云：「聞兩宮太后見疏頗怒，刑部奏請定擬時，樞府（軍機大臣）以皆受楊昌濬厚賄，尚力爲之右，援案懇請革職留任。兩宮舉此疏爲言，竟不許也。」可見王昕御使此一劾奏深使太后感動。（四）

做夢與睡眠失眠

○三木○

另外有一個學生則說：「他每晚放學返家後，例必睡足兩小時始用晚飯和溫習功課。若一天不睡兩小時午睡，他就會覺得「有晒精神」」。此外荷李活的影星桃莉絲戴奴亦是一名渴睡者，她雖屆中年，但她每天均需睡足十二至十五小時，否則拍戲時就不能提起精神。所以她往往拍完一段戲，便抽空在戲棚內小睡一會，她常常對人說，小睡一會後拍戲，倍感精神。

失眠，是一個非常令人煩惱的問題，蒙盧教授指示：通常來說，女子患眠失症遠較男子爲多，其中尤以十八歲至卅五歲的女子失眠症的更佔大多數。在他的統計數字中指出，在美國來說，女子患失眠症的較男子多出達三倍之譜。她們患失眠的原因不一。蒙盧教授並舉例的說：有一種多疑善妒的婦人，她們的丈夫偶一夜返，她們便會疑神疑鬼，在床上想着丈夫也許又結識了新歡，或邂逅其他女子，日後也許會把她拋棄，她們一想便可能沉思到翌晨不能入睡。亦有一部份勤苦學生，他們爲了研究課本的緣故，往往一讀便讀至淩晨三四時才上床，但在床上他們又想看課本中的難題，還看未能解決的難題，他們可能整夜不寢，來設法去解決他們腦海中的難題。更有一個學生，對蒙盧教授說，由於應付考試的關係，開了一個月「夜車」弄得兩眼失神，精神彷彿，在一個月內，體重竟減輕了廿餘磅。同時最重要的還是她在考試結束後，因習慣的關係，每每使她到了深夜仍未入睡。（二）

自由報
THE FREE NEWS
第八四六期
內政部登記證內版台報字第○三一號
中華民國僑務委員會登記證台僑字第三三二號
中華郵政台字第一二八二號執照登記爲第一類新聞紙類
（每逢星期三、六出版）
每份港幣壹角　台灣零售每份新台幣壹元
社長：雷嘯岑
督印人：黃行蒼
社址：香港銅鑼灣高士威道二十號三樓
20, CAUSEWAY RD 3RD FL. HONG KONG
TEL. 771726　電報掛號：7191
承印者：大同印務公司
地址：香港北角和富道九六號
台灣分社
台北市西寧南路壹壹零號二樓
電話：三〇三四六
台郵報儲金戶九二五二

中東亂局與庫德族自治運動（上）

宋文明

在今世界上，有三個民族正遭逢着同樣的命運，也正進行着同樣的運動。這三個民族便是：中南半島的閃族，巴爾幹半島的馬其頓族，和中東地區的庫德族（KURD）。散居於巴爾幹半島南斯拉夫、保加利亞和希臘等國境內的馬其頓族，長時以來，即想共建一「馬其頓聯邦」。散居於中南半島緬甸、泰國及寮國境內的閃族，亦曾醞釀「大閃族國」理想。散居於中東伊拉克、叙利亞、伊朗、土耳其及蘇俄境內的庫德族，更以建立庫德斯坦（KURDISTAN）爲其百折不撓的奮鬥目標。在這三者中，馬其頓聯邦運動在二次大戰快要結束前後，曾突呈活躍，但旋以蘇聯的阻礙和反對，而告頓挫。至中南半島的「閃族國」一事，何可因閃族的已獲自治，而再有進展。在其他各國這一運動尚未進入實際行動階段。但是中東地區的庫德斯坦運動，雖屢遭失敗與打擊，歷經艱險，而這一運動至今不僅未被摧毀，反而日益趨於積極與壯大。正因如此，這一庫德斯坦運動也已引起了全世界極大的注意。

對於這一散居於伊拉克、伊朗、叙利亞、土耳其及蘇俄邊境的少數民族，其總人數究有多少，外界尚無一個精確的數字。有的說法認爲其總數在四百萬以上，有的又認爲在兩百萬至三百萬之間。但就伊拉克一國內庫德族佔該國總人口六百多萬中的百分之十五這一事實看來，整個中東的庫德族，爲數當不下三百萬人。不過，其人口總數雖相當大，而在以上各國境內，它們卻明顯屬於一個受壓迫的少數民族。再加上它們所居地區，多屬荒山貧野，生活艱苦，所以便逐漸形成了一種慓悍好戰，不與其他民族相混合的特性。爲此之故，許多年代以來，庫德族即經常流徙各地，好勇鬥狠，從不安於其生活。中東阿拉伯人的所謂「世有三大患」，即老鼠、蝗蟲與庫德人之說，便充分指出庫德族對阿拉伯人生活的威脅。這種歷史性的兩族互鬥，不僅形成了與民族間的嚴重隔閡與敵視，而且也使它們間的眞正協調與合作，成了根本不可能之事。

第一次世界大戰後，美國威爾遜總統的民族自決，及兩次大戰之間德國在中東的活動，均使庫德民族主義受到了極大的鼓勵。二次大戰後，庫德人在共黨的影響下，曾一度組成共和國。

一九四六年這一共和國宣告失敗，其領袖人物巴薩尼（MUSTAFA BAZANI）旋亡命蘇俄，整個運動也隨之沉寂。直至一九五八年夏伊拉克發生革命，這一運動始行逐漸恢復。一九五九年三月八日，伊拉克北部重鎮莫蘇爾，以反對巴格達的中央政府而爆發反叛事件。四月中旬，伊拉克籍庫德族八百五十五人，由蘇境返抵伊拉克。四月下旬起，伊拉克北部的庫德人，由於受了伊國內爭的影響，有一部份便紛紛逃往土耳其境內，要求長期居住。至五月七日，這批人數已達到一萬兩千人以上。七月十九日，伊拉克北部基爾庫克又發生左翼反政府暴動，結果有一百多人死亡。以上這些事件雖不以庫德人爲主體，但亦清楚表示伊拉克的任何分離運動，均無法避免北部庫德族的影響。於是在這種情形下，當時革命未久，政權未固的伊拉克卡塞姆政府，便對庫德族採取一種雙軌的對付政策。

當時卡塞姆的這種雙軌政策，便是：（一）對庫德人實行安撫與籠絡，答應建立庫德族學校，庫文報紙，庫人政黨，實行各種改革，提高生活水準，以爭取庫德人的好感。（二）對庫德人實行分化，鼓勵其互相仇殺，自行削弱其集體力量，使自顧不暇，以達到個別統治的目的。但卡塞姆這種政策，結果證明完全失敗。招致這種失敗的基因，除了卡塞姆的政府口惠而實不至，無法兌現其諾言，致爲庫德人所痛恨外，便是由於巴薩尼這批人在庫德族廣大羣衆中的策反工作，已發生了功效。我們知道伊拉克革命後，巴薩尼從蘇聯帶返國的這八百多人，並不是單純八百多個重新返鄉的難民，而是八百個受有嚴格訓練的煽動者。以庫德族與阿拉伯人的傳統宿怨與猜忌，隨時圖謀實行自立，如今竟把八百多個煽動家投入其中，其結果如何，便不難想像。

所以到了一九六一年八月，由巴薩尼所領導的庫德族革命運動，便在伊拉克北部各地普遍爆發。在開始之初，庫德族的這種襲擊對象，只限於伊政府警察及地方行政官署設在山區的孤立據點。但不久之後，由於庫德反叛武力益趨擴大，並因嚴冬季節政府軍進剿活動的減低，致一九六二年開春以後，它們這種攻勢，亦開始以伊政府軍的兵營爲目標。巴格達當局面對這種日益惡化的情勢，便不得不出動大批空軍，對庫德族所居村鎮及據點濫予轟炸及掃射。結果又引起了庫德族的情恨，而洗刧數百個阿拉伯村，以作報復。在這種互相仇殺的循環行動中，往往一次衝突的傷亡，有高達數百人以上者。而在伊政府軍所控制的城市中，庫德人由於沿用過去阿爾及利亞秘密軍的暗殺手段，及實行襲擊所造成的損失，更未包括在內。

伊政府軍在對付庫德族叛亂中，曾面臨一項特殊的困難。這就是由於伊拉克的部隊中約三分之一的士兵及中下級軍官，皆爲庫德族出身。所以伊政府在派軍進剿庫德族的行動中，不但對部隊的派遣須先作極審慎的選擇，而且也不敢給予兩天以上的給養與裝備，以防不測。這種情形，嚴重限制了伊政府軍的行動範圍與作戰效能，所以伊政府軍在最初雖擁有來自蘇俄的現代化重裝備，而仍時常敵不過僅攜有機關槍與迫擊炮之類的小股庫德族武力。在這一叛亂最嚴重時期，其範圍已達距離巴格達以北僅七十英里的地區。在伊政府軍所及之地，往往只能控制城市及交通綫，而大部鄉村地區則爲庫德族武力所控制。這種大規模的叛亂，伊政府一直格外保密，直至一九六二年六月十二日，伊總理卡塞姆發表聲明，表示這一叛亂已被敉平，才逐漸爲外界所獲悉。伊政府雖作了這種聲明，可是根據巴薩尼在同年五月底於黎巴嫩首都貝魯特所發表的談話，可知要把這一叛亂完全敉平，乃屬根本不可能的事。（上）

誰還肯上當？

黑非洲的紅旗

今日與明日

賊不打自招

俗語說：「賊不打三年自招。」就是說賊的個性，在你要問他的時候，他一定否認作賊，即使打得頭破血流，仍是不承認的；可是，假若僥倖不被捉，則不出三年，他必然會自己出來說，出來作賊的經過，以顯露自己的英雄本色。此小言證之毛共「護旗英雄」趙小壽益顯有至理。

這次印尼學生圍攻印尼毛僞使館，毛共一幹部趙小壽被子彈打中胸膛，據說是「護旗受傷」。「護旗」不知道，「受傷」倒是不假。何以一幫幹部皆未受傷？究竟趙小壽獨傷了，只是幹什麼的？毛共均未透露，只說趙小壽是使館工作人員。可是中國人不到兩個星期，趙小壽尚未回到北平，「解放軍報」就透露了趙小壽的身份，原來「趙小壽是首都公安部隊某團的五好戰士」，看了這項消息，令人不禁要點頭說聲：「原來如此，怪不得他中了槍。」

毛共的公安部隊是幹什麼營生的，已不必介紹。「首都公安部隊」自然是公安部隊中最「公安」的，「五好戰士」又是頂兒尖兒的人物，像這種人有用之才自然應當派去印尼大展身手；復員者，不過是個重「復員」的特務人員而已。毛共派去外國的人員可以說個個是特務，但是像趙小壽這種人，卻是特務中的特務。因爲大使館官卑職小，也許一切要看他的指揮，姚仲明都要聽他指揮，因爲姚的思想比姚仲明要靠得住。把這一點關係搞通，其受傷經過也可以明白了，必是在他指揮「使館人員」開機槍，印尼學生也有槍，擒賊先擒王，一槍先打傷了他。

迎新除舊

趙小壽回到北平，共黨出動許多人歡迎，陳毅又親到醫院探視，作了十八行雜文（陳毅說是詩，但在懂詩的人看來連散文都說不上，只能說是雜文，不通的雜文），今後有一段時間內必然要把趙小壽捧成「英雄」。雷鋒、王杰、焦裕祿、歐陽海之後，一定要添個趙小壽。毛報自然又要宣傳趙小壽之所以如此「英勇護旗」，只因爲搞通了毛澤東思想；印尼學生所以一槍擊中他的胸膛未死，則因爲讀熟了毛澤東集。此鬼話連篇，鬼話連篇將大量出籠。在海外看來是笑談，大陸人民則是苦難，不久又會有「趙小壽日記」出版，強令大家學習也。

吳含（口旁）、田漢、翦伯贊之後，竟然牽涉到郭沫若身上！就對付共產黨的本領來說，郭沫若應不作第二人想，結果還是如此這般！清除舊走狗，誘騙新爪牙，大概就是毛共現行的培養「革命接班人」的政策了。（何如）

自由談

人性說

馬五先生

人性本惡，抑本善？這問題在咱們中國文化思想上，爭論了千年亦未曾得到確切的答案。區區管見所及，比較是相信荀子的說法——其善者僞也。

人爲萬物之靈，其聰明才智可以把地球的距離縮短，可以把天空的秘密揭開，那，如果人之性眞是本善的，那末，憑着這樣高超的智慧，還大同世界早已建立起來了，有甚末戰爭行爲發生呢？至少至少，無政府主義早就應該實行於全球了。因爲安那其主義的生活軌範是個人自律自治，不需要政府來管制，也用不着法律來約束，各盡所能，各取所需，安份守己，一是皆以道德情操爲本，壓根兒就沒有剝削、壓迫的行爲存在，又何致有馬克思的學說產生，而釀成人類無窮之禍害。

平常人與人相處，彼此表現着所謂禮義廉恥的言行，實係有所爲而然的僞裝姿態，一有利害衝突，惡性立即畢露，砍殺陷害、攻訐中傷，無所不用其極，雖親屬好友，亦無例外。至於個人的私生活，越是無惡不作的，越就對人裝出十足的道德君子模樣，貪官污吏高談廉潔政治，強盜土匪供奉關聖帝君，賣國叛國之徒強調忠貞思想，卑污苟賤、無所不爲者侈言人格氣節。這些都是習聞習見的普通現象，事實證據，不勝枚舉，能說是人性本善的表示嗎？

人類自有書契以來，即講究教育工作，且有聖經賢傳作教材，更有不少碩學通儒發揮這類教材的義理，誨人不倦。然人性始終不能適應聖經賢傳所垂訓的善良準則，而所謂聖人如孔子，釋迦牟尼、耶穌也者，百世千年間亦就絕了種，未見產生第二個，人性本惡，於斯益信。

我認爲人類的智慧愈發展，文明愈進步，人性的惡劣成分即愈增加，可不是嗎？古人相打用木石弓矢，今人卻用原子彈和核子火箭了，人性本善之謂何？

台灣政聞一二三事

政府新仕版的傳聞一般
國大代表憲政研究費預算
台省籍中央民意代表應否改選

（本報台北通訊）國民大會新選中華民國行憲的第四屆總統，將於五月廿日就任。按照過去的例子，每屆總統就任後，行政上的人事方面，必有一番新的佈署，以示段落，這次自不例外。因此，近來社會各方面對於未來的新仕版，自行政院長以次的各個行政機構首長人選問題，揣測紛紜，傳說不一，雖係「馬路消息」，亦可資留心政局者一種參考資料。

關於行政院長人選，計有兩種說法：一說是在用新人行新政的原則下，現任中央銀行總裁徐柏園係熱門人物，理由是現階段的中樞政務，應以改進、加強財經建設爲先，徐氏乃此中能手，素爲極峯所信倚，環顧政壇名角，無有出其右者，教他担任行政院長，必能表現「財經內閣」的特色。一說是仍由嚴家淦以副總統兼任下去，藉資熟手，且嚴氏爲人圓和，行事穩重，人緣亦甚好，正適合宰輔大臣的風範。但亦有人對於副總統兼任行政院長認爲不妥的，據聞當日執政黨中全會議選出嚴氏爲副總統候選人後，即有某要員告語嚴氏，希望他不要再作馮婦，以免「惡例」沿襲難改。不過，近日記者綜合各方面的看法，嚴氏兼任「閣揆」的可能性似很濃厚。政院所屬各部首長，現任台省財政廳長周宏濤之超升財長，殆成定局。經濟部長則以「退除役官兵就業輔導委員會」主委趙聚鈺呼聲最高。內政部長連震東可能不動，因其爲台省人士入閣的僅有一員，要動似應以台省籍人物爲優先考慮的對象，一動不如一靜之爲愈也。教育部長閻振興有轉任台大校長或其他部會首腦的傳說，新任教長以該部現任政次鄧傳楷最有希望。沈怡担任交通部長數年來，頗有建樹，多半不會動。至於國防部長蔣經國之連任，不成問題，祇看他是否兼任行政院副院長啦！

立法院正在審議政府五十五年度歲出總預算，各部會行政首長出席說明，幕後疏通，忙得不亦樂乎，其中以國民大會秘書長谷正綱尤爲吃力。兩月前，國大會議爭取兩權行使之際，對立法院的職權不無削抑之處，而立委們悶聲不響，有如廣東話所謂「保你大」的心情。如今國大會議早已散場，代表們消聲匿迹，無所作爲了。立委們對於國民大會的歲出預算——特別是憲政研究委員會經費」乃大事抨擊，認爲太不應該。谷正綱聲言這是爲要使中央級各民意代表一律平等待遇而然，若把這項研究經費削除，國大代表的待遇便不及立監委員所得俸給的一半了。然立委却說國大代表除開會期間外，本來是無給職，現在每月可以領取薪俸了，就不應再談甚麼待遇平等的話。立監委員依法不能兼任官吏，而國大代表沒有限制，有些代表且兼任部長省長，集政權治權於一身，這又怎樣說法呢？在預算審查中，谷氏受着這一聯串的羣言詰責，雖使出渾身解數來答辯，亦不能如願相償。實際是國大代表要求行使兩權種下了惡因，纔招來立委的反擊報復，所謂行使兩權的決議案，尚在研究中，不知何年何月方能付諸實施，然目前已嘗到了生活上的惡果，可謂負虛名而受實禍，究竟這次憲政研究經費，能否照預算額通過，尚是未知數。據說，這問題擬交由執政黨中央常會討論決定原則再議，如果黨部認爲不宜削減，將來只要總裁有所吩咐告誡，還是要通過的。

依照國民大會授權總統動員戡亂的臨時條款，中央級民意代表可以增補選。台灣省議會議員首先建議，台省籍的國大代表與立監委員，全體自動辭職，一律改選，認爲台灣省完整安全，滿了任期的中央民意代表自可另行改選，藉符憲法規定。但臨時條款只規定因人口激增後的地區，比例增選代表名額，或因原任代表死亡而另行補選，却無「改選」之說，如果台省代表以任期屆滿的理由，一律改選，而其他各省又無法照辦，便成了新舊混合的民意代表機構，殊非所宜。台省既可改選，原屬海外華僑選出的民意代表，也就有改選之必要，如此勢必增加政治上的紛擾。這問題目前在報紙上正熱烈討論中，將來結果如何？很難預測也。（四月廿四日十元於台北）

台灣着手發展中國菜罐頭

——華僑社稿

中國菜餚的膾炙人口，是國人對於人類生活和藝術的一項重大貢獻。不僅爲海外華僑所眷戀，即各國人士，亦衆口稱讚，莫不以一嚐而爲快。世界各國的重要城市，華僑所經營的中國餐館，都能穩定立足，順利發展。中菜廚師，在國外能獲得優厚的待遇，而有供不應求的趨勢。台北僅有的一家素食館，亦常有國外來台觀光人士的惠顧。種種事實，足以證明外國人士對於中國菜的愛好。

向國外推銷 可賺取外滙

在「外銷產品多元化」的口號下，屬於台灣多銷重要產品之一的罐頭食品，近年來由於新產品洋菇罐頭和蘆筍罐頭的推出，賺進了不少的外滙。今後應研製增加中國菜罐頭，向國外市場推銷，購置者開罐加熱，即可食用。如此克盡方便，必爲大衆所歡迎。

在內銷方面，食品罐頭可供年節餽贈。由於婦女就業日增，雇用女工所費不貲，故多數職業婦女回家後自行操作家務，對罐頭菜餚的需要，將日趨增加。

在外銷方面，歐美各國可爲中國菜罐頭的主要市場。美國經濟富裕，展開購用中國式食品，殆爲世界各國之冠。歐美人民社交頻繁，倘能供以價廉物美的中國菜罐頭，當可大量消納。東南亞地區，華僑衆多，已具備發展中國菜罐頭的基礎。不久以前，馬來亞政府曾向國際市場徵購湯罐頭數萬箱，我國因無貨供應，只好坐視此大好的貿易機會放棄，良可惋惜。

中國菜罐頭 約分三大類

根據外國的習俗和用於不同的場合，可以發展的中國菜，約可分別爲三類：（一）酒會用的零食：如各種甜鹹點心、胡桃等罐頭。（二）用於野餐或冷食的中國菜：如冷盤、羊糕、及拼盤中之各種菜餚。（三）成套之中國菜：如成四菜一湯、或二菜一湯等各類不同的罐頭。

發展此類事業，其應注意之事項，畧舉如次：

（一）烹飪與製罐之結合：目前「中國菜」罐頭，正處於試製階段。因精於烹飪的名厨或專家未必瞭解製罐加工之技術，富有製罐經驗之技師又未必爲善於烹飪的能手，其烹飪所需的火候與裝罐殺菌的高溫，顯係截然不同之兩種情況；特別在蔬菜方面，如何能經過上述的結合過程，仍能保持色、香、味三者俱全，此有賴於名厨與製罐專家之研究合作，始能相得益彰。此項工作爲中國菜罐頭的基本條件，故應首先注意。

（二）儘速建立宰前檢疫制度：歐美各國對肉類之飲食衛生極爲注意，自飼養以至屠宰均有嚴格之宰前檢疫制度。台灣尚未建立此項制度，爲使肉類外銷，爭取市場，此一問題應謀解決。

注重口味及 其營養價值

（三）重視外人之口味與營養：各地方人士均各有其特殊之嗜好，如川湘嗜辣、江浙喜清淡等是。我國之烹調概分爲平津、維揚、川湘、粵式等不同之口味。中國菜罐頭之外銷，自應注意因地制宜和因人制宜，製成各式葷素菜餚，以適合外人口味。尤應注意食品之含熱量，減少脂肪之含量，以增加營養價值。

（四）容器與包裝之研究：容器之採用須合於輕便而堅固的條件，尤應注意在較長期儲存後不會發生變質和變味的影響。開罐的設計應求其簡便省力，裝璜力求引人注目，使用方法應有簡單而明瞭之說明。

（五）試銷推廣與宣傳：爲明瞭消費者對新產品的反應如何，宜在正式推廣以前，舉行試銷及品嘗會，贈送樣品，印製各類菜蔬之活頁圖說與食譜，簡介「中國菜」之食用方法。且可介紹監製的名厨或專家的高明技藝，以利推銷。

已成立小組 進行試製中

「中國菜」之製罐，由於確有其發展前途，故已引起各有關方面之注意。目前正由師範大學家政系、實踐家政專科學校、中原食品罐頭廠、廣東臘味廠、環球冷凍公司等負責進行第一期試製工作，由有關機構成立中國菜罐頭試製小組，已選定廿種中國菜製成罐頭四百打，從事試驗，其項目爲：素火腿、雞絨玉米湯、炸醬、素什錦、魚醬、魚香茄子、魚塊、八寶辣醬、炒飯、燴魚、紅糟雞、紅糟肉、味雞湯、什景豆腐、油雞、春捲及各色點心、其他各種蔬菜等。希望海外華僑能予試銷，善爲推廣，以發展中國菜罐頭企業。

南越政治和尚智廣其人

是個陰謀家，可能是個共產黨員

隨着羣衆反政府示威運動連續發生，令到動蕩中的越南半部更爲不靖之後，政治和尚釋智廣陡然成爲新聞人物，舉世知名了。

的確，這個現年四十三歲的釋智廣，被稱爲越南少壯派和尚領袖，他的半生就充滿着鬥爭、革命的傳奇性。

他俗名范本，智廣是其法號，於一九二三年十二月三十一日出生於中部的監田村。經過日內瓦會議後，該村現劃屬於北越範圍。其父業農，在當地爲小康之家，智廣於十三歲時被送入順化的保國大佛寺爲小沙彌，但後來經過說項與備過，再度入寺修行。倘皮而好玩笑，致被逐出寺門，由於賦性聰慧，博聞強記，熟習經典，很快就爲寺中人所器重。他在保國寺之師父爲釋智道（現在北越當着循規蹈矩的佛門長老），由於當時越人對法國殖民當局深爲不滿，在智道陶冶之下，這個年輕好動的小沙彌已經染上當時瀰漫全越的民族主義思潮。

一九四六年，這個年方二十三歲的青年和尚手中托鉢，身穿袈裟，腳踏膠鞋隨師父智道前往河內，因而遇見當時被譽爲反法英雄的胡志明，而智廣自此深受民族主義的影響，抱着要掙脫法國殖民統治之大志。

在越人與法軍作戰期間，法軍見到這個目光灼灼的青年和尚，認爲有協助胡志明從事反抗工作的共黨嫌疑，將智廣拘捕下獄十日，但因缺乏佐證，終於將他釋放。

但當時智廣實在是幫助胡志明工作的。不過，大概他當時正如一般越南人民，祇是爲了憎恨殖民主義而並非眞有愛於共產主義而協助胡志明吧？

至一九五五年，法國被迫退出越南，吳廷琰以共和國總統接管國政之後，智廣和其他僧人並未覺得爭到自由有何好處。蓋越南經法國統治八十年的冗長時期，天主教勢力日盛，其地位凌駕於佛教之上。天主教在各城鎮的教堂都佔着最好的地方，天主教所設的學校到處收納兒童就讀，這殊非佛教所能比擬。而那些商界巨富與公務員不少係天主教徒，於是天主教在越南就日趨發展與興盛。

在智廣的心目中，吳廷琰政權却是比法國統治更壞的政府。他覺得民族主義與佛理應合在一起，而吳廷琰實爲國家之害蟲。

智廣於是靜中進行要推倒吳廷琰。

表面上智廣爲進行此事，七年中如普通僧人之持齋守戒，居於順化大佛寺的簡陋的僧舍，生活嚴謹，日出而作，每日以三分一時間從事誦經禮佛，其餘三分一時間則作省察懺悔諸務。他的時間在佛門的地位也愈來愈高，兩度担任順化佛教聯合會主席。他也就利用這種優越地位暗中從事反吳廷琰活動。在一九五九年至一九六一年間，時常蹤跡不明，外人也不知他所作何事。他的生活經常是隱蔽的，但每次露面，都起着很大的作用。（上）

香港發明協會 成就殊爲不俗

（本報訊）香港發明協會乃本港一班科學研究發明人士所組成的合法社團，現已成立了十一週年。該會目下擁有世界性新發明專利權品物二十二項，新設計專利權品物三十二項，成就殊爲不俗。

該會理事長吳賢壽最近在該會十一週年紀念特刊公開發表：「發明事業乃代表社會進步之原動力；亦爲人類獲取更佳幸福的先驅。中國人乃世界上最偉大發明的創始者，如指南針、火藥、造紙、印刷、絲織、計時器等等。」又稱：

「今日聚居於香港四百萬人口中，多屬中華民族的優秀兒女，亦不乏蘊藏研究發明的艱苦奮鬥者。透過本會，希望熱心社會公益人士，同時使其獲得成就，並與本會聯系的，本會盡量資助匡扶發明創造工作者。本會是最積極指導及協助各人士從事研究科學發明，以便向世界各國申請專利權。進一步請本港各大財團、廠家及工商界巨子留意本會所發表的各項發明品物，投資經營，將可廣泛推展至世界各國，造福人羣，并獲得優越的利潤。」

最近該會會員中將會推出下列新發明品公諸於世：計有立體印刷、立體攝影、抗病熱飲料、太空鐘、自然揮發殺菌帶、眞空隔熱片、插鋼、力變換器、科學地對空飛彈玩具、萬能攝影、汽車死氣消除器等等，均屬科學的發明創作。

該會於四月三十日下午五時在九龍佐敦道碼頭文華樓十號三樓新會址，舉行十一週年紀念及第七屆職員就職典禮，來賓甚衆，頗形熱鬧。

瀛海異趣談

共產俄國男女荒淫無恥

·桑﨑·

數月前，一位年輕的美國人，抵達莫斯科，我們就稱呼他為積克遜吧。他曾旅遊過不少地方，例如羅馬、威尼斯、巴黎、慕尼黑、倫敦、哥本哈根等。他大概是屬于風流瀟灑型，他在各大城市週旋于女性之間，頭頭是道，所以，他也來莫斯科試身手。

他在「都市酒店」下榻，然後前往國營的愛烈達咪啡室，在那裏，俄式阿飛男女常常聚集一起的。信不信由你，他們都是留長髮，穿藍色窄褲子的。積克遜懂一點俄文，于是很快搭上了一位黑髮的女郎，他與她一起跳舞，唱片是一些路易士嚴史朗的喇叭音樂。他們很熱情的跳舞，她甚至承認相當喜歡美國人。

他遂打蛇隨棍上，說道：「那麼，讓我們喝一些伏特加酒，離開這裏吧！噢，是了，探訪你的家，如何？」

「不反對。不過，我首先告訴你，我與家人住在一起，六個人住一間房子。但你不必憂慮，他們會心照不宣的。」

積克遜聽了，心中當堂冷了一半，但她解釋道：「我們這裏，屋荒現象非常嚴重，除非你是共黨要員，否則你沒有機會住大屋的。」

後來，他探到一個事實——那些飛男飛女常常在汽車裏胡天胡帝，借遊車河的藉口便解決了不少好事了。不過，不是每人都有私家車，可是，他們在的士裏，一樣毫無忌憚。所以，那些司機從倒後鏡欣賞的風光，是最不足為外人道的。

蘇俄男女對于性愛一樣熱烈追求，只是不會常常掛在口邊吧了。五十年前，蘇俄社會甚為保守，但一九一七年，紅軍入侵後，情況改變了，男女間關係非常隨便。他們認為婚姻是資本主義社會的骨幹，于是主張性愛解放，不是為家，而是為國。

大家還記得當年的歌蓮蒂嗎？她是一位女作家，但也是列寧的情婦。由于她，世上才有這個漂亮的名詞——「一杯水主義」，其意義相當明顯：「我們做愛，像喝水一樣，因為我們感到口渴。」一窩蜂的宣傳後，那些男女同志們瘋狂的遵守！在那段日子中，蘇俄社會稱得上「亂哂大籠」。一九二〇年駐俄加拿大籍作家沙里夫這麼寫道：「一杯水變成大雨淋漓了！這裏的一切使我想起羅馬帝國末年荒淫景象。」

另一位曼徹斯特的「衛報」作者也這麼寫道：「每位蘇俄女性都似乎身懷六甲，做愛已成了日常的工作及職責了。」

一九二一年饑荒來臨，但同時私生子的數目達到使人吃驚的程度。一九二三年間列寧似乎有點後悔了，這時，社會主義作家域陀．沙治也承認：「全國像染上了奸淫的瘟疫，雖然大部份的女性都是自願如此的。」他舉了一個實例，十五名工人在一批女性面前輪奸一名未成年少女。

另有一宗事件，是國際著名的，那是一位老農夫名叫蘇哥夫，他拿一些匈牙利紅椒加入伏特加酒內，狂喝數杯之後，便强奸了鄰家的三位千金。他受審過程，成了西方報紙的頭條新聞。據說被告還幽默的說：「我是一杯水主義的實踐者，可不是嗎？」

列寧死于一九二四年，「一杯水主義」告一段落。歌蓮蒂自然被炒魷魚，于是，接替歌蓮蒂是的荷耶哥夫，這時，性愛行為幾乎被視為一種罪行，他甚至呼籲節育。在歌蓮蒂時代，離婚的藉口便是結婚，這差不多成為笑柄。但現在的一切相反了。根據在其巨著「蘇俄內幕」中寫過，「他曾于一九二八年與一年輕蘇俄女子交談過，她說廿五歲前已離婚七次，由于政權一票，他只得再次結婚了。」

一九三一年，伊俄杜丁斯夫被選為「模範父親」，但次年，他竟申請離婚，乃遭流放西伯利亞的命運。這段新聞會由「國際新聞」駐俄記者馬克士報導過。

那時，妓女又猖獗起來了，紅燈區是史華洛夫廣場附近的客棧，于是，性病也隨着蔓延了。

史達林上台，目睹與德宣戰是無可避免，于是決定增加國民數目，鼓勵大家「多多生產」，一個十名私生子的工人竟然能獲「革命勳章」不是沒有原因的。一九三九至五四年間，蘇俄人口一年比一年增加。

史達林死後，節育中心所，捲土重來了。赫魯曉夫時代，這方面較為平淡。一個英國作家蘭辛寫得好：「蘇俄人對于性愛與政治，始終是拿不出主意來，因為它們是朝令夕改。這是共產黨的本色哩！」

來論

今日台灣校長縱橫談

·張紹炎·

五、名實型：人生於世，最難能可貴的是名實相符。人往往都是名過其實，有名無實。自三代以下，與利同，是人皆好名。名之一字，是人生至難擺脫的誘惑。故要能名符其實，非有過人的「修為」不可。因之名實型的人物，在滔滔濁世中，寥若晨星而彌足珍貴。教育界尤其如此。

放眼當今，名實型的校長真是太少了。這種校長，腳踏實地，有理想；實幹，肯幹；不吹不拍，學校井井有條；教育，蒸蒸日上。他以校為家，把全付精神投資在教育事業上，故能實至名歸，為人典範。

以上大略把今日芸芸校長，作了一個歸納式的說明。來一句武斷的小結論：不屬於這五大類之中者，未之有也。其所以如此分類，目的只在更具體地說明今日「好校長」之難得，而「問題校長」之遍處可見也。

四

在今天，不管那一位校長，都有一個最傷腦筋的問題，就是「公共關係」問題。公共關係，係外來語。在我們中國，這叫「應付術」，「或推來摸去法」。在民主時代，任何一個機構，欲發展其業務，欲與社會打成一片，都有「公共關係」這一組織。可是學校是一個教育人的場所，它不必如同其他機構那樣推來摸去一番，因此學校裏沒有公共關係的組織。然而時代是一個推來摸去的時代，學校無法遺世而獨立，學校就得被「公共關係」之風所籠罩，於是學校必須應付遠遠近近來到的「人情」，「面子」和「關係」。一位校長要極得體地「應付」這四面八方紛紛來到的人情，關係，實在是「蜀道難，難于上青天」。「應付」得好，皆大歡喜；「應付」不好，聲名狼藉。校長難當，固值得天下有情人共同原諒也。

大抵民主國家，民權至上，民力萬能。所以為民喉舌者，有絕對優勢的尊嚴與威力。於是雜誌老板，書刊發行人，新聞記者，各級民意代表，都有無形的力量可以使人望而生畏。於是學校校長多事矣！不夠魄力的校長無法專心辦其教育矣！

學校是教育機構，是百年樹人的場地。校長是憑資格，憑學識由官廳派任。照道理說來，我辦我的教育，我當我的校長；你搞你的政治，校長是不應捲入地方派系，政治糾紛，名利爭奪的漩渦裏去的。可是，由於這是一個民主天地，台省實施地方自治，校長的任用大權操諸四年一選的縣太爺手中，校長的資格與本身的條件十二萬分「貧血」，於是，校長先生為了鞏固本身地位，便不得不鑽營，拜託；找門路，拉關係；加入地方派系，從事生存鬥爭。於是乎校長先生的「社交」活動乃實實在在地頻繁起來矣。（四）

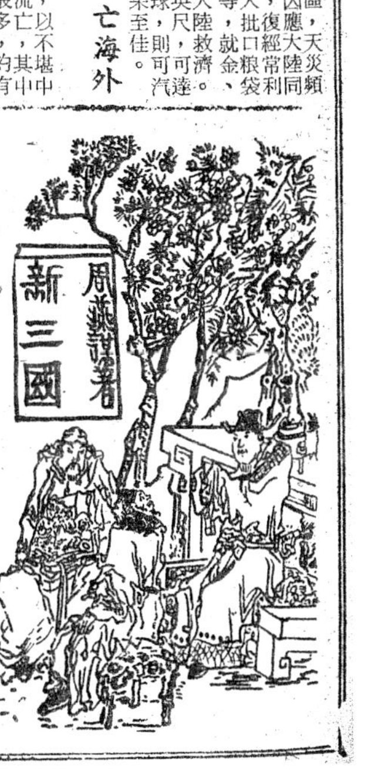

救總的六大任務

張蓋臣

中共奸匪，竊據中國大陸，造成了史無前例的空前災難！蔣總統於民國三十九年三月二十九日，呼籲海內外同胞及國際友人，基於同胞愛精神和人道主義，設法救濟大陸災民。我中華民國各界為響應此一偉大號召，乃會集各業，各階層，各宗教慈善團體以及熱心人士，於同年四月四日，組成「中國大陸災胞救濟總會」於台北。

該會的宗旨在「以熱愛發揚民族精神，以救濟團結反共力量」的兩大工作目標下，從救濟大陸，海外，台灣暨金馬戰地的四大空間，構成下列的六大任務：一、空投救濟大陸災胞；二、救濟海外流亡難胞；三、救濟各地災難僑胞？四、救濟大陸來台義胞；五、救濟金馬戰地災胞；六、支援義士奔向自由。茲將以上各項救濟工作實施概況分述如后：

一、空投救濟大陸災胞

我們大陸同胞既受中共暴政迫害，復遭水旱天災侵擾，生活苦痛，曠絕古今。救總基於同胞愛，歷年均經購辦大量食米、布疋，衣服及日常生活必需品，連同慰問傳單，洽派專機，深入大陸各地，實施空投救濟。由民國三十九年五月八日第一次空投起至五十四年八月止，已舉行空投救濟一六七次，計空投食米四、六四八噸，日用物品及救濟口糧袋（包括各種布料，衫褲，香烟，醫藥包，罐頭食物，兒童玩具，豬肉乾，糖菓，燻魚，餅乾，烤香腸，黎乾等）四八一，六一三包，慰問函件和傳單一九九，八一〇，〇〇〇份。空投地區遍及大陸各省七二三個縣市城鄉。復以近年來大陸華中，華南廣大地區，天災頻仍，瘟疫流行。為因應大陸同胞迫切待救的需要，復經常利用各型汽球，携帶大批口粮袋，急救藥品，傳單等，就金、馬前綫各地，空投大陸救濟。巨型汽球高飛四萬英尺，可達華中各地，小型汽球，則可達沿海各地區，效果至佳。

救濟流亡海外難胞

中國大陸人民，以不堪中共暴行，紛向海外流亡，其中尤以逃港澳人數為最多，約有一百八十萬人之衆，救總發揚同胞愛，援助此等義不帝秦，奔向自由的流亡難胞，每月撥滙該兩地的救濟款額，計達港幣十二萬元以上，估救總經常救濟費總額的最大比額。——

新三國

周燕謀著

當孫堅攻打董卓的時候，是與袁術連絡好的，由袁術供應糧草。可是有人在袁術那裏去反間，說假若孫堅進了洛陽，等於是趕走了一狼，又生了一虎，不可復制，叫袁術不要接濟孫堅的糧草。孫堅當時還親自跑到袁術那裏去把袁術痛斥一頓。這是在孫堅尚未攻進洛陽之前的一段小插曲。

孫堅進了洛陽，派人打掃了宗廟，修葺城外的陵墓，藉以告慰光武帝以來的列宗烈祖的英靈。他又同時派兵出函谷關，繞到澠池，以切斷董卓的歸路。孫堅確有一套。弄得董卓啼笑不得，趕快派了本家董越守澠池，段煨駐守華陰，隨時準備搶救潼關。又派了女婿牛輔駐守在西安邑，作為董越與段煨的支援。他對這三人說：「袁紹那一班人的軍隊不足畏，只有孫堅這人要小心提防」。可見袁袞十路諸侯，還不如一個孫堅。

十一、董賊之死

董卓吃敗仗回朝，當然沒有了面子，為了掩飾自己的面子，還暗地裏要朝中大臣去關說升他的官，請皇帝封他為「太師」。這地位在漢代是沒有過的，只有在周代有過太師、太傅、太保，稱「三太」。這官比蕭何更上一層樓。這是董卓自卑感在作祟，自己不若人，偏偏要擺出他了不起的架子。但是越擺虛架子就越自信，久而久之，本來自知是在作假的，也漸漸成為眞的了不起了，誤以為自己確是偉大人物。

已官升大了還不過癮，他還更進一步在官排場上面故作威嚴。自己做了太師，還要自號「尚父」，這是周代姜尚的地位。又特製了一種車，名「青蓋華車」，以金質為彩飾」，這是漢朝太子所乘的車。時人號為「竿摩車」。這種車大有來頭，「竿摩」是相迫近的意思，唐章懷太子說：「今俗以事干人者，謂之相竿摩」。這裏以「竿摩」名所乘的車，是形容老賊服與車駕迫近天子的意思。一方面可反應出老百姓心知老賊將不懷好意，將取帝而代之也。自己升了官，尚然也要把擁他的功臣提拔一下，人抬人無價之寳，董卓把他弟弟董旻升了左將軍封鄠侯，（扶風郡屬，在今陝西鄠縣以北。）他哥哥的兒子董璜為侍中軍校尉，職司典兵。所謂中軍校尉，是校尉司掌中軍的職位。他董氏門宗無分內外，全列朝廷。公卿大夫見了董卓，都得下車謁拜，而他自己却大模大樣，不予答禮；而且招呼三台（三公也）尚書以下，到他府上去會報。這種氣派，是前無古人的。

就在他作太師號尚父的同年，長安有一次大地震，董卓問蔡邕，這是主何吉兆。蔡邕當然有意給董卓一次警惕，他說：「地動陰盛，大臣踰制」之所致者」說這是大臣超越了制度之常。隨即說：「你現乘坐「青蓋車」，天下人都不以為然。蔡邕這話倒有點效果。董卓才改乘「金華皂蓋車」，換了一下車的顏色。

還有一事，可證董卓早有野心，目空一切。在他當年做前將軍（皇甫嵩為左將軍的時候，二人同時征討西涼韓遂，各不相下。（廿九）

無比的快嘴（續）

梅氏去美，因趙壽臣不去，改用劉連榮。等待回國，即用劉氏，使他登價陡增。但是三人之中，誰也勝不過小樓，因他文武均獨到，尤其氣魄雄渾，口齒甚有力。那天聽到兩句「如此酒來」，與哇呀的聲音可說有百斤之力。那力拔山兮氣蓋世四句，唸得沉着而有哀味。梅氏在臨別的唸白，多含有哭音，極耐味。尤其楊梅兩氏有聯唱之句似乎現在演出的，微有不同。聽完以後，正當子夜，覺非常欣快。比看一場晚會有味了。要了求本劇的發展，遂日擬函姜妙小姐請她在下月初再放一次，以備各位的參考。妳們如有與梅氏不盡相符者，希望予以改正。就是不唱，則已，要唱須追蹤梅氏，因此戲是梅氏所創，似不容自作刪改，那就不合原劇。至於士兵所唱，則可更易，又是另一回事，不能相混也。

國劇繽紛續錄

麥嬰生　（十七）

宗祖師應努力

四月八日（農曆三月十八日）爲梨園行祖師誕辰，往年雖有祭祀，祇簡單而儀式莊重。今年則大有不同，假靜心樂園舉行，更爲擴大而隆重，並筵延雅主辦，分饗子弟與來賓，到七百餘人，該是來台第一次的盛況。有些朋友前去觀禮，並不費分文，而吃了一頓，回來問我，爲何不去？即答曰：無功不受祿，受祿必建功。那位朋友微笑，果然他們擬爲祖師誕辰二日的座券，到場的人士應爲將義演一部份，予相助。我說，你既吃了，便不能白看，要照我的意見去做，方始無愧於心！

崇敬祖師，是不重邊份形式，而要如何把劇藝相沿下去。以往名伶凡事屬於有關梨園行的公益，無不盡力爲之。來台以後，一年一度的義演，都沒有名伶唱一次或二次，掙個十萬八萬，可過半年生活，苦哈哈一年之中，至多掙六七千，一月幾百元，過着清苦生活。因此我認建廟大可不必，造好須要經常費不少，不如就其他現有寺院酌商，請其讓一部份以供神像，代爲油漆一新，委託該院隨同照管，比較省用較省，也合實用。如大動土木，確不相宜。而現公演二三晚，至多得到三四十萬，能夠建築費嗎？因此照所議辦法，或有餘數，以作存儲備，每年終義演，以救濟貧苦同業，事屬兩得！崇拜偶像，以示尊敬，並非不合，但也要兼顧活的，尤其有年老的伶工，不幸逝故，也應由公會送些周卹，如果他身後確有數十萬，當然稍示意思，但苦的較多，爲什麼，因是同吃這一行飯的！

人口與男女

若愚

我們都知道赤道將我們的地球分別爲南半球和北半球兩部份，在南美洲西北岸的細小共和國厄瓜多爾的名字是西班牙文的赤道，因爲它正在赤道綫上。這是十分有趣的：在這個國家的國民，男性和女性的數目是差不多相等的。

有許多國家，像美國和蘇俄一樣，都是女性多於男性，在美國女性是多過二百五十萬名，在蘇俄是超過二千萬名。西德的婦女超過男子三百萬。在日本的婦女也差不多超過男子二百萬。

也有許多國家，男性超過女性的：在中國大陸的男子超過女子二千萬，在巴基斯坦的男子超過女子五百萬。

但在所有人口超過一百萬的國家，厄瓜多爾的男女可說分得很勻，男性有二百二十九萬零九百四十八名，女性有二百二十九萬零五百二十八名，所差的數字不過四百二十名。這所有數字是照聯合國所發出的世界人口調查公佈。

摩洛哥的人口約一千一百六十萬，男子和女子的數字也是很接近，男子超過女子不過十二萬四千五百名。其他較接近的是紐西蘭的男子多於女子約一萬零一千，上威爾塔共和國（在非洲西北部）的男子超過女子約一萬六千名，愛爾蘭和保加利亞的男子都是超過女子約一萬四千名，柬埔寨的男子超過女子約二萬一千名。

在南美洲的烏拉圭共和國的女子超過男子約一萬七千名，波多黎各女子超過男子二萬九千名，薩爾瓦多共和國的女子超過男子二萬七千名，墨西哥的女子超過男子約九萬三千名。

聯合國的人口調查統計員沒有指出在龐大的人口增加中，在任何一個國家，所產生的男嬰孩或是女嬰孩，可有改變男女性相的情況；即是由原有的男性多而變做女性多，或是趨向相反的數字。

但是照他們的計算，在世界上，大多數地方是女子比較男子較爲長壽。在過去發表的數字，在瑞典誕生的女嬰，可以希望活到超過七十五歲，但男嬰祇能活到七十二歲。這是目前在世界上最長壽的年齡平均計數。換一句話說，瑞典人是最長壽的。

在荷蘭、瑞士和挪威出生的女子，可有希望活到七十五歲，在荷蘭和挪威的男子可望活到略超過七十一歲，在瑞士的男子是六十九歲半。

在美國、捷克和紐西蘭的女子年齡平均活到七十三歲與七十四歲之間；另有十九個國家的女子能夠希望活到七十歲或更多一些。

在美國的男嬰孩可能活到六十六到六十七歲。另祇有在丹麥、以色列、冰島、荷蘭、挪威和瑞典六個國家的男孩可能超過七十歲。

祇有三個國家男女壽命差不多是平衡的：在南美洲中部的波利維亞共和國的男女均可能活到的壽命平均都是約四九．七一歲，在中美洲西北部的危地馬拉共和國的男嬰孩可以活到四三．八二歲，女孩可以活到四三．五二歲，在上威爾塔共和國的男人可以活到三二．一歲，女嬰孩是三一．一歲，在柬埔寨的男嬰是四四．二歲，女嬰孩是四三．三歲。

現在受世人注意的羅得西亞的男女壽命的相差也是很微的，男的可以活到四十八歲，女的可以活到四十九歲。

在老年的競賽中，還是女人勝利。居首位的是蘇俄，壽命的平均是超過八年，即是男性有六十五歲，女性有七十三歲。估不到香港是第二位，相差是六．八七歲，即是男性有六三、六四歲，女性有七〇．五一歲。第三位是法國，男性有六七．二九歲，女性有七四．一四歲，相差是六．八五歲。第四是美國，男性有六六．八歲，女性有七三．四歲，相差是六．六。巴西是第五位，相差六．二歲，男性有三九．三歲，女性有四五．五歲。在英國的相差是六歲，男性有六十八歲，女性有七十四歲。加拿大的相差是五．三一歲，男性有六七．六一歲，女性有七二．九二歲。

楊乃武與小白菜

「影劇與歷史」之二十

周遊

因此，就在光緒二月十六日上諭，將此一干污吏及地方官，分別加以重處。餘杭知縣劉錫彤的罪名是「誤認屍毒刑逼葛畢氏楊乃武妄供因奸謀斃葛品連，枉坐重罪，荒謬已極」。着從重發往黑龍江効力贖罪，不准收贖。經訊官杭州知府陳魯、寧波知府邊葆誠、嘉興縣知縣羅子森以及候補知縣顧德懷等，均因審訊不實，着即革職。浙江巡撫昌濬，侍郎胡瑞瀾也因「既不能查出冤情，迨京控覆審又不能據實平反……且曉曉置辯，意存迴護，尤屬非是」。所以「均着即行革職。」

同時光緒又反復申諭臣下：「人命重案，罪名出入攸關，全在承辦各員盡心研訊，期勿枉縱。此次葛品連身死一案，該巡撫辦案不實，始終回護，幾致二命慘罹重辟，殊出情理之外。嗣後各直省督撫等務當督飭屬員悉心研究，不得稍涉輕率。」

楊乃武案到此結束。但當時又尚有人爲楊昌濬鳴不平的，如丁保楨及左宗棠，左甚至保楊復官。丁保楨爲楊鳴冤，奏怪各縣仵作缺之。眞是沒有是非黑白了。滿清政府坍台，非偶然矣。據李慈銘日記說，許多「京控」大案，在此之前毫無反平一次，可見清末官官相護久已成風矣。

影劇中之一主要關鍵人物錢寶生沒有死，而其實錢寶生係於刑部審理之前，畏劉錫彤之威脅而自殺了。劇中故事一直到結案後得到報應。（完）

著名的德國高尼馬戲班

文質

在西德慕尼黑市居住的人都盼望復活節快點到來，因爲他們可看到那個世界馳名的高尼馬戲班。他們極羨慕那些被練得很馴伏的野獸，空中飛人的大胆演技使他們極度緊張，小丑的滑稽動作和笑談，使他們捧腹大笑。但是在觀衆中很少會想到各項演出，要做得精彩，是經過許久時間的籌備的。

在冬天的時候，那個大馬戲班，在他們的基地馬斯柏兹城停留，準備在春天時就開始作每年一度的旅行各地表演。高尼馬戲班班主妮維達高尼女士，主理由她的父親所遺下的大馬戲班，她曾將一個大馬戲班比喻一隻大輪船，準備它的航程，更準備碰過到任何的天氣，他們要有最齊全的配備，更要大衆同心合力，才能夠得到成功。

那個馬戲班所長期僱用的人員有四百名，其中有在班中服務幾十年，或繼續他們的父兄的遺缺。那裏有一句老話：「凡是在馬戲班穿爛了一雙鞋的人，他將永不會離開。」這常是事實。有許多職員更帶他們的家眷同行，故隨着馬戲班有一個流動式的學校，俾各兒童可以就學。他們在長大後也多投身那個馬戲班。高尼女士極愛護她的僱員和他們的家屬，她指出她付給他們的薪金是比不上其他工業機構的，但他們可得到一個愉快的家庭。她確是那個大馬戲班的精神領導者，得到各人的敬愛。她的馬戲班分爲幾組，每組有被指定的責任：十二個人負責入場事件，四十人到五十人打理帳幕，同樣數目的人料理四百隻獸類，更有能幹的雜工、鐵匠、木匠、製馬鞍的師傅、縫衣匠、油漆匠和電器技師等等，因爲去訪問的城市未必能立即找到這人才而要急於應付。有十二個人做宣傳的工作，他們是前頭部隊，先到行程所經的城市，有在兩年前就要安排定的，其中一個司理訪問每一個城市，談妥表演的日期，停留多久和演出的地點。決定之後，宣傳主任就去佈置廣告和一切必要的宣傳。最主要的是在多個月前向鐵路部預定包車三列，時間安排得要準確，在一處演完後就有火車接他們到另一個城市去。第一列車載獸類和管理員，每二列車載所有的用具，第三列車載演員、技術員和業務職員。

在演出的新地方，已預先購定獸類的食糧，俟火車到時就有得應用。若演出的日期是五日，就要準備好六百公斤的肉類給野獸吃，一千二百五十公斤禾稈給馬匹和大象吃之外，一百五十公斤牛奶飼幼獸。有胡蘿蔔、生果和麵飽。有一隻十六月大的河馬，每天要吃三大筐的蔬菜；四隻海獅，每天要吃二十公斤鮮魚，若然沒有魚，牠們拒絕演戲。馬戲班的買手不獨要料理食糧，更要有食水、電燈和電話的接駁。他又要預定兩大貨車的泥土和鋸屑來鋪表演位置，使到騎有鞍子的馬的藝員不會因地勢不平而有影響。那個買手又要尋定最接近的洗衣店，和乾洗店來洗潔或熨直藝員出場的衣服，都要時常很整潔的。

馬戲班演出的節目在幾個月前就要編好，最優秀藝員的精彩表演，常要一天甚至兩天前就預定。高尼馬戲班跟其他世界大馬戲班有來往，更派出一個專員到各地參觀新的演出節目，更不惜出最高代價，請著名藝員作客串表演。它就成爲青年藝員到達成功之路的踏腳石。

各藝員多與他的家人同住在有床和桌設備的大汽車裏，在馬戲帳幕外邊常停有五十輛車。每個人都在馬戲班的食堂搭食，所以十幾個廚子在每天要弄幾百人的伙食。

做夢與睡眠失眠

○三木○

美國名心理學家高富博士指出：慾念和犯罪的思想亦是阻礙人們入睡的原因之一。一個人他的腦海中若存着奢侈的慾念及滿腦犯罪的思想，他在晚上的睡眠，勢難安寧。高富博士並提及，過慣夜生活的人，亦時常患上失眠症，他們每晚均沉醉在紙醉金迷的生活裏，到清晨才返家，在床上他們會回憶昨晚溫馨纏綿的情形，由於心情過度興奮的緣故，亦往往整晚睡不着。不久前曾有一個戴深度近視眼鏡的女學生，對高富博士投訴說，她每晚非到清晨四時不能入睡，以致精神甚頹喪；高富博士追問其原因，這位女學生說，她有個看書的習慣，就是在上床睡覺前，每晚均要看書兩三小時才能入睡，間中偶因疲倦關係，想不看書就睡覺，但奇怪得很，儘管她感到非常疲倦，但在床上總睡不着，似乎欠缺什麼似的，所以她必須起床，再看兩三小時的書，才能安睡。高富博士指出，這種只是心理上的習慣而已。高富博士勸這個女學生，把看書的時間縮短，先由兩小時減爲一時，再由一小時減爲半小時，他日漸漸習慣後，就可將這種惡習解除。

蒙盧教授還指出：在美國，不少婦女患失眠症，是與看電視的時間過長有關。他說有部份婦女，成了電視迷，每晚均要看上三四小時的電視，才上床睡覺，但在床上又會思潮起伏，想着這片主角的遭遇將如何，那片的女主角和男主角是否會和好如初等等的問題，這種問題往往構成失眠的成因。（三）

內政部登記證內版台字第〇三一號

自由報

THE FREE NEWS

第九四六期

中華民國僑務委員會登記證台僑新字第三三號
中華郵政台字第一二八二號執照登記為第一類新聞紙類
（半週刊每星期三、六出版）
每份港幣壹角
台灣零售每份新台幣壹元
社長：雷嘯岑
督印人：黃行簡
社址：香港銅鑼灣高士威道二十號四樓
20, CAUSEWAY RD 3RD FL. HONG KONG
TEL. 771726　電報掛號：7191
承印者：大同印務公司
地址：香港北角和富道九六號
台灣分社
台北市西寧南路三號二樓
電話：三〇四六
台郵撥儲金戶九二五一

中東亂局與庫德族自治運動（下）

·宋文明·

當這一戰事正屬高潮期中，庫德族不僅在軍事上採行攻勢，即在政治上與宣傳上亦莫不如此。如一九六二年四月間，庫德族的地下組織，就在巴格達到處散發一項正式宣言，要求與阿拉伯人完全平等，并允在伊拉克境內建立一自治的庫德國，以分享一如「自由的國家瑞士、南斯拉夫、印度及捷克斯拉夫境內少數民族的權利」。及至後來內部戰事失利，軍事鬥爭暫趨沉寂，設於瑞士境內的「庫德族權利維護委員會」復於六月三日向聯合國秘長宇譚發出呼籲。這一呼籲要求聯合國干涉庫德族與伊拉克政府軍之間十個月來的戰爭，并要求在聯合國主持下，在伊拉克庫德區舉行公民投票，允庫德族實行自治或另建一獨立國。由於伊拉克為亞非中立集團的一員，當時卡塞姆政府并與共黨集團維持着良好關係，所以庫德這一呼籲，自未能發生何種效果。可是它們這一新的鬥爭方式，確使世人對中東的庫德族問題產生了一種不同的看法。

在一九六三年二月五日，即當卡塞姆被推翻的前三天，他還對一位法國記者談話，指責英美兩國煽動庫德族叛亂，以謀牽制兵力，削弱伊拉克對南部科威特的壓力。他這一談話間接也反映出了當時的卡塞姆政府，對於庫德族這種變亂有難以應付之感。因此卡塞姆被推翻，伊拉克新政府上台之後，便立即採取行動，設法與庫德族謀致和解。於是同月二十日，伊拉克政府與庫德族的代表，便在巴格達開始進行自治談判。在這一談判進行期中，庫德族領袖巴薩尼還對外國記者發表談話，向伊拉克政府實行威脅。他說：「任何人若要反對設立庫德族自治區，即使不會受到更壞的遭遇，也會碰到同樣的命運。我給它們十天的時間，現在十日已經過去，我不準備無限期的拖延」。就在庫德族這種威脅之下，伊拉克政府與庫德族代表於三月十一日獲得一項協議，決定在「分權」名義之下，予庫德族人民以更大權利。根據事後參與這一談判的庫德族代表尤塞夫談話，所謂「分權」一辭，實際上即為允許庫德族實行自治的另一說法。而所以不稱「自治」而稱「分權」者，即在避免予伊拉克新政府以政治上的困擾。可是這一協議，只屬一種非正式性質，直至這一協議正式載諸於伊拉克的新的憲法，庫德族將不認為它們的自治權利已獲得保障。正因為這一協議不是一種最後的協議，對雙方并不具有嚴格的約束作用，所以這一協議成立之後不久，雙方又在談判細節期間不斷發生爭執，終至於五月十二日，由於伊拉克政府最後拒絕了庫德族自治要求，所以庫德族再度又發動了反政府戰爭。

自此以後，庫德族與伊拉克政府之間的關係，便在戰爭與間歇的和平中，一直僵持未決。一九六四年五月三日，伊拉克政府公佈一項新的臨時憲法，其中也規定保障庫德族的民族權利，但根本諱言庫德族的自治要求。至一九六五年春，雙方軍事對峙局面又進入高潮，於是伊拉克政府便於是年四月三日，又發動五師之衆的部隊進攻庫德族山區，開始了對它們的另一次大規模的掃蕩。在伊拉克政府這種大軍進攻之下，庫德族在軍事的正面對抗中，漸陷於不利，但由於這一地區山勢險要，交通不便，兼之伊拉克與伊朗邊境兩地庫德族可自由往還，藉作掩護，所以直至一九六五年底，這一戰爭仍在繼續進行中。

事實上，今日伊拉克庫德族所要求的，并不單純在於內部的自治，而是要把居住於伊拉克、伊朗、叙利亞、土耳其以及蘇俄境內的庫德人合而為一，共同建立一個庫德族共和國。要求伊拉克境內庫德人的平等與自治，實際上只是這一運動的一個開端，一俟伊拉克境內的庫德族達到民族自治的要求，它們即可更進一步聯絡其他國家的庫德族，共同奮鬥，全力推動大統一運動。由於伊拉克境內的庫德族人數較多，鬥爭經驗較富，所居地理環境，更為重要，且在這些年的民族鬥爭中建立了一個比較成熟與有組織的領導階層，所以這一運動的主要責任便落於伊境庫德族身上，但其他各國的庫德族也并不是完全沒有準備和反應。

正如上面所述，這一運動最初頗受蘇俄的慫恿與暗助；但於一九五八年後伊拉克的不斷發生革命對俄關係的經常發生變化，目前它們對於這一庫德族運動似已採取一個旁觀的態度。因蘇俄對這一運動的任何一種支持，勢將引起伊拉克的激烈反應，其結果將使蘇俄在亞非地區的外交活動受到不利的影響。基於同樣的理由，亞非地區與伊拉克具有良好關係的國家，亦不願支持這一庫德運動。而且鑒於這一庫德運動國外機構的設於瑞士和貝魯特，并以瑞士、印度及南捷等的民族自治為奮鬥榜樣，亦可看出它們至少并不受共黨的操縱。在這種情形下，它們所能獲得的唯一國外援助，可能來於狄托的南斯拉夫或其他歐洲國家，但這種援助絕不會很大。

如一九六三年七月間，庫德族另一領袖阿克拉威告美國記者說：「為何西方要幫助巴格達的法西斯政府？我們并不是一如有些人所說的共產黨，而只是為民族權利而作奮鬥，但沒有人肯協助我們。」所以照目前的國際情勢，中東地區的這一庫德斯坦運動絕不會帶來太大的問題。但誰能保證明天以後的情形？又誰能保證共黨國家不會突然改變態度？

中共撤退以後！

同舟不共濟

今日與明日

毛酋死訊

由於毛酋從去年十一月至今，迄未露面，因此外國紛紛盛傳毛酋已斃。到了最近，更發生了兩件事，增加了毛酋死亡的可能性。

第一是毛共邀請阿爾巴尼亞總理謝胡訪問共區。謝胡本是一個渺不足道的小人物，毛共竟然出動了一百多萬市民迎接，超過了阿爾巴尼亞人口的二分之一，如此歡迎毛報自稱空前盛大，比起過去歡迎「伏老」、「赫老」一批伯叔還要盛大，實在因為目前毛共只剩下了這一個朋友，堪稱空谷足音，非迎謝胡也，聊自慰耳。所以劉周朱鄧諸酋及大小頭目全部出動。像這樣一個「貴賓」，毛酋即使不去機場親迎，也應當馬上會見擁抱一番，以示敬意；可是直到現在，謝胡仍未見到毛酋，此其一。

第二，「五一」一向被共黨視為專利，每到此日，全世界共黨皆要大肆慶祝，毛共自然也不例外。可是今年天安門上卻未見毛酋蹤跡，只是把那付萬人切齒之像與馬、恩、列、史一羣死魔頭掛在一起。毛酋究竟去了何處？更不能使人無疑。假若他還能勉強站得住，都會到天安門上亮亮相的。

可能尚未斃

按照各方面情況判斷，毛酋可能尚未斷氣，只是纏綿牀第，不能行動，神智有時也陷於昏迷中。此事也有幾點可以證明。

第一，郭沫若突被清算。任何人都知道郭沫若是毛酋的佞臣，毛酋平日以倡優畜之，對郭雖不重視，但也加以庇護。按照郭來過去歷史，也可以說是罪孽深重，只由於毛酋加以袒護，無人敢提出檢舉。此時可能一批主管文教的共幹，乘毛酋病重，神智昏迷，無暇顧及外事，斷然對郭丑提出清算，迫令自行坦白，下一回將是全面鬥爭，時間當然是在毛酋斷氣之後。若非毛酋病重，羣酋未必敢碰郭丑，因為毛酋需要他。

第二，最近在謝胡到達北平之後，劉少奇同周恩來都借歡迎之便大罵俄共，周恩來直斥俄共領導人比赫魯曉夫還壞。以周酋個性來說，亦是非常之舉。可能解釋是毛酋危在旦夕，劉、周兩酋均需加強反蘇，以取得毛酋好感及各級共幹支持。至於毛酋死後他們是否還反俄，當屬另一回事。

本來近年毛酋形狀已如行屍走肉了，斷氣只是遲早間事，對此問題原不必過於重視也。（何如）

自由談

最壞的制度？

邱吉爾說過：「民主政治可能是最壞的一種制度，但在未有比它更好的制度發現以前，還是實施民主制度為上。」民主政治的精髓就是選舉，而選舉的弊害即不可勝言，夠得上稱之為「最壞的一種制度」也。

選舉的首要弊害即係沒法達到選賢與能的願望，相反地每每搞成「黃鐘毀棄，瓦釜雷鳴」的結果。原因之一是選民由於教育程度各種社會關係，不能客觀條件，以鑑定候選人之賢能與否，是便受着各私人感情的作用支配，被外來的惡勢力所刦持；原因之二是選舉必須浪費財力物力，實際上選舉等於用金錢購買選票，而眞正的才智之士，十九都是清寒子弟，沒有雄厚的財力可資競選浪費。最近美國紐約市長選舉費用，據調查統計，當選人林賽就耗費了五百萬美元，其他同時競選的人，亦花去二三百萬元，寧不可驚！原因之三是政黨對於候選人之遴選推薦，亦不能賞現人才主義的標準，終致構成賢者不為，為者不賢的現象。積此三因，所謂直接民權的普選制，即在實行民主憲政最悠久的英美各國，亦未見得眞是選賢與能吧？

政治上的貪污事情，自古有然，於今尤甚，其中的因素不一，而選舉關係實為激發貪污行為的一大根源。競選人耗費大量金錢而獲得之後，自然要利用權力機會以弋取償來之物，彌補虧累，可謂勢所必至，理有固然。所以，實行普選制的後果，確是害多於利，得不償失。但現代民主政治的運用方法，又是靠選舉作中心，儘管這是最壞的制度，也祇好明知故昧而行之了。

凡是國民教育不普及，社會結構不健全，而生產力又不發達的國家，普選制的直接民權條件多不具備，到不如實施間接選舉——又名「委任選舉」制，實際上比較有益。如我國對日抗戰時期的國民參政會，其構成份子都是由政府遴選的，全國各黨派各階層的傑出人物，皆在網羅之中，如果任由人民普選，實質恐怕就兩樣了。

從實際的政治利害設想，我認為吾國在現階段還沒有實行直接民權之必要，勉強幹來，對國家殊少裨益，對人民徒滋困擾，慕虛名而受實禍，何苦呢！

馮丑先生

地產建築業一蹶猶未起
香港經濟仍陷疲弱狀態
直接間接受影響的行業很多

【本報訊】自由經濟有一種共同的發展，大凡一個行業繁榮，其他行業亦分享繁榮，一個行業衰退，其他行業亦分担衰退。在一九六四年以前，即一九六〇年至一九六四年上半年的一個階段內，是爲香港地產建築業最蓬勃的時期，當時很多人投資地產獲得厚利，把一部份盈餘轉向工業旅遊業投資，曾造成香港工商業投資極一時之盛；並且當時香港商場的銀根很鬆動，很多游資在股票市場作短期性活動，故此當時香港社會經濟，呈現一片很繁榮的氣氛。

由於地產建築業在一九六〇年至一九六四年上半年發展一路達到最高潮，直接獲得良好影響的，就是建築材料的生意，間接受到影響的，就是各種民生日用品及消費品的生意。當時因爲建築「三行」的工人就業極爲良好，「三行」工資不斷提高，很多粗工的收入比較普通的白領階級好得多，於是香港商場也呈現一片繁榮景象。可是一九六四年下半年開始，香港地產建築業漸有盛極之後難爲繼的態勢，復因一九六五年五月間發生銀行風潮，地產建築業首先受到影響，加速轉向低潮，於是香港工商業直接及間接遭受影響的也十分巨大。直至現在，這種不利的影響尚未止步。

先把直接遭受影響的行業來說：在地產建築業最蓬勃的時候，五金、水泥及其他建築材料，生意也是盛極一時，以圓鐵銷售而言，一九六四年用於香港建築業的總量，約達八百噸左右，平均每月實銷約一萬三千餘噸，但現在圓鐵實銷量的減少幾乎令人不敢相信，據五金商透露，今年一至四月圓鐵本銷總量約爲三萬噸，平均每月實銷約五千噸，祇及一九六四年同期百分之四十。又以水泥而言，一九六四年上半年香港建築業的實銷總量約達五十萬噸，每月平均實銷八萬二千餘噸，但現在水泥實銷已呈顯著退縮，據經營水泥的入口商透露，今年一至四月，水泥總銷量約爲十六萬噸，每月平均實銷約四萬噸，祇及一九六四年同期百分之四十。此外如木材、白瓷磚、紙皮石、石灰、塗料、紅磚等銷量也是相應的大大減少。

其次說到間接遭受影響的行業，範圍就更加廣濶了。舉凡傢俬裝修、電器、百貨、匹頭、飲食業、娛樂業都受到地產建築業不景的影響。即工業方面，所受間接影響亦很大。如果從表面來看，香港工業品出口繼續增加，工廠接入海外訂單很多，斷沒有受到地產建築業不景氣的影響；但其中有一個重要的原因，就是一九六〇年至一九六四年這五年間，很多辦工業的人眼看着他人投資地產賺大錢，於是見獵心喜，把一部份工業資金轉向地產投機。在初期，確已獲得相當的利益，但他們究竟行慢一步，到了一九六四年下半年地產開始走下坡，他們已成爲泥足深陷了！如今很多工廠老闆，天天嚷着銀行應該儘量放寬工業的信貸，但有誰知道他們受到地產方面的投機損失，及壓死大筆工業資金呢？

立委溫士源等質詢司法問題

（本報記者台北航訊）立法委員溫士源、梁肅戎、姜紹謨等在立法院司法委員會就司法問題質詢鄭彥棻部長。他們就法醫相驗屍體問題，司法風氣問題，裁判問題，審檢互調問題，司法警察條例及檢察官與司法警察機關執行職務聯繫辦法等問題，分別質詢。

委員溫士源認爲：各地方法院法醫問題，應徹底解決。他說：最近，高檢處下令各地方法院檢察處，指示關於相驗屍體案件，應報高檢處由檢察官組織小組加以研究，如初驗有問題，應重行偵查。但是相驗屍體是法醫的職權範圍，而不是檢察官所能爲力，故法醫太重要了。假如各地檢察處法醫對驗屍工作認眞的話，對該案件採證是有很大的幫助，裁判正確與否，完全憑初驗證據。然而現在各地院的法醫對原子太空時代的醫藥常識很缺乏，他們都是二、三十年前的法醫，僅憑經驗，故難免發生錯誤。是故充實各地方法院的法醫問題，應徹底解決，查檢察雖然一體，但相驗屍仍屬地方法院的範圍，否則，何貴乎有審級之設？而相驗工作，是案發之初在現場實地戡察而認定之原始證據，此項證據，不是坐在辦公室裏的檢察官所能認定的。

溫委員指責司法行政部的「推檢互調」的人事行政，流弊很大。這種推檢互調的措施，不但影響法官的工作情緒不安，並且影響辦案效率，故憲法保障法官爲終身職，沒有法定的原因，不得任意調動。比如，民事執行或刑事執行案件，不是每一位推事都能勝任的，有些推事對執行案件的程序，都不太瞭解。如有些推事對辦理民事案件辦得很好，但對刑事案件不一定辦得很好。有些檢察官對偵查刑案有豐富的經驗，但對審理民刑案件是不適宜的。如辦刑案辦得很好的法官，調任法院首長職務，不一定對行政業務是專家。這就是「推檢互調」的流弊。

梁肅戎委員主張：司法官應該是專家，而不是樣樣都懂而樣樣又不精的通才。他說：憲法第八十一條規定：法官爲終身職，非依法律不得免職、停職或轉任。此項規定旨在安定法官工作，使推事能安心愼審處理案件。否則，由於調遷頻繁，交接往返，司法業務無形停頓。過去，前任司法部長谷鳳翔，曾提「司法官轉任條例」草案，經行政院送立法院審議，在審查時，多數立法委員同仁，認爲法官受憲法保障，不宜隨意調轉，因此該案由行政院撤回，而鄭部長所標榜之「推檢互調」辦法，是否與憲法八十一條之規定相符合？

梁委員說：大陸法系之歐洲各國，據司法行政部次長徐世賢在立院報告，像西德的法院，已向司法專業化的途徑邁進。今之推檢互調政策，應該考慮專門人才化。查司法裁判，民事方面裁判是非曲直，刑事方面裁判是執行國家的裁判權，故訓練司法官時，應注意專才訓練；考查受訓之司法官對某一問題有深刻的認識，或對某一問題沒有研究，在受訓時都應有此考查。

至於司法風氣問題，梁委員認爲司法風氣之不良，應從審檢實際業務着手，才能發揮政策的效能。某一案件裁判之好壞，內行人一看便知。而官，竟公然利用職權，貪污枉法，不但未受到法律制裁，且逍遙法外。他又說：立法院曾於去年函司法行政部將檢察官與司法警察機關執行職務聯繫辦法送審，當時，鄭部長曾答應，但迄今未見送來。這件事很久了，到底司法行政部進行到什麼程度？

姜紹謨委員說：一般人都知道司法風氣壞，司法界的敗類應該運用調查局來偵查，這樣可發生嚇阻作用。爲什麼不運用法律武器呢？至於司法官的好壞，可從裁判書得到結論。如果司法官好，司法風氣好，法院的裁判自然公正妥當。否則司法風氣壞，裁判得不好，[illegible]呢？我們對好司法官應該鼓勵表揚，對枉法瀆職無能的法官，也應有所[illegible]，好人留芳百世，壞人讓他遺臭萬年。（健生）

南越政治和尚智廣其人
是個陰謀家，可能是個共產黨員

在吳廷琰執政的幾年間，智廣一直住在順化，他把胡志明組織共產黨對抗法國人的方法學來，組織佛教的行動工作。爲了和吳廷琰的警察作戰，他組織了一隊年富力強的青年和尚給以特製的土槍作武器。在吳廷琰政府各部門，他都佈置有嚴密的間諜網，他甚至派人滲透入吳氏所目爲最得力的共和青年團中，經常於吳廷琰頒佈機密文件之後二十四小時即可抄錄到手。其中最重要的一件公文，乃吳廷琰之弟吳廷儒所發的第三號通告，內容列舉如何對付佛教徒的辦法。

吳廷儒也知道智廣的行爲，把他列爲最厲害的陰謀家。智廣反抗吳廷琰的陰謀於一九六三年春天爆發爲流血事件。當時，由於政府不許佛教徒於佛教節日張掛佛教會的旗幟，智廣遂率衆示威，逕趨無綫電台廣播其極富於煽動的演說，於是羣衆競向無綫電台進發，吳廷琰之軍隊施放手榴彈驅散羣衆，結果替智廣造成許多殉難烈士以爲示威藉口。隨後，佛教徒不斷在各地街頭公開作引火自焚的烈舉。這一來，羣衆情緒愈激動，示威、暴動日益增加。至十一月一日，吳廷琰及吳廷儒被推翻，並爲羣衆槍殺於一輛軍用卡車之內。

在騷動的兩個月內，智廣一直托庇於西貢的美大使館，吳廷琰的警察無法加以拘捕。當時的美大使亦即現時再度履任的洛奇，對待智廣相當好，讓他居於有冷氣的室內，給以收音機、書籍、文房用具等。並特聘華人廚師替他預備素齋食品。

吳廷琰倒台，軍人楊文明繼任，僅有三月，阮慶將軍上場，不久，再讓政權於哈佛大學畢業的經濟學家阮文園。七個月後阮慶捲土重來，不久，阮慶又讓位於西貢市長陳文香。陳氏統治無力，阮慶三度執政，僅一月，轉由潘輝适醫生執政。後來騷亂再起，乃由阮高奇這班青年將領於十個月前起而以軍事執政團方式控制政權。

由於政潮起伏無常，釋智廣認爲貪污腐化之粃未除，歷任政府俱未孚民望，而有力者爭權逐利，徒苦人民，抗共戰事亦少成就，他又有伺機而動之意了。終於因兩個月前軍事執政團革除第一軍區司令阮正詩職務觸發了新政潮，再進而導致民衆反政府的大示威，最後是迫使政府讓步。在事件的過程担任居中策動與領導的又是推翻吳廷琰的這一個「陰謀家」釋智廣。（下）

國有財產局局長
楊業孔等被控瀆職非法
檢舉書列舉罪狀計達八項

（本報記者台北航訊）國有財產局局長楊業孔、副局長王徵萍等，被控涉嫌瀆職非法；由於控訴內容列舉事實詳細，所以監察院頗爲重視，將派委員調查。楊業孔等如何瀆職？如何非法？檢舉書列有八點：

一、不法濫支假報銷部份：楊業孔之一切開銷及應酬費用，由該局以業務費、清潔費及事務費消耗等科目，用伙食團便餐名義報銷，並由事務股長陳炳寰出據具領。此外，每月再支領特別費一千元，自五十二年十月起，至五十五年二月止，計領不應該領的特別費四萬一千元。

按照行政院（五二忠五字第一二四號令）、財政部（五二年九月三日五二台財會發字第六九三九號令）之規定：「各機關無交際費支出者，得在核准預算內提撥特別費一千元，作爲正副首長因招待及捐贈之用，其支用超出預算者，不予核銷。」楊業孔按月有交際費及招待費支出，其私人應酬交際費，由陳股長填具「交際費動用申請書」向公家報銷，並支領特別費，顯與前述之規定不合。況支領特別費係用該局伙食團代辦酒席名義報銷，當然不合法。

二、未照規定編列安全費部份：行政院五十一年規定：「（一）保防經費以往公務機關按事務費百分之三，公營事業機關照每人每月三元提撥之標準提列。（二）今後不論公務或公營機關均按實有員工人數每人每月三元提列，並自五十二年一月份起實施。」（行政院台五一新一字第二〇四二號令，財政部五十一年十二月二十八日台財會發字第〇八七四二號令）。

查國有財產局對保防經費始終未按規定辦理，五十及五十一年各支十二萬元，五十二年起改列爲十萬六千四百四十元（其中總局四千七百元，北區辦事處一千九百元，南區九百元，中南兩區各列七百元）。依照行政院核定該局及所屬辦事處實有員工總額爲四百七十人，每人以三元計，月支安全費爲一千四百十元，年計一萬六千九百二十元，五年只能提列八萬四千六百元。現在[illegible]，此與行政院規定不合。

三、利用職權挪用公款部份：（一）臨時人員王文泉於五十二年二月辭職，楊業孔動用公款八千元作私人酬贈，並由主計主任陳某作爲王文泉離職後同年三月至十二月份薪津名義報銷。（一一）

瀛海異趣談

美國換妻風氣頗形猖獗

・泰雅・

以前，交換妻子尋歡作樂，只是一種罕見的事件。但現在，在美國的社會裏，已成爲一種風尚了。那些變相的俱樂部，每一個城市都有。最近威廉斯布利洛夫所著的「換妻俱樂部」已出版，內容暴露一個驚人的事實，使人難以置信。

那些俱樂部每週集會一次，按時改選委員，因這樣，可以想出更多的花樣。照作者的調查，有少會員是當地有勢有力的人，不但有錢，他們大部份是教育的，而且是受過高等教育的，工程及科學工業界的人士。在某一個「集會」裏，包括十四名教員，八名生物學家，一名夜總會表演者，後者的妻子是小學教員。

根據印第安那大學的性愛調查報告書，目前，五百萬對已婚夫婦都參加「換妻活動」。最使人感到不安的是——不少心裏學家及婚姻指導專家均認爲偶爾「交換妻子」是增進家庭幸福的有效辦法。

他們這麼說：「交換之後，雙方便會找到性滿足的答案，這是重要的。性愛方面，何嘗不可以交換經驗呢？」他們甚至强調，凡肯參加這種換妻活動的夫婦，是絕少要離婚的。

去年，在報章上，約有四千男女登廣告，自稱是「摩登結婚人士」，這相等于公開徵求「志同道合」，進行交換。

那些俱樂部集會，是相當瘋狂的，出席人士每每要脫光衣服，進入高潮時，便是挑選幾對男女，赤身跳貼面舞。加州活蘭山的一個俱樂部，五人組成的委員會，計劃一切節目，其中包括放映黃色小電影以及郊外月下狂舞之類。

凡是新會員申請入會，必須附來一張全身赤裸照，然後舉行發誓儀式，這像「黑魔術邪教」的一樣。信不信由你，他們是有十誡般的會規的——「愛隣人如愛自己」「愛隣人的伴侶如愛自己」等。

最龐大的組織要算好萊塢的「影星俱樂部」，每年規定開會六次，規模非常宏大，其中不少是金像影星，此外還包括導演、製片人、劇作家及攝影師。

會址的地點是非常神秘的，一邊是六十呎高的牆，另一邊是種滿仙人掌的堤岸，潤達三百呎，還佈滿透過電流的鐵絲網。裏面均有升降機直達每一間睡房，還有太平梯及警鐘等設備。

二樓是「禮堂」，裏面的「座位」是長沙發、活動椅及枕頭等，共六十多張。放映的電影，有正經的、有色情的，共值一萬八千鎊。放映後，以後是柔和音樂傳來，室內的燈光是粉紅色，以後的春光不足爲外人道。

有些俱樂部公開徵求會員，在報章所刊廣告上，內容大致如下——「年輕貌美的結婚人士歡迎抵步的夫婦，志同道合可通訊及交換照片。」

一對寫信應徵的夫婦，男的是夜總會經理，女的是大學畢業的，一個漂亮的金髮女人，她說：「我們喜歡與一些有性愛知識的人認識，我們是開明的，性實在是一種交談的方法。」

在西雅圖的一個俱樂部中，參加集會時，非常隆重，請帖上印上名字的。芝加哥的一間，作風又不同，集會時先行辯論一段時間，害羞不敢參加換妻把戲的可以臨時退出，相反，便交換門匙。關於舊金山的另一間，主持人恐怕會員會出外招搖，或乘機進行敲搾，於是把每人的「痛脚」握住，以防不測。

總之，不少俱樂部主持人都害怕自己的活動引起社會人士的注意，而且不少會員都受着性病與吸毒之苦，也有因懷了孕而弄成悲劇收場的。

這類俱樂部的節目，最風行的是「音樂椅」——凡是在音樂停頓後，找不到椅子坐的男女便携手離開現場，燕樂一番。另一種遊戲是「猜人」，綁上眼睛，靠觸覺認人，如果猜中，對方便是那晚的伴侶。此外還有撲豆及捉棋方式。

這個荒淫的現象，據說已引起不少有心人士的憂慮，當局也設法撲滅中。

救總的六大任務

張萱臣

其次救濟流亡越、緬、泰、寮、柬、印、巴等國，以及中東沙烏地阿拉伯地區難民，均視實際情況需要，分別予以現金，房屋，農具，醫藥及教育設施等多種救助。

此外，還在香港方面設置救助難胞子弟學校，特於民四十四年創立調景嶺中學一所，免費收容難胞子女。並於前年（五十三）撥港幣五十萬元爲該校改建校舍，現已改建完竣，煥然爲之一新。又設置中國文化協會，經常救助大陸逃港大專青年及中學生，予以登記接待救助等事項；並從事一切自由文教宣揚活動。再其次又於澳門方面，特設大陸逃澳難民，日有數十人之多，均由該總會接待，登記，發給救濟金而後收容，經調查接運來台，安置就學或就業。

三、救濟各地災難僑胞

該會對於各地僑胞的捐欵，深感來之不易，故不論數字大小，在收支手續以及支配用途上，無不力求週備有效。同時該會更代表國內同胞在輸導胞愛交流的工作上，也特別關切到世界各地遭受臨時災難的僑胞。自救濟韓戰受災僑胞起，歷年來旅居泰國、越南、緬甸、寮、柬埔寨、印度、韓國、日本、菲律賓等國，甚而遠至南美墨西哥，南非模里斯等地僑胞所遭受之風災、水災、火災，該會無不立予撥欵救濟；至若僑胞遭受當地政府之政治迫害，如四十三年之越北撤僑，四十九年之印尼撤僑工作，該會均曾全力協助，以期減少僑胞之痛苦。如補助僑校之興建，設置青年獎學金，發展華僑文化事業，興建僑新村，以及協助安置歸國僑胞等項工作，更屬樂與爲助者。綜計該會歷年來用於上述各項救濟災難僑胞欵項，共支付美金二四八、三二四、二五元；外食米十萬公斤，衣服毛毯數以千計。此一中華民族偉大胞愛的交流，將是我國內堅強團結，反共必勝復國必成的最大保證。

四、救濟大陸來台災胞

自大陸逃亡各地反共義士、義胞，歷年經該會協助來台者，截至五十四年二月共達七三、〇〇六餘人。該會鑒於來台義胞中，有因年青失學者，有缺乏謀生技能者，有因家累過重，必有因疾病困難者，故特別設置大陸來台清寒學子獎助金，職業訓練所，並籌建兩個合作農場，合作社，以協助其生產及勞動貧苦義胞，以協助其就業，醫藥救助等，亦多裨益。

五十一年「五月難民逃亡潮」，該會救助政府專案接運來台之義胞七百七十一人，特由有關機構組織安置小組，報請行政院核定分發，予以妥善安置，均依其就學就業之志願，自五十一年七月起至本年止，就學，就業，就養及投靠親友義胞，共爲七一六三人，其中就學義胞經予一年補習教育後，業已分發台大、成大、師大、政大、中興大學、海洋學院、僑大先修班就讀者九十三人（內一人死亡）。（二）

來論

今日台灣校長縱橫談

・張紹炎・

於是乎校長先生奔波於衙署公館之內，周旋於名人顯宦之間，或杯酒聯歡，或條件晤訂，皇皇如喪家之犬，急急如待決之囚，他（她）們的心力，整個地奉獻在於關係之上。稍爲有點骨氣，有點自尊心的校長，也都無可奈何地要同流合污，而教育乃成了政治上的點綴品。

今日算所謂「文化」事業吃飯的人，越來越多。一種刊物，要能暢銷出去，要能財源滾滾而來，實非易事。於是，推銷人員，無孔不入。學校係堂堂文化機構，理所當然地成了文化事業的推銷市場。「書刊」不遠千里而來，不買，是不給面子；買得少，人家不高興；買得多，學校吃勿消。於是校長左右爲難矣，或有記者（記者有一流，二流……不入流之分。這裏所謂記者，乃指不入流的記者而言。他們掛記者之名，而無記者之實，濫竽充數，混水摸魚。他們多在鄉里橫行，欺負老百姓）發起「樂捐」，硬要校長先生快快樂樂地捐上一筆。如數捐了，當然千謝萬謝而去；捐不了那樣多，或者一毛不拔，則桌子一拍，拳頭一揮，咬牙切齒，大叫一聲「等着瞧」而去。從此，校長先生糟糕矣。從此「記者」先生立刻砲口對準校長，豆腐裏挑骨頭，繪聲繪色，口誅筆伐。醜聞與惡聲齊飛，怨言共謗語一色！於是形成輿論，發作力量，一而十，十而百，百而千，千而萬，校長先生滿身腥味矣！有辦法的固可穩坐如泰山，沒辦法的則岌岌可危，朝不保夕，隨時都有「另有高就」的危險。人心慌亂，雞犬不寧。如此如此，校長先生又那還能辦什麼教育乎！

這是一個事實，一個活生生的事實。這是民主的情勢，是校長的苦經。當然這也是一個問題校長容易見到的「遭遇」。如其不是問題校長，情形自然不同了。

五

學校是實施教育的中心，校長是一校的靈魂。有好校長，才有好學校。有好學校，才能教出好學生。這是必然的因果。我們對當今的教育界，表示遺憾；對於主管學校的人，表示不滿。我們不願學校成爲爛攤子，我們要求把窩囊與草包趕緊請出學校。有心肝之士！你們的眼睛是雪亮的，請睜大些來瞧瞧今日的學校和校長吧！

（五・完）

新三國

後來董卓徵爲少府并州牧，他的兵應當交給皇甫嵩。董卓大怒抗而不交。後又升爲太師。有一次皇甫嵩見了董卓，下車拜謁，董卓說：「義眞！服了我麼？」義眞是皇甫嵩的字，說你現在該服了我吧！皇甫嵩說：「安知你有今日呢！」董卓乃大言不慚說：「鴻鵠當然有遠大的志向，但可惜燕雀不知道罷了」。皇甫嵩很幽默地回答說：「想當年我與明公不都是燕雀嗎？想不到你今天已變爲鳳凰了」。董卓說：「你既然早服，今日爲什麼不拜呢？」

但是另一種說法，說有一次皇甫嵩見了董卓，二人握手寒喧，董卓問嵩說：義眞！你恐怖嗎？皇甫嵩說：明公以德輔朝廷，大慶方至，有什麼可怕的呢！我所怕的，只些那些以淫刑逞威風的人。像這樣的人，不僅我害怕，天下的人莫不害怕啊！董卓聽了，啞子吃黃蓮，說不出苦口。

董卓在洛陽執政時期，還不敢公然引用自己親故做官，到長安之後，不但董門滿族故舊都列朝廷爲顯官，他的侍妾懷抱的娃娃也要封侯爵，弄以金紫。他的孫女董白，不到十六歲，也封爲渭陽君，在郿城之東造一座壇，寬廣二丈餘，高五六尺，他的孫女乘軒金華靑蓋車。以都尉中郎、刺史二千石俸祿的官兒在郿者，各乘軒轓車，爲他孫女兒作導從，護送到壇上。又命他姪女董璜（兄子）爲使者授以印授。這眞是千古未聞的排場。一個未及笄的小孩女，封了渭陽君不說，還要如此鋪遲。驕奢淫佚已到極點！

他縱情酒色，大吃大喝。大致他的心中有數，自己所作所爲，是有不少人反對的，亂子已在目前，他也有「對酒當歌，人生幾何」的感覺，趕快儘情享樂，死了也值得。可是，這正是他自己加速覆亡的做法。董卓在長安城之東，築了一座樂享天年之好所在，那就是「郿塢」，高低大小和長安城差不多了，他是想和皇帝唱對台戲。又在長安的西面，築了一座大碉堡，周圍二百丈，七尺高牆，七尺厚，內藏足有三十年的糧食，外有四五十萬兩黃金，二三百萬兩白銀，無數的綢緞、古董、以及人生日用之物，一應具全。萬一大勢不好，他也可以在此守個二三十年，別人打不進來，那時他活夠了，也不會餓死。他這個築在郿塢的碉堡，名叫「萬歲塢」。這不等於自稱天子嗎？（「塢」在當時是防衛的碉堡。）

老賊怕死心理極重，又極具猜忌，縱慾過度，神經衰弱，制不住自己潛在的獸性，而漸變爲殘忍。有一天，老賊從長安回到「萬歲塢」，那些屬僚，文武百官，都得恭送一番，在『橫門』外面擺了酒席，他竟獸性大發，想用人肉來下酒，把那些北地郡（涼州的屬郡，治富平縣，在今之甘肅靈武縣西南。）若干已降的造反者，有數百人，先割下他們的舌頭，再砍去手脚，挖去雙眼，然後放到大鍋裏煑，當着文武百官面前，把人肉搬上席來，有幾個人還沒有煑死，在那裏掙扎。老賊談笑自若，吃菜喝酒，毫無異色。但是那些文武百官嚇得發抖，有人把筷子嚇掉的，他就他加上大帽子，說他「心懷叵測」，否則何以如此心虛？患了心臟病的人，一定是倒楣者。（三十）

四四看三齣

在四月八日那一天，梨園行有盛舉，未去觀禮，爲無暇也。陸光業餘國劇研究社，舉行五週慶，却爲了到四四工廠去看戲，祇有簽名道賀而已。四四廠的三齣，也看有前次所請的，皆是已退出大鵬的四位姑娘所演外，在團中未見她們唱過，才換往天黑而到郊外，走了近二時的旅程，確是有些自找麻煩的。

首齣是廠中票友毛君，與賈厚英演賣蓮燈的二堂訓子。毛君嗓音不低，做作自然，確爲不易。厚英嗓音漸復，腔調耐聽，她在服務之暇，仍不忘平劇，亦可喜也。次爲黃音徐龍英的戲鳳，兩人調門不一致，有時用兩把胡琴，當然龍英應付甚易，動作很灑脫，極爲逼眞，不瘟不火，全齣甚精到。唱完告一段落，但黃音唱腔已比許多票友爲高，臉部表情的飯單，就是服裝太艷，綠色緞子衫褲，粉紅色一點。詢以大路台鑑大的態度，她說不知道，是一奇事，爲何列在演出劇目？

末齣二進宮，由余小玲飾李艷妃，梁再勝演徐延昭，票友溫君演楊波。小玲是梅里的本家，有此功力，難得。再勝亦已久不唱此，扮相魁梧，是該腔很多。溫君唱來不弱，足以應付。下次再演也許在五月下旬，或有新戲排出，容俟再看。

復定公

國劇繽紛錄

姿婆生（七十一）

日前報社轉來定公致聽劉的幾行法書，是爲程硯秋文娟（卽蘇小妹）」，史無其人。硯秋藏曲本甚多編，列於戲曲雜志。此一劇本也由陳墨香改編，但托名於蘇東坡公。蘇小妹相傳甚醜，是小說家言。硯劇以小妹爲主角，丑扮，未嘗有丑扮者。又觀鷹擬則爲天庸我生訂正之。敬已拜讀。

睡劇的蘇小妹，是出自今古奇觀，似無其人，可是我未嘗過有丑扮者，乞洽。程氏劇本編者，前在台梨園佳話談，祇有羅癭公金悔厂兩人，但翁偶虹陳墨香兩人，也編兩劇，翁編鎖麟囊，陳編文娟。尙有文姬歸漢是劉豁公編，金悔厂取去刪改的。今始知鷹擬係令先德訂正，又增見聞，謝謝。並望多賜教研究。

君在天文台發表十大鬚生系統，甚佩。惟孫菊仙之下接馬連良，似不太合，應與周信芳並列在旁支。余叔岩之下接楊寶森，而將孟小冬旁列，也同樣不適合，因小冬係余氏唯一弟子，李少春祇算半個，楊寶森係私淑；似應將小冬與寶森互易，才合理。未知以爲然否？（未完）

午睡

劉杰

有些習慣，連我自己也不知道是如何養成的。午睡便是一例。

我是三十八年到台灣，一直到今年二月份，我就沒有睡過午睡。我也不知道午睡是個什麼樣的感受。在大陸時，我是自然沒法午睡，因爲中午休息的時間太少。造出了學校，便穿上軍衣，那是有午睡的安排的，在戰地更有個小時，中午有兩三個小時以上；但我就沒有睡過。因此，伙伴們很奇怪：

「你的精神這麼好，連中午也不睡一會兒。」

「我不習慣。」

「要是我，不睡一會，下午就沒法工作的。你到底年輕。」

「快要和老頭子握手了，連頭髮也白了。」

「你今年到底多大？」

「已經三十二歲了。」

「我還是你的大哥。不過，你不睡午覺，這是說明你的身體好。」

實際上，我那時也是想睡一會兒的，上午在太陽底下操，身上可以擠出一點兒汗來，下午又是完全流光，這是必要耗體力的。我所以克制自己，是要在中午兩個小時，做些私人的事，包括我的稿紙，書本。在台灣，我沒有親人，我是個流浪者。三十八年以流亡學生來台灣，現在也像是還在流浪。我的待遇可憐得連我自己也不期的用茶來刺激，也沒法睡眠的。但長時就失去作用。有一次，我的幾個朋友，大菴、唐棣、彩羽他們到獅頭山去玩，大家花的很多，書，又在新竹住高級旅社，於是，我們的錢都花光了。在旅社內，他們就要我寫稿，叫侍役準備了茶。

在湖口那個階段，就消了一刺激，我的睡眠全一上一杯濃茶，經濃茶虫跑走，我在中午泡爲了午睡的瞌睡，在茶室喝茶，有時晚上也喝茶，使整夜也沒法睡眠的。

「可是……」

「我笑笑說：「我也沒有法子。」

「你就不要寫稿，去睡午覺。」

「你應該爲你生命着想，你這樣下去對自己身體是可怕的。」

伙伴們更關懷我了。告白。但長期下去，腦汁的中完成了我的思想的靜。於是，我在午睡狀態，十分寧靜。

就這樣，我一夜也沒有睡，精神還是很好。第二次，又是這樣，那是在台中，但這樣已失去作用了，乃改用了咖啡；總算發生了作用。也因此，我常常喝咖啡。

「我現在才發現到，」朋友們對我說：「你的身體爲什麼這樣瘦。固然你動的腦子太多，但最主要的，還是你喝咖啡沒有停過。」

「如果我不喝咖啡，中午就沒法工作的。」

我這次在幹校接受短期訓練，中午還是有兩個小時的休息的，我却跑到圖書館寫稿或者看書。可是，我這次到南部，開始午睡，午飯一吃，就要倒在床上，有時眼背皮也睜不開來了。於是，我午睡竟成習慣！期中我也累次對我自己說：

「這是多麼大的損失。」

現在，我決心不再午睡了。且藉此來試試我的毅力，看我究竟能不能夠改掉這個爲期兩個多月的習慣。

讀古書之一得

玉書

閱讀古典著作必須具備正確的觀念，就是讀古書並不等於讀死書。一切抱着讀死書爲目的來讀古書的，都不是善讀古書者。抱着這種態度來讀古書的人，不但無法領到古人的主張，經驗和用意所在，反而把自己變成一個食古不化的書呆子。愈鑽得深，使自己的思想愈呈僵化，終於慢慢地變成了古墓中的活僵屍而不自知。

不善讀古書的人，誤已還算事小，但不幸偏要把自已那套錯誤的思想自認爲是天經地義的事實，排起「復禮興仁」的牢頭招牌，大賣其再造堯舜之世的狗皮膏藥，還極強人以同的玄學鬼，意圖使新生一代的青年，讓他們牽着鼻子走向暮氣沉沉的古墓。說話要學古人的口吻；走路要學古人的姿態；思想要遵循古人的方法；做事要看古人的榜樣。事無大小，什麼都要模倣古人。長期生活在這種意識形態的模子中，毋怪乎一些小先生們，都要故意表現出一種少年老成的怪模樣，才顯得其老成持重。至於旁人看來是否有點未老先衰，那當然是另一回事。

其實古書本身不一定是「罪無可恕」，也犯不着像四川人吳虞所說的「通通拋到毛厠裏去」。不過古書常被一些野心家來加以利用，牽强附會，斷章取義，這是無可否認的事實。滿淸政府之所以大力提倡舊學和舊道德，其熱心程度絕不在摧殘新黨之下，就是想天下讀書人乖乖地鑽到古墓中去發其思古之幽情。不過仍然有個限度，就是：吟哦風花雪月的詞章，白首窮經去考據校讐，玄天玄地去大談義理之學都可以悉隨尊便，但是激發民族志氣的作品則不在鼓勵之列。其目的就是想把讀書人安撫在其懷柔政策之下，乖乖地做其順民。復古風氣自然大盛，這樣一來，千萬才智之士墮其彀中而不自覺。故有淸一代，樸學之風大盛，乾嘉兩朝，更是大師輩出。一部「皇淸經解」，不知費盡了天下讀書人多少心血。當泰西諸國其時正全力爲現代文明奠立基礎之際，而我們可憐的讀書人仍然埋首於故紙堆中，怡然自得，不知老之將至。

到了民國以後的北洋政府時期，狗肉將軍張宗昌，對於大修孔廟的熱心，絕不在排斥新黨之下，其實骨子裏的別具用心，何嘗不與淸廷一樣。

因此，我們閱讀古籍的觀念必須建立在下面的基礎上：（一）必須以現代人的眼光來看古書；（二）必須以活人的思想來解釋古書；（三）必須用科學的方法將古籍作重新的估價與系統化的整理。

虬髯客傳

「影劇與歷史」之二十一

周遊

虬髯客傳又名「紅拂」，亦名「風塵三俠」。此一羅織兒女私情與豪俠之氣的傳奇小說，搬上銀幕，殊爲人所樂道。「虬」爲「虯」之俗寫，音「求」。赤髯者，龍子有角者曰「虯」，謂髯的顏色赤而虯曲也。根據前人載籍中所傳，唐太宗的髯便是「虯髯」，故有謂「虯髯客」乃暗射唐太宗者。如南部新書云：「太宗文皇帝，虬上可挂一弓」。又「酉陽雜俎」亦云：「太宗虬髯，嘗戲張弓矢」。又杜聰贈「汝陽郡王進詩」云：「虬髯似太宗」。蓋此一短篇小說中，有唐太宗穿插其中，又有歷史人物（李靖、劉文靜，楊素）與創造人物（紅拂、虬髯客）道具，使故事生色而具有眞實感。其云暗射唐太宗亦非全屬子虛烏有。作者杜光庭字聖賓，處州縉雲人。生於唐宣宗大中四年（公元八五〇年），卒於後唐明宗長興四年（九三三），八十三歲。性喜讀，好爲詞章。懿宗設萬言科選士，杜應試不中，入天台山爲道士。僖宗至蜀，召見，賜紫服、充麟德殿文章應制。王建建國，爲金紫光祿大夫，諫議大夫，賜號廣成先生，進戶部侍郎。後主立，以爲傳眞天師，崇眞觀大學士。後解官隱居青城白雲溪，自號東瀛子。著有諫書一百卷，歷代忠諫書五卷，道德經廣聖義疏三十卷，廣成集一百卷，壺中集三卷，王氏神仙傳一卷，及虬髯客傳。因杜氏爲道士，故虬髯所言，亦多方士氣息。

紅拂本太原名妓，爲楊素納入長安，成爲歌妓，十分寵眷。因伊人常手執一赤拂塵，所以紅拂便成其別名了。據傳紅拂才貌不凡，她兼有男性豪俠與女性的溫柔，能文亦能武，她的舞劍在當時是非常有名的。自然她也很美麗，丞相楊素的寵眷，美麗當然是第一要件。

其時李靖（字藥師，唐代開國元勳歷史上名將）正奔走江湖，落拓不遇；一次，李靖入長安訪楊素，圖謀進身。由於李靖也是江湖豪俠，名氣甚大，楊素雖然接見了他，但却泛泛對之。而在側隨侍的紅拂，却慧眼識英雄，當李靖辭退之後，她探聽到李靖的住址，就在當夜三更，紅拂便私奔相就了。李靖見她來得奇異，非常驚駭，而紅拂則坦然對他說：「妾侍楊司空久，閱天下之人多矣，無如公者！絲蘿非獨生，願托喬木，故來奔耳。」

李靖雖明知偕丞相寵妾私奔，不但將毀了自己前程，而且可能遭致奇禍；但是美人青眼，他又不忍直拒於千里，猶豫不能決。紅拂又對他剖陳天下大勢，並且說：「楊素尸居餘氣，相府不是豪傑棲身之處；再說天下行將大亂，出路正多，何必非長安不爲？」

於是李靖偕了紅拂逃出長安，奔太原暫住。途次靈石，遇到河洛之間的著名英雄虬髯客，李靖與虬髯客素昧生平，疑其爲相府邏者。但紅拂慧眼究竟不凡，認出虬髯客乃是當世豪傑，並與之結爲兄妹，煮酒論天下大勢，並圖起兵革命。

（一）

做夢與睡眠失眠

三木

由於失眠的關係，在美國每晚均有不小失眠者借重安眠藥及鎮靜劑，以求安睡。據統計數字指出，在美國平均每個人每年約用安眠藥廿多粒，以求安睡。這長年計算，是一個非常驚人的數字，亦可看出在美國是有很多的人患上失眠症。蒙盧教授指出，安眠藥及鎮靜劑，並非徹底治療，失眠的人開始時用很小份量便可入睡，但不久後服用者會發覺小量安眠藥並不能發揮功用，（原因是服用者的神經習慣了），他們便越服越多，往往更有誤服過量的安眠藥，以致一睡不醒，每年總有不少人喪生在安眠藥上。

做夢是與睡眠有非常密切的關係，據美國一位專門研究夢境的查理博士指出：做夢是每個人都不可避免的事，做夢可使人類抒發內心的情感，一個人在白天受的責備，往往可藉做夢而宣洩一乾二淨。查理博士指出，每人平均每兩晚便會做一個夢，夢裏所見的人物，多是平日接觸甚密的人，這點查理博士說是由於做夢者日中所思有關。有點非常令人奇怪的就是如果一個人在夢中夢到他非常口渴，在醒來時，他亦多數會感到需要喝水的感覺；如果一個人夢到被水溺斃，他醒來時，多數是發覺是被雨水或冰花所濺而驚醒的。查理博士並指出：一個勞心的人的夢境多數是夢到和日間的事業有關的情形；一個勞力的人，他的夢境多大部份均是他找尋歡樂時的愉快情形。（四、完）

內政部登記證內版台報字第〇三一壹號

自由報

THE FREE NEWS

第六五〇期

中華民國僑務委員會發
台教新字第三三三號登記證
中華郵政台字第一二八二號執照
登記爲第一類新聞紙類
（半週刊每星期三、六出版）
每份港幣壹角
台灣零售價新台幣元
社長：雷嘯岑
督印人：黃行誓
社址：香港銅鑼灣高士威道二十號四樓
20, CAUSEWAY RD 3RD FL. HONG KONG
TEL. 771726　電報掛號：7191
承印者：大同印務公司
地址：香港北角和富道九六號
台灣分社
台北市西寧南路壹壹零號二樓
電話：三〇三四六
台郵撥儲金戶九二五二

論政治上的貪污問題

・周倫・

社會羣衆經常詛咒貪官污吏，政府當局隨時申儆百僚砥礪廉隅，與立清明政風，台諫御史更不斷地搞發、糾彈貪污瀆職官吏。然政治上的貪污風氣，不特未見消弭，且隨着時間與空間的演變關係，進遞遞甚。昔時的貪污多是個人行爲，容易發覺、防範，有如居室中偶然發現一枚臭蟲或跳蚤，立予撲滅後，撒些殺蟲藥劑，便可絕其來源。今日卻進化爲集體貪污了，這就如同一棟老屋，遍處都滋着白蟻，旦夕蛀蝕，除非把建築物整個拆毀，從新建造，否則終不免棟折樑崩的危險。不幸現時咱們所瞧見的貪污情狀，正是這種現象，可怕之至！

如果眞是要建設廉潔政府，那就決非文告、訓詞、標語、口號之類的玩藝所能濟事的，一定要從產生貪污風氣的根本原因尋求答案，纔是切實可靠的對策，舉其概要，不外數端。

一、生活關係

是非羞惡之心，人皆有之，誰亦知道貪贓枉法，收受賄賂的行爲，決不應該。可是，咱們中國的士大夫——即高級知識份子，十九都是爲貪而仕，要以從政來解決仰事俯畜的問題。在承平之世，社會生計比較繁榮，生活相對安定，物價亦少波動，公務人員憑藉法定的俸給收入，勉強可以過得下去，貪污觀念自然容易剋制，不會普遍發生。一到動亂時期，情形便不同了，公務人員的待遇極其菲薄，而生活程度卻繼長增高，固有法定薪資，要養活自己個人亦不可能，遑論贍養室家？現時政府一名特任官的月俸，也不過台幣三四千元，然其應酬消耗之費，跟他的政治地位成正比例，若不想方設法，把那些官場中交際應酬的消耗，轉嫁於公家，便非淪於飢寒之境不可，而揩公家的油，便係貪污行爲！至於一般中下級官吏，俸入更低，且沒法向公家揩油，生活之苦，殆可想見。大小官吏皆不能恃俸祿以養，除了利用權力機會，索求外快，收受非份財物而外，別無他途了，這好似置餓貓於魚蝦之肆，要它不竊取魚類以充饑，可能嗎？飢寒起盜心，實迫處此，是非羞惡的觀念，禮義廉恥的教條，抵不住物質生活的壓力，唯有昧良心出於無奈了！一個公務人員連起碼的日常生活亦不能維持，而侈談廉潔政治，這是自己騙自己的瞎話一千，沒人相信的。所以，最基本的消弭貪污方法，即須使一般公務員的薪給，至少可以維持粗茶淡飯的生活，不然，集體貪污風氣，將見變本加厲，無可挽救，而國家前途危矣！

二、法制關係

國家無百年不敝之法，亦無永垂不改之制，貴在因時制宜，適應事實需要而已。就改善公務人員待遇說，政府如其不能廣闢財源，即須從事節流，若干不必要的行政機構與人員，自不妨加以裁減，擺着龐大的體制，任用許多官吏，而待遇微薄驚人，何苦乃爾！把機關與人員精簡之後，薪俸釐定等級，而廣泛一律的實行住宅與日用必需品同等配給制，總比較目前這種生活情況好得多吧？吾國衙署的最大惡習，無過於「科員政治」，事無鉅細皆委之於科員或辦事員擬稿簽呈，然後逐層核閱簽署，一件公文動則需要經過許多主管官員和所謂有關單位首腦會章，纔能夠送到最高首長處寫上「如擬」二字，曠時誤事尚在其次，適所以大開貪污之門，何以見得呢？吾國現行法令多如牛毛，任何事項若要挑剔留難，皆不愁沒有法令根據；說來理直氣壯，振振有詞，當事人爲着減少麻煩，迅赴事功起見，祇好秘密對主辦人員和有關單位的執事者送紅包，用黑錢，非如此即休想通過，這便是集體貪污之所由來。最高主管首長之不肯者，亦有默坐分肥的。假使他廉正自持，不肯同流合污，亦無從整飭紀綱，剷除敗類，爲甚末？就因爲有「文官保障法」，有「人事凍結令」，主管首長無權降免一個科員的職位。過去曾有一位部長階級的特任官，發覺僚屬有貪污行爲，下令將他調任其他職務，然該員藉口文官保障法，抗不奉命，而掌理文官保障法的機關，亦替該貪官撐腰，認爲未經法院裁判有罪以前，不能隨便調動其職務。貪官與廉吏同受保障，即潔身自好者亦將改變觀念，不願再作晞飢號寒的廉吏了。於是乎，烏龜不笑鱉，大家泥裏歡，戲法人人會變，苞苴處處通行，集體貪污基礎乃更見牢固，寖且成爲合法的漏規，何足怪哉！記得對日抗戰時，滇緬路上由美國方面運來物資交與我國接收，對方只派遣幾個「軍曹」于役其事，毫無貽誤，我方卻要組織一個龐大的運輸處，有少將處長，上校副處長，中校科長，少校股長或組長，外加若干科員、雇員之類。現在的行政衙門，這套陳腐無效率的組織體制，故我依然，毫無改進，也就是助長貪污風氣的一大因素。簡化組織，集中職權，裁去冗員，增加待遇，實行分層負責，嚴禁「科員政治」，庶幾乎可望矯正頹廢的政風，實現廉能政府，而貪污瀆職情況必告改觀無疑。

三、賞罰關係

「罪疑唯輕」，「刑期無刑」，這種法學宗旨是對的，但不宜施之於貪官污吏，尤其不宜行之於亂世。亂世的人心總是人慾橫流，民情疲玩，而壞人乃特別放肆，非用重典不可，諸葛亮治蜀的政策，理應效法纔是。然而我政府在對日抗戰時期，尚能將貪瀆官員如中央兵役署長陳沛民、川省教育廳長揚廉，成都市長楊全宇等置之大辟，政風爲之一振，現時卻未見殺一重要的貪官，斬一累犯的污吏，貪風烏得而不盛行呢？明末政治腐敗，貪污如故，延儒罷相後門人周吏爲之醵銀廿萬兩行賄，復登相位。其他的官吏不問不知。滿清入關之始，首以嚴刑峻法懲治貪官，凡貪取十兩銀子的，除判處死刑，籍沒家產外，妻兒且收爲「官奴」，因而清朝初葉的政風相當清廉，史籍照然可考。一面以嚴刑懲罰貪官，而且議親議貴，決不瞻徇，同時以重賞獎掖廉吏，不惜破格超擢，示大信於天下，夫是之謂信賞必罰，虛僞不齒，風聲所播，觀感一新，廉頑立懦之功用，必卜大著。放縱貪官污吏固然要不得，懲治小罪而忽視元惡，更足以喪失人心，敗壞政府威信。咱們既可援用特種法制以究問普通民刑案件，何以對貪官又不以軍法從事呢？刑罰不中，是非混淆，所謂建設廉潔政府之說，幻想而已。

屋漏更兼逢夜雨

强烈對比

今日與明日

謝胡訪共區

毛共在極端孤立情形下，窮極無聊把小附庸阿爾巴尼亞總理謝胡約來訪問，以表示「我們的朋友滿天下」。

謝胡到了北平時，毛共驅迫了一百多萬人民出來歡迎，極盡殘忍之能事。謝胡在北平停了兩日，又去東北訪問，然後由哈爾濱直飛上海，周恩來陪着由東北到上海，鄧小平則由北平趕到上海機場歡迎，又驅迫上海出動六十萬人歡迎。如此隆重，表面看來好似煞有介事，但是嚴格研究起來，毛阿兩共黨究竟有什麼事好商量的？即使舉行十次會議，結果還是罵一頓美帝俄修了事！毛共所以如此作，仍然是爲了打破孤立，引阿爾巴尼亞以自重。

毛共攻擊泰印

毛共最近又把攻擊矛頭指向印度同泰國，它指印度侵佔中國領土，此是事實；但中國領土被印度佔了十六年，毛共過去何以不提，突然又在此時提出恫嚇。接着又指泰國出兵援越是作「美帝幫兇」，一定要自食其果。這類恐嚇口吻，不能看其表面價值，任何人都曉得毛共此時斷不敢再向印泰兩國插手，但是，也可能利用少數當地人士在邊境製造騷動，以困擾各該國政府。所以如此，還是爲了打破孤立現狀。

就當謝胡由北平而哈爾濱而上海時，劉少奇、周恩來、鄧小平三人均發表了攻擊俄共的言論，而且一個比一個凌厲。劉少奇只是攻擊蘇俄共黨實行修正主義，背叛馬列正統，周恩來則直指俄共新領導比赫魯曉夫更壞，鄧小平在上海歡迎謝胡大會上，則指蘇俄新領導甚弱，與周恩來的話稍不同。不問其眞實用意何在？毛共之反俄，似乎眞眞作到舉黨一致了。

何以這批高級共酋公然大肆攻擊蘇俄，恐怕還與爭奪毛酋繼承人有關，乘毛酋尚未斷氣時，作先意承志之舉。

美國要自重

毛共之反美已成基本原則，無論誰人當政勢必反美，美國到底、美國當局要認清此點，美國政客也要認清此點，不要信口開河，應爲自己國家留點體面。

如美國四大安人之一的曼斯菲爾（另三人原爲艾其遜，傅爾勃來、德摩斯，目前艾其遜已退休，羅拔甘迺廸應補入）忽然提議在日本或緬甸舉行越戰和談，美國當局也表示欣然同意，在局外人看來，實在是一個絕大笑話。談和是要敵對雙方坐下談的，像這樣美國人提議，美國政府贊成，與外國渺不相涉，除去讓毛共辱罵一頓之外，有何好處？（何如）

自由談

若干年前，有人表示過這樣的意見：住西式房屋，吃中國飯菜，娶日本婦女，乃是人生最優美的享受。前兩點到今日還是具有妥當性的說法，後一點却須附上「？」的疑問號了。二次大戰後的日本婦女，受着時代進化潮流的冲激震盪，思想大爲解放，對舊有那種絕對服從的傳統禮教，多半不復遵循，男女平等觀念，深中於婦女之心，認爲理所當然了。這原係屬於倫常道德的範疇，道德標準是隨着時代演進過程而變化的。

由於上述意見的啓發，我有兩點見解，似乎值得談談。我感覺做美國的老百姓，作中國的官員，是人生最幸運的事。美國人民在政治上的的確確享有「主人翁」的地位和權力，一個普通老百姓，因事隨時可以寫信給

人生的幸運

馮五先生

總統陳情或詢問，而總統不能置之不理，非答復不可。民衆當着國家元首的面，可以直呼其名，批評他的施政得失，而元首亦不能視爲大不敬。幾年前，俄酋赫魯曉夫訪美時，美總統艾森豪陪着赫酋參觀博覽會之際，被羣衆擠在會場角落上，無法走動，艾氏告語赫酋曰：「我們美國人民的權力，是凌駕總統之上的」。這話并非虛僞的門面語，美國老百姓確有見官大一級的權威，「架勢」之至。憑這類情形而言，美國的民主程度，視憲政之祖的英國尤爲高明，做美國的老百姓實在幸運極了。

至於作官的幸運，那就以咱們中國允屬世界之冠。中國素來流傳着官尊民卑的傳統思想，大小官員都號稱爲「民之父母」，經常騎在人民頭上，作之君，作之師。老百姓見着官就覺得自己渺小低微，不敢說甚末，總是表現着「老爺聖明，小的該死」的態度，雖受盡委屈，吃盡苦頭，還要陪着笑臉，歌頌官吏功德無量。人民依法請求官吏處理一項極微末的事情，縱然擱上一年半載，沒有下文，亦不能稍事質詢，致干未便。總而言之：官吏的權威至高至大，人民是爲政府而存在的，即使民意代表對官吏提起彈章，儘可置若罔聞，相應不理。作中國的官，眞是三生有幸，可以驕其鄉黨，官架官威十足，羨煞人也麼哥！

同是官民，其地位權力因空間而互相懸殊，形成兩極化，然彼此皆號稱爲民主政治，孰是孰非，難言之矣。

工商界一致欣慰英取銷附加稅
港產品輸英將恢復常態
去年輸英額減少種因即在附加稅
惟今後半年內港貨輸英可能再減

（本報訊）施行了兩年的英國入口附加稅，英國政府已決定在今年十一月取消，這是一項好消息，今後香港工業品輸往英國可有恢復增加的希望。

香港很多廠商認為，英國政府對於現行百分之十入口附加稅，由十一月取消，但提早六個月宣佈，這是英國政府有計劃的安排，第一、提早六個月宣佈該項消息，可以使英國商人逐漸疏通存貨，並且對於冬季及聖誕節貨向外訂購及運到英國都可在時間上有預算，庶免實行取消入口附加稅的時候，造成英國市場貨價發生動盪。第二、英國的經濟已有明顯的好轉，英國工業的改革亦有相當的成功，由於經濟好轉，不必繼續徵收百分之十入口附加稅，由於工業改革已有相當成就，可以應付外國的工業品在英國市場競爭。第三、在一九六四年十月廿六日宣佈，而於十月廿七日開始實施徵收百分之十五入口附加稅的時候，英國政府曾聲明是暫時的措施，到了一九六五年四月廿七日，已由百分之十五減為百分之十，再於今年十一月，這百分之十入口附加稅亦全部取消，這是英國政府分期取消入口附加稅的步驟。

在香港的立場來說，英國政府取消入口附加稅，是有良好作用的，不過，以目前而言，尚屬言之過早。雖然有些廠商表示英國政府取消入口附加稅是由今年十一月實行，但提早六個月宣佈，可能影響英國商人在今後短期內向香港訂購貨物減少，同時已經訂下的貨品，原定八、九月付船的，將會延至十月方能付船，因為十月付船運往英國的貨物，到達英國可以免徵百分之十入口附加稅，故此今年冬季及聖誕節貨對英國付運的時間將會延遲一個月至兩個月。但夏季貨物對英國付運現在將近結束，在今後三個月付往英國的貨物；大部份將不屬於有季節性限制的，英國商人亦將有一定的預算在十一月份以前把舊存貨以及七、八、九月運到的新貨迅速的沽出。

不過，很多廠商估計今後短期內英國商人或減少向港訂購工業品，甚至有人憂慮英國商人，乘機要求香港出口商與廠商將接單的價錢減低，以便與英國取消入口附加稅後，英國市場貨價刺激下降相抵消，但似乎是過慮了，因為英國入口商運到的貨物減輕了百分之十成本，祇是增加他們的營業利潤，不會把百分之十減低在國內市場推銷。故此，香港貨物對英國付運，預料八、九月份可能減少，但十月至十二月份將恢復明顯增加。

去年香港工業品輸往英國，是受到英國徵入口附加稅的影響而減退的一年，也就是過去五年內首次減退的一年。據統計報告，一九六一年對英國輸出工業品值五億八千九百萬元，一九六二年增至七億一千四百萬元，增加率為百分之二十一；一九六三年增至八億六千四百萬元，增加率為百分之二十一；一九六四年增至九億六千八百萬元，增加率為百分之十二；一九六五年突然減為八億六千萬元，減退率為百分之十一。預料今年香港工業品輸往英國將是恢復增加的。

（本報訊）英國宣佈取消入口附加稅之消息傳到後，本港工商界於欣幸之餘，仍不免有若干顧慮，例如不少出口商所表示，英國商行可能於十一月之前，只輸入足供市場最低需要之數量，因而使本港輸英數額反而縮減。在此種情形下，最受影響者為棉織業，因彼等今年配額之餘額，只餘十一及十二兩個月趕運前去，但能否充份使用配額，則仍有疑問。一般人士謂，就港英貿易言，此事對今後當屬有利，但工廠之經營，並不能如水龍頭之開關自如者。

香港總商會羅仕稱：此項宣佈對港英貿易勢將有若干干擾，但予商人以六個月時間擬訂將來計劃，亦屬佳事。對於輸英季節貨物，料將無嚴重變動，幷希望不致錯過聖誕生意。棉紡會主席安子介謂：從長遠而言，此舉當屬有利，但現時宣佈，則不免影響英商於今後幾個月內減少購貨。此外，安氏又指出，倫敦之宣佈，未有指明取銷日期，亦未有說明是否包括消費品。故本港若干商人已分函倫敦查詢。

又，香港中華廠商聯合會代會長林根成頃就此事發表意見稱：英國自實行徵收工業品進口附加稅以來，對於港產品輸入英國，影響甚大，若干製品輸英數值，顯見減少。吾人年來曾多次呼籲英國當局取銷此項附加稅，迄未實現，今據電訊消息，英國已定期本年十一月取銷，工業界人士聞訊，甚表欣慰。吾人相信今後港產品輸英及對英貿易，在明年間即可恢復加稅前之正常狀態。

港人消極反對天星加價
頭等客轉移陣地坐二等
「人爭一口氣，佛爭一爐香」

（本報訊）天星小輪自本月二日實行頭等二毫五分以來，連日天星碼頭都出現了一些可說是反常，但亦可說是正常的現象，就是有部份的頭等客，轉移往搭二等，尤其是上班與下班這段時間內的頭等客與二等客更是成了強烈的對比。二等不時出現長龍，頭等則不時發覺是門堪羅雀。

時鐘正指八時四十五分，尖沙咀碼頭的二等閘口前，約有數百的搭客正耐心的等候，他們都好像在作沉默的抗議，但排在二等入口處的人龍，似乎越來越多，這一羣人剛剛下船，後面又湧來一批。他們對頭等的閘口似乎不屑望一眼，只是耐心的站在龍尾，等待下一班船的來臨。

此外在人龍中記者還發覺了一個近乎反常的現象，就是站在二等排隊的搭客，似乎甚感驕傲，反觀有部份頭等的搭客進頭等時不少都加快腳步，似乎怕被人恥笑似的。這點可以說是反常的現象，亦可說是正常的現象。

為此種『正常』的現象，記者特訪問一些在二等排隊和走出來的搭客，請他們講述搭二等的身受。

一位西裝筆挺紳士打扮的男士說：「在過去我是坐頭等的，但我現在偏要坐二等；這並非一如『某人』所說無錢便坐二等，這祇為我不願意被人剝削多個『斗零』。我寧願將每日慳回的三角錢用去施捨乞丐，也不願意放入他們的口袋裏。」

一位西籍男子向記者表示：他是天星小輪的熟客，每天均要渡海返工，少數怕長計：以一年為例，在一年三百六十五日中除去五十二個星期日及十六個公眾假期日，餘下二百九十七日，自天星小輪頭等位增加收費為二毫半後，每日乘頭等來回一次，一年則需付出一百二十八元五角，若乘二等來回一次，一年只需付五十九元四角，比較之下，可以慳回七十一元一角。同時在時間方面，相信各人都知道乘二等可省回行斜路之苦，因乘便，何樂不為？」

這又是天星輪渡加價後故事的另一則：大約是五點多鐘，站在甲板上一對衣飾相當講究的年青夫婦，與朋友閒聊，那位朋友首先問道：「你們賢伉儷兩位，怎麼也擠到二等來啦？」那女的首先答道：「×先生，你有所不知，我們兩口子，都在中區做事，天星加價，雖說是加五分錢，可是小數怕長計，兩個人每天來回，也增加了兩角，而且如果以目前來說，改坐二等，兩個人每天就可省下六角錢，晚餐可以多一個小菜了。」

男的也說：「其實，坐二等還不是也一樣過得了海嗎？坐二等而且也可免卻走那長長的走廊，省得太太每天回去說走得腰酸腳痛呢。」

可是，「×兄，你光棍一個，為什麼也這樣省呢？」那朋友說：「老兄，你有所不知，我們都住在新界，每月光是火車票已化掉一大筆錢，每月坐船也得十元八塊，這年頭，百物漲價，又何堪百上加斤呢？」

且說：「即使我們反對，發起抗議也好，天星還是照加五分甚至，政府還是照准，也太使人難堪了，為了『爭口氣』，這口氣是難嚥下。」那夫婦同聲的說：「一對，人爭一口氣，佛爭一爐香，且看天星是否因加價而得減吧！」

天星小輪加價後，會否因加價減少，吾人還是留待日後的事實去證明好了。

美國走私猖獗
花樣無奇不有

（舊金山通訊）能把香烟帶出邊境，每天可獲「帶工」廿至廿五美元。這廿五美元在歐洲是一份頗為可觀的入息了，即使工作過程艱辛，也是值得的事。

與其他國際走私比較，香烟走私[illegible]

無需檢查行李，把大批的海洛英運入美國。技術是簡單的：外交官與黑社會的人定了價格，一個星期左右可以提貨。但是[illegible]嗎？

當然在有經驗的檢查人員來說，此外交官頗有運毒嫌疑。下次他光臨時，警方已準備妥當，在機場將他逮捕，搜出海洛英一大批。

今天最活躍的走私人馬是誰呢？航空公司的人員似乎是最卓越和優勝的，因為航錢到世界各地去，無遠弗屆，多數飛機場，准許航空公司人員自由上下飛機，海關不加檢查，縱然一向很忠誠的機艙服務人員，免不了要受容易到手的巨利引誘，環遊世界各地走私，他們帶的盡是容易收藏的名貴物品。

年前，有一家歐洲的航空公司，曾把主持遠東航務的大小人員，全部加以「整肅」，紛紛免職，因為他（她）們涉嫌與一個龐大的走私集團，把來自共黨方面的黃金與鑽石的市價壓低，結果除了荷蘭的金市與鑽石市場發生劇烈波動之外，其他自由國家未蒙受影響。

業餘走私客沒有遭遇海關請入房內細密檢查的問題，他們盡是面孔陌生的人，因而無數的名貴手錶，鑽石戒指及其他物品，順利通過關卡。奇怪的是反而好萊塢的大明星，被禮貌地請入斗室脫衣搜查，其實他（她）們的甚富豪，有充份的金錢打稅。可是欺騙海關似乎是一項遊戲。不過後來人們發覺瞞不過那些美國關員，例如，有一位好萊塢女星，堅謂行李內的舶來品，不超過二百美元，但是檢查員認定她一定有瞞騙，查出即使藉詞「遺忘」，與欺騙同等罪名。關員對抽稅比懲罰騙子更感興趣，當把所有的貨物發票集中起來，總計數萬美元，此女星由男友代繳罰欸一萬美元。恐怕是歷來，對中報失實罰款的最大數字的一宗了。

就海關方面的工作人員來說，任何人試圖避稅，就以走私客論罪，無話可說。庇護南美洲是私梟的來的港，一切從各地[illegible]

但是私梟的詭計，一被緝私者揭發，他們又再改出另一套。箱子的「暗格」仍是歷來被利用藏私貨的不變方法，不久之前，有一個可疑手提包內，抄出價值二萬美元的手錶一批。另一個運私貨的方法，是從加拿大及墨西哥運入美國，因為星條旗國與這兩個國家有貿易條例，較之對歐亞兩洲一切從寬，海關官員對於從該地入境的行李，隨意放行不施嚴厲檢查。因是大批「錶肉」從墨國偷運入美國。估計在邊境城市的墨西哥人，每人有十個「錶肉」，待機帶入美國，大概每年私運入美國的「錶肉」不下一百萬個。海關人員雖然努力緝私，但走私的人日多，大有不勝撲滅之勢。

直升機監視。實際上所有的國家都加緊了執行法律條例，緝私人員用各種新式的儀器，探查旅客皮箱內是否有貴重金屬（黃金白金）；秘密的電視監視設備，在遠處觀察抵埗的私梟的神色或者是聯絡的活動，另一方面是幫助發現走私客熟的孔。至於業餘的走私者，最容易從他們的神色，露出破綻。對私梟作戰是廿四小時不歇息的。

瀛海異趣談

美青年女歌星施特莉珊

·桑雅·

目前吃香的女歌星中，巴巴拉．施特莉珊是最成功的一個。她是天生的金嗓子，每一次演唱，都受到空前熱烈的歡迎，其情景使人想起米蘭的蒂波莉，或黃金時代的茱莉嘉蘭。她今天才不過廿三歲。她的長壽唱片，已有七張，但每張都銷售百萬這個數目。至於演唱，出場一次，她可獲得五萬美元。兩年來，她參加音樂劇「可愛女孩」的演出，每一場都是爆滿的。不久將來會全部搬上銀幕，屆時，她又有一百萬元收入了。明年初開始，她將在倫敦劇院演出。此外她與電視公司簽了十年合約，其總值為五百萬元之多。

是的，巴巴拉在歌壇已是天之驕子。她本人這麼對記者說：「這是值得興奮的；可是，同時我感到恐懼，我會不會一旦從天上跌了下來呢？」

她之成名，當然全靠聽眾熱烈捧場，但奇怪，她本人並不喜歡聽眾。在電視節目中，主持人要求她多唱兩首，她堅持說聽眾已把電視機關閉了。有次，她會這麼對經理人馬田說：「告訴那些聽眾走開吧，我憎恨他們，我憎恨他們呵！」但聽眾並沒有走，還等了半小時之久。她甚至表示自己的歌唱得不符理想。

她常常這麼說：「那些電視聽眾往往把我當作怪物，你們會這麼想，唉，她不會這麼偉大的。這種好奇心實在使人難受。」

在電視錄音時，她往往遲到的，她總抱着鬆毛狗的「莎莉」前來，手上還有一個布袋，裏面全是一些歌迷信件，她的照片，還有一些薄底鞋。

她對于音樂的旋律十分敏感的，唱完第一首後，她會這麼對指揮者說：「剛才後段的節拍太快，不能慢一點嗎？」錄妥後，她要自己聽一次。當她滿意時，她便堅持要錄一次，經理人勸她，「明天你會沙啞。」

她總這麼回答：「我要每晚唱過廿五首歌，每週唱八次，我從未沙啞過。」

于是，直至她感到滿意為止，她在錄音室已逗留四個鐘頭了。對她自己的歌曲如此絲毫不苟且，實在難得的。

巴巴拉最怕遇到歌迷包圍之類的情形，在街上發覺有人認識她，她便要設法溜之大吉了，她大聲的說：「我不喜歡這種自我陶醉。」

巴巴拉十五個月大時，父親便去世了，由母親辛苦地撫養她。後來，母親再嫁人，但巴巴拉不喜歡這個繼父。在學校時，她是一個沉默寡言的女孩子，讀書成績不佳，她說：「那時開始，我便想做演員了。」

現在，她本人卻搖身一變，成了歌星，這是非始料所及的。她最喜歡蘇菲亞羅蘭。她又說：「當我與馬龍白蘭度在一起時，我會這麼想，他這麼著名，我又怎會如是著名呢？」

英公主瑪嘉烈訪美時，在一酒會裏面，她巴巴拉照樣遲到。被介紹給公主認識時，她連「殿下」也沒有說出來，只說了聲「哈羅」。不過，瑪嘉烈對她說十分喜歡聽她唱歌，每一張唱片都有。當時，另一男歌星湯美史地站在她身旁，她問她為何遲到，她便這麼說：「噢，我被人釘住。」她這句俚語在公主面前說出，主人臉色很難看。她還說：「你們兩位在倫敦時便認識的吧？」這麼隨便說話，主人更不知所措。當時公主的感受如何？那是不得而知了。事後，她坦白說，當時她那種態度，全不是矯揉做作，只是拿出我本人的面目。

她最近說：「我不想在人家腦子中，我是歌星或明星，我只是巴巴拉。」去年，大英百科全書，也把我與披頭四的名字編入，稱她為七十年代的「潮流歌手」。今年一月份，她被選為全世界十大時裝女性之一。

今年冬季，她將環遊歐洲，第一站是巴黎。

她的丈夫叫艾署頓．哥爾，是一位演員。她常常說沒有他，便無法成功，她承認十分依靠他。

美總統詹森最頭痛的反對者　富布萊特其人其事

。本報資料室。

美國參議院的外交委員會，歷來都是國會內一個受人崇敬而具有重大影響力的機構。傳統上，每遇國家於危難之際，該委員會的主席總是與總統及國務卿和衷共濟，以解決戰時與平時的重大問題。已故的參議員范登堡於第二次大戰後曾經以共和黨人身份就外委會主席職權範圍極力協助民主黨總統杜魯門處理戰後美國的多項基本外交政策，如聯合國、北大西洋公約、馬歇爾援外計劃，對付共產主義的杜魯門計劃等。

另一已去世的民主黨參議員喬治，亦曾極力協助共和黨總統艾森豪處理關於台灣問題的決議案，當年為一九五五，正值中共擺出進攻台灣的姿態。此外，在一九五六年蘇彝士運河事件亦係一項嚴重危機，外委會主席的合作使行政當局得以安然渡過。

可是，現在的情形不同了，合作的時代似乎已成過去。但這並非由於兩黨合作的不如前，而是由於民主黨內部對當局的政策鬧分裂的意見。

一位曾經在國務院及國會方面担任擬訂外交政策的專家對當前的局面喟然說道：

「在美國歷史上，從未有過一個外交委員會的主席在戰爭之時，會與他自己的政黨之總統，有這般重大的基礎性歧見的。」

現任參議院外交委員會主席富布萊特，一向都是對行政當局處理外交政策極力抨擊的。差不多在詹森總統於一九六三年就職以來就是如此，雖則他和詹森同是民主黨人。

這位行將六十一歲的參議員曾經發表多次演說，抨擊美國在東南亞進行戰爭，譴責美國干涉多明尼加共和國，及指斥當局以政治與經濟的手法來孤立古巴總理卡斯特羅的辦法不當。

他主張遷就中俄共，他也贊同對東歐的蘇俄附庸國「建立溝通的橋樑」。

范登堡和喬治都是在委員會融和各方歧見，尋求可以協議之點，而協助行政部門發展基本的外交政策。可是，在富布萊特任內，外交委員會已變成個人的封邑，並且成為學府中辯論學說之所，各委員分裂為三四派之多。

某委員批評富布萊特，說他是一個教育家而不堪任政事的領導者；他是一個學院的院長，但做政事領導人，則不甚好。

一位外交事務的老練專家對富布萊特的批評是：「假如他具有與范登堡同樣的領導才幹，他將是一位卓越的外委會主席。他在外交事務上的知識比許多人都更好。可是他在參議院中永遠是個孤獨者，他從不像隊內的一員那樣，在內部做功夫。」

富布萊特是怎樣的一個人？他打的是什麼主意？

他會欣然對人自認他要影響美國的外交政策。他說美國的外交政策是行政部門裏面幾個人所定出來的，他們慣於引起輿論的注意。（上）

救總的六大任務

張蓋臣

中學生分發全省其他公私立中學就讀者一〇五人。其就業工礦，農漁，交通，教育，一般行政，新聞事業，影劇，醫護及養老，育幼，投親，與自行就業者共五六五人。因病死亡一人。另有七人或因病療養及其他原因，一時未能前赴工作崗位，現已分別陸續到職。

五、救濟金馬戰地災胞

金門、馬祖，不僅為台灣的屏障，亦是自由世界在西太平洋上阻遏赤色洪流的砥柱。兩島均地瘠民貧；金、馬諸島，尤時遭對岸匪砲轟擊，使居民作業更受影響。為期以後方支援前方，以民氣鼓舞士氣，該會歷年來對遭受戰災及各島貧苦同胞之救濟，曾不遺餘力。諸如房屋，食米，衣服，漁具及現金等之救助，炮災損失之補償，爭取國際宗教慈善團體救濟物資之捐助，以及商請美援撥款供應民用防空避彈壕洞一、三七五個之建築器材，及炮燬民房一、八三四間，國校八〇所之修建經費等。截至五十四年現金支出與救濟物資折價總計共達新台幣一一三、九二六、七六元。

六、支援義士奔向自由

中共迫害人民的手段雖然兇狠毒辣，但人民起義抗暴的行動和爭取自由決心，適與其暴政程度形成正比。從四十三年一月二十三日，韓戰反共義士（即中共驅迫的抗美援朝志願軍）一四、二四五人投奔自由起，凡鄰近中國大陸各自由地區，經久不絕地常有冒險犯難，來自大陸的反共義士。該會曾在金門、馬祖、香港、澳門等若干地區，設置接待站，支援他們入自由祖國懷抱。截至五十四年上半年止，經該會協助到台的人數，已達七三、〇〇六餘人。

上述六大任務，實施概況，僅係就該會成立十五年以來意義特別重大，功能較為顯著的工作，擇尤舉例。他如歷年呼籲聯合國，多方爭取國際援助，得使百萬流亡港澳難胞，成為聯合國難民高級專員之救助對象；使流亡印度西藏難胞及流亡中東與東南亞各地之廣大中國難民，獲得自由世界之重視與關切；響應總統號召擴大救濟大陸饑餓同胞，且獲海內外人士踴躍捐助等，在在均適合該會所揭櫫的兩大工作目標。（三・完）

新三國

周[illegible]詩著

老賊聽信望氣的官兒說，最近當有大臣被殺死。老奸巨猾的董卓恐怕應在自己頭上，於是他心生一計，想以別人代之。張溫這個人也真是倒楣了。他本來做過老賊的頂頭上司，現在老賊的官位極於人臣，對他這位以前的上司有些不順眼，預先使了一個心腹人誣告張溫和袁術勾結，把張溫綁赴十字路口，用竹棍活活打死。

老賊故立苛法，愛憎淫刑，致使因之而被誣冤而死者，不計其數。百姓惴惴，道路以目，到處都是特務。老賊壞事做盡，好名釣譽。他還命司隸校尉觀察民間，有吏民為人子而不孝者，為臣不忠者，為官不清者，為弟不順者。有這些行為，都犯死罪。如此一來，民間互相指控，愛憎互起，老百姓冤死者不可勝數。這一招是老賊怕有人反對他，而作此愚民措施。不忠的該死，這是他對部下的警告，暗示你們不能造反。做官不清的該死，他自己收刮天下財物於一己，這卽是說「天下人該廉節，我一人該貪汚」！老賊的汚史，記載於史冊，眞是中國歷史上的一大汚點，也是中華民族的恥辱。日本就有史家批評中國歷史是「一包濃血」，這不是有可徵的事實嗎？

老賊到此已是惡貫滿盈，大數已盡。他殺了張溫，就種下了「死根」。張溫之子張伯愼，矢志為父報仇，他與司徒王允密商，安排除害妙計，老賊完全不知道。

殺老賊是一件大事，計劃參與的人不少。戲劇與小說寫得都十分精彩的。張溫之子並不是殺董卓的主角。主謀是王允。王允字子師，太原祁人，世代做地方官。郭林宗說他有王佐之才。十九歲做郡署僚官，拜豫州刺史；何進請他做過從事中郎，轉河南尹。獻帝即位，拜為太僕，又遷尚書令。初平元年，代理楊彪為司徒。董卓挾天子遷都長安，他收檢了蘭台石室中圖書祕笈，以及重要文物，效蕭何故事；又收集漢代舊事，所當施用者，一一奏上，經籍文物得以保存，王允有功。在老賊尚留洛陽之時，朝政大小，都委之於他，王允在老賊面前矯情屈意，每相承附，老賊也把他當作腹心而不疑。後漢書說他「得扶持王室於危亂之中，臣主內外，莫不倚恃」。後來，王允見董卓罪禍日深，逆謀未已，他才開始與司隸校尉黃琬，尚書鄭公業等，共同謀劃誅董卓。首先把護羌校尉楊瓚代行左將軍職務，把執金吾士孫瑞（複姓）外調為南陽太守，並帶兵出武關，以討袁術為名，實際上是分路征討董卓。老賊確實算得上是老奸巨猾，王允稍為一動，他便起了疑心，故意把外調二人留下。於是，王允只好把他二人內任，以士孫瑞為僕射，楊瓚為尚書，這是獻帝初平元年的事，可見王允之謀誅董卓是在老賊未殺張溫之前。再到初平二年，董卓還回長安，計入關之功，王允封為溫侯，食邑五千戶，王允固辭不受。還是士孫瑞勸他才接受了。這不過故意做給董卓看的，不過俸祿減為二千戶。由這點看來，王允尚能心體民生疾苦。

到了初平三年的春天，接連六十天沒有下雨，王允與士孫瑞、楊瓚等，登台求雨，就利用這個機會重結前謀。（卅一）

自由報

復定公（續）

再尊者國劇命運篇，談到國劇提倡用北平音，是亡了上去兩聲，從此四聲一齊淪喪，僅存平聲，腔調也不倫不類，提倡之人，實在是欲用夷，難道與匪看齊，是千萬不可以的，極高明，極深刻，與我有同見。猶如近據新聞報告，國產片流到美國去，華僑均不喜聽梅調，賣座紀錄不佳。也可見靡靡之音，不能持久也，然耶否耶！

國劇繽紛續錄

姿樂生（二十七）

船乎！靠也！

上月杪，由國劇欣賞會舉辦慶祝蔣總統連任晚會，集台北市一流名票，演出龍鳳呈祥，確乎盛極一時，多采多姿。但有兩點，是他們改頁的，不知其用意何在？與那位名伶之本子？茲提出談談。

當喬玄命喬福送柬黑藥給劉備，當然給賞，喬福大樂，連續兩次，收了兩錠銀子，但是喬福貪得無厭，尚想向趙雲再索，結果碰了釘子，很掃興，他就說：荊州來的客人就差勁了。這段科諢是因荊州而起的，究竟大方。非荊州來的，就差勁了，此次劉德俠的喬福却說坐船來的，很大方，坐水船的就差了。以船改州，不知何意？船來究劉備過江確是坐船的，不知與水船有何分別？也許我不清，此船的意義，煩想請教。

甘露寺的侍從武官趙雲，多穿開氅，此次改着箭衣帶劍，張，據說這已故陳鴻年有此主僅相親一場，即普當所云，喬玄主張，內穿鎧甲外罩袍褂，乘鞘棄劍了！不過從前在北平看此戲多次，楊小樓在前面並未穿靠，到同荊州始穿靠，表示招親是喜事，不是去臨陣。當然票友玩戲，可以稱心所欲，並不限定式，是無所謂；不過看了，提出點兒，並非想究而已。也想請名家指點，怪我見得太少也。

北校聯誼會

在梨園行同人祭祀祖師的一天，據說有人提議組織前北平戲劇學校旅台同人聯誼會，約計有十八人，雖說不多，也不算很少，以「德和金玉」四科排，如高德松、吳德貴、周金福、李金棠、牟金鐸、白玉薇、趙玉菁等比較著名；就是和字輩無人，如果在聯誼會組織，則生旦淨丑，到是不缺，大可演一場。問題在於戲碼如何精選？且看組織以後，有無苗頭。傳言由玉菁外子惠峯在策劃進行，但望其有成。（未完）

「掘詩者」的故事

若翰譯

我坐在墳頭的墓碑上，正想休息一會子，驟然地，一道明亮的電筒光，照在我的身上，隨即一張嘶啞的聲音說：「你在這兒幹嗎？」

我立刻站起來，靠在那柄插在土上的鏟子，直接的回答：「掘墓。」

「掘墓，」那聲音跟着又喝：「很辛苦吧。」

「不，」我回說：「泥土還很鬆軟。」

「那是個新墳墓哩！」他們來時，我沒有聽到。現在，於皎潔的月色下，可以看到他們的身形，他們一共三人，其中兩個警員，第三個無疑是墳場管理人了。

管理人說：「他大概是來盜墳的，要不是我到處找尋我底犬兒，發現了他，通知你們來，準給他溜掉了。」他說着向下看看：「他只不過掘了一呎深而已，看來還有很深才見棺材的。」

一位警員穿着高級警目的制服，他向我禮貌的問：「閣下究竟掘什麼，是墓嗎？」

「警長，當然不是啦，」我說：「你也知道墓園不是長在土裏的。我要掘的是一首短詩。」

他們聽了我的話，頓時寂然起來，顯然他們爲我的回答而奇怪。「那是一首詩，警長。」

「我知道這一首詩，」那高級警目有點火光，我曉得那是爲他自辯的一種語氣。

「不妨告訴你，警長，」我說：「當蜜非逝世時，我感到心灰意冷，於是寫下一首詩，描寫我底沮喪的心情，我的靈感完全失落了。但事實上，那是寫得最好的一首詩，以表達給她的敬意。詩成後，我一同殉葬禮物之放在她底棺材裏。」

「所以現在要把它掘起來？」

「是的，警長，」我說：「因爲我發覺不應過於自私，把蜜非的風範，只埋於我個人的記憶裏，應讓世人知道她的美麗、仁慈、高貴。所以我要取回那首詩，道樣你可准我道樣做？」

警長把他底助手看了一會，然後回顧看着我：「這究竟是什麼一回事，你們難道忘記了寫過什麼句子嗎？」

我搖搖頭：「不。」

「你當時沒有想到一張炭紙？道樣，不是可以省了許多麻煩。」他把手中的電筒，用手抓頭：「我從來……」

幸得很，我的記憶力尚好，簡射在墓碑上：「你差得很，即使我自己寫過的詩歌，也是她的丈夫嗎？」

「不，」我回答說：「我是仰慕她的人。」

他有點不相信：「你當時……而已。」那位高級警目感到十分驚訝的。

沒有遇到騙子的。你這番話，我不大相信，我懷疑你是個盜墳賊。」說完即緊捉我的臂：「好吧！讓你見我們的探長，由他發落。」

於是我被帶返警署。等了許久，才給帶進衛爾遜探長辦公室，他正看着一些文件。他見了我，獲悉原委後說：「我看需要把你交由精神病專家檢驗，但是我先向你試試。」他直看着我：「你聽過戀屍狂這個名詞嗎？」

「當然聽過，」我說：「但我不是戀屍狂的。據我所知，一具死屍便是死屍，那還有什麼？而死者的靈魂，精神，已經升了天堂，那是不大重要。」

「但是你的詩句眞的在她棺材裏？」

「當然啦，這才麻煩！」（上）

朱元璋二三事

漁翁

明太祖朱元璋，字國瑞，濠州鍾離東鄉人，先世居沛，後徙句容，名朱家巷。曾祖初一公，隱居田里，爲一鄉之善士；徙家渡淮，居泗州。父世珍，母陳氏，生子四，元璋其季耳。

元璋幼極貧，十歲徙西鄉，既長，鳳目龍顏，兩耳垂肩，奇骨貫頂，不但爽質聰穎，且郈然有大志，每過閭塾鄉校講說詩書，必低徊聽之而不去。一日，有儒士數人講學，以微子、微仲、王子比干、箕子、膠鬲爲六人，元璋從旁插嘴曰：微子王子箕子，所封爵與國也，微仲比干膠鬲，是人名。衆皆愕然！

元至正四年，旱蝗大饑疫，時元璋十七歲，父母與長兄，相繼而卒，遂遭三喪，又値歲歉，貧不能葬，鄉人劉繼祖與以葬地，始完成死葬之禮，即鳳陽祖陵也。自後元璋與仲兄二人，形影相弔無以爲生。仲兄又因饑驅而他徙謀生。元璋無家，則乞食於「皇覺寺」，該寺在鳳陽縣南二里。後太祖得天下，改皇覺寺而爲「龍興寺」焉。

元璋初入寺時，該寺主持僧高彬見其年少聰明，甚爲重視之。旋因歲歉，所入不足以供衆食，盡遣其徒口。元璋入寺僅兩月，而罹此饑荒，徬徨三思，出則無一藝之長，平生艱苦，莫過於此一時期。事見「皇陵碑」。

不已，乃遊食於合肥，六安，歷光固汝穎諸州，風塵僕僕，不勝飄泊之感！過臨淮時，有郭山甫者，見而驚異之，亟具饌與之交歡，酒酣起上修陳天表之異，他日貴不可言，幸無相忘。山甫私與諸兒曰：「吾視若曹，皆非田舍郎，但可封侯，今始知皆以此公耳，宜謹事之。」事見「皇明從信錄」。所謂貴不可言，而諸兒賴以封侯，則預知日後必有九五之尊，可謂善相者矣。

時元末政治腐敗，人民恨之切骨，元璋乘此時機，結識四方豪俠，密圖反元，奔馳於濠定之間，得志同道合之壯士勇夫，如曹聚、周德興、徐達、湯和、吳良、常遇春等，皆具有戰勝攻取之能力，元璋賴以得天下。論者謂其善將將，信然。

元璋自十七歲起，苦心焦思，密圖革命，達九年之久。迨郭子興起兵濠州，自稱元帥，元璋以爲請纓有路，乃投身入伍，時年二十有五。子興初見元璋，奇其狀貌，留事左右，命長九夫。嘗指與謀事，凡攻討命以往，戰輒勝。子興愛之，乃以所撫馬公之女妻之，即日後之高皇后也。

（上）

虯髯客傳

「影劇與歷史」之二十一

周遊

虯髯客又一面用刀子切仇人的心肝啖酒，（眞是豪氣！）一面問道：「觀李郎的儀形器宇，眞丈夫也。亦聞太原有異人乎？」李靖就告訴他，太原有一個人，可算得是當今英主，其餘不過是將帥之才罷了。虯髯客要李靖介紹。李靖說：他的朋友劉文靜和李世民很熟，可以替他介紹。於是虯髯客約李靖與紅拂在汾陽橋下相會。「言訖，乘驢而去，其行若飛，迴顧已失。」寫得出神傳奇極了。

李靖及期入太原，他們果然在汾陽橋下相見。於是同訪劉文靜，詐說：「有善相者，思見李郎君，請迎之。」文靜信以爲眞，派人去請李世民。原傳寫李世民相見的一節，十分傳神：

「不衫不履，褐裘而來，神氣揚揚，貌與常異。虯髯客也居末坐，見之心死！飲數杯，招靖曰：『眞天子也！』……」既出，虯髯曰：「吾得八九矣。也須道兄見之。」

虯髯客與李世民第二次見面仍在劉文靜家中。但突然多了一個道士。他看到李世民後心死了八九層，但還須他的道兄證實。原文云：「文皇（李世民）看棋，道士對文靜奕，虯髯與公（李靖）旁侍焉。俄而文皇到來，精彩驚人，長揖坐，神氣清朗，滿坐風生，顧盼煒如也。道士一見，慘然斂棋子曰：「此局全輸矣。於此失却局哉！救無路矣！」罷奕，請去。既出謂虯髯曰：「此世界非公世界，他方可也。勉之，勿以爲念！」虯髯已奇，道士更奇中之奇。這篇「虯髯客傳」充滿着傳奇氣氛，步步引人入勝，可使讀者着魔而不自覺。終於看到虯髯客富埒王侯的府第，而他竟傾家蕩產相贈，使李靖「得以助文皇帝締構之資，遂匡大業。」他目光已轉向外發展，據說貞觀十年，南蠻入奏：「有船千艘，甲兵十萬，入扶餘國，殺其主，自立，國已定矣」。李靖就知道是虯髯客成功了，歸告張氏，瀝酒東南拜賀。

這篇文章創造出來的傳奇人物——虯髯、道士，主要目的在烘托李世民這位眞主，其實是尊皇擁藩。杜庭光也是當時的大作家，他替開國之君捧場，暗示這個帝位出自天授，要老百姓心悅誠服。並且借虯髯客甘拜下風，好叫那些妄想問鼎的野心家早死了那條野心。不過作者寫得非常技巧，使讀者醉心於那些傳奇人物的神彩，而不覺其爲一篇宣傳品。如他借虯髯之口說：

太原之李氏，眞英主也，三五年內，即當太平。李郎以奇特之才，輔淸平之主，竭力盡心，必極人臣。一妹以天人之姿，蘊不世之藝，從夫之貴，榮極軒裳。非一妹不能識李郎，非李郎不能遇一妹。」而所謂雲龍風虎，原非偶然之物。作者最後簡直坦白地說：「乃知眞人之興也，非英雄所冀，況非英雄者乎！」自然那些謬思作亂的人臣就此可以休矣！但因此，紅拂妓是否和虯髯客一樣，也是杜庭先創造出來的傳奇人物呢？這就難說了。而其中的李世民是不用說了，是開國眞主，而李靖在唐初是了不起的人物，功勞極大，將才可與韓信並駕齊驅。現在湖南醴陵有紅拂墓，究竟是否爲一代奇妓紅拂的眞塚却大有問題。

（二）

六種夢境及其釋義

依樺

心理學家佛洛伊德說過：「夢是人類慾望的發洩。」這句話，沒有錯。在日間，我們往往工作過勞，過到許多不尋常的經驗，在晚上，做夢便成了最自然的發洩了，變成了情感的安全活門。在日常生活中，我們有時忍不住發脾氣，那麼，發脾氣就是情感活門的一種。

不過，在夢中，我們比發脾氣還更自由，因爲我們的腦神經不受任何習俗的牽制，於是可以痛快地笑，痛快地哭。我們下意識的腦袋把希望、恐懼之類變成奇怪的象徵，內容有些是帶來興奮，另一些使我們頹喪不已。有時，夢境只曇花一現，數秒鐘之後，我們便忘記了。不過，有某幾個情節，可能使我們整個月內都無法遺忘的。

閣下入睡時，會頻頻做夢嗎？而且，那種夢境不時重複出現的，對嗎？據心理學家的實驗結果，已指出，現代社會人們常常愛做的六種夢境，內容與釋義如下——

（一）與隱身對手爲敵。做夢者自然會感到陷于危險地帶，不時喘息，彷彿與黑暗中進行，手爲敵。對方顯然是無形的，但來勢甚兇，有時，過程看不見的對手，這是一個恐怖的夢，背景往往是在半還有刀槍的對手眞實，但有時，赤手空拳打鬥。這種夢，表示什麼呢？那個隱形的對手眞實，但有時不是別人，而是自己。這種夢，少年男女常常愛做的，已眞正當他們投身於社會或初次墮入情網，因爲它反映出恐懼或嫉妒，嫉妒自己心愛的人，恐懼失去他（她）；嫉妒第三者受老闆的靑睞，恐懼自己失業等等。

（上）

自由報
THE FREE NEWS
第六五一期
中華民國僑務委員會頒發
台教新字第三二三號登記證
中華郵政台字第一二八二號執照
登記爲第一類新聞紙類
（半週刊每星期三、六出版）
每份港幣壹角
台灣零售價新台幣弍元
社長：雷嘯岑
督印人：黃行衢
社址：香港銅鑼灣高士威道二十號四樓
20, CAUSEWAY RD 3RD FL. HONG KONG
TEL. 771726　電報掛號：7191
承印者：大同印務公司
地址：香港北角和富道九六號
台灣分社
台北市西寧南路壹壹零號二樓
電話：三〇三四六
台郵撥儲金戶九二五二

太空競賽的原因及對人類的影響（上）

·祁倫·

：無可否認的，自從史潑特尼克一號發射成功後，這個世界便激起了情感上的很大衝動，除美國急起迎戰外，英、法、意、日、加拿大、以色列等國也先後發射人造衛星及太空火箭，更多的國家也在從事有關太空的科學理論及技術研究。他們不顧卅三億人民中爲數十一億的飢民問題，也不顧卅五年後將超過百億大關的人口膨脹壓力，全都被情感推動着從事激烈的太空競賽，這到底爲了什麼？其給人類社會有又那些影響？他們果眞全都失去了理智？他們耗費龐大人力、物力、財力參加太空競賽的眞正企圖是什麼？本文試就這些問題作一分析。

太空競賽的理由

人類之所以努力不懈要堅決的進軍太空，可以歸納爲人類天性、個人私慾、團體榮譽、國家面子、政治權力、軍事需要、經濟利潤、以及文化發展趨勢等八大因素來討論。也就是這八大主要原因才構成太空競賽的理由。

（一）人類天性：人皆有好奇心，夢想，以及征服的本性。在舊石器時代，我們的祖先就對環繞他們的宇宙萬物進行充滿恐懼的探索；特別是覆蓋在頭頂上的天空，衆多的神話是他們征服慾的精神勝利。其後，人類開始穿越叢林，攀登崇山峻嶺；又發明舟船橫越遷徙於世界海的大陸塊。從一七八三年汽球時代，一八八七年飛船時代，到一九〇三年飛機發明後的航空時代，人類緩慢而謹愼地一步步征向高空。又設計很多儀器探測海底世界，並對那些極其細微不能以任何方法觀察的東西也能尋繹其定律；還特別製造大而又大的望遠鏡以窺探太空的奧祕，並一再對其仰不可及的星空建立理論的基礎。一九五七年七月一日，全世界開始爲期一年半的集體探測宇宙新奧祕，一百多個國家的科學家，分在地球各處運用各項儀器觀測太空奇景，這個稱爲國際地球物理學年的大規模開拓太空事業，表明了人類征服的本性和雄心。這一年，也就是一九五七年十月四日蘇俄發射人造衛星成功之前，國際間便組成了一個叫「宇宙旅行世界協會」的組織並在很多國家成立分會；這些會員不但有旅行宇宙的雄心壯志，而且正在把這些星球收買據爲已有——該會規定凡加入的國家應首先聲明要佔有那個星球而享有該星球一切權利——美國選擇了月球的主權，日本則要去了火星：……。這眞是一個奇異的契約，却也證明了人類征服的天性。同時，也說明人類生而具有不可滿足的征服慾，人們樂意爲滿足此慾望而作一個探險者，過去如此，現在如此，將來亦復如此。

（二）個人私慾：人皆有保護自己生命，維持生存，爭取名利的私慾；循之正途，乃促成自己和人羣的進步。人又都是充滿了唯我獨尊的排他性的；循之正途，當有益於人類文明。如人無私慾，則缺之進取心與責任感矣！知識與科學的進步，需要一羣「不滿現狀」者，不甘心臣服者的「英雄」行爲。我們不應誤私慾即自私自利——自私而不害人，自利而能利他，這樣的私慾爲人類社會進步的動力，爲人類所必須，而且一直到永遠的未來！有人問素有「飛彈之父」的布勞恩（Wernher Von Braun）博士說：「什麼原故使你對飛彈的研究有這麼高而濃的興趣？」答話很坦誠直率：「我不想作一個平凡的人」。如果他沒有名利慾，他便不會辛苦地爲美國發展飛彈矣！如果人人都是只圖動物式的生活，世上那有創造發明與革新？太空競賽至今爲時才九年，其科學工藝技術的成就却空前輝煌，得力於每一位參予者的私慾產生的動力，這是不爲一般人理解的現象！因爲國家到底抽象，而自己與親人才屬現實！

（三）團體榮譽：人人憎惡那種只想把整個世界囊括爲已有的人；人人痛恨把宇宙的存在視作只是供給他舒適、安全、和舒服的人；人是隨着團體而生存，生活的人。團體不容許有人把良知蒙蔽起來唯利是圖，因爲每個團體都各有其遵循自然規律的偉大目標！爲上帝（即神，亦即自然規律），爲自己同胞，爲人類的正義和眞理，團體要求每一組成份子爲了崇高的目的而肩負起他的責任去完成使命。這樣，他才被人尊重而享有他應得的榮譽與權利；而他所屬的團體——從家庭到國家以迄聯盟集團——也便分享了他的榮譽。在這科學技術的知識時代，一個團體的優越地位，是由於舉世共睹的科學與藝術之卓越成就來衡量的。姑不論這種衡量的基礎是否穩固，標準是否可靠，但是面對事實，世人便不能無動於衷。今日這個世界上的人，可以分爲兩類：一是崇拜有知識的人，一是運用知識的人。太空競賽的參予者，是屬於運用知識的人，旁觀者是一羣崇拜的人！因此，今日的個人、團體之聲望，便建立在豐富知識的運用成就上。如此循環結果，知識便日新又新，成就也便越來越大了。這情形，可由蘇俄一再搶先完成的許多太空工藝使其國際聲望與世界事務影響力增高，得到證明。

（四）國家面子：與基於人類天性，個人私慾，和團體榮譽上的集體好勝心，便是國家面子；戰爭的起因在此。文明的進步在此。蘇俄搶先發射人造衛星後，美國便急起直追，故總統甘迺廸就公開要求全國—爲了美國的面子和安全，我們必須在一九七〇年前搶先送一組美國人去月球並安返地球！」因而國會一致通過以四至六百億美元，用作搶登月球的經費，百分之八十的有關科學人才、技師和工廠及公私實驗研究單位動員，在美國航空總署四週，共同履行對國家的義務：有人放棄高薪；高職；有人拋妻別子；有人越山穿嶺（探測油礦）；有人甘居荒野基地；有人絞腦汁；有人流鮮血：……爲的國家面子（公共利益）——只是美國受到史潑特尼克一號的打擊；使美國的尊嚴受到嚴重刺傷，因而毫無選擇地負起保衞及維護國家的責任——這種負責的精神乃人類天性的自然流露，使人們必須自己使用自己特有的才能來求自己、家庭、及國家的不受污辱和傷害！因爲我們每人都是和家庭及國家連結在一起的。

傷心之至

撤退

今日與明日

毛共三次試爆

毛共於五月九日又在我國西部爆了一枚核子裝置，自稱是熱核子，威力當較上兩次爲大。因爲是空中試爆，所以對人類健康的傷害也特別大，與我國交界的國家已十分緊張，恐怕被輻射塵所染，只不知我國北方及西部各省人民何以活下去？一念及此，毛澤東之肉尚足食乎！

毛共此日試爆核子裝置，對世界和平，人類健康均無好處，自不待言。究竟對毛共本身有何好處？亦不能不打一個問號。

就毛共目前經濟狀況而論，自難支持此一巨大試驗工作；對國外來說，所發生的後果也顯而易見：就是原本反共的國家，只有更加團結一致，與美國密切合作，以對抗毛共的原子威脅，至於本來所謂中立的國家，對毛共此種悍然行動，內不疚神明，外不畏清議，竟在舉世禁試核爆時，空中爆炸，對本國人民的生命健康尚且不顧，更何有於友邦！所以毛共多試爆一次，鄰兒的國家必然少了兩國，去年外交所以慘敗，未始不是受了核爆的影響。

我們不能置之不理

毛共試爆三次核子裝置後，周恩來馬上就揚言決不與美國作戰，決不先用原子彈。這完全是賊心胆虛，先自表白。毛共無力也不可能與美國作戰，全世界的人都看得清清楚楚，豈待周恩來自說。至於不先用原子彈，則是因爲毛共目前的原子裝置，距離能用之途尚遠，但是却恐怕美國先發制人，炸掉它的核子裝置，所以先安個伏綫，使美國人放心。

美國當然不理會毛共這類試爆；在美國科學家看來，不過是小學生的玩意，假以十年，也未必便能炸美國。若炸美國的盟邦，只有招致美國更大規模的報復。美國自不會將毛共試爆看在眼裏。

但美國可以漠然視之，我們則不能置之不理！因爲毛共此種試爆，對我們害處太多。

第一，此種空中試爆原子輻射塵，以最保守的估計，受影響的中國人也在一億以上，比較英法兩國的人口還多，都處在輻射塵感染下。這是歷史上最大的謀害事件，而受害的全是中國人，中國政府安能置之不理？

第二，毛共一旦製成了核子武器，必然四出闖禍，一旦發生了大戰，不論對美對俄，必然是原子大戰，到時中國成新武器試驗場，人民尚有噍類乎？以上皆爲致命之點，無論從那個角度看，都要炸掉它的核子裝置！（何如）

自由談

發展科學之道

馬五先生

吾國「長期發展科學計劃委員會」，最近決定以高薪金待遇——每月美金乙千二百元——聘請旅居美國的中國學人回到台灣講學，消息傳出，登時引起輿論界紛紛責難，甚囂塵上。

我認爲薪金問題尚在其次，最重要是效果如何？邀約海外的學者專家回來講學，當然是以科學爲主，如果設備簡陋，器材與助理人員多不完備，環境扞格，實驗光是動嘴不動手，很難相信他們來講幾個月學，就會對科學發展前途，具有意想不到的效力，而比較國內的學者專家强得好多！結果將是利未見而弊已發生，國內的學人自慚形穢，興趣索然，相率別求出路。上焉者遠走高飛，赴外洋安身立命，以俟他日再受聘回國講學，得享高薪待遇，名利雙收；次焉者敷衍塞責，不求有功，甚至一怒而撤去皋比，深悔過去不該回來作廉價的知識販賣，愛國適所以自暴自棄，晦氣之至。

科學建設并非易易，必須具備着相當的基礎和條件，按部就班，相互配合。例如中央研究院所藏的甲骨、鐘鼎之類的古代文物，爲甚末不可以公開教一般學者專家普遍鑽研考究，提出見解，而只讓少數人專鑑賞之利呢？沒有發展科學應具備的起碼條件，光是請些海外學人回國來作學說講演，無論長期或短期，都是花瓶作用，不會發生實際功效的。談科學不是玩政治，稍涉宣傳意義，那就不足觀也矣！

一千二百美元的月薪并不算高，在海外的第一流科學人才，未必看得上眼，而樂於回來講學，次等人才又無須向海外尋求。倒不如把預算中的這筆費用，作爲若干對科學方面確有專長的學者專家們的研究費，增益其生活水準，課以一定的任務；同時聘請在海外學人歸國担任各最高學府的科學講座，照樣另給研究費，待遇一律，無所厚薄，皆以月薪一千二百美元爲標準，這樣豈不更妥當嗎？

我極端贊成發展科學，更不反對多花經費，問題是要有實效，少流弊，尤其不能藉發展科學作宣傳品！

政治季節的風聲

人事動態種種傳說 行政體制亦將革新

（本報台北通訊）今年的五月裏是政治季節，因爲我國行憲後的第四任總統於五月廿日正式就職，國際上若干友邦屆時皆派遣特使來台觀禮祝賀，而國內的各級行政機構，人事與體制亦將有所更張。

最近本報對於傳述中的新任人事消息，曾經約略報導過，現在記者再將日來所聽到的馬路新聞，補充敍述一下，對不對且待事實證明罷。行政院長若非仍舊由嚴靜波以副總統兼任，即是由徐柏園出馬，殆屬必然的趨勢。政院所屬各部會首長的人事動態，原任教育部長閻振興調任台大校長或交通部，據說已經內定。唯繼任人選尚傳說不一，但決非張其昀捲土重來，因張氏近奉命出國考察，爲期頗久，則已在擇一之中。下月即可成行也。國軍退除役官兵輔導會主任趙聚鈺的經濟部長呼聲雖高，如果實現，未來的警總人選，夏季屛（現任安全局長）是極可能的候補者。考試院長莫德惠年事已高，將以元老參政，而由現任司法院長謝冠生移長試院，新任司法院長則有孫科之說。總統府秘書長張岳軍，盛傳其將承乏黨副總裁，原甚恰當，唯副總裁須經過黨代表大會推舉，此刻黨代表大會並無召開的安排，尚談不到，張岳公似難卸去現職。國民大會秘書長谷正綱最近曾經兩次提出辭呈，未奉允許，且預定他再兼任國民大會憲政研究委員會副主任（總統兼主任），以示倚畀，谷氏雖欲別圖發展，徒喚奈何！

按照國大會議新訂的臨時戰亂條款，總統有調整中央行政機構的權力，將來首先調整的似係銓敘部，原因是在使新人能夠破格爲國家服務。該部雖不撤消，然職權將告縮小，擬在行政院設置「人事局」，即由人事局綜持一切，不受嚴格的銓敘法規限制，新人即可脫穎而出了。還有「光復大陸設計研究委員會」組織龐大，人數衆多，除全體國大代表盡係該會委員外，另又聘任了不少的各界知名之士，性質有如滿清時代的「詹事府」兼「光祿寺」，閒職閒曹，徒糜公帑，衆議如不裁撤，即可歸併於國民大會的「憲政研究會」，比較合式，大概政府將採取歸併政策，理由是若干非國大代表的委員，都屬綽具資歷的老人，他們的俸給，一旦停止，對其生活不無影響，殊非養士之道。現有的「國防會議」組織法，連年來立法院再三要求必須經過立法程序，今後中樞設立動員戡亂委員會，職權等於對日抗戰時期的「最高國防委員會」，內部組織亦將擴大，應否經過立法程序，這是次要的問題了。（五月七日怡民於台北）

美共和黨下屆總統候選人 尼克遜東山復出機會甚高

華盛頓通訊

美國共和黨自一九六四年大選中再敗給民主黨後，該黨已陷入支離破碎局面，派系間糾紛益爲劇烈。它的當務之急，不僅是迅速將內部派系的創傷彌縫，重建黨的政策與聲譽，最使人關心的是：一九六八年共和黨總統候選人究將是誰？

這個人必須兼備平息黨內派系紛爭及獲得全國選民擁戴之才能。據一項全國性調查統計，共和黨的領袖們一致的說，尼克遜將是共和黨兩年後的總統候選人。另一百六十四位共和黨重要人士中的百分之四十六，亦預測前副總統尼克遜將被提名爲總統候選人。

據調查報告，共和黨對一九六四年大選遭受的慘敗一未能忘懷。尤其失敗後給黨帶來的分裂之教訓，他們留下深刻印象，咸認人選方面，個人聲望還在其次，而此人必須具備多方面統一工作的才能。雖然在競選中，個人聲望是比較重要的，但一九六四年的教訓，共和黨人不希望再次發生。因此一認爲黨不應提名一位代表某派系的人，而再次產生「兄弟鬩牆」之類的事情。在這種戒心與患得患失的氣氛下，共和黨七十四位領袖一致地預測，一九六八年總統候選人，非尼克遜莫屬。

長島的國家委員會委員伊雲說得最爽直：「共和黨內右派與其他派系間意見分裂是那麼深重，爲了避免流血，他們勢將選擇尼克遜，作爲「一個和解的人。」」

「黨團結至上，而尼克遜實爲解決團結危機的最適當人選。」這種心聲，已在全國各地，各機關以及所有各級政壇上，處處可聞。

印第安納多里日報編輯史丹利預測尼克遜將被提名爲一九六八年總統候選人原因，是尼克遜能獲得高華德的選民之支持。

高華德的主要戰略顧問，衆議院羅特說：尼克遜獲得更廣大人民擁戴，以及黨的支持。

一九六四年竭力支持高華德競選的「青年美國人自由」協會主席荷頓斯分析說：我認爲目前人選的最重要準則，是能獲得共和黨所有派系的一致接納。只有尼克遜一人符合這個準則。而且，尼克遜正是黨的中流砥柱。一九六四年，他竭誠爲高華德佈置競選運動，表現了偉大無私的精神，這自然使保守派人士對他另眼相看。

此外，尼克遜得到南方大部份地區支持。共和黨於一九六四年，在這個種族主義糾紛之下的南方，競選進行得頗爲成功。現在只須爭取那些游離的黑人選票就行了。

「若尼克遜要得到南方與極保守階層的支持，作爲一個黨的團結人，他會辦得到的，各階層必定傾力去支持他。」共和黨一顆新星，現任州長的海菲爾特說：「共和黨內不論保守派，自由派和中庸派，一致擁護尼克遜。」

實際上，尼克遜是唯一的能獲各派系尊重和聽從的人。他在一度稱爲「艾森豪派」內，也保持着很大聲譽。或者，因爲他是共和黨最後執政人物中，在政壇仍極具實力的僅存一人。由於他担任過副總統，對政府與外交事務，比任何一位美國人知道得多。前艾森豪政府的貿易部長莫勒說，尼克遜是最有資格担任美國的總統的人。

不過，共和黨却不是以這種資格去提名尼克遜的，他們側重團結至上的原則，他們似不在乎尼克遜能夠做點什麼，而在乎他能夠把他們團結起來；不是把他們領向進步，而是保持現狀；不是他們領進戰鬥，而是防止他們之間的鬥爭。尼克遜就是這樣一個共和黨衆望所寄的人。

尼克遜虛懷若谷，是一個有高度容忍的人。任何時候，當他暗示着抨擊某一人時，他會立刻將所說的話收回或加以修正。他會譴責了自由派沒有支持高華德一九六四年競選。

尼克遜在一九六○年大選中，被已故甘迺迪總統擊敗後，即退居紐約，重操律師之業。但在社交上却活躍如昔。他接到的邀請，堆積如山，有些邀請，甚至排列至一九六七年。他計劃將來每一個月赴會三次。他發表過許多公開演講，爲各社會機構主持揭幕典禮。他又繼承胡佛担任全國青年會與童子軍大會主席。

毛共與印尼勢成水火 將有利香港經濟發展

（本報訊）印尼與中共交惡已趨於白熱化，不僅使東南亞的政治局勢將有重大的轉變，即經濟方面，亦將有顯著的變化。由於印尼新的政治路綫已有進一步的確定，與星洲及馬來西亞邦交恢復，在短期內將可實現。中共已停止對印尼一切經濟援助。這種轉變，以經濟觀點而言，香港對印尼貿易很快就有明顯的改觀。

首先値得注視的，就是日本及英國給予印尼經濟援助，特別是英國初步給予印尼的經濟援助一百萬鎊，除了直接供給印尼農業及工業生產機械與運輸工具之外，其餘一部份的經濟援助金額，將撥來香港，以便印尼向港採購民生日用品之用；假定有半數的經援金額在港採購，對港對印尼的出口貿易便有相當幫助。

其次則是星洲、馬來西亞與印尼的邦交將告恢復，香港很多大廠家已經赴星洲籌劃對印尼恢復貿易，因爲印尼的主要土特產如橡膠、咖啡、胡椒、紅茶、沙籐等，過去都靠星洲爲轉口站，今後印尼可以將大量的土產輸往星馬，所獲的外滙將有大部份調來香港購辦必需物品，將有很多物品由香港逕往星洲，然後轉輸印尼。

還有一種更大的潛在變化，就是美國恢復對印尼的經濟援助，亦將於不久成爲事實。祇要印尼對美國的邦交一經恢復友好融洽，美國卽跟着給予印尼經援，幫助印尼改進農業以及工業的建設，將來有很多主要物資會向香港採購，其中以棉紗布疋恢復大量輸往印尼最有希望。

現在中共已經停止對印尼一切經濟援助，中共的經濟援助印尼物資，已經運到香港儲入貨倉，準備轉船運往印尼的，因爲印尼與中共的交惡已經無可挽救，中共存在香港的有關物資，轉而在香港售出，包括棉紗、布疋、大小五金以及印有印尼文字指明中共贈送的很多日用品。足見中共與印尼的邦交已經完全破裂無可救藥。

印尼是東南亞人口最多的國家，擁有一億人口，不但物產豐富，地位更爲重要，中共多年來對印尼不遺餘力的爭取，希望把印尼拉向中共集團，其最大的用心是欲囊括整個東南亞。假定印尼赤化了，星洲馬來亞不久亦將被中共併吞，南越、泰國、非律賓的反共陣綫亦將被粉碎。中共初時的盤算，囊括了整個東南亞之後，進一步就威脅日本，因爲日本一旦失去東南亞市場，經濟將受很大打擊，難免受到中共控制。同時中共又利用東南亞來威脅澳洲及非洲，這種侵略路綫與目標至爲明顯。不料天奪其魄，中共爭取印尼不能成功，而使印尼與中共的邦交決裂，將使中共全盤計劃失敗。現在中共已經逐漸趨向日暮窮途的境地，未來轉變是値得注視的。

讀者投書

對於新內閣陣容 幾點綜合的意見

自由報編輯先生：蔣總統今年三月，在國民黨三中全會，發表重要演說，認爲我們的政府，在今後六年內，要負起反攻復國的任務。所以，這是國家最艱難的時期，因此，我們的政府要集中全國精華，來襄助總統達成這神聖的任務。

近兩個月來，香港的報張雜誌，美國的華僑報紙以及我們在此地看到的自由中國報紙與雜誌，無不紛紛寫文章，響應蔣總統之號召。我們把它納起來，有下列幾點，確是各方一致的意見：

（一）盡量多用新人。

（二）老成謀國者，雖仍應繼續重用，但體弱有病者，必須休息。

（三）盡量多用年事較輕者，因爲他們有充沛的活力。

（四）無論新人或老人，必須以幹鍊才能爲選拔標準，決不權衡任何政治派系。

（五）有官僚習氣者，決不任用。

（六）新內閣中，（不論是否兼任部會首長），應至少有二人以上眞正懂法學之人士，因反攻時，必會牽涉國際法與國內法。

（七）專聘數位有國際聲譽者，做國民外交工作。

（八）爲「集思廣益，多謀良策」計，在行政院不妨增加不兼部會首長之政務委員，或在戡亂委員會加聘有給職之委員。

我們認爲上述八點，確實値得政府愼重考慮，並希望在總統左右的人士，能把這些綜合各方的意見，面呈總統察閱。

我們這些僑胞，是站在鐵幕邊最前綫，我們聽到在大陸備受中共虐待的同胞消息，比你們在自由中國的同胞更易也更多。因此，我們盼望我們政府反攻大陸之心亦更切。我們確是無時不在祈求反攻之日的來臨。

最後，我們希望德高望重，才智充沛，且健康情形一如青年之王雲五老先生，不要認爲你餘年的重要工作，應該在文藝方面，反攻大陸的工作，比任何工作重要。不回大陸，任何問題，都不能解決，包括你想發展的文藝工作在內。所以，我們都希望你重作馮婦，負起重任。又雄才大智，在國際法學界極有聲譽而年事尚未屆老之學人呂光博士，希望你不要以爲人生一切以「清高」爲「至上」。你在法學方面的成就，是重大的，但在此非常時期，你如離開了你自己認爲「清高」的崗位，爲政府工作，周旋於國際間，做國民外交的重要工作，我們想你報效國家之功，定較學術方面爲多。又守正不阿，且才能幹練之監察委員陶百川先生，你過去大公無私，節操高尚，絕不妥協，輝煌卓越的表現，早已深入人心，請你不要心灰，不要消極，早日由美國啓程，回到台灣。我們認爲必須掃蕩頹廢的政風，然後才談得到可以向大陸反攻而無後顧之憂。

讀者沈艮上五月九日

瀛海異聞錄

柏林飛男飛女胡地胡天

·桑雅·

在柏林的那座被盟機炸剩成一個空殼的威廉大教堂，本來是遊客的主要吸引地，最近已變爲色情飛仔的大本營了。他們的胡鬧行爲，代表了歐洲的新發展，頹廢派的男女怪物消失了，新興起的是色慾飛羣的大肆活躍。

吵耳的搖擺樂及扭腰舞樂曲，從凱沙威廉教堂漆黑的走廊傳出來，使途人疑是鬼墟發出的怪聲，駐足而觀之，他們竟發現大批飛男飛女在大教堂的石階上怪狀百出：長頭髮的男女有的緊抱着接吻，有的抽着印度大蔴葉的香烟，有的在把酒瓶塞進口中，把酒送入肚皮。一個美國遊客說：「眞是比我們的大學校舍胡鬧情形，有過之而無不及。」

當那些色慾飛羣沉醉在原子粒收音機發出震耳欲聾的樂聲時，一個十五歲的飛女在羣衆中突然開始表演艷舞，她身段瘦纖，肉體還算飽滿，把金色的長頭髮，既不洗又不梳，蓋着她那細嫩的臉蛋，一團蓬亂。當她在搖動身體時，擠滿了教堂門口的飛女，久看有熱鬧，見慣了，不覺得是一回事，歡呼利用教堂的一個石台做舞台，居然當衆上演脫衣舞，把黑色的乳罩扔掉，擲向羣衆中，惹一陣騷亂。她全身沒有佩戴甚麼，一對初發的乳，當她用勁去扭動她不大的美臀時，上下擺動；她開始把褲子脫下，此時警察馳至，阻止了「戲肉」的上演。這祇是威廉教堂外的景色，堂內更不足爲外人道。每逢夏季的晚上，這地點更爲荒淫，被道地的柏林人稱爲色慾飛羣的勝景，破爛的威廉教堂成爲放蕩男女的地方，是由三年前開始的。

把道地方[illegible]，其名[illegible]比柏林騷更惹人注意。現在柏林街頭都是頹廢派的學生、怪物男女的[illegible]。許多歐洲甚至美洲都市的美術系學生，在柏林的第五街一帶出現，他們在街邊繪畫，寫好路旁的素描，藝術家賺得足夠的金錢，以攻讀一學期的費用，他們也能成功。頹廢派的美術學生、色慾飛羣吸引到不少男女人物。柏林大街現在到處見到彈奏結他的歌手及民歌手，美術家及音樂家與眞正頹廢派男女合流，他們對于開色慾派對，較之搖錢更感興趣，于是威廉大教堂成爲色情飛羣的總部了。

威廉大教堂於第二次世界大戰期間被炸中起火焚燬，官方故意不加修葺，作爲對希特拉時代的警惕，成爲柏林最動人的戰事紀念物。許多遊客都拍照留念，但現在被色慾飛羣佔據了。而且他們帶來不良的柏林風氣，沾染了歐洲其他各地飛仔的壞行爲，若干柏林人及遊客，曾在燈色幽暗的街邊，被頹廢派飛仔打劫。

事實上，這些飛仔罪犯，幾乎無從辨認，警察局長說：「要抓他們，談何容易。看來個個一樣，男人與女人一樣長頭髮，戴黑眼鏡，穿藍色牛仔褲，足登膠拖鞋，露出他們不洗一洗的髒髒的腳。」一位柏林記者說：「祇有下雨的時候，才比較乾淨些。」同時一陣大雨，沛然天賜甘霖降下，把色情飛羣沖走，把他們趕進屋內，或趕跑了。

但是柏林的居民另有看法，他們認爲這批飛羣，是西柏林的恥辱，極力應該避免出動警察採取肅清的行動對付，但恐怕東德共黨用作宣傳攻擊的口實。柏林市長布蘭德承認色慾飛羣問題嚴重，共黨會把這問題攪得更惡劣。

飛羣雖然不影響交通，但是大大影響生意，尤其是在威廉大教堂鄰近地區的路旁咖啡座，小食店，售物攤位，都在埋怨那些飛仔，祇叫一杯咖啡或一瓶啤酒，賴着數小時不走，其他顧客不來光顧了。

這班怪物在這個地區附近謀生的流鶯也埋怨，她們接客的生計受影響，飛女透進教堂內去，免費做交易，把尋芳客拉到漆黑的弄堂內作成肉體買賣。一份報章大聲疾呼：「把這批怪物清除掉，即使是搬到動物園去，仍然是對猴子不起的。」柏林沒有堂皇法令對付他們，但警方悄悄進行掃蕩，曾在五天之內，抓到了五十名色慾飛男飛女。雖然壓力很大，飛羣仍繼續活動。

下週將與克萊爭霸
英拳王古柏人緣頂好

最近英國拳王亨利．古柏與黑人拳王克萊已簽好了合約，兩人將于五月廿一日在軍械廠體育館爭奪「世界拳王寶座」。這場大戰將于當日晚上九時舉行，——意在遷就美國電視節目的時間。看情形，包括門票在內，收入可達五十萬鎊。這個直接播映，在美國、南美、加拿大、墨西哥及歐洲各地均可看到。目前，日本、澳洲、沙地阿剌伯也申請同樣的權利。

該體育館，有蓋座位共四萬個，露天的也有五千個，票價從一鎊十先令到十鎊十先令；還有一種特等位，高達十五鎊十五先令。

從拳壇的歷史看，自半世紀之前的積克．約翰遜以外，克萊是最受人議論的一位拳王；但他的挑戰者谷巴，人緣頂好，最受英人所愛戴，與比利．咸爾斯可並稱爲「模範拳王」。因此，照目前的英美民意測驗，大部份都是擁護古柏的，不單有五千四百萬英國人，還加上一億九千一百萬美國人，都一心一意希望五月廿一日那天克萊眞的敗下陣來。古柏的確很和藹可親，在外表上，在現實生活中，他給人的印象從來就不像一個拳師。可是在台上時，他便判若兩人了。

他本人雖然對于拳擊十分熱心，但是，照他的狀況，今年之後，是否能再在台上拼命，實在是一個疑問。甚至他夠運，把克萊擊敗，這也無補于事的。爲什麼呢？著名英國體育記者畢拿報導說：

當古柏決定簽約後，不錯有關方面保證他至少有三萬零二百五十鎊的收入；如果各方面順利，他還可多獲四萬五千鎊。在過去十二年來，他是一名職業拳師，計算之下，靠拳頭搵回來的數目，可達廿五萬鎊。但又怎樣呢？今年他已卅二歲了，而且他那義大利籍漂亮的太太雅賓娜，對拳擊十分反感。她是一位好妻子，瞭解丈夫畢生熱愛這種運動，她才不勉強阻止。不過，她常對人說：她每天都祈禱丈夫快點退休。

她從來不在現場欣賞拳賽的。五月二十一日那場大決戰，她一樣不會臨場，甚至連電台、電視，她都不聽不看。她只會不安的在房中踱步，禱告賽事快點完結。

過去她在蘇魯餐室做侍女，那餐室的老板是她的叔父，但古柏要花了兩年多的時間，才能追上手。

最近，她前往找域眞斯，他是古柏的經理，她對他說：「我知道你是古柏的朋友，又是他的經理人，但你可否設法影響他儘快退休呢？」

事實上，域眞斯本人也希望古柏儘快退休。他說：「如果古柏這次榮獲拳王銜頭，我願意他立即退休，像眞杜尼、馬仙諾一樣，保持這個聲譽。我身爲經理人，這麼說彷彿令人難信；但眞的，我寧願不賺錢，讓古柏榮登拳王寶座後退休。他是値得這個榮譽的。」

[illegible]古柏常常說：「當年他[illegible]」與狂妄的克萊，眞不可同日而語。

他在溫布利經營蔬菜商店，成績很不錯，正想開設分店，說出來更妙，他的股東的名字，跟他的竟然相同，也叫亨利．古柏。

目前，他們的體重，一百八十磅，雖然人們在情感上寄望他能獲勝，但對手既然是克萊，實在並不容易。

富布萊特其人其事
美總統詹森最頭痛的反對者

本報資料室

甘迺迪當選時，他曾名列國務卿候選人的前茅，可是由於他極力反對民權法案，和民權運動各領袖反對，而未獲選。總統詹森經常抨擊他，他也會經抨擊艾森豪和詹森。

契。

可是他最崇拜的卻是已故聯合國首席代表史蒂文生。他極力捧史蒂文生，曾兩度支持他爲總統候選人。富布萊特的主義，與民主黨的一九六一年說，就[illegible]議員的一[illegible]。

富布萊特出身於富有之家，會於一九三九至一九四一年間做過阿肯薩斯州立大學校長。之前，他曾就讀於英國牛津大學，擁有四個學位。一九四二年他入國會，二年已做了衆議員，兩年任參議員，已任了二十四年。除了在參院任外交委員會主席之前，他曾在參院銀行與貨幣委員會任主席，會於一九五五年初任外委會主席。一九五九年他頓自由派報，就指出他是對外保守的一個盛晚派「自由派」。

……來看，可是顯示，照參院投票的情形，他甚至不能代表委員會十九個委員的四分之一意見。他得到三人。而民主黨的委員，在整個國會來說，他有十三個支持的票數更少。

他曾勸總統及國防部長取消對後備兵軍事訓練課程中的共產主義戰畧與反共戰術。

一九六四年，這位參議員就在北卡羅林納州發表演說，力言冷戰已使一些美國人犯了頑固與不忠於種種先入爲主的偏見，恐怕美國人在國外從事[illegible]。

他曾指責美國人員及中央情報局在海外的活動。一九六四年他曾指責美國人民和國會都未能好好地運用控制政府的權力。

富布萊特反對美國介入越戰是人所共知的。他反對轟炸北越，也不贊同美軍支持南越軍對付越共。

他曾力促以「談判」來結束越戰，並主張不妨雙方作重大讓步。他主張把整個東南亞都中立化。最近，他甚至呼籲勿再阻擋中共參加聯合國。

今年初，爲了越南問題和中共問題，他力主外交委員會舉行公開聽證，並招引一些向來親共份子在外委會的電視實地轉播中聽證。（下）

三人一致的看法，認爲老賊身邊的一條虎——呂布，此人必須設法除去，或者拉攏他同謀最好。王允等早知道呂布這人是見利忘義的，他是殺了故主丁原投奔董卓的。也知道呂布也有些不滿老賊的待遇。老賊怕死，常使呂布爲侍衛長，因此和他一個婢女私通，大致這了頭生得不錯，不然有「人中呂布」的他，怎會看得上眼？小說、戲劇家以爲她就是「貂蟬」小姐，但正史上沒有根據，卻有她的影子。呂布在董卓面前稍不如意的時候，老賊會拔手戟擲他，幸好呂布躱得快。呂布私通了頭，恐怕事發心中有些不安。王允以呂布爲同鄉的關係，而且又因壯健，先已厚接納了呂布，時相過從。

一日，呂布在王允府上，談起老賊以戟擲殺他的情狀，王允心知呂布可以說動了，於是以共同誅殺老賊計劃相告，要呂布從中協力。呂布說：「那怎麼對得父親呢？」王允說：『君自姓呂，本非骨肉；而今憂死都顧不得了，算什麼父子？」呂布聽了此話，便下定了決心。呂布也拉攏了十幾個勇士，又結納了同鄉騎都尉李肅。

到了初平三年四月，獻帝因病新癒，要大會羣臣於未央殿。董卓當然要去參加，王允等人更是恭請他參加。呂布、李肅等帶了親信兵十餘，僞裝衛士，守在宮禁之側門。呂布胸懷詔書，安排牢籠計，只等老賊到來。董卓怕死，他在自己的郿塢一直到長安，排列步騎，以作爲護衛。行了不遠，老賊的坐騎跳了起來，把老賊摔落在地，（這是一種不祥之兆）袍服也弄髒了。他回家去換衣服，有一個年青的小老婆，叫他不必去了，他沒有聽她的話，一進宮門，便吃了李肅一戟。老賊大叫：「吾兒奉先何在？」呂布厲聲說道：「奉詔討賊」！說罷就是一戟刺死董卓。僞裝衛士十餘人一擁上前，把老賊的頭顱砍下。惡貫滿盈的董卓就此結局。他的董氏門宗大大小小，都住在郿塢。董卓羣下聽說老賊被誅，起而把老賊三族盡殺光。董卓的母親，年逾九十，也替她兒子挨了一刀。

老賊死訊不脛而走，傳遍了長安城，男女老幼，都賣了衣服手飾，買了酒肉，爲奸賊之死而慶祝。大家在街上載歌載舞。這種日子，恐怕是長安的老百姓多少年沒有的快樂。

袁紹門生故吏，把諸袁氏死在郿塢的，重新歛聚。把董氏尸首聚旁邊用火燒化，把老賊屍首暴露在街頭，守屍的小公務員在他肚臍眼上點燈，光明通宵。

過了幾天，董卓故吏部曲，把所燒化的董氏骨灰收起來，以一口棺木埋葬在郿塢。董卓的塢中，藏有黃金萬斤，白銀八九萬斤，珠玉錦繡奇玩雜物，堆積如山，不可勝計。

當董卓被誅之後，牽連一位大儒的寃死，値得一提。董卓死了，蔡邕在王允面前表示歎惜。王允大怒。以董卓乃國之大賊，弑主殘臣，天地所不容，人神共憤。你受國家重恩，國難主危，你不倒戈也就罷了。而賊受天誅，你還爲他歎惜，應該與賊黨同罪。（卅二）

北校聯誼會（續）

於此聯想起上海戲劇學校在台同學也不少，如顧正秋、張正芬、周正榮、劉正忠、景正飛等，似亦可織起組織，而成爲兩大系統，互相商討有關劇藝之推進，到是一種明智的舉動。依照一般學校多有同學會校友會，雖然他們人數較多，由數十而至幾百，尤以交大復大浙大北大等，每年例有集合，獨戲劇學校尚付闕如；也可以從今開始，有類似的組織，以紀念母校，而爲所學來作光大之計劃。不是專務演出，以國劇本身的生活，那是所見不免太狹，不夠其遠大；是在無數的忠貞藝人，起來吶喊，復興平劇，保存國粹，有光榮的創造。不知達成的弟子，其亦有此意否？要看他們的毅力！

國劇繽紛錄

（三十七）梁斐生

看銘傳演探母

銘傳女子商專，是北市辦得成功的學校。每逢校慶，必有演劇；以前幾年，大都是演話劇，近三年來，因同學喜歡玩平劇，故已演過二三次。許多劇評人，多稱讚這羣坤票，在報章上歡頌，既是捧女同學，實亦捧包校長，於是皆大歡喜，而加倍努力。就這樣一來，一傳十，十傳百，銘傳商專的幾位小姐，成爲新聞人物，好像很了不起。這是劇評人的慣態，也即北市流行的風氣。我與賈馥園家也有交誼，但是兩位小姐一向不請我看她們演出。也許是有人捧，用不到區區小卒，而我即有不看也罷之意。不是非看不可，看戲是消遣而已。最近她們演探母，在交行過慶，邀到馥園承玉，承他一定請我，結果又是黃牛。却巧那天爲了基隆之行，到二五票社請名票助陣，他們那裏到有票無人去看，因此，閒步到介壽堂去欣賞這些名坤票的高藝！

從坐宮看到別妻止，與秩齋居士同座，凝神注視，側耳細聽。論功力，賈馨園的四郎，從頭至尾，確實難得。不過有些腔調，尚須琢磨。最好每星期三到交行，與居士研究研究，他從前在平津唱此戲很著名的。論嗓音與身段，要算孫碧波爲首屈，盜令的一場[illegible]準，相信回令的公主，不致有差，要算拔萃。其次張春等的楊宗保很帥，按部就班的扯四門，不慌不忙，頗控得法，台步從容不迫，夠個樣兒、再則承玉的公主，唱腔很有精采，不過台步不夠莊重，似乎太快一點，一直跑不太好看。蕭君樂的太后，到很神氣，一段快板，嗓音也很高有味。（未完）

「掘詩者」的故事

◦若翰譯◦

「你多大年紀？」他問。

「卅一歲。」

「但是你掘蜜非的墳，她的年紀是四十一歲了。」

「噢，年齡並沒有關係的。」我說：「我所仰慕她的，是她底非年齡所限的內在美！」

他們看看那些文件，好像從文件裏，研究應付我的方法。一會兒，他說：「她的丈夫是個機械師，在她死前，會在醫院醫了兩週。她是死於腎病的。她是個家庭主婦。」

「她是世界的家庭主婦，」我說：「她是我底永恆的女人。」

「你是她全家的朋友嗎？」

「我只認識蜜非一個人而已。」

「你和她有曖昧的行爲？」

我冷然的看着他：「那只是我們的心靈共通。」

他轉換了話題：「你以什麼謀生的，我意思是你幹那一行？」

「我沒有獨立的收入。」

「你不是作詩嗎？有出版嗎？」

「沒有，那些編輯，全是蠢豬。」

他審視我一會：「你底收入，也許不會很多的。」

「是的，」我說。

他微微點點頭：「難道你不願意一舉成名？」

「作爲一個新詩人，要引起讀者擁護，實在是些困難的」。我說。

「藉此而助你揚名，是嗎？」他微笑着。

我拿出一手帕，抹拭額上的汗珠，我說：「我不明白你的意思。」

他收歛了笑容：「我想你是利用這方法，你想藉逮捕而使你聲名鵲起。你藉此向新聞記者招待會發一番談話。」

我抹拭着掌心，一言不發。

他底雙目冷漠的看着我說：「我認爲無需閱你的詩句，即使你是個詩人。」

「眞的？爲什麼？」我仰看着他。

「因爲你所用的法子，是抄襲的。」他從枱頭拿起一張紙：「當我聽過你的話後，使我靈機一觸，我想到雪雪百科全書，你曾聽過鄧蒂嘉賓里·羅塞蒂？」

我把喉嚨澄清一下：「也許聽過。」

「剛才我說過的那個人，是十九世紀英國詩人，和畫家，當他底妻子在一八六二年逝世，許多手寫的詩，一同跟她的軀體下葬。後來，他很渴望重讀那些詩，於是便掘墳將詩取出。於一八七〇年，把詩出版。」

他緊盯着我說：「你是否希望這樣做？成爲鄧蒂嘉賓里·羅塞蒂第二？」

我避開他的目光，他戟指向我：「我認爲你是褻瀆墓中人。但我曉得你目的如何。要是警察給你利用成爲你揚名的工具，那末我會給問吊的。」

「但是那無傷大雅，探長。」我說。

探長面色突變，向我揚指說：「快給我滾！要是第二次再犯同樣情形，無情可講。」於是我離開警察部。

當我把這次的遭遇，原原本本的告訴夏理知道，他笑得捧腹不可仰，最後他說：「我很高興一個人能夠見機行事的，現在我該賞給你代價了。」他於是往夾萬那兒，從裏邊拿出一萬元，交給我：「這可以讓你到遠方生活兩年的，我認爲這樣總比坐電椅好得多。」接着他又說：「好了，我同時需履行諾言，你該陞職的，我現在派你往西海岸，接管洛杉磯的區域。盧巴斯也該正式退休的了。」

他噴出的烟，向我面上直冲過來：「你只須替會方服務就行了，這樣你會扶搖直上，爬踞最高的位置。但別作幻想，或要脫離會方獨立。如果這樣，就要你像查黎遜一樣的遭遇，和找他人替你的位置了。」

我咧嘴打趣地說：「同時還得找到個好的地方埋着我的屍體。」

事實上，我那裏是個盜墳賊？我從來沒有幹過盜墳的，即使這次遭警方逮捕也沒有啊！那次，我不外是把泥土掩下去吧了，裏邊就是給我們幹掉的查理黎遜的屍體。我向警方說自己是個詩人，那是混淆警方的視聽，果然，給我騙過。（下）

朱元璋二三事

漁翁

馬公，宿州閔子鄉人，素剛直，重然諾，尤好施與，人咸德之。避難定遠，與子興爲刎頸交，有一季女，甚溫厚，術者謂當大貴，有一品夫人相。時公謀還宿州起兵應子興，以女托之，子興撫如己出。尋馬公卒，子興爲女擇配，以元璋豁達有智畧，欲配之，乃商諸其妻張氏，妻曰：「今天下大亂，君舉大事，應收納豪傑，以成功業，元璋乃有用之才，不能爲他人所親。」於是子興意決，即以馬女妻焉。

子興死，元璋領其衆，諸將奉爲吳國公。滅陳友諒，執張士誠，復移師而北，克燕京，即帝位，建都應天爲南京。在位三十一年，雖戡亂用武，而治世以文，得天下後，以科舉取士，八股文始於此時。史稱其武定禍亂，文致太平，殆非虛語。

元璋愛民重士，對劉基宋濂輩，甚爲重視。尤其於劉，相得益彰。劉字伯溫，精天文兵法，元璋定天下，取吳收中原，基謀爲多，封誠意伯，嘗呼老先生而不名。較先主之於諸葛，殆尤過之。

元璋以一平民而登帝王寶座，不免得意忘形，故於一元復始，萬象回春，詔文武百官及庶民，各貼吉祥語於門戶志慶，名曰「春聯」。同時，還注重下一代之遞傳，以太子不祿，例傳皇孫建文，而又顧及建文柔懦，恐引起家庭之爭奪，早已耿耿於懷。以伯溫明術數，故一再以後代相咨詢，一問一答，而有「燒餅歌」之出現。

燒餅歌，爲我國預言七種之一，論過去興亡，頗多不爽。元璋以都城鞏固，似無禍亂發生，而伯溫答曰：「只恐燕子飛來」！（指太祖第四子燕王篡位）當時限於不知，後果如所言。又「奔走梅山上九重」，指崇禎崩於梅山。「雨水草頭眞主出」，指滿人入主中華。此歌至今猶流傳民間。

元璋好棋，嘗與中山王徐達，在莫愁湖畔下棋，徐達勝，太祖以湖賜之，並築樓於其上，御筆題曰：「勝棋樓」。

在武人方面，元璋最器重徐達，而在文人方面，最敬重伯溫。嘗以國家大事，從容問伯溫曰：「吾欲相楊憲如何？」對曰：「憲有相才無相器。宰相者持心如水，任理爲衡，而己不與焉者也。」然則汪廣洋如何？對曰：「褊淺殆甚於憲。」胡惟庸如何？對曰：「此僨轅破犂犢也」。後胡爲相，而伯溫死於此一語。論者以伯溫善於謀人，而拙於謀己耳。

明太祖朱元璋與漢高祖劉邦，同以平民革命，推翻暴政，爲難能而可貴。不過太祖平亂以武，而致治以文；漢高祖則不然，「吾馬上得之，安事詩書？」

（下）

虬髯客傳

「影劇與歷史」之二十一

周遊

虬髯客是唐代最佳傳奇小說，與初唐歷史人物有關，人們可能誤信眞有其史實。杜光庭之作此篇，渲染時代背景色彩十分濃厚。蓋杜氏生當唐末，目擊藩鎮跋扈，黃巢野心叛亂，四海鼎沸，人民倒懸，特作尊皇之論，藉消反側之心。謂「眞人之興，非英雄所冀，況非英雄乎。」其主旨所在，當可概見了。然小說究竟爲小說，並非歷史，本篇所述各節，即與史實相左，舉其大者如下：

一、唐書李靖傳：「高祖擊突厥於塞外，靖察高祖知有四方之志，因自鎖上變。後高祖定京師，將斬之，以太宗救解得免。」據此，即靖於高祖未定京師之先，似無交通父皇之理。又洪邁「容齋隨筆」已辨其妄。此與史實不合者一。

二、高祖以大業十二年十二月，留守太原。是時盜賊遍海內，煬帝在江都，楊素已先卒於大業二年七月，相距已十一年，亦無煬帝末年楊素留守長安之事。此與史實不合者二也。

三、傳中稱「貞觀中靖位至僕射，東南蠻奏海船千艘入扶餘國，殺其主自立」。按新唐書並無扶餘國，惟高麗百濟並云扶餘之別種。「高麗有扶餘城，武德七年，高麗王建武懼伐其國，乃築長城，東北自扶餘城，西南至海，千有餘里。」是高麗方據扶餘以自固，海賊安得而襲取之。且扶餘乃中國之東北，更不得云「東南」。此與史實不合者三也。

小說中題材，本無須事事徵實，惝恍迷離，故作狡獪，此小說家所以能眩惑人之伎倆也。

唐代的短篇傳奇小說很多，惟杜光庭此篇可膺上品。「虬髯客」的本旨，只是要說「眞人之興，非英雄所冀」。作者憑空造出一個故事，插入李靖紅拂一段情史。寫到極熱鬧之際，忽然寫「太原公子裼裘而來」，遂使那位野心豪俠絕心於中國，另去海外開拓新天地。此等立意佈局，都是小說家的上等工夫。這是虬髯客之一奇。

寫歷史小說，不可全用歷史上事實，却又不可違背歷史上事實。虬髯客傳的長處，正在他寫了許多動人的人物事實，把歷史人物（李靖、劉文靜、唐太宗）和非歷史人物（如虬髯客紅拂）穿插夾混，叫人看了，竟像是眞有此奇異人物一般。到後來虬髯客飄然去了，依然是唐太宗得了天下，全合於歷史事實。此乃「歷史小說」的方法。這是「虬髯客」第二奇妙。

唐以前的小說，無論散文、韻文，都只能敘事，不能描寫人物。虬髯客傳描寫人物極有神氣；即使寫那紅拂、李靖等配角，也都有個性有神情態度。這是虬髯客傳的第三奇佳之處。總之「虬髯客」是唐代最佳的短篇小說，是當之不遜的。（三、完）

六種夢境及其釋義

◎依檸◎

（二）飄浮太空。這也是一種表示恐懼不安的夢，但奇怪，其過程使人感到快慰及懷疑，做夢者有騰雲駕霧之感，四周都是發光的，似乎太陽月亮及所有星辰都出現了。做夢者生存于一個絕對非現實的境界。很簡單，此人必是一個白日夢者，他（她）以爲人生便是一個夢境，一切都可以垂手可得。在日常生活中，他們必愛侃侃而談；他們最大的缺點是不敢面對眞實的一面。他們又被稱爲幻想的一羣。

（三）不停下墜。做夢者一直感到自己往下墜，像跌落無底深淵。或他坐在車上，然後飛落懸崖。所謂無底深潭，不過是無邊無際的黑暗。常做此夢的人，必是心懷大志，同時，他必然對現實非常不滿。在現實中，他實在是鬱鬱不得志。

（四）讀書日子。做夢者走回童年的世界，即發覺自己坐在書桌上唸書或溫習功課，同時往往發夢課室很細，令到週身不舒服，或穿睡袍上課。至於教師呢？他則穿得非常整齊。這是我們童年時的教師嗎？忽然間，那位教師不是眞正的教師，是自己的家長或長輩人士。（中）

內政部台報字第〇三〇號內銷證

自由報

THE FREE NEWS

第六五二期

中華民國僑務委員會頒發台教新字第三二三號登記證
中華郵政台字第一二八二號執照登記爲第一類新聞紙類
（每週出版一期）
每份港幣壹角
台灣零售價新台幣元

社長：雷嘯岑
督印人：黃行書
社址：香港銅鑼灣高士威道二十號四樓
20, CAUSEWAY RD 3RD FL. HONG KONG
TEL. 771726　電報掛號：7191
承印者：大同印務公司
地址：香港北角和富道九六號

台灣分社
台北市西寧南路壹零壹號二樓
電話：三〇四六
台郵撥儲金戶九二二號

太空競賽的原因及對人類的影響（中）

·祁倫·

（五）政治權力：國際政治權力的均衡，有賴國力的强大調和表現。太空科學便是自然科學、社會科學、人文科學的協調集體結晶。今年二月十七日，法國發射其第三枚科學探測衛星進入軌道，無疑地又增强了戴高樂在國內外的政治權力——如同赫魯曉夫在工藝上獲勝而首先發射人造衛星後在國際事務上的狂妄言行那樣，戴高樂又多了一份扯美國後腿的力量。更何況太空投資結果，尚有多種目前不能獲得利潤但在長遠的未來所將收到的成果（詳後文太空競賽的影響）。

（六）軍事需要：太空提供了軍事上居高臨下特有的優勢，許多國家正在竭精憚慮爭取此種優勢，以求達成其政治目標。目前各國以「謀求全人類的幸福爲宗旨」的太空科學探測與載人太空航行，無疑問地可以用作「爲了應付任何來自太空的威脅」。其他一切用作支援太空探測及載人太空航行的工藝技術，均可直、間接地用於軍事作戰。例如太空偵察衛星系統可提供有效防禦以減低敵方奇襲的收穫；載人太空技藝則可用作嚇阻與報復的有效力量。當然，在今天有限的太空經驗基礎上，尚不能策劃一個準確有效的太空武器系統；但未來發展趨勢，確屬可能將太空變作如同今日的航空武器系統一樣來担負太空軍事任務。只有在太空軍事上獲有超人成就，才能使敵國望而生畏以打消其侵畧的野心。

（七）經濟利潤：太空工藝的發展，加速了國家及同盟國的經濟發展和資源開發。除了因參戰而動員外，沒有其他任何國家計劃同盟條約能有如此龐大基礎、廣泛範圍的發展可以刺激經濟利潤的。例如美國目前正以每廿四小時一千五百萬美元的驚人消耗率投資在太空工藝，既使美國工農商業爲之空前發達，也使自由國家因供應資源而獲經濟利益，引導所有直間接受益者走向富裕。雖說政府龐大投資於太空事業並不能收到經濟上的直接利潤（國庫拋出數百億元之後並不能從太空中撈回利潤及本錢）；但在某些投資上，仍可望收到巨大的報酬——如月球寶藏的開發運用；如商用通信衛星正式服役後的收費；如太空技術應用於地層及深海資源的開發與提煉等。

（八）文化發展：人類具有保存人類歷史文化及發揚人類歷史文化的責任。由於人類具有這種責任，所以人類有彼此互相合作的需要，有要求改善生活環境、開創人類歷史新文化的權利——保護人類社會安全並使之繁榮的權利。太空科學的發展，在這方面提供了最佳的工具——太空器使人類的精神和生活領域掙脫了地球吸引力的枷鎖；通信衛星系統使世界的距離大爲縮短；測量衛星將給地球繪出最精確的地圖；氣象衛星將給人類帶來準確的天候預報；太空醫學將發展到延長人類有用的生命並改良人種；太空生物學將使人類可以製造生命：……所有這些此刻看似神話的變化，未來都將一一實現，俾滿足人類的慾望。爲了實現這慾望，所以人人都樂意忍受一切苦難與折磨來從事或贊成太空競賽了。

太空競賽的影響

在人類歷史上，從來沒有一件事像太空競賽這樣影響着人類。蒸汽機的發明，無綫電的問世，航空工業的發展，以及原子能的各類用途，全部比不上太空競賽對人類的巨大影響！因爲，太空競賽是整個國力的競賽！國力者，國家現有實力及其潛在能力也。包括地理位置疆界、幅員、地質、礦產、農產、水利、工商業、氣候、天然資源、人口數量及教育和技術程度與勞力、經濟、政治、以及軍力等。這種整個國力參戰的太空競賽，其影響也是屬於整個國力因素的——不獨影響到現在，並影響到無盡期的將來；不獨影響到太空競賽的少數幾個國家，並影響世界上每一個國家；不獨影響到我們這一代，並影響到人類億萬世的子孫！茲逐項分析之。

（一）地理位置疆界：由於至今尚無標準地圖，所以各國地理位置疆界，仍舊只是一個約數，故邊境事件導至紛爭，不能消除利用太空可精確無比地測繪地圖，當有助於確定領土、領海的地理位置和疆界。此外，太空藝技及軍事武器系統的發展，將使領土、領海、領空失去原來的價值，因而嚴重地危及國家安全——因爲國防上天然的地理位置之屏障已不復存在，而百分之百的有效空防又是絕對辦不到的事情。這兩種不同影響，其結局是悲是喜，則非太空藝技而賴人爲因素來處理了。

（二）幅員：陸地面積大小是國力的重要因素，但此因素已因陸地資源迅速耗用於太空競賽、軍備發展、與人口壓力之下而日趨失却其重要性矣！當世人正運用太空科學成就邁向開發海洋富源之際，只有佔全球面積71%的海洋，才是未來珍貴的幅員。

（三）地形：土地有適宜的形狀時，則容易設防、分散工業、儲藏戰畧物資；地形緊湊，可以增進自然界和政治上的統一，減少受侵畧的機會；但此機會却因太空藝技與國防武器系統而隨時存在並無法減免。發展中的核彈太空船、死光太空站、以及早服役的環球性偵察衛星系統和核子飛彈，都可使地形失去其原有國防價值！如用作和平，則消除因地形而存在的通信聯絡、交通阻礙、和情報欠缺等困難，以加強相互的了解，促進文明共進。因此，這兩方面的影響都使地形的原有意義不復存在矣！

（四）地質：平時用途不大的山岳與沙漠地區，在戰時可形成天然屏障；但此屏障在太空時代亦不復存在。而山岳則可建立太空防禦雷達及飛彈系統，沙漠可用作太空器發射基地。此外，太空藝技配合核子能的運用，可變沙漠爲綠州，開發山岳以供人類耕種和居住，以解決人口壓力！

（五）礦產：太空競賽加速了礦產的消耗，也使礦產與海底提煉；海水中礦藏與海底山脈礦藏之開發爲當前急務；必須了解海洋奧祕，這就有待國際合作——捐棄政治成見，真誠合作。這一影響的將使國際獲得相互的諒解，進而有助於國際氣氛和諧，俾利於世界和平。

無法可施？

雙重破壞！

今日與明日

美國擊落毛機

最近美國擊落一架毛機，引起一場爭論，美國方面報導這架飛機爲米格十七型，擊落地點在北越境內，距離中國邊境有三十里。毛方則說這架飛機是練習機，係在雲南省境內上空飛行，爲美機擊落。這場是非我們也無法下斷語，但有一點可以確定的，就是美空軍擊落了毛機，而且決非一架練習機，定是米格機，否則美國飛機不致予以擊落。至於在何處擊落，並不關重要，因爲它已證實了毛機已參加越戰，快是在北越上空遇到美機，向華界逃，美機若不是在海防上空擊落，也可能追到雲南省境上空，因爲美機早已聲明今後毛機不會再有庇護地。

這件事對毛共來說，無疑是相當難堪，尤其在它剛試爆了第三個原子裝置之後，自以爲是世界强「國」，不料美國毫不把它看在眼裏，一排槍把毛機打得焚骨碎身，也把毛共紙老虎打出了原形。

可笑的是毛共竟然大言要同美國進行核子戰爭，並且侈言要把核子彈丟到美國境內，這段話無疑地又是世界笑談之一，美國人固然捧腹，世界人們也覺得不值一哂。

南越局勢嚴重

南越政局截到執筆時止，又到了暴風前夕，首先是西貢軍警搜查左翼團體的總部，捕了一批左翼人士，同時海軍陸戰隊又接收了峴港，市內聽到槍聲，若無確實辦法，內戰可能會起，到時將是一個悲慘局面。

越南局勢鬧到今天不可收拾的局面，各方面均有責任，中部天主教與佛教徒的不和，中部五省與南方各省的鬥爭，軍人與政客失和，軍人又與軍人相爭，加之共黨在各方面滲透，分化，利用工人學生出面搗亂，益形成不可收拾的局面。

就阮高奇本人來說，要算是軍人推翻吳廷琰之後，最負責任，有朝氣的人物，一心想把國家從危亡中挽救過來，其本人也確實作到不愛錢不怕死的境地。

但是，所謂阮高奇其爲人也犯了志大才疏的毛病，[illegible]，可悲可嘆！

（何如）

戴高樂的別扭勁

法國總統戴高樂堅持要退出「北大西洋公約」國家的聯防體系，限期駐法聯軍統帥部遷出法境，美軍亦須撤走。美總統詹森主張協商，而且要求跟戴氏晤談一切，而戴氏一概拒絕，態度表示沒有商量之餘地，咄咄迫人，殊堪驚詫。西方自由世界發生了這種大裂痕，可謂不幸之至。

寔考其中原因，不外兩種：戴高樂是個剛愎成性的英雄主義者，他從二次大戰時期，在倫敦組織「戰鬥法國」流亡政府起，迭受到英美盟邦的冷落，尤其是駐在北非土倫港的法國海軍艦隊，實力完整，却由美國控制着，與「戰鬥法國」不發生關係，而在開羅、德黑蘭召開的國際會議，戴高樂連列席觀察的資格亦沒有，這已經使他閉着一肚皮的悶氣與自卑感，難以排遣了。後來他貴爲總統，親赴美國參加甘迺廸總統的葬禮，企圖乘機轉圜，而美方報紙對他毫不客氣的冷嘲熱諷，迫使他演出「信宿出畫」的啞劇，嗒然而去，心理上又增加了一種疙瘩，怨望日甚。

北大西洋公約國的盟軍總部設在巴黎，而法政府對聯防體系的一切措施不能過問，法國將領只是居於聽命行事的偏裨之將，盟軍統帥規定必由美國將軍充任，非有華府白宮命令，不許使用新武器（如核子彈頭之類）。這情形頗似舊時強國總督對殖民地的派頭，位居「地主國」的戴高樂，更加感覺難堪了。於是乎，他一面在軍事上拼命自造原子武器，同時在政治上搞國際第三勢力，立意跟美英抗衡。假使國防局勢日趨緊張，法國怵於自身沒有自保的力量，或許可以忍耐下去，避免盟邦分裂現象，然美俄兩國却表示和好安協的言行，十分親熱。既然如此，戴氏乃認爲他以國際第三勢力的姿態，更不妨跟蘇俄親善結交，而北大西洋聯防體系也就可有可無，無關宏旨了。爲着取乞蘇俄的好感，率性對盟軍總部下逐客令，藉以發洩多年來積鬱在胸中的一股悶氣。

平心而論，戴高樂跟美國鬧別扭，亦不是完全無理由的意氣用事，美國如其領導有方，情形必不致惡化到現在這種地步。北大西洋公約體系是否從此解體，就看美英當局的智慧如何？強權主義如果不會玩，那是要糟糕的！

馬五先生

蘇加諾虛擁名位無實權
印尼正逐漸認真向右轉

·星加坡通訊·

在東南亞國家中，蘇加諾算得上是一個當政時間最長，而又具有絕對統治權力的領袖。由於他領導印尼獨立，創建印尼共和國，更因他得到共黨的支持，先後把許多政敵打倒，造成他那種沒有人能與頡頏的地位。他修改憲法，嗾使議會中的親信，把他造成「終身的印尼總統」，「偉大的革命領袖」，「加諾大佬」這幾個特出的地位與榮銜。在印尼於去年發生由共黨領導的流產政變前，印尼國內無人敢對他的地位挑戰，就是政變之後，共黨潰敗，權力在一班陸軍將領手中後，他仍能斷然將三軍總司令兼國防部長芮蘇賢免職；於學生開始示威，反對蘇加諾內閣中的政變殘餘份子與親共份子之時，他斥責學生的行動，並聲言如內閣閣員不服從其命令，便予以革除。氣燄之盛，使西方觀察家對於印尼政局的前瞻，不敢輕於置一詞。因爲蘇加諾在印尼的勢力，已是根深蒂固，而且他還擁有一枝強有力的總統府衛隊，再加上當時傳說已有若干陸軍將領和所屬部隊仍然是效忠於他的，空軍大部份和一部份海軍也走蘇加諾的路綫。因此，蘇加諾一直還是大言不慚，仍自謂握有印尼的最高權力。直至陸軍爲了要他除去以親中共著名的第一副總理兼外交部長蘇班特里奧與他攤牌，迫他將行政權力交付陸軍司令蘇哈圖之後，他尚倔强如昔，不斷公開宣佈他是國家元首，認爲蘇哈圖將軍祇有受命於他本人，而非具有代行元首職權的權力。

在上述演變的一段時間，雖然陸軍已實際控制政府，也不理蘇加諾是否願意，而解散了總統府原有的衛隊，代以忠實於陸軍的傘兵。雖然蘇加諾聲言仍與中共友好，但反毛幫的運動，在陸軍默許之下，蔓延及於全國。

然而，印尼人民公然反對蘇加諾，指斥他的不是，却至三月底纔因首任印尼總理施雅里之喪而爆發。施雅里亦爲印尼開國元勛之一，本身是地方上有勢力的蘇丹，又是一位社會黨領袖，因政見與蘇加諾不合，給蘇加諾拘捕下獄多年，因在獄中遭受折磨太多而患病，雖然出獄醫治，但終於在三月中不治逝世。蘇加諾的政敵把握着這個機會，經陸軍控制的新內閣通過，以國家英雄的身份給予施雅里以國葬的殊榮。國人參加公祭的達二十五萬人，其中更有好幾十名是經蘇加諾斥逐，久已不敢露面的前任政治家，亦有部份已遭蘇加諾拘捕下獄，經當局准予暫時假釋俾參加施雅里葬禮。而最出人意外的與祭者中，則爲最有力的回教領袖前任副總統哈達博士的露面。哈達在任時，因對「指導民主」的政策，反對蘇加諾的計劃而辭職。爾後即已消聲匿跡，不敢聞問政事。而哈達的回教黨亦已遭蘇加諾列爲非法。

哈達在施雅里舉葬時，以肅穆的神態與口吻，力言施雅里的被囚爲極不公平之舉，不應發生於這個尊重民權的共和國之內。他又指出「不幸當施雅里被囚之時，印尼人的人權已不存在！」言外之意，顯然對這個無人敢與頡頏的蘇加諾首次公開攻擊。

經過哈達開其端之後，其他反對蘇加諾的人都胆壯起來了。兩星期前，經蘇哈圖和他商量決定的改組後之最高諮詢委員會新名單一經發表，又遭學生示威反對，指責其中仍有親共份子在內。顯然，學生們是要澈底把親共份子肅清，亦即是使到和蘇加諾有關係的人全部滾蛋。蘇加諾再度遭此打擊，忿無可洩，乃於內閣會議當中，指責馬里克縱容學生。但馬里克這時已經不把他當作「偉大的革命領袖」看待，竟然反唇相稽了。

事隔兩天，一向避免出頭的粉碎十月政變主腦人物芮蘇賢將軍，也挺身而出，對於蘇加諾總統的終身任期，提出質疑，指爲「違反一九四五憲法。依照憲法明文規定總統任期爲五年，並非終身任期。」

芮蘇賢同時斥責蘇加諾作「偉大的革命領袖」也是一種僭越。隨着二千多名的示威學生又出現於雅加達街頭，反對蘇加諾爲終身總統，並且提出依照憲法，總統要對國民議會負責，而不能不通過議會而遽然以命令施政。學生領袖更發表大胆的聲明，要把蘇加諾的許多銜頭、特權、榮譽等像替他脫衣服似的，讓他剩下短衣底褲爲止。

事實上，陸軍執政後，經已不管蘇加諾的反對，已儘量將他原來的政策翻過來。最主要的，蘇加諾要親中共，陸軍與民衆却極力清除共黨和親中共的份子。最顯著親中共份子充斥的外交部，已由馬里克部長開革一空了。另一項蘇加諾的傑作「對抗大馬」，雖然陸軍執政當局口頭上仍是說維持這一政策，但實際上外交部長馬里克已在進行與星馬和解，首先宣佈要承認星加坡；另一步，則親自到曼谷與菲律賓外長會商，探討與馬來西亞和解的可能性，並公然表示要與馬來西亞談和復交的意願。

此外，蘇加諾以前極力反美，曾經對着有美大使在塢的羣衆大會中高呼「讓美援到地獄去罷！」但是，最近，印尼新政府已接受美國陸續運來的五萬噸食米，英國的一百萬英鎊援助了。馬里克並揚言願援受美國及其他西方國家的援助。

印尼自去年十月政變流產之後，一切在變，國內政局在變，國際路綫在變，而受這種一變再變的影響最大而又最慘痛的，却是這個慣於自稱「偉大的革命領袖」和終身總統的蘇加諾。他的心腹親信被清除了，他所恃爲支撐的印尼共產黨全部崩敗了，他極力拉攏以壯胆子並恃爲外來輿援的中共，却遭國人和陸軍無情的打擊，焚掠中共「大使館」、「領事館」之外，更對中共「官員」施以搜查、毆打、公然侮辱，以至擊斃。更醞釀着要和它絕交。

從這種事實看來，蘇加諾已越走越近於沒落之路了。

很可能的，在五月十二日開始的印尼人民協商會議舉行之後，蘇加諾的「頭銜」「榮譽」就會像學生領袖所說，逐一被剝光了。

南越複雜政局與學生

·西貢通訊·

經過這次南越政潮的表露，人們總可想見南越的政局是那麼複雜，有少壯派將領集團，有形同割據挾兵自重的地方軍事首領，有好鬧事的佛教徒，有不甘示弱的天主教徒，此外，佛教屬下許多具有實力的宗支，如和好教、高台教，再加上一些政客，和血氣方剛，好鬧事、愛出風頭而易受人利用的學生，於是南越在這許多派系各逞己見，各謀目的之情形下，自一九五五年法國退出南越，由南越人自行執政以來，南越內部一直未會得到安定。其間更由於野心的共黨從中挑撥與統戰的活動，南越局面，特別是南越方面近年的複雜情形，是世界上任何國家所少見。

最近南越局面的發展，初時是由於第一軍區司令阮正詩的被革，而引起南越北部第一軍區轄屬地的大南順化軍人對中央政府的反抗，隨後一轉而爲佛教徒策動的在西貢，以至大南、順化、邊和、茶叻、芽苴各地的民衆示威運動，要求舉行全國總選，成立民治政府。更進一步爲佛教徒大聯合，組織「統一戰鬥委員會」，公開反抗政府，迫使軍事執政團讓步，宣告召開政治大會，推選籌備大選委員會，定期八月中大選。佛教方面接納政府此項承諾，勸諭民衆停止示威，靜待政府實行諾言。局面至此，本已苟安一時，但順化、大南方面突發現武裝學生擄架親政府之省長、村長，並四出示威遊行之事使南越這一角落，風潮再起。

這一派在南越北部的武裝學生遂成南越民衆要求民治浪潮中一股新興力量。這就是以「學生突擊隊」爲名的兇狠而好鬥的新組織。

該隊隊員都是一班心存嫉恨，有頭腦而不肯妥協的青年。該組織並不在政府的軍事建制之內，但各隊員都有武裝配備，並且受過一些軍事訓練的。

最近大南發生示威時，這些隊員穿着褐色襯衫，頭繫紅巾，手持加賓槍活躍於示威行列之中。他們的口號亦即是他們的信條是：「在和阮高奇總理的政府協議之前，先把我們殺了。」

可是，最近他們已遵奉佛教實力派少壯領袖釋智廣之命，減少了他們那種兇狠的活動。

所以有人把這種學生突擊隊又稱做「佛教突擊隊」。他們本來都是順化大學的學生，順化爲越南的舊王都，亦係佛教徒的中心地區，向來佛教在該區具有極大的勢力，以前釋智廣從事倒吳廷琰運動，亦由順化佛寺策動。

突擊隊隊員年紀都在二十歲至二十五歲之間，人數達好幾百名。在「甲組」這一隊就有隊員一百二十五名，而「乙組」一隊就有隊員八十名。當然，還有其他各組。隊裏的領導人物承認還有更多隊員，但不肯透露實際數字。

這些突擊隊員在由順化前往大南示威之前，先由第一師駐在順化的軍官施以兩日的軍事訓練，教導他們如何使用武器及一些有關軍事戰略。

當他們到達大南，由南越軍隊（名義上仍屬於政府，而係在一軍區司令部轄屬的）與警察發給美製的加賓槍及手槍子彈等。

該隊領袖乃一名受過高等教育的學生阮大元，現年二十三歲，據他述及突擊隊的主要宗旨在於「踢走阮高奇政府及請求從速舉行全國大選。」

現在政府既已徇佛教之要求，於三個月至五個月期間內實行大選，但學生突擊隊的立場與動態，一時尚無所悉。

不過，這組織並未解散。在天主教、佛教、各政治黨派及其他組織競相要求實行選舉，成立民治政府聲中，如果選舉籌備之進行未符他們的要求，則這班好勇鬥狠而配備有武裝的學生突擊隊，隨時都會做出暴亂的行動。這實在是當前南越政局的一大威脅。

他們標榜「順化人民的要求」，不過，他們的領導人物亦說及南越有一半的人民處於共黨控制之下，未能表達他們的願望。而除了共黨控制區之外，其餘的地方與民衆多年來對於各項政治問題也是見解不同。

這些隊員嘴裏大，看來他們似乎很有達成他們的目的；但他們對於熱烈追求的民並無經驗，而照他們也缺乏對民主政治的

於四月七日，該隊員大會之後曾發表其中一個要點是：「誓隨時準備犧牲性命我們的國家，拒抗共侵，並阻止任何企圖國的外國勢力。」

有人詢以他們既作戰，爲甚麼不參加戰爭？他們的答覆是們是學生所以免於當

自從該隊成立以們一直集中力量於試南現有的政府踢開，察家所見到該隊活動的一點。

香港商場淡風瀰漫
銀根緊加上消費力降

（本報訊）近來香港商場銀根突然抽緊，不但一般貨物的賒放比前更爲審慎，即銀行對於普通商號與中小型工廠的放欵也顯著收縮，這雖是對半年結的結算提早準備，相信還有一段不短的時間延續。

目前香港商場銀根的緊俏是全面性的，除了實力特別雄厚的大商行與大工廠未受到銀根緊俏的影響之外，其他很多工商單位都有急着「等錢週轉」的情形出現。地產物業方面，業內銀根本來已經很緊，又因爲上週末銅鑼灣「地王」的一座大厦，賣剩的二十四個樓上單位，股東們爲了「埋單」計數，以圍內落標的方式出售，結果每平方呎以四十元零四角至四十一元六角的價格爲若干股東承購，已受到一般的注意。

貨物的買賣在銀根緊俏影響下，批發生意特別淡，食米方面，自從四月廿五日縮短了賒放的倉期後，二盆米商及零售米商都受到週轉的影響，從前每一次購買一百包米的二盆商，最近已縮爲每次購買三十包或五十包，從前每一次購買十包米的零售商，最近已縮爲每次購買五包。於是最近十多天來，入口米商開盆售出的食米，低過正常的水平很遠。雖然現在是初夏，市民需求食米減少，但每日平均應該有九十包成交纔是正常水平，而最近十多天來每日平均成盆祇爲二千包左右，原因是二盆米商與零售米商，要把貨底銷通然後再補給，於是整個米市也影響淡了。糖、麵批發生意，也是繼續削弱，拆銷商與大規模製品商以往每次購買一百包糖與上及一百包粉麵的，現在縮爲每次購買十包或二十包。食油批發生意退縮得更顯著，以往每次購買十桶或二十桶油的普通拆家，現在減爲每次購買三桶至五桶。因爲拆家對飲食業賒出的貨賬很難收回，他們的資金被壓死了大部份，週轉困難，就祇好減少入貨。海味雜貨的批發生意更淡，大拆家現在每日營業額比去年同期幾乎減少一半，於是向入口商購買亦要量出而入。五金及其他建築材料，批發生意也繼續減少，估計比去年同期減少三成，若與前年同期比較，則不及其的半數了。洋紙與化工原料的批發生意最近也很弱，據說與上月初旬比較，減少二成左右。洋酒十多批發生意也淡得很。不但洋酒批發生意大爲退縮，即糖果餅乾的批發生意也退縮得幾乎令人不敢相信，與去年同期比較，減少四成左右之多。

屬於時銷性的夏季疋頭，百貨日用品，批發生意亦未有怎樣起色，雖然一般觀念上今年疋頭與百貨門市生意可能旺得遲，但批發生意與去年同期比較亦有遜色。水果方面，最近果欄批發，生意也退縮了，原因是各區的街邊水果檔，生意比去年同期顯著減弱，向果買欄買貨也就步步爲營，不敢多買，因爲腐爛的水果，攤們祇就要虧蝕了。

瀛海異趣談

瑞典女子婚前亂交成風

·桑雅·

當我（原作者瑞典籍女子自稱）乘渡輪在返家的途中，遇到一個美國男子，他老是凝視着我，我恰與幾個女朋友在巴黎渡假兩週歸來，在花都見過許多法國男人，他們一些也不能吸引我。但是這個美國男子卻不同，他外貌英俊，打扮整潔，看樣子他有些害羞，我決定採取主動。

我從丹麥到瑞典去的兩小時輪渡，相當沉悶的，眞需要一點提神的事情，我用英語問他：「你是美國人嗎？」他眞是受寵若驚，連忙答道：「我從蒙坦納州來的，到丹麥去購買農產品。」「在船上有地方請你喝一杯否？」話匣子打開了，我向他解釋船上的人，都是來往丹瑞兩地「尋樂」的，海上迎面吹來輕風，他的目光落在我的胸部，我已沒有外衣，這件緊身的毛衫，使雙峯的兩顆花蕾有些突出來。他一面窺視，又似表示驚奇，大概他不慣看未戴乳罩的女子吧？我聽說美國女子甚至穿泳衣時，也免不了乳罩的。

我放胆地對他說：「我不戴胸圍的，有甚麼不對嗎？」他受了我的進一步鼓勵，也看得放肆了，他說：「噢！沒什麼不對，好極了，很美。」我向他解釋說，歐洲女人不戴胸罩并非為了引誘男人，因為他覺得戴胸罩對于健康無益。我告訴他，我亦不紮腰封，捆緊身體毫無好處，健康是來自身體沒有束縛及太陽。我又故意告訴他，我是天體會會員，陽光就是醫生，新鮮空氣是補品。逐漸地我把身體靠着他，他受了體熱的攻擊，有反應了。我們兩人擁吻。這天上了岸，在斯德哥爾摩的郊外，我與他成其好事。而且是在一輛汽車後座做出來的艷事，以後我也沒有再會見他。

對于一個瑞典女郎來說，這並非一樁了不起的大事，亦不是異乎尋常的經驗。在未婚的瑞典男女來說，即使是有罪惡感，亦是少得微不足道。類似的亂交，在外國聽來是聳動的新聞，在瑞典是家常便飯而已。像我這樣的未婚瑞典少女，性方面的自由，與年輕男人不遑多讓。偶然行事，是認尋常的事情，不必經過長期來信。瑞典認為壓制性慾是一件不健康的事情，事實上瑞典女人承認五分之四有婚前性行為。外國少女與已有性關係的男人，結局多數是結婚，瑞典認為是多此一舉。廿一歲以前有性關係的女子，十九不必與那男子成婚。與未婚夫或丈夫享受肉慾的僅佔百分之卅而已。

我的性經驗是十四歲開始，那時我已對此道殊不陌生，因為在學校裏有性教育課程，臨陣我并不驚慌。這些性强迫教育，從六歲時即開始接受，當女學生十一歲天癸來臨後，課程更多瞭解，到十四歲是圖文並茂地指導一切。雖然上課講得頭頭是道，而且教師接受解答學生提出的種種問題，性事對于我仍是神秘的，我敢把理論拿去實踐。我的姊姊十六歲已有男友，當他倆離開數小時，她歸來且滿臉春風。在那年的夏天，我與姊姊到波羅的海一小島渡假，第一個星期結識一位十六歲男友。

這天晚上因為閃電鳴雷，我們都不能到沙灘去活動，祇得躲在小房屋內渡宵，姊姊及男友共寢，給我的影響力極大，次晨，我去找那男友。這天大家去赤裸游泳，我們最多止於接吻而已，終於在沙灘上我首次嘗到了性的經驗。現在想起蓬門初度被打開的情景，我也不禁面泛桃花。

到了我高中畢業時，面首不知幾許，我幾乎是個放蕩的女子，我得坦白承認這一段期間是沉迷肉慾亂交。我在斯德哥爾摩的一間電視公司工作，在這地方遇到各色各樣男子，那些外國人士才夠刺激，瑞典男子的缺點是對自己的興趣有甚于對女人的興趣。我發現美國、義大利、希臘的男子，都是甲等人材。我坦白認承參加過許多色情派對。不過無論如何，我還是準備結婚的，我打算積累了這些豐富的經驗，與我心愛的男子，共渡快樂永久的婚姻生活。

「傳心術」在鐵幕內外

·錦超·

大家都知道捷克是一個鐵幕國家，但有誰會相信他們近年來竟對精神靈魂學發生濃厚的興趣呢？信奉唯物主義的科學家，今乃如此唯心，眞是世上無奇不有了。

捷克的一個城市名叫加拉羅夫，那裏集合了不少科學人材，研究一副驚人的機器，目標不是什麼月球或火星，而是人類那未知的精神領域。他們相信人類是能夠靠思考能力來控制物體的活動的。

成功的話，他們便進行探討及解釋有史以來的迷信事件，於是，一切的古靈精怪，都有科學上的解釋了。

研究精神心理活動的現象這門科學，竟然受鐵幕國家的物理學、生物化學、數學以至心理學等專家看重，確是非西方人士始料所及的。

最近，被邀請前往訪問的西方記者祗有一人——李奧富格，他的報導如下：

他們會相信宇宙間第二個世界的存在，實在使我感到莫大的驚訝。他們還强調：「目前人類的智慧及智識還未找出答案，但其眞實性，是不容置疑的。其中一部份還誤為屋內飛沙走石的現象，不是沒有理由的。

他們覺得宇宙間是存在着一種幽靈，隨時會影響人們的意志的，而且透過他的腦袋，而導使物件移動及發出敲物聲響之類。

凡在加拉羅夫的物理研究中心參觀的儀器，均可以證明他們上述那番理論。那裏的主持人是維斯尼博士，他對于電磁物理學，甚有心得，是捷克最有前途的科學家之一。

那副所謂「儀器」，驟看之，十分簡單，只是兩片薄銅接在一起，平衡于針狀物上面，然後能夠懸空轉動。但他們告訴我，他們化了三年的時間，才能發明它。

這即是說，一九六二年開始，他們便着手研究了。當時，第一副稍具雛型的儀器，是由一名工程師羅拔．巴維達發明的，他聲稱憑凝神閉目，便可以使其儀器上的銅片移動位置。

後來，經過數次的改良，證明銷片的移動是不受任何力量的左右，例如電磁方面。換言之，它的轉動，全與大自然力量無關。而其轉動的一切過程，是透過電子，全部攝準鏡頭的。

離開儀器六呎之遠，巴維達把視綫集中在旋轉中的銅片上，十次中有六次他確能夠使它緩慢或完全制止它不轉動。

不久之前，並有一人，聲稱能夠憑思想力，使液體上的微小浮物改變方向。他不是阿貓阿狗之流，是著名的物理學家克瑪茜。不過，維斯尼仍未感滿意，他說：「這不過是起始吧了，再過三次，情勢便會大大不同。」是他特別對我說明，同時，他似乎向我挑戰：「瞧，西方國家能有這種本領嗎？」

（上）

詹森總統訪問記

雷也同節譯

詹森總統任參議院最高權力領袖（多數黨領袖）時，曾和華盛頓星期六晚報主筆及專欄作家史都華．阿爾索普過一段漫長的談話，從下面這一段話可以看出美國第卅六任總統思想的輪廓。

問：有人說你遺傳了你媽媽世族的教師、牧師等特點和爸爸家族的拓荒者、政治家及力行者的特徵，這話正確嗎？

答：大概有一部份是對的；但我爸爸才是做教師的。

問：你想他們是怎麼樣的呢？

答：爸爸看來像我，只不過外表還漂亮一點，是一個熱情的人，喜愛羣衆。媽媽世代師主，出了不少教師和傳教士，她自幼小心學習他們，成了一位女作家，在報紙上發表過不少文章。我猜想我也是染上了她的癖好——我在學校是壁報編輯，媽媽教我的話，我都全盤學會了。

問：你們不是辯論家嗎？

答：是的，我們曾獲勝六十五——六十六次辯論會，僅有最後一次失敗。在市鎮賽會中皆獲勝，但在州賽中因評判員五十二個投反對票而失敗。我是那麼失望，躲避入洗澡間後便病倒了。

問：你媽媽說在你從高中畢業後一段時間內，是你決定性一段時間，因為她不在你身邊。

答：是的，一九二四年我出外到加州謀生，從手到嘴的工作都幹過，如洗車等等零工。不久我又回來到公路局服務。但是我媽媽常常勸我去完成學業，後來我答應要投考大學，費了六個禮拜時間溫習功課，準備入學考試——結果除了平面幾何學外，其他都列甲等。在大學三年時間，從不讓日光看見我躲在床上；同時我幹五個不同工作，如看門，幫助校務，買賣絲襪等等，當我畢業時，在銀行已存有兩百元。

問：你這種超人的節操從何而來？

答：唉，我想你也以此引以為榮，很多人都作不平凡的看法，對我來說這是引導我在政治上獲勝的因素，其他任何原因都趕不上。在我同柏莉夫人的共同願望下獲得麟兒，我們希望他將來做教師，或政治家，或牧師，如能做一個作家或出版家也可以。人們如能善待下屬，他的事業一定能成功；我花在體貼部屬的時間，較做其他事故為多。

問：自由主義者說你太保守，保守派說你太自由，對于你政治上的立場，究竟採何種態度？

答：我想在無損基本原則下是自由主義者，換句話說，我時常要向前前進——但並不使雙足同時離地。

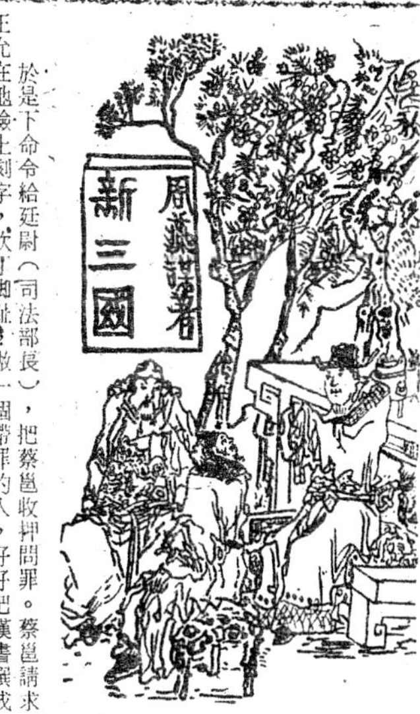

於是下命令給廷尉（司法部長），把蔡邕收押問罪。蔡邕請求王允在他臉上刻字，砍了腳趾，做一個帶罪的人，好好把漢書撰成。王允不准所請。太尉馬日磾及士大夫都為之說情，王允都不准。不久，蔡邕就死在獄中，怎樣死法不得而知。死後王允又有些後悔，但是已來不及了。蔡邕死時，年六十一歲。許多士大夫大儒，都為這一代學人痛哭流涕。漢末另一大儒鄭玄聽說，哀聲歎息：「漢世之事，誰來作證呢？」還有一個袞州人陳留聽到蔡邕死了，還畫像歌頌他。王允這一點事做得太不好，確實是一大損失。蔡邕這種人，不殺他有益國家而無一害，他造不起反。王允痛恨董卓、而不諒蔡邕，心胸太狹了。後來使李郭之再亂，也是他心胸太狹所致。

十二、李傕郭汜二狽相爭

王允殺了董卓之後，中央大權完全落在王允手中，可惜他不懂得攬政治，把董卓解決了，不知道收拾善後。就看他處理蔡邕一事即可知他是一個才智不足的人。董卓不是一個人造成的，他掌握了四年的中央軍政大權，培植了不少親戚故舊在朝做官，又遍佈在長安四周的武裝部隊，這些問題，王允沒有妥善的辦法。擺在眼前的態勢：如長安董卓的部下，即駐防在華陰的段煨，駐防澠池的董越，駐防山西安邑的牛輔。段煨是將門之子，世為漢臣，和漢朝有相當主臣關係，而比較明大義。但是董卓的侄子董越，和董卓的女婿牛輔，以及牛輔麾下的三員猛將，李傕、郭汜、張濟等人，如果不妥善處置，亂子即刻就會發生的。

董卓的死訊傳到陝州時，牛輔用一種奇妙的方法，來替董卓報仇，他命令李傕、郭汜、張濟三人往東方的東留、潁川諸縣去殺人放火，替老丈人出氣。他卻不敢去打王允、呂布。餘留、潁川諸縣的老百姓慘遭屠戮。但是牛輔坐在安邑而心卻不安，身邊帶了一把小刀，準備隨時自殺。外面有人去訪他，必先使看相的人看看有無殺氣，然後始可相見。或者用卜卦者先行卜一個卦，兇則免見。其胆小愚昧有如此者，眞是天下少有。呂布在殺了董卓之後，即派了李肅到陝州，帶了詔命來斬牛輔的。牛輔那聽什麼詔命不詔命，不但不理會，帶兵迎頭痛擊，把李肅打得大敗，敗到弘農去了。呂布以李肅作戰不力，把李肅斬了。

牛輔雖然打了勝仗，心中仍然不安。王允如果持了赦書，先赦了他，等到機會到來之後再除去他，豈不是好？這樣一來，就迫着他非造反不可。牛輔根本就是極怕死的人，他想苟全性命。這時候朝中的巨頭沒了，軍心不安，有一晚上他營中有一部份叛變者，牛輔以為全軍譁變，他不問情由，更沒察看虛實，就命親近收拾金玉珠寶想逃走。他身邊只帶了平日最親信的胡赤兒等五六人同逃，翻城牆北渡河走。胡赤兒見財生異，在暗箭難防之下，把牛輔殺死，奪了金珠，然後割了牛輔的牛頭，到長安報功。

牛輔死了，李傕、郭汜、張濟等三人也回來了。見長官已死，打算遣散士卒，或者等待長安的赦命。但是，長安傳來的消息，恰恰與他們所想的相反。

（卅二）

國劇繽紛錄

鋆燮生（四十七）

看銘傳演探母（續）

黃椿屏的四夫人，扮相清秀，唱得也穩；調門稍低，不能發展，可惜。程艾的六郎，吃調太軟，與好嗓四郎互唱，不免見絀。而相會之時，應該唱完再落座；不能坐在那裏唱。雙方落座就是開口問話，請記住。兩位國舅扮相倒很滑稽，唱做不太冷傷。此齣的龍套韃官，出動了十三位女同學，確是台北市少有。

殺風景的是幻燈，有的所映詞句，與所唱不同，還有幾幕，映出一團亂寫，寫了再寫，技術欠不夠。要有幻燈，必須清清楚楚，否則可以不必。堪慰各位小姐，是北市劇評人，不論男女，一律到場，捧揚如儀，也不枉辛苦一番。下次更再努力，看好戲！

小陸光崛起—客滿

台北孕育下一代的劇人，先有兩個機構，是小大鵬與復興，辦得都很不錯，於是人才輩出。所惜的是滿師以後，不能爲養，遂成走的走，閒的閒，勞燕分飛，楚材晉用，分到每個角落；與藝專的一批精才同樣，學非所用，另就他事。這兩機構在目前似乎在冬眠，並不起勁。不意小陸光幼年班，突然在學習兩年後，成爲一支生力軍，以實習公演突然問世，可說是異軍突起，使我們又有孩子演好看，不禁爲之大快。

在文藝活動的檔期，輪到陸光，先由張正芬、周正榮、李環春合力演出很精采的戲三天，餘由小陸光接演三天，是平分春色。所奇的，是好久未見院門前高掛客滿的牌子，小陸光的號召力竟能至此。分析觀眾的心理，因爲小孩活潑，大家喜看，才能如此收穫。在未演之先，舉行記者招待會，我貽書道喜，並建議千萬不可採明星制，期有四玉，平均發展。不料洪大隊長的前言，也提到七點，與拙見相同。他的前言有五點，值得稱許，是打破梨園舊習，注重人格教育，多啟發，使其發揚自動、自發、自覺的精神。再則不採取明星制，排演時分組，期使每個學生，都能獨當一面，以發揮其天才，而得機會均等。這兩點很合乎時代。其次他們所聘教師不少，且多名家，在每齣演出前，由幻燈映出教師姓名，非常合式。無怪馬元亮聽到吳孟鄰的釣金龜唱腔，常在微笑，欣愛徒有成也。座客稱吳爲小李多奎。

小陸光的學生年齡，最大的十二歲，最小不過九歲，個個活潑，一切皆有神氣。現就此次公演比較突出的，旦角有潘玉琴，飾王大娘，神氣十足，打得也不錯。（未完）

拿破崙的寶貝手足

文曾

路西安曾想往英國，但在途中爲英國海軍所截捕，解往英國，他得自由過生活，用他的母親在海外投資所得的盈利作生活費。在戰爭結束後他返回法國，而跟拿破崙重歸於好。在滑鐵盧戰役後，他再想往英國，因不能得到護照而不能成行。

路易般拿柏是拿破崙的三弟（比拿破崙小九歲），拿破崙佔據荷蘭後即立他爲荷蘭國王，但他遵行三個要點，首先是顧及法國皇帝，第二是法國，第三是荷蘭。他的性情和靄可親，勤政愛民，但拿破崙嫌他太過放縱荷蘭人，終迫他退位。他在加特茲城隱居，他的妻子荷妲茲乃拿破崙的妻子約瑟芬跟前夫所生的女兒。拿破崙在一七九六年跟約瑟芬結婚，後來嫌她沒有爲他生一個男孩子來做嗣君，就在一八〇九年跟她離婚。

上述是般拿柏王朝的獅子，由母親夫人所產出的。還有那些雌獅，她們是伊麗莎、寶蓮和嘉露蓮，她們都比拿破崙年輕，年齡相隔是八歲，十一歲和十三歲。伊麗莎受教育最高深，她嫁給一個軍官，她在一八〇五年由拿破崙封爲彼奧寳諾郡主，她在義大利北部的一個小國家執政，她的丈夫是當地軍隊的司令。但在一八一四年奧地利重佔那個地方時，她就離境了。

寶蓮是她們三姊妹中最貌美，很浪漫史也最多的一個。她最初跟勒里克將軍結婚，曾隨丈夫到西印度平亂，亂雖平但丈夫却死於黃熱病，寶蓮變成了個寡婦，獨自返國。翌年她跟個義大利王子貝茲亞結婚，但後來意見不合而離婚。在各兄弟姊妹之中，拿破崙最喜歡寶蓮，她也被認爲是般拿柏家庭內的寵物。當拿破崙在埃爾巴島時，她曾去訪問他。又當拿破崙被解往聖赫蓮那島之前，寶蓮求當局讓她一同去，但未蒙准許。

嘉露蓮跟梅立特將軍結婚，夫憑妻貴，拿破崙封梅立特爲那波里斯國王。可是梅立特夫婦對拿破崙不忠，當看見拿破崙快崩倒時，在一八一四年早期，法國受聯軍所進攻時，梅立特竟攜三萬人去幫助奧地利將在義大利境內的法國人逐走。當他聽到拿破崙從埃爾巴島逃出的消息時，他就趕快率領他的軍隊到羅馬，想統一義大利，自立爲王，誰知被奧地利人擊敗，他化裝想逃往科西嘉島，但被捕獲槍斃。嘉露蓮則留居奧地利，二

五十年。

麗娣茜亞在她的次子拿破崙的權勢崩潰後，仍同樣受到人們的尊敬，她在一八三六年在羅馬逝世，享年八十五歲。據傳說在十五年前，即一八二一年五月五日，拿破崙死亡那天，有個衣著很樸素的男子，堅要見麗娣茜亞。當見面時，他從衣袋裏取出一個十字架，並對老夫人說：「夫人，在這個時刻，皇帝陛下已脫離苦痛而很快樂。」說罷便離開了，後來在整個羅馬城都不能找到他。在幾個星期後，拿破崙的死訊才傳到。而那個怪客對老夫人說話時，剛巧是拿破崙斷氣不久。

拿破崙是個有眼光，知人善任者，他的部屬多是有才幹的人。但他任用的兄弟當要職，而且封爲一國的國君，有人抨擊他對這一舉是錯誤的，因爲他的三個兄弟都是庸才，出任國王的，反遭各被統治的民衆的不滿，被強迫要服從外人的命令，由這種憎惡而促使拿破崙本人的加速倒台。其實拿破崙也有苦衷的，他是一個很孝順的兒子。他封他的兄弟做外國的國王，大部份的意思，是想令他母親喜悅。拿破崙曾說過這樣一句名言：「搖搖籃的手治天下」。這表示出一個母親的偉大。他想使到他的母親，在她本身是偉大的之外，由他的兄弟們造成她更偉大呢！

香妃恨

「影劇與歷史」之二十二

周遊

電影「香妃」，即平劇的「香妃恨」。影劇故事都以「怨」和「恨」爲其主題，可想而知是一位紅顏薄命的悲劇。其實電影「香妃」和平劇，亦即香妃與乾隆的故事，也是膾炙人口的傳奇。但是，關於香妃的傳說極其紛紜。在平劇「香妃恨」的故事，香妃是回部一位淡於名利的高士名叫沙丘的女兒，沙丘隱居幽谷中課女栽花，香妃是常常摘食梨花和棗花，經過了一個長時間，不知不覺在她的身上發出一種香氣，因此便取名爲天香。這時清室名臣紀曉嵐（紀昀），因被謫到烏魯木齊，偶而聽聞此一消息，認爲亘古未有的奇事，於是在貶謫限期居滿還朝，將此事奏與乾隆帝，乾隆派了高天喜爲欽使，前往伊犁，指名索取沙天香。但此時沙天香已做了回王布那敦的妃子，封爲香妃了。高天喜沒索得香妃而回。乾隆大怒，便派了兆惠率了大軍，平了回部，刦了香妃而歸。香妃爲了報仇，在身上藏了利刃，一以自衛，二則復仇，三則自殺。任隨乾隆百般設計，寵愛有加，而香妃終於守身不失；旋因太后恐乾隆安全堪虞，始將香妃賜死，蓋既爲了乾隆安全，同時亦成全香妃守節之志。

其次關於委巷傳言之香妃韻事，約有三端：

一、香妃爲回部王妃，乃平回疆之役，將軍兆惠承命刦至京師者。

二、乾隆寵之，特設「寶月樓」於西苑以居之，樓外建回子營，毳幕韋構，具如西域；又於武英殿之西「浴德堂」，仿築土耳其式浴室，以爲香妃沐浴之所，以取悅香妃，而稍消其思鄉之念。

三、香妃雖受殊寵於一身，但性情倔強，堅志復仇，時以利刃自隨，且以針綫將衣裳密縫；帝知其不可犯，而又不忍舍，皇后患之，乃詔妃賜死云。

另外一種說法，認爲香妃根本無此人，認定故宮藏香妃與乾隆並馬游獵畫像，是好事者的粉飾。王志翕香妃詩詠，即以香妃根本無其人。詩云：「采[illegible]輕將野語收，娟娟寶月照層樓。流傳贗畫椒風影，彷彿歸魂柳樹秋。百輩才人辭太費，十全信史事難求。松鄰題象詩沿誤，削稿長消地下愁。」

文人多喜歡將哀艷故事點染風華，穿鑿附會，誠屬有之；然亦有所本，並非完全憑空揑造，香妃故事即其一例。根據可靠史料，香妃史事斑斑可考，並非子虛，惟一般委巷傳言，穿鑿附會，將香妃特殊化，而失其本來面目。

香妃爲回部掌教之女，見於清史稿后妃傳——「容妃和卓氏，回部台吉和扎麥之女，初入宮號貴人，累進爲妃薨」。伊人初入清宮，當在乾隆二十二年間，事由於「孟爾和卓由準部得釋時乞恩於中朝而進其女以固好，非叛後而俘擄入朝也。」後來和卓氏之亡，香妃並不知道，因此更無伊人懷志報仇之事，此乃文人附會之，以將伊人特殊化也。香妃入宮，深得乾隆的寵愛是實，但並未將藏之「寶月樓」中，更沒有凜然不可犯，以利刃相向於帝之舉，這都是文人附會伊人爲一烈女，爲國報仇，爲夫雪恨之美事。（一）

希特勒吞奧國過程如演戲

廿八年前一頁笑史

。漢松。

最近有一部影片係用德國併吞奧地利的歷史來做劇情演出的一部份。這是在一九三八年三月間發生的事情，距今雖未夠三十年，但是一般人多已忘記那回事了！筆者在集郵方法收藏有一種跟這件事情有關的紀念明信片，上有一種特別郵戳，可作一種有趣味的考證。這裏且畧述當年希特勒把的奧地利括入德國版圖的經過情形。

當那個早有野心想征服整個世界的德國大獨裁者希特勒做了德國總理之後，不久便擢升做德國的元首，他所屬的納粹黨，排去所有的異己者，横行無忌。希特勒想奪得的第一塊肥肉就是他本人出生地奧地利，在當時奧國總理是一個身長衹得五尺的獨裁者杜爾斐斯。他知道希特勒遲早必會來侵犯，就請義大利的强人墨索里尼保護。可惜杜爾斐斯在一九三四年七月的一個下午遭人謀殺死亡。他的承繼者施殊尼格爲着保持奧國的獨立，也同樣要求義大利在必要時幫助。

但是希特勒與墨索里尼兩人有更深的交情及默契，希特勒支持墨索里尼對阿比西尼亞的侵畧，墨索里尼也就答應不干涉德國以政治手腕吞滅奧地利的企圖。這可說是狼狽爲奸！捷克見危機四伏，將來更會變成唇寒齒亡的局勢，擬採取行動去對付德國，但蘇俄、法國、英國，甚至國聯會都沒有預備阻止希特勒的行徑，它就不敢獨幹。

在奧地利的納粹黨徒得德國的支持，勢力日强，一九三八年三月十一日，奧國總統美克拉斯被迫要罷免施殊尼格的總理職，而由親納粹的斯士茵葛特代替。

德國宣傳部長戈培爾博士，在一九三八年三月十二日經德國和奧地利電台，宣佈奧地利人民將由自己投票選擇歸向。希特勒也在這天出發返回故鄉，沿途受到奧國人夾道歡迎。希特勒的第一個歇足的地點是連斯城，希特勒幼年時曾在那裏讀書；他再到利安丁村他的雙親墓前獻花，事後再返回連斯城。在這天下午，奧國新總理斯士茵葛特由納粹秘密警察首長希姆萊陪伴下去謁見希特勒，宣佈取消受國聯會保護的條約，擬舉希特勒爲奧國總統。但希特勒還未感滿足，必要將奧地利歸併德國。草約在三月十三日送到奧國所成立的政府時，總統美克拉斯拒絕簽字，但斯士茵葛特擅奪了他的權力，由他本人簽字後，將那件重要公文由本人親自帶着乘飛機到連斯城交與希特勒。該草約宣佈奧地利共和國的完結，開始的文句是：「奧地利是德國的一個省份」。希特勒在三月十四日才到奧地利的首都維也納，她於青年時代曾在那裏過着最窮苦的生活，挨飢抵餓。在希特勒未抵步前，希姆萊曾在那個大城市捕去幾千名嫌疑份子，在幾個星期後，數目增加到七萬九千名。德國的龐薩機動部隊大批開到維也納城示威。掩耳盜鈴的希特勒，在三月十八日宣佈：將於四月十日由德國及奧地利人投票決定奧地利的命運，究竟仍是保持獨立或歸併德國。（上）

六種夢境及其釋義

。依樺。

常做此夢的人，是個猶疑不決的傢伙，往往希望第三者替自己決定事情，思考事情。另外，凡在現實生活中感到少受人愛護的，也愛做這種夢，因爲他（她）的童年可能是一段美麗、溫暖的往事，值得他（她）重溫一下舊夢。

（五）無窮盡的走廊——這反映大家所過着的不安的生活實況，尤以都市人爲最。在夢中，我們必在走廊中奔走着，不停地奔走，是一條沒有盡頭的走廊；我們會開了一次又一次門，像找尋一些東西似的。過程太緊張與可怕了，做夢者往往在驚惶中醒過來，滿身冷汗。（三）

內政部登記證內警臺誌字第〇三一號

自由報

THE FREE NEWS

第六五三期

中華民國僑務委員會頒發
台僑新字第三二三號登記證
中華郵政台字第一二八二號執照
登記爲第一類新聞紙類
（半週刊每星期三、六出版）
每份港幣壹角
台灣零售價新台幣貳元
社長：雷嘯岑
督印人：黃行審
社址：香港銅鑼灣高士威道二十號四樓
20, CAUSEWAY RD 3RD FL.
HONG KONG
TEL. 771726　電報掛號：7191
承印者：大同印務公司
地址：香港北角和富道九六號
台灣分社
台北市西寧南路壹壹零號二樓
電話：三〇三四六
台郵撥儲金戶九二五二

太空競賽的原因及對人類的影響（下）

祁倫

（六）農業：農產豐富乃國力重要經濟因素，但在人口壓力使耕地面積日趨減少、食糧加速消耗情況下，今日的化肥及品種改良等增產方法已達極限，必須有賴太空藝技及原子能來控制氣候使適合農作物並加速生長及增加果實，同時運用人造糧食以減輕壓力，開發海洋糧食以謀根本消除壓力。由於人口是世界問題，所以需要世界合作共同參與努力才行（世界糧食會議即有此議）。因此，其影響乃是迫使世界走上互助合作的道路——今日美、俄同運糧援印度減輕其飢荒，並聯合技援增加農產便是近例；美國並不禁止運糧供應古巴，也是基於人道的措施。只有中共才在古巴缺糧時切斷供應。這種忽視人道、拂逆時代潮流和國際趨勢者，怎不被世人唾棄，爲時代所淘汰呢？

（七）水利：河流爲一個國家特殊的財產，既供給交通、灌溉和水力發電的動力，且是發展造船和海軍的基地；但在時速數萬哩、載數千噸的太空火箭與巨型飛機及核子動力車輛紛紛問世的太空時代，水利的原來價值業已受到深遠的影響。即是灌溉用水也因世界水源日益枯竭（詳去年十一月廿七至十二月三日本報所刊拙稿「三個問題」的分析）而有賴人造雨及開發海水來解決問題。人造衞星測量大氣環流及濕度變化、和測量洋流與極地冰帽之進展，以及利用新藝技測量地下水存量與洋面蒸發之後，便可據此資料實施廣大地區的造雨計劃。

（八）工商業：太空競賽刺激了國內工商業的發達，也刺激了國際貿易及關稅與人事管理等的變化，甚至幣制也因而改制以期劃一——本年二月十四日雪梨美聯社電：澳洲的幣制，今天從鎊、先令、便士改爲元、角、分；現仍採用鎊制的主要國僅餘英國和紐西蘭，紐西蘭擬於明年改元，英國則正在籌劃中。

（九）氣候：世界上卅三億人民中八分之七居於北緯20°—60°之間，其他廣大地區則因氣候不適於農耕和居住而任其「荒蕪」。太空科學將有助於氣候控制的實現（如蘇俄在西伯利亞創建人造海的試驗已獲有相當成效。但此大規模控制氣候（如美國一九六五年七月起在太平洋試驗控制颱風）則有待有關國家的協調。這一影響是非常廣泛而深遠的。

（十）天然資源：包括地層、水面、水底一切動植、礦物與天然等自然現象的天然資源，由於太空競賽的需要和太空科學的藝技，均將分別獲得開發、運用，控制與改良。此一影響也是非常廣泛而長遠的。

（十一）人口數量：以一九六五年世界卅三億人的生育率計算，卅五年後將超過一百億人，糧荒、屋荒、教育、交通等問題，均不是目前科學的發展進度所能解決得了的。因此，太空醫學將提供衆多新節育方法（如蘇俄女太空人特麗西哥娃升空前注射「絕經劑」以暫時制止月經及排卵）；太空遺傳學將提供人種改良法（優種學）；太空生理、心理及營養學等將供給人類保健方法；全部太空成就將有助減輕人口壓力而不用移民其他星球。以往，人多是國力強大的重要因素，現在卻成爲沉重負擔，故必須改善；而太空科學將提供節育增壽的最佳改善方法（印度人平均壽命三十六歲，人道是糧食衣物和人力的浪費）。

（十二）教育和技術：依賴體力的時代早已過去，太空時代則有賴智力和技術才能有效增強國力。太空競賽已刺激了教育的普及和專技的重視，俾適應日益複雜的生活需要——改良舊有的技術和物品以及社會組織與行政文化等作業並創造出新的。很多國家延長義務教育由六年至十二年，同時普及技能訓練，便是太空科學帶來的影響。

（十三）勞動力：太空競賽已帶給人類一個半自動和全自動的生活境界，使得即使是年高力衰的老人，也可憑其豐富經驗和其高智繼續從事工作，以延長人類的勞動力。這一現象影響了以往憑年齡體力計算勞動力與生產力的觀念爲之動搖，也連帶影響了退休制度與就業問題。

（十四）經濟：舊觀念認爲發展國家經濟須：必須具有各種天然資源、生產足夠產品，抵制其他國家的產品輸入。這一觀念已逐漸發生變化而成爲：有效交換調節同盟或友邦間的天然資源、技術、勞動力、產品之有無，以期發展同盟或友邦間的共同經濟——今日各國經援、技援、產品貿易、投資及關稅等協調發展，即是此一變化的說明。未來發展趨勢，將演變爲類同歐洲共同市場的聯盟集團市場，以期利己利人，造福人羣，而非僅謀本國之經濟發展。

（十五）政治：太空科學及藝技的各類用途，影響了國家政治的政體和凝結力。民主政體的優點是政府和人民意見距離較小、能發揮集思廣義的力量；缺點是行動遲緩而爭議難決。極權政體優點是權力、行動迅速有效；缺點爲政策和行動易入歧途而難自拔，政府與人民貌合心離，不能維持持久力量。由於太空工藝及軍備發展神速，爲防制極權者衝動陷國家於危機，故極權政體在太空時代必將逐漸被遺棄，民主政體爲全人類所歡迎。故，未來的世界政體，均將步上民主自由。

（十六）軍力：增強火力減少兵力以撙節人事經費和消化爲生產力，這是今日各國均已實施或將實施的國防政策。太空軍事用途發展中，必將影響這一政策加速推廣。太空除人員裝備外，太空科學使人類智識普遍增高，因而士氣民心也將受到影響，將受戰略格外的正確重視觀念也。

結論

從太空競賽的八大原因，和十六種影響分析，我們不難發現太空時代已逐漸走向自由之大道。美國太空飛行中心主持人……（「V—2」火箭之父）……在四月份的「大衆科學」雜誌……「一九八○年代的太空征服」……那末人類便將建立一個「天下一家」的理想人類境界，這是我們所期望的太空競賽之目的。（完）

無所遁形

無法調和

祝蔣總統就職

今日與明日

中國第四任總統副總統昨經正式就職，實在是一個天大喜事，只看海內外人士歡欣鼓舞情形，可見人心之所向，相信凡是中國人，除去毛劉周朱一小撮之外，對此一大典都會感到興奮的。

在總統就職之前，行政院已經總辭，新的內閣也將組成。國人對此新內閣皆有一番熱烈期望，希望能予世人耳目一新的感覺，開拓反攻復國的新機運，爰本言論之責，向新政府提出三件起碼的小事，希望能注意及之。

在新閣未組成之前，各方都在喊行新政用新人，實際上是一個不太切合實際的口號。曠觀歷史，人只有才與不才之分，決無新與舊之別，諸葛武侯從出茅廬到五丈原逝世前後共執政二十七年，原說到舊是舊的可以了，但是並未誤了國事。再看目前的南越，三年中間八易政府，許多人以少將官階而任元首，總理算夠新的了，結果又如何？所以說政治的良窳，與人事的新舊絕無絲毫關連。再退一萬步說，用新人也要培植新人，民國元年國父在南京就臨時大總統時，內閣閣員年齡平均不到三十五歲，爲部長之首的陸長黃興尚不足四十，外長王寵惠只有三十歲。我們今年在台灣想選拔一個四十歲以下的人當部長，相信找不到，爲什麼？人才已經中斷了。所以說今天不必要求新閣一定用新人，但却要作幾件使人耳目一新的事。

三件小事

以今天中國的處境，要想馬上就反攻大陸也是作不到的事，我們若執此以要求新閣也是強人所難。但最低限度有三件眼前的小事可以作得到：

一、撤換腐朽昏庸不稱職的外交官，如加拿大那位大使，凡是到過加拿大的僑胞，對於此公之顢頇誤國無不切齒痛恨，此次沈外長到加拿大訪問也看得清楚。其實如此類人正多，如年齡高達七十幾歲的駐伊朗大使，都應該馬上撤換，派出幹練人員，可使當地僑胞耳目一新。

二、放寬海外書報進口，准許報紙自由競爭，解除凍結法令。

三、馬上下令禁止中研院提出的每月一千二百美元高薪聘海外學人回國講學案，此案打擊軍民奮鬥志氣，比起當年簽訂「中蘇友好條約」讓外蒙獨立，奉送東北主權爲尤甚。新內閣不但要嚴禁此案，還要詢查主事人之動機，假若爲沽名釣譽，挾洋自重尚可減，若有心破壞國家政策，離間海內外之團結，就不能等閒視之了。（何如）

讀自由

近來在報紙上常出現國際政治界熱門人物，要以美參議員富爾蒲萊特爲首屈一指了。他是參議院外交委員會主席，不斷地發表姑息亞洲共黨——反對美國參預越戰——的議論。特別是糾合美國一般左傾學人，搞甚麼「聽證會」（Hearings）、玩弄各界人士共鳴的高聲勢，企圖對白宮形成一種人多數民意的壓力……

蒙昧的鋒頭主義

……借冒着觸發核子大戰的危險，毅然採取武力干涉行動時，富民主道德者以前進人士自命的傢伙，又默不作聲了呢？多數美國一般知識份子，少半都存有重歐輕亞的頑強心理，對於亞洲的共黨問題，他們祇是隔岸觀火，漠不關心。也不知道亞洲的實際情形究竟是怎樣回事？只在選舉之際，纔利用東方外交事項作競選題材，曉曉譁咋，聽話三千而已。所以，美國的所謂「遠東問題專家」和「中國通」，都是些莫名其妙的半瓶醋人物，不值一哂。祇要美洲不受共黨控制，美國的安全繁榮生活如故，即令共黨把整個亞洲吞併了，他們亦滿不在乎的。如果共黨願意跟美國做生意，大量購買美貨，這些冒牌的自由主義者，更要對共黨歌功頌德，肉麻當有趣哩！

世人對於美國的參議員們，以其權力甚大，認爲他們是美國的傑出人才，尤其是在參議院擔任外交委員會主席的人，總對他另眼看待，特別重視。實則在普選之下產生出來的民意代表，眞正的學者專家多難入選，凡政客議會好出鋒頭的，即爲幼稚無知的曲學阿世之士。富爾蒲萊特、毛斯、羅拔、甘迺迪之流，都是對越戰與中共問題放言高論的角色，與研究他們的說詞內容，不是很可笑的嗎？他們的言行，很像我國過去的「民主同盟」份子，將來一定自食其果的。試拭目以觀其後罷！

馬五先生

中華民國五十五年五月廿一日　自由報　星期六　第二號

招商局難起沉疴

北基二路又補漏洞

（本報台北通信）招商局按照交通部所訂革新方案，派張壽賢担任董事長，緊縮開支，裁減職員，由原有的七百餘員工，縮減為七十名之後，積極整頓，以為業務將見好轉，該局前途大可樂觀了。詎知改組半年來的結果，依然虧累如故，最近該局舊有員工又向監察院陳訴董事長若干措施不當，內容固屬空洞，但新改組的招商局業務毫無起色，却是事實，因而引起立監兩院注意，問題又發生了。

就近年來的航業而言，情況並不壞，所有民營航業公司都賺錢，唯獨公營的招商局就蝕本，其故安在呢？說來亦不稀奇。航業的生存要素就是貨運，爭取貨運要靠人力，人力高下不同，方法不一，得其人即得其法。民營航業的人力具有精悍性，祇要是能幹的職工，待遇不惜優厚，為着生意經，花些應酬交際費亦滿不在乎，老闆一聲〇.K.，多寡聽便。公營機構却不然，事無鉅細，先講法規和預算，照例要開支的錢，亦有許多官樣手續非辦不可，若為爭取生意上的利益而欲耗用預算以外的分文經費，絕對不可能的。因此之故，凡屬利潤優厚的貨運，皆被民營航業捷足先得了，公營機構僅能弄到一點點殘餘而已。例如由台灣輸出的貨物，台糖的運價較高，水泥的運價甚低，前者盡被民營航業搶去了，招商局所能爭取到的貨運，頂多亦係後者，此其一。民營航業僱用的技工，多屬一流人才，寧缺無濫。招商局許多合乎標準的職工，由於待遇微薄，十九都被民營航業以高薪羅致去了，剩下來的多為二三流角色，這不特影響業務上的效率，而且增加不少的行政費用，成本相應增高。此其二。民營航業如要添置器材，改良設備，只要有錢說幹就幹，決無稽延。招商局呢，那怕是添置一只舢板，或換用一根鋼纜，先得編列預算，備文呈核，層層的官式手續，經過一年半載尚難辦妥，等到最後核定時，早已事過境遷了。此其三。似此情形，無論輸出或輸入的貨運，公營航業憑甚麼資格，能夠與民營航業競爭呢？不常年蝕本纔是怪事！不特此也，新改組的招商局職工只任用七十多人，其他舊有員工七百多人無法遣散，還得供給他們的生活費，民營企業公司決不致供養這末多的閒員。這些便是招商局的沉疴所在，無法醫治，組織改來改去，毛病只有愈趨嚴重，終將不起的。去年交通部所擬訂的那套方案——即新設營運機構，以純商業的方法，專負經營實際業務之責，舊組織仍保留，而恃新機構賺錢來還債兼照顧舊組織人員的生存，逐年減少行政費用。這樣比較合理，雖不能起死回生，然病勢決不會加重，可惜這方案通不過立法院，胎死腹中了。

北基二路就是由台北到基隆的「麥克阿瑟公路」，第一段由台灣省公路局修築，第二段由交通部的「中華機械公司」承修，第三段由榮民總工程處建造；完工未到一年，到處發生崩裂坍陷情況，人言嘖嘖，多所鍼貶。最近第一段路基更現險象，新任公路局長陳聲簧提議補修，列定預算一億八千萬元台幣。據說是路基底層不堅固，因而時有塌陷之事。省府秘書長徐鼐在交通小組會議中大發議論，認為路基底層不堅固之說，若在五十年前如是云云，未嘗不可；今天說此話，未免太失格了。以現代的科技知識，築路伊始，應該先行查驗地質，底層堅固與否，事前業經鑽探清楚了，如其地質的內容尚未明瞭，即貿然與工築路，這不是笑話嗎？第一段路基如此，二三兩段，當不例外，一段既要補修，那兩段必然跟進，而三段工程且較二段艱鉅，因它靠近基隆方面的海邊了。假使真是路基底層不堅固的話，則整條的北基二路，勢非重新翻修一次不可，那還了得？這案件尚在省府計議之中，能否通過實行，"且聽下回分解。（五月十二日天祥於台北）

香港工業面臨三難關

上月出口增加率已降低

（本報訊）港府工商處發表四月份對外貿易的臨時統計數字，香港工業品出口貨值三億八千四百零二萬元，比三月份出口貨值（四億三千九百卅九萬元）減少五千五百卅八萬元。而今年一至四月份香港工業品出口貨值共十六億七千一百六十三萬元，比去年同期（十五億六千四百九十九萬元）增加一億零六百六十四萬元。顯示今年首四個月香港工業品出口增加率已降低，反映香港經濟[illegible]，都感覺香港目前工業面臨三個難題：第一個難題是如何維持生產成本以及物價的安定？如果不能做到這一點，將來有一天香港[illegible]。第二個難題是如何尋找新的出口市場，以免過分依賴英美。去年因為英國徵收入口附加稅，已經使香港工業品輸往英國退縮，現在英國政府已決定今年，十一月取消入口附加稅，在長遠來看，也許對香港工業品輸英是有利的，但是在附加稅取消以前，英國商人為了急於疏通舊訂的高價貨，勢必減少向香港訂購八、九月付船的工業品。第三個難題是如何維持香港工業的投資增加率，以抵消中國大陸及日本在香港推銷產品的威脅。

目前香港工業品出口，充分依賴三個重要市場：其一是英國市場，其二是北美市場，其三就是西歐市場。

去年香港工業品對英國輸出貨值八億六千萬元，比前年的九億六千八百萬元，減少一億零八百萬元，即減少百分之十一。今年香港工業品輸往英國，在年初時預料是恢復增加的，可是英國政府對於入口附加稅取消提早六個月宣佈，這一手對於英國商人的訂貨安排以及疏通舊訂的高價貨是有利的，但在相反的，對香港工業品輸英今後六個月是不利的影響。今年香港工業品輸英能否恢復增加，也成疑問。

去年香港工業品對英國以外的西歐國家輸出貨值七億七千五百萬元，其中輸往西德就佔了三億七千萬元，即佔西歐去貨百分之五十強。但今年香港工業品去銷西歐已有轉緩的趨勢，預料今年香港工業，對西歐輸出不容易有明顯的增加。

去年香港工業品對北美兩個國家（即美國與加拿大）輸出貨值十八億五千三百萬元，其中輸往美國佔十七億一千八百萬元，輸往加拿大佔一億三千五百萬元。預料今年香港工業品對北美輸出仍是繼續增加的，原因是今年美國仍在戰爭的景氣中，國內工廠為了積極生產戰略物資，對於一部份民用物資無暇兼顧生產，因此美國商人增加向香港訂購。加拿大經濟仍然繁榮，今年去貨可能繼續增加，預料將會增加百分之十或超過百分之十。

從上述的分析，可見香港工業品對這三個主要市場的依賴性十分重要，因為輸往英國的工業品佔出口總值百分之十七，輸往美國的工業品佔出口總值百分之三十四，輸往西德的工業品佔出口總值百分之七點三。還有一點值得注意的，就是今年香港很多廠家仍以降低價格的手法來爭取出口市場，今年香港工業品出口利潤不能作過大的期望，現且集中於大廠產銷，中小廠則繼續處於不利地位。

共產集團充滿沮喪迷惘

俄京之會慘象暴露無遺

世界共黨頭目們不久以前在莫斯科召開他們五年來首次集會；世界所有各主要共黨政權之中，獨中共並未派遣代表團參加此次集會。

當世界共黨頭目們上次集會時，他們的運動，乃在似乎一個獨塊石式的組織中控制了全世界三分之一的人民。

而僅僅五年以後的這次集會，世界共黨運動，竟已成為陷於四面楚歌的一個分裂運動。

奴役着為數七億三千萬中國大陸人民的中共，已從同樣奴役着三億三千萬蘇俄人民的蘇維埃帝國中分裂出來了。在東歐各共黨政權的莫斯科集團內部，也正有着有增無已的獨立趨勢。

世界共黨頭目們在莫斯科召開的會議，並未能有如預期地有所成就。祇有一種空洞的理想，足以顯示共黨的力量。中共既未參加，共阿關及利亞亦宣告退席，其餘的共黨們，則祇聆聽着蘇俄頭目們試圖說明蘇俄所遭遇的種種失敗。

世界共黨運動，此刻已顯示着一種新的面貌——那便是一個衰勢已到盡頭的浪潮，而眼巴巴回顧他們背後所謂勝利的以往，而唯有面對着重重困難的前程。

一個淒凄慘慘報告

世界任何一洲，共黨份子並沒有任何充分的進展足以提出報告。適得其反的，在圍牆高聳的克里姆林宮內所舉行的世界共黨頭目集會中，乃有着許許多多的共黨禍患和種種逆流來加以掩飾和懨若罔聞，眼不見為淨。

亞洲方面，中共乃遭美國的軍事威力所封鎖，而無從向那個東南亞半島（中南半島）擴張其侵略勢力。號稱任何一個非共黨國家中之最龐大的印尼共黨，正由於它準備着為了權力而進行鬥爭之故，業經被印尼反共人民清算殆盡。

非洲方面，剛果共黨份子的蠢動，業經陷於崩潰，而已在全非洲各地進行退却。會一度親共之阿爾及利亞執政黨出席莫斯科集會各代表，終以宣告退席，相率返老家。他們乃由於經他們自己國家，認為非法而被驅逐出境的阿爾及利亞共黨份子亦在莫斯科集會中出現之故，而感到憤怒。

西半球方面，美國軍隊制止了明多尼加共和國共黨企圖的接收。並未由於卡斯特羅一九五九年攫取了古巴政權之故，而共黨份子便足以控制拉丁美洲其他各國。巴西乃於一九六四年遏止了共黨份子混進該主要拉丁美洲國家，取得一切政權地位的種種努力。

蘇俄本身內部，共黨體系乃正不得不加以修改，從而防止嚴重的崩潰。

自說自話　滿口美帝

世界共黨頭目們之所以在莫斯科召開會議，正乃針對上述背景。

在此次莫斯科集會中，美國再度被指為敵人。美國乃依然成為世界共黨運動中的第一號指標——不管中共式的共黨運動也好，蘇俄式的共黨運動也好，他們的第一號目標——便是要摧毀被認為非共黨勢力之中心的美國。

莫斯科方面，蘇俄共黨頭目們處心積慮地對中共維持着門戶洞開的姿態，期能恢復世界上一個聯合的共黨的體系。但在可以預見的將來，對於此一期望的種種時機，似乎微乎其微。

然而，蘇俄共黨頭子布里茲涅夫就其在克里姆林宮中，對濟濟一堂的世界共黨頭目發表為時四小時有半的報告中宣稱，蘇俄需要與資本主義各國建立或維持「正常和平關係」，包括美國在內，但祇有如果他們能讓越南和其他任何地區的共黨有路可活的條件為限。

出席此次莫斯科集會的共黨份子們依然表示希望他們在今天期間的一切命運，足以有所好轉。

印度乃被共黨份子認為一個深刻不安定，而最易發生變亂的地區，足以被蘇俄和中共的利用以從事混水摸魚者。有如蘇俄對印度提供工業援助，處處表現它是印度的朋友之姿態，而中共則對印度公然繼續維持其敵對的態度，準備一旦時機來臨時，立即恢復其對印度的邊境戰爭。

共黨份子似乎特別感到希望遠大，一心以為拉丁美洲一些地區，對他們留着種種美好的機會。

最近在哈瓦那會議中發表演說的一名蘇俄共黨頭目，曾指出對委內瑞拉，哥倫比亞，秘魯，玻利維亞，瓜地瑪拉，以及巴西，瓜多爾等拉丁美洲各國由共黨發動的革命，必須作為最優先要着。最近厄瓜多爾民主政權的遭受顛覆，或將足以對共黨份子造成一個機會。

（上）

接收氣象衛星照片

港天文台工作良好

（本報訊）香港天文台已成功的運用一種自動接受相片機，接收氣象人造衛星發出之照片。

此種儀器安裝於九龍京士柏地面連絡站，為世界性連絡網之一，並經于一九六三年底開始工作。該項有一枝如螺旋釘形之設備，與人造衛星保持水平，即為收受衛星發出照片之一設備。

據天文台發言人談稱：新近香港下雨時並未有錄得輻射塵。若發現輻射塵有任何增加時，將會立即公開宣佈。

天文台當局去星期曾發表，中共核爆所產生之輻射塵，可能先過日本然後到世界各地，並預料最早亦須五月十七日始到港。

發言人又稱：目前在空氣水雨中，並無錄得輻射塵有顯著增加的跡象。且就算輻射塵在星期一已進入本港，天文台最快亦在星期四，始能化驗出其輻射塵的增加量，有否危害人民的健康云云。

舊金山博覽會　本港產品　甚受歡迎

（本報訊）剋下在美國舊金山博覽會中展出的本港製品，令到當地人士甚感興趣，頻向港代表團詢問，并進行定購事宜。

這次在舊金山展出的港產品是中華廠商會應美國方面之邀請參加其在本月十二日開幕的第八屆博覽會。在是次展覽會中，共有廿餘國家及地區參加展出其製品，是次展覽會將在本月廿二日閉幕。

在展覽會中，本港的產品非常吸引當地人士的注重，平均每日的營業額達六萬元之鉅。這次本港的代表團是由香港貿易拓展會的代表吳嘉棠及團長黎膺宇、副團長黃平山率領的。

瀛海異聞錄

美國西部妓女身價提高

桑雅

世界上每一種行業，都似乎與「錢」「利」二字結了不解緣。就拿目前在美國西部仍然盛行的娼妓來說，在她們的眼中，「金錢」仍然是最重要的東西。

為了研究美國各州娼妓的生活，我特地花了好幾年的時間，走遍西部華盛頓、愛達荷、內華達、亞利桑那等州，觀察她們今日的生活，亦跟着潮流的進展而轉動的；無論在社會人士的眼光，她們爭取顧客的手段上，態度上，都有顯著的改變。在過去，西部地方的所謂妓女，便是出入酒吧中的舞女或吧女。昔日，她們被稱為「[illegible]婦」或「曖昧的婦人」。但今日的妓女，則被稱為「工作女子」。在過去，稱呼上不能說是[illegible]；昔日的打扮是搽脂抹粉，[illegible]妓女，亦不敢作過份的打扮，惟恐被人誤為妓女。妓女所居住的地方，沒有陽光透進，整天都使人感到有一種黑沉沉，毫無生氣的感覺。[illegible]

妓生涯更要來得令人可憐。[illegible]目前在西部地方最通行的一句口頭禪便是：「喂，先生，你今晚想找人作伴[illegible]是有意的話，只須把頭一點，[illegible]會與你把背而行，以後的事，[illegible]外，西部地方還盛行一些「選貨屋」，「選貨屋」作平房裝飾，內裏[illegible]女，燕瘦環肥，任君選擇，總[illegible]著滿意。

在過去，妓女都要被龜鴇從中剝削，既要交[illegible]又要交佣金，且一行一動，皆[illegible]日在，偶有過犯，往往被人打至[illegible]制，華達州有一名龜鴇，她管[illegible]女是非常嚴厲的，即如規定妓[illegible]皆歸她所用，不得私扣，不得[illegible]又不得穿紫色彩衣（她認為紫[illegible]死亡）；她平日又尖酸刻薄，[illegible]的妓女。她終於亦死在一個受[illegible]女之手。

現在西部的妓女大部份都擺脫了龜鴇的[illegible]鴇們亦大大的改變了她們過去[illegible]刻薄的手段，改用懷柔政策，去[illegible]，務求使尋芳客有賓主如歸之感，[illegible]絡屬下妓女們的最佳手法。[illegible]再不是遠較昔日的妓女來得自由，再不像過去的靠淫媒從中拉攏。[illegible]們搵食的最佳工具。現時這些[illegible]在家中候電話，只要電話出發，[illegible]門牌地址，她們便按址前往，[illegible]得多了。同時，她們更有自主[illegible]神不佳，她們亦可休息一天，[illegible]的受龜鴇的指使。生活亦遠較[illegible]適。

根據統計數字指出，有百分之六十五的[illegible]則迎送生活中找尋丈夫的；其它[illegible]帶有自卑感怪癖，有一部[illegible]性慾特強而甘心當妓女，她們對「妓女」兩個字已感到麻木了。

「傳心術」在鐵幕內外

錦超

在捷克，科學家能公開研究鬼魂學說，在共產陣營中，這不能不算是一個大革命。在蘇俄官方百科全書，傳心術一詞通常只解作神話，這是與甚麼迷信、玄秘分不開的。

可是，近年來，在這方面的發展，又是見怪不怪了。同時，列寧格勒的華斯里夫教授在過去四十年內，也一心一意研究這種傳心術的。他對記者說：「他的研究會在戰爭中派過。」

一九五○年間，蘇俄政府對這些科學放鬆。一九[illegible]年在西方國家陣營中，美國海軍部發表一項報告，說他們已設立一個「傳心系統」，可以放發數千哩外大西洋海底下的核子潛艇，被鎖在船艙內，執行這種放發工作。

這個故事傳開後，不少人對於傳心術發生興趣了。

華盛頓廣播公司最近有十三個新節目，其內容都是與精神靈魂學有關的。同時，在加拿大的維斯頓，據說六年前已由一位名叫卡斯杜西奧的博士，負責研究這方面的問題。

一九五九年一月廿九日，美國的五角大廈也傳出一個消息，謂已着手研究傳心術的真實性，如發覺有科學根據，便拿來作反間諜之用。

美國太空總署的生物工藝部的干尼斯博士說：「我們有理由相信，蘇俄正開始對第六感覺這種精神學着手研究；他們相信列寧的唯物主義，依然有這個唯心行動，我們不得不注意的。如果我們不窮追，很可能若干年後，蘇俄人無需借助什麼科學儀器，而是靠腦部與登陸月球的人通訊哩。」

在捷克首都布拉格，我訪問過三十七歲的米爾·里斯爾，科學界認為他是有足夠資格繼承年老的維斯里夫的。目前，他們已實驗人受催眠後可以隨意發揮潛在的精神力量；他承認，這種力量是與現有的物理法則相違反的。

在現實生活中，最顯著的例子是孖生孩子，許多時候，他兩人不同一地點，也有同樣的感受，彷彿真有靈犀一點通的，這該怎麼的解釋呢？

一九五七年澳大利亞的伯斯市西南一五○哩的堪富利區，每天的某段時間內，石頭會從天而降，持續了五天之久。這個情景也超乎常理。不過不少靈魂學家相信，與其說是大自然的奇景，不如說是人物的結果，正如一些鬼屋內，物件無故淩空移動而下墜的情景一樣。所謂「幽靈」作怪，便是「心的活動」所致。

總之，今時今日的科學家，對於人類本身的神秘力量，已不再列入迷信，而面對現實了。料想不出幾年，此類的謎底必可揭開。（下）

出色的空中飛人

三木

在任何一個馬戲班的演出中，最緊張和驚險的節目就是空中飛人。

空中飛人的演技，出現到今天，不過一百多年。法國人李奧德在一八五九年用兩個吊高的搖擺的架子，從一個飛身去接另一個，轉身敏捷靈活。他的父親站在高台上幫助他擺動他要接的架子。他沒有用繩網撐起在下面，祇放有長的蓆褥。他在巴黎的拿破崙馬戲班表演，每日的薪金是五百法郎，這打破一切演員的最高收入的紀錄。

李奧德生於一八三八年八月一日，父親是一個體育教練，他在法國吐倫城開辦一間健身學院，他着他的兒子學習法律。當李奧德在十八歲時已得法科學士的文憑；但他沒有去做律師，而去做空中飛人的演員。他曾到倫敦表演，每週薪金一百八十鎊。他演出絕技，並沒有下面撐起繩網。當時他受英國人的捧場，譽為空中英雄。[illegible]曾有一首時髦歌曲，就是讚揚李[illegible]一八七零年患[illegible]一本回憶[illegible]

[illegible]的表演。後來有許多人仿效李奧德的表演。第一個西班牙的黎薩，在二十八歲[illegible]他們在空中飛人團，首次用網[illegible]利士高寶大劇場表演。在各個時代中最偉大的一個空中飛人藝員是高杜那，他是墨西哥馬戲班班主的兒子。

他一九一三年隨同父親到澳洲表演，[illegible]巴納與他表演，又走鋼線。他在一九一七年跟[illegible]拿合演空中飛人，他突然想出的三翻表演，從來沒有人敢演出[illegible]在馬戲的歷史上，也是不能夠在十年中兩個跟斗中九個[illegible]法國祇有一個[illegible]人。在半空翻三個跟斗，是[illegible]異人自殺[illegible]高杜[illegible]

那時有人去試試，都不要嘗試，但也都失敗了。曾有一個朋友勸他不要嘗試，但那個跌死的人也是這種驚險的表演。高杜那堅決的要去試，在這時[illegible]馬戲班的一個職位，由他自己日夜苦練，在三年後，他[illegible]山復出，跟斗成功，有把握，一哥哥在城表演三翻跟斗[illegible]並非完全的功，[illegible]九是時速的。[illegible]一跟斗每小時六十哩[illegible]

那是一個悲慘的命運，但他奇的女藝員[illegible]古丁跟他結婚，空中飛人是子是世界馳名的高杜那馬戲的第二個妻共同表演[illegible]的麗蓮李德素。她是一個英國藝員，在美國的大馬戲班演出，她也精於表演空中飛人，能夠用單臂力旋轉一百五十次，這是男性藝員也不容易辦到的。[illegible]一九三一年很愉快的[illegible]

後來，空中飛人退休了，他們畢竟改業是一種危險的職業，他們同意暫時離開，到鄉村去畜牧，賺多一點錢。高杜那和麗蓮德在一九三一年二月十三日表演，[illegible]

不，她竟突然從人事，一個空中飛人[illegible]說不能在場地下[illegible]那[illegible]。從德國趕到時，高杜那已接去世。報[illegible]

一個布慧拉斯，她曾介紹給麗蓮，一個同女伴練習她的騎術。這[illegible]員慧拉結果在表演[illegible]齊，拉[illegible]那與慧拉在一九三七年春天，高杜那用手槍擊斃慧拉後自殺[illegible]

是一個絕對馬戲班[illegible]為了秘密，什麼問題。

新三國

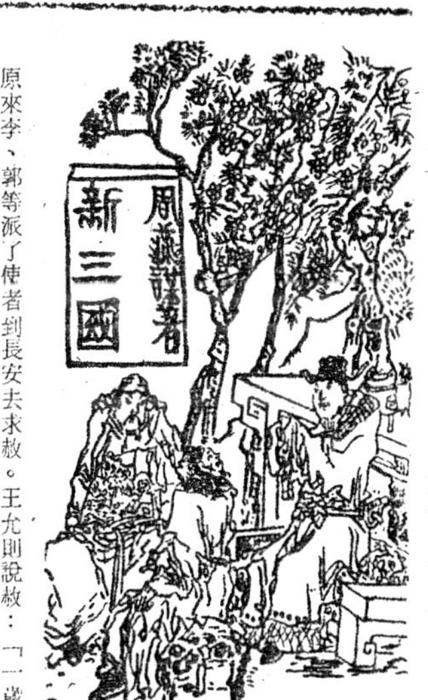

原來李、郭等派了使者到長安去求赦。王允則說赦：「一歲不可再赦」。長安的百姓是深受涼州人血的教訓，到處傳說：「應當把涼州人通通殺光」。使者在長安帶回來的消息是「不准赦」和「一名叫賈詡，他說了幾句話，使使得長安附近數百萬生靈塗炭，真可歎也。

賈詡字文和，少時閻忠說他有張良、陳平之才。察舉為孝廉，隨董卓入洛陽，做太尉掾、平津都尉、討虜校尉。牛輔屯陝州，他追隨了牛輔。此時，他也是為了自保，才獻計如此。當然他沒有計較後果，以及許多生命的消滅。賈詡聽李傕、郭汜說要遣散士卒，各自逃命。他才說了：「如果諸公各自逃命，一個村長也可以把你們捉交官府。為今之計，不如收集部隊，西攻長安，為董公報仇。如果濟事，奉國家（君）以征天下。不濟時再散也不遲。」大家一聽賈詡之言，都以為很對。於是即刻起兵。在一路上又招集了董氏部曲入馬，及到長安，已逾十萬之衆。在長安的董卓舊部曲樊稠、李蒙、王方等，又合攻長安，圍攻了八天，呂布守不住了，巷戰一日夜，抵抗不住李、郭涼州兵。到了危急之際，他對王允說：「你也可以走了吧！」王允說得不錯：「臨難苟免，我不忍心一走了之。」他還託呂布帶信給關東諸公，努力勤王。真是讖語。本來誅了董卓之後，呂布曾勸王允赦了董氏部曲，他不肯；呂布建議把財物賞給將校，他也不納。王允以前是利用呂布，而今董卓已死，以為可以高枕無憂矣。他很輕視呂布，而呂布又自恃其功勞甚大。王允此時不循權宜之計，羣下多表不滿。可見他根本不懂政治。李、郭之亂，呂布一走，王允一個人要負全責。

這時候，他才宣布大赦，並且發表李傕為揚武將軍，郭汜為揚烈將軍，張濟和樊稠也升了中郎將。但是，時間太晚了。李傕、郭汜指揮大軍攻進城去，大肆屠戮。太僕魯馗，大鴻臚周奐，城門校尉崔烈，越騎校尉王頎等，官民死者不計其數。司徒王允挾獻帝上宣平城門避兵，李傕、郭汜等拜跪在城門下面叩頭。獻帝才說話了：汝等縱兵燒殺，意欲何為？李、郭替董卓說了一些好話，還說他忠於朝廷，我們只是為董卓報仇，並不敢造反。只要把王允交廷尉正法就得報仇了。於是，王允被迫下樓見李傕。李傕殺王允及妻子家人十餘口。長安城中老百姓聽了，很多人為之痛哭流涕。

李傕、郭汜等殺了一班以前參與誅董卓的大小官吏之後，把董卓的骨灰掃起部分。原來董卓的屍體被袁氏故吏搶去，燒成了灰，散在大路上，這是冤家相報。原來董卓以前把袁紹的叔父袁隗一母弟袁基，以及袁家人留在洛陽的大大小小，殺個乾淨。所以當董卓被誅後，屍首被袁氏故吏弄去燒灰了。李傕等找到部分骨灰的當天，用棺材重行安葬。董卓在世之時，作惡多端。墳坑裏也填滿了水，把棺材偏偏下大雨、括大風，似乎天怒人怨。這是一種巧合，但那時的老百姓是相信大神的報應。

（卅四）

國劇繽紛續錄

（五十七）裘變生

小陸光崛起——客滿（續）

胡台鳳演春秋配二進宮，腔調雖不太高，韻味却極耐聽。歐陽鳳麗中合演樊梨花薛金蓮，各有其樣，唱腔表情均好。溫愛華飾孫尚香，儀態大方，唱得動聽。生行有邱鳳斗、李鳳俠、張起龍、吳福生分演伍員、姬光、喬玄、楊波、劉備、孔明諸角，嗓音均在水準以上，饒有韻味。武行有朱家福、吳福生分演史文恭、金翅鳥、趙雲、盧俊義等，功夫很夠耐，神完氣足。丑行有周鍾麟，是名伶周金福之子，家學淵源，自不平凡。吳孟眞的牛二張義喬福，也確不賴。淨角有劉大鵬、儲啓學、潘自遠，分演專諸、徐延昭、孫權、張飛等，模樣很帥，發音亦沉穩。小生僅吳明生飾李春發、周瑜、很俊有英氣。較更動人的老旦，是吳孟鄰，演康氏、吳國太、乳娘，皆博得很多的彩聲。

全班學生共四十人，女生佔二十四，男生佔十六，故而雲童，女將，龍套，宮女均由女生担任，比較爲特別。洪大隊長王副隊長爲求鼓勵，派陸上尉北來，贈送雅集同人戲票數十張，經分信十五封遞交，此爲破題兒的第一回。因即贈「前程如錦」小旗，爲了他們富有朝氣，未可限量。並望洪王兩君做到：常有演出機會，使其吸收舞台經驗，奠定實習教育的基礎，以達理想的境地。卽以爲賀。

曠絕的八蜡廟

偶檢舊書，得到一張橫單，是所列春台雅集所演的八蜡廟。此戲在台灣軍中劇團聯演，或單演，也有數次；但覺得春台所演，多半是票友，僅一二位是內行，也是反串，故敢定爲曠絕。而且在半夜二時半登場，今後也絕無此事。在當時許多位名票，的確熱忱可佩，足以留傳將來，成爲佳話，永存記憶。

此戲的人物，以角色的身份排列，施公（燕京散人），黃天霸（嘯雲館主高華，葉廣長分演），張桂蘭（寒山樓主鄒偉成），關泰（李寶淦），金大力（沈玫），何路通（余季明），朱光祖（曹曾禧），王棟王樑（周長華包緝庭），褚彪（周慧如），賀人傑（陳十雲），小姐（李奇峯），家院（盧智），豐德功（趙健章），張媽（章翠鳳）。惟了環未記。此中有無錯誤，擬請定公惠予校正。這台戲在重慶南路台北第一女中演唱，僅有七百多座位，那天到的賓客近千，站票有兩百以外。觀劇人士應納餐費五十元（預備有六七桌），每人得十排以前及十排以後的入座券各一張，我是亡友梅花精客。（他經購八份）現在的劇評人看到的很少，因他不送票，還得罪了某報，後來諒解。（未完）

考試與眞才

史練之

學以致用，「考」則是學與用之間的鉤鏈。考本身不可能產生獨立的價值。學是爲用而學，考亦是爲用而考。倘學只是爲了考，而考又未盡當於用，則無疑造成了智的虛耗。卽使我們如別人考得最少的道一代，一定有一部份人自覺讀高級的推理數學，只是爲了通過一種考試。現在的實際生活，並不產生任何價值，猶如支付腦力與時間去購買大學的入場券，事後卽棄置無所用。有產生完滿的實用的價值，一由於缺乏準確的衡裁，倖進遺賢之憾太多。（唐以詩賦取士，而杜甫竟動考不中。）而由於過份看重文字的表現藝術，以致考用脫節。最會做詩的人，不一定即是最能考理政事的幹才。

在明、淸兩代中以狀元及第兼爲名臣者，百不得一。許多編劇家的想像是對的，狀元似乎更適宜於做駙馬。詩賦取士所以衡裁其控御文字的技巧，從而想像其胸襟識解；但詩賦之才無補於析理判事，最多亦祇能備位文學侍從之臣。唐代最有貢獻於典章吏治的一等人才，一柳宗元，而是與科第無關的魏徵、房玄齡、杜如晦。唐代任官，並不限於科第，進士亦未必可以得官，宋以後科第始成爲可依的蛻進身之階。考試中未始不能得眞才，但多出他們的修行砥礪而來，和他們爲應考而浸淫顚倒的詩賦時藝沒有直接的關係。曾、胡、李之爲清代中興名臣，是由於他們在考場以外的歷練，究心於義理、政事、軍務、在骨嶽血淵中經過無數次的挫辱失敗，鍾擊鎔鑄而成，絕非時藝、詩賦、書法的磨練之功。

選士的標準與材用的需要各不相涉。但可獲致兩種成就：（一）使天下英雄入殼；（二）激勵與選士標準有關的文化創造的動力。唐詩之盛與唐代畫家輩出，卽由於考試的鼓舞。但以言經綸世務的實才，只是出於偶然的「命中率」，也是幸運的，不是制度。因爲卽使用抽籤的方法也可以偶得眞才的，希臘人和唐代的中國人都用過這種卜諸鬼神的方法。

考試是中國傳統政治中民主與法治精神的本體，也是歷代掄才選士所有已經試驗過的方法中，比較公平的一種。問題在設計其測試準衡與方向以疏密虛實，而不在其制度本身。

少時常聽見有人懷念古代的科舉，而慨嘆他們已經沒有機會以考場取富貴；或者相信考試是中國穩定政治的傳統「驗方」，詎其何以棄置不獲重用。實則自隋唐以來，官秩亦未必出於考場；而且非考場出身的人在政治上常居優越的支配地位。而愈是內憂外患煎迫的時代，也愈多在科第以外登庸的人才，一方面求幹練特識之士，以匡危赴難，詩賦與書法即不能成爲選士的主要準衡，而代之以忠悃、練達、勇毅及實際事功的考驗（湘軍除曾胡李外，都不是科第中得意的人）。一方面銓選不依法度，士出多門，魚龍雜混，又適以開奔競比周之風。清代中葉以後的軍功保舉之濫，卽是破壞乾嘉以來的人事制度的最穩定週密的主要原因。科場的體系亦須在至少三十年的安謐的政治環境中逐漸鞏固完成，而又常常禁不起內外風暴的浸淫剝蝕，這正是中國考試制度的矛盾痛苦之所在。

香妃恨

「影劇與歷史」之二十二

周遊

其實「寶月樓」之築，以及回營之建，並非爲了香妃一人之故，此乃是乾隆懷柔回疆之民的一種安撫政策。並非對香妃無一人足矣，何必容許衆回民族居於斯？而且寶月樓之建也非僅爲藏香妃。據高宗御製「寶月樓記」所云：「名之寶月者，……抑亦有廣寒之庭也。」之句，可知有營金屋之意，可知「寶月樓」「廣寒」月中嫦娥固呼之欲出，亦未指內遠何嫌何只爲可遠眺而非眼前。而「寶月樓」距回營尚遠，營詩在其次中，可以窺見其用意。詩云：「鱗次居回部，安西繫遠籌；……」很顯然的是爲了安撫西方「回部」。在詩註中云：「牆外西長安街內屬回人衡宇相望，人稱回子營。新建禮拜寺，正與樓對。」故「寶月樓」爲乾隆與嬪妃們遊玩之所，當然也可能藏香妃於其中。總之乃爲懷柔安撫回部之舉也。委巷訛傳，以爲香妃一身未能與乾隆接觸過，此亦無稽之譚。謂香妃爲太后所縊死，亦不知史實。蓋太后崩於乾隆四十二年正月二十三日，香妃（容妃）薨於乾隆五十三年四月十九日，太后死了十一年，何來太后賜死？香妃二十三年入宮，至五十三年，爲時三十年之久，香妃守身能如此之久？而伊人身懷利刃，爲了報仇，可能嗎？爲了自殺，爲什麼她竟活五十多歲，而不自殺呢？可見野傳、外紀以及委巷傳言之謬，實在令人好笑。觀十全集癸巳上元燈詞一首云：「萬里馳來卓爾齊，恰逢佳夜宴樓西；面詢牧盛人安否，那更懽言譯鞮」。詩自註云：「蒙古回部皆習熟，弗藉通事譯語也。」高宗多才多藝，慧敏可知，而回妃之祇候起居，通話甚易，不用通譯，亦可強見其愛寵之移情也。

和卓入宮後，更非過着「深宮怨」的生活。她于乾隆二十七年封爲容嬪，三十三年升爲容妃，五十三年死。喪葬之禮與歷代寵妃相同。由此可見香妃（容妃）實爲乾隆最寵愛之人，決非如世俗所謂伊人「抱恨終天」，表演其「深宮怨」的悲劇。根據故宮檔案史料，伊人的生活並非如此。她入宮到冊封容嬪時，已有六年之久，乾隆仍准其穿回服，以重其風俗習慣。在「穿戴」檔案中，乾隆二十七年五月初十日記載：「圓明園富春樓松綠春紬紅裏袷帳一床，高七尺五寸，面寬六尺三寸，進深四尺九寸，刷高一尺，捧至御前；奉旨：裏邊賞人用。」小註「容嬪」。此正冊封容嬪之日，高宗以此春意濃濃之紅綠袷帳賜其鋪宮，殆便合歡耶？就內務府檔成語習慣言：「裏邊」者，乃指內宮之謂。而「寶月樓」一在西內，非「裏邊」。可知容嬪亦與其他嬪妃同居後宮，並無特異之處。

乾隆每次巡幸，容妃均隨駕而行。而自乾隆四十年以後，其位僅次於穎妃，因穎妃侍帝最久之故也。如以世俗之傳說，妃不從，時以劍握手中，欲「自刎」。既有利刃在手中，何時不可自殺？而爲要報仇雪恨嗎，則在每次巡幸途中，隨時均可動手。由此可證世俗訛傳之謬。又按巡幸有「巡幸袍」，較平日宮中著用袍掛爲短窄，以便於旅行也。嬪妃亦同樣着「巡幸袍」，故宮之香妃戎裝握劍像，卽爲巡幸時之寫眞。又因容妃生長西北產馬之地，善乘騎，今以侍帝巡遊，正得其用，一則方便，一則亦可作禁衞帝之不測。然因世俗狃於男女之分，少見多怪，忽睹此握劍戎裝之女人雄姿，驚怪不已，以訛傳訛，因而便有「妃時以劍握手中常欲自刎」之傳說。（二）

廿八年前一頁笑史

希特勒吞奧國過程如演戲

漢松

外國報章有的抨擊希特勒運用恐嚇手段和卑鄙行爲來對待奧地利，更想不俟投票決定後，就去完成將它併合德國的野心，希特勒看到後就老羞成怒反駁說：「有些外國報章指我們採取野蠻手法對付奧地利，我祇有說，他們是至死不變的說謊。我從政治上的爭鬥，曾贏得我的人民敬重，但當我經過德國的邊境到奧地利時，我得到從未有過的敬愛。我們到來，他們不將我們當作侵略者而是解放者……在這種印象的形勢之下，我決定不等待四月十日，先行那個統一。」

德國郵局和奧地利郵局在一九三八年四月十日投票日，發出一種紀念郵票，圖案描寫兩個青年，一個代表德國（左），另一個代表奧地利（右），他們合持着一面納粹旗幟，在郵票上印有德文「一個民族，一個國家，一個元首」，一九三八年四月十日」字樣。在郵票發出的首日，更有用紀念郵戳；在郵戳內除地方與日期外，也刻有「一個民族，一個國家，一個元首」字樣。更有發出一種用彩色印刷的紀念明信片，圖案上刻德國、與奧地利合併後的新地圖，在上角印有德國國徽，地圖上印有希特勒像，在下刻有「一九三八年三月三十日，一個民族，一個國家，一個元首」字樣。在明信片的背面，也印有上述的紀念郵票。

投票尚未揭曉，德國已先發行紀念郵票，他們早知道奧地利必在囊括中，這是無疑的。照官方的報告，投票結果，投贊成奧地利歸併德國的，佔百分之九九．〇八（在德國），百分之九九．七五（在奧地利）。當德國得了奧地利之後，他們的兵力就增加了十二個新的師團，更有十億美元價值的黃金、木料、礦物，軍火製造廠和一個世界最大之冶鐵廠。如虎添翼，希特勒隨即攫取了捷克，侵略波蘭，發動了第二次世界大戰。（下）

穿衣等第

現在差不多大部份香港人都改穿西裝了，以前不少長衫朋友，也改裝了。衣服與時代的生活方式，很有關係，今日除非經常坐黃包車或者的士，否則一件長衫，上落電車巴士，甚爲不便。另外本來穿短打朋友，也改穿西褲夏威夷衫。穿西裝又分爲三種人，一種是非常講究，一條手帕，一條領帶，一件背心，一雙襪子，都很講究，不能亂穿；一種是隨隨便便的，總之穿得整整齊齊便算。這兩種人都有好處。祇有第三種人，才令人皺眉。這第三種人，介乎二者之間，講究，但不是認眞懂得；他們喜歡穿流行的服裝，喜歡流行的顏色，却又分不清那是沙灘裝，那是普通穿的夏威夷衫，有些是人家打高爾夫球穿的，他們也穿上了。現在新流行保齡球裝，說不定將來滿街都有人穿。這第三種人，又專門喜歡挑剔，吹毛求疵，看見你穿一身西裝，他就會說：「這欵式已經不合時了。」

六種夢境及其釋義

依樺

他必然是患上一種情緒極度不安的症候，那不停奔走是表示他要尋求解决的答案——在夢中，那個答案永遠在門後面。

（六）在衆目睽睽之下脫衣。不用說，此種夢，女性做的比男性多。在夢中，你會在熟悉的大街上走着，或者站在公衆場所中，然後，你突然把衣服脫下來。有時，你根本已發覺全身赤裸了；於是，你感到慚愧的犯罪感；不過，這種心理中，還夾雜着一種奇異的滿足感。這是一個虛榮心很重的夢。做這種夢的女性，必然喜歡招引別人的注意，大有語不驚人死不休之槪。（四、完）

內政部台報字第〇三一號內銷證

自由報

THE FREE NEWS

第六五四期

中華民國僑務委員會頒發
台教新字第三二三號登記證
中華郵政台字第一二八二號執照
登記為第一類新聞紙類
（半週刊每星期三、六出版）
每份港幣壹角
台灣零售價新台幣貳元
社長：雷嘯岑
督印人：黃行審
社址：香港銅鑼灣高士威道二十號四樓
20, CAUSEWAY RD 3RD FL. HONG KONG
TEL. 771726　電報掛號：7191
承印者：大同印務公司
地址：香港北角和富道九六號
台灣分社
台北市西寧南路壹壹零號二樓
電話：三〇三四六
台郵撥儲金戶九二五二

論改革政制問題

· 陳侃 ·

每一個國家的行政體系，是根據該國的政體而產生的，在不違背政體範疇之下，政府基於現實需要，對行政機構及時加以調整損益，以期增進效能，創造政績，實為應有之義，若遇非常時期，尤屬必要。最近國民代表第四屆大會決議授權總統在動員戡亂時期調整或裁併中央各級行政機構，理有固然，問題在如何斟酌至當，俾能獲致預期的益處。

吾國現有的政制，自訓政時期實施五院制以來，卅餘年間并沒多大的變更，如中央立監委員之由官派而易為民選，不過是技術上運用不同，本質殊無二致；國民參政會之蛻變為國民代表大會，情形亦係唯之與阿，相去幾何。至於行政機構，尤其沒有甚末異樣的措置，祇見機關增多，職權分割，而行政效率日趨低落罷了。就全部行政體系說，戰時如此，平時亦如此，治世若是，亂世亦若是，年深月久，陳陳相因，乃變成了一部龐大而失修的舊機器，生產力衰弱不振，消耗率却逐漸加重，目前國營招商局的狀況，不啻是整個政局的縮影。所以，這次國民代表大會通過授權案可謂切中時弊，非如此即不足以適應時代要求，達成政治配合軍事的效果。

一

時人談到政治改革問題，即斤斤於憲政體制之說，實則所謂憲政體制云云，係指憲法精神與原則，若政府由憲政之治演化為訓政或軍政之治，便是破壞憲政體制，如其僅在改革行政組織，簡化機構，集中職責，即與憲政體制無關，有何不可呢？

今日要改革政治，必須撇開人事關係，專就行政上的利弊得失着想，而以大刀闊斧的方法為之，枝枝節節的改革，決不濟事。根據過去若干年來的歷史經驗，機關林立，職責分散，今天這樣，明天又那樣，人事關係重於制度運用，始終沒有一定的軌跡可尋。例如內政部，在世界各國的行政體制中皆佔着重要地位，然在我國乃如聊備一格的閒曹。它綜持全國的戶政，却不管警務；司職整飭吏治，却沒有考核民政官吏成績，藉作獎懲黜陟根據的實際權力；關於禁烟、衛生事宜，在大陸上早已劃分出去，別設衙門，與內政部毫不相干。既有經濟部，不過去在大陸又別設資源委員會，經濟會議，物資管理局等等獨立機關；政府遷移台灣後，外貿會，物資局，經合署等建置，皆非經濟部所能直接管理指揮的行政單位；甚至關於工商登記事宜，凡其資本額不及百萬元以上者，亦交由省府建設廳掌管；經濟部的本質已與內政部相伯仲，將它裁撤掉，似屬無關宏旨。他如司法行政部時而屬於行政院，時而屬於司法院，翻來覆去，迄無定所，這種不合理的現象，自然產生不了應有的績業。談到行政機關的職權，中央更是每下愈況。中央政府既在台灣，而中樞與省府的職責，每多混淆不清，本是中央機關直接主管的事業，又要經過省府核轉，這樣一來，不特廢時誤事，增加民間的困擾，而且給不肖官吏以貪瀆勒索的機會，大開苞苴之門。海外僑民歸國投資工商企業，須通過若干道衙門，填寫若干種表格，尚不知何時方能得到允許，因此，連年來在東南亞各地區受着排華影響的華僑，而不到香港的僑資，就寧被集中到易轉入祖國來利用了，這不是國家的一大損失嗎？職權分散的結果，於是機關當然衆多，於是乎遇事皆得徵取「有關單位」的同意，否則此牽彼掣，扞格難行。這些所謂有關單位也者，談責任互相推諉，論權利搶奪，爭持「一會報」與「一會議」，開一會，紀錄與副本到處橫飛，夫是之謂新政，亦叫作民主政治，不亦冤乎！

二

關於調整中央政機構的要訣，應從簡化機構，集中職責着眼，該裁撤的就乾脆切實勾消，[illegible]

[illegible]

可憐的鴿子

「為人民服務」

今日與明日

不可收拾的越局

南越內戰終於在峴港爆發，雙方都使用武器，各有死傷，儼然成為一個小型的戰事。在大敵當前，尤其是正在生死搏鬥時，自己陣營發生內戰，似乎除南越外，尚無先例。

我們對於這次事件，完全居於客觀的立場，來說句公道話，雙方各有不是，尤以南越總理阮高奇負的責任為大。

南越前第一軍區司令阮正詩抗拒命令，據地自雄，儼然成為一個小王國，自然是罪不容誅；佛教徒動輒干涉政治，不惜輕啟釁端，也是我佛的罪人。不過，秉國政者應知此事之發生，並非一朝一夕之故，假若要徹底糾正亦無不可，但要審時度勢，不能操切從事。中國歷史上最為人艷稱的宋太祖杯酒釋兵權，那也是在中原大定之後，若就是陳橋兵變的兩個月之內，就來杯酒釋兵權的事，必然會導致大亂，連自己的帝位也不保。

阮高奇却不是這樣想法，他明知阮正詩決不會甘心交出兵權，竟然憑一紙公文換了第一軍區司令，於是引起軒然大波。後來經過各方面的調處，南越政府答應在半年內舉行選舉，成立立憲政府，事情已告一段落，可是阮高奇突然又公開宣佈，一年以內不會交出政權，演說發表後，南越反對勢力頓時大譁，又舉行二次示威，於是爆發了這次內戰。

美國應怎麼自處

南越內戰最感焦急的當然是美國，南越內戰雙方都向美國請求援助，釋智廣且要求美國干涉內政。但是美國却不插手，恐怕引起更大糾紛難以解決。但是此事美國若不表明態度，南越內爭更難解決，最後等到美國想插手時，就為時已晚，於事無補了。

為美國計，此時必須表明態度，上策是通知交戰雙方，如若在限定時間內不停火，美國及盟國隊伍即在一周內全部撤出越南，寧願在泰國重建立第二道戰綫；中策是正式作政治介入，判明雙方曲直，究竟阮高奇食言而肥，自行引致混亂，是有應得之罪，如若咎在阮高奇，則應勸告他辭職以息民憤。下策作軍事介入，如若阮高奇政府所為確有其不得已之處，南越目前政局也確非阮高奇不可，美國就應當公開宣佈支持阮高奇政府，派兵助其平亂。美國既然能派兵打越兵，為什麼不能派兵打叛軍？兩者都足以危害南越生存，又何必分彼此。總之，美國在南越處境之苦，史無前例，目前應該拿出一個適當辦法，不能再因循瞻顧。（何如）

[illegible]

鬼混待斃政策

馮君先生

毛共於本月九日舉行第三次核爆後，西方國家如雷灌耳，[illegible]

是中風狂走，全然不可理喻的，亦不可能加以改變的。[illegible] 有了原核武器，當然如虎添翼，終必率獸食人，但即使沒有原核武器，如果自由國家當前的鬼混待斃政策不自糾正，亦終有一天必然造成全人類的大禍事，當前的越戰便是其證明。所以，立刻炸毀其原核作業，以阻止其造成原核武器，都不過是救急的治標手段而已，要真正治本，唯一可行之道，就只有協助中華民國反攻大陸，一舉「埋葬」掉它那個禍害政權，已是極其顯明的普通常識了。乃美國至今就拿不定主意，下不了決心，可歎孰甚，可哀孰甚！

在香港本身經濟困難聲中 毛共饑餓傾銷情勢嚴重 香港中小廠家岌岌可危

（本報訊）在目前香港社會經濟困難日益增加的時候，中國大陸貨品向香港傾銷卻正繼續加強。一年兩次在廣州舉行的「交易會」中，「春季出口商品交易會」，最近已告結束，參加這交易會的有關商人已返港，透露了很多關於大陸貨向港傾銷的新步驟。這種新步驟並非加強農產品的輸出，而是加強機器工業品及手工業品輸出，企圖全面控制香港市場。這種新步驟的推進，將造成香港今後很多中小型的機器工業及手工業崩潰，可怕的後果就是逐漸造成香港很多工人失業，香港社會將會增加動亂與不安的情況，這是特別值得注視的。

近年來已經不斷有人指出，香港經濟繁榮的時候，中國大陸貨品當然加強向香港傾銷，以吸收大量外滙。而現在香港經濟衰退的時候，中國大陸貨品也繼續加強向香港傾銷，以求控制香港市場。說這些話的人，並非危言聳聽，而祇是客觀的指出這種可怕的現實與後果。

雖然中國大陸貨品每年有二十多億元運來香港，並不完全在香港銷售，有一部份是經香港轉口輸出的；但香港商人得到的轉口利益與從前不同。在若干方面看來，現在大陸貨經香港轉口，不但香港得不到以往的轉口利益，並且傷害了香港本身工業生產。現在香港很多類型的中小廠以及山寨式的工場無法維持，主因就是大陸貨一方面加深在香港市場割價傾銷，奪去了他們大部份本銷生意，另方面大陸貨經香港轉口，迫使香港廠家降價來維持若干出口市場，亦促成香港很多工業品的生產利潤降至最近水平。但香港這一個小地區，太接近中國大陸，無法不維持自由貿易，香港政府當局尚未考慮限制外來的工業入口，也不容易限制外來的工業品入口。於是，可怕的陰影逐漸籠罩着香港工業的身上。

以往的幾年，中國大陸把農產品大量運來銷售，雖然控制了香港市場，例如打垮了新界的養豬業與養雞業，同時使香港的農業及漁業無法發展，固然傷害了香港的一部份生產事業，但尚未嚴重傷害香港經濟。但現在情形不同了，中國大陸的傾銷矛頭，已經指向香港工業，儘管現在香港工業品仍可仰賴美國、英國、歐洲共同市場維持出路，但其他很多市場逐漸被大陸工業品掠奪，迫使香港工業品愈來愈集中美國、英國、歐洲共同市場，對香港工業前景是很不利的。今後香港很多的中小廠被打垮，大廠就變成孤立狀態了，這是很可怕的後果！

最近幾年來，香港很多市民，特別是工人們，貪圖大陸貨的價格便宜，衣着品、日用品、傢具都很喜歡購買大陸的產品，其實是吃了糖衣毒藥。要知道，大陸工業品在香港廉價傾銷，逐漸打垮了香港的工廠，香港工人就業就很成問題！一旦失業，試問是誰造成惡果？

香港飲食業 淡風甚淒厲

行內但聞一片苦聲

（本報訊）初夏時節，香港飲食業有兩種不同的發展，一方面是凍品生意逐漸增加，另方面是酒席、晚飯、消夜、早午茶市、西餐生意繼續減退。但凍飲品生意的增加不能抵消其他飲食業生意的減縮，說明今年初夏香港大部份飲食業淡季早臨，並且淡風已是很淒厲。

先就凍飲品生意說起，每年初夏就是一般凍飲品開始暢銷的時候，到了盛暑，凍飲品銷量就達到最高潮。現在一般概念上，正是凍飲品旺銷節的開端，但初步接觸的實況是：凍飲品銷量尚未有明顯增加，若與去年同期比較，仍有些遜色，與前年同期比較，則不如遠甚。故此現在一般汽水廠尚未有加開夜工製造汽水，雪糕及冰棒的生產量亦祇呈輕微性增加，啤酒產量仍與從前無異。在市區銷售的凍飲品，除了餐室、小型的士多商店多銷一些汽水之外，其他如雪糕冰棒等銷量增加仍很緩慢；在郊區銷售的凍飲品，雖然現在已是游泳季節開始，但利用三輪車及單車裝運雪糕、冰棒赴郊區游泳場所售賣的流動小販，尚未有如往年那麼頻密，汽水廠裝運汽水到郊區游泳場所推銷的汽水亦未見明顯增加。由此可見今年初夏一般凍飲品銷量增加比往年同期緩慢，主要原因是今年大部份粗工收入比去年同期繼續減少，特別是建築工人就業及收入減少最嚴重，船塢工人及搬運工人的收入亦比去年同期減少。這些體力勞動的人，在往年就業及收入良好的時候，日中對於凍飲品的需求是很大量的，如今大部份體力勞動的人收入已不如前，對於凍品的消費，自然減少。

說到其他飲食業減退，目前筵席生意繼續減退，是港九整個酒樓行業的共同現象，無論結婚的喜酒以及壽酌、壽酒等，都是一片疏落，大型及中型酒樓都感到生意不夠做。至於中飯、晚飯、消夜雀局造與的生意，落行更是顯著的退縮。好些中型酒家每日旺兩三個鐘頭之後，其餘大部份時間都是顧客寥寥無幾。專營早午茶市的茶樓以及兼營茶市的酒樓，茶市的營業收入也告退縮，地點較好以及用料正、價錢公道的茶樓及酒家，還有相當的基本顧客，但用料較次而價錢並不便宜的，顧客光臨就顯著減少，因爲現在一般消費的人，已經斤斤計較「抵食」與不「抵食」的問題，非復從前商場好景一般收入良好時那麼慷慨。包辦筵席生意，近來也告減退了，包辦筵席商的同業競爭也很劇烈，從前每桌取價一百元的到會菜式是很粗的，現在已經過得去，但顯然是包辦筵席商爲了爭取生意把營業利潤降低。街邊的熟食大牌檔，生意退縮更爲明顯，因爲他們的顧客多數是勞動份子，現在體力勞動的人收入減少了，到大牌檔享受也要節省。餐廳及冰室生意，近來大部份亦告退縮，特別是中型的餐廳與中小型冰室生意退縮最嚴重。他們雖然賣多了汽水及啤酒，但顧客淨飲的比較多，叫西餐及碟頭飯減少了，生意收入就告退縮。小型冰室的咖啡、紅茶銷量減少，汽水銷量雖增，比對上營業利潤就要打折扣。還有一點，整個飲食業生意減退，洋酒以及本港釀製的啤酒銷量也減退，據估計，洋酒及啤酒銷量最近減少二成。

南越戰場血戰的一幕

。西貢通訊。

五月十二日，星期四，大霧不久，美軍陸戰隊的青年兵士莫勒里和他的同伍十三名弟兄，從南越北部基地大南的連部出發，在距大南西北十七哩一處廣濶的山谷中進行例常的巡邏。

這十四人的巡邏小隊，於綠野青山之間逶巡了約三小時；南國的初夏，田野間一片葱綠，樹叢處處，鳥語花香，在日麗風和的大自然景色之中，他們正以戒備的心情，在寂寞的荒野中執行莊嚴的任務。突然間，數約二百人的越共游擊隊，從四週隱蔽的地方掩至，向該隊突襲！這些美國陸戰隊雖然久已習慣於應付像這一類的游擊突襲，但因敵軍人數十多倍於他們，勇戰結果，他們於殲敵三十人之後，終因人數懸殊，全隊覆沒，十四名陸戰隊員僅有兩人生還，莫勒里是兩個倖運兒之一。

後來，美軍陸戰隊增援部隊開到，助以大炮與飛機向越共猛攻，激烈的戰事直至當日夜幕低垂之時，纔告結束，是役再擊斃敵軍一百四十五人。

×　×　×

受傷獲救的莫勒里，年纔十九歲，當記者在大南軍醫院訪問他的時候，頭部和頸部還纏着繃帶，但精神頗好。他對記者縷述他怎樣給敵軍炮火擊傷頭頸，和他怎樣佯死，使越共祇顧殺害其他美兵，將他錯過的情形。他更描述怎樣從一架着火焚燒而行將爆炸的直昇機逃出，以至終於獲救脫險的經過，構成一幅戰地驚險、恐怖的畫圖。

×　×　×

戰事突發之時，正當巡邏小隊行經一片稻田之際，在沒有掩蔽的稻田裏，是最易成爲敵軍明晰的攻擊目標的，顯然，越共故意選擇這塊對於他們進攻最有利的地方，企圖一舉殲滅這巡邏小隊。

越共游擊隊的子彈像雨般向巡邏隊掃射，一夥子彈射中莫勒里的頭部左面，他倒下了。

莫勒里描述當時的情形說：「無綫電收發機給擊中了，使我們無法與連部通訊。當時陷於敵人包圍之下的巡邏隊，有企圖逃跑的，馬上就給敵方射倒。有一個祖籍菲律賓的年青隊員，本來再過兩天就可以調離本連的，竟然就在他在這戰場服役的最後兩天光榮殉職。當時他試圖逃跑，背部首先中彈，但他仍能掙扎起來再跑，却又再度中彈而倒下來。我知道他是想跑去求援的，事後發現他已陳屍戰場了。」

莫勒里談到他本人的遭遇，他說：「他倒地三次，在第二次中彈倒地後，曾站起來，當時祇覺頭昏眼花，我還看得見那些越共正立着向我們這面衝來……」。（上）

共產集團充滿沮喪迷惘 俄京之會慘象暴露無遺

然而，在拉丁美洲以外的觀察家們所見到的，認爲當共黨份子試圖在世界上實現他們的種種野心時，勢將有着正等待阻撓他們的一個危險的陷阱存在着。

面對失敗 終日惶惶

目前困擾着共黨份子的這個危險的陷阱，無非是他們在試驗中的體系，在任何一個國家所正進行試驗中的體系，始終未能獲致順利效果之一現實失敗。這些失敗，正使共黨份子們動搖着他們自己的腦筋，有如他們所見到世界所非共黨各地區，均享欣欣向榮的繁榮，竟達於空前的程度，而在對照之下，他們自己所有各單位，依然繼續害得一般人民大衆偏促地困守在潦倒不堪的住屋之中。從此一對照下所演成的結果，便是他們的大多數人民，甚至各落後地區的人民，越來越不願意投向當地共黨份子的懷抱，期能解決他們的問題。在亞洲，非洲乃至拉丁美洲，對於軍事政府，乃有着由軍事支持下的政府，而這些政府日益增加的支持，曾經推翻了親共份子的權力，或曾制止了共黨份子爭取權力的運動。

糧食缺乏 競相搶購

所有貧苦的各國家，大如印度，小如埃及，均正發覺到所有共黨政權，對於他們的饑餓人民，無法熱情的提供糧食援濟。共黨迫使人們對於他們自己所有的農業計劃弄得那麼亂七八糟，甚至於他們不僅無法對別的國家所有飢餓人民提供糧食援濟，而且迫使他們轉向西方大量採購糧食。此外，西歐方面所有共產黨，似乎統統在試圖尋求與其他非共的國家進行合作，從而避免陷於孤立。直到目前爲止，他們的業經獲得若干的成效。

他們所感到惶惶終日的種種苦惱之中的主要者，無非是涉及蘇俄經濟的那些痛苦。對於蘇俄頭目們的一大問題，便是國家對於工人們所需要的消費品和軍事方面的有限資金投資，如何加以分配。對於蘇俄共黨份子的另一個焦慮，無非是目前爲了進一步工業生產所需要資本主義式的種種改革之引用應進行到如何程度。此外並有着關於蘇俄共黨頭目們對於容許農民們儘量種植他們所願意種植的，并爲了從而獲得一些利潤而出售，足以容許到如何程度。

者，蘇俄所有工農業的生產者，已被發覺到他們正要求分享他們生產的較大利潤，對於生產管理的較大發言權。然而問題接着發生了，那便是他們所獲利潤愈多，則共黨頭目控制下所能保留的資金和權力愈見減少。

蘇俄共黨頭目們對於此一問題的答案，有如最近莫斯科集會中所出現者，似係種種折衷的混合，亦即避免發生種種麻煩，並包藏世界各單位共黨的一切歧見。

非共方面 看法種種

全世界所有非共黨觀察家們，均認爲這次莫斯科集會，顯得十分蕭條而毫無生氣，并對於共黨各單位，不能提供任何新的意見和絲毫的慰藉。

西德首都邦城方面：莫斯科會議乃被稱爲是「世界共黨運動的退却會議」。

英倫方面：專家們似乎同意認爲世界共黨運動在所有各戰綫上均採取守勢。

羅馬方面：所有各蘇俄問題專家們認爲莫斯科會議乃是蘇俄共黨份子現已承認現實，而這種現實不久亦必爲中共所承認的——而承認共黨運動在經濟體系方面勢將大大落後，除非它獲得來自西方的技術援助。

維也納方面：據說世界各共黨頭目，乃在他們的命運達於第二次世界大戰宣告結束以來的最低潮之際，在莫斯科召開會議。

巴黎方面：對於法國一位蘇俄問題專家加德爾南經出版的一本新書，廣大的讀者感到深刻的興趣。加氏在其新書中謂蘇俄共黨，正趨崩潰之中，而到一九七〇年間勢將宣告徹底垮台。

莫斯科方面：對於蘇俄首都具有悠久經驗的一位西方觀察家宣稱：「共黨運動在國際上以及蘇俄內部，它的鼎盛的最高峯時代，似已消逝了。」

世界共黨頭目們最近所召開的莫斯科集會，有如全球所見到今日共黨者，似乎顯示差不多等於「完全無成功希望之「運動」的進一步沒落。據巴黎一位專家說：「世界共黨運動不過是過去衝勢已達盡頭的浪潮。」因此，共黨的典型，被迫在轉變中。（下）

瀛海異聞錄

美國應召女郎樂在其中

·桑雅·

地點是紐約市東區的一間酒店內的酒吧，人物是兩個年約二十的摩登少女，她們都在喝着果汁。其中一個是紅髮，其打扮十分時髦，像家庭雜誌中常常看到的時裝模特兒一樣，從她的口音與儀態，大家可以猜測她是入過大學的時代女性。我們姑稱她波貝。

另一個沒有這麼妖冶，頭髮長直，臉上沒有化裝，祇是塗少許眼蓋膏，但她的衣服是相當名貴的，手中持着一本最新出版的「繪畫季刊」。她的教育程度至少中學以上。我們又姑稱她為溫黛。

波貝與溫黛一起剛參觀了美術館消磨整個下午的，溫黛還買了一幅水彩畫。

波貝說：「這幅畫掛在你的房間，很合式哩！」似乎還帶着一點妒忌的聲調，然後，她又問：「近來很不錯吧？」

什麼不錯呢？原來她們兩人均是應召女郎，每年的入息可達二萬美元以上。她們對于這種職業，並不覺得可恥，甚而還樂在其中。同時，大家不要誤會，她們不是什麼非法集團所操縱的；她們是獨立的，她們愛稱之為「自由職業」。

這時，波貝望望腕錶說：「時間到了，我有約會」。

溫黛接着說：「我也差不多了」。然後，她們分手，各乘的士離開了。不用說，她們那晚又多一百元收入。

話分兩頭，波貝的「男友」是三十六歲的朗奴，是一個已婚人士，還有子女兩人。每年入息是超過一萬六千元。由于業務關係，每月必來紐約一行。他愛太太，但他認為每年「走私」十一次，不算過份（每年八月間要陪太太旅行）。

波貝的意見是——「朗奴是相當保守的。在事業上，他是成功的。他說太太是一個好女子，這點我同意。同時他承認她是不夠風趣，這不是致命傷。我們每月見面一次，我們談政治、談芭蕾舞，他很喜歡法國菜式。他從不對我虛偽，還要我陪他往公司買禮物給妻兒。老實說，我十分喜歡他。」

至於溫黛的「男友」是四十歲的彼得，他的職位是廣告公司經理，他有子女兩人。他讀完大學，早立志做新聞記者，從事寫作；事實上，在學校時，已有「詩人」的綽號。後來發現自己還有繪畫設計的才能，才轉行做商業廣告。他對妻子不滿，但為了兒女計，他並不準備結婚。

溫黛的觀感是——「彼得是一位知識份子，對於事物的判斷力，十分敏銳。我們談得相當投契，我們一起聽爵士音樂。他說妻子是討厭音樂，這是他們合不來的原因之一。他每次來紐約，我都感到非常愉快。」然後，她坦白承認：「此類朋友，約有十個之多；事實上，在紐約，跟我一樣的女性絕對不少哩。」

是的，據最近統計數字，在曼赫頓區已有三萬名應召女郎了。不過，像波貝與溫黛此類高級應召女郎，數目約為五千名。她們幹此行，原因不是經濟那麼簡單，而是心理上需要。

「男人雜誌」記者訪問她們的紀錄如下：

問：你們覺得這種「職業」帶來愉快嗎？

波貝：這是與愉快不相干的。

溫黛：目前，我在銀行存款有五千元，這是沒有人曉得的。問題不是金錢，而是生活找到了中心。

問：你們怎樣「入行」呢？

波貝：是婚姻「流產」開始吧？為尋開心，多結交異性朋友，于是一切都自然發展了。

溫黛：初時為了找尋刺激，後來覺得有趣了。

問：與陌生人做愛，無反感嗎？

波貝：老實說，不是每人都跟我做愛的，他們大部份有正常的性生活。信不信由你，我給他們的是一種非常微妙的慰藉。

溫黛：初時有點那個，問題在是否合拍，一次生，兩次熟，以後便順利進行了。

問：你們都是這麼長情嗎？

波貝、溫黛同時答：你以為我們騙了一次錢，便不理人家嗎？

問：你們有一個眞正愛人嗎？

波貝：至少目前沒有。

溫黛：有，但他不知我幹這行的。

問：你們認為性愛是一種享受嗎？

波貝：不，很少達到性愛的高潮。

溫黛：這要看什麼人，什麼時間而定。

問：你們有未來的計劃嗎？準備正式結婚嗎？

波貝：我會結婚的，要找一個我尊敬的人。

溫黛：女人怎能沒有歸宿呢？

英狂人樂隊發跡之地
利物浦卡雲俱樂部滄桑史

丙丁

英國的「披頭四」樂隊是發達了，可是他們的發跡地利物浦城的卡雲俱樂部，却因營業不前要歇業。

卡雲俱樂部是個破爛的地方，但是許多樂隊在此發跡，狂人樂隊未成名前，曾在該處演奏二百九十二次。以後不少搖擺樂團及長頭髮的類似披頭士的樂隊，由該破落戶走出門口便發了達。可是這間狂人「聖地」，却遭到「佂斗」的厄運，眞係惡講。最近有一百五十多名狂迷，曾在該俱樂部的門前，示威三小時半，抗議這間「廟祠」的關閉。

卡雲俱樂部主人雷麥科爾，接到當地法庭下令要他付欵三千美元，因而替狂人祠堂敲起了喪鐘。這個卅八歲的夜總會主人說：「債主迫到我好緊，無法償還欠欵，除了歇業別無他途」。故此，這間充滿烏烟瘴氣的俱樂部，一度帶挈許多人發達的消遣場所，被迫要關門大吉。現在已撈起的女歌手施拉布力克，當日曾在俱樂部內做過衣帽間女郎。數千美元一場演奏費的披頭四樂隊，昔日唱到口乾，亦不過每晚十二美元的報酬而已。但是狂人聖地經過一批狂迷的「護廟運動」，才宣佈關閉的。當他們知道利物浦法庭的命令頒佈後，穿黑衫的狂迷男女們，實行「鬥爭」，一部份狂迷，在這件錢債案宣判前十二小時，已雲集這間祠堂內，等候消息。

當噩訊傳來，他們把俱樂部內封屋，俱樂部主人麥科爾與法庭的執達吏到場，亦無法進入屋內。因為這地方歇業，狂迷們便少了一個消遣的地方，抑且卡雲夜總會有歷史紀念意義。

俱樂部門外百餘狂迷，好似發動罷工一樣，坐在街頭，一面歡呼又亂叫，警察到場動手把障礙物掀開時，少年們與他們糾纏，并且高嚷：「我們決不遷走。」經過三小時的鬥爭，少年們才讓步。但執達吏接收狂人聖地時，他們列隊前往市議會去請願，然而沒有結果。

卡雲俱樂部主人麥科爾，以前出價八千美元購得此址，經營至今，欠債纍纍，他說：「沒辦法啊！但我坦白說，我經營此夜總會七年以來，令我甚為興奮。」他還記得一九六一年初期少年們開始對狂人着迷，至一九六四年這個地方的聽衆才日漸減少，已發達的樂隊，都往海外掘金去了。當債主臨門，他就無法應付。當地的市議會也向他施壓力，除欠下這一筆三千美元的債欵外，尚欠不少其他的欠項。狂人發達，聖地沒落，使人不勝唏噓。

質詢權的平議

張健生

一

外交部長沈昌煥於去年九月廿四日在立法院第三十六會期第二次會議上答復立法委員質詢，是說「無可奉告」。曾經引起立委們的驚訝。

事緣貴州籍立委谷正鼎，就「籌組亞洲反共聯盟問題」，向行政院長提出的質詢中有謂：「關於建立亞洲反共聯盟，總統已有號召，亞洲國家亦有响應；我要問政府對反共聯盟的前途觀察如何？是否在作具體組織進行？有無具體進行的情形可資見告？」此項質詢，由外交部長沈昌煥答復，他說：

「亞洲各國對共匪侵略的本質，均有深刻瞭解，因此，籌組反共聯盟，我政府現正積極促成中。至進行到怎樣程度，目前還無可奉告」。

此事，由於沈外長曾說明「無可奉告」的意思是「含蓄的答詢」，而未燃起暴風，可是立委們却依然議論紛紜。

中華民國憲法五十七條規定：行政院對立法院負責；立法委員有向行政院院長及行政院各部會首長質詢之權。立法院組織法第十一條規定：立法委員質詢程序，由立法院定之。立法院議事規則第六十七條規定：立法委員對行政院之施政方針、施政報告及其他事項有疑問時，得提出口頭或書面質詢。同規則第六十八條又規定：立法委員即席提出之質詢，被質詢人應於每一質詢後，即時答復。但經質詢人同意，得定時口頭答復或改用書面答復（如質詢人不同意，被質詢人應即時答復）。質詢人對答復仍有疑問時，得再質詢。第七十二條規定：被質詢人除為保守國防外交秘密者外，不得拒絕答復。

依照現行憲法的具體規定和基本精神來說，我們的中央政治制度無疑的是採引了「內閣制」。所謂責任內閣制，是以內閣對國會負責任。由於內閣對國會負實際政治責任，所以國會為求貫澈對內閣的課責起見，就得運用種種方法以控制內閣。如：

（一）我們的立法院有議決法律案、預算案、戒嚴案、大赦案、宣戰案、媾和案、條約案、以及國家其他重要事項之權（憲法第六十三條）。

新三國

周遊著

李傕這時是大權在握，自己做了車騎將軍池陽侯，又領司隸校尉，假節；樊稠也做了右將軍萬年侯。張濟做了驃騎將軍平陽侯，部隊駐防在弘農。

就在李、郭之亂長安這一年（獻帝三年，公元一九二年）韓遂、馬騰等投降，來到長安。李傕等表韓遂為鎮西將軍，馬騰為征西將軍。韓遂回涼州，馬騰屯郿縣，都在長安外圍之地。此時有一個侍中名叫馬宇，和諫議大夫種邵，左中郎劉範，（劉範是劉焉的兒子）四人共謀討李郭兩個暴徒，使馬騰襲長安，他們四人為內應，以誅李、郭。馬騰引兵到了長平觀，距離長安只五十里的地方。不幸他們的計劃被泄漏，出奔到扶風郡的槐里縣去了。樊稠帶了兵擊敗了長平觀的馬騰，又回頭到槐里打馬宇，結果馬宇敗死。這一幕武裝政變沒有成功，十分可惜。這亂子打平，李傕、郭汜放部下到處刦掠，攻剽城池。這二年之中，老百姓沒有吃的，竟有人吃人的事情發生。天災人禍交織，老百姓實在慘透了。

政變雖壓平了，但是李、郭、樊三人却又互相殘殺爭戰起來。攪政治集團，沒有對外鬥爭的對相，則轉而對內鬥爭。這種鬥爭哲學今日尤存在着。

先是樊稠追擊馬騰、韓遂到了陳倉，樊稠和韓遂離得很近了。韓遂便對樊稠說：「天地反覆是不可知的。我們之所爭者，乃是王家的事，而不是私怨。我和閣下都是同鄉人。今日雖然小別，以後還得在一個皇帝之下做官的，今天如給我過不去，以後怎好相見呢？」說完，他們兩馬相接，二人談得親切。可是有一個人聽者有因。此人是李傕哥哥的兒子，名叫李利，他在樊稠的麾下為將。他看到樊稠和韓遂談得非常親切，而且又不把韓遂捉回問罪，他回去報告李傕，李傕很疑懷樊稠與韓遂有私通之嫌。樊稠打算帶兵出關，請求李傕增加他的人馬。於是，李傕請樊稠到府商議，就在坐中，把樊稠宰了！把他的部隊收編。三個人鬥垮了一個，剩下兩個，又是一場「二狼相爭」。在漢末的時代，洛陽、長安的老姓眞是最倒楣了。

李傕、郭汜解決了張濟之後，成為二雄並峙，互相專權，互相疑忌，加上郭汜的老婆作怪，李、郭二人感情日益惡化。二人都想把獻帝挾在自己手中。先是郭汜謀迎天子到他的營中，可是有人晚上跑去報告了李傕，李傕便派了他哥哥的兒子李暹，帶了數千人，把皇宮包圍，準備了三乘車子，要迎接天子。太尉楊彪說：「自古以來，帝王沒有住在臣子家的道理，做事情要合於天下的人心。你們這樣做是不對的！」李暹那裏聽這些道理，說「我們將軍決定這樣了，不必多說。」一人只有瞧他們的。來了三乘車輛，一乘給皇帝坐了，一乘給貴人坐了，乘是賈詡和文靄乘坐。其餘文武百官只有步行跟隨。李傕把獻帝接在自己營中，第二天又把天子遷到北塢，派校尉把守塢門。塢即是雖堡，皇帝等於坐牢一般，眞是可憐已極了。

（卅五）

曠絕的八蜡廟（續）

我很佩服定公，有此魄力，辦這塲空前絕後的一台戲，試看後來即有名的公司也辦不到。其實從前在上海類似這樣票戲，也極容易，不過吃力一些。雖歡集的五老演出，有這樣的氣派，而盛況也不差之，此所以值得記念。

精采的薛八齣

定山兄移居台中後，曾辦過兩次中台雅集，在台中市一中大禮堂舉行，第一次有四五花洞，第二次是薛八齣。在北方唱，有彩樓配，三擊掌，母女會，趕三關，武家坡，算粮，銀空山，大登殿。因別窰是麒麟童、王芸芳所唱紅，南方唱時，有了別窰即無三擊掌，也是八齣；隨便安排，看角兒再決定的。中台所演，有別窰而無三擊掌。我初聽擊掌，是賈洪林、吳彩霞合唱，沒有現在那樣捧！

國劇繽紛續錄

鉴婆生（七十六）

中台的安排，彩樓配是閻秋江（寶釧），陳定山（平貴）。別窰是楊鳳仙（寶釧）徐錚（平貴）。探窰是蕭惠方（寶釧），丁仲（王夫人）。趕三關是張敏之（平貴），楊曼華（代戰），丁仲（穆老將軍）。武家坡是陳十雲（平貴），王素文（寶釧）。算粮是陳十雲（平貴），高左芗（寶釧），閻秋江（魏虎），徐錚（王允），楊曼華（代戰）。銀空山是陳莘（平貴），錢大德（高思繼）。大登殿是孫雲紅（平貴），劉天寧（寶釧），趙士英（代戰）。

這塲戲，有六位平貴，（定山徐錚敏之十雲陳莘雲紅）六位寶釧，（秋江鳳仙惠方素文左芗天寧）恐怕台北的伶票兩界找不出這許多角兒。十雲演兩齣，丁仲也演兩齣（一老旦一丑行），楊曼華演代戰，因此三位代戰，僅曼華士英。秋江演兩齣，（一旦一花臉），徐錚演兩齣（一是平貴，一是王允）。可見多才，始能兩演。尤其羅夫人的登殿，惠方的探窰，今後恐難再見。更加探窰之後，接着鴻雁稍書，即軍中劇團也沒見演過，很爲可貴。

觀渝蘭憶喜奎

電視平劇近頗賣力，上週推出獨占花魁，是台灣平劇中少見，越劇則有之。此戲由名坤旦徐渝蘭主演，她對此類戲極合式。不過看了，勾起舊憶，那是民國七年在故都中和園看劉喜奎演過，在三十五天之中，欣賞了三次。（未完）

熱

劉杰

台灣有四凶：新竹的風，基隆的雨，花蓮的地震，南部的太陽。我現在就住在南部，此時又是暑天，太陽確實如火一樣。因爲有火一樣的太陽，也就特別熱，我住在樓上，四週都有窗子，又加以電風扇，廿四小時吹個不停，熱度還是那麼高，穿着汗衫，不到一會兒工夫，就濕的像在水裏拿起來一樣。我沒有來到南部之前，朋友們還說我瘦子不怕熱。

「你就可以在南部呆下來。」

「我希望能夠適應那地。」我說：「我在暑天並沒有太多的不愉快！」

我初到南部，那是春天，自然熱度比較低，加之又接連下了一個星期的說大不大說小不小的雨，居然氣溫低的要穿毛衣辦公。我當時，寫了一封信告訴北部朋友，熱祇是一種說法，沒有實際的感受。爲了證實我這話，我還把我穿毛衣照的相，連同信一道寄去。

不到兩個月，熱度竟像火燒起似的，一分鐘又一分鐘的增高起來。從早到晚，太陽就和我們過不去，發足自己的輻射力和威力，把地上的柏油也晒出水來，樹，葉子捲的像老鼠耳朵，狗在屋簷下祇是伸舌頭。我這個瘦子，也被熱得白天沒有法子午睡，晚上也沒法子睡的安適。

於是，我一天天的更瘦下來。本來朋友同學說我是電綫桿。

「你們看，電綫桿來了！」

「我不高興你們這樣叫喊我！」我提出抗議。

「那你就快點增肥吧！」

我現在確更瘦了。我在鏡子裏一照，我連自己也認識了，就像生了大病後的那個樣子，臉上沒肉，眼珠凸了出來。

「夏天」，她的結論：心靜自然涼。我沒法求自己的心靜，我擇一本怡性的小說，一本怡性的詩集，自然，這些書我都在休息時候，星期天的日子，但溫度太高，依然是滿身是汗。

「要是小姐們都在南部，那就有大腿了。」我想，南部的小姐，很少穿旗袍，都是東洋裙子，大腿露了出來。日前，南部舉行攝影比賽，我就在公園看到很多女，穿着短褲，半赤上身，戴着太陽眼，十分肉感。我不在心底喝采；這我到底是男人，六根沒有清靜。

前次，我休假，我到中部，那裏的熱度，一到下午四點鐘，便減低了。同時中部的財富多，差不多人家都有冷氣設備，對于熱並不當做一回事。我在中部的一個星期，氣溫適宜，過着天堂般的生活。

「我眞不想離開這兒，」我對朋友們說：「但我非要離開這兒不可。」

「那你調到中部來。」

「我父親是部長，」我說：「但我父親不是部長。」

「你可以找找關係。」

「如果我是那樣，」我苦笑着說：「我就不會到這種地步。一個堂堂的大學生，仍然……」

「你的牢騷太多，朋友。」

「這是事實，」我說：「沒法抗辯事實。」

說實在的，倘若南部沒有這樣熱，我也就沒有如此惡劣的情緒。我又設法改正這種情緒，這就和我到金門時，朋友們在館子裏，敬我的酒。

「帶給我們的榮譽，朋友。」

我喝下去酒，沒有做聲。

「快樂點，」朋友說：「那是英雄的地方，你本質上就是英雄！」

我又喝下去酒，仍然沒有做聲。

「不要和自己過不去，」朋友說：「有很多希望在等着你哩！」

我想起在戰地，砲彈聲此起彼落，是有點那個的。習慣下來，也就沒有什麼，而且還戀上戰地。當我在戰地告一結束，起程回來時，我竟流出懷念的淚。

「那你以後還有機會來金門。」

「是的。」我說：「倘若我可以留在戰地，我會長久的在金門。」

「朋友們會爲你想辦法的。你先回去！」

我想到這裏，突然在熱淚中頓悟到眞理；這眞理又給我很大的追憶。我在三十九年，老是患上繡球瘋和香港脚，弄的我皺眉苦臉，本地人就沒有這種病。之後一問，便知道我是：水土不服的關係。在我想：水土不服，也就是水土對身體適應上不習慣。那麼南部的熱，如果我習慣下來，熱度也就不會這樣高了。

我現在努力於熱中生活的習慣。

談社會現象

海嘯樓談薈

諸葛文侯

每一個時代的社會現象，都有它的產生背景，從而表現着若干特殊的象徵——無論是好是壞。

例如：中華民國肇建以前的滿淸帝國時代，由於政府重視開科取士制度，知識份子以科舉爲進入仕途的捷徑，社會上乃釀成重文輕武的強烈風氣，上封疆大吏如總督巡撫，見一個布衣翰林公的大名片，一例要開啓中門迎接，待以上賓之禮，否則就是「違制」，要受到朝野人士的抨擊。

宣統庚戌年（民國紀元前二年）我年方十四歲，在縣立高等小學堂讀書，假日與三數好友在城郊遊玩，偶遇着駐防本邑的綠營哨官（營長），戎服長靴，他連忙向我們這些小學生立正敬禮，使我愕然不知所措，重文輕武的風氣有如此者！

辛亥革命後，各省都督皆係軍人，綜攬軍民兩政，威權畸重，袁世凱當國，更恃武力以施政，軍人成了天之驕子，一般文人相率趨附於武人之門，或充幕僚，或作淸客，而重武輕文的風氣，普遍流行，於是歷十餘年軍閥政治黑暗，國家無從進步，人民遭殃匪淺，可說是一種時代的反動力——由重文輕武而演變爲重武輕文的風氣激之使然也。

在北洋軍閥政治之下，亦有些值得稱許的社會現象，自民國初年至十五年大革命發生，首都暨各重要都市上報紙言論，一般的看來，相當自由，現在我們翻閱京津滬漢一帶的報紙，如黃遠生、徐彬彬一流人所寫的政治評論和通信，對時政得失和當政人物，多能儘量批評，直言無隱。「五四運動」以後，大學生對時事常有發言權，軍閥政府在表面上不敢漠視，一個大學生團便敢謁政府要人，亦不敢拒，充分表現着淸議的潛力。北大校長蔡元培在報紙上刊登了一則辭職啓事，便使教育總長彭允彝罷職去官，無可如何。首都學術界更具有自由講學的權能，北京大學的教授，集新舊左右思想之大成，各是其所是，非其所非，百花齊放，百家爭鳴，從未受到外來的干涉，如吳虞的「非孝論」與「打倒孔家店」這類驚世駭俗的思想，亦悍然倡說，行所無事。淸華大學的學術研究空氣尤濃厚，梁啓超、王國維、陳寅恪、錢基博這些學有專長的名儒大師，都執教鞭於其間，尤稱一時之盛，嗣後即永難看到這種盛況了。

民十五年大革命發生後，社會現象又有特殊的演變，其中最突的兩點，聞所未聞，與過去形成兩極化，一爲青年男女禮教約束之極端解放，筆者於民十六年春間隨革命軍到達南昌時，某日在書店購買文具，忽有胸掛南昌女子師範學校徽章的青年女生二人，走進來向書店執事者揚聲問：「有沒有張競生著的性史？」當時我爲之驚詫不已，舉目注視她們，然對方滿不在乎。往後轉進浙、滬、金陵、漢口一帶，所見情形大抵皆然。二爲凡是穿長袍馬褂的人，無論年齡如何，皆視爲昏庸老朽或土劣之輩的革命對象。民十六年正月，吾友皖人湯志先兄在南昌晉謁陳果夫先生談黨務，有其鄉人李鑄青君（靑年人），身御團花緞面的狐皮長袍隨同進見，陳氏佛然不悅，私下語志先云：「幹嗎帶一土豪劣紳來見我？」詞色殊凌厲。實則陳氏後來經常穿長袍出入公廨，唯不着馬褂耳。可見時代影響力之強烈，每不能以常理相評判的。現時的社會現象，又另是一樣了，這證明一項眞理，即世界萬事萬物皆變動不居，好壞，都是社會進化的過程而已。

香妃恨

「影劇與歷史」之二十二

周遊

再據故宮御膳房檔案，容妃隨着高宗巡幸時，以及在宮中之賞賜，均有容妃、年月日備詳，絕非虛構。如「山東照常膳底檔案」：「乾隆三十六年二月初三至初七，帝奉皇太后幸山東謁孔廟，隨行者皇貴妃、慶貴妃、穎妃、孫妃、容妃、順嬪。每日均有賞賜容妃食品。如二月初四賞容妃鴨子一品。」亦有賜容妃與順嬪合用者。其他帝巡熱河、盛京、及熱河外哨鹿等地，均有容妃隨行，以及各種賞賜。（吳相湘「淸宮秘譚」中乾隆與香妃收編詳盡）在一次賞賜中，賞容妃奶子月餅及狍肉一盤，足見對她是投其所好，重其習俗，無微不至了。

香妃死後，安葬於東陵之園寢，喪禮隆重。故世俗所謂，故都南下窪「香塚」爲香妃塚之說，極不可信。故謂乾隆帝之禮遇香妃，非全以色寵，而有政治作用也。

進香妃以固好的史實，亦應加以匡正。香妃之入宮，乃是出於感恩自動獻女的。即和卓氏二子在乾隆二十年以前，曾隨其父阿哈瑪特，被準部（新疆西部伊犂一帶）扣留。乾隆二十年，淸兵平準部時，阿哈瑪特已死，二子尙存，淸軍釋放使之返回原部，（今之疏勒沙車一帶）二人對淸感激圖報，獻其女於中國，一則也是回部聯姻政策，進女固好，以使準部不敢輕舉妄動也。

乾隆帝是一位有作爲的傑出皇帝，其納回妃而禮遇之，乃其處理回回政策之一種手段而已。建回子營，築回學學房，完全照咸安宮官學學生例，一切官給以優遇之，並派有專管事務大臣主其事。而且，不僅乾隆自己學習回文回語，更於宮中特設官學教授宗室子弟專習回文，其於西北回地，不欲馬上得之，馬上治之心理，由此更可明證。亦可因此知道世俗委巷傳云之「香妃恨」及「深宮怨」等，種種謬論，都是出於文人筆上生花，以訛傳訛之說也。（三完）

間諜與女色的故事

胡荻

間諜生涯是驚險而夠刺激的，但也時常會遇到風流艷事。間諜可以捨命而效忠於他的組織與上司，卻也常常爲異性的柔情所感而致陣前倒戈。下面介紹在拉丁美洲的政壇風雲中，一樁眞人眞事的間諜戰，是夠香艷刺激的。

一九六五年時，瓜地馬拉的解放者阿瑪斯剛推翻了受共黨影響的阿賓茲政府。

韋爾夫是一位退伍軍人，與共黨特務機關有關係。有一次，他奉命暗殺阿瑪斯。

當韋爾夫在墨西哥城登上一架飛機前往瓜地馬拉城時，機上的乘客除了他之外，祇有一位漂亮的女郎。因當時在革命期間，空中旅客經常是稀少的。（一）

自由報

THE FREE NEWS

第五五六期

內政部登記證內版台字第〇三一三號

中華民國僑務委員會登記證
台教新字第三三二號登記證
中華郵政台字第一二八二號執照
登記爲第一類新聞紙類
（半週刊每星期三、六出版）
每份港幣壹角
台灣零售每份新台幣壹元

社長：雷嘯岑
督印人：黃行實

社址：香港銅鑼灣高士威道二十號四樓
20, CAUSEWAY RD 3RD FL. HONG KONG
TEL. 771726　電報掛號：7191

承印者：大同印務公司
地址：香港北角和富道九六號。

台灣分社
台北市西寧南路壹壹零號二樓
電話：三〇三四六
台郵撥儲金戶九二五二

從古代的「格物致知」到現代的「格物致知」

·何勇仁·

一、格物致知的困境

「格物致知」表面上似乎是很普通的道理，而實際上其解釋極爲深奧，數百年來許多名學者多有不同的解釋，至於「格物致知」的效用的實現，更不是空言可以達到。胡適之曾說：「七百年來，中國有二大學，就是朱熹和王陽明。程朱之學提倡『格物致知』，從研究實物的道理，把知識擴充到高遠，不過因爲當時沒有實驗的習慣，所以不能成爲科學研究的基礎。但是這種目標，已養成了中國人的科學精神和態度。四百多年陸王之學大師王陽明，曾和他的弟子爲了實驗『格物致知』的道理，學生望竹三晝夜，老師繼續七晝夜，都格不出道理，而自嘲不能成聖！」由此可知問題之不易解決；至於「格物致知」的解釋，據清代名家全望祖說：「七十二家格物之說，令末學窮老絕氣，不能盡舉其異同」（見皇清經解卷三經史問答）亦可知問題正多。本文即是以此二大問題爲要素的。

二、王明陽格物的新理想

我們必先對王陽明的宇宙觀有所了解，始能了解其對「格物致知」的深意；陽明說：太極生生之理，妙用無息，而常體不易。太極之生生，即陰陽之生生，就其生生之中，指其妙用無息者，而謂之動，謂之陽之生，非謂動而後生陽也。就其生生之中，指其常體不易者，而謂之靜，謂之陰之生，非謂靜而後生陰也。若果靜而後生陰，動而後生陽，則是陰陽動靜，截然各自爲一物矣。陰陽一氣也，一氣屈伸而爲陰陽；動靜一理也，一理隱顯而爲動靜」。此爲陽明宇宙（理氣）一元論，與朱子之理氣二元論，完全不同。陽明又說：「風雨露雷，日月星辰，禽獸草木，山川土石，與人原只一體。故五穀禽獸之類，皆可以養人；藥石之類，皆可以療疾。只爲同此一氣，故能相通耳」。此一種立論與現代的物理化學的立論完全相符。陽明更進一步表示萬物均有其物質的性能的存在，如：「朱本思問，人有虛靈，方有良知。若草木瓦石之類，亦有良知否？先生曰，人的良知，就是草木瓦石的良知。若草木瓦石無人的良知，不可以爲草木瓦石矣！」可惜當時只知「學生望竹三晝夜，老師繼續七晝夜」，如果更進一步探求物理，則中國的科學決不會落後於歐美的。

三、朱程王諸家之異同及後世批評

由於以上所舉胡適之所舉朱程王之論，這裏也根據彼等對「格物致知」的異同而有所分析，使其獲得明確的結論：

朱子對「格物致知」之解釋說：「致推極也，知猶識也。推極吾之知識，欲其所知無不盡也。格至也，物猶事也。窮至事物之理，欲其極處無不到也。」（見大學補傳及大學集註。）

程伊川對「格物致知」之解釋說：「或問格致知須物物格之，還只格一物而萬理皆知？曰，怎生便會該通；若只格一物便通衆理，雖顏子亦不敢如此道。須是今日格一件，明日又格一件，積習既多，然後脫然，自有貫通處。」又說：「又問只窮一物，見此一物，還便見得諸理否？曰：須是徧求。雖顏子亦只能聞一知十，若到後來達理了，雖億萬亦可通。（見二程全書卷十九及二十）

王陽明對「格物致知」之解釋較爲詳盡，他說：「致者至也。如云喪致乎哀之致。易言知至至之。知至者知也。至之者，致也。致知云者，非若後儒所謂充廣其知識之謂也，致吾心之良知焉耳。」又說：「物者事也。凡意之所發必有其事，意所在之事謂之物。格者正也。正其不正以歸于正之謂也。正其不正者，去惡之謂也。歸于正者爲善之謂也。夫是之謂格。書言格于上下，格于文祖，格其非心，格物之格，實兼其義也。」又說：「致知格物者，致吾心之良知于事事物物也。吾心之良知，即所謂天理也。致吾心良知之天理於事事物物，則事事物物皆得其理矣。致吾心之良知者，致知也。事事物物皆得其理者，格物也。是合心與理而爲一者也」。

朱子以爲人心之靈，莫不有知，而天下之物，莫不有理。惟于理有未窮盡，故其知亦無窮盡。若知識不完備，更何談窮理？天下之事，莫不有理，故「理」實爲潔淨空濶的世界。黃宗義於明儒學案對於「格物致知」亦曾批評說：「先生（指陽明）之格物，謂致吾心良知之天理于事事物物，則事事物物皆得其理。以聖人教人，只是一個行，如博學、審問、愼思、明辨，皆是行也。篤行之者，行此數者不已是也。」日本名學者伊藤東涯亦曾評論：「格物二字，大學只存其目，而不詳其義。至朱子始分經傳，取程子之意，以補成傳文。後世學者，傳誦以爲學問之極功，六經之括例，而莫之敢逾焉！夫天下之理，不可勝窮也。天下之書，不可勝讀也。而人以渺然之身，立乎窮壤之間，以百年之壽，寄乎古今之中，欲畢窮而周覽，以造其極，雖殫一生之精力，固有勢所不能。而至其縱橫出入，紛紜交錯之故，雖以堯舜孔子之聖，亦有不能知者。而欲使學者以此爲標的，逐逐然窮其理，以期豁然貫通者，此陸王二氏之所以不服也。」（見古今學變）

四、胡適提供「格物致知」的新路

以上所舉胡適所說王陽明師生「望竹」格不出道理的故事，正是本題非常重要的關鍵；同時胡適說：「而自嘲不能成聖，同時譏諷了『格物致知』。他以爲這一個教訓顯示科學的研究，不能假手於空談理論，必需要有眞實驗，才能有眞發現。實驗的功能是在解決問題」。（下轉第二版）

多心的人

礦物！

今日與明日

陳毅亂車大砲

毛共的那位「外長」陳毅，實際上是扮的謝利路易一流的角色，眞的作到一開口就惹人發笑的境地。不說以前的，最近陳毅就發表了兩篇談話，再三說明同美國戰爭不可避免，並指美俄訂立神聖同盟對付毛共。這是對北歐斯堪的那維亞半島訪問團而說的。不久之前又指美國要在青島登陸，說的活靈活現，煞有介事。陳毅此人一向信口開河，專門扮演小丑角色，但也不能忽視他說話的重要性。例如他以前所說的中國人寧可不要褲子，不能不要核子彈，結果證實了他的觀點，果然六億人民經不換一條褲子，而中共却製出了核子彈。因此，我們也就不能過份低估了陳毅要同美國作戰的狂言，雖然是車大炮，但毛共確實在作此打算。雖然在目前毛共無奈美國何，但是到了有一天毛共眞的造成飛彈，足以轟炸美國時，恐怕毛共就不會像西方國家一樣，一味君子動口不動手了，二次珍珠港事件將可能重演。

美國妄人一廂情願

就在毛共磨拳擦掌要同美國一戰時，美國一批妄人、政客以傅爾勃來特、曼斯菲爾、摩斯、羅拔甘迺廸爲首，學棍由費正清領先，高唱要同毛共修好自吹自擂要和毛僞政權「建立邦交」，交換新聞記者，甚至要美國即刻和毛共加強關係，准許毛僞組織加入聯合國。一連串的囈語鬼話，一整套的賣國求榮方案，在美國鬧得如火如荼，世間之怪事，算是無過於此！事實上要講修好，也是雙方面的事，沒有一方面高聲叫罵，喊打喊殺，一方面却陪着笑臉硬要修好，人之無恥，至於如此，美國有識之士也會感到恥辱！眞不料出生過華盛頓、林肯的地方，又生出這一羣敗類！這批人成事壞事皆不足，只是在美國留下一個笑談，他們的活動，也如池塘裏的波紋一樣，很短期間就要消逝得無影無蹤。

美當局應拿出決心

當此邪說紛紜之時，舉世自由人士皆注意美國態度，美國當局更應斷然拿出決心來，否定一批妄人的行動與言論，萬不可視這一批妄人之言爲民意，爲專家意見，而輕易被妄人牽着鼻子走。如最近魯斯克同麥納馬拉所發表的談話，似乎都與過去的言論衝突，雖然大家也知道是一種「曲綫」，可是却予人以不良印象，以爲美國政府向妄人投降了，則今後遠東各國必然會對美國生出疑忌之心，對整個反共陣營來說，將是大不幸的事。（何如）

看毛共的內鬨

自由談

大陸上的毛共集團，最近又掀起了內部整肅運動，許多老幹部如彭眞、鄧拓、吳含（口旁）等，皆被誣爲反黨反社會主義份子，因此而牽連在內的共幹，必然不勝枚舉。共黨是以清算、鬥爭爲生活條件的，先鬥敵人，再鬥同路人，然後又鬥同志，天天要鬥，時時要鬥，目的，只在爭奪權力而已。

這次毛共內部的整肅惡作劇，迥異尋常，似與毛酋澤東的垂危生命有關，換言之，即劉少奇周恩來這些二號頭目，爲爭奪黨的領導權力，利用毛酋病莫能興的時機，預作佈署，把潛在的政敵予以制服，造成定局，以待毛酋之死期來臨，免蹈俄共頭子史達林暴斃後的覆轍。

彭眞久任僞北京市長，素爲毛酋親信幹部，他在所謂「反修正主義」運動中，一貫的遵循「毛澤東思想」，始終不渝。現在竟戴上了反黨反社會主義的帽子，這意味着反毛派的潛勢力正在抬頭；不然，就是親俄派的思想主張在內部起了相當作用。因爲劉少奇跟毛酋的關係很深，但在「反修正主義」的觀點上，頗有距離，甚於親俄的思想路線，祇好對於「自己人」的彭眞，不惜犧牲了。

據外國電訊報導，林彪的軍方力量，最近已在黨政方面逐漸伸入，已經佔有若干重要地位。林是屬於親俄派的，此時他對於整肅、鬥爭毛酋爪牙的工作，當然贊成，而彭眞、鄧拓乃成了第一號的替罪羔羊。至於文丑郭沫若之流，殊不足道，他見風轉舵，自認罪孽深重，不過是插科打諢的小丑表演，對毛共內部的權力爭奪戰，不發生絲毫影響，自說自話，徒然使共幹們發噱罷了。

我看毛共內部這次的整肅運動，其性質比過去一切的整風運動，以及反這樣反那樣的把戲，特別嚴重，而其焦點即在反俄與親俄派勢力之盈虛消長，毛酋一旦歸西，問題便要表面化的。英美人士早年期望毛酋作「亞洲狄托」，毛酋果然照辦了，而反對英美帝國主義更烈。英美政客失望之餘，又寄望於毛共第二代改取溫和政策，如今看看毛共內部權力鬥爭的趨勢，英美政客的幻想必告破滅無疑，可憐亦復可哂也。

馮之先生

雨季開始越共勢將進攻
盟軍有備决予迎頭痛擊

—西貢通—

越南的五月底便是雨季開始之期。在這時期中由於雨雲蔽空，美國强大的機群將不能充分活動，所以，雨季是有利於共黨的。過去，共黨會經利用雨季進攻；今年還會照樣再來一次嗎？

美國的官員們預料北越和越共將會利用這個對他們有利的時機，再度試行將南越領土切爲兩片。並且忖度共黨的第一次進攻將向寮國及柬埔寨邊境一帶的美越聯軍的哨崗着手。

去年五六月間共黨攻勢的結果，是共黨方面的大損失；不過，對於南越部隊方面，也有着頗大的影響。

當雨季戰事結束之後，南越政府已經筋疲力竭，後備兵力幾乎抽用淨盡，許多公路都給越共切斷，並有許多市鎮都陷於孤立，遭越共在週遭困擾着。

可以說：美軍之所以要負担起南越地面戰爭的前驅責任，將駐越美軍由去年五月間的四萬二千名增至目前二十五萬人的原因之一部份。

美國國防部長麥納馬拉去年九月於檢討南越戰局時曾說：「在五六月間的大規模越共進攻的次數有相當的增加，我認爲，很顯然的，這是共黨方面抱着瓦解南越的目的來做的，他們總算有若干成就；但却花了很重大的代價。他們的傷亡損失甚重。」

麥納馬拉的結論說：「南越政府軍加上美軍，已經給予共黨以重大打擊，而且挫敗了他們的雨季攻勢。」

今年美軍當局預期共軍會再度發動雨季攻勢，經已擬定對策，包括短期性的和長遠打算的。

他們說，祇希望北越的正規軍和越共的主力部隊各營能挺身出戰。

美軍所採取的戰略，所獲殺傷共軍和俘虜共軍的數目，超過於他們所能從北越滲入或在南越就地强徵的補充。

共軍在戰爭中被殲的數字已比去年大增，據華盛頓方面所得的報告，在今年最初四個月內共軍就殲的達一萬六千人，而同期內美軍及聯軍戰死的，也達四千八百人。

在一九六五年全年內，共軍在戰事中被殲的共三萬五千名。

但他們向南越滲進的數目也連帶增加，並且有着仍將繼續增多的情形。

雖則美越飛機不斷轟炸滲入路綫，但由今年一月至五月初，北越共軍滲入南越的已達二萬人，這數字已超過一九六五年全年約一萬八千名之數。

目前滲入的數目估計平均每月五千五百名，並可能達至七千名之數。

美國高級決策官方人士認爲戰術與戰略有作重大改變之必要。目前暫定的計劃是增强美軍實力。大致在今年底駐越美軍數目將增至四十萬人。顯然，美國當局相信這支大軍足以應付可以想見的局面。

共軍爲了積貯雨季所需的軍用物資，不惜冒着美機加强轟炸的危險，甚至白天也循胡志明小徑運輸。

美國的戰略家認識到雨季將有利於共軍，因空軍活動將受氣候所限制。但許多軍事專家却不同意共黨會估着很大的利益的想法。

他們指出美軍勝利的一主要因素是直昇機的調動應用。不良的天氣雖然略爲影響直昇機的活動，但却不至令到直昇機完全不能起飛。亦不能限制美越及盟軍作戰部隊的機動力。

至於惡劣的天氣雖然妨礙南北越境內戰鬥轟炸機的低飛，但却阻不住高空飛行的B五二巨型轟炸機的出擊，蓋此等飛機可以利用雷達在雲層之上準確投彈於目標之上。

近數週內，北越正規軍與越共部隊一直避免作陣地大戰，似乎他們正在增兵集結的階段。

但有些美國軍事人員却另有見解，認爲共軍因損失太大，不得不避免大規模的野戰了。

雨季對越南共軍同樣帶來困難，這是因爲傾盆大雨之下，滲透路綫的公路交通，將使大卡車陷於行動不得情狀。但情報人員指出，甚至大雨阻碍大卡車的行動，但共軍仍可步行滲透，經由原來的滲透路綫步行進入南越。

飛機對滲透路綫的轟炸，祇能減少滲透的數目，却並未能全完阻止共軍人員物資的南運，最大的作用是使北越的滲透要付出更大的代價。轟炸的目的也在於此。

但若不予空襲，則由北越的滲透將必大爲增加。

專家們指出，共軍所用的軍火似乎還不至缺乏，但他們最大的弱點是食物的不敷。他們的食物來源已被迫要在南越就地補給，這是壓迫人民來搾取，這是使共黨失民心的。最近美軍公報，證明進來美越軍不斷搜獲大量糧食米，以噸計算的共軍存糧，常給飛機及大炮轟毀。在最近的幾次大圍搜的結果，共已搜獲共軍存米五千五百噸，藥物及醫療器材被搜獲的也很多。

從共軍俘虜的供詞中，多揭露軍中糧藥均缺。

共軍更有一大缺點，乃傷病兵士多不能獲得適當治療而喪生，這數目相當於戰死的。而且，叢林山岳之間虎烈拉症最盛，這又是共軍傷腦筋的問題。而雨季這種疾疫比平時更多。

從種種跡象顯示共軍補充的新兵，近來多是訓練不足的，這可見他們兵源補充的困難了。

南越戰場血戰的一幕

○西貢通訊○

我心中一狠，拼命站起來和他們對射。其他的陸戰隊兄弟，能夠站得起的都站起來開火，甚至那些受傷的忍痛拔動槍機，大家打得很好。那些越共人數是那麼多，我們甚至閉上眼睛開槍，子彈也不至空放。當越共衝到第一道的田隴阡陌時，我的子彈射完了；我正準備提着槍桿和他們肉搏時，頰部又帶花了。我背部朝下倒在田裏，但我並未失去知覺，所有迫擊炮聲、手榴彈聲以至喊殺，呼痛的喧聲，我都聽到。」

「我躺在稻田裏睜開眼睛向前看去，那些越共正在我前面把在第二個田畦內的另外兩個美軍射殺了。」

「我從他們的行動聲音，知道他們向我走來，於是我就閉上眼睛。他們把我的步槍，一顆手榴彈和一些子彈都拿了，隨後一個越共一把抓着我的襯衣將我提起來，在我身上搜索，但後來又把我摔下。當時，我祇有等待命運的安排；我在想，他們不知什麼時候對我扳動槍機？」

戰事這時突轉激烈，有很多槍炮聲。在我身旁的兩個越共走開了。當迫擊炮聲連續響着，我張眼看着他們跑進樹林裏。

「我聽到另一個陸戰隊高呼『大兵到這裏來啊！這裏啊！』我也聽到來援的我軍正想到我們這面來，但他們却來不了。過了一會，那另一個陸戰隊員再不呼喊了。」

「我心裏感到恐怖，難道他們遺棄我們這小隊人嗎？」

太陽逐漸昇高，氣溫亦高至百度，躺在稻田達三小時的莫勒里熬不住酷熱，決心碰碰運氣，於是開始爬行。他當時心裏在想：「他們會突然從背後一槍打過來的。」

莫勒里回憶當時情景：「我偷偷走到本隊另一美軍之旁，但他雙足却一動也不動；另有三個都是面部朝下仆着，我估他們都已死了。」

「後來，我爬至賓克利的身旁，他是本隊慶生的一個，但兩臂俱受槍傷，越共也是拿去他的步槍讓他痛死在那裏。不過，他精神還好。

「我於是扶了賓克利走到我軍的陣地，得點水喝，並得他們給我們初步治療。然後，和其他中暑的隊員候醫療隊直昇機來接。」

「不巧得很，直昇機一抵達，却招來越共許多槍彈。我們已進入機艙，但我們的油管給射中了，機員驚告我們逃走。當我們跑到安全地點，該機果然隨着爆炸而焚燬了。好容易等第二架機抵達，纔把我們接到這醫院裏。」

第二天，這個勇敢而幸運的戰士，已獲得第三師副師長親來給他配上一枚「紫心」獎章，這是勇敢軍人的光榮的一標誌。（下）

從古代的「格物致知」到現代的「格物致知」

（上接第一版）

胡適又說：「實驗最重要的是在解決問題，不是「望竹」。要先把問題弄清楚，假設，求證實。確定某一假設行得通，某一設行不通。這種有思想、學理、實驗、解決困難問題的方法，才是科學」。胡適主張今後的「格物致知」必需仿效愛迪生的「格物致知」的實驗方法才可以的；他說：「愛迪生曾說「把自然界的秘密揭開來，用他們來增加人類的幸福，這樣的工作是我的生活哲學」。」

愛迪生的實驗並不都是創造的，空前的，但他那處處用嚴格的實驗方法來解決問題的精神，完全能收「格物致知」之效；他那用組織能力來開創大規模實驗室與研究所的模範，可以說是創造的、空前的；他的絕大多數的實驗與發明都是用前人的失敗與成功做出發點的。他說：「每回我要發明什麼東西，我總要先翻讀以前的人在那個問題上做了的工作，我要看看以前花了大工夫，花了大經費，做出了一些什麼成績？我要用從前做過幾千次試驗的資料做我的出發點，然後我來再做幾千次試驗。」他又說：「我每次想做一件盡善盡美的工作，往往碰到一座一百尺高的花崗石的高牆，碰來碰去，總過不了那百尺的高牆；我就轉別的一件工作去用功。有時候——也許幾個月之後，也許幾年之後，忽然有一天，有一件什麼東西被我發現，或是別人發明了——或者在這世界的某一個角落，有一件新事物出現了——我往往能夠認識那件新發明可以幫助我爬過那座高牆，或者爬上去幾十尺。我從來不許我在任何的情形之下感到失望。我記得，我們爲了一個問題做了幾千次實驗，還沒有能夠解決那個問題。我們的一個同事，在我們最得意的一次實驗失敗之後，就灰心了，就說，我們不會找出什麼來了。我還是高高興興的對他說：「我們不是已經找出了不少東西了嗎？」我們已經確實知道這條路是走不通的了，以後我們必須另走別的路子了。」這就是胡適所指出，現在的「格物致知」，仍用王陽明師生的「望竹」的方法是不可以的，必須轉換愛迪生的「格物致知」的新路了！

五、綜合的結論

這顯然有一個哲學做這問題的主宰的！

近世這整個世界爲實用主義所支配。實用主義以爲我們的「自身」僅爲宇宙構造的一版（One Edition），宇宙創造不斷在前進着，思想及理性有其創造建設之作用。吾人之身既爲宇宙之一版，即其必爲永久的完全的無限的實體。而處理此一宇宙之一版的問題的實用主義是一種實際效用的方法，是一種注意經驗的態度。在這種方法的手段之下注重生活，注重經驗，注重行爲，注重效率，注重社會影響，此即爲詹姆士（William James）所倡實用主義，杜威（John Dewey）所倡實驗主義的結論。胡適所舉問題，即根據這種學說。陸王之學也是提倡實驗，陸象山說：「千慮不博一實，吾平生學問無他，只是一實」。又說：「惟有一實，一實則萬慮皆碎」。陽明說：「知之眞切篤實處即是行，行之明覺精察處即是知」。此與經驗論是完全契合的。

王陽明雖然知道「望竹」數晝夜，而想解決「竹」的問題，但是他缺少一個手段，所以「自嘲不能成理」。現在我們對於「格物致知」的新路，就是要走上實驗主義的新手段、新方法去啊！

五五年五月十日於萬香堂

毛共饑餓傾銷打擊下
香港傢俬業首當其衝
廠家破產工人失業堪虞

（本報訊）中共貨品向香港傾銷的矛頭已經指向香港的工業，現在香港那一行業首先遭受嚴重打擊呢？就所知道的，香港的傢俬製造業已首當其衝。由於傢俬的製造，大部份是靠手工的，這一行業維持工人生活也很大，據估計，香港的木製傢俬及鐵製傢俬直接間接支持了一萬人左右的生活。同時因爲香港的傢俬製造業大多數是工場式的小規模製造，中共傢俬現在向這一行業作傾銷的對象，勢將造成香港很多傢俬製造的小商人要破產，爲數衆多的傢俬工人亦面臨失業的危機。

中共傢俬向港傾銷，香港傢俬業是沒有抗拒力量的。第一、香港製造傢俬所用的原料，如木材、料、膠皮、尼龍等，都是靠進口供應的。近數年來香港生活程度日高，傢俬工人的工資也上升了，香港傢俬製造業沒有廉價的勞力可恃，因此傢俬成本增加。中共有各種原料生產，人工成本更不必計算，於是中共傢俬遂能低價在香港傾銷，其售價比較香港製造的傢俬成本低得多。目因香港製造的傢俬大部份靠本銷，中共傢俬奪去了港製傢俬的部份本銷市場，香港傢俬業相信不久就被打垮了。

據一位傢俬製造商透露：中共傢俬目前在香港傾銷，是有整個計劃的，第一、傢俬的設計充分配合香港中、下價住宅樓宇及廉租大廈單位的面積，例如臥床、床頭櫃、衣櫃、沙發椅、酒櫃、餐檯、寫字檯、茶檯等，都是整套經過特別設計製造的。（上）

瀛海異趣談

動物對科學實驗的貢獻

·桑稚·

「佐治」是一頭棕眼的小狗，皮毛光滑，是任何孩童都喜歡的。可是，「佐治」是與人類的世界隔離的，它一出世，便無法享受人類的溫暖。它是另一種階級的狗，因爲它是被飼養來專門作醫學上的實驗的。

在外貌上，它像德國種足短身長的臘腸狗，但事實上，毛很短，最適宜的是實驗犧牲品。它個性馴良，從不咬人，更容易與其他的狗相處。唯其如此，正受醫生們的歡迎。

大家或會問，「佐治」是屬於誰的呢？它是荷力博士的「傑作」。荷博士是捷克研究學院動物學家，他花了十年時間來研究狗種，截至目前爲止，他能夠藉科學方法，「製造」出像「佐治」一般的小狗。他發稱有把握「製造」五十多頭新狗，然後運往東德、波蘭及美國各地。

最近，荷博士還完成了一個驚人的手術，狗的腎部的移植。他說：「普通實驗室的狗，隻經移植手術後，最多能延長十天，但我所養的狗，可生存整整一個月之久。」

英國每年爲實驗的目的而飼養的狗隻，數以萬計——它們生存的目的，完全爲了死亡。

英國防止虐畜的發言人雪尼·祿斯所說：「這種情形已日趨嚴重，全國不少養狗場所，完全供應各醫學與科學機構作實驗之用。最普遍的一種是專獵兔的小獵犬，因爲它們性情馴良，易於相處；可是，它們一入實驗室，便九死一生了。」

日本「動物技術研究中心」出版的月刊便常常登廣告徵求狗貓之類的動物。同時，另有一些公司，專負責焚化動物的屍體，方法採煤氣、電焚、油燒機種。

九十年前，每年祇有三百頭動物是拿來作科學性實驗之用；但一九六四年內，科學性實驗舉行了四百五十萬次，被犧牲的動物共四百萬頭，全都是沒有用麻醉藥物的。

實驗室裏的動物，老鼠的數目佔百份之七十；其次是貓狗了，前者一萬四十頭，後者一萬三千一百六十九頭。

英國最龐大的實驗所是克靈頓研究中心，其總部就在克靈頓的一間十六世紀的建築物裏，主持者是狄更遜公司。等待實驗的各種昆蟲，牛羊、貓狗、甚至狒狒等，數以萬計。該中心的負責人華頓教授說：「我們的工作是爲工業方面効勞，例如實驗某種藥物的藥性，各種化學品對人類的安全性等等」。

一位獸醫承認他們犧牲了不少狗隻來作實驗。他說道：「不過，我們身爲科學家，是極力避免用狗作實驗的；因爲狗始終很懂人性，容易激起情感作用。我們計劃養一些小豬來代替。」

三年前，政府對這個問題發生興趣，由烈圖活爵士設立一個組，特別研究動物的情況。調查的結果，當局認爲建立「動物農場」來供給實驗所之用是需要的，而這種商業性的「動物農場」是由內務大臣的監督之下進行。去年開始，此類大規模的動物農場出現了，計劃每年出產老鼠一百五十萬頭，還有其他動物，售給本土或外國科學研究機構。

目前，新澤西島上的卡華夫農場，是最大規模的一個，最近與赫斯頓研究所合作，供應整個歐洲的市場，其老闆是威廉斯·蘭彼特博士，他本身是一位傑出的科學家，他對記者說：「我們的赫靈頓研究中心年來拿狗做實驗，次數實在不少，不過，我們準備繁殖老鼠來代替。」

記者問：「實驗後的狗隻如何處置呢？」

他回答：「通常是人道毀滅；不過，剖屍實驗是在所不免的。」

在人道觀念上，不少人反對如此殘殺狗隻，但華盛頓大學的阿當教授最近指出：「這種動物實驗，是必需的；唯其如此，科學才有新發展。在醫學上，人類能夠打敗不少細菌，都得歸功於這些動物。」

這個問題將會爭論下去。還是英國著名獸醫祖利夠幽默，他說：「如果動物實驗包括人在內又如何呢？這不是更直接的方法嗎？在座人士生活在科學時代中，已成一種犧牲品了。」

給越南佛教徒的一封公開信

越南佛教各位高僧大德居士們公鑒：

易曰：「二人同心其利斷金」，斯即說明「團結就是力量」。團結亦是家齊、國治的基本原則。尤其當一個國家正遭共匪侵略和滲透顚覆，處於生死存亡之際，無論是個人或社會團體，必須互相容忍，精誠團結，一致反共才是。絕不可因某些政見之不同而詆毀、攻訐或傾軋，惟有如此，始可救亡圖存。不然亡國之痛，恐難幸免。做一個亡國之徒，其恥辱慘苦是最令人難受的；想貴國人民在做法國人殖民時期，已經飽受痛苦與侮辱而記憶猶新。今天你們剛剛擺脫殖民的桎梏，得到了獨立自由，相信無人再願過亡國的牛馬生活了。況且共產黨是毫無人性的，不講道義的無神論者。他們控制人民的手段，更是慘酷惡毒無所不用其極。此一情形，相信貴國人民大都明白。而貴國業已身受國家被侵略與分裂的悲苦，目前爲爭取國家的統一獨立與自由，又正和共黨作生死的奮鬥中。各友邦國家亦均表同情援助，尤其美國和東南亞諸友邦，更是關懷備至，並以積極的行動來幫助貴國，並肩作戰，共同抗敵，俾阻止赤禍之蔓延，求得共同之安全。在此情勢之下，貴國人民的本身，應當格外的團結協力，一致殲敵，以期統一獨立的早日實現。詎知數年以來，非但未把奸匪消除，國泰民安，反弄得日益危亂，民不聊生；控制的區域，越來越縮小，內部的團結，愈來愈分裂。斯情斯景，誠爲仇者快而親者痛。古云：「天作孽猶可違，自作孽不可活。」今貴國的內憂外患，方興未艾，而禍起鬩牆，內憂情勢比外患更嚴重而可慮。此種內憂不已的情勢，如不速求平息，貴國的前途，是非常暗淡而悲觀的。或許你們處身於危亂中，本身不自覺，然而旁觀者清，全世界愛好和平自由的國家人民，都在爲貴國的危難，尤其是內部的分歧不安，深爲憂慮。對於僧侶們，在此大敵當前，危亡之秋，動輒以示威遊行或焚身的悲慘行動來抗議政府，欲博得自由世界及我們同情，而達到某種慾望，竊認爲非我佛家的宗旨。這種六根不淨反佛旨的作法，恐怕世界上我同道所不忍聞而不忍再見此錯誤的表現，此爲我佛教界領袖們所應知者。（上）

質詢權的平議

張健生

（二）我們的行政院長之任命，須經立法院同意（憲法第五十五條）。

（三）行政院一切施政，要對立法院負責（憲法第五十七條）。

（四）總統宣布戒嚴，不但須經立法院之通過或追認，而立法院認爲必要時，得以決議移請總統解嚴（憲法第三十九條）。

（五）總統在遇有天災、癘疫或國家財經上有大變故之情況下，得依法發布緊急命令，但須於發布命令後一個月內提交立法院追認；如立法院不同意時，該緊急命令立即失效（憲法第四十三條）。

（六）審計長之任命，須經立法院之同意（憲法第一〇四條）。

（七）立法院有審核政府總決算之權（憲法第一〇五條）。

（八）立法院在某種條件下，得擬定憲法修正案，提請國民大會複決（憲法第一七四條第一項第二款）。

（九）依憲法第三十條第一項第一款規定應補選總統副總統時，或第二款規定對總統副總統提出彈劾案，而召集國民大會臨時會議時，由立法院院長通告集會（憲法第三十條第二項前段）。

根據前述，足證現行憲法賦予立法院之職權，除彈劾權外，實與今天一般民主國家的議會沒有兩樣。同時現行憲法第五十三條明文規定：「行政院爲國家最高行政機關」。

立法委員於聽取行政院施政報告後，如有不明瞭的地方，得向行政院長及各部會首長質詢，再質詢。如立法委員對於行政院長及各部會首長的答復，認爲不能滿意，或對行政院重要政策不贊同時，得以決議移請行政院變更之。行政院對於立法院之決議，得經總統核可，移請立法院覆議。覆議時，如經出席立法委員三分之二維持原決議，行政院長應即接受該決議或辭職（憲法第五十七條第一項第一款第二款）。所以，質詢權的行使，爲責任內閣制下國會對內閣課責之一方式。

在責任內閣制的民主國家，議會督促內閣負責的方法，有質詢、審查各種法律案、制定預算、和信任投票等各種制度。何以議會具有此項權力？因爲議會乃是人民所選舉，代表人民的意見來監督政府。

三

英國爲責任內閣制的最成功的國家之一，故質詢權的施行亦以英國爲先河，而且也運用得最爲靈活。在國會（下議院）的院會中，議員的質詢與內閣閣員的答覆是件極有情趣的事。而答覆有時候是件冗長的解釋，有時候則爲簡單的幾句話。質詢不僅來自在野黨議員，有些質詢係來自政府黨議員。被質詢的內閣閣員對於所詢事件，固應予以答覆，但也可以用所詢事件公開答覆將有不利於國家的理由，拒絕答覆。（二）

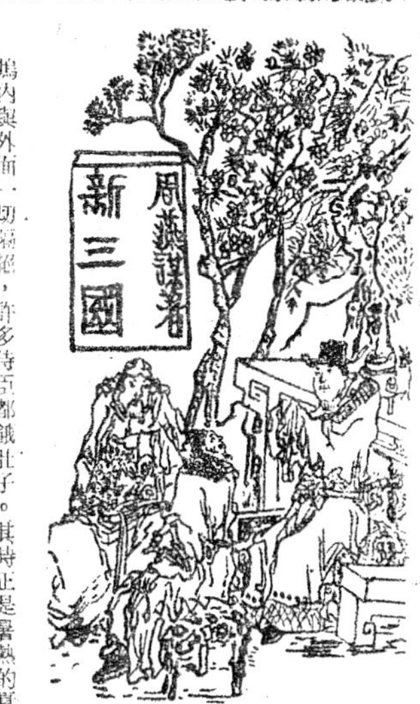

塢內與外面一切隔絕，許多侍臣都餓肚子。其時正是暑熱的夏季，被禁在塢裡的人，個個莫不寒心。獻帝見諸大臣都餓得不成樣子，向李傕要求五斛米，五具牛排以賜左右羣下。李傕說：「每天有上餐好吃，要米和牛排做什麼？」結果爲應付一下，給了一些臭不可食的牛骨。此時獻帝也發脾氣了，打算要責備李傕。侍中楊琦乃上奏道：「李傕是邊野的粗人，有夷人的作風。而今天自己知道是叛逆的行爲，心中常怏怏不快，他打算將車駕遷到黃白城去，以便洩憤。臣請萬歲千萬忍耐，以免開罪叛逆」。獻帝聽了楊琦的話，沒有發作。此時，有司徒趙溫，給李傕寫了一封信，要李傕與郭汜和解，不要將獻帝移往黃白城去。李傕不准，差點被殺頭。

李傕使公卿大夫到郭汜營中談和，却被郭汜全部扣留起來，又請和談公卿宴會，在宴會上對公卿大夫說：他要攻打李傕。太尉楊彪反對說：「以羣臣去鬥一個李傕和一個幼主，又扣押國家公卿，這是不可以的！」郭汜大怒，拔出寶劍要殺楊彪。幸好有中郎將楊密及左右官員諫勸，才免遭毒手。此種情勢，李傕刼持天子，郭汜扣押羣臣，各具野心。互相攻殺，犧牲數萬人。

李傕部將楊奉，和李傕的軍吏宋果等，謀殺李傕，可惜洩漏機密，沒有成功，只將本部人馬帶走。因此李傕的兵將大減，其勢稍弱，此時張濟出來爲李郭和解，才將獻帝放出來，到了陝西臨潼縣東北、咸寧縣之東的地方，郭汜追兵又到，要威脅獻帝還都郿縣，即董卓的老計劃。獻帝奔到楊奉營中，楊奉攻破郭汜，敗往南山而去。楊奉和將軍董承，將天子遷往洛陽。李傕、郭汜放了獻帝，心復懊悔。二人又合兵來追天子車駕，到宏農之曹陽，楊奉情急，乃急招河東白波帥（白波是賊號，即黑山賊）韓暹、胡才、李樂等人前來幫忙，合兵與李、郭之軍大戰於曹陽。（白波即黑山賊之別稱）結果楊奉等兵敗。李傕等縱兵屠殺公卿大夫，擄掠宮女到宏農。

天子走陝北，因渡河、輜重全失，只好步行，身邊只有皇后、貴人等，隨天子到山西平陸縣。住在民家。楊奉、韓暹兩人將天子遷於安邑，天子只有牛車可坐，大臣隨從者，只有楊彪、太僕韓融等，從者十餘人。以韓暹爲征東將軍，李樂爲征北將軍。以楊奉、董承主持朝政。隨即派遣了太僕韓融，到宏農與李傕郭汜交涉和談，初步先交還搶掠公卿大夫及車馬。

這時候天災人禍，兵連禍結，眞是不可言狀。歲旱無穀，加上蝗蟲四起。百官都吃棗實和野菜。諸將不能節制部下，上下都亂做一團。楊奉、董承、韓暹等人，將天子遷洛陽，出箕關（王屋山南），即今河南濟源縣西北。下軹道縣（即今濟源縣東南。）張揚此時運了不少糧食前來貢獻，拜於道旁，拜他爲大司馬。

天子到了洛陽城，但見一片廢墟，宮室燒盡，街道荒蕪，文武百官披荊棘，依丘牆下以避風雨。郡守、州牧各人擁兵自爲，沒有一個前來勤王舉義。（卅六）

觀淪蘭憶喜奎（續）

看她的戲，很不容易，白天演出，至遲在一點鐘前要進場，否則坐不到好座位。（未實行對號入座）第一次，是二點進場，坐在廊下。第二次一點進場，坐在第十排。第三次十二點進場，坐在第四排。去的次數愈多，看座兒的愈熟，便好辦，不過獨占花魁要三點以後出場。喜奎所唱仍是梆子，但不太吵人，比較柔和一點。她在醉後嘔吐，與毅然允嫁的做作極佳。首先是一副驚訝，後來是情詞懇切，非此不可。無怪那時中和園擠滿了學生，約有三四百，她成爲學生的情人。

淪蘭所演劇本，爲受時間限制，而加以改編，與喜奎所演的，當然不同。記得她所演的，約古二小時，主要有赴府待宴，與遇暴獲救二幕。侍宴不過增加劇氛生動。而遇暴一場，是獨占的核心，無此序幕，賣油郎無此艷福；有此一幕也現出花魁受窘，秦重來救，心中感激之忱。電視公司把此作爲暗場，似不甚妥。再酒醉夜侍，宜將花魁醉臥，設向朝外，方可表出睡眼惺忪，等到酒醒的驚訝，才可動人。

餘均大致不差。

配角黃晉文麗雲有很好的表現，張鴻福拜慈靄張喜海也很生動。惟文場的胡琴，有拉鋸之聲，以致旦角的唱腔未能托得圓朗，而有刺耳之感。希望下次注意改進。

國劇繽紛續錄

姜娑生（七十七）

飽聽好音

聽吟公演之首夕，爲秦香蓮，會見馬驪珠與胡少安在兒童戲院演過，確是哀感動人。內子以未見過，亟欲一覩，即在寓中聽廣播平劇，以作遣愁；不意集兩座電台之所播，有如看到一場義演，實爲飽聽好音。

首聽警察電台所播，關文蔚唱潯陽樓。此是馬氏所編，文蔚當優爲之，在台北要算獨一，其他內行難如之。上月在基隆偶聽谷七禹一唱，深爲驚奇。次爲馬驪珠唱秦香蓮，即今晚上演的，姜薇小姐稱其音清腔妙，已是定評。再是琴師張伯玉唱罵曹，此戲在八年前於基隆看過伯玉演明場，極有抑揚之味。他學寶森頗得神似。尤其偶唱三家店，一段流水，一段慢板，眞夠其味，似與少安所唱相似。顧若館主的桑園會，是她的拿手，曾見演過，確有玉霜遺韻，所唱不賴。再是馮著唐的沙橋餞別，十足余味。接着李毅濤唱太眞外傳，唱得比梅氏爲響，韻調仍走其轍。下爲整齣法門寺，因改聽復興而未再聽。（未完）

河北夏日農村憶瑣

北仁

故鄉冀南大平原，民風樸實，農人雖在酷熱夏天，亦難「偸得浮生半日閒」。夏晨，多是頂着晨星曉月荷鋤下田，故村婦女們皆是摸黑兒煮早粥。晨光熹微中，村姑、嫂們多挽籃去桑園採桑，菜圃摘豆角、南瓜，餵蠶、織布，頗有「雞犬桑麻世外天」的情景。晌午，驕陽逞威，荷鋤歸來的莊稼漢，多擇村頭古樹下，鋪草席，揮蒲扇一睡兀兀。農婦，雖享受不到「侍兒扇鼓風」之福，但靜躺涼坑席上，打開窗牖，微風徐來，亦可小窗下睡個香覺兒。這時，連狗也懶得動彈了，躲在樹蔭涼下，伸着舌直喘氣兒。故在靜寂的炎午農村，點綴活潑生氣的，就是暑假中的私塾童生了。他們不畏炎熱，多是三五成羣的搬小梯，尋房簷兒掏雀窩；若掏到羽毛未豐的黃嘴乳雀，則裝籠餵養。有時，常以柳枝、麻繩編的小網兒，繫長竿去捕枝頭黃鶯兒，或是隨少壯農漢，幫助他們在青棵地裏撒網捕捉那百靈鳥。古人有「靜臥蕉榻聽午蟬」句，然而童輩們多是約伴兒，跑向村外柳綠深處尋蟬蛻，或是舉竿向那薰風舞動的柳枝上粘「知了」。若柳下有池塘，必然是脫個「赤肚兒」戲水爲樂。如水岸生長蘆葦，則又取葉作哨，合奏些無譜之曲，竟嚇得那蘆中成羣野鴨振翅亂飛。

仲夏，田野間「青紗障」起，因那些高粱地裏多在壟間栽有伸莖爬蔓的香瓜，故晒得渾身流油兒的玩童，多擠進此綠帳中，不管生熟而大快朵頤。遇到「瓜田」，則一窩風似的奔向「窩棚」，守瓜的村中長輩，會滿臉堆笑的說：「大熱天，不怕晒死，快摘個瓜吃罷！小心點兒，別踩着瓜秧。」不花錢的瓜，又怎不吃它個肚脹如鼓。天越熱，豆子地裏「蟈蟈兒」叫得也越起勁兒，於是，又躡足豆地，屏聲靜氣的捉那碧綠蟈蟈飼之聽鳴；捉到不鳴雌性者，即成串穿起，火燒而食，亦別有香味也。

鄉童喜玩昆蟲，年輕小夥子亦愛作「鬬鵪鶉」之戲，如寶島之「鬥雞」，啄敗爲輸。雨天，童輩更高興了，多結伴兒捉小蠶，頂斗笠，到村外草地擷剛出土的「草菰」。有時，更挖些濕膠泥來，歸家後，踞地以「捏泥人兒」爲戲。

黃昏，農人吃罷粗茶淡飯，銜旱烟袋在村中蒼虬老槐下談今話古，婦女們則小坐庭院，揮扇納涼。流螢撲面，蛙鳴田野，不知疲倦的童輩，已聽厭那銀河星辰架語，這時，又開始舉火亮尋牆角捉蟋蟀了。捉來罐養，每見小蟋裂母蟋之背而生。有些地方，更醃蟋爲下酒佳餚，惜尚未嘗此鮮味！

夏伏過後，鄉童都已晒得皮黑似鐵，等到私塾先生開館，始漸漸收起淘汰氣童心，開始讀唸那些「之乎者也」的四書了。總之，童年恬靜的故鄉，有農忙情趣，有悠閒快樂，有溫馨人情，更有說不盡的童年嬉戲。而今，故鄉已被弄得支離破碎，失去天倫之樂的童輩，恐再也享受不到自由自在的嬉樂了。噫嘻！

山西買賣人幾種美德

樂山

人人都說我老西（山西省人）會做生意，這當然是事實，我不否認。但是做買賣賺錢並不簡單，不是我老王賣瓜自賣自誇，老西的買賣人確實有幾種美德，我在今天的商場上打上燈籠都找不到。你也許會笑我是個老古板，什麼都是從前的好，這當然不能一概而論，不過提到做買賣，我還是懷念過去。

我老西做生意，第一講求個「和氣生財」，大凡是個買賣人都認爲顧客進門，不分貧富，都是財神爺。對待顧客的態度，招呼顧客的熱情，那眞是到了家。就拿布店說吧，那怕你是買一尺做鞋面的花布，一進店門，小夥計就請你坐在櫃枱前面的椅子上，旁邊還有一個高茶几，先來一杯熱茶。如果是男顧客，一定要替你裝袋水烟，隨後恭恭敬敬滿面笑容地問：「好久沒有來了，一向可好？今天照顧些什麼呢？」你只要告訴他買什麼，爲了一尺鞋面布，說不定給你搬來十幾板各色的花布讓你挑選滿意，絕沒有一點勉強和不愉快的表情。到過我們山西的人會對朋友們說：「在山西，你要是走進一家商店，眞不好意思空手出來呢。」這話一點也不假。

抗戰以前，我們家也還有一個木廠，規模相當大，生意很賺錢。可是他們從掌櫃賬房到小夥計，上上下下二十多口人，每天早上，一定要吃小米乾飯窩窩頭。這並不是說他們裝窮吃不起，而是不願意把那節儉的良好習慣拋棄掉，本錢再大的生意也一樣，年底給夥計們多分些花紅，比吃山珍海味都強得多！

學個買賣人可眞不容易，先要從當小夥計開始，天不亮就爬起來，把裏裏外外打掃乾淨，早飯以後開店準備做生意，沒有顧客的時候練算盤，加減乘除常「飛」；那年頭沒有聽說舉行過珠算比賽，但是每年臘月間結賬，幾個算盤好的夥計，一人手一隻算盤，賬房先生拉起調門念賬目，「十塊二毫三分五，五十五塊八毛六分七…………」算盤珠子清脆響着，一本流水賬念完了，幾個夥計的數一對，放心吧，絕沒有錯。

買東西講究老字號，字號老藏着信用兩個字，不管多大一筆生意，一言爲定，比立什麼契約都可靠，賠賺那是另外一回事。抗戰以前，在我們那裏還有一個怪現象，買賣字號出錢票子流通在小縣城和鄉村的市面上，一樣的值錢，一樣的兌現。甚至於一家雜貨店，一個點心舖，如果有信用，都可以出錢票子。要給現在的人，那不正是發歪心財的好機會！

顧客如果是本鄉地面的人都興用摺子記賬，不給現錢，買東西，逢年過節才結賬。你看吧，臘月裏買賣人最忙了，收到的錢除過票子以外，還有銀和銅板，吖吖噹噹一大堆，非背起大錢袋裝不下。遇到一時手頭沒有錢的主顧們，還得陪着笑臉說好話，絕對不會露出債主面孔。

在這裏廿幾年，親眼看着市面一天天的繁榮起來。說什麼櫥窗佈置，廣告競爭，五花八門，無奇不有，走在街上，就沒有老家那一份親切之感。

影劇本事

賣油郎獨占花魁女

周遊

「影劇與歷史」之二十三

臨安留春院妓女美娘，年輕漂亮，又有學問，知書識禮。許多達官貴人，公子哥兒，都以一親芳澤爲榮。但美娘還妮子守身如玉，客人們很難狎邪到她。獨有富家公子吳三，率領了一批門客，日日追逐在「留春院」中，想把花魁美娘弄到手，不達欲望不死心。

一日，吳三召花魁女遊湖，席間發生衝突，吳三一怒之下，將花魁女推落湖中，不理而去。幸而有合興油坊的賣油郎秦重經過，將她救起，花魁女致謝而別。

合興油坊老板朱老十，繼娶蘭花爲妻。蘭花年輕，老十年邁，心有不愜；見賣油郎秦重一表人才，常常用言語去挑逗；不料秦重爲人老實，全不理會，使得蘭花追又不行，放又不願。但她這種風情被店中伙計劉小春捉摸住了，他便乘老十不在之際，暗中冒充秦重，把蘭花佔有了。

秦重奉老十之命，去往臨湖收帳，恰巧又遇見吳三公子在臨湖樓上欺侮美娘！秦重不知輕重，挺身護衞，卒被吳三公子手下惡僕推跌下樓，因此失去油款銀子。秦重回到店裏，發覺銀子失蹤，急忙去找尋；劉小春就趁機私盜店銀，移花接木，在老十面前誣指秦重作賊。老十上當，怒將秦重逐出，同時又把美娘遣人送來酬謝秦重的十兩銀子奪爲己有，使秦重傷心欲絕！

吳三恨美娘不識抬舉，聽從門客之計，將家中俊僕喬裝爲臨安（杭州）才子錢公子，去戲弄美娘。美娘果然中計，被吳三當衆羞辱一場。美娘悲不自勝，益感賣笑生涯之痛苦了。

秦重挑担賣油，好容易積了十幾兩銀子，於是換了衣服，到「留春院」去見美娘，準備把十兩銀子還給她。那夜美娘醉着回來，不知東西，秦重苦苦服侍了一宵。事後美娘得知此種感人之事，更爲感動，便決定以身相委。可是老鴇王九媽出了一個難題，要秦重三天之內交付出贖身錢五百兩。

秦重離院之後，聽到劉小春和蘭花捲逃，朱老十病上加病的消息，便趕回去探視。老十垂淚後悔，囑咐幾句就死了。秦重料理了老十喪事，又收留了一對落難的老夫婦，不知不覺三天期限已到。

王九媽明知秦重無力應付，大着胆將美娘許嫁給吳三公子。三天過後，留春院張燈結彩，等候吳三派轎子來迎接美娘；正在興高烈采之時，秦重帶了二老趕來。不想二老一見美娘，竟是逃難失散的親生女兒辛瑤琴！一時悲喜交集，抱頭痛哭。瑤琴父親指王九媽逼良爲娼，拉她要去見官，王九媽一嚇昏倒，正好吳三的花轎到院，大家就把王九媽扶上花轎抬了去，而美娘終與秦重結成鴛侶。（上）

間諜與女色的故事

胡荻

在飛機開始飛後約半小時，她站起來走近他的座位。在向他上下冷靜地打量一番後，她向他借火。當他爲她點烟時，她表現得搖擺不定，終於跌坐在他的膝上。

就這樣韋爾夫與這位女郎發生了戀愛。他知道這將會帶來麻煩，但是，有那一個男子能夠逮捕或射殺他所愛的女子呢？

她叫做艾妲娜，才廿餘歲，看起來有點像桃絲黛。提起這個名字，這位神秘女郎的美麗就可不必多說了。

她說着一口流利的西班牙語，她對他的工作及那裏來等等，甚感興趣。

韋爾夫將他過去的行伍生活約畧告訴她，最後並扯到拉丁美洲的政治形勢。

她好奇地看着他，並說：「我目前對政治與戰爭沒有興趣，我是前往洪都拉斯獲取一篇有關革命的故事。是的，在我到達那裏之前，我想要忘記我的麻煩與世界的麻煩。」

她對韋爾夫的注視姿態，使他不能抗拒她的挑撥與誘惑。他轉身向前吻她，她也回吻他。因爲她也已愛着他。

下飛機後，他們同住在一間旅館中的兩個相連的房間中。晚飯後，他們各自回到自己的房間中去休息。約過一個鐘頭後，韋爾夫起身前往艾妲娜的房門。她立即開門，似乎她是站在門內等他來。

她穿着一襲輕紗的睡衣，那襲睡衣最多祇有三幾兩重。在這襲輕紗睡衣的裏面，艾妲娜不穿着乳罩或內褲。（二）

內政部登記證內版台報字第〇三一號

自由報

THE FREE NEWS

第六五六期

中華民國僑務委員會登記證台僑新字第三三三號
中華郵政台字第一二八二號執照登記為第一類新聞紙類
（半週刊每星期三、六出版）
每份港幣壹角
台灣零售價新台幣貳元
社長：曾鳴岑
督印人：黃行齋
社址：香港銅鑼灣高士威道二十號三樓
20, CAUSE… RD 3RD FL. HONG KONG
TEL. 771726　電報掛號：7191
承印者：大同印務公司
地址：香港北角和富道九六號
台灣分社
台北市西寧南路……號二樓
電話：三〇三四六
台郵撥帳戶二九二二

以王道與仁政光復大陸

吳文蔚

儒家的學說，五經四書一脈相承，統言之，都是一個仁字。仁是什麼？孔子的學生問的很多，但孔子因人而異，所以答覆的也各不相同。如顏淵問仁，子曰：「克己復禮為仁」。仲弓問仁，子曰：「出門如見大賓，使民如承大祭。己所不欲，勿施於人。在邦無怨，在家無怨」。司馬牛問仁，子曰：「仁者其言也訒」。等是。總括起來說，大學上的致知、格物、誠意、修身、齊家、治國、平天下，這些都屬於仁。

子曰：「參乎，吾道一以貫之」。曾子曰：「唯」。子出，門人問曰：「何謂也」？曾子曰：「夫子之道，忠恕而已矣」。道忠恕的意義，也就是仁。至此，仁是個什麼？道是個什麼？孔子未說清楚，曾子未解清楚，究竟是什麼？頗費人思索。我以為「吾道一以貫之」的「道」，就是仁。仁就是從修己一直到平天下的一種道理。這個道理是王天下的道，故稱之為王道。

王道是要靠仁政去推行。仁政實行了，就可以王天下。儒家的學說是入世的，縱觀經書上所說的，統統是跟社會發生密切的關係。道跟其他各宗教立場完全不同。堯、舜、禹、湯、文、武、周公，所以都是仁政實行家，孔子、孟子都王了天下。孔子、孟子因為本身不負責實際政權，不能用自己的力量來實行仁政而王天下，但卻鼓吹王道而到處奔走，希勸握有政權的人——如當時各國的諸侯——來實行仁政而王天下。所以王道是儒家一脈相承的學說。

王道的反面是霸道。王道是靠仁政來推動，霸道是靠刃政來推動。仁政是不嗜殺人者行之。刃政是嗜殺人者行之。仁政是人民不感覺到有政治，完全是自動的歸化而趨善；就是孔子所說的，「道之以德，齊之以禮，有恥且格」。刃政是人民處處被政治所控制，完全是被動的服從，即「道之以政，齊之以刑，民免而無恥」。明白些說，就是一個殺字。這個殺字，不一定就是用刀子殺，或是用槍殺，凡是以暴政殘民以逞者，統可稱為殺。像資本主義之獨佔經濟，剝削勞苦大眾，使勞動者辛勤一生而僅堪溫飽。共產主義之強人作牛馬，清算鬥爭，使人民日處刀戮恐怖之境，而無以為生。這都是殺！故國父的民生主義，訂有「平均地權、節制資本」，就是防範不要走到資本主義或是共產主義的路子上去。他的三民主義，就是給國家鋪了一個行仁政的軌道，使國家政治走到王道的路上去而王天下的。

那麼如何才能走到王天下的路子上呢？孔子曰：「為政以德，譬如北辰，居其所而眾星拱之」。孟子也說：「君子之德風，小人之德草。草上之風必偃」。這是說，走上王道的途徑，全在領導政治的人的施為而已。

儒家是不贊成霸道的，如公孫丑問曰：「夫子當路於齊，管仲晏子之功，可復許乎」？孟子曰：「子誠齊人也，知管仲晏子而已矣」。又曰：「管仲曾西之所不為也，而子為我願之乎」？曰：「管仲以其君霸，晏子以其君顯，管仲晏子，猶不足為與」？曰：「以齊王猶反手也」。這是說明，管仲晏子雖使齊國富強，但係霸道，不足掛齒。以齊國的地位，王天下就和反手那樣容易。又如：齊宣王問曰：「齊桓晉文之事，可得聞乎」？孟子對曰：「仲尼之徒，無道桓文之事者，是以後世無傳焉，臣未之聞也。無以，則王乎」？由此看來，孟子還是避開霸道不談；要談，就談王天下的王道好了。

至於王道與霸道的分野，孟子說得更清楚。孟子曰：「以力假仁者霸，霸必有大國。以德行仁者王，王不待大。湯以七十里，文王以百里。以力服人者，非心服也，力不贍也。以德服人者，中心悅而誠服也，如七十子之服孔子也。詩云：自西自東，自南自北，無思不服，此之謂也」。現在共匪竊據大陸，台灣與大陸相比，台灣不及大陸五十分之一；論土地，論人力，都相差太遠，那麼如何收復大陸，我的答覆是：行仁政。同時，行仁政也可王天下。關於王道與霸道，仁政與刃政的實例很多，孟子上也說得很多，如：「五畝之宅，樹之以桑，五十者可以衣帛矣。雞豚狗彘之畜，無失其時，七十者可以食肉矣。百畝之田，勿奪其時，八口之家，可以無飢矣。謹庠序之教，申之以孝悌之義，頒白者不負戴於道路矣。七十者衣帛食肉，黎民不飢不寒，然而不王者，未之有也」！這是王道，也是仁政。

再看反面，「狗彘食人食，而不知檢，塗有餓莩，而不知發。人死，則曰：「非我也，歲也」。是何異於刺人而殺之，曰：「非我也，兵也」」。再如：「殺人以梃與刃，有以異乎」？「以刃與政，有以異乎」？「庖有肥肉，廄有肥馬，民有飢色，野有餓莩，此率獸而食人也。獸相食，且人惡之；為民父母，行政不免於率獸而食人，惡在其為民父母也」！這是霸道，也是刃政。又如：「王如施仁政於民，省刑罰，薄稅斂，深耕易耨；壯者以暇日，修其孝悌忠信，入以事其父兄，出以事其長上，可使制梃以撻秦楚之堅甲利兵矣」。這是王道的仁政。中華民國眞能把台灣治成這樣，不管核子不核子，只要老者衣帛食肉，壯者修其孝悌忠信，事其父兄長上，我敢說不特收復大陸，即王天下，也是易如反掌。

再看共匪之必敗，如：「彼奪其民時，使不得耕耨，以養其父母。父母凍餓，兄弟妻子離散。彼陷溺其民，王往而征之，夫誰與王敵」？故曰：「仁者無敵」！像共匪此次殘民以逞，我們去收復大陸，還要用槍炮嗎？這也不盡然。管他有核子沒有核子，我們現在拿上衣帛食肉和孝悌忠信的人民，去攻他的科學核子武器，看大陸人民是歡迎我們的衣帛食肉孝悌忠信，還是歡迎他的核子武器使父子離散？我們以此攻大陸，焉有不收復的嗎？恐怕我們反攻一開始，就變成了「湯始征，自葛載，十一征而無敵於天下，東面而征西夷怨，南面而征北狄怨，曰：奚為后我！民之望之，若大旱之望雲霓也」的情況了。

大失所望

各懷鬼胎

今日與明日

宇丹又胡說

聯合國秘書長宇丹，近又發表談話，認為只有准許毛偽政權加入聯合國，世界和平才可以實現。這種廢話，我們聽得已多，本來駁不勝駁，這一批無知無恥之徒的讕言，只當是放屁而已。不過，宇丹也跟着放屁，我們却不能置之不理，因為宇丹的身份與眾不同。

本欄曾經屢次提到，全世界任何人（中國人除外）皆有權議論中國在聯大代表權的問題，只有宇丹不可；因為宇丹是聯大秘書長，是全世界人類的公僕。中國政府是聯大發起國，又是出錢出力最多國家之一，宇丹對中國政府有主僕義務，中國本國出了盜賊，劫持了大部份領土，與宇丹完全無干，宇丹每年仍從舊主人處支取薪水。任何外國人可以否定中國政府的合法地位，只有宇丹不能；因為中國政府直到今天仍然出錢豢養着宇丹。宇丹眞是安心要替毛偽政權效勞，就應當爽爽快快辭去秘書長職位，去周遊列國為毛偽政權遊說，別人聽不聽是另外一回事，宇丹本人到確有這種自由，只是此時此地胡亂放屁，斷乎不可。

我國駐聯國大使應向宇丹提出警告，如若他一味不知檢束，苦苦要為毛共捧場，則這一次任滿之後，我國決不再同意他繼續任此職。我們不能養一條專門咬自已的狗！我國是安理會常任理事國，擁有否決權，我國不同意，宇丹就非滾出聯合國不可。到時緬甸他不敢回去（宇丹屬宇努派，若卸職回緬甸，即被捕入獄），毛共也不會要他，只有申請在紐約作政治難民了。

小人之尤

以前世界最大的小人是尼赫魯，尼赫魯死後其女尚未能繼承其衣鉢，却傳授給宇丹。宇丹此次所說毛偽政權必須加入聯合國的理由，因為越戰沒有毛共不能解決，毛偽政權若非聯合國會員國，則一切會議均無法舉行。宇丹此時放出此屁，用意十分顯然，就是投合美國一批姑息份子之意，互為呼應，以達到為毛共效勞的企圖！照宇丹這種邏輯，要想進入聯合國，就要造反，製造不安，到時不必申請加入，聯大自會開門請進！如若此說能成立，則北韓可以動兵打南韓，東德也可以出兵打西德，凡是不能進入聯大的僭偽政權，只要出兵一打，則一切困難皆可解決！眞的如此，尚復成何世界？

宇丹如此替毛共賣力，換來的只是毛共指名惡駡，駡之為美帝走狗，指他的和平運動是欺騙。但是駡者自駡，作者自作，此人不止是小人，而且也是一個賤人。（何如）

自由談

官俸不能太薄

馬五先生

行政官吏的俸給，應該能夠養廉，使他們能維持着起碼生活水準，即粗茶淡飯，總有理由要求他們潔己奉公，守法自愛。否則便如宋時王安石上仁宗皇帝書所說：「方今制祿大抵皆薄，自非朝廷侍從之列，食口稍重，未有不兼農商之利而能充其養者也。夫出中人之上者，雖窮而不失為君子，出中人之下者，雖泰而不失為小人，唯中人則不然，窮則為小人，泰則為君子，以今之制祿，而欲士之無毀廉恥，蓋中人之所不能也，故今官大者往往交賂遺，營貲產，以負貪污之毀；官小者販鬻乞丐，無所不為。夫士已毀廉恥，以負於世矣，則其偷惰取容之意起，而矜奮自強之心息，則職業安得而不弛，治道何從而興乎？」

從前的北洋軍閥以及一般靠槍桿起家的愚魯武夫，部隊濫招，多多益善，而士兵的餉糈支拙，以致軍紀蕩然，到處擾害人民，甚至白天是官軍，晚上就作土匪，這與官吏衆多而俸祿微薄的情理相同。兵多無餉就胡掠，官多缺祿就貪污，勢所必至，理有固然，王安石的說法是不錯的。

軍旅之學，講究「精兵主義」，注意士飽馬騰，庶可望成為勁旅，緩急可恃，達到保民衞國的養兵目的。為政之道亦應該採取「精官主義」，一面裁汰冗員，一面優厚俸祿，使之足以養廉，一面整飭紀綱，嚴明賞罰，綜覈名實，處偽不齒，而以重典懲治不肖的貪瀆官吏，道樣纔可以談得到治國平天下的話。軍隊擾民向有跡象可尋，可以他能夠預加防範，官吏違法瀆職，上下其手，官官相衛，其為害之烈，莫可究詰，禍國殃民，不知伊於胡底！王安石之所謂「中人」，就是一般公務員的知識份子，他們可以「窮則為小人，泰則為君子」，身任公職，而祿薄無以為養，受着生活窘迫的窮困，祇好昧良鮮恥，收受賄賂了。

咱們痛惡貪官污吏，同時亦應想到構成貪污政風之所由來，讀了王安石這段議論，自然引起共鳴之感。今日急須改革的政風，無過於防制貪污，而防制貪污的要訣，首在使官吏能夠養廉，再繼之以嚴正無私的刑賞，庶幾有效也。

與鄰邦南越相去不遠
寮國局勢亦甚複雜嚴重
毛共越共隨時可能燃起大烽火

東南亞地區裏的最大熱戰場是越南。政局最混亂的也是越南。美國致力最多的地方也是越南。而共黨最猖獗的地方也是越南。

但人們也許忽視了緊鄰越南那個小國寮國，在戰事上，在政局上，在共黨問題上，其複雜與嚴重情形，並不亞於越南，祇是程度上有差別罷了。

同樣地，美國也把許多軍經援助，以至軍事顧問人員、技術人員，投入這小國，從事和越南類同的工作，遏阻共黨勢力擴展的工作。

這個小王國，名目上是個君主立憲的國家，有着三派主要的政治力量：一派是現任總理的符馬親王領導的所謂中立派，一派是共黨「巴特寮」，由蘇凡那旺親王領導的左派，另一派則是以麗莪親王為中心的右派。可是，由於右派主將前任副總理兼財政部長而又擁有軍事實力的諾薩萬將軍，因企圖政變不成而流亡於鄰邦泰國之後，右派勢力大為萎縮，而剩下寮共蘇凡那旺與中立派符馬兩雄成爲競逐寮國政權的兩股主力。

在理論上說，寮國中央政府目前還是三派合組的聯合內閣。蘇凡那旺與符馬是異母兄弟。最近，蘇凡那旺以時局危殆為詞，曾經去函符馬主張召集三派會議解決國是。

這個左傾的王子所提的主張，顯然是共黨巴特寮企圖進一步接寮政權的手法。符馬鑒於巴特寮經已成為北越方面的作戰工具，而他的異母弟在這一派中並未能握有實權，絕無力量可以影響左翼的寮共勢力，更無法影響那個從遙遠控制寮共的北越共黨「勞動黨」。事實上，目前寮共的主要控制地區瓦瓶平原一帶正充斥着許多北越及中共所派來的特務人員指揮着寮共活動。

根據中立派主持的政府捕獲的寮共俘虜的供詞，寮共的活動完全是配合整個中南半島（包括越、寮、柬）的，目前聯合政府中的寮共，共無非是受命於北越，作為共黨在越作戰的工具，替越共控制着對南越境的越共增援綫，並控制着廣濶的豐沙里和桑怒這些地區，準備將來中共軍開入。

由於越戰的發展，人們很少注意到小寮國的軍事與政治上的事實，若密切地研察一下該處的局勢，恐怕現握着中央政府的符馬總理，殊難獲得經改組後的內閣與新近選出的國民議會的支持。

以南部為根據地的右派，自從其主將諾薩萬出亡泰國之後，在中央政府的地位，已由一個年輕的「南寮黨」接替。該黨的領導人是麗莪親王的姪子施巴肯親王，他是曾在巴黎與荷蘭受教育的，曾在三屆政府中任職，自一九六〇年以來，一直担任寮國出席聯合國的常任代表。由於他的政治地位，寮國人士都許為將可在寮國政壇上佔得崇高位置。他對共黨認識清楚，認為有共黨存在，寮國絕難得到和平。可惜，右派目前欠缺軍事實力，所以，在這個多事的國家，尤其是處於強大的共軍力量之下，殊難有所作為。因此，目前寮國的政治實力仍以中立派符馬所握的較多。

說到寮國的軍力，約有六萬至七萬名正規軍，由反共軍官所率領，其中包括標榜中立由康理將軍所率領的一枝數約六七千名的陸軍。此外，更有由文波將軍所率領的一枝山區苗人隊伍的兩營至三營，這是一為阻遏共黨在寮擴展的中流砥柱。因此，頗為美國所看中。經過永珍中央政府的同意，這枝苗人部隊由美國負責補給各項軍用物資。美軍飛機每日經常飛到山頭投下各種軍用品，並派遣顧問前往指導作戰。這枝苗軍起着極大作用。

正規軍，康理的部隊和苗軍都已準備對寮共部隊作全面出擊，報復他們對地方村落、家畜、財產的佔奪。不過，符馬親王却不敢冒此大險，恐妨孤注一擲可能引起不良後果。更恐戰事發展下去，寮共會威脅到湄公河之綫，這樣一來，戰事將軼出寮國範圍，變為牽涉到北越，越共，中共的國際性大戰。

美軍顧問也感到此項全面出擊所引起的後果之威脅，勸符馬暫時忍耐，而加強目前在寮國內部的打擊寮共工作。

顯然，美國除了積極補給苗軍，增強其實力之外，美機也担當在寮境內的巡邏偵察任務。而偶然在寮境內對胡志明補給綫的轟炸，亦獲得符馬親王所默許；不過，這種轟炸，美機祇是偶一為之，並非有系統的轟炸，因為在外表上，美軍還是極力避免宣揚在寮作戰。

在戰術上，寮國正規軍經常以十人至十五人為一組的突擊隊或降傘部隊向寮共施行突擊，有時則聯合苗軍出擊，形成對寮共頗大的威脅。

而寮共目前的主要任務，則為替北越維持在越北邊境的共軍補給綫，蓋這是北越援越共的富有戰略價值的增援幹綫，許多北越正規軍與軍用品，俱取道寮境內胡志明補給綫輸送。

至於巴特寮與北越之間，因為北越着重於援助越共而較為忽視寮共，因此寮共實力未能有更大的長成，而自知軍事實力遠不及政府軍，所以，迄今還不敢毅然自行組織反政府的共黨政權，而寄其希望於組聯合政府，憑偽裝的滲透政府，以相繼奪取權力。

恬不知恥。屍居餘氣
蘇加諾勢難免被逐下台

——星加坡通訊——

自從印尼反共革命新政權宣告成立以來，蘇加諾依然被保留着傀儡總統的虛位，使得蘇加諾進退維谷，啼笑皆非。或謂蘇加諾究竟不是一名懦夫，如果他識時務一點，早應當乎皇哉地下野一表示退位讓賢，而就其偌大的多島國中任意選擇一個美麗的小島，帶着他風騷非凡的東洋夫人暢享餘年，豈不快活也哉。或謂印尼的新革命政權，未免對他們的蘇加諾太過有點慈悲為懷，而使他活受罪。如果索性將他放逐海外，北平毛幫或樂當然也會收容他而待以上賓之禮，不是仍可位居印尼流亡政府總統之高位，或也足以充當毛幫政權的首席洋顧問？恩克魯瑪在迦納被逐而在非洲幾內亞獲重視，豈非最出色的借鏡？或謂如果印尼新政權乾脆地把蘇加諾徹底幹掉，使之息勢歸土，魂飛西天極樂世界，那麼印尼的景色將比蘇加諾時代的茂盛得多了。然而，蘇加諾並不肯那麼做，而印尼的革命新政權也不願這樣做，使得蘇加諾也不得不從事其生來慣常的冒險。

蘇加諾「總統」好似一個兩手拼死命攀着懸崖而懸吊在峭壁前面之一不顧死活的人，他越愁眼和掙扎，他越是容易因為了要蘇加諾的處境更惡化，有些人乃站在懸崖峭壁的頂峯，用脚來踏蘇加諾拚命攀着懸崖的手指。然而，這個狡猾而做作萬千的印尼「總統」，前此可是他不顧死活，曾經幾次被人踢他下台，在峭壁之上，但到了此時此境，情況愈來愈使他難受，以致他也不無感覺而承認他處境苦楚了。

在過去兩個月之中，他每次在其熱岩密佈，荊棘叢生的棲身所獲得了立錐之地時，有些人曾經在他的立足點不斷地力踢。這或許是對他依然攀吊在懸崖峭壁上這種「不屈不撓的精神」的一種讚揚。

在默許的軍事支持下之印尼各種政治陣綫和學生組織，一「總統」發表繼續不斷的口誅筆伐，有時簡直到刻薄到極點的攻擊。

此間不斷高漲着的喧囂呼聲，便是要迫此「總統」嚴格恪守憲法。「憲法」之所謂道並非意味着蘇加諾一切獨裁權力的終止。此乃意味着蘇加諾必須附屬於國家的最高立法機構——臨時人民協商會議。

然而，蘇加諾在他的自傳中，率直地承認他一生中從來也未曾隸屬於任何一個人的。此間一些觀察家覺得他遲早會開始願意隸屬於任何一個人的。蘇加諾曾經公開承認，認為此刻正進行着的一切企圖權力。上月間他在一個內閣會議中叫囂稱，他不願意成為許多帝王之中的一位帝王，或者成為一個傀儡的。

然後他歷數着他所擁有的一切頭銜，好像作為他無上權力的證據：「總統」、「總理」、「三軍部最高統帥」、「人民協商會議授權者」、「革命的偉大領袖」、「終身總統」、「人民代言人」……

蘇加諾毫不留情的公然攻擊，依然相繼發生。事屬印尼有史以來空前的現象，便是該國內的對蘇加諾公開講話加以指責，而依然自由、自在地漫步於他的國土之上，無顧忌者，大有人在；而這裏到處所有大大小小的監獄之中，到目前為止，依然充塞着反對蘇加諾的囚徒們——不過他們都懷有信心，深信新的革命政權，不久的將來終會對他們宣告大赦。

眼巴巴望着各方反對他而進行着的種種策略之蘇加諾，也開始準備他的一切對抗陰謀。

各方反對蘇加諾所進行着的一切策略之首先一項，那便是印尼國民黨最近召開的一次重要會議。該黨會議之召開，乃旨在肅清該黨內所有左翼派系的權力。該黨主席阿里，亦被列入整肅名單之內。該黨主席阿里，仍與左翼方面和蘇加諾發生密切聯系。據可靠消息說，蘇加諾私底下仍作脆弱的企圖，為阿里進行辯護，可是後來終於放棄了這個企圖。（上）

香港假髮業六年來滄桑
全盛時有廠百二十家現僅得零數
原料來源雖解決成本倍增復興難

（本報訊）香港製造的假髮，今後可採用印尼的人髮作原料，憑綜合來源證輸往美國。這是香港工商處公佈，美國與印尼政府已經同意採取的一種發證手續。申請綜合來源證時所需的證明，祇要由印尼政府貿易部本年五月二十日或該日以後所發出的人髮來源證，就可以接受。這是香港製假髮恢復輸往美國的一個喜訊。相信今後逐漸有較多假髮製造廠復業，利用印尼的人髮做原料，因應美國商人的需求，而接入新訂單。

印尼是擁有一億人口的國家，印尼婦女的頭髮柔軟而有光澤，適合製造假髮輸往美國。在綜合來源證手續未獲協議之前，香港的假髮製造廠，曾經試用印尼的人髮製成功各種髮型的假髮，成績甚佳，且印尼人髮供應充裕，今後香港的假髮製造廠在原料供應方面已不成問題。但成本大增了！近日香港市面已有印尼人髮的新貨盤，每公斤要價一百卅元至一百五十元；即是比從前所用的中國人髮貴一倍左右。製成一件假髮，普通需用人髮平均要六安士，一公斤的人髮，大約可製成五個假髮。今後香港的廠家採用印尼人髮作原料，每個假髮成本大約要比從前增加美金二元左右。如果今後香港的廠家採用印尼的人髮加工製成假髮輸往美國，接單價格不能隨原料成本增加而調整提高，廠家就很難獲利。因為製造假髮，人工成本很高，一個女工平均三天方能製成一個假髮，照目前原料成本計算，原料成本約佔卅五元，工資約佔六十元，其他物料再加上廠租、水電費、管理費、其他雜費，包裝及運輸費用等，一件假髮出廠成本起碼要一百廿元。

但港製假髮最近幾年來輸往美國的接單價格，是一直下降的。在一九六一年間，每個假髮接單價格約為六十美元，但一九六四年每個假髮接單價格，平均已跌至廿二元或二十美元；一九六五年下半年接單價格跌得更低，其中有些廠家竟低至十六美元。如果照現在的生產成本計算，像一九六四年間的接單價格，仍是不夠成本。因此，今後港製假髮恢復輸美，接單價格是應該調整提高的。

現在港製假髮輸美最大的問題——原料問題已經解決了，但香港的假髮製造業能否恢復往年的盛況呢？一般認為決難恢復舊觀。很多已經結束轉業的，尚未聞有復業的意圖。在一九六五年該業全盛時期，大大小小的假髮製造廠約達一百二十家，其中較有規模的約為八十家；但去年底因為美國政府禁止香港假髮入口，今年初業內廠家紛紛結束及歇業，現在尚存在的廠家祇得二十家左右。

去年港製假髮出口，共達七千二百萬元，其中輸往美國佔了六千八百萬元，特別是十一月份，趕運赴美的假髮顯著增加。據美國方面報告，要六個月後方能銷售得完，故預料短期內美國商人恢復向港訂購亦不會很多的。

瀛海異聞錄

「唱片舞」的來歷與魔力

·桑雅·

回憶起來，一九四七年的巴黎，不少新派的作家及畫家常常在左岸區舉行派對來消磨時間；他們喜歡同時播放三四隻唱片，製造新奇的節奏及刺耳的音樂，這樣，他們可以亂跳一通，隨心所欲。後來，他們索性稱之爲「唱片總匯」了。「唱片總匯」這字便成了適當的名詞，作爲代表了。事實上，也由於這種「唱片舞」，才逐漸演進而成今天風行的阿哥哥舞。

「唱片舞」的特色是——（一）舞池要窄，這樣才形成擠迫的現象。（二）光線要暗，這樣人人都美麗了。（三）音樂要刺耳，身歷聲，這樣才帶來興奮。

那麼，怎樣跳法呢？這可以說是最自由的一種舞蹈了，完全是即興的。例如，一隻狐步，兩隻查查的唱片，同時播出，你猜是什麼節拍呢？因此，事實上是無法可循的，一切依照當時的配合及當場的心境而跳。法國人說，這才是創造的水牛。如果大家看過「貓兒叫春」這部電影，那麼，其中彼得奧圖邊跳邊脫衣的那幕，便是「唱片舞」的面目了。跳到疲倦時，他們甚至一起躺在地板上的。

這種瘋狂、自由的「唱片舞」，雖然一九四七年已在巴黎出現，但今天，世界各地的夜總會及俱樂部，都特別增設這種節目，這證明人們沒有把它忘懷。

從花都說起。此類娛樂場所共有兩百多間，大部份是地下室的酒吧，最著名的一間還是在左岸區，名叫「新合美」。該處的氣氛每晚都像新年除夕一樣，非常熱鬧。而且，不少名流明星都常來捧場。例如福特千金查洛蒂，阿倫狄龍，貝蒙篤，甚至彼得奧圖，他曾在花都渡假一個時期。

那裏的舞池是四方的，天花板奶白色，牆壁是黑色，但發光的。主唱者是里拉，是她早已一九六一年把扭擺舞介紹來巴黎的。事實上，這個酒吧是私人俱樂部的一種，非會員是不受招待的，就算是會員；價錢也不平，一杯威士忌便値美金三元二角了。

倫敦方面又如何呢？渡過一條英倫海峽，便是倫敦了。凡安排唱片舞的地方，全是私人俱樂部。據英國的法律，公衆娛樂場所每晚十一時便要停止營業了，因此，除非你不是「夜遊神」，否則，你必會加入任何一間私人俱樂部的。它們每天下午六時便開始了，凡年齡不到廿五歲的，便優待每位收費十五元——這是指年會而言——否則要收三十六元。

也許大家料不到，最狂熱跳唱片舞的都市是紐約，此類夜總會遍佈五十九街及哈勞區，古式與新式的作風均有；不過，最吸引的地方是格林威治村。

影星李察波頓第一位妻子所經營的「武士俱樂部」是十分著名的，每晚都車水馬龍，擠得水洩不通，直至凌晨三時才稍爲疏落。常常有人發生暴動的，因爲兩隅的顧客實在太多了。那裏的侍役穿飛仔西褲，但反領是古老普遍大學式的。

門口的裝飾是蒙格里安式，十分現代。另外有美麗的模特兒負責招待。午夜後便不歡迎了。而且，單身客是不准入內的。入場券平日是四元，週末假期等是五元；酒水另計，每位至少一元七角五仙。黑人影星小妮・薇維斯常常在那裏演唱的。芝加哥又如何呢？最著名是「美心」了，老板是巴黎的「美心」同一人，附設于黃金海岸的阿士圖酒店內。裏面完全是巴黎作風，座位却是維多利亞時代的紅色天鵝絨，牆上是用洋燭，不用電器或光管。至于舞池是由水晶珠簾圍住，在七彩幻光下，如世外桃源焉。

每週只營業四天，星期四到星期日。從晚上十時半到深夜二時。價錢不算昂貴，菜式全是法國的。

舊金山的希爾頓酒店內的「老虎阿哥哥酒吧」，是夜遊人最理想的玩樂地方。在這裏，一切都非常隨便，你甚至穿上拖鞋，也一樣歡迎。地方是圓形的，至于女侍是穿上虎皮的比基尼，招呼週到。

不過，舊金山始終比不上洛杉磯，這才是荷里活的心臟。這裏最受遊客歡迎的是「鬼屋夜總會」，裏面的裝飾確是使人毛骨聳然的！單在走廊上，已排列着科學怪人、豺狼精、吸血殭屍等模型；甚至女侍也是披頭散髮的。在舞池中，從天花板吊懸下來的是一些蜘蛛、蝙蝠、骷髏骨之類，樂隊也戴上古靈精怪的面具。可是，前來光顧的盡是紳士淑女，那裏的比特加酒比威士忌還受歡迎。

最後，大家想知道「唱片舞」的五種基本舞步是什麼呢？那是青蛙式、海浪式、跳躍式、猴子式、蝎子式。

質詢權的平議

張健生

不過，除非到萬不得已的時候，閣員們不願意用這樣的理由來拒絕答覆的，更沒有用「無可奉告」的話來拒絕答覆的。如果議員對於政府官員的答覆認爲不滿意時，可動議「休會以討論急要的特定事項」。這種「休會的動議」，並非是說中止議事日程，宣告休會，係變更議事日程，暫時休會，而把質詢事件變成議題交付院會討論。這一動機須要有四十位議員的贊成，才能成爲議題，提付討論；這種討論表面上是討論應否休會的問題，而事實上則牽連到質詢與答覆的實質問題。可是這樣的動議是很難成立的。

英國國會議員的質詢既不易成爲討論的議題以威脅政府的命運，則其作用與效力似乎是微乎其微了；然而，事實却並不如是。英國的民主政治確具有深長的影響作用，它可將政府各部門的工作情形公諸世人面前。比如說，一九六三年三月二十日，英國下院在辯論統一基金法案時，在議會特權保護之下，工黨（反對黨）議員魏格先生、克勞斯曼先生與凱賽爾夫人等，揭發保守黨陸軍大臣普羅佛莫與應召女郎克麗絲汀的緋色案，因而導致陸軍大臣的下台，且影響保守黨（政府黨）首相麥美倫政府的存在。當時工黨下院主席即現任英首相威爾遜提出安全問題時，政府不得不派丹寧爵士進行調查。這件緋色醜聞轟動全世界。

倫敦大學教授方納（Herman Finer）對英國質詢制度有這樣的一段話，他說：

「由極小事情開始，任何問題都可引起爆炸聲，成爲嚴重的風潮，間以雷電交作，形勢至爲險惡；且可以超出質詢時間以外，而引起來日政府政策的深長討論。一種潛然滋長的威脅，隨時可以發展成爲一種突如其來的緊張局面，這種局面足以激怒有勢力的人們，及辯論家，乃至於一般公衆。所以，質詢眞是精神上的嚴重爭鬥」。

「任何一個管部的閣員，以及在其政黨中，在其閣僚間，以及在其選區裏的聲望，完全繫於其在質詢時間內所表現的如何以爲斷。爲了他將來的政治生涯，他不得不在許多個議員當中的質詢下，經過不斷的考驗，而這些議員乃自信以爲是可以比他做得更好者。這眞是一種嚴重的考驗。而且，這種考驗是繼續不斷的。也許他在星期一的質詢中可以避免過去了，但在星期二的場面中他又被人考驗。……」（三）

給越南佛教徒的一封公開信

佛教是救世的，慈悲爲懷，智慧爲用。因爲佛是最仁慈，最有智慧，最能容忍而又輕名利，如敝屣而棄王位的大覺聖者。做一個佛教徒應借他爲殷鑑。況出家的僧尼更要拋棄名利，慈悲爲懷，與夫百般容忍的度量。一切行願都要自般若的智海中發出，明是非，別利害，識大體，忠貞體國。須知：「民之不存，毛將焉附」？所以決不能以盲目的行動被人利用，損我眞正佛弟子之譽。一切政治問題，不是示威就能解決的。一位高僧大德的言行，應爲世人所敬仰效法才是，不然與佛背馳，必爲世人所厭惡而鄙視我佛教。親愛的越南高僧大德們！你們應當坐下來靜靜的思惟思惟，目前你們的心行作爲，是否有背清規，合佛行願？是否有容忍之宏量？像這樣的再鬧下去，將對反共救國的前途利害如何？敵人是無孔不入的，滲透、分化、破壞、顛覆是他們一貫的侵略方法和手段。我們的大陸就是在他們此種滲透、分化、破壞、顛覆之下淪陷的，至今深感痛苦。我們所經過的慘痛教訓，應當可爲貴國的前車之鑑！因此我們希望你們不要再受敵人的詭計或利用，作祟自戕，重蹈我們的覆轍。今我們以客觀者看來，目前你們的舉動，似太過份一點，同佛旨背道而馳，似乎缺乏理智與容忍。我們東方的聖人孔夫子的哲言云：「己所不欲，勿施於人」，你們應當設身處地的站在對方的立場來多想想，假使你們是執政者，處斯情景作何感想？一個剛脫離殖民生活桎梏的民族，教育尙未普及，民智尙未全開化，農工商業尙未發達的新獨立國，要想一切盡合人意，是不可能的事。何況正處於反共抗暴，作生死鬥爭的貴國政府，其處境更是加倍的艱難啊！因此希望你們更應諒解容忍。尤應盡力支持政府，合作無間一致對外。諺云：「自助而後始可得到人助與天助」。惟此，才可以確保自安，獲得友邦更大的同情援助，亦不失我們佛教大慈大悲的救世宏願。貴我兩國處境相似，原爲兄弟之邦，今我們以佛教同道的立場，謹代表中國佛教同仁愛護之忱，特函奉勸。敬希諸高僧大德們，認清敵我，顧全大局，趕快精誠合作，共赴國難，惟先安內而後始可攘外，打倒世界的公敵（無神派的共匪），以求反共抗暴戰爭的勝利，奠定貴國的統一，安定與繁榮。貴國幸甚！世界幸甚！並亦是我們佛教的大幸事！

中華民國佛弟子敬上

一九六六年五月於台北

（下）

尙書郎以下的官員，都得自己去採薪，不然就沒有得吃。餓死牆間，不知其數。這時候恰恰給曹操造成一個好機會。由曹操迎到了獻帝，是他成功的最大因素。這是建安元年七月的事。

現在還要從董卓入京，到李傕郭汜之亂結束，回顧一下。

從董卓入洛陽以後，到獻帝回洛之時，漢朝的中央政權，可說完全操在董卓及其部下的手裏。生靈塗炭，也是董、李、郭三人攪出來的。但是，董卓及其部下爲何如此殘忍？此中大有遠因在內。

我們看蔡文姬的一首詩，更明白漢末西北的民族文化情形。詩云：

漢季失權柄，董卓亂天常。志欲圖篡弑，先害諸賢良。逼迫遷舊邦，擁主以自強。海內興義師，欲共討不祥。卓衆來東下，金甲耀日光。平土人脆弱，來兵皆胡羌。獵野圍城邑，所向悉破亡。斬截無孑遺，尸骸相撐拒。馬邊懸男頭，馬後載婦女。長驅西入關，迥路險且阻。不顧邈冥冥，肝脾爲爛腐。所略有千計，不得令屯聚。或有骨肉俱，欲言不敢語。失意機微間，輒此斃降虜。「要當以亭刃，我曹不活汝」。（此十字乃西涼兵駡俘虜的）豈乎惜性命，不堪其詈罵。或便加棰杖，毒痛參并下。旦則號泣行，夜則悲吟坐。欲死不能得，欲生無一可。彼蒼者何辜？乃遭此厄禍。

蔡文姬名琰，是蔡邕之女，也是後漢的一個才女。觀她的一首詩，寫盡了西涼兵馬的野蠻情形。其中「來兵皆胡羌」一句，可知當時的西涼兵中多半是異族。董卓及其部下，多半是受了羌人文化的影響，尤其董卓很早就和羌人來往，野蠻成性，並非偶然。董卓的部下和他的胡羌兵，更不用說。三國之後的五胡亂華時，有大部分人還保有此風。可見後漢時西涼的擾亂，並不是一個單純的政治問題，其中含有很深遠的民族問題，文化因素在其中的。

十一、徐州士民擁護劉備

自董卓之亂而見誅，經李傕、郭汜入京、馬騰搗亂，中間有三年流浪朝廷；而在函谷關以東，又有袁紹和公孫瓚、呂布與曹操劉備袁術等人的爭戰不休。到曹操迎獻帝都許昌，漢末的流浪政府始有一個較爲安定的朝廷。曹操挾帝都許昌，在三國史上是一件大事，也是曹操成功的基石。當時比曹操實力更大的是河北袁紹，曹操要挾天子都許昌，就是避袁紹之威脅，許昌乃曹操的勢力之下故也。

劉備自從見遇陶謙，在小沛有一個較安定的短暫時期，在此時此地，劉備風度、儀表、氣度、恩義，皆爲徐州士大夫及人民所敬重，廣結善緣，從陶謙以下的大多數官吏，無不對劉備發生好感。劉備之成功建業，可以說大半由於他的廣結善緣，深得人心，此在三國中，無論敵國及其臣下，多多仰慕劉備。陶恭祖不過是時人中崇拜劉備的一個。在董卓之亂及李郭之亂，袁紹公孫瓚曹操呂布爭戰之期，而徐州尙稱安定，只有小部黃巾羽黨的擾亂，被陶謙擊敗，在此時期徐州得以安定。至於陶恭祖其人如何？在此畧爲介紹。

陶謙字恭祖，丹陽人。他的父親只做過餘姚縣令。謙少孤，遊蕩不羈，爲一不良少年人物，聲名惡劣。唯有蒼梧太守乃同縣甘公見而異之，以其容貌非凡，與之交談，深得器重，甘公遂以女妻之。（卅七）

飽聽好音（續）

復興電台是晚安排，二龍頗費一番剪裁，所謂生旦淨小生老旦均有，並有南派的生行，可說周到。而且旦角又分梅程尙三類，祇少荀派，已不容易。開始是梅譚的坐宮，梅馬的回令，很精采。次由金少山唱打龍袍草橋關鍘子上殿，腔均極渾厚，現在聽到，確是黃鐘大呂。下接很可貴的葉盛蘭的羅成叫關。從前以德珺如的叫關，朱素雲的小顯爲名作，以後即無人，等盛蘭出科始有續唱，確是好聽。送續播程硯秋的春閨夢亡蜀鑑，是稀有之品，俗票除高華韋還雲能唱，亦未有見明場。浮生兄曾寫程派將絕響，的確可慮。現在學君秋以外，再學燕俠，是每況愈下的趨勢。李多奎的望兒樓，黃桂秋的彩樓配，也很少聽到，足可一快。末尾由馥珊唱掃松下書，聽來猶如觀其劇，此所謂能得神化。藝術之好壞，胥在二龍所云，要做得出神入化，唱腔似在其次也。二龍運用匠心，復興台的平劇漸臻妙境，有可記者！

國劇繽紛續錄

姿婆生（七十八）

龍吟的演目

國軍文藝活動，是凡軍中劇團表演平劇，已過第二輪而進入第三輪，獨第二集團的龍吟劇團於四月底北來公演，尚是首屆。其故因龍吟成立雖早，但限於經費，迄無多大成就，祇有在南部偶作勞軍演出而已。前年馬驪珠刪明乾，因朱殿卿所約，南行參加陣列，名充顧問，幷積極整飭，而除長亦無官場作風，遇事請教，誠相處以迄今日。四樑四柱，勉稱整齊，惟班底奢嫌稍軟，以武生李少華又去香港，所幸以文戲爲主，猶能足觀。其陣容是生行謝景華開會畢業於山東省立戲劇學院，爲空軍的名票，嗓音高亢，做表甚精，曾獲康樂競賽業餘組冠軍。旦角馬驪珠是名伶之女，不必多說，曾在乃父組班於青島，跨刀作配角，不必多時。淨角朱殿卿，是現在台灣淨角之冠首。小生丑行張劍秋，曾隸海光，也頗能冷雋。小生佟世忠，則除劉玉麟以外，不下於陳寶亮。其武丑何復貞（馬氏的義女），二旦金復燕，皆復興劇校的高材生。老旦陳萍亦大鵬畢業的優秀份子。驪珠猶慮不足，令其女胡錦報學參加，以壯聲色。

龍吟前以服裝太舊，呈請免列，奉准暫緩；後來撥給治裝費十萬元，始北來公演。對於演出劇目，審愼至再，原定排出新戲爲虞小翠鴛鴦劍，嗣以排練不及，鴛鴦劍下次再演。茲據驪珠寄來演目，爰作報道。（未完）

海隅雲散會

黃公度

諸葛文侯

黃公度者，廣西永福縣人，曾留學蘇俄，隸籍共黨，以贊同托洛斯基之世界革命思想，被目爲托派份子，歸國乃不見容於毛共集團，憤而與共黨脫幅，依桂軍首腦李宗仁作幕僚，寢受信任，得任廣西省建設廳長有年，頗有政績，最後於民國廿六年被殺於桂林，仍在廳長任內也。

黃氏係清苦農家子，日常生活樸素，居官時亦能正自持，無不良嗜好，唯耽於圍棋，不可一日無此事也。在碁局中，聚精會神，不願他事，雖顯貴鉅卿如李宗仁白崇禧立於前，亦置不理，等而下之者更無論矣。因而不知不覺之中，結怨各方人士甚衆，種下殺身之禍根焉。

黃自蘇俄歸來，會結識戴笠，弼助中國特務工作，以其賦有特工天才，綽有績效，深得戴雨農激賞。黃乘機介紹若干同志隸戴氏帳下，建樹亦多。追黃氏入桂從政，仍與戴雨農聯繫密切，且因黃氏關係，軍統局密設電台於柳州，派桂籍同志執掌電台情報業務。於時桂省倡言自治，不邀中樞政令，柳州電台乃成爲中央政府在桂省之唯一耳目。民國廿五年夏間，「西南政務委員會」仍與南京對抗不廷，中樞擬以軍事行動解決兩廣問題，柳州電台即密報桂省有五十萬能戰之兵，未可忽視，最高當局信以爲眞，改取政治策略，而和平處理。實則主持柳州電台情報人員，即黃公度當年向戴雨農推薦之人，而爲軍統局服務之滲透份子，對桂省情形，憑黃指導，偽報告，搖惑聽聞，所謂五十萬能戰之兵，既係謊言虛詞耳。黃氏既深悉軍統局一切情況，又擅特工技能，除柳州電台而外，軍統局欲派人至桂省工作，殊不可能，即此亦足見黃公度深受李宗仁知遇，殆非偶然。

民國廿六年中日戰爭爆發，桂省亦已聽命中央，出師北上抗敵，而柳州秘密電台忽被當地駐軍破獲。於時駐防柳州之桂軍爲廖磊所部，諷究之下，知該電台乃受建設廳長黃公度指導控制者，認爲如此重要事宜，竟不讓彼知悉，即係對彼不信任，將何顏領軍捍衛國土，抗戰禦侮耶？倘不懲治主謀者，彼即解甲退役，敬謝不敏。斯時，桂軍將領葉琪亦爲廖磊鳴不平，集矢於黃公度，而平日對黃氏倨傲態度，素不滿意之黨政軍各方人士，皆羣聲指摘，認定黃氏係第三國際之高級間諜，再事優容，危險實甚。李宗仁雖不重視一般文武幹部對黃氏攻擊之詞，然不能拂逆廖葉兩將領意見，而廖氏原係白崇禧親信人物，尤不能漠然置之，兩利相權取其重，唯有犧牲黃公度，藉以避免桂軍內部分裂危機，於是乎黃公度死矣！爲民國廿六年秋也。

據熟識黃公度者之友人告愚，黃氏具才幹，沉鷙有謀，生活奇窘，雖顯貴不事求田問舍，家徒四壁，一旦失業，即陷飢寒之境。然自視甚高，拙於應酬交際，除棋友以外，落落寡合，以致電台案發後，無人從中緩頰，且但聞皆曰可殺之聲，且以共諜嫌疑，事態嚴重，他人亦不敢輕於說項也。

追憶古柏與克萊三年前之戰

史凍。

五月廿一日，世界拳王克萊在與英拳王古柏的十五回合之戰中的第六回合，被判以「技術」打敗古柏，保持其世界拳王的頭銜。這結果並不出乎人們的意料，雖然據說許多人都希望古柏打敗克萊──原因是古柏是「君子人」，人緣好，而克萊則「粗野不堪」，「得人憎」──然而，希望要不過是希望，古柏終於還是敗下陣來了。

但古柏以三十之年猶敢挑戰克萊，並非勇氣可嘉，當然亦自有其一手。所以在未戰之前，連克萊亦不敢硬說他是必定可以打敗古柏的。再者，這亦不是兩人的第一次交手，他們早在一九六三年六月十八日見過高下了。而那一次應該算是「打成平手」的。原來：

當年的一場大戰，古柏固然受傷，但克萊挨了他的左鈎拳，幾乎倒地不起了。相信他到現在仍下巴還會隱隱作痛哩。當時賞由於這一拳，克萊幾乎損失了二百萬元的收入。

據一些記者所報導是──克萊的經理人登第，顯然爲克萊爭取了寶貴的時間，事情是這樣：在第四回合，完結之前還有四秒鐘──當時古柏鮮血拔面，雙眼發出兇光，準備最後拼命出來，而克萊頓作勢，作嘲弄挑撥狀──這時，精彩鏡頭出現了！克萊背挨着台的繩索，古柏輕伸出左拳，克萊頭部略一側作閃避，閃急救室內。賽後，古柏滿臉鮮血在對記者說：「他仍保持鎮靜，他說要停賽，我會擊敗克萊的。」公證人說：「事實上，在過程中，克萊並未正式嚴重地威脅我。」八個月之後，克萊便躍登世界拳王寶座。事實上，這一場比賽有內幕的。

時準備對方的拳的正式揮出；殊不知，古柏第二次發拳仍是左手，克萊應聲倒地！公證人開始數：「一、二、三、四……」但這個時候，夠鐘了，便不作算。

克萊負傷非輕的，他痛苦地爬起身來時，腳步浮浮的，他的經理人登第立即上前扶住克萊，拉他往另一角落上，用冷水潑他，儘量設法讓他清醒。在這一個緊張關頭，時間是重要的。於是，詭計來了，他對公證人說，克萊的手套是裂開了，要換新手套。公證人是列圖，他立即與英國拳擊總會秘書商量這個問題，這時，主席安斯魯也加入意見了，結果不獲批准。可是，因這拖延了十秒鐘之久！對于一個負傷的人，十秒鐘休息的時間是非常重要的。

當鳴鐘表示第五個回合開始，許多人在場提出抗議，但這是無濟于事的。

另一邊廂，古柏的經理人丹尼也忙着替古柏的左眼止血，這是他出賽以來，最大的傷口，血不停流下來。

到古柏再出台時，血仍不止，遮蔽了他的視綫。這時，克萊被登第推上前，登第不斷鼓勵他：「啊，不要怕，對方已流血了！不過，千萬留意他的左拳呀！」

女星伊莉莎伯泰萊也在場，她已開始掩臉，不敢看下去了。而其丈夫波頓喊道：「公證先生，快點停賽啊！」

公證人列圖經考慮後，果然吹哨終止這場拳賽。

事後，記者問古柏：「你把克萊擊倒之前一刹那，你是憎恨他，是嗎？」

誠實的古柏回答：「我從不憎恨任何拳師，我只是憤怒。克萊叫我不斷流血，他仍扮鬼臉！那時我發誓，我要擊敗他的。」

賣油郎獨占花魁女

「影劇與歷史」之二十三

周遊

之間，賣油郎獨占花魁女，頭刻，佳話傳遍了臨安城。「賣油郎獨占花魁女」是一個起於宋代的民間故事；由於過去戀愛的不自由，所以很多便把此故事的男女痴情，以及一個妓女的輕財重義的行爲，當作一件可貴的事，亦是此一故事的主要題材。這雖然是舊時代中的人與事，但放在現在亦有許多相像之處，因爲人的心理與思想法還是沒有多大的改變，所以大家看「賣油郎獨占花魁女」故事，仍然有親切之感。儘管今天已經不再有妓院，而男女間的愛情，亦會有賣油郎和花魁女間的情形發生。「賣油郎獨占花魁女」並不是喜劇形式，可是電影的「賣油郎獨占花魁女」却要以喜劇形式表現，其目的在於增加戲劇性，更能引人入勝。

做人要誠懇，所謂「精誠所至，金石爲開」。忠誠不僅可以感人，更可以做到本來不可能的事情。譬如最通俗的口頭禪「癩蛤蟆想吃天鵝肉」這句話，是諷刺不自量力的男子，去追求美女是不會有成功之日的。但是，只要具有眞誠，天鵝也會飛到癩蛤蟆口中的。這是人人皆知的民間故事「賣油郎獨占花魁女」所要昭告世人的。

今古奇觀

「賣油郎獨占花魁女」收在「今古奇觀」第七卷。「今古奇觀」則收自「三言」中的「醒世恆言」。「醒世恆言」又本於「今本通俗小說」，「京本通俗小說」則本於宋代的話本；話本乃是民間故事收編陳奉到宮廷中給皇帝看的。「三言」爲馮夢龍所編，「今古奇觀」爲明「抱甕老人」所編。所以「賣油郎獨占花魁女」第七卷，開頭就說了一首「西江詞」：「年少爭誇風月，場中波浪偏多；有錢無貌意難和，有貌無錢不可。就是有錢有貌，還須著意揣摩；知情識趣俏哥哥，此道誰人賽我」！這首「西江詞」，是風月場中撮要之論。常言道：「姐愛俏，鴇愛鈔」，所以子弟行中，有了潘安般的貌，鄧通般的錢，自然上下和睦，做得烟花寨內的大王，鴛鴦會上的盟主。賣油郎秦重獨占花魁女之終結，有詩爲證云：

春來處處百花新，
蜂蝶紛紛競採春。
堪笑豪家多子弟，
風流不及賣油人！

（下完）

間諜與女色的故事

○胡荻○

當她斟了一杯酒遞給韋爾夫時，她在微笑着。而韋爾夫也並未表現無動於中，他的乾燥的嘴唇，在發出輕聲的談話。最後，艾廸娜再給他一杯特蘭巴酒，他知道這是時候了。

當他徐徐飲這杯酒時，他乾脆地說：「我知道還有比這更親密的東西。」他站起身來，於是，像二條山嶺中的河流在作着冲激的會合，艾迪娜和韋爾夫在彼此奔向前，緊緊擁抱着。他們不時地歡笑，彼此摸索着對方的衣服，韋爾夫終於撕下了她身體上的半透明的睡衣。他將她扭動不安的身體舉起，像虔誠地奉獻一個祭品於聖壇上一樣，將她放在她的床上。

夜靜靜地溜走了，那是一個他們兩人難以忘懷的夜。因爲這種會合是特殊的，是第一次，也可能是最後一次。

將近黎明時，他們都醒來，各自靜靜地躺在床上吸烟。

韋爾夫以前所受過的間諜工作訓練，使他知道在深愛着她時，她的抗拒力就很薄弱。他想應該開始與她談談了。

然而，艾迪娜却先說話了。她溫柔地說：「親愛的，我想跟你談。但首先，你愛我嗎？眞眞正正地愛我嗎？」

他在黑暗中綴了一下眉頭，然後撫摸着她的手說：「是的，親愛的，我眞眞正正地愛你。你的第二個問題是什麼呢？」

過了一會兒後，她溫柔而又堅定地說：「不要幹那件事。韋爾夫，我求你，不要幹那件事！」

「我的天，不要幹什麼事呢？」

（三）

[illegible]字第○三壹號內銷證

自由報

THE FREE NEWS

第六五七期

中華民國僑務委員會頒發
台教新字第三二三號登記證
中華郵政台字第一二八二號執照
登記爲第一類新聞紙類
（半週刊每星期三、六出版）
每份港幣壹角
台灣零售價新台幣貳元
社長：雷嘯岑
督印人：黃行豐
社址：香港銅鑼灣高士威道二十號四樓
20, CAUSEWAY RD 3RD FL. HONG KONG
TEL. 771726　電報掛號：7191
承印者：大同印務公司
地址：香港北角和富道九六號
台灣分社
台北市西寧南路壹壹零號二樓
電話：三〇三四六
台郵撥儲金戶九二五二

中共敢與美國較量麼

．彭樹楷．

美國覺得它必將與中共在亞洲一戰。

中共感到它終將不能避免地與美國「較量」一番。

中共的第三次核爆使美國感到戰火近在眉梢。

美國在太平洋的佈署和在越戰場的主動攻擊，使中共覺得戰火已由一架飛機被擊毀於雲南境內而有燒至大門之感。

「備戰而不挑戰」，是美國百年來的國策，表現在對中共的，是衆所週知的亞洲美國軍事佈署；同時，「嚇阻而不孤立」的論調，已演變爲「嘗試建立通往中共的橋樑，以致力減少經由誤解發生戰爭的危險。」

「備戰而又挑戰」，是中共十數年來的政策，其表現在對美國的，是繼「抗美援朝」的「抗美援越」，並進而「隨時與美帝較量」。

中共軍事作戰潛力

本文係就中共軍事作戰潛力和其內部問題，分析中共近期內是否敢與美國「較量」。

軍事作戰潛力，是全部國力透過軍事組織型態的總表現，是政治、經濟、外交、文化、社會組織、領導才能、科學工藝、以及民心士氣等的協調配合成果。

中共擁有總兵力二五〇至三〇〇萬，內海軍約十五萬人、空軍約十萬人、飛機約二五〇〇至三〇〇〇架，餘爲陸軍。另「基幹民兵」二千萬人，「普通民兵」（不脫離生產「勞武結合」的民兵）兩億人，這是毛澤東「全民皆兵」的「人民戰爭」之主要兵員。

中共擁有數量龐大的陸軍兵員是毋庸諱言之事，但，現代化軍隊需要現代化裝備與相當知識的成員。中共雖有現代化制式步兵武器的裝備並多能自造（如自動步槍、手提機槍、衝鋒槍、輕重機槍、輕中型迫擊炮，九〇公厘火箭筒、五七至七五公厘無座力炮、以及輕中型火炮等），但缺重炮和自動推進炮、載重汽車、重工兵裝備和戰車等（詳美國外交季刊一九六五年春季號），火箭也僅有少數得自早期俄援的短、中程型（可能已能自造），通信與醫護裝備亦極遺缺，更缺熾盛強大如美陸軍的火力……。中共雖能自造小型近海和內河船艦及潛艇（重點係製造小型、輕型遠洋潛艇），但[illegible]的造船工業人才缺乏及技術困難，其海軍則不堪一擊。中共空軍，僅有數十架中型轟炸機如TU—4和約二至三百架輕型轟炸機如伊留申28，對東南亞鄰國及台灣日本韓國固可造成威脅，但數量少且人員因缺乏練習和作戰訓練及長程航行經驗，所以不能產生大的作用；其作戰飛機方面，據李顯斌義士說，因每月訓練飛行最多只有十小時（國軍最少爲廿小時），所以技能低劣，不能應付大規模及長時間的空戰。

綜言之，中共雖聲色俱厲，但一直是避免與美軍正面衝突而不敢介入韓戰式的越戰，也不敢像一九六二年攻擊印度那樣與美軍直接戰鬥。

中共軍事內部矛盾

茲概分人與物兩方面說——

人的方面：中共兵員計分老幹部、原國軍、以及徵召的青年三大類——技術人員多爲原國軍，戰鬥人員以青年爲主，高級指揮者多係老幹部。

老幹部最大問題是年老力衰與頹近暮年而不能發揮出實際作用。

原國軍最大問題是懷念昔日自由生活，而盼望國民政府。青年新兵雖成長於中共教條中，但有感老幹部和原國軍的種種矛盾情形和中華民國整軍經武及反攻大陸消息，便生浮動及嚮慕自由之心。一旦知道了自由世界，乃有茫然之感；再者，毛澤東集團的驕橫好戰和抹殺眞理顚倒抗日戰史，也使共軍心生反感。更何況人數佔百分之八十的青年官兵，人人都有慘遭共黨清算鬥爭的血淚經過，舊仇新恨早已滿腔憤怒。如驅使對美國作戰，基於民族和國家觀念，他們在戰場倘有可爲，[illegible]號召，而背叛毛共集團！此爲中共不敢與美軍一戰的主因。

物質方面：現代作戰，除武器彈藥需糧秣外，並有賴於總體的經濟力量支撐。中共既缺汽油（其「大慶油田」一如其宣傳之多產，但質甚劣）、武器以及鋼鐵和銅等金屬原料，更因十年之連續乾旱以致百物奇缺，再加之連續核爆及全力發展核武器，以致目前軍需物質無法支持較長期的現代化戰爭。此爲中共不敢在此時與美軍「較量」的又一主因。

由上所述，中共不可能此時與美軍一戰。但如核武器發展成功，則情形又將有另一變化也。

自作孽　織物四播

今日与明日

南越糾紛

自從政府軍佔領峴港，登陸順化，南越中部叛亂的事件大體已告結束，南越政府也決定九月舉行大選，還政與民。就一切經過來看，應該可以暫時安定下來。而就在此時佛教徒却又展開反抗，使此一問題又趨嚴重化。

截到執筆時爲止，南越佛教徒已經有五人自焚身死，大部都是少年僧尼。此事眞是一大悲劇！任何人聽了都會感到難過。但是仔細想一想，我們實在不明佛教徒有什麼非自殺不可的理由。

在吳廷琰當政時，因爲支持天主教徒迫害佛教徒，終於引致了佛教徒的自殺，也促使吳廷琰的垮台，當時舉世對佛教徒的自殺皆十分同情。但是在今天，却無此必要了。

阮高奇政府無論怎麼不好，絕無迫害佛教徒的事。佛教徒在南越的地位，目前駕天主教及所有黨派之上。要說阮高奇政府不民主，不實行自由選舉，這些問題是俗家的事，與佛門弟子無關，只要他這個政府不阻止僧尼修行，不禁止老百姓信佛，佛教徒就沒有理由去反對他。因爲僧尼本身既不能作官，從事實際政治活動，則政治民主不民主又有何關係？歸根結底一句話，越南僧尼的自焚，雖是悲劇，但也難以得到世人的同情，無論死多少人，效果還是等於零。

越南[illegible]結所在

越南的動亂，到今天內憂更重於外患，重要因素，有人指爲吳廷琰死後失去政治重心，讓成羣雄互爭局面，有類於民國十七年以前的中國。此種看法自有道理，但却非唯一理由。因爲當年中國軍閥的內爭是由於本身據得地盤，爲了擴展勢力而火併，無論軍人怎樣打，老百姓一向是不介入的；像這種全面動亂，不論軍民，各黨各派均捲入漩渦中，實爲過去任何時間所未有，不論古今中外皆無先例。追源禍始，恐怕還是受了局勢的影響。大家都對目前時局感到鬱悶，但是又沒有辦法能打開僵局，唯一辦法只有向自己人發洩，所以越南的示威動亂特別多。至於佛教徒一向注重克己，在心情苦悶，無處發洩時，乾脆就以自焚作爲解脫，否則，何至於有這麼多的人輕生。

越南若無美國，早已關入鐵幕，美國人之功自不可沒。但是美國在越南不求戰勝的政策却也太過危險！有一天越南人感到前途絕望時，國內一旦出現土崩瓦解的局面時，無論出動多少美軍，恐怕都難以挽救了。（何如）

自由談

貪官與苛吏

貪官與苛吏，都是政治之蠹，殃民誤國，於斯爲甚，而以苛吏的禍害尤大。

貪官的目的在索賄受賄，人民需要他處理的事件，祇要給以賄賂，相當滿足了他的慾望，遇事不但毫無刁難、推拖之意，得以順利解決，而且他根據法令規章，替當事人設想周到，指導你應該怎樣進行，如何着手，減少許多麻煩，所謂得人錢財，替人消災是也。

苛吏則不然。表面上他遇事依法辦理，絲毫不茍，不徇情，不受賄，表現着廉正自持的作風，殊堪嘉尚。實際上不識大體，流於苛刻，一種芝麻綠豆般大的問題，看得非常重要，說來十分複雜，窮年累月亦得不到結論。或著拘泥於法令，死趨牛角尖，把極其簡單的問題，弄成繁劇情況，認爲非同小可，決不考慮行政效率，更不措意於便民的職責，我慢固執，莫名其妙。

老百姓遇着貪官，送點紅包，事情就容易辦通，稍受財物損失，固無所謂。唯有苛吏最難應付，他的官腔十足，處處有法令根據，又隨時自訂規章細則，繁複苛擾，令人畏之如虎，無可如何。例如汽車在街上違反了交通規則，原係極尋常的事，祇要記下汽車號碼，查看司機執照暫予放行，然後傳喚當事人，依法究處，以免當場妨礙乘客的時間，耽誤他的事情，這纔是便民的應有措施。苛吏遇到這種事，他就不顧一切的認爲嚴重之至，連人帶車一起扣留，鬧了半天還沒有結局，我在台北就曾經遭逢過這樣的困擾，無可理喻，徒喚奈何。即小喻大，一般苛吏之擾民病民行爲，可想而知了。

貪官之所以產生，不見得都是由於其主管首長的默許放縱——除非集體貪污——苛吏的由來，百分之百是其主管首長不識大體，不明治道所使然。上有好者，下必有甚焉，假使主管首長有知識，通達事理，勤政愛民，必不致容許部屬察察爲明，而以苛刻爲服務之本，殆可斷言。

貪官固然可惡，苛吏尤其該死，兩害不除，政治永無清明之望，可懼也矣！

馮[illegible]先生

南美洲新獨立國蓋亞那 切望我國助其開發經濟

·紐約通訊·

在南美洲東北岸的一個新國「蓋亞那」，已於五月二十六日誕生了。這個新的獨立小國，原是英國屬地圭亞那。

這個速在南美的新、獨立國的誕生，對於自由世界，尤其是我國有着相當重大的關係。而對於充滿着爆炸性的拉丁美洲問題，也顯出一種良好的轉變。

蓋亞那面積凡二十一萬餘方哩，人口六十餘萬，內包括華僑五千人。而在它東部的荷屬圭亞那也有着華僑五千七百人，西隣的委內瑞拉，有華僑約二千六百人，位於南面的巴西則有華僑約六千八百人。所以該國政府的政治立場將會嚴重地影響南美的許多華僑，一如迦納在親共的恩克魯馬統治時對非洲各隣邦的情形。

原日英屬的圭亞那，久已爲共黨傾覆的目標；可是，現時於獨立後執掌國政的政府却是非共的。

曾於英國屬土時期執政的那個左傾的那干政權，經倫敦英政府指責該政權行將落入共黨之手後，已於一九五三年被推倒。而今年一月在古巴首都哈瓦由共黨操縱而舉行的「三洲會議」，亦曾宣告圭亞那爲共黨的目標。

此外，這個國家還面臨着許多爲一般落後國家所常有的經濟與社會問題，另得加上一種還不算很廣泛的種族糾紛問題。

英國統治這塊地方已有一百二十五年，約在一世紀左右之前，當地的種植園主曾從非洲輸入大批奴隸，並由印度招來數百名工人做種蔗工作。這兩族人隨後不時發生種族互鬥的事件，但近來局面比較平靜了。

一九五三間圭亞那曾上演舉世注意的刺激驚險的一幕，那並非普通的大國派軍鎮壓土人叛亂那樣簡單，而是英國殖民地部鑒於英屬圭亞那正遭遇將陷於共黨統治之威脅，乃派兵鎮壓。共黨控制政府之舉，因此未至發生，但有些人認爲共黨尚未罷手的。

不論共黨將如何做作，都是這個獨立的新國蓋亞那政府所必須應付的問題。

耶干是一九五三年事件的中心人物，現時是沒有政權了，但他在國內國外都有着相當的勢力，他也與莫斯科及古巴卡斯特羅政權有着很好關係。

蓋亞那獨立國新政府的首腦是現年四十三歲的黑人勃恩漢，曾爲全國最優秀傑出的青年。

耶干與勃恩漢原來是好朋友，但後來反目了。據他們的朋友說，勃恩漢是不滿耶干的共黨思想而和他鬧翻的。

一九五三年之後，勃恩漢就重返圭亞那自行組織政黨。他爲人和藹，熟悉該國政治與勞工活動情形，但他自己所作的活動，卻因耶干在圭亞那境內深得大部份的印度族人和回教徒的支持，估計圭亞那六十五萬人口之半數。其他主要各族合計佔全人口百分之四十一，其餘的，則爲葡萄牙人，其他歐洲人，中國人等。

在一九五四年大選時，因採取黨派代表方式選出，耶干一派獲得國民議會的二十四席，勃恩漢黨二十二席，另一黨派佔七席；但勃恩漢以黨派聯合方式支持而[illegible]

[illegible]事務。近來由於政務叢脞，體重已由二百磅減至一百十磅，他喜好戶外運動，好騎馬，常遨遊名勝之區。

英屬圭亞那是英國在美洲方面第三個獨立的屬地，其餘兩個，牙買加已於一九六二年八月六日獨立，千里達多巴哥聯邦於一九六二年八月三十一日獨立。

耶干曾經說過，他的國家或將發生大流血事件。在英屬圭亞那時期，它是西半球有代表參加哈瓦那三洲會議常務委員會的四個國家之一，該會議乃爲計劃在拉丁美洲與非洲進行一解放戰爭──而召集的。但目前，蓋亞那的各鄰邦，東面的荷屬圭亞那，西面的委內瑞拉，南面的巴西，都因這個新生的國家能夠有一個非共黨的政府而深感快慰。至於這個新國對我國的關係展望是光明的。該國總理勃恩漢是一個反共人物，他那一派人的勢力日雄。他與我國聯合國代表薛毓琪大使及外交部次長楊西崑都有交情。本年四月十二日，薛毓琪大使到蓋亞那訪問時，曾與勃恩漢兩度會談，勃恩漢曾對他表示，希望我國能幫助該國開發經濟，並致函蔣總統邀請我國於五月二十六日蓋亞那舉行獨立之日，派特使參加。而薛毓琪大使經已以特使身份代表中華民國參加蓋亞那的獨立大典，這顯示我國與蓋亞那已奠定外交關係的初步了。

恬不知恥。屍居餘氣 蘇加諾勢難免被逐下台

—星加坡通訊—

蘇加諾爲了他的地位進行再辯明的次一企圖，乃在四月下旬出現的。學生們曾指責總統的顧問委員會仍被親共份子所滲透。學生們因此要求改組這個總統顧問委員會。[illegible]生們多方表示撫慰，極盡其敷衍之能事，可是結果他却偏偏再度任命大部份的同樣人物，復充總統顧問委員會的委員。

於是乎更多的示威運動紛紛而起。蘇加諾總統顧問委員會乃不得不宣佈將不依預定於五月八日召開會議。結果當該顧問委員會的十八名顧問宣告他們不願接受蘇加諾指派他們爲該委員會委員的命令時，該會無形中乃從蘇加諾的控制下宣告失蹤。

同時，蘇加諾近來較少作公開露臉。可是印尼所有各報紙上每天無不用他的鼎鼎大名來作主要的頭條標題；這似乎是要引起反對他的人們，對他足以隨時加以注視。

蘇加諾所有來往的電話，統統是在掩蔽之下進行的，而他所有到訪來賓，亦復如此。他的大部份時間都在雅加達總統府和茂物的夏宮寂寞淒涼而窮奢極侈的生活之中。已往的歲月中，他也老是乘坐他的直升座機飛赴茂物的夏宮從事桃源享樂，可是目前已改乘汽車了，他已不再能獲得飛行的許可。

蘇加諾的次一行動，乃在五月上旬演出的。他竟企圖解散多數人認爲足以剝奪他許多權力和頭銜的人民協商會議。然而，作爲當今的軍事權力人物蘇哈圖將軍對蘇加諾此一企圖，堅持反對，拒絕容許他此一下策。但在蘇加諾日本太太的「金屋」開會進行了更多談判之後，蘇加諾乃要求把人民協商會議的會期至遲展延到六月份，[illegible]答允了。一些人認爲這是蘇加諾的勝利──在他總統職位的繼續上建立了一個新的立足據點。然而，此一行動更可能顯得似乎對蘇哈圖將軍有利。

蘇加諾因此足以開始繼續肅清人民協商會議中的共黨份子──而以效忠他（蘇哈圖）及其新政府而並不效忠於蘇加諾的那些人們取而代之。並且他（蘇哈圖）亦足以趁此時機確保不再會有支持蘇加諾的任何行動，如果該總統開始均台的話。

一面對着新政權對他所施加一切一切威脅的蘇加諾，也會就其一些令人驚訝的手段有所反應。印尼必須繼續實施其民族主義，宗教和共產主義三位一體的政策。他竟不顧此一間斷十月流產的政變企圖之後，對共產黨所作的普遍仇恨，而公開發出這種言論。

蘇加諾會使許多印尼人士大感驚訝的最近行動，乃於最近一週當他要求對於「新興勢力會議」仍須加以召開時，突然出現的。他想要召開「新興勢力會議」所需要的各個大樓的建築工程，限本年內加以完成。──估計需要加建築費達一千八百萬美元；而對前來印尼參加「新興勢力會議」的各方代表的招待費，勢將需要無數萬元的經費。

蘇加諾會經繼續不斷地要求，謂爲了要提高人民的士氣，[illegible]

[illegible]開照片上出現這樣的一種儀表時，那勢必使人大聲叫嘆。在實際生活中，他是一個大胖子，禿頂光頭佬，而經常戴上一副黑眼鏡。可是他不許可對他本身照相，除非他頭上規規矩矩地戴上一頂黑色的回教帽而足登襪皮鞋的時機。除非他穿裝禮服而佩着勳章的綫[illegible]，他乃很難得肯於正式[illegible]的。

當印尼人們看到不戴帽革服的總統照相時，便着他們的頭面，說他們不[illegible]這是誰的肖像。

儘管他有着種種缺陷和[illegible]，蘇加諾依然是印尼國元首。他是否將被革除或者印尼軍事領袖們是[illegible]爲値得把他革除──乃等待着，且聽下回分解。

[illegible]那些極端份子爭辯着對[illegible]諾總統當加以徹底革除[illegible]乾二淨，而那些穩健份[illegible]則說他可使之僅僅成爲傀儡領袖。（下）

香港商場銀根緊 有人憂懼倒風來

（本報訊）最近香港商場銀根特別緊，若干退票亦陸續有出現，於是很多工商界人士心理惴感恐慌，他們恐怕這種情形繼續發展下去，到了六月底銀行半年結前的時候，將會發生很大的倒風暴。但據商銀行與華資大銀行對於業務正常而又信用良好的客戶，並不會催促清理透支額，所以預料六月底前香港商場不會有震動性的倒風出現。

據銀行界透露：最近英商銀行與華資大銀行對於一般來往客戶，已經審查很詳細，對於業務正常而資產負債可以相抵的貸放客戶，並未有催促他們清理透支額，但是對於另一些客戶，當然不會特別給予通融。因此在今年六月底銀行半年結算前，工商單位的倒閉事件，雖然比去年同期更多，但這些擱淺的工商單位，是較早時候已經存在若干問題的，就是銀行已經停止對他們的支持，以及貨主對他們停止除放的若干商號及廠號。換句話說，今年半年結前，商場發生的倒閉或擱淺事件，並非突如其來而有較大的牽連與震動性的，而只是淘汰更多的不健全工商單位而已。

最近幾天來，若干行業退票事件陸續有發現，但退票額很少超過二萬元，而以七千元至一萬元的退票最多。因爲這些遭受銀行退票的客戶，貨主方面早已對他們停止除放或減縮除放，因此這些退票有一部份是清償舊欠，有一部份是清償新欠的。但數千元至一萬元的支票，也不能兌現，顯示這些工商單位確已陷於油盡燈枯，無法週轉的境地了。

銀行界又透露：現時英國海員罷工風潮已經延續近二十天，銀行對於運往英國的貨物押滙買單雖然比較審愼，但大工廠直接付往英國的D‧P貨物，英商銀行及華資大銀行仍然照常十足買單，但這些押滙買單大多數是英國銀行所做。至於憑信用證付往英國的貨物，已經收到英國商家開來信用證，通知六月底或七月將貨物付船的，銀行方面有兩種不同的方式處理：如果是大洋行或大工廠收到的信用證要透支貨款，銀行當然照常受理，但中小型出口商及中小型工廠收到的信用證要向銀行透支，就不敢輕易接受了。

關於最近入口貨物的贖單，銀行也採取兩種不同的方式處理：屬於大入口商以及工廠運到的貨物，仍然可以採取信用贖單，但對於普通客戶贖單提貨，多數採受分批贖單的方式，甚至寧願讓客戶拖延一些時間贖單。

今年銀行半年結前，處理的方式比去年同期更有步驟，因爲銀行對於一般客戶已經有了充分時間的審查，誰的信用好，誰的信用差，誰的實力強，誰的實力弱，都已經審查清楚，故此今年半年結前，不會突如其來的收縮信用，亦即是不會主動性影響香港工商業。

毛共饑餓傾銷打擊下 香港傢俬業首當其衝

廠家破產工人失業堪虞

務使購買傢俬的人不必動腦筋來配備，祇要計算居住面積的大小，就可以購買整套傢俬，每一套傢俬價格由一千元至一千餘元，不但專車輪送，還派出經過訓練的職員代爲設計佈置，使顧客感到滿意爲止。不單是價格方面使港製傢俬業無法和它競爭，即服務方面亦使香港的普通傢俬商店不能做到。還有一點更値得注意的，就是中共傢俬並非全部製成運來，而是把半製成的傢俬運來香港，在新界設有面積很大的工場發售，這樣可減少運輸的費用。故在香港展開傾銷，香港傢俬行業漸感一籌莫展。

又據一家製造摺椅著名的傢俬商人說：中共的摺椅低價傾銷，對港製摺椅是很大打擊，他們仿做香港最通行的摺椅欵式，以同一質料製成，而以低於香港的成本競銷。在最近的一次「交易會」，香港的代理商在交易會訂購了十萬張鐵質加膠皮墊的新式摺椅，據說每張批價五元餘，預計在香港售價七元至七元餘，但香港製成的同一質料與欵式的摺椅，每張成本亦達九元左右。將來這種摺椅大量運到，對港製摺椅打擊更大。現在香港製造摺椅的一家製造商，準備放棄製造這種新型的鐵質加膠皮墊摺椅，避免中共的仿製品賤價傾銷，當然這一來業務的損失就很大了！

瀛海異趣談

美國盜賊居然搶劫警局

·桑雅·

美國的賊人行爲日益猖獗，乜都敢做，未知是否警政出問題。除了無數的刼案竊案均不了了之，無法破獲，甚至警署本身，亦被刼匪光顧。賊公計勝過狀元才，歹徒用調虎離山計，會打刼了一間警局。

不久之前，俄亥俄州中部的某工業城市，發生一件刼案，被光顧的竟是當地差館，可能從本案展示了美國治安當局的缺點。當警察局長在長老會，婦女聯會發表演說，大談「實施法律的問題」時，警局打來一個電話報告他，市郊的某銀行被三個幪面賊人打刼；五分鐘又有一個匿名綫人報告，一批穿黑硬外套的電單車飛車，正在某街襲擊一些少女。

十分鐘內，警局全部警力出動，分別去圍捕銀行刼匪及應付電單車飛仔，只剩下當值的警長在局內「坐堂」。其實這個城市並沒有發生什麼刼銀行事件及飛仔亂擾，當大批警員返回警局時，發現「坐堂」警長被人用繩子紮在椅上，嘴吧也塞了物品，不能聲張。原來警署發生刼案，三賊乘警局眞空，殺了進去，制服了警長，打開保險箱，把警局福利基金八千七百八十九美元，全部刼去了。

無地自容局長在沒精打彩地說：「我們中了賊人的調虎離山計。可是警署也被行刼，眞是上帝對歹徒太仁慈了！這種行爲未免過甚。」

警局也被光顧，其他居民更是被賊人毫無忌憚光顧的對象了。去年，埃俄華州中部一小農村鄉鎮，在三個月之內每週有五間房屋被爆竊賊光顧，問題是大家都工作繁忙，對陌生人不理會，一切均無綫索可尋。竊案不斷發生，最受不了的是要賠償損失的保險公司，祇好出頭聘請私家偵探數名，三天之內抓了幾個爆竊賊。

美國的西北部，警察對于竊案也沒有辦法，自一九六五年以來，被偷去的牲口，價值十七萬五千美元，無法破案，失主祇好白嘆倒霉。現代的偷牛賊與一八八〇年代的前輩大不相同，他們搶刼牲口，出動時是按照一項策劃週密的計劃行事的，好像去打仗一般。通常用貨車甚至用直升機把偷得的牛隻儎走，半途再把牲口轉到另一貨車飛遁而去，無法追緝。他們是白晝偷牛的，以迅速的行動把牲口運過邊境，一切無事了。曾有人一方面對一些盜賊作智力測驗，另一方面又拿一批警員作智力測驗，竟發現賊仔的智力測驗成績，僅低過警員百分之四，換言之，賊公計與狀元才其實相去不遠。

許多爆竊匪被捕後，首先審問他因何要犯罪，他們幾乎都是異口同聲地說：「這是太容易的發財方法」。有的說計劃爆竊簡直好似兒戲一樣利便。一賊人承認過去三年，曾爆竊四百多次，任何稍爲醒目的人，都可逃過緝捕的。還有竊匪以諷刺的口氣，對地方檢察官說：「你們最好設法攪好警政，用些優秀的警員，否則他們麻煩了」。當然警察方面也有他們的話。

最近，美國中西部舉行的警察首長會議，席間有一位局長出示了一位警員的辭職信，其內容大可以說明了一切，該信內稱：「過去六年，我曾因追捕刼匪，被擊中兩槍，又遭一匪逃跑的汽車撞傷，又被不良的少年投擲臭蛋爛蕃茄。兒子也在拿我開玩笑，我已經四個月沒有星期六的假期了。平均我每天工作十三小時，有時甚至更長的時間。我曾獲兩枚獎章，四份報紙的社論讚揚，可是我的週薪是八十一元七角九分，還未除稅。我辭職不幹了。」

在美國的警察，高中畢業的是最高教育程度的了，他們不願意拿着六十二元五元五角的週薪去拼命。各城市的警察均有缺額，也正爲此來。新澤西州紐華克城的警力應該是一千四百九十一人，至少缺一百多人。芝加哥千方百計設法在一九六七年之前，補六百名警員。克利夫蘭城預料本年底的二千二百個編制警員數字，至少有缺額百分之十。

至於在警察訓練學校畢業的警員，倘是有學院資格的人，幹過了應限定的服務年額，立即辭職到其他的政府分支機構去充當警衛，或工廠的保護警員，享受更高的待遇。

柏林自由大學的「學生村」

·大知·

柏林自由大學的學生村裏，住的是百分之四十的西德和西柏林的學生，百分之四十是流亡的學生，還有百分之二十是外國的學生。這個學生村共有十八幢房屋和一個俱樂部。每幢房屋規定住三十二個男生或女生。房子的建築，外表只有黑白兩色，酷似招待所。每幢房屋裏的房間爲十平方公尺，除傢具外，有一大窗。每八個學生有一個盥洗室，每十六人設廚房一個，一切設施均甚完備。

該村現有大學生六百人，是一個學生的社會。主其事者爲大學校長，另有一位講師與七位助教協助。他們均來自不同的學院，並有村議會與村長的組織，以解決村裏有關的問題。

由於學生村有六百個村民，而且是淸一色的大學生，所以也有人稱學生村爲「寓所學校」。那末，自由大學爲什麼要設立學生村呢？它的宗旨是在促進學生重振精神生活。學生們日間各有各的功課，但夜間不同科系的學生共處一室：學藝術的，哲學的，醫學的，理工的……得以互相交談，彼此交換學識，至少可以避免對他科的格格不入。

柏林自由大學的學生村，係由一項美國捐欵而設置的，在學生村的創立文獻中，曾經有幾句話說：「捐助者的目的，在求柏林自由大學的學生們，有一個舒適的住宿之處，並保證他們有一個合乎時代的學生團體生活：使得來自德國與外國的學生共同生活，日夕相聚，瞭解彼此的生活與理念：……」

基於上述的理想，學校當局確是不負捐助者的期望，證明了大學對於學生的希望。

學生村的成立，確已達到「合乎時代的學生團體生活」。好的開始是成功的一半，村裏居住的每一個學生，都對這村子表示興趣，各國的學生五相交談，系與系之間的討論，有關於學術的、電影的、戲劇的、批評的、音樂的。這裏有音樂欣賞會，也有飲食的供應：有西餐，有米飯，有酒，有茶。

學生村的活動很多，例如女學生有廚房可供她們烹調。至於學術研究的團體，更是不勝枚舉。有考試前的學科問題，政治意見的交換，困難問題的共同解答，黑格爾法理學講座等，各人可隨興趣而參加。

在學生村裏最吸引人的要算是「屋會」，這幾乎是每個屋裏每星期舉行的，其性質相當於舞會，但其目的是在：「尊重和瞭解本國和外國的生活方式」。但是他們與她們雖同居一村，在晚上十一點與早晨九點之間，彼此禁止訪問對方的房間。（上）

質詢權的平議

張健生

「……在星期三的質詢中，他或者可以敏於答對，或在笑聲中規避了嚴重的考驗。但在星期日的場合中，也許他的質詢人把他難倒了。在全部把任管部閣員的時間中，他實在無法逃脫一切問題的質詢。常有許多議員以各個串連而成的整套問題以困他，遂致他無法逃脫這炮火密集的防綫」。

由此可見，英國的質詢制度，不僅在求瞭解政府行政的實情，而批評政府措施的得失，而且含有教訓的作用，以及具有磨鍊政治家的作用。

四

法國也是責任內閣制的國家，關於質詢權的行使，除施行英國式的質詢外，還有她自己獨創的詰問（Interpellation）。

法國所施行的質詢，分爲口頭質詢與書面質詢。口頭質詢爲十五分鐘，而閣員答覆質詢則無時間限制。至於書面質詢每年以數千件計，國會議員提出書面質詢付印於議事日程中。被質詢的閣員對於書面質詢，除經要求許可以更長的時間外，應於一個月內以書面答覆之。被質詢者雖可以公共利益或國家利益爲理由，拒絕答覆質詢，但這究竟不是經常可行之道。書面質詢如能在最佳的運用，固可導致重大難題的討論，否則，若運用不當，則徒供議員們提出瑣屑的問題，變成爲政治宣傳的作用。

質詢與詰問在實質上相異。質詢於議員和閣員一問一答的程序後，即告結束，並無其他後果。然而詰問則不同，除一問一答之程序，繼之以討論，繼之以表決，而表決的結果直接影響到內閣改組。

按照法國議會的傳統，凡是行政上的細微事件，議員對內閣提出質詢，對重要事件或涉及政策的問題，則提出詰問。就現制言，衆議院謂之「詰問」，參議院則謂之「附討論上的口頭質詢」，這種質詢實質與詰問相同。當衆議員提出各種詰問之後，即交由「主席會議」，以決定那種詰問應提付院會，並得將相關的各項詰問歸併爲一件，通知內閣到下一次院會時，主席即徵詢被詰問的閣員定於何日討論，該閣員可以贊成即付討論，也可以拒絕即付討論而要求將該詰問置於將來的議程中。所謂置於將來的議程中，即無異置之於擱置的境地。提出詰問的議員或聯署該詰問的議員可要求討論議程，閣員也可以說明置之於將來議程的意見，於是雙方發生討論詰問時間的爭議。這種爭議雖未涉及詰問本題的實質，而只確實屬於討論詰問的時間的程序辯論，但實含有測驗內閣的政治力量的意義。（四）

新三國

周游評著

後來果然變爲好學之士，爲同縣諸生之冠。性情剛直，有大節，旋舉茂才、孝廉，拜尚書郎，除安徽盧、舒縣令。在官淸白，有人送紅包五百，謙委之於官而去。後遷幽州刺史，徵拜議郎。皇甫嵩討西羌兵，召謙爲揚武都尉，大破羌兵。後邊章、韓遂在西涼作亂，召陶謙參與軍事。徐州黃巾作亂，謙破走之，爲徐州刺史。董卓之亂，州郡起兵，謙自保徐州。天子都長安，四方斷絕，謙派人間道去長安貢獻，遂爲安東將軍徐州牧，封栗陽侯。徐州一直未有大的動亂，民富殷盛，因此附近州郡流民多歸之。可是此時做了州牧的陶謙却以「背道任情」的作風出之，任用小人，所以沒有大作爲。到此徐州則爲兵家必爭之地，曹操、呂布、袁術等，都十分覬覦這塊殷實的州郡。先是曹操假復父仇，徐州遭了一次大屠殺，「泗水爲之不流」。因此才把劉備請了來，屯駐小沛。

興平元年，曹操又東征，略瑯琊、東海諸縣，陶謙大恐，打算走丹陽的老家去。此時忽然有張邈叛呂布，曹操乘機想解決這隻猛虎，還兵討呂布，徐州情況始告緩和。但是陶謙已經不能再做這羣雄相爭的州牧了。陶謙見劉備在徐州表現良好，且深得民心，決意讓賢，以安徐州。陶謙當面託徐州於劉備，劉備推辭不受。不久陶謙病重，徐州未來前途應當有所交代，於是召別駕麋竺來，陶謙對麋竺說：「非劉備不能安此州也」。說完就死了。

劉備被擁爲徐州牧，除陶謙之讓而外，另外尚得力於二人：一個就是麋竺，一個是下邳的陳登。這兩人都是仰慕玄德的人。先介紹麋竺：竺字仲子，東海朐人。他出身大富豪，祖世經商，家有僮客萬人，資產鉅億，實可算得一大家族。陶謙領徐州牧，辟竺爲別駕從事。陶謙死後，他奉命迎玄德於小沛。後來玄德在下邳失去原配夫人，他進妹於劉備，又將鉅億家產完全獻與劉備，以爲軍資。麋竺、麋芳昆仲兩人都追隨劉備，對劉玄德的創業大有貢獻。

陳登字元龍，是沛國相陳珪之子，後呂布襲下邳，陳登歸呂布，物向呂布降曹有功，爲廣陵太守，加拜伏波將軍。

另一位是孔融，也是勸玄德領徐州的一人。可見劉備之得人如此。蓋當時陳元龍、孔文舉皆大名人也。

麋竺、陳登、孔融三人率州人迎玄德於小沛，儼然是一擁劉集團。玄德仍不受。於是陳登便起而說玄德曰：「今漢室陵遲，海內傾覆，立功立事，在於今日。彼州殷富，戶口百萬，欲屈使君撫臨州事」。玄德答曰：「袁公路（術）近在壽春，此君四世三公，海內所歸，君可以州與之。」陳登再說：「袁術驕豪，非治亂之主。今欲爲使君合步騎十萬，上可以匡主濟民，成五霸之業，下可以割地守境，書功於竹帛。若使君不見聽許，則登亦未敢聽使君也。」玄德仍是不聽。北海相孔融起而發言曰：「袁公路絕非憂國忘家之人，不過是塚中之枯骨耳！今日之事，百姓要舉賢能，此乃天與也。天與而不取，後悔不可追也。」幾個人說服了玄德，乃領徐州牧。此事在三國志上記得明白，羅貫中並未造謠。（卅八）

龍吟的演目（續）

（一）秦香蓮——馬驪珠（香蓮），朱殿卿（包公），謝景莘（王延齡），佟世忠（陳世美），陳萍萍（太后），何復貞（公主）。（二）盜仙草（何復貞），四進士——宋士杰（謝景莘），顧讀（朱殿卿），楊素貞（胡錦），田倫（佟世忠）。（三）淸宮冊——寇準（謝景莘），潘洪（朱殿卿），寇夫人（胡錦）。虞小翠——馬驪珠（小翠），佟世忠（王元豐），胡錦（小翠的妹子）。（四）高平關（朱殿卿），奇雙會，趙寵（驪珠反串），李桂枝（胡錦），李奇（謝景莘），李保童（佟世忠）。（五）生死恨——韓玉娘（麗珠），程鵬舉（佟世忠），張萬戶（朱殿卿），李氏（陳萍萍）。（六）斷橋——白素貞（驪珠），靑兒（胡錦），許仙（佟世忠）。鎭澶州——岳飛（謝景莘），楊再興（金源）。（七）林冲夜奔（驪珠反串）。

就上列的演目來測斷，八九年前，所著稱的鎭澶州，茲復重觀。而生死恨鳳還巢同爲梅氏名劇，演鳳還巢者甚夥，生死恨很少有人唱，爲了不易唱好。驪珠有勇氣敢貼出。再兩齣反串，文的雖易爲，也要避濫，武生更難。此間僅李環春能演，不過旦角反串，自不能以武生的演出眼光，來作衡量。記得梁秀娟在大陸時，曾一度演之。白玉薇拍過此照片，恐怕未上過台。乃女胡錦，陪演虞小翠，獨演奇雙會斷橋，亦大顯其才。

國劇繽紛續錄

（九十七）梁鑾生

朱殿卿的包公，顧讀的潘洪張萬戶皆能有獨到。尤其單演高平關，在台灣尙係首次演出，是其他淨角所不能。所列戲碼很見剪裁，與其他劇團少重複。於文藝活動圈內，極能測某個劇團的份量，龍吟頗能竭盡其才，分別亮出，以示新異，差可稱之。至於小生佟世忠，據南部友人函告是一俊才，此次由陳世美田倫程鵬舉許仙來扮飾，各角個性不同，當可一晛其藝。是否過譽，以事實來證之。

談龍吟的角色

第二三三四部龍吟國劇隊，於下月北來，參加文藝活動，作首次的公演，其演出各戲，已詳述於演目。此隊的角色，相當的整齊，生旦淨丑，無不齊全，所謂樑柱無缺也。茲略談其人選，以告讀者。

（一）朱殿卿　河北涿縣人，畢業於北平三樂班，與尙小雲同科，獻身戲劇工作，約有六十年，是台灣最老的伶工，也即是淨行的泰斗，與王福勝堪稱昆仲。但能戲較夥，演技或過之。出科在北平三慶登台，即獲好評。（未完）

舞龍

劉杰

慶祝蔣總統就職大典後的遊行，他們要我帶隊。這是他們給我的好差事，我要在太陽下考驗三小時。曬曬太陽倒沒有什麼，主要的就是舞龍。我這個隊裏的舞龍的不太好，而在大街上走動，那麼多市民圍着來看，舞的不好，那就給別人笑掉大牙的。

於是，我在前兩個小時，要他們先舞一次給我看看。我不會舞龍，但我看過很多舞龍，我在台北讀書，一到春節，那就一定有舞龍的熱鬧。

「我們到中山堂去！」同學王在樓下叫：「快點，不然趕不上車子。」

我的眼睛在書本上抬起來，腦子還在書裏的故事。

「中山堂有什麼熱鬧？」我問。

「你難道沒有看報紙？」

眞的，我從早起來，就被一本小說書吸引住，我不僅沒有看報，我連早點和臉也沒有洗。這小說的故事，從頭到尾就把我的心抓住。

「你說說，」我說：「到底有什麼解除寂寞的。」

「你做什麼來？」同學皺眉頭說：「我如果不看報，那我早點也不會吃的。」

我沒做聲，讓他嘀咕我。

「中山堂有舞龍的，是有名的××舞龍隊。」

××舞龍隊，祇有一條龍。我沒有看過，我在照片上看到過，那的確不壞。我在學校時，就對同學們說：

「沒有看到過××舞龍隊，那是自己的遺憾！」

「眞的？」我們一定要欣賞一次。」現在聽到了××舞龍隊，我就立即要去。我穿好鞋子，就和同學趕車，到中山堂，龍已經舞了起來，四週的人山堆的太高，有些陽台上也擠滿了人，我祇看到龍頭在一隱一現，就像「千呼萬喚始出來，猶抱琵琶半遮面」。

我對同學說：「我們也到房子上去！」

「祇怪你，」他埋怨我：「要是早來就沒有現刻這樣苦惱！」

「我請你喝咪啡就是。」

「你在學：……」我和同學左說一句，好話右說一句，好話總算到達樓上，在人羣中擠了一個位置。

從上面往下看，那條龍就和活的一樣，共有廿節，龍頭擺動，龍身龍尾也跟着擺動。龍頭擺的快，龍身龍尾也跟着擺動的快。

「這眞是活的龍。」我在咪啡室時，同學這樣告訴我。

我有意出他的洋相：「你是眞見過龍吧？」他張大眼睛望着我。

「你也祇有在書本上的知識，」我說：「究竟這個樣子，眞龍是不是還有待攷證。」

「你似乎就在攷讀歷史，比我們文學系的要强了若干倍。」

「我不喜歡你這種腔調。」

「似乎要打一架？」我說：「倘若不這樣解決的話，文明人使用武力方法，我並不反對，這祇是說說而已。」

但這次的舞龍給我很深印象，也使我在糢糊記憶中找到舞龍的社會意識。

我的家在安徽，一到過年，那就有舞龍的，現在在台灣定其名曰：民間藝術。舞龍的都是身强力壯，個子大的年輕人。我們家都是讀書人，自然不舞龍，不過龍來了，還用鞭炮迎接，送的錢多，包給他們，他們就玩的精彩。

「媽，」我拉媽的衣角說：「再叫他們舞一會兒。」

「你身上有多少錢？」

我立即掏出來，那是父母給我的壓歲錢。

「你還是收起來，」母親說：「你那幾個錢，他們還不看在眼裏。」

那時，我才知道我的眼光是多麼的短，我的富有是多麼的可憐。

我對於舞龍，最喜愛的就那龍頭上的紅眼珠，裏面點着火，在晚上那火就噴出火光來，就像一朵紅花似的。

「媽，那個眞好看。」

「那你就多看一會。」

「長大了，我也舞龍。」我說。

「那你長大了，你也就不會有這麼高的興趣了。」

當時，我很反對媽的話，現在媽的話却成了眞理的實現。我除了這次當了舞龍隊的隊長，我就沒有和舞龍人員接觸過。

孟姜女

「影劇與歷史」之二十四

周遊

孟姜女哭倒萬里長城的故事，是中國人婦孺皆知的，流傳中國全國各地固不必說，在華僑社會中，也很流行。以其時間計算，已經有二千年之久了。她這一「哭」，眞是名垂千古，數千年來沒有一人有她會哭。但是，必須告訴讀者們，孟姜女哭崩長城故事，不是一時間完成的，是由於很多善哭的女人故事集合附會演變而來的。到了今天的影劇內容，已經過許許多多的演變了；到現在爲止，故事中包含了「愛」與「恨」兩大旨趣，有深刻的戲劇性。在今天時代說，不僅是「愛情至上主義」，而且是發揮了「抗暴精神」。在電影故事中，「愛」與「恨」相行而不背。劇作家將之搬上第八藝術的銀幕，不失爲一好的影劇題材。一般人以爲「范杞梁」改爲「萬喜良」，似在影射善良百姓，以「萬喜良」血肉來固築城基，來刻劃秦始皇的暴政；而孟姜女哭倒長城，則是表示人民對暴政的反抗。觀貫休的詩，足見此說並非瞎說。故事小說之產生，不能沒有當時的歷史背景，這個故事的歷史背景，也許就是秦始皇暴政下的產物呢！貫休詩云：「秦之無道兮四海枯，築長城兮北遏胡；築城築土一萬里，杞梁貞婦啼嗚嗚。上無父兮中無夫，下無子兮孤復孤。一號城崩塞色苦，再號喜良骨出土；疲魂飢魄相逐歸，陌上少年莫相非！」此說可作爲我的觀點的一點註脚。

在情的一面言，范杞梁與孟姜女在花園之中的相遇，眞是夠人欲仙欲醉的鏡頭，也夠吸引一般青年男女羨煞的。在生離死別之悲的一方面說，當他們倆在「秋季裏，百花蔭」一季節，洞房花燭之夜，突然被强暴軍人拉伕而去的時候，眞是晴天霹靂，天降無情劍，斬斷夫妻兩離分，却又令人悲淒萬狀。觀劇至此，淚珠不直落的人太少了。

在表現至情的一面來說，在孟姜女冬季送寒衣的一程，在冰天雪地之中獨自行走，抱定孤憤而痛恨的心情，經過了千辛萬苦，兵荒馬亂的地方，以及無道的政府的鐵蹄之下，更充分表現了「愛情至上」的精神。

在恨的一面來說：當她哭倒暴虐政權所築的城牆的時候，則是「恨」的反抗。加上吳廣、陳涉的揭竿而起，人民蜂起以相從，舉推翻秦始皇暴君，這恨的啓示，證明了暴政必亡，侵畧必敗的定律。下面再看歷史吧！（上）

黃旭初梁斗堂酬唱八首

息影香江之前廣西省主席黃旭初，月前爲其七十五華誕，其兒女親家梁斗堂先生曾三度寫詩爲祝，黃先生亦三度依韻和之。茲誌二氏之酬唱如次：

閏三月戲呈旭公親家郎以祝壽　梁斗堂

安排入夏啟華筵，春去還留樂事添。
天上蟾光能駐影，人間鶴算喜延年。
祇今雀躍星輝地，仍是鶯飛草長天。
屈指良辰知未遠，幾回翹首口流涎。

丙午七十五初度斗堂親家詠閏三月詩以見賀依韻奉酬　黃旭初

春留人惱滯開筵，我喜吟情逐日添。
時可再來疑返老，影如能駐自忘年。
未淪朽廢因躭水，漸退聰明好樂天。
酒債相催佳作至，詩腸轆轆正垂涎。

閏三月再呈旭公親家祝壽　斗堂

市塵息影春常在，宛似山中日月長。
心曠神怡魚隱現，手揮目送雀低昂。
鄉關迢遞傭酬節，天氣淸和好舉觴。
少長羣賢齊集處，不辭病脚也登場。

斗堂親家再詠閏三月見賀依韻再酬

九龍灣畔頻酬唱，足跛頭童齒共長。
潮打尖沙常寂寞，山含鑽石自軒昂。
未妨雀陣曾爭席，欲倩鸝歌爲侑觴。
但願羣賢能畢至，還期安石早臨場。

旭公親家華與再呈兩絕句　斗堂　閏三月二十八日

（其一）
百年纔得四分三，飲水還當破大關；
似錦風光紛滿眼，海天無際共憑欄。

（其二）
情懷從不負春光，一有南薰興更狂；
祝賀乾杯微醉後，憑君呼取再開場。

斗堂親家再以兩絕句賜壽賦此奉報　旭初　閏三月二十九日

（其一）
生辰聚會本尋常，祇覺今番趣味長；
天爲增光先閏月，君吟妙句脫陳腔。

（其二）
生涯多采復多姿，似錦年華共此時；
我趁今朝酬兩首，雀聲起處便無詩。

間諜與女色的故事

。胡萩。

「不要謀殺阿瑪斯。我知道你爲什麼到這裏來。你是受共黨僱來殺害阿瑪斯的。」

韋爾夫聽後，想要喊叫奔跑，來鬆弛神經的刺激與緊張。然而，他却祇是安靜地發笑。

艾迪娜繼續說：「韋爾夫，請到我這一邊來吧，讓我們一起工作。」

韋爾夫在緘默中表示接受這一遊說。之後，他們又再匯幾小時，然後一起出去工作。

第二天，他們在瓜地馬拉城的一家酒店，外面遇到一名青年。艾迪娜向韋爾夫說：「親愛的，這是羅米歐先生。」之後，她又向羅米歐說：「我很抱歉，請羅米歐先生試圖諒解。」

有一天，羅米歐悻悻地離開了。不久，他參加了共產黨。艾迪娜與韋爾夫在中央情報局的咖啡室中進早餐時，艾迪娜打開報紙，但她隨即將報紙頭條新聞標題指給韋爾夫看，標題是：「阿瑪斯被謀殺，軍政府正接管」。報紙電文是：「阿瑪斯被他的衛兵射中，該衛兵隨即吞槍自殺。」艾迪娜讀後，臉色蒼白。韋爾夫說：「該衛兵叫羅米歐。」「他是一個好人。他爲什麼那樣做呢？」

（四、完）

自由報
THE FREE NEWS
第六五八期
中華民國僑務委員會頒發
台警新字第三二三號登記證
中華郵政台字第一二八二號執照
登記爲第一類新聞紙類
（半週刊每星期三、六出版）
每份港幣壹角
台灣零售價新台幣貳元
社長：雷嘯岑
督印人：賀行書
社址：香港銅鑼灣高士威道二十號四樓
20, CAUSEWAY RD 3RD FL. HONG KONG
TEL. 771726　電報掛號：7191
承印者：大同印務公司
地址：香港北角和富道九六號
台灣分社
台北市西寧南路壹壹零號二樓
電話：三〇三四六
台郵政信箱金戶九二五二

新戰爭邊緣論與越戰（上）

何浩若

一、從美國國防部長拒絕前往參議院爲越戰公開調查作證說起

一九六六年二月五日，自由中國的報紙刊出了由合衆國際社報導的從華盛頓來的一則新聞——說美國總統詹森支持美國國防部長麥納瑪拉和參謀總長惠勒將軍拒絕前往參議院的調查會爲越戰公開作證。茲將該消息原文照錄如後：

（中央社華盛頓四日合衆國際電）美國國防部長麥納瑪拉和他的高級軍事顧問獲得詹森總統的支持，今天拒絕在參議院有關美國政策的聽證會中公開作證。對於麥納瑪拉和參謀首長聯席會議主席惠勒將軍拒絕在有記者和公衆在場時接受詢問，參議院外交委員會的委員表示憤怒。

詹森在記者會中支持麥納瑪拉和惠勒的立場，其理由爲，他們的公開作證可能透露有助於敵人的消息。

他說：「當你在談軍事問題時，士兵們正在那裏死亡，你需要非常小心，使得你不致連累他們或危害他們。」

上面的報導忽略了詹森總統另外的一段談話。他不主張國防部長和參謀總長公開作證。他說一九五一年杜魯門總統將麥克阿瑟元帥免職的時候，參議院也舉行過秘密調查，然後將證詞以密件分發新聞記者。他以爲有關軍事的秘密不能公開宣傳。從詹森卓越的見解，使我們聯想到杜爾斯一九七五年在國會作證說明艾克總統要求國會授權保衛中東的情形。杜爾斯在那次證辭裏面透露了他的戰爭邊緣論。筆者在一九五七年十二月出版的「從華盛頓看當前世局」一書中有詳細的記載。（見該書一〇六頁至一〇九頁）杜爾斯在那次作證所說的話和筆者所作的批評，雖然事隔十年，但是和今天並沒有兩樣。一切的問題要從過去的事實尋求解答。請讀者細看下面所引的一段話，便能瞭解什麼叫做新戰爭邊緣論和現在越戰的關係。

二、由美國國防部長拒絕出席國會作證聯想到杜爾斯的戰爭邊緣論

甲、民主國家的軍事秘密和在國會作證的情形

詹森總統支持國防部長和參謀總長不出席參議院公開作證的理由是爲了保密，怕透露了有助於敵人的消息。但是民主國家對軍事秘密就難保密。筆者在十年前在拙作「從華盛頓看世局」一書中就說了這樣一段話。我說：「當前的世局無疑的是民主國家和共產集團對峙的局面。在這一個有關生死存亡的鬥爭中，美國和蘇俄兩方面，都運用着最高的政略，和戰略。說到策略，不論是政略或是戰略，都和大姑娘偷人一樣，事先是要守秘密的。像傳說中的史達林征服世界計畫和毛澤東二十年完成世界革命的時間表，那一年做什麼事，那一年在那裏發生侵略，真正的內容，外人是無法知道的。即有一鱗半爪外露，也不過是一種推測而已。歷史學家形容當日威廉第二和希特勒在發動侵略之前，一切都已計畫妥當。在某種情形之下統帥部祇要說一句：「用某號計畫」，便可以照着計畫實施。這自然是言之過甚，爲獨裁張目。但是平心而論，說到陰謀詭計，獨裁制度確實比民主好，但不一定於人類有益。民主政治的好處就是沒有秘密，一切要在事先告訴民意機關。要打仗就必須要有預算。從預算就可以看出軍事的動向。但是預算是必須公開的。其次說到某一項策略，也必須徵求國會同意。行政方面必須把這項策略詳細說明。民意機關在同意之先，還得要詳詳細細的問。這次艾克總統在就職以後提出美國對中東的防共計畫就是如此。正如上面所說的十八歲姑娘準備偷人，要先把偷人的計畫請別人批准。這批准的人還要把大姑娘叫去從頭到尾的問。一直問到最後，於是聽的人便罵大姑娘「不要臉」。這真是很滑稽的事。這次杜爾斯爲了中東防共的策略在國會作證，就像那大姑娘一樣，被國會議員問出毛病來了。民主黨的參議員問杜爾斯：「假如英法兩國在中東和美國併肩作戰，不是於美國有益嗎？「杜爾斯說：「美國就根本不要和英法在中東併肩作戰」，這句話引起了議會的責難，說杜爾斯侮辱了盟國。」

上面所講的就是當日杜爾斯請求國會授權艾克總統防衛中東在國會作證的情形。

乙、杜爾斯的戰爭邊緣論

也許讀者要問杜爾斯爲什麼要放棄盟邦不肯和英法在中東對蘇俄併肩作戰？對於這一點杜爾斯自然有他的理由。筆者在「從華盛頓看世局」一書中繼續說着：

「民主國家和共產集團不幸而發生大戰，則大戰的主力是美國對抗蘇俄，那是毫無問題的。美俄的戰爭是核子戰，是遠距離的戰略轟炸，似乎也很少問題。撇開洲際飛彈不講，單講長距離戰略轟炸的核子戰，從任何方面講，似乎以美國單獨對抗蘇俄爲較有利。就雙方的備戰力量說，長距離的戰略轟炸，美國是相當佔優勢的。但是美國所顧慮的是要替英法防守歐洲。美國不一定怕炸，歐洲可能被炸。假如美國要以步兵來防衛歐洲，則蘇俄佔着優勢。杜爾斯在國會作證以後對新聞記者解釋，他絕對不是看不起英法的軍隊，不願和他們併肩作戰。他是說英法不必牽入中東的糾紛來共同和蘇俄攤牌。接着杜爾斯便講到他的戰爭邊緣論。他說美國要避免核子戰爭，蘇俄也一樣的希望避免。因此美俄兩國都在戰爭邊緣上繞圈子。任何一個問題發生以後，誰能跑到戰爭的最邊緣上而不掉下就勝利了。拿打撲克來說明吧。美國和蘇俄賭撲克，在現階段雙方都不願攤牌。

樂極生悲

內爭外患

今日與昨日

鼎　孫科

第四任正副總統就職後，各院部會人事有部份變動，大體說來尚獲好評，只有考試院長換了孫科，確是海外人士十分驚愕也相對太息。

國父手創東亞第一共和國，爲中國四千年歷史上第一個平民總統，所著三民主義，仍爲未來世界人類唯一可行的大道，五權憲法亦爲當代最完善的大法，論其偉績豐功，不僅是中華民國不祧之祖，亦爲亞細亞洲共戴之尊，即兇悍如日本軍閥，愚頑如蘇加諾皆奉之若神明，更何論其他。但國父德澤，亦不能常蔭不肖子孫，過去國人雖以愛屋及烏心情，皆願以事國父者事孫科，因此孫科始能在青年時代任廣州市長，而鐵道部長，而行政院長，立法院長，國民政府副主席，除未任國家元首外，可說是遍歷要職。何以會如此？當然是受了國父之蔭。使孫科有中人之資，能安份守己自可不墜家聲，國人必然，如蜀人之對諸葛瞻者以對孫科，凡有善政，定曰「是葛侯所爲也」，又何至以垂暮之年，仍受國人厭惡而至不齒，孫科先生對此，應當三思。

國人所以不能爲孫科諒者，倒不在於過去之細行不檢與好貨，而是在於大陸淪陷後避居美國十六年，平日既無片言隻字宣揚國策，促進國民外交，亦未嘗一履台灣探視祖國父老，是孫先生自絕於中國，非中國人遺棄孫先生也。不意就當反攻大業即將開始，國運否極泰來之時，孫先生翩然返台，又出任考試院長，以其畢生行事，若與追隨政府撤退，艱難十六年未曾一步離開台灣之莫柳忱老先生相比，賢與不肖之相差，在國人眼中又當如何？

中華民國政府播遷台灣十七載，首賴於蔣總統之一柱擎天，次賴於全體忠貞國民一德一心，奮與國族共存亡，若當國家危難時，挾其子女玉帛，久爲遠颺新大陸作寓公之大員，人所不齒，一旦靦顏歸來，仍任要職，雖政府當局有不得已之苦衷，而受者亦未免太厚顏矣。

目前孫科先生已經執政黨提名，監察院通過及總統任命，只是時間問題，我們也不願爲多言，只感到誠希望孫科先生能覺今是而昨非，萬勿以垂暮之年，再貽世人笑，則國父幸甚，國家幸甚。

孫科先生今年七十有六矣，人生七十古來稀，又長六歲，富貴壽考是難得。黃克強、蔡松坡兩公絕代偉人，其享年總和僅爲七十九歲，當生者不生，應死者不死，國運如此，夫復何言。（岳鶴）

自由談

看共黨的文字獄

咱們看了大陸上毛共最近整肅鄧拓等人的文字獄，完全是泯滅人性的殘暴專制行爲，稍有良知者，必爲之髮指眥裂，不能忍受。

據毛共報紙揭露鄧拓反黨反社會主義的罪證，就是鄧氏在報刊上發表了一些關於古代事物的雜感文字，如愛惜民力，注重現實，同情明代廉吏「海瑞能官」，引述一個盲人懸手在橋上不敢腳踏實地等故事，皆指爲藉古諷今，是要共黨放棄無產階級革命運動，讓資本主義復辟的「惡毒攻擊」，這真是欲加之罪的胡扯瞎綁！等由准此，大陸上若有人焉，於遭受匪盜刦掠之後，也不能斥責盜匪之無良殃民，否則便係指桑駡槐，反黨反社會主義的滔天罪惡，是不可恕視的「頭等大事」，造成什麼世界呢？

從共黨這場文字獄的構造中，我們可以得到幾點啓示：一是摧毀人性，不許人們有良知良能存在，硬要絕聖棄智，盲目地甘作共黨奴役，也就是共黨仇視知識份子的基本定律。二是共黨的所謂「社會主義」，乃爲無惡不作的代名詞，舉凡殺人越貨、姦盜命拐、禍國殃民、賣國媚外……等行爲，都是爲着建設「社會主義社會」的神聖措施，只許恭維服從，不許批評研究。三是共黨內部經常發生權力鬥爭的醜劇，那怕你是個有歷史、有勞績的忠貞幹部，由於平日人事上的派別關係，一旦遇到權力上的利害衝突時，你過去的歷史與勞績，即一變而成爲十惡不赦的罪證，把一頂「反黨反社會主義」的大帽子扣在你頭上，教你有冤難訴，永無翻身之日。鄧拓等人的遭遇，便係這類情形。

共產黨這種鬼打架的玩藝，司空見慣，毫不稀奇，我們用不着大驚小怪。但從此更使人相信：知識份子在共黨鐵蹄下，決無生存之餘地，縱或供其利用，苟延殘喘於一時，結果必無倖理，君不見數十年來大力親共媚共的文丑郭沫若亦正在被清算整肅之列乎？任何知識份子——包括共幹在內——皆係共產主義的階級敵人，非消滅不可的，像英國哲學家羅素之流，妄想共黨可能行「仁政」，實係不知死活之談，可悲可鄙也。

馬五先生

毛共越共處心積慮多年經營
泰國東北部禍事漸成熟
[illegible]北有共黨游擊隊[illegible]名　急起努力能否消[illegible]未樂觀

陸之後，它便想在其他地方撒下火種，[illegible]亞洲、非洲以及拉丁美洲各地放火，[illegible]引起暴亂，擴展其赤化的版圖。

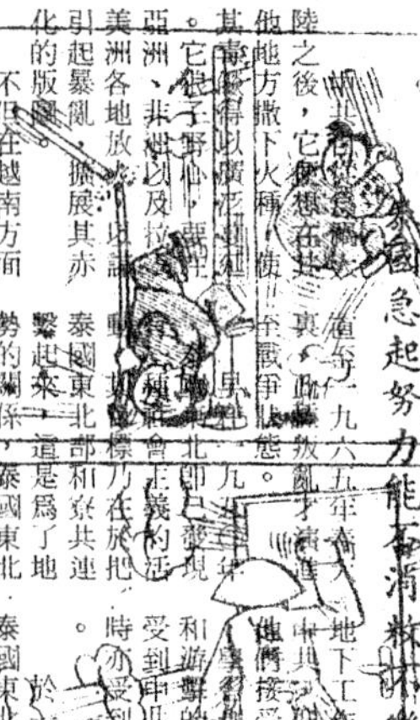

越共的叛亂和中共的[illegible]息息相關；就是泰國東北數省的共黨活動後，中共亦為重要的幕後人。今日泰國東北部處境的險惡，其情形就像六年前越南局勢一般的嚴重。雖然泰國當局對於東北部的情況從未有公開的宣佈，但人們可以想見[illegible]是一種相當嚴重的情況。

泰國東北數府共產黨的武裝的叛亂似乎發動於一九六〇年至一九六一年間，但[illegible]不但在越南方面[illegible]勢的關係，泰國東北[illegible]任何地區都較為方便[illegible]寮共。此種活動後來轉變為正式共黨陰謀，由共黨領袖策劃進行，給予泰國政府一種重大的威脅。幸於一九六一年開始，泰國政府以嚴厲手腕破了此種陰謀，逮捕了共黨[illegible]人，把為首的明正典刑，算是暫時解除了威脅。

其實此種威脅仍然存在，「野火燒不盡，春風吹又生」，泰國共產黨從此轉入地下工作，[illegible]傾向於中共。[illegible]他們接受[illegible]訓練，學習[illegible]政治的設計和游擊的戰術。他們受到中共的指導，同時亦受到中共的援助。

於一九六二年間泰國東北發生了兩三次新政治暗殺；一九六三年裏，又發生好幾次，所殺者多為政府的情報員。一九六四年謀殺案發生五起。一九六五年第一次發生狙擊穿着制服的政府警員。截至一九六五年年底，計有警員十一人和情報員二十人被暗殺，達到了共產黨恐怖手段的高潮。

據估計，現今約有共黨三千至五千人屬於泰國東北地下組織活動份子，其間包括有最少二千人的武裝游擊隊，出沒於人煙稀少的山麓地區。這些地區異常荒僻，有叢莽森林為掩蔽，且有天然的岩洞可以藏身，實為共黨作亂的大好巢穴。

泰國東北的共黨游擊隊，其組織與早期的越共的游擊隊相似。這些游擊隊在行動時每隊人數不超過六人或十人，有時且少至三人為一隊。這些隊伍配合有間諜情報網，以偵察政府警員的行動。

顯然的，他們的情報網頗為精密，消息異常靈通，往往鄉村中的居民都是他們的耳目。在最遙遠的東北部，有些村落差不多所有的成年人都被共黨威脅利誘去參加他們的暴行，而剩下的就只是婦孺和老弱之輩。

共產黨根據諜報所動手暗殺的對象，多是政府的警務人員、教員、不合作的鄉員、鎮長，以及和政府有關係的人物。這些對象會株連到很多人，所以有些鄉村的居民都不敢和政府警員說話，甚至拒絕警員入屋調查，因為他們害怕共產黨的諜報；說他們曾與政府警員接觸，犯有走漏消息或通風告密的嫌疑。

泰國權威方面已經證實，東北部有共產黨游擊隊三大隊，每隊的人數約六七百人。此三隊的首領為：葉地沙華，四十八歲；若拉耶式杜，[illegible]歲；甘柏克，[illegible]歲。他們均生長於東北，並曾往寮共訓練營受訓練。此三大隊共黨游擊隊，化整為零，分為許多小組的游擊隊，散佈於東北各地。

根據實際情形，滲入泰國東北的共產黨多由寮國經湄公河而來的。湄公河不似是泰寮兩國邊境的界綫，卻像是兩國的密切的連繫。由寮國渡過了這條河流，就登上了泰國東北的土地，這真是輕而易舉的事。泰國在這條界綫上計有警員五千人，從事檢查行旅，但仍無法遏止共產黨的滲透。寮共膚色言語均與泰人無異，而且詭計百出，偷渡路綫繁多，防不勝防。

還有一件事使泰國東北的情勢更形複雜，那就是居留於泰國境內的一批北越難民。遠在一九四七年越盟與法國交戰，北越難民逃入泰國境內者約三萬至四萬人。戰後，北越方面只許少數的難民回國，而越南方面在被迫無奈的情形下亦只肯選取極少數的難民。

而其實這些難民大多數是希望能返回北越的，因為他們是生於斯，長於斯，北越才是他們的老家。所以這些難民頗受越共的影響，其為患亦在洪水猛獸之列。他們雖然沒有直接參加泰共的活動，但他們卻經常給予糧食和藥品的援助。他們顯然得有越共和中共的指示。一旦該批北越難民起而參加泰國共產黨的鬥爭，那麼情勢就要變成十分嚴重的了。

現今泰國政府正在安排一項計劃，要把境內的北越難民作涇渭之分，將那些曾經接濟游擊隊物品的人們隔離起來，使其無從活動。可是，這一項計劃，其成就不會很大的。

在政治方面，泰國共產黨曾經組織機構，從事宣傳，以「反美救國」為號召，他們的機構，一個定名為「泰國聯合愛國陣綫」，一個定名為「泰國獨立運動」，各有代表派駐北平。一九六五年這一年中，此兩機構曾在中共報，不斷的宣傳，大放烟幕彈，淆亂視聽。實則搞這些政治詭計，都是泰國一些過氣的官僚和失意的政客，他們遂一時之忿，不惜認賊作父，投入共產黨的懷抱。

因為東北方面共黨游擊隊的威脅日益增加，地方警務人員的力量已不足以應付，一九六五年夏間泰國政府開始遣派一批軍隊前往彈壓。十一月裏，政府對於共黨實行第一次的圍剿，計動員數百名的兵士，武裝警員，及防衛地方的義勇隊。十二[illegible]大規模的[illegible]全部出擊，圍殲東北的共黨游擊隊。

這一次的軍事行動由皇家第一師團一千五百名將士擔任，配合有直昇機及其他各種武器。一九六六年一月，第三次圍剿共產黨游擊隊，出動了傘兵，陸軍先鋒隊等。據說，剿匪的成績頗佳，生擒了共黨游擊隊三百餘人，擊斃[illegible]五十餘人。

政府軍[illegible]掃穴，完全摧毀了共黨的訓練中心，鹵獲了大批武器。約有一千五百名被共黨所威脅利誘的民眾向政府自首，要求給予自新的機會。他們供給政府有價值的關於共黨游擊隊的動向及其藏匿地方的情報。

但政府於平亂之後，對於這些地區的善後卻感覺有許多困難。第一是東北各省警務人員的缺少，不足以防範共黨游擊隊的侵襲；其次是赤區瘡痍滿目，民生凋敝，需要經濟的發展。（未完）

美俄冷和態勢暫僵
白令海峽出奇寧謐
——紐約通訊——

「熱戰」和「冷戰」是一般人耳熟能詳的名詞，「冷和」卻似乎是一個較為陌生的名詞。熱戰是實際的射擊戰。至於冷戰，[illegible]態化。同時[illegible]是一種冷淡的和平，沒有溫暖與熱情可言的平靜狀態。美國與蘇俄目前所表現的正是這種冷和的情況——在一般觀察家的心目中看起來，他們認為這是一種罕見的現象，因為這兩個軍事實力最強的「超級」國家，本來處於敵對的狀態中。

美國的阿拉斯加，跟蘇俄的西伯利亞，只是一水之隔，[illegible]五哩闊的白令海峽隔開。在這個飛彈及超音速噴射機的時代中，五十五哩的海峽，是非常短的距離。美俄兩個對峙的國家[illegible]十分耐人尋味[illegible]白令海峽兩岸[illegible]及平靜到好像兩國的戰事早已和平解決，亦好像這個世界已經沒有任何危機。

在一九六二年發生古巴飛彈危機的時候，美俄兩國曾經表現劍拔弩張的空前緊張對抗跡象。當時美國的阿拉斯加及蘇俄的西伯利亞，為了該項飛彈危機而進行了大規模的軍事動員。然而，自從越南戰事於十五個月前宣告顯著地「升級」，同時美國實行轟炸北越後，這兩個本來高度敏感的地區，卻始終沒有表現劍拔弩張的跡象。儘管克里姆林宮的集體統治三番四次地表示支持河內，同時譴責美國的越南政策，可是，白令海峽兩岸那種寧謐與平靜氣氛，並沒有受到絲毫的影響。

白令海峽兩岸的寧謐及平靜氣氛，不單只沒有受到擾亂，而且更出現一種令人覺得不可思議的跡象——美國現時雖然處於事實的作戰狀態中，可是，美國目前駐阿拉斯加地區內的軍事實力卻[illegible]低於正常的程度。就一方面[illegible]，駐該區的美國武裝部隊總數，約[illegible]萬五千[illegible]，其中，[illegible]千人是陸軍部隊。在人數上，並沒有減少，但是在質的方面來說卻走下坡。一隊F—4C戰鬥機經於去年冬天，撤出阿拉斯加而被調往南越境內。直至目前為止，華盛頓當局沒有將一隊新的戰鬥機調到阿拉斯加去接防。就另外的一方面來說，在本年初的時候，兩營曾經受過高度訓練的步兵，已經被調到南越戰場上，接防的卻是兩營新兵。進一步去看，阿拉斯加指揮部慣常舉行的冬季及夏季演習，現在已經被取消了。

就蘇俄方面來說，並沒有在西伯利亞地區內採取任何不平常新軍事集結或戒備行動。這顯示克里姆林宮的集體領導者認為局勢不會產生一項具爆炸性的事件。這和古巴飛彈危機時候所表現的截然不同——當時蘇俄在白令海峽的彼岸進行不尋常的軍事準備活動。

美國在阿拉斯加設立的防衛力，包括九個「尼克—大力士」地對空飛彈基地在內，這些防衛的主要目的，是用以偵察及截擊來自蘇俄北部而企圖進襲美國心臟地區的飛彈與轟炸機。

由於阿拉斯加和西伯利亞相距只有五十五哩的緣故，因此，不管為夏灣拿或者柏林的問題，莫斯科與華盛頓的緊張程度如何，[illegible]白令海峽的兩岸[illegible]地反映出來，也為了這[illegible]故，因此[illegible]美俄軍事關係[illegible]

毛共賤價傾銷打擊下
港養鷄業奄奄待斃
半數以上早關門餘亦難期活命

（本報訊）今年端午節新界農場鷄隻供應量將顯著減少，但一般尚未敢肯定端午鷄價可以提高，因為屆時要看大陸鷄隻運到多寡而定。

據新界農場人士透露：近年來新界農場養鷄業遭受大陸鷄賤價傾銷的打擊，半數以上中型及小型的養鷄場已經歇業，大型的養鷄場亦因為鷄價長期偏低，[illegible]務費用則一年比一年增加，其中有的已經結束，有的雖然繼續經營，但飼養的鷄隻顯著減少。現距端午節祇有十多天了，新界農場鷄隻大部份已經長大，但預計端午節前運出港九市場銷售的鷄項及劏鷄總量不會超過十萬隻，即是比往年端午節前運出的數字減少過半。但現在一般農場尚未能看得出端午節鷄價是否會上升，因為鷄價的起跌要看大陸鷄到量增減而定，如果端午節大陸鷄大量運到，鷄價就很難有上升的機會了。

他指出近年新界農場不景氣十分嚴重，特別是養鷄也呈一蹶不振，主要原因是大陸鷄以賤價向港傾銷。大陸鷄在欄口售出的大盤價，經常低過新界農場鷄的成本，於是港九的酒樓茶室茶樓大部份採用大陸鷄，街市的肉食公司亦銷售大陸鷄居多，街販挑賣大陸鷄更為普遍。雖然鷄價便宜，對於港九市民的口福得益，但因此而摧殘了新界的養鷄業，新界農場破產，香港社會經濟便有不良的影響。因為新界農場虧累很大，對於飼養商也有很大的牽連；在過去若干年，新界農場向飼料商賒購飼料，通常是端午節、中秋節、農曆新年這三個階段是清賬時候，端午節雖然不算是一個很大節令，但大多數家庭及商店都習慣做節，故此端午節銷售鷄隻也達四十萬隻左右。當大陸鷄尚未有大量運到賤價傾銷的時期，新界農場鷄供應佔了一半以上，而新界農場的養鷄業，也算一年中三大節令售出鷄隻賺錢的。可是最近三年來，大陸鷄向港傾銷一年比一年多，故此在大節令前，鷄價也不會怎樣上升，這樣，新界的養鷄業就逐漸被拖垮了。

目前從孵鷄用的種蛋價格低賤，就可以反映出新界農場養鷄數量顯著減少。現時可以孵鷄的大個種蛋每個祇值二角左右，但在養鷄業務穩定的時候，這種鷄蛋每個經常保持六角的價格。雛鷄價格現在也跌得很低，每隻祇值一元二角左右，比去年同期跌了三分之一，因為一般農場，養鷄隻繼續減少，原來是用於孵鷄的種蛋，大部份把它作為佐膳用的鮮鷄出售。

農場對於飼料賒購，現在也很困難，一般飼料商對放賬的期間縮得很短，多數是十五天銀期，如果屆時不能清賬，就停止賒放。因此新界農場現在經營十分吃力，既需款購買飼料，又需款作伙食及人工等開消，於是規模較大的農場，也不能支持下去，其窘境是香港光復以來最為嚴重的時期。

瀛海異聞錄

離婚城光怪陸離的離婚

秦梓

最近，電訊傳來：金露華與李察寧遜離婚了。這位「當紅的明星」傳出婚訊，曾經轟動一時。那時，她還說不大言，不怕十三數字的不詳，特別挑選五時十三分舉行婚禮。她又怎料得到不祥終於實現了！她控告丈夫精神虐待，[illegible]而離婚了。

其實，明星的離婚事件，是家常便飯，金露華的遭遇自然不值得太驚怪的。通常是這樣的：對明星夫婦在宣傳上[illegible]，但轉眼間，女方便被形容爲中婚姻[illegible]與情人飛往義大利島嶼尋歡。事後，據說她便得迅速而悄悄地進行與丈夫離婚，[illegible]是丈夫冷感，依法控告後，便可即找新人代替了。

無論是什麼理由，她們喜歡前往辦理離婚手續的地方是墨西哥的華雷斯。這個華雷斯與墨西哥交界的小鎮，是世界著名的離婚城。

在那裏，辦理離婚手續的知名之士，屬於不勝數的。在該城的律師眼中看來，[illegible]的電影男女星當然是最受歡迎的顧客了，這裏多年來的報紙頭條都爲[illegible]的名字[illegible]出現。最近，女猫王安瑪嘉烈[illegible]

[illegible]希望閃電辦妥，收費從一千至二千鎊之巨。[illegible]果你是明星，而有條件付得出時，便不客氣開天索價了。」[illegible]認識到必須與男人同居一個時期，才瞭解他的[illegible]。如果我再婚的話，我必須先設法了解對方透徹。」但曾幾何時，她又說了同樣的話。人生眞是舞台嗎？

有記者是常駐這個離婚城的，[illegible]他們便出現了。有些顧忌的明星，自然想極力避免[illegible]。[illegible]第一次離婚時，[illegible]出來，她事後這麼說：「[illegible]婚姻的不幸，但無法做得到。」[illegible]不難過，我多麼熱愛生命！我才[illegible]

有一次，該城的律師收到一封電報，上面寫著：「請快快替我與彼得・史達特朗離婚」，署名是英格烈褒曼。第二天，一封電報接踵而至，內容是——「我此刻肯定已是羅西里尼的了。」

實在太多人前往那裏辦離婚手續，通常最快的開庭排期也要十天到兩星期，但亦有特別情形，因爲錢可通神。

金髮女郎[illegible]親自前往辦離婚手續，她丈夫便是著名的「光頭佬明星」尤伯連納，尤爲了拍戲，在墨西哥城附近等待消息，當批准的消息傳來，光頭佬立即與多麗絲[illegible]結婚了，這眞是「話都無[illegible]快」。

曾轟動的一次還是已故的瑪莉蓮夢露，她雖戴上黑眼鏡及不化裝，依然被人發現芳蹤。她祇對那班記者說：「不准訪問，無可奉告。」事後她這麼說：「丈夫亞瑟米勒企圖把我洗腦，認爲我不夠智識水平，與他祇是作狀吧了。我再不能忍受了，我能與他斷絕關係，我眞感高興。」

其次轟動影壇的，要算「肉彈尤物」珍曼絲菲了，她不同瑪莉蓮夢露那麼閃閃縮縮，反而大搖大擺，大事宣揚一番，似乎[illegible]的樣子；甚至事前舉行記者招待會，大說性愛生活，當場拍照[illegible]。

當時，有人這麼幽她一默：「她在活戲片名便是離婚。」

啊！這句話，說盡了不少女明星藉離婚而宣傳自己的洋相！說與以自殺去宣傳自己一樣，啊！

質詢權的平議（四）

張健生

就在這時候，內閣即可[illegible]明或默示要求議會予以信任表示。由此可知，議員與閣員爲確定[illegible]討論時間的爭議，實爲決定內閣去留的嚴重問題。假使[illegible]討論開始的時候，係針對詢問的本題而發言，但可發展爲廣泛討論[illegible]

[illegible]議事日程」：「一[illegible]（或某閣員）辭職」，茲恢復議事日程。」

依法國第五共和憲法爲安定政局計，特規定信任與不信任案之提出及投票程序。依該憲法第四十九條規定：「內閣總理經國務會議審議後，得就其施政計劃或於必要時就一般政策之宣佈，向國民議會（即衆議院）提出信任案，以決定政府之去留。國民議會得依不信任案之表決，以決定政府之去留。此項不信任案須經國民議會議員至少十分之一連署，始得提出。動議提出四十八小時之後，始得舉行表決。不信任案須有國民議會議員過半數之贊成票，始得通過。不信任案如被否決，原提案簽署人，在同一會期中，不得再提不信任案。但本條第三項所規定情形不在此限。」所謂本條第三項所規定者，即一「內閣總理經國務會議審議後，得就政府所擬具之法案，向國民議會提出信任案，以決定政府之去留。在此場合，於信任案提出後二十四小時內，苟無不信任案之動議提出，政府所擬法案即視同通過。如在二十四小時內，有人提出不信任案之動議，則依本條第二項之規定進行表決[illegible]」

[illegible]欲否[illegible]推翻[illegible]，也不易通過。凡此種種規定，都無非欲求得政府的安定。

由日本新現行憲法的體制之下[illegible]，全爲責任內閣制。天皇之地位，由日憲第一條明文規定：「天皇爲日本國之象徵，及日本國民統合之象徵，其地位基於主權所在之日本國民之總意。」第三條規定「天皇有關國事之一切行爲，應經內閣之助言與承認，並由內閣負其責任。」（第三條）「天皇無干與國政之權能」（第四條）。（五）

柏林自由大學的「學生村」

大知

村議會的選舉，係每一屆[illegible]有代表。他們的自治制度[illegible]以議會制爲範。幾乎百分之百的人都可參加選舉，但他們希望選出的市長是個有才幹的代表，以面對慈善團體。村議會有參加和召集任何會議之權，對於諸般事務不用共同審理而採純粹的自治。

學生村的設置，與學校[illegible]通的學生宿舍迥異，其特點在使大學生從事[illegible]務以至社會政治的練習。當然，這些活動限於夜間，女生們因爲有廚房的設備，所以可以一邊[illegible]，一邊討論。雖然女生畢業後在於服務社會，但是料理家務也是必須具備的條件。當然，男生們也有種種的生活，諸如彫刻、繪畫、攝影、以至新詩與戲劇的學習，在在都以促進學生在專門學術以外的性之所近。

[illegible]這樣可使學生們在課餘之餘，把思想納入正軌，把行動置諸規律[illegible]。由於學生村的人數衆多，所以各人的興趣也各異，諸如有的在茶會與酒會時討論寫作，有的參加政治討論，從「發展落後國家」以至「藝術音樂的演說」。對戲劇有興趣的學生，還有劇場的組織，邀請柏林名伶、導演等參加他們的討論和指導。至於村裏發行報紙、研究與分析電子音樂，也都是他們的經常活動。

學生村自一九六一年春季以來，活動的範圍更多，現已有一項「文化計劃」的實施；幾乎每晚開會討論，並於每兩週邀請一位學者討論「當今政治事件與原則性的意義」。此項討論係由學生發言，每生以五分鐘爲限，然後由教授作結論。此外，如醫學、法律、經濟、社會學等，都有類似性質的研究會。

學生村的藝術氣氛很重，在「藝術協會」的號召下，六百個學生之中，參加者達一百二十餘人，而且搞藝術的學生，往往以藝術品吸引會員，比如學生討論會場掛有種種的繪畫與彫刻即爲一例。

柏林自由大學的學生，對於政治的活動可謂西德聯邦之冠，他們現又展開一項「培養民主政治意識」的活動，使用的工具爲圖書館、錄音機等，但是由於活動的範圍廣大，所需的費用也隨之增加，因之村有決定在外援之外，要求學生們自力更生，各[illegible]負擔一筆規定的金額。

自由大學的學者與學生們，都期待這個學生村成爲大學的「文化中心」。所謂文化是包括科學、政治與藝術等等的。他們說，中心的社會生活，不能脫離藝術，不能失之政治，更不能把科學囿於象牙之塔。的確，學生村予學生們以科學與工作的機會，是一種實際的輔導教育。據說柏林藝專與工業大學等都將仿效。在自由大學方面，感於要求住學生村的人數日多，村址與設備已有不足應用之虞了。（下）

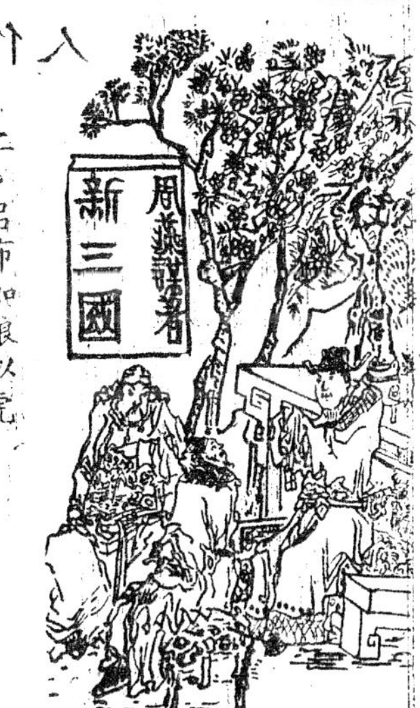

新三國

二、呂布如狼似虎

可惜劉備在做徐州牧不久，亂子就來了。因此他在徐州還沒有打好基礎，內部人事多少尚有些問題，便接踵而來的是袁術，因爲袁術離徐州很近，心想劉備軟而易與的，[illegible]，不免眼紅心忌，於是起兵來攻打徐州。玄德拒之於盱眙及淮陰，此地是下邳國的個屬縣。（在今安徽省盱眙縣東北[illegible]）曹操此時挾持了獻帝在許昌[illegible]，即表玄德爲鎮東將軍，封宜城亭侯。[illegible]劉備相持將近一個月，雙方沒有勝負[illegible]備與袁術相持不下之時，呂布乘[illegible]現在應當細說來龍。

原來呂布，在李傕郭汜等人攻長安之時，與王允訣別之後，割了董卓的頭，帶了本部幾百名騎兵，衝出長安，逃出武關，到南陽投奔袁術去了。呂布爲什麼要投奔袁術[illegible]留在洛陽的家屬被董卓殺光[illegible]如果然呂布這著做得相當漂亮，袁術對他很好[illegible]安頓下來。呂布在窮無所歸之餘[illegible]，不約束自己的部下，任其騷擾[illegible]州兵的本色，因爲他們[illegible]鬧得地方不寧，他觸怒了袁術[illegible]住下去了，與袁術分手而去。由南[illegible]奔那據有河內（懷慶）的張揚去了。張揚是并州人，呂布和他是同鄉，

張揚在三國中也是知名人物[illegible]且又是同僚，以前同爲丁原的部下。[illegible]不在洛陽，而在山西東南的上黨郡[illegible]丁原被呂布殺了之後，張揚便[illegible]先攻打上黨太守於山西壺關，沒有[illegible]時的河內郡。因此，董卓爲了廣事拉攏[illegible]銜給了他。張呂二人本來私交[illegible]奔，他就滿表歡迎。但是，張揚的[illegible]起呂布。並且想殺呂布，一面替[illegible]、郭汜那裏報功。呂布見苗頭不對[illegible]通緝我，賞格甚高。老兄與布乃是同[illegible]如活解我去請功更大。」張揚本無[illegible]口給他開個玩笑說：「你的看法很對[illegible]，倒不如成全我，讓我一個活呂布[illegible]，也把玩笑當眞的，心中早已不安[illegible]紹而去。

袁紹知道呂布英勇，又替袁氏報過仇[illegible]幫助征常山（河北正定）的黑山賊張燕[illegible]張飛燕，騎馬如飛。原本姓褚，是博陵大盜張牛角的好友，張牛角死了，張燕繼承統領甚衆，改姓張。（卅九）

談龍吟的角色（續）

以後走遍大陸各都市，來台後，傍劉玉琴、陳美麟等，合作於台北永樂環球各院，獲各界贊賞。其淨角戲以戰宛城長板坡陽平關等爲更佳，幾有活曹操之譽。年近八十，體力仍健，四十五年參加龍吟，已有十年，聲譽勿衰。

（二）馬驪珠　北平人，梨園世家，另名君玉。其父展雲亦老伶工，幼從習藝，工青衣花衫，文武崑亂不擋，能戲甚多。年十八以驪珠藝名，隨父在濟南青島登台，一鳴驚人。其後挑大樑走遍大江南北，甚著聲譽。來台後初在金門演唱近年半，迨抵台北，歷在虎嘯海光明駝龍吟四劇團，任當家旦角，勞軍演出近千場，台風好，人緣好，工作認真，一度在復興劇校執教，在坤伶中堪稱少有。

國劇繽紛續錄（十八）

婆娑生

（三）謝景莘　河北人，初在南部空軍服務，是業餘劇人。閒時常研習各腔，以嗓音高亢而大成。參加空軍康樂競賽，以鎮壇州一齣，榮得冠軍，馳譽劇壇。以後潛心琢磨，能戲漸多，受龍吟之聘，爲生行台柱。

（四）張劍秋　北平人，曾任海光國劇隊副隊長，退伍後受聘於龍吟，爲當家小花臉。見聞很廣，丑角一行，無所不能。尤其串演彩旦，口齒清楚，表情滑稽，極富冷雋之味。在寶島的丑行，頗爲突出，以前胡少安深倚畀之。

（五）佟世忠　河北高陽人，幼隨老伶工蔣興奎啓蒙，又隨客師李深春練功，雖非正式科班出身，但唱唸做均經實授，故文武兩途的小生，均能精湛，配觀陪演，極具綠葉之效。扮相英俊，嗓音很寬。現任龍吟的小生，差可與劉玉麟爲伯仲。

（六）胡錦　麟珠之女公子，年十八。驪珠整頓龍吟，不惜令其女輟學於中華文化學院，爲其佐助。錦姪面貌娟秀，聰穎過人，以家學淵源，每演頗具大角風範。且青衣花衫均能兼擅，唱唸皆在水準以上，如研習不輟，當繼武乃母，爲劇壇生色。

（七）何復貞，湖南道縣人，復興劇校第一期學生。工花衫，擅刀馬，舊工有根底。在校時沒沒無聞，畢業後投龍吟，工拜驪珠爲師，進度甚速，能演之戲，已有廿餘。扮相美麗，功夫穩健，每登台不瘟不火，頗得好評，前途實不可限量。

（八）李中原　河南人，曾拜伶工劉相臣爲師，頗得薪傳。又隨韓玉寶習武，技乃大進。短打戲勇猛俐落，長靠戲邊式穩重，每有演出，佳評如潮。來台後，曾任復興劇校教官，張復建、葛復中、毛復海等，皆其弟子，因此桃李甚衆。現任龍吟國劇隊，以修養好，得人緣，隊中同仁多敬之。（未完）

「感情」與「人生」

紫英

「生命是不是值得活下去的？」這是一項感情問題，而不是一項智力問題。我們在這裏是在我們最密切個人情感的領域內，我們的任務，就是要使我們的情感如同我們身體那樣的成熟。

我們有許多人剛在開始明白那裏至少有着三種不同的成熟情況，即是身體的，智力的和感情的。我們常常假定一個在身體上和智力上得到成熟的男子或女人，一定要在感情方面成熟起來。沒有什麼比這一件事情更爲真實。一個人可能同時是一個智力上的巨人而是一個感情上的侏儒。

原始人在地球上漫步了無數年代，他們在身體上成熟得很，但是在智力上和感情上卻是幼稚得很。後來，人類的語言發展起來，並且發明了文字和其他傳達思想的方法，並誕生了科學。

由柏拉圖時代直至我們自己的日子，人們都在教育方面側重於知識的取得，技術的訓練和戰勝自然方面。我們懂得了怎樣發展強大的肌肉和聰明的頭腦。我們剛在開始認識需要發展成熟的感情。如果我們不把感情調整起來，和懂得把我們自己控制得妥妥當當，則人類將永不會感到愉快，世界將永不會獲得和平，生命永不會值得活下去的。

這裏有着達到感情成熟的五個途徑。首先一定要夠勇敢來承認我們自己的缺點。自然並沒有要求我們完善得很。它祇需要我們生長起來。在工作，在藝術，在友誼，在愛情方面，我們都是業餘者，我們都受到或多或少的掣肘，我們在我們的日子完結以前都要流下許多眼淚和高聲大笑一回。美國法學家霍姆茲（一八四一至一九三五年）有一次說道，他覺得很快慰的最大感覺，是在他覺察到他並沒有被請求充當上帝的時候得來的。

在我們的發展裏面，我們經歷許多個階段。不管失望，憂愁，挫折和缺憾，我們都能夠使到生命值得活下去，友誼值得加以重視，愛情值得培養和工作值得幹下去。「愛人如愛己」就是這種終極的意義。

使到生命值得活下去的第二個辦法，就是培養一種成熟的良心。生命常常成爲一個重荷，因爲我們要受到罪惡感覺的折磨所致。這是人類的真正情況。生命成爲對許多男人和女人的重荷，因爲他們有着會被指爲失敗主義者，欺騙者，僞善者和肉慾主義者的那種感覺。當我們還是嬰孩的時候，我們的父母要保護我們，以免我們跌倒。要把一些味道不好的藥物強迫我們服食。由於我們缺乏判斷和經驗，我們都得到「不要這樣做，不要那樣做」的印象。我們害怕把我們自己從那些過去若千歲月的桎梏解放出來。我們能夠信賴我們成熟的良心，指導我們不受各種誘惑。當我們解除兒童時代各種禁忌和告誡的時候，我們才能夠養成自由和健全的人格，使到生命值得掙扎下去。

第三個使到生命值得繼續活下去的辦法，就是要發展另一種勇敢的精神，那就是使到我們得到一種鬥志旺盛的那種精神。人類並不是像一個天使生來這個世界的。我們都是憤怒、敵意和好鬥本性的動物。英國的邱吉爾，可能被視爲人類具有戰鬥精神的一種象徵，他懂得怎樣把憤怒表示出來和懂得怎樣利用他的憤怒達成偉大的建設目的。我們都是有缺點的人，而憤怒就是我們不完善的表現之一。因此，如果我們想使到生命值得活下去，則我們在生命所准許的範圍裏面，就得要把一種正常的進取心理表現出來。進取的精神並不是一種破壞的力量，它能夠開闢其途徑，來對付疾病，不正當的行爲。換句話說，我們對於所有的邪惡都有着確當的理由來表示我們的憤怒的心理。

第四個方法，就是要採取各種價值的一種遠大尺度。我們應知道暫時的失敗，並不是永恒的失敗。當我們長大起來的時候，我們爲着得到較爲長久的快樂，雖然暫時並不覺得快樂也不覺得怎樣，不以爲意。我們的意思，是指我們應該把目前的快樂和一生的歡樂衡量一下。我們愈不成熟，我們愈要求得到和貪圖一時的歡娛的。我們愈爲成熟，我們愈覺察我們需要把時的痛苦和將來的快樂，和把現時的痛苦和未來的痛苦加以估量。（上）

抗戰初期川湘行腳小紀

・四時・

抗戰時，曾在河南境內走旱路。過平漢綫上之許昌，旅費無多，而牛肉價廉，但以醬牛肉夾火燒餅充饑；此地醬牛肉，大片薄切，作粉紅色，幾可透明，亦爲他處少見者。行入豫西，民風尚儉，打尖僅有茅舍售麵湯及「油饃頭」——即油煎之麵頭也。風雪中過南陽，鄉人遙指遠處一枯樹村莊，謂即諸葛亮之臥龍岡，平野漠漠，令人神往於三顧茅廬之歷史佳話。於鎮平之石佛寺會小住數月，民食以麵湯爲主，故鄉人見面招呼，不曰：「吃了沒有？」而曰：「喝了沒有？」此地盛產柞蠶絲，戰時無法出口，其業遂衰；麻油過賸，夜晚照明，亦用燈草燃麻油，室內但聞油香。

此後經襄樊，過荊門，走宜昌，順江至漢口，轉入湖南，取道湘西，而進入黔川西南大後方。一路匆匆，走馬觀花，但湘人吃辣椒令人歎爲觀止；留湘西之辰谿，居停以乾辣椒炒鷄蛋，辣椒粉煮年糕饗客，始知湖南椒子名不虛傳。

入川初驚於物價之廉，時爲民國二十八年，用老法幣，進「開堂」小店，喊「么師」送肉片湯，「帽兒頭」各一，「帕子涼水」之後，價不過一毫五分錢。而聞名之橘柑，一毛錢可市十枚。唯此景不常，未幾物價即成爲生活煩惱。

重慶上游之江津，沿江十里盡爲橘林，秋冬之交，翠綠叢中，猩紅如雨，皆橘柑也。時空襲頻仍，每日按時必有警報；每逢警報，則莘莘學子皆如猢猻散入橘柑林中，踞樹大嚼，嚼之不足，復以大口袋滿盛而歸。橘林主人初不禁，後則欲禁不能。如此就林而食，始知市面所售橘柑，恒陳放經旬者，已失其鮮味。承平之時，橘林主人視橘皮珍於橘肉，入林者可啖橘留皮，概不取值；以橘皮爲中藥可分銷各省，而橘肉則不易保存也。

重慶生活之最不能令人忘懷者，厥爲茶館，冷酒館及牛肉湯大餅。抗戰時之重慶，單身漢多，居所多簡陋燠熱，茶館遂爲休憩、會友、午睡之理想園地。川人有坐茶館擺龍門陣之閒情逸致，下江人迅即同化，濟濟一堂，南腔北調，各吹其牛；或則就竹椅上酣然入夢，一杯香片泡掉半日時光，茶博士皆識趣，絕不橫加干擾。或有茶樓，臨江而設，窗外青山，山下江流，清風送來縴夫之沉鬱歌聲，氣勢磅礴，則不置身於黃君璧之山水畫中。

尚有一二茶館，保留舊習，方桌條凳，四川紳士閒坐飲蓋碗沱茶。有執竹製水烟筒挨座供烟者，輪流各吸數筒後付值。復有爲客捏腳者，卜卦看相者，手執謎條逐桌請教爲客解悶者，皆爲生意經焉。

孟姜女

「影劇與歷史」之二十四

周遊

孟姜女故事流傳已經二千多年了，按其地域則幾乎包括中國本部，甚至朝鮮的民俗文學家們也在注意搜集這個故事的有關資料幷加以整理研究。

昔日在大陸上有兩本研究孟姜女故事的專著，其一爲民十三年十一月十九日作成的「孟姜女故事的演變」，爲當時北大教授顧頡剛所撰。他從左傳、檀弓、孟子、韓詩外傳、說苑、論衡、琴操、後漢書、水經注、樂府詩集、古今注、通志樂畧、詩經通論、玉台新詠等文獻之記載，都網羅無遺。從左傳「杞梁之妻」說起，再加上檀弓的「其妻迎其柩於路而哭之哀」；再以孟子的「杞梁之妻善哭而變國俗」，而將她們「哭」和「謳」與「歌」，都同時列爲戰國時代音樂中與婦女哭夫的一種風氣。再至西漢一變而爲悲歌後的「崩城」、再至「琴操」的「援琴而鼓之，曲終，遂自投江水而死」的情形。後來發展到「莒城」；由莒城崩又擴展到長城，再至「曠婦懷征夫」之悲歌了。到了南宋杞梁之妻才以孟姜的名字出現。在此之前，都是杞梁之妻善哭，由善哭之哀而變國俗，而城崩，而懷征夫之哀歎。由一無名姓之婦人變爲孟姜女。杞梁到了宋代又加上姓「范」，近代的劇作家又改作「萬喜良」。這是顧頡剛氏研究孟姜女故事的梗概脈胳。顧氏的研究文字，發表在「歌謠週刊」。由於「孟姜女故事的演變」一文發表之後，更由於同文同好們各又供獻了許多有關之資料，使他詳加整理，列了二十四目，各篇皆以專文研究之。結果聚各家的精華，遂編成一部「孟姜女故事的研究」的專門巨著。全書有四百○六頁，分三部，道可說一部研究孟姜女故事最有價值的專書。可惜得很，那部巨著竟淪陷在大鐵幕之中，我們今天再看不到那部有價值的巨著了。關於孟姜女故事的演變一文，曾經在中央日報發表過，在此也許讀者的，今天的「孟姜女」三個字，不是由一個人而成的，它是由古代許多善哭的女人而成的。（下）

小翠的創作人

・桂良・

賀鄉坨名慶郎（筆名楚天漁叟），湖南道州人。能書，擅駢體文。爲海上文人文公達之弟子。公達乃捧梅派健將之一。時徐碧雲已聯姻梅宅，且改武旦爲青衣花衫矣。梅欲提攜碧雲，乃挽公達爲介，文友爲徐編戲。公達將其高足薦與碧雲，碧雲偕鄉坨及其新夫人同往故鄉。

鄉坨在故都兩年，爲碧雲先後編新本戲：綠珠、驪珠夢、虞小翠、新蝴蝶盃、薛瓊英，及三世姻緣（全部玉堂春）。時值四大名旦爭排新戲之日，碧雲得鄉坨新編，乃得與荀慧生、尚小雲，同排全部玉堂春爭短長。

民十五年春，徐碧雲入德國醫院割治盲腸，將息頗久。鄉坨乃得暇與徐蘭沅欣賞坤伶玉蘭芳獻藝。內行中人皆有崑季之親，蘭沅請鄉坨爲玉伶捧場，鄉坨爲她改藝名爲：新艷秋，不半年而紅遍九城。

是年秋，碧雲因病榻纏綿，迄未登台。鄉坨應其師之召，南下，爲上海時事新報編副刊「青光」版，即遊揚新艷秋之藝能於滬上。十六年初，王玉華即有上海公演一月之行，坤伶成名之速，若干年所未有也。

抗日勝利之初，鄉坨病困，死於暗都。

自由報

內政部登記證內警臺誌字第○三號

THE FREE NEWS

第九五六期

中華民國總統府新聞局登記證

中華郵政台字第一二八二號執照登記為第一類新聞紙類

（半週刊星期三、六出版）

每份港幣壹角

台灣零售每份新台幣壹元

社長：雷嘯岑

督印人：黃行富

社址：香港銅鑼灣高士威道二十號四樓

20, CAUSEWAY RD 3RD FL. HONG KONG

TEL. 771726　電報掛號：7191

承印者：大同印務公司

地址：香港北角和富道九六號

台灣分社

台北市西寧南路壹零號二樓

電話：三四○五三二

台郵撥儲金戶九二五二

新戰爭邊緣論與越戰（中）

何浩若

同時這場牌還是一付一付的打下去。結果就變成誰下注最大能使對方拋牌就獲得勝利。不過這裏有一個不同之點：蘇俄的首領拿人民的錢賭，賭多少都不必問人民；白宮的主人拿美國人民的錢賭，就必須得人民的同意方能下注。現在艾克要求國會授權就是要美國人民同意在中東這一局牌可以隨便下注使蘇俄拋牌。蘇俄拋牌就不會攤牌，核子戰爭可避免。讓英法來參加這場撲克是毫無意義的，英法的牌並不好，賭注又不多。照打撲克的規矩，兩家拼命添注，那沒有好牌的第三第四家是非拋牌不可的。杜爾斯的意思是說，中東這場牌，最好不要英法參加。」

這以上所講的就是杜爾斯的戰爭邊緣論。筆者在十年以前寫這篇報導的時候，也曾提到美國蘇俄和共匪的關係。筆者是這樣結束的：

「就記者想像所及，美國的反共是要擒賊先擒王的。那就是說，要打就和蘇俄打，來徹底解決問題。蘇俄的政策適相反。蘇俄的征服世界的計畫是要蠶食的。對於主要的敵人——美國——蘇俄希望別人去打。韓戰發生以後，蘇俄希望共匪和美國打，艾克到底是軍人，他不肯上這個當。他當選總統以後便停止了韓戰。據有人推測，美國是不願和共匪作戰的。只要把共匪打垮了，共匪也一定會垮的。美國單獨和共匪作戰，假如在中國大陸進行傳統戰爭，反而可以激起大陸上中國人民愛國的情緒來反抗美國。這是於美國不利的。美國應當援助自由中國在大陸發動革命來打倒共匪暴政。至於蘇俄想把美國拖入中東，就正和韓戰一樣，美國也不願在中東攤牌的。」

這是十年前所講的話。想不到十年後因為蘇俄主張和平共存，共匪和蘇俄又發生紛歧，美國彷彿已不把蘇俄當做主要的敵人，而北越卻取得共匪在韓戰的地位來拖住美國。今日的共匪卻變成了當日的蘇俄。美國是不是要和共匪攤牌呢？這在民主國家反共的戰略上是值得深入的檢討的。在這裏便發生了所謂新戰爭邊緣論。

三、新戰爭邊緣論的背景和說法

上文說到杜爾斯的戰爭邊緣論把撲克戰爭比做美國和蘇俄一場不能攤牌的撲克牌。這場撲克既不能攤牌，只有雙方加注等到對方拋牌，因此杜爾斯便不要英法參加。這是十年以前的事。現在的情況已經不同了。法國已經在醞釀着不肯完全接受美國領導，自然更不願再跟着美國和蘇俄打牌。美國和英國仍然合作得很好因此也不必參加。現在這場牌卻添了一個新加入的賭友。這個新加入的賭友便是共匪。共匪自從和蘇俄發生紛歧主張暴力革命，要打倒「美帝」，便很想和「美帝」一賭。蘇俄雖然並沒有退出這場賭博，但表示不肯攤牌而已，主張和平共存，便暗示蘇俄共匪和美國三方面來打。這三方面的關係十分微妙。共匪目前雖然有了核子裝置，但是還沒有核子飛彈。據美國專家的估計，共匪至少還要三年才能製造飛彈，而且儲存足夠的核子武器為大規模之用也不是一時可以辦到的。共匪雖有核子裝置但是還沒有輸送工具。如上所述，美國和共匪是不會發生核子戰爭的。充其量，一旦美國和共匪發生戰爭，美國可能使用核子武器使共匪挨打而已。但是當共匪挨打之際，蘇俄會不會坐視呢？這等於說在這場三人賭撲克的場面之中，假如美國要看共匪的牌，蘇俄會不會再「累斯」一下，或者要看美國的牌呢？現在共匪正在加注，美國也並不是不知道共匪的底牌。美國為什麼不看共匪的牌呢？美國所顧慮的就是怕蘇俄「累斯」，更怕蘇俄看美國的牌，如果真是如此的話，那就非攤牌而發生世界大戰不可了。微妙的地方就是在這場賭博中，共匪所希望的就是美國和蘇俄攤牌。這就是共匪所主張和蘇俄所反對的「認為祇有世界戰爭才能實現社會主義陣營的團結和全世界共產主義的團結」。共匪屢次的聲明，祇有發生世界大戰，祇有美國和蘇俄發生核子戰爭，全世界的共產主義運動才能團結。蘇俄的眞理報於一九六五年五月廿七日發表社論指斥這一看法的不正確。眞理報說：「馬克斯和列寧的社會主義者追求他們的工作不是等待世界戰爭的爆發，而是以進步的民主勢力的聯合行動來避免這一連串可能觸發大戰的事件」。共匪因為蘇俄不肯向美國宣戰，便說蘇俄勾結「美帝」，向「美帝」投降，進行白種人的大團結，要聯絡世界上的有色人種向白種人挑戰。在這樣情況之下，蘇俄也很想美國看一看共匪的牌，等到美國打擊共匪的時候，共匪自然會向蘇俄求援，這時共產集團自然會再度團結。在此一構想之下，蘇俄的眞理報和外文當局曾在一九六五年四次聲明假如共匪不改善目前的態度，在戰爭發生的時候，蘇俄不能以核子武器保衛共匪。也許是因為如此，共匪在一九六五年並沒有正式介入越戰。但是美國也並沒有因為蘇俄的暗示加強對共匪的壓力，使越戰獲得和平的解決。有人說，在目前的情形下，共匪希望美國打蘇俄，蘇俄希望美國打共匪，美國又何嘗不希望蘇俄和共匪發生直接衝突呢？但是共匪和蘇俄目前雖然交惡，要發生戰爭也不可能，[illegible]

杜爾斯戰爭邊緣論的邊緣是指核子戰爭的邊緣。[illegible]

寇家路窄

窮追不捨

今日與明日

毛共大整肅

最近毛共內部出現了十七年未有稱的緊張形勢，被稱為中共國家領導階層之一的彭眞，竟然在未宣佈正式罪名下被撤消了北京市委第一書記職務。「北京市委會」全部改組，雖然未見改組後的名單，但就公報口氣來看，所有書記，部長之流全部被淸洗，無一留任，此是一個頗為特殊的現象。

毛共竊據大陸十六年多，日日夜夜都在淸算鬥爭，但是所鬥的都是安居長民間和有些部份毛幹；眞正整高級頭目的事，大概只有三次，第一次是一九五四年的高饒事件，第二次是一九五九年的彭黃事件，第三次就是這次的彭眞事件。當然目前還不能定名此一集團將被毛共稱之為X彭集團或彭X集團，但高饒事件受牽連的毛幹只有七人，地位最高者為[illegible]，[illegible]並不影響團體，如彭德懷之原任偽國防部長，亦不會因彭德懷[illegible]撤職而解散偽國防部，獨獨北京市委幹部全部撤換，報紙雜誌停刊整個改組，若說「北京市委會」與毛共對抗，毛幹團結一起與毛共的控制力破壞，則毛共[illegible]有此風，如若各省毛幹吹草動，即土崩瓦解之勢已難了。

眞正原因

毛共此次大整肅的眞因，全世界都在猜，十個人就有十種說法。有人說是鬥劉少奇，有人說是鬥周恩來。但有一點可以確定的，就是這齣戲由林彪出頭唱黑臉，究竟誰在後面提調林彪，尚不可知，但可以確定決非劉少奇，因此也可以說現階段劉少奇正處於下風。不過要判斷這場狗咬狗骨的鬥爭誰勝誰敗，確實還太早，假若眞是林彪鬥劉少奇的話（絕不會如此單純），主要關鍵還在毛澤東，我們深信毛酋尚未至奄奄待斃時，行動雖有不便，神智依然淸楚，[illegible]如若毛酋同意，則整劉少奇必無倖理。[illegible]

（何如）

吾爲此懼

在國運迍邅，內憂外患頻臨的非常時期中，每個公民對國家民族都應該忠貞自矢，義無返顧，這是當然的道理，政府以此申儆人民，人民以此作其生活軌範，萬衆一心，庶足以撥亂反正，復興國家。

忠貞志節乃係形而上的精神作用，屬於自發性的，始終一貫，堅定不移，造次必於是，顛沛必於是，決不是矯揉做作，也經得起考驗，這樣纔是如假包換的忠貞之士，纔值得稱讚重視。

今有人焉，當大陸淪陷以前，在內地專門勾結共黨份子營商漁利，迨毛共僞政權僭立之初，且採用共幹袁牧之所寫的文藝作品，拍製電影片以獻媚投靠，不遂後，再走海外向共黨同路人之所謂「民革」反動團體乞憐依附，又被拒，最後乃以反共姿態出現，自命爲擁護中華民國的忠貞人士，出入台灣，表示回國投資，到處獻殷勤，弄餽贈。於是乎，他即被視爲不可多得的海外忠貞僑領，政治上任何重要集會，都有他參加，儼然時代寵兒，而使眞正對國家忠貞不貳的孤臣孽子們，盪氣廻腸，大爲沮喪，無形中滋生了離心力，影響反共復國前途，至爲重大！

鑑別忠貞精神的眞僞，一定要詳查其人的生活史迹，瞭解他平日所作所爲的情況。祇憑着一時的表情作態，貌似可人，便認爲可靠的忠貞份子，特加信賴，這是很危險的，漢高祖斬丁公的道理，不應忽視。誠然，國家在危難之秋，自不能期望每個公民都是文天祥、史可法一流人物，政治上亦不妨採取招降納叛策略，但須有分寸，講原則，綜覈名實，庶僞不齒，纔能夠對社會大衆發生激勵作用。尤其是搞政黨，更非考究歷史，注重勞績不可，否則誰也不願意作孤臣孽子，相率以朝三暮四，投機善變爲立身行己的要訣，如此而高談忠貞思想，寧非一大諷刺嗎？

我贊成民主政治的容忍精神，更不反對政府對一般民衆的寬大政策。但談到忠貞問題，却須實事求是，不能馬虎，因爲亂世人慾橫流，波譎雲詭，反覆無常之輩，若得逞，忠貞自矢者即將動搖初衷，趨時求售，滿天下盡是些投機份子，所謂主義、思想、信仰問題，就成爲空疏無物的廢話了，吾爲此懼！

馮[illegible]先生

蘇俄煽惑與戴高樂公報私仇
西歐圖擺脫美國影響力
同時深怕美國撤軍致失安全保障
僅西德仍牢牢保持對美國關係

（紐約通訊）一個時代現時似乎正在西歐境內宣告結束。美國曾經在這個時代裏面，在西歐的防衛與政治等方面扮演一個非常主要的角色；但在這個正告開始的新時代中，西歐的國家好像越來越明顯地擺脫美國的影響力。

就現階段來說，法國總統戴高樂正採取最富戲劇性色彩的脫離美國支配的行動，不過，戴高樂在認定「改變路綫的時間已經到臨」的行爲上，並非在孤立的狀況中。英國現時正準備打定主意參加西歐的共同市場，同時加强與歐洲大陸的政治關係。許多英國人士有一種這樣的恐懼感：英國可能扮演一個美國衞星的角色。爲了不想成爲美國的衞星起見，因此。上述的決定就是一項變通的辦法。

就另外的一方面來說，克里姆林宮現時正在運用手法去勾引義大利，而這項勾引的手法，正表現若干顯著的結果。蘇俄外交部長葛羅米柯曾經於本年四月二十七日訪問天主教教宗保祿六世，同時建議西歐國家（包括蘇俄在內）舉行一項「高峯會議」，而美國屆時不會被邀請參加。這樣的一項建議正引起注意。

進一步來說，目前仍然與美國緊密地聯盟的土耳其，亦正受到莫斯科的勾引，同時表現容易受感染的跡象。當美國國務卿魯斯克最近訪問土耳其的時候，土耳其的學生用反美的示威行動去迎接他。

由於英美兩國聯合一致地施展壓力去「打碎」羅德西亞那個白人政府，因而危害葡萄牙在莫三鼻給和安哥拉兩個屬地內的地位的緣故，因此，里斯本政府表現放棄保留的態度。在北歐方面，丹麥及挪威正流露如下的跡象：對西方聯盟的承諾及義務，這兩個國家開始猶豫起來。

就現階段來說，唯一充分地履行對北大西洋公約組織的義務及承諾的，只有西德。這個國家仍然牢牢地保持與美國的關係。可是就另外的一方面來說，甚至西德人士現時亦開始跟共黨東德的統治者從事非正式的會談。再進一步來看，差不多所有西歐地區的國家正爭先恐後地和東歐共黨國家及蘇俄做生意。

由於歐洲地區出現上述各種發展及動態的緣故，因此，美國正開始發現自己感受一種「孤立」的威脅。換句話來說，除西德人士之外，歐洲分子現時正流露一種這樣的願望——設法令自己擺脫美國的關係，雖然這位山姆叔曾經在半個世紀的時間裏面用生命挽救他們兩次——而且在該時期中，曾經兩次地用大量的金錢協助他們從滿目瘡痍的大戰後環境中，恢復本身的經濟元氣。

不過就另外的一方面來看，直至目前爲止，儘管西歐的國家在種種跡象上表現想擺脫美國的影響力的趨勢，可是，沒有一個西歐國家（包括戴高樂統治下的法國在內）暗示美國應該削弱或者放棄現時正庇護西歐地區的那把「核子傘」。在他們的心目中看起來，他們顯然認定美國這把「核子傘」就是應付蘇俄侵略的一項最有效的保障。

西歐同時傳出吶喊的聲音——每一次當美國採取行動撤退一部份駐防西歐地區內的龐大美軍部隊的時候，西歐便發出反對的吶喊。在若干美國官員的心目中看起來，他們認爲西歐現時的言行及思想，類似如下的事件：付款給那位吹簫者的是美國，可是美國却沒有權利去選擇曲調。

西歐針對美國而採取的態度，爲甚麼呈現變化的跡象呢？有兩項主要的原因，歸納起來，第一項原因就是：蘇俄正表現較少的好戰態度，因此令到西歐地區內的人士產生一種較爲安全的感覺。至於第二項原因是：西歐地區人士覺得自己的經濟實力正不斷地增長起來，而且認爲西歐的經濟可能較美國本土的經濟更爲穩定。由於產生較爲安全及經濟實力較爲強大的感覺的緣故，因此，西歐似乎表現喜歡那種再告抬頭的民族主義的傾向。就另外的一方面來說，觀察家認爲西歐人士爲了美國捲入越南戰事漩渦中的事件而表示不快，同時爲了美國政府在亞洲地區內所面臨的種種問題，而表示有增無已的關懷和憂慮。

在西歐地區內，每一個主要的國家似乎有本身的理由去說明發成改變跟美國發生的關係，據說，法國總統戴高樂痛恨美國的原因，是爲了曾經受到美國已故總統羅斯福的輕視甚至嘲笑。（上）

美俄冷和態勢暫僵
白令海峽出奇寧謐
——紐約通訊——

然而直至今日爲止，這而緊張並沒有反映出雙方進行隔岸的軍事備戰跡象，雖然美國「軍事空運指揮部」極力利用「安哥里治」地方的那個「艾爾曼多夫」空軍基地，作爲美國軍隊及供應品從美國東岸運往南越的時候的一個中途站。

爲什麽美國在南越展開大規模的軍事行動，同時不斷地空襲北越的時候，而且又在克里姆林宮加緊軍事援助河內共黨政權及抨擊華盛頓的越南政策的時候，爲什麽白令海峽的兩岸呈現如是反常的寧謐及平靜氣氛呢？

在一般觀察家的心目中看起來，他們認爲邊境蘇俄瀕海邊境區所表現的平靜氣氛，顯示克里姆林宮的集體領導者不想爲了這項東南亞的衝突而擴大國際的緊張程度。在「堪察加」和「祖可斯基」之間的西伯利亞地區內，在過去十五個月的時間裏面，沒有絲毫跡象顯示蘇俄進行軍事集結的行動；進一步來說，蘇俄的飛機在過去十五個月的時間中，亦沒有在阿拉斯加附近的領空上進行任何不平凡的偵察飛行活動。

在一九六五年二月，美國及加拿大的軍隊與飛機曾經在北美洲地區進行一項名叫「北極出擊」的大規模防衛演習。依照原定的計劃，今年應該舉行類似的洲際防衛演習。然而，這些軍事演習已經被宣告取消了，因爲原定參加演習的美軍，不是被調到南越戰場去，便是接受特種軍事訓練，準備前往南越參加剿共的戰事。至於「軍事空運指揮部」的運輸機，亦爲了忙於空運軍隊及供應品到南越去，而無暇參加演習。

白令海峽的兩岸是沉靜的。從過去的經驗來看，這個如是重要及微妙的地區，在美俄兩國互相指責的時候，是不會表現這種罕見的寧謐氣氛的。爲什麼會這樣？被假設的解釋是：在美國方面，是爲了忙於應付越南戰事。在蘇俄方面，可能是爲了忙於應付中共。莫斯科需要沿中國的東北區邊境及新疆邊境屯駐重兵。就另一方面來說，白令海峽兩岸的平靜，也是爲了雙方確悉彼此的活動而非單憑揣測。蘇俄知道美國在阿拉斯加的實力，正如美國知道蘇俄在西伯利亞區的實力一樣。因此這兩個擁有最强大軍事實力的超級國家，在相距只有五十五哩的白令海峽兩岸，表現了罕見的「冷和」氣氛，而沒有爲了越南的熱戰而受到影響。

就另外的一方面來說，由於美國的阿拉斯加和蘇俄的西伯利亞在越南戰爭沒有任何緩和下來的跡象的情況下，却表現了如是寧靜與和平的氣氛的緣故，因此，中共曾經用冷嘲熱諷的神態及口吻去抨擊克里姆林宮的集體領導人物「與美國互相勾結」。事實上，美俄兩國的「冷和」，不單只在白令海峽的兩岸表現了出來，而且在歐洲地區內表現得更爲明顯。歐洲本來是一個充滿爆炸性的地區。可是，自從這個世界處於一種所謂「核子恐怖均勢」的狀態中以來，這兩個擁有核子武器最多的「超級強國」，深深地意識到在這種可怖武器對峙的陰影下，雙方除了陷於停滯的狀態中之外，除了用嘴巴去咒駡之外，事實上誰也不敢先發制人地使用核子武器，因爲彼此知道：對方同時擁有不容輕視的核子報復力。在這樣的「核子恐怖均勢」繼續維持下去的時候，美國和蘇俄顯然會讓目前這種「冷和」的局面繼續存在。（下）

中下層消費力降低
香港飲食業叫苦連天
普遍不景氣多感支持難

（本報訊）香港飲食業不景氣繼續蔓延，歇業及轉讓的經營的酒家、茶樓、餐室超過四十家。業內人士且認爲今後短期內尙難扭轉頹勢，相信仍有很多中型及小型酒家、餐室、茶樓不容易支持。

近月來香港飲食業的淡風十分嚴重，不但市區的飲食業務困難增加，即新界郊區的飲食業生意落行也告退縮，主要原因是香港市民的消費力繼續萎縮，聲譽最隆而地點較好的大酒樓與大茶樓、大餐廳，營業收入也比一個月前減少，中型的酒家、茶室、餐室的營業收入退縮更爲顯著。結婚酒席近月來雖然未有減少，但其他酒席生意一般都告削減，特別是工商團體以及私人的宴客應酬減少較爲明顯。於是在一個星期當中，有兩三天旺一些，其餘四五天就淡了。並且營業額午升午降，相差很遠。茶市及中飯、晚飯、消夜生意，發展較好，午市生意就有遜色；有的茶樓午市生意不錯，但早市生意不能達到正常水準。算中飯及晚飯、消夜生意的中型及小型酒家，中飯生意雖可維持相當，但晚飯及消夜生意便告減退。尤其消夜生意最差，到了晚上十時左右，便有顧客零落的感覺。餐廳及餐室生意也是一日之內旺淡不均，除了兩三個鐘頭客滿之外，其餘的時間，都是顧客疏疏落落。還有一點，使餐廳、餐室認爲最不理想的，就是食客減少了全餐、常餐及碟頭飯的食客，一杯紅茶或一瓶汽水的顧客據了較長時間的座位，於是營業收入與正常水平有相當的距離。

目前港島區的酒樓、茶樓、茶室、餐廳生意，地點不同就相差很遠。上環及中環生意算是比較好了，但由灣仔區一直到北角區，生意都很差。銅鑼灣區雖然是最旺的地點，但除了少數酒樓、茶樓、餐廳生意還可以勉強維持之外，其餘就感到生意不夠做。灣仔區近年人口雖然增加，但這裏的飲食業，屬於中下層消費，一般並不見怎樣旺；其中有些租值較平的，還可以維持皮費，但租值較高的就要蝕。西營盤區至石塘咀區，飲食業還好，尤其石塘咀茶樓不多，生意尙可夠維持。

九龍區的飲食業，一般說來都比港島區更壞。尖沙咀區算是九龍區內飲食業最好的環境，但這裏的酒樓並不是家家都夠生意做。旺角區飲食業近來更差，地點最旺的彌敦道也有很多家酒樓、茶樓、餐廳要蝕皮費。深水埗區以至荃灣區，飲食業都很淡，可能是工人的消費力減少了。油蔴地區飲食業，勉強可以過得去，但亦不見得怎樣好。九龍城區、紅磡區、觀塘區的飲食業，都呈現淡態，這是與工人消費力退縮有關的。

現在飲食業人士認爲最大的打擊，是租值太高，使一般負担不起。因爲經營飲食業，通常在舖與業主簽訂較長期的租約，租值是在從前高峯期訂定的，現在雖然生意降低了，但飲食業在租約未滿期前，不會減租。故此在生意落行減少的問題，皮費開支浩大，很多飲食商感到難以支持。

毛共越共處心積慮多年經營
泰國東北部禍事漸成熟
計已有共黨游擊隊不下兩千名
泰國急起努力能否消救不樂觀

關於第一點，泰國政府決定於兩年之內將地方的警員人數從現有的二萬五千人增至三萬二千人，邊境警員亦由五千人增至六千人。然而，這樣子是否已經足以應付此廣泛地區內潛伏着的共黨游擊隊呢？這樣子是否已足以阻遏寮泰交界的湄公河上共黨的滲入與軍火的走私呢？這其間是尙有問題的。

關於第二點，政府已開始致力於東北地區的福利事宜，以蘇民困，並改善貧苦民衆的生活。政府呼籲全國上下同心合作，以推行此項福利事宜。惟有能夠挽救東北的窮困，才能夠挽救該地區之淪於共黨，才能夠挽回泰國的危險局勢。

泰國政府現已成立兩個組織，在東北方面積極進行復興建設工作。這兩個組織，一是「機械化農村復興工作隊」，一是「農村復興工作團」，二者相輔而行，以發展農村經濟的重要措施。

該種重要措施包括：築路、建造、農事與灌溉系統的發展、實業發展及設立無綫電台等。所有這些繁重的工作，均由美國政府及友邦給予技術的和經濟的大力支援。

泰國政府已創設一家農民銀行，實施農民貸款五年計劃，撥出九萬萬銖，大部份是準備用於東北地區方面的。

過去泰國人忽視了遙遠的東北，任其貧瘠，任其荒涼，任其藏污納垢，遂使共產黨有活動的機會，成爲邊區之大患。而現時的急起直追，是否能亡羊補牢，消弭禍事呢？（完）

滬海異趣談

巴黎秘密淫窟以千為計

·秦雅·

第二次大戰帶來給巴黎的，不是炸彈，却是道德！因為戰後不久，巴黎便實行禁娼了。

巴黎本是花都，妓女之多，堪稱世界第一，乃一旦竟會禁娼，實不能不算是巴黎歷史上一大奇跡。

巴黎淫業本來由一個「娛樂托辣司」經營，全市所有著名妓院以及「幽會室」，大部分在他們手裏，曾有妓女約三十萬五千名。

一九四五年十二月十三日，巴黎市議會開會討論李莎夫人所提禁止賣淫關閉妓院的法案時，有一羣很體面的紳士到場旁聽，他們就是那「娛樂托辣司」的代表。當李莎夫人激昂地演說，力言法國所有弊病多由公娼制度而來的時候，那些紳士譏刺地望着道貌岸然的市議員諸公，並向他們微笑，彷彿歡迎老顧客一樣。

市議會未開會討論提案之前，那托辣司曾向李莎夫人運動撤回禁娼提案，願以一百萬佛朗為酬。他們又向巴黎警察總行賄二十萬佛朗，同時收買好幾百位醫生和許多新聞記者及要人，替他們做宣傳。但是李莎夫人的提案終於通過了。

原來法國各政黨對禁娼運動都予以支持的。社會黨主張禁娼，因為賣淫是無生產的勞動。天主教共和人民黨反對娼妓，因為那是不道德的。其他各黨派對此也都反對。

但此外還有另一重要的動機，就是第四共和國政府決定剷除那許多年來統治法國的「秘密勢力」，即是那些經營淫業的大亨。戰後法國的許多醜事，大部份是起源於那些淫業大亨所支配的下流社會。所以法國人多相信，肅清淫業，對他們國家的政治前途是極關重要的。

然而巴黎淫業到底肅清了沒有呢？據巴黎警察廳最近的報告，近七年來，巴黎淫業特別發達。新開艷窟，平均每月二家。自一九六一年至一九六五年，娼妓人數增加四倍。經營淫業的老板獲利甚豐，動輒以萬計。禁娼之後，公開妓院僅一百七十八家，秘密淫窟竟增到了幾千處。私娼之多，不可勝數。只一九六五年一年，警察捉到的「阻街女郎」已在一萬七千五百名以上。

巴黎禁娼，非不嚴厲。當禁令一下，所有妓院，無論公私營，一律加以封閉；警察當局設立一種特種部隊，叫做「風化隊」，專捕私娼。對「阻街女郎」及其嫖客，一同加以拘捕。不但著名的妓院都被封閉，連千百家小小的夜總會也經常被搜查，女招待之類常被拘捕。凡出現在這些地方的獨身女子，如遇查問而呈不出證實自己是正式女職工的證明書或受僱合同，即被提將官裏去。連與她們同座的男子亦然。

但是，道高一尺，魔高一丈。公娼愈禁，私娼愈盛。戰後巴黎，黑市盛行，發橫財者甚多；繁華漸復，外來遊客日衆。舊「娛樂托辣司」的老板們豈肯放過絕好的發賣淫財的機會。他們千方百計，繼續經營他們的淫業，不過轉入「地下」罷了。那些淫業大亨怎樣依然俱有「秘密勢力」，可從下面一事加以證明。

一天，在巴黎市中心區某一咖啡店，正當「勝友如雲，高朋滿座」之際，忽起一陣騷動。酒瓶、玻璃、咖啡壺等物嘩啦嘩啦墜地，櫈倒椅倒，秩序大亂。許多漂亮女郎四散奔逃，但被警察抓住，查問證明書。接着咖啡店主、店員以及許多男女僱客，都被押上警車。原來自從巴黎禁娼以後，許多秘密賣淫的女子，都以咖啡店為勾引嫖客的場所。所以「風化隊」常來拘捕她們。這本不足為奇。但當時有一位倫敦「新聞評論」周刊的通訊員在場，因好奇心，決查此事究竟。據他調查所得，此事發生數小時後，忽有一個神秘電話打到警察署，叫他們把剛才捉到的人全部釋放──只留兩三個女子候審。其實，這種捉放活劇，在巴黎已一如家常便飯。這也足以證明警察當局仍為「秘密勢力」所支配。

據「紐約先鋒論壇」記者所聞，巴黎公共衛生當局將向法國國會提出一種新法案，主張恢復性病檢查制，對一切已經證明是秘密賣淫的婦女都強制施行。

質詢權的平議

張健生

日本「國會爲國權之最高機關，及國家唯一之立法機關」（第四十一條）。「國會以衆議院及參議院構成之」（第四十二條）。而「行政權屬於內閣」（第六十五條）。關於質詢權的行使，依據一九四七年公布的日本國會法規定：「各議院之議員，如欲向內閣質問，必須得議長之承認。質問須作成簡明之意見書，向議長提出之。關於不承認之質問而議員有異議時，此項承認與否應徵求議院之意見。關於議長或議院不承認之質問，議員有要求時，議長應將意見書揭載於會議錄」（七十四條）。若「經議長或議院承認之質問，由議長將意見書轉送內閣，內閣於接到質問意見之日起七日以內答辯之。如於其期間不能答辯時，必須將理由明示之」（七十五條）。國會議員如「有緊張之質問時，得經議院議決口頭質問之」（七十六條）。「關於內閣對質問之答辯，得根據議員之動議移付討論或表決」（七十七條）。「各議院爲與關心國政之議員有自由討論之機會，至少須於三週間開一次此種自由討論會議；但議院管理委員會有決定時，不在此限」（七十八條）。

從日本國會法觀之，日本參衆兩院議員所行使的質問權，極類似法國的詰問。而日本國會為防止議員濫用質問權而加以種種限制的辦法，同時為杜絕議長專擅而濫行否決議員的質問權，也有種種辦法來限制。

舉例來說，議員的質問書須得到議長的承認，此項規定，議長對議員無關宏旨的細小質問，以及雷同之質問，議長不予承認，事前即予打消，避免無謂的而又重複的提出質問，浪費時間。議員對議長不承認的質問，固得提出異議，但這一異議提出後，關於應否承認的問題應由議院來決定。此乃為防止議長濫權與防止議長專擅而設。凡是書面質問，內閣在七天內答辯，然有排斥議員的口頭質問，然而口頭質問限於緊急事項，且須經議院的議決。至於而須議院決定的規定，旨在防止議員濫用質問權。

至於議長不承認的質問雖得載於會議錄以發表其意見的機會，但必須簡明。日本國會對內閣答覆質問的答辯，得根據議員的動議移付討論或表決，這種規定，類似法國的詰問，但有預防議員濫權的辦法，企圖避免政局不安。（六）

用猴子探討兒童教育問題

○質彬○

「什麼是愛？」這個問題是現在任何人不能完滿解釋得出來的，所以心理學家乃用最接近人類的猴子來研究，想尋出答案。在美國的一個實驗所，使用幾百隻恒河猩（即在印度東部恒河一帶最多的猴類）在心理方面，研究愛的最初步驟。直到現刻得到的結果，專家們認為愛確能使到這個世界轉動。其中一個人更講得明白：「假如猴子能夠告訴我們一點事，那便是你應該學習怎樣去愛，先過於學習嚴格的去生活。」

從試驗的經過告訴我們，在早期愛的經歷對後來品性的發展和社交的調整有莫大的關係。那個研究可以幫助我們教育更愉快的孩子，避免許多麻煩的發生，最主要的尋求獲得驚人的結論：一個青年人，他同年齡相若的別的青年有正常結交是最重要的，正如他對父母有一個良好的關係，不相伯仲。

在美國的韋士康辛州有一個美國最大的動物研究中心，它育養著六百隻猴子，包括有一個繁殖的地方，每年約有八十隻小猴出世。那些猴子在分開年代的階段，從出生到成年，來研究牠對愛的發展程度和影響。

在人類猴子之間，在愛的方面有許多相似的。在嬰孩的時期，他依偎他的母親，長大後就出去交結與他年紀相若的朋友。

母親與同伴的早期接觸究竟對兒童的品性有什麼影響呢？最有效的方法來作解答，是將出生後的嬰孩來試驗，放在一個有完全好的設備的試驗室內，他沒有與母親和其他孩子接觸，後來就測驗他的品性所遭受到的破壞如何？這就是科學家要做的，他們用猴子來代替人類。

一個新式的育嬰室，使用的是一頭新生的小猴，牠在出生後就跟母親隔開，用另外一個鐵絲網籠來蓄養，籠內放有暖氣熱，更有人餵飼牠，依照標準的育兒方法。這個步驟是在孤單上的試驗，小猴不獨離開牠的母親，且連其他猴子也不能聚集在一塊。經過兩年之後，當有兩隻曾受孤單生活的猴子同被關在一起時，牠們就會互相打鬥起來，沒有半點想共同相玩的意向，牠們永不會和合相好。照研究所得，凡一隻被完全孤單的猴子，經過六個月後，牠的性情就會變得很暴躁和好搗亂，不能夠跟別的猴子相好。

孤單有這樣壞的結果；若有母親的提携與朋友相伴又如何呢？心理專家又用手製的母親來作試驗，那是用鐵綫與布來製成母猴的形狀，在它的胸部前面突出有餵乳瓶頭上的橡皮乳咀，盛有牛乳的餵乳瓶放在後面，在胸部又有暖氣墊，可保幼猴體暖，母猴的手臂用機動可以搖擺，全身纏有柔軟的油布，好像是獸皮。當幼猴在着驚時，就會緊抱着那隻假的母猴，好像抱着一個真的母親而得庇護。（上）

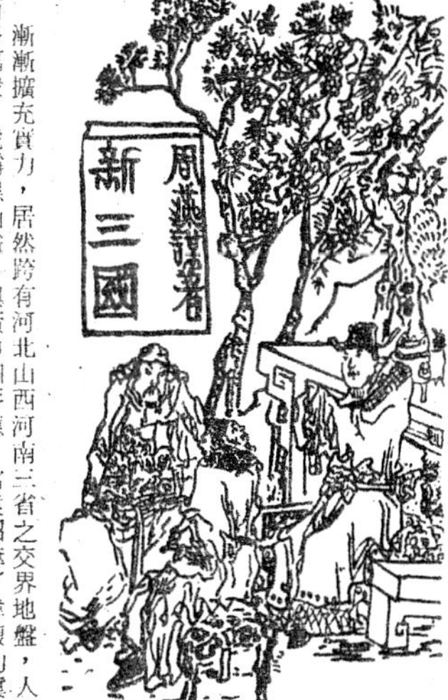

漸漸擴充實力，居然跨有河北山西河南三省之交界地盤，人口有百多萬衆，號稱黑山賊，與黃巾相呼應。當袁紹奪了韓馥的冀州，又與公孫瓚交鋒之時，張燕與公孫瓚聯合，所以袁紹在打平公孫瓚以後，就去打張燕，却在此時呂布來了。張燕雖然有飛燕之號，但却比不上騎在赤兔馬上而可以飛躍城牆，跳越深溝的呂布。呂布帶了幾十個舊部，盡是身手不凡的人物，天天隨同呂布衝進張燕的大營，如入無人之境，打得張軍落花流水。這樣一種戰術，加上呂布的英勇，張燕只好避他的風頭，把正定一塊地盤讓出來，竄到深山去了。此時河南附近一帶的人無不知呂布其人的英勇，在民間就流行着兩句諺語：「馬中有赤兔，人中有呂布」。呂布在此一時期表演得精彩，可是袁紹却暗中不安，恐怕養虎遺患。呂布請袁紹增加他的兵力，袁紹那裏肯准？於是呂布大為不滿，和他的部下，舊病復發，姦淫擄掠無所不為。袁紹非常不滿。呂布見情況不對，又不能住下去，向袁紹表示他要回洛陽去。袁紹當時代表皇帝命令呂布為「署理」司隸校尉。司隸校尉的官職前面有所說明，他有如清代的直隸總督，不過漢代的直隸不是河北省而是寶雞至鄭州的一個地方，包括長安洛陽在內。司隸校尉的官位和當時州牧差不多大小。呂布獲得了「司隸校尉」之名，不但無法治理潼關以西的地域（時李傕郭汜所佔），也沒有力量治理洛陽一地。洛陽自從被董卓賊焚燒之後，簡直不成人間世界，殘壁廢墟，鬼哭神嚎，哀鴻遍野。不但沒有人烟，也沒有吃的東西。袁紹知道呂布這人是隻豺狼，乘機宰了他，豈不是除了一個禍患。就在發表呂布「司隸校尉」之時，以餞行為名，暗中派刺客殺呂布。呂布十分機警，臨時自動要求彈琴（箏），他在帳棚內彈了一陣，便換人代彈，帳外的刺客以為呂布的彈興正濃，而其實呂布換人彈琴之後，跨上赤兔馬，一溜烟走了。這次呂布是單人獨騎溜走的。呂布也是流年不利，窮無所歸。

呂布急急加鞭，衝出冀州的首城鄴縣，打算再回河內找張揚，但却又怕張揚的部下要捉他去獻功。他奔到黃河以南的開封附近的陳留郡，却碰到郡守張邈，硬要強留他，而且竟要捧他出來做自己的上司，把袞州牧送給他。

張邈是廣陵太守張超的胞兄，山東人，也是同盟軍討董卓的發難人之一，此人十分重義。張超也是同盟軍的發難者之一，袁紹是在五人會盟於酸棗（河南延津）以後不久才被推為盟主的。當時首發難的五人除張邈弟兄外，其餘之人是兗州刺史劉岱、豫州刺史孔伷，東郡太守橋瑁。張邈和曹操的交情也很好，曹操參加討董卓，籌募兵款之時，張邈大力支持。曹操在初平三年，即董卓被誅的明年，受鮑信等人的邀請，由河北趕到兗州、協助打平那殺了青州刺史劉岱的青州黃巾，收編了黃巾羽黨士衆三十餘萬，就做起「署理」兗州牧來，繼承了劉岱的位置。張所管治的陳留，是兗州的一郡，他很擁護曹操。曹操做兗州牧大約兩年之久，呂布窮無所依，流浪於張揚、袁術、袁紹之間兩年。張邈要捧呂布是有用意的，他見曹操這人太可怕了，他恨曹操不應該去打徐州牧陶謙，同時恨曹操打徐州殺人放火，屠戮太殘。（四十）

談龍吟的角色（續）

此外老旦有陳萍萍，是大鵬三科學生，馬天亮之得意高足，年僅二十，嗓音寬宏，頗具規範。小丑唐復雄，是復興劇校第一期學生，工丑行，冷雋有味，為該校的高材生，旦金復燕，亦復興畢業生，玩藝不差，配搭演出，頗有動人的表演。

忠勇也演龍鳳呈祥

力行補習班的同樂晚會，演出龍鳳呈祥以後，空軍忠勇劇社勞軍晚會，也演龍鳳呈祥，此戲真大大走運，將來還有一場再露的機會。此戲是充滿喜氣，洋溢於北市。此戲是群戲，必須全部配搭齊整，方有起色動聽，否則甚麼也不能起勁。因此在演出時，孫喬玄要好，劉備也不能弱。很少見的是譚富英飾劉備，馬連良飾喬玄，且恐不夠勁，再串闖帳的魯肅，以抵擋劉備。後來演者便成為例，大家仿行，便是今日的定規，一直如此。其實不用這種不要落後的劉備，則喬玄也要相當吃心力，實用不要落後！

國劇繽紛續錄

（一八十）鑒賞生

上月廿九日，忠勇劇社在介壽堂上演，茲將其角色，劉備是立院秘書王志賢所飾，他是宗譚余，唱得很好。而其太座婦同台的佳話。孫尚香輕易不演，唱得很醇。蔣女士宗梅是夫士飾喬玄，也是忠勇的社員，余極富劇藝，王保陳的趙雲，徐智芸的國太，亢永瑞的孫權，趙福東的張飛，孟鶴齡的周瑜，林興隆的魯肅，廿作響的孔明，皆素有舞台經驗，頗輪老手，配合得以見其好，因此在五月底在中山堂再演出，合同得成，是社夕晚會手！在龍鳳呈祥之前，尚有夜戰馬超。所特別的，是馬超張飛均有化身，成為四位小馬超，位小張飛，也就是劉懋昭、秦東臣、賈玲、劉正蓉、安國、張強，熊張飛，與正式的姜少華（張飛）、蕭南勵（馬超），張強，就有五對的開打，非常熱烘，很有意思。忠勇演出與空軍之友，類似全部，是以配合各票友，為未來社所能行，各種推展的佳事，今後將不斷的發見，大佳特佳。

欣賞會的龍鳳呈祥

國劇欣賞會為了慶祝總統蔣公連任總統，於廿八日晚假國立藝術館，演出全本龍鳳呈祥，這場戲與其他各社所演的演員大有不同，就是有幾位劇評名人參與其列，如孫管公（總主編），李獻廷（作家）的吳國太，李照（主編）的劉備，嘉（主編）的孔明，敖鳳翔（菊壇主編）的喬玄，高戈平（電視大夏）的周瑜，張大夏（作家），平劇編導許多人登台，前此所未見也。（未完）

談李準朱慶瀾

諸葛文侯

四川鄰水縣人李準（直繩），於滿清末葉任廣東水師提督有年，宣統辛亥（一九一一年）三月黃花崗諸烈士在廣州革命之役，兩廣總督張鳴岐出走，督署被革命軍攻入，遂搜張督未獲，引火焚之而出，與清軍李準部隊巷戰激烈，終告敗績，死難者七十餘人，皆為英烈，人心大震。川省青年但懋李亦參預其役被捕受辱，李準以同鄉之誼，略加維護，得不死。迨至革命黨人忌恨李氏忒甚，曾以炸彈狙擊之，李負重傷，癒後深感來日大難，防不勝防，且受民族思想之刺激，與革命黨人頗通聲氣，時黃興、胡漢民等在香港設立機關，策動革命事業，李固知悉，乃暗中託人與胡漢民聯絡，胡氏亦認許不究既往，但須有事實表現，近人馮自由所著「革命逸史」紀述甚詳。……當年在廣州被刺經過，以及辛亥武昌首義後，李氏派員至香港迎胡漢民入廣州就任都督，諸般情況，娓娓不倦，且解衣露背以示愚曰：「革命黨人之造就，是你們一個人的成績！」

據李所談迎胡情節：民元胡氏被推舉為廣東都督，李即派員赴港歡迎，願負維護安全之責。胡入廣州就職時，粵垣民軍龐集，單位衆多，漫無系統，而以王和順部實力較強，紀律亦廢弛。一夕，胡都督曾親登小艇巡河，李氏旗艦留宿，謂省城秩序紊亂，次日李派兵護送胡督返公廨，而胡氏黨人大譁，指李係屠殺黃花崗烈士之罪魁，非究處不可。胡氏乃將李氏於黃花崗之役後，公開聲明，為李緩頰，後於夜間派遣壯士携炸彈潛至李之旗艦，常於何隙報復，李亦何甘心，而防範嚴密，未遭意外，然思長此處於危疑震撼之環境中，終非上計，乃留書胡都督，聲請辭職，悄然離粵，轉香港北上矣。

李到北京，以遺老姿態，縱情歌場舞榭間，以忘懷於政治。民二癸丑，南中各省討袁，袁世凱利用李氏與粵軍舊有關係，遣其南下至香港活動，任命李為將軍府將軍。洪憲帝制運動期間，廣西陸榮廷密派李氏圖粵，袁不得逞，已死，李氏活動無效，政治上已無可為，在樊山、易實甫等人之樊山詩社，所與交遊者為狂士，餘地部坤伶，在故都民國時，李愚叔正在北平，春明戲院每夕包廂時在……友好觀劇，愚曾受邀欣賞章與周瑞安、侯喜瑞合演「刺巴杰」，章去「九奶奶」，風姿綽約，不同凡響也。

朱慶瀾（子橋），吉林某省，清末民初曾任東北省軍政首長，民國起，轉任廣東巡按使，繼國父護法之役，追隨孫公開府粵中，朱氏仍任廣東省長，而桂軍將領莫榮新任粵省督軍，與翟慶「軍務院」岑春萱勾結，對孫公貌合神離，唯朱氏親近民黨，遇事輒將所部巡防營二十營交由陳炯明組織「援閩軍」，率赴漳廈一帶屯訓，此民國七年間事也。越民國十一年，陳炯明以此項兵力還粵，擊走桂軍，孫公回粵就任非常總統。追溯本源，朱氏對民黨功績滋大，未可埋沒也。設使陳競存不變節謀叛，聽受孫公命令，總制兩廣，全力支持孫公北伐，則北洋曹吳軍閥，不待民國十五年而已倒，革命北伐，大局必改觀，……陳炯明後莫由北伐功虧一簣，抑鬱終身，念亦為罪魁之一，且為歷史所留下無限感慨歟！朱子橋於解除廣東省長職務後，仕途絕跡，專事救災，與熊希齡等朱氏工作，至民國十七年南京……

愚偶遇之於應酬場中，愚為述陳競存援閩舊事，廣東巡防營統率，對朱表示欽遲之意，彼詢愚曰：是否當年在粵民黨黨員？愚曰否，唯以在國粵報紙中留心，略暗此事耳，敬表謝其風度，而今先生已逝，其風度有足多者。

諸葛文侯曰：李準之迎護胡都督，朱子橋之資助民黨軍，事能稱述，以其為足滿清之官員，而否定其有益於民國之行為也。茲篇之作，旨在供後世治史者參考資料，聊以彰公道是非云爾。

張大師

「影劇與歷史」之二十五

周遊

民國初年，北洋軍閥割據華北，都由橫行，百姓輒目。杭州富家青年范嘉樹，就讀故都大學，暑假回杭，寄居伯朱家。嘉樹假日無聊，偶聽歌於天橋一茶寮，對唱大鼓之歌女沈鳳仙頗有印象。是日聽完大鼓，漫步天橋一帶，見江湖賣技之關壽風、關秀珠父女，因作……之大民國殿，嘉樹挺身干預。該官長悉嘉樹為軍需處長陶伯禾表弟，不敢造次，陪罪而去。壽風、秀珠父女感其相助，堅邀至附近小酒館，杯酒為謝。秀珠以嘉樹英俊，深為愛慕。嘉樹返家，表兄陶伯禾夫婦預約請財政廳長女兒何麗霞酬，介與嘉樹，盼能攀附權貴。晤面之下，嘉樹發現麗霞……鳳仙，頗為往意；麗霞以為嘉樹有意，屢作準喧，即邀往跳舞。次日嘉樹下課，至鳳仙住處附近徘徊，為鳳仙同居歌女月琴所見，入告鳳仙，鳳仙迎入小坐，嘉樹乃悉鳳仙早喪父，母叔均倚鳳仙賣歌為生。嘉樹願負責鳳仙一家生活，並慨然……鳳仙母女感激涕零。嘉樹途遇秀珠，知其父壽風日昨被士兵毆傷未癒，即隨秀珠往探問，頗行，悄然放下銀元數枚，使壽風賴以延醫。數日後，嘉樹已送鳳仙就讀於一女校，每下課，即趨去相迎，偕赴近郊散步，並為鳳仙指點書本疑難。久之，兩人情根深種。嘉樹一日路過天橋，不見壽風、秀珠父女賣技，多方打聽，獲悉壽風傷勢轉劇，嘉樹即往其家，為之召醫診療。秀珠益為感動，一縷情深，暗繫嘉樹。麗霞亦深愛嘉樹，常至陶家相訪，此日並購禮物持贈，約嘉樹於下月初三至家參加其父壽讌，順便一談兩人婚事。嘉樹此時正心神恍惚，漫應之。嘉樹是日攜備近照及戒指往候鳳仙下課，偕赴郊外花蔭下，親將戒指戴在鳳仙無名指上，鳳仙羞喜交併，低笑投懷。當嘉樹送鳳仙返家，途遇秀珠，秀珠目睹二人親暱之情，嗒然若失。數日後，嘉樹往探壽風，壽風已痊，正準備復出，見嘉樹來，乘機試探，擬將秀珠終身相許；嘉樹惶然，告以已與沈鳳仙訂婚。秀珠聞之，哇然而哭，但壽風則坦誠謂鳳仙其人不錯，囑秀珠向嘉樹道賀。秀珠含淚而笑，恭喜嘉樹。嘉樹頗感不安。回家，得麗霞在大吵大鬧，責嘉樹昨日失約不到其家，嘉樹坦承因赴未婚妻之約。麗霞聞言，大為失望，悲憤而行。嘉樹旋接杭州來書，謂母方臥病，囑即回杭。嘉樹即收拾行李，行前先赴鳳仙家話別。鳳仙叔父沈三叔在酒館中遇舊同居及舊同業黃國生，知國生憑藉女徒月琴嫁給李師長為姨太太，已貴為副官正，頗表羨艷。國生表示張大帥需要一美少女，三叔即向鳳仙動腦筋。鳳仙試探，與李師長但遭沈母嚴詞拒絕。沈母及鳳仙……定計，以月琴擬與鳳仙一叙姊妹舊情為藉口，將鳳仙騙到大帥府。張大帥一見鳳仙，故意使滿意。強邀鳳仙打牌，仙大感其大贏。鳳仙是夕回家以後，心有所懼，堅囑沈母勿再與此類人物來往。（一一）

如何寫作——幾點扼要方法

．雷也同譯．

很多人都變成專家，教授們如何書寫簡明文字。聯邦政府機構，陸軍及空軍部也都有寫作綱要。這種簡明寫作法應用這麼廣博，你便認為唯有受過特殊訓練的人才能寫得好，事實上並不如此。

你應該遵守幾條寫作的法則，下面是比較重要的。

要適合你的讀者。如何適合那些已看了標題而預備看你內容的讀者呢？一位經濟學家寫給他的同行：「最近指標顯示出，年銷平均率經市場壓力已平衡到二百萬單位。」對外行而言，不如寫「年銷率已穩定至二百萬單位一年。」

主要是要收信人知道你要寫甚麼。譬如老板派你到某處調查某工廠位置，在你報告書中，你寫乘飛機出發，第一晚在斗艙睡覺，第二晚在旅館就寢，又屢乘汽車等等，諸如此類。但是他並不要知道你的生活，也不是旅行演講，他只要看備忘錄。但是如果像上面這樣寫的話，漏了要點。很多信和報告只看到一半，因為作者只為自己而沒有為讀者。

簡短扼要地說明幾點，在信裏他用了冗長廢話，就像每個人寫俱樂部公報，替老板寫備忘錄，突然間他用了高潮的字眼，變換了字句；結果不是使讀者獲得高潮的享受，便是混亂。

你會聽到公用電話的一段會話：「哈囉，占士先生，我是祖．康羅萊，這裏是愛司會。我們非常抱歉沒有依你的話去做，工廠的貨裝錯了倉庫；但是在星期五以前，仍然可以換過。」

現在我們假設康羅萊先生決定用通信方法好過打電話給占士先生的話，書信應如下寫：

「親愛的占士先生：

你四月十五日來信要求依照你的話去做的信已收到了。我們倉庫裝貨計劃在正常中進行，就如你所預料，直接由工廠裝載；如無論如何是由于不正常的導航，錯覺向我們的倉庫。我們已找好倉庫，收藏了你的全部貨物。現在通知你，在本星期五以前，我們應該辦理交收手續；我們非常抱歉使你增加了這些麻煩和拖延」。

從會話到寫作，祖．康羅萊表現了變換。在電話中他只（上）

「生人」與「情感」

。英紫。

我們帶着那種決心，要對人類文明作出最良好的貢獻，那末我們才能夠生活下去。人類也是精神上最好的方法，但也許是最困難的方法。

還有第五點，看起來好像一條簡單的方法：一個人對別人表示「愛」這一個字，應該在廣泛的意義上看起來，即是對別人的利益，不利益是能夠把一切快樂與別人分享。……界失去了一個人真正的友情，空對於他自己的宇宙裏，他會繼續進行一切自己的趣味，結果他們就是生命和自己造成的世界陷於孤獨，他不能建立他自己的，因為他自己深以表示他們是切實的。他不會發覺一個世界上的「我」，我們的「自我」的秘訣，就是把生命值得珍視的一個「自我」，在自己的世界上領域裏獲得精神上的改進。生存有成就的社會，如果我們要比以前更保持這五種感情的健全精神，那是值得我們奮鬥的。

我們可以說明生命是值得奮鬥的。那是值得奉行的，因為它會使我們無窮盡的世代得到處事和做人的那種最高準繩和規範。（下）

自由報

THE FREE NEWS

第〇六六期

中華民國僑務委員會頒發台僑新字第二三三號登記證
中華郵政台字第一二八二號執照
登記爲第一類新聞紙類
（半週刊每星期三、六出版）
每份港幣壹角
台灣零售每份新台幣貳元
社長：雷嘯岑
督印人：黃行富
社址：香港銅鑼灣高士威道二十號四樓
20, CAUSEWAY RD 3RD FL. HONG KONG
TEL. 771726　電報掛號：7191
承印者：大同印務公司
地址：香港北角和富道九六號
台灣分社
台北市西寧南路壹號二樓
電話：六三〇三〇
台郵政信箱二九五二

新戰爭邊緣論與越戰（下）

何浩若

蘇俄既未退出賭博，美國又聲明要以核子武器對付共匪，核子大戰當然仍然有發生的可能。加之美國的左傾人士，利用美國人恐懼核子戰爭的心理危言聳聽，硬說核子大戰即將爆發。例如美國的左傾實業家伊頓在去年五月間訪問蘇俄，回國以後便在五月廿四日發表談話說柯錫金親自告訴他，核子大戰將在四星期以內爆發。美國的報紙對於此項無稽的恐嚇謠言競相登載，就是台北的報紙也大爲宣傳，這是去年五月間的事。當然這項謠言已不攻自破。但是就在不久前，在今年的二月十三日，據莫斯科美聯社的報導說，蘇俄的民防組織負責人崔可夫元帥說現在蘇俄已處於核戰危機中，蘇俄各大城市均可能被毀滅。該報導還說這是蘇俄第一次最坦率的聲明說核子大戰如果發生，蘇俄也將被毀滅。要知道崔可夫的話不僅是警告蘇俄人民，而主要的是說給美國人聽的。聲明的目的是要美國退出越南，否則發生核子大戰，美國和蘇俄的各大城市均將被毀滅。爲什麼要說雙方都會被毀滅呢？要這樣說，美國人才會相信，才會發生恐慌。美國的左派人士才會隨聲附和掀起風潮，恐嚇美國人民，威脅美國的政府。因此美國雖然未在越戰中和蘇俄直接衝突，當前的世局，仍然是在新的核子戰爭的邊緣。

四、我們對新戰爭邊緣論的看法

新戰爭邊緣論最重要的一點就是美國要不要看共匪的牌。那就是說美國對共匪發生衝突，蘇俄會不會介入而發生核子大戰？美國是否和共匪發生軍事衝突要由兩方面來講。美國歷次聲明，共匪如敢介入越戰，美國必予打擊。但是共匪現在並沒有像韓戰一樣正式的介入越戰。共匪雖然沒有正式介入越戰，因爲共匪支持北越不肯講和，美國也一樣的無法解決越戰。這就講到問題的另一方面了。美國爲解決越戰，是否除加強轟炸北越以外，再對共匪施以軍事壓力，例如轟炸共匪來解決越戰呢？我們的看法，假如共匪維持現狀不正式的公開介入越戰，美國不會對共匪有軍事行動的。那麼美國便祇有加強對越作戰了。我們的看法是，越戰在戰略上講是錯誤的時間，錯誤的地點，和錯誤的戰爭，即令美國加兵也不能獲得勝利的。假如美國再增兵三十萬把越南的越共（Viet Cong）打垮了，北越還是可以增兵的。美國加強轟炸北越到北越無力援助越南的共黨以後，共匪仍然可以照韓戰一樣正式介入越戰拖着美國，以無窮的人力，以人海戰術在越南和美國作戰。這時候，美國自然不會再蹈韓戰的覆轍，直接予共匪以打擊。假如局勢發展到這樣的地步，我們的看法，美國和共匪直接作戰，即令蘇俄不支援共匪，美國也無法使共匪屈服。這一點十分重要，需要詳細說明的。

支配二十世紀人類主要的思想，在亞非兩洲和拉丁美洲諸多尚未工業化的國家仍然是民族主義。民主國家的反共必須要重視民族觀念。民族觀念在六萬萬人的中國是必須要被重視的。因爲中華民族在過去一百年來受到極端的無理的壓迫，使蘊積着無窮的力量。毛澤東要根本剷除中國固有的文化，當然不是一個民族主義者。是一個共產主義的信徒，根據工人無祖國的教條是漠視民族利益的。但是根據共產黨的辯證法，共匪可以利用民族觀念來抵抗異族的侵略。假如美國本身要和共匪在中國大陸上進行傳統戰爭，美國未必能操勝算，也許會蹈日本的覆轍。

假如美國用核子武器和共匪作戰呢？以中國大陸幅員之廣，人口之多，未必就會使它屈服，也許還會加強其民族意識抗戰到底。假如美國大規模對共匪使用核子武器，就必須要顧慮到蘇俄的動向。我們的看法，共匪有意製造出一場中美的民族戰爭來引發核子大戰。所謂暴力革命，以世界大戰來謀全世界共產主義的團結，不惜殺死世界人口三分之二再在人類廢墟上重建文明。都是共匪的一貫主張。毛澤東不惜反俄就是要提高民族意識來反美。共匪在一月卅一日由新華社連續發表了三篇所謂「國際時事知識」的資料：第一篇叫「美國全球侵略戰略」重點的新變化」，第二篇叫「美國在亞洲的軍事包圍圈」，第三篇叫「美國的「蘇聯士」以東政策」。這三篇東西故意渲染美國改變戰略處心積慮要侵略共匪，要中國大陸上的人民爲保衛祖國應戰。共匪的「解放軍報」據二月十六日香港報導，還列舉了十項事實證明上面的說法。毛澤東才是處心積慮的想和美國賭一場民族戰爭的撲克。我們的看法，我們最友好的盟邦，假如不另闢途徑單純的由美國和共匪以傳統戰爭在中國大陸上決戰，是難操勝算的。

如上所述，美國在越南，求和既不可能，戰又不能操勝算，在此和戰兩難的情形下怎麼辦呢？我們以爲美國要在核子戰爭和傳統戰爭以外來尋求解決越戰的辦法，那就是支援另一種戰爭叫「革命戰爭」。共匪的暴政是越戰的起因。要解決越戰就必須摧毀共匪暴政。要推毀共匪暴政，唯一的方法是讓中國大陸上的人民來推翻共匪政權。這就是所謂反壓迫反獨裁反飢餓的革命戰爭。人民的革命戰爭原可以自動爆發的。但是在共產黨統治之下，統治的方式有了變化。從前的暴君的獨裁是個人獨裁，人民可以自動爆發革命。現在共匪的獨裁是有組織的黨的獨裁，是一個現代的「警察國家」，必須要有支援，方能爆發革命。我們的看法是中國大陸上六萬萬人民在共匪暴政下，受着壓迫挨着飢餓，假如讓他們自己選舉，一定會推翻這個政權。但是這六萬萬人民認爲如有異族侵略，就會激於義憤先禦外侮。毛澤東就是要中國人民轉移目標。假如美國能支援自由中國發動大陸革命，不僅不要美國出兵，而且不要美國出名。美國祇要以物質支援，讓中國人自己來才可以解決中國的問題。爲了反壓迫和反飢餓，爲了爭取自由和生存，在革命戰爭中，敵人的人民就是我們的人民，敵人的武器就是我們的武器，一定可以打倒共匪的。共匪政權被摧毀以後，便自然的可以解決越戰。這就是我們對新戰爭邊緣論的看法。（完）

核彈可以療饑？

共黨拿手好戲！

今日與明日

毛朝大亂

毛共頭目經過十六年的暗鬥之後，目前已變成了明爭。彭眞垮台之後，事情不但未了，而且更形擴大，淸算的浪潮已經由北平、天津、上海傳染到了廣東、貴州、四川，最後相信任何角落皆不可倖免。

此次毛共迫害文化人波及範圍之廣，眞眞史無前例。過去雖然年年都有迫害文化人的事情發生，但是總以反毛的人爲對象，最少也要像鄧拓吳含（口旁）等人寫寫三家村扎記，挖苦毛酋始被指爲對象；現在不然，幾乎所有知識份子都成了對象。郭沫若被迫坦白於前，賀綠汀又被淸算於後。大家都知毛共有一首臭而不可聞的歌曲叫做「東方紅」，開首就唱「東方紅、太陽升、中國出了個毛澤東」，任何有良知的中國人，聽了這幾句沒有身上不起雞皮疙瘩的，但是賀某也成了反「黨」的主要份子，被指爲響尾蛇，賀某其作品有毒，遭受淸算。賀某其他作品我們不知道，要說有毒，這首歌曲可是眞眞的有毒！但是毛共此日淸算賀某，決非爲此曲，另外又加上其他的罪名。試想郭沫若和賀綠汀，是大陸文人中兩個稱毛澤東爲太陽的人（郭丑與毛酋同機，賦詩有飛機外面一個太陽，飛機裏面一個太陽），都不能免於整肅淸算，其他的人，尤其是有良心的文人，還有噍類乎！興念及此，眞不寒而慄。

毛酋繼承人問題

由於毛酋奄奄待斃，於是繼承人問題的競爭就更趨白熱化。照目前情形看來，自然是林彪佔上風。本來林彪可能出任毛酋繼承人，在多年前已經有人作過估計，當時所以如此推測，其根據有三：一、林彪在高級共酋中年齡最輕；二、林彪在僞軍中聲望最高，權力最大；三、林彪與蘇俄關係較密切。目前第三點暫不必談，一、二兩點仍爲重要因素。問題是林彪對此次共酋爭奪中，是出了槍桿爭來的，硬以槍桿壓在黨棍上面，劉少奇及其手下一批人對此如何能甘心。一旦毛酋斃命，大的爭奪必然開始，即使林彪憑槍桿能殺絕知識份子同黨棍，但手下小軍閥必然接踵而起，各自爲政。了解共黨本質的人都曉得，共產黨實際是靠一些巫術咒語統治的，最高領導權力絕不能操於純軍人之手，因爲軍人不善於巫術咒語，要他們天天在說：「列寧怎麼講，毛澤東怎麼說，」拿這一套鬼話去欺人，是絕對作不到的。等到有一天軍人當了政，共產黨先完了，剩下一羣小軍閥何以自立，恐怕不旋踵間也就同歸於盡了。（何如）

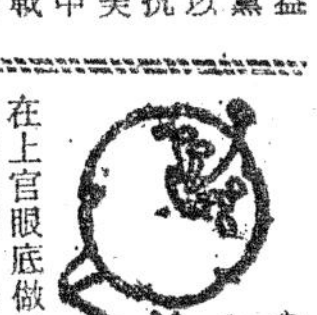

作官與作事

「古之居官也，在下民身上做工夫，今之居官也，在上官眼底做工夫」，呂坤的這幾句話，恰是衰世官場的「活動寫眞」，歷歷不爽。

凡屬能在下民身上做工夫的官，他是爲作事而來的有志之士，胸懷抱負，企圖得當以求發展，對於個人官位的進退得失，無所容心，可行可止，可久可暫，一是皆以福國利民爲本，政策如不能行，即望望然去，毫不留戀，這是所謂政治家的應有作風。西方國家的內閣總理或管部閣員，他們提出議會的政策性法案若被否決，馬上宣告辭職，此物此志也。這樣的官員，當然不顧、亦不屑在上官眼底做工夫，如魏徵對唐太宗說：「願陛下使臣爲良臣，勿使臣作忠臣」，便係政治人物最高的政治典範。無論甚末時代的政治生活，如其多數官吏都沒有在下民身上做工夫的志節，國家未有不危亂以至於傾覆的！

若夫在上官眼底做工夫的政客官僚，先天上即係爲作官而來的利慾薰心之輩，他們患得患失，有奶是娘，無所謂政見，更不措意於國家和人民的禍福利害。眼睛專門盯住上官的顏色，心思只在揣摩上官的喜怒，奴顏婢膝，逕視媚行，貌爲忠貞份子，祇要能夠邀寵固位，任何昧廉鮮恥的言行皆優爲之，滿不在乎。偶爾遇着上官對他稍假以詞色，即爲之受寵若驚，揚言「主公厚我」，設若受到上官的辱罵，亦引爲無上光榮，遍語儕輩曰：「親君之官眞難作，今天又被老頭子大罵一頓」，不沾沾然以親信幹部自任，不復知人間有羞恥事。曠觀歷史紀錄，這種情形所在多有，而其結局都是國亡民叛而已。

昔賢謂：「王者與師處，亡國者與役處，霸者與友處」。「師」是敢於繩愆糾謬的，能與師處的統治人物，王業自可期成；「友」有勸善規過之益，能與友處，至少亦足以稱霸；「役」是奴才，只知阿諛逢迎，佞倖干祿，日唯將順上官的意趣以行事，報喜不報憂，說好不說壞，下情壅塞，眞象錮蔽，國事那有不敗壞之理呢？

馬乙先生

害怕毛共參戰是自己騙自己
美炸北越勢必益趨激烈
美國空軍參謀長麥康勞報告認定
放手大炸兩三星期便可結束越戰

「在北越的空戰，現在有了新的發展；共黨飛機已經向美國轟炸機作首次還擊。現在的問題，便是美國方面準備怎樣收緊它包圍着河內的套索。」

北越上空的戰事，由於四月底戲劇化的驟變而轉趨緊張。美國長期向北越的猛烈轟炸，有時距離河內不過廿五哩，使到共黨受不了，因此共黨便以他們最新式的米格戰鬥機來向美機還擊了。

根據美國軍方表示：目前的形勢仍有待於空中更激烈的行動發展。美機將會加緊轟炸北越，雖然它們的轟炸目標仍把最致命的目標除外。由此預料，共黨當然會更加强抵抗的。

在四月廿三日第一次的空戰中，雙方共有三十架飛機出動。結果是美國空軍的FC四式幽靈機擊落兩架共黨的十七式米格機，一開始便高奏凱歌。

另一次空戰是在四月廿六日發生。廿一米格機是蘇俄建造最優良的飛機，但它和美國幽靈機相遇時，即有一架被響尾蛇飛彈擊中尾管，墜下一處距離中共南部邊境僅有卅五哩的地方。

美國飛機連續在兩次空戰中均無損失，但在其他戰事方面，它的出動次數愈密，損失數量也愈多。

在空戰發之前一星期，美軍共有十架飛機損失，它們不是被北越的反飛機炮火擊落，便是毀於飛彈之下。在一年之中，總共有二百多架噴射機受毀於地面炮火。

據美國官方表示，謂此次米機出動戰鬥一事，並不是意外；他們認爲共黨此舉是對美機轟炸的自然反擊作用，因爲美機現在已經大大的加强轟炸，每天出動一百五十多次。但是，美國情報專家有一大問題，便是越去的這些飛機是由何人駕駛？以及從何處飛來？

如果這些飛機是由北越機師駕駛，此事不致使美國憂慮，因爲北越能夠抵抗美國的力量實在太薄弱；它不會對美國轟炸作長期的，或是頑强的抗拒。它所擁有的新式米格廿一機祇有極少，十五式及十七式米格機，也不過有六十至七十架而已！

但是，如果是中共參與此次空戰，這便要另當別論了。從事發時起，大多的情報局人員均不敢十分肯定北越、中共及蘇俄三國中，誰應負起起空戰的責任；不過他們均同意這些米格機是從北越機場起飛，並由北越機師駕駛。

美國國務院爲了防患於萬一，曾於四月廿六日警告中共，謂參與北越空戰的飛機再也不能以中國大陸或其他地方爲庇護所了——此即表示，美國戰機將向共機追擊，直入大陸。

不用說，誰都知道美機轟炸北越之舉業已逐漸加强。美國飛機經常轟炸中國通往河內和海防各地的鐵路。即如在河內東北廿五哩的北江鐵路，它是北越的重要鐵路之一，自從四月底起，每隔三天便受美機轟炸一次。

不過，在西貢的美軍高級官員表示，河內及海防週圍的目標，正在愈來愈爲貧之。

現在空軍部各位高級軍官的論點已經明顯了，即如以空軍總參謀長麥康勞爲例，他雖然受到政府壓力而不公開透露美國對北越的政策，不過他曾在秘密會議中宣稱，或可說是向上級報告，謂如果空軍獲准大炸北越，戰事便可於兩三週間結束。照空軍的計劃次序：飛機先行轟炸河內及海防附近各處重要的油庫，然後再轟炸海防海港，電力供應站，米格機場，水壩和工業地區等。此計劃會獲聯合參謀團支持的。

麥康勞將軍不大願意轟炸北越各大城市，並認定此舉可以避免；而且他也不相信中共會參戰。

基於這個形勢，現在出現的一個問題，便是在北越的空戰，畢竟將會進行至何種程度？以及何時達此程度？

亞洲國家團結反共之努力

——本報資料室——

亞洲由於共黨不斷顛覆滲透，到處點燃侵略火種，播散共黨赤色毒菌，致使亞洲政局擾攘不安。爲確保亞洲和平與安全；防止赤禍滋生蔓延，一九五四年美、英、法、菲、泰、巴、澳洲、紐西蘭等八國，成立東南亞公約組織（SEATO）。惟東約組織全由西方國家把持，其中眞正是東南亞國家惟有菲泰兩國；且缺乏與共黨鬥爭之經驗，以遠東最強有力之反共國家如中韓兩國，以及工業先進國家日本，由於東約組織防衛地區僅及於北緯二十一度三十分，被置於域外，致使十餘年來東約組織缺乏積極精神，同時由於法國倒行逆施，媚共親共，持不合作態度；英國則以和平販子自居，表面上支持美國，實際上並不十分出力；巴基斯坦因與印度齟齬，加緊與中共勾結，致使已非健全之東約組織，更近癱瘓，有日趨瓦解之勢。

東約組織與北大西洋公約相較；內容空虛，結構鬆弛，缺乏實力支持。因爲東南亞公約僅規定締約國應受武力攻擊時，他締約國應「依照其本國憲法程序，採取行動，對付共同的危機。」「締約國在該情形下，將依其本國憲法程序採取行動」，既非「立即採取行動」，亦非「立即會商」。至多是事後之認可，並非事前之特許，所以在法律上軟弱無能。東約組織僅有互援之諾言，未設有統帥部，亦無統一之緊急應變武力，除了每年舉行兩三次軍事演習，象徵軍事合作外，其他無所事事，陷於長期冬眠狀態。所以越南和寮國雖爲東約組織保護區域，共黨仍然造亂，混水摸魚，毫無顧忌。所以東約組織與其他集體防禦組織的力量相形之下，顯得是孤立的、分散的，特別是中華民國在衆多集體組織的環視下，尤顯出孤軍奮鬥，不屬於任何集團。

亞洲地區，共黨勢力與反共勢力對立形勢極爲鮮明；軍事對峙態勢也最爲尖銳，幾乎沒有一個國家不受侵畧威脅。所以就抗共戰畧言，亞洲似已成爲失去控制之地區，對表現團結精神與力量上，對民主國家言，豈非戰畧上之重大損失與錯誤。自美越聯合出擊，把戰爭擴展到北越以來，俄毛不斷發出參戰威脅，美國竟捨近求遠，呼籲北大西洋公約組織協助，由此可看出東約組織在美國心目中居於何種地位。因此，挽救東約組織危機，只有改絃易轍，籌建亞洲反共聯盟。

亞洲反共聯盟之重要性，蔣總統早已洞鑒，數年來屢次向國際間呼籲。一九四九年蔣總統分訪菲韓兩國，就提議組織亞洲反共聯盟，惜因種種關係，未能實現。

一九六四年八月韓國既建議召開亞洲外長會議，以圖結合亞洲人民反共爲主，實現「亞洲聯盟」之理想。是年十二月，韓國外長李東元並親訪中、非、泰及馬來西亞等國，與各該國交換外長會議之意見。嗣後越南總理阮高奇訪華，亦以會商籌組亞洲聯盟爲主題。因爲主題在籌組軍事同盟，首先遭到日本杯葛，繼之澳紐表示不感興趣，泰國認爲東南亞各國幾乎均同時與美國訂有共同防禦條約，則再組「軍事同盟」似有劃蛇添足之嫌，亦表示不熱心。因此一再拖延，連外長會議之預備會議也開不成。

我國鑒於亞洲自由國家對赤色侵畧之最前綫，苟有「同仇敵愾」之組織，皆樂於促成。因此在韓國提議被冷落之尷尬情形之下，去年曾分派總統府秘書長張羣、外交部長沈昌煥親自訪日、韓、澳、非以及紐西蘭等國，藉以溝通各國對亞洲外長會議之意見。首先獲得非泰兩國竭力支持。其後馬、紐及澳洲亦表支持。首先「九國外長會議」之預備會議才於一九六五年四月十一日在曼谷舉行。在該次會議之主要議題，在交換反共團結之意見與決定召開正式外長會議之步驟與時間。歷經兩天結束。除原則上同意召開外長會議，並無進一步之決議。而其所以未克立即决定召開外長會議，其因乃是出席國家之反共態度尙有距離所致。

韓國當局並未因第一次預備會議失敗而灰心，仍繼續努力，以求貫徹。至去年六月廿一日，韓日兩國正式簽訂日韓基本條約及其他附屬協定後，韓國遂積極爭取日本支持該項會議。李且於九月廿七日在記者招待會中指出：預定一九六六年春季正式召開亞洲外長會議，除日本外，其他各國均表支持，且強調：爲使該項會議獲得預期效果，日本參加是不可或缺之關鍵。足見亞洲外長會議召開之關鍵在日本，而日本未能作肯定答覆，亦屬事實，乃爲亞洲外長會議未能早日召開之主要原因。（上）

英海員工潮持續勿替
港對外貿易影響漸增

（本報訊）香港貨品輸往英國，其中很多是屬於轉口的，有的是由英國轉銷其他歐洲國家，有的是由英國轉銷加拿大、非洲、澳洲等地，現在因海員罷工持續的影響，將使本港貨品輸往英國逐漸有減少的跡象。還有一部份本港的工業半製成品，如棉胚布等，是運往英國經過加工後再出口的，如今英國海員罷工而使英國的運輸受到障碍，本港的半製成品輸英亦將打擊。

目前香港工商界最担心的就是英國經濟因海員罷工持續的影響而漸趨惡化，對香港經濟亦將有間接影響。如果英鎊地位不能穩固，勢將造成英國政府今後加强限制外貨入口，今年下半年港貨去銷英國，即使海員罷工解決，亦將繼續減退。

如果沒有海員罷工的風潮發生，今年下半年英國經濟是繼續好轉的，今年港貨對英國輸出亦有恢復增加的希望，因爲去年港產品輸往英國，已經由前年（一九六四）的九億六千八百萬元減退至八億六千萬元，即比前年減少百分之十一，但不幸的是一波三折，倘若今年下半年港產品輸往英國因英國經濟逆轉而影響繼續退縮，香港工業及社會經濟，均會進一步發生困難。英鎊外滙市場價格繼續下跌，使香港金融及工商界產生更大的憂慮，並非心理的敏感，是事有必至的，我們希望英國政府迅速採取合理與有效的措施，解決海員罷工的風潮，穩定英鎊的價值，否則英國經濟局面繼續惡化，對香港的間接不利影響，眞是不堪想象。

由於英國海員罷工持續未有解決，對英國經濟已有惡性的影響，其中最值得注意的，就是英鎊外滙市場價格繼續下跌，據外電報告，英鎊與美元的兌換率已跌見十八個月以來的最低者，每英鎊折合二元七角八分八五美元。香港金融界及工商人士對此表示憂慮。如果英國經濟情況繼續惡化，對香港經濟亦將有一定的影響。

據銀行界人士透露：最近三週來，香港若干銀行調往英國套利的資金，繼續調返本港，因爲英國海員罷工後，對英國經濟將是逐漸產生不利的影響，在運輸逐漸癱瘓的惡性狀態下，將使英國國內很多工廠失去了出口的工業品訂單，倘若罷工持續一個月以上，可能逐漸導致英國國內的部份工廠要放慢開工，也使英國的轉口貿易遭受很大的損失。

現時港幣對英鎊的兌換率，仍然維持每一港幣折合一先令三便士，但由於英鎊與美元的兌換率繼續下降，本港若干銀行對港貨輸英的押滙買單採取審愼的措施，這樣，將逐漸造成港貨輸英的不利，因爲本港很多工廠的產品輸往英國一向是採取D．P．或D．A．方式付運的，銀行對港貨輸英押滙買單有顧慮，勢將影響本港工廠的週轉。

蘇俄煽惑與戴高樂公報私仇
西歐圖擺脫美國影響力
同時深怕美國撤軍致失安全保障
僅西德仍牢牢保持對美國關係

在巴黎的觀察家心目中看起來，他們認爲戴高樂現時正開始將歐洲帶入一個新的、較散漫的，同時較爲危險的新時代裏面去——令西歐和美國的影響力一刀兩段，同時令西歐和蘇俄建立較密切的關係。

雖然在現階段中來說，沒有另一個西歐國家準備跟着法國跑。可是就另外一方面來說，對於美國已故總統甘迺迪生時那個「大西洋社會」的美夢，西歐已經完全喪失昔日的興趣，而且亦沒有興趣協助美國維持世界的秩序，及圍堵中共。就英國來說，雖然倫敦政府不願意像法國那樣公開地擺脫美國的影響力，可是却開始表現一種强烈的願望——減少依靠美國的程度，同時加强對歐洲大陸的關係，從而矯正歐洲方面的均勢。（中）

彰化縣稅捐稽征處公告

一、本縣五十五年上期房捐業經本（五）月廿一日開征至六月廿日截限。

二、納稅人如因居住他縣市或住所變更等致未接到繳納通知書者，請於征期內逕向房屋所在地鄉鎮市公所申請補發以免逾期加罰。

三、納稅人接到房捐繳納通知書，對於核定捐額如有疑義，請速向當地鄉鎮市公所或稅捐稽征處查對課征內容，經查對後如仍有異議，應依照房捐征收細則第九條規定於開征十五日內（即六月五日前）檢同有關證明文件向稅捐稽征處申請覆查逾期不予管理

彰化縣稅捐稽征處啓

瀛海異趣談

邱吉爾遺物成了搶手貨

・桑雅・

英國偉大的政治家邱吉爾爵士，死後已逾一年了。他的一切遺物，和有關的東西，無一不是有價值的東西。因此，他的東西，人們爭相搶購，他的小說，油畫，就是最値錢的東西。此外，他親手所寫的字條，亦起碼賣得幾鎊。雖人們購買他的遺物紀念品，目的不同，但無論怎樣，他的東西已做成爲相當蓬勃的生意。

本年一月間，兩張加拿大村落風景彩色相，在倫敦出售，本來這些照片，通常只値一個便士，但是它們竟以十六鎊售出。原來這是前英首相邱吉爾爵士的東西。

在一九六五年十一月，新鑄的邱吉爾面額五仙令的硬幣，每枚轉手即售八仙令三便士。一家商行將之用膠盒盛載出售，每盒售十仙令六便士。

在布力頓的牛津夏村，那是邱吉爾墳墓的所在地，墓上只是一塊很普通的白色石碑。然而他的墳墓，竟給當地的商店帶來不少的財富，同時當地教堂的奉獻箱，往往「常滿」。

布力頓聖馬丁禮拜堂的副牧師說：「去年的夏天，每天三次開啓奉獻箱，取出裏邊的捐欵。有時每天的捐欵達二百鎊之多。」

由於邱吉爾葬在布力頓，因此數以百萬計的人們，前往該鎮，以憑弔這位世界的偉大人物，和看看他的墳墓。雖然沒有火車，但是前來憑弔邱翁的，不惜花時間輪候巴士。每天只有兩班巴士行走而已。聖馬丁禮拜堂鑑於捐欵源源不絕，而足可以改換屋頂，裝置新的木門，及電器的設備。

但在這村本身，「邱吉爾化」的業務更爲鼎盛。一間當地的商店，邱翁的塑膠小型像，十分暢銷，去年只售七仙令，現在竟漲價一倍有奇。

在大街的一家古玩店，出售鑄有邱吉爾肖像的銅馬，一般的百貨公司，出售的罐庄餅乾，罐上也以邱翁肖像或墓景，或舉殯情景，彩色裝璜。

離布力頓六十哩的龍吉烈大厦，巴篤侯爵夫人，舉行邱吉爾遺物展覽，侯爵搜集邱翁的東西，已經二十年，那些物品約值一萬二千鎊。侯爵收取入場費，讓人們進入龍吉烈大厦參觀，每位收費三仙令六便士。如果要看邱翁的房間，那須另付十仙令。

倫敦一位權威商人說：「那些商人、收藏家、和私人買家，尤其是在美國，把邱吉爾的東西，在市場上出售，無不高抬售價。往往比本身的價值抬高一半以上。

一張在一八九五年，發給邱吉爾的護照，售價八百鎊，那是當他在第四克沙軍團當軍官的時候。

去年十二月，邱翁的唯一小說「SAVROLA」，第一版售一百一十五鎊。而於兩年前，同一版這本小說只花十七鎊就可買到了。

邱吉爾生時所作的幾幀油畫公開拍賣，售價由一千二百鎊至五千六百鎊。於一九〇八年，當邱吉爾結婚時，任新娘的荷拉迪亞施慕雅小姐，現年八十六歲，爲根德郡的東橋威斯人，邱曾送給她一幀油畫，命名「安迪卑斯海濱」。她在去年將這畫出售，竟然獲得八千九百廿九鎊。使她喜出望外。另一幀油畫，以一萬四千鎊售給美國德薩斯州油礦百萬富翁。

邱吉爾大約遺下五百幀油畫，要是平均每幀五千鎊，那末這批油畫總值約爲二百五十萬鎊。

邱吉爾的作品的第一版書籍，是十分值錢的。最近的售價增至三千二百鎊。凡是邱吉爾手書的任何文件，紙塊，都是有價值的。許多人以爲在戰爭期內，他所用的拍紙簿書寫的便條，一定不少，但大部份是以眞筆跡幅名製成膠章，然而他底親筆簽名的價值爲三鎊至十鎊之間。

許多幸運的收藏家，搜集到一些邱吉爾眞筆簽名的文件，最近在兩次拍賣他的傢具中拍賣。

每一件東西，售出的價錢比其本身價值，多售百分之五十至百分之一百。邱吉爾兩幢相連的房子，在拍賣的時候，鎚聲一下，價值十萬零二千五百鎊，比正常的市價高出了三份之一。

舉凡和邱翁有關的東西，無一不可以賣錢，在去年那輛由倫敦運載邱翁靈柩至布力頓的韓寶勞鎮的鐵路車廂，已經有四十年了，英國鐵路局將它售給美國洛杉磯一間博物館，售價爲三百五十鎊。

究竟人們高價購買那些東西，有什麼用？當然有些人旨在紀念邱翁，往往看到這些紀念品，便睹物思人。然而，據一些商人表示，許多買家，並不是懷着純爲紀念這偉大人物做出發點的。他們却是從生意眼着想的。以爲購入邱翁的遺物後，其價值自然隨着時間而增加，那時善價而沽。

此外有些買家則藉此而向人們炫耀，譬如，其中一位買家對其嘉賓說：「閣下所坐的椅子是邱翁坐的哩！」言下傲氣橫溢，得意萬分！

質詢權的平議

張健生

爲此，日本國會有所謂自由討論會議之設。自由討論會議，意即給予議員有自由發表國政意見的機會。不過，議員發言也有一定的程序。依本日參衆兩院規則所定：議員在開自由討論會議時，議長得預先安排定妥日時及發言時間，咨詢議管理委員院會；但有議員二十人以上對該日時及發言時間有異議時，議長得經咨詢議院管理委員會後變更之。自由討論會議特別注意各黨派議員都有發表意見的機會，因此，議長得向議院管理委員會咨詢，將自由討論之發言者人數預先依各黨派比例分配之。議長在議場上應就各黨派提名之發言者許可其發言。自由討論會議所討論之內容也有一定範圍，超出範圍以外之問題不得提出討論。議員在自由討論會議上得就國政問題發表個人的意見與看法，並得向國務大臣提出質疑。議員對討論的問題或意見，得以動議的方式提出要求表決，議長應不經討論，提付議院決定。所謂質疑，頗似英國國會的質詢。

六

我們的立法院，其職權雖和前述各國議會相同，爲什麼其聲譽每下愈况呢？這個原因說來話長，一言難盡，但其最重大者約有下列三端：

第一、現任立法委員已續任十八年而未改選。因爲如此，立委遂有恃而無恐，更不怕失去選民的信任而落職。有些委員簡直有點自暴自棄而不重視此一珍貴的職務，既不注意人民的意見，也不想把立法院在政治上造成一個舉足輕重的機關。因而立法院遂陷於泄沓沓而不知振作奮發了。立法委員既來自民間並代表選民行使政權，自應時時注意「民意」動向，一切工作要以人民的利益爲歸宿。試問，立法委員做到了沒有？人民託付立委看守政府的荷包，結果，有些委員只圖個人利益或團體利益而未盡其職。所以有些委員乃大聲疾呼主張自清自律，蓋有由也。（七）

用猴子探討兒童教育問題

○質彬○

用那隻手製的母親，可在正常方面養育那些嬰孩而使其長大嗎？看來這是可能的。在牠們幾年後可尋到伴侶，牠們自己也可成爲父母。但是研究的結果，並不如理想而是失敗塗地。那些雄性猴子對交配上很差，沒有一個可做父親，雌性猴子更拒絕交配。有四隻雌猴被强迫與雄性交配，最後做了母親，但牠們對所生出來的兒子，同在一塊六個月，都毫無愛的表示。那些猴子怎會有古怪的性情呢？難道受那種用人手造出來的傀儡母親的影响嗎？也許是的，但還有別種可能性。

這些猴子被關在個別的籠子裏，牠們雖可能相見，相聞和相嘈吵，但牠們不能夠如普通的情形實行共同遊戲。缺點就從生出來！遊戲眞的這樣重要嗎？要尋出來，就設立一個遊戲池，放置有許多種玩品，成爲研究的一個中心地點。同時用各小猴在出生後作不同的方式來養育，用人手養的母親，牠們自己的母親，或是完全沒有母親。有一組猴子是完全隔絕開別的猴子，牠們不能有共同遊戲的機會，另外一組猴子，不時可跟別的猴子共同玩耍。

恒河猴在出生後四年才算長成，照研究的結果，無論有沒有母親的照顧養育，有機會跟別的小猴共同遊戲的猴子，甚至雖每天祇有二十分鐘的相處時間，牠們也可成爲樂於相交來得很融合的。

由于製成的母親所養育的小猴，在長大後所生出來的兒子是跟普通的猴子一樣，祗有在相交上畧爲遲鈍，從這點似可斷定，有機會跟別的小猴自由遊戲是跟得到母親的照顧同樣重要的。

這些問題移到人類方面，可有什麼作用呢？據心理學家指出有許多關係。猴子的舉動和情感的發展有許多是跟人類一樣的。在初生時，一隻猴子足比一個六個月大的嬰孩爲成熟。一隻一歲大猴子能夠解決一件對一歲大的孩子難於解決的問題。但是一個孩子在幾年間能夠迎頭趕追去而繼續前進，可是猴子仍然是一隻猴子。

一隻長成的猴子並不遲鈍，他能夠解決許多孩子不能解決的問題，牠們有時更難倒牠們的畜養人。猴子像人類，有極大的競爭心，牠們爭奪一種東西會打起來，看誰是主人。但有母親的愛護和朋友的相交遊戲，牠們就不會再相殘殺，假如沒有這點基本的相愛，猴子也會有大的困難，表現由於社交的禁忌而壓制自己的惡果。（下）

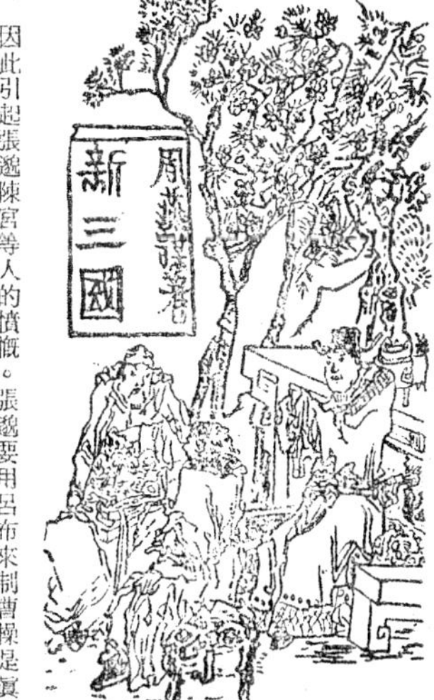

因此引起張邈陳宮等人的憤慨。張邈要用呂布來制曹操是眞的，不然不會這樣恭順的。在三國時代確只有利害鬥爭，只有强權，沒有公理的。

十三、曹操血洗徐州

曹操之所以要攻打徐州，標榜的是「爲父報仇」，作爲藉口。因爲陶謙是擁護漢帝的，又沒有野心，原來曹嵩，在官之時搜括甚豐，辭官不做，由洛陽到琅琊（青州附近）身邊携了金銀財寶無算。陶謙還派了隊伍去護送，但因那些護送部隊反而見財起心，把曹嵩及一些家人都殺了，金銀財物掠之而去，所以曹操要興師問罪，替父親報仇，一口咬定是陶謙所指使，並且認爲陶謙遂分了贓。在打陶謙的一役，曹操表現得太殘忍了，所謂「泗水爲之不流」，曹操挾天子以令諸侯，就此大兵橫掃徐州，「所過皆屠戮」。

而曹操的養父曹嵩之死，實與陶謙無關，他連徐州也不要了，還要什麼金銀財寶。陶謙之所以不獲曹操好感，是陶謙與袁紹、曹操一批反對董卓的人攪在一起。到董卓被誅的朝廷，陶謙照樣尊重。同時不辭拔涉之苦，派人冒險越過羣雄的防區，去上表進獻，朝廷封他爲溧陽侯。所以陶謙之被曹不滿，除了報仇雪恥是外衣，政治作用即在此。至於把徐州併吞下來，兼有兗、徐二州之地，更加是曹操的肚內文章。

當曹操打徐州時，多虧劉、關、張三人幫忙，在退守剡城之時，穩定了局面，不然陶謙打算跑回丹陽老家去的。曹操沒有把徐州拿下，陶謙才讓給了劉備。曹操在此戰役中，很佩服劉備的英雄，因曹操三十萬衆的青州兵，而劉備却只有自己千多人，和陶謙給他四五千人，另外幾千難民，總數不過萬人，一萬人能把剡城守住，曹操沒有辦法拿下，可見實非等閒之輩可比。三國志迴護之筆就在此。說曹操沒有拿下徐州，是因爲缺糧。這是不可信的。此時的曹操已經佔有徐州十幾個城市，他的補給線又沒有切斷，何來缺糧呢？以後曹操凡是吃敗仗的時候，陳壽總是加上一個非曹操致敗的原因，如後來的赤壁之戰，他又說是北軍患疫症。都是替曹操廻護的筆墨。

我研究三國志，覺得曹操這人之壞，並不怪「三國演義」的渲染，就在三國志中，儘管有的廻護忌諱之筆，但仍可看到曹操「奸雄」的本來面目，這不能怪「三國演義」，可算得上是一個「大屠夫」，以今天的名詞來說，就是毛澤東之流一類人物——殺人魔王。在打徐州戰役中，首遭其殘酷的野性。他打劉備的剡城不下，就拿無辜的老百姓出氣，一連屠了五個城市及許多鄉亭，（在三國志記得明明白白。）屠殺百姓數十萬，無辜雞飛狗走，「泗水爲之不流」。曹屠夫血洗的五個城是取慮、睢陵、夏丘、彭城、傅陽。曹操這種行徑，充分暴露出「獨夫」的眞面目。在他之後的殺人魔王黃巢、張獻忠、李自成也不過如此，這些事實寫在一貫爲曹操廻護的三國志上面，而竟有無聊妄人爲他洗雪辯護，眞是可哂之至。（四十一）

欣賞會的龍鳳呈祥（續）

還更加四位小姐飾宮女，包珈孫美美詹瑛張蕙元，多是大專的高材生，因爲其父或母，是戲劇家，故能孕育這幾位儁才而特出，亦非偶然的客串也。再加負譽的生行名票李心佛，坤票馳名的涵美娜、楊鳳仙分飾前後的孫尚香，這齣便成如火如荼，成爲北市空前的龍鳳呈祥，即各劇團也沒有這樣的齊整。我常云：能有幾手，不妨有興時露露，使劇團倍增生氣而呈活躍，不僅是專在傲裏獨尊，自己陶情也。

此齣有兩位淨角，也是舞台著名的裘松林的孫權，張平堂的張飛，兩人性格不同，雖均有躁氣，但孫權無莽魯之形，還請極爲得宜。還有呂沅燕的呂範，劉德俠的喬福，多是小試身手，其實兩位的腹笥也很博，曾看過幾次。欣賞會的網羅人才，可說極盡其邀約，幾番風雨，盡聚一堂，是可稱也。此次演後，如能仿春台雅集，再來一次，以相媲美，當更欣觀其成！

小陸光的龍鳳呈祥

陸光劇隊幼年班，訓練兩年，已告成功，適值陸光劇隊輪值檔期，與大陸光平分春色，各演三天，其盛況出乎意外，院前高掛「客滿」，已有多時未見此牌，我很希望不斷常見，才是平劇有生機的好兆。關於她們（因女學生較多）的崛起，另行記述。先談公演三天中的末夕，有整本龍鳳呈祥，個個爭強，眞夠過癮。洪大隊長滿面笑容，大慰其望。

國劇繽紛續錄

鋆婆生（二十八）

演戲要能博取觀衆愛看，而瓜叫座，非要有朝氣，有活力，整齣生動，便難如願。小陸光演此戲，即具有此條件，故而自動拍手喝采，並無絲毫夾帶成份的來捧，其動人之處，依稀當年復興的盛況，且有過之。各個演員，嗓音不差，個個卯上，全齣即自始至終，一無懈色，當然精采。現在談談各位角色：首先是吳孟鄰的國太，腔醇音響，表情亦好，座中多希望她成爲小李多奎。次爲張起龍的劉備，唱很夠味，始終如一，極平之態，而很老練。李鳳俠的喬玄，很夠樣兒，描摹入微，一段勸千歲，佳腔叠出。廣冰的魯肅，動作姿態均妙，唱句亦得體。朱家福的趙雲，很夠大角兒風度，一絲不苟，姿式極好看，使人想到以往的張復建幼時。周鍾麟是名丑周全福之子，出自名門，這喬福夠得上冷雋有味。（未完）

德國名將 法根霍森

諸葛文俊

法根霍森者，德國東部來比錫省人也。幼習軍旅之學，夙成名將，第二次世界大戰前，曾奉命參加我國民政府軍事顧問團，旋升任顧問團團長。二次大戰發生伊始，法根霍森仍駐華工作，迨中日戰爭爆發，日軍大敗於山東「台兒莊」之役，日本政府謂係德國軍事顧問團爲我軍擬定作戰計劃所致，乃藉德、意、日三國同盟關係，要求希特勒撤回駐華軍事顧問。

法氏卸職歸國後，被任爲德軍軍團司令，統衆攻佔比利時，兼任比利時總督，綜持比國軍民兩政，權勢有若比王，威名震動北歐。法氏坐鎮比京布魯塞爾四年，以溫和政策對待比人，不若其他德軍在佔領區域之專尚殘暴，因而比利時農產品源源供應德國，農民生計亦得維持，生命財產未遭重大損害，而素來著稱於歐陸之比利時來復鎗製造業且逾趨發達，間接減少比國人民之失業恐慌。

二次大戰結束時，法根霍森將軍以戰犯被逮問，囚繫紐倫堡盟軍特別法庭，靜候定讞。忽有比藉婦人前來探監慰問，迨晤面，知係當年在比京担任盟軍間諜，事發後，曾經法氏拘捕懲究者。女言：彼基於良心與正義感，證明法氏在比利時四年間，並無殘暴行爲，當竭力奔走斡旋，使其免於判刑，藉彰公道。未幾，法氏奉特別法庭裁定無罪，予以省釋矣。

法氏出獄後，家鄉已由德共佔領，原有之私人田地產業——計有土地數萬畝，農場三所，住宅數棟——盡被沒收，老妻於戰時病故，獨子一人亦已戰死沙場，孑然一身，煢煢靡聘，幸賴西德政府按月給與退休金，得免凍餒之虞，旋隱居距西德福蘭克佛不遠之小市鎮「那騷」（Nassau）地方，小樓一座，矗立於市郊叢林中，門前曠地宏敞，周圍松柏屛障，環境清幽。

愚於一九五九年八月旅行西德時，曾偕友人邢紀章兄專誠赴「那騷」叩訪法氏，盤桓半日，彌足紀念。

當愚等馳至「那騷」火車站下車時，一般路人相率投以驚詫之目光，注視此黑髮黃膚之東方人，詫爲得未曾有。繼聞邢君操流利德語，詢問法根霍森將軍住宅所在，乃欣然引導前行。迨叩門，一中年婦人嫣然啓扉，迎客，愚等進至客室，即見案頭花瓶中插有吾國之青天白日小型國旗，旁置蔣總統肖像。越數分鐘，主人法氏自樓上趨來握手爲禮，鬚髮斑白而精神飽滿，初用英語交談，邢君操德語對答，法氏詢知愚係日本留學生，急改用日語交談，自言曾任德國駐日本大使館武官五年，聆其日語程度亦較英語爲佳。彼又謂：不久之前，吾國軍界耆宿何應欽將軍來歐考察，彼此亦用日語談心，了無隔閡云。繼而爲愚等啓扉之中年婦人捧菓盤佐醴來敬客，愚未悉其身份，起身爲禮而不知應如何稱呼，頗覺忸怩，法氏視狀，乃大聲介紹曰：此吾家榮譽夫人也！愚仍茫然莫名其妙。法氏留愚等午餐，該中年婦人依西俗據主人席次，法氏即將上述紐倫堡法庭宣判無罪之經過詳情見告，愚讚其爲西方之紅拂女，該婦人遜詞以謝，彼愧，彼莫解所謂，愚爲述紅拂與名將李靖故事，由邢兄譯爲德語，彼與法氏皆鼓掌歡笑焉。

飯後暢談國際形勢，兼及二次大戰史政略戰略等無不請教。繼討論吾國反共前途，論旨多合。時蔣總統所著「蘇俄在中國」一書，正擬翻譯德文在西德出版，法氏謂第一章譯文送彼核閱，指其譯筆欠佳，有所窺乙，歸後即未見送審矣。愚告以將赴西柏林一游，彼取名片爲愚介紹西柏林市長布朗，且囑在西柏林勿隨便乘用市上之計程汽車，須經旅館代雇，否則若遇司機係共黨份子，防其駕駛至東柏林共區也。臨別慨贈愚照片數幀，中年婦人亦贈[illegible]文具，背面書日本語「希望他日再見」，依依不捨。別後數年，近年，彼鮮函札往還，諒其尚在人間，年齡當在九十左右矣。

張大帥

「影劇與歷史」之二十五

周遊

張大帥急謀獲得鳳仙，翌日即以名貴珍珠項鍊囑丁副官送至鳳仙家，並擬接鳳仙至帥府。鳳仙堅不受禮並拒入府。丁副官覆命，大帥大怒，當夕即派人以鳳仙塡報戶籍乃唱大鼓爲藉口，強捕鳳仙與沈三叔回帥府，迫唱堂會。鳳仙被押到帥府，大帥諸般凌辱，斥爲不識抬舉，又以槍斃三叔相恫嚇，鳳仙求情，大帥即逐三叔歸去，強留鳳仙。是夜，鳳仙終被摧殘。三叔深感後悔，偕沈母訪壽風父女求計，秀珠主張先函促嘉樹回來然後再作決定。兩日後，嘉樹自杭趕回，秀珠即僞裝女傭人，托劉大娘介見大帥。大帥以秀珠艷麗，立加錄用，囑見太太。所謂太太，即爲鳳仙。鳳仙見秀珠，呀然欲語，秀珠立以眼色止之。旋秀珠得機與鳳仙單獨談話，鳳仙悲不自勝，表示無面目見嘉樹，秀珠慰之，謂事非出其本意，嘉樹必諒之。翌日，秀珠設法使鳳仙偷出帥府，會嘉樹於郊區，小別數日，猝遭大變，相對唏噓。嘉樹好言勸慰，表示如前相愛，旋約定即夜候於關家，同逃杭州，遂匆匆握別。不料兩人之私會，被丁副官窺破，密報大帥。大帥俟鳳仙回，即執之痛加鞭撻，並擬加槍殺，幸秀珠及時阻止，得免犧牲彈下，然已遍體鱗傷，被下令囚於密室。秀珠目覩慘狀，不勝同情。大帥乘機調戲秀珠，要收爲姨太太。秀珠便出緩兵之計，僞爲應允，但期以明夕，使能先回家稟明父親。翌日秀珠回家，嘉樹正苦候鳳仙偕逃，秀珠告以經過，並商定救鳳仙之計。是夜，秀珠府敷衍大帥，等候壽風約集數位師兄弟潛入帥府搶救鳳仙。舉事時，秀珠即拔刀將張大帥刺殺，會合父親，救鳳仙至郊外農家，則嘉樹與沈母已佇候，彼此重逢，恍如隔世，對壽風、秀珠父女道謝不已。黎明，秀珠隨父重上江湖，嘉樹、鳳仙送別，無限惆悵。

「故都春夢」中的張大帥，確是民國初年的老粗軍閥，大字不識幾個，一股老粗行徑。在劇中的一腔山東土話，令人叫絕。橫掠女人，隨便要[illegible]關門，要火車停到等他上車，張以及生殺予奪之勢，雖由自張恨水的小說改編，但確有其事。而且張大帥不識字的笑話百出，令人笑破肚皮。尤其在他爲山東督軍時，鬧出笑話特多。

有一次有一個老朋友來督辦公署拜謁，因張已允老友安插職務，是通知他來到差的。照例拜謁者在門房靜候定奪，由副官報告大帥核奪，張即下條子：「抓到副官處」！那副官處長一見了條子，馬上派衛兵四名，把張大帥的老友抓了起來。那位老友大肆咆哮，說：「我犯了什麼罪？爲什麼把我抓起來？」原來條子的意思是「派到副官處」，張大帥把「派」字寫成「抓」了。衛兵說：「大帥有命令，我是軍人服從命令」，說畢把來到差的老友關了起來。（一一）

如何寫作——幾點扼要方法

·雷也同譯·

決定要說些什麼：外行人寫信只知道一句接一句的寫，有時寫到第十句才發覺應跟第三句。補救法是：先依次序將重點列在前面，如寫一則短信和便條，記下中心思想，較長的則列綱要。

力求簡潔：業餘作家通常多用短句，用長句時，表示其重要性較大。例如「勘察此廣大目的的範圍，主要是調查或估計伊朗的潛力，以發展私人企業的化學工廠。」作者在這卅幾個字裏要講什麼？「勘察原委是要在伊朗設立一個私立化學工廠。」在這十多個字行裏不就是要說的話嗎？如果再注意下列幾點，就不會離題太遠。

只講一次，不要重覆；除了必需加重語氣外，不要重覆。上面化學勘測的例句中，化工廠在未設計以前，不是不必要調查嗎？

避免迂迴措辭：用簡單句，除去多餘的字或將被動變爲自動。爲什麼不把「特此通知閣下，尊信已經收訖」寫成「吾人經已收到閣下信件」呢？自動式常常效果更大。

用熟悉的字眼：這並不是說放棄複雜字眼，除非加重語氣，證諸以前，用白話不是比文言更易使人明白嗎？

簡短句子是很重要的，一句寫不完的時候，用句點或分號分開，不要讓一段拖得太長。長篇大論使讀者生厭。

我們常常詫異爲何有寫作經驗的人書寫流利？他也是從苦學中得來。也許好的散文就會從你的筆下產生，至少重覆看一次所寫的東西，謹守上列規則，用口語和愈少愈簡單的字書寫，那麼你的好文章就會有人看了。（下）

美國最偉大的女畫家 瑪麗卡斯薩奮鬥史

◦松慕◦

當美國郵政部長宣佈在本年年底將發出一種郵票紀念瑪麗卡斯薩後，在紐約的書店和美術印刷店所出售的那個女畫家所繪的圖畫複印品，差不多被人搶購一空，顧客的大部份是集郵人士。在本年內美國各大美術館陳列館，更有特別展覽出瑪麗卡斯薩所繪的圖畫。她就是以繪描寫母愛的圖畫，而名聞於世界的。

美術批評家認爲瑪麗卡斯薩是最傑出的女美術家，她的作品由世界著名的美術中心收藏。除了在巴黎的盧浮宮美術館掛出，法國政府頒給她最高榮譽的紅綬帶獎章。美國人士對美術家將她的名字跟惠斯勒與沙貞特的平行，被譽爲美國美術界的三傑。瑪麗卡斯薩更打開女性以美術做生活的途徑，她更……人會向美術館借到兩幅瑪麗卡斯薩所繪的圖畫，掛在白宮的私人餐廳內，最近美國總統詹森夫人宣稱白宮正在尋求瑪麗卡斯薩的作品做永久的收藏。

瑪麗卡斯薩於一八四四年五月二十二日在美國賓州阿珍尼城出生，先祖是法國移民，在一六六二年到美洲墾殖。瑪麗的父親羅拔是一個銀行家，瑪麗的大哥阿歷山大是賓斯維尼亞鐵路的總裁。她的母親是蘇格蘭人，能夠寫流利的法文，而且教授她的五個兒女。

瑪麗卡斯薩對美術開始發生興趣是當她在幼年時隨同父母在海外居住五年。後來像她的雙親，她最喜歡法國的東西。她返國後，受富有家庭的女子所受的教育，她最不願做一個平凡的女子，而要做美術家。在當時美國南北戰爭剛剛結束，在一個好的家庭，女子要以美術找尋生活仍被認爲是一件可恥的事。（一一）

內警台報字第〇三一號

自由報

THE FREE NEWS

第一六六期

中華民國僑務委員會僑聯證
台灣新字第三三三號登記證
中華郵政台字第一二八二號執照登記爲第一類新聞紙類
（半週刊每星期三、六出版）
每份港幣壹角
台灣零售價新台幣貳元
社長：雷嘯岑
督印人：黃行賢
社址：香港銅鑼灣高士威道二十號四樓
20, CAUSEWAY RD 3RD FL. HONG KONG
TEL. 771726　電報掛號：7191
承印者：大同印務公司
地址：香港北角和富道九號
台灣分社
台北市西寧南路壹號二樓
電話：三〇三六四
台郵劃撥儲金帳戶二五二九二

美國願與中共一戰麼

彭樹楷

在美國的全部戰史中，還找不出有那一次戰爭是美國主動掀起的。被迫作戰，似乎是美國的「國性」。這種性格，曾使美國贏得了全部戰爭的勝利。

十多年來，中共由「美帝」的污稱而在韓國採取「抗美援朝」實際行動，並在越戰趨漸高升中一再揚言「打倒美帝」，「把美國侵略軍趕出越南、台灣和整個亞洲。」而且揚言「我們早就準備好，歡迎美帝來較量。」可是，美國似乎依然不願與中共一戰。

不願與中共一戰，却又不得不準備接受中共的挑戰。前者表現於官方的，是美政府與中共的所謂大使級會議，業已在華沙進行了一百卅次之多，並將繼續進行（是自由國家與中共外交接觸最多者）；表現於民間的則是姑息論調，此論調已因參院外委會主席傅爾布來特的領導而顯得聲勢浩大；而且由於韓福瑞倡言「圍堵而不孤立」、魯斯克提出的「對中共政策十要點」、以及高德柏發表「容許中共進入聯合國的四項最低條件」，「像一條咄咄逼人的鯡魚，集體絞纏在以往是強健壯麗的美國身上」（蔣夫人語），將迫使美國政府也跟着不願與中共一戰。

但是，由於中共的軍事佈署、對美政策的敵視與仇恨、以及中共對印度、印尼、越南、泰國、日、韓以及台灣和菲律濱等的侵略野心，却又逼得爲保衛亞洲自由及世界和平的美國政府，不得不在四艘核子飛彈潛艇、五十二架B—52戰略轟炸機之外，調派了近卅萬大軍進駐越南及東南亞，並且增加專用於對付中共的洲際飛彈發射台，而且大量生產及價購傳統式武器與加強遊擊戰、山地戰等訓練，同時又加速推行華語及漢學教育。

美國軍方這種隨時隨地接受中共挑戰的萬全準備，並不是美國軍人好戰的證明，而美國文官及所謂學人那種姑息論調，也不是表明他們愛護美國子弟的生命及尊重美國和全自由世界的利益。他們所表現的，都是不願與中共發生直接的戰爭，只是美國政府的軍事佈署是希望以嚇止戰使中共因嚇阻而停止侵略的擴張；而姑息論者是希望以承認侵略者既成事實使中共因安撫作用而能與世界和善相處，以避免殺戮乃至核子大戰的殘酷浩刦。

作爲一個了解美國歷史和美國人性格的中國人，加上他對中共具有長期鬥爭經驗，便非常奇怪美國這種爲着同一目的——避免戰爭——但却分道揚鑣自亂陣脚的作法。

智慧和科學能力已顯示出國際間的複雜性超出了人類以往遵循的常軌，世界大事有着這種趨勢：某一個人或某一個國家便不再能夠控制或影響他人與別國了，而是彼此有着相互影響的。美國不願戰爭，中國大陸上的七億人民也不願與美國戰爭。可是，由於中共那小撮的黷武好戰，大陸上的中國人便在誘惑、壓迫、驅使下不得不仇美、反美，乃至基於民族感情而起來奮戰；在這情形下，不願與中共戰爭的美國，便只有姑息養奸以期避免眼前流血悲劇——美國根本錯誤，是誤將中共那小撮的仇美與反美，當作是中國人的仇美反美。這個錯誤是基於美國政府及部份人士不了解中國文化，更不了解中國的民族性，因而動搖了美國國策，使美國本身陷於未來的更爲殘酷的浩刦之中而仍不自覺。珍珠港事件之前，美國的姑息者縱容了日本軍閥，所幸美軍方尚有準備，以至犧牲與損失均不太大，並能迅速動員起而奮鬥。此刻，不願與中共一戰的姑息者之妥協表現，原本植根於近代美國思想的本源之中，它不是偶發現象，而是自由主義思想化爲極端個人主義和虛無主義的兩種特徵。這在英國表現得最突出的人物是英國大哲學家羅素，現年九十高齡的羅素；在美國則是傅爾布萊特和費正清之流。前者揚言「寧願赤化不願核戰」，後者倡導「圍堵而不孤立」。羅素的經驗主義就是狹隘的現實主義，傅氏之流的自由主義就是利我的個人現實主義。這兩者都是只顧到眼前的苟安而無視人類歷史的前途發展。

歷來的戰爭都是在兩者皆不願意却又無法拒絕情況下發生的。尤其是面對大毀滅和大摧毀的現代新武器之戰爭威脅，戰爭的雙方都是採取謹慎態度極端小心地「避戰」與「備戰」的。中共不願此時與美國一戰，但它深信遲早必將與美國一戰；美國不願任何時候觸發任何型式的戰爭，但亦深感遲早必將與中共一戰。因此，與其大痛，不如小痛，爲何不及時摧毀中共核子設施進而支助中華民國摧毀中共那小撮？基於對鐵幕內被奴役人民所應有的道義責任，基於人類文化的傳統和作人的意義與價值，美國必須澄清姑息、消弭苟安，奮起與中共黷武集團以嚴厲懲罰！

被騙者回頭！

毛酋的夢想！

今日与明日

毛酋之謎

目前整個共區鬧得天翻地覆，尤其是在文化教育方面工作的小毛幹，究如拉過緊急警報後，只等飛機來頭上轟炸，究竟飛機何時投彈？這顆炸彈是否就一定落在自己頭上？還有沒有倖免的可能？誰也沒有把握。除去極少數共酋之外，所有大小毛幹均有不知命盡何日之感。過去爲非作歹想盡新鮮方法苦害良民，今日自身所受者更慘，天道無私，只爭早遲，覩此益信。

所進行的大整肅，正在如火如荼進行之際，毛酋又失蹤了。自從同阿爾巴尼亞總理謝胡晤面之後，迄今不知蹤跡何處？因此更引起外界揣測。根據過去習慣，每逢毛共黨內進行大整肅清算時，毛酋就靜靜躲在一邊，欣賞自己佈置的傑作，看鬥倒的一派垂死掙扎，以爲娛樂；毛酋回到湘潭韶山沖老窩，悄悄度過新年；彭眞被整肅時，毛酋又躲去廬山避暑；因此大家估計毛酋一定又重演故技，看軍閥鬥黨棍以爲娛樂。

但是若作深一層想，又覺得事情並非如此簡單，因爲目前大小棍閥的所爲，已超過了毛酋平生以黨制軍的傳統，軍閥的勢力已凌駕黨棍之上，「解放軍報」一成爲共區最高發號施令中心，情形發展到此，恐非毛酋所願了。

可見的將來

照毛共內部如此爭奪情形來看，毛酋一旦斃命，勢將出現樹倒猢猻亂的局面。首先在軍閥與黨棍的鬥爭中，軍閥已穩佔優勢，所以尚未公開將列入黑名單的黨棍（可能包括劉少奇在內）一網打盡，悉數提起來，仍然凝着毛酋尚在，雖然四肢殘廢了三肢，但是仍有一張口可用，同樣可以發號施令，如若作得太過火時，毛酋一旦倒向黨棍一邊，大局也就難料了。

不過這種情形決不可能維持太久，毛酋一旦嚥氣，馬上爭奪即起，黨棍除非另有奇謀，否則若困守北平，定如甕中之鱉，沒有反手之力。軍閥統一了軍政大權之後，是否還會捧着馬克思列寧及毛酋的一些咒語唸唸有詞，也大是疑問。一旦軍閥們丟掉了馬列史毛的教條，共產黨首先就消失了，剩下是軍閥混戰的局面。但是在沒有民衆支持，外有本國政府的壓力，這一羣小軍閥能撐持多久呢？國運否極泰來之機，已經不遠，政府當局對此應該有所對策，良機萬不可失，過此不圖，又不知要等到幾時了！（何如）

觀念論

馮之先生

時代變動不居，社會進化不息，人類生活方式和思想觀念亦隨着這種演變情況而日新月異，夫是之謂適者生存。

生活觀念中變化最普遍者莫過於道德標準，所謂禮教、倫常之說，因時因地而解釋不同。至於政治問題，變化尤多。在君主時代，統治階級對民衆是作之君、作之師，騎在人民頭上發號施令，教大家一體凜遵。到了民主時代，自行政元首以及文武百官，都是受人民委託執政的公僕，遇事不能無視民意而獨斷獨行，否則人民有權罷免他，人民纔是「君」「師」呢！

據近代人梁士詒年譜紀述一段故事：民國四年袁世凱擬設置「國務卿」的官職，詢梁氏意見，梁就說，「國號共和，誰復卿卿者？」這證明袁的思想觀念極陳腐，違背時代潮流，非失敗不可的。「國務卿」這一名詞，原係日本人對美國國務院主管外交政策人的譯稱，當時日本是君主政治，他們這樣譯名，無怪其然。可是，咱們中國早已實行民主共和政體了，似不宜人云亦云，隨便襲用，我們的觀念不能比五十年前的梁燕蓀更落伍啊！

最近中央社發佈說帖，指述吾國現在的政制，既非總統制，亦不是內閣制，對於報紙上刊載所謂「組閣」這類名詞，有所是正，這意思很對。還有稱行政院長爲「揆」者，尤其要不得。「揆」之爲言，是指君主時代的宰相，位居百官首揆，即宰相乃凌駕文武百官之上，屈居君主一人之下的高官大吏也。行政院長跟其他的四個院長地位相等，職權各別，體制顯明，「揆」於何有呢？

時代齒輪不停的向前推進，人類要創造任何事業，必須跟時代相適應，纔有成功希望，而其要訣即在改變觀念以迎合時代的要求。食古不化固然行不通，過份革新亦不足爲訓，若夫無視現實，自我陶醉，把幻想當作事實，憑主觀以論眞理，則其思想永遠頑梗殭化，言行絲毫不切實際，事業決無成功之可能。

中華民國肇建五十多年了，而民主憲政生活仍在萌芽的階段中，推究本源，就是一般搞政治的人未能改變觀念，可惜孰甚，可歎又孰甚哉！

彭貝拉與蘇加諾是其榜樣

卡斯特羅亦已日薄西山

古巴問題重重處處足制其死命

—紐約通訊—

　西印度羣島古巴島國的狂人卡鬍子（卡斯特羅），最近這些日子來，又在瘋狂叫囂起來了。他似乎惶惶終日，唯恐美國中央情報當局，正在策動着投奔美國的流亡義士們向古巴發動登陸進侵，竟以此作爲藉口，突然地調兵遣將，無端端動員全島後備民兵，甚至呼籲共黨集團，派遣志願軍隊，支援古巴抗拒侵畧，保衞領土。因而造成莫明其妙的緊張情勢，宛如大敵已臨城下。一些新聞報導，乃有古美關係突呈緊張之說；然而華府當局，並未表示承認這種所謂緊張情勢的存在。一般權威觀察家對於卡鬍子的狂態畢露，並不感到驚訝，而認爲除了古巴內部危機日趨惡化外，決無任何迹象足以顯示半點緊張氣氛。或謂卡鬍子庸人自擾，杞人天憂，亦非盡然。他的這種瘋狂病態，過去亦曾反復發作，屢見迭出，自有他一套詭計多端的手法。人知卡鬍子瘋狂而苦，而不知他苦其苦也。須知凡屬共黨政權，朝夕唯恐成爲人民的革命對象，焦慮本身難保，於是乎，對內厲行整肅鬥爭，對外到處發動滲透顚覆，弄得內部危機四伏，對外四面碰壁，而陷於進退維谷，走投無路。於是乎唯有瘋狂吠叫，對內對外兼施示威，從而維持其朝不保夕危在旦夕的厄運。卡鬍子的古巴，自非例外。

　卡鬍子的古巴島國，刻正沿着導向其他各親共獨裁者宣告滅亡的下坡途徑搖搖蕩蕩地向下滑翔。

　這個滿臉鬍鬚的共產黨，狂叫了一生，絲毫無所成就。他的經濟正陷於困難重重的絕境，人民叫苦連天，到處訴怨。而其軍隊之中，三天兩頭免不了會發生叛離的騷動。

　卡斯特羅活着的日子，尚不致危在旦夕，然而他的前途，看來顯已呈現着有增無已的凄涼景色。

　赤色古巴越來越糟的這一羣同槽共食之輩中，對於卡斯特羅的政權，充塞着高度爆炸性的毀滅種子。

　目前僅有來自莫斯科的一些軍經援助，維持着古巴的獨裁者得能飄浮着，暫時不致沒頂。而一切新的迹象，已證明了這一點援助對他是無濟於事的。

　卡鬍子正陷於阿爾及利亞之彭貝拉，加納之恩克魯瑪，以及印尼之蘇加諾所曾被圍困的那種種麻煩之中。

　據觀察家們估計：「我們正目擊着卡斯特羅政權開始趨於分崩離析。」

　美國長時期留在古巴從事外交工作而富有國際問題經驗的一位官員分析之下，認爲彭貝拉，恩克魯瑪和蘇加諾之垮台的五個基本原因，據最近種種事態顯示，全部在古巴同樣存在，而已達於節節上升的程度：

　△經濟困窘，沒有達致解決的前景。

　△拙劣的政府。

　△對於國內外一切目標的企圖陷於挫敗。

　△古巴武裝部隊中叛離騷動，遭受到整肅和清算。

　△層出不窮的陰謀與反叛，威脅着領導者的生命。

　上述種種危機，在古巴由來已久，並非新近產生的現象。可是這些弊端日見增漲中的毒性，在最近數週來，更呈變本加厲。

　古巴內部情勢，業經變得那麼緊張，以致沒有一個高級古巴領導者膽敢離開國門，前往參加最近在莫斯科召開的蘇俄共黨代表大會。

　卡鬍子指責中共削減食米的輸出以及食糖的輸入，以及他所承認的正值古巴陷於嚴重困難之際，企圖顚覆他的武裝部隊。在他對中共發出劇烈抨擊之後不久，卡鬍子透露了有關對他進行謀殺的一個陰謀案子。這件謀殺案乃是早年追隨他進行革命的各同僚之一名古貝拉士爲首的，結果古貝拉士被判二十五年有期徒刑。（上）

亞洲國家團結反共之努力

—本報資料室—

　去年十一月日韓條約經日本國會通過，兩國並在十二月交換批准書，恢復邦交後，舊議重提。今年二月，韓國外長李東元隨朴正熙總統訪泰，與泰國外長乃他納再就亞洲外長會議，作進一步商討，雙方均認爲使會議成功，有再舉行一次預備會議之必要。第二次預備會議之日期乃是今年二月所決定。至於日本政府本年三月二十二日，始透過內閣官房長官橋本登美三郎，正式表示同意派代表出席該項預備會議，因而順利進行。

　亞洲外長會議第二次預備會議，四月十九日在曼谷舉行，由泰國外長乃他納主持，歷時三天。與會國家有中華民國、韓國、日本、菲律賓、越南、泰國、馬來西亞、澳洲與紐西蘭等九個亞洲及太平洋區國家；亞洲所有重要的反共的國家，幾乎大致參加，反共色彩仍極濃厚。據聞會議籌備當局，仍設法爭取寮國參加，並有把範圍擴大到星加坡，甚至印尼之擬議，以成爲全面性亞洲國家反共會議。與東約組織之爲局部以及東西湊雜性質者，迥然不同。至於此次預備會議之詳情，因會議採取秘密方式進行，不准記者和攝影人員入場，出席代表亦均守口如瓶，會議公報全文，亦未見公佈，所以極難作正確判斷，玆僅作一初步之推測：

　（一）第二次預備會議之最大成就，乃決定本年六月假漢城召開「部長級會議」。雖然日期當時未定，但據消息靈通人士說：大多數與代表均贊成在六月十四至十八日間舉行，即在東約組織預定於澳洲堪培拉舉行之一年一次的部長級會議之前召開。因爲若干準備參加該項會議之國家，如泰、菲、澳洲及紐西蘭等四國，均係東約組織會員國，俾使四國代表能將漢城會議之決議，在堪培拉會議時與其盟國交換意見，進而影響其會議之決定。堪値注意者乃是未來會議，稱做「部長級會議」而非原先所設想之「外長會議」。一般相信是爲了能使多數國家儘量參加，以冲淡限於「外長會議」之政治性，而有此變更。

　（二）第二次預備會議公報指出：六月部長級會議將「考慮亞洲暨太平洋地區國家間，在一般的和特定的方面的合作問題。」據悉，大多數與會國家均主張着重亞洲地區經濟進步，同時主張與會國家，應定期就其他足以影響整個地區之問題進行磋商。日本駐泰國大使在會中解釋日本基本立場：漢城會議不應討論組織亞洲反共軍事聯盟問題，而應集中討論經濟和文化方面之議題。大爲冲淡由韓國所議召開亞洲外長會議之强烈反共色彩。由軍事聯盟變爲經濟合作，究其實際不外爲開拓日本之對外市場而已。

　亞洲外長會議之召開，無論就那一方面言，對與會國均爲有利。惟今日亞洲面臨共匪與日俱增之威脅，亞洲外長會議對於亞洲局勢動盪不安之原因，設不澈底的檢討，各國僅强調其自身利害，着眼於經濟文化之交流，將是重大錯誤。亞洲國家尤應認識，赤禍不除，則任何經濟建設，將是枉費心血。且共匪決不容許任何亞洲國家有從容建設之機會，印度與印尼先後遭到共匪迫害，豈非顯例？

　今日亞洲國家尤應警惕，毛共極力推進所謂「世界革命」方案，已視整個亞洲爲其囊中物，欲與勾結固難以自保，想對中共隔離亦難苟全。因此，今後亞洲國家應及早提高警覺，以團結自救之方法，抵抗赤禍狂瀾，乃至摧毀此一侵畧勢力，實爲刻不容緩之圖。亞洲國家同心協力，不僅是自救自保之道，同時也是抵抗並消滅以中共爲首之亞洲共黨勢力的唯一途徑。所以亞洲外長會議所將商討的事項，軍事性的合作，決不能避而不談；捨此而談合作，在毛共武力侵凌之下，一切必然落空。

　今日亞洲赤禍方殷，亞洲人民生死禍福之命運，乃係不可分的。必須認定亞洲赤禍之消除，應由亞洲人民共同來負責。亞洲和平之維護，也應由亞洲人民共同之爭取。而不能坐視亞洲烽火燃燒，必須準備隨時採取實際行動加以撲滅。而亞洲險惡局勢之挽救，而且有賴於亞洲自由國家之團結奮鬥，亞洲自由國家惟有在形式上合作，加上組織上的結合，才能以發揮其總體的力量。挽救亞洲危機，亞洲自由國家，本利害與共，休戚相關之立場，從速籌建亞洲反共聯盟之組成，必使亞洲各國軍事共同行動，才能使共黨侵畧者不敢輕舉妄動。（下）

本年首五月統計數字証明

香港經濟進展繼續減緩

不但增進率降低同時利潤亦減少

　（本報訊）據香港政府工商處發表今年首五個月出入口貿易臨時數字，港產品輸出總値廿一億二千四百六十萬元，比去年同期增加一億一千四百九十三萬元，增加率爲百分之五點七；進口貨物總値卅七億七千七百一十六萬元，比去年同期減少八百四十一萬元，減少率爲百分之零點二；轉口輸出六億七千五百四十三萬元，比去年同期增加六千五百一十三萬元，增加率爲百分之十點七。

　從上述的出入口貿易臨時數字來看，顯示香港經濟進展已經繼續趨緩。大家都知道，香港經濟進展在最近廿二年來，曾經有兩個蓬勃時期：第一個時期是一九四六年至一九四八年，香港工商業都很繁榮。但這時期是香港光復的初期，也就是第二次大戰後世界各國正在恢復建設的時期，在這時期內，香港的經濟進展，是由於中國政局的動盪與變化，以及戰後世界通貨膨脹所刺激。第二個時期是一九六二年至一九六四年。與第一個時期的情形不同，在這時期內，香港工業及建築業都很發達，亦是香港財政狀況與經濟狀況最穩定的時期，一切都屬正常，比較一九四六年至一九四八年更好。因爲一九六二年至一九六四年出口貿易與建築業的進展都很順利；在出口貿易推動下，進口貿易增加也很迅速。

　從一九六二年至一九六四年這三年內的出入口貿易數字來分析，就可知當時香港的經濟進展確已出現最高峯。一九六二年港產品出口總値三十三億一千七百四十萬元，比一九六一年增加百分之十三，外貨進口總値六十六億五千七百二十四萬元，比一九六一年增加百分之十三。一九六三年港產品出口總値三十八億三千一百零三萬元，比一九六二年增加百分之十五，外貨進口總値七十四億一千一百九十三萬元，比一九六二年增加百分之十一。一九六四年港產品出口總値四十四億二千七百六十二萬元，比一九六三年增加百分之十六，外貨進口總値八十五億七千零五十五萬元，比一九六三年增加百分之十五。

　但一九六五年香港經濟進展開始轉緩了，港產品出口總値五十億〇二千六百八十萬元，比一九六四年增的百分之十三點六，外貨進口總値八十九億六千四百八十三萬元，比一九六四年增加百分之四點九。由此顯示港產品出口增加的百分率雖然畧爲轉緩，但尙屬令人滿意；外貨進口增加的百分率由年前的百分之十五降至百分之四點九，足見去年香港很多種類貨品本銷開始轉弱。建築材料實銷與大部份市民消費開始減弱是最大的反映。

　今年首五個月港產品出口比去年同期祇增加百分之五點七，外貨進口則比去年同期減少百分之〇點二，足見今年香港經濟進展確已繼續在減緩中。還有一點更値得憂慮的，就是港產品出口不但增加率繼續減緩，並且大多數工廠的生產利潤繼續低降。至於外貨進口的減少，則是工業擴充繼續轉緩，以及建築業衰退與市民消費繼續削弱所使然。

蘇俄煽惑與戴高樂公報私仇

西歐圖擺脫美國影響力

同時深怕美國撤軍致失安全保障

僅西德仍牢牢保持對美國關係

　然則西德的態度又如何呢？波恩政府的領袖現時意識到：由於戴高樂的行動，西歐正表現若干程度的分裂跡象。在這樣的情況下，西德對美國表現最忠心的盟友行爲。雖然西德出現越來越明顯的民族主義思想，可是西德人民却承認一項主要的事實——他們的生存必須主要地仰賴美國及其軍事實力。西德認爲：唯一會令到西德改變態度的因素，將是美國撤出歐洲的決定。不過正如其它西歐國家所認爲的那樣：西德對美國在越南的行動，表示一種冷淡的態度。他們認爲亞洲是一個美國的問題，與他們無關。

　法國曾經兩次被逐出印支半島——一次是被日本的軍隊所逐出，另一次被胡志明的越共部隊所逐出。自從美國捲入越南戰事的漩渦裏面後，法國總統戴高樂直至目前爲止，始終採取反對華盛頓越南政策的態度。就另外的一方面來說，英國雖然三番四次的表示支持美國的政策，可是由於要軍事援助馬來西亞的緣故，始終不願意派遣地面部隊前往南越境內助戰。大部份其它西歐國家對於美國在這個印支半島境內所採取的一切行動，似乎採取一種漠不相關的態度。在第二世界大戰結束後，爲了協助西歐國家從廢圩中重建起來，獲致經濟復原，同時阻遏蘇俄任何侵畧的行動起見，美國曾經在西歐花去數以百億美元計的巨欵。現在，西歐國家已經欣欣向榮了，同時認爲蘇俄的侵畧威脅已告消退了，這些西歐國家正希望在美國的核子傘下，回復昔日的歐洲政治及軍事聯盟。他們不再需要美國在西歐扮演領導的角色。（下完）

瀛海異趣談

性道德觀昨日今日明日

·桑雅·

今天若干種事物，足以預示我們對「性的評價」，和對於「性的道德觀念」中，將有很大的變遷。本世紀自開始以迄末尾的一段時間中，這些變遷的幅度，是那麼的大，我們甚至準確地可以稱之為「革命」。

從事這種工作的主要力量，是由十九世紀對「性恐懼」的清教徒主義的運動，以至於廿世紀的「性道德」的界說。這種道德，是基於接受了以「性問題」作為一項當有價值的，可以公開駕馭人類生活之一部份。

一項十九世紀對「性哲學」的基本假定，認為是先天地邪惡的和危險的，一種必然導致災難與懲罰的不合道德的快樂。

有些人嚴肅地接受了這種觀點，并嘗試施行，不論如何痛苦，也照着這個觀點去生活。另一種人則持反抗的態度，在奇怪的排斥的色情書刊中，或者是性的越軌行動中，追尋被禁止的性的表現。其中有許多人陷於困惑之境，他們徘徊於依從或叛兩者之間而團團打轉，終於走向不適意的偽善的性生活。

在二十世紀中，發現最顯著的改變，是漸漸發生了對「性問題」的看法，開始懷疑，認為此事實在沒有什麼先天的邪惡的罪過。而且，祇要我們學知了如何以有意識的和是非分明的態度，把它駕馭了，這種事情在人類的生活中，可能同樣成為一種無限的快樂與及一種建設的力量。

這種變動的形態，是從二十世紀「性革命」的核心部份中發生，它向那種假定「性」在自然中是邪惡的觀念挑戰。並提出另一種觀念：「性」既沒有什麼美好，也沒有甚麼邪惡。但僅是簡單的一種有權威的力量，依據我們所能控制的智慧和技巧，就可以達到合乎想望或者是不合於想望的另處。

正如我們所曾思索，這種新的方向，使我們認識了人類的「性問題」，並不是純粹的一種生物學上的推動，這種趨勢已漸漸增加。在文化的傳統與社會的預期中，它是那麼的有影響力和多姿多采。因此，我們最好把這種趨向，描寫成為一種具有堅強生物學根基的和「心理的社會」景象。簡言之，「性」問題現在所看見的並不單純是「性」行為，像古老一代的看法，而是作為社會動物的人類，經過了選擇所養成的一種行動。

作者在過去的時日中，曾親自看見關於「性問題」的新思想，漸漸地向各種變動的方向發展，現在列舉若干例子：婦女相對地自由解放；（但仍是未十分完全。）有效的避孕劑的使用和發展；自願不孕的聰明利用；有關自瀆的順應的改變態度；各階層人士對性教育漸漸地發生興趣；一項有系統的醫藥的和心理的對於年輕的成年人成婚的準備，已成了趨向；結婚諮詢的職業化；對於「性變化」和「性越軌」，予以更富人性的瞭解的態度；關於性病予以更切合實際的和更有意識的態度；以及續漸發生要將古代的不適當的婚姻管理法律，離婚和性的侵犯的規定加以改革。

本世紀的初期，作者曾看見所有這些方面，均已開始前鋒性的工作。在這相當短促的時間，達成了使人不敢置信的進步，可謂意外。而作者本人更深知我們最大部份的人，對於這個問題，採取旁觀袖手態度的最多。

我最近替一個市民委員會工作，尋求修正性侵犯的條欵，結果南部一個立法委員會中，約摸半數贊成自由解放和進步的改變，而其他的人，則堅持稍為改變或竟不加改變。

與上述的經驗相反，值得注意的是，在職業的羣衆中，代表行為的科學，和包括宗教的領袖，我發覺幾乎大多數均接受自由解放的趨勢，祇是程度上稍有不同。因此可以合理地假定：由那些人產生的領導，漸漸地將影響到我們的社會，最後並將在我們的文化傳統中和我們合法的控制性行為中，得到絕大的改變。

在未來的短短的十年中，凡上面陳述「性」的改革，均將有實際的成就，這是不難預見的事。倘若實際的發展，果然如此，這就變成了有趣味的推測：我們將從何處入手支持我們「性」的處理？和屆時又將有些甚麼的新的問題，會放在面前？

目前，我們傳統的看法，如果青年們有了婚前的性關係而後來不結婚是不道德的，甚至男女雙方並無眞正要結婚的意圖，和他們的個性又不相適，也不予理會。其實，這才是眞正不道德的觀點，這是造成社會災害的觀點。

英郵車劫案的真正受害者

·鄭依樺·

積克．米爾斯這個名字大家熟悉嗎？英倫郵車劫案中，他是有份兒的；不是劫匪之一，而是郵車的司機。他曾勇敢地對匪徒反抗，被對方用鐵棒打了六下。他是六十歲的人了。現在他怎樣呢？只是孤寂地在家裏。

人人都留意匪徒的動態，似乎已把這位勇敢的老人忘記了，他常在夢中驚醒大叫：「他們要來尋仇呀！」

在過去，他是一位笑容滿臉的人，喜歡散步、釣魚。但現在，一切都變了。一九六三年八月八日劫案那天，對于他是一個永不能磨滅的噩夢。他的腿受傷後，已不能走太多的路，右手不停的發抖，於是他也無法釣魚了。他的最大志願是做全國技術最佳的火車駕駛員；事實告訴他，這個志願無法實現了。

時至今天，大家應該懷念一下這位老人吧？

當年，他本來可以不挺身反抗的。他原不知道車卡內有二百五十萬鎊的鈔票的。他只是為了職責，陌生人企圖阻止他工作，于是他反抗了。這個舉動，純然是勇敢的表現。但他的報酬呢？

鐵路局除頒給他一張甚麼勇敢榮譽奬狀，一條値十先令六便士的鐵路標誌呔之外，只得奬金廿五英鎊。稍後，郵局與銀行聯合給他五百鎊補償費。他受傷治療期中，每週津貼是廿五鎊而已。

鐵路局發言人說：「有關的事情，已完全解決了。」這表示當局再不體恤這位老人了。可是，鐵路公會代抱不平，替他申請要求更多的補償。

公會代表說：「我們已開始進行一項全面性的調查，任何一位公民都同意積克是應得更高的補償的，可是又沒有人肯付錢。鐵路局方面認為不負責，因為他的受傷是超鐵路局的控制之下的。我們的公會不能撥欵給他，因為我們的公費是受嚴格管制的。至於郵局與銀行，我們的寄望也不大。」

積克本身不是一個出風頭的人物，他不大喜歡接見任何記者的。「一點滴週刊」透過公會，才能訪問他，因為公會希望透過報界呼籲一下。（上）

質詢權的平議

張健生

不特此也，由於立委十八年來未改選，所以這些年來社會上新出的人才無法加入立法院，使立法院的構成份子未發生「新陳代謝」的作用。這是立法院的重大損失。今若不再亟圖補救，則立法院將無更新之機會。故台灣省議會議員建議政府改選中央級民意代表，能說不該嗎？

第二、立法院有國、民、青三黨及二無黨的委員，而執政黨委員佔百分之九十以上，在野黨委員不足百分之十，其力量微不足道，更談不上發揮在野黨監督執政黨政府的制衡作用。由於執政黨與在野黨的實力相差太遠，結果只有「混戰」一場。如行政院所提法案，反對與異議者，係來自執政的多數黨方面；又如從立法院這些年來的施政質詢觀察，就可明瞭。儘管發言盈庭，而實際發生影響者微乎其微。

立法委員每一會期的質詢，洋洋大觀，究其內容，有些質詢是出之於個人的良心話，有些質詢係出之於個人的恩怨，有些質詢着重於自我表現的鋒頭主義，有些質詢是另有企圖的，更有人假藉質詢之名而來頌揚政績達到護航的目的。最妙的質詢是甲說某件措施不當而乙認為成績優良。這些質詢很少有計劃行動，很少是經政策性的考慮而行動的，都是些瑣細小事，且為個人的意志。質詢的效果怎樣呢？可列舉事實來說明。立委劉錫五質詢「國防組織法」已經有三十一次，即十六年之久；立委田鎭南等十八人於五十三年十月二十日提出有關國民大會代表遞補案之質詢，今年五月十八日，艾時委員等八十八人再度質詢，結果行政院對這些質詢的答覆，不是避重就輕顧左右而言他，就是置之不理。因此，立法院成立至今已十八年，可是立法委員對於政府的答覆從未實行憲法所賦予第五十七條第一項第二欵——立法院對於行政院之重要政策不贊同時，得以決議移請行政院變更之——的權力。這是由於在野黨沒有力量的明證。

同時，台灣若干報紙對立法委員批評政府施政不當的質詢，可以一字不登；相反的，這些報紙對政府官員的答覆却大登而特登。由此一事實，似亦足以說明我們的民主政治前途了。

第三，依照現行憲法規定，立法委員除不得兼任官吏而外（按：現任立法院長黃國書過去曾兼任省營台灣合會董事長），得兼任民營金融機關董事長，公司總經理、醫生、教授（公立大學），私立大學校長或院長、律師、會計師等等。因此，台北律師公會建議全國律師公會聯合會；向有關當局建議：立法委員在任職期間內，暫時停止執行律師職務，俾能專心為國宣勞。因為這些都是立委行使質詢權的絆脚石。

（八，完）

新三國

周遊著

陳宮、張邈本是曹操好友，以曹操如此「獨夫」行徑，也大起反感。所以當曹操第二次再打陶謙劉備時，陳宮便同張邈之弟張超，從事中郎許汜、王楷等，在後方叛曹。陳宮便聯合最近的張邈，去謀大事。陳宮說張曰：

今雄傑並起，天下分崩。君以千里之重，當四戰之地，撫劍顧眄，亦足以為人豪。而反制於人，不以鄙乎！今州軍東征，其處空虛。呂布壯士，善戰無前，若權迎之，共牧兗州，觀天下形勢，俟時之變通，此亦縱橫之一時也。

陳宮的一番利害，把張邈說動了。此時的陳宮，本是曹操的東郡太守。東郡是陳宮的家鄉。曹操此次東征，把後方的大事全權付託他，東郡首縣東武陽也交由陳宮派兵駐守。此時曹操東征，陳宮此一着十分利害。根據呂布的老婆說，曹操曾經待陳宮如赤子，可見他們交情甚篤。然而陳宮何以如此叛他？除了瞭解曹操之為人兇殘外，別無其他理由。「捉放曹」一戲中的中牟縣功曹，究竟是不是陳宮？只有三國演義有的，正史無徵，而是羅貫中根據口碑而來的。按「捉放曹」的殺呂伯屠全家，地點是在中牟之西，洛陽東邊的成臯附近，此中牟功曹不可能在場。陳宮為曹操的救命恩人不可深信。

陳宮以留守後方的部隊，聯同張邈、張超等的部隊，共迎呂布，代曹操為兗州牧。呂布如一隻猛虎，善打硬仗，加上張邈十萬雄師，實可割據一方，靜觀待變。

十五、荀彧與程昱

呂布是一個正在東奔西跑窮無所依的猛虎，得到如此際遇，自己是想不到的。張邈及陳宮所屬的雄兵都由他統率調度，把整個兗州完全收歸已有。以濮陽作為他的大本營。只有荀彧所守的鄄城，程昱所守的東阿，以及靳允所守的范縣等三城，始終忠於曹操；其他的地方莫不望風而歸呂布。鄄城、東阿、范縣三個小地方何以能不破？這完全歸功於荀彧、程昱二人。荀、程兩人在三國中是知名人物，荀彧字文若，潁川潁陰人，少時鋒芒畢露，南陽何顒異之，以為王佐之才。永漢元年舉孝廉，除元父令。董卓之亂，棄官不做，舉家徙冀州。他對鄉中父老說：「潁川乃四戰之地，天下有變，常為兵衝，宜速他遷。」鄉人多猶豫不去。當時袁紹已經把韓馥的冀州覇佔了。荀彧至冀州，袁紹禮遇為上賓。他在袁紹處待了一個時期，知道袁紹這人終非大器，至初平二年，曹操為奮武將軍，在東郡，他就投在曹操那裏，曹操大喜地說：「吾之子房也。」曹操愛才是他成功的最大因素。

程昱字仲德，東阿人，身長八尺，美鬚髯。幼時以守東縣城聞名。劉岱為兗州刺史，辟程昱，昱不應。後曹操臨袞辟昱，乃從曹操。操大悅，以之為壽張令。因他嘗勸曹因兗州三城（即鄄城范縣東阿）以圖覇，策袁紹必擒公孫瓚，曹操因其說必中，乃在立字上加一『曰』字為程昱，原本程立也。操征徐州，留荀程共守鄄城。呂布勒兵取東阿，又使汎嶷取范縣。

（四十二）

小陸光的龍鳳呈祥（續）

儲啓學的孫權，演來很合身份。吳孟夏的賈化，極其滑稽。吳福生的孔明，雖唱得不多，嗓音好，臉譜妙。吳明生的周瑜，工架很好，雖是坤角，唱來有神。潘自遠的張飛，英氣勃勃，莽撞出神。至於孫尚香由該班四旦角之一溫愛華，（胡台鳳、麗中、歐陽鳳爲其三人）扮相夠大方，唱調亦不低，常有好腔，幸加努力，看誰能獨佔鰲峯？

幼年班還有好的措施：在別的戲中充主角，而於此劇中照樣扮龍套，飾宮女。這是不分界限的好辦法，現在年歲尚小，應如此來做，佳極。

國劇繽紛續錄

婆娑生（三十八）

戲迷家庭

戲迷家庭是玩笑戲，上台演唱，可穿時裝，不須戴冠穿蟒，比較方便。而好出鋒頭的，更可穿漂亮旗袍，或洋裝，以露她的丰姿，教人羨煞。由此之故，如有演出必定高朋滿座，無非來看標緻的面孔，也別有風味的。以往北平天津很少有演出，在上海漢口則有可見到，因滬漢的太太小姐，比較摩登而開明，敢唱而高興玩玩，在此戲中隨便唱唱與玩，大鼓，灘簧，揚州小調，紹興戲等等，多可搬出來，顯顯才能，使大家換換耳音，豈不樂哉！這一齣戲，角兒可多可少，多則十餘位，少則三四位，愛什麼玩就怎麼唱，能隨心所欲，不受那所謂京朝的格定，真能自由也。愛玩的就有不少，無非省了扮戲的料釀！

日前空軍電台，忽播放此齣，很爲難得。也可說沒有電台曾播過幾次。主持人元福于金甫解說，也可稱爲丑角大會串，有名丑角金福金碑，吳劍虹，吳兆南，加上專長一丑角的名票熊在清，收音機中唱由其，擇要搭配，最高秩序在大西廂，具體而微，足，擇搭配高雅之音，我說爲妳買爆仗，請人放，也是事實。原本主意戲單：一即大鵬曾演過此戲，得到佳評，聲色頗盛，爰摘錄之：

玉菁（伍菁），哈元章（伍首），馬元亮（伍世），趙某甲（張樹森），劉鵬，尹來有（大次鵬），李建台（乳鵬），徐露（俊鵬），嚴莉華，麗鵑，王鳳娟（粉鵑），鈕方雨（小鵑），古愛蓮（愛鵑），張世春（廚師），李金和（縣大爺），張國安（醫生），元增九齡能與（衙役）。可以說傾該團之人才，盡薈萃於此，極一時之盛。大鵬下次公演，何妨推出，使許多觀衆再得欣賞此好戲。感祇是樹森愛蓮兩角另找人替代，即可完美。而補記，以告嗜劇之人士。

蜀游憶語（上）

諸葛文侯

生平足跡遍全國地區十之七八，即內外蒙古亦曾身歷其境，然其風物景色最令人留戀難忘者，殆莫逾於巴蜀也。

民國廿四年秋初，愚奉國府軍事委員會秘書長楊暢卿（永泰）先生電召初次入川，由漢口乘輪溯江西上，經宜昌改搭小汽船前進。抵萬縣時電報致重慶友人，告以行期，囑至碼頭迎接。電局收據註明收電地址爲「巴縣」，愚謂：「我的電報是發到重慶的，怎麼改到巴縣去了？」執事者答曰：「先生，巴縣就是重慶，沒有錯，請你放心！」愚仍不相信，彼大笑，乃將巴縣二字塗去，另註重慶，而以驚奇之目光注視愚顏。迨愚迴身出門之際，但聞該執事者發出「下江人」一語，然愚不解所謂。古人言「一物不知，儒者所恥」。信哉！

在重慶住宿時即乘公路汽車赴成都，軍事委員長行營秘書羅君強接愚下榻「凌雲飯店」。是夕晉謁楊秘書長，彼暢談四川將來對國家前途之重要關係，勗愚擔任「四川縣政訓練所」政治教官，愚心滋不悅，然未便拂袖而去。次日即入住東校場之訓練所，每晨黎明東校場作軍事操練時，然後約同事一二人馳往某街之「竹林小餐館」早餐，習以爲常，計每人傳食清燉牛肉一碗，白米飯（川諺謂之冒兒頭）一盂，甚快朶頤，值價法幣二角而已。生活程度低廉若此，迄今思之，恍如隔世矣！愚出入皆著黃呢軍服，時川省民謠有「中央軍，身上鈔票有半斤」之說，社會羣衆見愚輩皆表歡迎，決無歧視意念，此與其他各省對外來旅客之態度迥異也。

巴蜀自民國肇建以來，羣雄割據，競事內戰，武力第一，軍人至上，斯時雖漸告統一，而積習未除，是年底，國軍將領薛岳自天全蘆山一帶追剿共匪勝利後，來成都小憩。一日借轎軍周渾元軍長便裝漫步「春熙路」，擬入理髮店修顏，門口立一戎服持駁壳鎗，鎗柄垂繫紅綵一撩之士兵，揮手阻擋，詰以故，據言某師長太太在內燙髮，他客不能進入。旋周渾元美薛曰：「你瞧，人家的一個師長太太，就有如此威風，咱們當總司令、軍長的，算得了什麼呢？」相與捧腹不已。

對日抗戰軍興，中央政府播遷重慶，各省人士蜂湧避難巴蜀者，駱驛不絕，而以重慶爲薈萃之區。川人習慣，對本省以外之人士，一律稱呼爲「下江人」。一日愚乘「民生公司」小火輪赴北碚，途中一外省籍婦女聞侍應生稱伊爲「下江人」，瞋目怒詰之云：「說我是下江人，難道你就是上江人嗎？豈有此理！」該侍應生和顏悅色解答曰：「太太，請莫誤會。我們的意思是就地理形勢，劃分長江下游地區爲下江，並無他其他的用意」。事後愚與該公司總經理盧作孚談及此段故事，頗讚許該公司對輪上侍應生訓練有素，殊屬難得。斯時川省通貨初用法幣，而以巴蜀軍人舊時私鑄之大銅元——分爲當制錢廿文暨五十文者兩種——爲輔幣，質薄而面積稍大，銀幣乙元可換卅吊銅元。然在京滬漢一帶通行當制錢十文之老式銅元，其價格較川省私鑄者高出一倍以上。外省人初至巴蜀，昧於當地情況，主婦向市面購買食品如青菜等，聞商民開價每斤一吊錢，以爲係指外省通用之銅元價格而言，認爲銀幣乙枚尚不能購蔬菜兩斤，未免過昂，掉頭不顧；商民反問「你願意給價若干？」答曰「至少一塊錢要買兩斤。」商民大喜道：「賣給你！」又川省所產之廣柑，形象與花旗橘彷彿，市價[illegible]可買二百只以上，若在臨江門河邊選購，且可得三百只。然在滬漢一帶出售之花旗橘，售時論個計值，每元僅得十數只耳。外省人初來渝，不明就裏，斥法幣乙元可買三數十只川產「廣柑」，已覺價廉物美，欣然交易，實則受騙大矣！下江人洞悉實情後，頗怨川省商民不誠，然川人又指「下江人」濫用錢，將物價陡然抬高，彼此言之成理，持之有故，感情日疏，在無隔閡矣。愚曾於成都「華西日報」以「四川人與下江人」爲題，撰文申述彼此一時誤會所由，皆屬風俗習慣不同，認定川人決無排外思想。

張大帥

「影劇與歷史」之二十五

周遊

到了三個月之後，副官處長有公事請示，張大帥便問其老設道：「工作情況如何了？」處長大驚說道：「大帥不是下條子命我把他『抓起來嗎』？現在還關在禁閉室裏」。張說：「我是派在副官處，怎麼抓他在副官處呢？」副官處長取下條子呈上，張一看「抓」，大叫：「！我錯了，又是我錯了。」及至把老友放了出來，說「派」、「抓」一字之誤，已經是啼笑皆非了。

有一次，張陪幾個小姿遊花園，不料假山之上有一塊石頭，絆跌了一下。次日，即下條子「把岩搬出去」。其實本是山石二字，他把山石二字連寫在一塊，便成了「岩」字了。丁副官馬上着大批人工，把一座「巧奪天工」的假山全部搬去。一字之錯，不知浪費了許多老百姓的血汗！民初軍閥之虐民也就可以想見了。

山東有一個專員的父親去世，隨即發出訃文，張收到後，即交某秘書批覆。某秘書曰：「此乃訃文不必批復。」張曰：「人家所呈訴文（因訃相近），理合批覆，你若是不批，難道我請你吃飯嗎？」某秘書哭笑不得，只得批復，令人捧腹。秘書批文諧而又謔，該孤哀子等，既知罪孽深重，何不早日批文曰：「訃呈悉。該孤哀子等，既知罪孽深重，何不早日殞滅，以致禍延乃考先死？如此過失，殊屬不孝已極！所稱清封奉天大夫之職，但滿清已亡，此係民國。仰將當年到職離職日期，及證明文件呈核。至於某年某月某日壽終正寢，核與附呈哀啓內云：「登廁時中風暴斃」，前後不符，恐係別有隱情。應着證人來署，聽候開棺驗屍，不得委稱親視含殮，私自安葬。所有定期成服，並舉行家祭一節，事前未經呈准，胆敢擅專，殊見荒謬！應即遵令廢止，俟本案親結後報。另定訂日開喪，仍應先行呈報。復查所附哀啓，均與事實不符，既有癲癇舊疾，又未經醫生證明，顯係揑造。擬請世、友、戚、親、族等誼垂鑒，自難照准。所稱「孤哀子」、「齊衰孫」等，據報爾家宗族人多，不至孤獨如斯。又衣食尚安，不至哀憐，營養豐富，不致衰弱。顯係淆亂聽聞，別有企圖，亦屬非是。再爾等一家，泣血稽顙，拉淚頓首，拭淚頓首等，尤屬駭人聽聞。除稽顙頓首以及拉淚拭淚各節，尚係在情在理，姑予從寬免究，應准備案外，仰將所泣之血，儲瓶呈繳，以便發交衛生機關化驗。倘敢使用猪血、羊血、鷄血、鴨血等冒充情事，決予嚴懲不貸！此批。」因爲長官胸無點墨，更加不明事理，以致害得秘書將一紙訃文，批得體無完膚。讀之令人噴飯不已。（三、完）

小記竹林七賢

陳武

世人固知竹林七賢爲晉之山濤、阮籍、嵇康、向秀、劉伶、阮咸與王戎。七賢之來由皆因此七人常集於竹林之下，肆意酣談，是以後人稱之謂竹林七賢。世人多知七賢之名，然七賢之身世則甚迷糊。史或載之，然皆語焉不詳。今特攷之經史，以成此文。茲畧敍述如左。

1 山濤，字巨源，晉河內懷人。性好老、莊，崇尚清談。於魏時曾爲趙國相，及入晉朝，官至兵部尚書。爲官中立於朝，正直清儉，鐵面無私。又肯提拔後學，甄拔人物，皆一時俊彥賢良。其爲人又精於兵事，嘗論用兵，不宜去州郡武備，蓋州郡武備不僅可以防盜賊，抑亦以拒外寇也。王戎謂其爲渾金璞玉，誠非過譽也。

2 阮籍，字嗣宗，陳留尉氏人。爲人博覽羣書，尤好老莊。嗜酒能嘯，復善彈琴，當其得意，忽忘形體。其嗜酒亦以沉醉遠禍也。聞步兵厨善釀，貯酒三百斛，酒要求爲步兵校尉。籍爲人能爲靑白眼，常率意命駕，途窮輒慟哭而返。是以王勃之滕王閣序有云：「阮籍猖狂，豈效窮途之哭。」

籍著有詠懷詩八十篇，爲世人所重。又著有達生論、大人先生傳等，敍無爲之貴。

3 嵇康，字叔夜，譙國銍人。爲人少有俊才，丰姿俊逸，博覽多通，曠邁不羣，高亮任性，而不謹細行。長而通老、莊之學，著有養生篇。善屬文詞，彈琴詠詩，自足於懷抱之中，縱意於塵埃之外。晉之鍾會嘗稱其爲臥龍。後與康有隙，酒讒諸司馬昭，康遂被害矣。

4 向秀，字子期，晉懷人。官至散騎常侍。與嵇康，呂安友善。性好老、莊，注莊子，奇趣橫生，振發玄風。郭象又述而廣之，玄學遂盛。

5 劉伶，字伯倫。嘗仕建威參軍。泰始初對策，盛言無爲之化，遂罷。伶爲人放情肆志，性最好酒。爲人曠達，嘗携酒乘車，而使童子隨後荷鍤，曰：「死便埋我。」妻切諫戒酒，不從，尚言婦人之言不可聽。著酒德頌，以壽終。

6 阮咸，字仲容，晉陳留尉氏人，爲阮籍之姪。咸少名，有大小阮之稱。官至散騎侍郎，出補始平太守卒。

7 王戎，字濬沖，爲人有才，好老莊之學。工算學。然爲人貪吝，是其瑕耳！史謂其田園偏諸州，每執牙籌，晝夜會計。家有好李，賣之恐人得種，鑽其核而售。此則又太過矣！苟如史云，則戎不得稱爲賢者。然戎終與六賢並列，則以彼好老、莊及與諸賢友善故也。恐云：「附驥尾而行益顯」非虛語也。

竹林七賢之思想，大抵非薄儒術，蔑視禮教，沉湎於酒，而流於清談，亦世之所謂談玄派也。七賢之個儻行爲懷疑觀念，可於劉義慶著世說新語一書中見其一二。

美國最偉大的女畫家
瑪麗卡斯薩奮鬥史

○慕松○

道並不是說一個女子要完全不准學習美術，不過要兼習女紅與鋼琴。瑪麗卡斯薩進入美國最古舊和在當時最出名的賓斯威尼亞美術學院，她想學習模特兒寫生，但是女學生還是女學生，還不許參加那種寫生班。她在美國各美術博物院找尋學習的資料，在美國的美術不能滿足她，她決定到外國去研究，經過多次的苦求，才得父親的允許，在一八六八年遠赴歐洲到巴黎住下。她曾先後到過義大利，西班牙，比利時等國的大美術館觀賞，她用自己的授法，摹繪各大名師作品，也有試驗出自己的心意，每日從早到黃昏不斷的工作。她本來可以安閒的過活，但她自作一個奴隸，訓練自己繪畫，她的畢生如是的確値得稱讚。

瑪麗卡斯薩覺得各大師的作品有一個相同點，就是極優秀的繪畫，綫條亦完整。（二）

內政部台報字第〇三一號內銷證

自由報

THE FREE NEWS

第二六六期

中華民國僑務委員會原發
台報新字第三三二號執照登記證
中華郵政台字第一二八二號執照
登記為第一類新聞紙類
（半週刊每星期三、六出版）
每份港幣壹角
台灣零售價新台幣貳元
社長：雷嘯岑
督印人：黃行審
社址：香港銅鑼灣高士威道二十號四樓
20, CAUSEWAY RD 3RD FL.
HONG KONG
TEL. 771726　電報掛號：7191
承印者：大同印務公司
地址：香港北角和富道九六號
台灣分社
台北市西寧南路零號二樓
電話：三〇三四六
台郵撥儲金戶九二一五二

從反共戰略看美俄和共匪的關係（上）

·何浩若·

一、民主國家的反共戰略

所謂民主國家對抗共產集團，在民主國家一方面講並沒有一個嚴密的組織。美國無疑的是民主國家的領導者。以美國為主，在歐洲有北大西洋公約，在遠東有東南亞公約，在近東有中央公約，在美洲有美洲國家組織。此外還有美國和反共的民主國家所訂的雙邊攻守同盟條約。這些條約無形中使美國成為民主國家反共的盟主。美國的戰略也可以代表民主國家的反共戰略。

甲、美國的基本戰略觀念

美國是一個眞正民主的國家，執政者未事先獲得人民的同意是不能主動的去攻擊敵人的。主動的去攻擊敵人又無法去先徵求人民的同意，因此民主國家的戰略便傳統的成為一種守勢的戰略，必須等到戰爭迫到眉睫才能動員全國的力量來保衛國家。但是動員以後便有無比的力量來擊敗敵人。第二次世界大戰的珍珠港事變和後來美國擊敗日本和德國的情形便是一個很好的例證。美國雖然處在大西洋與太平洋兩洋之間，但因為大多數美國的人民來自歐洲，便特別重視歐洲，把大西洋看做世界戰略的中心。核子武器的殺傷力太大了。美國原是一個富庶康樂的國家，人民安居樂業，不希望發生核子大戰自趨毀滅。概括起來說，美國的基本戰略觀念是：

（一）基本歷史傳統的守勢戰略觀念。

（二）以大西洋為中心的全球性戰略觀念。

（三）避免核子大戰的冷戰戰略觀念。

乙、戰爭邊緣論和戰不勝論

我們已經說過戰爭邊緣論和戰不勝論並不是美國反共戰略的基本觀念。這些奇怪的戰爭觀念是由美國要避免核子大戰而引伸出來的。我們必須瞭解美國戰略的主體，才能瞭解戰爭邊緣和戰不勝論。戰爭邊緣論是指的核子戰爭，戰不勝論是指的傳統戰爭。戰爭邊緣論是說核子戰爭的破壞力太大了，戰略原是政策的延伸，戰爭是用來消滅敵人的，戰爭是達到政治目的的手段；假如美國在發生核子戰爭中可以消滅敵人，但同時也必須毀滅自己，便失去了戰爭的本意。但是在民主國家對抗共產集團的整個局勢中，隨時隨地都可發生衝突。雙方都想避免核子大戰，那麼對於衝突的解決，方走到戰爭的邊緣處便可獲得勝利。戰爭邊緣論便是美國已故國務卿杜勒斯提出來的。他以為美國和蘇俄玩一場永遠不攤牌的撲克，那一方加注最多使對方撲牌便獲得這場牌的勝利。所謂新戰爭邊緣論是共匪硬要和美國賭一賭，也參加這一場牌，變成三方面來打，因此使這場不攤牌的撲克更形複雜。戰爭邊緣論是指的核子大戰的邊緣，並不是戰不勝論。戰不勝論是指的傳統戰爭而非核子戰爭。假如美國和蘇俄發生核子大戰而美國戰不求勝，豈非自趨毀滅？杜勒斯所主張的戰不勝論是指美國和共產集團之間所發生的傳統戰爭而言。假如美國以全力在這些戰爭中求勝便會引起核子大戰，因此美國國務院的政策撲朔迷離，一時主和，一時主戰，令人捉摸不著。假如從戰爭觀念和戰不勝論來看便很容易明白。美國明知道共匪支持越戰，假如不擊敗共匪越戰便不易解決。但是美國絕不要主動的和共匪作戰，更不要戰勝共匪。不要和共匪作戰和戰勝共匪就是戰不勝論。理由很簡單，假如美國戰勝共匪便會引起核子大戰。對不對，是另外一件事，至少在理論上是這樣解釋的。本報對戰爭邊緣論和戰不勝論已有詳細說明，在這裏不再贅述。美國旣要避免核子大戰，又不要在傳統戰爭中求得勝利，便發生所謂圍堵戰略。

丙、美國的圍堵戰略

美國的圍堵戰略據說是肯南提出來的。肯南做過美國的副國務卿，是艾其遜的助手，現在大學教書，成為一個反共戰略專家，時常出席國會作證。圍堵政策原來是反共的。最近共產黨的同路人在美國提出「圍堵而不孤立」的口號，便變成親共了。讓我們從歷史觀點來研究一下美國的圍堵戰略吧。

做過香港總督的葛量洪在美國講演，說過這樣的幾句話，他說：「十九世紀屬於我們英國人，二十世紀屬於你們美國人，廿一世紀將屬於他們中國人。」他的這篇講演後來被載入美國國會紀錄。我引這幾句話對於現在要研究的圍堵政策是很有關係的。英國人和美國人代表所謂盎格魯薩克遜民族（Anglo-Saxon）。其實這民族也可稱之為英美民族。英國稱霸十九世紀，英國國旗永遠照着太陽；美國稱霸二十世紀，執民主國家的牛耳。海洋國家英國和美國都可以說是海上霸權。美國繼承了英國的海上霸權，現在仍然超過英國。美國和英國的關係其密切，超過任何其他國家的密切。舉一個例吧，美國國務卿艾其遜的父親是英國人，英國首相邱吉爾的母親是美國人。有一次邱吉爾訪問艾森豪，說過幾句最動人的話，他說：「我從我父親的故鄉來到我母親的故鄉。」我的父親與我的親說的話是老家常話。「這眞是親切得不分家呵！不是最近美國還為邱吉爾立銅像嗎？艾其遜是英國的兒子，邱吉爾是美國的外甥。美國的圍堵戰略就是在艾其遜做國務卿的時候決定的。美國的戰略無疑的是繼承着英國的傳統的。圍堵戰略原是英國的傳統戰略。當英國在十九世紀稱霸海上的時候，便專門圍堵歐洲大陸的國家，不使他們出海。拿破崙戰爭，英國是在圍堵法國。克里米亞戰爭是在圍堵俄國。第一次歐戰英國是在圍堵德國。英國圍堵的國家很多，因此使用「圍堵而不孤立」的辦法，在拿破崙戰爭的時候，便聯德抗法，在克里米亞戰爭的時候，便聯法抗俄，在第一次歐戰的時候，便聯法抗德。有一個為歷史學者所熟知的事實便是英國把這些國家圍堵在歐洲，不許他們出海的時候，這些國家便自己會衝突起來在歐洲大陸爭霸。

推銷火種

自作自受

今日與明日

周恩來之言

周恩來在羅馬尼亞首都布加勒斯特公開發表談話，要毀滅中國固有文化，指中國所有舊的都是壞的，文化大革命的用意就是要把所有舊的都清除掉。

本來當毛共發動文化大革命之初，海外許多觀察家已指出是在革文化人之命。照初期情形來看，被清算迫害的對象如吳含（口旁），翦伯贊都是讀書人，甚至如鄧拓、廖沫沙也還是知識份子，說大革命是革文化人之命，大體當是不錯的。可是後來範圍愈擴愈大，而且整肅的對象也不再是一個人，一個集團，而變成了一個機構，如毛共「北京市委會」及毛共青年團「北京市委會」，一律改組，已全部換了新人。甚至毛共在北京大學的黨委會，也是全部加以改組。這種情況可以說明毛偽的敵對份子已不是一個人，一個集團，而變成了整個毛共黨務機構反毛，情況之嚴重非以前歷次整肅可比了。由此更可了解為什麼一開始就由毛軍出馬？實在到了非藉槍桿子鎮壓不可了。

周恩來是個沒有靈魂的人，他決不會有絲毫獨立見解，他說的話相信就是毛澤東說的。假若這次「文化大革命」要把固有的文化全部加以推翻，其後果是難以想像的。

誰在鋪路

毛共「解放軍報」大聲疾呼，反革命份子在為「蔣幫」鋪路，這當然是藉此以展開大屠殺。不過，假若作深一步探討，我們覺得眞正為大陸鋪路的正是毛澤東本人。這句話絕非笑談，亦非怪論，事實上毛偽政權成立十七年來，所以鬧得民不聊生，固然由於共產主義就是共窮主義，所有共產黨統治的地方，沒有不窮的，但是其中也有分別。蘇俄與東歐就比較好些，最窮的是中國大陸，其原因何在？實是由於毛澤東本人的胡作非為有以致之。試看所有害民之政，如大躍進，總路綫，人民公社，那一件不是毛澤東所喊出來的，結果一時死亡千萬人，也引起大陸人民的反抗。他們唯一的希望是國軍早日反攻，在大陸上扎根，就是救亡的生命。他們若起來，反攻最為有力，就是毛澤東本人。

有人把毛共此次比做洪楊，內閧之所以，涉及的範圍反比洪楊內閧為多。但是洪楊沒有毛共今日之荒唐，洪秀全的大兒子洪天貴也沒有今日宣傳「毛澤東思想能治百病，西瓜能長壽」，似乎洪楊尚能如此結果，又老毛澤東能逃？公道嗎？（何如）

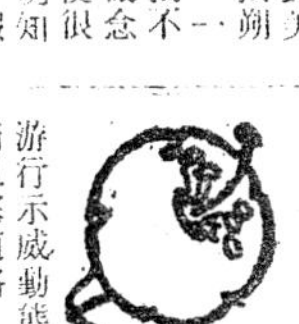

佛門中的醜劇

越南佛教徒表演的干政鬧劇，迄未停息，但由暴動遊行示威動態，改變為抬棺阻塞道路，以及領導騷亂的和尚頭目，在順化寺院內宣言絕食抗議了。這眞是「一着起，笑事更多」，俗化已極，可恥可笑！

越南政府當局既已提前成立憲法起草機構，以便實行普選，組織文人政府，又使各教派代表人物一律參預政權，所謂歧視佛教之說，不攻自破了。然而，原在順化省搞風搞雨的和尚頭目釋智光之流的出家人，還要繼續鬧下去，大概因為附和盲從的僧俗羣衆已經鬧得膩味了，乃扮演個人絕食的愚作劇，企圖蠱惑人心。絕食却不認眞，每天照樣吞飲流質的食品，如果用的是多種維他命或其他滋補品，善哉善哉，阿彌陀佛！

越南一般佛教徒滿懷入世思想，俗念薰人，他們狃於反對吳廷琰之役的勝利結果，動則藉示威、自焚行為，以期達到干政目的，用不顧國家人民的禍福利害，妄逞意氣，倒行逆施。幸而阮高奇是個有膽量的硬漢，偏不信邪，同時採取合理的政治措施，示信於全民，這使好亂成性的少數政治和尚如釋智光輩，深感黔驢技窮，沒法興風作浪，只好以絕食來作煙幕了。佛學的精神是慈悲為懷，好生戒殺，然釋智光之流為着非份的干政目的，竟煽動佛門弟子使用暴動、自焚、投擲手榴彈這類殘忍手段，妄逞私慾，釋迦牟尼地下如有知，一定椎胸頓足，認為這是野狐禪，放下可屠經，非用寶劍予以劇除不可！

這次越南佛教徒之騷動，美國方面鑒於過去對吳廷琰的慘痛教訓，始終保持緘默，不作左右袒的表示，尤屬明智，不然的話，亂子恐怕鬧得更大，將使越戰局勢陷於危險狀況，甚至不可收拾呢！

目前阮高奇的決策不錯，但望堅守自己宣示的政治諾言，早日實現憲政之治，一些政治和尚的瞎鬧行為，置之度外可也。

馬五先生

彭貝拉與蘇加諾是其榜樣
卡斯特羅亦已日薄西山
古巴問題重重處處足制其死命

——紐約通訊——

食米定量配給的削減。由於中共自顧不暇，緊緊掌握食米不肯放鬆之故，古巴的食米定量配給，刻已減低到每人每月三磅，僅等於去年配給的半數。在卡斯特羅掌握政權之前，古巴每人每月食米的消費，乃超過十磅。同時，古巴勞動力的生產量，正趨下跌。其原因乃由於對卡斯特羅的熱誠，正快速地日趨低落。因爲此一結果，警察國家的一切控制，已告加强。警察所施的高壓手段，乃替代了革命的熱誠，作爲卡斯特羅政權的棟樑。軍事部隊，乃被認爲古巴發展着危機中的主要因素。在阿爾及利亞，加納和印尼，有如全球一個又一個的國家，反抗獨裁者，無一不是由武裝部隊所發動的。

因此，便形成這樣的一個：根本崩潰開始顯現，國家元首拼死命地就武裝部隊之中發動整肅以及破壞和迫害——由此軍方便發動叛亂。在古巴，共黨乃狂熱地在設法加强黨對軍事的控制。由於古巴武裝部隊中親北平之一派系，反對卡斯特羅在中共與蘇俄兩大共黨勢力間的冷戰中，拉攏莫斯科而疏遠中共之一態度，結果造成了更呈混亂的情勢。大多數觀察家認爲卡斯特羅所面臨的一切難題，業經增漲到他一九五九年一月一日上台掌握政權以來所遭遇到最嚴重的內部危機之一境地了。

然而對於卡斯特羅政權命運前途進行着密切注視的分析專家們，不顧冒險猜測該政權多久以後或將面對一種不可逃避大災禍。他們認爲警察國家的種種控制，或可能維繫卡斯特羅所掌握的權力再達數年之久。在另一方面，如果軍事方面的重要份子一旦起而反抗他時，他的政權可能一夜之間在混亂中宣告崩潰。

崩潰已告開始

據一位美國官員評述稱：「三個月前，我們中間誰也未能預告加納的恩克魯瑪會垮台的。然而他終於一夜之間被放逐了。我不想說這種事情不久以後的任何時候將會輪到卡斯特羅的頭上，可是我要說卡斯特羅的政權的崩潰，已告開始了。」

蘇俄方面又怎樣呢？莫斯科業經將三十億美元注入古巴——一個共黨國家而且是各社會主義國家體系的一環。蘇俄難道能讓卡斯特羅的政權被推翻嗎？

從美國消息方面，你可以獲得如下的一個答案：如果古巴武裝部隊反抗卡斯特羅政權的話，蘇俄人勢將無能爲力來解救它的。

最可靠的估計便是：目前在古巴乃有蘇俄人五千到六千人，其中約半數爲軍人，但他們並非戰鬥部隊，而他們乃是替古巴當局充當顧問的。

在美國高級政界之間所佔優勢的一種信心，認爲蘇俄人在任何反卡斯特羅的革命中，將不會成爲重要的因素。就理論來說，古巴武裝部隊所發動的任何反卡行動，勢必有所精密控制足以阻止蘇俄方面的任何行動的。

印尼方面的實例乃被引用的。奪了蘇加諾權力的印尼人們，並未對蘇俄顧問有所攻擊。

按步就班分階段進行革命。由於蘇俄介入古巴的程度已告增漲，對於一種古巴革命在開始時將會全屬反共一點，乃有着足以感到懷疑，對卡豁子的生命，或將不會加以威脅。卡斯特羅在古巴的那種「一傳奇性」，乃好比在印尼太過容易將之幹掉的蘇加諾一樣，實際上並無任何傳奇性可言。

今後古巴反卡的一種革命之目的，對於一切事務的變革，或將規定幾個階段，逐步加以進行，有如印尼諸軍事將領所正試圖進行者。

不管這一套紙牌是什麼花樣，對於古巴內部正發生着什麼危機俱有澈底直接了

前言

立法院外交委員會於五月二十五日、六月一日及八日，分別邀約專家學人，與民青兩黨人士，以及宗教領袖，舉行檢討中美外交關係的座談會。此項座談會將繼續舉行，被邀約的學人所發表的意見與證時，作爲該外交委員會將來制訂中美外交有關政策的重要參考。

由於美國幾位學者在國會作證時，提出美國政府對中共政權應當及時修改策略的建議，所建議包括中美外交上的接觸，放鬆禁止通商的約束，及允許中共進入聯合國，至少不積極反對，認爲這樣「圍堵而不孤立」可以希望逐漸改善雙方的關係，避免將來的戰爭。這樣的建議若爲美國採用實行，對於自由中國將有極不利的影響，所以引起國內人士激動的反應，抗議之聲，到處都可聽見。首先有千餘教授發的公開信，繼有立法委員監察委員致美國國會的信，作維持正義，辨明敵友的呼籲。還有報紙雜誌作激昂的言論，而廣播電台也紛紛邀請各界人士舉行討論會，並作現場轉播，批評姑息求全的建議。

陳啓天的看法
强調民主憲政

立法院外交委員會這次舉行檢討中美外交關係座談會，固屬前所沒有的創例，且也引起此間外交圈的重視，美國大使館也有人列席旁聽。因爲台北報界對該座談會各界人士的意見和證詞，雖有新聞報道，但都不夠詳盡，爲此，本報記者特將專家在該會的證詞，作有系統的報道，使國內外關心中美外交的人士有所瞭解。

我們先從民青兩黨人士對這個問題的看法說起。青年黨人陳啓天先生，他在證詞中强調：「加强外交陣容，動員在外學人及國際知名之士從事國民外交工作，用民主憲政的方法團結全國人心，以爲外交後盾。」他從分析戰後美國對華政策的三大演變說起。這三大演變是：「第一大演變，爲由調解政策到觀望政策。第二大演變，爲由觀望政策到協防政策。第三大演變爲由協防政策到彈性政策。這三大演變，都是由美國對中共的態度先後不同而引起。」

我朝野人士檢討中美外交（一）

本報駐台記者張健生

第二次大戰結束後，美國以爲中共只是土地改革者，與蘇俄有別。又以爲中俄可以和平共存，國共可以和平合作。乃派馬歇爾將軍以特使身份，來華調解國共關係。不料奔走一年，調解不成，失望而歸。於是美國對華政策，由積極調解而趨向消極觀望。三十八年，美國國務院發表的美國對華政策白皮書，便是這種政策的公開宣告。

三十九年六月，韓戰突然爆發後，美國爲預防中共攻擊台灣起見，命令第七艦隊巡防台峽，同時請中國停止對大陸的一切海空軍活動。從此美國對華政策，又漸次由觀望而演變爲協防了。在這個演變之下，美國逐漸恢復對華軍經援助，中美的兩國並於四十三年十二月簽訂共同防禦條約，可使台澎地區免受中共的軍事威脅，亦可使我國安心從事各種建設，以求早日光復大陸。不過該條約不包括我國反攻大陸的軍事行動在內。由此可知這個條約雖可使台灣的安全得到一種保障，但亦使反攻大陸受到一種牽制。這是我國在對大陸採取反攻軍事行動以前，宜與美國協議的一個問題。

自甘廼迪、詹森兩總統相繼執政以來，美國對華政策又漸由協防演變爲彈性。

這位在野黨人認爲彈性「不外是一種『兩個中國』方案。所謂協防台灣而不支援反攻大陸，中美共同防禦條約規定協防台灣的範圍，而蔣杜聯合公報又說：「中華民國政府認爲恢復大陸人民之自由，乃其神聖使命，並相信此一使命之主要途徑，爲實行孫中山先生之三民主義，而非憑藉武力。」這就是說，如果中共對台灣使用武力，美國要協同防禦。如果自由中國對大陸使用武力，則美國不願支援。」

圍堵而不孤立
對美國亦不利

陳啓天先生說：自韓戰以來，美國對中共的態度，大體採取圍堵政策。依據此種政策，美國在外交上不承認中共，反對中共加入聯合國，在經濟上實行對中共禁運，在軍事上與中華民國、日本、越南、菲律賓、澳大利亞等國分別簽訂聯防協定，並先後參加韓戰與越戰，以抵抗共黨侵略；但是到了現在，這個政策，似乎已經彈性化了，而成爲所謂「圍堵而不孤立」。這種政策，不但對自由中國大不利，即對美國亦大不利。助長中共的氣燄，即是降低美國的威望。陳氏奉勸美國朝野人士，重新堅定美國對中共的態度，不要急於求姑息，助長侵略，致貽後悔。戰後美國曾因對華採取觀望政策而退出中國大陸，致美國不得不參加韓戰與越戰。

陳先生並警告國人說：我們應該提高警覺，不要以爲台灣可以永久偏安。我們更要加緊努力，以求早日光復大陸。

高雄市議會點點滴滴

——本報駐高記者航——

△高雄市被譽爲「鐵漢」議員的李存敬，在本次議會中告記者，他說他每天開會一定在規定時間之前到會（按市議會開會上午規定爲九時至十二時，下午爲三時至六時）。可是實際上，本次議會上午則拖至十時半開始，下午則拖到四時，而僅寥寥數位守時議員猶會；而正式搖鈴開會往往延至四時半。這種虛應故事似的開會，李議員並不譴責別人，而只强調自己。但他這件積極的精神，似乎並未能發生示範作用；簽名簿上，固不乏簽「到」之士，實際上還不過是會後照領車馬費之證據而已。

△王正經議員對李存敬議員說：有一個書店擬敦請他作「經理」人，除年終分紅外，每月奉上車馬費二千元。他說：「我不幹」。我問他爲什麼不幹？他說：「這玩意，到處叩頭、拜托，太麻煩，不是人幹的」。王議員在議會中對於任何案件之審查、討論、通過，他大都無固定成見，正當大家據理力爭，辯論激烈之時，他馬上高呼「好，好，好」。有人說他是議員中一個有趣的點綴」。李存敬則說：「他是我們議會中的啦啦隊哩」。

△女議員謝友華，體態嬌小，似弱不禁風者，但在討論議案時，却「當仁不讓」，有時與其他議員針鋒相對時，亦不甘示弱，大發雌威，直至對方認輸始肯罷休。謝議員現年四十有二，膝下有子四人，老大已年廿四歲，已在新制軍校畢業，行將派赴軍中任低級幹部。謝議員祖籍福建，係馬來亞華僑；十三歲回國，與當時一位團長結褵，團長是湖北人，現任職陸軍總部，官拜少將，身軀魁梧，但頗有儒將之風。謝議員說：「我愛他，就是爲了他棒」。

△大炮議員許金煌，過去是車管處的魁星，公車處長袁大頭（子雲，現正卸任）對他言聽計從。許氏任本市漁會主計課長有年，一種剛强不屈的作風，頗爲該會理事長蔡文玉（省議員）所賞識。此次蔡文玉應邀訪美，大權即落入常務理事吳正雄之手，吳氏年輕幹練，做事不免操切，對職員上下班規定簽到，即遲一分鐘，亦必蓋「遲到」一章。許議員說：這新作風雖好，但是甚難獲同仁間諒解。

新任鐵路局長林則彬
向部屬提示工作重點

（下）

解和認識的美國官員們，乃同意這樣的一個中心要點：一切信號，乃正針對着卡斯特羅所感到越來越深的困難。

（本報台北航訊）新任鐵路局長林則彬於到任後，首次出席該局動員月會，除致訓詞外，並頒發五十四年度運務處舉辦各車站環境衛生競賽冠軍獎，以及機務處舉辦各機務段節煤競賽優勝單位等獎品。

林局長在致詞中提出五點工作重點，勉勵鐵路全體同仁，希望每一個人都能發揮自己的潛力，以開創台灣鐵路光明燦爛的前途。他說：

今天是本人到任後第一次參加動員月會，能有機會與各位歡聚一堂，深感欣慰，本人過去在大陸鐵路先後服務二十餘年，均係從事新工方面，來台後，由港務而公路，仍係服務交通單位，此次奉命由公路局調任本局，是又重返鐵路工作，回顧前瞻，彌深惕勵！

台灣鐵路自光復以來，由復舊而重建而革新，得有今天的進步與成就，完全是歷任局長的周詳策劃與卓越領導，以及二萬三千多同仁共同努力的成果。

現在台灣鐵路一切均已達到國際標準，無論在運務、機務、工務、電務等各方面，每年都有長足的進步，大家都曉得經濟建設應以交通爲先，交通建設應以鐵路爲主，是以本省經過政府四期四年經建計劃後，經濟成長迅速，農村日見繁榮，並有逐漸由農業轉變爲工業社會的趨勢，很多農業成品的輸出，以及工業原料的輸入，均要鐵路輸送，尤其近年來，國民所得提高，旅客激增，因此無論在客貨運那一方面，都有供不應求的現象，徐前局長爲配合各方需要，曾向世界銀行貸款增購設備車輛，並已擬有第二期貸款計劃，本人此後，自當繼續推進，以柢於成。本路今後經營方針，仍應在設備現代化，服務大衆化，經營企業化，管理科學化的目標下，按照既定制度配合實施。

本人於五月二日到局就職，截至今日爲止剛滿兩週，一切業務尚待瞭解，今後將尊重各單位意見，在原有法令規章不作太大變動之原則下，共同研究業務上應興應革事項，配合實施，以發揮高度工作效能。茲就本局當前工作重點，特提出五點與大家共勉（一）明確劃分權責。（二）加强監督考核。（三）確保行車安全。（四）加强服務，提高工作效率。（五）改善員工待遇及其福利。

瀛海異趣談

不用眼睛見物的第二視覺

·桑雅·

當那個女孩子，讀着聖經時，房裏那些醫學界人士和科學家，無不驚詫的聆聽着。他們眞的不相信個十四歲的女孩的雙目是給蒙上的。

她名瑪嘉烈．芙絲，在廿五位科學家面前，進行實驗下，她證明了無須用眼睛，可以「看見」東西的。她的奇特情形，使科學家和醫學人士，感到萬分迷惑。而且無法獲得解釋的答案。他們在懷疑的情況下進行試驗，準備解釋紮件的事情。同時深信爲人類具有的另一感覺。

瑪嘉烈．芙絲，她出生於美國俄亥俄州，是一位不用眼睛而「看見」東西的人。在世界上有這種能力的，大約有十二人。

過去許多盲人，是透過他們的指頭，或面部的皮膚而「看」東西。瑪嘉烈．芙絲曾在電視上表演過及向報章的記者示範過。而她第一次給發現具有這種超人能力的是當她玩着「盲摸」遊戲時候。其他的孩子，綁上眼睛，須摸索而行，和步步爲營的；但是她綁着眼睛，却好像從綁布看到一切似的。

在那些專家試驗她時，他們以綳帶，和棉花布墊把她眼睛蓋着，同時驗過那些市塊，無法能夠透視的，於是她在衆目睽睽之下，將一本聖經裏的文句，淸楚地讀出。另又「閱讀」任何遞給她的雜誌，報紙。同時她亦能玩耍，及辨認一些物體，甚至由醫生選給她的顏色，也能辨別出來。

一位精神治療專家認爲那是腦部新的部份的能力。

法蘭愛德華在他底「奇異的人」一書中，把這種眞實的事蹟報道出來。他說：一位雙目失明的印第人作家韋瑪費，在英倫生活和研究。

韋瑪費在三歲時因患腦膜炎而引致雙目失明。在孩子時，他騎着脚踏車，於交通繁忙、人頭湧湧的孟買市街道上穿插，宛如視覺正常的人一樣。他於牛津郡巴里奧學校求學時，他還跟人下棋。他雖然雙目失明，可是他是全球盲人中，無須使用白色手杖，或是帶路狗隻的人。稍後他前往美國。

韋瑪費只有他所稱爲「表面視覺」的能力，他憑着面部的皮膚而「看見」東西。

最近，在匈牙利裏，發現一個五十五歲的工人，名叫哥斯他夫雅偉，能夠以指頭「看」物。

在嚴密的醫療監視下，他不斷的以手指在報紙上移動，而能「閱讀」。他透過了手指，立即能感覺出來，於是便可以「看見」東西。

在蘇俄，有一個十三歲女孩子韋拉．柏拉露華，由蘇俄的醫療專家研究，他們希望能夠得她協助，以找出一項辦法，教授盲人，透過皮膚「看見」東西。

當韋拉．柏露華給綁上眼睛，她能憑着觸覺，用手摸摸她父親的一座鐵夾萬的門，便能「看見」那是什麼。

她是生長於蘇俄中部的烏因諾斯基，能夠穿上襪子，站在一張相片上，便能辨出那相片中的是什麼人。她能夠觸摸大題目便可用觸覺而說出其所接觸物體的顏色。

可是當她的皮膚附了水後，其「第二視覺」即告消失了。究竟是什麼原因？無人能夠解釋的。莫斯科精神治療研究院佛地托夫教授指出，科學還未能解釋「皮膚視覺」的能力。

另一蘇俄的專家，生理學家康斯坦丁諾夫提議說，或那些以皮膚爲視覺的人，可能從「冷或熱」的感覺而辨出顏色。

爲了這一問題，專家繼續不斷的研究，將來他們或可把這個其他視覺的秘密打破。

然而有些試驗，使專家爲之悵惘。像卅九歲的魔術師大衛．畢嘉拉斯，他綁着雙目，并用麻包袋，蓋着頭部，駕着車子，在倫敦西區的交通繁忙道路穿插，且能循正確的道路駕車。究竟他憑什麼能力，看見影子。專家們也無法解答，因爲這位魔術師說，他並非憑皮膚視覺駕車的。這完全是「法術」，而他不願公開。

「數點梅花亡國淚」揚州與史可法衣冠冢

釋冰

衣冠，謂搢紳也。漢書：「所到，衣冠懷之。」冢，高墳也，墓之高大者曰冢。所謂衣冠冢者，或不得其屍，或景仰其人，而以其衣冠瘞之。據岳陽風土記：「寶慈觀也張眞人煉丹飛升之所，弟子瘞其衣冠，俗謂之衣冠冢。」張眞人煉丹之灶，今尚存。

史可法，明末河北大興縣人，字憲之，號道鄰。家貧而好學，應童子試，見賞於督學左光斗，命就讀於其家，視若己出。不數年，舉於鄉，旋會試而爲進士，由推官右參議，積功擢南京兵部尚書。因李自成作亂，以大學士督師江北，駐揚州，時明將吳三桂引清兵入關平李寇，滿人遂進駐北京而王焉。

迨清兵進攻揚州，淸帝之叔多爾袞，致書勸降，史以誓死不願投降賣國却之。多爾袞知其志不可奪，用紅衣大炮轟擊，城陷被害，臨危時，留下遺言：「我死當瘞梅花嶺上」，揚民求屍首不得，遂遺囑瘞袍笏於梅嶺，嶺在揚州城外，即今之江蘇縣。因嶺滄河積土而成，週圍樹以梅花，故名。衣冠冢在其中央，附近建有專祠，後人稱之爲史閣部祠。

三十年，余隨軍北伐，路過京都，在戎馬倥偬中，偸得半日閒，往謁衣冠冢與史閣部祠，祠外古柏蒼松，經霜雪而不凋，寓世亂而見忠臣焉。祠內匾聯甚多，琳瑯滿目，就中一聯：「數點梅花亡國淚，二分明月故臣心」，爲最有意義，緬懷往事，不禁愴然！乃感賦一絕云：

揚鞭策馬過江都，嶺上梅花近萬株，拜罷英雄千古墓，一回搔首一長吁！」

史家後代至德恢時，因游幕於粵，在番禺落籍，數傳堅如出，偶儻不凡，喜與江湖士遊，嘗慕荆軻聶政之爲人。以其先人史閣部被清廷所害，故對滿人，極爲憤恨，亟思有以報之。於是有炸兩廣總督德壽之壯舉，事雖未成，而從容就義，視死如歸，爲難能而可貴。遺骸由同志收殮，誌其碑曰「司馬氏」。民國告成，追贈上將軍，更建紀念碑於故督署公園。胡漢民撰文：稱其「志行之烈，死事之勇，遠超於荆聶之流」。余以其成仁取義之精神，與乃祖史閣部後先媲美，萃忠烈於一門，垂流芳於萬古，其志堅如，其行可法矣。

英郵車劫案的真正受害者

·鄭依樺·

可是，積克說：「我個人並不感到悃悵，目前的經濟情況不太壞，我只希望身體康復，讓我好好地工作。今年夏天，我已能夠釣魚了，不過仍不能保持太久。」

有關公衆對劫匪的觀感，他拒絕評論。對劫匪在獄中受到的優待，他更努力避免談論，只這麼說：「據報章報導，他們過的生活是太像監獄生活呢！」

他繼續說：「正當劫匪抱怨運動場的地方不夠寬敞，我的關節還未痊愈，足足躺在床上三個月，才開始從床邊行到門口吧了。」

他十分感激妻子法蘭絲。他說：「沒有她，我已失去生存的勇氣了。亦因爲我，她的健康也受影响呵！曾有一個時期，我每晚驚醒八九次，大叫大叫，她也要陪我，安慰我。我只得吃安眠藥，現在已好轉了。」

積克受傷後，頭部耳部的傷口要縫針十四口。因打擊太大，腦部有輕微臼塞，影响了腿部，手臂及談話能力。他在醫院留醫了數星期，還未完全康復，他又要被召出庭作證。

他說：「自此以後，我的精神非常頹喪，驚恐，眞怕匪徒會殺了我而滅口。」

八星期後，醫生認爲他可以開始步行了，他出院時，祇是乘巴士。

「我的神經非常緊張，我眞沒有信心再駕火車了。幸虧同事們不斷鼓勵我。」

劫案發生九個月後，積克回復工作了，但副手沿途協助他，以防不測。這個副手是自願這麼幹的。不久後，積克不支了，祇得負責駁軌的倒閘車。去年十一月，他患帶狀匐行疹，遂被迫回家休養了。

他堅持說：「我多希望做到六十五歲才退休啊！」

由於積克被冷落事件，英國才于一九六四年創建「犯罪損害補償協會」，這是一個大諷刺，積克本身却還未獲得合理的補償。

這協會成立以來，成績不錯，補償金共達三十五萬鎊，計有一位小童被空氣槍擊中眼部，獲賠償一千〇八十八鎊，一個男人在街上被襲，獲賠償一千三百九十鎊，還有一個女人與墨七糾纏後受輕傷，也獲五百鎊。

但爲什麼積克得不到該協會的補助呢？原因是，在發生時，該會還未成立哩。正是有心無力，規章所限。

但積克可以例外嗎？目前有心人士已替他爭取中。（下）

荀彧以程昱乃地方知名之士，請他回到東阿，過范縣說服了新允附守范縣，結果新允設計將汎嶷殺了。程昱又遣別騎絕倉亭渡口，陳宮軍到此不得渡。東祇已率軍民固守東阿。荀、程二人在此初顯身手，曹操後來大加稱許。

兗州陳宮始叛曹操時，他正在打劉備新得的徐州，聞訊後，連忙收軍，退到濟寧南五十里的地方，見當地的亢父，（亢父、任城國縣屬，在今山東濟寧縣南五十里）呂布沒有派人把守，他才安心，知道呂布果然無遠大作爲，眼光短視不知兵要。曹操欣然地說：「布一旦得一州，不能據東平，斷亢父、泰山之道，乘險要我，而乃屯濮陽，吾知其無能爲也。」呂布的確無能爲，更可見曹知兵。亢父確是用兵之險隘，在古代著名，呂布無知。戰國策蘇秦說：秦之攻齊也，倍韓魏之地，過衛陽晉之道，徑乎亢父之險，車不得方軌，馬不得比行，百人守險，千人不得過」。可見亢父是何等險要。呂布未斷此險以絕曹操的歸路，這是呂布失敗的主要因素，也是能收復兗州的主因。另外一處在濟寧的北邊東平和黃河渡口，也沒有人把守。也許陳宮呂布根本不知地理險要，故有此忽畧。不然曹操歸路斷絕，要想把兗州拿回來，把呂布趕跑，是談何容易！

十六、曹操被呂布打敗

曹操回到兗州後，見呂布沒有作爲，不免輕心大意，以爲呂布不堪一擊，畧施小計，便可把呂布趕走。其實呂布因爲鄄城、東阿、范均未得手，也許不便越過三城南守亢父。曹操一路順利通過，一直把大軍開到濮陽，想一舉而把呂布打垮。誰知一交鋒，就吃了一個大敗仗，也是曹操生平最危險的一次。他的靑州兵是老黃巾，沒有受過嚴訓練，經不過呂布的騎兵一擊，騎兵一個衝鋒，陣脚便大亂，兵潰如山崩，自己營寨又被放火燒了起來，曹操退到帳中，左手被火燒傷了。呂布追奔逐北之中，一馬馳到了曹操，可是這時的曹操早已換上了小兵的裝束逃命，呂布用戟在曹操頭上一拍喝道：「曹操何在？」曹操情急智生，隨口應道：「那前面騎黃馬者便是！」呂布放了眞曹操追那騎黃馬者去了。曹操過了一次險，終算脫逃，不然三國歷史又得改寫了。（三國演義在這一節寫得非常精采。）

曹操收兵在濮陽城外駐紮，與呂布僵持了一百多天，雙方均無結果，到了秋天，蝗虫滿天飛來，軍粮難收，老百姓都沒有飯吃，他只好退往鄄城，呂布進軍山陽，（即今之山東金鄉。）根據三國史明白的記載，興平元年大飢荒，竟有人相食的事發生，可見飢饉之嚴重性了。

同年秋九月，曹操還鄄城，呂布到乘氏（乘氏乃侯國，屬兗州濟陰郡，在今山東鉅野西南），却被縣人李進所破。後東進屯駐山陽。

這時候袁紹使人與曹操連和。曹操以新失兗州，意欲允諾。程昱說曹操止其連合袁紹曰：（四十三）

國劇繽紛續錄

婆娑生（四十八）

驪珠的嘗試

龍吟劇團北來，作首次公演，其一切角色，皆為驪珠參加以後，逐漸點綴，這批人才，可說齊全無缺，確是不易。而公演五日，除了第二日四進士，未曾參加，可是第五日演雙齣，仍唱五齣，再加反串一文一武。此種做法，恐怕其他伶工有點辦不到！中間並排一齣盧小翠，雖則大鵬也曾演過，份量也有些距離，以童伶不足以怪其稚。而佟世忠的痴傻，也難為人所學到。不過徐碧雲演時，其末場唱二黃倒板，緊接迴龍，有如生死很步的腔調，似比高撥子為馴，此點驪珠可研究。

秦香蓮，是她在北所排，後與少安在兒童戲院上演，極博好評，不待贅述。奇雙會的趙寵，完全扶植愛女，身上表情均出色，將來也許錦姬成名，驪珠將多多改串小生，為她增色，這是我的看法如是。再講斷橋，幼定劇目是胡錦的青兒，驪珠童藝不偏私，改用愛徒何復貞，可見胸襟。佟世忠唱句很多似葉盛蘭之音，驪珠亦大部似杜近芳，再加活潑的復貞，能說十全十美，列在關鑼，其份量較大軸為重。

夜奔的姿武甚佳，走邊能得神，所唱崑曲亦頗挫得體。以旦角反串，而能如此，沒有功夫，也不必談。可是她創此格局，以後旦角不知何人能繼武再來？此次嘗試，要以佟世忠的陪襯，極饜眾望，祇武工底子稍軟，鎖壇雖無差池，終不及金大源，希世忠應多練習，期在與劉玉麟看齊。而錦姬的戲太少，下次再演，希望唱三天，凡以前會登台多可推出，能與復貞相表裏更佳。朱殿卿老當益壯，包公顧讀高興周，皆精神飽滿，畢竟藝技高明，自當勝人。關於盧小翠的創作人，係桂長的大作，言之甚詳，讀者可以概知矣。

大宛的本戲

大宛劇團以缺乏旦角，僅恃桐福勝，來撐柱，煞費苦心。上次公演，成績不太理想，即寫信至龍崗，勸其改演本戲，足可以號召。所議已實現，以報桐春。最近寫了一篇「謝」，邀赴中壢觀審排，即告如雨乞兒回來加盟，過十一時，恐怕不能回家，請原諒。下大雨未往，深致抱歉，結果因受冷感冒，病了五天焉。

此次公演本戲已得成功，以後大可依歸。在我看來，包公演至十二本，尚有六場。演完以後，必須另覓劇本，歷史上著名故事很多，如東周列國志，兩漢，隋唐，三國志，五代，精忠傳，大明英烈傳等。

海嶠叢談

蜀游憶語（下）

諸葛文侯

川省語言雖明暢易解，亦有非外省人士所能通曉之諺語，且因此而引起糾紛，幾致動武者。民國廿九年莫春，重慶市內「金湯街」有一公務人員宿舍，盡係外省人下榻於其間。清晨，有賣報童子入內售銷報紙，手拍寢室門，高呼「買不買報紙？」一室中人好夢突被驚破，怒斥以「混蛋，滾出去！」報童答言：「不買就不買，格老子何必撅人嘛！」該下江人不懂川諺，猛聽得「格老子」（重慶人之口頭禪）「撅人」（罵人也）詞句，誤認為惡聲，啓門立予報童耳光兩支，報童負痛走出街衢中，向路人哭訴下江人不講理，無故動手打人。適有肩挑菜業赴市場販賣之本地漢數名，聞言深抱不平，即持扁担衝入宿舍尋覺，聲勢洶洶然。時逢該宿舍金湯街川省主席王纘緒公館之臨街閣樓上，急馳出對來者解釋係語言誤會所致，溫語勸息之。否則該下江人將招致無妄之災也。內江名士劉師亮，著有「新聲律啓蒙」一書，盡用川省方言作解，如「公師對伙計」，「哈子對甚麼」、「話不投機×打卦，事皆[illegible]卵彈琴」之類，愚會悉心閱讀，頗有益處。

川人多健談，謂之「擺龍門陣」。民廿四年秋，愚在隆昌旅店歇宿，晚間偶與店內「么師」閒話，彼滔滔然暢論國計民生問題，頗具常識。蓋自遭張獻忠之浩劫後，地廣而人稀，滿清雍正年間，實行強迫移民政策，分由[illegible]等省配遣民眾，有遠從[illegible]粵移來者，如榮昌、隆昌境內，即有能操粵語之川民聚族於同一地段中，生生不息。外省人游宦巴蜀，多落業不復出峽矣。所以，川人之原始籍貫，十有九皆為湖廣、江西、安徽、或浙江，眞正之土著人民極少，川人能言擅辯而不排外之性格，殆基於是也。

成都有「小北平」之稱，一片平原，風物優美，而氣候甚溫和。全城建築物皆有廣潤走廊，天雨不必攜傘或雨衣，亦可步行通城，並不費力，此為吾國其他各都市所未有之特點，彌足稱讚。成都話亦清脆悅耳，婦女說話尤好聽。小吃在成都分門別類，構成專門化，恍如行政上之職務分類體系，生活程度格外低廉，最適宜老年人頤養天年，若青年人久居成都，由於生活環境太舒適，將不免養成惰性，減少銳進之心。愚家成都三年餘，覺其文化氣息殊濃厚，若干古籍為他處所罕見者，皆可求之於成都書店中，著名學人如廖季平，王壬秋之著作鐫版，整套俱由四川大學保存無缺也。「少城公園」茶座中，有賈瞎子者，每夕據座以洋琴演唱各種詞調，技藝獨絕，後起將無人可以媲美，終成廣陵散矣。愚不喜聆川戲，然伶人賈培之所演唱者，則迭聽不厭。民國廿五年程硯秋入川演戲時，為諳習川戲「坐樓殺媳」較皮黃劇多三場，允稱傑構，彼將攜此劇本北歸，從事改進此曲皮黃舊作本，重新演出焉。

巴蜀民性富於模仿力，遇事能趕上時代潮流，決不落後，徵嫌缺少創造性耳。王壬秋謂巴蜀山水清幽，嘉陵江之碧綠水色尤冠絕全國諸江湖，然無秦嶺太行之雄巍山脈，因而影響民性，巧慧有餘，雄渾不足，其然，豈其然乎？

愚居留巴蜀垂十載，省識川人之人情味甚充足，遠非他省人士所能及，曾有歸老於四川之決心。而今經過共黨十餘年來之人性改造，未審是否不變？惓懷第二故鄉，留戀之情，無時或已也。

中曆置閏談

程家麟

今年的陰曆多一個閏三月，全年十三個月，三百八十四天，和平年大不相同。這裏將陰曆置閏的法則，略作常識性的介紹：

人對於時間的認識，因為日出日沒和人的生活最親切，同時也最明顯而確實，所以最初的基本的單位是「日」，而輔助單位從「雞鳴」「日中」等漸進而至「時」；再因月亮的圓缺有準，就又擴而到「月」；因寒暑的來往，而擴展到「年」；所以古人製曆，是由日到月，即是先有「太陰曆」，然後有「太陽曆」。

地球公轉的週期謂之「回歸年」或「太陽年」，是太陽從「春分點」向東轉一圈再回到此點的時間，計三百六十五個「平太陽日」又五時四十八分四六秒（每天的時間——即太陽連續兩次通過子午線的時間，逐日不同，全年的平均數叫「平太陽日」，鐘表的時間就依此二十四等分之。又回歸年並不等於地球繞日一週的絕對時間，以太陽在天體黃道上某一恒星的視位測算，迄於太陽仍回此一視位的時間，才是地球繞日實際時間，稱為「恒星年」，計三六五〇六時九分九秒。）此回歸年長，但非曆法所用。）而月球繞地球一週——即連續兩次月圓之間隔，也就是月球對太陽及地球連續兩回歸到同一位置的時間，謂之「回歸月」或「朔望月」「太陰月」，各月週期不定，一年的平均是廿九日十二時四四分二、四八秒（但月球從某一恒星視位迄於此恒星視位的週期，謂之「恒星月」，是二七日[illegible]月短，亦非曆法所用。）為根據回歸年製曆，則每年容了三六五日，還有不到六小時無法消納，約四年就差一天；而根據回歸月製曆，僅能以大月卅天和小月廿九天計算，平均每月廿九天半，仍有每月的四四分多鐘無法消納。於是天文家就發明了「閏」，加以調節。

我國過去的陰曆起源很早，為夏后氏所頒，所以稱「夏曆」，歷代以為正朔的唯一根據，雖有修正，大體無變。因為和其他太陰曆不同，所以叫「中國太陰曆」，簡稱「中曆」；牠以回歸月為主，每月的「望日」（即十五日）必定是月亮最圓的一天。但每年又根據太陽行於天體上的視位，即是將地球公轉的一週，等分為廿四個節氣。同時合十二月為一年，年一定和回歸年吻合。這和「回曆太陰年」不同。回曆太陰年僅求月和回歸月吻合，僅以年為實用上的假借名詞，每年比回歸年少十一天有奇；從公元六二二年創曆至今，已累積相差四十一年之多。每年歲首無定，寒暑無準，學者稱之為「純粹陰曆」。中曆兼顧太陰太陽兩者，所以是一種「太陰陽曆」。

中曆每年十二個月，大月卅天，小月廿九天，全年三五四或三五五日，比回歸年少了約十一天多一點。用三年一閏，五年再閏，「十九年七閏」，閏年加一個月的辦法，以求全於回歸年，閏年多加的一個月不算第十三月，而是看「節氣」而定，藉以調整節氣和月份的脫節。我國古曆法家，和近代天文家同樣地，將週天分成三百六十度，每十五度置一節，一「立春」「驚蟄」「清明」等十二個節，稱為「節氣」，一「雨水」「春分」「穀雨」等十二個節稱為「中氣」，互相間隔着，兩節的時距是十五日五時十四分四七秒。所以有時十五天，有時十六天。一月的日數不足容兩節，所以不能將廿四節平均分配在十二個月中，每隔一兩年，時節就和月份有差異，所以在置閏時，將這一年中沒有「中氣」的這一月作為潤月，月序一式仲，就又和時節吻合了。

颶風、貽風與小姐、先生

漁翁

空氣受熱而漲，遇冷而縮，因漲縮而流動為風。風之方向，分東，南，西，北；以四時配合，則春為東風，又曰惠風，夏為南風，又名薰風，秋為西風，又云金風，冬為北風，又稱朔風。在大陸上每年四季，縱有狂風暴雨，還不如海中颶風之大，足以毀房屋，翻舟車，而危害人民之生命財產也。

據「南越志」：「颶風者，具四方之風也，常以五月六月發」。按凡季候風與貿易風交代之際，欲易其方向，必鼓盪而成颶風，圈大而形圓，旋轉有定向。一經天文台測得其動盪，即懸球以示警，使水陸人家，預為防範，以策安全。

颶風，又名颱風，冠以「小姐」芳名者，始於一九五一年。其時美駐關島空軍第二一四五氣象組，為了便於發佈颶風消息起見，經建議美國氣象局，把西半球所發現的風訊，冠以先生名稱，東半球發現的風訊，則以小姐呼之。

關島氣象組，把過去歷史上有名的小姐，選出八十四名，分為四組，每組二十一人，順次排列，由第一組開始，用完一組，再及二組，三組，以至四組。茲將各組「颶風小姐」芳名，採錄如次：

第一組：愛麗斯，比蒂，柯娜，桃麗斯，愛爾斯，愛蘭茜，霍羅茜，嘉麗斯，凱倫，艾默，琴茵，嘉菲，羅娜，愛莉，蘭茜，奧嘉，柏美娜，露比，莎莉，桃黛。

第二組：韋黛，比麗，嘉麗，黛爾，愛倫，法蘭，喬治亞，荷貝，愛莉斯，鍾茵，姬蒂，露蘭斯，瑪琪，娜拉，奧蓓，柏茜露芙，莎娜，黛瑪，維娜，溫黛。

第三組：愛媚，貝絲，莎樂，戴娜，愛瑪，法妮黛，潔黛，夏麗，艾菲，珍妮，嘉倫，露茜，瑪麗，妮丁，奧麗芙，寶麗，露絲，芸麗，戴麗斯，維珍妮亞，芸蒂。

第四組：愛麗斯，比絲，嘉曼，黛娜，伊蘭，菲爾，姬羅莉亞，克斯黛，艾瑪，珠蒂，吉蒂，露娜，瑪媚，蓮娜，奧非莉亞，菲莉絲，麗妲，蘇珊，戴絲，維奧芸妲。

上面所譯八十餘名小姐，若按組採用，則每年風季期間，自五月至十一月，不過七個月，最多風訊，也不會超過二十餘次，在第一組尚不能完，何能推及二三四組？所以天文台報風訊，往往不按照原有規定，而從第二組或第三組或第四組開始採用。

颶風為災，較水火為尤甚，突如其來，其勢凶凶，排山倒海，不僅水上人家受到嚴重的禍害，即距海岸數百里的陸地，亦有屋摧樹折之虞。不過在百害中，也有一利，遇着水荒時，得小姐的風力，帶來許多甘霖，可解除食水的威脅。

美國最偉大的女畫家
瑪麗卡斯薩奮鬥史

○慕松○

她就訓練自己學習雕刻。認為這是對美術的要道。她又着重於活動，輕鬆活潑，但具有實力。法國畫家哥庚在一八七九年曾批評「瑪麗卡斯薩的作品說：「她的作品是多麼的可愛，且有更大的氣魄。」最後她挾了幾幅仿照古代大畫師的筆調所繪的畫回到巴黎，送到在法國具有最大權威的巴黎沙龍，獲得評判員的准許展出。但各幅畫的署名是用瑪麗史蒂文生。為什麼要用假名呢？她雖然勇敢，但仍不想受到大衆的諷刺，她用她的祖母的姓氏，以免有辱卡斯薩家聲。

（三）

自由報
THE FREE NEWS
第三六六期
內政部登記證內版台誌字第○三一號
中華民國僑務委員會頒發
台教新字第三二三號登記證
中華郵政台字第一二八二號執照
登記為第一類新聞紙類
（半週刊每星期三、六出版）
每份港幣角
台灣零售價新台幣貳元
社長：雷嘯岑
督印人：黃行書
社址：香港銅鑼灣高士威道二十號四樓
20, CAUSEWAY RD 3RD FL. HONG KONG
TEL. 771726 電報掛號：7191
承印者：大同印務公司
地址：香港北角和富道九六號
台灣分社
台北市西寧南路壹零壹號二樓
電話：三四○三六
台郵劃撥儲金戶九二九二二

從反共戰略看美俄和共匪的關係（下）

何浩若

這時候稱霸海洋的英國便會來扶弱抑強叫做維持歐洲的均勢。在這樣情形之下，德法和俄德便成為世仇。這是歷史上無可否認的事實。有了這樣的歷史背景，英國的兒子艾其遜和美國的外甥邱吉爾為美國和英國定反共戰略的時候，既要避免核子大戰便祇有實行圍堵了。首先是以北大西洋公約在歐洲圍堵蘇俄，其次便是以東南亞公約和從前的韓戰與現在的越戰來圍堵共匪。圍堵就是圍堵，並不要進攻。韓戰的時候，美國不准共匪過三十八度。現在的越戰，美國不准共匪過十七度。會進攻祇要敵人不過這條綫便可以講和。照圍堵政策的理論講，美國絕不共匪的，更不會進攻蘇俄的。共匪一定要過十七度呢？美國便只有拿傳統戰爭來圍堵了。從圍堵戰略來看戰不勝論，便很容易瞭解。海洋國家的戰略是以敵人大陸的沿海為第一防綫的。根據圍堵戰略，美國對中華民國一定會履行約言。為什麼呢？假如讓共匪侵佔台灣，共匪豈不是已經突破了圍堵！

現在我們再來研究一下為什麼在圍堵戰略以後又搞出一個「圍堵而不孤立」的說法呢？從歷史看圍堵政策，被圍堵的國家因為沒有出路會彼此發生衝突的。也許事有湊巧，在美國圍堵蘇俄和共匪以後，蘇俄和共匪就和歐洲的德法和德俄一樣果然發生了衝突。蘇俄和共匪絕不是因為美國圍堵而發生衝突。但是圍堵者根據歷史前例以為蘇俄和共匪的衝突是因為圍堵而發生而且可能會像德法一樣發生戰事的。就在兩個多月以來，共匪聲明不派代表參加蘇俄的第廿三次黨代表大會，一般人以為共匪是眞正的孤立了，蘇俄和共匪也很快就要決裂了。根據歷史前例，圍堵以後敵人中之一感到孤立不妨做做朋友，也許還可促進衝突和維持衝突以後的均勢。共產黨的同路人更以為既是「圍堵而不孤立」」便有機可乘。像費正清一流人便大聲疾呼說共匪是願意呆在家裏而不向外發展的。美國誤解了林彪的人民戰爭，只要美國退出台灣把台灣送給共匪，共匪便可以和美國和平相處。可惜費正清不懂得圍堵戰略的眞正意義。假如讓共匪侵佔了台灣，還成什麼圍堵？假如美國不履行對中華民國的條約義務，又何必在越南作戰？讀者看一看本年四月十七美國國務卿魯斯克的十項聲明，雖然他對共匪將會轉變為和緩是一種幻覺，但他嚴正聲明對中華民國必定履行條約義務是和圍堵政策不違背的。魯斯克的十項聲明有矛盾。但是從圍堵戰略去看十項聲明便可以解釋那些矛盾。蘇俄和共匪會不會同圍堵以後的德法一樣發生戰爭呢？不會的。理由是匪俄和德法不同，它們同是共產主義的國家，絕對不會因圍堵而發生傳統戰爭，更不會發生核子大戰。

二、共產集團對抗民主國家的戰略

共匪和蘇俄雖然發生衝突而分裂，共產集團仍然是以蘇俄為主的。共產集團的組織以條約為根據的是華沙公約。華沙公約包括蘇俄、東德、波蘭、捷克、匈牙利、羅馬尼亞、保加利亞、和阿爾巴尼亞七個國家。共匪、外蒙古、北韓、和北越是派觀察員參加的。自從阿爾巴尼亞於一九六一年十二月十一日和蘇俄斷絕外交關係以後接着便發生共匪和蘇俄的衝突。共產集團的條約組織就和北大西洋公約一樣，阿爾巴尼亞雖然沒有法國重要，但是阿爾巴尼亞聯合共匪反俄，使得共產集團的陣綫發生顯著的裂痕。我們研討共產集團對抗民主國家的戰略，想先向讀者報導蘇俄的戰略，然後再講共匪的看法。

甲、蘇俄的基本戰略觀念

列寧對戰略大師克勞塞維茲是有特別研究的。他取得蘇俄政權以後並不想從匈牙利平原正面突破出擊歐洲。他採用了克氏的大迂迴戰略要先赤化亞非兩洲，再從亞非兩洲回到歐洲去。引伸這一原則，在西半球的戰略，應當是先赤化拉丁美洲再攻向美國。但是當列寧的繼承人發現領導民主國家的美國，採取了以大西洋為中心的全球性戰略，又擁着優勢的核子武器，懷着擒賊擒王的企圖，以北大西洋公約組織來防守歐洲，在完成赤化亞非兩洲及拉丁美洲之先，便不得緩和美國的威脅。因此蘇俄採取了西守東攻的戰略。東攻是指赤化亞非兩洲和拉丁美洲。西守則是倡導和平共存來緩和美國的敵視。概括起來，蘇俄基本戰略觀念是：

（一）針對美國以大西洋為中心以蘇俄為對象的全球性戰略，迎合美國避免核子大戰的心理，倡導和平共存來緩和美國的敵意，期與美國暫時和平共處。

（二）採用列寧的大迂迴戰略以滲透顛覆的手段發動反帝的革命戰爭，來達成赤化亞非兩洲及拉丁美洲的目的。

乙、因和平共存引起了共匪對蘇俄戰略的批判

從理論上講，共匪和蘇俄的衝突是起源於和平共存。共匪是主張暴力革命的。毛匪澤東在『列寧主義萬歲』的小冊子裏面說：『要在人類文明的廢墟上重建光芒萬丈，十倍百倍千倍於今日的文明』。赫魯曉夫在眞理報上大罵毛匪說：『假如把現在世界上的二十萬萬人殺死三分之一，試問如何在文明的廢墟上建立光芒萬丈的文明？』在赫魯曉夫攻擊毛匪的暴力革命以後，一九六三年九月四日的消息報畫了一幅滑稽畫把毛匪畫成一個朝上裝子彈在內的原子彈花瓶，說明是：『我去了三分之二，還可以剩下三分之一！』正因為共匪的人口有六七萬萬，損失了三分之二，還有三分之一的人口為二萬萬，毛匪才主張美俄的核子大戰來殺死世界三分之二的人。

（下轉第二版）

妙想天開

人命如土

今日與明日

戴高樂訪俄

法國總統戴高樂於六月二十日去莫斯科訪問，此為羅斯福之後西方國家元首身履俄境的第一人，但羅斯福也只到雅爾達並未到莫斯科。就歷史上來說，法國元首「訪問」過莫斯科的也只有一個拿破崙，不過，拿破崙當年是以鐵騎橫掃俄都，雖敗猶榮，戴高樂今天則不免有玉帛來朝的意義。

說戴高樂玉帛來朝，並非有意挖苦，試看戴高樂為了訪俄，竟然退出北大西洋公約此種行動，任何人皆知是為了示好蘇俄，否則，即使有心退出北大西洋公約，也不必選定這個時間。北大西洋公約是對付蘇俄而組成，這是人所共知的事，但是戴高樂為了向敵方示好，竟然先撤消己方的防禦工事，戰場上若有這樣的指揮官，非一敗塗地不可；一個秉政者若是採取這種狐埋狐猾的外交，這個國家也非陷於孤立不可。戴高樂此時雖沾沾得意，終有一天會噬臍莫及的。

戴高樂會耍什麼花樣

戴高樂此次訪俄，除去向美國示威，向全世界表示法國走獨立自主外交之外，實在還看不出會有何成就。因為戴高樂目前要與蘇俄商談的，主題還是德國問題，蘇俄提倡中立德國，只要西德中立，改為不設防地帶，蘇俄就可以同意東西德合併；但此舉深受西德反對，北大西洋公約國更誓為後盾，堅決保障獨立自主的德國，因此，蘇俄此項陰謀便無法實現。

目前法國既然宣佈退出北大西洋公約，自不受公約的約束，大可乘此機會與蘇俄串謀解決德國，蘇俄對此自求之不得，所以對戴高樂舉行盛大歡迎，其故在此。問題是北大西洋公約共計十五個國家，法國在其中只能坐第三四把交椅，北大西洋公約沒有法國依然可以存在，而德國人也不會把命運任由戴高樂支配。蘇俄雖然支配東德，法國決無法影響西德，是以到頭來仍然一事無成。

力量決定一切

目前西德所以不怕被出賣，只有一個因素，就是西德的強大已超過要出賣他的國家！所以不論戴高樂耍什麼花樣、艾哈德却穩如泰山，當他沒有這回事。想到美國一批妄人瞎嚷要與毛共改善關係，我們頓時舉國驚惶，實在是慚愧的很，假若我們本身的力量強大到不可動搖地步，又何懼乎美國一批妄人？政治是講力量的，外交則全講現實，道義二字根本就談不到。不必怕別人出賣我，先問我有沒有自立的本領。盡其在我，不必尤人，西德是我們的鏡子。（何如）

自由談

談詩

馬五先生

不能詩，然喜讀詩，無論是古人或今人的詩，一例省覽推敲，憑着主觀有所鑑衡，對不對是另一回事。久而久之，對於詩道亦有些不成熟的見解了。

詩的作用在「興、觀、羣、怨」，不逾風人之旨，便須有所寄托，無病呻吟固屬無謂，故弄玄虛亦大可不必也。談到作詩的技術，言人人殊，隨天份與智慧而各顯神通。但有兩點共同性的毛病，絕對要避免，即「俗」與「熟」是也。「俗」之義人所共喻，毋待贅述，所謂「熟」，就是陳腔濫調，詩而流於「俗」與「熟」，乃三家村的學究作品，不足觀也矣。

最近台灣報紙上刊出吾友袁企止先生「旅泊」一律詩四首後，賡和者不下數十人，逐日露佈，琳瑯滿目。我於欣賞之餘，由於眼高手低的關係，覺得其中眞能泯去和韻詩的痕迹者，殊不多觀，有些意境雖高，而詞過分雕琢，不無刻意求工之病。據區區的觀感所及，唯脫去和韻詩的形象，從洗鍊中表現靈性與寄託的，應推傅光海君之作為祭酒，茲錄其三、四兩首如次：「百戰初收破敵功，紛紛自計各求工。羣心惴惴人力怒，大國泱泱夢已空；蹈海有人甘隱遯，回天無力託疏蹤；衣冠南渡今猶昔，江左從來付謝公」「前車已覆尚輪馳，事去徒留國論歧。庾信暮年哀更甚，賈生痛哭策空奇；何當破賊收京日，永憶乘桴浮海時；白首放歌歸計定，歸時只恐谷陵移！」感事傷時，言之有物，慨當以慷，憂思難忘，令人讀罷不覺得是和他人的元韻，而係天籟自鳴，聊抒「興、觀、羣、怨」的情緒，詩格胎息老杜，而無沾滯之迹，所謂不落恒蹊者也。

古人詩我最怕讀黃山谷的作品，今人學黃者每每弄得晦澀佶屈，望之頭痛，而沒有性靈，沒有寄托，事雕琢對仗，則與「騎驢覓句，過渡想姨娘」何殊乎？詩與書的道理相通，都是要多讀多閱多寫，而又能保存自己的個性，大[illegible]家。近代書家李梅庵（清道人）自謂其魏碑字無一筆不像古人，而曾農髯（熙）答謂「所以無一筆是你的！」吾於詩道亦云然也。

高雄加工出口區管理處籌備工作顯示積極有效

經審核批准申請設廠案達四十件　總投資八百萬美金可容員工萬餘

（本報記者高雄航訊）經濟部高雄加工出口區管理處籌備處主任謝貫一，六月七日上午邀請本市各報記者參觀正由計劃進入實施階段的高雄加工出口區籌備情形。車沿環區公路進行，由公共關係室主任吳廷賢逐一介紹正在興建中的辦公大樓、甲種標準廠房、乙種標準廠房、瞭望台及出入口、臨時材料庫、標準局房A－13、甲種標準局房A－13、台灣銀行分行等工程。除六公里的圍牆已全部竣工外，各項工程預定本月底完成。

該籌備處自去年七月廿日開始受理外銷事業設廠申請後，每月均有中外投資人前去接洽，但為求區內廠商經營穩妥，雖然申請手續儘量簡便，然審核却甚為嚴格。每一申請案先經有關機構研究，並經審查委員會通過後，再送請經濟部核定。截至本年六月五日止，在五十一件申請設廠案件中，經審核批准者計有四十件，其中以經營電子、塑膠、手工藝者居多。

加工出口區之設立，增加就業機會為其重要目的之一。依照計劃，在三年內預計設立工廠一百二十家，可增加一萬五千人就業。現在已核定四十家，商需雇員工一萬二千餘人，已達計劃就業人數百分之八十。目前申請設廠情形甚為正常，估計在一年之後定可超過預期的就業人數。

申請案及審核情形：已審定案共為四十家，其中外國人十件（日本五家，以色列一家，荷蘭一家，美國三家）；華僑十四家（旅日一家，旅港十三家）；本地資金十三家；另中日合資三家。投資金額（美金）為：八、五〇六，五二五元。計劃每年外銷金額（美金）四二，七六四，四一二元。廠商性質計分：電子八家，塑膠六家，傢俱四家，手工藝七家，化學一家，橡膠一家，糖果一家，針織二家，成衣四家，專案一家，皮革一家，包裝三家。共四十家。其中部份下月可開工。

十時正參觀完畢，在該處會議室由副主任羅鵬展舉行簡報。主任羅氏首先說明設置加工出口區之目標：A、（一）促進投資，（二）引進新技術，（三）拓展對外貿易，（四）增加就業機會。其次他說明B、加工出口區的特點：（一）免徵關稅及貨物稅營業稅，（二）簡化各種手續，（三）放寬外滙管理。C、復次他談到籌備工作：（一）製訂法令規章，（二）製訂綱要計劃，（三）工程設計及施工，（四）接受申請。

羅氏報告完畢，我問他兩點：第一，加工出口區投資設廠的優點是那些？將來加工貨品在品質上是否可與東南亞或東北亞各國在國際市場上競爭？他肯定的回答「可以」。他說第一，原料及半製品，免征進入口稅捐；第二，免徵貨物稅；第三，免徵營業稅；第四，合於獎勵標準的生產事業，可免征營利事業所得稅五年；第五，華僑或外國投資人，投資的利潤及本金，均可滙出；第六，優秀的技術和低廉的工資；第七，水電費用便宜；第八，完善的公共設施；第九，租用土地自建廠房，或以十年分期付款辦法購用標準廠房；第十，辦理一切手續均以加工出口區管理處為對象，簡單迅速。第二，計劃中的外銷市場是那些地區和國家？羅氏答：「我們的市場是全球性的」。接着由該處主任謝貫一作結論。他說明兩點：第一，該處歡迎任何自由世界國家，社團，企業家，華僑，本地企業界人士來台（或在本區）投資設廠，該處以最高的服務熱忱為之服務。第二，他報告了一件事實：有一位香港華僑對在台灣設廠手續之煩，關口之多，刁難之甚，使他望而卻步，不敢問津；但是他曾經來本區觀察，經與本處人員接觸，了解實情後，他覺得本處的作風與外傳完全相反，爰決定投下大量資金設置了一個成衣工廠。返港後特致函謝貫一，表示謝意。他講完了這個故事，最後特別強調：該處非衙門，一切以投資廠商利益為前提，提供最大服務。他說：「我們為了完成經濟建設，打開國際市場，這是我們無可旁貸的責任」。

會後我又詢問謝氏兩點：第一，關於工人待遇，將來如何釐定？他說：「關於工人待遇，不宜過高，也不宜過低。高則與社會勞工待遇差別，失去大的平衡，影響其工廠工人情緒；低則使工人不足以仰事俯畜。將來我擬由福利方面着手改善他們的生活」。第二，我問謝氏：將來工人是否要辦勞工保險？他答：「要辦的，這點我們非常重視。」

該處此次舉行記者招待會，就觀察所及，有四點值得指出：第一、由該處職員名冊上看，年庚最高者為謝貫一，年六十三歲，年庚最低者為業務組協辦人沈建德，三十六歲，都是專家。（上）

從反共戰略看美俄和共匪的關係

（上接第一版）

蘇俄罵毛匪是瘋子，自己沒有核子武器却教別人去打。毛匪說：「祇有發生世界大戰，共產主義的陣營才會團結」。他又說，假如美俄發生大戰，共匪一定無條件的援助蘇俄。蘇俄就根本不聽他這一套。因此毛匪便說蘇俄向美帝投降進行白種人的大團結，要聯絡世界上所有的有色人種和白種人進行膚色大戰。在暴力革命的前提下，林彪也提出所講人民戰爭，要從鄉村走向城市，先赤化亞非兩洲和拉丁美洲，再攻向歐洲和北美。由於美國要避免核子戰爭，便發生了（一）戰爭邊緣論，（二）戰不勝論和（三）圍堵戰略。由於共匪反對蘇俄的和平共存，便發生共匪的（一）暴力革命論，（二）膚色大戰論和（三）人民戰爭論。這是民主國家和共產集團在對抗的局勢中，雙方戰略的大概情形。

三、從民主國家和共產集團的戰略看美國蘇俄和共匪的關係

從武器的發展看未來的戰爭，祇有美國和蘇俄才能發生核子戰爭。共匪雖有核子裝備，但是還沒有飛彈和遠程轟炸機。共匪不僅沒有輸送工具，在目前所有的核子裝備也不夠作戰之用。在目前祇有美國和蘇俄才能進行核子大戰。不過核子戰爭的破壞力實在不可想像。戰略原為政略的延伸。武力的使用為達成政治目的的一種手段。如用戰爭毀滅敵人而必須同時毀滅自己，便已失去了戰爭的價值。就戰略的原則講，美國和蘇俄都是誠心想避免核子大戰的。正因為共匪還沒有資格進行核子戰爭才主張別人去打，因此共匪才說只有在第三次世界大戰發生的時候共產集團才會團結。共匪希望美俄發生大戰，在正常的情況下，美俄不會因共匪期望而發生大戰的。前文說到圍堵戰略，根據歷史的例證，被圍堵的國家會發生衝突的。共匪希望美俄發生戰爭，美國又何嘗不希望蘇俄和共匪發生戰爭？如上所述蘇俄與共匪同屬共產主義國家，美國和蘇俄不會因共匪希望而發生戰爭，蘇俄和共匪也不會因美國希望而發生戰爭的。從另一方面講，共匪因爭與蘇俄爭領導權，不服從蘇俄的領導，蘇俄在一九六五年曾無數次的聲明，在共匪不和蘇俄合作的情形之下，蘇俄將不以核子武器保衛共匪。這樣的聲明不啻暗示美國進攻共匪。美國會不會進攻共匪呢？不會的。美國和共匪不會因蘇俄希望而發生戰爭的。

如上所述，從雙方戰略看當前世局將會僵持着拖延下去，不會有迅速和痛快的解決方法。但是「拖」是於共產集團有利的。美國在越戰中已陷入進退兩難之境，必須要有一個解決的方法。我們以為美國在反共戰略上忽略了兩個因素：一個是民族精神的因素，一個是革命戰爭的因素。這次印尼政權的轉移，美國未出一兵不費一錢便把共匪趕出印尼。這是一個很大的教訓。越南的反共，美國是否獲得了越南人民的全部支持呢？我們最友好的盟邦美國，如能充分考慮求生存求自由反饑餓反壓迫的革命戰爭在反共戰略上的價值，充分尊重和運用東方國家的民族精神，也許美國可以不出一兵一卒便可援助中華民國發動大陸的革命來摧毀共匪的政權。這就有待於美國當局和全國人民的認識和決策了！（完）

我朝野人士檢討中美外交（二）

本報駐台記者張健生

天主教南京區總主教于野聲則主張加強國際宣傳。如欲求反共戰之勝利，主要在心戰，就是思想戰與心理戰，七分政治，三分軍事，說服人心的宣傳戰。

我現時散處世界各國尤其在美國之學人，尤應意志集中，力量集中，以負起此時代使命。而自由中國之知識份子，亦應當仁不讓，個人或組團出國，以不同方式，進行澄清工作。其外交及技術人員之出國，亦須對澄清方法多加研習，庶朝野一致，中外同心，宣傳戰之勝利始可保障自衛戰之成功。

于斌和周聯華分別提出建議

牧師周聯華對美國學術界領袖與自由主義派的思想，有深刻的認識與詳盡的分析，其證詞使人有入木三分之感。他以心平氣和的態度，針對美國學人的意見，予以有力的批判，完全是「以意見對意見」；另並提出善意的建議，希望國人有則改之，無則加勉。

這位哲學博士先說明美國基督教領袖在知識界的地位。周牧師說：美國的知識界在他們的環境下是比較「自由」或「開明」的；在他們所了解的民主政治下，喜歡唱反調。他們對民主政治的認識不單是「服從多數」，並且也「尊重少數」。而唱反調的人總對實際的政治家、外交家、軍事領袖加以批評；他們明知道自己所主張的是少數意見，但是他們認為自己正是促進民主政治的英雄。這一個特點也成了美國基督教領袖的特點——他們認為與現實不同意的，才能使現實進步。

這一代的傳道人比較多講「愛」。假如傳道人要忠於他們所講的道，他們不能祇講不行。講「和平」的人在政治上成為「共存派」是不難理解的。這裏我們看到了某些教會領袖所發言論的幕後動力。我們聽到了這種思想不必對整個教會的信念動搖，因為講愛而不談公義，就會引起這個流弊。愛與公義在基督教的神學思想中必須平衡發展，不能有絲毫的偏差。很多的美國神學受了「和平共存」的影響，所以認為世界的糾紛應該以和平的方式來解決；世人應儘力避免戰爭。

教會依賴專家造成不良後果

美國的基督教領袖過份依賴專家，致造成兩種後果：（一）由於美國專家們所得到的材料，都是來自中國大陸中共的報紙和雜誌，如此日積月累的接觸共產政權的資料，當然能成為「中共通」。但是這些資料是從共匪印出來的，無形中受了宣傳的影響。於是「中共通」也容易成為同情共匪，甚至不知不覺中替共匪宣傳。（二）美國的思想界似乎有雙重的標準。中華民國在過去或者現在，如果有一件事與美國的慣例有出入的時候，他們就大事批評，似乎犯了不可饒恕的錯誤。相反的，假如共匪政權發生很嚴重的錯誤，這些學者們會說：「他們是共產主義，你能盼望他們怎樣做呢？」基督教領袖與美國其他的一些人士一樣，他們認為祇有接觸才能「交通」，「交通」然後能了解，了解而後能共存。他們還有一層想法，認為基督教如不願與共匪接觸，就顯得基督思想的自卑感了；他們以為如果基督教的信仰是堅定的話，基督徒應該敢與共產黨員「打交道」。

自由主義學者我們應該爭取

面臨着美國這些學者和教會領袖，我們該怎麼辦？周聯華牧師提出三點建議：

第一、美國大多數是受少數若干學者的影響，由於過去西方國家對中國之種種不平等軍事及外交事件，發生內疚，而盼望「補償」。我們為了清楚明白這些人的思想，我們能有計劃的聘請本國大專學校文史教授對中國大陸的現狀與美國「中國問題專家」之著作做客觀的分析，專門研究，使我國對這他們有進一步之認識，而收到知己知彼的功能。

第二、我們要爭取美國民眾，自由派理想主義的學者和教會領袖。據統計：現有百分之二十八的美國人民不知道中國大陸現在被共匪政權非法控制，（由此可見我們的國際宣傳，須進一步加強）這些是我們爭取對象。有百分之五十三與百分之四十七的美國人民，反對共匪加入聯合國與反對美國與大陸通商。這些反對者的人數要使他們保持，而且增加。美國自由主義派要爭取，不可敵視。我們的討論是以意見對意見，而不是針對發表意見的個人（加以攻擊）。請我們教會中與美國教會領袖有關係的人保持更密切的聯絡，要努力爭取。

第三、美國學者作證證中有一句：「他們（共匪）已經在那裏那麼長的時候，他們是要長久待下去了。」這是「已成事實」的論證。但願這句話能刺激我們，積極準備反攻，那麼「長久待下去」這句話也不攻自破了。（二）

瀛海異趣談

英國賭館搜家份子複雜

·桑雅·

從倫敦乘搭九先令六便士的士計程汽車，到達兩處代表英國開放禁賭的法例必然失敗的兩個俱樂部。這兩個「架步」似乎與其他數以千百計、在一九六〇年開放賭博以來，所設的賭檔無異。賭徒是分不出它的確有些特殊的，這兩間賭館，它們代表了美國的賭徒犯罪集團的兩個立足點。經營這兩家賭館的當地人，不過是傀儡或「替死鬼」而已，及用財政支持他們的人，在數千英里外的美國。

這兩家賭館一在倫敦西區，另一在南倫敦。這是極大的諷刺，招惹了美國的黑社會人物侵入英倫三島。倫敦一「賭博俱樂部」大亨說：「英國今天冒極大的危險，我準備面臨及見到美國的大天二。」五千英里外的美國賭城內華達州的開賭集團，在英國有了基地，甚至內華達州的賭博管理委員會也說：「我們從來想不到你們讓他們殺入國——英國。」

今天在英國營賭犯罪的事件，還不是美國人操縱的，他們還相差得很遠。在國際上而言，美國可以提供最大的經營人。但是各種犯罪的事，不乏從賭館出來的，收保護費恐嚇及設法運走盜竊的金錢，完全是以賭館爲聚會所。現在黑社會已控制了不少英國的賭檔，在南倫敦有一個收保護費的歹徒集團，已把四十間賭館置於控制下，還有其他企業在他們掌握中。北部等城市中的賭館，其中兩家是「大天二」經營的，其他的四間與歹徒有關係連，經常被利用。格斯洛城賭業受大天二緊密控制着，有一個賭仔對於股份有懷疑，提出質問，結果是臉部被人用刀片劃花。

英國一位刑事學專家說：「英國首次第一項工業，提供足夠的金錢，創造一九三〇年代美國型式的犯罪事情。」迄今美國人企圖在英國經營賭業，遭受了一次失敗兩次成功。失敗的地方是在曼哲斯特城，美國賭業人士談判開設一間賭博俱樂部，但是此批人馬的背景不明，警方要求蘇格蘭場把他們徹底調查一下，蘇格蘭場與美國聯邦調查局採取聯絡，結果否決了他們在英國開設賭館，因爲查出他們是「大天二」。

倫敦祇西區已有八十家賭博俱樂部，當地並不調查開設賭館的人及資本來源，因而倫敦才有了兩家是美國人經營的賭檔。南倫敦的一家，可能資本是在於斯洛加斯城桌上大殺三方而來的金錢。其他的倫敦賭博俱樂部，財政支持可能有其他來源，但極可能是美國黑社會的，歹徒經營娼寮以迄販毒，積聚的本錢極爲可觀。

有一家賭館的本錢是從瑞士的銀行來的，其他的賭館的資本少不免是美國訪客。其中一家賭博俱樂部表示毫無贏利的急切需要，賺錢與否，絕無所謂，目的不過是替黑社會鋪平更好的道路，打穩一個基地而已。英美警方都知道美國的賭業大亨侵入了英國，一間付保護費的賭館經營人士說：「大家都知道他們不過是美國黑社會人馬的前站人員而已。」

開賭無異是替黑社會份子設立他們合法的聚集地點，可安全策劃做邪惡的行爲。收保護費已不算是簇新的事了。最兇的是黑社會要派人安插在賭館內，有一間賭館被歹徒集團硬要安置他們人馬充當看門人。除非繳交保護費，否則一定有麻煩；如賭館的玻璃門被「醉漢」無意打碎，甚至在賭場內動武，視情形而定。開賭的收益頗可觀。歹徒入息亦豐。警方知道那些人收保護費，倘若把他們拘捕，是一樁頗困難的事。一位警員說：「倘若他們被恐懼統治，沒有人胆敢出庭作證，有什麼用途？」

賭館林立造成了另一新情勢，是收保護費的歹徒集團，爲了各地盤收規，發生火併與衝突。倫敦警察說，尚沒有發現以强硬手段收保護費的事件，而是大家規矩地照付無誤，誰也不敢聲張。這不是誰胆敢去投訴的事情也。

在格拉斯哥城的副警察局長烈克利夫說：有兩間賭窟簡直就是歹徒聚會，商量出動「做世界」計劃的場所。有些賭館是「講數」收回被盜竊或搶刦的賍欵之地方。因而麻煩百出。格拉斯哥城有一家賭館，被人縱火焚毀。另外一次向其他賭館縱火的企圖，及時制止了。一賭場發生謀殺案一次，另一件兇殺案亦幾乎上演。

孟哲斯特的賭錢不要付保護費，亦不在黑社會人物的操縱下，但是歹徒時刻伺機插手。美國人想在該城開賭，已受了擋駕，可以假定他們會再作嘗試的。據說有兩個倫敦的積犯，經常到孟哲斯特城去，作多方面的試探接觸，且向賭館提出要交保護費，但是吃偏門飯的人馬聲言要用斧頭劈他，這些倫敦的黑人馬才狼狽離去。伯明罕城警察局長卡栢說：各級的歹徒領袖，今日以賭館爲聚集地點。利物浦城的賭館，也曾被歹徒恐嚇要繳交保護費。

准開賭誠然是一種壞事，美國聯邦主控官米爾頓說：「賭博越爲合法化，黑人物越爲荷囊飽滿。」

外國人眼中的今日泰國

紫笙

雖然今日的東南亞各國多半動盪不安，泰國人民卻在團結一致中，過着安定而繁榮的生活。

泰國正在進步中，在東南亞地區，只有它能在它的七百年生長的過程中，維持着獨立。這裏沒有萬千飢餓的人民。這個國家大量產米；在大米的輸出量方面，它僅次於緬甸。魚類、熱帶果實和其他果實，也很豐富。其結果是：兩千五百五十萬人民，享受着在亞洲南部的最高生活水準。

首都曼谷繁榮的徵象之一是：三輪車已遭淘汰，代之而興的是成千成萬輛的小汽車。此外小包車、卡車、公共汽車、出租汽車、電車——使得許多馬路車輛擁擠，交通頻繁。在許多地區，華僑人數似乎超出泰國人。曼谷商業多控制在華人手裏。他們擁有一、二層樓的商店，冷飲攤，一些經營許多大的進出口行。他們是米行老板，錢莊老板，鞋匠。

在傳統上，泰國人對於做生意沒有什麽興趣，他們寧願當公務員或是務農爲生。但是近年來，許多人已經改行去經商了。

今日泰京，新舊雜陳。曼谷有兩家電視台，收音機發出大聲的廣播，電影院有最新影片作宣傳。但是它們並敵不過古典戲劇，以及自古代印度傳入的舞蹈節目。

新式製藥廠製造最新的藥劑。但是在中藥店裏，還可以買到青藥，草藥，蝙蝠乾，蛇粉等等。

曼谷的改變很少的一個特色，是它的運河之多。早在建成的時候，每築一條新路，同時就開鑿一條水道，把挖上來的泥土堆成路邊的堤防。市政當局現在正計劃在未來數年內把曼谷主要地區的一切運河填塞起來。但是，今日城中還是河道四佈。有的比道路的年齡還老。它們曾經是城中的街道，是交通的大動脈。有許多至今還是運輸孔道。觀光客們一定要在清晨乘小船在河上作一番巡禮，才能眞正地認識曼谷的眞面目。河邊有許多小店，碾米機，寺廟，水上房屋。有人在河水中洗衣，洗澡，有許多舢板多由婦女划着，載着水果、蔬菜到市場上去賣。黃衣僧侶正趁着清早出來化緣。水上市場更是魚肉菜蔬、水果、鮮花和一切用品的集散處。有的船上光賣香蕉葉子，用來包食物。水上小販的則和顧客多半都是女性。顧客多爲華人。一艘電船開了過去，那是學校的交通船，載滿一船穿着制服的學童們。泰國的廟宇一度是人民的教育中心。今日小學教育已成爲義務教育，全國各地紛紛設立學校，男女學生教育機會均等。全泰國有大學五所。（上）

南北越分界非軍事地帶巡禮

·本報特譯·

東河機場是美國在南越最北地區的一個外圍據點所在地。機場之外是第一號公路，該路直通北部邊疆，距兩越分界的十七綫祇有十哩。美國人把東河附近周圍的地區稱做「死亡谷」，因爲越共經常侵襲該處的，不管是平民或軍隊都成了越共的目標。事實上，那四個美國顧問在東河機場迎接我們這一行的時候，就帶來一個越南平民，他是五個平民遭越共襲擊唯一的生還者。這些美國顧問穿的是普通的郊外運動便裝，但都暗藏槍械。

我們要去的目的地是「非軍事地帶」，這是一條六哩濶、三十八哩長的狹長地帶，將南北越的邊境劃分開。

非軍事地帶是一九五四年日內瓦協定規定設立的，作爲南北越暫時的緩衝地帶。所有軍人和武器都不能進入該地帶。

。這是越南最出名的安寧地方。

我們所乘的吉普車開到非軍事地帶之南兩哩，轉過東便的小道，祇見路旁站着三個穿夏威夷上身的西方人，他們以懷疑的目光看看我們。這幾個人是國際監察隊的波蘭監察員。該隊的任務是巡邏於非軍事地帶，以期維持日內瓦協定的規定。再行幾分鐘，我們抵達越南的嘉陵區區署。我在那裏會見國際監察隊的兩名加拿大隊員，他們正在和五六個美國顧問在那裏喝着咖啡。幾天以前，那些加拿大人告訴我，越共曾以迫擊炮施行攻擊，殺死十一名警察而打破了非軍事地帶的寧靜。當南越正規軍馳援的時候（這是違反協定的），北越的正規軍也據伏於不合法的東海河沿北岸的陣地開機槍掃射。這條河是南北兩越的分界中心。（上）

新三國

意者，將軍殆臨事而懼？不然，何慮之不深也！夫袁紹有幷天下之心，而智不能濟也；將軍自度，能爲之天下乎？將軍以能之威，可爲之韓、彭也！今兗州雖殘，尚有三城，能戰之士，不下萬人；以將軍之神武，與文若（荀彧字）昱等收而用之，霸王之業可成也。願將軍更慮之。

程昱的一篇宏論，曹操心悅溢於言表，遂不允袁紹之請。程昱的觀察，實在高人一等。他料後來袁紹必敗，孫權必不殺劉備，無不中策，實有子房之才。

曹操在兗州只有三城，他一定要從呂布把兗州拿回來。聽程昱的諫議，更增加他的信心。按當時的實力，呂布、張邈、張超、陳宮等，合起來的實力比曹操要大得多；但是，呂布是接收別人的部隊，而非自己的舊部曲，他自己所帶的騎兵，早已喪亡殆盡，到兗州時只有五百騎。而呂布雖統率了十萬之衆，是否協調一致，大有問題。而且張超、陳宮等各帶人馬，但分散各地駐紮。曹操看透了呂布的弱點，他便採取了「圍點打援」的計策，在興平二年先攻定陶和濟陰，（定陶乃袞州濟陰縣屬，在今山東定縣西北四里）定陶沒有打下來，太守吳資保南城。南城是袞州的泰山郡屬縣，在今山東費縣五十里的地方。沒有打下來可能不是眞的打不來。也許是曹操『圍點打援』的策略。呂布聞聽曹操攻打定陶、濟陰，親自增援，在路上被曹操打敗。接着收復了定陶。興平二年春天，曹操又攻呂布將薛蘭、李封所守的鉅野。（山陽縣屬，在今山東鉅野縣南，）呂布又救薛蘭，還沒有到，鉅野已被曹操打下，薛蘭被殺。呂布從東緡（山陽縣在今山東金鄉縣東北二十里）會合陳宮的一萬人馬，捲土重來戰曹操，時曹操的兵到四面取麥，在者不過千人，屯營不固，乃令婦人守陴，全部人馬拒呂布。屯西有大隄，其南樹木幽深。呂布一見，疑有伏兵，引軍屯南十餘里。明日復來，曹操隱兵隄裏，一半兵在隄外。揮軍見曹兵少，呂布推進，命輕兵挑戰。曹操伏兵齊出，步騎並進，大破呂布，追到呂布大營而還。到此，呂布一敗塗地，失去自信，向南奔逃，到徐州投劉備去了。

袞州的局面急轉直下，却把張氏兄弟害慘了。張邈去壽春（今安徽壽縣）袁術那裏求救，爲他的部下所殺。興平二年秋八月，曹操圍雍丘，冬十月天子拜曹操爲袞州牧。十二月，雍丘崩潰，張超自殺，張邈被曹操夷殺三族。（三族：父母兄弟妻子也）張氏弟兄被呂布拖垮，致失州滅族；另外牽涉到兩個義士臧洪與陳容的殉義，值得一叙。

十七、臧洪與陳容

臧洪字子源，廣陵射陽人。（江蘇淮安）此人體貌魁偉，有異於常人，舉孝廉爲郎，做過縣長。漢靈帝末年，棄官回家，張超請他做功曹。董卓入京，欺凌天子壓諸侯的時候他憤恨已極。因張超兄弟的關係，在幕後策劃，約同劉岱、孔伷、橋瑁及張氏弟兄等，設壇盟誓，臧洪被推爲操盤插血朗誦盟詞的主持人。（四十四）

大宛的本戲（續）

以至彭公施公均可；不一定是六天，三天也可以。此後成爲本戲的專門劇團，有何不可。而鐵龍山艷陽樓等即插入排出，足可震驚。

以前大宛曾演「十八羅漢鬥悟空」、「七八仙鬥白猿」、「百騎刦魏營」等，皆其他劇團所未能，似亦可於下次公演酌量再行推出。即虞姬恨也何嘗不可以再演？戲是很多，在乎善爲排練，貫成一氣。總之不演則已，要演便是整本，勿使支離。而金鳴玉印九齡必善於排遣，以無論何劇，離不了生行，有好看的序幕，好聽的唱腔（不必奉京朝），自然可以動人。要之在乎桐春運用智慧，必可成功！

愷琳在閩揚

中廣公司平劇主持人愷琳，最近在節目中，很爲發揮。我屢建議採用集錦，這並不是警察電台註冊專用，大可試行。因爲現在多賊口號，匪區唱片不能播放，於是資料極感貧乏。台灣的唱腔，總比梅程尚荀，差得遠，更不談余叔岩言菊朋等了。日子很久，終未獲許可，於是中廣的平劇大爲減色。

五月八日在收音機聽唱愷琳忽做出「梅蘭芳集錦」，爲之大快。所播是坐宮，鳳還巢，女起解，太眞外傳，戰蒲關，彩樓配，木蘭從軍，打漁殺家，戲鳳。其中很少聽到的是太眞外傳，戰蒲關，戲鳳三齣，確是名貴，難得呀難得！

國劇繽紛續錄

鑒婆生（五十八）

我以爲播放平劇，先有一定的主觀：（一）發揚劇藝爲上。（二）展開愛國家重人倫爲主。（三）依從聽衆爲歸。不能即以聽衆至上，依照來播，成爲音色不太調和，尤其許多幼稚之見。時至今日，如果有人專捧那些人物，每過來請，豈不成爲他們的播音筒？因此必須要用剪裁，分次來播，作先後安排。試看以前大家請播紅梅閣，幾乎所有電台均放，現在已不可能，即是一證。

現既已辦過集錦，不妨下次再來程硯秋的，余叔岩的，言菊朋的、楊小樓的，金少山的，裘盛戎的，章遏雲的，秦慧芬的：多可以。或則以戲爲歸，例如探母，可放五六人的唱腔，目的在多采多姿，以振起中廣的地位，恢復以往的令譽。勉乎哉！

反串的斬子

電視公司平劇社，最近頗顯努力。上週推出一齣平劇，是轅門斬子。戲是很普通，但唱的也不多，也就是他們所講以前爲劉鴻聲獨擅，高慶奎則偶爲之。在台灣來說，也祇胡少安勉可應付，其他不免稍軟。該公司運用匠心，把此斬子的角色，所派演者來個反串，就留個佳話。因拜慈霜行將賦嫁，在婚前有這樣的一場戲，大可留個去思。（未完）

我的辦公室及其他

勞克

我愛我的辦公室，就如我喜好的一首小詩。我愛我辦公室的每一部份，我的書桌，我的稿紙，我的原子筆，我的書。

我一天十二小時中，我就有十小時在辦公室裏。中午，伙伴們都去休息，我一個人在辦公室，坐在椅子上，另外再拉過來一張椅子，我的雙脚翹起，捧一本心愛的書，桌上置着一香片茶，一面看書，一面喝茶，這種享受，不亞於坐咖啡室聽音樂的，而幽雅過之。

在金門時，我在碉堡內建立起我的私人辦公室，我住在裏面，我辦公在裏面，有時，我在深夜爬起來看我的書，寫我的稿。文友湯爲伯羨慕我那種生活，到我碉堡內去過好幾次，我自己也滿意自己的小辦公室。我那時書桌上有公文，有各種文件資料，同樣的我也擁有了文藝書刊、稿紙、信紙、筆墨。我的辦公桌，成了眞正的大雜會。有一次，我的長官來看我的業務，便笑着說：

「你這裏成了藝術的地方。」

是的，我碉堡牆上，掛着我喜愛的照片，還有着我畫的藝術畫。我自己也在某一段時間，習過國畫，裏面更是亂，東西堆，到處都是。

那種辦公室的私生活已經結束；現在新的辦公室再度建立，我仍然在辦公桌抽屜內有我的書刊，有我的稿紙；我的抽屜裝滿滿。我的伙伴們了解我，每次在我絞腦汁時，他們不打擾我，也不高聲談話。自然，我在稿費來了時，也給他們一點好處，糖果、香蕉一類的東西，塞住他們的咀巴。

我愛我的辦公室；倘若我沒有一個辦公室，那我就不知道如何處理我自己了。

有慰之辭

這次我有五天休息，我到了中部。有兩年沒有去過，一切還是照舊。

這次在中部，見到軍中寫作朋友：大荒，梅遜，胡永年，丁穎，金劍，徐漢生，梅逸，芸妮他們。梅逸出了一本「愛的呼號」，說是寫的很出色，三十萬字。能夠寫這麼長的作品，我自羨豎起大姆指，在心理上就敬佩起來。

他們都有了生活的旨趣，有創作的生命力。他們對于新文藝，有特殊的追求。大荒最近在寫長篇，又來一次「有影子的人」的創作。不過，大荒在搜集各種資料，這篇作品，準備參加文藝競賽。

這些可愛的朋友們，也是併肩作戰的伙伴，用友情餵飽了我。夜總會咖啡室裏，充滿了我們的笑聲。丁穎朗誦了一首小詩：

在你沉重的垂髮裏，
蘊藏着全世界的黃金；
在你的胸臆下，
野薔薇一朵朵的怒放！

祇可惜江光芬沒有到，她在電話中說是遲一點來，結果沒有來。女孩子的事就是靠不住，也是不好辦。

我在中部五天中，他們便陪着我五天，聖潔的情誼，使我受到極大的感動。謹以此文爲誌。

說粵諺：「猛龍過江」

期生

一些簡潔平易的諺語，常可啟發人心志。它不必像哲學那樣，要引用很多例證，纔能說明一個概念或一個觀念；反之，短短一句話，如果我們能夠靜默地去深思，印證現實的人生百態，便不難悟出「一沙一世界」的大道理。

廣東的中、下層社會，被人最常使用的一句諺語是：「唔係猛龍唔過江」。把它繙譯出來是「不是猛龍不過江」，意義很明顯。正的解釋是「來者不善」，多少有點促人警惕戒備之意。反之「善者不來」，不但充滿了自我誇張的意思，而且，還表現了挑戰的意味。運用這些話的人，多數是舊時幫會，大者用於鬥智謀，小者用於講力道；社會百態，人生好競爭的思想，由這句話裏面，就可作一個概覽。

不過，話說回來，這只是人生的橫斷面，而不是人生的全部。廣東人受地理、氣候的影響，性好進取，富創業的精神倒不假，但如果說廣東的中、下層社會人人血氣粗豪，難免偏頗不全，有失厚道。我們思想諺語的目的，是體會人生，進而瞭解人生，最後是希望從諺語中，把心志解脫，成爲一個對社會眞正有用之材。如果在社會文化進展不已的今日，尚有人抱持着「善者不來」的觀念，一味好勇鬥狠，以「唔係猛龍唔過江」的個人英雄姿態，妄想在社會上翻江倒海，則大可不必。世間事不盡是個人所可左右，尤其在這個分工日趨精密的今天，不管是鬥志也好，鬥力也好，聯合三數條「猛龍」，即使能爭目前的短長，但過江龍總難免有筋疲力盡的一天。如果更不幸的到了「龍游淺水遭蝦戲」的沒落境地，雖不困死，亦必被氣死。與其如此，不如深自潛隱，雖不一定有乘雲雨而昂首上騰的際會，但水不在深，有龍則靈，如果我們的理想確有見地，能解民於乾旱，蘇民於水深火熱之中，即或潛隱深潭，潤跡泥沼，不作過江之龍，而風雲自有際會。所論雲從龍，不是雲從龍之勢，實係從龍之靈也。故此，「唔係猛龍唔過江」雖然在中、下層社會中，普遍造成了他們好勇鬥狠的一個錯誤的概念，但這是因爲那些自認爲猛龍的人士，不自量力的結果，以至造成了龍游淺水遭蝦戲的悲劇，其罪並不在諺語的本身，也不是創造這句諺語的人該担承的；反之，如果有昂首上騰之志的猛龍，他必然會深自體認出「唔係猛龍唔過江」的話，有無限諷刺，有敦勸世人的眞正道理在內。果眞猛龍一定要過江，則只能算是地頭龍，是草澤中的龍蛇，即使時時過江，結果也不會離筋疲力盡的劣境太遠。至於青雲得志，風雲際會的人龍，當他爪牙未銳，鱗甲未堅之前，他是不會過江的。何況，眞正的龍應該是一朝風雲景從昂首上騰的呢？

莫愁小姐與莫愁湖

周遊

遊過南京名勝的人，莫不知道「莫愁湖」的。莫愁湖在南京水西門外，爲西區最大的名勝，它的艷名早已著聲遐邇，馳譽古今。在六朝以前，城濱臨大江，石頭城外，波濤洶湧，正是「千尋鐵鎖沉江底，一片降幡出石頭。」後來江水西移，水西門一帶便淤爲大小湖澤，有如星羅棋布然，而湖遂形成。然當六朝時代，是否已名莫愁湖，查無可稽的記載。但莫愁湖乃是由於有名歌妓盧莫愁曾居住其上，因而得名的，尚屬可信的事。

據爲時較近的「江寧府志」說：「昔有莫愁家此，故以名湖。」此處「昔有莫愁家此」，就令人很難確定是那一個莫愁。我們能找到根據的就有四個莫愁小姐。最早的是見於樂府中的「莫愁樂」，唐書樂志說：「莫愁樂者，出於「石城樂」。石城有女子名莫愁、善歌謠。」古詞說：「莫愁在何處？莫愁石城西。艇子打兩槳，催送莫愁來。」這兩說莫愁均在石城。「石城」也有兩處，不知是那個「石城」。根據古詞「莫愁」應在金陵。

據洪邁的「容齋隨筆」說：「莫愁爲郢州石城人」。郢州也有二地，一爲北魏所置的郢州，北周改爲「石城」郡，唐復置郢州，元升爲安陸府，故治在今湖北省鍾祥縣。按石城在漢水之北；宋末又於漢水之南築新郢城。「宋元通鑑」云：「咸淳十年，張世傑將兵屯郢，郢在漢北，新城在漢南，橫鐵絙鎖戰艦於此」。一爲南朝時置，齊、梁、陳因之，至隋代廢，故治在今湖北武昌縣。如上觀之，石城的隸屬尚有問題，莫愁小姐的籍貫似乎更難找尋了。

一說莫愁小姐爲洛陽兒女。梁武帝「河中之歌」說：「河中之水向東流，洛陽兒女名莫愁。莫愁十三能織綺，十四採桑南陌頭。十五嫁爲盧家婦，十六生兒字阿侯。盧家蘭室桂爲樑，中有鬱金蘇合香。頭上金釵十二行，足下絲履五文章。珊瑚桂鏡爛生光，平頭奴子擎履箱。人生富貴何所望，恨不早嫁東家王」。

以上有據的莫愁小姐便有三個籍貫，再加上古詞中的「莫愁在何處，莫愁石城西」說來，又有一個是在金陵的石城。金陵有「石頭城」，簡稱「石城」。美人名士之遺跡，往往各地方皆有附會之，西施，孟姜女，昭君，花木蘭，祝英台等等名女人，各地都有她們的遺跡。究竟莫愁小姐的籍貫在何方？沒法證明；只有一種是相同的，就是莫愁小姐是姓盧。各說是一致的。

以上所據的記載，尚無及於「莫愁湖」的。「莫愁湖」之見於記載的是在宋代才有的。宋人徐照字道暉，他的曲「芳蘭軒詩鈔」中有「莫愁湖」一首：「石城今無莫愁只重石城水，曾泛莫愁舟。」徐道暉爲南宋時人，自係詠秦淮河之莫愁湖。這是證明「莫愁湖」之名的最早記載。（一）

朋友的信

我是靠朋友的信生活的人。倘若沒有信，我就如失落了什麼，即這一天我也沒有精神。

自我讀了政大夜間部起，我就更和朋友多多寫信。朋友來的信，我一定回覆，往往我主動給朋友的信。

當我苦悶時，有了朋友的信。我就像飄浮在大海上，突然抓住了一根浮萍。

朋友的信鼓勵我上進，鼓勵我戰鬥，再戰鬥！

我在外島時，有女友給我的信，回到台灣，又建立起友情的網。女友來的信，我同樣當時就回信。我的錢花的最多地方，一是寫信的郵票，另外就是小吃。

我的辦公室的幾位同事，常常敲我的竹槓。

「有你的信！」

「給我！」我伸出手來。

「有代價！」

於是，我派五元花生米，或者五元香蕉。祇要有信，就是再多幾個錢，也沒有什麼的。

現在，我計算了一下，我每天最少有一封信到兩封信。就是我現在寫稿的時候，郵差又送來了一封信。我是過精神生活的人，除了書本，就不能離開朋友的信。我有一個小箱子，專門保管朋友們的來信。

美國最偉大的女畫家
瑪麗卡斯薩奮鬥史

慕松

她的作品，從一八七二年起，連續在各沙龍展出，她的作品得到好的評論，但她經已踏上成功之路，她要追求美術的新意。她面臨一種新的運動，印象派，這一派的畫家包括，在當時，被視爲叛道的彼莎洛，蒙納，馬納，狄加，[illegible]

[illegible]

[illegible]（完）

自由報
內政部登記證內警台誌字第〇三〇號
THE FREE NEWS
第六六四期
中華民國僑務委員會登記證台僑新字第三三三號
中華郵政台字第一二八二號執照登記爲第一類新聞紙類
每份港幣壹角（逢星期三、六出版）
台灣零售價新台幣貳元
社長：雷嘯岑
督印人：黃行書
社址：香港銅鑼灣高士威道二十號三樓
20, CAUSEWAY RD 3RD FL., HONG KONG
TEL. 771726　電報掛號：7191
承印者：大同印務公司
地址：香港北角和富道九六號
台灣分社
台北市西寧南路雙臺號二樓
電話：三〇三四六
台郵撥儲金戶九二五二

斥美國姑息主義者的妄論

吳文蔚

美國左派人士如費正清者流，持着姑息主義的論調，發出了悲鳴不已的妄論，妄圖與匪建交，給予共匪若干好處：「如使中共入聯合國」，「對中共貿易」，「予中共經濟援助」等等，欲以此綏和毛共侵略好戰之政策，認爲如此「便可以「解除戰爭之危機」。

這一位素負有「中國通」的所謂學者，持此謬論，以迷惘世人。而不知果真這樣做，不惟不能解除得戰爭危機，綏和毛共侵略好戰的政策，反之，適所以火上加油，助長匪共的侵略氣燄，從而增益匪共的好戰暴力的伸張，終而導致美國本身於毀滅之途徑。

費正清此論，是由於他未能認清共產主義，是一種要赤化世界的主義，共產黨是一種有國際性的，有階級性的，且是要無產階級專政的亂黨。它們的目的，是要實行所謂世界革命的狂妄企圖。以是，它們的侵略好戰行爲，乃是共產國際的基本政策，乃是沒有法子可以改變的。比如，單是准匪共入聯合國，予匪共經濟援助，可斷言是絕對不能滿足它的慾望，終止得它的侵略行爲的。除非把世界各個國家完全變成清一色的共產主義政權，亦即讓它們赤化全球，否則，它們絕不會改變。所以，要以妥協綏靖去使共產國際改變政策，乃是最無知的幻想而已。

費正清者流，未能認清越戰是世界戰爭的一種前哨戰。此前哨戰如果一旦失利，緊接着就是世界大戰。正唯其如此，自由國家對越戰不惟不能軟化，而且必須要求取勝利。須知，越戰的幕後策動者是匪共，故要覓取和平，就必須擊毀侵略好戰的幕後策動者的匪共政權，才是眞正覓取和平的正確途徑。同時更須認清的一點是中華民國乃是今日亞洲的一個最大的安定力量，由中華民國蔣總統所領導的台灣自由民主的一千餘萬軍民，才是匪共政權的最大剋星。故要覓取亞洲的和平，美國政府必須加強對中華民國的援助，與中華民國密切合作，實行協助中華民國反攻大陸，以一舉摧毀匪共政權，才是唯一的正道。只要匪共政權一經被推翻了，越戰自然立可平息，整個亞洲地區的和平，與安定也可立即實現，并長久的維持於不墜。而美國的姑息分子者流，今天竟然發出「團堵而不孤立」的謬論，誠屬愚昧無知之極，良可嘆息。

美國姑息分子如費正清者流，儼然不記得共產集團會喊出這樣的口號說：「第一次世界大戰，產生了社會主義共產國家的蘇俄來；第二次世界大戰，又產生出歐洲的愛沙尼亞、拉脫維亞、捷克斯拉夫、南斯拉夫、立陶宛、波蘭、匈牙利、保加利亞、羅馬尼亞、阿爾巴尼亞，和亞洲的匪共政權、北韓、北越等半個世界的共產主義的國家；那末，第三次世界大戰呢？可想而知，一定是共產主義來統一世界了」。由共產集團的這個口號，當可知道，共產黨的造亂行爲與侵略好戰的政策，是與共產謬說與生俱來的，不達到它們所謂世界革命的目標，它們是不會終止的。所以，它們的政策，無論如何不會改變，乃屬最淸楚明白不過的。而費正清者流所倡「圍堵而不孤立」的謬論，無疑的是替共黨幫了大忙，鼓勵其好戰的侵略政策，爲其所謂世界革命戰爭做了義務嚮導。眞這樣做，首先便毀滅美國維護自由世界的有生力量，終使美國亦要被赤化。美國政府對這班姑息分子的謬論，有必須加以無情的痛擊。

費正清者流不明瞭現代的戰爭，是一個以主義對主義的戰爭。亦不知共產主義信徒的「世界革命」路綫，不只不要它們主義以外的人，即屬同情他的人，以及保持中立的人，都一律視爲是它們的敵人。換言之，共產集團的世界革命路綫，是不許它們主義以外的任何主義存在的。共產集團的世界革命手段，是挑起經濟性的階級鬥爭，實行政治性的滲透顚覆暴動，然後發動軍事性的戰亂，以奪取全世界的政權。全世界的共產黨，均一邱之貉，它們確實是行動一致，利害一致。一個單位的共產黨的侵略作爲，全世界的共產黨都必然羣起響應。目前的俄毛內鬨，只是世界共黨領導權之爭而已，誰勝誰敗，均無關於它們那一黨的主義化全世界的。至於匪共之幕後策動越戰，更是實際在爲世界革命實行進軍的一個信號。以是，匪共便把美國列爲其從事世界革命的「頭號敵人」。匪共侵略好戰的首一目標，正是要徹底擊敗它的頭號敵人——今日領導自由世界的美國的。所以，筆者要向姑息主義的費正清者流嚴正警告：你們所提出的對毛共「圍堵而不孤立」的論點，完全不是爲了維護你的祖國——美國的利益，反之乃是在幫忙共產集團，特別是鼓勵匪共政權，給它們進行世界革命的諸多便利。

費正清者流必須認清的是，達成世界和平的原則，不出下列三點：一、必須共產侵略集團，放棄侵略行爲。二、必須共產侵略集團覺悟，放棄其從事世界革命的狂妄野心。這兩點如做不到，則你給它們好處，望它們劃地自守，并停止侵略，乃是絕無可能的。三、民主集團國家認眞的團結起來，將五個指頭合成一個拳頭，加強大家一致反侵略的力量，做到以優勢自衛，使侵略者不敢妄動武力，庶可「嚇阻」它們，使其不敢妄動。尤望費正清者流明白：眞要消除戰爭危機，覓取和平，對毛共採取姑息的辦法不但毫無益處，反之適所以鼓勵其亂來！慕尼黑與雅爾達的殷鑒不遠，自由國家豈容覆轍重蹈，而使自己毀滅！

羊毛出自羊身上

慢性死亡

今日與明日

周酋訪羅失敗

周恩來此次去羅馬尼亞活動，本來是抱有重大希望，因爲最近數月來，西方屢傳出羅馬尼亞與蘇俄分裂的消息，甚至說羅馬尼亞要步武法國，退出共產集團的華沙公約。毛共認爲有機可乘，預備拉攏羅馬尼亞，共同締結反俄同盟，使羅馬尼亞與阿爾巴尼亞聯成一綫，進一步又可引誘匈牙利，保加利亞脫離蘇俄掌握，如此以來，蘇俄赤色大帝國將全部崩潰，西界防綫就退到波羅的海沿岸了。

不過，周酋在就要去羅活動之時，共區突然發生了大整肅鬥爭的事件，使周酋的行程一延再延；在此時機，俄共第一書記布列日涅夫飛去布加勒斯特活動，與羅共頭目會談，雖然此項會議據西方報導亦無成就，但絕不是沒有取得任何協議，最低限度在對歐洲問題及華沙公約方面，當可取得羅馬尼亞諒解。周酋適在此時貿然前往，必然會遭慘痛的失敗，殆無疑義。

事實上羅馬尼亞對俄共容有不滿之處，但由於地理相鄰，經濟依附過深，本身又是一個小國，勢難抗拒蘇俄壓力，所以它的反俄要有一定的限度，必須不讓蘇俄感到威脅，始能予以優容。若是像匈牙利當年的堂堂正正反俄反共，馬上也會遭受蘇俄紅軍的蹂躪；即使走阿爾巴尼亞的路綫亦勢不可能，因爲阿爾巴尼亞同蘇俄疆界不接壤，蘇俄鞭長不及馬腹，羅馬尼亞則不同也。

戴高樂訪俄無成就

與周恩來赴羅馬尼亞的同時，戴高樂也去訪問蘇俄。周恩來自不能與戴高樂相比，但兩人所抱幻想則相同，結果其失敗也是一樣。

戴高樂訪俄受到俄共頭目的盛大歡迎，並招待參觀蘇俄太空科學站，爲西方人員進入蘇俄太空設備的第一人；法俄並將簽訂太空協定，蘇俄供給法國放射人造衛星的火箭，表面看來很夠風光，但是一旦觸及德國問題，馬上就觸了礁，無法再談。

因爲蘇俄今天立場一定要維護東德政權，上策是實行兩個德國，永遠使東德成爲獨立國，這樣蘇俄就可以無後顧之憂，中策是東德以準獨立國參加西德聯邦，下策也要以德國退出北大西洋公約爲條件。而這三條路皆非戴高樂所能作得了主，因爲戴高樂決不可能代西德發言，所以戴高樂只好表示強硬態度，不承認東德爲一獨立國家，否則與蘇俄未曾和好，先把德國得罪了，就犯不上了。因爲法德同盟是戴高樂的資本，一旦失去這個基礎，戴高樂的大計就全部落空了。（何如）

自由談

製造核子大戰

十多年前，以英國人士爲首倡，在西方自由國家中造出了一種對中國毛共政權的妥協論調，說毛酋會要成爲「亞洲狄托」，主張與毛共親近。如今毛酋雖然採取狄托的反俄路綫，加對「英美帝國主義」反抗尤烈，不像狄托之接受英美軍經援助，相反地要以革命行動打倒「英美帝國主義」。

於是乎，又以英國人士爲首倡，說毛共的下一代人會要改取溫和政策，不致再與英美爲敵了。於是乎，美國的所謂自由主義者如富爾普萊特，費正清之流，隨聲附和，要求美國政府改變對毛共政策，以靜候毛共下一代人跟英美和平共存，彼此大做其生意，使英美資本家袋袋平安，麥克麥克，而天下就太平了！

像這樣幼稚可笑的說法，誰都知道是絕對不可能的，英美人士豈有一昧至此者？他們因爲內心裏別有不可告人的隱情，乃故作痴聾，瞎三話四，企圖搖惑世人視聽，以售其自私自利的詭計而已。究竟是甚末隱情呢？消極的重歐輕亞主義，只要美國以實力保持西方國家的安全繁榮，而西方商品亦可以推銷於亞洲廣大的落後地區，即令整個亞洲赤化」，亦無所謂。積極的何係陳腐的「黃禍」思想作祟，他們不但是希望中國永遠分裂着，也不希望亞洲國家眞正團結合作——尤其不希望日本跟中國切實親善，試看二次大戰前後的經過事實，即恍然憬悟了。明乎此，則對於英國內心反共，表面親共；美國既以軍經援中華民國政府，而又不贊成台灣對毛共實行討伐的這些矛盾觀念，皆可以得到統一的結論了。

英美這種作法，說是爲要避免核子大戰，實際是製造、促進核子戰爭，不信，等着瞧罷！

馬五先生

出售公營企業的近況

中紡公司轉售的問題甚多

立法院與經濟部主張互異

（本報台北通信）政府於去年即決定將三家公營紡織企業公司——中央、中興、台北——轉售給民營。「中紡」是屬於經濟部的機構，「中興」和「台北」是財政部管轄的。這三家公司都由國家銀行投資經營，連年來一律蝕本，而以「中紡」虧蝕最大，因而政府乃急於將它脫售出去。但出售國營企業須先經過立法院審議，售價又要取得審計部同意，手續繁多，周折重重，而問題亦隨之增多了。

最近立法院審議「中紡公司」出售案，鑑於過去售賣「大秦紡織公司」的覆轍——先由台灣銀行以投資二億元新台幣以上的債權人資格接收該公司，再以賤價轉售予某某新組織的「民營」企業機構，且分九年還清價欵——特別注意於杜防弊端發生。譬如售價，初經主計機關同意標價爲新台幣六千四百萬元，嗣由行政院核減爲四千二百萬元，立院方面即認爲頗滋疑問，主張標價數額必須取得審計部同意始行。次則購買該公司的對手方，立院與經濟部更有歧見。由於該公司的員工願意收購，而公司董事長兼總經理趙冠先亦極力贊成售予員工經營，然經濟部長李國鼎表示反對。立院乃擬折衷改爲「該公司員工有優先承購權」，李部長依然不表同意，幾經激辯磋商，亦難得到共同的結論，最後擬交由執政黨中央政策委員會裁決之，結果如何，仍係未知數，因而「中紡公司」實行轉售的期間，尚屬遙遠。據說，該公司每月的虧本數字越來越大了，再要遷延下去，可能把全部資本搞光完事。

經濟部反對售給公司員工的理由是：員工拿不出數千萬元現欵，結果必然採取分期付欵方法，萬一將來員工經營不善，照樣虧本，屆時政府不但收不到欠付的售價，且有再拿錢出來維持的顧慮。經濟部這種見解自不能說是錯誤的，但員工會向立法院請願，而立法院亦有讓員工優先承購的說法，經濟部李部長曾派遣「產業黨部」（李氏兼任該黨部主委）主管工廠的第四組負責人鄧望溪向中紡公司的員工進行說服工作。據記者側面訪查，所謂員工合股承購該公司的內容，亦不單純，該公司某一部門的主管人，是海外某影片公司的本家，如果由員工承購，大股東並不是眞正的員工，但藉員工的合資名義，即可要求分期付欵。總而言之，想方設法佔公家的便宜而已。李國鼎之不贊成此項辦法，良有以也。一般人的看法，無論是員工承購也罷，商民承買也罷，站在政府的立場設想，必須現錢交易，纔可杜塞後患。立委們的主張，表面上光明正大，無懈可擊，實際難免不發生流弊的。

中紡既急於求售，何以「中興」「台北」兩家尚無動靜呢？原因是中紡的碇子少（只有一萬碇），器材陳舊，存貨不多，而每月虧累到幾百萬元，頗有難於支持之勢。「中興」「台北」的資產與器材存貨等，皆倍蓰於中紡，又有中交兩行作後台，每月虧累不大，財政部乃樂得暫緩轉售了。可是，這兩家企業若售給商民經營，包管不會蝕本，且可賺錢，理由很簡單，公營企業受着法令與制度的約束，自然而然的趨於衙門化，冗員既多，手續繁瑣，此牽彼絓，應付維艱，遇事多所周折，浪費隨之增加，效率更談不上。做生意而不能精簡員工，爭取時間機會，改進生產方法，羅致優秀技工，那有不蝕本之理呢？所以，出售公營企業的政策是對的，問題在防止官商勾結，一變而爲官僚資本，使政府吃了虧還潛存着無窮的後患，又何必多此一舉呢！（六月廿七日太乙於台北）

我朝野人士檢討中美外交（三）

本報駐台記者張健生

吳經熊博士在立法院外交委員會作證時，揭發美國「自由派」若干分子竟以代表美國亞洲學會的名義，發表了所謂「美國對華政策聲明」，這個强姦民意的把戲，不久就被該學會負責人戳穿了。

吳經熊的証詞　自由派的把戲

吳經熊博士認爲美國「自由派」人士的名稱，不如改稱「新孤立派」更爲名符其實。這一派的人，常以自作聰明，標新立異，以「語不驚人死不休」的變態心理，譁世取寵。這些人常常指摘美國政府的政策，以求顯露自己是如何的具有「眞知灼見」，但又常常不能自圓其說。因而他們的言論，雖足以增加美國政府的困擾，但若認爲他們眞能左右美國的政策，那就未免把他們估計過高了。

從心理學來分析美國民心，比較適當。這些姑息言論導因於越戰的師久無功，而美國人民在「長病無孝子」的心情下，却已漸感不耐。「新孤立派」針對這種人民心理，認爲這是出風頭爭取選民的良好機會。於是在今年年初詹森總統向國會提出越戰經費的撥欵法案時，美參議院外交委員會主席傅爾勃萊特强烈表示反對，並且乘機舉行有關越戰問題的聽證會，自一月二十八日開始，至二月十八日才結束。但這次聽證會的結果，並未使「新孤立派」如願以償，該法案經參衆兩院以壓倒的多數予以通過。於是「新孤立派」老羞成怒，乃舉行對華政策聽證會，想藉此修正美國政府抵禦共匪侵略的國策，而走上新孤立主義的歧途。

毛共基本政策　旨在埋葬美國

吳氏提醒國人說：當然我們不能以所有的姑息言論，都看作滑稽戲劇而掉以輕心，但是截至目前爲止，我敢大胆的說，這些姑息言論不但未能動搖美國政府抵禦共產侵略的決心，甚至因眞理愈辯而愈明，引起了美國政論家之一般中堅份子的反應，反使美國當政者的政策日見明朗。如詹森總統斷言美國對共匪的態度不會改變；國務卿魯斯克對共匪第二代的態度是否可能改變一點，不敢預測。我們試看「新孤立派」分子的謬論，幾乎都是以幻想作基礎的。他們幻想着兩個中國，可以和平共存；他們幻想着在以軍事力量圍堵的情況下，還是可以與共匪拉關係攀交情；他們更幻想着共匪第二代一定比第一代溫和與民主。他們這些幻想，都是因爲對於共匪的無知而生。在這些謬論中，我們得到了「知難」的明證。共匪深知，假設不在國外樹一强敵，那末國內更將四分五裂，所以他們將美國作爲「敵人偶像」的想法，時時刻刻在加意培養之中，唯恐植之不深。換句話說，「仇視美國」早已成爲匪幫的基本國策，其重性不下於以毛澤東爲「統治偶像」。在這樣的境況下，美國「新孤立派」分子，偏偏還要想和他們拉關係攀交情，這在共匪方面只有兩種想法：一是認爲那些「新孤立派」人士自作多情而嗤之以鼻；一是認爲那些「新孤立派」人士是故意開玩笑而老羞成怒。這兩種想法的結果却是一樣的，它們嚴峻的拒絕「新孤立派」人士所送的秋波。美國新孤立派分子要和共匪親近，共匪却要堅決進行人民戰爭；新孤立派分子想不孤立共匪與之和平共存，共匪却要在全世界發動統一聯合戰綫來孤立美國，打倒美國，埋葬美國。

最後，吳氏提醒大家說：不要忘了今（五五）年十一月間美國國會將舉行改選，所以在這一段期間內，政客們的言論往往只知爭取選票而當不得眞的！總之，在最近五六十年以來，美國的外交政策是一貫的，是健全的，是具有世界眼光的，是反孤立主義的。

高雄市議會本次大會

曇花一現爆炸性提案

——本報駐高雄記者航——

高雄市議會第六屆第五次大會，自上月杪開始，至二十日止，會期爲十八天，（禮拜日休會），在議員提案中，有一件具有爆炸性的議案，爲蔡建生議員（女）提出者。該案案題爲：「建議省政府准各縣市議會對縣市政府人事有權投不信任票案」。理由爲：「議會對縣市政府之人事，無過問權，而實際上辦事不力之官吏，或不能便民利民之工作人員，民間紛紛反應，議會僅能提出改進意見，而當事者仍是置若罔聞，不加改進，民間對該批官吏，無約束之作用，致使其無絲毫顧忌，爲所欲爲，長此以往，對市政妨碍至鉅。如縣市議會能施用不信任之投票，當可約束政府官吏，加强行政效率，改善官吏操守。」其辦法則爲：「精省政府採納修改有關法令，通飭施行之。」

記者對該案頗有興趣，會詢諸蔡議員，蔡議員說：「有興趣，有什麼用呢？我的提案撤銷了。」我追問：「您爲什麼要撤銷，提出來讓大家討論一番不很好嗎？」蔡議員把雙手一攤說：「我沒有話說，撤銷就算了。」

記者爲證實該案是否撤銷，又往詢主任秘書蔡景軾，蔡氏說：「該案提出來，我知道，至於撤銷，那是她自動撤銷的」。我復進一步追問：「她爲什麼撤銷該案？」蔡氏答：「我不知道」。蔡議員對我說：「你看我們議會有什麼用，建議的不採納，改革的不實行，每逢預算審查之時，那些可惡的官吏們，像孝子賢孫一樣，拜托再拜托，打恭又作揖，可是預算通過了，他們一仍舊貫，我行我素，咒罵由你咒罵，好官我自爲之，眞教人痛心！」等語。

該案不能提出即胎死腹中，不出人們的所料，何以故？記得遠在四十八年六月二日，有本市市民巫義德者，曾發動高雄市民罷免前任市長陳武璋，露佈致高雄市民一封公開信，該信內容有極詳細的資料，在信的前端提要稱：「高雄市長陳武璋君，主政以來不但無法提高行政效率，而且弊端百出，有背國紀人望，擬依憲法與縣市長選舉罷免規程，付諸罷免，敬請惠賜公意，並冷靜循法推行」。此一公開信露佈後，聯署罷免者與時俱增，當時陳武璋爲此惶惶然不可終日，四出活動奔走。最後不知陳武璋那來的力量，竟平息了此事，而巫君却身陷縲絏了。

巫義德之被關，報端曾公佈有司方面抓住了他有叛亂的證據。果如是，巫君坐牢，罪有應得。而今蔡議員所提「不信任案」與罷免，自迴異其趣，應沒有人會懷疑蔡議員的思想有問題，因爲她是海軍方面支持選出之軍眷。然而由蔡議員的答記者問的言語與表情看來，「自動撤銷」，是否顯有不得已的苦衷？若非自動撤銷，難道陳啓川市長有此力量使之撤銷嗎？若陳無此能力，這一股莫名的力量從那裏來的呢？這些問題，値得研究，却未必能夠找到「事出有因」的解答。

淡季中難得的好消息

印尼對港貿易轉旺

估計今後繼續增加

（本報訊）最近香港對外貿易在季節性淡月中，印尼一綫貿易却有特殊的發展。印尼商人不僅把大量土產運來香港，把回頭外滙在港購買必需的貨品，並且還有緊急輸入物資的特別外滙直接批來香港購買大量貨品。如此印尼綫貿易活動的加强，對香港工商業已有相當的刺激。

印尼有大量外滙批來香港購買貨品，主要是獲得美國的經濟援助，故此五月份印尼政府撥出八百萬美元特別外滙，並非全部向港購買，另尚包括日本、泰國在內。但印尼向日本購買的，以機器、電器、運輸工具等爲主，向泰國購買的，以食米最大宗，而向香港購買的，計有麵粉、棉紗、布疋、洋雜、化工原料、醫藥品等。由於印尼方面的物資仍然疏缺，須趕急輸入貨品以應當地市場的需要，香港對印尼的航運，又便利而迅速，因此由香港供應印尼的貨品近來顯著增加。（上）

高雄加工出口區管理處

籌備工作顯示積極有效

經審核批准申請設廠案達四十件

總投資八百萬美金可容員工萬餘

（接上期）這些幹部都是由行政院、經濟部、財政廳等機關挑選之者。正如謝氏所說：「除我本人是湖南人外，我的幹部皆非湘籍」。此或可見謝氏延攬人才，打破地域觀念的作風之一斑。

第二，謝貫一曾任基隆民選市長，數任，達十餘年之久，行政經驗頗豐。另謝氏係美國密西根大學畢業。

第三，謝氏從政始於大陸，已達數十年，官場中的推、拖、拉、公文旅行、拿回扣、取提成、受紅包，這些風氣，他自必深稔。現在他轉入實業界，主持高雄加工出口區，故乃特別强調反對衙門化。

第四，在謝氏以下，重要幹部共爲十七人，包括財政廳第十三科科長秦樂棠（前任本市府財政科長），他們僅少數在省級機關服務，絕大多數在中央機關服務多年，所以他們的作風正派，眼光遠大，與縣市機構之公務員迥異，應無疑問。以他們對加工出口區遠景的構想，來獻身推行實際的工作，在理想與實踐上，自然應該是百分之百的務實。如此，未來加工出口區的前途，該是無可限量的。記者自更樂觀其成了。（下）

滬海異趣談

美國「性學研究院」探秘

桑雅

如果誰要寫有關性的文章而不到美國性學研究院去探詢，會是乏味的。這間著名的性學院建立於一九三八年，而於一九四七年由已故阿富力金賽博士併入印第安拿大學。

如果要在布龍明頓酒店，請求職員指點迷津，詢以到性學研究院去的路，他可能目瞪口呆的；甚至你的司機也不知道路程如何，除非司機曾經是印第安拿大學的學生，他才會對到課室去的路程，而懂得這個中秘密。當然，這間學院不會大字標明它的存在，它的入口處，隱藏在印第安拿大學四樓一個不顯眼的角落，看去像一個普通課室而已。「性學研究院」的五個字，寫在一塊木板上，裏面是一間狹窄的，空空洞洞的接待室，祇有一張書檯和兩張椅子，主持者是一個中年婦人，看來她完全像在經營商業的職員，埋頭於打字及寫商業信札。

要充分欣賞性學研究院對世界做了些什麼工作必需是成年人才能領畧得到，正如我所經歷的，當一九四八年性學院爆發了第一顆大炸彈「男的性行爲」時，我已長成了。回憶一九四八年以前的日子，使我不寒而慄。在這以前的暗淡日子裏，多少人因爲喜歡一種或另一種的口交而遭受咒罵的痛苦，他們被指爲「行動怪異」「違反天性」，「極少有的墮落者」！因此被絕大多數「正常」的美國人藐視，如果有任何這種不體面的習慣被「正常」的美國人發現了，就算不嘗其鐵窗風味，也會遭受終生流放的痛苦。此事就需要老練和機智的，有說服力的性學研究院告訴人們不敢承認的秘密，並且斷定超過百分之六十的美國男子和數目衆多的女子從事這種玩意，並且在「最好的人羣」中，其比例越高。一個人受教育越多，作這一類的性玩樂也越普遍，時至今日，很少人因樂於此道而被送去坐牢了，雖然書中律例仍構成威脅。真的，此刻由天主教會主辦的一本結婚指南，正式承認了，如果婚前有性行爲的話，這種性行爲實在並無什麼錯誤之處。如果沒有性學研究院，此事會發生嗎？那眞是不可想像了。

說到法律，也有一宗引證於「男子的性行爲」一書的案件，此事我以爲是對性學研究院如何地改變我們的世界最有力的說明。早在一九四三年，我們國家的高等法院裁定地方法院把一名男子送到瘋人院去的判決完全正確，這個男子是瘋子的證據只是他堅持要每週與妻子過三至四次的性生活。他對這個世界並無其他不軌之處，他承認自己是「明朗的」、「精力充沛的」，而且是一個「好的工人」。但法庭却裁定任何人對性慾有如此的胃口，必須視爲神經病者，要撲滅這種有害的行動。我們現在知道，從「男子的性行爲」一書的數字表明，有些年青人，他們樂於每週過性生活高達廿五次之多，甚至有些年屆七十高齡的男子，每週也行房七次。除非錯誤的歷史重現，刪掉「男子的性行爲」所發現的事實，把我們投入另一個暗淡的時代，否則再沒有人因爲與妻子一週過性生活三、四次而要入瘋人院的了。

所有性學研究院的報告表明，性行爲早年已形成，早熟的男孩子，年屆十五歲，便不顧一切的渴望與女孩子作性生活。此後並終生保持這種性活動的慾望。一切到性學院求教的女子們，其早時的性活動，是極端節制的，她們從不眞的渴望過性生活，只是偶然與丈夫發生關係時才有反應。然而，驟然地在她們踏入卅、四十甚或五十歲關頭，她們的性慾大大地發展了，她們的胃口和反應都異常強烈。如果性學研究院能發現什麼東西使其作這種改變，它或可能尋求出一條線索，使大家都能享受較高的性樂趣了。

性學院研究的題目多着，許多東西仍需時日才能完成。舉例說，有關女子性問題研究的報告顯示，三個女子中，約有一個其性慾一如男子般樂此不疲，其反應之速也如男子一樣；但其餘三分之二女子則能忍受性慾，或者不予理會。此種男子的性慾與三分之二女子之間的不同點，是性生活最難處理的主因，誤會也常常發生。問題是，什麼原因使兩者大異其趣呢？

性學院於一九五三年，因洛克菲勒基金終止支持，經濟曾產生困難，至一九五七年，國家智力保健學院才肯每年捐助十二萬元，使性學繼續發展，發表性犯罪問題的報告。

東西德的陰陽界斯巴漢

斯巴漢，是東德（與西德之間的陰陽界，每大約有六百名不堪共黨暴政的男女老幼，冒險乘火車到達該處，企圖從該處闖出鐵幕，步向新生活之路；

斯巴漢是柏林鐵路總滙的中心，是好多條鐵路的中樞，每隔數分鐘，便有火車載着工人，學生，店員及各界人等，在該處停站，然後轉乘各線的火車分道揚鑣。搭客中有一類的特殊人物，他們是東德的難民。去年一年內，約有二十萬五千名東德難民，由斯巴漢逃出，擺脫了共黨魔掌的控制，呼吸到自由的空氣。

斯巴漢劃分着獨裁暴政和民主兩界，在那裏只要乘搭火車經過一條很短的行程，人們便可享受着自由幸福的淋浴。西柏林是每個東德人士的「麥加聖地」。一九四五年的波茨坦條約，將柏林劃分，及將德國瓜分給四國予以控制。條約內原是指定該處的居民，可以自由來往。獨裁的共黨政府，首先破壞條約，在東德及東柏林的邊疆，罩上一層鐵幕，由北海南部，以至捷克，都佈有通電的鐵網。只有東西柏林的邊疆，沒有攔上鐵絲網，而由兵士把守。西柏林的新興建築物，與東柏林的殘垣瓦礫，成爲一強烈的對照。

東西兩地之間，是一些荒蕪的土地及房屋，而各個角落都有東德的秘密警察把守，企圖逃逸的人，隨時有被槍殺的危險。倘不幸被捕的話，更將受到種種的折磨及被判入獄服苦刑。

但斯巴漢火車站的情形不同，爲了吸收西德的外滙，東柏林政府不得不將該處的火車站開放。由於該處的交通頻繁、秘密警察突擊檢查事實上會非常困難，以及又恐引起西德政府的反感，而停止貨物的流通；故此斯巴漢成爲鐵幕內的一大漏洞，有百份之八十的東德難民，是由該處逃出。自一九五八年來，有過二千零五十四名醫生，六千一百卅名工程師，以及教師、學生等等各式人士，從斯巴漢逃出東德。東德政府因此損失了龐大的人力物力，但他們一時卻無法補救此一漏洞。

東德人們不惜千辛萬苦，冒着生命的危險，務求抵達斯巴漢火車站，然後轉乘火車前赴西德，沿途有兵士檢查證件，倘有漏洞的話，難免被他們抓回去。但所謂秘密警察仍有人性的存在，他們對於同胞們生活於水深火熱中多少有些同情，檢查只是例行公事，有時迫不得已，才會拘捕數人回去作爲交差。事實上、火車上大部份乘客是沒有通行證件的，要將他們每個人加以拘捕，着實是不可能的。

在一輛前赴西柏林的火車上逃亡的難民倘見已有兩人被捕，便可安心了，因爲在通常的情形之下，警員再不會作進一步的檢查。除了警員同情難民以外，其他如牧師與汽車駕駛人等，也常常因同情而幫助他們逃出鐵幕。

海嘉是距離柏林九十里外賴比薩鎮上的一名寡婦，她早年失去了丈夫，含辛茹苦的撫育女兒長大成人，給他們接受教育的機會，但共黨却强迫將她的女兒嫁給一個她所厭惡的共幹，因此有一天，她攜着女兒，乘搭火車赴斯巴漢，途中却爲東德警察所截獲，强迫她們下車。理由是她們沒有通行證。她們淪落在一個陌生城市之內，幸而該處有一位牧師同情她們的處境，用一輛貨車，將她們秘密的運至斯巴漢，脫離了魔掌。

斯巴漢在現下的東德，已成爲自由逃亡者的唯一生路。

外國人眼中的今日泰國

紫笙

美國以及其他國家的援外計劃，正幫助泰國在教育、衛生、農業，交通和一般經濟方面，加強步伐。在國際復興開發銀行的協助下，泰國正在曼谷西北二六〇公里的地方，築多目標的水壩，此項經費達一億八千[illegible]五十萬美元的楊希計劃Yanhee Project，將來可能相當於美國的田納西流域計劃。

根據該計劃，有兩座發電機可以開工，這水庫一共要使八座發電機發電產生五十六萬瓩的電力。可供應曼谷及泰國一半的地區。除了使全國發電量增加四倍外，這個水庫尚可防洪，並灌溉五十萬英畝新開發的田地。

泰國地圖很像一隻象頭，用口部去擁緬甸，曼谷位在象口。北部的山脈狹窄的河谷，形成頭部的皺紋。東部與寮國爲界的湄公河，形成一大彎曲，好像是象耳朵。長長象鼻子，掛下來，佔了馬來半島全長的三分之二。

泰國耕地百分之七十種稻，它每年產白米四、五百萬噸。其中一百多萬噸輸出國外。今日，農業專家們還在進行研究工作，以期改良種子，肥料，驅除害蟲，增加米穀生產。

泰國的另一進步，是在公共衛生方面。當一九四九年，該國開始實行撲滅瘧疾計劃時，泰北地區每年的死亡率是每七十萬人死亡八百人。今日死亡者已降至二十五名以下。預期到一九六八年的時候，瘧疾可以根絕。

泰國南部有另一種大實業——橡膠。種植橡膠的面積佔八十萬英畝，每年生產橡膠十八萬五千噸。橡膠也是泰國大宗的出口品，其數量僅次於大米。第三宗出口品錫，也出自南部，因此泰國南部地區要比較富庶繁榮。

無論從那一方面看來，泰國確在進步中。

男子都要在廟裏剃髮爲僧，至少過三個月的和尚生活。數年前，泰王本人亦曾暫時退位三個月，披上袈裟。

在信奉佛教的泰國，鄉村的廟宇不但是休閒中心，消息的來源，甚至是職業保險倉庫。誠篤的信徒們，只要修蓋或美化一座廟宇，他今生或來世即可得到善報。因此，泰國到處都是莊嚴宏偉，金碧輝煌的寺廟，非常悅目。泰國全境有廟宇二萬一千所，光是曼谷一地即有三百所。（下）

新三國

周遊 著

也可以說酸棗會盟，乃是臧洪一手導演的。後來他奉了張超之命，到薊縣（北平）去見幽州牧劉虞，路經袁紹那裏，被袁紹留住，請他擔任青州刺史，做了兩年政績斐然，調爲東郡太守。（補曹操遺缺）。張超死守雍丘時，深信臧洪一定會去救他的，所以一直守了四個月。臧洪在東郡天天急得號哭，向袁紹借兵求救，袁紹不許。張超被曹操攻破，張氏兄弟被族滅，臧洪因此痛恨袁紹，一怒之下，與袁紹斷絕往來。袁紹派兵圍攻，臧洪守了一年，城中粮食盡了，他殺妾以饗將士，士卒感泣，情願與臧洪共死，不肯離開他。城破之日，臧洪被捉了，袁紹很仰慕他的忠烈，仍想收用他。盛設帷幔，大會諸將，可是臧洪却在此時大罵袁紹說：「我親見你稱呼過張邈爲哥哥，我的上司張超自然是你的弟弟，你却擁兵不救，你空負了漢朝的厚恩與天下之人對你的期望，我恨不得拿刀殺了你，爲天下之人報仇」。反而被臧洪痛斥一頓。袁紹以臧洪終不爲己用，只好將他殺了。袁紹殺臧洪之前，有一位義士陳容，他也是臧洪的小同鄉，也是好朋友，當袁紹未破城之前被臧洪遣散出來的，也成了俘擄之一。袁紹命他在座，以便說服臧洪。陳容見袁紹殺臧洪，於是便挺身而出，對袁紹說：「將軍欲爲天下除暴，何以先殺忠烈之士？」袁紹說：「你不是和臧洪一類人，何必如此？」陳容說：「是否一類人，是看合於仁義與否，合於仁義者就是君子，不合於仁義者便是小人。今日我寧願與臧洪同死，不願與你這小人同生！」因此袁紹把陳容也殺了。在坐者莫不歎息。袁紹一日殺二烈士，他的部下對他的行爲，則大打折扣了。

另外臧洪身邊還有兩個司馬，是兩個無名的英雄。城未破之前，臧洪遣二司馬向呂布求救，回來時城已破，二司馬雙雙赴敵以死！忠義者的身邊都有忠義者。

十八、劉虞不願稱帝

曹操收復兗州，打跑呂布。呂布不能回定陶，帶了陳宮、高順、張遼等人，奔到下邳，投徐州牧劉備去了。後來呂布竟併劉備的徐州，曹操平復兗州之後，就官拜兗州牧，這是漢獻帝興平二年，即獻帝在位的第六年。這一年天子東遷逃到河東的安邑，這是司隸校尉的轄地，在今山西夏縣北，非現今之運城的安邑縣。其明年爲建安元年（在河南鹿邑西四十里），這是袁術所霸佔的地方，陳國相袁嗣投降曹操了。這時候曹操和洛陽更接近了。他的政治野心不小，此時已看準了一個可資利用的漢獻帝，趁此時刻把皇帝挾了過來，那時才可以「挾天子以令諸侯」，他的計劃終於達到了。曹操在收復兗州、武平之後，就開始實行他的政治計劃，本來當時的情勢，是有兩條政治路線可走，當東方諸郡聲討董卓時，別立一個皇帝，而否定了漢獻帝，那時候袁紹便想走這條政治路線。因爲劉虞不願做袁紹的傀儡皇帝，因此袁紹沒有成功。這件事在三國志上雖沒有太書特書，却值得注意的。（四十五）

反串的轎子（續）

慈瑞反串楊延昭，因她嗓音好，吃調不低，唱腔多能勝任，很夠音色，送入耳膜，非常悅意。徐龍英反串佘太君，又是一高嗓子，雖所唱不多，味兒不錯。文麗雲反串穆桂英，扮相很美。她如兼唱旦角，也許能動人憐愛。黃音反串楊宗保，也很帥，所惜唱句不多，樣兒眞好看。楊玉芝飾八賢王，她是老旦老生都唱，並不算反串；以梁祝著稱以後，未見多有推出，也是埋沒了她，不無可惜。

此戲的觸目，又是佈景太顯，以致演員的面貌，不及佈景的清楚，我也就祇聽唱而少看了。而楊延昭的白虎大堂在花園裏，不知從何所本，也許是想像而構成的吧？可謂新穎了。

國劇繽紛續錄

姿學生（六十八）

若蘭的精研

五六年前，獲識方夫人孫若蘭，頗好平劇，每逢二五的例會，她必到場，其時所能唱者不多，僅起解會登台二次，另有醉酒的片段。歸後精研不已，能唱彩樓配，三擊掌，春秋配，雙冠誥的後部，嗓音愈唱愈亮，漸入門徑而有成。春秋配彩樓配先後在明場演出，成績很好，遂大增勇氣，益復鑽探。方君因公赴越南，約有年餘，她唯一的工作，即是學劇，可說風雨無阻。

最近空友公演探母回令，她獨選任蕭太后，此角在探母一齣，也是戲核，有了好的公主，而無好的太后，將有減色。北市坤票以前有劉張淑瑛，張黃楠中，高楊鳳仙，均是能手。若蘭初次登場，頭頭是道，出場一段慢板，悠揚頓挫，回味甚佳，尤其姿態夠嚴肅。回令的念白與神情，皆恰到好處。之義近自越南回國，對其夫人的唱腔，亦爲驚異。我即告以熟能生巧，觸類旁通，皆勤於練習所致。空友同人均以爲然。尤盼她再練教子，以便連接雙冠誥，唱一次大軸，不是更顯輝煌？好在有其外子琴票方君，必可成功。或則下次如各個演小戲，不妨先唱三擊掌，以期練嗓，望考慮之。

兩看鳳還巢

總統副總統就職大典，北市各單位舉辦慶祝晚會，多是歌唱，軍中亦未有演唱平劇。所幸宋玉堂提調，爲東方畫刊與辦慶祝同樂，約請名票鍾啓英與黃音演投軍別窰，名坤票段承潤與名票李景嵐演鳳還巢，於十九日在藝術館登場，承景嵐惠贈招待券，始得飽覽佳劇。（未完）

「齊瓦哥醫生」

張紫英

電影「齊瓦哥醫生」正在香港放映，看過的人同聲叫好。按「齊瓦哥醫生」原是蘇俄現代作家波里斯巴斯特納克所著的一本小說，那是第一流的文學作品。這本小說，多年以來已完成，並且在所謂「解凍」期間被容許用俄文出版，但是首先却被譯成別國文字刊出。它影射過去五十年俄國所經歷的整個事情，——如在「戰爭與和平」一那本小說一樣，是透過許多人物把那些體驗表現出來，那些人物的命運是互相交織而成的。

這本小說的中心人物，就是一個叫做齊瓦哥的醫生和詩人。他和他那個圈子的人們，都是屬於智識份子的階層，他們對於革命份子同情得很，他們看見一個腐敗政權被清除了去，固覺得很是高興，但是不久之後，動亂革命，內戰和人與人間的不人道行爲，把生命變爲一個地獄一般。那時在莫斯科發生一次飢荒，齊瓦哥醫生就帶同他的太太和孩子，冒受乘火車前往西伯利亞去的大危險，以便避居在烏拉山一條偏僻的村莊。這個醫生所受到的痛苦，再加上他對於一個青年人所引起的感情，在他這種情緒衝突的高潮當中，他被游擊隊擄去。他在情緒上和他所珍愛的人們悲慘的分隔開來，因此他在精神方面就陷於極端衰弱的地步了。

我們不能用三幾句說話，把這本巨著的妙處概括出來。它不獨把受到歷史上最暴亂革命的一個國家全景表現出來，而且並以深切和不顧死活的關切心理探索着人類生存的基本價值。這本書是用高度的天才寫成的，並且被顯著的力量，創造力和美的影像照耀起來爲。如果這本書被人作爲一本政治書籍而閱讀的話，那是錯誤得很和尋不出它的眞正價值的。它是值得作爲由愛情、勇氣和極度苦悶的心理而交織而成的那些卓見傑構之一。

現在且談談這本「齊瓦哥醫生」小說的作者波里斯巴斯特納克。他是於一八九〇年在莫斯科出世的，他是畫家里安烈巴斯特納克和女音樂家羅沙高芙曼兩人所生的長子，他首先在莫斯科中學受教育和後來在莫斯科大學學法律。在他早年的時候，他對於音樂和作曲的研究感到莫大的興趣，並且受到他所熟識的俄國作曲家斯克里雅賓（一八七二年至一九一五年）所影響，但是他終於放棄了音樂，改讀哲學，並且到德國馬爾堡去，他在那裏在高恩教授（他是在俄國出世的德國哲學家和理論學家（一八四二——一九一八〇年至一九四七）的指導下進行他的研究工作。他逗留在那裏，直至第一次世界大戰爆發以前爲止。在戰爭期間，他在烏拉山一間工廠做工，在革命之後，他受僱於蘇俄的圖書館。自從那個時候以來，他大部份都是住在莫斯科。

除了「齊瓦哥醫生」這本小說之外，他也寫了許多有名的詩篇，散見於蘇俄的定期刊物。他被認爲是對沙士比亞作品的最優秀的翻譯家。

這裏且把巴斯特納克的一首「陶醉」錄出來，以作本文之末。

在那棵被常春藤
纏着的椰樹下，
我們從暴風雨的
天氣中找到了庇護，
在我們一件短的斗篷披
的肩膊上，
我的手臂攬住你
的腰圍。

×　×　×

我弄錯了。這個
叢林的樹木並不
是被常春藤而是
被酒花纏繞着的。
因此不如把那件
短的斗篷張開
平平的鋪在地上
吧。

莫愁小姐與莫愁湖

周遊

明人聞人詮「南畿志」說：「莫愁湖在三山門外，有妓盧莫愁家湖上故名」。這說明是因有盧妓莫愁住此湖上而得名的。據情理推測，這位住家於湖上的莫愁小姐，不可能是洛陽或湖北武昌、江陵人的莫愁小姐，而是金陵的一位歌妓仰慕洛陽那位莫愁而取的花名。因爲莫愁湖上的莫愁小姐是一位妓女，而洛陽的莫愁小姐則是詩人們所歌頌莫愁才女，梁武帝說她「十三能織綺，十四採桑南陌頭。十五嫁爲盧家婦，十六生兒字阿侯。」而且說：「盧家蘭室桂爲梁，中有鬱金蘇合香。頭上金釵十二行，足下絲履五文章。珊瑚桂鏡爛生光，平頭奴子擎履箱」。這豈不是一個大富人家的媳婦嗎？而且李義山也羨慕她說：「海外徒聞更九洲，他生未卜此生休。空聞虎旅鳴宵柝，無復雞人報曉籌。此日六軍同駐馬，當時七夕笑牽牛。如何四紀爲天子，不及盧家有莫愁。」據樂府題要說：「古歌亦有「莫愁洛陽女」。最早的莫愁小姐應生在梁武帝以前。另一說唐時石城有女亦名莫愁，善歌謠，成「石城樂」，又名「莫愁聲」。這恐怕又是晚出的莫愁小姐了。可是秦淮河邊的莫愁小姐可能更後一輩了。最早的莫愁應是一位才女，她能歌善詩，又能作曲，因爲詩人墨客所歌頌，所以後來的歌妓也因襲了此一雅號。我們今天不是也有因襲此一雅號莫愁的嗎？香港影星有名「莫愁」，台灣不也有「莫愁」嗎？將來更可能有若干的莫愁出現哩！再如明末有李香君，今影星不也有李香君嗎？而且今日在台灣我還碰見過一位也叫李香君的小姐。如此說來，一個雅號出世之後，後世不知有多人也跟着取而作名呢？

莫愁湖因名女人莫愁住過而得名的，殆無可疑。但也當在宋代了。莫愁湖之盛世，應以明代爲全盛時期。今日湖旁尚可看到「鬱金樓」，這是爲紀念莫愁（洛陽的莫愁）的，是根據梁武帝的「河中歌」中的「中有鬱金蘇合香」之句而名的。「鬱金樓」上有莫愁畫像，玉貌花冠，方繡畫領，面帶[illegible]圖，有玉人頎頎之風，不似江南嬌小的佳人。其中歷代名流題詠頗多，而又以王闓運及張籍二作，最爲膾炙人口。王闓運聯云：「莫輕她北地胭脂，當年畫舫初來，江南婦女生顏色；儘消受六朝金粉，此日湖山無恙，春時桃李正芳非」。這顯然是指洛陽的「北國兒女」了。張籍詩云：「莫愁家住石城西，月墜星沉客路迷；一院無人春寂寂，九原何處草萋萋。香魂未散烟籠水，舞袖休翻柳拂隄；蘭棹一移風雨急，流鶯千萬莫長啼。」張籍又顯是指「石城」的莫愁小姐，可見效取「莫愁」之名已爲時甚久了。又何怪今日尚有影星爭此雅號呢！

除「鬱金樓」之外，尚有紀念明中山王徐達的「勝棋樓」，英雄美人雙雙爲湖增色不少。明太祖建都南京後，徐達之功最大，開國元勳第一，並賜第於莫愁湖，名其坊爲「大功坊」。明太祖時幸徐達府第，一日君臣二人對奕，爲徐所勝，因建「勝棋樓」以賜之。明亡樓圮。吳梅村有詩云：「當年賜第有輝光，開國中山異姓王；莫向勝棋談故事，朱門草沒大功坊」。這是一首紀實詩。太平天國亂後，曾國藩特別大興土木，重建「勝棋樓」，以爲文酒之會。樓中供中山王畫像，栩栩如生。彭玉麟有一聯云：「風雨百重樓，湖山不改英雄色；春光二三月，鶯花長伴美人魂。」寥寥幾句，把英雄美人的事跡盡人於聯中，不愧爲一佳構。堂之左爲「曾公閣」，是南京人爲紀念兩江總督曾國藩的，中懸一橫額曰：「江天小閣坐人豪」。相傳爲曾國藩之手筆。閣前臨湖，菱荷徧生，菡萏芬芳，隨風入鼻。如僱扁舟，徜徉逐波，湖光雲影之景，婉若置身青溪之中，令人忘返。

袁隨園在此做過官，他有詠莫愁湖一絕云：「瀟瀟青山小小舟，一湖水氣濕粧樓；六朝南北風流甚，天子無愁妓莫愁」。在吾人今日玩味詩意，用是「看是無愁却有愁」啊！（下）

我的信仰

詹森總統原著　也同譯

我是一個自由人、美國人、參議員、民主黨員，同時也是自由主義者，納稅人，農場主人，工作者，父親，選民。我不年青，也不太老，在上列工作中似乎沒有甚麼有定型，我沒有發覺上列稱呼有甚麼不妥的地方，但是我的政治思想不是用一兩個字眼所能規範。

我的信仰跟隨美國地方、經濟、居住、宗教、種族以及其他等等進步而行。我們常常仰面互問：「甚麼是你的政治思想？」起初並未深思此問題，認爲是權術運用，後來，却認爲是時代潮流。政治思想乃係生活經驗累積，上帝賜予吾人生命，並非簡單短促，而能一言以蔽之的。

吾人政治觀念即係美國自由奠基石，憲法上明確規定在經濟、社會和宗教上種族平等；美國政府體系可以說是我們先天特徵，在基本法則之下，個人即係國家成員。

此一珍貴觀念，其弱點由個人政治信仰塡補之，尋覓原因爲何？堅決反對在教條主義之下將個人思想湮沒。

參院中兩黨間常有相反論點，互相激辯。在國會中，我從未引用特權，也不以個人看法爲榮。國會主要目的，召集五三四位議員，討論現行政策，他們代表一億七千四百萬民意，我們能容許壟斷的約束嗎？否則我們就不會捨棄蘇俄式主席團制而召開國會了。我們不能接受暴政的桎梏，國會有難題，必須徵求大多數人民的同意。

我在這裏列舉幾點個人的信仰：首先我認爲凡美國公民持有言論自由，在吾國政府之下，正義才會申張。

其次，國家現行政策對國民要有合理交代，凡事持有正反兩面激辯。

第三，加緊開發資源——乃係政府無論自然或人爲上，最高決策與目的。

第四：浪費是社會大敵，開源節流，乃係政府首要的重責。

這幾點看來很單純，我已經信守五十年了。

關於第一點似乎太過唯心論調，然在其本質與實踐上並非如此。

我在華盛頓工作的時候，常常記罣此點。我誕生于德州山城，一直都是距離城市很遠的地方，親朋戚友辛勤沉默地工作着，置身于國家大事之外，也不過問新聞與黨政，我要徵求他們意見，比在參院通過還要困難，這樣同鄉並無異于其他美國人，也是他們長處，我們不僅要協助他們，還要啓發其智能，多數人智能並未表示總和。（上）

瓶子與海的傳奇

樊漢譯

你可曾在海灘漫步時，看見潮水，帶到一個封密了口瓶子，當你將它拾起，拔去塞子，或將瓶子打碎，裏面藏有一張紙，印上有八個國家的文字，包括世界語？細心查看，可知這一隻瓶子是由一隻大洋船在若干月前或隔離若干哩外所投入水裏。在那張紙上註明，請發現者立即將那張紙送到最接近的美國領事館，再由他們傳到在美國首都華盛頓的美國海軍水路測量局去；在那裏他們將研究那隻瓶子漂流的方向和時間，從而計算出水流的情況。

許多世紀以來，瓶子在海洋上被利用作信差，呼援者。當海員和探險家跟各處的交通完全隔絕，到臨最後關頭時，他們都會寫條子塞入瓶子裏，投入海中，希望有人拾到而會赴救！現代的通訊將它設備妥善，已替代了那些漂流的瓶子作一種求救的信號。（一）

內政部登記證內版臺誌字第〇三號

自由報

THE FREE NEWS

第六六五期

中華民國僑務委員會頒發台教新字第三三二三號登記證
中華郵政台字第一二八二號執照登記為第一類新聞紙類
（每週星期三、六出版）

每份港幣壹角
台灣零售價新台幣壹元

社長：雷嘯岑
督印人：黃行書

社址：香港銅鑼灣高士威道二十號四樓
20, CAUSEWAY RD 3RD FL. HONG KONG
TEL. 771726　電報掛號：7191

承印者：大同印務公司
地址：香港北角和富道九六號

台灣分社
台北市西寧南路麥寮里二號二樓
電話：三〇三四六
台郵撥儲金戶九五二二

歐洲聯合發展太空之展望

·祁倫·

完全為和平與科學而成立的「歐洲發射器發展組織」ELDC-European Launcher Development Orgnization，係由英法兩國於一九六一年一月在法國會談協議，並邀請歐洲國家參加。到一九六二年三月廿九日，比利時、法國、英國、西德、意大利、荷蘭、以及大洋洲的澳大利亞等七國參加。各該國第一流科學家和管理人才，在另一個實際工作的科學機構「歐洲太空研究組織」中的協調合作情況下，從事分工研究和應用太空科學研究發展。同時，為聚集整個歐洲的民間潛力特別是財力，還有另一個機構的成立，那便是「歐洲太空」Eurospace，所有歐洲大陸最大的銀行和航空公司以及太空科學公私機構等，大都包羅在這個最強有力的「歐洲太空」組織中。這三個性質不同，目的一致的機構，他們稱之為「三段接力競賽」A Three-ProngCampaign，希望藉此獲致歐洲的太空成就，俾免美、俄專美。

為期儘速發射人造衛星並進而建立歐州的通信與氣象衛星系統，其分工任務是：第一二三節火箭分由英法德負責製造，人造衛星由意國負責，地面無綫電導引和控制設施由比利時負責，追蹤遙控和長程雷達系統由荷蘭負責，建築於Woomera的衛星發射場則由澳大利亞負責並供應維護以及燃料等。其經費分配是：英國負担37%、法國24%、德國22%、意大利11%、比利時及荷蘭各為3%，澳大利亞則提供一切臨時需要之材料物品。

上述任務的合作期限是五年，由一九六四至一九六八年，經初步發射人造衛星的合作成功之後，可繼續合作以發展實用型的人造衛星如通信、氣象、太空探測、太空導航等衛星。

首枚人造衛星定一九六七年發射，名「歐羅巴一號」（Europa—I）人造衛星。

英國負責的第一節火箭「藍條紋」（編號F—1）雖早經製成並試射成功，但使用煤油和fox劑燃料的火箭太落伍而效能不佳，未獲法德諸國信任，現經已另行研製中。

法國負責的第二節火箭名Coralie效果良好，長18.1呎，直徑6.6呎，滿載二甲基肼及四氧化氮作氧化劑的燃料後重達八噸，可產生廿八噸推進力。

西德負責的第三節火箭，構造最複雜，技術最困難，但其在一九六四年即多次試射成功，說明戰後德國科學水準甚高。該火箭長12呎，直徑6呎，純重三噸半，載燃料聯安Kybrazine及二甲基肼之混合物（並用四氧化二氮作氧化劑）後重約五噸，產生推力約三噸。

意大利負責的人造衛星，係儀器衛星，用以測量衛星本身之種種科學數據如：測量推進器之運轉功能、噴射技術、運動狀況、航行軌道周圍環境等影響因素等。

荷蘭負責的追蹤控制測量等電子系統，一九六六年四月業已完成大部研製工作，本年內可建成一完整的系統。

在澳大利亞北部距吾茂拉1,200哩處，比利時正建造一座衛星導引中心基地。澳大利亞於本年底前可望完成全部發射基地之建築工程。

以歐洲太空研究組織為中心的歐洲長程太空計劃，是建立通信衛星，藉此獲得財政上的收入；然後再從事導航衛星的發展，藉使歐洲地區的海空交通減免空災海難，並希望藉此獲得經費。但是，據未經證實的消息，傳說由英法主動發展三倍音速民航空運機，藉與美俄爭奪國際民航市場。其次，便是航空太空運輸機的發展，因為英法認為在美俄搶登月球和軍用太空器軍備競爭激烈之際，歐洲組織得有此良好爭取民間市場機會，至為難得。可是，美俄均已發現此一企機的研究發展，以保國的機密後果，故亦國際航空科學的先進地位。美國總統詹森並親自要求美國民航當局必須在英法俄之前完成太空飛機及三倍音速民航機。

歐洲雖有共同的太空研究組織，但由於各國國情背景與企圖均同床異夢，所以一致，如能順利完成第一個五年計劃已屬不錯，若再進一步合作，則必須政治領導者的互棄成見，各國科學家及工作人員的消除國家觀念。

歐洲太空研究組織主席為英國太空研究委員會主席馬西爵士，副主席為荷蘭地球物理學及太空研究委員會主席H.C.范戴赫爾斯教授；另一位副主席為西德核子研究中心負責人A.赫克博士；總指導為法國太空研究委員會前任主席皮爾奧格教授（宇宙綫專家）。其他各國政府均派有代表參加。

誰騎上去？

自尋短見！

今日與明日

毛共整肅漸露端倪

經過兩個多月大吵大鬧之後，毛共此次迫害知識份子真正內幕，逐漸暴露出來。目前大體可以斷定此次整肅行動是由毛澤東自己主持的，林彪只是充當他的打手。

毛澤東何以在此時作出迫害其同夥的事，第一個由於毛酋天性陰險賤狠，平生以害人殘生為樂，雖然目前已奄奄待斃，漏盡鐘鳴，但人之將死，其惡不改。第二，則眼見史達林死後三年即遭鞭屍，兒女逐入勞改營，毛酋對此不能不觸目驚心，亟思在一息尚存之時，預佈後路，即所謂培植接班人，以免身死之後，即被鞭屍。毛酋因自身不學無術，對真正的讀書人懷有嚴重敵意，在其腦中亦認為將來鞭其屍者必為一批知識份子出身的共幹，於是整肅箭頭即指向這批人。在南方以三十年代上海左聯出身共幹為對象，如矛盾、夏衍、田漢、陽翰笙，廖沫沙，在北方則以「民族先鋒隊」出身及參加過「一二九」運動的共幹為主，重要者如陸平、楊述、李昌、蔣南翔、吳含、（日旁）鄧拓等。而這兩部門幹部，目前皆由彭真領導，是以彭真首當其衝倒下來，接着就有五名大學校長遭到整肅，各省文化幹部大半皆被波及，表面看來，好似彭真勢力特大，實際則由於毛酋林彪之趁此機會，把知識份子一網打盡，將來的繼任人既不知悉毛酋生前罪惡，又對其感恩知己，自不會再有鞭屍之舉。

反對力量強大

雖然毛酋此次出全力發動此次整肅，但所受阻力亦為其竊奪共黨統治權以來所未有。例如「北京市委」改組，全部免職待罪，但無一人在報紙發表言論或攻擊同夥，全體抗命，此為過去從所未有，足見所有共幹均知不能倖免，甘願與毛酋作生死之鬥。窮，人懷必死之心，士無求生之望，處此情形下，毛酋也感到進退兩難。如毛共各級黨務組織撤換，有大權者為六個中央局書記，迄今未有任何一人曾發表言論擁護「文化大革命」，即如接替彭真任華北局第一書記的李雪峯，即未發一言，此外被認為毛酋心腹的「北京市委」新書記吳德也未發一言。此種沉默是決心不與毛酋合作的表示。毛酋政策簡單，可以說到地方即被地方幹部拖延，都是仍在觀望中。足見毛酋所發動的文化大革命也只能在幾個城市中亂嚷一陣，而省縣以下根本就沒有動起來。假若再僵持兩個月，到時將會大展開反撲（何如），失敗的共區就一要陷於大亂。

聽到了沒有？

馬五先生

最近，來台北參加「中美」科學會議的美國代表林林博士，於離台之時發表談話，認為中國急需要發展經濟和處理社會問題的社會科學人才，希望中國的青年人不要急功近利，一窩蜂都去學機械工程之類的自然科學。他特別指出：「美國亦是學理工的人比學文法的多，如果不立即改變這種趨勢，將來就不堪設想。那種國家是需要「頭腦」多於「手腳」。」這番話如非出自理工科學最發達的美國學人之口，而是咱們本國人所說的，那些高談科學救國的全盤西化主義者，必然不屑理睬，甚至加以冷嘲熱諷，譏為思想落伍的開倒車之談。可不是嗎？誰如談論中國固有的歷史文化問題，卻有人表示。

記得民國廿三年有位黨國要人，正式建議中央會議主張停辦全國各大專學校的文法科，一律改辦理工科系。說是要向西方國家迎頭趕上。當時我在天津大公報寫了一封公開信給教育部長朱騮先，指斥這種見解是不學無術的瞎胡鬧，認為立國之道，精神與物質思想並重，不可偏廢，否則修習迎頭趕上英美各國，結果有如兔兒追狗，越趕越遠。

我常這麼想：美國的自然科學儘管發達到了頂點，但可惜缺乏文化基礎，一點宗教義理作精神食糧，絕對是不夠的。美國如果遭遇到一次大打擊，有如古代的五胡亂華，現代的日本軍隊侵佔中國土地一大半的情形發生，我就擔心美國社會將很可能全部解體，無可收拾。原因就是文化精神太脆弱，陶冶不出富有潛在毅力和犧牲精神的民族氣質，大家向着實驗主義而俯首帖耳，像西方人作戰一樣，稍吃敗仗就扯白旗投降了，這便是「將來真不堪設想」的地方。

如今見到赫林博士的名言讜論，乃知道美國並非舉國若狂的迷信理工科學萬能，也有明智的學者認清美國的大缺點所在，力求補救，這是可喜的現象。咱們一般恥談中國歷史文化，視文化精神為卑不足道的全盤西化主義者，對於林博士的忠告之言，聽到了沒有？

中看不中用・銀樣蠟槍頭
俄援北越飛彈虛有其表
美機員有妙技視若無睹

・西貢通訊・

關過去一週間，美軍飛機向北越施行轟炸的對象，一連三天都以飛彈發射場列為主要目標之一，這顯示了俄國供應北越的飛彈，有着對美空軍重大的潛在威脅，所以，美國在蘇俄飛彈還未能發揮強大作用之前，就打擊到它不能在北越立足。

蘇俄在越南的處境，其尷尬情形正如美國，因為蘇俄本身並不想越戰拖延或擴大，致令毛共享混水摸魚之利；亦妨礙了它近年積極推動的與西方和平共存的政策。但另方面，由於共黨國家的立場，又經不起中共一再指罵它不幫助越南共黨，所以也不得不軍援北越。但蘇俄對北越的軍事援助，究有若干，而蘇俄飛彈在北越的數量、部署情形和這種飛彈的威力與應用效能怎樣，是在在值得關心的。

回溯三年前，美國甘酒迪總統為了蘇俄的飛彈運到古巴，幾乎鬧出要同蘇俄攤牌，到底由於美國態度的堅決、倔強，蘇俄終於不得不撤退其飛彈。

基於這一故事，可見美國對蘇俄飛彈援越的看法是怎樣嚴重了。

據美國方面的消息，到今年六月中旬，蘇俄對北越的軍援，其中約有六十座地對空飛彈發射台。

上週美機對北越的連串攻擊，就以上述飛彈發射台為主要目標；而摧毀飛彈發射台的數字，也與日俱增。

美國官員的意見，認為轟炸結果，從北越首府河內的觀點看，足使共黨大為沮喪。

在六月初的一星期內三大的空襲，北越曾對來襲之美機發射八個俄製飛彈。據美軍的報告，射出的八個飛彈都沒有射中美機。就俄製飛彈在北越活動的總數來算，美國空襲北越被擊落的飛機二百五十五架當中，祇有十四架是蘇俄飛彈之功。照這樣的數字，定必使河內與莫斯科方面憂心，而俄人也會因此而聯想到他們部署於古巴、印尼、埃及、伊拉克各地的俄製飛彈之效能，起了懷疑。因為，莫斯科供應各國的軍器，以飛彈的代價是最大的。

估計目前在北越的俄國飛彈，約有二百五十個，都是蘇俄輪船從海道運至北越要港海防輸進的。大多數的飛彈都是部署於河內與海防之間的地區；但近來美國擴大轟炸範圍之後，這些飛彈就採取分散部署，而不集結在一小塊地方。

但由於蘇俄飛彈那種「銀樣蠟槍頭」的表現，美國軍機駕駛員於清晰地見到飛彈在發射台昂起頭來，也不怎樣害怕了。

當去年夏天俄製飛彈突然發射，曾經造成美空軍人員驚慌。但經過幾星期後，美機師已懂得怎樣躲避飛彈的技巧，而且甚為有效，他們就毫不在乎這些俄製飛彈了。由那時起，這些被稱為蘇俄「飛行電燈桿」的東西，其效力大大地打了折扣。祇能使美國飛行師提高驚惕，結果美機出動的損失在比率上反而減少了。另方面，這些飛彈迫使有些飛機作較低空的飛行，冒地面高射砲擊中之險，這是因為俄製飛彈原是用來對付高空飛行轟炸機的。（未完）

美國怎樣探出毛共試爆的

・本報資料室・

五月八日中共曾作了一次它歷來最大的核子彈試驗的爆炸，這件事世人並沒有引為驚訝，因為又是美國事前先給說出來了。

美國怎能事先曉得呢？這實在是一個耐人尋味的問題。

爆炸後不過幾小時，美國就知道這次發出的爆炸力有多少？輻射降落是多「密」？還有幾十種中共不想外洩的重要事項。

所有這些秘密，美國又何從而知呢？

答案是：間諜飛機，軍用人造衛星，和各種的電子裝置。這些都是足以揭露任何重大秘密的工具。

可以說，美國有了這些犀利精密的儀器工具，世界上任何國家再不能將有關於軍事重大活動的事情隱秘起來了。專家們對於這個說法都表同感。現在且將美國偵察工具的詳細分述如下：

美國著名的U二型間諜飛機，由中華民國的機師駕駛，差不多在中共區的核子工廠一開始建造時，就已偵出。而位於蘇俄邊疆附近新疆省內的的中共試爆場地，亦已很早就偵察出來。

自從蘇俄停止以新式飛彈供應中共之後，毛幫對於這種高空偵察攝影的間諜機，簡直是無可奈何。

在U二諜報機之上，又有美國的「空中間諜」，衛星經常運行經過中共大陸區的上空，衛星上所配備經過改良的最新式攝影機，能夠在高出地面一百哩的天空軌跡中攝到地面上的微細事物，甚至工廠招牌的字體，亦可清清楚楚讀出。

早在一九六四年中共作第一次爆炸試驗之前很久，美國就已測定中共在西北包頭市附近那座原子彈原料工廠反應器已開動工作。由於各廠的建築物遮蔽嚴密，從太空偵察殊難確定廠內有幾座反應器。但後來再研究這些工廠因製原子原料所排出的各種氣體等情形，加以估量，就可有充分證據證實工廠內所有的反應器數目。

深入新疆省內大沙漠中，曾給美方察出有可疑的公路在建築中；然後，在中共初次試爆之前，又發現有中共氣象台人員就在該地區出現，從事警戒，準備截取試爆後的輻射降落。而中共的專家們前往該試驗場所發生空中交通繁頻，無綫電報來回拍發的大量增加，都成為美國獲得預知中共行將試爆的證據。

美國特殊的「眼與耳」：中共試爆的情形，美國的科學家雖然不在現場，但亦能「看」到與「聽」到，這又另有道理，原來是這樣的：

靠電子的「耳」聽得爆炸後的震浪，此種震浪一如聲浪的情形，於空中展開而傳至遠處。這種極端精密的電子測動器，能夠在半個地球之外測出爆炸的大小和爆炸的地點。

磁性的「眼」，於核子爆炸後所射出的電化微粒抵達地球的磁層之時，就可見到磁層遭受干擾的狀況，從無綫電向測定器所收得的訊號，科學家就能於百十分之一秒的短促時間指出爆炸的地點。

埋在世界各地許多處的儀器於爆炸後對地發出的巨大震動，這種儀器就可測出來。

然後，爆炸後所發生的輻射着風向自中國大陸上空，經日本太平的途中，美國的空中偵察機如U二型，RB五七型及RB五〇型等翼上所裝配的空氣過濾器就可收種輻射的標本，而飛送至美國各實驗室加以分析。從實際來斷定爆炸裝置所用的燃料，和它的體積至該項裝置如何製作及混合的物

美國的專家自得地說：中共對於他們自己所作試驗的情形，的並不比美國所知的更清楚。

我朝野人士檢討中美外交（四）

本報駐台記者張健生

名教授曾約農舉了三個事例來說明美國國策後面的心理背景，同時希望政府在三個原則下來爭取美國政府，來說服自由派人士。

美國基本國策是反對中共的

從美國宣布獨立至今大不到二百年，但他們的民主傳統，却根深蒂固。因此，大多數的美國人，在潛意識中，沒有一個不是反對中共而同情中華民國的。這股力量，我們應當極力爭取，妥善運用。這是美國國策的心理背景中最主要的一環。曾氏說：「可是我們不要忌記，中共在美國誣蔑我們，說我們不夠民主，發生了很大的效力。這樣才能讓美國人明瞭眞相，是我們當前最重要課題之一。」

由於美國得力於大西洋的天險，和恃有兩洋的保障，自成世外桃源，於是美國出現了有名的門羅主義，同時也產生了美國的孤立心理。雖然兩次世界大戰把門羅主義的圍牆突破了，但其孤立主義的心理仍然非常濃厚。所以同情我們，反對中共的人，雖居絕大多數，而呼籲支援我們反攻的人，終嫌太少。怎樣才能把美國人下意識中的孤立主義，一掃而空，讓他們的人道主義，可以充分發生作用，也是我們當前最重要課題之一。

美國人不怕敵人先發制人，便由於有高度的自信心，這位七十多歲的學人說：雖然美國人素重道義，民族自決的口號更是他們喊出來的，但在美國的安全沒有感受直接威脅之前，他們是不願干涉他人內政的。這是我們所能瞭解而欽佩的。蘇俄和中共現在都先後發展原子彈了，而他們征服世界的野心，也非常明顯。難道美國不知道麼？當然知道的。既然知道，為什麼袖手旁觀，給敵人以坐大的機會呢？因為美國人自信，不論蘇俄也好，中共也好，都不敢和美國作原子大戰。美國更自信，萬一敵人的瘋狂和愚蠢，居然導致原子大戰，最後的勝利仍必歸於美國。現在純粹從美國本身的現實利益和人道觀念設想，如何使他們覺悟，數以億計的生命安全，寄望於中共的永遠不自動掀起原子戰，是抹煞現實的政策。這便是我們當前最重要的課題之三。

爭取深厚友誼　加強密切合作

至於三個原則，曾氏說：第一個原則是，美國對我們的外交政策，除開在發表白皮書的一段時間以外，百餘年間，這友誼，一向是友善的。在抗極權侵略的併肩作戰中，受過血的洗禮。因此也是中美兩國絕大多數人心中所認為神聖珍貴，值得保全的，我們在討論美國的現行政策時，不可假定這份友誼已在消失中。中美之間，越覺得彼此都有深厚的好感，越會彼此痛癢相關，越更能密切合作，守望相助。第二個原則是，美國是高度言論自由的國家，各種的意見，祇要不超越憲法保障的範圍，都可自由發表。因此美國的輿論，往往是五光十色，各是其所是而非其所非的。任何個人專家的論調，在美國不過是衆說中的一說，並不代表全體，我們不可忽略。對他們的謬論，固然不得不嚴詞駁斥，以存紀錄，但也不必至再至三。否則反而提高了他們的聲望。不要忘了，他們祇代表少數人的意見，而我們爭取的對象，應當是美國的全體公民，包括他們在內。

不利我之論調　不要過分重視

第三個原則是，有關資料的來源，美國對我們既深具好感，對中共也深具反感，而且明知中共集中仇恨於它，認為美國一日不垮，共產征服世界的幻想便一日無法完成。那末，何以美國對付中共的基本政策，始終不出圍堵的範圍呢？這是因為他們對事實的認識，與我們不同。我們認為中共政權，已瀕臨崩潰的邊沿。而美國却認為已趨穩固，人民並無大規模反抗的跡象。可見我們今後對美國人談論反共的問題之前，一方面固然要把我們的事實根據告訴他，同時要多多收集和研究他們所已經採集的資料，來支持我們自己的主張，方能取得美國更多的信任與支援。

依此原則，我們要爭取並加強美國人對我們的傳統友誼；我們不要過分重視不利於我們的論調；同時多多利用他們的資料來做說服他們的基礎。（上）

淡季中難得的好消息
印尼對港貿易轉旺
估計今後繼續增加

最近兩旬內，港廠商接入印尼訂單較為大量的，計有麵粉、棉紗、布疋、汽燈等。兩家麵粉廠接入訂單共達一萬噸，交貨期間排至九月份。五家紗廠接入訂單共達八千包，交貨期排至八月份。七家布廠接入訂單共達二千萬碼，交貨期間排至八月份。汽燈廠接入訂單共達二十萬枝，交貨期間排至九月份。但在上述的訂單當中，有一部份是六月份趕急運出，除了六月首二旬內有幾艘輪船把大量貨品運往印尼之外，廿四日由港開往印尼的偉伯奇馬七輪基又有大量，貨品運往。

至於印尼商家向港購買其他貨品也很活躍，雖然每宗購洋雜、醫藥品、化工原料、電器等，以二萬港元至三萬港元者，較為普遍，但購買的宗數很多，於是使香港商場平添一種暢活的氣氛。

據有頭貿易商估計，印尼商人五月份向港購買貨品總值約達三千萬港元，六月份可望增至六千萬港元；今年下半年印尼向港購買貨品仍有繼續增加的希望。

假定近月來沒有印尼商人向港大量購買貨品，香港工商業的困難就更大。因為目前對東南亞出口貿易，是雨季中的淡月，對歐美出口貿易，也是一年中的季節性淡月，夏季貨品早經付運完竣了，冬季貨品尚未開始付運，更兼本銷生意，最近兩旬內因為雨水過多及暴雨成災影響，對工商業打擊也很大。幸而印尼商人的大買盤在六月首二旬內增加注入本港，其中所獲幫助最大的就是紗布廠與麵粉廠。紗廠接入印尼訂單的貨值共約一千萬港元，其中約有四百萬港元的棉紗已經運出。布廠接入印尼訂單的貨值共約一千五百萬元，其中約有五百萬元的布疋已經運出。麵粉廠接入印尼訂單的貨值共約五百萬元，其中約有二百萬元的麵粉已經運出。（下）

瀛海異聞談

大腦的「秘密」的新發現

·桑弩·

探索人類大腦秘密的科學家們，已經對於我們心智如何工作，提供了若干新的事實。

大腦工作需用多少「能量」呢？最近諸多意外發現中的一項事實是：當你思考時顯然比你未思考時並不耗用更多能量。賓夕法尼大學的研究者們，在一羣「首先閉着，繼而解答問題，然後睡覺」的被試驗者中，藉測度氧氣消耗的方法，核查腦能需要量，發現：實際上自始至終沒有變化。結論是：大腦與機器不同，它「僅僅爲了使它的循環保持活動與敏感」，就消耗了它的極大部份能量。當你使用這個「循環」時，增加的消耗眞是微乎其微。

當你的心智忙碌時，你的身體會變得緊張嗎？李海大學一位心理學家，他用電動器機去測度肌肉活動，發現在專心致力的時間內，如演練算術題時，「緊張」作波浪狀橫流於肌肉系統。一條肌肉拗下降。大部份緊張，可能見之於臂肌中。

你的思想進行受你身體姿勢的影響嗎？長島大學的雨果．C．白吉爾博士說「有影響」。他曾就一羣採取不同姿勢的被試驗者，測繪其對不同情況的反應。當你倚臥着，你的思想較少自怨自艾，聯想力像是較強，而且聽任你的心智把各種觀念博容兼收。當你站立時，你的精神因興奮而躍躍欲試，思想領域狹窄起來，新聯想的流入被部份地阻塞了。「決定」來得快而有力。坐姿時的思潮則多走立與臥姿的中庸之道。

一天中有無精神活動的最好時間呢？「有的」，雖然可能因人而別。在芝加哥大學的科學家們發現精神活動的起伏與體溫的變化有關，通常當你睡覺時，體溫趨降，醒來時上升。高度精神活動常在體溫處於頂峯時發生，不過，體溫頂峯的時間各人不同——這可說明何故某些人在清晨中精敏，另一些人用表現得遲鈍一點。

你思想時自言自語嗎？「極可能」。麻薩諸塞大學一位心理學教授，愛波特．高思博士提出意見說：人類的智力高低，可能視我們與自己談話的幅度而定。他說，你可能說得不大聲，但是這種自言自語式的聲波指引，形成了我們大部份學習的基礎。高思博士說，當孩子們一旦學着自言自語——也就是能夠利用波指引時，學習的速度就似乎較快。

智力與手的靈巧有關聯嗎？「有關聯」。哥倫比亞大學的NH富克禮博士曾公佈研究報告，表明智力與手的靈巧之間，有深切關聯。

當你睡覺時能學習嗎？最近科學證據否定了這種可能，雖然許多議論曾說能夠。加利福尼亞的CW西蒙與WH艾蒙博士安排了一項細密研究：以九十六條有關歷史、體育、科學等等具體問題，測驗廿一個人。整夜裏，每隔五分鐘，把問題與答案的錄音向他們播放，同時則繼續不斷的將腦波測度加以記錄。這些「腦波」，記錄着不同程度的睡眠狀況，從瞌睡以至酣然沉睡。在沉睡狀態中所播放的，却記不起來。結論是：學習在瞌睡狀態中是可能的，在眞正睡眠中却是不可能的了。

當漸老時你的心智能力會發生什麼變化呢？「五十歲比二十歲時可能優異得多」。這個發現來自爲海軍研究處所作的一項研究中，有一百廿七人於踏進愛渥華州立學院時參加了「陸軍一般智力測驗」，待卅一年之後，再受測驗，其結果現示：他們長成以後，較他們年輕時，在智力上更爲精緻。

南北越分界非軍事地帶巡禮

。本報特譯。

我們隨又再向北進，在路的盡頭處有水泥做基的木柵欄，這是到非軍事地帶的入門。在公路的兩旁，從南中國海直至寮國邊境，都再無這種欄柵阻隔，農民們以至越共都可隨意跨越分界綫。我們過了木柵欄，循着泥路直向美麗的濱海山谷的山邊前行。這裏，田中的稻熟了，到處有牛水欄洋洋地躺着，孩子們則睡在陰處，好一塊和平寧靜的土地。在南部地帶約有村民一萬三千人，他們都以耕種和在濱海河捕魚爲生，河裏的魚很多，因爲村人捕魚必須用古老方法而不能施用魚炮，爆炸物在這裏是違禁品。我們到警署拜會之後，再驅車到濱海橋。在橋頭有一所陳舊的白色小屋，這裏是兩個越南的正式交界，屋子位於十七綫的正中。

該橋闊二十尺，長達二百碼，其濶度足以讓卡車通過。事實上，一九六二年就有過一個北越難民駕車越境逃入南越。小屋的北部地板有着許多小洞，大到可以把腳陷入，北越方面不肯加以修理，原因這是由於美機誤炸造成的。去年美機曾兩度誤炸非軍事地帶。一個加拿大監察員對我說，應該在小屋頂上繪上條紋標誌，在分界的正中要設亮燈來區別。除了國際監察員之外，很少人走過這條橋的。今年一月曾有過一件哄動宣傳的事情，南越釋放二十四名北越俘虜，在橋上舉行儀式，任他們自擇往北越或留南越，結果祇有一名願回北越。

在橋的周遭發生的戰事是心理的，不過也和眞正的戰事一般地互相爭雄。南越方面因鑒於北越豎旗處比他們的堂皇，於是將豎旗基加高幾尺；北越看了又從河內派人前來將豎旗基建得更美觀。南越人不甘落後，從西貢調來一些技工，建一座亞洲方面最宏偉的扯旗台，高達七十尺，上面懸一面十碼見方的大旗。在美機誤炸事件發生之後，更在豎旗台附近懸一面三十尺乘五十尺的南越國旗於水泥地上，使空中可將南北越分辨清楚。

雙方又在兩邊河沿佈置大銀幕放映宣傳性的電影，讓對方可以看見。當南越用歌曲來號召時，北越即聘來匈牙利的芭蕾舞藝員表演。至於藝事宣傳的播音筒，北越方面有十八座，南越則設了二十三座。大家互相吹奏軍號、軍歌、愛情歌調以至政治性的喊話，多數是從廣播台錄音轉播。

在山邊小丘上的宣傳繪畫，雙方也極盡宣傳能事：北部的畫和標語，是「美帝」和號召兩國在共產主義之下統一；南部的畫則繪着殺害越南人民的兩個劊子手毛澤東和俄共頭子。

（中）

夏威夷的嘉美哈美哈節

林達漢

夏威夷羣島，從前是一個獨立王國，在上個世紀末期歸併入美國的版圖，於一九五九年更成爲美國的一個州。但是夏威夷人最崇敬的古代國王嘉美哈美哈的誕辰，六月十一日，仍然沒有改變，照舊熱烈慶祝。

嘉美哈美哈大王，有「太平洋的拿破崙」之稱，他是一個魁梧奇偉的夏威夷人，在夏威夷羣島最南端的大海島出生。自幼就喜歡練習武功，傳說他在青年時代，經過一神廟，廟前面有一塊大石，土人迷信凡有人能夠將它舉起者，遂照神明的意思，他便可成爲他們的統治者和領袖。但始終沒有人有這樣大的氣力。嘉美哈美哈被別人鼓勵，他去試試，竟將舉起！大衆就推他爲王。當時是在十八世紀後期，嘉美哈美哈決意統一所有夏威夷的海島，他施用武力和政治手腕去達到他的願望，最後在一八一〇年，冠亞島也歸入夏威夷王國，嘉美哈美哈就一統江山。

嘉美哈美哈大王不獨擴大的兵力，同時愛民若赤，努力發展商業、農業和工業的生產，因此他受到國民的敬愛，直到今日仍然一樣。每年六月十一日紀念他的日子，名叫嘉美哈美哈節，乃是夏威夷羣島最熱鬧的節日，大家狂歡慶祝。

在夏威夷羣島各地都要舉行慶祝，但以夏威夷首府檀香山最爲熱鬧。在那天晨早九時，在昔日國王所住的奧拉尼皇宮，現乃夏威夷州長官邸的側面的嘉美哈美哈大王的銅像，由各大團體派出代表掛上一串串鮮花在嘉美哈美哈的頸項間，清香撲鼻，遠處可嗅到。前往獻花的人絡絡不絕，直到大巡遊開始時爲止。

在嘉美哈美哈日，夏威夷就舉行每年最盛大的巡遊。遊客可看到各種美麗的會景，用鮮花綴成的花車，在大街道上行駛，萬人空巷。更有洋樂和夏威夷樂隊相隨演奏。又有代表夏威夷的居民參加，最惹人注意的，是八個美麗年輕少女騎着白馬，她們代表八個不同的海島。所有騎馬的男女，不獨本人掛着花串，連馬也掛着花串。

在巡遊完畢後，就舉行連串的土人大宴，不獨在檀香山舉行，在夏威夷各地都會有舉行，許多是歡迎大衆參加的。備有魚，特別是燒豬，跳傳統的草裙舞和其他被里尼亞人的娛樂是不會缺少的，大衆跳舞唱歌，十分快樂。

有許多遊客訪問夏威夷，特別配合時間來參加這個高興的嘉美哈美哈日，他們更會參加在前夕的何路古舞會，在皇家夏威夷酒店舉行，這是公開的，各人都可參加，有晚餐和跳舞。那個舞會吸引許多當地的夫婦參加，他們作古裝打扮，婦女穿何路古禮服長裙，男子穿白色恤衫，配合的長褲，腰間紮着有纓綫的紅色綢帶條。但穿着普通西服者也可參加，使到遊客也可享受到。

爲尊敬表示嘉美哈美哈大王，在六月十一日，夏威夷島的基路亞康那還舉行獨木舟競賽，翌日又在奧亞希的佳路亞灣舉行獨木舟競賽，也都非常熱鬧。

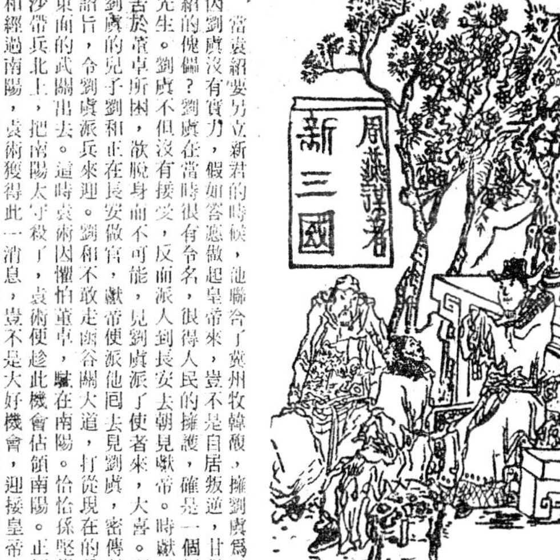

當袁紹要另立新君的時候，他聯合了冀州牧韓馥，擁劉虞爲帝，因劉虞沒有實力，假如答應做起皇帝來，豈不是自居叛逆，甘做袁紹的傀儡？劉虞在當時很有令名，很得人民的擁護，確是一個好好先生。劉虞不但沒有接受，反而派人到長安去朝見獻帝。時獻帝正苦於董卓所困，欲脫身而不可能，見劉虞派了使者來，大喜。那時劉虞的兒子劉和正在長安做官，獻帝便派他回去見劉虞，密傳獻帝詔旨，令劉虞派兵來迎。劉和不敢走函谷關大道，打從現在的商縣東面的武關出去。這時袁術因懼怕董卓，屯在南陽。恰恰孫堅從長沙帶兵北上，把南陽太守殺了，袁術便趁此機會佔領南陽。正好劉和經過南陽，袁術獲得此一消息，豈不是大好機會，迎接皇帝是一件大功，而且挾了天子可以令諸侯，專大權，那是一個多麼美麗的遠景。有此機會，袁術豈肯讓劉虞獨佔了去，便一面把劉和留下，一面派人去告訴劉虞，袁劉共同派兵西上迎天子。劉虞果然派了幾千兵馬前來，歸劉和統領。但是，不料劉虞身邊有個公孫瓚，眼見如果劉虞迎天子成功，地位日隆，將來就很難推翻了，因此他力勸劉虞不要派兵前去。劉虞基於劉家宗室關係，此時也表現了義不容辭的精神，他不聽。公孫瓚使串通袁術，把劉和拘扣起來，一面把劉虞派的軍隊奪去。因此，這一件迎帝的舉動沒有成功。假如此事成功了，三國以後的歷史就要重寫了。這是董卓劫持獻帝以後關於帝位的問題，以及當時幾個有兵權的人勾心鬥角的一幕，因其事情沒有擴大，讀史的人也就輕輕忽過。其實此一計劃和當時東方兵爭序幕的開啓，是大有關係的。

第二條政治路綫，就是曹操收復兗州之後，有了資本，再要收拾殘局，就只有利用漢獻帝來做擋箭牌，這比較採取急烈手段一舉推翻漢朝政權便利得多，所以便走了這一條政治路綫。

十九、董承、董昭、勾引曹操

歷史上很多事情，都是許多巧合而成的。當曹操要迎獻帝時，獻帝當時也正需要外力。當時挾持着皇帝的幾個人物，都是不大成氣候的草包，而且都是老黃巾或山賊之類人物。獻帝心中惶惶不安，時常想在外面找一個像樣的人去迎接他，以脫離那一般如狼似虎的強賊。漢獻帝在河東時，曾有詔書要呂布去迎接他。這一道詔書當不是獻帝的意思。根據情勢研判，可能出自張揚的主意。張揚和呂布交情好，這時候張揚已派人進貢，獻帝很得他的接濟。呂布又是討誅董卓的大功臣，在中央也有相當地位，起兵勤王，正是名正言順，在呂布正是一個大好機會。然呂布當時窮途末路，自身難保，軍隊糧食都成問題，怎能帶兵勤王？後來獻帝賴張揚之力，始得回到洛陽。這時候住在洛陽城中的是韓暹和董承，張揚帶兵駐在河內，是實力較強的一個。韓暹和董承爭權，董承便去勾引曹操。所以一切事情，似乎有天在巧安排着，曹操活該走運。

（四十六）

再看鳳還巢（續）

段女士宗梅派，輕易不願登台，而此戲却是對工，所唱各段，以嗓音響亮，極饒梅味。祇是動作之間，有些太活動，不甚近於青衣，似宜稍變，改趨莊重。景嵐的穆居易，可云時下一能手，唱做甚為妙化。原定為盧智，以不能出台，事關其職務，乃由李氏庖代，尤見虛懷若谷之風度。

在場晤陶孝舞，邀約明晚赴石牌保總禮堂，再看以前軍中花木蘭的鳳還巢。此位花木蘭，曾隸海軍，名馬靜珠，幾年前，在某處演唱，為金大姐素琴賞識，欲收為弟子，因須事師五年而不果。後經石油公司于昭明先生。她嗓音很朗潤，其唱腔亦極流利，而念白完全京白，很清楚。表情甚是周至，一舉一顰，極有神氣。這是以習練的年份來說，能夠如此，確是不易。由刑警大隊二組葛正鵬配穆易，大概舞台經驗很夠，因此也很精到。洪功程普三位，不知是那路名票，很夠動人。至於配雪雁的，或許是隊中同志，該證迭出，全場閱動。此次所看，是又看到一位坤票。可見臥虎藏龍，正復不少。

國劇繽紛錄

（七十八）　姿鑾生

觀路遙知馬力

「路遙知馬力，日久見人心」。這是亂世的良箴，舉世滔滔，無非爭權奪利，也即戲中所云：你有我有是朋友，我有你無誰睬你。慨乎言之，到了於今尤有甚焉。此戲是麒氏編創，把路遙馬力日久作成三人，緩以事實，非常生動。那裏有這種人，在自己家已中邀回，尚肯賣莊，實夠深刻。而麒氏以此劇在滬演出的主旨，極獲同情而得成功。當于城劇團第一次公演，即勸周麟崑以此戲排出，因他是算麒派的傳人，也應露其絕作，但未如願。第二次公演，又將劇本寄去，備其參考，並告原本廿九場，可刪減六七場，比較緊湊。至第三次公演，始見列出，其中也有一段曲折。

時間須要在兩小時以上，其中有第七場馬力別母，第十五場闖公披，關平周倉同上，佔第二十及廿一場橋鳥雖又。二十九場，鋪寫似多減客，比較一氣貫串，不致散漫，也很合理。全劇的做作，非常緊湊，可說一無瑕疵。祇有在旅店的嘆五更原板，及訴馬力的頂板，腔調依稀麒味，裏氣不太充分，頓挫之處微覺稍軟。鄙意下次再演，應把此戲先唱。此次在最末的一天，大概前一天的一些四不無太勞瘁之故。究竟年已望六，有些關係。下次如再公演，請推出與漢關灤山很，再使顧曲者得以欣賞，而周氏亦名傳全島矣。

燈下瑣語

璇冰

一、小樓聽雨

連宵下雨，枕畔老是傳來聲聲淅瀝。那聲息，如歌如訴，如泣如慕，幻象的浮現配合意思而變化。假如在這樣的情況下，擁被高臥，渾忘一切，又會另有一番意味。尤其小樓一角，週圍花木婆娑，那情趣更覺得飄飄然！

我昨晚就有點在這樣的飄飄然中（這不是對於被難者沒有同情。反之正因為收音機頻頻報告崩塌消息，令人難受，後來，聽得覺得徒傷感無益，便把思想昇華到另一個境界去了。）

我住的房子，雖然不具園林之勝，却僻處市區的林邊，週圍有野林數株，幽竹一列，風來蕭蕭，雨下瀝瀝，再加上短牆上的花架有姹紫嫣紅的時花數盆，在雨水飄洒下，予人有凄零之感！還有，經已投林的小鳥很是啾啾，恍惚嘆息自己風雨飄搖的命運。這一切，在無意中吸收下來，到某一個時候，因無聊時什麼觸及，或許就會浮起潛意識活動，演出一些甚麼。

深夜，我聽着雨聲，想到含苞待放的茉莉與玫瑰，此時應該像一個二八年華的少女般嫵媚，可是，人而現在變成楚楚可憐。於是，我把堪憐投向它們，覺得它們都在一梨花帶雨中；同時，鳥聲也挾雜在一些細碎哀鳴的中傳來，是表示不堪風雨之意。

我想：被欺凌的東西，是可憐的，甚至是不論植物、鳥獸，人類。

人，本來是萬物之靈，人有的本領，是可以支配萬物的。不過，對於自然現象還要低頭。比如對風雨雷電，若不能絕對操縱，想避不了它們的正面衝突，只有消極的自我避開。例如不想受強風暴雨侵襲，就躲在室內，但屋子能否絕對的安全呢？又是一個問題，我們不是目擊和耳聞過風雨毀家的事嗎！何況，作為困擾和煩惱的我們，還有無形的打擊；這，比那些有形的還要厲害；為的前者屬於精神，後者屬於物質。精神上的，從內心而發，入腦節肺，發時就是苦惱，傷人也等如憂慮；憂能傷人，這已是一句老話了。至於物質，尤其是風風雨雨那些自然性的災禍，難之則吉，而且過後就叫作無事。如果不是權災受禍的，會事後即忘的煩惱有如影隨形般的，所以災難，而不怎樣苦怕物質的災難，我只怕精神上的陷阱。不過有時前者會轉變成為後者，後者跟前者結不解緣；在關係上來說，就成為錯綜複雜的了。

記得在一個風雨的晚上，我面對着一個煩惱友人，他吐着愛情的苦酒，憤而要遠走他方。還有，在風雨中，我也送行人，和自己冒雨上路的。此刻，這過去的一切，恍惚因環境的挑引而活動起來。然而，往者已矣，復活胡為？與其緬懷過往，至少要把目前的眼皮睜開，將視綫透過黑暗的窗門而投到窗外。雨，在街燈光中仍不斷地瀟瀟下洒，沙沙流水，混上溝渠的汪洋流水聲，夜靜聽來，隱似千軍萬馬在遠處奔騰。試將聲覺集中在近處，瀟灑──瀝，簷邊的水點滴到花盆上，發出那單調而繁密的聲息，恍似嫠婦夜怨，情侶私談。又將視野的焦點集中在盆栽上時，半開的玫瑰低垂下頭，凄然在滴下滴滴珠淚。「凄涼！」我同時也自知，這是一種感情的作用，事實上，一切的一切並不如我所想象的。不過，人老是情感的動物，不能理智的沒有春花秋月的感受。這大概就是人之所以為人吧。因此，我原諒自已有太多的胡思亂想，更放縱思想去跟雨聲聯繫了。花，在雨中，楚楚地；鳥，在雨中，瑟縮地；人，在雨中，面對風雨，雖或有愁樂的不同，亦有所幻想。不過，對於因雨罹災受禍的不幸者，都會深表同情與惋惜，那人同此心，心同此理的事，我也不能例外。（上）

我的信仰

詹森總統原著　雷也同譯

常常要解答一億七千四百萬美國人問題是費力的，分門別類，相互分級，便不會臨時手忙腳亂了。先對某些問題有認識之後，就不難求到答案。要知道假方程式產生假答案。

方程式構造如政黨組織一部份，有一句俗話說「每一件事都有兩面，」保持此觀念，經大多數通過後，無需復查底稿。這就是說，凡事兩面，必有其一可行，經政治程序決定後，無需再行追究。

羣衆觀點是美國思想另一面，國事在未求得答案之前，決不放手，甚至經年累月，也在所不惜。

關於三、四兩點，從十八世紀以來，美國即係立憲議會政治，經過無數智慧累積和一百八十年長時期考驗，才有今日。迄今美國人仍在奮鬥，十八世紀期間的憲法現在依然在成長和壯大，而適合于廿世紀的今日。

我們的國家和其他國家一樣，在自然、地理或人為上都賦有豐富資源。我們無論如何要建立起我們的財富，在不抵觸天性與責任之下，發展本身潛能。

像我這樣來自德州鄉村的人，能在公共生活中為國効勞，並能完成哥羅蘭多河發展，深深引以為榮。我不是說水壩或水力發電工程有什麼值得驕傲的地方，而是節省了天然的浪費。

童年時的不毛之地，如今成了國家經濟潛能的命脈，進一步說，該地人為資源消費量已經減低，電氣化進入農家給年青一代帶來新生活水平，男女們不必在山坡鏟石，他們從苦役中解放出來，這才是政府職責的成品。

反過來說，消除各種浪費是政府義務之一。如何減低個人濫耗量和租稅率，這些乃是當前急務。

上列都是我個人政治觀念守則。一般人都應該和我一樣有個人見解，觀念──不單能解決疑難，並養成忍耐力和持續力。有此力量我相信凡事皆可成功。

政治選擇上我是民主黨員，在黨中我更能表現和供獻出我的信仰。就如前面說的一樣，我是崇尚自由的人。（下）

憶故都的「冰核兒」

京仁

六月裏，三伏天，溽暑侵人，熱得難熬。許多人，躺在樹蔭下乘涼，老太太、小姑娘、小媳婦們，有的坐在蔭涼兒裏邊做活計，有的坐在門洞兒底下納鞋幫。有的時候，陣陣清風，徐徐撲面；有的時候，連樹葉兒都不動，搖破了芭蕉葉兒的扇子，還是香汗漬漬的解不了熱。正在這個時候，有個推小車或是挑小挑兒的孩子，吆喝着「買冰核兒」蹦蹦而來！拿個大碗，買上一大枚的冰核兒，喝一口冰水，含一塊冰核兒，立刻涼到五臟六腑，熱意全消。（核讀如胡）「冰核兒」這東西，可真便宜，要是精於保管的話，三大枚的冰核兒，一天吃不完。非但如此，賣冷食的，賣酸梅湯的，賣魚的，賣肉的，賣「專花落」的，賣奶酪的……誰也離不開冰核兒。冰核兒是天然冰，想當年，全中國首善之區的北平市，根本就沒有人造冰。

別瞧冰核兒售價低廉，童叟無欺，它的來源，可也並不簡單。北海公園的後門，斜對着「什剎海」。什剎海是盛夏納涼之區，到了冬天，河面上凍着兩尺多厚冰。冰核兒總滙的大掌櫃，僱工在河邊上挖幾個大四方或長方的坑，挖出來的土，在坑邊的四週打牆，牆上面擺杉槁，杉槁上面鋪蓆，蓆上面蓋稻草，稻草上面壓土，另外留個大門。這就是儲水的「冰窖」。

到了深冬臘月的三九天，冰核兒批發商的總經理，又僱來一批人，每天在三更半夜到天亮以前，拿着長把、鍘頭，與戲台上花槍一樣的「冰鑹」，在什剎海的河上鑿冰，鑿成四尺多長，二尺多寬與一尺多厚的大冰塊，再一塊塊的運到冰窖裏。送到冰窖以後，再用稻草一塊塊一層層的隔開，堆滿了一窖，再堆一窖。單說北平的西北城，有這麼兩三窖冰，就足夠用一個夏天的了。

冰窖裝滿了以後，仍用蓆子，稻草和土封起來，一直等到天氣熱了，纔開冰窖賣。經營大飯莊子，肉一類的生意，都預先定貨，每日按時送到舖。賣酸梅湯，冰淇淋這類小生意，則依其需求量自己去買。許多貧苦兒童，沒有大本錢，做不了大買賣，推個小車子，趸上五大枚的冰核兒，沿街叫賣，也能賺上兩大枚，一天賣三四次，就夠買半斤「雜合麵」的了。所以，冰核兒這個東西，能讓低下級花很少的錢而消暑納涼，也能讓赤貧之家混個半飽。

瓶子與海的傳奇

○樾漢譯○

但是在最近有人拾到在四十五年前北極探險家鮑達雲所寫的求助的便條，他將那張紙條塞入一隻瓶子內，然後將瓶口塞緊，將瓶子投入北冰洋。但是那隻瓶子沒有流出北冰洋之外，後來由一個蘇俄捕魚人所發現。那張紙條是用英文和挪威文所寫：「尚剩五隻小馬，一百五十頭狗，希望得到一些禾草、魚和三十架雪車。必要時在八月初回來，鮑達雲」。那張紙條收得太遲，失了作用，鮑達雲的探險隊安然無恙，他本人於一九三三年在英國故鄉病逝。從這個例子可知道，有時這樣的通信，是會收到很遲的。

在一五六〇年，有一個英國船員在杜化港的海灘拾到一隻瓶子，內藏有一張紙，寫有極重要的政治秘密。英女王伊利沙伯一世獲悉後，就下令，設立一個開瓶官，凡有人拾到瓶子內藏有寫文字紙張的，一律不能偷看，必須立即送到當地土管官，再轉遞與開瓶官，如違者重罰。

瓶子通訊曾揭破許多失蹤船隻的秘密，一九零二年有兩艘英國軍艦在大西洋搜索一艘輪船希羅尼安號，經過三個月仍無蹤跡；在那艘輪船失蹤後五個月，有人在加拿大西岸邊拾到一隻瓶子，內有字條寫着：「希羅尼安號在星期日晚沉沒，我們十四個人將登一隻小船。」那張紙沒有人簽名，在初時以為是戲謔，但在五個月後，又有人拾到一隻瓶子，這次是在愛爾蘭北部的海灘上，那張紙寫着：「希羅尼安沉得很快，頭頭重，一邊垂倒。別了！母親和姊妹。查理士麥當爾，火夫長」。

瓶子通訊，除了報告在船沉時的情況外，更有漂浮幾千海里，而供給航海專家寶貴的資料，來研究海洋潮流，和風的方向。我們的地球，有四分之三是海洋，所以人類對海洋也應該有清楚的認識。瓶子的漂浮多是照潮流的洄送，但有時它們的行蹤是不定的。在一九二八年有十隻瓶子特別從一艘正在大西洋近赤道與望保羅石間航行的商船拋到海裏，結果有兩隻被發現，一隻經過一百三十日，漂浮到非洲西岸，一隻經過一百九十六日，漂浮到中美洲尼加拉瓜海岸。怎樣一隻會向東漂浮，另一隻會向西漂浮？同時所剩的八隻又到了那裏呢？到今天仍未能調查得出。（二）

內警台報字第〇三壹號內銷證

自由報

THE FREE NEWS

第六六六期

中華民國僑務委員會登記
台報新字第三三號登記證
中華郵政台字第一二八二號執照
登記為第一類新聞紙類
（星期三、六出版）

每份港幣壹角
台灣零售價新台幣壹元

社長：雷嘯岑
督印人：黃行審

社址：香港銅鑼灣高士威道二十號四樓
20, CAUSEWAY RD 3RD FL. HONG KONG
TEL. 771726　電報掛號：7191

承印者：大同印務公司
地址：香港北角和富道九六號

台灣分社
台北市西寧南路壹零貳號二樓
電話：三〇三四六
台郵劃撥儲金戶二九二五二

政治觀念必須適應時代潮流

·周文郁·

宇宙現象是變動不居，人類生活方式亦緣於時間和空間的關係，多采多姿，但有一項進化規律必須遵循，即適應時代潮流是也。時代潮流之為物，視之無形，即之無聲，然對於人類生存競爭的影響力極其重大，且奄有沛然莫之能禦的潛能，任何勢力也沒法抗拒的。尤其是政治生活，如其不能遵循時代進化的規律，力求適應，而故步自封，我行我素，結果未有不失敗者。例如世界各國曾經通過的君主專制政體，到今天即已少見了。至於政治技術原係五花八門的戲法，然亦受着時代潮流的支配，約束，未可任意玩弄，否則決無成功之望。

要想適應時代潮流，行尚而往有功，基本條件即須改變政治觀念——觀念是行為的指導原則。因此之故，筆者就我國現時的情況設想，認為有幾點觀念值得檢討改進。

民主觀念

民主政治的精義就是「主權在民」，也就是國父孫公所詮釋的「人民有權，政府有能」之說，這是大家都沒有異議的妥當論。民主政治原非一蹴可以幾及的，我們建立民主共和國的時間不過五十多年，自不能跟英美相提併論——人家至少也有一百八十年的創進歷史了，我們當然見賢思齊，要一點一滴的奠立民主憲政基礎，逐漸發揚光大，可是大家的觀念若不先行改變，則一切皆係空疏之談，無裨實際。譬如搞政治的人一面強調民主憲政主義，同時對人民又表示「作之君，作之師」的作風，一切政治行為皆不屑適應民意的向背，我慢擅專，依然抱存着「民可使由之，不可使知之」的陳舊觀念，這就根本否定了民主政治。民主生活的唯一要訣，即為法治精神，法律之前，人人平等，沒有特權，絕無例外。民主國家的官員，自行政元首以及文武百官，都是替人民服務的公僕，政府是為人民而存在的。美國人民隨便寫信給總統談他自己的見解，總統無論是否同意皆得答覆，因為公僕不能漠視主人的意見也。艾森豪總統在旅館睡眠時鼾聲大作，隔室的住客即高聲敲門教他「閉住！」滿不在乎，艾氏只好自認晦氣。甘迺迪總統在芝加哥球賽場中給球員簽名太潦草，當場被球員指說他是「垃圾學校出來的學生」，甘氏唯有楷書簽名而已。這情形如果發生在「官尊民卑」的非民主社會中，那還得了嗎？必也當場抓人治以侮辱國家元首的大不敬罪。然在真正的民主國家卻不稀奇，也不會因此而損害國家元首的尊嚴，反而覺得總統的人格與風度都很偉大。英國首相麥美倫卸任後，擔任書店裏的編輯，每天在公共汽車站排隊乘坐「巴士」出入，泰然自若，社會羣眾亦不認為他是倒霉的官員，加以輕視。英美這些民主典範，我們雖然不容易迎頭趕上，但應該養成這種觀念，纔可望實現真正的民主政治，否則再喊一百年的民主憲政口號，還是有名無實的落後生活呀！

實施民主政治的主要條件既是法治，那就不宜隨便彈「革命」的調調兒，革命與法治是不相容的。就我們中國人現階段的觀念而言，革命行為祇能施之於共產黨，因為共黨乃是反民主反自由的暴力集團份子，是不講法治的叛亂化規律的邪惡政權，非用革命手段予以剷除不可。對一般民眾則不好倡言革命，應以法治為依，否則革命來革去，社會永無安定之日，從那裏去創進民主政治呢？

宣傳觀念

宣傳的作用是在溝通一項政策或一種問題的正確觀念，要給社會大眾去澄清誤解，消弭內在的矛盾思想，使大多數人的疑慮歧見和外部的歧見一致而相信非如此，共鳴，樂觀厥成，大家引起宣傳技術特別重要，同樣的理由和事實，如其宣傳方法不得當，不特毫無效用，甚至招致相反的後果。

宣傳技術之優劣，導源於觀念，彼此息息相關，互為因果，舉其概要，不外數端：一是宣傳的對象應以外界為主體，要向社會大眾發揮說服作用，方為上乘，切忌自我欣賞，專就主觀願望以立言，自已認為妥當的說法，別人看來并不是那末回事。譬如最近美國以參議員富爾布萊德為首倡議，協同一些大學教授主張改變對毛共的外交政策，大發其「圍堵而不孤立」的姑息論調，我們在宣傳上祇可就共產主義者所抱持的世界革命論據，參以戰後俄共集團對東歐、中國暨亞非落後國家侵襲、顛覆的各種經過情形，以及共黨素來不重視國際條約的若干事證，說明共黨視和平與戰爭為一物之兩面，跟共黨謀妥協決無倖理之所以然，希望美國不要與虎謀皮，自貽後患。樸實說理，言之有物，却不必表示憤怒，斥責，更不必要求美國趕快援助我們反攻大陸。蓋對方既倡議與毛共妥協共存，而我們又以軍事反攻來辯駁對方的意見，彼此的看法與作法背道而馳，當然不會獲得他們同情諒許，宣傳上即發生不了作用。舉一反三，我們在國內稱毛共為「共匪」固然不錯，但對美國或其他的自由國家應改稱「中共」，否則把「共匪」二字譯成英、法、德文，將令人莫名其妙，宣傳云乎哉！二是宣傳不能完全離開事實，有時候固然不妨渲染乃至於夸大一點，但必須有事實根據，納粹德國宣傳部長戈培爾所謂「一句謊話連續說上百次就變成真理」云云，實在要不得，尤其在現代人的知識，加以交通與通訊技術之無遠弗屆，無孔不入，要想掩蔽事實真象，說謊宣傳，沒有不被揭穿的。毛共在大陸上製造核子武器的工廠所在地點，何等機密，但美國早已測知了，至於一般的政治經濟情況，更無絕對保密之可能，虛偽宣傳是有百害而無一利的。（下轉第二版）

此路不通

擬人

今日與明日

美機炸越共油庫

就當美國國內一批左派份子大肆宣傳要迫美軍及盟軍退出南越，而戴高樂又正在蘇俄訪問，醞釀怎樣把美軍趕出歐洲的同時，美機一舉把海防、河內的越共油庫炸毀了，使越共全部儲藏汽油損失達百分之八十以上，今後的運輸只有靠牛車及人力担挑了。對於詹森總統此一明斷果決行動，我們深深感到敬佩。

今天美國在越南處境，除非戰而求勝之外，別無他策。美國所提出的和談建議，越共若非置之不理，即是破口罵罵，試問在這種情形下又怎能談和？既不能和就只有打，打就要作求勝的打算，直截了當的辦法是派兵登陸海防、攻佔河內，徹底摧毀北越偽政權，是為一勞永逸之策。即使目前尚不能這樣作，起碼也應毀掉敵人的戰略物資。所以就戰略觀點來說，炸海防、河內附近的油庫只是一個最起碼的行動，越共若是聽從中共擺佈，繼續拒和，越戰下一步升級可能真會導致美軍自海防登陸，到時最難解決的越戰，也許就迎刃而解了。

共產集團反應

美機轟炸海防、河內油庫之後，共產集團初步反應是各不相同，蘇俄首先提出譴責，指美國此項行動增加了越戰和談的困難，附帶也責罵幾聲美帝國主義。但研究其實質則是置之不理的成份多，關懷北越的成份少，所以然者，因為蘇俄明知北越所遭懲罰，係由毛共一力慫恿造成，因此存有坐山看虎鬥心理，單看越共支持不住時，毛共將何以善其後。在毛澤東的打算，最好是拖蘇俄與美國戰，俄共當局又何嘗不想驅使毛共與美國戰？所以美機之炸河內海防油庫，蘇俄表面雖然叫囂，內心未嘗不撫掌稱快，希望轟炸範圍愈大愈好，這樣才可以迫毛共出場。

此時處境最慘的是毛共，根據過去的公開叫囂及對北越所作的諾言，早就應當派兵入越與美國大幹一場，但是自已忖度一下，早上派兵入越，等不到下午，所有原子基地悉數變成灰燼，緊接着將是國軍反攻，大陸人民揭竿響應，偽政權頓時瓦解冰消，毛酋自沒有膽量去冒這個險。所以美國愈强硬，毛共愈縮頭，美國真在海防登陸了，相信毛共連聲都不敢出。

到是另一個爛頭蟀北韓偽政權竟然聲言出兵，派軍去南越參戰，這也只是為共產集團遮羞的行動。北韓真的派兵入越，只有增加它早一天崩潰，為大韓民國復國製造機會。（何如）

自由談

所謂文化大革命

昭然

秦始皇為要統制文化思想，實行焚書坑儒，壓迫全國人民「以吏為師」，不許自由談論時政，凡有偶語者棄市，以古非今者族，殘酷專制，無以復加。可是，比較現在中國大陸上毛共所進行的所謂「文化大革命」的整肅運動，却是小巫了。

「以吏為師」的吏，就是當時在朝的從政人員，等於毛共政權一般「為人民服務」的共幹嘍囉。秦代的吏對民眾以「始皇帝思想」作之君、作之師，從未受到清算整肅之禍，如今毛朝的共幹，平日對人民實施「毛澤東思想」的殘酷統治，忽然間又被指定為「反黨反社會主義」的毒草害蟲，非剷除不可，這從那兒說起呢！在這種情況之下，人民和一切大小共幹，必須絕聖棄智，構成為沒有靈魂、思想、知識和情感的機械人，纔可免於清算整肅的災難，苟活人間。足見秦始皇時代的老百姓和官吏們，比現在的中國人和各色共幹，尤為安全而幸福多矣！

毛朝對於共幹在香港拍製的電影片，過去並無異言，因有毛朝派在海外的文特監督指導，自不會違悖「毛澤東思想」路綫的，如今忽被指為「反黨反社會主義的資產階級保皇派」，連香港文特所作的「有一位好姑娘」歌曲，亦認定是反動派思想路綫了，不亦怪哉！

翻手為雲覆手雨，共產主義者素來否定理性、泯滅人性的。上述毛朝為着「文化大革命」整肅運動的一切說法，都是欲加之罪的胡扯瞎纏，可嗤可鄙。真正原因就是海內外中國人的智識界學眾，連同共黨份子在內，一律對毛共政權感到厭惡，大家抱有「時日曷喪，及汝偕亡」的心情，而在文字或戲曲中表示無形的抗議。毛朝惶惶不安，不得不作垂死的掙扎，然又感覺所有的知識份子都是敵人，因而祇好藉軍隊來鎮壓了。一個政權到了靠槍桿子纔能維持的地步，那便是瀕臨絕境，為日無多的現象，翻開歷史檢驗一下，例證多端，昭然可覩。

人類的文化思想如果可以定於一尊，而能使用政治力量來徹密控制住，歐洲的古羅馬帝國早就應該統一西半球，而秦始皇亦就可以垂統萬世了。從毛朝這次的「文化大革命」惡作劇之中，可以懷悟一項事實，即在共黨統治下決不容許知識份子存在，這是讀書人應該牢記的。

馬五先生

四鄰擾攘唯此綠洲 泰國民豐物阜堅定抗共

共黨造亂東北邊陲但其成效不大

·曼谷通訊·

在溫柔的春天晚上，閃着光的暹羅玉佛古廟的尖頂，像駕空似的浮在宕蕩的空氣和夜幕中，不爲下面的車輪人聲所驚動。雖然這裏是東南亞大陸上最大的城市曼谷，有着大城市所有的複雜和喧囂。和這情形差不多一樣的是現在易名爲泰國的暹羅國，它已經歷了七個世紀從未中斷的獨立，而直到現在還能潔身凌駕於四周擾攘泥淖之中。鄰居的寮國已泰半陷於赤色共黨之手，柬埔寨是越共招待周到的主人，緬甸則爲排外軍人所盤踞，弄成一潭汚濁的臭水，中共的鐵爪距離它的邊境不過一百里，堅持搗亂的北越，從泰國的美軍基地起飛，只不過二十分鐘的轟炸機航程，就可到達在這半島的任何角落。軍事共產主義、貧窮、悲慘、無知、錯誤統治，與及一種痛苦混亂的所謂國家意識，就是今日亞洲的可怖秩序。只有一個重要的例外，那是泰國國王蒲眉蓬和王后絲麗潔所統治的豐足和充滿笑容的國境。它從北部的緬甸，一直伸延到馬來西亞半島——東南亞政治地理的核心，像一整塊安定寧謐，有着充沛活力的綠洲。像神話般的暹邏時代，它已出產著名的米、象、紅木、和多彩的傳說見稱。今日的泰國簡直生存在一種繁榮的聲浪、高傲的信心，以及爲自由而奮鬥的承担，那是極有利於美國而極不利於中共的。

這綠洲自然也有光亮照不到的地方，最顯然的是較爲貧瘠的東北部，在那裏共產主義的作亂止希望死爭它的立足點，不過替國王陛下實施統治的軍人政體，却堅信共產黨無法成功。這也是美國的看法，因爲在戰後的世界裏，泰國是這樣獨特的國家，它一再肯定它反共，不顧譏言的冷嘲而始終願意和美國結成盟友，以解決國內的問題和敵人。

然而首先鑽到人們意識裏的還是泰國自己的天賦，它的溫和歷史所陶養的無限自然贈賜物，在它煦暖的天氣和檸檬一樣的陽光底下，米、玉蜀黍、椰子樹到處生長，還有種類多達二十八種的香蕉和七百五十欵的木蘭。在北部，操作的大象把直徑嚇人的大支紅木，從樹林裏拖出，效率要比現有的任何機器還要高。在南方，芒果，甘蔗和橡膠樹以驚人的茂盛蓋着原野。在那溝洫縱橫，綠色耀目，稻田豐富的中部平原，住了超過泰國三千萬人口的三份之一。滿面春風，多妻主義的泰國農民悠閒地生活在他們箱形的紅木建造的屋子裏。在斜坡下面是牧放着的粗壯水牛，屋子頂端則豎立着一根根的電視天綫，足以向聯合國的視察人員傲驕。鋪飾過的路面堅硬的公路，上面走着密密麻麻速度極高的新車，和色調愉快的貨車，從城市一直伸展到鄉村，担當過度豐富剩餘產品的外銷作用，那是在美國援助下建成的。另一方面，一串串木製的貨輪，滿載着米、玉蜀黍、苧、和一袋袋無可比擬的泰國絲和麻——甚至鴉片——也在那深下去帶有黃濁色的周非利亞河，緩緩的駛出海的港口。在每年躍昇百分之七的經濟增長率下，它的貨幣是亞洲最穩定的，有約等於美金六億五千元的黃金和外幣支持，處理經濟的首長，其實可以說是所有的基層人員，多數是受過泰國的舊教育和曾經到英美留學的學生。他們的恰當才能，使他們躋身於高度發展國家中的同輩而毫無愧色。國民的文盲率極低，三十歲以下的差不多都有閱讀能力，即使把老一輩的也計算在內，受過教育的人亦達百份之七十一，是亞洲許多國家所無比擬的。曼谷亂忙地充滿着追求人生快樂幸福的明證，這是一國人的主要生命力。交通不停的柏油大道，正在步逐步地代替古老的運河。處處都有浮着蘋藻的運河，而這些運河，直至現在仍然提供養魚、食水、洗澡、與及新鮮菜蔬的效用。擠在建築得不很牢固；上面聳着毡帽似的圓頂的別墅區域，是亮着五顏六色光管的酒吧、電影院、以及泰國拳的拳賽場。空中的噴射時代已把曼谷變爲東南亞航空的樞紐，它是美國環遊世界旅客的半途驛站和驛旅，同時也是每次招待五百美軍的休假地。（上）

我朝野人士檢討中美外交（四）

本報駐台記者張健生

曾約農在立法院作證的演講中，並自我檢討，他坦率地指出：我們的論調，要極力避免說給自己的人聽，不要企圖用國內的叫好來自我陶醉。否則的話，我們雖舌敝唇焦，而美國人可能絲毫不感興趣。說話的技術，是要配合說話的對象的。起碼要面向他們說，而且要說得他們（美國人）願意聽。

共匪政權穩固 對美有何利益

美國若干人在參議院作證，說中共的政權已經穩固，對華政策，多主張以此認定爲基礎。現在，我們爲美國本身現實利益着想，請問，假使一個政權穩固的中共，對美國之利害如何？中共認爲美國是其天字一號的敵人，不是偶然的。共匪本身有很多弱點，何以要挑選自由世界最富强的美國來作對？按常理而論，實無仇視美國之必要。但中共畢竟認爲與美國不共戴天，其中必有一股力量，迫使他們不得不然，這股力量，當然是多種因素綜合產生的。這就是基於共產主義本性上不能與民主自由主義和平並存。所以中共政權越穩固，對美國越不利。

共匪已面臨堅持打倒「美帝」或是放棄共產主義的抉擇。他們當然要打倒「美帝」，這便是逼迫他們非打倒「美帝」不可的力量。若果如此，那末，祇要一到他們原子能武器足夠一戰的時候，圍堵的政策，將完全失敗。請問到那時候，美國將怎麼辦？中共說得很明白，他們可以拿三億人口和美國來拼命，拼完之後，美國沒有人了，他們還有三億人。他們說得出也做得出來。過去，中共沒有原子彈，利用人海戰術，胆敢和美國在韓國作戰；將來有個原子彈，爲什麼不敢再戰呢？因爲他們視民命如草芥，所以，美國應及時把眼光放長，立即考慮到一切可能的後果。

美國上上之策 趁早消滅毛共

退一步而言，假定中共不敢掀起原子戰，那末，圍堵的局面，依現在的政策，祇好長期的維持下去。越南的戰爭，也然當會繼續不斷地擴大起來。目前，美國對越戰是欲罷不能，欲勝不可，而損失一天一天地加重的長期消耗戰，美國願意忍受麼？如戰禍更蔓延泰國，瑪拉雅山的戰事，繼續擴大，美國將怎樣對付呢？所以美國遲早要作一明智的抉擇，即退出亞洲？或進攻中共？假定美國退出亞洲，過去何必介入韓戰？而今何以仍願再行介入越戰？當然有其不得不然的理由。此足說明美國不能退出亞洲了。美國既然不能退出亞洲，那只有進攻中共，解除其原子武裝，免得擴大戰爭。我們相信美國人不會沒有考慮到這個問題的。

假使共匪願意與美國和好，那不是誠意而是陰謀。否則的話，共匪仇視「美帝」與領導世界革命，豈不吹了嗎？曾氏引用美國專家的證詞來支持他的意見：中共若向美國表示好感，骨子裏正在那裏陰謀傾覆美國，正如中共傾覆我們在大陸時的中央政府一樣。

如不姑息共匪 反可消弭戰禍

曾教授結論說：如敵人是不怕嚇阻的，那末，遲早終必出於一戰。與其讓共匪坐大而後大戰，不如趁共匪力量還小的時候，提早小戰，甚至可以從高空毀滅他的原子裝備而避免大戰。如敵人是可以嚇阻的，那末，與其等到共匪全副核子武裝齊備了，再去嚇阻，不如趁其羽毛未豐之時候，提早嚇阻。總而言之，我們的敵人，是姑息不得的。越姑息它，它的胆子越大，戰志越堅。我們越不姑息它，反而可以消彌戰禍，因爲共匪今天究竟是外强中乾的。（下）

銀行信貸將逐漸放寬 香港工商前途可看好

（本報訊）銀行半年結前香港工商業大致安定，並未有震動性的工商單位擱淺及倒閉的事件發生。七月份開始，銀行對工商業的信用貸欵，將逐漸放寬。但銀行對於客戶選擇仍然審愼，客戶對銀行選擇亦將比較嚴格。銀行界人士認爲，經過今年上半年的整頓，下半年銀行業務發展將更爲健全，工商業亦將循正當的途徑發展。

目前香港很多有實力而又作風穩健的銀行，對於下半年業務發展已有新的部署，即對於工商業的放欵，將採取有計劃而又逐漸放寬的措施，因爲銀行內部頭寸很鬆，資金須有穩定的出路。由於銀行方面對於香港工商業各單位已有了很透切的認識和瞭解，對於放款客戶對象，原則上雖然仍很嚴格，商行及工廠的基礎良好而又業務發展正常的，銀行對於信用透支可以給予較大的方便。但有一點最爲突出的，不但作風穩健的銀行要選擇好的客戶，作風穩健的工商單位對於銀行的交易選擇也很嚴格。現時美商銀行的業務推動比較積極，因爲香港對美國貿易今年上半年繼續有良好的開展，很多大工廠的產品輸往美國爲主力的，陸續爲美商銀行爭取作交易的對象，專關美商銀行對於港美綫的貿易最瞭解，美國向港訂購貨品的商人信用如何，他們都很淸楚，故此有信用票開來，美國銀行可以迅速接受信用票的透支。因之作美國生意爲主的大工廠，與美商銀行交易實在很有幫助。英商銀行仍然是支持香港工業最大的銀行，他們的作風很穩健，業務正常的工商單位，都獲得英商銀行支持。由七月份開始，英商銀行對於進出口押滙生意將有新的開展。日商銀行的活動也有新的表現，因爲港日貿易下半年將有明顯的增加，日商銀行對於日本貨在香港市場推銷以及轉輸東南亞均有相當的協助。華資銀行當中，其業務穩健而服務精神較好的，繼續獲得香港市民的信任，他們對於進出口押滙以及正當的放欵，亦將作有計劃的推動。

香港的大商行與工廠，今年下半年也有新的發展計劃與合理的安排。商行方面，經過了上半年的實地體驗，對於下半年商場的新動態，亦已有了充分的認識，對於秋冬季貨品的訂購，都不敢過於浮濫，對於出口生意及轉口生意，亦將以穩健的方式經營。工廠方面，今年下半年擴充將繼續減緩，即使有銀行支持，也不會像往年大量添置機器擴充生產。今後一般大工廠以合理利潤的生產作目標，同時向高質化方面發展。但很多中小型工廠因爲組織不够健全，不容易獲得銀行的支持，他們在業務競爭條件又不及大廠，故此除了其中一部份作風穩健以及有基礎的中型廠，其業務發展及可趨正常外，其他的中型廠及小型廠業務發展尚很困難。

中看不中用·銀樣蠟槍頭 俄援北越飛彈虛有其表 美機員有妙技視若無睹

—西貢通訊—

蘇俄這種稱爲「山姆」式的飛彈，長約四十呎，射程約爲八萬呎，最高速度可達聲速的兩倍。可是，由於這種飛彈的體積，速度和控制體系的關係，它射出時要作很濶的弧形轉動，因此，一個具有警覺性的駕駛員是極容易設法避過的。[illegible]

是射出了，却給美國這種秘密技術使它朝向目標以外錯飛過去。至於北越的飛彈發射台，是由北越人或俄國人管理操縱，美軍方人員也不能怎樣確定，但以蘇俄在他們有飛彈供應的其他國家情形來看，在每一處發射台範圍內，最少亦有幾個俄國技術人配備。（下）

政治觀念必須適應時代潮流

（上接第一版）

[illegible]

滬海異趣談

東京「性商店」生意經

·桑雅·

日本的商人，有着一種把適應各項特殊需要的各種特別產品供給給旅客們（特別是美國旅客）的稀有才能：「例如許多前來逗留數個月的旅客，都想租賃一間「眞正」的日本屋子的。他們懂得旅客們所需要的一切，就是一間看來好像日本房屋的西方式屋子。那個日本人經紀，一定會由那些感到滿意的住客們收到那筆欵，而那些旅客對於他們所得到的各種享受，也覺得快意得很。

在東京，那裏有着一種很是發達的遊客生意，那就是出售靜止的或活動的春宮影片。在這裏你甚至可以租用一架攝影機，藉着一種合理的物價計酬方法，那個愛好春畫的遊客可以裝置一個私人攝影室，再加上所需要的燈光、模特兒和甚至那些特殊設備就得了。在離開一間專售神戶牛柳的食肆不遠的地方，可以找到一間類似其他所有日本小商店舖，即是在前面一間用來做生意的大房間，後面就是那個店主人的住所；但是在前門，掛有一個標出「性」字樣的粉紅色光管招牌，那就是這間前舖後居商店的特點了。一個人如果看見這個招牌的，會不會走到裏面看看有着什麼貨色呢？性這一回事，除了很幼小和年老的人之外，差不多可以吸引諸色人等入彀的。

那個招牌，就是我（本文作者的一個美國人自稱）首先注意的東西。我就帶着好奇的心理走入裏面去。那間大房，是在中間的地方用一幅假牆分隔開的，假牆的一邊，擺着有燈光的飾櫃，橫過那間的那一邊，則有着一個櫃檯。在那個櫃檯的後面，那個店主就在那裏招待他的客人。

在那些飾櫃裏所陳列的東西，乃是每一種對於性交接的書籍，藥品，和事前事後的各種裝置。每一件物品，都附有號碼的，你祇要在那個櫃檯旁邊把你所要的那個號碼說出來，那件貨物就會很快的送到你的手裏。無論那些價錢是用日元，佛郎和馬克標明的，都并不貴。

那些貨品，主要就是機械的性交幫助品，男性所使用的如意袋，法國的呵癢器和女性同性戀者供作行淫用的全套物事。我在那裏把那些貨物觀看一過，大有目不暇給之勢，我不知道那些東西是怎樣使用的。

那個出售書籍的部份，好像在巴黎出賣那類書籍的情況一樣。那個店主，已經在櫥窗裏面把書中最爲精彩的那一頁揭開，使到愛好此道的人們巴不得把那本書買到手裏，窺個全豹。

那個出售春藥的部份，一定是世界上最爲完備的。一個人能夠在其他甚麼地方買到一大盒經濟得很的斑蝥呢？一種土製的藥，據說可產生「延長機能亢進」的效果。在那裏所陳列的如意袋，有着許多種類的，其中最名貴一種，就是一種猪家皮製成的，那種猪家據說在喜馬拉雅山的東麓方才找到的。

我以爲我可以在那裏張望一回，不必買些東西就可以離開那間商店的。可是我那意想法，並不生效。那個店主向我示意走到那個櫃檯旁後，那個牆上玻璃架的燈法亮着，我自然而然的走到那邊去看那個究竟。原來那是猥褻不堪入目的照片。那個店主人見我不大感到興趣，因此，他就在那個架上把一個好像裝袖口鈕那個小盒一樣的盒子遞給我看。那個盒子裏面的紅色天鵝絨上面，放着兩粒直徑約有一吋的金球，那兩粒東西是光滑和包有眞金的。我問他那是做什麼用的，經過他一番解釋之後，我才恍然大悟。那些金球事實上是像鈴那樣的小型振動器，那是用來塞在你的女伴的體內的，在交接的期間，可使到兩粒金球相碰撞就會產生顫動作用，使到一個「完全性冷感的女人」也會變得好像飄飄欲仙，神魂顛倒的模樣。我那時看出我一定要買一些東西，如果我想走出那間商店的話。因此，我就買了那兩粒金球。我那時有着一種想法，認爲我可以把它拿來作爲袖口鈕的用途。

可是我對於那兩粒金球覺得有點迷惑起來。而且當你買了一些東西的時間，你總嘗試那個製造商所宣傳的那種用途。我回到我在東京那間酒店，我就決定試用這兩粒東西。我在其身上試用這兩粒東西的那個女郎，是一個在東京大學畜牧的四年級學生。她不自禁的吃吃地癡笑起來，因此後來我要把一些靜劑給她服食。她愈爲引起興致，情形愈爲不妥。我設法把它們拿了出來。但是徒然使那項問題加深起來。而且我祇能夠找到一粒吧了。一個星期之後，她把那另一粒郵寄給我，她的爲人眞是不錯。

後來，我設法把那兩粒金球製成袖口鈕，但是它們實在過大，和笨拙得很。因此我就把它們鑲在一隻手鐲上面，並把它郵寄給我在美國的一個女朋友。她寫了一封信向我道謝。她說她在那裏做工的辦公室同事們，都認爲那兩粒金球小巧得很，和式樣很是漂亮。

蒙巴頓與邱吉爾的瑣事

菲敏譯

世界名人邱吉爾自逝世後，加拿大何拔他省的愛蒙頓市，組織了一個邱吉爾會，參加的會員，共六百一十名。在一次聚會中，英國的蒙巴頓伯爵，應邀蒞臨，他在會中，敘述他與邱吉爾爵士的軼事，使這個會，自組織以來，出現第一次富幽默而動人的氣氛，與會的會員聽衆，聽到幽默處，無不爲之大笑、喝采。當說到動人的時候，他們感動得流下淚來，甚至帶着眼淚離去。

蒙巴頓伯爵所敍述的，是他和邱吉爾在生時的密切接觸的軼事，是四十三年來，從未報道過的軼事，而且本人亦從未提及到的。以下就是他所說的摘要。

在一九一二年，我（蒙巴頓伯爵自稱）那時只是十一歲，邱吉爾來我家中午膳，當他告辭之後，家母對我說：「我看他是個不大可靠的人；我把最心愛的書本，借了給他，可是有借無回。」家母這番話，深印我的腦海，同時我寫下一項紀錄：「邱吉爾不可靠的。」

在一九一三年，邱吉爾乘一艘總司令座駕帆船，來高維斯巡視我們。在食堂裏他看到我，向我詢問說：「迪奇，晚餐可口嗎？」

我回答：「我們每人只有兩條沙甸魚。然而每人都希望能有三條的。」邱吉爾即撥電話給海軍總司令，吩咐他記下我的意見。然而，我們始終沒有配給三條沙甸魚。由這一點，說明邱吉爾是言而無信的。

在一九二八年，邱吉爾任財政大臣，他和任海軍司令的老朋友羅渣基斯爵士出海。在海軍軍官中，我是最年輕的高級海軍上尉，是這艦隊的電訊主任。

邱吉爾寫下許多華美詞藻的電文，以拍給那些曾娛樂他的人士，這些電文，交由我拍發，所耗的電報費九鎊十七仙令六便士。後來我將三張電報單交給邱吉爾，他說：「這是怎麼的一回事？」

「先生，那是每字六便士。」我說。

他說：「但由這兒到馬爾他，不過是五哩罷了。」

我說：「先生，沒有錯。但是一個海員和家人通訊，每字付六便士。」

「那眞是駭人啊！」他說。

「我知道的。」我說：「那是財政大臣堅持這樣的規定的。」（上）

南北越分界非軍事地帶巡禮

·本報特譯·

我們從山上的塔式小屋用望遠鏡向北部望去，那裏的居民多少不清楚。在一九五四年之後，北越曾把原來的鄉民撤去，而改派政治幹部的家眷和一些認爲忠誠沒有問題的人來住。據所知，最少亦有一營北越軍駐在那裏。（這是違反日內瓦協定的）

不久以前，南越的區長叫警察建造了一座碉堡並在海邊築了一道約兩呎高，長一百二十碼的圍牆，北越當局即向監察隊提出抗議。但南越區長立即叫警察在牆上種了鮮花，解釋這不過是花圃，很快地，北越方面也在河的北岸建造了同樣大小植着同樣鮮花的圍牆。

雙方的警察巡邏隊非俟見到對方有警察走上橋，纔出動巡邏。他們雙方在橋中間相會，有時互相客套兩句，有時卻彼此辱罵。北越警察是不准在河裏洗澡的，這一來使南越人獨佔，時常在河裏洗個痛快。

在農曆新年期間，雙方警察閒中偷渡過河，交換香烟啤酒。那條河經常於入黑後兩面都有偷渡的，那是水牛，情侶和特工。

這裏駐有兩組國際監察隊員，每組都有一個印度領班，和加拿大、波蘭隊員各一名，另一個波蘭語通譯。他們住在分界綫之南約一哩的宿舍內，每晨九時分乘兩輛白色的車子執行他們神聖的任務。其中的一組到了橋上，南越的聯絡官就出來陪他們在南越邊境巡邏；另一組到了橋中央，北越的聯絡官就迎上來。根據日內瓦協定，監察隊是可以到北部巡視的，但北越卻藉詞美機時常轟炸，難保隊員的安全而婉卻隊員的巡視。

監察隊員下午就沒事做了，他們經常聚在一起玩橋牌，大家相處得很好；雖則他們由於本國的政治立場不同，所以有時的報告觀點就不同，但日常生活是彼此融洽的。（下）

新三國

周遊著

他正要想去迎接天子，先派了曹洪去迎，卻先被董承守住成皐，不得進。因爲當時獻帝新入殘破的洛陽。等到他們幾個人大家分了大官之後，大家都各自表明態度，皇帝是大家的，誰也不用把持。當楊奉、張揚都願各回各地，張揚回河內（懷慶），楊奉回開封駐紮，留在洛陽的只有董承和韓暹。時董承爲衞將軍，韓暹爲大將軍，楊奉做了車騎將軍，張揚做了大司馬，四人地位同樣崇高。

董承是一個不安於現狀的人，自己做衞將軍，先不准曹操到洛陽來，現在和韓暹爭權，卻把曹操勾引進來。這如同何進把董卓勾引進來一樣，此即所謂「引狼入室」。豈知把曹操勾引進來，那還有你董承的一分？因此曹操得董承的勾引，正中下懷。趁此時機，可以向西發展，平定豫州，把洛陽也納入勢力範圍，要達到此一目的，自然挾持獻帝比推翻更好。而且又落得一個「勤王」的美名。這正是政治手腕的運用，可利用則利用之。勾引曹操入洛陽，是董承一個人的意思。本來此時的洛陽可以相安無事，可是董承卻庸人自擾，偏要引狼入室。但憑董承的力量可能有限，曹操還獲得另一個姓董名昭的大力，才得進洛陽。這董昭是一個詭計多端的反派人物，後來他在曹操羽毛豐滿之後，共同演出「逼宮」的精彩傑作。此人是一個十足姦佞殘臣，在此把他簡單介紹一下。

董昭字公仁，是濟陰定人，（定陶前已評明）舉過孝廉，做過栢人縣令等地方官，頗有才幹。袁紹領冀州，以爲參軍從事。又做過鉅鹿魏郡太守，表現得非常不錯。正在此時，董昭的弟弟在張邈那裏，張邈又與袁紹有些不對，袁紹聽信了人家的讒言，加罪於他。他想去中央發跡，路過河內，被張揚留了下來。此時獻帝正在河東，曹操也派人去進貢，表示效忠獻帝，路過河內，也被張揚所阻。董昭眼中有神，他認爲曹操是一個有辦法的人，非常崇拜他，於是便自願運動張揚，放曹操的使者過去。後來張揚連同董昭一齊放走，董昭當然高興之至。到了河東，獻帝拜爲議郎，做了中央的官。董昭對於曹操抱有很大的希望，所以他運用機謀，到處爲曹操疏導，開通曹操的阻礙。董昭知道，此時諸人之中，以楊奉的兵力最强，卻沒有黨羽，他判斷楊奉一定很希望拉攏外援，乃自動爲曹操寫了一封書信給楊奉，書云：

吾與將軍聞名慕義，便推赤心。今將軍拔萬乘之艱難，反之舊都，翼佐之功，超世無儔，何其休哉。方今羣兇猾夏，四海未寧，神器至重，事在維輔，必須衆賢以清王軌，誠非一人所能獨建。心腹四肢，實相持賴，一物不備，則有闕焉。將軍當爲內主，吾爲外援。今吾有糧，將軍有兵，有無相通，足以相濟。死生契闊、相與共之。

楊奉得書大喜。楊奉之喜，以爲國家有了倚賴，並對諸將說：「兗州諸軍，近在許昌，有兵有糧，國家所依仰也。」，這正是他的喜。誰知他所引的又是比董卓更利害的狼。楊奉表曹操爲鎭東將軍，襲曹嵩的費亭侯。董昭也升了符節令。（四十七）

國劇繽紛續錄

鋆婆生（八十八）

復敏的奇蹟

曲復敏出身自復興，論嗓子本錢，她爲第一，在衆位同學中，祇有崔復芝蟹復薇尙可較量。自參加干城後，戲的份量並未多增，她的意思，沒有老師指點，亦懶於用功，未免可惜。我鼓勵她，爲第二次公演，她演出不多，即寄以劇本，就所標點的，即有八九齣，現在有錄音，有唱片，先是自己琢磨，有過節不太明白，再請教別位指點，以往的名伶多是如此。現因生角不多，總望她出人頭地而成一名角！但是人大心亦大，最近恐怕她在希望成家，我們當然贊成；不過成家是一回事，學藝又是一回事，不能成家就停擺，還是要努力至上！

這次公演，復敏是揚眉吐氣，六天戲碼唱了四天，可是有六齣戲。聞說失空斬原擬列大軸，她不願意，很有自知之明。這類戲並不易叫座，旁人也如此。可惜慶頂珠未帶殺家，是一缺點。本門的戲是很可以，未見台下怎樣鬨動。奇跡却在翠屏山的石秀，虹霓關的王伯當，鐵公雞的向榮，滿座喝彩。

我請她演石秀，先爲謝謝，竟想不到能演王伯當，下次有了譜兒。我的小女看完回來，手舞足蹈，說與徐蓮芝搭得好。她是曲迷專捧復敏，有時撅起小嘴說，討一張相片，都不肯，比電影明星爲難，還說她會寫信給復敏。下次劇展，我已提出要看轅門斬子，可能會排出。金山寺如成功，再學一趕法海，有好多唱，是皮黃學，快努力，至要！

香羅帶的商榷

定山改編的香羅帶，總算幸會看到，非常欣幸。場子銜接頗緊湊，並無冗場，一氣貫之，深爲佩服。似乎比趙原所演爲佳，此非過譽。但仍有一些以告干城，再爲商榷。

唐芝尊師送暖一場，應予銜接，與唐通回家一場互易，較爲適合。逼妝一場所用鏡子過大，把戀娘的姣容，幾乎遮住，兩旁的觀衆，均看不到，祇有中座可以欣賞了，下次宜予改換較小的！唐通得官回來，上堂說明，不能太慢，因爲已推出問斬，似宜改爲急急風上，較合情理。

談到逼妝與夜間叩門的情景，唐通的神情，似應加強狼怒，不宜過於淡寫，致難引起高潮。戀娘的含辱忍屈，也須加重，表示羞慚不願，無奈試貞，皆不簡單，因此復敏蓮芝尙須研究一下。所謂越兇越像，越羞越眞，這是全劇的三疑計，梆子班演出，就是此場來叫座！切盼加以改正，爲報定山，應該演得出神入化！不知這一天，譚硯華有無去欣賞？此荀派劇，似乎較霍小玉爲有勁，盍不試試？好在定公的劇本，無須乎代價，也結個文字因緣，其考慮之！

燈下瑣語

璇冰

二、往事依稀

由於連日豪雨，迄今仍是陰霾密佈，撩諸事實導致情緒的關係，在此仍要談雨。

現代科學昌明，許多快要成爲事實的現象都可以用儀器測知；但如果知識的一部份乃由經驗堆積而成的話，那麼，老人之言仍是信而有徵的。

記得我離開城市生活那段日子，住到窮鄉僻壤去的時候，到那裏去，陸路靠雙腿，水路靠用帆與槳或撐篙與搖櫓來作推動力的木船。舟行水上，風雨與晴天極有關係。風，雖然內地少有颱風，可是豪雨做成的急流，就影響到木船的安危，因此，駕舟的人便要先有一個計劃——那就是要懂得點天文了。

鄉巴佬，沒入過天文學校讀書，縱然有儀器給他也不懂應用，但與生活有關的起碼的知識不能沒有，這就只有憑經驗來作南針了。

夏天，是驟雨最多的季節，有時豪雨連綿，就會行不得也哥哥！爲了不想中途羈留在逆旅，每當不是晴朗的天氣作遠行，就先以天氣問老船伕；有時，坐在艇上，遇到狂風陡發，天邊有一連串烏雲，也會以此來作閒聊的。

「船老爹」當地的鄉人稱上了點年紀的舟子多用這三個字，「今天水道平順嗎？」一次，我在舟中關心旅程的時間地這麼問。當時是霪雨過後，逆水行舟。

他不答話，像聽而不聞。一剎那間後，他把紙錢撒向江心了。

我知，他可能心裏有忌諱，而又給我的話觸及的。不過，我關心這段行程的時間，能否配合自己的事情，轉轉腦筋又這麼轉彎抹角地開口：「上游的水勢是否湍急？」

這一來，一個旅客就帶點神秘意味向我悄聲說：「行船時不要說這話啊。」

於是我就只好按着一肚子悶氣在舟上困了一個整天了。後來，水程告一段落的時候，走慣了這條水道的旅客告訴我：這條江上的船家習慣，仍在操着水上生涯時，不談舟艇的安危事，也不預測航程，因迷信水中有鬼物聽了；別人的話，就作弄的；比如你想快，他故意弄得你慢點，舟中人，只可默默在心向他禱告庇祐安寧，同時也敬以紙錢，那就會達到旅途平安了。不過，這樣的迷信，因人而異的，當我又一次登上另一隻艇，因在江上往來得多，跟船家有點熱絡，縱談各事，他都毫不諱言，也不向水面撒冥幣，而舟行也一樣的平安。所以，鬼神事，只是人爲的一種心理而已。

豪雨，自然是山洪的來源，也就是江河湍漲的因素。內地山嶺多，距離海岸綫遠，排水建設幾乎等於零，因此，每每大雨成災，那就田園廬墓都成澤國，行走往來，就靠小舟，木艇，甚至大盆子。記得一些鄉人告訴我，他們自己就是曾經坐過木盆逃生的。

洪水來時，固然田園被浸，房屋遭淹，家中的物件隨水向外漂，自然，水退後，得要大興土木一番。至於貧窮的，當家物蕩然的時候，就只好到外邊去拾點從上游漂來的東西應用，也聊勝於無。

當洪水暴發，固然可能促致山崩，也令田堤陷塌，我曾目擊過一條平平靜靜的小河，當經過一兩天豪雨後，從上游而來的水勢有如萬馬奔騰，把一些較爲凸出的土地，冲激得崩去一大塊又一大塊，這也算是變相的小規模陸沉了。（下）

諸葛亮之遺蹟

漁翁

諸葛亮，字孔明，瑯琊陽都人，漢司隸校尉諸葛豐後也。父珪，字君貢，漢末爲太山郡丞，早卒。亮依從父玄，玄又卒，遂躬耕隴畝，好爲梁父吟。家於南陽之鄧縣，在襄陽城西二十里，號曰「隆中」。

時劉備屯兵新野，訪世事於司馬德操，德操曰：「儒生俗士，豈識時務？識時務者，在乎俊傑，此間自有伏龍鳳雛。」問爲誰？曰：「諸葛孔明龐士元也。」於是備訪諸葛於草廬，凡三往乃見，詢國家大事，亮以「聯吳抗魏」。爲外交上惟一政策。備力勸出山，同赴新野，賓主相得益彰，佐先主取荊州，定益州，遂與魏吳成三分鼎足之勢。

羅貫中三國演義，以諸葛爲主角人物，所述「空城計」、「劉備招親」、「合兵攻曹」、「黃鶴樓飲宴」，繪影繪形，描寫備至，後人編爲劇本，即婦人孺子，亦咸知孔明之妙算如神。由出山而至卒於軍中，經過二十餘年之艱苦奮鬥，功績昭昭在人耳目，故所留下之遺跡不少，更爲後人見物懷人，望風憑弔也。

隆中山：爲諸葛隱居地。山上爲草廬，山半爲抱膝石，下爲躬耕處。縣南十里有臥龍山，二十里有伏龍山，皆以武侯名。

臥龍崗：起自嵩山之南，綿亘數百里，至此截然而住，回旋如巢然，草廬即在其中。相傳諸葛耕南陽時，嘗放步於臥龍山上，作鎮日遊。王十朋詩：「我輩逢山眼即青，臥龍頂上喜同登；圖留沙磧懷諸葛，詩誦江濆憶少陵。」

抱膝石：隆起如墩，可坐十餘人，爲諸葛未遇時抱膝長吟處。王鉞詩：「慨想先生抱膝時，滿懷幽思有誰知？於今一片蒼苔石，勝似襄陽墮淚碑。」

八陣圖：在夔州奉節縣，本漢魚復縣，聚細石爲之，各高五尺，廣十圍，凡六十四聚。又陝西沔縣定軍山下，亦有八陣圖遺迹。爲諸葛生平行軍之一大傑構。杜甫詩：「功蓋三分國，名成八陣圖，江流石不轉，遺恨失吞吳。」東坡志林：「僕嘗夢見人云是杜子美，謂僕曰：世人多誤會予八陣圖詩，以爲先主武侯，欲與關羽復仇，故恨不能滅吳，非也；我意本謂吳蜀脣齒之國，不當相圖。晉之所以能取蜀者，以蜀有吞吳之意，此爲恨耳。」子美死後已六百年，而猶不忘此詩，亦云奇矣。（上）

麻雀與人類

紫笙

春夏間，早晨自夢中聽到的多不是雄雞的叫聲，而是些吱吱喳喳的麻雀們的談話。它雖然並不悅耳，却有像清溪灘流的節奏，平添了早晨一點生氣。舉頭一望，那邊樹上來了一羣，這邊枝上着落兩三隻勃勃，跳上跳下在逗玩着；多麼活潑，多麼可愛。除了大風雨以外，沒有休息。

到底麻雀跟人們是註定了不解緣的，不管你喜歡不喜歡，牠們總要跟你一起的，無論你到什麼地方，都會看到麻雀在你周圍的。沒有人烟處就看不到麻雀，深山裏沒有麻雀的蹤跡。但如果山裏有什麼工程動工了，鑼聲一响，麻雀們就不知不覺出現在你跟前。

麻雀的香巢多選在我們的屋簷底下的，公母很難辨得出來，牠們夫婦很會合作，爲了做個窩，把些枯草、小枝、羽毛、碎布等等，半個鐘頭可搬來四十多次。麻雀的舌頭薄如紙、尖如槍，靈敏異常，一輩子的食住都靠這小舌頭的。麻雀的壽命差不多十年，自春至夏是牠們養子育孫的時節。大約養兩次，每次五、六隻，經過二個星期的撫養，就可長成。這當中，三天餵食，十天就會振翅跳跳飛飛，不久就各自謀生去了。

麻雀雖然離不開人們，可是人們很難接近牠呢！如果你看牠們不察覺就偷偷地靠近牠時，牠就好像跟你開玩笑似的，你剛伸手，可給你剎那的喜悅，眨眼就無影無蹤了。牠們很敏感，能夠防衛敵人的偷襲，一方面也能夠體會人們的親切；如果你有意照顧牠們，供給牠們粮食，示以善意，牠們也會親近你的。餵慣了，不但牠們不怕你，且會在你肩上跳舞，也會同你接吻。可知童話裏，有種種人和麻雀親近的描寫，不是虛構的。你在院子裏常常放粮食，牠們就不遠千里而來享受。牠們之中，年青的即爭吃起來，繼而動武，鬧得天昏地暗，難解難分，煞是好看；那老的便有點謙讓，給年青的不客氣地爭奪，也不加計較。

麻雀雖然活潑生動，但却像村婦般的樸素，自然人們總是不大喜歡牠的。可是當你無聊的時候，牠在樹枝上，或是屋簷下跳跳唱唱，可解你一點寂寞。有時在電綫上排了齊整整的隊伍，歡迎你光臨校園，何時給小園裏平添不少的生趣。有時經過畫家們的靈敏與妙筆，會留下了不少傑作呢！至於麻雀的味道，那就特別了，尤其日本人的烤麻雀，喜歡的人一聽到就垂涎三尺。

由於小學生們學了麻雀是害鳥的緣故，影响所及，連大人們都有了這種意見，這實在寃枉極了。其實麻雀的偸食並不多，一百隻一天的食量，不過一升；牠們的食粮，大概是稻穀二〇〇，雜草一三七，小虫二一的比率。而小麻雀們是稻穀三，小虫五，草子二的比率。人們只知道麻雀偸吃稻穀，却不知道牠在田間爲你除草驅虫，將功贖罪而有餘的。人家說香港麻雀特別多，是禍是福尙待研究；其實或者可謂香港繁榮，是跟麻雀之多，有些關係呢？

瓶子與海的傳奇

。懋漢譯。

威士忌酒瓶，啤酒瓶，嘧汁瓶，茄汁瓶，各種瓶子都有在海洋上漂流，被潮流所推，大風所送，最後到了海灘時，若被人發現就會停止它們的行程，否則像在休息了一下，又再會被海潮送出去繼續漂流不定。照所得紀錄，一隻瓶子漂流最遠的，乃在南美洲的東南最末端號角海角，漂流到紐西蘭北島的西岸，相距凡一萬零二百五十哩。漂流四千到六千哩，是很平常的，那也有紀錄，有一隻瓶子漂流六千哩，時間是三十一個月。

當第二次世界大戰發後，在太平洋有許多由日人所佈下的水雷，航行該區的船隻有最大的危險，祇有調查瓶子所經漂流的水路，跟照行便可避免。就算在和平時期，瓶子的漂流也能減少航海家的許多困難。

也有許多私人所投的瓶子，多是向拾取的人作種種的要求，像有一個愛爾蘭男孩想得到一些錢買零食，也有一個在西印度羣島居住的人，想得到一件衫送給他的妻子，他本人想得到一本聖經。（三）

贈景瑚

許紹棣

丙午夏初景瑚環遊世界過此晤談甚快賦此以贈

景瑚白面顏如童，一生好遊西復東。
數越五洲經萬國，足跡遠過太史公。
文章才調已驚人，懷抱磊落更玲瓏。
平生意氣冠儕輩，趣尚不與小儒同。
自從邦國遭喪亂，楚材晉用遠其衷。
昨者語我退休計，耿耿似欲明敬恭。
知君廊廟瑚璉器，大官扭捏不歌功。
近來時彥好頌德，指陳大勢尤所工。
人情洶洶苦時晦，令我老眼看惺忪。
百年世事那忍說，願仗巨筆振聵聾。

內政部台誌字第〇三三號內銷證

自由報

THE FREE NEWS

第七六六期

中華民國僑務委員會登記證僑台新字第三二三號
台灣郵政台字第一二八二號執照登記為第一類新聞紙類
（每週三、六出版）
每份港幣壹角　台灣售價新台幣貳元
社長：雷嘯岑
督印人：黃行警
社址：香港銅鑼灣高士威道二十號三樓
20, CAUSEWAY RD 3RD FL. HONG KONG
TEL. 771726　電報掛號：7191
承印者：大同印務公司
地址：香港北角和富道九六號
台灣分社
台北市西寧南路二樓
電話：三〇四六
台郵政劃撥儲金戶一二九

毛共內鬨與世界局勢

王少懷

共產主義者的人生觀，是以仇恨為基準的，他們的思想體系對內以階級鬥爭為中心，對外以世界革命為目標。因而對於任何個人或團體皆含有敵意，決不信任，雖父子、兄弟、夫妻之間，亦不例外，朋友和國際人士更無論矣。共產黨人的生活方式專尚鬥爭，先鬥敵人，次鬥友人，再鬥同志，天天鬥爭，時時鬥爭，夫是之謂「革命」！

他們既是以鬥爭為生存發展的法則，當然重視權力作用，權力就是真理。所以，在共產政權之下，沒有全民共同信守的法律，口含天憲，朕即國家，誰能爭取得最高權力，誰就是無上的主宰者。對於國際間的條約、協定，同樣地視為無足輕重的廢紙；今天為著進行世界革命的利害關係，信誓旦旦表示遵守條約、協定的神聖義務，明天又振振有詞，指摘條約、協定是帝國主義者的陰謀毒素，唾棄不遑，夫是之謂「辯證法則」！

明乎此，即知目前中國大陸上，毛共進行的「文化大革命」運動，只是內部權力鬥爭的惡作劇，不管誰勝誰敗，都是共黨本質的尋常動態，并不稀奇。就共黨政權的歷史演變法則看，每逢其最高權力者快要死亡之際，內部必定發生一場極為廣泛而酷烈的權力鬥爭。列寧病重時，俄共托洛斯基與史達林兩派為爭奪權力，即大事鬥爭，逼得列寧寫下了指斥史達林的遺言，而俄共內部後來的流血鬥爭乃垂二十年，犧牲了許多布爾塞維克的老幹部。史達林一死，內部又發生幾次流血鬥爭，且對史魔進行鞭屍運動。現在中共頭子毛澤東命在旦夕，他們內部發生大規模的權力鬥爭，殆為必然現象，是共黨本質應有的結局。姑無論這是毛酋為要防制他日被鞭屍的危險而然，抑是其他的高級共幹為爭奪毛酋死後的最高權力所致，皆係狗咬狗骨的玩藝，對大局不會有多大的影響。在一般非共的國家中，統治權如果有所轉移，由於人的關係，對內對外的一切措施，可能發生變化，甚至於引起內部動亂，共產政權卻異是。它是極權專制的警察國家，特務人員散佈每一個角落，實行嚴密控制，民眾不特是手無寸鐵，即行路、說話的自由亦沒有，就是持有槍炮的共軍，亦在特務監視之下。要想乘着共黨內部權力鬥爭的機會，掀起革命風潮，亦不容易，何況他們平日還有一種共產主義的思想灌輸作用，心理上多少潛存着「外禦其侮」的下意識，除非受到外來力量的打擊，他們即不敢表示異動的。基此，現階段確係中華民國政府對大陸採取軍事行動，討伐叛亂集團的大好時機，決不宜寄望於共黨內部因權力鬥爭而自行崩潰。然受着國際關係的牽制阻碍，要想採取軍事行動，顧慮良多，很可能又讓毛共渡過難關，苟延殘喘，這眞是自由世界的大不幸也。

英美人士在過去十餘年間，經常期待毛共政權走狄托路綫，由於毛共雖與蘇俄立異，而更加敵視「英帝」「美帝」之故，英美人士於失望之餘，又自作多情，認定毛共的下一代將改取「溫和政策」，跟英美和平共存，而英國學者羅素，且希望共黨行仁政，可哂已極。毛共竊據中國大陸，在北平僭制稱尊伊始，美國政府不特聲明「一筆勾消中華民國政府」，稱讚毛共為「社會改良派」，且命其駐華大使司徒雷登仍居南京不撤退，宣稱美國願以二十億金元貸助毛共，換取友誼，這條件可算優厚，情誼亦甚禍疊了。然毛共置若罔聞，更加緊反美宣傳，高呼「仇視美帝，蔑視美帝」口號，終且派大軍到韓國與美帝作戰。如今毛共的羽毛暫告豐滿了，而美國又派遣大軍在東南亞地區，跟共黨從事戰爭，縱令毛酋死亡，下一代的繼承人不管是劉少奇也罷，林彪也罷，乃至於周恩來也罷，他們能夠放棄其「反帝」「反殖民主義」的世界革命立場，跟英美結交親善嗎？毛共與俄共對立的唯一理由，就是指蘇俄不應該跟英美和平共存，認為俄共向帝國主義投降，是違背馬列主義而走回資本主義路綫。如果毛共的下一代可與英美和平共存，它即喪失了立場，依然回復到俄帝附庸地位，這不特對共產世界無以自解，即其內部亦必然發生致命的思想鬥爭，非整個完蛋不可。站在自由世界的立場，固然願見毛共下一代眞有此事出現，無奈道是絕無可能的幻想——是幼稚無知的情性觀念，一廂情願，可憐亦復可哂！

當蘇俄政權創立之初，直至第二次世界大戰前夕，英國居於資本主義國家的盟主地位，倫敦是世界經濟生活的總樞紐所在，因而俄共以及第三國際的世界革命策署，乃以反英為首務，外來旅客在俄國若說英語，即受到怒目相向的惡意反應，這是筆者曾在俄國親自體驗過的情形。自二次大戰後，美國已取英國的世界盟主地位而代之，共產主義者基於世界革命的策畧，擒賊先擒王，實行攻堅主義，自然以「美帝」為第一號敵人了，赫魯曉夫曾經對着美國人聲稱「要埋葬你們」，并非虛語。美國忽畧這項事實，總想以卑詞厚幣討得共黨政權的歡心，乞取眞正和平共存的安全繁榮生活，可謂不知彼，亦不知己也矣。英美對蘇俄刻意求和的妥協思想，是懾於核子大戰的破壞力量，唯恐同歸於盡。但毛共雖有製造核子武器的初步能力，卻卑卑不足道，而美國一些自命為進步的自由主義者如富爾蒲萊德，費正清之流，竟對毛共表示姑息迴護的意見，認為毛共反[illegible]……主張美國改變現行對華政策，不跟毛共修好[illegible]……前任香港總督葛量洪曾在美國發表演說，有這末幾句警語：「十九世紀是我們英國人的時代，二十世紀是你們美國人的世紀，廿一世紀是中國人的時代了。」這話表面上是贊許中國人，實際卻是對西方國家的一種警告，即有害怕中國人日趨強盛的心情，希望西方人不要忽視這種趨勢。這并非由新思想產生的新觀念，而是西方人士陳腐的「黃禍論」之再抬頭，英美之所謂「兩個中國」政策，富爾蒲萊德一流人之姑息毛共主張，其動機皆在防制中國趨於強盛，祇要中國永遠動亂不安，構成兩個中國乃至於更多個中國的分裂狀況，「黃禍」的顧慮自然沒有了。

因此之故，毛共內部的權力鬥爭，儘管劇烈，俄共與毛共之間的反目狀態儘管持續，毛共反英美帝國主義的作風儘管變本加厲，而英美重歐輕亞，不願意以實力打擊毛共的利己政策，一時不會有所修正，世界局勢依然在強權主義的玩弄擺佈之下，混沌僵持着，靜待核子大戰之來臨而後已。

末日來臨

「文化革命」

今日與明日

魯斯克訪華

美國國務卿魯斯克訪問遠東，到台北晉謁蔣總統並與我政府有關當局會談，雖然來去匆匆，但也自有其重要性；尤其是中國大陸全面變動即將發生，越戰又逐漸好轉之時，魯斯克到遠東來看看，對美國當局的決策當可提供一明確的方案。

不容諱言的魯斯克此次訪華，實在是過境性質，這倒並不是說魯斯克看不起我們，而是我們政府目前所統治的地區，要算是遠東最富庶，最安定的地方，不論軍事、政治、經濟均不用美國煩神，美國當局也就不把中國擺在腦子裏，時常去打主意。這樣下去，對美國為福為禍尚不可知，我們本身卻受了宴安鴆毒之害。因此，為了自己也為了整個自由世界，我們要設法打破現狀，不能長此蹉跎下去。

在魯斯克訪華期間，我政府當局究竟同魯斯克怎樣談，不得而知，但預料有兩點應該談到：第一，由於大陸知識份子普遍反毛，足證明毛共的統治並不鞏固，偽政權有隨時被推翻之可能，此是毛共報紙自己招認，並非我方有意宣傳。第二，目前為一九六〇年大陸飢荒大逃亡之後，我政府反攻大陸解救同胞之最佳時機，過此不圖，不知又要等到幾時，良機萬不可失。魯斯克是否聽得進；即使他能聽得進，美國當局是否能同意我們的觀點與要求是另一回事，但是相信我當局一定會提出此兩項問題。

為美國借箸以籌

目前美國受到越戰的困擾，千方百計要結束越戰，也用了各式各種的求和方式，結果都是徒勞無功，反而招來共方的輕視。美國最近大舉轟炸河內、海防油庫，還是想迫使越共政權求和，但由於毛共在後面慫恿，越共想和亦和不得，美國即使把北越炸成平地，相信越共還要打下去，所以說，解決越戰之道，決非和談所能奏效。

[illegible]……國軍收復海南島，切斷毛共援越路綫，如此亦可立竿見影，願美國當局能下定決心，當機立斷，以完成此偉大功業，則受惠者又豈僅中美兩國而已。（何如）

最堅強的弱點

愚友何浩若先生認定日本是亞洲國家中「最堅強的弱點」，曾有日本人士在台灣聽到此言，感覺惶惑。何先生就告訴他：「日本的工業基礎和技能，素居亞洲之冠，且未遭受戰火的重大破壞。日本的經濟力量，亦已藉韓戰機會而迅速復興，趨於欣欣向榮之境了。亞洲諸邦國具有這種堅強潛力的只有日本而已。可是，日本是個島國，人口與工業設備都密集在蕞爾海島中，又緊鄰着蘇俄和中共這兩個共產區域，且世局丕變，戰爭爆發，日本若站在自由陣營的一邊，蘇俄的原子彈氫彈，首先就要光顧日本的。日本若站在共產陣營的一邊，美國的洲際飛彈亦必然進襲日本無疑。日本要想中立，根本就沒有那回事。所以，日本在亞洲是最堅強的弱點也。」那位日本朋友恍然大悟，許為未之前聞的高見。

目前日本人能夠明辨這種道理的并不多，朝野上下都希望超然於世界兩大集團對立鬥爭的局面以外，而倡出所謂「政經分離」之說，企圖以兩面人的作風，苟安自全。苟安或許可能，自全絕對是幻想。若干年來，日共與日本社會黨以及一般左傾的團體，堅決反對美國把原子武器儲存日本境內，甚至於美國的核子潛艇要訪問日本海，亦堅拒不納，以為這樣就不會開罪於俄共集團，日本便成為東方的瑞士了。前任日首相蘆田均說過：「美國願意把原子武器儲存到日本來保護我們，是一件事，表示反對的，實係「馬鹿」——愚蠢之意，也可譯為混蛋——思想」。可惜日本人士能有蘆田這種見解的太少了！

日本的傳統文化思想與民族性，是沒法跟共產生活相容的。今後的立國之道，祇有堅定地站在自由世界之中，盡其應有職責，而託庇於美國的核子傘下，消除其弱點，此即孫子兵法上所謂「置之死地而後生」的義理，此外別無生存之策。像現時日本朝野的作法，作為肆應一時的策畧則可，如果眞要走不結盟路綫，而以中立主義為國策，那便是壽星佬嫌命長——自尋死路！

馬五先生

蘇哈圖芮蘇賢更加得勢後
印尼政局仍有兩項危機
蘇加諾死皮賴活繼續的攪風攪雨
共黨潛伏中東爪哇企圖死灰復燃

（星加坡通訊）參加印尼「臨時人民協商大會」會議的代表，正每天不斷地發出抨擊蘇加諾的論調——控訴他的所作所為：從經濟方面的失敗，到協助印尼的共產黨。按這個印尼臨時人民協商大會，就是該國最高的立法組織。各代表在大會裏面所作的一切決定及有印尼今後的外交政策及內政計劃，將起一種重大的影響作用。而這些針對蘇加諾發出的抨擊，在那個島國裏面是史無前例的。大會的代表及學生領袖公開地譴責蘇加諾過去及現在的言論，協助共產黨野心勃勃地奪取政權。這種將蘇加諾和印尼共產黨公開相提並論的抨擊，也以此為第一次。

不過就另外的一方面來說，如果他們徒然將視綫集中在這項充滿戲劇性的印尼人民臨時協商大會會議所通過的各項決定和印尼的軍事領袖蘇哈圖將軍，及芮蘇賢將軍的身上的話，那麼，他們將犯了一項十分嚴重的錯誤，因為印尼境內正醞釀另一項陰謀，如果宣告爆發起來的話，這項臨時人民協商大會會議的善意，及印尼友好國家對這個島國所作的期望，將告大受打擊。

預料這項大會將產生如下的結果：（一）確定總統蘇加諾的權力範圍及其任期（目前他是印尼的終身總統），從而令這個島國置於憲法統治之下。（二）批准那項結束印尼與大馬對抗狀態的曼谷協定，從而恢復這兩個國家的正常外交關係。（三）恢復印尼在聯合國內的地位，同時恢復印尼與非共產世界的關係。就目前來說，該項大會已經朝着上述目標而採取若干項重大的步驟：（一）決定恢復印尼副總統的職位。（自哈達於一九五六因不同意蘇加諾的政策而辭去副統總職務後，該職便懸空至今。）（二）大會一致地通過由芮蘇賢將軍出任大會主席。對蘇加諾個人來說，這顯然是一項沉重的打擊，因為這項任命意味着芮蘇賢將軍現在跟蘇加諾的地位是平等的。當蘇加諾出國的時候，總統的職權將由芮蘇賢代拆代行。當蘇加諾因病而無法行使總統職權的時候，芮蘇賢便會成為一位總統。（三）大會一致地承認蘇哈圖將軍所扮演的政府行政首長的角色。蘇加諾這項承認意味着他在法律上來說，不可能宣布取消他於本年三月十一日授與蘇哈圖的權力。（四）決定撤除那個所謂「粉碎馬來西亞」的組織。該組織本來是蘇加諾最心愛的東西，因此該項決定顯然令這位印尼總統心碎。

然而在這項印尼人民協商大會的外面，同時在耶加達的外面，尤其是在中部及東部爪哇的地區內，正醞釀着一種危險的局勢。自去年十月一日那項流產政變後，印尼的左派分子，便開始轉入地下的活動。在過去兩個月的時間中，這些左派份子已經將自己的勢力相當顯著地建立起來，因而跟親蘇加諾分子形成鼎足而立的局勢。雖然印尼共產黨及左派的國民黨領導人物，處決的被處決，監禁的被監禁，可是它們的黨員及次要的領袖正秘密地再組織起來。現在已表現新生的活力跡象。

可靠人士稱：蘇加諾曾經派遣若干位密使和共黨及國民黨的青年陣綫組織進行接觸，同時亦跟那些駐在中部及東部爪哇地區的武裝部隊內仍然叛逆的分子接觸。最低限度有一營海軍陸戰隊經於最近奉哈圖諾少將之命前往中部爪哇「度假」。（這位哈圖諾少將是蘇加諾的一位信徒），這件事已經令一向沉默寡言的蘇哈圖將軍大為驚訝。在上月（六月）十日，蘇哈圖向印尼婦女組織大會發表演說時提出如下的警告：「駐中部爪哇的武裝部隊，百分之四十已經接受共軍的思想，同時已經宣誓服膺這種思想。」

在上月六日蘇加諾誕辰的那一天，親蘇哈圖分子和親蘇加諾分子在東爪哇的「泗水」發生公開衝突事件——是日晚上，該市的海軍陸戰隊，警察，及若干陸軍士兵在街上巡遊，同時高呼「蘇加諾萬歲！」後來他們湧入親蘇哈圖的學生組織分子正在開會的一個禮堂裏進行搗亂，同時高呼要「共產黨復活」的口號，因此雙方打起來。到了上月十二日，該市警長蘇芝圖將軍是向記者表示：「東爪哇能夠發展的堡壘。」而另外，蘇哈圖將軍所展開的外交活動，直至目前為止，仍然沒有令到擁有一千五百萬黨員的「回教學者黨」領袖完全站在他的一邊。

現時盛傳的一項消息稱：蘇加諾打算遷出耶加達及茂物兩地的總統府，因為對目前的處境的蘇加諾來說，這兩個總統府實際上經已變成他的「鍍金監獄」。據說，他擬搬到「日惹」或「峇里」地方居住，以一位「平民」的身份住在那裏。他已經將總統府的若干傢俬搬走。對蘇哈圖將軍而言，這項消息令他非常關懷。只要蘇加諾準備繼續成為總統，他的活動及行動便容易受到控制。但是，如果蘇加諾變成平民的話，他將成為一個所有左派份子的強有力糾合點，屆時，印尼可能發生大流血的內戰悲劇。

事實上，今日的印尼已經存在兩個陣營：一個是擁護蘇加諾的陣營。這個陣營的組成分子就是目前轉入地下活動而有不容低估潛勢力的左派人士，在哈圖諾將軍指揮下的海軍陸戰隊，一部份警察，和一部份駐中部及東部爪哇的地方部隊，再加上左派青年運動的團體。

至於另一個陣營，就是強硬地支持蘇哈圖、芮蘇賢及前任副總統哈達三位領袖的陣營。這個陣營的組成分子是：絕對多數的陸軍、戰畧指揮部、降落傘部隊、最精銳的「斯里溫基」師，若干海軍、警察及空軍，非共的學生團體，及反共的回教團體。

蘇哈圖、芮蘇賢、及哈達三位領袖曾經担心蘇加諾向臨時人民協商大會發表演說時會發出一項「在我和蘇哈圖兩人之間從事一項選擇」的直接呼籲。如果蘇加諾當時真的這樣做的話，可能令這個島國掀起最大的災禍。但蘇加諾畢竟沒有這樣做，這似乎顯示他意識到可怕的後果。

我朝野人士檢討中美外交（五）

本報駐台記者張健生

蔣勻田談「變」　世局時時在變

民社黨人蔣勻田先生，認為美國正在朝着「漸變」，有秩序的變，有進步的變，向好的方向變。」又說：由「變」來觀察，美國的社會，在變，美國的政治，外交在變，而且，是天天在變，時時刻刻在變。

就新聞事業而言，他說：「今天的美國新聞事業和二十年前，十年前都大不相同。二十年前，我到美國去，在那時候的新聞事業，已成為社會的重要角色，但僅止於有「色」；十年前，我去美國，美國的新聞事業由報章雜誌演變進步到廣播事業，由有「色」變為有「聲」，以聲音代表顏色，變成有聲有色，形成輿論領導社會，但沒有像現在普遍。自從電視事業發達以後，它澈底的深入每個角落裏，把過去的隔離的現象，完全打破了。

比如，美國的老年人，到了六十五歲就退休，退休後，他與他的事業、同事、家人和社會隔離了，過着孤獨的生活；美國五歲以下的小孩，進入幼育園，由褓姆扶養，也與父母兄弟姐妹隔離了。但由於電視的發達，透過電視映畫表現出每個人所需要的東西，形成一種思想，成為一種不可抗拒的輿論，這種力量，在幾分鐘內，可達全國。這就是說，由於新聞事業不斷的在變，而與新聞事業相關的事物也在變，何況電視事業，不受空間的限制。

由於美國新聞事業的發達，不但領導社會，而且影響其國家的內政與外交，進而美國的輿論影響到另外一個國家的前途。美國輿論主張與中共「和平共存」，這就引起我朝野人人的注意和重視。中美間之友誼，有一百多年的歷史，始於商業和文化的交往，演變到今天為集體安全，休戚相關。由於美國的輿論在討論中共的問題而影響我們，但我們的輿論却「以不變應萬變」的態度來檢討中美外交問題，這種輿論對美國是否發生力量，值得懷疑。

說話說給知人　認清對象發言

諺云：「說話說給知人聽」，如不說給知人聽，等於自說。因此，我們在討論中美外交事務問題，表現的方式，一定要改變。要改變到對方願意聽，樂意聽，說得對方心悅誠服，直到接受我們的意見為止。比如電視映畫面出現的是卡通片，其對象當然為小朋友。假使生產者對消費市場完全不瞭解而隨自己的意思生產的話，其產品一定不受消費者的歡迎，其結果，生產企業衹有賠本，甚至關門大吉。這個道理，與我們檢討中美外交事務的輿論又有什麼分別？

所以，檢討中美外交重在表現的方式，說話應該因對象而變，這太重要了。如美國是自由世界民主國家的領導者，它對民主傳統，民主制度，兩黨政治，和發展經濟改善人民的生活等等，都極為重視；因此，我們必須投其所好，拿出事實來，提供有效的辦法，心平氣和，針對問題而發言，這樣，才是擊破「圍堵而不孤立」的有效武器。假使逞一時之意氣，而痛駡自由主義姑息分子如何如何，這不是解決問題的辦法，其結果，可能比現在更壞。

蔣勻田很坦率的告訴記者，說：如果我們不從基本觀念改「變」，就是在野黨領袖回來共度困難，實質上對國事並無什麼幫助。相反的，如果我們的內政，具備了像民主國家一樣的實質和內容，則在野黨人無論在國內或在國外發言，都會引起盟邦的重視。所謂「實質」，當然指政治民主，言論自由，人格尊嚴，審判公平妥當，中小企業發達，社會福利設施完備，以及民主政治中最重的各政黨均衡發展、輿論健全、議會政治的正常化，等等。

運用政治藝術　演雙簧唱反調

蔣勻田呼籲各政黨應拋棄黨派成見，放棄個人間恩恩怨怨，全國上下為反共之復國而努力；而政府對各黨應一視同仁，政府應鼓勵政黨大家「演雙簧」、「唱反調」；因為「演雙簧」、「唱反調」是高度的政治藝術。比如執政國民黨對美國的運用，姑息主義分子的言論，不便於說的話，在野黨可以暢所欲言；百無禁忌。像美國詹森政府對處理越南問題，在國內受到民意的壓力，在國際間遭遇到不滿和指責，而在野黨的共和黨立即表示態度，支持詹森政府在越南的政策。至於平時唱反調的在野黨，不僅可促進政治健康、進步，到了國難時期，且可登高一呼，使國際盟邦既定政策不得不改弦更張。如第二次世界大戰後的西德和日本，能提前與美國締結和約，結束軍事佔領，便是唱反調的在野黨的傑作。

蔣勻田所說的，已引起朝野人士的重視，如政府能採納其建議，則中美間之外交，當有進一步之合作。

高雄市議會點滴

本報駐高記者

高雄市議員孫土池指出：高雄港務局所建築的香蕉冷凍庫及香蕉棚，未經向市府申請建築執照，而竟自建違章建築。他在一項臨時動議中，要大會請省府釋義，是否以違章論處，予以拆除。據建設局長黃坤榮說：港務局上述兩項建築耗資六千餘萬元；港區係高市都市計劃一部份，其建築應屬市府管轄。

此一市港職權爭論問題，市議會已決定請省府釋示三點：（一）港區是否視為高雄市行政區域之一部？（二）未經當地政府許可擅自建築，可否依違章建築辦法處理？（三）如果港區建築不受地方政府管轄，應屬何機關管轄？港務局長李連墀，對議會指出的以上兩項違建問題，不願表示意見，他說：「市議會既擬請省府釋示，相信省府自有合理的答覆」。

以上兩項違建早已是既成事實，省府將來如何解釋處理，不得而知。不過該項違章建築，市府事前不問不聞，議會亦未作任何表示，而今木已成舟，徒喚奈何而已！市府對貧民之違建有時施出鐵腕，強制拆除，毫不容情，而對港務局之違建却不敢置喙，兩相比較，誠不知何以善為自解。

據聞香蕉棚之建築以及進口貨物的堆集過重，加之基礎不穩，已使該一碼頭地區有崩坍之虞。若然，這內中怕又有文章了。

議會總質詢中，市府所屬單位主管，最派頭的是稅捐處長高福翹，不僅各課課長列席，即公共關係室主任林國生亦來往穿梭於議員羣和記者羣中，進行解說、疏通，高處長正襟危坐，洗耳恭聽，不讓其他。此次受炮火洗禮之單位為教育科與警察局，均「災情慘重」；而稅捐處之免於浩刧，不能不歸功於林國生也。林在稅處攬公共關係，歷三任處長。這位身高不滿四尺的主任，在高市所有公共關係單位中，堪稱翹楚，如雖有新聞同業逕呼他為「矮子」而不名，林主任亦不以為忤，只是顧左右而言他，了事大吉。

（六月二十日寄）

瀛海異趣談

英國所得稅嚇走大明星

·桑雅·

彼得·烏斯汀諾夫前往拜訪李察波頓，後者的寓所是在日內瓦。他按鈴，有人開門，是波頓的朋友：「閣下是誰？」彼得故意惡作劇，回答道：「我是從稅務局來的。」這裏面的波頓聽到這一段對白，幾乎暈倒在地上。這是一場戲嗎？非也。波頓搬來瑞士居住，絕不是因為了山明水秀，而是因為了英國的稅務人員。他是在逃稅。其實，還有不少大明星像他一樣。前述的事件，顯然是彼得向波頓開的大玩笑。但如果閣下每年也有數萬鎊收入，稅務局員的駕臨，可絕不是一件開玩笑的事情。

那麼，在瑞士居住，有什麼好處呢？不妨讓波頓自己說吧：「如果我每年拍三部片，那麼，我會有十萬鎊左右的收入；在英倫居住的話，我要付九萬三千鎊的稅；現在我是日內瓦居民，我只需要付七百鎊。你跟我算一算，我會樂意在倫敦居住嗎？不了。你說，當然是不！」然後他繼續說：「在英國家鄉，每人都儘量逃稅，像不停犯罪似的。我們做明星的，與其他的職業不同，今年可能賺大錢，多拍戲，但明年可能被冷藏。」

不祇是波頓，其他人士也有這個觀感：「英國的稅務人士，可能是世上最貪婪的人，不過，由于太貪婪了，于是到頭來，一無所獲了。理由很簡單，如果你把一個收入高的稅民嚇走，不在本土居住，那麼，稅務局有什麼利益呢？」

……法抽稅，連那部電影的外匯也沒有份一哩。這條數一出入，幾達數百萬鎊一年的。這豈不是不智之舉？對于演員來說，抽稅法例顯然是不大公平的。

湯美·史提爾是歌影雙棲的，他常常對人說：「稅？簡單，我付了便是。」……「我只付之一笑。」……担憂呢？」又說：

「我要担心的是自己的事業，我不想在外國居住，這有點那個。英國才是我永久的家鄉。」

另一位演員丹尼士·台拉斯對付抽稅，另有辦法——往海峽島的沙區居住，那裏入息稅，每鎊只抽一先令十便士。在過去，每週要付五十鎊，突然，稅務局宣佈要多抽，丹尼士乃一怒而去。他還這麼說：「他們以為我在英國會印銀紙呢。」

如果一個明星在某一個年份無戲可拍，他會怎樣呢？如何應付呢？他們不能像作家一樣，可以將收入稅分期清付。為了這個困境，他們唯一安全的辦法，便是在瑞士居留了。這張名單，除了彼得與波頓，便是大衛尼雲、狄波拉嘉、鍾歌連絲，導演大衛連，還有兩個著名作家告魯年及麥克連；他們任何一本著作也可以賺二十五萬鎊的。

他們在英國所付的稅，其總數可以替他們購買幾架飛機。

瑞士固然是逃稅的樂土，但亦有人選擇其他地方，如電視明星格連，專扮羅賓漢的，他便選了愛爾蘭。

權士夏士理遜却在義大利居住，那裏的稅率低得驚人，而生活十分甜美。

有誰會怪他們呢？有誰認為每鎊要付十八先令三便士是合理呢？

在瑞士，其中不少是美國人，不過，除非他們是連國籍也改了，他們仍要付稅給美國政府的。不過，比較之下，美國人的困難沒有那麼嚴重，他們只付百分之七十，但英國人要付百份之九十。

如果美國人在外國居住，政府准許他那年第一次收入中二萬五千元是免稅的。

威廉荷頓在外國拍片，幾乎引起騷動，工會為他而示威，理由是由于他不在本國拍片，工人每年會損失七百萬元。不過，其中不少是走入政府的袋裏的。

不久之前，有人提出對于娛樂界人士的入息稅法例，說要修正一下，但政府的反應幷不熱烈。

馬戲班高蹺世家

·文子·

本港發生雨災，許多地方曾遇水浸，使人裹足不前，或要涉水而過，殊不方便。有人認為曉得采高蹺的人，可以解決這個問題。但是除了在漫畫上曾看見外，可有人看見到眞的景象？在本港各處出會景時，我們多會看見采着高蹺的藝員，他們作種種的打扮，飾歷史或傳奇性的人物，高人一等，行走自然。在外國馬戲班經常也有采高蹺的丑角或專門藝員的表演，這是最受兒童們歡迎的節目，你可知道誰是當今最出色的高蹺表演家嗎？

巴利施隆安是世界最能幹的高蹺表演家，他的妻子涉拉更是在美國以表演高蹺賺錢的唯一婦人。在采着高蹺後，巴利要比他的妻子高二十五尺。當有人在下面想逗他談話時，他要叫向他講話的人大聲一點，而他也要很留心才能聽得清楚，同時他又要大聲講話，使在他的腳底下的人才聽得到。他最喜歡這樣說：「我也弄不清楚，為什麼仍有這樣多人喜歡看高蹺，其實今日它已是被淘汰的技術了！」

巴利施隆安的家族可以說是一個高蹺世家。他的父親是在英國百福郡的一個馬戲班的高蹺表演家，也曾是這行業的世界冠軍。他的三個哥哥和三個妹妹在四歲大時就已學會高蹺，現今還有兩個妹妹在西班牙的馬戲班表演。

在幾年之前，巴利像一個人類的長頸鹿在馬戲班演出時，看見他的滾球底下有一個美麗女子正表演滾球。涉拉回憶說：「我們的首次會面是相隔兩層樓高，但是我們倒能彼此一見鍾情。在我們結婚之後，也就由我的丈夫教我采高蹺，這是不難學會的，祇要先學會平衡和有大的勇氣。在我懷孕五個月仍繼續出場表演，後為顧及胎兒的安全，我才暫時休息。直到兒子出世後，我便再次出場。現今我的兩歲半大的兒子已學習采高蹺，當他到了四歲大時，就可以跟我們聯合表演。我們將訓練他要比我們更加出色，變成一代好過一代呢」。

施隆安夫婦在表演時穿着直綫紋的長褲子，這使他們看來更加高長。這些特製的長褲乃是由施隆安太太自製的，要用二十五碼布。……

……「其實不必為我担心，我跌落水，不用泗水也不致溺斃，因為我可能在水裏行走呢。」他在訪問倫敦時，站在泰晤士河的渡船上，岸上的人看見他宛如羅德斯的巨人像。當他在倫敦街道上行走時，雙層巴士可在他的跨下駛過，他能親手去點起很高的煤氣燈，他能粉飾他自己的兩層樓而不必用長梯。

（本文所有采蹺均有足旁）

蒙巴頓與邱吉爾的瑣事

菲敏譯

說。「那末還欠多少呢？」他說。「兩便士！」我回答。「好極了。」他說完，即填寫了一張表格。由此，我認為他是個有信用的人。

在一九四一年的十月，我在一艘航空母艦任司令官，這艘艦名「光輝」號。邱吉爾說要讓我當另一項職位，當我抵埗時，他即傳見我。他說：「你為什麼那末久才來？」「是這樣的，先生，」我回說：「因為我不懂得你想我在這世界打那兒回來。」「你代替總司令羅濟基士爵士，任總司令。」他說。「這意思是說坐在白宮裏的一張寫字台，我寧願不久回到海上去。」「你毫無榮譽的氣質，」他說：「在海上除了隨着一艘較巨型而豪華的艦隻，一起沉沒之外，還能幹什麼？」當然我帖帖服服的聽從他的意見。

邱吉爾想發明一種對付坦克車的武器，一位名叫布力克的上校，利用炸彈對付，在第一次試驗時，發生爆炸。邱吉爾這樣寫着：「這是令人悲痛的消息，但是布力克上校，應再接再厲，讓我們繼續。」其中第二段針對的給陸軍部：「切勿怠忽和大笑。」邱吉爾把我安置於參謀委員會的巨頭中，在第一晚，其中一位參謀說：「別太緊張，這比你將來給鑄像還要好的表現。」

在白宮裏，一位中年美國婦人回顧邱吉爾說：「首相先生，你怎樣處理那些可憐的印人？」他立刻問：「夫人，你說那種印人？你是說人口居世界第二位，在英國寬仁統治下的印度，還是在北美大陸，由美國統治下，行將滅種的印第安人呢？」（按印度人和印第安人的英文字均為 INDIANS）

當我妻子逝世時，我收到六萬封慰問的電文，最使人感動的就是邱吉爾的一封了。當我內子五歲時即跟他認識了。他在電文中寫着：「失去了邴麗媚（我妻子名）雖生也沒有歡樂。她在我的生命裏，一切都有重大的影響的。我真的不知道你怎樣生存下去。」我將這節提出來的目的，就是顯示出內子在他的生命中，是多麼的重要，可見得他們倆的友誼，是多麼深厚了。

韶光使我們由少年，而中年，最後進入老年的階段。最後我見到邱吉爾的一次，是在麥美倫當首相時，我及內子與邱吉爾共進午餐的時候。

邱吉爾坐着不發一言，稍後他拿起那杯香檳酒，和我們碰杯，靜靜的喝下去。接着他說：「啊，迪奇，我永遠沒有忘記，那天他們告訴我說你的戰艦「基里」沉沒的事。我當時憂慮了十分，看來已沒有希望了。然而奇蹟出現，你給人救起，帶到安全的地方，你步下台，滿身油漬，你還記得你登岸時，你獲救生還記得嗎？」

「是的，邱吉爾，我仍記得。」

但是，我被救起後，送到阿力山大港，……倫敦哩！邱吉爾……的年紀，他……竟然當作他親自目睹的體驗。（下）

二十、曹操乘亂挾天子

獻帝到洛陽不久，曹操也到了洛陽。曹操之能很快的到洛陽，完全是董昭之力。這件事非常重要。如果不是董昭的開通四周的阻力，曹操仍只限於兗州之地，要想挾天子却不是如此的簡單。不僅楊奉、張揚、董承、韓暹等人是他的阻力，袁紹更是一大威脅。雖然袁紹為人不如曹操遠甚，但袁氏四世三公，故吏門生遍天下，此時袁紹的實力又很大，曹操也絕不致容易走通此路，那後來的歷史又不知要怎樣寫法了。

關於曹操迎天子事，三國志與後漢書不同。三國志說曹操迎天子，派曹洪西迎，被衛將軍董承與袁術部將奴拒險把守，曹洪不得進。後漢書董卓傳云：「董承患韓暹亂政，潛召曹操。」二書各異。此事可能是：董承拒曹洪在先，等到董承看到韓暹有野心時，又想找外援，才把曹操引了進來。這樣看來，曹操之能迎到天子，第一是有董承的勾引，圖以制韓暹；第二是董昭為曹操解決入洛陽的阻力。人生成功失敗，是很多機會的巧合，古人說是「天意」，也就是這個意思。曹氏當興，漢室衰敗不是天意，然而天意也要「事在人為」，否則天與之而不受也不成功。

董承這人也並不是不安現實，說穿了還是為了利害衝突，他和韓暹爭權是實。他只知道怕韓暹專權，而勾引曹操，他却不知道曹操進來之後自己會如何結果。說來王允和董承都是無識之徒。三國時代，羣雄割據，人人基於利害，今日為朋友，明日則為敵人，沒有眞正的朋友，也沒有眞正的敵人，只有眞正的利害。曹操進洛陽是董承基於利害。董承是個什麼人？他本是漢室的皇親國戚，他姑姑正是獻帝的祖母，是靈帝的母親，歷史上稱為董太后。董承原本在董卓的一系中，是董卓的女婿牛輔的部下，和李傕、郭汜、樊稠、張濟老同僚。他跟李傕入長安，李傕為董卓報仇之後，董承一直留在長安，後來李、郭之亂，互爭皇帝，他請來了老黃巾楊奉等人。到了獻帝脫離了李、郭二賊之手。李、郭又合兵打楊奉，想從楊奉手中把皇帝搶回來。楊奉一面與李、郭言和，一面暗中派人去請山西另外兩個白波頭子來助陣。這兩個白波首就是韓暹和李樂。但仍抵不住李、郭等人的兵力。此時董承與楊奉商議，把獻帝安頓在河東郡大陽縣李樂營中。山西最大勢力的只有河內太守張揚。張揚主張把獻帝送回洛陽，董承力表支持，但楊奉、韓暹、李樂三人反對。董承被韓暹所懷疑，被迫離開，跑到張揚那裏去，二人共議大計，一面去請荊州牧劉表派兵到洛陽來保駕，一面派人到洛陽佈置，因劉表的聲勢，再加張揚的實力，楊奉、韓暹、李樂等才沒有行動上的反對。於是獻帝才能在建安元年七月甲子日進入洛陽。此後，董承和韓暹在洛陽不睦，董承說是因韓暹有野心，才去勾引曹操，曹操大兵一來，韓暹單騎逃走，這是建安元年八月的事。九月庚申之日，曹操迎了獻帝車駕出轘轅關（轘轅，山名，在今河南偃師縣東南，隣近鞏縣及登封縣界。

（四十八）

國劇繽紛錄

（九十八）鑾生

看大專的生旦

大專院校聯合公演，以前有過幾次，祇是台大師大政大中興淡江五個單位。這次慶祝公演，多了文化學院，省立工專，國立藝專，銘傳商專，共爲九校。其中銘傳商專爲後起之秀，異軍突起的。演出的戲，多重於唱工，祇羣英會偏重於做。我先將特別由一個單位演出的，畧爲談談。

「大登殿」完全由銘傳商專單獨所演，即連龍套也是，而配搭極完整。「春秋配」由中興大學單獨演出，角兒比較少一點。「教子」由工專獨演，這薛倚哥想必也是同學的弟弟。「紅鸞禧」由藝專獨演，莫稽是坤票（袁鄂琴）。「別窰」是政大單獨演出，謝揚世的平貴，起覇很有樣兒，不容易的。其餘的三擊掌武家坡銀空山坐宮羣英會五齣，是各校互相配搭，不是純粹由一校担任。

次談兩天的生旦：

女人第一，先談旦角。台大蘇可勝，久經列陣，嗓音好自屬頭籌，不過三擊掌趕不上武家坡，可見三擊掌是不易唱的。一人連演兩齣，爲旦角中少有。其次魏承玉，先唱代戰，後唱鐵鏡，也不弱於蘇。再則銘傳孫碧波在登殿中發揮甚高，也是唱過兩回，輕而易舉。政大張明儀的別窰，工專崔有倫的教子，中興周凌雲的春秋配，皆夠水準，雖比蘇魏孫的調門畧低，但能克奏膚功。花旦則藝專劉錢喻的金玉奴，文化張裕東的代戰，也楚楚動人。

茲談生角。師大王馨東獨演三齣，除了三擊掌武家坡以外，還到羣英會搭一脚，唱借東風，因她是關文蔚的高徒，此是拿手。銘傳賈馨園的大登殿，眞夠響朗，以能演探母回令的人才，豈不是手到擒來，咳唾皆好。將來青年坤票可追張昭平的軌轍，一定無疑。次則兩位小生，文化的郭勇，與工專的蘇國鑫，皆很可以。郭是藝專畢業，向來很少登塲，祇佐文塲，這次居然出台，由乃師郭曉農操琴，配合唱腔更好聽。國鑫也不弱。再則謝揚世，唱別窰的平貴，演羣英會的趙雲，皆有氣概，很可票票。這是他們兩天公演，所得的成績，特爲記之。

紅娘大顯身手

荀派的紅娘，因譚硯華歸來，大顯身手，今天在那裏唱，是紅娘，明天在這裏也是，頓使紅娘成爲熱門，大有唱到二十次之勢，不可以不說硯華的[illegible]苗條，所得的成果。近有人告，她將組劇團，以便隨時演出。但我以爲不如暫仍「聯友」，以覘效果。因爲過去金馬劇團未成功，最近胡少安組團也未顯著有成，在台灣的平劇，民間藝術未必能普遍，前聞少安在二月之中，去基隆三次，幫忙的人乞停，以無此財力也。（未完）

書獃子改行

見祺

中學教師莊曉風，因爲在同一間學校裏教滿二十年書，由校長手上得到一張獎狀。他帶回家去給他的妻子收藏，一面這樣說道：「二十年的時間等於人生的三分之一，這張獎狀得來可不容易。」

莊師母說：「有甚麼用，路上都不會有人去檢的。」

「我知道你所要的是錢。」

「世界上的人都在提錢，我們爲甚麼不提。」

「要錢就得改行才行。」

「別人都在改行，難道你就不能改行嗎。」

「我除了教書之外，不以爲還有甚麼本領。」

「你可以改行做生意。有道是和氣生財，你這個人倒夠和氣。」

「有什麼生意可做呢？」

「士多店或者文具紙筆店應該是不難管理的。」

「這種店子只怕沒有甚麼大生意。」

「只要地點適合，生意自然會有。」

莊曉風是個四十多歲的書獃子，一生除了教書之外就沒有別的生活經驗。他所來往那些朋友，也多半是些教書先生，自然就不會談到做生意的事了。不過書獃子也不是不要錢，莊曉風在過去的二十年中也着實爲金錢受過苦。就算到了現在，每當開學的時候，孩子要繳學費和書籍費，他的一點收入就捉襟見肘了。

「我想做生意也沒有可能，因爲我銀行裏只有三千塊作不時之需的錢，那裏談得到做生意。」她說

「只要你肯做，我會到我父親那裏去拿錢。」

「虧了本拿什麼來還？」

「只要好好去做，怎會虧本？」

「那末我們就來籌劃籌劃，看看做什麼生意。」

「我以爲士多店是有生意的，」莊師母說：「我們每個月除了房租之外，解士多店的賬是最大的數目。」

「我也贊成開士多店。我過去有個同事開了間士多店，生意非常之好，每個月的收入有三千多塊錢。」

「是啊，我們還可以帶賣水菓、香烟和汽水，另外再租賃麻雀牌。」

「我相信我們會做得比別人規矩。」

「你本來就是倫理學教師。」

「那末，趕緊去找地點，我是決意改行了。」

「這種年紀再不改行，難道等着吃老苦不成。」

這樣談過以後，莊師母就去找做出口生意的父親，徵求他的意見，並且請他支持。做岳父的聽說女婿要做生意，便說道：「曉風這個書獃子怎能做生意？連半句假話都不會說。我看你們還是每個月到我這裏來拿三四百塊錢用，也不要去動這種腦筋了。何況古人說過，隔行如隔山，從倫理學教師轉行到士多店老闆，路差了十萬八千里。」

「爹，他既然有意，我看你還是支持一下吧。」

「當然，我不會不幫助你們的。你們就去試試吧。」

莊師母得到父親的支持，便四出去找開士多店的地點，在經過一番選擇以後，他們找到一處新樓林立的地方。他們盤算一下，連一切費用在內，只要有四萬塊錢就可以開起來了。

莊曉風決定向校長辭職的時候，他覺得十分奇怪，因爲他一直認爲他是會把教育當成終身事業的。

「我相信你做生意一定也會成功，因爲你做人誠實，顧客都會喜歡你。」校長說。

兩個月以後，士多店開張了，生意正如他們所想像的一樣相當不錯。但是莊曉風做人有他的原則，不肯從俗。譬如出租麻雀牌明明很賺錢，他總認爲這是賭博工具，不應該助長這種社會風氣，抵死不做這門生意。

他進的貨，只要有點損壞，他就命伙計倒進垃圾桶，說是向顧客表示信用。有一次他進了許多蝦片，一時賣不出。後來又有人說是他的蝦片受了潮，發軟，他就不顧血本，一起都丟了。

莊師母就勸告他，說是蝦片都是原封買來的，可以原封賣出去，責任不應由商店單方面來負。要知道進貨都有成本，丟掉了不但沒有錢賺，甚至連血本都無歸。但莊曉風不理，一定要照着他的意思做。

又有一次，他進了好幾百斤西瓜，事後發覺西瓜不熟，不夠甜味。伙計和莊師母都主張賣出去，因爲西瓜不是自己種的。莊曉風斷然認爲不可，一定要先告訴顧客，說是西瓜有這種缺點。結果沒有一個顧客買這種西瓜。過了幾天，莊曉風又只好將成籮的西瓜倒入垃圾桶，而蝕本一大筆錢。

莊曉風的士多店不遠的地方，本來就有一家士多店，那一家士多店做生意就不大老實，常常欺騙顧客。但莊曉風從來不在顧客面前說別人的壞話。有時他發覺自己店子裏的貨不及人家的好，他就會勸顧客多走幾步，到那一家去買。（完）

諸葛亮之遺蹟

漁翁

武侯城：在舊黎州城外三里，爲諸葛所築，其根址今尙存。在臨安都司城南三十里瀘水東，所築，即五月渡瀘處。瀘州，乃擒孟獲之所在。又有諸葛城，在松滋縣西五十里高山上，相傳爲武侯征南時所築，址跡猶在。

獨推載木車：蜀中有小車，大車，用四人推，載十石，蓋木牛流馬也。諸葛伐魏時，以木牛流馬運糧，見「三國志本傳」。按木牛，即今小車之有前轅者；流馬，即今獨推者，當時科學未昌明，而竟有此創作，亦能而可貴也。

諸葛菜：在瀰州界緣山野間，有菜大葉而粗莖，其根若大蘿蔔，土人蒸其根葉而食之，可以療饑。因諸葛所至，即種蔓菁，以爲軍食，故名之曰「諸葛菜」。此亦猶廣都縣山瀰林，謂之諸葛木者，一轍也。

諸葛燈：爲諸葛夜間行軍之用，一面透光，前置凸鏡，後置凹鏡，使光綫遠射照見所向之處，而他人不能見持燈者之在左在右。稱諸葛者，言其巧也，又名「孔明燈」。今日之民間猶做而製之，作夜行之用。

諸葛巾：冠名，即綸巾也，諸葛嘗服綸巾，執羽扇，指揮軍事，故名。蜀山谷民，皆冠帛巾者，乃沿習諸葛之遺俗。今之劇台上，表演孔明、張良等人物所冠者，即千年以上之諸葛巾。此外有「侯計山」，在耒陽縣東七十五里，武侯嘗在此憩息，籌計兵事。「斜谷關」，在郿縣西南三十里，即侯出師處。「諸葛洞」，在龍州宣慰司治南，諸葛征九溪蠻，曾留宿洞中，設一床，懸粟一握，以秣馬，後遂化爲石床石粟，至今猶存。以及「萬里橋」、「七縱橋」、「老人村」、「五丈原」、「開濟堂」……等，不一而足，皆有武侯遺跡，人亡物在，徒供後人景仰耳。黎充輝題南陽三顧圖云：「烏散巢成漢樹空，孫郎奇氣捲江東；英雄鼎足三分勢，祇在茅廬一語中」。因諸葛在隆中時，早計天下三分之局，時勢如此，非人力可以挽救，由於先主之慇懃，祇得鞠躬盡瘁，力存蜀漢之一隅。吁！漢不亡，則侯不死，侯死，而漢乃眞亡矣。（下）

談「兒女英雄傳」

周遊

兒女英雄傳說部，署名燕京閒人著。胡適之先生說這本書確係光緒年間的人所撰，出版時說是嘉慶年間的人乃是冒充，連前面的兩篇序都是僞撰的。

據筆者考查之結果，關於胡適之先生說的「確係光緒年間人所撰」一節，似乎找不到光緒年間人所撰的證據。胡先生畢生最强調「拿證據來」的科學精神，如果沒有證據，胡先生雖已作古，當然亦不致反對我之一點愚見吧！

兒女英雄傳說部著者燕北閒人，眞名是文康，字鐵山，確係嘉道年間人，而且是旗人，是光緒年間翰林，編修熙麟（字小舫）之外祖父；熙麟則爲齊如山先生令尊光緒壬辰科中進士的房師（清閱卷大臣），熙麟在光緒壬辰年已當房師（清閱卷大臣），則熙麟至晚要生咸豐年間，他的外祖文康，當然更必生在嘉慶年間的人，且大致生在乾隆年間了。此一事，齊如山的隨筆有一篇談關於兒女英雄傳值得注意。他說：「『小舫』（熙麟字）先生因先君極欽佩文康之爲人，故對先君，所談文康事甚詳，先君把所談之話，都批注兒女英雄傳書中，惜該書爲子姪輩借與同學，遂遺失。民國幾年舍弟壽山，與魯迅同在教育部，朝夕過從，談及此事，魯迅彼時正致力於小說，於是極想看此批，然費了幾個月工夫，也沒找到。以上是我親眼看得的事情，但現在不過沒有文字的證據。」

以上關於考證該書著者確爲嘉慶年間人，有齊如老援聞於其父之說可證外，而按該書中所流露之處，亦可窺見其端倪。

如安龍媒中探花的時候，安水心曾說：「旗人中鼎甲，這還是創舉呢。」批兒女英雄傳的人說：「老先生且莫講，鄙人當讀卷官的時候，旗人還中狀元來。」按他所說之狀元，乃是指崇綺，綺字文山，乃光緒皇的老長親，也是齊如老令尊的老師，清朝旗人中中八股狀元的僅他一人。從前麻勒吉，乃是翻譯狀元。批書人說，該科他當讀卷大臣，則大約是咸同間的人，倘該書爲光緒年間人所撰，則他看不見，更不能批。再從原書中，亦可知非光緒年間人所撰。

安龍媒中探花，乃是射麻勒吉中狀元的故事。蓋乾隆之前及乾隆初年，因恐旗人習於文弱，故不許旗人應文章之試，後來旗人中，看到舉人進士狀元等榮耀體面，非常羨慕，恆有倫考著，而康熙、雍正、乾隆三位皇帝也都有相當的漢學基礎；再因國家已承平，這才准旗人應文章之試，於是著者文鐵山便由羨慕之中，有妄想之意，使他兒子中探花。但若無麻勒吉在先，他或者不敢作此大胆假設的寫法。按麻勒吉住北平後門內北海東，至今尚有麻狀元胡同。麻雖中的翻譯狀元，但當時在旗人中已經羨煞不已，數爲開天闢地的光榮。（一）

瓶子與海的傳奇

樊漢譯

又有一個愛爾蘭小姑娘，她想得到一個丈夫，她指定他一定是一個肥胖的人，因爲這種人是最快樂，和藹與浪漫。最近有一個在亞索里斯羣島居住的小童，在海灘拾到一隻瓶子，內藏有一張紙，寫着拾取的人可將它寄返紐約，將得獎金一千美元。那個小童起初還以爲那不過是開玩笑，但別人的鼓勵，試投郵寄到紐約，那個小童果然得到一千美元。那隻瓶子在紐約港外投入水中的，漂流了二千五百哩抵達亞索里斯羣島。

據美國海軍水路測量局的報告，他們很感謝擲下瓶子的各船長和拾得瓶子而送交他們的人們。在數十年前，有一個船長曾給他們最大的幫助，他在每天都拍電報向水路測量局報告他所投下的瓶子的數目，那些瓶子都是他本人所喝的酒瓶，最多是廿七隻，最少也有五隻。但在美國禁酒時期，他跟水路測量局失了連絡，也許他已經戒了酒或是他已退出航海生活。（四、完）

自由報
THE FREE NEWS
第八六六期
中華民國僑務委員會登記證台報字第三三二號
中華郵政台字第二一二八號執照登記爲第一類新聞紙類
（每週三、六出版）
每份港幣壹角　台灣零售每份新台幣壹元
社長：雷嘯岑
督印人：黃行豐
社址：香港銅鑼灣高士威道二十號三樓
20, CAUSEWAY RD 3RD FL. HONG KONG
TEL. 771726　電報掛號：7191
承印者：大同印務公司
地址：香港北角和富道九六號
台灣分社
台北市西寧南路寶慶里二號二樓
電話：六四〇三二
台北郵政信箱二二五號

思想戰爭與權力政治（上）

何浩若

法國總統戴高樂於本年六月二十日訪問蘇俄。這是國際間一件大事。法國和蘇俄會不會因爲這次訪問而更趨接近呢？法國已和北大西洋公約拆夥。美國的軍隊將於最近撤離法國。二次世界大戰以後，民主國家對抗共產集團是壁壘森嚴的。法國不僅支持民主國家，而且是北大西洋公約的中堅。自從戴高樂崛起歐洲和中共與蘇俄的交惡，國際局勢便由民主國家與共產集團的思想戰爭（Idealogical war）趨向於第二次世界大戰以前的權力政治（Power Poletios）這其間的經過和未來可能的發展是値得注意的。

要明瞭這一錯綜複雜的問題，我們必須先明瞭當前錯綜複雜的國際局勢。第二次世界大戰以後，二十年來，這個世界增加十億人口和五十九個新興的獨立國家。這已經打破了以往世界歷史的任何紀錄。據我外交部今年（一九六六年）三月十五日的報告，現在世界上獨立的國家與我有外交關係者有五十八國。這五十八個國有五十五個是聯合國會員國，三個不是聯合國會員國。與我無外交關係而承認中共者有四十九個聯合國會員國，和兩個非聯合國會員國，一共是五十一國。此外與我無外交關係亦不承認中共者有十二個聯合國會員國和七個非聯合國會員國，一共是十九國。以上共是一百二十八國。這個數字並沒有包括外蒙古、北越、北韓和蘇維埃聯邦以內的白俄羅斯和烏克蘭以及在一九六六年五月二十六日獨立的圭亞那。

這個世界上在第二次大戰以前，只有七十多個國家。現在增加了五十九個國家，當然是一個很大的變動。除此以外，在過去的二十年以內，還增加了十億以上的人口，把世界的人口總數從二十多億增加到三十三億。像這樣高的增加率也是史無前例的。

核子武器變更了獨立國家的戰畧地位

二十年來，這一個世界增加了五十九個獨立國家。這一史無前例的趨勢恰好與人類武器的發展相反。核子武器的發展是不宜於小國的生存的。從前的小國如摩納哥和聖馬利諾，因爲面積太小、人口太少，就根本沒有作戰的能力。新興的國家如一九六五年獨立的馬爾代夫，當然也是一樣。瑞士因爲弱小而處於列强之間，便維持永遠的中立。這是從前的情形。到核子武器發展以後，不僅摩納哥、馬爾代夫不能作戰，像號稱世界列强的英國和日本也失去了作戰的地位。還不是說英國和日本不能作戰。假如英國和日本參加核子大戰，因爲面積太小，人口過度密集，一定首先遭遇燬滅的命運。論者謂目前擁有核子武器有資格參加核子大戰的，只有美國、蘇俄和共匪。因爲這三個國家面積既大、人口又多，不容易在最短時間被燬滅。在少有寬裕的時間反擊敵人。共匪目前僅有核子裝備，沒有投擲工具，如飛彈和遠程轟炸機，也沒有足夠的核子彈，可以作戰。但是共匪人口之多，地域之廣，在挨炸的能力一方面講，也許還超過美國和蘇俄。共匪還沒有工業化，人口沒有過度集中，也沒有顯著的工業中心。這一點也比蘇俄和美國强。遠在一九二〇年，當蘇俄軍事共產失敗，和中國大陸被軍閥割據的時候，有一個美國歷史學者說過幾句話。他說：『世界上有三個國家有前途，第一個是美國，沒有過去，有現在，有將來；第二個是蘇俄，沒有過去，沒有現在，有將來；第三個是中國，有過去，沒有現在，有將來』。現在事隔四十多年，這位歷史學者的預言實現了。但想不到核子武器的發展也加强了這三個國家的地位。就在今年（一九六六年）三月三日，紐西蘭的工黨領袖卡德威（Arthvtr Cadwell）發表了一篇驚人的談話。他說，紐西蘭受到國防上的壓迫，在最近的將來會加入美國成爲美國的兩州。他說紐西蘭安定而且有戰畧的價値，美國一定會接受的。他說紐西蘭距離檀香山比檀香山距離美國近，假如檀香山可以成爲美國的一州，紐西蘭也可以成爲美國的兩州。他不相信澳大利亞可以維持二十年而不爲她的安全另作打算。假如工黨執政，卡德威就是紐西蘭的首相。他的話應當是有分量的。我們不知道將來這個世界因爲武器的發展會變成怎樣。但是我們可以斷定小國是不易生存的。歐洲因爲共同市場而有統一的趨勢，英國很難脫離歐洲。新興的國家以非洲爲最多，已經有三十多個國家，被迦納趕走的狂人恩克魯瑪就做過非洲聯合國的夢。加拿大合併美國是可能的，而且也很容易。蘇俄原想完成世界革命，組織一個蘇維埃社會主義聯邦共和國，也就是U.S.S.R.原來的意義。蘇俄硬要把白俄羅斯和烏克蘭稱爲獨立國家，也就是想作將來吸收其他獨立國家的準備。但是赤色帝國主義使得共產集團有相反的發展。目前共產國家的離心力大過向心力。共產集團不僅因共匪和蘇俄的衝突而破裂，就是西歐十五個國家的共產黨也圖擺脫蘇俄的控制。本年五月十二日西歐國家的共產黨在維也納開了三天的會，便有這樣的表示。大家都知道參加華沙公約的阿爾巴尼亞已經和蘇俄於一九六一年十二月十一日斷絕邦交。最近羅馬尼亞和蘇俄對華沙公約也發生裂痕。羅共第一書記蘇斯柯在羅共成立第四十五週年紀念的時候攻擊蘇俄在共產集團中的支配地位，並要求解除在歐洲所有的軍事集團，包括華沙公約在內，蘇俄覺得事態很嚴重，才派布里茲涅夫於本年五月十日至十三日去訪問羅馬尼亞。布氏的訪問事先保守秘密，事後才公佈。我們無法知道訪問的內容。但是俄羅的裂痕表示共產集團的離心力則是事實。

非洲斑馬也不是好惹的！

波蘭天主教徒頭顱挺硬

今日與明日

犬父無虎女

當印度總理沙斯特里在塔什干開會暴卒後，印度國會竟會推出尼赫魯之女英迪拉·甘地爲總理，本欄當時即指出亞洲從此多事，因爲深切了解此女個性與其父相同而褊狹猶過之，一旦上台必然繼承其父遺風，以亞非領袖自居，在國際間破壞了自尼赫魯死後自由國家的安定。數月以來，此女雖然也會訪問美國，對國際問題發大言，但大體說來尚無大錯，筆者竊幸言之不中，深爲自由世界慶，不料高興得不久，此女之原形漸現了。

英迪拉最近有兩件事頗値得一述。第一是訪問埃及同南斯拉夫。英迪拉會訪問美國，不久將來又打算訪問蘇俄，此種行爲都是可以理解的，因爲印度人多糧少，年年飢荒，長期要靠美國施捨，運糧救命，今年尤甚。尼赫魯在世時，雖然事事同美國反對，年年和美國搗蛋，但是尼赫魯自己吃的糧食也還是美國施捨的。英迪拉爲求乞而去華盛頓，人們自無話可說。至於印度的國防是靠着蘇俄的支持，英迪拉自然應跑一趟莫斯科。但獨去訪問與印度風馬牛不相及，在經濟與軍事上均不能給與印度毫釐支持的南斯拉夫同埃及，在正常的人看來，就有點費解了。英迪拉此種行動，若單從印度處境來看，任何人皆不懂。因爲印度飢荒嚴重，每天餓死幾百人，民族問題複雜情形下發生火併事件，在這樣萬不得已，身爲一個總理，除非這是正[illegible]

[illegible]會對這一次會議，却稱之爲「三小[illegible]二次大戰期間羅邱在魁北克開會報紙稱爲兩巨頭會議，蔣羅邱開羅會議，羅邱史在德黑蘭會議均稱爲「三巨頭」會議，因爲這三頭實在「巨」。目前的尼、狄、納三人，無論聲望、實力、地位均遠甚，只好稱之爲「三小會議」。[illegible]

戴高樂的崛起和鈾的產量

法國戴高樂執政以前，政局很不安定，一年可以換上幾次內閣。因爲如此，巴黎流行着一個諷刺的笑話，說有一個人雇計程車去總理衙門，要計程車等他，計程車夫說：『我不能等呵』！那個人說：『你爲什麼不能等？你知道我是誰嗎？我就是法國的內閣總理』！

自由談

怎樣革新政治？

從政人員平日考績黜陟，進賢退不肖，再規定退休年齡，一例執行，這都是發生新陳代謝作用的妥當有效方法，固不必談什麼新人舊人的話，舊人曾經新，新人亦會舊，如不論賢愚功過，而斤斤於新舊之說，何其傎也！

按照我政府現行的人事處理辦法——談不上制度——上行政上即永遠不會產生新陳代謝作用，相反地祇有日趨萎靡腐敗之境，何以見得呢？一是在所謂「人事凍結」的非常法令下，任何一個公務員，只要不犯私罪而被揭發處刑，即不管能力何如，皆屬終身職。二是凡屬地位稍高的官員，一旦免去了現職，必須給他安排另一種職位，以示倚畀，又謂之保持體面。這樣的體制，賢路被阻塞得十分緊密，新的人才還有什麼方法可以得到從政機會呢？

中下級公務人員不依績效而進退黜陟，考績便成了毫無意義的事，而行政效率乃等於零，且構成集體貪污的風氣，實爲勢所必至。若說這是爲要顧慮一般公務員有失業之虞，兼以表示當局獎勵一般從大陸追隨政府來到台灣的忠貞之士，那末，不知若干倍數於公務員的社會失業群衆——包括義不從賊的難民——又如之何？至於解除了現職的高官顯吏，一定要給他一種下文，這又是什麼理由？他若是賢者，就不應該免去他的職務，本人要辭職，亦得慰留纔是；如其不賢，幹嗎還要繼續任用呢？唯一的解釋就是小圈子主義作祟，如此而侈言革新政治，殆屬幻想。

咱們亦有退休制度，却未切實施行，許多已屆退休年齡的公務員，依然供職如故。但時人又好談官吏的平均年齡問題，每逢行政院改組，報紙上即大談其所謂「閣員」的平均年齡，這實在是多餘的廢話。既未嚴格實行退休制，則年紀之大小已屬無關宏旨，精力是否充沛？英國的邱吉爾，西德的愛特諾，年逾八旬，照樣作內閣總理，勝任愉快。

我認爲要想革新政治，必須找到要點，上述各項不合時宜、不切實際的非常令甲，如不予以改革，那就免開尊口爲是，專門喊口號，說空話，連宣傳的作用亦沒有，徒令人聞之生厭，何苦來哉！

馬五先生

盜豆鉅案近訊

法院判決一部分　社會上謠諑紛起　當事人有所要挾

（本報台北通信）轟動一時之台灣鐵路局貨運機構儲存鉅量黃豆被盜案，除鐵路局長徐人壽被免職外，主犯之一大華油廠董事長王作昌，萬華貨運服務所主任許福亭等十餘人，業經法院分別判處無期或有期徒刑，另有同犯大德源油廠主持人陳家珍在逃，尚待訊究。但以價值一億八千萬元台幣之公有物資，一旦被盜運淨盡，而負責保管者又係政府所屬機構，若說這僅僅是幾個商人勾結貨運所職員所為，別無內幕，誰其信之呢？因而社會上議論紛紛，耳語流傳，不一而足。前幾天，台北「自立晚報」對本案內幕有所揭露，據說牽涉到高級民意代表若干人。記者根據各方耳語傳聞消息，略加報導如次。

這項公有的鉅額財產損失，並未責令盜豆的商家賠償，而由省府以行政處分，飭令鐵路局如數照賠，也就是由公帑撥付，等於政府担負賠償責任，與盜賣人無關，豈有此理！鐵路局長徐人壽作了替罪的羔羊，免去局長職務後，省府明令調任為「本府顧問」，過了一天又明令予以停職。令人惶惑莫測高深。據「自立晚報」透露消息，查得大華油廠董事長王作昌的支票存根中，記有支付某某委員若干萬元的數字好幾筆，該報雖將若干中央民意代表的名字用「×××」刊出，然社會人士皆知道是那些民意代表，有名有姓，言之鑿鑿——只有該報所指述的兩個國大代表究竟是誰，尚係猜測人物，以國大代表的人數太多，不易清查也——這些高級民意代表中，神通廣大，素來多財善賈，自己創設油廠或運輸公司，有的是官商合辦企業，有的是利用職權，聞風求財——例如把當事人的案卷依法調閱後不肯發還，要談條件——有的，是暗中替商家保鏢，索取代價，事實具在，知，擾久了，無從隱蔽。所以王作昌尚未經法院定讞之前，檢察官表示要治亂用重典，對他可能處以極刑。即有人傳言，如果真的判處極刑，屆時王作昌彼必將本案內幕合盤托出。現在王氏只判處無期徒刑，他是否願意「洩底」，殊不可知，但社會上的謠諑更多了，甚至涉及到政界顯要人物，殊堪驚詫。

按照法院判決書所指出被告等對此案所侵佔的不法利得，最大的亦不過台幣廿七萬四千元（貨運所主任許福亭）其餘的一億八千萬元黃豆價款，究竟到那裏去了？法院何以不窮根究底，辦個水落石出呢？若照省府的處分，鐵路局貨運機構賠償責任成立，則主犯並非商人，而是監守自盜，那末，鐵路局長徐人壽即不能僅以免職了事，萬華貨運所主持人亦非僅處無期徒刑，便可以免除其全部的罪責吧？政府有關當局和監察機關，紛紛派員向那抵押此項黃豆的銀行查究責任，形勢頗為嚴重，弄得各關係銀行（台灣省合作金庫抵押貸款最鉅）的主持人神經顛倒，困擾不堪，不如當它沒事了。這些都是引起謠言的原因，認為事情決不簡單。

據說大德源油廠董事長陳家珍的女兒陳鎮鳳公開聲明，如果法院對她父親判處重刑，她就要將其中的黑幕情形全部佈出來。方面採取與前述王作昌同樣手段，目的在迫使幕後有關的各個政治人物，設法疏通，從輕發落，救別人亦是救自己也。認定法院果真鐵面無私，依法嚴究，內幕真象自可詳細查究無遺，就看法官有無此魄力，而不顧一切的獨立行使審判權，這確係中華民國法治前途的一大考驗，跂予望之。（七月四日濟光於台北）

應邀訪問夏威夷歸來

高雄市王議長談觀感

——本報高雄航訊

應美國太平洋陸軍部之邀，赴夏威夷訪問的高雄市議會議長王玉雲，已返抵高雄。他對記者談及此次訪問觀感時說：（一）因為夏威夷的首府檀香山與高雄市結為姊妹城，所以對他特別優遇。他說，美國是一個民主國家，對友邦國家的民意代表特別尊重，正如尊重他們選出的民意代表者然。而因檀香山又與高雄市是姊妹城，所以對他的接待特別親切。

（二）夏威夷人口有七十二萬餘，華人在該州佔全人口的百分之六，但在政治、經濟上佔極優越的地位。如參議員鄺友良，副州長吳達和，建設廳長茂宜，市長譚福壽，以及銀行家，大企業家等，他們都憑他們的聰明智慧，艱辛勞苦，而開拓了今日的基業與地位，並非偶然倖致者。他們熱愛祖國，不亞於任何地區的華僑。他說：日本人在夏威夷的人口有廿萬人，但他們在政治、經濟上的地位卻瞠乎其後，有兩家日本廣播電台的主持人曾經跟他談到這個問題，他說他們承認日本人在夏威夷的流動性較大，賺了錢就回國去，華僑則不然，他們生於斯，長於斯，終老於斯，所以在政治與經濟上奠定了堅固不拔的基礎。

（三）關於檀香山的交通，他特別稱道，他說：他只見到三個警察，卻交通秩序井然。又說，一般人民有高度的法治精神與守法觀念，例如：由街的此端到對面一條街，跨過去不過幾公尺，但他們卻寧繞一兩百公尺，必經行人斑馬線通過。此點他認為乃是人家教育的成功。又如檀香山有汽車廿萬輛，但絕聽不到喇叭聲，與我們台北市相較幾不可同日而語。

（四）公共衛生，夏威夷各都市的公共衛生辦得非常好，在街上任何角落，見不到一點垃圾，烟蒂，菓皮，紙屑之類的髒物；因為沿街均設有非常美觀而又清潔的垃圾筒，沒有人隨意拋擲穢物。認為此點值得我們效法。

（五）關於夏威夷州的教育，王議長說：他們的教育經費是由州政府撥出的，義務教育是九年。有一萬人的東西文化學院，內有中國學生一百人，有獎學金者六十八人。他說中國學生特別勤奮好學，有從獎學金中每月抽出數十元接濟家用者，因此校方對他們特別關愛云云。（六月二十九日寄）

香港原子粒收音機

產銷躍增方興未艾

本年預料可產八百萬個

（本報訊）香港的原子粒收音機廠最近繼續接入了很大的訂單，這些訂單除了來自美國及英國較多之外，還有來自加拿大、西班牙、委內瑞拉等，於是廠家趕製零件及裝配更加忙碌，因為其中一部份來自美國及英國的新訂單，是要趕急交貨運到當地供應暑假前銷售的。

目前香港的原子粒收音機製造業，有兩種新的發展，其一是規模較大的廠家已經自己製造零件，可以使生產成本減輕，加強出口外銷。其二是有幾家專門製造零件的廠家，供給零件與他人加工裝配，於是工場式的裝配部門近來紛紛設立；這些裝配部門已有基本的熟練工人，再加上訓練新的工人，裝配工作就有急速的進展，將逐漸與羊毛衫及塑膠花的廠外加工有異曲同工之妙，對於市民就業有很大幫助。

香港製造的原子粒收音機，過去所用零件全部由日本供應，近年來香港已能自己設廠製造，成本獲得顯著減輕。例如六粒原子粒的袖珍收音機，一九六四年間出口接訂價格每具約為四元五角美金，一九六五年間出口接訂價格降至二元五角美金，今年上半年出口接訂價格降至二元二角美金。由於港製原子粒收音機生產成本不斷減輕，出口外銷就有很大的衝刺力，將來除了塑膠工業之外，原子粒收音機將是最有希望發展的一門新工業。

港製原子粒收音機生產成本不斷減輕，生產量不斷的增加，本港廠家及出口商可以利用價格廉宜與品質優良的兩種條件，繼續拓展出口市場；而因為價格廉宜，大多數人都能夠買得起，它的銷量，將來可能與玩具同樣廣泛。（上）

我朝野人士檢討中美外交（六）

本報駐台記者張健生

記者報導我朝野人士對中美外交的證詞後，總覺得有些人的言論非常激動不滿美國自由主義的主張，但，我們必須認識清楚自己的處境，應有忍讓為國的精神；因為討論問題是一回事，不滿意他們又是一回事，誠如古人說：「小不忍則亂大謀」。當我們在討論問題時，應本着以意見對意見來駁斥他們，切勿在討論對方某一人的意見時，而作人身攻擊；如攻擊某一個人的尊嚴，不僅於事無補，而且徒然府加惡感害了國家。

「圍堵而不孤立」有違立國精神

同時，我們應從美國的民主道德、民主傳統與外交歷史，透視並分析美國當前外交的動向，去瞭解「圍堵而不孤立」的背景，有違美國的立國精神。所以，記者就歷史來談談美國的外交政策。美國的外交政策是國際合作與孤立主義的奇妙的混合品。

美國是帝國主義嗎？歷史告訴我們它不是。因為美國人對於統治其他民族，在良心上素感不安，這種不安來自美國人民主政治的信仰，由這種信仰而產生：他們相信為他們所統治的民族準備自治的道路，是宗主國家的義務。如菲律賓，如波多黎各，以及對加勒比海各國，古巴、海地加以監督與控制，都是以宗主國的地位來監督與控制，其動機是希望產生一個守法的尊重憲法和民主程序的政府。第二次大戰後，美國對戰敗的西德和日本，也是欣然的看着民主程序的建立，使這兩個國家走上民治的大道，成立民主政府。這兩國獨立後，美國軍隊在那裏都是根據有關各國或雙方的協議，旨在防止共產集團的侵略；這能說是帝國主義嗎？像美國對拉丁美洲所採取的不干涉主義；像美國對世界其他地區所採取的態度，非至國家安全受到影響，不加改變。

從貿易來看美國的外交政策，美國對華著名的門戶開放政策，開始就是企圖防止貿易機會的不均等。一九二二年華盛頓會議簽定的所謂九國公約，規定各簽字國家「為保障各自利益起見，不得參與任何協定，在中國任何地區以內樹立商業或經濟發展的一般優越權益，或任何……獨佔的利益……蓄意破壞機會均等原則的實施。」

今天，美國金融界對於國外大量放款，已不熱心，而由國際銀行和進出口銀行代替了，政府也不願鼓勵他們去做了。過去，商業利益在美國外交政策上曾經時常發生過大的影響；而美國人在外國領土上建立的企業對外交政策的影響則遠為微弱，至於銀行家的影響則更小了。

美國傳統精神，厭惡秘密外交

美國民主政治的精神，貴在每個公民都能夠對政治有所領悟。由於政府的權力來自人民，所以厭惡秘密外交，而養成了一種公開辯論外交問題的習慣。因此，外交政策上的重大問題，並且時常會被提出作公開辯論，經常會很坦率地從各種不同的觀點進行討論，而最後又取決公眾的意見。故研究美國外交政策的人，假如不能瞭解美國民主因素在它歷史進程中所發生的重要作用，就不能獲得真正的認識。

美國外交政策，有濃厚的「講道德」的風味。這種思想基於：民主仁義的政府是世界上最優良的政府的觀念；或侵略在本質上是不道德的觀念；或秘密外交談判是錯誤的觀念；或國家應與個人一樣遵守同一道德規律的觀念等等。華盛頓政府時代，為了改善英美間之外交關係，派遣傑氏（TAY）代表赴英修好，當時傑斐遜和麥迪遜則主張採取商業報復的方法對抗英國，並且堅決地反對一七九四年的英美條約。他們這種主張，乃基於道德的因素而同情法國大革命。一八四八年，歐洲各國的革命運動，那年美國政府以迅速近乎急燥的行動，承認了法蘭西第二共和國，也是基於道德的因素和美國對於民主理想的同情。

民主道德觀念　影響外交政策

第一次世界大戰，威爾遜政府之所以對於英國違反國際法時表示溫和的態度，而對德國政府則堅持嚴格的原則的原因，這種外交政策，也是民主道德的意識所形成的。威爾遜在他著名的「十四點」計劃演說中，強調和平應以有關各國人民的意志為基礎。因此，到了各國議和締約時，威爾遜為了尊重民族自決原則，反對法國吞併薩爾區，反對法國要求德國割讓萊茵區的計劃，同時，鼓勵德國公民以投票方式去決定德國北部與丹麥間以及西部與波蘭間的疆界。這個民主理想，使落後民族間的問題獲得了一個以民主程序去處理的方式。（上）

滬海異聞談

模特兒學校爛污重重

桑雅

她是一個黑髮女郎，面孔娟好，身段迷人，在街上走過時，隨時招引異性的注意，他們甚至禁不住吹口哨。在她的手袋裏，她有三十鎊。她那雙大大的棕色眼睛閃爍着光芒。現在她不再是接綫生了，她要做模特兒。

在模特兒學校第一天上課時，她的確神魂顛倒，因爲那位導師讚她，認爲她像伊利沙伯泰萊。甚至有些人還說她有世界模特兒皇后珍絲頓的風度。她簡直如痴如醉了。

那天晚上，她無法入睡，實在太興奮了。多年來，她做了不少模特兒的夢，現在竟實現了！她怎不開心死呢？

她根本不知道一個事實：她身高五呎二吋，這個高度沒有機會撈得起的。她像其他每年數以千計的女孩子一樣，只是作爲陪襯品。只是模特兒學校的一個犧牲品。

此類女孩子，隨處皆見。她們無論有什麼不同，但有一點是共通的，那是非常貪靚，喜歡出風頭。

英國最大的模特兒學校是露茜姬莉頓有限公司，其發言人說：「身裁高的女孩子事實上不多，以目前的情況來說，本校沒有一個是高過五呎九吋的。」其他著名的模特兒學校的負責人士指出，每屆投考的新生，一千五百名中，只能挑出一個是可造之材。平均收費是三鎊三先令，一個職業模特兒說：「你有一個攝影面孔是重要，如果不上鏡頭，又怎能撈得起呢？此外，你必要有與衆不同之處，例如一個眼神，一個手勢之類。到你被發現時，至少已付出了二百鎊的代價，這些是購新衣、化粧品及攝影的費用。」

唸完後，她們可以照例獲得一張文憑，但這張文憑其實是一無是處的，找職業不能靠它。若干時裝設計公司的老板都這麼表示：「那些所謂受訓的模特兒，實在使人難受，個子矮矮，大哺乳，多麼恐怖呵！」她們不受重視由此可見。文憑的成績如何優良，也不能保證必找到工作的。有一間名叫時裝模特兒訓練所，却非常嚴格的，投考亦不容易，如發覺學生中途有點不對，寧願退還學費叫她退學的。但這類訓練所並不多見。

一個女孩子想做模特兒的話，找一間正當的學校是重要的，庶可免一失足成千古恨。據說，在英國，只有三十間左右是較爲可靠，其他只是一種勾當，利用女子來刮龍或甚至騙色的。

爲什麼那麼多女孩子喜歡做模特兒呢？原來模特兒的生涯相當不錯，一個成功的模特兒，每年平均可賺八千鎊，而且隨時有機會環遊世界。而且，是攝老公的最佳門徑，不少模特兒是嫁給有錢有勢力的人的。「披頭四」之一的佐治的太太比蒂，也是模特兒出身的。

最後，還有一個最大的吸引力——有機會上銀幕。顯著的例子是拉韋芝，近來她越來越走紅了。

正因爲如此，在英國，模特兒這門路是不容易走得通的。人越來越多了，已達飽和點，于是，出人頭地的機會跟着少。現在倫敦已有六千名模特兒，試想想，多麼劇烈的競爭呀！

世界新聞編輯溫尼說：「模特兒學校目前如雨後春筍，一夜之間便可以開一間，但一樣有人入甕。」「對的，很簡單——一個地方，一個電話，一把油嘴便可以攪掂。」

所以溫尼說：「我勸告各位女孩子，千萬不要找一些沒有正式執照的模特兒學校，否則誤了終身的。如果已註冊的，政府常常派人調查，這樣作弊的情形便減少了。」

沒有執照經營模特兒學校，當然是犯法的，不過，他們很懂得走法律罅。他們知道只一次過收三鎊左右的學費，是沒問題的，除非向模特兒身上抽取百份之十至十五的佣金。

貓王皮禮士利當年一首最受歡迎的名曲是「傷心酒店」，而在不少人的眼中，尤其好夢難圓的女孩子的眼中，模特兒學校才是一個「傷心地」！

美國罪犯最怕懸圖緝拿

大智

在九月的某一天，一個犯有強姦、持械搶掠、盜劫汽車等罪而被繫獄的二十歲流氓的約瑟夫．詹姆士．布立狄克，在密蘇里州克萊頓市聖路易監獄，用一把理髮刀破牆越獄逃亡。

如是者四年多之久，這年輕的持械強盜，一直逍遙法外，未被緝獲。

後來，在一九五三年二月九日，聯邦調查局于全美各地報紙刊出他的圖像和身形來通緝他。

第二天，加利佛尼亞州蘭卡斯特的一個市民，拿起晚報隨即打了一個電話給當地政府。下午九時十五分，布立狄克便又鋃鐺入獄了。

布立狄克的遭遇，乃是逃犯們所碰到的「致命傷」：他的名字被列入聯邦調查局「十大通緝者」的名單中。

當一個逃犯被列入「十大」(Top Ter)之列，他已經知道自己是覆罩在天羅地網之下面了。在舉國虎視眈眈之下，他的脫逃機會是微乎其微的。

自從聯邦調查局在一九五〇年公開列出通緝者的名單以來，十年來榜上有名者被緝獲的數以百計，而其中大多數都是由老百姓在報上看到犯人的照片，或是由電視、無綫電收音機得知罪犯的描述，而告密捕獲的。

被列名「十大」名單者的資格爲何？聯邦調查局局長說他們是習慣的玩法者，而非一時觸犯刑章的人。他們的「兄弟行」包括殺人犯、盜刦保險箱犯、搶刦犯，騙子等。

聯邦調查局的五十二處分局，將「候補者」名單開送到總局，他們有是越獄逃走的，有的犯罪後潛逃的，一旦有逃出州界之可能，便合於名列黑名單上了。

當一個新名字出現在名單上，聯邦調查局便印發十二萬五千份「懸緝」招貼，分寄各地，在郵局、車站以及各公共場所張貼，同時全國報章都刊登像片及罪犯所有的特徵——像疤痕、刺花、衣着、模樣、言語口音、渾名、女友以及生活習癖等等。

以後的發展是——（上）

英國偷聽電話成了專業

鄭繼良

保守自己的私事不是特別權，是每人應有權利。如果你的一切行動，都受監視，你會感到愉快嗎？你會忍受下去呢？每天你收到的信件曾被別人拆閱過，你在睡房所說的話常常被人偷聽，你的反應又如何呢？

在極權的國家裏，個人是沒有自由的，那些所謂秘密警察，便隨時闖進任何人的住宅裏。

但，在民主國家裏，由于科學發達，人們的新生活也常常遭受干擾了。以英國爲例，公務人員有權隨時進入民居者共有一萬零三百八十三人，這是官方的數字。根據有關方面的調查，指出英國各地每年有一萬二千具電話，是被暗中搭綫偷聽的。

那麼，他們這些勾當，是什麼類的人呢？大都是那些私家偵探、特務以及勒索歹徒。

在電話機安置偷聽器，是件很難的工作嗎？一點也不。每人只要有廿鎊及皮毛的智識便可以動手的了，廿鎊是器材的代價。

卅歲的巴利，是京士頓的一位私家偵探，他的職員有一百名左右，而他有本領調動四五十名馬仔，他專替別人安置偷聽器。當然他是受聘的，大部份的僱主是商人，他們目的是打聽別間公司的生意機密。此外，偷聽通姦時的對話，作爲離婚的證據，也不在少。

巴利說：「我有時還與蘇格蘭場合作。」最近，一間公司的生意秘密給人識穿，每年損失了五萬鎊之巨，這是由巴利一手辦理的，所以他說：「我當然不便說出這公司的名字，不過，我可以預言，長此下去，他們終會破產的。」

幹巴利這行的，——專安置電話偷聽器——全英約有五十家——有關人士已表關心，他們指出：這個現象是不正常的，實在是一種不合理及不合法的侵犯。

不錯，在電話安置偷聽器是一件違法的事，但要由郵局方面才能起訴。依照無綫電與電報條例，凡對綫格有影响均有被起訴的可能，以民事起訴，罪名成立後判每天罰欵高達廿鎊。可是，截至目前爲止，始終沒有起訴任何人的紀錄。

如果偷聽器是與無綫電收發器有關，罰欵便會更高——一百鎊，或者入獄三個月，有時可以兩者同時執行。通常只判罰欵數而已。

事實上，絕少人以無綫電作偷聽器，而且，他們無需冒犯闖入私人住宅的危險。有一種雪茄大小的偷聽器，只要放在電話綫旁，可以偷聽室內人的通話了。凡有聲浪，它便有反應，它還可以與六寸長的袖珍錄音機相連，五六小時內都可以應用。

這種偷聽器在美國每具只售十元左右；在英國，雖然不是到處有售，但也不難找到。

看情形，科學越發達，法例越管不了，而且，在神不知鬼不覺之間，事情已完成了，起訴又有什麼用途呢？因此，有人建議設計偷聽偵察器了。

因其地山路險崎，有十二曲折，將去復還，故名）而東。董昭勸曹操都許。當時的「許」，是屬於豫州潁川郡。後來在曹丕篡漢後的黃初二年，始改許昌。

廿一、曹孟德移駕都許昌

曹操入洛陽，是董昭的疏導，來到洛陽，曹操當然嘉其大功，「引董昭並坐」，曹操向董昭說：「今孤來此，當施何計」？曹操在此稱「孤」道寡，不是陳壽故意如此妙筆，還是果有此事，我們今天讀史的人就不得而知了。董昭就說：「將軍興義兵以誅暴亂（馬屁拍得肉麻），入朝天子，輔翼王室，此五霸之功也。此下諸將，人殊意異，未必服從。今留匡弼，事勢不便，惟有移駕幸許耳。然朝廷播越，新還舊京，遠近跂望，冀一朝獲安，今復徙駕，不厭衆心。夫行非常之事，乃有非常之功，願將軍算其多者。」董昭一席話，說透曹操心眼，曹操說：「此孤本志也」。所謂「本志」者，乃是他的政治野心而已。董昭是希望把曹操推上皇帝的寶座才滿意的人物，他竟然有志竟成，雖然沒把曹操推上皇帝寶座，但比皇帝更有權威的「魏王」，比作皇帝更好。曹操的想法，也和董昭之見相符，但恐楊奉有部分實力在梁縣，（即今河南臨汝縣西四十里地方）因地近汝水，對曹操有點威脅。當前爭奪地盤之秋，最好是不要犧牲太大，保存實力爲第一。董昭就把情勢分析了一下，董昭說：「楊奉少黨援，將獨委質，鎮東費亭之事，都是楊奉所定，前爲公疏通，足以見信了。現在不妨再派使者答謝，以安其心。佯言京都缺糧，車駕暫幸魯陽；因魯陽近許，轉運稍易，可無懸乏之憂。而且楊奉這人勇而寡慮，必不見疑。」曹操採納了董昭的策畧，促成了歷史上的所謂「曹孟德移駕幸許都」的傑作。獻帝建安元年七月甲子入洛陽，八月韓暹被曹嚇跑，九月車駕出了轘轅關，楊奉覺晤了曹操的陰謀，然已晚了一步。十月初曹操已經把獻帝安頓好了，然後才專門來打楊奉，楊奉一些黃巾出身的軍隊，怎敵得曹兵？大敗而走，逃到安徽投袁術去了。曹操佔領開封，到此開封洛陽都入了曹操勢力範圍之內。此後便是曹操「挾天子以令諸侯」了。

楊奉、韓暹二人是不成氣的傢伙，後來幫袁術去打呂布（建安二年夏），又受了呂布的煽動，向袁術所派的主將張勳倒戈，攪得張勳全軍覆沒。但是呂布騙了他們，不給地盤，他們只得幹起老行徑——落草爲寇，所謂白波賊的本性難移。他們後來投奔劉備，楊奉被劉備殺了，韓暹想跑回幷州，在路上給一個不知名的縣令捕來宰了。這似乎是他們應得的結果。

廿二、孫堅父子

三國蜀、魏、吳之得天下，以孫氏父子得來較易，魏次之，蜀國最難。故論三國者，對於吳國之創業清描淡寫，爲吳國大事，多以赤壁之戰開始。（四十九）

紅娘大顯身手（續）

硯華雖有幕後支持人，不過事倍功半，應在可研究之中。如果遭遇不能開展，豈不後悔？而況一個劇團，當任主角，至少能演十齣以上，方可每次不同，此亦值得考慮。就現今情勢，祇可應接晚會，以奠基礎！

培鑫傍譚助陣，以盡友誼，自屬理所當然。爲何唱來唱去，就是那幾齣戲，深爲不解。例如搜孤救孤，托兆碰碑，盜宗卷，烏盆計，摘纓會，戲鳳，打漁殺家，沙橋餞別，法場換子，南陽關，狀元譜，汾河灣等等，可陸續排排。有時戲大，硯華也可壓軸。必須把余派爲之昌大，要從名票而成名伶，非簡單的事。當年的叔岩，沒有幾下子絕活，梅蘭芳不會臨盆。我所見的戲鳳與殺家，不下有十次，可知其動人。培鑫硯華也可排排這兩戲，有何不可！還有烏龍院代殺惜，往年叔岩與田桂鳳會唱過兩回，精采已極。慧生也演過。趙譚兩位亦何妨一排，准保可以叫座。看有沒有這勇氣，是在兩位的考慮。因紅娘而想到許多，聊爲言之。

國劇繽紛錄

娑婆生（十九）

干城的翠屏

干城公演，預擬有孝義節，我知其情，力請改演翠屏山，因也有風情比較稍軟，蒙其允可。而某位摘拾以作徐蓮芝的退化，是否別有用意！文紀認爲此戲的楊雄，應找周麟崑，不知麒派老生，焉肯爲巧雲作遮配。考慮至再，才定于希友，而由復敏的石秀，以作掩護，可知安排，並不簡單。現在麟崑已覺得返老還童，在北市獲譽，感到蓮芝有點咄咄逼人，氣勢凌厲。其實大角兒不以所演的人物作計較，所謂台上見，已不很易。

翠屏山看過以後，聽到好多人在批評，說徐蓮芝的巧雲，唱做均不錯，眼神亦夠，就是凶狠尚不夠，風騷也略差，與戴綺霞、張正芬尚有距離，比鈕方雨則能勝之。要知大姑娘究竟尚未能完全了解個情，此不足爲病。曲復敏的前石秀極好，樣兒帥，唱得也不錯，是誰安排？張學武的後石秀，精神抖擻，酒樓試刀，後巷殺海，表現十足。丁春華的潘老丈，很滑稽。季少山的海闍黎，用俊扮，也很神氣；在被殺時候，有幾個身段跌撲，是別的劇團所無，夠得可稱。而于希友的楊雄就差一點勁，吵家的表情，不能十分出色，以老旦精擅而來演，也算難爲他了。

以上是在活動中心，所聽到兩位非劇評人的相談，我認爲確是持平之論，亦可見觀眾的眼光如灼，能洞察幾微，難逃他們的目力，不作過份的阿譽。

人生的琴弦

文武賢

人生的琴弦，奏出一連串的音響：思想、理想、幻想、夢想……。

想是原始的，一個嬰孩出生，便孕着想的機能。呵呵的叫，就是他底想的呼喚；呱呱的哭，就是他底想的發洩。比方，嬰孩口渴了，肚飢了，痛苦了，便呵呵的叫，呱呱的哭。

由於他還未牙牙學語，于是就用呵呵、呱呱代表他的想。

到了年紀大了，進入學校唸書了，尤其是在青年這個階段，他有他的「理想」。譬喻：中學畢業後升入大學，將來做工程師，或者到外國留學，或者教授，還有醫生一位美麗賢淑的太太……。

理想好似編造預算，如果根據自己的能力去編造，那末，這個預算還可以行得通，不然的話它便會變了海市蜃樓。因此有人說：理想很會變爲幻想，而幻想又會變爲夢想。

像春花那般燦爛美艷，充滿青春氣色的游絲，也和一般少女一樣，時常跌進思想的深谷。它像一闋神秘的交響曲，使人聽了，有時像廁身于天和日麗，迷人的海灘；有時像漂流于波濤洶湧的怒海；有時又像住在和平的農莊；又像擠在炮火連天的戰場……

交響曲奏着奏着，聲響千變萬化，有時有時如萬馬奔騰，有時像小溪流水，有時像壯士狂呼，有時像怨婦細訴，這是音樂的魅力，也是跌進思想深谷的人底煩惱。

海中沒有片刻寧靜。一個少女初次踏進社會，好像駕着一艘小舟漂到大海。有的人被海天一色的情景迷惑，有的人也被洶湧波濤嚇得心驚膽跳，有的人安然渡過彼岸，有的人不幸葬身魚腹。

社會，好比怒海，也好像埋伏各種兇獸的森林，稍不小心便會給它們吃掉……

因此，游絲到比利洋行做事，便懷着戰戰兢兢的心情。

每一個臉孔都是陌生，游絲連多看他（她）們一眼的勇氣都沒有，她怕公司交下來的工作，不能勝任，更怕應付人們的約會。比方，她到職第一天，營業主任齊國便約她去吃午餐，怎知總經理張長江後來又約了她去，弄到她非常狼狽，後來才找到一個機會向齊主任解釋。（上）

談「兒女英雄傳」

周遊

馬代功代安驥中舉人一事，是因未押官韻，所以把舉人讓給了安驥，這段情節，也是利用當時（乾隆年間）的實事。乾隆年間，有一狀元，忘了押官韻，該官韻是一個「心」字，因爲所有的主考官都未看出來，居然中了狀元，後被乾隆帝發現，於是改作一聯曰：「狀元有無心之賦，主司無有眼之人。」按此乃不容易的事，作詩不押官韻，已經是很難得的，多少主考都未發現，更不容易，結果被皇帝發現。當然皇帝是得意至極的了，於是哄傳京都，遂被該著者文鐵山利用了，否則他不見得敢大胆假設一個未押韻的方案。而且就沒有此一節，安驥仍可中探花，又何必多此一番功夫呢？就說爲描寫何老人冥中幫忙，也無須這種寫法，是可知他是利用當時的事跡無疑。

安驥未赴考之前，他父親先作番預考之詩，詩題爲「講易見天心」，他有兩句：「一輪探月窟，數點落梅岑」。此亦利用當時一件事情。彼時有一人之詩，亦是此題，中有一聯云：「一編傳子木，數點落翁森。」子木、翁森、都是漢代傳易經的大儒，而字面且對的工穩，也曾哄傳一時。故亦被著者文康所利用，不過改了幾個字而已。作此詩的人，齊如老的令尊曾對他說過，但可惜他已忘記爲何人了。

安水心在褚家莊夜談時，說起十三妹是旗人，褚大娘子說：「既是旗人，怎麼會那樣打扮呢？」安水心說：「這是常事，我們親戚本家中，這樣的也儘有。」按此確係乾隆年間的情形。當時旗人也羨慕金蓮之美，裹足的也不少，經乾隆嚴加禁止後，始不敢再纏，尚的。是嘉慶年間之人作書，倘可使其兒子娶兩位纏足之婦，若是光緒年間的人，恐怕就不願意兒子娶纏足的婦了。他願意自己兒子娶纏足的妻室，他才肯使書中人安龍媒也如此，且他一定也是看纏足好看。光緒年間的學者，這種觀念恐怕不致如此了。

談爾音所唱的道情，乃是鄭板橋的道情改來的，魯迅最贊成，說他比原文好得多。他所以利用此者，亦因當時鄭之文宣傳一時，故來利用，且加以改正。爲什麼說他是特別利用呢？因爲談爾音之爲人，後來本可不提，他所以又特別提起者，固是要寫安心贈銀之厚道，但確因他先有了這段妙文，才特別插上這段情節，這恐怕是無疑義的。其次，皮簧腔調，在乾嘉年間在北平開始發達，人人爭唱；而皮簧之音韻與北曲大不同，祇有十三道轍，所以燕北閒人在此道情中，用韻也祇是十三轍，他還特別標明，於十二攝中，特增灰堆，共爲十三轍。按十二攝之說，載在康熙字典中，當時康熙字典出版未久，讀書之家爭購一部，對於十二攝多不甚了了，故燕北閒人特引用之。並與皮簧轍拉在一起，以表現其知道的很博，否則必一定提到十二攝到十三轍呢？這在嘉慶年也頗新穎；若在光緒年間在北平可以說不足爲奇了。（二）

書獃子改行

見祺

「我們的鮮奶是前天進的貨，你可能有點不新鮮，你還是到對面那一家去問一問吧！」他老是這麼說。

而對面那家士多店的老闆呢，老是告訴顧客說：「對面風記士多沒有好東西，這件事連他們的老闆都承認。他們不敢把壞東西賣給你們，只好把你們介紹到這裏來。」

有一次，店裏麵包進貨太多，到晚上還剩下八九個枕頭包，莊曉風就告訴伙計，說是明天開門的時候，不要把賣剩下來的麵包給顧客，要給新鮮的。伙計說，一般店子總是先把陳貨賣出去，把新鮮的留下。但莊曉風不答應，一定要給新鮮的，除非顧客不在乎吃隔宿麪包。結果又只好給叫化子吃。

風記士多本來是很受附近的居民歡迎的，可是因爲莊老闆常常說自己店裏的東西這樣不好，那樣不好，居民也就間接得到一種印象，認爲這家的東西有點問題。這樣，久而久之，風記士多就關了門。到最後結算一下，連裝修在內，正好虧一萬五千塊錢。

「我早就說過，」他的岳父說：「在這個社會裏，書獃子怎麼做生意？我看還不如回去幹老本行，拿拿教鞭吧！」

過了一些日子，莊曉風貼貼服服回去教書了，從此不再提改行的事。（下）

楊昌濬軼聞逸事

李仲侯

近閱台港一二報章雜志，揭載楊乃武與小白菜（葛畢氏）案，因世傳此案乃晚淸近百年間一大寃獄，甚至它是淸朝四大奇案之一，宜其民間傳播久而勿衰。近年影劇界復把它兩次搬上銀幕，編導者完全用戲劇化的手法，增枝添葉，繪影繪聲，演成爲世所罕見的奇情戀愛故事，益使社會轟動，民間艷稱。

查此案發生於淸同治十二年二月，至光緒二年結案，歷時四載有餘，正是湘鄉楊昌濬署理浙江巡撫的時候。治後案情幾經周折，獲得平反。論道理，自案情發生，經過縣州府道臬及各級承審，案至撫台，業已經過五六層審訊，充其極楊昌濬祇能負疏忽失察之責而已。無如時勢嫉惡者故意；，淫威以逞，欲借此打擊漢吏，不僅把楊昌濬數十年出生入死的汗馬功勞及從政成績，一概抹煞，摘去他的烏紗，革掉他的巡撫，削職爲民，放逐還鄉，并特爲此案頒下一道諭旨通飭各省：……「嗣後各直省督撫，於審辦案件，務當督率屬員，悉心研究，期於情眞罪當，不得稍涉輕率」云云。當淸道光末葉，太平天國倡亂，雖有曾左彭胡，率領湘子弟並糾合天下之全力，得以削平禍亂，號稱同治中興之局，終難挽救滿淸之傾覆。究因婦人當國，紀綱紊亂，是非莫辨，剷至內外臣工互相傾軋，京朝大老多屬顢頇老悖之輩，頑固守舊，一無作爲，唯唯諾諾，充位而已。

此案在李慈銘日記中竟載：「聞兩宮太后見疏（王昕彈劾外官一疏）頗怒，刑部奏請定讞時，樞府（軍機大臣）以皆受楊昌濬厚賄，尙力爲之地」；又言：「刑部尙書桑春榮，耄而庸鄙，欲見好外官，又覬楊昌濬之書帕，必欲從輕」云云。李慈銘爲當日在朝唯一的浙籍侍郎，欲袒護同鄉平反此案，故對楊昌濬加以極端惡毒之攻擊。衆口鑠金，聚蚊成雷。在當時社會傳播，因案情重大，自會疑及楊之貪贓枉法，更無怪後之私乘野史，任意載筆，無形中把楊昌濬寫成貪官汚吏之流了。實則楊昌濬以儒生治軍，蚤歲爲羅澤南入室弟子，對於聖賢義利之辨，不但講求既精，而且持之最嚴，絕非貪黷無厭之悍夫武卒也。筆者與楊氏既同里閈，先祖父祥爾公又與之有同窗之雅，吾生也晚，不及親聞楊之謦欬而一接其威儀，童年時，常聽先祖述楊氏行誼，亦百不記一。茲憶及少日在鄉，親聞諸故舊父老流傳楊氏軼聞逸事，特紀述之。

湘鄉楊昌濬，號石泉，幼從羅澤南遊，講求程朱之學。年廿一爲邑附生。時值洪楊金田起義，向榮烏蘭泰之師，潰於桂林，太平軍大舉東下，被江忠源在蓑衣渡攔腰一戰，旁支溢出敘（水旁）浦間，寶慶戒嚴。時昌濬奉命督練鄉團，率鄉人子弟扼守寶慶之界嶺，與洪楊偏師萬餘人，大戰於龍山界嶺間，斬馘甚衆，城圍立解，由此以知兵聞於時。（一）

科學家與未來世界

許辱生

今天，在我們的世界裏，正有着一批沉默苦幹的思想家們，經常在絞盡腦汁，埋頭研究，不斷地翻閱那些所搜集到的種種寶貴材料的紀事冊，運用那些由無數心血所造成的新技術，領導地球上的整個人羣，向前邁進。——他們便是原子時代的科學家。他們所做的工作，便是想在最近的將來，把我們帶進那最進步，最繁榮，而由集中的能力機構控制着的一個樂園裏。同時，每一個家庭都可以取到一張入場券！

現在，原子時代的科學家們，已將那隔在我們和未來的一扇大門打開了，只要進一步，跨進這扇大門，我們便更深切地體會這是一個怎樣偉大的時代了。換句話說，我們所處的時代，便是應用原子能於各種和平途徑的時代。

的確，當你想起原子時代的樂園時，你也許會覺得那似乎是一種幻想，不敢輕信；可是在五年以內，甚至在更短的期間裏，你將毫無疑義地，在你自己的家庭，見到許多利用原子能的日常用品。（一）

內政部台誌字第〇三二號內銷證

自由報

THE FREE NEWS

第六六九期

中華民國僑務委員會頒發
台僑新字第三二三號登記證
中華郵政台字第一二八二號執照
登記爲第一類新聞紙類
（半週刊每星期三、六出版）
每份港幣壹角
台灣零售價新台幣貳元
社長：雷嘯岑
督印人：黃行書
社址：香港銅鑼灣高士威道二十號四樓
20, CAUSEWAY RD 3RD FL.
HONG KONG
TEL. 771726　電報掛號：7191
承印者：大同印務公司
地址：香港北角和富道九六號
台灣分社
台北市西寧南路壹壹零號二樓
電話：三〇三四六
台郵撥儲金戶九二五二

思想戰爭與權力政治（中）

何浩若

那車夫說：「原來如此，那你不會在這裏停留很久的，我等你吧」！這自然只是一個笑話，但是表示當時的政府極不安定，而且法國共產黨的人數多、力量大，很有可能取得法國的政權。戴高樂的崛起挽救了法國的命運，但也拆散了歐洲反共的陣容。這其間的經過是值得研討的。當戴高樂取得法國政權以後，他發表他的自傳。自傳裏面有一封德國希姆萊將軍在德國投降的這一天寫給他的信。這封信的大意說：德國投降了，戴高樂將軍是勝利者。應當向他敬禮。不過德國雖然慘敗，法國却未贏得光榮的勝利。此後的局勢將是美國和蘇俄互爭雄長。將來英國還能勉強跟在美國後面。至於法國當不爲人所重視。但是希姆萊將軍說：德國人對於戴高樂很有信心，希望他在取得法國政權以後捐棄前嫌和德國合作，一定可以復興歐洲，不再爲人所輕視。戴高樂公開這封信就是要照着這封信去做。結果他以德、法兩國爲主，聯合意大利、荷蘭、比利時、盧森堡組織歐洲的共同市場而獲得非常的成就。他又在一九六三年一月廿二日和德國在巴黎訂立了德法攻守同盟條約。這樣一來，歐洲復興了，法國強大了，戴高樂不再被人輕視，也不再跟着美國後面走了。他退出了北大西洋公約，而且在今年六月二十日訪問蘇俄。

法國和德國訂立攻守同盟條約是在一九六三年。就在同年的八月美國和蘇俄訂立了核子禁試條約。法國現在雖有核子裝備，但並沒有大量的核子彈，可以進行核子大戰。戴高樂既不願跟着美國走，自然不願受核子禁試條約的拘束。因此法國不僅沒有參加核子禁試條約，而且在一九六四年一月二十七日正式承認共匪，和共匪建交。法國和共匪建交也是國際間一件大事，也是民主國家在反共過程中轉變的一大關鍵。據說這一轉變與鈾的產量有關。鈾是戰略物資，各國對其國內的儲藏量，都是不肯公開的。但據來自法國的報導，法國本土的儲量超過美國和蘇俄；而共匪在新疆和拉達克的儲量遠超過法國。單祇新疆一省的儲量，就有一百二十萬萬KWH。現在有核子武器的國家除去美國和蘇俄以外，就要數英國、法國和共匪。英國是跟着美國走的。共匪和法國既有核子裝備，而共匪和法國的儲量又遠超過美國和蘇俄，這自然使戴高樂感到不平凡。戴高樂爲什麼要承認共匪呢？他覺得美國可以和蘇俄訂立核子禁試條約，他爲什麼不可以和共匪建交呢？戴高樂六月二十日訪問蘇俄，也可以作同樣的看法，並沒有什麼突出的。

毛俄交惡和毛澤東的人種差別主義

戴高樂破壞了民主國家的反共陣容，毛澤東也同樣的拆散了共產集團的聯合陣綫。自一九五七年起匪俄的關係便不融洽。以後共匪和蘇俄的關係逐漸惡化，到了一九六一年，阿爾巴尼亞因爲支持共匪便與蘇俄斷絕邦交。共匪不是華沙公約的會員國，華沙公約會員國開會的時候，共匪祇派觀察員。但是阿爾巴尼亞就像法國參加北大西洋公約一樣是華沙公約的會員國。阿爾巴尼亞之與蘇俄絕交，就等於法國之退出北大西洋公約，不過分量不同而已。共匪認蘇俄倡導和平共存與美國簽訂核子禁試條約是向美帝投降搞白種人的大團結。因此毛匪澤東主張聯合世界的有色人種打無色人種。蘇俄眞理報稱之爲毛匪澤東的人種差別主義。筆者對於這個人種差別主義和膚色大戰，曾經寫過文章，有過詳細報導。蘇俄的眞理報於一九六三年八月二十七日寫了一篇時事分析的文章，題目叫做「這是誰的理論」。這篇文章說：日本附和共匪所主張的「亞洲人決定世界歷史的人種差別主義」，派松村謙三訪問中國大陸。眞理報轉載了人民日報所報導的陳毅和松村的談話，並且指責共匪應當拿「東風壓西風」來代替「無產階級革命」。很巧合的是正當筆者寫這篇報導的時候，就在今年五月中旬，松村謙三又受着共匪領袖的歡迎訪問北平。松村和周恩來、陳毅談些什麼，我們不知道。但是毛澤東要聯絡黑人、黃人來打白人的膚色大戰，則確實是一個騙局。假如膚色大戰爆發了，一定是核子大戰。上文已經指出，中共對核子戰爭的防衛力特別強，日本對核子戰爭的防衛力特別弱。以日本面積之小，人口之密，就根本無法參加核子大戰。假如共匪領導亞、非兩洲的有色人種和白種人作戰，日本當爲有色人種一方面的最重要的弱點。

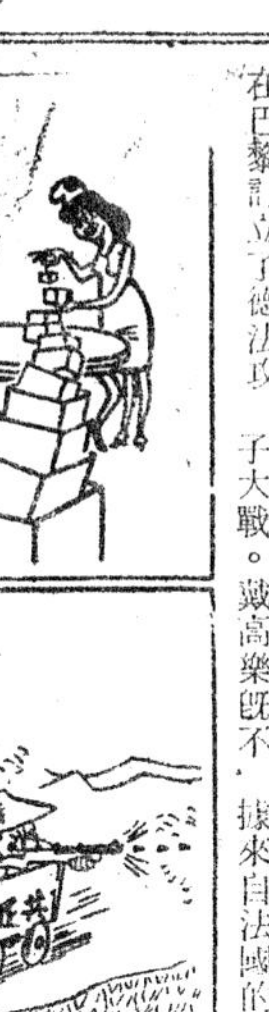

戴高樂表錯情

快要爆炸了！

今日與明日

中共內訌愈演愈烈

中共今日在大陸上所進行的「社會主義文化大革命」，發展至現階段，由彭眞、周揚而陸定一，連續被揪，能不令人相信再沒有人不承認這是中共上層領導小集團權力之爭了。更說明，在內訌中佔上風者就是所謂「毛澤東思想」的忠實信徒，而被摔下擂台的倒霉者就是「反黨反社會主義反毛澤東思想」的叛徒。中共經常大言炎炎談什麼「正義」、「眞理」或所謂「方針」、「路綫」，其實由其扮演的此次內訌的醜惡事實獲得證明：那完全是狗屁！

中共整肅運動，其導因主要是人心思變統治動搖；連一「毛主席親密的戰友」彭眞都「打着紅旗反紅旗」，芸芸下級幹部和既沒有自由又不能飽暖的老百姓更不用談了。當然，像身爲「黨和國家領導人」如彭眞一流黨棍子，如謂他們也「反黨」，那是不可能的，他們自己搬石頭砸自己的腳，這種傻事，他們是不會幹的。事實非常明顯，劉少奇派和有「槍桿子」的林彪集團，由於毛酋即將「龍馭賓天」，爲爭奪繼承權而發生了「火拼」。中共領導小集團在所謂「文化大革命」藉口下，在上層小集團中各自招兵買馬，互擺陣式，赤膊上陣拼個你死我活；到目前爲止，林彪小集團已初步取得勝利，而劉少奇派雖還未被連根拔掉，但第一個回合已失手；發展下去，如沒有「奇蹟」出現，掌握「槍桿子」的林彪小集團必會擊敗控制「黨棍子」的劉少奇派。劉少奇成爲毛澤東「欽定」繼承人，已不自今日始，他在黨內的勢力是雄厚的；但所謂「特殊材料造成的」共產黨徒，每逢發生與自己命運存亡有關的內訌，先是「觀潮派」，迨看清兩方大勢，多數是把舵轉改站在得勢集團的一邊。在這種卑鄙行爲影響下，一般黨徒必爲失去信心，從而也必使共產黨組織削弱其團結力量，由衰微而走向滅亡。

中共堅持錯誤到底

本來，對中共極權統治，由於「人民眼睛是雪亮的」，早已看清它那副「好話說盡，壞事做盡」的兇鄙嘴臉，所以，人民反抗的暗潮一直在潛滋暗長；到一九五七年由於中共搞「大鳴大放」，所以大陸各階層人士由攻擊中共進而形成巨流，直向毛澤東進擊；如果不是中共「收」的快，那一次就「千萬人頭落地」把中共政權推翻了。那一次所謂「右派份子向黨放冷箭」，是受一九五六年東歐共產政權內部人民要求自由而掀起的反共風暴的影響。近數年，連蘇俄在內，所有共產政權在「形勢比人強」的現實下，或多或少均在被迫情況下對人民稍爲放寬一點統治的尺度，只有中共政權始終「堅持原則」，不但對人民統治步步加緊，更指蘇俄和東歐各共產政權是「修正主義」。中共爲防止「修正主義風」瀰漫中國大陸動搖其殘暴統治，所以，自一九六〇年起就在大陸上全面展開鎮壓運動。由「社會主義教育運動」而「文藝整風」，而「社會主義文化大革命」，名義儘管不同，但藉屠殺手段以求穩定其極權統治則是不變的原則。

所謂「修正主義」是因「此路不通」而不得不改變一下政策。中共卻不此之圖，堅持一錯到底，最後走上絕路是必然的。再加上中共內訌就更增加了敵對的力量。中共企圖通過「文化大革命」鞏固政權和推進經濟生產，其實，這是「白日夢」。除非人的思想眞的可以「改造」。（何如）

自由談

牛馬哲學

甚末叫作「牛馬哲學」？即人類在社會中，爲着生存發展而實施吹牛拍馬的技術與理論問題也。

人生無論是幹何項職業，吹牛拍馬工夫一定需要，自古有然，於今爲烈。所謂「不事王侯，高尚其志」，這都是不切實際的廢話。你不事王侯，譬如你不談國事，不問政治，安份守己的做良民順民，似乎可以不需要吹牛拍馬之術了。但你不能離羣索居，隨時隨地都可以給你一些麻煩，使你沒法安居樂業的。如果你能吹牛，說某某大官跟自己有戚誼，賞識，學誼的關係，再對王侯們施展拍馬工夫，稱讚他的德政懿行，這樣庶幾乎可望享有「免於恐怖之自由」的生活。

吹牛拍馬與人生具有密切的利害關係，毫無疑義。問題在技術上。第一：吹拍要有標準，不能亂來。大別言之，以三分吹牛，七分拍馬爲最適當。有些人不懂其中的竅要，逢人便大言不慚地瞎吹，說國父孫公在生時怎樣器重他，信任他，[illegible]或說邱吉爾，羅斯福是他的老友。這種吹法就難免令人懷疑了。假使根據七分拍馬的原則，稱讚某人是人類的天才，或稱讚一個鄉鎮長是伊尹周公之才，他也感覺飄飄然，決不會發生反感的。今天雖然沒有伊周的政治地位，將來的前程遠大，焉知他不躋於伊周之列呢？多給別人高帽，少在自己臉上搽粉，方足以盡吹拍之能事，而獲致預期的效果。第二：吹拍要有藝術性，因人因地因時而各盡妙用，切忌[illegible]六十歲的人，寫自傳刊行於世，而顏其書名曰「奮鬥五十年」，這種吹法便是大露馬腳。[illegible]

馮五先生

地位抬高味口增大
台中議會要公家出錢
替每個議員安裝電話

（本報駐台中縣記者王永亭航訊）台中縣議會六屆五次大會上，王子癸議長報告本屆首次大會時，會通過議員林萬枝一項提案，請縣府爲每位議員住宅裝設電話一架，以利通訊聯繫；後來縣議會派員與縣府會商，縣府曾答應要撥七十五萬元（按全體議員四十八位，每名平均爲一萬五千元）交給議會處理，但因議會無法處理此筆經費，故而作罷。

這裏所說的七十五萬元電話裝置費，會引起軒然大波，有人說是「議員福利費」。而因爲數目的龐大，且一點一滴無非是民脂民膏，把這筆錢花在議員身上，確實說不過去。

近年來，由於台灣推行民主政治的結果，代議士的地位一天天的提高，他們不獨是騎在人民的頭上，就是政府也得讓他們三分，雖不能說有求必應，但總要有一個滿意的結果，否則在議會裏，放你一炮，包管你吃不消；甚而採取不信任的行動，處處不和你合作，使得你不能不遷就。這也是縣府對議會不能不「唯唯諾諾」的原因。

議員們把握了這種現實的優勢，如若眞的一切爲公，那確是推動政治更加淸明的最佳途徑。不幸的是，許多議員們都是「先私而後公」，首先在自己的利益着想，家裏要公家裝電話機不過是其中一例。此外，還有什麼向國會議員待遇看齊啦！什麼議員買機器腳踏車代步啦！而均美其名曰爲公。其實，公私的界限又如何劃分呢？

由「國會」議員而省議員、縣議員、鄉民代表，近來都像一窩風注意着自己的「福利問題」，怎不令人感慨萬千！

檢討窃盜黃豆案
—本報台灣中部記者熊徵宇—

去年十一月，台灣省鐵路局倉庫發生的，以德源等六家油廠，勾結鐵路局職員盜竊黃豆案，爆發以後，流弊橫生；牽涉株連之廣，公帑損失之鉅，是政府遷台以來從所未有的案子的情況的嚴重，駭人聽聞。

這個盜竊黃豆案損失國家公帑鉅達二億四千萬元，經監院移付懲戒的有十一人。涉及刑責，經法院偵辦停職的達卅餘人。

大華油廠初判 還有五案待審

這個案子的第一偵查階段，在今年四月廿五日，經台北地檢處提出公訴。

六月十七日，台北地檢處檢察官李兆欣，下令扣押因爲這個案子去職的，鐵路貨運服務所前總經理夏曦和協理梁啓永，因爲他們涉嫌圖利他人，使國家蒙受重大損失。

第二天，十八日又扣押了新竹貨運服務所倉儲股長陳祖堯。使這個案子的第二階段，進入一個新的高潮。

六月廿八日，這個案子，初度宣判，大華油廠的董事長王作昌，和萬華貨運服務所主任許福亭各判處無期徒刑。其他的被告十五人，只有一人無罪，十四人分別判刑。

但是大華油廠的盜豆案，只是六個油廠盜豆案中的一案，其他還有五案，還待查證審判。

還官司有得打 討論四點問題

這個盜竊黃豆案發生以來，台灣各報都有很詳盡的報導，注意這個案子的人，當然都有一種概畧的了解，我用不着談那些過程。但是這個案子方興未艾，即或是台北地方法院把六個案子都分別宣判，也只是對於犯罪人的一種懲處，在公帑所受的鉅大損失方面，和鐵路局賠償二億四千萬的問題方面，似乎並不能解決。這場官司還有得打。

所以我想談幾點關於：

（一）這個案子發生的原因在那裏？

（二）徐人壽在去職前，對這案子發生之初的處理得不得當？

（三）這個案子的行政責任問題。

（四）何以省政府頭一天令調徐人壽爲省府參議，而第二天又命令免職？

這些方面的幾個問題。

何以發生盜案 先從倉庫談起

這些問題，在這個案子內都是很大的問題，也都是癥結問題。我只是以採訪省政府新聞的立場採擷一般的反映來談，是就這個問題的本身來談，許多枝枝節節的揷曲和許多風風雨雨的內幕，我都不想討論。

先就第一個問題說：發生的原因在那裏？

這得從鐵路局的倉庫說起。台鐵在鐵路沿綫的倉庫，共有兩百九十一棟，眞正的容納量是十七萬噸。去年倉庫的吞吐量，是二百七十餘萬噸。

當年的「舜斯旋風」吹到鐵路局，爲了爭取營業，號召自給自足的時候，正值美援和外貿會集中採購黃豆大量湧到，高雄港的倉庫堵塞，就疏運方面着急，台鐵就覺得這票生意可做，於是經台銀、美援會、和台灣製油業各單位會商，決定交鐵路局貨運服務總所統籌辦理運輸及倉儲業務，因而台鐵拉上這筆生意。這大概是五十一年六月間的事情。

借用油廠倉庫 如此種下禍根

第二年，由於省內各種運儲的貨物擁塞，台鐵約二百七十一棟倉庫，已經處處貨滿。同時，糧食局方面希望援助油廠早日提運黃豆加工，藉以減少運輸成本，認爲如果貨運所借用的倉庫不夠，不妨借用油廠的倉庫。於是台鐵就和各油廠，訂立租用倉庫的合同。

這時台鐵除了自己的倉庫出租以外，再轉租油廠的倉庫，生意就越做越大。（一）

我朝野人士檢討中美外交（六）
本報駐台記者張健生

一九〇〇年，美國基於良心的驅使，對中國政府的庚子賠款，全部退還，並成立諒解，將該項賠款用於派遣學生赴美留學。

第二次大戰時，羅斯福在雅爾達會議中，以書面保證美國支持蘇俄對於我國東北往日所享特權的要求，這項保證使我國蒙受重大的損害，並且是瞞着我國而在暗地裏進行的秘密外交。但此項「密約」在美國政府的檔案裏竟無紀錄可查，而且一經公開出來，就遭受到美國大部份輿論的劇烈反對。這就是基於道德觀念而反對秘密外交。

一九三一年日本佔領我國東北，美國公然反對，並堅持這個問題應該公開討論，而提出著名的史汀生主義，使國際聯盟大會接受了這個原則。

中日戰爭時，美國於一九四〇年春封鎖滇緬路，而羅斯福政府於一九四一年和日本談判時，日本政府相當淸楚地表示：假使美國不干涉日本對於我國的侵畧計劃，它就設法不履行一九四〇年九月德日盟約的義務。但美國民意測驗充份表示，美國在事實上和道德上是不可能採取如英國的立場。終於美國也捲入了並非不能展緩的戰爭。

杜魯門政府於一九五〇年在韓國的行動，有人提出很多理由，認爲美國不應過問南韓被侵。可是反對者的論調，並未影響美國的決策。杜魯門政府本國際道德的基本原則，參加韓戰，使侵畧的北韓與共匪受到懲罰。在當時，美國政府的決定獲得全國幾乎一致的支持。這就是由於受了強烈的道德的觀念影響。

總之，民主理想與道德觀念，是指導美國外交政策的一種相當重要的因素，美國人甚至會認爲美國的力量也就是導源於這種理想。

美國外交政策 旨在保障和平

現在，美國人由國家安全的觀念而進展到最廣義的集體安全觀念；即以全體國際行動來對付一個侵畧國家的觀念，如大西洋公約，如東南亞公約，如巴格達公約，如中美共同防禦條約，這些都是由於集體安全的觀念而產生的。

美國的民主制度，並未因參加戰爭而動搖。在戰爭時期，各種選舉照常進行。政府對於反對戰爭的人們所採取的行動，過去，確實有過對反對者採取嚴厲的措施，因而引起人們的批評。但這種不正常的狀態，美國政府都及時消滅。這就是說，美國人並未因戰爭而喪失其基本自由權利，或放棄他們自己艱苦得來的民主習慣。這就是美國人對戰爭的態度。

美國人相信使用經濟壓力，足以代替戰爭。但經濟壓力是否足以代替戰爭，是很成疑問的。對美國外交史稍有研究的人，都知道美國人不喜歡武力，並且憎惡戰爭。從美國早期戰爭中不採取強迫征兵制度而用志願兵的方式，就足以證明美國人是愛好和平的。到今天美國實施普遍的軍事訓練，仍多半依賴志願兵。一九五九年，美國的兵力約爲二百五十萬人，較之蘇俄與共匪相距遠矣。因此，美國政府的外交政策時常投合美國人民願望和平的心理。像美國在越南的軍事行動，詹森政府每次增加兵力之前，莫不設法向人民解釋每一次的行動都可以保障和平的。

比如說，美國人明知對於國際協商辦法是不實際的，但他們不管怎樣──有效或無效，只要雙方肯談，總會達成某種協議的想法。這些事例，如艾森豪總統一九五五年和一九六〇年兩次前往日內瓦出席高峯會議，結果沒有效果。由此可見美國姑息主義的論調，是有史跡可尋的。

應該針對謬論 提出有效對策

美國外交政策，並不是某一政黨或若干少數人所能決定，同時，它必須尊重所有盟國的意見，以及美國國內的民意。例如，韓戰之前，美國國務院許多官員的意見是傾向於承認大陸共匪僞政權的，但這種意見在當時不可能實現而成爲政策；一九六〇年美國加省大學教授史加拉屛諾氏發表康隆報告，這種「兩個中國」的謬論，也未能實現而成爲政策。因政府如眞的實現，它將無法向人民交代。

在我們瞭解美國外交史及美國人的民主思想之後，那我們就必須先從民主憲政方面下功夫，並針對美國人愛好和平的心理，以及若干學者不利於我的意見和主張，提出具體的事實，並研究出有效的對策，來駁斥他們，指出他們的主張是不好的。不但如此，更要指出自由主義派的主張也是不利於國美的。非如此，不足以改變美國的觀念，更不足以爭取其他民主國家對我的同情和支持。（下、全文完）

香港原子粒收音機
產銷躍增方興未艾
本年預料可產八百萬個

現時香港若干廠家還有一種很纖巧的原子粒收音機，是可與太陽眼鏡同時使用的，這種最小型的原子粒收音機以銷往美國爲主，這是迎合當地購買者好奇心理。但這種兩用的原子粒收音機，尚嫌原身一些，使太陽眼鏡架在鼻樑上增加較重的負荷，相信要設法在技術方面改進，方能拓展銷路。

過去四年間，港製原子粒收音機出口是連續躍增的，一九六二年出口總量一百〇四萬個，總值三千六百三十一萬元。一九六三年出口總量增至二百五十五萬個，總值亦增至六千八百三十四萬元。一九六四年出口總量再增至三百九十四萬個，總值再增至九千五百一十三萬元。一九六五年出口總量復增至六百三十四萬個，總值亦復增至一億二千七百六十六萬。預料今年（一九六六）出口總量繼續增至八百萬個，出口總值一億六千萬元。

事實上，港製原子粒收音機每年出口總量增至一千萬個以上，亦不算多，因爲價格廉宜，可以適合各國人士的普遍購買力。現時港製原子粒收音機約有百分之七十銷往美國，今後可以積極發展遠洋區及近洋區市場，預料到了一九六八年，港製原子粒收音機出口總值可增自三億元以上，成爲香港工業品出口外銷主要的一項，發展是未可限量的。（下）

黃杰在高對校長訓話
強調道德教育是根本

（本報記者高雄航訊）省府主席黃杰七月九日下午對高雄市公私立中小學校長訓話，主題爲加強推行社會教育改進國民生活運動。他指出：目前社會風氣非常敗壞，要求在座的校長改良教育風氣，保持高尚、淸廉。他保證對社會教育有貢獻之校長予以嘉獎，對於壞的敗類則嚴懲不貸，絕不姑息。黃杰慨嘆今日社會風氣每況愈下，人情淡薄，人性墮落，他特別強調道德教育是根本。他說：如何把下一代教好，你們講的話，百分之百的有效。他希望校長們以身作則，學生不要像算盤珠子，撥一下，動一下。

黃杰此番訓話，排定是下午二時四十五分到達市府，但他到達市府時是二時四十三分，提前了兩分鐘到達。記者於兩點廿分抵達市府，市府主任秘書黃麗川一人站在市府大門，鵠候，陸續到達的除本市公私立中小學校長外，有市議長王玉雲，特別來賓是省議員黃堯，大家在市府門側擺開了一字長蛇陣，個個西裝畢挺，揮汗如雨，有些校長說：這簡直是在受「洋罪」嘛！

高雄市府在走廊及大禮堂上擺了五、六十幅精製的「教育成果」表，有圖表，有統計數字，內容包括小學校的生活道德教育、健康教育、公民教育等。可惜的是黃杰「無心賞」。黃杰一小時的訓話中，頗有輕鬆、風趣之言，他說台灣的流氓特別多，不僅是學生，我（黃氏自稱）不管省議會如何，抓了二千名送外島管訓。他以慨嘆的口吻說：「省府雖然計劃改進社會風氣，可是我們一到議會就像小貓小狗一樣」。此語一出，大家的目光集中在一旁座上的省議員黃堯身上，把黃議員攪得很尷尬。（七月九日寄）

瀛海異趣談

罕見的血型及其故事

桑雅

墨爾体的西蒙斯博士說：一個人的最倒運的事情之一是體內流動着罕見的血型——這是可能發生在你身上的。一些人體內的血是與「正常」或「標準」的血型不同，于是，遇上意外需要輸血時，便麻煩了。這也即是說，這將隨時引致性命的危險。

所謂血庫，便是把各種血型的血液，用冷藏方法儲下來，準備隨時救人。澳洲的國立血庫，其中，有幾種是非常罕見的，全世界只有十二、三人會有這血型吧了。儲藏血液的溫度約為攝氏表零下九十五度，這樣，血液永遠保持生機。

不久之前，西蒙斯博士挽救了一個人的性命，那是廿九歲的紐西蘭女人，這事件轟動了世界各地。

那個婦女因為體內溢血過多，所以，需要動手術輸血了，當護士抽血一驗之下，才知道她的血型是世間罕見的。

她的血清含有一種抗素，與任何其他血型混合凝結，除非的確找到真正同型的血液，否則，她會隨時死去的。

當時負責施手術的是考維醫生，他在絕望之際，乃找西蒙斯求援，結果動用了紐西蘭空軍部的轟炸機來空運那些血液的樣本，經過西醫生的廿分鐘的檢驗，知道了那是屬于VEL的負Q型的，這是非常罕有的。

她那血液中的抗素對普通的O型及其他類型，都無法「混合」，只有VEL的Q型才能救她的性命。最幸運，在血庫中，還有四個品脫，是一九六四年儲下的，它們已分成血漿與紅細胞，各藏于膠囊中，原是由一名布里斯本的女人捐於澳洲紅十字血庫中。

他是整個澳洲有VEL此類血液的三個人之一，事實上全世界也不會超過十二名哩。而唯有她是負Q型，其他是正O型的。因此，那施手術的婦人能夠獲救，是千載一時的機會！

把這罕有的血液帶上飛機時，還被凝固得硬如石塊，沿途用乾冰保存，直至抵達目的地，當天下午三時四十分抵達了，於是那婦人脫離險境。稍後，其他地方的血庫，也趕來相助，一是來自倫敦，一是來自芬蘭。

由於這是罕見的事件，轟動了三個國家，世人對于罕見血型更為矚目了。

澳洲的聯邦血庫已有五十年悠久的歷史了，這機構是國立，但由一個專家及若干企業家所管理的。其中所儲藏的疫苗血漿，種類繁多，一些是人們捐來，另一些是出錢購入的。

去年，該機構的經費大增，不少有錢人士捐來的欵項幾達五十九萬鎊，唯其如此，血庫方面便可以設立血液研究小組。主持人便是西蒙斯醫生，今年六十歲了，但精神奕奕，工作情緒十分高。他在一九二四年間，已在那裏當實驗室助手了，而現在，他已被公認為數一數二的血液專家。

在過去廿五年來，他對於血液這方面貢獻甚大，墨爾砵大學已於年前頒給他一個名譽的科學博士銜頭。

在醫學界人士的眼中，西蒙斯博士的言論十分受重視。常常喜歡稱他為「血液巫師」。他發表過不少篇的有科學價值的論文，到目前為止，共一百二十五次，每一次都有精闢與獨特的新見解。

他說：「我不是為了發表慾，喜歡在報刊上看見自己的名字，而是我認為人類血液這門科學，到目前為止，未見十分發達，我的目的在拋磚引玉吧了。」又說：

「血型研究已成了一門新科學，本世紀起初，人類才發現人體的血液是分類型的，當時，人們無知，以動物血液來輸血，那自然引致死亡了。目前，要發現的常識還多哩。」

目前，澳洲的血型實驗室，完全由西蒙斯博士管理，事實上，一九四〇年以來均如此。最大的成功事件是設立RH正負血型，救活了不少RH的新生嬰兒的性命的。一九四〇年紐約的蘭史丹訥博士發現了RH這徵候，當時，十個此類的嬰孩出世後，只有兩個能活命的；現在，恰恰相反，只有兩個是危險的。

最近，西蒙斯的一篇文章，更引起世人的注意，他指出：「由于輸血的事件日增，血型也隨之更為複雜，換言之，血液中的抗素越來越繁複，使我們的血庫應付不暇。因此，如果我們任由這種現象繼續下去，實在是會對這個醫學界有壞影響的。」

台灣私立大專的奇葩

——逢甲工商學院

磊

台灣教育發達恐為東南亞之冠。一千二百萬人口有公私立大專學校達四十四間，大專學生人數在學達十萬人以上，公私立中學三百九十三間，學生人數達五六十萬人；職業學校一百二十二間，學生人數達十一二萬人；師範專校十間，學生人數達七千餘人；國民學校達二千零七十二所，學生人數達二百二十餘萬人。於此便可知台灣教育之發達了。

在台灣私立大專學校，最近數年中，最受海內外青年重視和嚮往的，有東海大學，輔仁大學，中國文化學院，逢甲工商學院等。不過東海大學為基督教所辦，輔仁大學為天主教所辦，中國文化學院為前教育部長現任國際研究院主任張其昀先生所辦；可說都有後台背景。

逢甲是紀念我國客屬民族英雄丘逢甲先生，多年前由其後人丘念台先生應台省中部父老之請所發起創辦的，它毫無黨籍，亦毫無背景，是純私人所辦的大學。創辦之初因人事糾紛，毫無進展，自一九五一年秋高信先生長校後，原擬澈底改進，奈接任不久，因出任僑務委員會委員長而改任該校董事長，轉請名教育家現任立法委員張希哲氏主持院務。自張氏接辦逢甲後該校眞有一日千里之勢。由接辦時第一期學生僅二百二十一名學生，現已成為馳譽海內外的名學府，學生人數今年秋將達五六千人，原來台中近郊荒蕪土地數棟平房，現經擁有十餘棟數層樓高之鋼筋大樓的校園了。

張希哲氏因接辦逢甲成功，甚受友邦所重視，美國國務院曾兩度邀請張氏赴美考察，其他友邦如日本亦然。張氏曾順便環遊世界考察各國大專教育，今天逢甲的成就，就是張氏採用世界先進國家大專工商教育之長，有以致之。所以逢甲畢業學生，未離校門便為內外工商大機構所爭取聘用。

張氏接辦逢甲雖數年，原來僅有兩個學系及一個華僑專修科，①日間部設有土木工程學系、水利工程學系、建築工程學系、機械工程學系、工商管理學系、會計學系、銀行保險學系、國際貿易學系，財稅學系，合作學系，統計學系。②夜間部設有：工商學系，會計學系，銀行保險系，國際貿易學系，財稅學系，合作學系。日夜部合計共五十五班。今天逢甲規模經為自由中國有數之大專學校，再假時日擴充，將來使可改稱大學了。（上）

美國罪犯最怕懸圖緝拿

大智

一個食客在佛羅里達州一家飯館點了一份炸雞，坐下後取出晚報來看。突然之間他跳了起來，用報紙掩住臉孔衝出飯館。飯館主人拿出他自己的報紙來查看，在邁阿密日報上發現了他顧客的圖樣——恩納思·台特，一個盜竊犯。他馬上拿起電話告知邁阿密的聯邦調查局辦事處。

第二天，一個珠寶商，一個雜貨商和一家修車行都報告他們曾經看到過台特。根據修車行對台特的汽車的描述，聯邦調查局於當天下午在一個加油站緝獲了他。

加利佛尼亞州逖克遜市的獸醫柯伯爾，在報上看到一個越獄逃犯叫做吉斯特·李·台文甫的照片，他認識他就是當地某一牧場的一個工人。這位獸醫的密告一到達聯邦調查局，不到兩個小時，該越獄犯就被解送到奧克拉荷馬的感化院去服刑了。

明尼亞波里州聖保羅市的一個十三歲的男童，由外面遊玩過後回家吃飯，廚房的地板新洗刷過，他母親鋪了報紙在上面以便下脚。這孩子踩到一個面孔上，他認出那人是他認識的——一個奇怪的隱士，住在密士西比河附近的一處洞穴中。

報上指出這個人是潛逃的殺人犯威廉·納司比。於是聯邦調查局又得以註銷了「十大」名單上的一個名字。

公衆的耳目一如全部大陸一樣寬廣。拿搶刧殺人的逃犯約瑟夫·班特的案子來說，一個在阿拉斯加的男子看到「品珍雜誌」上面有班特的照片，他報告聯邦調查局說，班特曾經一度在墨西哥的蒙特里。聯邦調查局人員到墨西哥查到了他的綫索，幾天之後，他便在德克薩斯捕獲此人。

許多幫助聯邦調查局的人，聯邦調查局並不付給酬報，他們得到的是一封聯邦調查局長的謝函。

在「十大」名單中，出現的名字，除特殊很少的例子，無不俯首就擒。「十大」的成功，使聯邦調查局感到欣慰，却使名登「金榜」者感到惶惶不安。綁票犯湯瑪士·傑克生·馬新格，看到一本雜誌將他的照片列在封面而臉上發熱，被捕後仍抱怨這種使他罪惡昭彰的辦法。另一個罪犯忍受不了這種懸緝的緊張，銀行大盜梅耶郤看見到自己的尊容一時之間到處出現，便放棄了藏匿的企圖而出來自首。

「十大」名單中迄今尚無女人的名字出現。有時候，涉嫌藏匿罪犯而失蹤的女人或其妻子的照片，也會出現在特別的招貼上，連帶受到譴責。（下）

新三國

孫氏父子之能底定江南，坐領九郡八十一州，乃因勢利導，獲成就。蓋當時群雄割據，爭鋒併吞，都在中原一帶，爭來爭去，都在兗州、冀州、幽州、并州、徐州，最後到赤壁之戰結束，三分天下大致抵定，三國相爭的地方始轉移到荊州、益州。以今天的地理觀之，最初就是在河南、陝西、河北、山東、皖北、蘇北；其次轉移到長江流域，由江蘇、江西、安徽、湖北、湖南，荊襄一帶。爭戰頻繁，最後蜀魏的戰爭，則在今之川北、陝西漢中一帶。蜀吳之爭也不出荊州之地。最初爭戰割據，大家都想抓到中原一塊肥肉，挾持漢帝，江南及邊遠之地，甚少人注意。這也並非爭邊遠的土地，蓋當時環境不同，那時要想取得政權，只要把皇帝控制住了，把中原附近掌握着，便可以挾天子以令諸侯。董卓之不能成功，是他自己太無知，只知道挾天子以令諸侯，而不知時代人心。他最大的錯誤，就是在廢帝。在當時人民的思想中，乃是大逆不道的事，諸侯及宗室更可師出有名，聲罪致討。既然以弘農王被廢之事，又想作皇帝夢。兩個娃娃皇帝，廢與不廢有何關係？何必冒此天下之大不韙？其次才可說董卓是太殘暴的傢伙，受了邊野民族的變化。然董卓及李傕、郭汜之亂，其地域也不太廣，只限於陝西及河南兩省。曹操起事，也只限於袞州及安徽，以洛陽、開封、許昌等地為政治中心區域。其餘江南諸郡，益、涼、雍、交、荊、揚等州，都有人割據，但沒有人爭戰，只有地方性的戰兵騷擾。孫氏在黃巾作亂，也都限於一地，或局部，爭戰也不太劇烈。孫氏父子之得江南這塊土地，以孫氏之才幹實力，當然可以削平地方實力，進而開發東南邊區以及於沿海，擴展的土地比任何國大得多。現在的情勢，曹操已移駕許昌，袁紹覇佔到青州并州冀州三地，劉表做了荊州牧，袁術做了楊州刺史。現在先說孫氏父子之取江南，再說袁術想做皇帝夢，以下再敘呂布的消滅，到劉備的奔波，到曹操與袁紹大拼，及於赤壁之戰，到此為一重要轉捩點。

孫堅的出有本末，前已有所介紹。他自從獨自一人與董卓硬拼一場，打進洛陽，收拾了廢墟，在洛陽城甄官井內獲得了漢代的傳國璽印，其文曰「受命於天、既壽永昌」八字。「江表傳」之說如此，以下其餘各注皆認為不可信，純屬謠言。當時有人說：袁術想當皇帝，知道孫堅得了傳國之寶，便把孫堅夫人拘禁，奪去傳國之寶，可能皆出於謠言。裴松之不信其說，陳壽也未採入正史，只是裴注引出各注，以備一說。

當時的洛陽已成廢墟，數百里內無人烟，孫堅當然在洛陽無法守得住，於是便把部隊帶回魯陽。在孫堅打入洛陽之時，豫州刺史出了缺，袁術就上表，請孫堅做了豫州刺史。恰巧此時，袁紹也派了一個周昕來做豫州刺史，袁術用兵把周昕趕走。三國時候做地方官，中央官，都要靠槍桿，做官必須要有武力去接收，用武力去打，打下來大地方就做大官，打下小地方便做小官，被別人搶去就沒有官做了。（五十）

繼屏的可愛

有半年未看大鵬的戲，因為一則自有人為其吶喊，不必再請旁人；再則也無好得不得了的，我也懶於化錢買票，因此濶別了。最近忽有朋友用限時信寄來六科實習演出的晚會，為看幼苗，犧牲了瀟湘夜雨，去看看朱繼屏。

記得以前看佩瑜燕齡繼屏的斷橋，覺她們三位個個都好，但能否像以前的遏雲碧蘭艷秋同樣的成名，却未可知。事過三年，佩瑜因愛蓮一走已經竄出，但是戲仍不多，趕快請教章遏雲。燕齡肯用功，但培植還不太夠，未能趕上楊丹麗的淵博！繼屏則少見獨挑，這次看了，為之一驚，前途不可限量，確是花衫出色的人才！

繼屏身材長得高了，腰圍很苗條，扮相之美，憑心而論，實勝過小雨。而唱腔很優甚有味，眼神的表現，更見得體，一切條件均夠，足可代方雨而繼起，但在乎自己的用功，與教師的培植。我的看法，現在儘研究花旦，等有很大的基礎，再來琢磨青衣，為以後的劇藝。例如起解玉堂春，無論如何，總爭不到無數觀衆的欣賞，就是每戲需要有情節，不是死唱可以獨傲的！老的一輩，多在沒勁，盼繼屏自己創造未來的環境，幸予記住！

國劇繽紛錄

(十九)　婆婆生

乍見建意

大鵬的學生，人才以小生為獨多，楊丹麗、鄭克美、文麗雲、高惠蘭、程燕齡等，皆卓爾不羣，而為其他劇團所不能。最近看實習晚會，忽又見到「吳建意」的轅門射戟，為之一訝，唱腔之好，始終如一，就是微嫌少些寬音，這在坤角似較困難。表情之佳，扮相之俊，較惠蘭燕齡未有多讓，實為未來的一個人才。

據聞建意原在空軍豫劇團，因該團奉命結束，停止活動，移轉陣地，參加大鵬而為添座。從前有韓信將兵，多多益善，但是大鵬限於經費，往往造就了人才，半途而廢，因此相率離去，也有到旁的劇團非常吃香者，我的看法，有建意這樣的人才，希望多加利用與支配，使她能異軍突起，繼步丹麗，為應用的手腕。因其才技，已可見到能有很可觀的實績。既來之，則安之，善導之，不要冷落了她，仍走到投袂而起。所謂千金易得，一將難求，對於行政治軍組班，多有同樣的看法。乍見建意，以其技藝好，愛為記感。是有好說好，不存主觀而務捧也。

人生的琴弦

文武賢

游絲以前聽聞人家說過：做事不難，應付人事最難。當時聽了，不曉得這話的真諦，經過這次之後，才略為懂得它的深意。真的，游絲現在最傷腦筋的就是怎樣應付的問題。

週末的上午，比利洋行的寫字樓好像開小組會議似的。一堆人談論即晚的狗經，一堆和週日的狗纜，一人商量下班後的節目和明天到那兒玩好。秘書孟家賢從房間跑出來，許多小職員見了他，都收住了嘴，不再談狗經和牌經；其中有一位練習生背向着他，還侃侃而談，對面的同事忙踢了他一腳，暗示他不要再說，怎知出力過重，踢得他大叫起來，哭喪着臉的說：「老胡，你踢我做什麼。你這樣喜歡踢，為什麼不去踢足球？」

這話引得大家都笑了起來，連孟家賢也忍俊不禁。跟着，他跑到打字員香姑的身旁，微笑的問：

「香姑，今天週末，有什麼消遣？」

「嗯，有什麼好消遣？」香姑是個三十歲的女人，打扮入時，口齒伶俐，人也和靄可親，她嘆口氣說：「還不是回家睡覺！」

「這樣大好的週末，回家睡覺，未免可惜了。」孟秘書微笑的說：「香姑，下了班後，到新界打牌好不好？」

「嗯，要打牌，何必到新界？」香姑一邊織東西，一邊撅了撅嘴說：「單是交通時間便要兩三點鐘，倒不如在市區玩，可以多打八圈或十二圈。」

他倆談話的聲浪很大，整個寫字樓的職員都聽到了，有些比較高級的職員，見秘書也大談牌經，便繼續討論他們剛才擱置的問題，有的搭訕討好他，說：

「秘書，你是不是想到新界打牌，我開車儎你們去……。」

說這話的人，是會計副主任錢可通，他的年紀四十開外，長得胖胖白白，交際手腕很好。營業部職員馮士敏，（大家却叫他做馮事問，）打趣的說：

「錢副主任，你開車送孟秘書到新界打牌，是不是包括請吃晚飯，如果是的話，我也奉陪呢！」

「馮事問，如果你下塲打牌，我請吃晚飯也沒問題。」

「真的？」香姑瞟了錢副主任一眼，微笑的說：「我也參加……。」

「香姑，你是不是真的參加打……。」

「我參加吃飯。」香姑搶着說。

「不打牌，不准吃飯。」錢可通轉向孟家賢說：「孟秘書，你贊不贊成？」

「我贊成。」孟秘書風趣的說：「不打牌不准吃飯，不過打牌要打五……。」

「沒問題。」錢可通神氣十足的說：「五十塊一底，贏你們三四底牌，我還除笨有精……」

「錢副主任，你說打一五，是指打斗零和一毫呀！」

「這怎成？」錢可通怔了怔，注視着孟家賢說：「孟秘書，以你的身份，怎可以打斗零一毫？」

「我贊成。」香姑停住了打字，一本正經的說：「我建議，打麻雀牌，純為消遣，又不是賭身家，我頂不贊成打大的。」接着又撇了撇嘴，哼一聲說：「打小的，輸了又不夠刺激；打大的，輸了三二百元，那真是夠刺激了：結賬……。」

這一番話，好像針刺到幾個小職員的心上似的，因為他們有的月薪三百元，有的二百元，但往往打一塲牌，却輸了二三百塊，弄得這個月幾乎斷炊。

「如果打斗零一毫，我也參加。」香姑接着又說：「錢副主任，你請孟秘書吃飯便成了，吃多少，我本人自掏腰包……」馮事問大家冷冷的說：……

……錢可通紅了面，他們耳赤的，自言自語：「這時我建議，四個人了……」香姑：「四個人？」馮事問：……「我不知道能打多久，打四圈便要休息一會的。」

香姑曉得孟秘書習慣的，抬頭看打牌：「我有一種辦法，你替我找一位助手？」

「誰？」孟家賢說。

「等會兒告訴你。」香姑躉有把握的說。不久，她便見游絲洗手間進來了，便跟孟秘書說……

……不懂打牌也不……香姑陪着笑臉說：「游小姐，你呀，……」香姑知道游絲其實不喜歡跟女人同游，所以討厭藉此來邀她，好使他可以前往，而孟秘書起初……游絲剛才聽到香姑那樣害怕，便和她那個，心更驚胆跳，不知怎樣說好，失魂落魄，……

少女情形，初出社會，最怕遇着這種的好呢？她還是拒絕香姑的約會，呢？答應……徬徨着，徬徨着。

「做事不難，應付人事最難。」這句話又繞繞游絲的心頭了！（下）

……紅耳赤的說：「我是不懂打牌的。」游絲心房卜卜的跳，……書下了班後，他想到新界去打牌，想和你一起去呢！」「嗯……」……

談「兒女英雄傳」

周遊

以上這些事情，都是乾嘉年間發生的。按作者想描寫安家事跡，則當然要照安家當時的情形來描畫，此乃恆情，毫無足論。但却可由此認定著者確係嘉慶年間的人無疑。不僅以上之數事可以確定其著者及年代，再從著者的漏洞中所露出的馬脚，亦可窺見其毛病。試再舉兩點如下。

十三妹到了地窨中救了張金鳳時，告張金鳳說：「我們走到外面去說話罷」。和尚姦婦說：「那兒走哇，守着錢糧包過吧。」此語在燕北散人可以說，而絕非山東鄉婦所能說的。因此係旗門中話。旗下寡婦，照例都有錢糧，每月三兩銀子，一包米，此名曰「寡婦錢糧」，北方管寡婦改嫁，名曰「往前走一步」。倘若往前走一步，她的寡婦錢糧，便被取消，所以北京當年有此諺語說：「別走啦，守着錢糧包過吧」！試問一山東山鄉之婦，何以能知此語？這是他不應該說的話，而燕北閒人則自然是常聽到的話了，此乃露一馬脚。

在褚家莊談到十三妹將來應嫁安龍媒時，鄧九公說：「此事都交給我，『掃地出門』歸我包辦」。按此「掃地出門」四字，乃是北京木廠子，建築包工，合同末尾的一句話；也是北平人常說的話。這也是燕北閒人習用之辭。此出之鄧九公，似亦勉強。此種腔調又露一馬脚。

寫小說描寫書中人的性格、行動，最要者為真像，為自然，他的行事，不能安插在別人身上，他說的話也不能安排在別人的嘴裏，才算合格。著者以該人不能說的話，不知的事也說出來，簡單言之，就是將燕北閒人（著者）所說的話，硬派使書中的人說了，這不能算是真，更不算自然，是露了馬脚，是沒究住燕北閒人的。

一點不露馬脚的著作，實甚不易。例如寫「水滸」之人，雖然都是描寫北方情形，但因他所露出的乃是南方人的脚。著者寫挑簾裁衣的情形，都是南方房屋的建築，潘金蓮所住的房屋決無此種情形。又如說：「殺倒一頭水牛」，而不知水牛在淮河以北是看不見的東西，從何殺起？再如「黃牛肉」三字，也是南方的名詞，北方沒有。以著水滸者若大才氣，尚有露馬脚之失。由此足見寫小說做到天衣無縫，確是不易的一件事。

最後，尚須一言提醒曾經閱過「兒女英雄傳」的朋友一點參考，書中安水心其人，似即著者文鐵山的化身。文康之學問道德，均一時俊彥，安水心的行為，亦甚合乎孔門中一生可行之「恕」字。據傳中之長姐如老接開其令尊說，乃指著者外祖最喜歡的一個了頭。

文鐵山有才德，惟其好弄，如送讀爾音盤費二百四十兩，及在山東與人講子路曾晳冉有公西華侍坐一章，都有賣弄之嫌。如仔細考查，其書所露馬脚尚多，在此不再冗舉了。（三·完）

楊昌濬軼聞逸事

李仲侯

咸豐二年，楊氏隨羅澤南於長沙，始正式練團勇成軍。四年七月率部攻湖北田家鎮，鎮旁有半邊山，奇陡峭絕，素稱天險，楊氏鼓勇先登，立被攻克，並復廣濟黃梅，論功授訓導。十年敗太平軍於江西楓樹嶺，復德興，又收之於高砂，以知縣擢用，並加同知銜，賞戴花翎。

同治元年正月，左宗棠奉旨以四品卿銜在長沙募勇練兵，歸曾國藩節制，楊氏率所部成軍，出軍浙江。時太平天國堵王黃文金、會王蔡元隆、首王范汝增之衆，盤踞浙江核心地帶，莫敢攖其鋒。左初在長沙成軍時，號稱二萬人，楊昌濬二人為大將，各率其衆，勢若破竹。其時巨寇劉政宏，踞金華府，三城，為犄角，分踞湯溪、龍游、蘭谿，楊氏攻湯溪，誘斬賊酋李尚揚等八名，立復其城，於是龍游、蘭谿及金華府城，均相繼克復。捷入，擢道員，留浙江補用。三年二月力戰克杭州省城及餘杭，升浙江按察使。五年為布政使。同治八年十二月署理浙江巡撫，九年八月實授。

楊氏撫浙，當劇寇蹂躪日久之後，甫經底定，地方殘破已極，百廢維新，在任勵精圖治，曾著政績甚多。其中膾炙人口，為當時所稱道者：一、巡視寧波鎮海各屬，見海防兵勇之不可恃，奏陳自立圖強之道，急宜用外人之器，師外人之長。他先就撫標杭協，精選五百人教練洋槍開花炮，並將各營次第更番，一律練成勁旅。後來浙軍多習用新式裝備，開全國風氣之先，實由楊氏撫浙時開其端。二、朝旨命各省督撫察舉賢能以備簡任，楊保薦浙江督糧道如山等四員，實為一時浙才之翹楚。尤其是特舉素乏藉藉名之甘肅文縣知縣陶模，附列剡章，謂其品學純正，心在利濟，實為遠大之器，後來陶模由於他這一薦，遂致位封疆，屢負大任，勛施爛然，果不負其所舉。三、浙江象山海寧二縣，濱海有島曰南田島，曾為明末遺民義士作為反抗清室之根據地。該島縱橫數百里，曠坦無垠，且土性沃饒，最宜種植，自康熙即位後，即將該島樵採，永遠封禁，不許人民入島，數百年間島上闃無人跡。昌濬於光緒元年三次奏請弛禁，特旨照准，由昌濬親自勘劃經界，廣闢膏腴之地數百萬畝，任民申請墾殖，利溥民生，奕世稱頌。

楊乃武與小白菜（葛畢氏）案，女主角葛畢氏本是餘杭縣的一名上娼，始初與舉人楊乃武有染，後又與當地知縣劉錫彤之子劉子和通姦，被其夫葛品連撞破姦情，憤恨之餘，竟服毒自殺。葛有堂弟名祖德，訴諸官府，請求申冤。縣令劉錫彤惟恐累及其子，影響他的前程，就利用職權，拘拿楊乃武到案，嚴刑逼供，鍛鍊成獄，誣陷楊乃武謀夫奪妻，害死葛品連。劉錫彤之敢於胆大胡為，亦自有他的背景：原來當朝炙手可熱的滿大學士寶鋆，是他的鄉試同年，故有恃而無恐。加以楊乃武平日武斷鄉曲，包攬詞訟，聲名惡劣；杭州知府陳魯，賦性特殊，他對士人，歷來抱有一種很深的成見，凡屬惹是生非，喜好為人捉刀的，認為決非善類。在覆審時，陳不容楊乃武置辯，維持原判。當時按察使蒯賀孫亦未加詳察，竟照原判定了獄。（二）

自由報

THE FREE NEWS
第六七〇期
中華民國僑務委員會登記證台僑新字第三二三號
中華郵政台字第一二八二號執照登記為第一類新聞紙類
（每星期三、六出版）（半週刊）
每份港幣壹角
台灣每份售價新台幣貳元
社長：雷嘯岑
督印人：黃行誓
社址：香港銅鑼灣高士威道二十號四樓
20, CAUSEWAY RD 3RD FL., HONG KONG
TEL. 771726　電報掛號：7191
承印者：大同印務公司
地址：香港北角和富道九六號
台灣分社
台北市西寧南路壹壹零號二樓
電話：三〇三四六
台郵撥儲金戶九二五二

思想戰爭與權力政治（下）

何洪若

那時候美國和蘇俄的飛彈一定首先導向日本。毛匪澤東的這種「陽謀」，簡直是借刀殺人。自民黨的元老政客松村謙三出來搞這套，也簡直是莫名其妙。我們早就提出了，我們正大光明的看法，「只問是非，不問黑白」。

權力政治的理論家——湯培

所謂權力鬥爭是有強權無公理的。人類從權力鬥爭轉向到思想鬥爭原是一個進步的表現。反共的鬥爭是一個自由與奴役的鬥爭，民主與獨裁的鬥爭，也是一個公理與強權的鬥爭。現在世局的趨勢有一股逆流，是企圖拆散民主國家對抗共產集團的陣綫，而且公開的主張對共產主義妥協，並且主張美國和蘇俄聯合起來消滅共匪。這一主張是與毛澤東的人種差別主義有異曲同工之妙的。我們一向主張要維持世界和平，必須摧毀毛共暴政。但是要摧毀毛共暴政，必須站在爭自由反壓迫和公理正義的立場援助大陸上的中國人民推翻暴政。假如我們仍然回到十九世紀去，恢復白種人的優越感，由美國和蘇俄聯合起來打擊共匪，這不僅辦不到，在理論上也講不通的。只有從有強權無公理的權力政治的立場，才會主張這樣做。現在代表這派權力政治的理論的是有名歷史學者——湯培（Arnold J. Toynbee Jr.）湯培雖是名史學家，但他這一理論，實在荒謬絕倫，不值一駁，這且不去管它。湯培從歷史觀點看世局，說共產主義者像回教徒一樣，已經放棄征服世界的迷夢，這一點當然是武斷而不正確。他十分恐懼中國人民的力量，說是這一民族在十九世紀受到最大的侮辱，而發生最大的反抗力量，這是事實。他主張蘇俄和美國聯合起來對抗共匪，則不僅蘇俄不會同意，而且這一主張將更激起中國人民對白種人的仇視，不管為毛匪澤東張目。當日在上海「不准中國人與狗進入公園」的是英國人。今天恐懼中華民族主張美俄聯合起來對付共匪的也是英國人。我們對任何民族都願捐棄前嫌，和平共處，沒有任何的成見。但是對於這種既不能實行，也不會實現，而又刺激中國人民，引起中國人民反感，為毛匪所主張的膚色大戰張目的謬論，就實在不願再多說些什麼。

結語

反共是一個自由與奴役、民主與獨裁、公理與強權的鬥爭。我們相信這個世界上有着無數愛好自由主持公理正義的人，為着這一鬥爭努力，我們反對祇講強權互爭雄長的權力政治。美國是一個眞正自由民主的國家，有着華盛頓林肯優良的傳統。美國也有左傾人士在破壞這一優良的傳統。但是在這一個世界上，今天仍然維持公理正義的立場，為自由民主的反共鬥爭努力的祇有美國最堅定。在這裏我們願意對美國詹森總統表示最崇高的敬意，他不僅代表美國愛好自由民主的人民，而且代表全世界愛好自由民主的人民堅決的對共產主義奮鬥。戴高樂訪問蘇俄，不會有驚人的發展。法國既退出北大西洋公約，為了法國的安全，戴高樂自須取得蘇俄的諒解，也是在情理之內。蘇俄為了做和平共存的烟幕，也樂與戴高樂接近的。但是我們要記着戴高樂的親俄，不會使法國變成共產國家，戴高樂本人亦絕對不會變成共產主義者。也許戴高樂願意獲得蘇俄的保證，在美俄戰爭爆發的時候，蘇俄不要侵犯法國，蘇俄是樂於給予這樣的保證的。但是共產黨素來不尊重條約和協定，即令正式的條約亦可以撕毀。假如美俄發生戰爭，蘇俄是否席捲歐洲，實行前進的國防戰略，把作戰的中心力量進入西歐，那可說與今日法國與蘇俄的諒解與協定毫無關係。這就是說祇講強權不講道義的權力政治。論者以為法國退出北大西洋公約削弱了民主國家反共的力量，並非不爭之論。我們要認定西歐的民主國家是反共的。民主國家在未來對抗共產集團的戰爭中最困難的問題，莫過於防守歐洲，筆者早就報導過共同市場之成功與歐洲的復興是於反共有利的。蘇俄必須面對這一復興的強大集團，假如戴高樂能領導歐洲成為第三勢力而其本身不接受共產主義，實在是一件求之不得的事。美國要幫助其他民主國家防止共黨的侵略，就必須要尊重各個國家的民族觀念。西歐國家的團結起來自動防衛的力量，也許比美國所領導的還要大。美國知道權力政治的要素，雄長。這沒有法國的北大西洋公約，實在沒有什麼作用。筆者不是楊修，但是北大西洋公約，眞有點曹操口中的「雞肋」，「嚼之無味，棄之可惜」了。不過這祇是筆者個人的看法。（完）

養士之道

中華民國政府設置的「光復大陸設計研究委員會」，委員人數近兩千名，除了國大代表係當然委員外，又聘任若干社會賢達，或在政治上綜具經驗與績業的知名之士，甚盛事也。

這一機構的存在價值，殆與舊時的「光祿寺」「詹事府」相伯仲。過去六年來，該會編印了不少的光復大陸設計研究方案，洋洋大觀，琳瑯滿目，將來如果眞要作為重建大陸的藍圖，我敢斷言其一無是處。因為經過共黨長期間天翻地覆的擾亂破壞，大陸上一切皆已面目全非了，住在台灣將近廿年的人，對大陸上的實際情況缺之瞭解，祇憑着想當然的觀念，預擬重建計畫，可謂玄之又玄的事兒，裨益殊鮮。

我并不反對設置這項機構，但須改革現有制度與方法。一為國大代表既有憲政研討委員會，即不必再兼任光復大陸設計研究委員，以崇體制。二為該會工作不必限制於重建大陸的設計方案，也不必規定分組研究，到時候就要交卷，更不必隨時刊印專冊散發，以節糜費，舉凡與國計民生有關事項，時不妨提出意見，藉供政府參考。三為聘任該會委員的條件，應注重資歷學識與經驗，年事太輕的人，即不必涉足於這種閒曹地位。

因此之故，領導該會的首腦人物，應以立德立言的通儒耆宿為適才適事，而立功者不預焉。立功的賢豪之士，可以作行政院長或省主席，卻不宜綜持光復大陸設計研究工作，這是養士而非用士之地，無形的潛在作用，大過有形的政治業務，深明政理者，必以吾言為不謬也。

國大代表如不兼任光復大陸設計研究委員，他們每月應支的微薄公費，即可增加於該會其他委員，為數將較現有的收入多幾倍，即不致牽動原定預算，然國家養士之道彌彰矣。

時人有主張將該會與國民大會的「憲政研討會」合併者，這是只就簡化機構方面著想，實則彼此性質廻異，意義各別，烏乎可呢！

馬五先生

今日與明日

美又向中共送秋波

詹森總統十二日美國所發表的「亞洲政策」演說在國際間特別是亞洲反共國家，引起了極大的注意。該項政策雖不能謂是向中共屈膝，但其態度模稜兩可，根本就沒有原則性，是可以肯定的。他認為與中共間加強人與物資交流，將有助於「門戶開放」，簡言之，在中共堅持「美帝國主義是中國人民死敵」觀點下，對美國不斷進行臭罵之餘，美國反而表示出一種莫名其妙的態度，希望與之「和平共處」。美國務卿魯斯克於十六日下午廣播中，他說十二日詹森總統的演說為「重要」演說或「里程碑」。他明白表示「中共方面改變心意的希望非常薄弱」，但用「一直在片面地致力於打破某些阻力」。結果，一次又一次的建議都遭到中共的嚴詞拒絕。

在亞洲被中共「打」得「遍體鱗傷」的美國，特別是在越南由於中共控制北越對美國強硬到底，美國如果還能高瞻遠矚謀求亞洲長治久安的話，根本就應該痛下決心，對「亂源」中共痛施膺懲，即或退一步來說，亦應支持我中華民國揮軍西指收復大陸。而畏首畏尾的美國，不但不此之圖，反而洩氣地不惜低首下心爭取與中共「和平共處」！

同時，華府方面已有跡象顯示，美國復正在準備放寬對中共之禁運政策。美國務院發言人於十四日宣佈：「如果環境經過調整而有所變更，則美國對中共的貿易政策也有改變的可能。」

溯自韓戰以還，十五年來美國對中共和北韓一貫採取全面禁止貿易政策。即或對蘇俄和東歐共產政權，美國也是嚴格禁止戰略物資向這些鐵幕內的極權國家輸出的；但所謂「十年風水輪流轉」，時至今日，該項限制政策不但已經完全取銷，甚至還有給予最惠國待遇的趨勢。

專門幹蠢事

詹森總統七月十二日的演說，替中共所作的考慮眞可以說是煞費苦心極為周詳。不但重新提議與中共交換記者，更建議互相派遣學者、醫生等。不但要作人事交流，復要作物資交流。任何人都可以明顯地看出，這是美國企圖與中共「和解」又向前推進了一大步。也可以說非戰略物資的貿易，只要中共不嚴加拒絕或少罵幾句，美國是會乖乖地「送貨上門」的。

須知道美國對中共作這些「友好」表示，是在中共操縱下提出的。本來由於美國派遣軍機轟炸「禁地」河內、海防後，北越嚴詞拒絕和談的情況下長期陷於膠着的越戰初次呈現曙光，主動權由北越轉移到南越手中。在這樣情形下，美國的「以炸迫和」政策不但未使中共和北越有所畏懼，反而態度益趨倔硬，表示出一種決心與美國周旋到底的姿態。

美國當局如果還重視亞洲自由國家的反共傾向，和中共所表示的一派蠻橫態度的話，那就該痛下決心，徹底清除「亂再謀制裁中共，先擊潰北越源」，以求一勞永逸；而遺憾的是美國專幹那種「長敵人志氣，滅自己威風」的蠢事。哀哉！（何如）

喪鐘

開門揖

檢討竊盜黃豆案

本報台灣中部記者熊徵宇

但是台鐵在沿綫的倉庫容易看管，而油廠的倉庫四分五散，要看管很困難。於是貨運所跟各油廠約定，說明庫存物資如有被竊、短少、虫蝕等損失，概由油廠負責；另一方面，還要他們覓妥舖保，保證履行契約。台鐵以為這樣就萬無一失，於是就疏於防範，認為只要油廠不倒，它要負一切的責任。

台鐵賬單作押 向各行庫貸款

殊不知油廠那些靠美援起家的老闆，都是「空頭老闆」，他們盲目擴充設備，祇是虛有其表，實際上債台高築。在開支不敷非常困難的情形下，念頭就轉到台鐵儲存的黃豆上。

他們以台鐵出具的「倉單」作抵押，向各行各庫各局貸款。

而各行放款，一向是需要抵押保證的，而即或有保證，也只能貸七折。可是對於油廠卻是十足放款，不扣不折。銀行何獨這樣優待油廠？這當然是題外的問題。

不能交足豆欵 勾結官員盜賣

其實各油廠的生產能力，都超過了原料供應的很多倍。

近年來，全年全省自產和進口的黃豆，大約只有廿二萬至廿五萬噸，只能供應全省油廠三個月的搾油業務。此外一年中的九個月形同停工。於是各油廠的虧累就越來越深，自然就沒有辦法循正軌途徑向行庫交足豆欵與提取庫存黃豆的能力。

於是就勾結台鐵貨運所的看庫人員進行盜賣。

這種由小而大，由下而上的盜賣情形，直到五十三年立人油廠盜賣黃豆案發生，司法行政部調查局會同糧食局與合作金庫以及貨運服務所，清查立人油廠的倉庫，才發現所存的黃豆、豆粉與原存的數量不符，於是立即將立人油廠的有關人員和貨運所管庫人員扣押，提出公訴，分別判刑。

米糠穀殼換包 損失二億四千

這個事件發生後，鐵路局就嚴飭貨運服務所加強管理，而租用油廠倉庫到期的，均予退租，於是從五十五家減少到廿一家。但是還不到一年，在去年年底十一月，就發生大德源、德源，等四家油廠發生盜賣黃豆情事。

他們不但是盜竊黃豆，而且把米糠和花生殼等裝在麻袋裏全部掉了包。

初步估計其損失是一億五千萬，因為後來又查出大華、永源另外兩家，估計損失是二億四千萬。

這一大筆債務 十年如何還清

這一下鐵路局才急了，於是一方面扣押有關瀆職人員，一方面，把所有的，沒有發生問題的十五家油廠倉庫的存貨，一律運回鐵路倉庫自行看管。

這一來，各銀行也跟着緊張起來。因為銀行貸欵給油廠，是憑台鐵的「倉單」，而被盜竊一空的倉庫，從那裏去提貨抵償？於是就依據「倉單」要台鐵賠償各油廠貸欵。

經過很多的折衝，徐人壽答應，分十年期限，在貨運所盈利項下分年償還。

後來徐人壽去職，新任局長林則彬對新聞界發表談話，認為這些錢全部都要鐵路局賠很不公平。他持有他的見解。

我知道，據省議會的統計，貨運服務所負的債，已經有三億，而每年的盈餘不過五百萬元，這二億四千萬的鉅額債務，倒底能不能還清？

而且即或是十年可以還清，也是以公帑應得的盈餘償還公務，受損失的還是國家。這種移花接木的辦法，自非根本之圖。

舖保違反規定 契約一榻糊塗

我們從五十一年六月台鐵承受黃豆運輸暨倉儲業務的過程上看，既然租用各油廠的倉庫訂得有合同，何以一旦發生問題，就沒有辦法追償損失？舖保與保證的契約，豈不是毫無作用？

形成這種情形，有兩個基本原因：

第一個原因，是貨運服務所向油廠租用倉庫的契約上，所規定油廠需覓兩家殷實舖保，卻沒有規定資本額，所以鐵路貨運服務所與各有關油廠訂的契約，舖保的資本額，有幾百元的，有千把元的，也有油廠互保的。

儲存價值動輒數百萬元的物資，只要資本額千把元的行號就可以作保，這種不合理的作法，實在超乎常情！而如今，事情發生了，這大的損失，到那裏去追保？

特別是油廠連保，根本就違反了契約的規定，而且易生弊端。比如花蓮大慶油廠與大華油廠互為保證人，是一件天大的笑！話因為這兩家油廠，都是六月二十八日經台北地方法院宣判無期徒刑的王作昌一個人開的，還談得上追什麼保？

事發無從追保 涉及很多原因

第二原因，當然是貨運服務所管理的問題。何以前總經理夏曦違反契約規定，准許油廠互保？難道說王作昌開的兩家油廠是自己保自己都不知道？難怪夏曦、梁啟永要被扣押。

又如嘉義永源油廠盜豆案發生之前，嘉義貨運服務所的經理曾經兩度行文台北總所，不願向永源油廠租用倉庫，但總所卻責成嘉義分所租用，以致終於發生盜豆案。

像這樣不與地方機構斟酌實際情形，而由不明瞭真實狀況的台北總所逕行決定，是一種什麼方式的管理？聽說像這樣的事情，涉及許多原因，和許多政府官員的人情說項。

這是題外文章，我們暫且不談。但是由這兩個原因，我們就可以瞭解盜豆案之其所以發生而又無法追保的癥結了。

[illegible]我要談的，關於

事先管理失策 事後處理失當

盜豆案的第二個問題：徐人壽去職前，對這個案子處理之初得不得當？

這得先談談徐人壽這個人。出身交大的徐人壽，是個想做事有抱負的人。以港務專才轉任鐵路本非自願，但是既然省政府要調他，他當然不能不接受。此人風度儒雅，談吐誠篤，在省議員們的眼光裏，非常受到尊重；在基隆港務局長任內，九年來沒有出過紕漏，為交大系的中心人物。

就很多事實和徐人壽個人平素的行持上看，他在操守上是不會有問題的。只以港務專才來搞鐵路，總算是個外行，而外行人處在一個痼疾已深的環境裏，而言清除積弊，自非易事。只是我們覺得既然五十三年發生過立人油廠盜賣黃豆案，鐵路方面嚴飭貨運服務所加強管理，而且把五十五家的油廠倉庫的契約，退得減少到二十一家。（二）

高雄慶祝六屆漁民節

黃麗川列舉漁業增產成果 勉益加努力爭取更大收穫

（本報記者高雄航訊）中華民國五十五年七月一日，為台灣省第六屆漁民節，高雄市漁會，舉行盛大慶祝會，大會除通過上電蔣總統感謝德被漁民致敬，暨上電國防部長蔣經國拯救遭難漁民外，並頒獎予模範漁民暨優良漁業工作者。

大會由常務理事吳正雄主持。吳氏說：欣逢六屆漁民節，本會今年從事漁業競賽，不辜負政府領導。自台灣光復以還，漁產量年有增加，漁民生活改善，海外作業基地擴大，投資漁業界人士日增。現在本會擁有動力漁船有一千零四百條，希望全體漁民不負使命，努力增產。

高雄市政府主任秘書黃麗川在大會中發表演說，列舉漁業增產成果，博得與會數百人士熱烈的鼓掌。黃氏說：台灣四面環海，水產資源豐饒，雖昔台灣漁業界受日本人的壓迫，光復初期，漁民生活痛苦不堪；政府首先即着手使漁民生活安定，貸款漁民，建造漁船，經過廿年的培育，我們現在已可以與國際漁業界相競爭。統計數字說明，光復初期全省每人每日吃魚肉數量逐漸提高，漁業界對國計民生的貢獻重大。又說：魚肉含有充分的蛋白質，因此，台省人民的平均年齡由四十歲提高到了六十歲，生產者全省平均增產率為百分之十，其他各國則百分之五點八，超過百分之四點二。五十三年增產三六、三九八噸，較光復前增加二一、三倍。平均每人魚量食由二三、一公分，增至八三、二公分。五十三年漁產外銷價值是由一〇六、一九三、〇〇〇元，增至二九六八、九七八、〇〇〇元，增產量為七點八九倍。

其次他講到去年高市漁民支援國軍作戰，搶救非尼賓、印尼遭難漁民，這種種英勇的表現，不但發揮了人類愛，而且也敦睦、改善了國際邦交，遠比所獲得的經濟價值更高。他強調這是我國傳統的救人精神的表現。

他又勉勵漁業說：我們不能以目前的成就為滿足，今後我們要接受新的教育訓練，吸收新的技術知識，與世界各國漁業競爭。沒有新知識，是無法與人競爭的。保守即退步。同時我們還要試驗；由試驗獲得成功。增加新的財富，團結眾力，利用加工，向國際市場努力的方向。向國際市場發展要有企業的精神，邁向新的境界云云。

（七月一日寄）

美國太空發展計劃新里程碑

※紐約通訊※

美國的太空科學發展計劃，自從一九六一年五月，謝巴德從事近太空軌道十五分鐘「信使神」飛行以來，六年來即一天天在穩定的步伐中向前進展，美國的太空科學發展計劃，是多方面的，從人類登陸月球，進而擴展到通信衛星和氣象衛星。參與這項計劃的人員，多達數千人。所費金錢更是不計其數。美國在太空發展計劃上，曾經獲得不少成就，也遭致過若干次的失敗。時至今日，一枚電子接頭些微的故障或差錯，仍然足以導致一次太空飛行任務的流產和失敗。

美國太空發展計劃的主要目標，是使人類登陸月球。因為月球可能作為登陸其他星球的發射基地，同時對於月球本身的探尋，即足揭開宇宙的秘密。此外，月球和其它有關的太空活動，在軍事上的潛在用途上亦至為可怕——這也是美國參加太空競賽的原因之一。

太空發展計劃中的一個重要問題，就是訓練能夠操縱這些複雜太空載具，了解外太空失重狀態下飛行技術，和熟習如何面對在往返月球途中可能遭遇到的障礙的人才。太空計劃中的「信使神」階段和現在進行中的「雙子星」階段，都是為預定於一九七〇年完成的「太陽神」登陸月球階段的準備工作找尋某些答案而設計的。

自從「雙子星」計劃開始實施以來，僅僅一年多一點的功夫，美國太空人即已完成好幾種為登陸月球不可或少的技術試驗，包括太空會合、太空連結，和太空人在太空艙外的獨立操縱動作。此外，「雙子星」的飛行，亦證明了人類在太空中的生存時間，足夠往返月球而有餘。

太空會合的太空連結的技術，在「太陽神」的登陸月球計劃中，構成極重要的部份。在「太陽神」登陸月球的計劃中，首先將一艘三人太空船射入月球軌道，作為一個太空站，然後兩名太空人將進入一艘「月球遊覽船」前往月球表面作探測旅行。在完成對月球的探測工作之後，這兩名太空人將利用太空會合和太空連結的技術，返回「母船」，駛返地球。

俄國人雖然尚未完成太空會合與太空連結的試驗，但是一般相信，他們在其他方面的太空競賽中，與美國不相伯仲，甚至可能在某些方面尚超越美國，包括火箭動力在內。

最近，美國在太空競賽中，又朝前挺進了一大步。首先是「測量員一號」無人駕駛太空船緩慢降落月球的成功。接着又是「雙子星九號」太空船的三日太空之行。前者的目的在勘測月球表面的地形，以為人類登陸月球找尋適當的着陸地點。後者的目的，在進一步改良太空會合和太空連結的技術，以為人類登陸月球鋪路。

「雙子星九號」曾因機械故障，兩度延期。升空之後煞星仍然一直光顧着「雙子星九號」的兩位太空人斯塔福和塞南。「雙子星九號」的主要任務，是試驗與一個目標衛星的會合與連結的技術。但是當這兩名太空人接近目標衛星時，他們發現目標衛星上的纖維玻璃罩[illegible]口大敞開著——斯塔福形容說：「恰像一條憤怒中的鱷魚」。因此阻止太空連結試驗。

這兩位命運乖舛的太空人，在地面太空官員研究如何取下目標衛星上的保護罩之際，曾額外作了幾次太空會合的操作。但是各種可能的途徑，包括命太空人賽南乘太空漫步之際，用老虎鉗取脫目標衛星上的保護罩在內，均將冒極大危險。因此太空連結的試驗祇好作罷。

當雙子星九號昇空後的第二天，斯塔福在無綫電告訴太空控制中心說：「我們感到非常疲倦」。因此，太空官員們延遲了賽南的兩小時又卅分的太空漫遊。預料這次太空漫遊，在六月五日以前，將不致進行。鑒於「雙子星九號」接二連三遭到困擾，它是否會按照原定計劃在六月六日上午才降落於大西洋海面，當時尚不得而知。（譯者按雙子星九號按照預定行程返回地球）。

但是，甚至就在「雙子星九號」昇空的同時，甘迺迪角的技術人員，已在為預定於八月十日發射的「雙子星十號」太空船進行準備工作。同時，不到幾個月，「太陽神」的發射計劃，即將開始展開，以進一步改良雙子星計劃中獲得的太空操作技術。

最近，「測量員一號」的驚人成就，使美國太空計劃朝向人類登陸月球的目標更接近了一步。

（上）

滬海異趣談

如此這般美國地下女郎

·桑雅·

她可以穿着長筒靴子跳舞達旦，直至精疲力竭。她可以從飛機跳下，到最後可能張開的一刻才把降傘打開。她亦可以手持反加價標語，從舊金山步行至莫斯科。她也可以穿着狂熱的服裝來出賣自己性感的形象。她是爲一個幾乎是盲目的獻身目標——就是那個實際上別人所不取的生活方式，却支配了她的存在。這樣，她們便被稱爲美國的「地下女郎」。

這些新的「半文明」女性，通常對其他女性所關心的事情不屑一顧——譬如嫁一個心愛的男子，在城郊安居下來，生兒育女達成「圓滿的生活」。她也不參加家庭革命而成爲職業女性。她對被困在寫字間的恐懼比與一名房屋督察同被困在電梯內更甚。

別人進行劃分傳統女性職責的行動，她感到與她全無關係。社會，也是與她隔離的，她却認爲它是太機械化了。抽象的人類文化也是太東方化了。男女的本份問題也真太繁亂了。

要辨別她的真貌，或叫她去守一個崗位，她寧可變成以下任何一種人物：女運動家，社會變革倡導者，藝術領域的篤信者，性感女郎，彼圖芬治的門徒，或其他在地下生存的人物。實際上，她的地下生活，她的戀愛關係，她的衣著，她的職業，她的語言甚至是她自己的個性，這只是屬於祭品。通常她不屬於一個團體以外的任何一個人。例如她是一名社會變革倡導者，她的成就便計算在因參加反核彈示威而入獄的次數。她的內外衣都是波希米亞式的，或是簡子式的。她寧願引用下羅素的格言而不會談論伊莉莎白泰萊和巴巴拉．史蒂珊。若她在社會上出現，抗議者亦隨之出現。倘她結了婚，她的丈夫定會因焚燬徵兵證而被捕入獄。

從紐約來的比華莉．史丹娜，一名黑髮女郎，她在廿五歲之前，已參加了五年長的和平運動，由於因示威而入獄五次。她能在及膝的雪地裏和米息步行五個星期而至紐約。

她參加和平運動是偶然的。她說：「初時，由於我陪伴同伴的女友人前往抗議北冰洋潛艇駛離新倫敦，我們本想在泰晤士河上徹夜不休的在一艘帆船上渡過二十四小時，來體會一下那艘潛艇上船員的心情。雖然我們是在合法的水界內，海軍仍想將我們的帆船拖去，我奇怪這般只容兩人的帆船居然會打擾他們。自此，我深深的感到示威者的忠誠與無私的行爲與那些擁權的一羣自私鬼有多大的分別了。」

她參加了反軍事運動的行列後，生活困苦，但也自得其樂。後來，她因反戰示威而捕入獄。「在獄中，我發現了所謂反犯罪所運用權力的真相，」她說，「當你面對一些敵視而非常反對你的思想的人的時候，你應該同情那些非暴力的抗議者。」

另一個名嘜愛蘭．馬絲廬的女郎却同意比華莉的作爲了。她是一名心理學家的女兒，她曾結過婚，後因要參加社會變革運動而與丈夫鬧翻。她說：「我對美國的社會現非常反感，他們生來不是學習如何待人，而是如何自私自利。因此，我生來是世外的人了。」

在社會變革者的努力建立居地的同時，另外一班地下女郎却在尋求暫時的歡樂。她們的格言是：「因爲原子彈會隨時掉下來，找一個短暫美麗的生命吧！」她們感到社會是離開她們的，她們要的是狂歡作樂。因爲她們崇拜「滾石樂隊」，而自稱爲「隊伍的門徒」。

生於哈林區的比茜．摩甘是這類地下女郎的典型，她是一名模特兒兼歌星，她的衣裙真是太短了，是腳上的長筒靴細上白邊。她認爲自己是太空時代的犧牲者。

她敘述她的生活方式說：「通常，我從早上九時睡至下午六時，未化粧的女子會感到自己是沒有穿衣服的。故此，我化過粧後便走進當到的咖啡室去，找尋節目，到八時半便到片場去看看，然後再流連三兩間夜總會。雖然父母供給我金錢，但是我到那些地方時，自然有人給我錢了。」她並且說：「在一些去處，對性的問題是解放的。爲找尋刺激而吸毒也是平常事。同時，吸毒常使人有若處在世外桃源的感覺。除此，我對世事一無所覺，因爲那是與我無關的。」

比茜的一位友人潔西，帶她由家裏私奔出來，看來，比茜像一名小明星。她們的生活方式比較狂熱，追求滾石樂隊，只是大同小異吧！

如果在美國舉行性解放運動，這班狂熱女郎定是個中翹楚。她們可以把性慾出賣，一以期賺到大量金錢。有的要進行性反叛，一部份要享受夜生活。一部份要看望降低男權。

女運動家型的地下女郎却有她們的一套。有棕色的皮膚，頭髮奇短。看人時的眼神凌厲而乏味，永不打扮，普通女性的裝飾她一概少理。運動對她來說，是一項神聖的生活方式。

與女運動家型相反的，是生活在主流之外的藝術家型。她們相信美國婦女的社會真是太物慾化，機械化了，全沒有一點兒的美感。她們的全部時間用在與藝術家來往，希望成爲藝術界的時代表。

在現社會內，各類型的地下女郎只怕有很少的數目，繼續下去，她們自會感到孤寂，失去了女性所宰有的家庭樂趣，而重新步入美國社會生活的主流了。

台灣私立大專的奇葩

——逢甲工商學院

·磊·

逢甲教學，注重理論與實踐配合，教授多爲自由中國一流學者，平日管教甚嚴，除書本知識之灌輸外，并附設各種專業實習工廠：如機械工廠，鑄工工廠，鉗工工廠，木工工廠，及各種實驗室：如水工實驗室，土壤實驗室，材料實驗室，物理實驗室，化學實驗室，測量實驗室，紡織實驗室，打字機教室，計算機教室，繪圖室，製圖室。所以該校畢業學生，不但有學識，且有經驗，因此深爲社會所歡迎。

逢甲不但教授好，設備好，學生質素亦甚高。所有學生均係全省各大專聯合嚴格招生所分發，所以該校學生各項成績與自由中國其他大專院校絕無遜色。如去年暑假由台灣大專商學系、太平洋物產保險公司及第一人壽保險公司聯合舉辦之保險講座，全省各大專院校參加講習者七百餘人，獲優勝者二十餘人，其中名列第一者，則爲該校銀行保險學系二年級學生吳哲東君。又同年在台北扶輪社舉辦的全省大專院校英語演講比賽，該校學生李佳林君奪得乙組冠軍。由此可知該校師資優良，教學謹嚴之成績表現了。因爲逢甲設備完善，辦得好，外國人或海外僑領回國必專誠去參觀。

該院院長張希哲，廣東陽江人。張氏父親任森先生亦是粵省名教育家。張氏畢業國立政治大學，美國華盛頓研究院深造，曾做過組長，教育部司長，地方及中央民意代表，是位有爲的學者，教育家，政治家，著作甚多，計有各國議會與政黨，美國選舉制度等書。以張氏重實際，賦性幹練有魄力，如繼續領導逢甲前途無量。現社會上便流行北有南開南張之稱，即北有辦南開出名的張伯苓，南有辦逢甲出名的張希哲，此亦百粵之光。（下）

海底鑽孔探求地球奧祕

若愚

美國的科學家爲研究地球和它內部的歷史，所以在海底鑽個洞深入地球。若是他們的技術沒有錯誤的話，盼能在三年左右的時間內，鑽一個穿過地表直達外殼數層的洞。這項進行命名爲摩霍爾計劃。

沒人能知道構成地球外殼層的岩石是什麼，有人假設它構成了地球的最初表面，而目前的地表是由後成的火山爆發所造成的。地表只有幾哩的厚度，遮蓋着一下八百哩厚的外殼層。

外殼層岩石的化學成分也許與地表不同。因爲在外殼層岩石受到的壓力和熱力比較強，所以可能形成了不同的結構。它最外端的溫度幾達華氏二千度。

在外殼層和地表之間有一個斷裂存在，這個界限叫摩霍界，是以南斯拉夫的科學家摩霍洛維希克爲名，因爲他最先由震動圖「地震計所紀錄的」發現有這個界限存在的二十哩，但是離海底即只有四哩到九哩。

對了，這就是爲什麼科學家要到海上去的原因。由海底鑽過八哩深的沉積物和岩石，要比由垂直鑽入二十哩厚的陸地岩石容易多了。有史以來人類所鑽發的最深的油井也不過五哩深。

今年三月和四月的初步鑽探入了一萬二千二百五十呎的海水和五百七十六尺的洋底。在海底五百呎的深度作了第一次的溫度量測——華氏七十二點五度。由這裏取出來的物體，經檢驗結果證明古老的海洋生命延續了七百萬年之久，雖然相同的地區，在今日是一個海洋沙漠。

鑽孔器貫穿了二十呎神秘的海洋地殼的第二層。摩霍爾計劃的主持人威拉．貝斯康說，它們像是黑色玄武岩。

國家科學院成立了一個AMSOC委員會，和國立科學基金會合作，有一筆一百五十萬美金的款項，就是給在爲鑽孔之用。而工業界各商號，也贈送價值很高的設備如馬達，鑽孔管和鑽頭用的鑽石等等。鑽孔所用的駁船命名爲Cuss第一號，是雇用自地球海底者勘公司。

在深海裏下鑽不是件容易作到的事，而且錨繩繫泊駁船也會把Cuss第一號拖離正確的鑽孔位置。貝斯康建議了一種新的「活動定位法」。Cuss第一號的兩邊各裝兩個巨型的外駛馬達，由甲板上的一個二百馬力的狄賽爾引擎推動。（上）

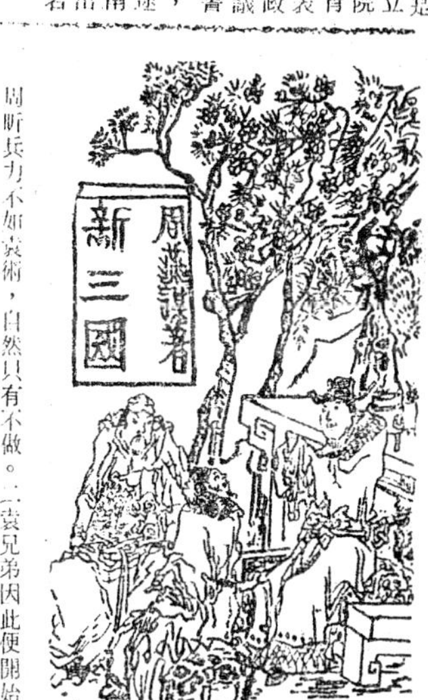

周昕兵力不如袁術，自然只有不做。二袁兄弟因此便開始結仇。等到孫堅打下洛陽之後，袁術便要孫堅前往襄陽去打劉表，這是建安三年的事。可惜孫堅送了性命，死得可惜。孫堅的死，有「吳錄」提出異說。孫堅打劉表時，劉表派了黃祖迎於樊城，抵擋不住孫堅的精兵，黃祖敗北，孫堅窮追，渡漢水，兵圍襄陽。襄陽即爲當時荊州州牧官署所在地。孫堅是單人獨騎偵察攻城的地形，他的膽子未免太大了，輕率不顧身，被黃祖的士兵看見，用暗箭射死。「吳錄」提出異說，陳壽不採。吳錄說孫堅是劉表將呂公的部下用石擊中頭部，腦出而死。（呂公，在後漢書中劉表傳注中引「英雄記」「呂公」作「呂介」，公與介，字形相似而誤，不知孰是，存疑）

孫堅死了，部隊由他的侄兒（兒子）孫賁率領，袁術又表孫賁爲豫州刺史。孫堅有四個兒子，曰孫策、孫權、孫翊、孫匡。孫堅死在初平三年。孫策還葬父屍於曲阿。（曲阿爲當時揚州吳郡屬縣，即今江蘇丹陽縣治）

三、孫策和周瑜

孫策字伯符，孫堅興師討賊，他和吳夫人居住在舒城（屬揚州廬江郡所治之縣）、即今安徽舒城縣。這正是周公瑾的故鄉。周瑜字公瑾，世居安徽舒城。他的從祖父周景，及周景之子忠，做過漢太尉，他的父親做過洛陽令。周瑜生得美平姿、是三國中之美男子。孫堅到舒城，與周瑜結識，二人皆爲青年英偉，兩人同年，情同手足，周瑜把他的道南大宅讓與孫策，拜通其有無，他們兩人的交情可與劉關張相媲美。當時周瑜從父周晢任丹陽太守，周瑜、孫策都是出身貴族，在地方上樹立了威望，以孫策、周瑜才能，江淮間英雄盡皆風從。孫策又收合了江淮一帶的士大夫。孫堅死後，還葬曲阿。孫策奉母由舒城還往江都，按當時的江都，爲廣陵郡屬縣，在漢末時，吳興、江、淮常爲戰區，郡縣都廢了。（當時的江都，並不是今天江都縣，即今江蘇省儀徵縣東南之濱。）那時候徐州牧陶謙，非常忌妒孫策。孫策的舅父吳景，時爲丹陽太守。吳景乃吳夫人之弟，當隨孫堅征討有功，拜騎都尉，袁術表吳景爲丹陽太守，討故太守周晢，佔領了該地，做了丹陽太守。因此孫策把吳夫人奉往曲阿，孫堅死後葬於曲阿；然謝詢請置守冢之表，則謂「吳文台定於吳」。可能在孫權繼位之後，又徙定葬於故鄉。（孫堅爲吳郡富春人）在此結納了不少志士，最著者，有呂範、孫河。呂範字子衡，汝南西陽人，在縣裏做過公務員，因避兵亂於壽春。孫策見而異之，呂範將自己私客百人，投歸孫策。孫河字伯海，本姓俞，孫策見而愛之，賜姓孫，是孫策同鄉。孫策得了呂範、孫河等人，投其舅父吳景帳下，募得數百人作爲部曲。興平元年（漢獻帝即位的第五年，歲次甲戌，當西元一九四年），又投奔袁術，袁術見了，大加賞識，袁術很感歎的說：「假如我的兒子也如孫郎，也就死而也無憾了。」（五十一）

國劇繽紛續錄（二十九）

婆娑生

吳茅的琴藝

台北的票友，有的玩戲，有的是研琴。這些琴票，確實大助於劇藝，因爲票友玩一場戲，倘無琴票幫忙，則文武場的開支，至少在三，四千，等於租用衣箱，邀約班底，平劇之癌在此。有很多票友望而却步，多半也爲此。琴票之功，實在不小。

茲據所知的琴票，如郭曉農、杜敬箴、申克常、張兆槐、戴健新、焦家駒、林萬鴻、鄭大偉、潘振德、黃長生、吳黍、張紀民、歐申樾、陶孝善、楊春、張大龍、應再寧、何懋昌、方之義、盛祖雄、任博悟、梁廷琛、董晉、彭延治、明祖訓等，幾近三十人，實是洋洋大觀。惟票友登台，則亦可聞其聲，亦不是輕易常常得聽。以人數來比例，內行的琴師，也有這樣多，恐怕馳名的，便無此人數。

自去秋常到中研院去，參加所辦的票房吊嗓，又發見兩位琴票，是吳重周，茅重衡。現在常於台肥六廠票社操琴。吳君爲有名建築師，台肥六廠的建造，由他設計，現服務於外國商行。其操琴是京胡二胡均擅之，特別於二胡，別有會心，音調極美，與梁訓益潘振德相似。茅重衡以前在永樂顧劇團中幫助，離團潛心研究，琴藝大進，自進台肥六廠工作，爲該廠劇社得力的琴票，不斷試身手，但多請重周相合，抑揚之聲，常臻美境，未可限量者。

丁仲的抓哏

演丑角要在冷儁而能發噱爲上，尤其更貴在現場抓哏，也即是實況，準會博得觀衆大笑，而獲彩聲。干城劇團的丁春華（即丁仲），即善於此道，在丑行已漸得觀衆的歡迎，追上了龍吟的張劍秋！

六月四日，干城在文藝活動中心公演，丁仲連演二戲，抓了三次。第一次陪曲復敏，在空城計中飾老軍，當孔明唱完，我城內早埋伏十萬雄兵。他的伙伴要他去看看城內情景，丁就說道：沒有什麼，祇有四五顆明星，台下鬨然。因爲某航空公司請了周曼華、江青、汪玲、鈕方雨等，坐在第二排看戲，被他看見了，借此來作點綴。

第二次陪徐蓮芝演翠屏山，飾潘老大。當石秀要走，他問他有沒有盤費，叫鶯兒在他的破棉褲中，取出一包碎銀，贈於石秀。他就說道：吃飯不能飽，吃酒不能醉，多下來的錢，可以去看看菟絲花（汪玲主演）又是一陣笑聲。在潘巧雲問他，生下來的兒子，是姓楊，是姓什麼？他說：不要是在越南想搞政治的人罷！又是輕笑。

丁仲的演技很不錯，胸中墨水也多，知道內心的表現，因此不粗俗，不浮躁，極富冷意。我希望他在說話之時，再加冷氣，便可使人不勝忍俊。要圖享名，計當及此，其考慮之。

偶憶周佛海

諸葛侯

周佛海於民國十年由日本遄返上海，參加中國共產黨創立會議時，邂逅徐家滙啓明女學（天主教會所辦）學生楊淑慧，兩情繾綣，白首相盟。楊父係湖南湘潭人，舉家僑居滬上經營商業，畧有資財，聞女兒與共產黨人親嫟，初則怒斥不許，繼乃將女兒禁錮在家（啓明女生皆寄宿校內，余前妻吳氏亦該校學生。）暫告停學。然楊女已失身於周，斷髮矢志，非從周氏不可，而佛海不能久留春申，急須重渡東瀛，楊女遂於佛海登輪出發之夕，跳牆脫出家門，與周聯袂赴日本。

周本寒人子，在日本僅以一名官費學生收入，供應兩夫婦生活之需，殊感窘困。楊淑慧每晨提筐籃入當地屠宰場，購買屠商視爲廢物之猪脚，斥日幣四角，可滿載一小筐而歸，然後剔去毛垢，連同白米兩升，用鐵鍋煮成濃粥，加鹽勻合，作爲兩餐食料以度日，允稱貧賤夫妻也。迨周氏入「西京帝國大學」本科肄業時，常投稿上海商務印書館發行之「東方雜志」，或譯書送商務印書館出版，賺取若干稿費以濟貧，生活乃畧有改進。佛海曾謂商務印書館核算文稿字數甚苛刻，除標點不計外，凡引用他人之著作語句，不得超出十個字，否則不在計算稿費之列。楊淑慧賦性剛強，後來周氏歸國，初以左傾學人受知於廣州中山大學校長戴季陶，任中大教授，繼隨北伐大軍越嶺嶠，涉足軍政界，日趨顯貴。夫妻間每勃谿，楊氏輒厲聲斥周曰：「你記不記得當年我在東京每天買猪脚煮稀飯的往事？」佛海即默然無語矣。

周以貧寒出身，而性行素放蕩，入日本西京帝大習經濟學，直接受日本著名之馬克斯主義者河上肇薰陶，思想左傾，進而影響國內知識界若干過激份子創立共產黨，殆屬理有固然。往後，周氏在武漢忽由共黨創立人，一變而爲急進之反共者，主要原因係體驗共黨之一切措施皆違背人性與理性，認爲絕無成功希望，而其本人又熱中功名富貴，用世心切，即共黨所謂機會主義也。此外則受其妻楊氏之影響亦不少。民國十六年周住武漢任中央軍校政治總教官，維時共黨勢張甚，對男女間之禮教習慣，過分解放，肆行無忌，楊淑慧殊不謂然，多所抨擊，共黨份子譏其頑固落伍，大事揶揄，甚且公然加以侮弄，楊忿極，某日曾當愚面大聲語周曰：「周佛海，你再要跟共產黨在一起，我就非跟你離婚不可！」佛海苦笑無言。

周逃出武漢抵滬時，即被楊虎陳羣拘捕，擬置之死地，賴其妻楊氏急走南京，乞得邵力子、陳銘樞救援，解至金陵省釋後，歷中央軍校與中央黨部重要職位，然周志在從政作官。民十七年福建省府改組時，周欲得任閩教育廳長，曾面懇戴季陶予以舉薦，戴斥其青年躁進，非大器，周忌憤不敢申辯，從此與戴疏遠矣。

洎後周除一度出任江蘇省教育廳長（主席顧祝同陳果夫）外，別無發展，蓋因其平日好女色，行爲不檢也。至對日抗戰中期，受命代理中央黨部宣傳部長，仍抑鬱不樂，而汪精衛頗激賞其爲當代人才，曲意結托，周乃沿襲當年脫出「赤都武漢」之故智，蟬曳殘聲，過別枝，竟隨汪叛國通敵，終罹大辟之刑，旋奉蔣公特令末減爲無期徒刑，而以心臟病瘐死獄中。愚友陳芷汀（方）挽以聯語云：「有經世之才，[illegible]」[illegible]爲仇者所快，[illegible]

楊昌濬軼聞逸事

李仲侯

此案引起當時輿論之特別注意，是由於劉令平日仗勢貪婪，行路側目，此次不惜故入人罪，致人於淩遲重辟，羣情譁然，多爲不服。初即有鄉紳起來代鳴不平，訴冤於杭州知府，申請昭雪。加以楊乃武之妻，係一著名之女訟棍，楊在鄉設計爲人捉刀，有時還不及其妻之奇妙。其妻生前，就曾爲此案舉行過兩次京控，繼之其姊淑英又親赴京師刑部告狀求伸。刑部某侍郎與淑英夫家有舊，知乃武有冤情，自案發後，輾轉拖延，達四年之久，夜長夢多，變幻難測，自經被告方面幾番京控之後，清廷派學使胡瑞瀾赴浙覆訊，亦未得平反。自後，浙省士紳乃暗地結成了一條陣綫，掀起了一次不大不小的救葛援楊運動。據野史所載，浙省中有識的士紳，認爲要推翻此一既定的鐵案，其主要之點，就要看能不能確切證實葛品連實係病死而非毒斃。計劃既定，乃先由浙江著名紳耆汪樹屛等十八人聯名上訴都察院，請轉奏解棺入京相驗。未幾，即得旨准。在籍士紳，一面買通衙役，打開葛品連棺材，易以他屍，迨劉令奉旨解棺抵京，循例出具屍身無訛甘結，到光緒二年二月初間，在京海會寺，剖棺檢驗，始知已非原來屍體，劉令因具結在前，無從置辯，就以驗屍無毒，全案推翻，楊乃武葛畢氏均以無罪釋放。縣令劉錫彤，咎由自取，充軍黑龍江，巡撫學使臬司及歷次承審道府州縣，一律吃下冤枉官司，分別予以革職降調。

分析起來，這場官司，直可說成是晚清官權與紳權之間一場最尖銳、最露骨的搏鬥，也可看出那時浙江紳權之高漲和民氣的漸漸伸張，相激相盪，逐漸影響及於後來的辛亥革命，那時的京官中又有浙籍侍郎李慈銘和光緒帝師傅翁同龢暗地爲紳方幫腔撐腰，（按李慈銘之越縵堂日記中，指楊昌濬於杭州撫署接見李氏時禮貌不週，深示忌恨之意。）楊昌濬不幸夾纏在官紳兩造權力鬥爭當中，因一時疏忽，成了無謂的犧牲品。由於紳權方面施展偷天換日手段，一旦移屍掉包，使素以持重著稱之刑部尚書桑春榮，實有口難言。外吏幅強如丁寶楨輩，固知被紳方使用這一絕招，亦不敢明言其故，雖想邀集一些外吏，極力爲楊昌濬撐腰辯護，至此也祇好廢然而返了。

且說楊昌濬，自辦團練出身，轉戰數省，迭克名城，撫浙六年，政聲卓著，從無過失。一旦遭此意外失官，如在常人自不免懊喪萬分，而他却感覺仔肩獲卸，倒也無官一身輕。交割撫篆後，即擬當一切輕裝簡從，即日雇舟回湘。在清代官場慣例上，凡是督撫大吏，無論公私，經過長江沿江府縣例有迎送儀式，這次楊昌濬是革職回籍，所謂丟官如趕狗，自然再沒有人來理睬了。他一舟容與，溯江而上，曉行夜泊，不覺有了十來日，沿途所歷名鎮巨埠，從無有過而見訪者。一日舟抵清江浦，遙見岸上吹號鳴鞭，排到很長的隊伍在歡迎他，未幾，有一軍官前來參謁，知道是同縣（湘鄉）同鄉章合才，現任管帶，在此駐防，特來參見。（三）

試探「聊齋志異」與遺稿之迷津

周遊

蒲松齡字留仙，又字劍臣，別號柳泉先生，山東淄川人，生於明崇禎十三年庚辰，西元一六四〇年，殁於康熙五十四年正月二十四日，公元一七一五年，享年七十有六。留仙生存的時代影響甚大，如他應試於縣、府、道三科，均爲第一，補博士弟子，後來到七十二歲才補到一個貢生，一生是屢試不第，他自歎曰『其命也乎！』但是科場不幸，却給他一部聊齋志異，[illegible]以名垂千古，[illegible]光耀。誰曰不幸！

「聊齋志異」一書，是清代乾隆以後，在國內家傳戶曉的一部書，在中國文壇上是獨樹一幟，別具風格的文學名著。今天雖已進至「太空時代」的邊沿，但他的妖狐鬼怪奇異故事，仍爲人們所歡迎，劇作家已將他的作品好幾則搬上了第八藝術的銀幕，也很吃香呢。

『聊齋志異』一書，一般讀者只知其名，但它的原名則名「鬼狐傳」及「聊齋雜誌」，是很少人知道的。蒲留仙的著作很多，不過因聊齋志異的名氣太大，其他的著作也就彌蓋不彰了。除志異外，其他尚有文集與雜編七種，文集先後有三個刊本，雜集有鶴軒筆札四冊，爲蒲氏家藏稿。齊民要術編錄一冊，蒲氏家藏稿。婚嫁全書編錄稿。以上三書均有刊印及自序。會天意編錄一冊，觀象玩占編錄稿三冊，小學節要和「藥祟」。前五種均爲蒲氏家藏稿，後二種則見其自序和自跋。第三部份詩、詞集，第四部份雜著，有戲三齣，通俗俚曲十四種。著作是極宏富的。

蒲留仙所撰「聊齋志異」，正和其他舊說部一樣，都經若干人之手筆。關於書中的見解思想固然不值研討，但其文墨結構的凝鍊，描寫的雋永，傾於修詞，在歷代的文學作品中自別爲一種傑作。據張元所撰的「柳泉先生墓表」，聊齋志異最初分作八卷，惟借所收篇目則不詳數目。據蒲留仙志異自序，他的這部作品是寫於康熙己未春日，卽康熙十八年，公元一六七九年，時蒲留仙已年屆四十。可見「聊齋志異」撰成撰序都是在其壯年時期，但是聊齋志異並非至四十歲而止，四十歲以後仍有繼續撰寫或補益，此在志異中可茲參證，如「上仙」、「花神」爲康熙二十二年癸亥間事（一六八三），「老龍船戶」爲康熙二十七年戊辰間事（一六八八），「夏雪」爲康熙四十六年丁亥間（一七〇七）。寫夏雪是康熙四十六年時事，蒲留仙已年六十八歲高齡，由此足見聊齋志異稿大部成於此前，以後陸續間有撰述。因爲此稿是在他死後五十年後刊刻。聊齋志異稿成後，當時新城王漁陽極爲重視。後五十年首刻志異的趙荷村在其例言中曾先後記有王漁洋曾一度擬以重金易其稿卒未成功。（一）

科學家與未來世界

○許孚生○

所以假如你說今天的男女兒童便是明天的原子能家庭的主人翁，絕對是有根據，並不是信口雌黃的。

現在我們不是時常憂慮關於飲食、健康以及燃料方面的問題麼？英美科學家早已[illegible]一個工廠，能於一天的時間裏，把二千頭[illegible]部消毒。[illegible]時候，先行裝入罐頭裏面，然後用輻射力量，隔罐消毒，俾使一切的罐頭食品保持永遠新鮮的狀態，恰如未裝進去的時候一樣。在這種情形之下，如現在的電氣冰箱豈不是毫無用處，將要變成一種老古董麼？（二）

內政部登記證內版臺誌字第○二三號
自由報
THE FREE NEWS
第一七一六期
中華民國僑務委員會頒發台僑新字第三二三號登記證
中華郵政台字第一二八二號執照登記爲第一類新聞紙類
（逢三、六出版每期半張）
每份港幣壹毫
台灣零售價新台幣貳元
社長：雷嘯岑
督印人：黃行宙
社址：香港銅鑼灣高士威道二十號四樓
20, CAUSEWAY RD 3RD FL. HONG KONG
TEL. 771726　電報掛號：7191
承印者：大同印務公司
地址：香港北角和富道九六號
台灣分社
台北市西寧南路臺零號二樓
電話：三〇四六一
台郵劃撥帳戶一九二二

良心的呼聲與道德的力量

・王爾晉・

這兩月來從報紙上看到中國大陸共產黨內部鬧得亂轟轟的，什麼反修正主義，什麼文藝整風，亂嚷亂叫的，把許多共黨領導階層人物都給整肅掉了。現在這種整肅運動還在大陸各地陸續進行着。

這次事件之發生却不純粹是權力的爭奪，其中最突出的一點乃是孔孟子的出頭露面與中國傳統道德的復興運動。發起這一運動的人差不多都是共黨領導階層人物，如北京市委第一書記彭眞，北京市副市長吳含（日旁），北京市委會書記鄧拓，北京市委會統戰部部長廖沫沙，北京大學校長陸平及其他各地教育界、文化界人士。其影響之大，以及被整肅時牽連之廣也爲歷次共黨內部權力鬥爭時所僅見。他們這些人都是共黨奪取政權的功臣，也是唯物主義的忠實信徒，現在却突然不滿共黨政策，公然在他們機關刊物名叫前綫雜誌上宣揚孔孟的精神道德來了。可見良心不滅，眞理永在。他們發表恢復孔子的傳統道德的文章是在他們的機關報「前綫」上署名爲吳南星，吳就是吳含（日旁），南就是馬南邨即是鄧拓，星就是繁星即廖沫沙。如：一九六二年五月二十五日，在三家村扎記中發表了一篇題爲「說道德」的文章，其內容是：

「孔子和他的後繼者的學說成爲教育全國人民的經典，許多世紀以來，人們都把他們的學說作爲判別是非的準繩。問題是封建社會的道德論的某部份有沒有令人值得吸收的地方？我以爲是有的。例如忠，過去要忠於天子，今天呢，難道不忠於國家，忠於人民，忠於社會建設事業嗎？又如孝，對父母要好，父母老了喪失勞動力，子女難道不應該照顧父母？資產階級的道德精打細算，多方賺錢，難道不應該成爲社會主義經營管理企業的原則？」

一九六二年八月二十五日在「三家村扎記」裏又發表了一篇題爲「再說道德」的文章，其內容爲：「無產階級不若善於吸收過去統治階級某些優良的東西，甚致完全摒棄，那麼只有向古代的無產階級繼承或者自己來憑空創造了。問題是在古代無產階級並不存在；自己創造呢，又不大可能。在環境特別困難時，在是和非，忠和逆，正義不正義的抉擇中，這些歷史人物（包括文天祥在內）都犧牲，或者敢於犧牲自己的生命，保持孟子所說的大丈夫的品德。這些人物雖然都是大地主，都是官僚，但是在和惡劣勢力鬥爭中，他們都是大丈夫」。

從上面這兩段話看來，共黨一部份高級幹部內心是多麼苦悶，多麼不滿現行的政策！苦悶之餘，自然懷念美好的昔日，急切地渴望着能恢復孔孟的精神道德。

孔孟的道德觀和共黨的道德觀可說極端不相容的。孔孟的道德觀是以良知出發點，以禮義廉恥，忠孝仁愛信義和平四維八德爲行爲的標準，以愼獨克己，容忍、仁政爲方法。共黨的道德觀是以政治爲行爲的標準，凡能達到政治目標的一切行爲都是對的好的，否則就是不對的不好的。以欺騙，恐怖，壓迫，戰爭，屠殺爲方法。這兩個極端相反的觀點誰對，誰不對，我們可以從他們的事實效果看出。在過去講孔孟道理的時代雖然有許多腐敗現象，但人民還有生命財產的保障，還有居住，吃飯，行動，說話，信仰的自由。雖然有些官吏顢頇，但他們也不敢明目張膽地爲惡，老百姓們至少還有個性和人格的表現。共黨佔據中國大陸以後，首先來一個大屠殺，成千成萬的人都被殺掉了，其中不知有多少人抑冤而死。接着就是三反五反，人民公社，大躍進，總路綫各項暴政。把人民的土地財產沒收淨光，集中到人民公社去，每日驅迫他們無限制的勞動生產，人民勞力生產下來的糧食物資，自己一點兒都享受不到，都被共幹拿去買鐵製造武器製造原子彈準備侵略世界。每年老百姓餓死凍死的不知有多少。老百姓們可說沒有一點兒人味了。而共幹們作福作威，一味蠻幹。共酋們不但對人民是這麼殘酷，對內部不滿現狀的老黨員也是一樣地殘酷，像高崗，饒漱石，彭德懷，黃克誠以及現在主張恢復孔孟道德的彭眞等人，不是被害掉，就是囚禁。這教畧有點良知的人都感到不忍和不滿。

共酋所以如此兇殘的主要原因，是故意拒絕良心的呼聲，道德的警惕。共產黨那一套辦法，一天一天的沒落，馬列，史，毛思想已經破產，共產祖國俄羅斯，自赫魯曉夫登台以後，首先把史達林那一套殘酷辦法及其思想重新修正，對內部權力爭奪却不用屠殺而用罷黜和放逐。對外則主張和平共存，至少不敢公然主張世界革命。而毛澤東却堅持史達林那一老套，實行戰爭，屠殺，鎮壓和世界革命。這怎麼能爲有良知的人所接受？現在道德的曙光已從大陸人民內心昇到共黨高階層了，這確是一個好的開端。

道德是出發於人性的良知，孟子認爲「仁義禮智」四種基本道德是我們天賦的本能，我們生下來就自發的會認識這四種基本道德。明代王陽明說：「凡意念之發，吾心之良知無有不知之者。其善歟，惟吾心之良知自知之；其不善歟，亦惟吾心之良知自知之」。

（下轉第二版）

交白卷

思想統一

今日與明日

美國「以炸迫和」仍屬下策

自從六月二十九日美駐越軍機對「禁地」河內、海防進行轟炸後，包括美國姑息主義份子的「鴿派」在內，和國際間恐共患者所謂「不結盟」「國家集團」，無不大譁，認爲美國當局採取此一措施，可能引致中共插手越戰，加深亞洲的危機。本來，詹森總統下令空襲河內和海防，對於久陷於膠着被動的越戰，一時呈現了空前有利的局面；由被動轉而掌握主動，儘管北越胡志明政權在表面上表示出好像「滿不在乎」的樣子，但內心的恐懼，和事實上所遭到的來自空中炮火的破壞，以一個生產落後的貧窮的北越來說，無論如何它是吃勿消的。遺憾的是，美國當局下令開始空襲河內和海防兩地，並不代表美國對越戰下了比前爲大的決心，而是「以炸迫和」的一種手段。如果目標是「以炸迫降」，相信，北越以至中共或共產集團，必會嚴重考慮事態的發展，也絕不會「强硬」到令世人大感意外的地步。

北越「動員令」不足重視

北越共酋胡志明，於十七日突然發佈部份「動員令」。此一舉措似乎是在表示不惜與美國周旋到底的樣子，其實，這只是一種專給美國人看的姿態而已。因爲，它已充份瞭解到，雖然美國當局下令轟炸河內和海防，只是「以炸迫和」的一種手段，並不表示美國下了更大的決心。其實北越的「動員令」，也僅是對內部所進行的一種「精神動員」，根本不值得重視。如果不在北越內部挑起緊張氣氛，很有可能在美國軍機熾烈炮火的襲擊下而促致北越人民的反共行動，從而將北越極權政權推向崩潰之途。

還有一點，那就是北越政權實施「半動員體制」，一方面可以加强復修被毀於空襲的重要施設；另一方面，則可收擴大兵源之效，藉以向南越加强滲透。北越胡志明政權，作此措施正可說明其內部已產生或正在產生嚴重不利的危機。爲今之計，美國正應百尺竿頭再進一步，對北越不斷加强轟炸，相信，經過一個時期會有預想不到的有利的局面出現。

北越却不敢殺害美國機師

北越政權爲加强心理作戰，近更正式宣佈將對美國被俘機師以「戰犯」罪名予以審判。美國當局對此一問題極爲重視，也可以說至感憂懼。美民主黨參議員十八人會聯合呼籲北越「醒悟」。復通過國際間外交路綫由阿聯等國家向北越致送一項照會，要求北越「手下留情」。然却被北越拒絕接受。印度女總理甘地夫人和英首相威爾遜前後訪問莫斯科，託克宮共酋出面代爲緩頰，亦均碰了一鼻子灰，廢然而返。北越駐北平「大使」陳子平，於十九日下午三時在北平招待記者時，仍在强調「將以戰犯罪名審判美國被俘機師」。相信，北越絕沒膽量下此毒手，其所以頑强到底者仍爲一種姿態而已。如果眞的處決美被俘機師的話，則必激起美國民憤，不但「鴿派」再無法幫北越的忙，很有可能北越會遭致一場毀滅的慘禍。自越戰開始以降，美軍被俘已知只有六十二人，其中機師有四十五人。美國當局重視被俘軍人遭遇是對的，但也不應因小而失大。（何如）

自由談

「狗」全性命於亂世

偶與朋友們擺龍門陣，上天下地，無所不談，談到每個人的生活環境和興趣，有人喟然說道：「我祇是狗（苟）全性命於亂世，不作其他的想法。但請注意「苟」字是要去草頭，加犬旁的，因爲個人當前的處境是國破家亡，皇皇如喪家之犬啊！」我答曰：「然則下文就是「不求聞達於猪（諸）猴（侯）乎？」」滿座爲之捧腹不已。

這雖然是笑話，其中却有哲理存焉。西方哲人認定「人是政治的動物」，的確不虛。人們無論幹着任何職業，也不分在朝在野，對於與自已休戚相關的政治現象，一例不能忘情，隨時表示意見，批判其利害得失，臧否政治上負責的人物，甚且要以天下爲己任，自信舍我其誰。這樣的雄心高論，在承平時代，對無所謂，若逢亂世，殊非所宜，不特壯志難酬，或許因此招來煩惱與後患。所以，孔聖人很讚美寧武子的處世態度，說是「邦有道則知，邦無道則愚，其知可及，其愚不可及也」。

孔子自已亦就犯了不會處亂世的毛病，生逢無道的諸侯割據紛爭時代，而用世心切，栖栖皇皇周游列國，說甚麼「如有用我者，期月而已」的大言壯語，結果是到處碰壁，客中絕粮，險些兒連性命也被陽虎誤殺掉，只好悽然歸隱，專作教書先生，得保首領以沒，而且博得一代儒宗的稱譽。假使他硬要以天下爲己任，熱中政治生活，立志救國救民，必求聞達於猪猴，敢保證他一輩子都是皇皇如喪家之犬，連性命亦難以「狗」全啦！

中國立國五千年來，所有以億萬計的知識份子中，只有老聃一個人最懂得處世哲學，也最瞭解時、空、動、靜與人生禍福利害關係，他那種大智若愚、知雄守雌，認定人性本惡的思想體系，實爲永垂千古的不刊之論，有如賓樹長綠，令人欣賞，贊佩不置。

奉勸熱中於功名的時代英雄志士，務要徹悟時、空、動、靜的規律，善爲自處，否則滿懷救國救民的熱情，將成爲闖禍招尤的導火綫，到頭來縱想「狗」全性命，亦復談何容易呀！

馬五先生

檢討窃盜黃豆案

本報台灣中部記者熊復宇

那末這二十一家的契約保證，就該從新整理，何以王作昌自己保自己一億多的庫存的事情沒有發現？而所謂加強管理，何以千把元資本額的行號可以保幾百萬元貨存？

再說在盜豆案發生之初，若果徐人壽採取緊急措施，一方徹底清查所有的倉庫，加強追保，（不管追不追得到）另方面徹查貨運服務所，把失職的人員，報省議處，那末處理事態的情況就迥然不同了。

而且徐人壽若果在事發之初馬上提出引咎辭職，那末各方面的觀感自然又不同了。

徐人壽畢竟工程師型的人才，而非政治人物。

省府態度粗疏　專案小組馬虎

這個案子的行政責任問題，我們覺得省政府處理這次盜豆案的態度未免失之粗疏，因爲本案發生於去年十一月，雖然成立了專案小組，經過三個多月的調查研究，但是那個專案小組，研究沒有搞出明堂，對於各油廠的情形和潛在的盜豆情況，一點發現都沒有。

我們不了解三個多月的調查研究，到底在做什麼？是用什麼方法在調查，憑什麼原則在研究？幾年前，立人油廠的盜豆案可爲前鑑，而專案小組却一無所獲，只是建議將鐵路局貨運服務所的十九個人提請議處，建議省政府因盜豆案而損失的公帑，着鐵路局貨運所負責分期償還；甚至於還給貨運所籌劃如何協調各個有關方面，再繼續承辦黃豆運銷業務，賺錢來抵償這筆鉅額債務。

在那個專案小組的心目中，以爲議處幾個人，賠出這筆錢，本案的行政責任就可以從此了結；殊不知，正當專案小組準備如此的時候，盜豆案的本身，案情發展一天比一天擴大。專案小組所牽涉及的油廠只有四家，但是後來查出另外兩家；而當初估計的損失祗一億五千萬，後來却估計爲二億四千萬。

從這兩件事情來看，那個專案小組的馬虎，在行政責任上是推卸不了的。

再說像這種駭人聽聞的案子，省政府應該立急採取行動，在行政命令的範圍內，馬上把該停職的停職，但省府不此之圖，先把失職人員調爲顧問，專門委員。這個蹦蹦，而且，原因何在？推本溯源，衡酌事理，徒以責任歸於現任一二人的身上，也似非持平之論。

爲何朝令夕改　顯得情緒張皇

就行政責任而言，徐人壽去職，是一種法的行動，不致於涉及到任何其他的顧慮。而省政府，頭一天把他調爲省府顧問，第二天又下令停職；這個朝令夕改的舉措，似乎可以看出省政府情緒的張皇，看出人事命令的輕率，看出這內面有一種什麼糾纏，或者是還有一些什麼「道理」。（二）

香港工業殷憂重重
內外在困難孔多
小廠逐漸淘汰．大廠爭強中乾

（本報訊）今年上半年香港工業的擴充十分緩慢，預料下半年情況仍然如此。這是香港工業發展逐漸遭遇更多困難的反映。目前香港工業生產有一個極爲嚴重的問題，就是中小廠處境艱苦，外在和內在環境都對他們不利。大廠的競爭條件無疑是較佳，可是很多大廠因爲生產利潤漸趨微薄，長期要靠銀行貸款來支持，表面看來他們業務蓬勃，但他們是外強中乾，情形與小廠相似。並且小廠無法徹底改善設備，如果不爲香港的同業競爭劇烈，便是給外國的廠商消滅。這個問題可能引起香港工業全面不景氣，因爲有很多小廠都正在掙扎生存中，出口工業自然不容易生存，其他有關連的工業自然不容易生存。戰後十餘年來，香港工業發展很快，小廠設立極多。根據港府的統計，現在香港約有工廠八千家；這八千家工廠中，工人數字在一百以下的約有六千家，這六千家工廠很多已經發生如何生存的問題。一般來說，現在這些小工廠已遭遇到如下的困難：

（一）小廠與小廠之間競爭劇烈；無可否認的，彼此競爭劇烈的結果，被淘汰的極多。但這不是根本消滅，多數是改換廠主，故此競爭仍然無法減輕。而目前的外銷市場形勢，無論他們如何掙扎，終有一天要大規模的淘汰，問題在於如何減少淘汰的損失？尤其如何減少對社會的影響？根據可靠估計，去年香港發生銀潮後以迄現在，小工廠被淘汰的，超過了一千五百家；這一千五百家小工廠並非完全消滅，約有三分之二是易主再經營。如果今後環境不能好轉，被消滅的小工廠將會逐漸增加。

（二）最近幾年來，由於大廠不斷的添置新機器與努力減輕成本，提高生產效率，大廠與小廠的競爭，對小廠不利，於是增加小廠業的困難。最近幾年出口市場競爭困難，所有小廠陷於風雨飄搖的苦境，有的外銷市場，幾乎給大陸及日本等搶去。這一類的小工廠處境愈來愈困難，很多都是等待時間消滅。

（三）大廠在香港工業圈內，雖然佔了優勢，但並非很多大廠都是如此。事實上，很多大廠患了擴充過速的毛病，他們在若干誘惑之下迅速擴充，近年已經逐漸有生產雖然正常而工業品出口賺不錢和無法維持安定的現象。由於擴充過於迅速，造成生產過剩，在香港這個地方，生產過剩祗有歇業的一條路。面對着這種情形，尚難有挽救的善策。現在遇着生產利潤微薄痛苦的大廠，不祗是一兩個行業如此。如果延續下去，將會造成工業投資受到很大的損失。

（四）香港工業生產約有百分之八十以上靠美國、英國、西德及其他歐洲國家的銷路，香港工業的最大弱點，是集中與銷路集中，這個弱點難以打破。同時亞洲各國的新工業進步很速，無可避免的，香港產品必須準備更大和更多的國家競爭。工業先進國家和新興國家幾乎沒有一個不是香港的勁敵，他們都有戰勝香港的把握。由於香港工業有內在與外在困難，而困難因素又很多，生存與發展都無充分保障，前景隱憂可說方興未艾。

美國太空發展計劃新里程碑

＊紐約通訊＊

「測量員一號」無懈可擊的過程——自甘迺迪角昇空起，經歷六十三小時二十四萬八千英里漫長旅程，一直到緩慢降落於月球爲止——誠如詹森總統所說的，是「人類對宇宙和平探索令人振奮的一章。」

詹森說：「一夜之間，『測量員』的眼睛，變成了世界窺探月球奧秘的眼睛。」

「測量員」太空計劃中的地位，等於軍隊中的斥堠。計劃中的十次「測量員」發射，其目的乃在爲人類登陸月球打前鋒。它將告訴人類：降落場地的地形；月類表面的塵埃有多厚；以及月球表面究竟能夠承受多大的重力。

人類登陸月球的第一個斥堠——「測量員一號」的主要任命之一，就是試驗測量員一號本身結構和複雜機件的實際操作性能，以作爲今後改良的依據。沒有想到「測量員一號」居然馬到成功，輕緩降落月球，並且就像一具好得不能再好的「月球遊覽船」那樣，立即展開拍攝月球表面照片的工作。

這一成就，立即在太空控制中心引起一片歡呼。

美國航空暨太空總署「太空科學研究室」的負責人嘉巴命說：「在我看來，這一成就將使測量員計劃提前一年完成。我們原以爲需要作三次到四次嘗試，才能使登陸在月球上的太空船像測量員一號這樣順利展開探測的工作。」

美國太空官員之所以因爲測量員一舉成功的緩慢降落於月球特別感到興奮，是有特別的原因的，因爲測量員計劃已經較原定計劃落後了三年，同時所花費的金錢也超過了原來估計的八千萬美元的十倍。另一個原因是，俄國人經過了六次嘗試，才在今年二月間使「月球九號」太空船成功的降落於月球上。

「測量員一號」降落月球後，在不到兩天之內，即向地球拍回了一千張畫面極清楚的照片。從這些拍回照片中，顯示月球西線部份，是一大塊平坦但却鋪滿碎石的表面。測量一號太空船這次降落，神確無比，太空船的三個腳架，幾乎同時接觸月球表面。

「測量員一號」和蘇俄「月球九號」的成功，已使人類對於太空船可能一接觸月球表面後便爲鬆軟的塵埃所埋葬的恐懼，一掃而光。

「測量員一號」這次係藉反射火箭和穩定火箭的助力，輕緩地降落於月球表面。這種反射火箭和穩定火箭，係由「測量員一號」內的一具精微太空雷達和計算機操縱。這種降落系統以後將用於月球遊覽船對月球的降落。

「測量員一號」的成功，顯示這種月球降落工具的基本設計是健全的。

「測量員」在基本設計上：在好多方面與蘇俄的「月球九號」的大不相同的。它是一具蜘蛛形，由電子攝影機、天綫、和其他裝備和三個支架構成的太空船。它有一個太陽電池蓄電板，藉以吸收太陽的熱能提供操作電能。

「月球九號」則是一套裝在橢圓形外壳內的儀器。在這個球狀太空船降落於月球之後，外壳四周即成花瓣形折叠起來，將攝影機和天綫露在體外。

就整個來說，最近的太空探險，可說是成敗參半，「測量員一號」雖然獲得驚人的成功，「雙子星九號」則並未充分達成它既定的目標。但是從技術人員在甘迺迪角積極進行「雙子星十號」的發射準備工作的情形看來，預料「雙子星」計劃的進展，將不致因此而告延緩。

儘管美國和蘇俄都不喜歡這個觀念，但是，由於太空利用潛力日益擴大，太空成爲戰場的可能性也就一天天增大。也就是因爲這個原因，奔月競賽的軍事意義，成爲兩個當前很多最嚴重和最煩心的問題之一。詹森總統於去年八月間宣佈的「太空實驗室」發展計劃，其目的即在試驗使用有人駕駛太空船作爲偵察與摧毀敵人衛星太空基地的可能性。一般認爲，俄國亦有類似的發展計劃。同時月球軍事基地一旦建立，更將大大增加宇宙戰爭的可能性。

詹森總統爲了使奔月競賽不致於與軍事發生關連起見，曾於上個月建議由聯合國簽訂一項禁止任何國家對月球或任何星球貯存大規模破壞性的武器，同時在星球上進行武器試驗和軍事演習，亦應在禁止之列。

「測量員一號」發射後的第二天，蘇俄亦提出了類似的一項聯合國公約的建議。蘇俄外長葛羅米柯在致聯合國秘書長的信中說：「太空條約的簽訂，將能確保月球的和平使用，防止人類在這一方面的活動以及演變成國際紛爭之源。」

雖然莫斯科與華盛頓之間，對於這一條約的簽訂存有程序上的歧見，但是阻止這一條約簽訂的長時期以來的關鍵，還是越南問題。不過，雙方若干人士對於太空中立化條約可能比照一九五九年美俄雙方禁止南極供軍事目標使用協定，圓滿達成，抱存極大的希望。（下）

良心的呼聲與道德的力量

（上接第一版）

所以道德之在人心，猶寶珠之在暗室，其自身即會發光。雖然自古以來，人們曾把道德玷污得不像樣子，有人利用它昇官發財，有人利用它掩飾罪惡，有人利用它排斥異已，也有人利用它扒錢享受。把這個寶珠蒙上一層塵土，使它面目全非，令人望而生厭。共產黨卻乾脆想從他們內心裏把道德意識挖出來，丟進茅坑裏去。免得它再在他們心頭囉嗦。然而這一切只怪人們玷污了道德，那不能怪道德的本質。道德的本質永遠在人心發出對的善的光，因爲它是跟人性永遠分不開的。你想丟掉它，也丟不了，它隨時會在人心裏發光，照出人的罪惡的影子。你想玷污它，遮蔽它的光，但它仍可在那塵污中透出光來。道德在人心發光的時候是在你清醒時，遭遇極大困難時，在犯了嚴重罪惡時。在這些時候道德便在人心提供，何者爲是，何者爲非，何者爲善，何者爲惡的分析資料，良心便來作賞善罰惡的審判。

共產黨雖不講精神道德，但他們無形中，仍脫離不了精神道德的範圍。他們勸他們的部下和人民要絕對服從，要犧牲，要刻苦等等，這不是精神道德的範圍嗎？主要錯誤是沒有拿良心作基礎，是沒有善良的目的，沒有適當的手段。共產黨也曾下了一番工夫，想毀滅我們的傳統道德觀念，但越想毀滅，這種觀念越旺盛。過去只在人心裏發酵，近竟在其高階層公開暴露對這觀念的渴望了。誠如六月四日共黨人民日報承認說：「地主階級被打倒了，但沒有完全消滅。我們沒收了剝削階級的物資，但是不能沒收他們的反動思想。他們人還在，心不死。」是的，共黨眞的沒有收服人心。但收服人心的方法是尊重人民而不是奴役人民，是道德而不是刺刀和鞭子。說實話，如像共黨那樣殘暴不仁，不說人民的心，就連他們幹部的心也永遠收服不了！

世界上之所以紊亂不安，其主要原因是大家不能實實在在按着道德的原則做事。你亂來，別人也亂來，你有缺點，別人便找你的缺點打倒你。如果你事事都講道德講良心，對人對事都很公正，隨時隨地爲貧苦人打算，別人也無由來找你的麻煩。現在世界上的人因爲各種殘酷兇暴的事層出不窮，人心厭亂，漸有回到道德的道路上的趨勢。我以爲這時亟應展開全世界的道德運動，從良心上去推展到一切事物上，我想不久的將來，無論民主主義者也好，共產主義者也好，都會走到一條共同的路上——道德的路。（完）

溫海興譯

隱沒卅年的最大名畫

·泰雅·

世界最大幅繪畫最近由一個美國畫家祖京在芝加哥城的一個貨倉內尋到；它已失蹤了三十多年，最後一次露臉是在一九三三年芝加哥舉行進步世紀博覽會時展覽過。那幅圖畫描寫在一八六三年七月三日美國南北戰爭時的吉堤斯堡戰役。那幅畫長四百一十呎，高七十呎，重一萬二千磅。那幅巨大的帆布繪上了四噸重的顏料，乃法國著名畫家保羅腓臘保迪斯的作品。他最擅長繪大戰役的圖景。

腓臘保迪斯在一八八零年前往美國，搜集資料來描寫一幅有關美國南北戰爭中有決定性的一場大戰。他曾跟參加這場大戰的軍官和士兵談過，他們包括當時的郭克將軍、李將軍與達普居將軍。他又看過軍事地圖和陸軍部的戰爭報告書。他又將南方軍隊所用的武器等都照樣繪下來，他更實地到那裏的戰場去訪問。

當腓臘保迪斯回到巴黎之後，他就跟十六名助手，費了兩年半的時間來繪那幅「吉堤斯堡戰役」，在一八八三年完成，共用二十萬美元。在這幅大圖畫中，南北軍隊都曾描寫。它於一八八四年首次在芝加哥展出。美國陸軍部認爲這是最真確的戰爭記錄。在五十年間，這幅畫曾在歐洲和美洲各大城市展出。腓臘保迪斯又曾繪有一幅面積較小的圖畫，長三百五十六呎，高七十二呎，該畫於一八八四年首次在波士頓城展出，不知下落。

現在畫家祖京向用「溫斯頓‧塞倫」的名字來所繪的圖畫，他曾在巴黎、羅馬和紐約開個人作品展覽會，頗有所獲。他於一九三三年參觀芝加哥博覽會時看見那幅腓臘保迪斯的巨大作品時就惹起他的興趣。他已立定主意希望有一天能夠擁有那一幅畫。照他本人解釋說，他的先祖也曾參加那場戰役。畫圖中的高潮是描寫佩吉特隊的衝鋒，那個軍隊的軍官多是北加羅連拿州人，正表現出他的本州的傳統英勇精神。

當祖京在繪畫上有成就之後，他曾多想找尋出那幅圖畫的下落，毫無所得。當美國郵局在一九三三年發出紀念美國南北大戰百年的郵票，圖案描寫「吉堤斯堡戰役」，當時增加祖京尋找的興趣，他就在各處放出聲氣。前年底祖京得一個朋友相告，那幅畫落在一個大收藏家麥康尼爾的手上，他藏有三十多幅描寫戰爭的圖畫。祖京得到通知後立即到紐約市預備向麥康尼爾接洽，誰知那個年紀已九十六歲的麥康尼爾因與病在療養院內，不能親自接見，祖京就跟麥康尼爾的律師相談。據那個律師指出，那幅大圖畫並無損壞，但必定要購買，才能讓他參觀。祖京就向他落定金一千元。後來他又查得要付四百九十五元給那間在芝加哥的貨倉，來拆去掛那幅大畫的磚牆，那是在一九三三年砌成的。然後才能將那幅畫搬出，從芝加哥搬到北羅連拿州需要五百元作起貨的費用，祖京並不計較，一一照付。

當那幅大畫運到溫斯頓沙霖城後，祖京就立即檢驗，發現它頗爲完整，祇在帆布上發現有許多個由槍彈打穿的小孔，也許是由那時曾參加那場戰役的雙方兵士，向它放槍而想使到它更爲逼真。祖京想不到怎樣去全覽它的辦法，直到他聽到他的一個朋友說：「它是像一個足球場那樣大！」祖京的靈機一觸，就僱請了十七個人帶那幅大圖到當地的足球場，得管理人答應，將它伸展開來，但仍不夠位置，迫得要將球門拆去。

祖京本擬乘直升機在空中俯着這幅大畫圖，繼而想不能夠看得清楚，他就向當地消防局借到救火的長梯，在離開地面七十呎來檢看。他十分喜歡他所看過的景物，就將那一幅畫買了下來。他說：「在任何方面，它是一幅最佳的繪畫，忠誠記錄起在我們的州和國家的歷史大事。沒有人能夠製成同樣的一幅。」祖京現正籌劃建築一間圓周一百三十呎將配有特別燈光和空氣調節，特別是保管免致潮濕。預算需費四十萬元。

足球史話

·彬彬·

第八屆世界杯足球賽正在倫敦舉行，近週以來，許多人打開報紙，首先看的就是世界杯足球賽，津津有味。但閣下可知道足球的歷史？下面作概畧的介紹：

世界人士公認，足球是在十一世紀之時由英國人開始玩的，他們用一個丹麥人的骷髏頭蓋作所蹴的東西。雖然有人說在古代羅馬人和希臘人也許有玩足球，但是直到今日也調查，除了英國之外，沒有別的地方能夠被確定是最初開始有這種球賽的。英國人也指出足球乃英國的普遍的運動，曾有歷史研究家說，是英國人發明的。

羅馬人在公歷紀元前五百年已有玩足球，名叫「夏巴士頓」，在同個時代，希臘人也有玩，名叫「科里士」。但沒有人能夠調查出比賽的辦法，那沒有圖畫、雕刻像各種可作證實足球是在英國人開玩之前經已有的運動。

在古代的奧林匹克運動會中，由公元前七百七十六年到公元三百九十年，都沒有舉行足球比賽。他們曾將所有的運動都括入比賽的項目內，但沒有「夏巴士頓」和「科里士」。藉此可知道那種遊戲在那個時期內是還沒有的。

照一個歷史家宣佈，羅馬帝國的著名統治者奧加斯德曾在公元前二十八年曾禁止軍人玩足球，認爲是太溫柔的遊戲，可以消滅勇敢軍人的鬥志。但是也找不到確實的證明有這回事。

跟據確實的紀錄，丹麥人在公元一○一六年至一○四二年曾佔據英國，當他們離開後，工人在戰場發掘出一個骷髏頭，認定是一個丹麥人的頭蓋，這些工人往所有的英國人仍極憎惡丹麥人對他們的虐待，就用穿着靴的腳將那個頭蓋蹴來蹴去洩恨。有些兒童看到這種情形也去發掘，又尋到一個骷髏頭也將它蹴來蹴去。其中有些赤腳的兒童覺得用腳踢骨頭頗痛，其中一個兒童就用吹漲了的牛的膀胱來代替，如此就是足球使誕生始了。

在一○五○年至一○七五年間，玩足球的風氣在英國是很普遍的，也許是那些英國人很痛恨的丹麥人的頭蓋，是他們所當吹漲了的牛的膀胱就是丹麥人的頭蓋，猛力來蹴它取樂。

在十二世紀時代，牛的膀胱已改做成一個用牛皮製的球，因較耐用。但是沒有規定的球例，比賽時的情況十分凌亂，常多屬兩個接近的城市互相比賽。（上）

每個馬達有一個三十二吋的推進器能依各種方向轉動，或使船能向前後或左右移動，或是甚至自己的旋轉。於是風力和海面洋流的力量被克服了，這隻船能在直徑五百呎的圓內移動而不超出範圍。

有些浮標附有陽光反射器，於是由船上懸掛的儀器發射的日光訊號，可反射回來。也有些由一條綫連到表面的浮標，表面的浮標附有旗子，燈或是白天的標明或晚上的標明，同時還附有雷達反射器，以供船上短程的雷達傳達器之用。這樣的一個浮標可不分晝夜的使用，在濃霧時雷達反射器用作參考點。第一個試驗就是用一些雷達和日光浮標作相似的目的。

另外一種決定位置的方法，是將一個傾度儀放在海底鑽孔點的附近，於是由傾度儀鑽孔管深入海底的角度即可不斷的顯示在舵手室的儀器上。駕駛員注意着傾度儀和其它的方位指示儀，這樣他只需移動控制棒即可將船駛在他所需的地點。他移動金屬環即可迴轉船隻至所需的方向，—一個可調節的平衡號誌，裝置在迴轉機構裏自動的抵消掉鑽孔器所產生的力。

海底鑽孔探求地球奧秘

若愚

甚至有這些高度化裝置，船在鑽孔時還是很少直接經過洞的上方。表面下的洋流使鑽孔管彎曲而遠離一條直接綫。由旋轉的圓柱形在洋流中以一個角度移動所產生的馬格納斯效應，也許會是個問題。同時，浪的行動可能使駛船起伏不定。

有了這許多障碍，你如何能旋轉一個鑽孔圓柱體經過兩哩的海水，再在海底開個鑽孔呢？這個事實的鑽孔管的可伸縮性使船即使遠離鑽孔處六百呎，也不致突然折斷或是永遠的把鑽孔管彎曲。這個伸縮性也保護了管子，使它不受洋流行動和馬格納斯效應的彎曲力。在正式鑽孔時，鑽孔管可能在不同的深度彎向不同的方向，甚至變成一種可伸縮的螺旋狀。

鑽孔圓柱體下有三個「緩撞地道」，抵消掉了船的起伏不定。這些是鑽孔管的重叠部分，能在齒條上不移動。船在十五呎高的波浪上移動而鑽孔器的壓力保持不變。

在摩霍計劃下，科學家們已經試驗了幾種便宜的旋轉鑽洞工具，同時試驗有一種海水開動的渦輪式鑽孔工具，在三十呎長的管子裏，含有二百馬力的功率。鑽孔時，一個價四千美金有七百五十顆鑽石的鑽孔器轉動着，鑽孔器成鋸齒形，中心有一個洞，直徑兩吋，鑽出的岩石即由管內的一條綫拉出水面。

今年春天計劃剛開始實施時，科學家在加里福尼亞州離拉卓拉二十五哩的地方，自三千呎深的海水裏作初步的設備試驗。然後又在墨西哥的西岸外瓜達洛普島附近一萬二千呎的海裏作深海試驗。

明年科學家計劃在另外幾個地點的海底作開鑽的工作。離今三年後科學家也許要試圖眞正的鑽孔到摩霍界或是貫穿它的工作。他們將用另一種類型的大鑽具和一條較大的駁船以探求地球神秘的歷史。（下）

新三國

廿四、孫伯符向江南發展

後來孫朝當政時，曹操也對孫權誇讚說：「生子當如孫仲謀」，先後同一口吻，可見孫堅的兒子在當時是很有鋒芒的了。孫策孫權，不僅能繼承父業父志，而且更能發揚光大，在時人的稱許中，實非過言。曹操的兒子是篡了曹操的勢力，把漢篡了的，並不是曹操的兒有此本事。在文學方面當是以曹氏父子爲當代之豪。而劉備的兒子，更是一個大草包，靠諸葛亮的才能，維持了四十年的蜀漢之祚。曹劉之子皆不如孫。袁術很欣賞孫策，便將他父親的老部曲交給孫策。孫策在丹陽募得九百人，被涇縣大帥祖郎打垮，幸賠送命。再去見袁術，術將孫堅餘兵千餘人撥交孫策。太傅馬日磾，在壽春以禮辟孫策，表爲懷義校尉。袁術麾下的大將喬蕤、張勳等都傾心敬重。孫策有一騎士，因犯罪逃往袁術營中，孫策指使人斬之，然後親自去袁術前謝罪，袁術還暗中喜愛，說「兵人好叛，當共疾之。」此後他的部隊紀律嚴明，軍中肅然。

袁術終不成氣候，先許孫策爲九江太守，後來改用丹陽陳紀。袁術攻徐州牧劉備，向廬江太守陸康處借米三萬斛，陸康不借，袁術大怒。孫策以前去見過陸康，陸康只派了一個主簿接見他，孫策對陸康也很痛恨。袁術知道孫策和陸康不對，就派他去打陸康，並許以攻下廬江，就給廬江太守孫策。可是孫策攻下廬江，而袁術又用他的故吏劉勳爲廬江太守。可見袁術之反覆無常，不能容人，更不能御衆。他要待機自力更生，向江東發展，獨立門戶。

到此孫策才對袁術大爲失望。孫策對於將來計劃就大爲轉變了。時劉繇爲揚州刺史，繇字正禮，東萊牟平人，漢末避亂於淮浦，詔以爲揚州刺史。可是揚州舊治在壽春，壽春爲袁術所佔領，劉繇才轉向曲阿，把吳景、孫賁趕走，佔領了曲阿。吳景是孫策的舅父，爲丹陽太守，從兄孫賁在吳景麾下爲都尉。孫賁字伯陽，孫堅屍首運回曲阿的就是他。劉繇到曲阿，把吳景，孫賁趕走，佔領了曲阿在長沙起兵時，一直隨孫堅攻戰，孫堅死，他帥其衆，把孫堅屍首。吳景孫賁跑去歷陽，屬於揚州九江郡屬縣，此地又嘗爲揚州刺史所治，即今安徽和縣。（建安十七年，孫權作濡須督，以後此地便爲重鎮）因當時處於爭戰割據狀態，州郡所治之地，往往因侵佔而淆混不清。如壽春本揚州郡治，因被袁術所佔，劉繇又設於曲阿。劉繇佔了曲阿，即分派兵四面駐守，造了樊能、于麋、陳橫屯江津，張英屯當利口，以距袁術。（江津，即橫江，在今和縣東濱。當利口，在今和縣東南，當徒縣對江北岸。）袁術則用自己的故吏，瑯琊人惠衢爲揚州刺史，以吳景爲督軍中郎將，與孫賁合兵攻張英，連年不能攻下。孫策說袁術請求助吳景平定江東。孫策說：「家有舊恩在東，願助舅討橫江，橫江拔，因投本土召募，可得三萬，以佐使君匡濟漢室」。孫策想找機會向江東發展。袁術低能，以爲目前局勢，劉繇在曲阿，王朗在會稽（浙江東部），孫策此去未必能克，所以袁術便慨然允准，並且表他爲折衝校尉行殄寇將軍。（五十二）

春風化雨話玉薇

劇藝要一代一代傳下去，全在教導。雖如長江後浪推前浪，但沒有名師，這後浪也難掀起高潮，而有成果。台北的指點劇藝的老師秦慧芬，多是為坤票講授，而為幼苗說講，多半為白玉薇。到今日有許多戲可看，不能不歸功於玉薇；在劇運的過程，她具有很大的力量，值得稱許。

大鵬自從已故伶工朱琴心常病，開始聘玉薇由花蓮來說戲，受其薰陶者不少。即徐露因重排拾玉鐲，從一刻鐘唱完，延至一時一刻始畢，加重身段，而臻美化，是一例也。王復蓉初練時，振祖亦延玉薇為講，醉酒散花貂蟬，皆因此成功。其後坤票延請，更復加多，使她在一週之間，不遑寧席，疲勞特甚，後來休息一年，漸次康復。

前見朱繼屏演金玉奴，驚其進步之速，後來詢問劇團中人，始知現在是玉薇專為她說。另外尚有嚴蘭靜，無怪其如是。希望嚴朱兩姪，努力進修，有此好師，時不我予，三五年內學成十二三齣，是為至要。大鵬另有俊才邵佩瑜，亦是未來奇葩，但她的劇藝進度甚慢，現在已經二十，如果章老師沒有時間，不妨也從玉薇學些花衫，究竟程派已在走低潮，不可再蹈愛蓮舊轍，結果僅有十三四齣，不夠開展，望佩瑜其努力。而主持劇務者，也宜改變觀念，善培人才為上策。幼苗的茁長，全在滋潤，玉薇的教導，有如春風化雨，可增無限的美景，幸謝得成而話之。

國劇繽紛續錄

（三十九）　姿孌生

小陸光再演

陸光國劇幼年班，前次公演，以演技好而博得無數的贊譽，予人良好的觀感。此次劇展，為紀念七七，該隊自動打頭陣，首由小陸光演三天，非常可贊，是勇氣足稱也。閱看特刊，見所列戲碼與首次絕無雷同，是教導有方，不可不贊也。茲將擬演戲碼，略抒所見：

第一日，羅成叫關大保國拾玉鐲泗洲城，是小生老生青衣淨角花旦武旦武生丑角，應有盡有。第二日，白水灘望兒樓法門寺，是武生武淨老旦花旦淨角老生青衣丑角，皆告齊全。第三日，戰樊城雙李逵三擊掌大青石山，是生角武淨青衣武旦武生均有，可說安排很恰當。而泗洲城有三位水母，青石山有兩個九尾狐，足可大看武旦以慰望。因為每次公演，極少演武旦戲，而青石山更少見，為呂洞賓不好派的。料想三天的觀眾，必至擁擠無疑。

我有所惑，此次歐陽鳳木出場，不知是否為健康關係，抑以身材較高？如有，演出總希望讓她們也露露，以期十全十美。未知大隊長以為然否？本人極願小陸光之蒸蒸日上也。

紹興酒之酒罎

・吳越華・

紹興酒罎，因容量不同，有十斤罎，三十斤罎，五十斤罎，之分別；行銷各地者，大抵為五十斤罎。其裝璜，亦因內容品質之不同，分以下三種：

一、花雕：花雕酒為紹興酒中之最高貴者，過去各地經銷紹興酒之「紹酒莊」，大率將花雕陳列店堂，作為幌子。其酒罎一律上施彩繪；其彩繪習慣用桐油合石青、石綠、銀硃、黃丹等礦物質顏料繪成，雖不纖巧，然亦樸質可喜。且有一定不易之譜，如罎身例必繪「暗八仙」，「早生貴子」，「鳳求牡丹」，罎身上方四面例必繪四「圓圖」，泥金大書「壽山福海」，「富貴長春」，「祿福鴛鴦」，封罎之「泥頭」，例繪「五福締壽」等吉利之圖畫或文字。亦有特製之花雕罎，上面燒出粗淺之花紋綫條，彩罎凹凸似乎浮雕。然一般祇在狀元紅罎上加工，蓋狀元紅與花雕，在酒的品質上原屬同實異名。

二、狀元紅：狀元紅酒為花雕酒之省去罎上之彩繪者，過去行銷最多。其酒罎祇以石灰作為底色，上蓋礬紅，成淡紫紅色。

三、竹葉青酒：與狀元紅酒異趣，狀元紅酒釀成後例必加「糖色」，故色如琥珀，光如紫霞，竹葉青酒則否，故湛清如竹間滴露，荷上走珠。過去祇供酒鄉行家品飲，絕少外銷，其酒箍更不裝飾，祇塗石灰一層，作蒼白色。

此外，以上三種酒罎，均必蓋上種種印記，其印係用牛皮雕成，蘸墨蓋上。如表示酒之成份增減，則蓋「善釀」、「加飯」等字樣之印。如表示酒之釀造年份，則蓋「甲子」、「乙丑」等干支之印。紹酒興酒愈陳愈佳，故若欲知紹興酒之正確年齡，祇須將上述印記一驗便知。釀酒家一為顧及信譽，為顧及自家儲藏方便，從不假冒。在罎身下方之一定部位，則蓋釀酒家之方形牌號印。紹興釀酒家，各姓有共同之牌號，其來源極古，遠可溯至兩宋以前，如許曰「許永福」，陳曰「陳忠義」，余曰「余萼貞」，周曰「周雲集」，劉曰「劉恒豐」等等。共同牌號之下，則分記，如小字長樂，則應稱為「長記」，餘類推。於是牌號印亦有約定俗成之一定款式，如舍下家釀，即可湊成為「浙紹許永福長記造」等字樣。

紹興酒罎，均陶質粗製，加外黝綠色釉，求實用不求細巧，但一須不漏，二須不滲，漏則易知，滲則非專門工人不易鑒別。遇有滲漏，則須用鐵鑽鑿去表面之釉質，用細鐵砂和鹹滷糨加以彌補。紹興產酒最盛之鄉，如阮社、東浦等地，村南村北，待用之空酒罎往往堆積如山，成小金字塔狀，清脆之補罎聲，彼此丁丁，不絕於耳，蔚為酒罎特有之奇樂。與年年二三月春暖花開時，村頭巷尾特有之酒香，成為紹興風光之雙絕。今則大陸淪共，酒罎業強迫「合營」，釀酒家都成「地主」，縱有三百里鑑湖水，中間盡是血和淚，盛世風光不再，西望鄉關，不勝浩歎！

試探『聊齋志異』與遺稿之迷津

周遊

還有王漁陽的唱和詩可以為證。王氏的「奉題志異詩」：「姑妄言之妄聽之，豆棚瓜架雨如絲；料應厭作人間語，愛聽秋墳鬼唱詩」。留仙答王司寇阮亭先生見贈詩云：「志異書成共笑之，布袍蕭索鬢如絲；十年頗德黃州意，冷雨寒燈夜話時」。考蒲留仙歿於康熙五十四年乙未，終其一生，志異是沒有刻印，直到歿後五十年，始有刻本流傳。在這五十年，志異原稿在愛好文人的展轉傳鈔，為什麼不付梓？就是沒有錢付印。留仙的長孫蒲立德在跋中云：「……志異十六卷，先大父柳泉先生著也……初藏於家，無力梓行，近人乃競傳鈔，遠邇借求矣。」因此展轉傳鈔，以及後人之修改、改訂下，故後之聊齋志異稿本繁多；所以聊齋志異也和三國演義、紅樓夢以及其他舊說部一樣，成書後，都經過若干人的手筆。修改的情形怎樣，非三言兩語所能盡，留待另文探討。在此只好「大題小做」了。

關於「聊齋志異」原稿鈔本，首推留仙的同鄉人——淄川路大荒的藏本為最佳。路本分為四冊，題作兩卷，首冊有高珩（念東）的序文，路鈔本斷定為康熙年間鈔本。復就路鈔本與今日坊間流傳本篇目詳加校校，其篇目多有不同，並多出坊間流傳之聊齋志異二十二則，其二十二則目錄如下：吳門畫鬼、亂離二則、鬼津、蕩婦、遼化署狐、豬婆龍、金世成、蛇癖、犬姦、吳令、傳毛媼、魁星、白蓮教、縊鬼、雷公、男生子、黃將軍、藏蝨、李檀斯、赤字、沂水秀才。

聊齋志異的刻印本，首推趙荷村的刻本為最早。荷村名起杲，山東萊陽人，他在乾隆三十一年（一七六六）丙戌年間，刻印志異於睢州官舍，即所稱的趙刻本。趙刻本全書分十六卷，所收篇目凡四百三十一則。今日坊間流傳的聊齋志異，大多是據趙刻本翻印的。趙刻本除有留仙自序外，尚有趙荷村的序文。他這篇序十分重要，在此序文中可知其原稿及傳鈔付印校對等之經過，故不厭節錄一二要點，藉知最早刻刊聊齋志異的概況。

他的聊齋志異稿本是周季和給他的，不是他鈔的。因為趙荷村很欣賞這部著作，欲尋其全稿，但搜尋了數年不可得。後來他這二冊稿本在北京被王子潤攫去了。

後來趙荷村官閩中，晤到曾經做過淄川縣官的鄭荔薌的兒子，因其父性喜儲書，以為或有藏本，果然有聊齋志異鈔本，命侍史鈔錄正副二本，披閱之下，似與周季和本稍有出入。

後三年，再至北京，又訪求施潤軒原鈔本和吳君穎的假鈔本，以此二本詳細核對之下，各本稍有異同，但是在這三本鈔本核校過後，他發現以前得自鄭荔薌的鈔本才是蒲留仙的家藏原稿。

後來趙荷村的鈔本在不斷為人們借鈔之下，不勝其煩，藏稿又不能徧應眾人之求；又得他的朋友鮑以文的鼓勵，才勉強將藏稿付梓。（二）

楊昌濬軼聞逸事

李仲侯

客去，楊喟然謂左右曰，自某丟官以來，長江千里，到處都感得如此冷寞，親不親，故鄉人，我與章某，素昧平生，他之來訪，足徵鄉誼之厚，此事雖小，實可以驗世態人情冷暖，楊對這件事，不但存諸於心，而且命左右詳記其事。後來光緒四年左宗棠奏請起復楊昌濬幫辦甘肅新疆兩省善後，赴任時，扈從甚衆，沿江官吏、迭迎恐後，某夕，赴之官舫復停泊清江浦，楊氏漫步船頭，皓月當空，忽憶及前年丟官過此的一段往事，立命左右登岸，問訊章合才，知仍在浦上，迭經傳呼，章不解楊大帥急於要找他的緣故，他竟畏匿不敢出。後來遣戈什哈前往一再解釋，章始出謁，相見勞苦，歡若平生。光緒五年劉坤一由廣東巡撫升任兩江總督，楊特薦章合才，託其照顧，久之章竟擢升為淮陽鎮台。淮陽為天下鹽運重鎮，不數年間，宦囊充裕，積資累億萬，章氏乃在鄉廣置田宅，晚歲優遊林下，以天年終，入民國後，猶號為吾邑首富。

楊公家本儒素，累葉清芬，祖遺西陽大樹屋場老宅一區，附有薄田數十畝。自他奮跡戎行，敭歷要職，十數年間，家不加富，這次被黜還鄉，舟抵水（湘鄉上里一鎮名）自己撐着一把洋傘，步行二十餘里到家，隨身僅有襆被行李一肩，別無長物，童稚迎門，笑語自歡。與其夫人成氏，過着隱居生活，蔬食茹苦，淡泊自甘。春秋佳日，或荷鋤東皋，或躬耕南畝，得失榮辱，從不縈擾胸際。鄉人仍有以楊大帥呼之者，他輒遜謝說：「一切都成了過去，請呼我為石泉先生足矣」。

當時楊乃武與小白菜（葛畢氏）案中之葛品連，究係服毒自盡，亦係害病身死，至今還是一個謎。在當日一般外官同情於楊昌濬的，以為他不過是犯了一時疏忽失察，清廷不念前勞，頓把他革職，不免罪輕罰重。案情平反後，湘中最認為不滿的，無過於左宗棠和彭玉麟。我少時在鄉，聽諸長輩傳說：自從彭玉麟堅辭兩江總督不幹，清廷命其綜理長江水師，深知其人剛直、嫉惡如仇，欲加重其權責；傳某次陛見後，特賜尚方寶劍出京，遇有民間冤抑及貪污不法官吏，無論文武，准其先斬後奏。彭私訪湘鄉時，正值楊昌濬放逐家居，距楊家不過百里，有一赫赫大吏，素好貨賄，貪贓頗多，甲第連雲，良疇盈野，姬妾羅前，僕從成羣，頤指氣使，享用豪華；惟其人勇敢善戰，號萬人敵，彭知其少年氣盛，思有以挫之。彭路過時，乃微服往訪，化裝為算命先生，三次請見，均被拒於司閽。時值天熱解衣，故意披露其內所著之黃馬褂，該大吏聞報大驚，謂左右曰：必係彭打鐵（彭公綽號）來了，大開中門親自出迎，相見款待，極盡殷勤之能事。彭公席間提及外邊所傳該大吏驕蹇失度事，意示警惕，大吏汗流浹背，久之不敢仰視。（四）

科學家與未來世界

・許辱生・

在原子能的世界裏，所謂燃料便是鈾和鈽，就這兩種東西的目前產量來說，它們所產生的能力，簡直足夠我們數百年的消耗，而不會告竭。其次，甚至氫氣也可以給予我們以無限量的能力。所以在原子時代，主婦們也永遠不必擔心燃料的缺乏，也永遠沒有掃除炭渣和煤屑的麻煩。那個時候，她們所用的將完全是電力，而且，代價也遠比用柴、煤、炭及煤氣為低廉。

原子時代的科學家們，早就把人們對於缺乏原子核分裂所用燃料的疑慮徹底澄清，據其中數位專家說，用原子能發動電力的計劃可以在任何國家實行而毫無困難；至於那些蘊藏含鈾砂石極富的國家，如錫蘭、澳洲、印度、巴基斯坦等，則更不會發生缺乏燃料的現象。

同時，科學家們也對於怎樣才能利用氫氣彈的能力去給一般家庭的日常消費問題，也在積極研究之中。據英美的科學家們告訴我們，他們已在研究種種方法去控制氫氣的燃燒作用，以供日常使用。太陽的本身，也可以憑藉着氫的燃燒作用，而把它的能力放出來。所以目前也有許多科學家們，正在設法控制小太陽，以無限熱力供給人類，當你的子女長大成人的時候，那具有無上威力的氫氣彈便將完全在我們控制之中了。

在我們控制之下，不過，在氫子彈以最低廉的代價供給我們電力。在這種情形之下，我們將原子彈，而以最低價的能力被我們完全控制以前，步將能做到自二萬磅以至十萬磅之多煤炭所能做的工作；甚至還能更進一步於三百磅的煤，可是這一磅煤的代價，不會超過英金一先令。

自由報

THE FREE NEWS

第六七二期

中華民國僑務委員會登記證僑報字第三三二號
中華郵政台字第一二八二號執照登記爲第一類新聞紙類
（半週刊每星期三、六出版）
每份港幣壹角
台灣零售價新台幣壹元
社長：雷嘯岑
督印人：黃行書
社址：香港銅鑼灣高士威道二十號四樓
20, CAUSEWAY RD 3RD FL. HONG KONG
TEL. 771726　電報掛號：7191
承印者：大同印務公司
地址：香港北角和富道九六號
台灣分社
台北市西寧南路壹號二樓
電話：三〇三四六
台郵撥儲金戶九二二五

從北越恫嚇處決美機員說起

·鄭洪江·

美機於七月底開始轟炸河內與海防近郊油庫後，北越政權先之以驅被俘美機員遊街示衆，繼之更放出空氣，要將那些美機員作爲「戰犯」受審。既云「戰犯」，審後自必處刑，「槍斃」、「大辟」都未必做不出來。這可就把華盛頓給嚇壞了。國務院官員、國會議員、副總統韓福瑞、甚至於美總統詹森，都爲此講了話，警告北越不得亂來，否則「結果不堪想像」。其面青唇白、栖栖皇皇之狀，如見其人，如聞其聲。

越戰是被稱做「特種戰爭」的。此戰既然特別，希奇古怪的現象亦就隨時演出，不勝枚舉。這回的事祇是最近的一例而已。美國的觀念不改變，作法不改變，諸如此類的怪事，還會推陳出新，絡繹現世的。等着瞧罷，好戲該還在後頭。

北越政權要把它們及今俘獲的幾十名美國機員當作「戰犯」審理，用意當然在於恫嚇。卑鄙齷齪自不庸論，却亦實在毒辣的，「深深的」一擊中了美國的「要害」。從北越這「恫嚇」判斷，美國飛機一轟炸其油庫，對它們的打擊是頗爲沉重的，很使它們有受不了之苦。它們却又沒有正當的方法自我防衛，更沒有正當的方法實行還擊，走投無路之餘，繼驅被俘美機員遊街示衆之後，於是「恫嚇」要審判處決這些「戰犯」了。可以估斷，北越此種恫嚇的最如意算盤，乃在於希望就此把美國嚇倒，不再炸它的油庫，尤其不再進一步炸它的更爲致命的其他軍事目標，而使得它可以支持下去，忍受得了，而繼續用「人海」同美國糾纏，直至最後美國「知難而退」，把越南一筆勾消」，讓它們「大功告成，取得「最後勝利」而後已。

照一般的道理言，被俘的美國機員，是戰爭中的「俘虜」，而非所謂「戰犯」。依據國際公約，戰俘應該受到一定的人道待遇，無論精神上與身體上，都不得給予虐待。審訊戰俘處決戰俘，更當然是犯法的野蠻行爲。及今美國當局爲這件事所發表的種種聲明，就都以此爲根據。聯合國秘書長宇丹向北越提出的呼籲，英國首相威爾遜訪問蘇俄時爲這件事所作的努力，亦都以此爲根據。但這祇是就道理來講。問題是共黨政權如北越者，絕對不是什麼可以講道理的對象。共黨政權對於一切條約，僅在對它們有利的時候，才肯引用，否則便視同廢紙，從不[illegible]「戰爭行爲」，關於戰俘的國際公約，亦就管不了它們。儘管這說法是強辭奪理的遁詞，却亦正因爲美國要以「特種戰爭」對待越戰，既給對方預留餘地，[illegible]

[illegible]

甘爲尾巴

今日與明日

毛共政權病入膏肓

中共的所謂「文化大革命」運動，是開始於三個多月前。四月十八日「解放軍報」發表以「高舉毛澤東思想偉大紅旗，積極參加社會主義文化大革命」爲始的社論後，正式掀起了此一所謂「聲勢浩大」的「兩條道路的鬥爭。」其實，中共此項政治運動，是繼兩年多以前的所謂「社會主義教育運動」一路發展下來的。中間經過將哲學、歷史和文藝等領域的批判運動；迨掀起「文化大革命運動」，其整肅矛頭比前更全面、更深入、也更凌厲和徹底。此項運動，中共宣傳工具一再強調是在毛酋親自主持下進行的，到現階段止，已證實此點不是謊言。

毛酋自去年冬「失蹤」後，長期不見露面，故國際間傳其「病」「訊」，甚至謂他已「龍馭賓天」，只因中共頓失「賢主」以致羣龍無首，故秘不報喪。至於五月十一日他突然接見了阿爾巴尼亞總理謝胡及最近又先後接見尼泊爾太子，出席在北平舉行的所謂「亞非作家緊急會議」的部份「代表」，返國後。其中的日本「作家」力言毛酋「健康良好」。姑不問毛酋健康如何，但有一點頗值得注意，那就是毛酋以黨「主席」之尊而長期「流浪」在外未返「北京」，同時則是一個不容否認的「事實」。從中共進行的所謂「文化大革命」運動前後上看，波詭雲譎，變化多端，既無計劃，又無步驟；其馬蹄之亂，爲過去所罕覯。這說明了，即或毛澤東本人「健康良好」，而中共政權則是「不但「健康失常」，甚至可以說是已瀕臨死亡的前夕，它是膏肓狀態中。這些都充份顯出，它企圖通過血腥整肅以搶救其「千萬人頭落地」的頹勢。可以肯定不會收效，只是一種「得病亂投醫」現象而已。

毛酋的「打打摸摸」政策

中共在批判中共高級黨校校長楊獻珍的「合二而一」論前，是中共中央宣傳部副部長周揚放的第一槍。文藝整風是彭眞在所謂「現代劇觀摩會演」時最先宣佈的「指示」。而整肅運動發展至所謂「文化大革命」階段，彭眞和周揚先後遭到了出人預料以外的整肅，毛酋親自指揮整肅運動，是有可能的，特別是前一個階段；因爲，吳含（日旁）在「海瑞罷官」歷史劇中，竟胆敢批「英明偉大的人民領袖」毛澤東主席的逆鱗，指他是顢頇的封建皇帝，而暗把一九五九年被罷黜的彭德懷比喻爲敢言的海瑞。毛酋所說的任何一句話都被他的宣傳走卒們說成是「放之四海而皆準的眞理」，他所制訂的「政策」沒有一項不是「永遠正確」的，在他尚掌握中共全面領導權的時期，只能阿諛事實，對他歌功頌德胡吹瞎扯，否則必遭到無理而殘酷的整肅。但以作爲「毛澤東親密戰友」之一的彭眞，稍有「毛主席文藝路綫捍衛者」之稱的周揚也成爲始作俑者遭到整肅，顯見毛共的整肅運動，混亂已極，毫無原則和計劃。

在所謂「文化大革命」運動中，毛酋所施用的手法，總「打打摸摸」政策。共軍總參謀長羅瑞卿和周揚被罷黜，就是這項策略的運用。因爲這兩人，一個是「肅反」運動中的殺人王，一個是歷次文藝整風的劊子手，不予整肅，實無法緩和被害者的憤怒。其運動無法繼續發展下去，要在各地高等院校中「揪」出所謂「牛鬼蛇神」來，在這又說明毛共政權的反抗主流，係在大專學校青年階層中。毛共對知識份子沒有辦法，對青年也同樣束手無策。這兩個階層的力量一旦再壯大起來，毛共政權必趨於滅亡。（何如）

[illegible]

一個社會問題

馬五先生

[illegible]知其一，不知其二，管見所及，不妨一談。

[illegible]何秀子久已聞於國際間，據說許多外國旅客──包括某些貴賓──到台灣來，都要提到她，表示嚮往之意，可見她在國際人士心目中的魔力殊不小。常在報紙上看到美國對於來訪的外邦貴客，如印尼總統蘇卡諾，印度沙地阿拉伯的國王費瑟，阿里汗王子等，如需要美女作侍，莫不有求必應的，儘量照應辦生，可見何秀子式的名女人，美國不但有，而且受着當地情報或治安機關的[illegible]

[illegible]

檢討竊盜黃豆案

本報台灣中部記者熊徵宇

調職的命令，本來就下遲了一點，忽而又改為停職，就難怪外界不明就裏的風風雨雨了。我們不相信許多未經徵信的傳說，但在這個問題的表面上看，最低限度我們可以說省政府在處理上不夠明快，不夠俐落。

我們也覺得，在下令停職徐人壽的頭一天夜晚，省府當局，實在不必要派一位省委去徐人壽家裏。不管是安慰或者是表現一種長官與部屬之間的情誼，都不適宜，徒自引起外界的閒話。

行政責任問題 該作適當論斷

這個盜豆弊案，第二階段的偵辦工作，已經改由司法行政部調查局負責，他們是中央機關，工作比較方便。而夏曦是鐵路貨運服務所的主管，對於本案的複雜底細，自有全盤的瞭解，他被扣之後，檢方偵查的範圍也將逐漸超出貨運服務所，擴大到其他有關單位。基於這兩個有利於偵查的因素，我們相信還有五家油廠的案情，不久就可以獲得理想的結論。而涉嫌於這個案子的政府官員們，自然也都有法律上的懲處。

而行政責任問題，也必然有一種適當的論斷。至於該不該由貨運服務所該不該分期償還這筆鉅達二億四千萬的損失問題，可能要等全案結束以後才能決定。

這個官商勾結竊盜黃豆的案子，既然已經發生了，只有等有關各系統的偵查與審判。我想今年的秋末，全案可能結束。

同時，我覺得現行的「進口黃豆及其製品之調節供應辦法」對倉儲的控制與管理，應該尋求一種妥善的辦法。（四、完）

北越恫嚇處決美機師 華盛頓震驚栖栖皇皇

—西貢通—

越南戰事發展到目前的階段為止，正醞釀一項新的、具有高度爆炸性的危機。這項新危機就是被共黨北越俘虜的美國飛機駕駛員的命運問題。

在交戰的情況下，某一方軍隊被對方俘虜而成為戰俘，本來是十分平常的事。依照有關戰俘處置問題的那項日內瓦協定來說，戰俘應該受到人道的看管，當地政府不得在戰俘的身上採取報復的行動，同時須准許第三者（通常是國際紅十字會）定期地將郵件轉與這些戰俘，及從事探望與交談等活動。

然而，由於共黨北越表示，準備視這些被俘的美國飛機駕駛員為「戰犯」而加以審訊的緣故，問題便顯得十分嚴重。既然北越視這些美國俘虜為戰犯，那麼，他們在被審訊的時候差不多必然地被判處死刑。這顯然跟上述的日內瓦協定完全背道而馳。

河內當局表示，駕駛員是在一項「不宣而戰」的戰爭裏被俘的緣故，因此，河內不受該日內瓦協定所約束。

如果共黨北越一意孤行地將被俘的美國飛行員當作「戰犯」那樣審訊及處決的話，屆時會發生什麼後果呢？

美國副總統韓福瑞在上星期五在德克薩斯州向「基督教大學」發表一項演說前，他曾經在一項新聞記者招待會上發出如下的警告：「如果北越實行將那些美國俘虜當作戰犯那樣審訊及處決的話，我認為他們對於 [illegible] 地警告共黨北越：如果北越處決那些被俘的美國飛機駕駛員的話，將會「引起一項迅速及猛烈報復的要求。」這些參議員呼籲河內政府採取抑制的態度，而不要妄動地在這些美國俘虜的身上採取任何狂暴的行動。

參議員車治表示：假如河內不理會美國的警告而處決那些被俘的美國飛行員時，此舉「將激烈地刺激美國境內所有曾經試圖阻遏越戰擴大的人士的影響力。」他認為那些美國飛行員的生命正受到非常嚴重的威脅。

到了上星期六時候，參議員艾肯在一項談話中發出如下的警告：「如果河內實行那項處決被俘的美國飛行員的恐嚇的話，則美國人民便會要求政府採取行動將北越完全毀滅。」

參議院民主黨領袖曼斯菲表示：他一方面贊同上述那項由十八位參議員發表的聯合聲明，同時亦同意艾肯上述的談話。

美國國務卿魯斯克亦警告河內：如果北越將美國俘虜當戰犯那樣審訊及處決的話，便會引起「極為嚴重的後果。」

從各方面的跡象來看，假如北越真的一意孤行的話，那麼，華盛頓最高當局便會在強烈的美國民意壓力下向這個共黨國家採取報復的行動。來自河內的消息暗示，那些審訊可能於八月四日開始。

華盛頓方面消息靈通人士表示：美國屆時採取的報復行動，可能是進一步加強對共越的轟炸。這些消息人士同時表示：美國總統詹森將下令轟炸北越的工業，海防港口的各種設備，及重要的灌溉系統和控制水災的水壩。

華盛頓方面一位高級政府官員表示：「如共黨北越要採取一種行動令到總統詹森在有增無已的壓力下宣告加強空襲北越的活動的話，沒有一措施將比處決那些被俘的美國飛行員來得更有效。」

一位對越戰局勢發展十分熟悉的人士稱：河內共黨政權將那些被俘美國飛行員當作戰犯那樣審訊及處決的恫嚇，是「十分十分愚蠢」。他接着表示：這樣的行動，將毫無疑問地大大加強美國境內的那些極力主張令越戰「升級」的人士的地位及論調。

而另外來說，河內似乎正感受北越人民的壓力而準備採取行動去對付那些美國俘虜——大部份是空襲北越軍事、交通、及供應站等目標的時候被擊落及被俘的美國空軍、海軍，及陸戰隊的飛機駕駛員。

河內最近曾經將被俘的美國飛行員遊街示衆。這件事發生後，美國國務院發表項措詞凌厲的書面抗議，認為這種行動是明顯地破壞美國、南越、河內及其它國家已經矢誓遵守的那項有關戰俘處置問題的日內瓦文件。該項文件嚴厲地禁止將俘虜暴露在恫嚇，羞辱，或者羣衆好奇心的前面。

雖然美國國務院發表這項抗議，可是直至目前為止，北越故示神祕，仍然沒有官方的反應。

港百貨生意欣轉暢 夕陽雖好無奈黃昏

（本報訊）最近旬日來天氣炎熱，百貨服裝生意表現得較為活躍，商業旺盛地點如港島中環區、銅鑼灣區、九龍尖沙咀區、旺角彌敦道等百貨服裝商店的營業額，普遍增加五成至七成，更有些規模大的百貨公司營業額增加一倍。一般夏季應銷貨品，如男恤衫、女裝西褲、女裝衫裙、套裝、西裙、泳裝、泳衣褲、內衣褲、手帕、浴巾、香皂、爽身粉、香水、皮鞋等，銷出數量均顯著增加，比較去月下旬間的淡態大不相同。

但目前的夏季百貨服裝生意，有三種特點：一是服裝商店多實行大減價或大贈送的方式招攬顧客，更有些把若干名廠出品的新碼及斷色貨價格降得更低。其二是營業額雖然明顯增加，但百貨公司與服裝商店補充新貨很少，一般都着重銷清現存的貨品，旨在套回現金。其三是現金銷售的夏季百貨及服裝，以中價貨較為暢流，上價及下價貨銷售尚未如理想。

據業內人士指出：最近旬日來百貨服裝生意雖然大有起色，但今年夏季生意旺態來得遲，最大的打擊是六月份雨災影響，生意應旺反淡。現時正是一年中的酷暑時候，各類夏季貨品的生意已顯得相當活躍，雖然與早兩年同一時期的暢旺局面還是相差很遠，但亦算是差強人意。但近來門市沽出的百貨及服裝，大部以中等價錢與中等質料的貨品居多，因為這些貨品比較適合多數市民的購買力，至於高質高價貨品與低價貨品仍然未見得怎樣暢銷，這亦反映廣大市民的消費愈來愈着重於實際方面。現時百貨服裝生意，雖然是轉呈暢旺，但實際上整個行業的經營還存在很大困難，這並不是源起於近期的事，因為百貨服裝業的淡風已持續了一年多，故此目前生意雖然略為好轉，但未易把大局扭轉過來。即以今年夏季生意來說，四月份生意曾經好一些，五月份便告轉淡，六月份有三分之二時間遭受天雨影響，除了雨具銷出增加之外，其他的日用品及衣著品銷量顯著減退，儘管現在生意轉旺，但究竟旺得遲了。一般的願望是今後能夠維持平穩局面，不敢希望過奢。

又據指出：現在業內商家的推銷重點是疏通現存的貨品，補充新貨暫未打算，因此有些商廠出品，寧願以較低的價格售出。按理七月份及八月份生意仍可保持暢旺的，故此一般夏季貨品還有五十天旺市，特別是學校業經放暑假，游泳用品及兒童日用品銷量將刺激繼續增加，看情形在今後五十天內如果不會受到風災的影響，現存的夏季貨品是可以在秋季貨品上市前售得八八九九。百貨服裝有人做完了夏季生意，又跟着推銷秋天貨，雖然一般對於秋季生意不敢過份看好，但今年秋季貨品銷通了，資金流回增加，業內商家週轉就沒有困難，於秋天貨品的銷售也比較安心對得多。●

台南區自來水交換 水源給水工程簡介

本報記者朱武州

在工商業發達和人口激增的今天，台南區自來水交換水源工程計劃開工典禮，業於本月十日上午在永康省立台南工業學校隆重舉行，同時新建之台南加壓站，由省政府主席黃杰來南親自主持破土儀式。這項盛典的來賓有嘉義縣、台南（縣）市以及附近七個鄉鎮廣大民衆參加，莫不為此而歡欣振奮。台南居民在過去遭受飲水缺乏之威脅，遠較附近鄰縣各鄉鎮為嚴重，省府及地方當局有鑒及此，多年來對交換水源計劃審愼研究，終於克服水源及財源上之困難，使第一期工程，付諸實施，足見這項工程發揮了區域給水制度之功能和互助互益之精神，贏得了各界好評。

林永樑廳長在典禮中說：自台南區遭受水源缺乏之威脅後，省府自四十三年起即着手擘劃，先後擬訂方案多種，均因財源，水源等問題，未能付諸實施。五十二年省府為實施公共給水長期發展計劃第一期五年計劃，指示建設廳公共工程局加速進行台南區自來水之規劃，經三年來的調查、分析、研究，以及地方人士對政府統籌經濟利用水資源政策之支持與行政院國際經濟合作發展委員會技術及財務之支助，就十二個方案中選定曾文溪雨季剩餘水量與烏山頭水庫交換水源計劃，完成設計工作，今日始告動工興建。

林永樑廳長對交換水源計劃說：嘉義縣新港地區交換水源，計劃在嘉義縣新港地區鑿深井十口抽取地下水就地灌溉，將烏山頭水庫原灌溉該地之水，轉供台南區自來水之用。此項交換水量估計每年最少約三、五九〇、〇〇〇公噸，一方面抽取曾文溪雨季剩餘水量與烏山頭水庫交換。在曾文溪與縱貫公路相交地點，興建原水抽水站一座，用以抽取曾文溪雨季時剩餘水量供應當時自來水及灌溉需要，使烏山頭水庫節存之水量留作枯水期自來水之用。估計於民國六十二年，除可抽取自用水量八、五四〇、〇〇〇公噸，交換水量二、七八〇、〇〇〇公噸外，在枯水年尚可供應水利會灌溉水量二、八〇〇、〇〇〇公噸。

主要工程：林廳長表示新建曾文原水抽水站一座，初步沉澱池三池，最大出水量為每日一〇五、〇〇〇公噸。新鑿新港深水井預計十二口，最大出水量每日六〇、〇〇〇公噸，（內包括：混凝池二，沉澱池六，快濾池六，清水池一，清水抽水站一座，操作樓一座）。新建台南加壓站一處，最大出水量每日一二五、〇〇〇公噸，並設地面蓄水池一座（容量一五、〇〇〇公噸）。增設及改善輸水、配水幹管，口徑自九〇〇公厘至四〇〇公厘，總長約二三九、〇〇〇公尺。

林廳長對經費及財源說：經費方面：本計劃工程建設經費預算，就四十五年物價估計，共需新台幣一億四千萬元。財源方面：由中美經濟發展基金貸款新台幣九千萬元，省公共給水建設基金貸款二千五百萬元，水廠自籌款二千五百萬元。

最後林廳長指出：（一）本工程之計劃，經多年審愼研擬，終於克服水源及財源種種困難，而付諸實施；（二）採取交換水源措施，獲得水資源之經濟有效利用；（三）發揮區域給水制度之功能；（四）地方政府及有關水利機構發揮互助互益之精神，為人民謀福利；（五）消除安南安定地區之烏腳病因。在直接效益方面：（一）擴充給水區域：給水區域包括台南市及附近七個鄉鎮計新增五十二個社區。（二）增加給水人口：自三一七、〇〇〇人增加至四五二、〇〇〇人。（三）增加水量：自每日三五、〇〇〇公噸增加至每日九二、七〇〇公噸。（四）提高每人每日用水量：台南市區自每人一一〇公升可增加至每人二四〇公升。另在間接方面可改善公共衛生，發展工商及提高人民生活水準。

瀛海異趣談

墨西哥亦有個美女天堂

·桑雅·

墨西哥也有一個熱帶天堂，在西半球的玩家，如果沒有機會去南海美女天堂大溪地享受一下，他們不會錯過這個墨西哥的大溪地。因爲在墨國阿卡巴高的太平洋沿海外，有一個大溪地式的熱帶天堂，有許多張開一雙玉臂歡迎玩友的女人。

這個墨國「大溪地」名叫施哈坦尼佐，非常難拼音，可是它比大溪地的本身更似大溪地。它對于一些人不算，許是完全陌生的地方，許多以南海爲背景的電影，曾採用施哈坦尼佐做外景地點。該處實在是比較素以風景優美著稱的阿卡巴高灣更美，其與大溪地相似的地方，并不是偶然的。

在墨西哥而有南海氣氛，誰也不相信吧？可是這是鐵一般的事實。施哈坦尼佐有許多正式的玻里尼西亞女人居住。在殖民時代，墨西哥的阿卡巴高是西班牙統治的主要太平洋港埠，西班牙的勢力遠伸至非律賓，因而帶來了不少南太平洋島嶼的女人，落籍墨國，施哈坦尼佐是一句印第安人土話，是「聯航女人」的意思，位在太平洋岸外，距阿卡巴高西北一百四十五英里，似乎頗爲遙遠，可是從墨西哥城坐一百分鐘舊式飛機即可到達。

這個墨國的海上天堂，有着天然美再加上美國及南美來找尋刺激的女人雲集，一片脂粉氣息尤其是從古巴來的女郎，益增此天堂島嶼的美色。食物以合理的價格出售着，面晒太陽、游泳、酒水、運動及肉慾，有無限制的好機會。雖然祇有三間華麗的小酒店，但是露天架設帳幕，才是說不盡的好春光。

海灘是廣闊的，就在空地舉火煮食，亦另有一番風味。

談到色情的場面，這個島上是各適其適的。除了展開向外來的女人進攻，島上的大溪地滋味的女郎，可以在此地的兩個架步找到。其中一家是售啤酒的花園式架步，內有一個酒吧，木桌子及音樂點唱箱，土女在等候着你，健美而帶古銅色皮膚的女郎與你共舞，另外一家在市鎮外，陪坐桌子是卅披索（美金二元四角），她們都是有價的貨色。

在島上長期居住的寡佬，是不愁沒有土女作伴的，她們的祖先既是南海的民族，一切承襲了玻里尼西亞人的作風，島上的土女亦欣然承襲了大溪地的自由性愛作風，以來者不拒，單身男子是艷福享之不盡的。加州的商業美術家米克來說，他的女伴美麗極了，與「叛船喋血記」一片場走出來的靚女無異。無論什麼，卅餘的土女，都是他的女伴。他樂不思蜀，恐怕已忘掉美國了。

此地的性自由氣氛表現，恐怕有甚於大溪地。在那個實際的南海天堂，見到沙灘樹叢下及巖石後，男女公開造愛，有什麼稀奇呢？在這墨國的大溪地，可以親睹男女在水中造愛！一次有一雙男女浸在約腰部深的海水，就公然歡好了！這個海灘並非祇有他倆呢，還有許多男女生戲水，大家見怪不以爲怪。這事情不是發生在夜裏，而是炎陽高照的下午，衆目睽睽之下！如果在加州稍爲露體，都有被捕之虞了。

除了土女，也是嚇煞人的。墨國「大溪地」有一位鋼鐵大亨的千金，一外籍女兵，已是夫人身份，也在島上尋歡；小姐以找海灘男子做伴爲目的；來地是一個空中脫衣舞孃，也要一試外地異性的滋味。事看得不嚴重，這個島上自然亦有其他不良現象，酗酒及嗜毒，在此地頗爲流行，這已成爲土活方式之一。

是墨西哥人吃驚的是，有專攬同性戀的生意，年輕的男娼，竟在島上出現，供應了島上人的需要，此外，接了客人就地完成交易，有可謂怪事。

島上既然有人販毒，吸引更多的人光臨了。在此地不會像在墨西哥城及阿卡巴高，歹徒引誘「老襯」的低價售毒品給他們，然後串同警察把他們拘捕，勞人做好做歹，索一番才放人。墨國大溪地却可以嘗足了「LSD」，才去結交市鎮內的土女尋樂，不怕墜入陷阱。

施哈坦尼佐島的誘人程度，可以拿幾個例爲證。政客總會吃酒，他們多年前偶然來到此島，欣賞了土女，一時忘掉了自己有政務在身。高邦夜遊邂逅了土女，玩得太痛快，索性此拋棄了擾攘政治生涯。有者身來一到島上，寧願暫時放棄職業，再作打算。外地人登岸後，大有當地人到此天堂更佔便宜之感。有一個西班牙語的民族調查組的女郎員，上岸後一味是擁手及接吻。那些熱情紅的牛年，對着他們自費留在島上。後來這批調查人員返回大陸，寧願請假半年，至盡興才返。

美國的新型企業電話情報服務社

·曾日輝·

某一個星期六，一個醫生正在依利諾州史柏靈機場上作娛樂性的飛行時，突然他口袋裏的小型無綫電傳聲機發出了一種訊號。他馬上把那傳聲機放到耳邊，按動機鈕；不久，機裏傳來了一個少女的聲音說：「一五四，電碼三號，緊急意外，連絡二十號站。」

那個醫生經過查詢之後，知道這是五十哩外的電話情報服務社所發的消息。據說：醫院裏現在有一個孕婦，不幸難產，情勢危急，必須由他馬上施行手術。於是他馬上加速向那醫院飛去。一小時後，一個男嬰終於安全地產下了。

在今日美國爲了便利電話用戶應付突發的緊急事件，一種特殊的企業——電話情報服務社現在已經分別在各州普遍成立了。他們工作的方式，是利用一種無綫電傳聲設備，跟一般繳納月費的電話用戶，隨時保持密切的聯繫。因此，每當用戶因事外出而家裏的電話突然傳來緊急消息時，電話情報服務社自然會把消息代接，並馬上向那個用戶報告。迄至目前爲止，分佈於美國各州的電話情報服務社，已經增至二萬個單位，獲益的市民達六百萬人。就以紐約一地來說，這種電話情報服務社已經有一千個單位。至於加拿大方面，在過去十年間，這種服務社的數字，也增加了五倍。

電話情報服務社除了代爲收發緊急消息之外，凡是繳納月費的用戶，假如突然有什麼需要，像購買物品等，也隨時可以委託這種機構代辦。結果呢，總會比自己經手更爲美滿些。電話情報服務社徵收的費用，如果以每週七日，每日二十四小時不停地工作計算，月費約二十元。

電話情報服務社的設備，多是利用一種特製的駁綫機，從事工作；但也有一部份是利用空氣傳聲機連絡的。通常這種特製的駁綫機，機上雖僅有幾條外綫，但却也可以同時應付一百處不同的通話。至於利用空中傳聲機工作的服務社，用戶必須隨身攜帶一具電池無綫電傳聲機，這種器材，比我們放在口袋裏的烟盒稍大，每當服務社接到什麼緊急的消息時，他們就利用那具傳聲機跟用戶連絡。用戶接到他們的緊急呼號後，可利用就近的電話向服務社查詢，這樣，不論任何重要的消息，就都會迅速而完滿地轉達了。

電話情報服務社的始創者，是彼奧利亞的藉治溫約治。是一九一三年吧，廿五歲的藉治不過是一名紐約市電話公司的對僱員；當時，他體會到這種服務的極端重要，於是他就辭去了原有的工作，或立世界上第一家電話情報服務社。

之後，由於這種服務社的成績大有可觀，類似這種服務的社也相繼成立。一九二八年，底特律的約翰文格遜機構也就跟着成立。正式開辦了一家廿四小時服務的商業性服務社，從此不停工作的後，一般大小公司行號，每日在下班後所有的電話消息，也就得以全部紀錄無遺了。至於利用空中傳聲機跟用戶連絡的機構，是由法克希斯和威斯丹聯合在紐約創辦的。今日主持一部份服務社工作的人員，其中竟有殘廢者和盲人在內。事實上，對於這種工作更是具有假如頭腦清醒，同時更是具有堅強判斷力的工作，那就每每有着意想不到的工作效果。

足球史話

·彬彬·

他們約定在相距的一半路……皮球踢進對方的城門……（以下數欄：）故在大的平坦空地上，訂定有界綫，跟現今的足球差不多。雙方的數目是相等的，由十九人到五十人。這種球賽還沒有被特定的名稱，有人叫它做「蹴丹麥人的頭蓋」或蹴「牛的膀胱」等等。但在十二世紀名叫「富特保爾」，英國人在有暇時多玩這種球賽。後來被英王亨利二世禁止舉行，因國民多玩足球而疏忽練習弓箭，他下令凡敢偷玩足球的人就被監禁。連用來作球賽的地方的地主也會被好上地充公。英王的嚴例沒有人敢犯，故在一一九年亨利二世逝世時，足球久已被人忘記了。在隨後的統治者也繼續禁止玩足球，凡四百多年之久。

直到十七世紀早期，槍炮代替了弓箭作爲戰爭的主要武器，詹姆士一世便將足球解禁，他更鼓勵國民作這種球戲，認爲是最健全的運動和消遣。自後在英國各城市村鄉，玩足球的人很多，但比賽規則是各異的，在賽前由兩隊的隊長先行洽商同意的賽法。

在十九世紀早期，足球比賽的規例被劃一修訂，大家都稱方便。到一八六三年倫敦足球會成立之後，足球在英國更加蓬勃，進一步傳播到世界各地去。本個世紀開始後，在每一個文明的城市中都有足球場的設備，國際足球聯合會在一九〇四年成立，在一九三零年舉辦首屆世界杯足球錦標賽，這是在世界上的最主要的足球比賽，每隔四年舉行一次。第八屆現今在倫敦進行比賽，在本月底便可決定誰是本屆的盟主。（下）

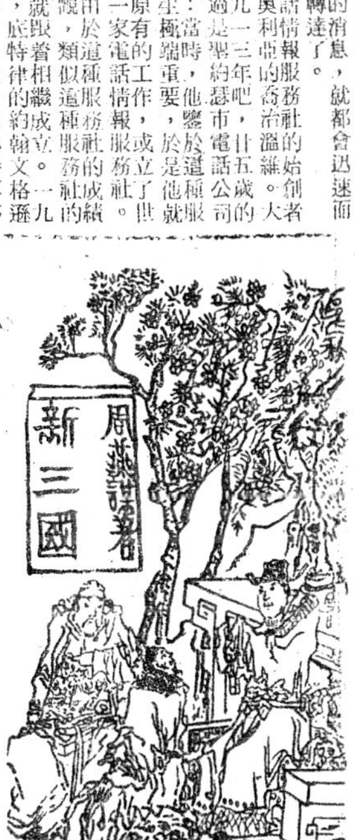

新三國

周[illegible]著

可是袁術只撥給千多人馬，騎士數百人，其餘賓客願從孫去的有數百人。等他到了歷陽的時候，便有五六千人。孫策先將其母由曲阿遷到歷陽，再遷到阜陵，這是九江郡屬縣，（此地在三國時代，始終爲魏吳邊境地方，縣治遂廢。）在今之安徽和縣西北。孫策把家安置妥當，率軍渡長江，所向皆破，莫敢當其鋒。他的順利渡江而東，沒有受到多大阻礙，完全由於他的軍紀嚴明，秋毫無犯，而且廣獲江東百姓歡迎。

廿五、孫郎威震東南

孫策與周瑜，都是三國時代的美男子，「美姿容，好笑語，性闊達，容納善言，善於用人」。「是以士民見者無不盡心，樂爲致死」。孫策渡江，時爲興平二年，首先攻打劉繇牛渚大營，劉繇棄軍奔逃，孫策盡獲戰利品無算。當時在江蘇和劉繇一氣的有以前做過彭城相的薛禮，做下邳相的笮（竹頭，以下同）融，薛禮駐在秣陵，就是現今江蘇江寧縣，笮融在縣南外圍，與劉繇爲掎角之勢，這三人在江東是結爲盟約聯防的。劉繇敗逃，孫策轉攻秣陵外圍的笮融，融出兵交戰，大敗而退，孫策斬首五百餘而還。笮融不敢與戰，深溝高壘。孫策乘勝渡江攻薛禮，薛禮不敢抵抗，突圍而走。孫策勇往直前，有樊能、于麋二人合兵攻打孫策後方的牛渚屯，孫策聞之，回軍攻破之，俘獲男女一萬有餘。三國時代，很多軍閥都是帶兵而又牧民的，除了正規軍之外，也有老百姓和女人。戰敗了，無論男女，一概成爲俘擄。孫策解了牛渚屯之圍後，回頭再追擊笮融，不料爲流矢所中，射在臂部，不能乘騎，只得奈與回牛渚。這消息傳到笮融那裏，說孫郎中箭已死，笮融大喜，即刻來攻，孫策先在後方設下埋伏，挑精兵數百迎戰，笮軍出擊，孫郎之軍未能血刃，即行退敗，笮兵追入伏中，孫策大破之，斬首千餘。孫策又下令左右大呼「孫郎」，笮融聞「孫郎」尚在，驚怖惶恐，夜晚逃散大半。笮融所屯，地勢險固，不易攻拔，乃舍去。回頭轉攻劉繇別將於海陵、湖孰、江乘等處，所向皆破。劉繇各屯皆敗散，孫策又乘軍逋逃，江東諸郡皆損毀了城郭奔逃。這時候孫策在江東聲威大振，因其年少英俊，百姓都呼他「孫郎」。雖然他已是折衝校尉的將軍銜頭，但是江東老百姓都呼他「孫郎」而不名。初有聞「孫郎」到了，如失魂魄。長吏都棄城郭，竄伏山中。後來因孫策軍紀嚴明，秋毫無犯，百姓大悅，紛紛前往勞軍。

劉繇棄曲阿而去，孫策入曲阿，勞賜有功將士。派陳寶到阜陵迎吳夫人入曲阿。傳令諸縣，劉繇、笮融等故鄉部曲來降者一概不究，樂於從軍者，家侔終身，不樂從者，聽其自便。不旬日，四面雲集，降兵二萬餘人，馬千匹，威震江東，形勢轉盛。

江東殘餘勢力，只有會稽郡及東冶之嚴白虎，衆有萬餘，孫策引軍渡浙江，據會稽，屠殺東冶，嚴白虎大敗，投奔餘杭許昭去了。因許昭昔年與孫堅有舊交，故陳普欲攻之，孫策不准。另外有合浦太守嘉興王晟等，衆衆萬餘，有的數千人，各據一城，孫策皆攻破之。

（五十三）

傲視的劇社

七月開始，劇團又有好訊，一是漢聲國劇研究社，於二日在文藝活動中心的音樂廳成立，由攀票鄭大偉主持，已有社友三十餘人，那是平民化的純粹票社。一日有中華國劇社成立，就新聞報道，其董監事人選，皆北市第一流的聞人，如周至柔，黃少谷，蕭同茲，俞大綱，梁寒操，皮以書，范鶴言，江一平，翁明昌，董漢槎，張育黎，李荊蓀，葉明勳等，由范鶴言任社長，譚硯華任副社長，趙培鑫任總幹事。將來演出，必與聯友同樣，那不是票友，等於內行組織的劇團，我深為趙譚兩位，有此傲視，足以壓倒其他一切民衆劇團，瞠乎其後矣。我在兩週以前，聞友相告，硯華有很大的計劃，今始驗矣。硯華手腕靈活，來台未屆一年，已出任副社長，不可謂非際遇。這也是她母親來台訪問故舊，遇到幾位夫人，才有老世伯慨助，組織成功。今後須要努力深造，多拿出一點玩藝，方能眞享令譽。在劇團裏的公演，祇問票路寬暢，則每月一次或兩次，均無所謂，此點當易解決，則此後之蓬勃，可以預卜。

國劇繽紛續錄

（四十九）婆娑生

陸光藝工大隊

陸軍劇展，行將開始，承洪上校遠遺特刊一冊，披閱之後，對於該隊的組織，已窺知輪廓，深佩其完整與龐大，夠有格局。原名陸光，在今年七月七日，是成立八週年慶，奉令更名為陸光藝工大隊，所轄有六隊，計國劇隊、話劇隊、豫劇隊、歌劇隊、台語劇隊、電影隊。二班為國劇幼年班。此次劇展，除電影以外，以六隊（連班併計）作各種不同型態的演出，連續十二場，在軍中確可說是創舉，為劇史寫下了新的一頁，值得贊許而欣慰的。

陸光成立於四十七年七月，選拔優秀人才而組織，先設平劇話劇電影輕音樂四隊。五十二年為適應官兵康樂需要，又增設豫劇與台語劇兩隊，同年十月成立國劇幼年班，招收學生四十人，經過七年訓練，已曾作首次公演，其演技純熟，動作活潑，較復興劇校初期為尤甚，是有新的希望，與未來的美景，博得觀衆同聲贊揚。

八年以還，為着康樂要深入基層，遍歷各地勞軍，演出場次，已達九千一百四十六場，平均每年約有千餘場，可說發揮至高的工作效率，致力於革命的藝術，不可謂不輝煌，將來必成自由中國的最堅強的劇隊，企予望之。

「死亡之牆」

・若翰譯・

年幼的葉鳳．史德」，在母親携往遊樂場時，即改變了她的生活，當時她只是個九歲的育嬰堂學校女學生，她即愛上了「死亡之牆」。

由那時起，她即下決心，到將來長大後，成為「死亡之牆」的藝員。二十年之後的今日，葉鳳如願以償，她在英國愛薩斯郡南區的一座遊樂場裏，於「死亡之牆」獻技。那些穿着便服或是夏裝的渡假男女老幼，付出兩個仙令、欣賞葉鳳駕着電單車，以每分鐘一哩的速度，在高達二十呎的圓牆上飛馳。

葉鳳在圓桶形的高牆裏上下的滾駛着，同時還表演各種的花式，或僅坐半邊座位，或將一腿擱在手掣上，或是將兩手離開電單車的扶手，等種種使人毛髮倒豎的技藝。

葉鳳是個金髮的女郎，她說：「當我在圓牆裏，我感到毫無緊張。在地面時我反而覺得憂慮，但一到了圓牆上，一些煩惱也沒有。我記得曾有人問我：「能夠在圓牆上一天的轉個不停？」我亦善歡如此的，因為我不是和羣衆在一起，我在那兒的空間，便感到優悠自在的。人們在圓牆上邊俯視下來，認為我好像動物園裏的猴子或是扯綫的傀儡。他們似乎不把我看作為人的。事實上大部份人們經過一星期的緊張辛勤工作，他們有權以此為娛樂的。要是他們能夠以此愉快身心，倒是一宗樂事。」

葉鳳成為「死亡之牆」的藝員，是不理家人的強烈反對的結果她原和家人住在根德郡薛建砵鎮，他的父母在當地經營鄉村俱樂部。那個市鎮，特別細小，沒有生氣，甚麼都缺乏，他們希望她在那裏結婚生兒育女，她像給關在那裏，活像一朵永遠不會開放的鮮花。她對於那些自負而炫耀財產的人們，感到惡心。

所以在她十五歲時，即隻身前往倫敦。初時，無法找到工作，過着每週四天都吃麵包的生活，夜裏她步行好幾哩，自我鼓勵，不要灰心。最後，在美輝鎮一間售賣潔淨品的商行裏幹電話接綫生。夜裏在比提海鎮的遊樂場工作。她對遊樂場的生活，渴望已久，她認爲那兒自由自在。

有一天，有一位有趣的細小漢子，駕駛電單車到來。他是個「死亡之牆」的電單車藝員。她即央求這漢子教她駕駛，他答應下來，着她第二天去教她。

當天她打電話給母親，告訴她要做個「死亡之牆」的藝員，但是她母親提出反對，說要召警制止她。

到了第二天，那位漢子讓她坐上電單車，叮囑她只要向左望，否則便會暈眩的。當她實習駕駛時，有着異樣的感覺，她覺得宛如一頭鳥雀，自由自在的飛翔。當停下來時，她問能否再乘一次。那漢子答應第二天再讓她坐在車上。

由那時起，每天都練起來，漸漸她能夠操縱自如了。後來，她辭了接綫生的那份工作，在她十六歲時，即加入電單車隊，很快她單獨的演出。而且先後在英國、德國、非洲等地的「死亡之牆」演出。

葉鳳所遭遇的危險，多至不可計算，有一回車子向上駛，一次車頭扶手脫出電單車打觔斗，她的手臂擱於圓牆上，其男助手所駕電單車輾過。許多時她所乘的電單車原鍊子溜出鍊軌。她認為如果出了亂子時，首先所憂慮的並非自己的軀體，而是她底電單車。當發現車子扭裂，而自己躺在一邊，那末腦裏想着：「天啊，那不會是我的。」

在六個月內，葉鳳斷了六根骨骼，她的右膝，損失了軟骨，同時這條腿，傷痕斑斑，她說在脊骨還有一個洞子。當那次意外事件發生後，她想作短期休息，可是那無濟於事。（上）

試探『聊齋志異』與遺稿之迷津

周遊

該本聊齋志異的能問世，是由他的朋友鮑以文出資，由余蓉裳、郁佩先和他的弟弟趙皋亭任校讎。

趙荷村這篇序文撰成於乾隆丙戌，端陽前三日，地點是在睦州官舍，自稱是蒲留仙的後學。

趙荷村在他刊刻的聊齋志異本子前面，撰了十條例言，在其例言中，可以知道原鈔本流傳的情形，與編校印刻的經過，可供研究此小說者的參考。為省文起見，僅扼要列舉如下：（因坊間流行本已無此例言可尋）

聊齋志異的初稿，起初命名為「鬼狐傳」，是蒲氏自己命名的，因為他曾做了一個夢，夢見狐鬼羣集於床，揮之不去，遂以意揣之。後改名「志異」。這也許是他寫的鬼狐故事寫得太多了，滿腦子充斥了鬼狐之故。後來張此亭則憶改為「聊齋雜志」，而且又刪改了一些。但是趙荷村則依蒲氏之原稿刊刻，題作仍「聊齋志異」。

趙刻本並附有王漁洋的評語。因王漁陽初欲購其稿而未果，故附刊之，以見其詳。

趙荷村對於原稿亦有所刪改，他說：「卷中有單章隻句，意味平淺者，刪之四十八條。」

在趙荷村刊刻後，又聞濟南有一姓朱的家有藏稿數十則，可見「聊齋志異」的趙本刻仍有遺稿未能全部收入。趙刻本共收有四百三十一則，今日坊間流行之版本，即趙刻本翻印的。

上面已將聊齋志異的原稿流傳抄錄及刊刻之經過清楚，下面應該探討蒲留仙「志異」的遺稿問題。

稿，前闕於蒲留仙「志異」[illegible]劉階平先生[illegible]方完成了「志異」的搜輯[illegible]「蒲留仙遺著考略與志異遺稿」[illegible]遺著，並非僅「志異」一種，[illegible]

十則[illegible]稿本皆爲今坊間流刊本所無。道光四年甲申（一八二四）[illegible]段雪亭序文[illegible]睹，正閒齋鈔本，是來自濟南朱氏[illegible]自淄川者，內有趙荷村序文[illegible]光三年（一八二三）癸未，與德州劉仙舫，夜促膝言及[illegible]道光四年（一八二四）[illegible]不分卷，趙作「聊齋志異遺稿」[illegible]平先生在民國二十[illegible]聚珍版排印之[illegible]為四卷，題為「聊齋志異拾遺」[illegible]劉氏此稿是出於段雪亭序本。（三）

楊昌濬軼聞逸事

李仲侯

越日，彭至大樹屋場楊公家，則老屋數楹，護以槿籬，別有一番風光。犬吠在門，庭院冷落。楊公正在後圃鋤菜，急具衣冠出見，其夫人成氏則身著犢鼻裙，正在傍屋裏餵豬。彭公握手勞之曰：何自苦乃爾？楊則謂閒居無俚，聊以自食其力耳。彭公將訪察所得轉告左公（宗棠），左即專摺上奏，故不久即奉旨起復，幫辦甘新兩省善後。繼之出任閩浙總督及陝甘總督。從茲官運大亨，一帆風順矣。

楊氏無論治軍從政，皆能清廉自持。出任閩浙總督時，始相地西陽楊家山，新建太傅第，亦不過磚房數十間，樸而無華。內建十萬卷藏書樓，名曰四知堂，長期開放，供鄉人子弟隨時前往閱覽，有若今日私人之圖書館然。迨其子楊彥圭久任淮陽鎮台十年，淮陽為鹽商麕集之地，殷富甲天下，規費所入，日逾千金，復在西陽棚家台大啟爾宇，新建三進九廳之巨廈。吾岳家鄰近太傅第，少日在鄉曾與楊氏諸裔孫交游，歲時過岳宅，必留連數日，藉得就近瀏覽公所藏書。曾承公之孫蔚之兄出示公親筆日記數十冊與當日各名公巨卿往來書札數千通，日記中偶提及時事及臧否當代人物，均據事直書，不避忌諱。關於楊乃武與小白菜案，那時鄉人亦多作為茶餘酒後之談助，日記中對先後案情之發展，亦陸續有所紀載，且甚詳細，似與後來諸野史和私家載筆所述，大相逕庭，惜當時年少，漫不經心，未及將公所記有關此一椿公案資料抄存。餘杭縣令劉彤到任時，其同榜同年寶鋆大學士親具短札，寄語楊氏關注一函，亦赫然在其所藏第一批最重要之書札中，寥寥數語，任意揮灑，似出自寶鋆親筆。無奈諸孫半屬不肖，揮霍無度，酷嗜賭博，入民國後，大半已將其家產蕩盡。武徽之極，甚至太傅第的磚瓦亦拆卸出售，十萬卷藏，久已陸續付諸賈肆，公之日記書札，亦不知散落何方，今則更不堪問矣。

楊公與先祖父祥圃公同肄業於婁氏漣璧書院，同出於羅澤南大師之門。某年同楊赴縣城應童子試，二人同時致取了秀才，試罷賦歸，結伴偕行，路過石獅港之掛榜山，各題詩言志，猶憶先祖父詩有：「掛榜山猶在，有我姓名無」之句（時在回程中，當然還未得到入學的消息）。其時先祖年十八，楊公則廿一。公年長先祖三歲。余先曾祖徽卿公年六十二，始游泮為邑附生，父子二人就私宅傍與建學舍一區，教授鄉里，橫經論道，及門者恒百數十人，共同致力於舉子業，斷齏畫粥，貧苦自甘。楊公開府浙江日，曾兩度書招先祖入幕，記先祖最後覆書有云：「如傲倖秋闈獲捷，則當與故人倘徉於六橋三竺間，一覽江山之奇；否則仕隱分途，行將青氈終其身矣。」後來先祖侍親課子，牽於家累，遂終身未出山，同學二人一則迭膺兼圻，一則荒江老屋，為窮諸生，寂寞以終。人生之落英墮溷，殆若有前定者耶。楊公知先祖束修所入，不足以贍其家，每逢歲時令節，楊公必餽贈先祖以數百金，濟其困乏，老輩風誼之篤，於斯可見。在我童年時，先祖於授課之餘，時常與友人聊天，提到楊公年少時許多逸事，駭悶知，大都不可省憶，僅記得先祖常言，他與楊同學時，楊長年累月，老因披着一件藍布長袍，行動言語，多與衆異，精力過人，閱書一目十行，下筆從不遺忘。余父鑽予公曾對余言：楊公晚歲在總督陝甘任內，坐避回出城，曾掛彈章，年已七十餘，致仕還鄉，住長沙禮問街私邸，池曾侍先祖父往叩起居，見公仍然披着一襲老長衫，鬚眉皓白，目光燜燜，猶絮絮詢問鄉故舊瑣事不置云。（五、完）

臺南市稅捐稽征處公告

中華民國五五年七月十三日（55）7、13南市稅一字第1970號

事由：為辦理五十五年度綜合及營利事業所得稅預估申報公告週知。

①查應納營利事業所得稅之營利事業及應納綜合所得稅之執行業務者獨資資本主合夥組織之合夥人依所得稅法第六十七條規定應自本（55）年七月一日起一個月內預估五十五年度營利事業所得額或綜合所得淨額，並計算預估應納稅額以其二分之一為暫繳稅額（繳款書向本處第一課索取）並依規定格式填具預估申報書（向本處第一課索取）檢附繳納暫繳稅款收據辦理預估申報自向公庫繳納逾期未依規定申報者即由本處依照同法第六十八條規定處理幸勿延誤。②特此公告。

處長　蔣　灝

自由報

內政部台報字第〇三一號登記

THE FREE NEWS

第三七六期

中華民國僑務委員會頒發台教新字第三二三號登記證
中華郵政台字第一二八二號執照登記爲第一類新聞紙類
（半週刊每星期三、六出版）
每份港幣壹角
台灣零售價新台幣貳元
社長：雷嘯岑
督印人：黃行鑒
社址：香港銅鑼灣高士威道二十號四樓
20, CAUSEWAY RD 3RD FL. HONG KONG
TEL. 771726　電報掛號：7191
承印者：大同印務公司
地址：香港北角和富道九號
台灣分社
台北市西寧南路壹壹零號二樓
電話：三〇四六二
台郵撥儲金戶九二二

美國對越戰的最大錯着

·周泰漢·

美國飛機開始轟炸河內與海防附近的油庫後，北越的反應計得兩項：其一，發出恐嚇，要將被俘的美國機員當作「戰犯」審訊處決；其二，胡志明裝模做樣的下令局部動員，強調決心同美國打到底，打到全越南境內沒有一個美國兵爲止。

北越所作「審戰犯」的恐嚇，固然一直使得美國朝野上下驚惶恐懼，憂心如焚；胡志明的那項欺天下以無知的所謂局部動員令，更使美國袞袞諸公搖頭嘆氣，聳肩擺手，一種「無可奈何」的情狀，可掬而得。美國轟炸北越油庫之舉，據說乃是「越戰昇級」的表示，這且不去管它。但據共產集團特別是毛共與北越所指出，美國這項動作的用心，在於「以炸迫和」。如果不以人廢言，它們所使用的這四個字，倒不能不說是一針見血之論。

是的，「以炸迫和」。美國轟炸北越的軍事目標如油庫之類，是從事戰爭打擊侵略的必要手段，絕對需要，亦絕對應該，任何人都無話可說。壞就壞在那一個「和」字。美國正式介入越戰已三四年於茲，派到南越的地面部隊已接近三十萬之數，轟炸北越亦已一年又半了，用力不爲不大，所耗物力財力與犧牲的人命，亦不可謂不多，然而至今越戰仍然糾纏不解，結束之期遙遙不可知者，最致命的錯着，便是一心想和。這一念之差的「和」字，可眞把美國害苦了！可以肯定的下一個斷語：美國如其不及早的收拾起想和的念頭，越戰是打不完的戰爭，亦是和不了的戰爭。雖打十年二十年甚至更長久的時間，美國亦把侵略者的對方毫無辦法。不但和不來，倒眞令人耽心美國將會有自認失敗、棄甲曳兵的退出越南的那一天！

美國自從介入越戰迄今，就爲了念念不忘於和，在戰場上於是借手借力，自縛手脚，生怕落手過重，打到了對方的要害，把和平之神嚇走了。美國在戰場上，先之以輕搦慢撚，對方當然不當一回事；繼之吃虧大了，乃被迫逐漸把戰爭昇級，落手稍爲重一點，但在於既是逐漸而來，在級與級間又多所躊躇，以示萬不得已的苦衷，往往且還先向對方援出警告，等於把自己的行動秘密告訴對方，使對方預爲之備，如此一來，由於既非迅雷不及掩耳，又非雷霆萬鈞勢不可當，對方當然儘有能力抵抗。[illegible]打法而欲達到和的願望，怎麼做得到呢？美國念念不忘於和的此一心理一錯着，更建築成功一座硬不要和的「萬里長城」，使美國永遠也攝取不到「和」的果實。美國爲了一心想和，打明響的說[illegible]

美國幷不要在這場越戰中取得勝利。美國爲了一心想和，又打明叫響的宣佈說：美國絕對無意摧毀北越共黨政權[illegible]和。[illegible]始至終苦口婆心的公告天下：對方什麼時候表示願和，美國自可以隨時派代表到任何地方，同對方一道走入會議室，而且和談「絕無條件」之可言。如此一來，等於向對方下了不會失敗的「保票」，使對方吃了「定心丸」，[illegible]

它那個政權存在的根本，等於說勝敗都有了，它無所恐懼，要同你美國講和。北越非僅不和而還以爲撐下去有獲致勝利的把握，是說它眞以爲能夠最低限度所謂致勝利，倒不是說它眞以爲能在戰場上打敗美國，而是以一個「拖」字訣，拖到美國日久生厭，同時運用美國的那些反越戰份子和戰爭恐懼病患者，不斷向華盛頓攻勢，迫使美國自動退兵，最後撒手不問，把南越「一筆勾銷」完事。如此，到底是北越的勝利，整個越南都是它的天下了。這樣的結果，看得遠一點，豈但是有可能的，簡直是大有可能甚至難以避免的。形勢既然如此，北越爲什麼要半途而廢，同你美國講什麼和？

這足見，以美國今日的想法作法，而企圖使越戰得到和解，是妄想，是絕對做不到的。非得改弦易轍，另打主意不可。然則該怎麼辦纔對呢？顯然有一着是非採取不可的，這便是正正式式的向北越宣戰，并抖擻精神、揮軍登陸進攻，着着實實的收拾它。在向北越宣戰的同時，并向毛共提出嚴重警告：不得派兵——包括所謂志願軍進入越南；警告它如果敢於妄動，美國便要把戰火帶到大陸上去。

美國果眞採取這一着，可以預見，胡志明那一小撮人在前有追兵，後無退路的絕境下，除非即早棄戰言和，它那個政權不旋踵間便將歸於灰飛烟滅。那時節，北越再不是輸贏都有糖吃了，亦再無時間任其喘息、無地方可予庇護了，它必將向美國請和求饒之不遑了。

美國當局也許就擔心這樣做會引來毛共甚至蘇俄捲入漩渦，而演成爲第三次世界大戰。實際，這可能性接近於零，大可不必杞人憂天。蘇俄不會因北越而冒自身毀滅的危險是幾乎可以估斷的。[illegible]

地位被犧牲

加強麻醉

今日與明日

中共的垂死掙扎

中共在大陸上推行的文化大整肅運動，範圍很廣，牽涉的人也極多，[illegible]

血腥的鬥爭。這是垂死的掙扎，根本不會收效是可以肯定的。

屠殺不會收效

青年人是正義的，也是衝動的。[illegible]

此而稍爲削弱青年們的反共活動。[illegible]

自由談

台北有個羅姓青年子弟，他的父母都是師表人倫的大學教授，因爲向父親索取五十元台幣的零用錢不遂，取當場勒緊乃父的西裝領帶，致父於死地。事後警務機關將這個逆倫的兒子帶到殯儀館省視亡父的遺容，藉以觀察他的心情表現出於，故意以判明其逆行究竟是出於殊科學呢？抑係過失？這是很的辦法，又極合情理的。着亡父的下屍身，結果他對，日不願的讀不許。但毫無戚容，因此死了，跪叩拜，又聲言「他法，我感覺輕鬆些！」

院決定要解剖死者的屍體，查驗頸部是否有傷痕，作定讞根據，這也是應有的處置。

關於本案的法律責任問題，應由法院裁判，毋庸旁人置喙。我所以不能已於言者，乃是人類，亦有獸性，人與教育問題。人之所以爲萬物之靈，乃有智慧，天賦和後天的教育作用，究與禽獸有別，故曰「人爲萬物之靈」。今觀此羅姓青年子弟的言行表示，却與吞食父母的下等動物鴟梟無異，反證儒家所謂「人性本善之說，并不可靠。吾國傳統文化思想素所重視的孝道，今日已不合時宜，我們亦爲腐敗封建思想了，彼列者，乃是人性與教育問題。

對逆倫案的觀感

弑父的凶頑之徒，都是以家庭教育不良爲基因，而以母教的責任尤其重要，許多不肖子弟，多半是由於母親平日溺愛縱容纔養成的，事實繁多，不勝枚舉。現代中國人的家庭與學校教育，對於固有的傳統文化思想那一套，唾棄不遑，模仿西方的教育方法又四不像，別人的好處皆莫名其妙，壞處却徹底吸收，更有甚焉，羅姓子弟之逆倫行爲，眞是豈有以也，豈徒然哉！

我相信人性本惡之說，因而贊成對壞人須用重典，多殺些壞人，或許可望遏止人類獸性之勃發，使國家免於危亡之虞，逆倫的羅姓子弟，不過是千千萬萬壞人中之一份子而已。

不必發思古之幽情，還說甚麼兒女必須孝順父母的話，總不求但人的心性與行爲，能跟禽獸一樣，道理似乎未可否定吧？假使人類都像羅姓子弟的行爲，那是比共產黨徒更前進，世界早已赤化了，今日自由國家之反共，可謂庸人自擾也矣！

談到教育問題，我認爲「家庭教育的關係最大，與「太保」「太妹」，大逆倫所謂

馬五先生

安圖最終赤化全球

蘇俄間諜到處為非作歹

其外交人員與記者幾乎全是特務

——倫敦通訊——

蘇俄企圖稱霸全球，赤化世界之野心，與陰謀，不論其在列寧時代，史達林時代，乃至赫魯歇夫時代，赫魯歇夫被黜後的當前新政權，仍是一貫而毫無二致。赫魯歇夫以後，克里姆林宮的統治者們，雖高唱其「和平共存」的濫調，但自由世界對於這個幌子，無不洞燭其奸，嚴密防備。

俄帝既有其向全球擴張的野心，當然有其一套海洋戰略。

俄帝東瀕北太平洋，北臨北極海，兩面均受凍冷氣候嚴重影響。西南兩面，則為波羅的海及黑海，也幾乎成為全被封鎖的內海。可以自由出洋的海口，則全部控制在自由國家手中，活動範圍極受限制，其痛苦心情，不難想像。

史達林在第二次世界大戰後，非常重視海軍，他認為海軍力量不像陸軍同等強大，蘇俄即無法稱霸世界。隨即想盡方法，謀求海軍的迅速發展，以遂其稱雄世界之目的。近年來蘇俄艦隊突飛猛進，令人刮目相視，竟取代英國，一躍而成為世界海軍「第二強國」。

然而，蘇俄近年來最感危險的也是來自海洋的威脅，其中主要的乃是：北大西洋、地中海及西太平洋上強大機動艦隊中航空母艦所載飛機，以其戰略挺進的姿態，深入共產國家腹地，尤以今天蘇俄各工業中心，大部都在上述核子飛彈射程以內，此種威脅更為危險。還有美國裝有北極星飛彈的核子潛艇，而且當前對此尚無任何防禦或阻嚇手段。

俄帝所處境地，既如上述，兼以內部危機百出，經濟瀕臨崩潰，於是乎不得不加強其傳統的國際間諜陰謀活動，一面窺探自由世界防禦軍事的設施形勢，另一面無孔不入地發動其滲透顛覆的種種陰謀。甚至多方竊取西方列強的國防情報和現代新武器的進步資料，可謂竭盡卑鄙無恥之能事。

列寧曾經這樣說過：「只要資本主義和社會主義同時存在的時候，我們甚至一天也不能生存在和平之中。雙方之間，必然有一方面終將以勝利的姿態出現——不是資本主義世界替蘇維埃共和國敲起喪鐘，便是後者替前者唱出輓歌。」

儘管他們表面上違反列寧的教條，而掛起「和平共存」的幌子，他們為了要實現「替自由世界敲喪鐘」的迷夢，那麼他們加強國際間諜活動的陰謀，自在預料之中。

俄帝的國際間諜活動，主要乃以外交人員的身份出現。據來自西德首都權威消息人士的可靠報導，一九六六年中間時期，俄帝派駐海外的官員，約有一萬名——其中至少有百分之六十屬於秘密警察和情報特務份子。其在眞正外交人員之間的百分比，甚且還要較高。自從本年以來，俄帝秘密警察機構，曾經有所改組而較過去任何時代所有活動經費，更為龐大。該秘密警察機構業，經接受了新的廣大任務，有如所謂「革命的寶劍」。

法國的外交手腕儘管以機智圓通著稱，最近法國外交部為戴高樂訪問莫斯科進行準備之時，有意無意中，走洩出有關蘇俄外交人員從事間諜活動的種種驚人的事實：

在非共黨各國家中，計有蘇俄大使七十五名。據巴黎可靠消息人士透露，上述七十五名蘇俄大使中，僅有二十五名從未與蘇俄的秘密警察和軍事諜報兩機構有聯系。（蘇俄軍事諜報工作網亦經大加擴充）。所有其他的五十名大使，不屬於上述兩特務機關的重要官員，便是兼任特務工作的要員。所有兩特務機關的工作人員，乃極大的超過蘇俄外交部的總人數。巴黎方面不僅有着此項確實數字足以提供，而且足以提出姓名的證據。

譬如蘇俄駐古巴的現任大使亞勒克賽也夫，實在便是蘇俄秘密警察機關的契托夫中校。他在哈瓦那的主要任務，始終是負責加強可靠的安全工作。在西非喀麥隆蘇俄五名外交官，其中四名竟是特務份子。在伊索匹亞（阿比西尼亞）蘇俄十六名秘密外交官，其中十三名不是屬於莫斯科秘密警察機關派出的，便是軍事諜報機關所派遣的人員。在塞內加爾蘇俄八名蘇俄外交官，其中竟有七名乃由莫斯科秘密情報部支付薪津的。

所有這些蘇俄特務人員，乃就他們出任外交官的那些西方各國的公民中徵集助手和探子替他們進行一切特務工作。有如此刻正在巴黎的非貝其人，一度曾屬英國情報機關的主任者，乃替蘇俄大使館從事秘密工作。西德方面，蘇俄特務份子佛爾番，乃是德國對蘇俄反間諜工作機關的首長。一九六四年間曾告失踪不知下落的北大西洋公約組織中的一名法國官員，曾替蘇俄特務機關繼續工作達十九年之久。

所有偽裝成為「外交官」的蘇俄特務份子，乃受命於莫斯科主持反情報、造謠、製造混亂、顛覆和滲透陰謀的一個特務機關。巴黎方面並經發現該特務機關乃負責對西方各國際聯盟，有如北大西洋公約組織，西歐聯盟以及六國共同市場等進行顛覆工作。該特務份子專在上述各西方組織中從事分裂，混亂乃至解體等等陰謀。巴黎當局並透露偽裝外交官的蘇俄特務份子，並須使西方各政府於採取一切政治決策時受到他們的影響。從而使美國陷於孤立，並鼓動北約所屬各盟邦之間發生分裂。

從本年初起，蘇俄秘密警察和軍事諜報兩機關，在莫斯科已達建立一個控制單位，由柴卡洛夫斯基將軍主持其事。他並兼任莫斯科秘密警察機關海外業務處處長之職。（上）

大陸食米輸港增加

祇要外滙不顧同胞死活

（本報訊）香港一部份入口商，因港府工商處放寬第三季大陸入口額而訂購的大陸米，最近已陸續運到。其中有兩家在過去十多年一直經營泰國米的入口商，最先改而經營大陸米，將首批運到的大陸米提沽，已受到二、三盤米商的注視。預料近期內繼續有三、四家一向非經營大陸米的入口商也有大陸米出售。

港府糧食統制當局放寬大陸米入口，主要原因是鑑於今年上半年輸入的食米過份偏重於泰國米，根據統計報告，今年首五個月香港食米進口百分率為泰米百分之七十三點四，比去年同期百分之五十七點七增加了百分之五點七。因為今年首五個月柬埔寨與南越食米進口百分率已降至百分之五點二，去年同期則為百分之十三點四，即是減少百分之八點二。其實今年初南越食米已停止輸港，柬埔寨食米出口實施限制，由國營公司標售，遂造成香港入口米商向泰國訂購突告增加。而泰國米亦因其他地區今年上半年需求頓增，導致泰國米訂價顯著上漲，現在泰國一級百巴仙白米訂價每噸漲至六十六鎊，二級百巴仙白米訂價每噸漲至六十四鎊，上米碌訂價每噸漲至五十二鎊。假定港府糧食統制當局不是因應環境而放寬大陸米入口額的話，香港入口米商冒高價向泰國訂購泰國米，則香港食米亦將刺激劇烈上漲了。

現在香港入口米商售出的泰國米，表面看來是低過來途價，而要蝕本的，其實不然，在今年四月份以前，香港經營泰國米的入口商已經預早訂滿第二季的入口額，甚至有些預訂了第三季入口額的大部份，估計現在存倉的泰國食米六十餘萬包當中，約有七成左右是早期低價訂入的，雖然有三成左右是後期訂入的貴價貨，但現在入口米商提沽的存倉泰國米，平均計算仍可以賺錢。問題是存倉的時間較久，除了負担較多租及銀行利息之外，輕耗率的增加也是營業利潤的損失，因此現在售出的泰國米祇能獲得微利。最近仍然有些入口米商向泰國訂購食米，祇是並非訂購每噸六十六鎊及六十四鎊的百巴仙白米，而係訂購每噸五十二鎊的上米碌及每噸五十鎊的中上米碌。

香港二十八家入口米商當中，過去祇得八家完全輸入大陸米，另有三家則是局部輸入大陸米。輸入大陸米的入口米商有些是大陸米的代理人，是賺佣方式，有些則是向大陸貿易機構訂購，運到售出是盈虧自負的。現在因為港府糧食統制當局臨時放寬第三季大陸入口額，預料銷售大陸米的入口米商將由從前的十一家增至十七家或十八家。而大陸米第三季入口額增加了，產生的副作用將是阻止香港米價上漲；雖然一部份米商認為八月份米價仍是易漲難跌，因為改變方針購銷大陸米的部份入口米商，其目的是牟利，並不是為了平抑米價。他們預料，現在每担售價六十一元五角的百巴仙泰國米，八月份可能升至六十三元左右，但能否成為事實，就要看往後市情的發展了。至於大陸同胞吃不飽而毛共却乘機多以食米輸港，又一次暴露其祇要外滙不恤人命的卑劣手段，則更不在話下。

慕尼黑舉行的國際木偶聯會

四十國代表出席歷時整整一星期

木偶戲人分別表演頗為洋洋大觀

國際木偶聯會上月在西德慕尼黑舉行大會，來自四十個國家的代表出席會議，而各國的木偶戲專家乘機作各種他們擅長的表演，歷時整整一週，極盡洋洋大觀。

他們利用雙手、繩子、小竿等道具，便能使木偶跳舞和做作，維妙維肖；配合他們的口技，便活像是舞台上眞人演戲一般。這些木偶藝人表演的地方，除了慕尼黑各大小戲院之外，也有在閣樓和地窖，甚至在戶外和巴士中，以娛普羅大衆的。

一次，在一輛巴士中，乘客們忽然聽聞車上有狗吠聲，皆不禁愕然，蓋公共車輛是不許携犬登車的。然而留心查察一下，發現這頭憤怒的小東西，却是冒牌貨，它用布縫成，裏面塞得脹脹的，有口有眼有鼻，雙耳下垂，由它的主人用三隻手指執着，吠聲就從這個木偶戲藝人口中發出。其至熱鬧的街市廣場也變成古時的露天劇場，一批匈牙利藝人就地架起一個臨時舞台，表演木偶戲劇，引動途人圍觀如堵。

慕尼黑市博物院更集中歐洲最大規模的木偶戲班，日夜分場公演，場場滿座。

這次空前的盛況，是出人意料的，因為有很多表演是官方的節目所沒有排列的，但由於國際木偶聯合選擇慕尼黑為召開大會地點，全世界的木偶戲藝人皆輻湊於此，每一國的代表和每個人均欲表現，而演出的場所有限，於是急不暇擇，變成隨時隨地上演，這是此次會議的特色，而與衆同樂的歡娛氣氛乃瀰漫全市。

在一處地窖中臨時設立一個小舞台，由一俄國人作特別表演。他的木偶班是兩個芭蕾舞女郎，兩個馬鈴薯和一個古裝洋娃娃。觀衆把這個小地窖擠得水洩不通，只見他把這兩個芭蕾舞女郎在他的雙手上滑來滑去，然後又作各種跳舞的姿態，既畢，高舉她們在空中旋轉。「新馬鈴薯演舊浪漫史」，他把兩個馬鈴薯套在他的食指上，一男一女，扮演才子佳人的戀愛故事。他口說的俄語是不必去了解的，只看他雙手演戲便可以心中了了，明白全世界的情人都是說這一套了。最後是洋娃娃登台演唱和跳土風舞。既畢，這個來自莫斯科的藝人將這個洋娃娃贈予西德一個木偶班，這是一幫門外漢於十五年前開始組織的，當年只是一個學生團體，今天這些學生有很多是醫生和文化人，但他們在畢業後對於木偶興趣未減，以迄於今。

在這個地窖表演的木偶戲是不收入場劵的，但是到地窖去要行一道螺旋形的樓梯，裏面沒有椅子，只有長櫈，窗門架和梯級，觀衆只有坐在這些地方或站立，它約容百人左右，可是却擠擁着百二、三十人。但這些人並不以為苦。那俄國戲人似乎很富幽默，他在秩序表後面印有幾行字句，它問：「你喜歡這種表演嗎」「倘若你喜歡的話，不要忘記我們的高帽。如果你認為我們至少值一張電影票的價錢，請喝采捧場，我們可以繼續表演下去的。」觀衆是樂意給予免費的高帽的。

那些木偶戲人被稱為「奇怪的狂人」，他們似乎志不在金錢，他們並沒有打算以賺得的金錢來建高樓大廈，但求生活過得去便於願已足。他們各人皆有一副坦白、愉快的面孔，其中有些人的頭部是這麼怪形怪相的，人們不禁這樣想：他們不可以用他們的頭部表演以代替洋娃娃或木偶的嗎——有些生成一雙老鼠眼和滿臉鬍鬚，有些下顎長着山羊鬚，而孔像中古時代的武士，也有女人一見鍾情，油頭粉面的小白臉，或者是獅子鼻，額上顯皺紋的傖夫。還有一個頭髮蓬亂，留有長鬚的老傢伙，名馬立克，他像一個十九世紀的教授，是國際木偶聯會的秘書長，担任此職已達三十年，他的總部設在捷克首都布拉格。

這個木偶戲人的總團體創立於一九二九年。今天擁有會員國家共有四十個之多，但大多數是東歐集團國家。木偶戲在共黨國家是獲得國家支持的，正如任何其他戲劇一樣。所以，每當有新會章付諸表決時，這些共黨國家自然佔上風的。因此，在慕尼黑舉行的大會中，爭論是無可避免的，但是大家都認識到這一種古老的藝術可能瀕於危險，故此相忍相諒，很顯然的，布拉格的中央事務處能夠維持下去，得力於各方的藝人，皆遵守一種健全的國際團體精神，而慕尼黑大會亦因此再歸於風平浪靜。新選出的委員會由德國查葛任主席，副主席為俄國人奧拉索夫和法國人譚波拉爾，在東西方間保持一種均勢，大會乃告圓滿閉幕。

瀛海異趣談

美女談美高見各有不同

·桑雅·

舉世矚目的「環球小姐」選美會已揭曉，能夠被選爲「世姐」，美必然是一個重要的條件。可是肉彈烏絲拉．安德絲最近這麼對記者說：「噢，美麗是值得咒詛的，因爲你要爲了它付出很大的代價。在我來說，我的代價是私人生活，這對于我是十分珍貴的。」

一位心理學家的意見是這樣的——「美不是一種罪惡，正是花不迷人人自迷而已。對于女性本身來說，這是一種美德，一種天才，不過，如何運用它，才是大問題呢。一個天生麗質的女人，而不懂善用其姿色，那簡直是暴殄天物了。」然後，他作一個結論：「在這方面，女明星似乎很有辦法。」

不久之前，新影后朱莉姬絲蒂接受訪問時這麼說過：「美麗？也許我有吧。不錯，美給了我無限的信心。話雖如此，天下間美女多的是，我混在其中時，我一樣會自慚形穢的。」

記者問她：「這是說你很滿足自己的容貌了，是否？」

「可以這麼說。不過，如果有可能改容，我希望面孔豐滿一些。美麗會寵壞我，那是要視情形而定的。」

至于妮坦黎活，她却認爲外在美是不夠的，她說：「我還是童星的時候，我十分滿足自己的容貌，現在長大了，想法便不同，內在美可能更爲重要。我承認目前自己不夠靚，我要決心改善它。」

怎樣改善呢？

她解釋說：「多與藝術接觸，心靈使美麗了。」

莎莎嘉寶却直率得多，她一直喜歡這麼說：「我一直是美麗的，這是家族的傳統。不過，美麗不是萬靈藥，有時男人不希罕這些。因此，醜陋女性反會獲得如意郎君，美女却可能是慘淡收場。我的經驗是——如果你想縛住異性的心，單是美麗，是斷不可靠的。」

難怪她一共結婚五次了。

瘦皮猴的新娘米亞花蘿，數日前把長髮剪短，幾乎想做光頭佬尤伯連納的妹妹。她當時這麼說：「我不敢想像我是什麼，我記得我曾在電視銀幕上看見自己，但因爲配了白平音，連我自己也幾乎認不出來。是的，我對自己的容貌素來是不注重的，我美與不美，又有何相干呢？我的事業還未成功，這點暫時是不重要的。」

慕蓮奧哈拉年輕時，她希望自己是一個仙女，現在，她年華老去了，她一樣這麼願望，她說得坦白：「女人如果不愛靚，她不是女人了。」

查理士羅頓曾有一次這麼對她說：「你太美了，你可以使一個人快樂，千萬人憂愁。」

她這麼回答：「唉，兩者都不會發生。事實擺在面前，婚姻與事業都不算成功。正因你美麗，你才要加倍興奮來證明你不是洋囡囡這麼簡單；同時，當美麗隨時間消失，你還有什麼可恃呢？」

「柏林諜影」的女主角加麗寶琳也這麼說：「你說我是美麗？老實說，這句捧場話，我不喜歡聽的。因爲如何保持美麗是絕不容易的。貌陋是一件不幸的事情，對于女孩子尤爲眞實。可是，美麗的成長是要付出代價的」。

她也像慕蓮奧哈拉一樣，對于年老發生恐懼，她說：「當女人年老，那是可怕的。但有誰能逃過這一個大關呢？每當我想念及此，我認爲內在美才是永久的，才値得受人懷念的。」

她反對女人跟別人談自己的容顏，她說：「有麝自然香，何必當風立呢？」

蘇非亞羅蘭的意見又怎樣呢？

她說：「美麗？我認爲這是不可靠的，人人顧及這方面時，你的才華便被埋沒了。因此，我演的角式，是最不注重容貌及修飾的。」

至于性感小貓BB，她却認爲美麗是一種上帝恩寵。她說：「如果女人失去了美麗，後果是不堪設想的。美麗使我的生命豐富了許多哩。」

然後，她聳聳肩說：「究竟我成了名，人們才認爲我靚，還是我靚才成名呢？這個問題，我一直無法解答的。」

美人說美的問題，也會意見紛紜，男性眼中的美，自然就更多枝節了。

按摩—古今中外

·三木·

應付了八小時緊張的工作，當你返到家中時，你會感到身體疲困，精神頹喪，儘管賢明的「太座」已爲你安排了晚間豐富的節目，但你似仍感到無精打彩似的。朋友，你想恢復整日的辛勞嗎？你想使平日的生活更具姿彩嗎？若然，請細讀本文。本文是教你如何利用按摩這門手術，去恢復肉體上及精神上的疲困。

「按摩」這個名詞是醫學上一種手術治療的名稱，它又叫做「推拿術」。古代希臘的醫生，都很喜歡用按摩來代替藥物去醫治病人；在德國，凡患感冒、肝腎及皮膚等疾病，於未用藥物之前，也有用按摩手術來鬆弛病人的神經。據說患這類疾病的人，時常按摩，是對他們身心上有很大的幫助的。

大體說，按摩最主要的功用有二：一是將緊張的心情鬆弛下來，使腦部神經系統有機會暫事休息。其次按摩可增進人體內血液的循環，將肌肉鬆弛，清除疲勞。醫學界權威人仕在經過不斷的實驗中得到結論謂：藥物清水及食物所組成的熱能和用儀器去電療，都能使一個人恢復疲勞；但最佳的辦法，還是利用人類的一雙手施以按摩手術，才是最有效和便捷的復原劑。

在接受這種奇妙的手術時，最先你會被帶進一個充滿暖氣的房間，中央置有一張鋪有潔白床單的彈簧床，當你脫光了衣服，躺在床上靜候按摩師施手術時，你會感到緊張的心情已鬆弛了一半。（切勿害羞，因這裏所講的按摩員，都是同性的，所以絕不會因赤裸相向而感到臉紅。）躺在床上時，你首先要將身體仰臥，雙腳伸直而合攏，將雙手垂膝上，手指及腳趾伸直，將眼睛閉上，按摩師會將一條熱手巾敷在你的面部、以至身體的四肢及其他部份，使皮膚上的毛孔擴張，隨後，按摩員會按着按、摩、揉、推、運、搓、擒八種手法。先從面部的肌肉做起，經過魔術般的手指的搓、揉，很快便會感到舒筋活絡，疲倦清除。頸部、腿窩、背部和臂部，是身體上勞動最高的部份，亦是最需要利用按摩手術來恢復疲倦的部份，在接受按摩手術後，你會發覺這些部份如脫胎換骨似的。按摩完畢後，按摩師會爲你將一些古龍水或香油塗在身上猛擦，來幫助血液的加速循環。最後，將你送進沐浴間享受一頓舒適的沐浴。在接受過按摩手術後，你會發覺你整日的疲勞，好像身上的污垢一般，已被清水在淋浴中被冲得一乾二淨，你的精神再不會像過去那麼的頹喪，身心的愉快，確非筆墨所能形容的。

至於按摩術的起源，傳說很多，有說起源於德國、瑞典、俄國，甚至亦有傳說按摩術是由東洋的日本傳入。但較有史實根據之一傳說則是由瑞典人哈歷在一八一三年所創的，他的著作中，他說明了按摩可以使人治病，恢復疲倦的理論，得到當時德國、俄國、法國及遠東醫學界的重視，並加以發揚和作深入的研究，演變至今按摩這一門手術，幾乎是醫生們必修之科目之一。（上）

科威特成了中東樂園

因石油一朝發跡的小國

這是今日世界中最具有神話性的小國的故事。這個故事告訴我們石油能產生錢，能將一個中世紀的封建社會變成二十世紀中葉的國家。

這個小國家就是科威特——手掌大一個國家——藏在阿拉伯半島遙遠的角落裏，面臨波斯灣。它的錢是來自握有世界最大的石油供應。在二十年前，科威特不過是在炎熱蒸氣海灣旁的一叢泥土烘乾的房屋而已，首都也叫科威特，街道狹隘得比小弄堂寬不多少，剛夠一匹駱駝擠過去。該國人民潛水尋找珍珠，建小木船從事沿海捕魚，以維持生活。當時沒有電燈，也不知道有下水道和鋪平的道路。也不可能買到一隻蘋菓或一顆包心菜，主要食物是米飯和羊肉。

統治科威特的，當時是一個酋長，他的話就是法律，他只對他自己負責。沒有國會，沒有報紙，沒有國家預算。司法是封建的、粗野的，用石頭毆打姦夫，從手腕處折斷竊賊的雙手。

今日的科威特城，業已大大的改觀，而且仍在繼續改變中。從前泥土茅屋的所在，現在是二十世紀的大都市——擴張、熙攘、繁榮——廣闊數英里，包括從前無水的沙漠都在內。

四綫，甚至六綫的公路，從市內一個交通中心到另一個交通中心。街道兩旁是高大辦公大廈，充滿了奢侈品的商店，霓紅燈閃爍，使這個城市比許多歐美城市都光亮。人民富裕，市場中出售電視機，昂貴的照相機、燻鮭魚、魚子醬，及有冷氣設備的汽車。

科威特人實在過得起豪華的生活，他們每人每年的收入是三千美金，比美國人的收入高，是他們未輸出石油前的一百倍。

科威特的石油，使這個國家一年收入約六億五千萬美元。每天出油二百四十萬桶，這使科威特成爲世界第四大的產油國，第二大石油輸出國。科威特比別的國家擁有更多的存油，有世界四分之一的存油量，據估計，它的地下石油以今日價格計算，約値一千億美元。（上）

新三國

周燕謀著

王晟等皆被俘，孫策欲族誅之，吳夫人來說孫策：「王晟與汝父有升堂見妻之分，今諸子兄弟皆誅，留此老翁何妨。」孫策很聽吳夫人的話，便留下王晟老命。

廿六、江南志士擁護孫郎

孫策自獻帝興平元年，袁術表爲折衝校尉起兵，至興平二年，江南抵定。孫策自爲會稽太守，以吳景爲丹陽太守，孫賁爲豫章太守，又分豫章郡西南部爲廬陵郡，領十二縣，治西昌，在今江西太和縣西，孫賁之弟孫輔爲廬陵太守。丹陽朱治爲吳郡太守。（吳郡屬揚州，領十三縣，治吳縣，即今江蘇吳縣治。）彭城張昭，廣陵張紘、秦松、陳端等人爲謀士。

張昭字子布，彭城人，寫得一手好隸書。少好學，師事白侯子安，受左氏春秋，博覽羣書，與琅邪趙昱、東海王朗相友善。弱冠舉孝廉不就，後復與陳琳相友善。彭城屬徐州，即今江蘇銅山縣。古時爲兵家必爭之地。陶謙爲徐州刺史時，舉昭爲茂才，昭不應。陶謙以爲輕視他，把他拘禁，趙昱營救之得免。漢末大亂，徐州知識份子，多紛紛避難到揚州，張昭亦南渡長江。孫策渡江創業、號召志士，張昭委身獻替，迨江東抵定拜爲長史撫軍中郎將。

張紘字子綱，廣陵人，也是因避兵亂渡江而東。孫策渡江創業，遂委質之，孫策表爲正議校尉。後來孫策派他奉表入許昌，曹操把他留爲侍御史。孫策死了，曹操欲乘機伐吳，因張紘之諫而止，且表孫權爲討虜將軍領會稽太守。曹操打算叫他使孫權內附，派他到江東做會稽東部都尉，後孫權以他做了長史，從孫權征合肥。孫權建都秣陵，就是他的計劃。令還吳迎接家室，病死在途中。

秦松字文表，陳端字子正，與張紘等見用於孫策，參與軍機。二人早卒，附見張紘傳。

當孫策抵定江東之際，袁術想做皇帝，妄自稱尊號，孫策使張紘作書，大斥其謬妄。

曹操在許昌，一切朝政悉出他一手包辦。聞孫策打下江東，曹操表策爲討逆將軍，封爲吳侯。建安二年，即公元一九七年夏，派議郎王輔，奉了詔書到江東去封的。孫策也僞裝恭順，受之後，使派使進貢。建安三年，又遣使進貢，貢物比以前更多。孫策此時仍尊漢天子，力斥袁術之僭號，足見其無狂妄野心。孫堅死時年三十七歲，時孫策僅十八歲。他渡江一年多光景，把江東打平，雖然江東沒有强勁之敵，然以十八九歲的少年，成此大功，眞非易事。所謂有志不在年高，用在孫策身上，恰到好處。難怪袁術說：「生子有如孫策，死而何恨」了。以二十許之青年人，統御大軍，使江東之人，聞名喪胆，遠近咸服。吳國獲得三分之一的江山，成於二十歲人之手，能不說是青年英雄嗎？（五十四）

國劇繽紛續錄

姜樂生（九十五）

公演應普遍

我以前談過公演平劇的地區，應求普遍，爲何祗見台北有平劇演出，而其他地區，則二月難有一次？是不是那些地區的民衆，不懂平劇，不愛平劇，無人問津？對於振興國劇，有作用否？對於發揚國粹，有阻礙否？皆是應當研究的。如不實行普遍，那是公演的平劇，祗供台北的一千餘觀衆所欣賞的！其他地方，無一人看到，也覺得對於社教的功效，微乎其微。回顧以往的平津滬漢，其上演平劇何等鬨動，今後難道不能再見？

一個國家，保持其固有的藝術，必須由政府加以督促和進行，毫無疑問。試看日本對其本國影片，如何的維護，使它們技術愈拍愈精，直追歐美，道是事實可證。因此，鄙見認爲如求輝煌，必須做到普遍的公演，最低限度，在台中高雄基隆三處要有，其目的爲闡揚傳統的文化，增進觀衆的興趣，曷不爲之？曾向國防部第二處請其核判，決定，時過三月，猶無表示。是否些微小事，不値一議？

十餘年來，在台北演出的平劇，何止千塲，可是沒有千齣戲，看來看去，有些戲已使觀衆厭煩。以賣座紀錄統計，好戲必滿座，差的僅三四成。自從開始文藝活動以來，每個劇團上演，多在二十次以上，要他們不演重複，已至疲於供差。爲了排些新戲，在劇展以後，似可暫停，待等十月時節，有幾齣可看。不妨於休息期間，到基高演演，豈不兩全其美？幸再考慮！

大泗洲城

五六年前，曾看到復興劇校在三軍托兒所，演過一次四泗洲城，似乎是茅復靜、周復嬌、張復華、劉復雯所演四個水府，各人練各式的武器，尤其四張粉臉，倍顯姣艷，耐人動聽。假使不是四演，難列大軸。看過以後，曾請公演時續演，不意茅周劉三位紛紛離去，永難如願，成爲缺憾！

一個劇團，要具有三四位武旦，確是不很容易。而事實上也無須這末多。惟獨大鵬能有此條件，道次公演，也排出四演泗洲城，是難得而可稱。因爲不常見，物以稀爲貴，一切多是如此。論他們的當家武旦，祗有姜竹華一人。而嚴莉華已兼演花旦，且不常演武旦了。此次安排恰好，以莉華竹華治萍共三位還嫌不夠，再請上一輩的季素貞，遂如火如荼，非常熱烈。看素貞，很不容易。這次特別的多，四杰村的鮑金花，雁門關的八姐，連此共演四次，也是難得。希望下次公演一逕如此。而大泗洲城尚可得再演，所謂好戲不厭多看，而這張王牌放出來，可無敵手，何樂不爲！我認爲這次派戲相當的技巧。元筆的兩天，九更天與寄子，也是少見。日前晤到，曾勸必霸浮陽樓，以作示範，他亦有允意；未知何日實現，當可一聽發配時所唱的好腔也。

幽幽的鼓聲

——林家錚——

我家的那兩扇黑漆大門，永遠是關閉着的。大門外面的一切，我祇有用耳朵去聽。根本就不准出去。好在後面有一個大花園可以遊戲，倒也不覺得太苦。

寂靜的黃昏時分，花園裏暮色蒼茫，我就開始用我的耳朵去諦聽外面的一些奇異的音響了。

每天，一定的時間，我家門前一條青石板鋪成的小路上，就會傳來沉重而有悠美節奏的鼓聲。慢慢的的由遠而近，慢慢的繞過後花園的圍牆，然後又慢慢的消失在對面窄狹小巷深處了。這幽幽的鼓聲，給我心靈一種奇異的感受，是那麼悲涼，悽愴，有一股摧人心腑的神秘力量。遠遠聽來，我覺得這個從未謀面的鼓手，似乎一棒在手，敲出了陳年不盡的哀傷和怨恨！我怕聽，又喜歡聽。我每天偷偷的聽。切望有一天，會看見這個神秘的鼓手，以滿足我幼稚心靈的企望。但院牆是那麼高而難以攀登，我祇有聽。每天黃昏時分，我就潛往後花園裏去聽這神秘的鼓聲。有時候，我呆呆的望着牆上的粗粗的枯籐發楞，我想爬上去試試。

有一天黃昏，在後花園裏，這鼓聲又慢慢由遠而近了。繞過院牆的時候，我一股勁抓着枯籐攀上院牆。我蹲在牆頭上，在昏黯的路燈光下，眼前出現一個二十多歲的小女人，沿着院牆邊的青石板小路，慢慢移行，一面敲着小鼓。

巷子口忽然有人喊住她。她停了腳步，很熟練的架起小鼓，坐在一條長板櫈上，輕輕點了幾下小鼓，就低聲唱起小調來了。我眞沒有想到她的聲音竟是那麼自然而又圓潤，但聲韻中却充滿了憂鬱的情調，彷彿這小婦人在借這曲調唱出她的幽情。四週圍的聽衆，有些人低下了頭，大約他們心裏也感染上了一層薄薄的淡淡的感傷。

微弱的燈光之下，我遠遠望去，可以看見她穿了一件淡青色的薄薄短襖，灰色的棉褲，大把的烏黑的大辮子，拖在背後。側面耳下，十分皙白，正面全爲夜影所籠罩，一點也看不清楚，不過我可以推測她是有一幅姣好的面龐的。

她一連唱了十好幾支短短的小曲子，大都是一些纏綿悱惻、淒切憂傷的調子。最後一曲唱完之後，四週圍的一大夥人竟沒有一點聲音，好像都陷入了夢境似的格外安靜。

唱完了以後，她慢慢的收拾了小鼓和用具，幾張票子往荷包裏一塞，起身就走。她一跛一跛的走進了那一條深深的小巷子，苗條的身影立朗消失在暗暗的夜色中了，只有微弱的鼓聲依然頻頻傳來。

我正準備沿枯籐滑下院牆的時候，回頭往下面一看，驀然發現樹叢中燈光閃閃！這一下子可駭得我遍身冷汗。莫不是我爸爸發現了我在牆上，打燈籠來找我？我只好迅速躲進枯籐密茂的一角，默不作聲。但老半天又沒有動靜了；待我再俯着身子下看，原來是大個子老吳。

大個子老吳，獨自一個人手提一盞燈籠，蹣跚在林叢中一座殘頹的斷牆下面，正在躡腳躡手的低着頭尋找什麼遺失的東西。又像在挖掘什麼東西，樣子十分緊張。

這一段破土牆上，粉斑剝落，雜草蔓生。忽然印上他巨大黑影，搖擺不定的，在恐怖可怕的窺視。我偷偷在上面看他的行動，他究竟是在做什麼事情？心情過於緊張，一霎眼，大個子老吳又不見人影了。可能他發現我又在牆頭上，屏息監視他的秘密工作，趕緊一口氣吹熄燈籠逃走了吧。（上）

試探『聊齋志異』與遺稿之迷津

周遊

二、得月移（竹頭，以下同）叢四十二則稿本。卷首有道光庚寅（道光十年一八三〇年）山陰胡定生的序文，謂「聊齋志異拾遺一卷，都四十二則，乃榮小圃通守，隨尊甫筠圃先生任溜川時，得自蒲氏裔孫者」。此拾遺稿不分卷，題作「聊齋志異拾遺」。民國二十九年，上海啤隱廬書店，曾出傳一種潯溪周氏的鉛印本，即是據得月移叢書本所翻印。另外還有南京國學圖書館藏有一冊花雨樓叢書本，此爲精鈔本，在書後並附有咸豐十年庚申（一八六〇）芷翁的短跋，跋云：「結佑來攜示此卷，因竭兩日之力錄之。然玩其筆墨淺陋，殊不類前書之浩瀚，疑膺鼎也！並聞長白榮氏已刊入得月移叢書，始知賓燕石者，世不乏其人耳。」以上這二鉛印本和精鈔本，都是出自得月移叢刊本。

三、另外尚有一種假託的「聊齋志異拾遺」的二十七則本，沒有序跋，其篇目爲：傳于槃、喬鶯、王秋英、解巧璇、白雲岫、本明珍、封采烟、雙蝶、邵春羅、杜芝華、凉煥珠、趙毅、王鹿兒、沂州案、張紅橋、陳天籟、陳世倫、胡借華、胡元素、犬婿、義婢、巧者、東六珈、梁鐵錘、摩宵、阿籬、于不留等二十七篇。

魯迅在他的「中國小說史略」裏曾引列這二十七則的「聊齋志異拾遺」。此二十七則稿本，只觀其目，便知非蒲氏志異一類筆墨。劉階平先生曾在他的「聊齋志異未刊稿」序文中指出這二十七條是假託蒲留仙的志異，是很正確的。

四、此外還有一本路大荒先生所藏舊鈔本志異，這個本子除了「赤字」和「沂水秀才」所附兩條爲其獨有外，餘皆分見於段雪亭序本和得月本中，都是志異遺稿之一。

劉階平先生將以上四本聊齋志異遺稿做了一番功夫，將四種本子互校後得出的結論是：各本的共有篇目和各本的獨有的篇目，一共有六十七則蒲留仙的聊齋志異遺稿。計段序本較得月本獨有者二十二則，和路輯本共有者只三則。得月本較段序本獨有者計十則，和路輯本共有者只二則。段序本和得月本共有者三十二則，其中十有五則，在路輯本亦有的。路輯本篇目除二則爲其獨有者外，其餘均散見於段序本和得月本的共有篇目和獨有篇目之中。

値得注意的是：趙荷村初刻「聊齋志異」的例言中第八條說：「意味平淺者，刪之計四十八條」。其中是否有一部份即是今日的遺稿，是値得研究的問題。

下面再看各遺稿本獨有篇目，爲今日坊間流行本所無者，是些什麼。僅錄其目，以供參考。

一、段雪亭序本二十三則異、門畫工、楊千總、龍無目、亂離二則、化男、鹿啣草、王司馬、遼陽軍、硯石、閻羅、刁姓、蛤、陵縣狐、土化兎、鸚鳥、青城婦、瓜異、張貢士、于去惡、蔣太史、阿寶。

二、得月移叢書本獨有十則：

諭鬼、鬼津、愛防、商婦、龍、鬼吏、于子游、牛犢、外國人、蟄蛇。（四）

報紙佬吃宵夜

·紫·

我們過夜生活的人，每天作息的程序，都順延幾小時，往往令人不解。比如，一日三餐，一般人的午飯，相當於我們的早點，晚飯，相當於我們的午飯，「吃宵夜」，則相當於我們的晚飯。一齊錯開了，人之所先，我後之，人之所輕，我重之。非敢標新立異，押是工作要求決定了生活方式，不得不然也。

這種鼠式生活，甚難取諒於人，普通在上午舉行的會議，非十分必要，我總是缺席的居多。一位熱中於議會政治的人士，對此頗有微詞，我就問他：「老兄，假如開會的時間，定在上午四時，你會出席嗎？」他說：「哪有這樣荒唐鬼？要人家半夜時候犧牲睡眠來開會？」我說：「你的上午，正是我的半夜，此所以應邀竟召，而不得不逃避也。」遂相悅以解。

上午起不來，遭人誤會，猶可說是外人。至於「吃宵夜」之遭女傭漠視，肚子最現實，却萬難忍受。一次，半夜回家，急於要弄一點東西吃，搜索殆遍，竟沒有療飢的食物，第二天，我壓抑着夜來餘燼未熄的怒火，懇切地對女傭說：「半夜這一餐，就是我的晚飯，也是我的正餐。人家可以不吃，我非吃不可。以後沒有錢，借錢、當東西也要替我預備一點吃的！」從此以後，「吃宵夜」才不虞匱乏。有時鐘飄俱空，也會事先得到「情報」，以便在外面充實了再回來，省得飢火中燒，情緒作怪。

專爲弄「吃宵夜」的，我們家特備一個煤油爐。夜半帶着一身疲乏歸來，劃火柴，點爐子，爐中一團熱烈的綠光，很快把開水再度煑沸；在這個空隙裏，熟練的手腕，也能從容不迫地配好醬油醋，十分鐘內，做出一盌適口充腸的麵來。不是吹牛，假如我有幸在街頭擺一個麵攤子，包管生意不惡。

煑碗把麵吃，非比調和鼎鼐，自然也是「壯夫不爲」的小道。其實，這個觀念是不健全的，經不起時代的考驗。抗戰以前，文人學士，從不過問柴米油鹽。直到抗戰以後，生活資料，樣樣都以米價折算，連稿費也以「斗米千字」爲號召，他們才倒回頭面對現實的生活。他們的苦固然吃夠了，但也另有所獲，那就是他們對於太太當家的困難，有了充分的了解，直到今天這個寶貴的的經驗，還在每個家庭發生着作用。

假若「從一粒沙看一個宇宙」是眞理，從一樣菜看一個人的烹調，大致也做得到。上菜場買菜，不是數鈔票就提菜回那樣簡單，須知某樣菜要怎樣吃法？要用什麼配料？是否和其他各菜滋味差不多，顯不出特色？這簡直就是做文章！無怪乎一位精於食道的朋友，把烹調當做一件藝術來做。而亦只有在他面前，我那碗麵是端不出手的。

「死亡之牆」

·若翰譯·

醫生說她以後不能再幹這種生涯。後會跳回復正常，甚至能舞。她出院時，不仍然由木夾裏夾着，傳處及敷上石膏。」她八個月來，她竭力地忘却「死亡之牆」，她感到可眞難耐，生活毫無價値。」她，她把那些木夾棄去。她對丈夫說不再用木夾了。她的丈夫李靜・列克曼是一個卅二歲的泥水匠。

在以後的三個月，她竟出現了奇跡。葉鳳的面色變得灰色和緊繃。但不久，她的胆內能夠支持着身軀，於是她戰勝了醫生。葉鳳除了愛好電單車外，還收集金玩品，麵團，和到武士橋理髮室梳新的髮型，那兒的人們，常把她喚「無畏葉鳳」，甚至替她改名爲「旋風」或「大胆」，好像一些連環圖故事的氣質。但是女性爲「死亡之牆」藝員，却沒有她那末盛名的。他爲自己而樹立其聲望。她能夠在圓牆上任何地方駕駛自如。

葉鳳對於圓牆毫無懼色，但她每天抽烟六十根，在上班時駕汽車而不駕電單車，因爲她認爲電單車在路上行駛，十分危險的。同時她懷着濃厚的迷信觀念。比如在表演前，她常常把靴擦得光亮照人；她從來不穿綠色衣服；常常把那些急救的人遺開，因爲她認爲他們帶給她噩運的。

在冬季裏，「死亡之牆」停開，她則替倫敦一間服裝商行任電話接綫生。然而她感到情緒很壞，易怒，她不曉得怎樣做，白天在百貨公司巡遊，盡量買衣物。每到夏季，她便精神振奮，因爲她可以重回到「死亡之牆」。（下）

自由報
THE FREE NEWS
第四七六期
中華民國僑務委員會登記證台僑新字第三三三號
中華郵政台字第一二八二號執照登記爲第一類新聞紙類
（逢星期三、六出版）半月刊
每份港幣貳角
台灣零售價新台幣貳元
社長：雷嘯岑
督印人：黃行壹
社址：香港銅鑼灣高士威道二十號四樓
20, CAUSEWAY RD 3RD FL. HONG KONG
TEL. 771726　電報掛號：7191
承印者：大同印務公司
地址：香港北角和富道九六號
台灣分社
台北市西寧南路
電話：三〇三四六
台郵劃撥帳戶二五九二

中共「文化大革命」的眞象（上）

·屠東奇·

一場熱浪滔天的中共「文化大革命」，正洶湧地淹沒着整個大陸，由縱的自上而下的發展而擴展及於橫的廣濶面，由大頭目的清算而及於小幹部的誅求。有人說，這是中共黨內權力的爭奪，但中共却祇承認屬於一場思想的鬥爭。究竟是權力鬥爭呢？還是思想鬥爭呢？筆者肯定它是屬於兩者的結合。

是權力鬥爭

首先筆者肯定它是從過去幾次激烈鬥爭後的一場嚴重的權力鬥爭，但目前似乎還不能說是對毛澤東死後的繼承人之爭。中共曾自承其「社會主義革命」，曾經歷過了五個階段。這五個階段是：一九五二年「三反五反」是第一個階段；在這個基礎上進行所謂「農業合作化」以及「對資本主義工商業的社會主義改造」，亦即掠奪私有工商業者財產的所謂「生產資料所有制的改造」爲第二個階段；一九五七年「反右鬥爭」是第三個階段；五七年以後「反右傾機會主義鬥爭」是第四個階段；由一九六三年開始的「社會主義教育運動」直至最近的「文化大革命」爲第五個階段。

在上述五個階段中，屬於黨內權力鬥爭的，除第一階段中的「反右傾機會主義鬥爭」即彭（德懷）黃（克誠）事件以外，還有五四年的高（崗）饒（漱石）反黨事件。這一次的權力爭奪，中共却把它隱藏在「文化大革命」的口號下被描寫爲屬於一場思想鬥爭。爲了證明這是一場貨眞價實的權力鬥爭，可從兩方面來加以說明：

第一部份，我們引用中共報刊許多不打自招的供詞。「紅旗」雜誌第八期社論承認那些「反黨反社會主義」的「黑幫」份子「有金錢，有廣泛的社會聯系和國際聯系」，并且指明它們將「採取必要的措施」，「要使我們黨和國家變顏色，那就要千百萬人頭落地」。同時還指出：「一旦時機成熟，他們就要用這種方式或那種方式舉行政變，奪取政權」。是什麼方式呢？「紅旗」指出它們可能「採取宮廷政變的形式，或者採取武裝政變的形式，或者兩種形式相結合，來奪取政權」。採取這種形勢或那種形式，來奪取政權，不是權力爭奪，又是什麼呢？至於中共報紙指「前北京市委領導」是「一條反黨反社會主義的黑綫」，是修正主義者」，是「一個野心家、陰謀家集團」等等罪狀，筆尖所指，眞是「琳瑯滿目」。

其次，我們要再從它們之間的一些人事關係的分析，證明其確是一場權力的鬥爭。被打垮的是彭眞、陸定一、羅瑞卿、周揚和它們的僕從。爭權的勝利者則是林彪。「槍桿子裏出政權」，這是毛澤東的「名言」。林彪在大陸陷共前率領第四野戰軍從東北打到中南直至海南島，以後在一九五〇年期間任「援朝志願軍」司令員以後，對中共來說，眞是戰績彪炳。由於他的善於逢迎，深獲毛澤東的信任，五四年以前，他兼任了「中南軍區司令員」、「中共中南局第一書記」、「中南行政委員會主席」，在中南地區集黨、政、軍權於一身。大行政區撤銷後，五四年任「國務院副總理」。五六年被選爲中共「黨中央」中委及「政治局」委員。五八年再被選爲中共「中央副主席」。一帆風順的林彪，這時卽開始了他勃勃的野心，在五九年廬山會議後，乘機把彭德懷、黃克誠擠垮了，任共黨中央軍委兼「國防部長」，從此更大權在握，積極培養自己的勢力，不僅是在整個中共部隊中佈滿了他的親信，即在黨政財經等等部門，他的魔爪都已伸展進去。

作爲中共軍隊主體的原四個野戰軍的主腦人物，一野的彭德懷已被打入冷宮，張宗遜，趙壽山已被撤走，賀龍、徐向前早已失去軍權。當時爲了維持權力支配的形式，彭黃垮台後，把一野的羅瑞卿調任總參謀長；現羅雖沒有公佈免職，實際上他已是這次權力鬥爭中的犧牲者。可以說，連一野的根子也挖掉了。二野的劉伯承也早已釋去兵權，僅剩鄧小平佔據了「黨中央總書記」，由於他深得毛澤東的信任，林彪一時還奈何他不得，所以這次連鄧倒彭。照趨勢看，林彪在肅清其他異己份子以後，他將是林彪要拔出的眼中釘。三野的饒漱石早被整肅，粟裕、張鼎丞也已失勢，僅剩下陳毅在外交工作上充當周恩來的儐相。

現在，野戰軍的名義雖已取消，但整個四個野戰軍改編的部隊，都完全在林彪直接控制和指揮之下。何況他還是「黨中央副主席」和「國務院副總理」。七十三歲的毛澤東和七十歲的周恩來一旦死後，林彪有槍桿子作本錢，試問又有誰可以和他爭奪中共的黨政軍大權呢？彭眞是劉少奇唯一的主要助手，把彭的「黑幫」淸除了，劉成爲了孤家寡人，林彪成爲毛的繼承人，應屬於毫無疑問；不過，毛劉感情很洽，劉的權力來源是出於毛澤東，毛一天不死，林彪是不敢在劉少奇頭上動土的。

原形畢露

半天吊

今日與明日

日本「不歡迎」劉寧一入境

日本共產黨所主辦的第十二屆禁止原子彈氫彈世界大會，由上（七）月三十日起在東京都港區高輪太子酒店舉行爲期八日的集會。中共準備派遣以對日統戰負責人之一的劉寧一率領代表團前往；但因歷年中共所派遣訪問日本的「代表團」，不論是任何性質，於到達日本後不但從事不利於日本政府的政治活動，更毫無顧忌地大放厥詞對日本當局進行凌厲的攻擊。所以，近年日政府對中共形形色色的「放瘟團」已有選擇地對入境加以限制。如過去限制日前被打下中共統治擂台的彭眞和「新華社」記者吳學文等入境就是例子。此次，又拒絕了劉寧一這個國際統戰特務頭子入境。由劉寧一率領的代表團，上月下旬已經浩浩蕩蕩開到香港，並已訂下了日本航空公司班機的票位，但因劉寧一被日政府指爲「不受歡迎人物」拒絕發予入境證，所以，其他人員爲表示「抗議」，全體拒絕赴日，這一群人，業於上（七）月卅日上午九時卅分，乘九廣鐵路火車由九龍返回大陸。眞是乘興而來敗興而歸。吾人認爲日本佐藤政府，這一次毅然決然的措施，是絕對正確的應有之舉。中共今日在國際間的處境，由於到處煽風點火，醜惡的狐狸尾巴已到處被扯了出來，所以，已形成「老鼠過街，人人喊打」的局面。日本是自由陣營的一員，過去那種「三刀兩面」的政策，實有及時收起的必要。雖然，日本部份左傾政黨和短視政經人士，始終與中共勾勾搭搭，企圖得到中共的支持以抬高本身的「聲望」或博取一些利潤；但日本政府却應從國際大局和國內治安等方面去考慮問題，萬勿因小而失大。

對中共信鬼就有鬼

由於日本政府拒絕劉寧一入境，中共照例地發表聲明或抗議，認爲佐藤政府「爲美帝國主義效勞」，說什麼違反「日本人民與中國人民友好」的願望，這是「仇視」中共的「無理」措施。這種咆哮，日本政府相信已聽慣了，如佐藤政府稍加重視那就是天大的錯誤。譬如，中共對美國已「嚴重警告」四〇七次，美國已「嚴重」四百多次。相信，就是「警告」八萬次，也只是「警告」而已。俗語：信鬼有鬼，不信鬼就沒有鬼。對中共以鬼視之，就是「放之四海而皆準的眞理」，永遠沒有錯。

對於劉寧一吃了日本當局的閉門羹，所謂「駐日廖承志貿易辦事處」首席代表孫平化 [illegible] 姚，哀懼萬狀。 [illegible] 小心因貪小便宜而吃大虧。（何如）

「唯美」主義

自由談

經常瀏覽台灣報紙上刊出的青年男女結婚啓事，十有八九都是在美國某地舉行嘉禮。曾見某日的中央日報第一版廣告欄內，刊載着十二對青年男女新婚告白，完全是留美學生，最近中央研究院選出八位院士，就有七位是留美出身的。這表示吾國現階段的學風與政風，一窩蜂似的嚮向「唯美」主義。出洋留學的如不到美國，便感覺大爲減色，在國內從政或講學的若非留美學生，即認爲不夠資格，學術機構以高價聘請海外學人回國講學，亦以旅美人士爲對象。美哉美哉，嘆觀止矣！

我并不反對青年子弟赴美國留學，也贊成旅美人士中之眞有學問與才幹者，能回到本國來講學或從政，但不敢苟同純粹的「唯美」主義。留學的目的在吸取別國的優越知識，有以致用，然美國并不是西方文化的代表者，西方文化的深厚潛力仍在歐洲，而以德國和英國爲主幹，將來能夠復興西方文化的民族，一定是歐洲人，美國的科學雖然很發達，但文化本質不祇是科學而已。所以，咱們的留學政策決不宜囿於一隅，偏頗從事。至於學術與政治界的人才，固不能以是否出洋留學爲鑑衡的標準，尤其不能以是否留美學生爲首要條件。學問之道，廣漠無垠，治事之才，所在多有，只問實學與本領如何，進賢而退不肖，新陳代謝，立賢無方，若孤懸一格以求才，隘陋甚矣！

回憶清末民初之際，政治與文教界盡是留日學生佔據着，經過五六十年的時間，國家始終尚在落後階段中，這并非留日學生沒有人才，而是國家的留學政策與用人方針之隘陋，自種因，自食果。後之視今，亦猶今之視昔，我們應該惜取失敗的教訓，恢闊氣度，糾正缺失，不要重蹈覆轍纔是。

自民國肇建以來，我們國家的教育宗旨究竟是以甚末爲中心？留學政策有無周密的計劃？誰也說不出來，自難怪構成今日這種隘陋現象，再不警覺改進，國家前途，殊可慮也。

馮之先生

有了國民就業輔導中心　各縣市輔導所應否撤廢

——本報記者高雄航訊

位於高雄市中山一路三〇三——三〇五號之南區國民就業輔導中心，新近舉辦各縣市二萬餘人通訊登記，以資輔導就業的措施，這是一項便民利民的措施，連日來登記求職者，極為踴躍。但截止目前，真正輔導就業之人數，僅佔多數之初中畢業的女學生百餘人而已，供過於求之情狀，可以概見。該中心成立迄今三年，輔導就業的人數倒亦不少了，因為該中心經費充裕，編制龐大，廣泛宣傳，確予南部五縣市失業民衆極大方便；因此各縣市國民就業輔導所的工作，幾被該中心囊括殆盡。尤其屬於特種營業之私家職業介紹所，更是門可羅雀，無人問津。私人職業介紹所是屬各縣市警察局行政課管轄，介紹所主持人多半是地痞流氓與老鴇之流，本身即無正當職業者，因此逼良為娼，苛索介紹費者屢見不鮮，實不啻罪惡的淵藪。南部國民就業中心成立後，這些私家介紹所，已經名存實亡。

該中心是省府社會處下屬北、中、南三個中心之一，他們固然在積極方面輔導失業者得以就業，增加生產，消極方面減少社會救濟，消滅了中間剝削的私人職業介紹社會存在，這是一大社會改革。然而該中心對各縣市國民就業輔導所以「同行是冤家」視之，引起了各縣市輔導所訊登記，委託各縣市民衆服務站及各鄉鎮區公所，代發登記表格，而輔導所則被置之一旁，不加理睬，因此惹動了屏東輔導所的責難。

有人認為該中心的業務既包括高雄、屏東、台東、澎湖等五縣市，那麼各縣市的輔導已所無存在價值了，應予撤銷，免費公帑。高雄市議會有若干議員即持此看法。但他們對本市輔導所的業務，似甚隔膜。據高雄市國民就業輔導所負責人蘇佩言稱：本所每年經費為三萬零三百卅元，議會方面只着重消極的救濟，每一被救濟者為二〇〇元，殊不知與其如此救濟，不如少刪本所預算，而得以積極的輔導就業，從事生產，才是治本的辦法。他復稱：議會之所以不重視我們的工作，是他們不願深入的來了解輔導就業的重要，遠勝於救濟金的發給。蘇佩言認為，發救濟金辦法是永遠談不滿約溝洞，最多解決半月的生活費，無補於事。蘇佩言列舉該所五十三年、五十四年、以至本年六月份該所輔導就業人數為一千七百九十八人。這個數字，是以少數的經費與人力收穫的成果，在輔導工作上，可以盡了最大的努力。蘇佩言又特別指出：南區輔導就業中心，每年經費約二百萬元以上，他們的辦公所設備約十八萬五千元，房屋租金在二十五萬元以上，他承認：「當然，他們的表現比較優越。」

台灣的輔導就業三個中心的成立，是本省經濟繁榮，工業起飛的產物，人力資源的疏導，勞動生產力的安排，皆須與求我職業輔導所各方面配合。如何做到適才適用，充分輔導就業，解決人浮於事的現象，今後就要看省社會處的社會政策如何得以發揮它的高度效能，以臻於理想的境地了。

赤嵌樓下異聞軼事

・本報記者朱武州・

赤嵌樓重建工程，早於半年前剛動工時，本報即建議不可與原有古跡脫節。迄今已全部竣工，乍看起來，像「海神廟」。省觀光局顧問藍蔭鼎指為：「似三百五十歲老太婆穿西裝」，對原貌破壞甚大云云。因此各報競相刊露此訊。市府方面決定再加重行修建，足見過去記者所見不無理由，然當局漠然不以為意，徒使公帑浪費，古跡改觀，納稅人更倒了大霉矣。

本報六四一期披露南市密醫猖獗，事後為此事記者曾走訪衛生局負責人，也直認不諱有此事實存在。但是那些租醫師執照的地下醫師，照舊門庭若市；更如雨後春筍，越來越多。其間開設距衛生局不足五十尺之×性病醫院，為了車站斜對面一家性病醫院擋其財路，遂找了幾個證人指控為密醫，結果都是彼此心照不宣——包醫性病、人工流產（墮胎），美容的蒙古大夫，（內中有一位自己是痲子，沒法填平）實乃罕見！若不是醫法有漏洞？那便是走後門搞上了公共關係。

台南某一法曹主官，是時下官場中最走得通的人物，前兩年李聲庭教授曾經為他在本報撰寫「踩躪人權又一例證」；台北徵信新聞披露該主官抱舞女之軼事；各報刊載人犯反抗之新聞，迄今在人們腦子裏歷歷如畫。但他當着賓面客前，總是一付道貌岸然的嘴臉，不尚多談，遇事往秘書身上一推，藉開會什麼的蹓之乎也！一般人士咸認該主官聲名狼藉，有忝法曹尊嚴，而司法當局似未注意考覈，加以整飭，殊可怪也。

台電公司南區管理處、甘冒大不韙，公然將進學街三巷通道佔了半邊做停車場，交通受阻，人車通行俱感不便，但因能廣結善緣，致被視若無睹。另半邊為法院宿舍，若也急起效尤的話，誰敢碰。該道路豈不等於自然封閉麼？小民在街邊擺一小攤卻行不通，苗頭大的則可無恙，政令大小之伸縮莫不由「官」哩。

上月即六月五日晚上，小東路一巷一帶有人聚賭抽頭，且由一附近居民親往警局聯絡官室親提檢舉，乃蒙連絡官（一位二毛三之陳姓高級警官任值）指派保安隊一警員伴同檢舉人赴現場查勘，亦目覩多人以梭哈聚賭，待返警局提出報告所見時，聯絡官又問檢舉人，為啥不去派出所報告？據檢舉人答稱：「擺賭主人來頭不小，與管區有關係」。該連絡官馬上換上一付面孔謂：「今日為禮拜，派不出人來，改天再說。」事後鄰居被吵不安，又電話連絡官請予處理，亦唯唯否否以派不出人為推托！難怪小東路一巷地區，每當夜深，常聞嘩啦之聲！不是麻將藝術，就是梭哈牌。為此事該區附近曾鬧出不少家庭事故，更有父母嗜賭，孩子三人被鎖在在家中失水燒死！夫妻仳離亦有數起。不數日被檢舉者因知檢舉人為誰，反而鬧出問題！這年頭好人真是難做！又警奸察暴是否流於形式人情？應反省檢討才好。

裘迪颱風帶來豪雨，把市區柏油路沖得千瘡百孔，現今雖由市府派工程隊填補，不越數日一場大雨又原形畢露，車輛行駛其上似跳曼波，坐車市民莫不頭暈眼花，行人也有摔跟斗之危，大家對市政當局煩言嘖嘖。希市府主司其事的官員先生能設法修復，不但為觀瞻所繫，且為市民謀福，何樂而不為耶？

高雄市警察局業績　全省五市中考第一

（本報記者高雄市：航訊）高雄市警察局上半年度，對警政各項執行工作，頗著成效，業已榮獲全省五市第一名，經由台灣省警務處長周菊村頒發績效優異錦旗一面，以示激勵。警察局長劉清池，經此次表揚後，精神大為振奮，他第一炮是整理全市交通，對人各種車輛的行駛，規定不能逾越人行道；行人照市議會決議：規定酒家、舞廳在午夜十二時打烊，不得拖到翌晨一時；第三炮是：本市各街道及公共場所禁止放車輛，一、取締攤販。兩炮，並不簡單，將來是否能有效規劃，澈底執行，那就要看劉清池的魄力了。

高市兒童刊物　終於宣告停辦

自生至滅一榻胡塗

（本報記者高雄航訊）曾被高雄市議員衆口指責，一再調查的「南市兒童」刊物，並未因議會的不滿而壽終正寢，因為教育小組對「高市兒童」的內幕並未深入廣泛調查之故。結果倒是因為本月份的國校校長會議的反對，使該刊物宣告停辦了。「高市兒童」是每一本三十二開本，每本僅十八頁（連封面底在內）的小刊物，每本售價一元。上學期計劃出四本，每生收費四元，但學期終了，只發了三本。每市國校兒童約十一萬餘，每學期收四十萬元。這一筆龐大數字的開銷，絕大多數的校長並不牽涉在內。據悉，在元月份校校長會議，曾推舉五位校長研究「聯合校刊草案」，於二月份校長會議提出討論時，因為有的校長反對，所以並未通過；但在會議紀錄上根本沒有通過的條文，竟由少數校長按着大家的頭，竟以瞞天過海的手法，付諸施行，並以朦混的方式呈報市府，並得教育廳的核准在案，而產生了這個「高市兒童」校亦算咄咄怪事。此次國校校長會議，即有鹽程國校校長蘇周儀，極力反對，他提出的理由是這本刊物的寫作園地篇幅太小，數全市高年級學生為數萬，大家投稿，要用誰的稿子呢？他主張由各校自辦。但當時有人還唱反調，蘇校長乃指出「高市兒童」在校長會中是根本沒有通過的，當場拆穿內幕，這乃通過自下學期決定停辦了。

省立豐原盲啞學校概況

本報駐台中縣記者王永亭

台灣省立豐原盲啞學校，原係省立台南盲啞學校豐原分部，始創於民國四十五年，經該校歷任校長及全體師生，披荊斬棘，不斷闢蕪，以「愚公移山」精神，經之營之，始具規模，於民國四十九年奉台灣省教育廳令獨立設校，迄今已十餘寒暑，校務蒸蒸日上，現已有學生三百五十餘人，教職員八十餘人，普通教室三十五間，特別教室五間，辦公廳一幢，男生宿舍一幢，女生宿舍一幢，教職員宿舍五幢，飯廳禮堂各乙幢，及尚在興建中的教室數間，將昔日的荒山變成花木扶疏、綠草如茵，紅牆綠瓦、樓閣亭台，整齊的巍立於豐原山麓，狀麗而優美，令人神怡。

該校學生因感官（耳目）失靈，非有特殊之教學法及教具，不足以發揮教學效果。基此該校除採用一般施教方法外，另增加特殊課程，盲科增授點字課程，啞科增授發音及手語訓練課程。同時為求事半功倍教學興趣之效果，採用多種教具補助之，如掛圖、標本、模型、助聽器、幻燈機、電唱機等。在職業訓練方面：首重實習，如理髮、應用美術、木工、打字、編織、刺繡、縫紉、印刷等技能，俾學得一技謀生之長，自力更生。盲啞學校不同於一般學校，這種特殊教育工作甚為艱巨，尤以負責之教師需個個指導，辛勞殊甚。且近年來學生日增，班級增多而教室不敷，致使將正常之班級八至十人，已增加至十五人之多，更形加重教師教學之艱苦。

該校學生無論遇見師長或來賓，準會笑容滿面，向你（妳）一鞠躬或招手，這種彬彬有禮使人倍感親切。此種良好之禮貌習慣，乃導源於該校學生一律住校，接受一貫式的四維八德教育所養成使然，以及該校視為中心課目之：自覺、自尊、自動、自強等項人格教育所陶冶而得。此外更當歸功於該校的導護制度，照顧學生的生活無微不至，雖親生父母，亦不過如此。

該校學生智慧甚高，也許由於缺陷所至，乃能專心一意致力求知，易於領悟課程。如盲生目雖不明而心靜耳聰，愛好音樂，成績頗高。本年度該校舉行聯合演出，歌詠奏樂等節目頗博佳評。啞生有口難言，雙耳失靈，但喜歡繪畫及運動，在美術方面，曾得全縣初中組冠軍及優勝獎多次；在體育方面，更是優異，曾得台中縣運會高中組男子標槍冠軍，初中組男子標槍冠軍。又參加全縣民族舞蹈比賽得中學組冠軍，全縣國語演講比賽第二名。足證盲聾學生之智慧，並不遜於一般學生，且有過之而無不及者。該校既對學生之專長實施教學，成效顯著，畢業後保送國立藝專及省立體專深造者已有多人，替盲聾青年開拓了一條光明遠大的坦途。

據該校呂校長說：本校目前僅具雛型，距理想尚遠，有待今後繼續努力者尚多。如設立實習工廠，施行職業訓練，拓展就業途徑，解決就業問題；成立康樂中心，調濟師生生活，使精神能以輕鬆愉快；美化環境，使學校花園化，以陶冶學生心性之自然美化，一方面可以培養學生勤勞美德，進行實驗研究。一般啞聾學生並非先天如此，乃後天因病疾所致，祇要有助聽器使之聽到外界聲音，便漸漸會說話。注重學生營養，以培養強健之體魄；擴建校舍，暨自來水設備，增建運動場，增加儀器等等，皆在計劃進行中，假以時日，必有優越成績可覩也。

妄圖最終赤化全球　蘇俄間諜到處為非作歹

其外交人員與記者幾乎全是特務

他的首次任務，乃是上月間召回駐在西方的官員二百人。這些被召回的秘密情報官員，不是在莫斯科接受有關他們今後可靠性的考查，便是委派以新的更主要任務。

到了正進行準備他們的總統訪問莫斯科之行的法國安全官員手中的上述情報，經被這些法國安全官員們加以扣留直到戴高樂對蘇俄正式訪問宣告結束為止，從而避免使莫斯科的氣氛陷於失調。可是法國有關部門竟走漏了此項情報的細節。

蘇俄國際特務份子除主要由外交人員偽裝進行外，並就塔斯通訊社分駐西方各國的記者以及經常駛赴各海港的海員中，選擇適當人員加以訓練，從而担任秘密任務。

聯合國總部、拉丁美洲、非洲、澳洲以及美國各政治經濟工業中心，乃至中東近東和日本等國家，正是蘇俄國際間諜份子的溫床。不過，他們在東南亞各地區，除星加坡和北越之外，仍無活動餘地。

俄帝間諜滿天下，衆所週知，至於他們的工作成果究竟如何，自非局外人所能道其萬一。（下）

瀛海異趣談

藥物治療與心理作用

·泰雅·

把一種根本不是什麼特效藥，甚至僅僅是糖塊，給一個病人服用，可能對他有無限的價值。在美國常有此情形，這不是一件缺德的事情，此種欺騙用假藥，自有其苦衷在。

這個病人患了絕症，除了垂死的病者本身，旁邊的人都心裏有數。患者的劇痛絕症是不治之症，醫生替他開了止痛劑，絲毫不收效，但見他在病床上輾轉，狀況至慘。醫生想出妙計，這不是醫生什麼新法術，亦非運用新的特效藥，不過是騙騙他的方法而已。醫生低聲對他說：「我有些新牌子的特效藥給你服用，能立刻止痛，加速你的痊癒。我要你立即用白開水吞服，一小時後我回來再看你。但我相信你十五分鐘內一定覺得好多了。倘若不是如此，我這醫生不幹了」。

一切的止痛藥都試過」，都不收效，而這次給患者吃的「藥片」，卻百分之百奏效。難道算是神仙靈劑嗎？醫生講的一段話，把病人的疑雲消散，接受了他的一杯白開水，把藥片吞下去；六十分鐘後，醫生再來巡視病房，發現這個剛才痛苦到極點的患者，竟坐在床上面露笑容，他快樂地告訴醫生說：「我自入院後，未試過咁舒服，這藥片眞是有用。我一點都不相信，剛才的劇痛現在已完全消失。」醫生說：「當然啦，這種藥片是仙丹呢！老遠地方空運來的，到處都有需求，因為它的效用切實」。

連醫生都笑起來。他眞的禁不住捧腹大笑。他也不相信有這回事。你猜他給病人吃的是什麼仙丹？眞的是秘方特效藥？是治癌症的最後特效藥嗎？完全不是！坦白的說是一粒糖塊而已。普通的葡萄糖片，所含的物質，等於你每天喝咖啡或紅茶時，放在杯內的糖罷了。或者是騙騙孩子的糖而已。

那麼一塊糖怎麼會使劇痛戲劇性地消失了呢？現代雖然藥物進步神速，特效藥不斷上市，但是今天仍採用欺騙安慰的方法，治療許多疾病。其實不必服用什麼藥，尤其是那些患者根本并沒患上什麼可怕的病症。

估計美國有三千萬這樣子的病人，他們根本沒有什麼不得了的病症，但是由於他們的幻想或心理精神不安，而產生了十足的病徵。因為有此心理，他（她）們形成了身體種種的不適，從疼痛到癱瘓都有。心情能使身體造成神奇疾病已不是秘密了。最普遍的是形成失眠、頭暈、嘔吐。無數向醫生投訴患病的人，其實身體健康正常。但對于他而言，這種疾病是千眞萬確的。說患什麼病，身體出現什麼痛楚，醫生知道給他們一些心理安慰，即可治癒所謂疾病了。

上述是小小的欺騙，把病人治好的方法，在歷史上有無數案例，至少十宗之中有七宗，收治癒疾病之效。這些葡萄糖做的藥片，在他們來說，稱為「空包彈」，是一種沒有害處的乳糖片，除了使身心寧靜，全無作用。美國紐約西區退伍軍人醫院前醫療主任辛杜里亞，最近說，糖片在藥物內佔很重要的地位，根據情形不同，它可以實際上止痛或減少痛楚，引致患者睡眠，緩和緊張焦慮，增加胃口食慾。特別是那些幻想的疾病，在毫無理由之下，反覆發作。這位醫學家說，在某種情形下，這種患者不能給他吃眞藥，否則害處多於好處。

醫生們說這些「藥片」能實際減輕痛楚，作用原因不明，僅能說實際奏效而已。在英國與美國，對于無希望的患者給予此種藥物服用，已是醫學的事實。患者看見醫生不斷給他開新藥，他們相信醫生所施的藥物，甚至去吃了「空包彈」也能大為減輕痛苦，這種例子數見不鮮。故弄玄虛的藥物多年來去試用新藥時作實驗，一批患者給予新藥，另一批病人則服用糖片，兩組人却以為吃了特效藥，結果發現二者的成效相去不遠。

在試驗預防小兒痳痺症的沙克疫苗時，一部係兒童給予注射眞藥，另一批注射做的東西，當時外間的人士均不察，現在才搗破此項秘密。近期最重要的試驗，是在實驗鎮劑，用假藥。一間診療院的一批診患者，作試驗，一半病人，用眞藥，另一半吞服糖片，其成果是一樣的，那些吞下糖片的患者神經同樣緩和下來。

在故弄玄虛的藥物裏，一個新的科學方法是把藥物加上色素，這是心理作用，使患者明白他服的是有效藥物，使病人相信糖片果眞是藥，使患者對于藥物更接受，樂於服用，如是而已。

科威特成了中東樂園

因石油一朝發跡的小國

科威特的油田，和許多中東國家的油田一樣，受天然壓力流出地面。你看不到任何美國人油田裏所用的巨大設備，科威特人不用抽油機，有油井的地方，就有一些小管子——油夫們稱為「聖誕樹」——插在地上一兩尺高。許多冒油的油田地勢比波斯灣高，所以可讓地心吸力流到港口，只幾哩路遠，不用抽油機。港口的海水深六十呎，即使在低潮時也是如此，因此，世界最大的油輪也可靠碼頭。這些因素結合起來，使科威特成為生產世界上最便宜原油的國家。

現在科威特的統治者，艾彌爾國王，據說家產三億五千萬美金；他的叔叔布巴拉克財產二億五千萬美金，他住在國外，偶而回國訪問一下。

除了他們以外，在四十六萬八千人口中，至少有一千可算得上是百萬富翁。由於他們有錢，科威特人能夠購買使在這個炎熱地方適宜於居住的東西。在夏天，蔭涼處的氣溫高達一百二十度，太陽光下高達一百七十五度。沙塵風暴為患，特別是在五、六、七月。因此，科威特人購買很多冷氣機，是不足驚奇的。他們擁有冷氣機的比率，比世界上任何國家的人為多。你甚至可在政府為收入有限的人們建築的便宜房屋中，發現冷氣機。

這些房子，許多由伯多恩人居住，他們在二十年前，仍住在沙漠中黑羊皮的帳幕裏。

科威特除了石油以外，沒有其他的天然資源，幾乎沒有工業和農業。其結果是每一件生活享受品都是進口的。科威特人每人每年進口八百美元的貨物，比世界任何國家的人都高。用錢買一切物品，從衣服到汽車及電視。拿汽車來說，科威特人已養成駕車的習慣，特別是美國的大型車，很少人走路。雇用工人最多的工業是汽保養及修理——約一萬人。

這些人從騎駱駝改為開汽車不過是最近的事，因此車禍頻繁，平均每十萬人中，有二十七人死於車禍，每八輛車中有一輛撞毀。淡水也是進口物品之一。現在，感謝金錢萬能，淡水能製造了。科威特沒有河流及湖泊，境內連小池塘都沒有，用水經常是從伊拉克用船或貨車運來，裝在羊皮袋中由街頭小販出售。現在，有世界上最大的海水蒸餾廠，每天可供水八百萬加侖，另外，加上兩百萬加侖從科威特北部地下湖中抽來的水。有些地區是用水管送水，大部份地區是由二千五百輛水車，送至私人儲水池中以備出售。

（中）

按摩—古今中外

·三木·

歐美的按摩家在施行按摩手術時，都是用手來施行的，但日本的女按摩師在施按摩手術時，除用雙手外，還用雙腳踏在接受按摩手術者的身上。這些鏡頭，曾出現在「非人生活」的電影中，當看到一個體重近二百磅的女按摩師將整個人踏在接受按摩人的身上，有如跳舞一般的亂踏，稱之曰「非人生活」，亦未非無因。這個按摩術，在日本是非常流行的，通常是被稱為「按摩道」。據說，這種「按摩道」對於恢復人身的疲勞和鬆弛神經是非常有效的，問題只是不知你有沒有膽量去接受這種「按摩道」而已。

香港的色情販子，利用按摩這兩個字圖走其「法律罅」者不下數百間；在斗室之內，接受按摩的人，都將外衣除了，僅穿內衣褲，臥在床上，等候按摩女郎的「施術」。眞眞正正為着替人恢復疲勞和鬆弛神經的却是寥寥可數。但在歐美一帶，却有不少領有合法牌照的按摩師，眞正為着按摩而替人服務的按摩院。

在紐約的按摩師，他（她）們必須在技術學校接受八個月的技術訓練，在這八個月來，這些學習按摩學生必須學習按摩的普通知識，即如人生肌肉結構、神經系統的分佈，人體生理學，心理學及按摩指法等。經過八個月訓練後，這些學生們還須闖過筆試口試後，再派往醫院及醫療所參加實習試這三度難關，始能獲得有關當局頒發的合格按摩師執照。讀者諸君或會認為紐約這個城市對這些按摩師的管制太過苛求，學習按摩這一門簡單手術便要花上半年多的時間才能畢業？其實紐約比起歐洲的城市來說，管制按摩師的法例並不過於苛求。在歐洲，一個合格的按摩師是必須學習兩年始能獲得一張執照！歐洲的按摩師除了學習人體肌肉、神經分佈、生理學、心理學，這些科目外，還須徹底知道一些醫學常識，即如病人患上失眠症、感冒、皮膚敏感、風濕骨痛等，他們應知道如何向病人施行按摩手術，使這些患上輕微病症的病人痊癒過來。所以有人稱歐洲的按摩師為半個外科醫生。目前在世界的體壇中，按摩師亦佔有很大的重要性，運動員是必須經過他們按摩術一般的手法去為他們恢復消耗的體力的。按摩師這一門職業，已越來越吃香了。難怪在歐美按摩師的每次手術費達美金十元之多。朋友們，你希望恢復失去的精力和精神嗎？何不一試這種神奇的手術呢！（下）

新三國

周棄子著

廿七、呂布偷劉備的徐州

前言呂布投奔徐州的劉備，劉備將呂布安置於小沛，（今江蘇沛縣東。稱小沛者，所以別於沛國所治之相縣）住了一年多，劉備想不到一個窮無所歸的人，會偷他的徐州。

建安元年的秋天，（即公一九六年）自曹操在韓暹手中奪得漢獻帝之後，迎到許昌，自為「大將軍，錄尙書事」。從那時起，發號司令，挾天子以令諸侯。此時更是要廣於利用各方面人物，劉備近在徐州，又是一個非凡人物，當然是曹操要爭取的對象。當時袁術近在咫尺，野心勃勃，曹操拉攏劉備，次一目的也在對付袁術。（如論派別）劉備袁術同為公孫瓚的朋友，都是袁紹的朋友，本應相顧的。袁紹與袁術本是同父異母的兄弟，却為了政治上的利害關係，已經視為仇敵。劉備雖與術一派，但其境地相鄰，野心勃勃的袁術，時有覬覦徐州之心，當陶謙讓徐給劉備的時候，他便很不高興劉備。袁術便乘劉備新得徐州，起兵攻打，劉備拒之於盱眙和淮陰地方，是徐州下邳的屬縣，在今安徽盱眙縣之東北，淮陰也是下邳屬縣，在今江蘇淮陰縣治。曹操此時要拉攏劉備，表為鎮東將軍，封宜城亭侯，（宜城乃荊州南郡所屬之侯國）這是建安元年，即公元一九六的事。劉備與袁術相持了一個月之久，各不能下。此時住在小沛的一隻老虎——呂布，窮極無聊，也顧不得什麼交情。袁術因打劉備不過，便勾結在後面的呂布，寫了一封信給呂布，要呂布從小沛偷襲下邳，成功之後，以米二十萬斛為酬。呂布果然不管朋友。下邳是徐州首縣，是由張飛和曹豹把守，照理是沒問題的。可是張飛和曹豹處得非常不好，曹豹又是陶謙的舊人，心中也有些不滿意張飛。曹豹堅營自守，使人召呂布偷襲。呂布奪取了下邳，劉備的家室完全落在呂布之手。劉備在淮河前綫聞聽消息，趕快回師，那裏來得及？只得轉軍海西，就是徐州廣陵郡的屬縣。此時老白波楊奉、韓暹在徐州、揚州之間騷擾，劉備乘機掃平，斬了楊奉；韓暹逃走，後被他的部下所殺。幾個黃巾白波出身的人都沒得善終。

劉備雖已掃平了徐揚的老黃巾，但是仍然沒有可據之地，想來想去，還是只有靠近呂布，侯機再圖，於是向呂布請和。呂布還了劉備的妻室，但要劉備交還徐州，共同打袁術，以刺史的名義給劉備。劉備收拾部曲於泗水上，組道相樂。呂布把劉備安屯在劉備以前安屯他的地方——小沛。劉備便派關羽守下邳，收拾失散部曲約萬餘人。袁術聽說呂布偷襲得下邳，以為目的已經達到，二十萬斛軍米之肯兌現，這可能和呂布接受劉備投降大有關係。後來袁術又聞呂布和劉備言歸於好，呂布指定小沛給劉備駐防，袁術便派了大將紀靈率領三萬大兵圍攻小沛，在離城不遠的地方，遇到呂布率領千餘步騎，趕來調解。在轅門豎戟一枝，呂布射中，則各自罷兵，不中，任憑交戰。呂布在此是顯一次身手，果然中戟。紀靈也只得收兵。（五十五）

觀雁門關演後

大鵬公演八本雁門關，以前我未看到，這次由章遏雲演蕭太后，特爲往觀。明知蕭后是配角，但是安排得好，也可奪人，不想大爲失望，兩日之間所唱多是散板，前後不過十餘句，不足以饜望。可是念白表情仍甚有聲有色，但難以起高潮爲可惜耳。此戲不知經幾位縮編，何以場子很泄沓，不能貫成一氣，頗爲散漫。茲畧述其貌：

雁門關是羣戲，與四郎探母一樣，個個吃重。這次演出，似乎形成八郎探母的趨勢，儒以八郎爲重心，坐宮一場也唱慢板，由小生來唱，尚不多見。宜乎改唱幾句原板即可，否則太依樣畫葫蘆，模擬四郎。有人認爲四郎探母是仿這八郎探母，那恐未必！姑以張二奎唱四郎探母，其時梅巧玲尚未排出，可作一證。（請看陳彥衡編燕台菊萃）公主也有幾猜，最後要殺兒女，結果仍去盜令。（此場須大修正）後來公主英秀會面，拉拉扯扯這八郎，有說：在妳那裏住十二年，在我這裏祇一個多月，那竟有類話劇，無怪外邊人也在說那裏像平劇？全齣只哭城一場兩方陣容嚴整，壁壘森森，極有氣象，是平劇的格局！

也許排練不夠熟，於是念白之中，八郎對公主，有稱公主，又叫小姐（番邦似無此種稱呼）。八郎有人叫八順，是將排行與名字併稱。也有四輝，不知何故。胡琴拉出，八郎忘詞不唱，以世友這樣富於經驗，何以也亂了？奇怪。青蓮碧蓮似少深刻的表情，唱腔到還不少，差強人意。蘭靜佩瑜多很秀麗，人選恰好，雖然沒有表達程腔味，也無所謂。沒有後部的心戰，不能掀起高潮，使劇情有酣暢的結束。

國劇繽紛續錄

鑒婆生（九十六）

全齣最大的疵累，是可以不必要的過場太多，走進穿出，猶如跑龍燈，把氣氛就鬆弛，使觀衆不解眞諦，感覺乏味。應當大大加以修正，每齣必求一氣貫串，便不至亂烘烘而缺美感。一定要緊湊，方可達神化之境，觀者會沉迷於劇中，還是主要的課題。

觀罷以後，所見批評，祇有隴西散人劇石先生署爲指示，也與筆者不謀而合。我認爲這是大鵬的獨活戲，旁的劇團辦不到，此是演員優秀，陣容浩大，不必氣餒，加以整理，下次公演，仍可推出，愈演愈熟，必可致美。在觀念上，似乎求正若渴，不失寬宏的氣度，是應有的概念。該隊亦有自知之明，通知空電台停播，以及其他電台停錄，不失爲智慮之策。

更有望者，能否情懇遏雲改串青蓮，與佩瑜的碧蓮，可均唱程派，太后不妨另行邀請名家以遏雲飾此角，不免大才小用。如果擱置高閣，未免可惜，也等於藏匿。我願大鵬付出勇氣，重排而再演，校正其錯誤！

幽幽的鼓聲

——林家錚——

我心裏也十分懷疑，大個子老吳是個歹人？他是在埋藏盜竊來的金銀和珠寶？或者做其他非法的勾當？我實在不願意這樣想。家裏這些佣人，只有大個子老吳是我自己的，只有他常常把我帶出那黑漆大門，而不致給爸爸罵。有時候還玩得很晚才回，也沒有事。

我再仔細的體會老吳近來的確是有很不平常的改變。他忽然沉默寡言，臉有憂色了。也不大聲說話，也不再哈哈大笑了。他心裏總像有什麼重要的事情無法解決。一反他以前靜寧的生活方式，老往外面跑。有時候更深半夜才回來，回來就躺在床上睡覺。看樣子他心裏十分痛苦，但又不肯說出來。這些日子，他根本把我給忘記了，也不帶我出去玩，更不對我說什麼機密話，尤其是講故事。

從前，夜晚沒有事，他就在他房裏講故事給我聽。講得津津有味，盡是他家鄉的一些陳穀爛芝蔴，有些還可能是眞人眞事。特別是談起他年輕時候在他家鄉，那個崇山峻嶺，不毛之地的山區，如何發生災荒的故事，他就會唉聲嘆氣，聲淚俱下。可是一談到自己的戀愛故事時，又非常動感情，漫慢細細的道來，很有風趣，皙白的臉上，還泛起暈紅，怪不好意思的。他常常提起一個叫做「茉莉」的女人，一提這女人，他就精神百倍，特別的有興緻。講到最後，又萬分傷感，不忍往下講了，永遠是個沒有結尾的故事。

有時我追問他：

「茉莉是不是你的愛人嘛！」

老吳只是搖搖頭，嘆一口氣。

「你怎麼不回家去討她做老婆嘛？」我又問。

「她逃荒逃到上海去了！」他兩眼瞪着天花板，馬上陷入了苦痛的深淵，擾着說：

「那時候，各人離開家鄉自己找生活。我跟爸爸到了北方去作戰；她說她到上海，上海那地方——這以後就沒有信息了。」

大個子老吳，原是我爸爸的老部下。當年，我爸爸到北方剿匪的時候，他是我爸爸的副官。有一次，我爸爸忽然在山區裏被土匪圍困了，半夜突圍的時候，一顆子彈又打中了我爸爸的左腿，血流如注，麻木難行。幸得老吳個子大，體格魁偉強壯，他不顧他的生命的危險，架起我爸爸就走。突圍出來立即動手術，差一點就斷了一條腿。

從此以後，我爸爸愈發信任他，喜歡他。一直到我爸爸交卸了差事，回到家鄉以後，還不願意他走，留他在家裏做點雜事。這不過是暫時儲備的意思，將來還要帶他走。

有一次，他曾請假回鄉去看看，兩個月以後又回來了。他曾經對我說，他的家鄉都變了。打聽茉莉的下落，也沒有確實的信息。只聽有人說茉莉流落在上海了。半年以後，他又要請假，我爸爸問他：

「你又回鄉麼？到那個不毛之地去捱餓嗎？」

「不是的！」他吞吞吐吐的答道：「報告長官，我想到上海去看看！」

「不要性急！還是跟我走吧！明年春天我要到上海去接差事。」

我爸爸這樣一說，他也就不再往下說了。

大概在我爸爸要到上海接事的前半個月，有天早晨，我看見他一個人枯坐在床沿，頭髮蓬亂，兩眼通紅，好像和誰爭吵過。我大吃一驚，從來沒有看見他這副模樣的呀。我立刻追問他：

「你是怎麼搞的嘛」？

「你跟誰打架了吧」！

「我一晚上都沒有睡。」

「怎麼不睡？」

「我——」他望了我一眼，接着說道：「我告訴你，你可萬萬不要告訴你爸爸喲！」

「好！好！我一定不告訴我爸爸。」

他跳下床來，緊緊的捏着我的手，非常激動低聲說道：「我找到了一個人！」

「誰？」

「茉莉！」他的眼睛裏充滿了晶瑩的淚花。

[illegible]

試探『聊齋志異』與遺稿之迷津

周遊

三、段序本及得月本共有篇三十二則：

邊化署狐、猪婆龍、金世成、蛇癖、犬姦、吳令、土地夫人、產龍、龍取水、螳螂捕蛇、鴝飽媼、龍、魁星、白蓮教、縊鬼、武夷、雷公、男生子、晉人、黃將軍、藏蝨、小棺、抽腸、徽俗、皂隸、富翁、元寶、沅俗、蠍客、李檀斯、李象先、夢狼、路大荒藏本獨有二則：赤字、赤水秀才。

以上爲蒲留仙聊齋志異遺稿之大畧也。這些遺稿，劉階平先生的『蒲留仙遺著攷畧與志異遺稿』中收有全文，坊間流行『聊齋志異』本則無此遺稿，茲附其目，便供有志於小說者之參考。

最後應該做的是『聊齋志異原稿』之下落及其傳聞之情形。對於研討聊齋志異是有助益的。

『聊齋志異』原稿的下落，至今還是一個謎。在二次大戰前，就已聞流落海外之說。

四十二年二月間，報端曾報導蒲留仙遺稿在日本出現的消息，說蒲氏的原稿爲一位曾經旅華多年的醫生平井雅尾所有，該稿件正由美國華盛頓圖書館洽購中，却爲一位工業家藤川一秋所阻止，他已出資收購，並以之捐贈慶應大學了。以後完成了『聊齋志異』日譯品而首譽文壇的柴田天馬，他對此稿的眞相知之甚詳，他認爲該稿非蒲氏之原件，實係鈔本。這是『聊齋志異』鈔本流落日本的一部，但並非原稿。

關於聊齋志異的原稿是否還在，是否齊全？都是很難知的事。據『大陸雜誌』第十一卷五期中，刊載了張景樵先生一篇『聊齋志異原稿之研究』一文，據說他曾看到一部『選印聊齋志異原稿』。該書是由袁金凱於民國二十二年在東北影印的。按袁金凱字潔珊，遼寧人，民初曾任張作霖幕僚，民十六年任清史館編修，民國二十年一度任監察委員，兼任遼寧通志館副館長。因此該書印行正値僞滿時期，故國內流傳很少。據袁金凱在『選印聊齋志異原稿』弁言中說，該原稿發現於西豐縣，由蒲留仙十七世孫蒲文珊保藏。爲了存眞，袁金凱氏曾借來研究，選擇其中改削較多者，加以核閱，發現今本訛漏者十四則，又今本所無者十則，付之影印。題爲『選印聊齋志異』。這選印中，有六則爲前述遺稿中所有者，其目爲：土地夫人、諭鬼、犬姦、龍取水、螳螂捕蛇、白蓮教等六則。其餘爲：姊妹易嫁、辛十四娘、酒狂、續黃粱、濟南道人、綠衣女、鄱陽神、趙城虎、龍飛相公、陵縣狐、[illegible]、小獵犬、四十千、恆娘、青梅、拳勇[illegible]已有收入，其目爲：[illegible]諭鬼、龍取水、土地夫人、白蓮教、[illegible]螳螂捕蛇，在道光四年段雪亭本中有九篇，『聊齋志異拾遺』中早已收入了。所謂袁金凱之『選印聊齋志異』一書，知有篇目未見正文，由此觀之，本就是也者，及其原稿之說，以諸原稿本提高該本之身價，此根在舊說部的出版家是常會玩此手法的，不足採信。所以「小說」，或者「誘一原本」「傳一古本」以提高其身價，舊小說仍有多是假託其名的，揭穿了不值一晒。關於『聊齋志異』的修改問題，祇好留待另文列舉探討。（五、完）

玩體育與發財

·宴如·

有人計算一下，最近在英國踢世界盃波的各國球員的總收入，竟高達二千萬英鎊，合港幣三億二千萬元。這一個天文數字，能不驚人？例如巴西隊的主將彼利，他的薪金和各項私人投資的總收入，據估計每星期可有二千鎊。屈指算來，每月就是八千多鎊，合港幣十二萬八千元。他的收入，很多大商行的董事長也無法可比，的確是令人羨慕之至。

在過去，體育界造就了不少千萬富翁，但是倘若入錯了「行」，便須自掏腰包。舉例來說，那一名奧林匹克的神箭手，滑冰球球員，賽艇名手，舉重家，因獲獎而發達？

相信沒有人能正確地猜中，在過去數十年來，憑着體育而飛黃騰達，成爲數億萬富翁的是誰？

她是挪威人，參加奧林匹克運動會三次，連中三元的花式溜冰選手宋雅姆尼。自參加奧林匹克一舉成名後，自行舉辦溜冰表演，她的票房收入總計超過一千七百萬鎊，如折算港幣，超出了香港很多銀行的資本。

戰前靠體育而發財的人不少，拳王積克巳西的總收入，包括裁判員的新酬在內，爲六百萬美元。由一九一四至一九三八年間，美國壘球名手路夫的總收入爲一百零九萬美元。

戰後情形大變，由於電視和廣告的競爭，運動員的身價，大爲提高。美國於明年舉行的高爾夫球大賽，據主辦人宣佈，爲首的高爾夫球健將，將可獲獎金廿五萬美元；另外他的太太，可得五萬美元。去年積尼格拉斯參加美國高爾夫球大賽獲勝，得獎金十五萬美元；但是除了那一份獎金外，電視報酬和廣告公司支付的廣告費，超出了他所得的獎金十倍以上。廣告公司給他拍一幀照片，加上他的一句按語，例如「我喜歡穿某某牌毛綫衣打高爾夫球」之類，便可獲酬二萬美元。

拳賽名將的收入，當然是高達百萬元以上，自不待言。彼得信於一九五八年至一九六一年，參加拳賽三次，他的總收入爲二百三十萬美元。另一拳賽名將麥仙奴，參加拳賽多次，共獲四百多萬美元。這些數字，完全正確，有美國法院的判案可查。因爲麥仙奴曾以逃避所得稅罪名被美國稅務局提出控訴。

[illegible]萬元。

自由報
THE FREE NEWS
第五七六期

中華民國僑務委員會發行登記證台僑新字第三三三號
中華郵政台字第一二八二號執照登記為第一類新聞紙類
（半週刊每星期三、六出版）
每份港幣壹角　台灣零售價新台幣壹元
社長：雷嘯岑
督印人：黃行審
社址：香港銅鑼灣高士威道二十號三樓
20, CAUSEWAY RD 3RD FL. HONG KONG
TEL. 771726　電報掛號：7191
承印者：大同印務公司
地址：香港北角和富道九六號
台灣分社
台北市西寧南路壹壹零號二樓
電話：二三○四六
台郵劃撥儲金戶九一二二

中共「文化大革命」的眞象（下）

·屠東奇·

也是思想鬥爭

中共「人民日報」曾說：「解放十六年來，無產階級和資產階級在意識形態領域內的階級鬥爭，一直是十分激烈的。目前的社會主義大革命，正是這個鬥爭的繼續發展」。

中共當權者捧着「毛澤東思想」的神主牌，反擊那些「反黨反社會主義」黑幫份子的攻擊。在政治上以「海瑞罷官」、「燕山夜話」、「三家村札記」作把柄，認為這是一條黑綫中的幾股妖風。「海瑞罷官」是「要翻廬山會議的案」，影射「右傾機會主義者」彭德懷、黃克城、陳雲等的「罷官」理有不公，主張他們東山再起，重新上台。認定是「反黨反社會主義」政治活動的一個前奏曲。「三家村札記」和「燕山夜話」是繼「海瑞罷官」後有步驟有組織有指揮地向中共黨的繼續進攻，千方百計地推行「和平演變」。在哲學思想上，中共指他們是繼過去「中央高級黨校」校長楊獻珍所拋出的「合二而一」論及「三和一少」（按：據中共解釋是指對帝國主義，反動派，現代修正主義要和，對各國「人民革命鬥爭」的支持要少）、「三自一包」（按：據中共解釋，是指多留自留地、多多搞自由市場，多多搞自負盈虧企業、包產到戶）政治哲學主張之後，「揮舞起庸俗化、簡單化、實用主義」三根棍子來反對工農兵「活學活用」毛澤東著作。在經濟學界，中共指他們「主張利潤掛帥，鈔票掛帥」，把所謂「社會主義企業」一變成資本主義企業。在史學界，中共指他們用歷史主義，反對史學研究工作要以馬克斯列寧主義、毛澤東思想掛帥」。在文藝界，中共指責很多，一句話，就是認為他們極力宣揚毛澤東文藝路綫的一整套修正主義文藝路綫。在新聞界，中共指責他們反對新聞要有指導性，提倡知識性，反對毛澤東思想對新聞工作的領導，讓新聞自由思想泛濫。

一言以蔽之，就是這些所謂「反黨反社會主義份子」主張對人民減輕壓搾，放鬆控制，反對「大躍進」，反對大言不慚的急進的「世界革命」，反對把毛澤東神化。因而它們祭起了五個法寶：第一個法寶是「放」。毛澤東自一九五七年拋出陷害知識份子和附共黨派的「鳴放」詭計以後，大鳴大放的人雖遭到了「撲殺」或者加上了「右派」帽子，但限於附和中共的「鳴放」政策，還是「繼續地高唱入雲」。這一次被指為「三家村黑幫」的份子，被中共指為「打着紅旗反紅旗」，「極力歪曲黨的放的方針，抽掉放的階級內容」，「只准資產階級右派鳴，不准無產階級左派爭，只准資產階級右派進攻，不准無產階級左派反擊」，「對資產階級開綠燈，一律放行，對無產階級關紅燈，不准通過」。

第二個法寶是「先立後破」，反對毛澤東的先破後立。

第三個法寶是「反對和防止左派學閥」，想把所謂「無產階級左派壓在陰山之下」。

第四個法寶，叫作「純學術討論」。中共指明在所謂階級社會裏，并沒有「純學術討論」，一切學術都要從屬於政治。

第五個法寶是「眞理面前人人平等」。反對階級對立，也即是反對階級鬥爭。而中共則是一向主張在互相對立的階級之間，根本沒平等可言的。其實，中共不僅是反對「眞理面前人人平等」，即在法律面前，也是沒有平等可言的。

毛共竊踞大陸十多年來，以思想來控制人民的行動，以暴力來鎮壓人民的反抗；現在中共黨內「反黨反社會主義」和反毛思想既如此尖銳複雜，那些敢怒而不敢言的人民，在思想上對中共反抗的程度如何，人們也用不着用望遠鏡或者用顯微鏡才看得出來！

是權力和思想鬥爭的結合

共產國家包括蘇俄在內，權力爭奪是彼起此伏的，但它們從來諱言爭權力，而祇是假藉政策路綫的不同進行鬥爭。以毛澤東來說，為了爭取「黨」內的領導權，遠之如李立三、陳紹禹、張國燾，無一不是在政策路綫的掩護下被鬥垮的。近之如前文所說的「反右傾機會主義」的鬥爭，把彭德懷、陳雲等擊敗，以迄這次的「文化大革命」，也都是以政策路綫不同來進行整肅鬥爭。實際上此種所謂意識形態領域內的鬥爭，歸根到底，就是一種爭奪領導權的鬥爭。彭眞、陸定一、羅瑞卿等的不經宣告免職，就是權力鬥爭的結果。然而，由於中共大張旗鼓的討伐，可以看出反毛派在中共黨內、軍隊中、以及政治和文教思想界潛力之大；許多大學的「黨委」，校長遭受免職，更可看出它們在爭奪青年以及青年本身反共反毛思想的尖銳，有的且已把這種思想化為行動。所以這次鬥爭，既是權力的鬥爭，也是思想的鬥爭，綜合起來說，就是在思想鬥爭掩蓋下的一項權力鬥爭。目前這場鬥爭，既已由縱的自「中央」而及於地方，更已由黨內而及於黨外，由幹部而及於羣衆。

大陸消息不斷地傳出，在中共更深更廣地發展這一項鬥爭中，整個大陸已陷於嚴重恐怖中，學校停課，機關停止了不急要的「公務」，鬥爭反毛份子已成為了每一個人生活的一個部份，而那些被指為「反黨反社會主義」的「牛鬼蛇神」，也正紛紛被趕進預設的監牢。（完）

雙手奉送

專門技術

今日與明日

由羅瑞卿被黜看毛共危機

自去年末「失蹤」的共軍總參謀長羅瑞卿，八月一日不但未見露面，其職務已由副總參謀長楊成武升任「代理」總參謀長。本來羅瑞卿被「罷黜」，傳聞已久，至此得到了證實。在中共「八一」建軍節中，共軍總政治部主任蕭華亦未見露面，在這種重要的共軍「節日」，像蕭華這樣所謂「首長」不見露面，依照中共的「慣例」推測，可能也和羅瑞卿一樣出了事。

羅瑞卿和蕭華，都是林彪多年袍澤，然在林彪大權在握主持所謂「社會主義文化大革命」的今日，已遭到整肅，這實在是耐人尋味的一個問題。看情形，林彪倒不像是已經失勢，但他的多年親信也遭罷黜，這說明共軍內部「大風大浪」一直未被遏止下去，在林彪「愛莫能助」情況下也作了犧牲羊。

羅瑞卿失腳，是繼中共重要幹部彭眞、陸定一、周揚等人之後尤其引人矚目的一個。在所謂「文化大革命」運動中，陸、周二人由於文化宣傳工作失敗，彭眞因有包庇「三家村反黨集團」嫌疑遭到整肅，似乎是還順理成章，不大離譜。而像羅瑞卿這樣重要的一個共軍系統的領導人也被清算，這說明共軍內部的問題仍舊嚴重的存在，所以，才不得不走馬換將，企圖挽救共軍中「轉過槍來打」的危機。

中共金門炮戰失敗，而撤換總參謀長粟裕，由黃克誠取代。一九五九年因以彭德懷、黃克誠為首的所謂「右傾機會主義者」反對毛酋只顧「自己逞能」，而被組織一個「彭黃反黨集團」加以清算。旋由林彪和羅瑞卿接替，出主「整軍建軍」的全般任務。羅瑞卿並非正式軍人出身，而是一個老牌特務。中共政權於十六年前開鑼時，他就出任了公安部長。他在「鎮反」、「肅反」和一連串的整肅反毛或被認為反共的大大小小運動中，殺人如麻，穩定了所謂「人民政權」，建立了「功勞」。一九五九年彭黃下台，毛酋調他輔佐林彪，主要就是利用其特務經驗，在共軍中鎮壓不穩份子和異己份子。經過七年之後，羅瑞卿也遭罷黜，這充份顯示出共軍內部的問題不是轉而易舉可以解決的，也可以說毛共先天的缺點過於「頑強」，根本就無法解決。中共政權倒行逆施，充份顯出了它的反動本質，也顯示出在其內部已形成了無可救藥的危機。毛酋所「親自領導」的所謂「文化大革命」運動，是垂死的掙扎。因為日暮途窮，故更顯得失去常態並且有近於瘋狂。像羅瑞卿這樣的人也被清算，可見在中共內部沒有任何人不被毛酋懷疑。其整肅運動繼續發展下去必人人自危，迨「打着紅旗反紅旗」的人匯成巨流時，毛共政權「千萬年」，必「落」在它自己「隊伍」反共份子的手中。（何如）

朝氣與戾氣

人生在青壯年時期，血氣方剛，心地純潔，閱歷世故比較不深，對事對人每以正義感為基準，凡是認為不合道理、不近人情的事體，不惜仗義執言，無所顧忌，而以打抱不平為應有的職責。這是表現着人類的善良本質和勇敢之氣，殊堪讚許。在開啓的社會中（Open Society），亦即進步的社會中，即充溢着這樣的人生觀，舉凡卑污苟賤，陰賊險詐的言行，受着這股正氣的橫制，相應潛移默化，難以作祟，壞人即不容易抬頭，而政治亦必清明，國家自然興旺無疑。

可是，若在封閉的社會中（Closed Society），情形就相反了。一般人皆以唯唯諾諾、明哲保身為處世守則，以怕強欺弱、趨利避害為對人標準，無所謂正義公道，也不問是非善惡。這樣就譽之為「老成練達」，「經驗宏富」，而在政治上必卜蜚黃騰達，祿位高陞。試看史書上那些赫赫有名的幾朝元老重臣如賈似道之流，都是封閉社會中的產物，他們只有在衰敗之世纔能生存發展，結果把整個國家搞垮了事。

凡是人，無論老少，莫不具有良心血性的。青年或壯年人的良心血性由於閱世較淺之故，常常不顧一切的發抒出來，雖遭忌賈怨，甚至於招致禍患亦不在乎，夫是之謂「朝氣」。有朝氣的人做事未嘗沒有錯誤，但居心無他，對社會的影響是利多於害，然人們每譏其為「少不更事」，為「妄自矜狂」。至於一般老奸巨猾之輩，表面上和光同塵，言笑不苟，對人無可無不可，對事模稜不負責，一是皆以滿足自己的私慾為前提。這實在是阻塞社會進步的乖戾之氣，絕對不足為訓的。然人們卻稱許為「老成持重」，為「公忠體國」的模範人物，積非勝是，衆口鑠金。

所以，一個青年或壯年人，如果受到「少年老成」、「穩健份子」的美諡，實際就是踏進了壞人的階段，良心血性被物慾腐蝕了。要想社會進步，政治修明，最妥當的方法是教青年或壯年人多負行動責任，老年人居於設計指導地位，截長補短，互相配合，庶幾於事有濟也。

馮正先生

台北市的兩項奇聞

民意代表要求自清
兒子弒父的逆倫內幕

（本報台北通信）台北社會上近來有兩個問題成爲議論之資，引起大衆的注意。一是紛傳中央級民意代表之中，有涉及「盜豆」案暨某紡織公司債權糾紛者，二是大學教授羅清澤被兒子羅熙陽勒斃事件，朝野大爲震驚。

關於盜豆案的大概情形，本報已有報導，目前社會人士最注意的，就是報紙上所載有兩位國大代表、四位立法委員、兩位監察委員涉嫌與本案牽連的消息，是否眞確？立法院已有冷彭等六位委員提出建議，主張自清運動，切實查究，以明眞象。因爲法院於調查本案首要罪犯王作昌的支票存根時，發現有支付××委員若干萬元的紀錄，報上雖未刊出委員姓名，但法院一定有卷可查的。冷彭等人的建議並未正式成立，然立院日前曾通過決議，要求行政院長和經濟部長予以徹查，究竟有無立委與商人勾結盜豆貪贓情事，亦就是「自清」的意思，祇看行政當局能否接受這項要求，採取行動，弄個水落石出的結果。就一般人的揣想，所謂與本案有關的立監委員，基於過去的若干事象，大家心裏有數，不言而喻，唯有國大代表二人之說，則言人人殊，莫可究詰；一因國代表人數衆多，無從推斷，二因國大代表平時並不爲朝野各界人士所注視，其影响力甚微弱，縱想瀆職作奸犯科，貪圖巨額錢財，頗不容易，但國大聯誼會已有請求政府當局切實查究的表示，監察院且指定人員，成立小組，負責偵查本案。三個中央民意機關有此「打破砂鍋問到底」的決心，行政與司法當局勢難漠視，將來必有分曉，以釋羣疑吧？另有「東亞紡織公司」股東某，近在報上發表談話，指摘某某立院委員利用特權控制該公司，一面藉增資手續，把舊有股東的權利剝削，一面以「特權」「特例」，通過行政主管部門，向國家銀行貸欵一千萬元以上，認爲這是特權階級人物「內吃股東」「外吃政府」的行爲，要求有關方面主持公道，制止銀行繼續貸欵，對該公司新舊股權的爭執糾紛，先作合理解決。該公司負責人對於上述問題，已有聲明否認，然問題依然存在，未來的發展如何，尚不可知也。

大學教授的兒子羅熙陽，爲看要索五十元台幣的零用錢不遂，當場將父親勒斃，事後迄無悔過表示，面對亡父遺體亦無戚容，且不顧跪拜等情，確屬罕有的逆倫行爲，就吾國傳統的倫理道德觀念而言，該逆子實係死有餘辜，無可諒恕。羅熙陽現已束身司敗，拘押在台北地方法院看守所內，聽候法律制裁。記者認爲這項逆倫行爲的結果固堪注意，但屬次要問題，最應重視的是犯罪的心理和動機如何，得到了確切答案，即可使社會人士有所警惕，加以預防，因而消弭人間若干不幸的悲劇，這是「犯罪學」上値得研究的重要問題。基此，記者日前特赴看守所探查羅熙陽的動態，記者以與他素昧生平，不宜直接訪問，只好從旁偵查，先叩問該所所長趙益藩，他是學法律的，對於犯罪學有湛深的研究，他對記者指述了一般犯罪心理因素，娓娓動聽。繼而記者調知與羅熙陽同在一室守法的人是那些，再設法利用特別接見的機會，作了一次談話，從這個與羅犯同在一起坐牢的難友口中，得悉了一些寶貴的資料。

羅清澤雖是大學教授，但他是習工科的，平日對於家庭教育很少措意，父子之間缺乏慈愛的心情，母親亦係教育界中人，對於兒子羅熙陽愛護備至，且有過於溺愛之處。據說羅教授倜儻風流，曾有外遇，夫人廉得其情，亦未便遽行干預，有時候教兒子偵查乃父行動，殆屬情理之常，然父子間更因此增加了惡感，羅子仗着母愛，又知道父親有蕩檢踰閑的情事，也就對父親每以惡言相加。據羅熙陽說，他們父子間常因事發生口角，他父親即怒言道：「你可以殺死我，去造反好了，我死了還舒服些！」這類話，兒子聽多了，自然影响到心理，對父親即沒有絲毫孝順的親念存在。恰好母親從美國囘來，父子都在機場迎接，兒子即向父親要零用錢，此時羅熙陽的內心裏，大概浮起了一種替母抱不平的感想，對着父親出言不遜，父親更不肯給錢，兒子却非要不可，彼此由爭執而衝突，他母親坐在青年會宿舍樓下，女眷不能上樓，無從知道丈夫跟兒子在樓上爭鬥的事，羅教授既有心臟病（據他太太說），突然受到兒子忤逆言行的刺激，支持不住，頓告斃命了！

本案發生後，羅太太除却指說良人有心臟病外，對兒子致父於死地這囘事，始終未贊一詞，這是値得注意的。法院已通知死者家屬，勿遽火葬，等候法醫檢驗，看看是否有被勒斃的痕迹，作爲對羅氏逆子量刑的根據。記者曾將上述訪查所得情況，轉告看守所所長，他慨然道：「這椿事件，就中國四維八德的觀念看，羅氏子乃是大逆不道，毫無疑問。然中國社會上亦有父不父、子不子的非倫理情形，這也値得大家警惕反省的」。（七月廿八日大元於台北）

去年大陸傢俬在港搶奪千六百萬元生意

港傢俬工人面臨失業威脅

（本報訊）毛共控制下的中國大陸傢俬繼續加强在香港競銷，對香港傢俬裝修業的打擊日趨嚴重；但遭受打擊最大的尚非傢俬商號的生意，而是傢俬裝修業的工人就業問題。現在初步受到打擊的是傢俬裝修工人收入逐漸減少，延續下去的將有很多傢俬裝修工人失業。

港九傢俬裝修業同業商會理事長在不久前該會成立十八週年紀念及十九屆理監事就職典禮中强調指出：「外來傢俬去年搶去了本港一千六百餘萬元生意，即本行各商號少做了一千六百萬元生意」。並舉出兩項事實證明，其一是兩年前油蔴地有一間百貨公司開業，其中有一部份專營大陸傢俬，此後全廟街的傢俬商號均受到打擊。其二是去年尖沙咀有一間傢俬公司開業，專售日本傢俬，其後全尖沙咀區傢俬商號受到影响。他又指出有等同業以爲銷售外來傢俬生意頗好，因而紛紛售賣外來傢俬，其實此舉無形中替人家推銷出品，打擊自己出品。最後他呼籲本港各界人士應採用本港出品傢俬，而各同業商號亦要一方面拒絕銷售外來傢俬，一方面恢復自己以前的優良出品。

其實所謂外來傢俬去年搶去了香港一千六百餘萬元的生意，祇是一個泛指，就狹義來說，中國大陸傢俬低價在香港競銷，以及採取多種多樣化來爭取香港市場，纔是對香港傢俬的致命打擊。無可諱言的，香港製造的傢俬因爲人工成本過高，一件普通傢俬的成本，人工錢佔了三分之二以上，但中國大陸傢俬是利用內地吃不飽穿不暖的賤價勞力製造出來，照目前在香港售價而言，大約比香港製造的同一欵式及同一質料的傢俬低三分之一，並且在運輸方面，還有特別的處理，就是把製成或半製成的傢俬運來香港然後裝配，這樣可以節省很多運輸費用，香港製造的傢俬是無法和它競爭的。很多傢俬商號爲了適應顧客需求，兼售大陸傢俬，明知銷售大陸傢俬利錢微薄，但迫於環境，不得不兼售一部份大陸傢俬，這是近年香港傢俬商號在營業上的一種很大矛盾性。在顧客方面，對於傢俬的選購，多數心理是那一種傢俬欵式佳、質料好、價錢平，就是購買的對象，根本上沒有成見；但如此一來，有些傢俬商號不知不覺間自動介紹顧客購買大陸傢俬。

明白說，香港人採用香港貨的基本觀念，不是迅速可以建立的，很多人明知購買大陸貨就是影响香港經濟，並且逐漸會危害自己，但在價格廉宜的吸引，就是心理上的衝突。要求香港傢俬商號能夠精心設計製造欵式新穎與材料上乘的傢俬，其實並不困難，問題是工錢太貴，成本高昂，故此香港製造的上等傢俬最近幾年能夠向歐美推銷，但在香港本銷市場就受到大陸傢俬的掣肘，特別是中下價傢俬無法與大陸製競爭，這是香港傢俬業的一大弱點。事實上；沒有辦法阻止大陸傢俬進入香港市場，香港的傢俬商號除非有足夠的條件改良自己的出品，足以應付大陸傢俬的競爭，否則繼續下去，大陸傢俬將搶去了香港傢俬大部份本銷市場，工人失業問題逐漸嚴重。

拯救北越手中美俘

華府希望以二換一

·華盛頓通訊·

依照國際公法規定，交戰國雙方拘留對方的戰俘，應予人道照顧，嚴禁肆意虐待，並應開列戰俘名單，送交對方，以備進行互換雙方戰俘。兩次世界大戰各戰綫方面，均有先例可援，此乃文明世界的文明措施，毫無置疑餘地。

然而，越南戰爭中美海空軍機羣迭次對北越共黨發動轟炸軍事性目標以來，被擊落各機飛行人員在囚禁中所正面臨精神上和身體上的種種威脅之景況，不難想像；尤其最近美機對河內海防油庫的飽和轟炸中，經遭擊落空襲英雄之厄運，更屬不堪設想。北越對共黨於他們儲藏石油之慘遭致命損失，除了想像中向這些不幸被俘而作楚囚的美國空軍健兒們頭上洩憤之外還有什麼報復的手段呢？

河內最近對被俘的空軍健兒們加以遊街示衆，激起羣衆的瘋狂暴態之舉，業經使華盛頓方面諸決策者，對於直到目前越戰中所有最屬敏感諸問題之一的這個情勢，不得不有所特別注意了。這問題便是：美俘在北越所遭受的殘酷待遇。

據美國國務院的統計，刻在共黨手中的美軍戰俘計有三十四人，而宣告失蹤者爲二百三十三名。由於戰爭的繼續進行，對於這種傷亡失蹤和被俘前途的瞻望，自將產生更大的數字。

此一問題對於美國戰略家們當屬極其敏感的，蓋因這個問題直接涉及美國人的生命——而這些戰略家們已感到沒有可靠的方法足以保障這些戰俘的生命和福利。

可是，雖然發覺到這種缺陷，但美國官員們還是審愼地承認困在北越的美國軍人們，似乎不一定遭受共黨當局可能的最惡劣的待遇。

據從河內洩漏出來的許多報導顯示，困在北越囚禁中的美軍戰俘，乃與其他囚犯們渡着同樣的生活——缺乏好的食品，並缺之有如美國尺度的醫藥照顧。

查北越乃是規定對於戰俘應予以人道待遇之一九四九年日內瓦協定的簽署國之一，可是河內的說法，認爲被俘的美國軍人乃是「戰犯」，而不能當作普通戰俘看待，因之不能適用於日內瓦協定的條欵。

在越南境內，同樣有北越正規軍人的被俘，但是因爲河內並不承認他們的軍隊在越南境內進行作戰，因此他們對於交換戰俘，或者有關各戰俘予以良好待遇談判的意見，始終堅決加以拒絕。

河內方面雖曾暗示對美國戰俘將舉行「戰犯」公審，但尚未進行任何這樣的公審。

關於此一問題，始終還沒有發現華盛頓當局對於被拘在北越的美國戰俘，願作如何處置。不過巡廻大使哈里曼已奉命進行美國方面的一切努力，從而設法改善這些美國戰俘的命運。

美國對於此一問題所採取的策略，乃是寧願透過種種外交關係，就低調聲中推進這樣的種種努力，而對河內並不公開加以指責，以及冒可能使這些美俘陷於更惡劣境遇的一些危險。

進行上述種種努力的一切步驟之一，曾經是哈里曼所進行徵求美國紅十字總會予以協助的一切努力。哈里曼曾經報導紅十字會當局業經同意對援助美國戰俘，盡可能進行進一步的一切企圖。

然而直到目前爲止，據報導北越共黨當局，業經斷然拒絕美國紅十字會的代表們與戰俘們晤面。據說他們對於這種拒絕，事前曾與北平方面有所商討。北越當局不肯提出依據日內瓦協定條欵所需的戰俘名單。

美國旨在部份期望北越方面的可能交互作用起見，曾經鼓勵越南當局對於任何戰俘予以人道待遇，並容許紅十字會代表們訪問這些戰俘。美國並曾悄悄地設法，隨時阻止西貢政府對被俘的共黨份子的處決。

照美國的看法，越南並未正式宣戰之一事實，並不使日內瓦協定成爲不能適用的。換言之，越南對北越共軍雖未正式宣戰，但日內瓦協定中有關戰俘的規定，仍得適用，無可置疑的。

至於河內行將舉行「戰犯」審判一節，美國的立場認爲這是「絕對不正當，而是對日內瓦協定的故意違犯」。

據若干國際觀察家的意見，認爲西貢政權爲了救助陷於北越囚禁中受盡身心痛苦的大好美國空軍青年英雄，不妨就越南政府軍或美軍所曾俘獲的北越正規軍中加倍提出六十八名，交由美國紅十字會代表們帶領點交北越當局，從而換出被拘的美俘三十四名，蓋因美國當局出面發動此舉，唯恐引起河內當局的故意拒絕。而且這麼一來，亦足以使阮高奇的政權表現大國的堂皇風度。

同時，西貢政府應即發動各宗教團體，爲雙方戰俘盛大舉行祈禱，祝他們能在順利換俘中平安歸返他們的家人懷抱，各享天倫幸福。

瀛海異聞談

女性裸露的心理與藝術

·桑雅·

一切的女性時裝設計，都以表現女性本身綫條美爲原則，這樣，才符合「吸引異性」的目的。此所謂綫條美，這卽是說離不了暴露肉體這回事。

內衣褲是女性最後的防綫，于是這方面，越來越講究了。然而，難題可來了：那一種方式之下內衣褲才更誘人、動人呢？暴露這回事，也不簡單的。大家都知道，完全赤裸，反索然無味，人們所要求的是裸露的藝術。

赤條條只帶來鄙俗的觀感，我們需要的是赤裸的情緒，赤裸的色澤以及赤裸的自由。于是，乳罩、腰帶、內褲的形狀，每一樣都要悅目。像一碟佳肴，千萬不能引起人們倒胃口的。

紐約婦女雜誌專欄作家莎莉說道：「女性穿上藝術性的內衣褲，才呈現出來女性面目——坦率而高貴，但不是神聖不可侵犯。這才是新時代的夏娃！」

她進一步說：「在這個境界中，女性無需化粧，更無需作狀，便可以把男性俘虜過來了。只穿內衣褲的誘惑，才是更厲害的。」

美國著名的心理分析學家狄納博士說：「穿內衣褲的女性給人一種輕鬆、舒適的感受，這種感受是享受人生最重要的一部份。而享受人生總不能離開了性。」

女性最後防綫的焦點之一是乳罩，一九六四年春，無上裝的出現，成了最偉大的革命，這幾乎動搖了整個乳罩製造業。試想想，女人習慣不戴乳罩的話，後果是怎樣呢。

爲了應付這場「暴風」，有關方面便推出了「網狀內衣」。美國的時裝中心華納公司的設計杜威梨拉．摩倫立卽召開緊急會議，決定推出薄如皮膚的內衣，她說：「女性始終需要第二層皮膚來保護眞美麗。」于是，「絲褲內衣」這樣東西便出現了。

這時，無上裝的狂熱已消退了，理由很簡單——世上能有美乳房炫耀的女性實在不多，在「貨比貨」的心理下，自然不敢「挺而走險」。

話雖如此，那些透明乳罩，配戴了等于無穿一樣，是否每位女性都樂意這樣裸露呢？心理學家指出：「女人有兩個臉孔，一是慈母一是娼妓。」可是，世上多少女人有娼妓的心理呢？

但一位女作家這麼說：「大部份女性的內心，可能帶點淫蕩，但她們不想公開讓別人知道，那麼透明乳罩便可滿足她們的心理——聊勝于無。」

事實上，廣告的宣傳，已盡量鼓勵女性大胆，甚至强調害羞是一種古老的觀念，是求偶最大的障碍。他們常常引用珍哈露這位大胆女星的話——「你們看，我有的是本錢，我實在受不住乳罩的縛束，它扼殺了我的美麗。」

一位醫生更進一步說：「不少女性喜歡不戴乳罩，其心理是可以理解的，她們讓自己的肉體在衣服內搖擺，才認爲自己夠生氣，夠性感。如果是像靜止的花瓶，一切的情調都喪失了。」

不論專家的意見是什麼，統計的數字告訴我們，「隱形」乳罩是最受歡迎的；從下列兩個現象可以知道——

①各大公司收到不少郵件，是顧客希望公司用郵寄方法送貨，這樣可以減少尷尬的局面。

②初時，最大宗的顧客竟然是男性，難怪一位售貨員說：「我幹這行七年多了，後來發生過這種現象的：尷尬的是我，不是那些顧客。」唯一的解釋是——顯然男性要鼓勵女性戴這些性感乳罩，索性替他們買下來。

曼赫頓的心理學家溫堡撰專文說：「一個女人感覺到自己對於女性角式演得不好時，便自然想到暴露肉體這方面去了，她希望你發現她的『內在美』——看，我不是沒有這樣——，但她的態度可能是這樣，不准侵犯。」

一位作家說得好：「對於女性，衣服無疑是一種裝潢，除非你永遠不需要裏面的東西，否則，這個包裹又怎能不拆開呢？」

心臟靜脈血塞症是一種嚴重的心臟病，殺人無算，特別是年屆四十的中年男人，最容易受到它的威脅。

從普通醫學常識中，我們知道胸部常有微痛，經常消化不良，或者聽到古老大鐘的鐘擺也會心驚等，就是心臟病初發的主要徵象。但是，如果你覺得自己有了這些情況，千萬別吃驚，因爲心臟痛初發，是不會迅速致人於死地的。

最初發覺心臟情況不對時，感覺得胸部有微痛，或覺咽喉痛，這些心臟病的特別徵象常會在勞心勞力之後出現，極少在休息中感覺到。

胸部刺痛可能爲時僅數秒鐘，但亦會延續數小時之久。假若僅數秒鐘疼痛便止，則病況十分輕微，只要多休息及注意起居飲食，卽可不藥而愈。

中年人與心臟病

·查理士·

但是，如果刺痛延續達數小時之久，這就相當嚴重了，應找醫生檢驗爲上。

因心臟病而起的胸部刺痛，可能發生在胸部的任何部位，或會分散到左臂及左邊的頸部。倘若你在睡覺得因胸部刺痛而驚醒，切勿迅速坐起來，以免令病況加劇，因爲這是心臟病要發作的訊號，你必需要鎮靜下來，待刺痛停止才好移動身體，並應迅速去看醫生。

一個人在經過整天勞動之後，突然覺得胸骨兩邊刺痛，那便好像是心臟病了。但是，若你在深呼吸之時，覺得胸部之上有一種壓縮性的劇烈痛楚，而且有熱及冷汗冒出，這就是心臟靜脈血塞開始發作的徵象。如果你發現了這種情況，驚慌就是你的最大敵人。

心臟病猝發後，你會發現自己躺在醫院中的病床上，許多奇怪的事物隨着出現，令你了解到病況嚴重。

首先，你身傍會放有一具電子心臟機，這具機器會把你心的跳動情況自動的紀錄下來。此外，還綁上許多奇形怪狀的儀器。

次一步，病人才被抽血檢驗。抽出的血液，有些是用來研究及估計心臟的傷害程度，有些則用以試驗血液的凝結狀況。

在這種情況之下，病人要絕對休息，由護士侍浴及餵食。過了三個星期後，才可下床步行。

一個澈底痊癒的病人，只要起居飲食能小心從事，不作過份勞心勞力的工作，那便不會復發的了。

究竟怎樣才能預防心臟病呢？這是很難說的，身體痴肥及常坐寫字間的男人，最容易患上心臟病；不過，瘦弱的勞工及女人都有患心臟病的可能，經常作體格檢查，可以防止病症猝發。

至於減少心臟病的危機的方法，就是留意體重，作有規律的運動，保持輕鬆神態。若是過度生活緊張的人，可請求醫生施用鎮靜劑，戒除烟酒。

如果你覺得胸部經常刺痛，不要害怕，立卽去看醫生，且不可把它放在心上。

因石油一朝發跡的小國

科威特成了中東樂園

油錢也爲科威特帶來一些看不見的好處，他們沒有所得稅和售貨稅。電視節目免費，卽令如此，還是沒有廣告上門。電話雖然要付一點費用，但是城內打電話次數不受限制。

科威特居民享受免費教育，比任何其他國家爲多，任何教育服務一律免費——包括學費、來往公共汽車交通、書籍、文具、運動用品及制服。如果一個高中男生，成績在百人一班中居前十八名以內，他可以到世界上任何國家的大學讀書，由科威特政府支付一切學雜費用。如果赴美國，英文不行，可專門唸一兩年英文，政府照樣付費。女學生卽使是成績最壞的，也可出國唸大學，享受一切公費。僅在幾年以前，女孩子們還帶面紗，深居閨中，沒有受教育的機會的。

科威特現在還沒有大學，從幼稚園到高中，學校的設備都是極現代化，可和英美水準相較。

科威特的醫藥設備，更使人具深刻印象，不僅是全部免費，而且醫院診所特多。在這個不到五十萬人口的小國度裏，有兩所總醫院（其中之一有七百一十一張病床，五十名醫生），及六所特別醫院，兩所結核病療養院，八所婦幼及兒童福利中心，一百三十八所學校診所。所有醫藥全部免費。

另外一個值得注意的事實，是在科威特的外國人比本地人多，估百分之五十三。他們是埃及人、巴勒斯坦難民、約旦人、黎巴嫩人。也有伊朗人、印度人和巴基斯坦人。歐美人較少。外國人都是從事技術工作，如工程師、機械師、律師、醫生、會計師等。教員百分之九十五都是外國人。

一個受過教育的科威特人，總是位居要津。由於科威特政府禁止外國人從事工商業，所以許多本地人可不出錢而作公司及工廠的股東，坐地分紅致富。

科威特又限制外國人入籍，每年只許五十人歸化，資格是至少要在科國住滿十年。一位黎巴嫩人抱怨說：「他們不要我們歸化，是恐怕將他們的大餅，分成了太多的小塊」。（下）

這並非取信這樣把戲，其實呂布在利害關係上來說，他是來幫劉備的。紀靈見呂布神箭，又測知劉備如敗，呂布必然不會坐視的，故而罷兵了事。

廿八、奸雄敬重劉玄德

劉備在呂布之下，有兩年之久。在此期中，劉備收拾舊部曲，日漸衆多。到了建安三年，二人又到翻臉的地步。呂布恐劉備再奪回徐州，此勢在必然，三國爭戰只有利害，絕無道義可言。講道義的人只有失敗的。呂布主動先發制人。但據「英雄記」說：先是（建安三年春）呂布派人携金到河內買馬，被劉備部下所抄。這是劉備不讓呂布有馬匹，因呂布善於騎戰。呂布於是派中郎將高順，北地太守張遼，二路攻打劉備。九月下小沛，劉備帶了關張，投奔曹操去了。曹操手下一位謀士程昱說曹操：「劉備有雄才，而甚得衆心，終不爲人下，不如早圖之。」曹操說：「方今收英雄之時，殺一人而失天下之心，不可也。」曹操不失爲一個雄圖者，謀士所見固甚有理，但終不如操之恢宏遠大。劉備當時甚獲天下人心，一旦殺之，後來的人將不會隨便投降他了。

劉備投奔曹操，操禮甚隆，無有其匹，不但把左將軍給了劉備，且出則同輿，坐則同席。劉備在當世受人崇敬，也許是他成功的因素。曹操以豫州牧給了劉備，又到小沛附近收拾散卒，給予劉備軍粮補給和人馬，使劉備東擊呂布。呂布派高順迎拒，曹操派夏侯惇往援，來不及救而且還被呂布射瞎了一隻眼，又爲高順所敗，劉備妻室又被俘了。如此一來，曹操只得親自出馬，這是建安三年十月的事。劉備在梁國界中與曹操合兵，十月到了彭城，活捉了彭城相侯諧。曹操這次出兵又是十分殘忍的，他把彭城老百姓一齊殺光！進至下邳，呂布親自出迎，曹操大破呂布，俘擄驍將成廉，追到城下。呂布大恐，打算投降，陳宮等勸呂布不可降向袁術求援。繼續戰鬥又敗，只好固守不出。曹操攻之不下，士兵疲乏，打算班師，結果是荀攸，郭嘉獻計，決泗水，沂水以灌城。按當時泗水東南流，過下邳縣西。沂水南流，亦至下邳縣西，而南入於泗，故引二水灌城。呂布麾有侯成者，失去名馬，不久失而復得，諸將合禮以賀侯成，侯成分以酒肉獻呂布，呂布大怒道：「我禁酒而卿等醞酒，你們打算以酒謀我嗎？」侯成受了深斥，心中敢怒而不敢言。退而與宋憲、魏續商議，先把陳宮抓起來。此事在暗中醞釀中。

廿九、呂布臨危献妻嫁女

袁術在壽春，沒有派兵援救。原來呂布把女兒嫁給袁術做兒媳，但聽了陳珪的話，女兒送到半路上又截了回來，並且把袁術派來的七路人馬，利用反間計，把張勳和楊奉、韓暹拆散，渡過了一次危難。這是建安二年的事。曹操聽荀攸之計，引泗、沂之水灌下邳，全城皆成澤國，呂布登上白門樓上坐鎭，挾了他的美人，是否貂蟬不可考。（五十六）

國劇繽紛續錄（七十九）

尝姿生

一欣在重彈

十六年前，余離開銀行崗位而來台，一度在經濟時報客串，該報後來與民族全民合併，而成聯合報。在那時經時同人，如黃銘、朱廬白、趙君豪、陸蔭初、胡博明、王沿津、何伊仁、原順伯等，皆新聞界錚錚，到現在多已旺發而成名。同時有一位周冀成（鷄晨）兄，管廣告。他是在上海新聞報，助嚴獨鶴編快活林與茶話，家中尙富有，兩條弄堂的房子，是他的。赤禍荼毒，害他離滬而棄家，度其熬夜工作，後來移轉入新聞處。冀成善飲能唱（崑曲），與余有同好，常相聚晤，爲一益友也。

冀成有掌珠，名一欣，聰慧穎悟，精通音律，能唱崑曲，曾於三十九年三月，爲省會影劇界勞軍大公演，與蔣倬民奚志全在中山堂演春香鬧學，盛況空前。四十三年由余請她在一女中禮堂演拾玉鐲，由楊峯飾傅朋，丁仲飾劉媒婆，是晚大雨傾盆，觀衆仍是滿座，無非一覩顏色。後來適琴票潘振德，感情彌篤，教養子女，已十年不唱。今春曾在台中因友情商，偶演大登殿之代戰，風采不減當年。八九年前曾從張穀年學山水，亦有成就，因此而能畫，可謂多才。

一欣近就永維影片公司宣傳主任，奔波勞碌，但劇藝興趣又復甚濃，已有重彈之意，余頗贊同其願，希望在不久的將來一見之。她因凌波主演的女秀才，不久將上演，有忙的一段時間，且待事畢，再行排演，是何戲迄猶未定也。

大保國觀後

大鵬演後本雁門關之夕，前有大保國，由王麗雲、崔富芝任東勝演出，唱得很不錯。麗雲已有如此功力，富芝特別卯上，皆是可喜。惟對李艷妃的服裝，頗爲滋疑。爲何既新遭國喪，而幼主登極，這位國太，却穿霞帔而戴鳳冠，何以與從前王琴儂、言菊朋、裘桂仙所演之服裝不一樣。（那時穿的與二進宮的同樣）這是那位主張穿紅的！多少劇評家未有提出硏究，豈不有違穿舊不穿錯的禁例？

言菊朋以前唱「前三皇後五帝」那一段是慢板，現在改了尺寸，多唱原板。崔富芝本錢很足，何不照言氏唱法？要知一改之後，許多好腔不免減色，此段精采爲之失色，何必削足就履？大鵬要算一流劇團，盼其對唱詞能不改爲上上，因僅是大保國而非龍鳳閣，則唱詞太多，或有可原；要以精采動人爲主，不是人家有唱，祇要可以減料，隨即照唱，似乎不太明智。幸有以處之，是幸。

幽幽的鼓聲

——林家錚——

在燈光下，我看見她左邊的面頰有些淚痕。她是一個非常美的女人，有一種奇怪的力量要人多看她幾眼，心裏還有一種說不出來的感受。等她正面看着我時，她並沒有發現我的存在，原來她是一個瞎子。她又大又黑的眼睛那麼動人，我不敢相信她底眼睛是一點甚麼也看不見。

老吳坐在她床沿上說：「我把這些年的積蓄全拿來了。」

「你自己留着用！辛苦錢拿來幹什麼？」

老吳停了半響，說：「茉莉！我們還是回鄉去吧，在外面漂流浪蕩，算什麼呢？」

她笑了笑：「我還不是那麼想。」下面的話沒有說出來。「你還是跟我走吧。」

「當年，我流落在上海的時候，我常做夢遇見了你，跟着你一路回鄉哩！」她的嗓子硬了。一霎眼淚珠往臉頰上滾。

老吳只用手抹眼睛：「不要提以前了——」

「唉——，還說什麼呢！我已經成了一個殘廢人，有啥用——」

老吳非常激動的：「茉莉，我要養你一輩子，我……」

她搖搖頭：「我看不見，腳也不方便，又染上了一身毛病，那我是害你的啊！」

「你這樣生活也太苦了！」

「苦？以前還更要苦啊！什麼時辰罪受滿了，那就好了。」她忽然堅強起來了：「我不能再拖累你，害你呀！」

「那——你還是不打算跟我走？」

「我已經是個廢人啦！只希望你將來能結婚生子，我心裏也就安了」。她非常理智的說：「把錢拿回去吧。」

老吳放聲大哭。我從來沒碰見這種悲哀的場面，不覺也嗚咽起來。他似乎發覺了我在一旁，「你把王家少爺也帶來了麼？」她問老吳。

「嗯！」

「快點把他帶回去。你怎麼把他帶到這個污穢的下流地方來了呢？我不是叫你不要帶他來的麼？」

她朝我這邊望，雖然她看不見我，我却有被看見的感覺。她朝我笑，笑得那麼甜。那種笑，永遠鐫刻在我的心版上，永遠沒法磨滅她那含淚的聖潔的微笑。

屋子裏靜靜的，只有他倆的唏噓之聲。遠處傳來了淸脆的更聲、鑼聲。這時間的痕跡似乎也染上了悲愴。

「送小少爺回去，時間不早了。」她說。

老吳拖延了好半天還不肯離開小屋子，她一直在催他快點走。最後她說：「明天再來，我又不會到那裏去。」

老吳默默的送我回家。一進門，我爸爸就在大廳裏喊住老吳，說：「吳副官，上海有急電，明天非動身不可了。快準備行李，不要誤事。」

第二天中午，老吳和我又去小巷矮屋子裏去找茉莉，竟然人去樓空。老吳說：「我知道她會走的！」他坐在空空如也的房裏痛哭了一場，在裏邊徘徊了半天才離開。

上船的時候，我送到碼頭上，他偷偷的對我耳語：「你要再遇見了茉莉，你告訴她，說我在上海。」

「好！好！」

他走了兩步又回轉身子，彎下腰說：「告訴她，我這一輩子也忘不了她的——」

他好像有好多話一時說不完似的，頻頻回頭望我。

太古輪船公司的新輪汽笛叫了，船身在慢慢的移動，他在欄杆上祇和我招手。

從老吳走的這一天起，我再也沒有聽見茉莉的鼓聲了。在黃昏時分，夜色朦朧中，我曾經爬上牆頭，向遠處瞭望，只是一遍烟霧迷茫。在那遙遠的一方，會傳來幽幽的悲涼的鼓聲麼？我什麼時候，才能把大個子老吳的口信帶到呢？（下完）

閻婆惜改邪歸正

周遊

各位讀者！宋朝宣和間的潑辣風騷殘淫的閻惜姣，到了今天，她竟能改邪歸正，去惡從良；閻婆老太太也一改過去的鴇兒面目。只有風流亂倫的張文遠，其風流浪蕩，却變本加厲了。閻惜姣、閻婆不僅僅是改邪歸正從良了，連她們的出身也變了，不僅是從良了，而且還成爲賣身葬父的孝女呢！不僅是孝女，她還想入列女傳以名垂千古呢！

如果站在某一個角度來看她們改邪歸正，固然有她們的好印像；可是站在另一個角度來看，却也有不見得是好的一面。當然，小說究竟是小說，影劇終是影劇，不必眞有其人其事；如果要認眞的話，施耐庵恐怕要被姓閻的人和姓潘的人罵死呢！反過來說，電影中的閻婆與閻惜姣的改邪歸正，姓閻的人可能會說「陳新」（編劇）可算是天下第一好人」了。

戲劇中人物的正反，都有其相對的兩方面效果，絕沒有全部電影中的角色都是好人，道等於世上的人沒有全都是好人一般樣的。既然并沒有完全都是好人的世界，則戲劇中沒有全都是好人的可能也是天經地義的。以其正反派角的效果而言，正反派都有其好的效果的一面；也都有壞的效果一面。正如世界上的人完全都是好人，那這世界上不但是沒有壞人，而且同樣這個世界上也沒有好人。那便是「沒有壞人也就沒有好人」。簡而言之，就是沒有「好」「壞」。明乎此，所以戲劇中角色的正派與反派用不着拿來作爲衡量「過關」的標準。要注意的是：他的主題正確不正確。如果要就「善良風俗」而言，好有好報、惡有惡報，也就夠了；把反派角色完全改爲正派角兒，實覺得沒有多大意義的。而且中國人莫不皆知潘金蓮與閻惜姣這兩個聞名的女人，她們在中國人的心目中，簡直是一種楊花水性的淫婦，這一色彩已深入中國人的腦際。這樣突然以反爲正、以淫婦爲孝女、貞女，反而令人有一種不是味兒的感覺。所以，我認爲不必要這樣亂改一通，其效果仍是一樣的。水滸傳上的閻惜姣與潘金蓮雖是淫婦，但其結果是遭到惡果，那還不失一種懲惡揚善的本旨。如以閻惜姣變成爲賣身葬父的孝女，爲了宋江私通梁山的一封信，又不惜犧牲將信騙過手來，用火燒了，那樣夠義氣的女人，受了滿腹含冤，反而被宋江殺了。這不更令人有一種不同的感覺？這豈不好人又成了得到惡果嗎？所以，我看「閻惜姣」編劇的「改邪歸正」，並無多大意義。好了，有機會再談陳新改編的「閻惜姣」吧！

盛夏談皮蛋

．勺海．

在熱天裏，一般人的胃納，都會減少。因熱天多流汗，故只顧多進流質之品，以補充水份；而胃液被沖薄，故食物消化，受了影響，故胃納便差。熱天菜式，一般都喜淸淡。而皮蛋在熱天裏，是最可口的食品，且每元可購四枚至五枚，也是極適合經濟的。

閒常佐膳，將皮蛋切開，置加熟油醬酒，夾以酸薑共啖，味殊雋永，且增食慾。以其味微帶辛辣，能刺激腸胃，有助消化之功。對患胃病，而胃酸過多的，尤爲適宜。因爲經過醃製後，而帶鹼性，能中和胃酸，減少侵蝕胃壁，故常食可治胃病。而皮蛋裏仍具有很豐富的營養成份，維他命A尤豐富。因皮蛋比鮮蛋的脂肪量減少，乳酸量則增加，還帶有燐質，和阿摩尼亞的氮，故對于體質衰弱者，尤爲適宜。蓋不可凝結的氮，比鮮蛋爲多，只少去葡萄糖的成份耳。

平常胃消化不良，而致口唇舌部牙肉等爲虛火上升而燒爛，或者虛火牙痛，吃皮蛋，或將皮蛋加上「叉燒」「蠔豉」等煲粥，都很有功效，且也可口。

在酒家的熱天菜式，「炒金銀蛋」那一個熱葷，便是以皮蛋爲主，切成小粒，加上叉燒粒、洋葱粒，以鮮鷄蛋調和炒香即成，味殊可口。而鳳城菜式，也有一個「鴛鴦蛋卷」，乃以皮蛋和熟蛋切塊，夾上瘦肉片、猪肝，以猪網油包卷，外塗鷄蛋麪粉在沸油裏炸熟，味尤豐腴，爲下酒佳品，薑甘香鬆化兼備，冷熱咸宜。

皮蛋北方人有呼爲「變蛋」的，而蛋裏的蛋白，照着有花紋的，稱「松花彩蛋」，吾粵則爲「七彩皮蛋」，若蛋黃溶化如漿的，稱「糖心皮蛋」，味尤可口。至製「松花彩蛋」之法，據說，以鮮鷄蛋百枚，濃茶葉四兩，煎汁濾過，食鹽十兩，未化石灰十兩，皆研爲末，柴灰四升，穀糖半斤，鹼三兩，拌勻成團，分爲百團，每蛋用一團包勻，安裝罎內，固封罎口，不可搖動，四十天便可供食。若想蛋裏有花紋，則以松柏竹葉或乾芫荽等燒灰拌入才以包蛋，則吃時去殼，便見花紋了。然近來常有狡黠小販，製化學皮蛋，食之無益而有害耳。

四川山歌兩則

．德．

猶憶兒時居住「天府之國」華陽平原上，每逢稻作時節，農人在田中忙於插秧與淸除雜草之際，爲驅除工作單調與疲勞，常由一人領唱，衆人相和，其詞雖屬俚俗，但其聲則悠揚悅耳，實不亞於西方古典歌曲中之大合唱。茲就記憶所及抄錄兩則，以作補遺：

一則

（主唱）：東方喲，一雲朵啊。

（和聲）一朵雲啊。

（主唱）：西方喲，霧沉沉囉。

（和聲）霧沉沉囉。

（主唱）：明天喲，下大雨啊。

（和聲）下大雨啊。

（衆和）夥計！後天的活兒就做不成囉！

註：秋收時節，農人忙於割稻，割下之稻禾必須乘天氣晴朗予以晒乾。若遇天雨，則爲防割下之稻禾霧壞或發芽，而需停止工作。

二則

（主唱）：么兒荷活嘿呀，

（衆和）上街去打牌喲。

（主唱）：老娘看見你呀，

（衆和）棒棒有你挨啊！

註一：「么兒」爲對排行最低之男子的稱呼。「荷活嘿」意指凡事馬虎，不在乎。

註二：田中工作過於單調辛苦，如遇有同伴嗜賭如命，則大衆唱此歌調侃之。

自由報
THE FREE NEWS
第六七六期
中華民國僑務委員會頒發台僑新字第三二三號登記證
中華郵政台字第一二八二號執照登記為第一類新聞紙類
（半週刊每星期三、六出版）
每份港幣壹角
台灣零售價新台幣貳元
社長：雷嘯岑
督印人：黃行寰
社址：香港銅鑼灣高士威道二十二號四樓
20, CAUSEWAY RD 3RD FL. HONG KONG
TEL. 771726　電報掛號：7191
承印者：大同印務公司
地址：香港北角和富道九六號
台灣分社
台北市西寧南路壹壹零號二樓
電話：三〇四六
台郵劃撥戶金第九二五二

美國在越南的政治措施已露曙光

·王爾晉·

近幾月來由於美國政府在越南採取堅定的政策支持一個穩定的政府，使那些囂張而不安分的佛教徒們，漸漸的銷聲匿跡，南越內部漸趨穩定，美軍及南越政府得以安心去剿共。這是美國在越南破天荒的一個重要政策，擴大一點說，也是在亞洲小國家裏破天荒的一個重要政策，這可說美國在亞洲推行民主政治的一大進步。但可惜的是美國在亞洲採取這個政策太晚了。若在一九六三年南越佛教徒反吳廷琰政府時採取這個政策，也不致於弄到今天一團糟；若在一九四六年毛澤東在中國大陸叛亂時採取這個政策，今日的世界必換成另一種局面了。

說句老實話，二次世界大戰以後，美國在亞洲的政策失敗多於成功。首先在中國大陸硬要推行什麼尊重民意，自由選舉，國共合作的政策。看到共黨煽動的學生工人反政府示威運動，就以為國民政府真的不得民心不民主，便聲明一筆勾消國民政府而向共黨頻送秋波。結果共黨利用那和談講條件的機會，很快的囊括了整個中國大陸，成為美國第一號敵人。繼之共黨就大胆從韓國開始向外侵略，幸美國那時採取了勇敢積極的政策，才在韓國遏阻了共黨洪流的氾濫。但韓戰不能貫澈到底，韓國土地仍被共黨割去一半。一九六〇年韓國的政客們沿用了共黨在中國大陸那一套手法，鼓動學生反政府示威，美國以為韓總統李承晚不得民心不民主，不予支持，李承晚政府輕易的倒台，而政客們的爭奪，學生們的示威有如河堤決口，洪水洶湧奔流不可遏止之勢。若不是朴正熙總統以鐵腕政策挽回狂瀾，韓國局勢今日又不知道變成什麼局面。

南越正遭遇越共嚴重威脅時，突然出現了一羣野心的和尚，運用共黨在中國大陸那套手法，鼓動學生反政府示威，以圖奪取政權。中間又滲雜着天主教徒既反政府又與佛教徒互反，成為一個三角糾紛，弄成一團亂絲，分解不開。美國當然認為南越總統吳廷琰不得民心，不民主，不予支持，吳廷琰政府輕易的垮台，吳氏兄弟未經審判即被謀殺。越共乘機大批滲透南越境內，暗殺，爆炸，綁架事件層出不窮，使美軍及南越政府窮於應付。

這些和尚食髓知味，一次得手，接着反政府示威就成了他們的一種癖好性，不反政府示威就感覺難過似的。反吳廷琰，反阮慶，反阮高祺等示威惡作劇，乃接二連三的演出來，一年之間三易政府，這真是千古奇聞。和尚們反政府示威除了運用一般常用的喊口號，打門，散發傳單外，尚有一個最新的發明——和尚尼姑自焚，抬死人遊行。宗教是講慈善博愛的，尤其佛教講大慈大悲，戒殺生、戒酒色財氣，而越南的佛教徒和和尚們，竟掀起殺人流血的政治鬥爭，我真不明白他們胡蘆裏賣的是什麼藥？我真懷疑他們平日宣道所講的真實性。當初怎樣激起這些和尚、教徒的情緒，怎樣使他們一直猖狂下去不可遏止？這是值得檢討的。

美國對亞洲小國家的政策失敗的原因很多，我認為主要原因是不能堅定的支持一個穩定的政府。其所以不能堅定的支持一個穩定的政府，就是不能徹底瞭解客觀環境各項事實情況，時間，地點，民情以及共黨野心政客的動機和後果。美國人老是堅持着美國式的民主民意，多數取決，選舉罷免，兩黨政治。共產黨和一部份野心政客就利用美國人這種心理空隙，煽動和收買學生、工人、教士、和尚反政府示威，以造成民意，或造成多數。又以虛偽的宣傳，偽裝的民主以朦混美國新聞記者及其工作人員的視聽。美國政府往往不問情由，不計後果，就認為這是時機，應該尊重民意，服從多數，開始厭惡現政府，指為不民主而促其垮台。共黨及野心政客乃藉此機會趁火打劫，攫取政權，然後再回頭反對「美帝」，視為勢不兩立的死敵。美國人好像一個耳朵根子極軟，見聞淺陋的主官，張三說李四不對，他聽信，李四來說張三不對，他也聽信，後來又來一個王五說張三李四都不對，只有他自己對，他依然聽信，結果只是得罪了一切的人。

我並不是反對尊重民意，服從多數，覺得這些措施，要注意時機和客觀情況。一個國家在四周被敵人環伺時，最重要者先全力支持一個穩定的政府，然後再徐圖內政的各項改革。在一個國家遭受威脅時而促使政府垮台，猶如在戰爭激烈時調換指揮官，改變司令部，其不陷於混亂而每一個國家領袖有他的優點，必然也有他的缺點。但不管他的優點多少，缺點多少，只要他不是共產黨，不是暴君，他能穩定暫時的局面，都可以去再依客觀情況從事和平的改革。改革固是需要，但不流血的改革尤為需要。尊重民意，服從多數固然需要，但研究真的實意，真的多數尤為重要。

遊行示威是近五十年來共黨和野心政客們攫取政權的有效手段。遊行暗殺傳染性非常之大，過去無論矣，即近幾年遊行示威暗殺之風，竟由韓國越南傳染到美國本土了。吳廷琰兄弟被謀殺二十二天後，甘迺迪總統亦被謀殺；接着黑人種族遊行示威暴動，反越戰遊行示威，一鬧就鬧到白宮大門前。不是按照民意，按照多數處理國內的遊行示威呢？何以美國政府當局和輿論，對於國內遊行示威暴動這些事，又不認為是政府不民主所使然的呢？

（下轉第二版）

古巴人民的苦果

兩個玩火的傢伙

今日與明日

美在越南始終沒有決心

我們不能否認，美國有足夠的現成的機動力量，可以在越南的戰場摧毀侵略者的游擊武裝及其指揮者北越共黨政權。前日消息，美國第四步兵師勁旅四千人，又由美抵達越南，歸仁登陸。至此，美國駐越軍隊已近二十九萬人，又復據美國國防部宣佈，計劃至今年年底，駐越美軍將增至四十萬人。週一外電復報導：美攻擊艦四艘雲集東京灣，並駛入接近河內的海面；並有一個擁有軍機一百七十五架左右的空中突擊隊，在同一地點集結。

依照美國當局和在越南前綫的種種措施，似乎是準備窮以取得最後的勝利。是不是有此決心，當然看不出，但美國所擺出的姿態確像是在朝此方向推進。據美國國防部八月四日宣佈：十月份將徵兵四萬六千二百人。此一數字如與韓戰初期每月徵兵八萬人比較，還不及百分之六十，但已接近一九五三年五月韓戰末期每月徵兵五萬三千人的數字。徵兵超過四萬五千人，為韓戰後的首次；無疑這是美國當局為應付越戰而採取的措施。

美國在國內徵兵，並向越南增派軍隊，更積極佈署機動力量於第一綫，似乎是決心大打了；然在事實上，仍不過是「迫和」的一種姿態而已。美國前副總統尼克遜先生日前結束訪問越南時，在西貢所發表的談話中，就指出了這點。他說：美國向越南增兵計劃仍嫌不足，他認為應在原計劃，再提高百分之二十五。美國在越南泥足深陷，主要缺點是沒有計劃沒有策略，更壞的是沒在戰場上大量人力物力，而不在於求和，卻志在求和。總之，可以說美國在越南所進行的戰爭，是一場莫名其妙的戰爭。損失了大批美國青年的寶貴生命，也浪費了大量取自納稅人的金錢，在美國當局「徬徨失措」中莫名其妙的犧牲了。尼克遜先生所談的加強增兵計劃，確實是一針見血的有遠見之談。他認為，此舉不但會得到美國人民的歡迎，也將受到自由陣營的支持。因為，這樣不但可以提前結束越戰，更可以減少美國、越南和大韓民國等國家在越南戰場的聯軍的傷亡。

其實，在美國當局舉棋不定的影響下，在越南戰場上的美國陸空武裝，根本就沒有充份予以運用。譬如現在東京灣海域的航空母艦，雖然「是機動性的，可以在一天之中以一種新的方法加以運用」；但長期以來只使用其二分之一的力量來對付敵人。

近數月美國稍為加强軍事行動，就遏止了越共的雨季攻勢。可見越共武裝並不是一支不可勝戰的力量。問題就是美國缺乏決心，在這種惡劣影響下，助長了敵人的威風而降低了自己的士氣。（何如）

求才先要識才

人才有上駟與下乘之別，要鑑別，孰為上駟，孰是下乘，必需具有高度的慧眼卓識，且不能以常理常格作尺度。

真正有為的人才，必然有所不為，獨立特行，不斤斤於庸俗之見，不沾沾於一己之私，重大節而忘細行，勤遠略而忽近利，非其人不事，藐然無所容於心，非其時不出，悠然澹泊以明志。古人諸葛亮若不是遇着慧眼識英雄的劉備，推誠相與，倚畀殷切，他的歷史便要另外寫過，說不定即以躬耕南陽，抱膝長吟終其身呢！近代人胡林翼青年入贅於南京兩江總督陶澍的公館中，新婚之夜尚流連於秦淮河畔的風月場所，丈母聞訊震怒，陶公卻說：此子他日必負國家重任，今不及時行樂，將來無此餘暇了。這就是不以常理常格衡量人才的典範。但劉備和陶澍本身如果沒有超邁等倫的才智，也就不會識別諸葛亮與胡林翼是上等人才，「知人則哲」，信有徵也。

凡是憑着常理常格而鑑別羅致的人才，上焉者謹小慎微，守成安份，每以非常舉措為戒。次焉者仰承鼻息，趨利避害，而唯邀寵固位是務。這些只能說是庸才，未聞大道，非所語於人才之列。若夫自郐以下者，既不識大體，亦無意求治，但望「主公厚我」，不敢稍作主張。是謂奴才，何足道哉！

芸芸眾生，民智進化，隨時隨地皆有人才，殆如地下的寶藏，只待發掘而已。古往今來的統治主，沒有不想得賢才以求治的，問題在能否識別人才之高下，用其長而舍其短？既用矣，是否信任不疑，俾得展其抱負？諸葛亮何嘗沒有議間他的人，也亦不無失措的地方，由於劉備之信任堅定，而予以股肱心膂之寄，使他感恩知己，盡力圖報，實現了隆中對策，開創三分天下的局面。後世如諸葛亮這類人才，有的是，然劉備甚少，滔滔者盡是些以常理常格來衡量人才的統治人物，入彀者多屬庸才與奴才，此其所以治世少而亂世多也。

馮王先生

公路局車未括在內
省頒公路行車取締法規
私營客貨車業羣情惶惑

（本報駐高雄記者趙家驊航訊）最近台灣省警務處頒佈了一項「公路行車稽查取締處罰規定」，這個規定是由交通部報請行政院核定者，但因未經立法院通過，所以只是暫時性的單行法規。該一單行法規內之主要條文，凡與廿三年前公佈實施的違警罰相抵觸者無效。因此在執行上有時不免重複繳納。此一「法規」所施行的主要對象是私營計程車、貨車，並不包括公路局之客運車在內。因此計程車及貨車營運業者，爲之羣情惶惑不安。

公路局高雄檢理所所管轄的公路範圍，包括高雄市縣，屏東縣，澎湖縣，台東縣，高雄檢理所即設在高雄市。公路警察第三區隊隊本部即設在該所內。公路局檢理所，與高雄市警察局交通隊，已通知此間汽車公會，自八月一日起，（實際上七月廿號以後即實行），計程車上規定噴上「限乘五人」油漆字樣；八月廿日起，凡超載一人之計程車，按該「法規」第六條第三欵：「汽車載人超過規定數額者，處十元以上十五元以下罰鍰，並責令卸下超過額數」；第四欵：「汽車載客超過核定數量者處六十元以下罰鍰」（按所罰者爲銀元，每一銀元合台幣三元）。

汽車及貨車營運業者認爲這個新「法規」太不公平，因而激起了公憤。他們指責公路警察說：「只准州官放火，不許百姓點燈」——公路局之客運車可以拚命的超載、超速，而不受該「法規」的限制。他們舉例說：我們的車子在公路局車子後路跑，那麼公路車是否超速？你一句我一句吵鬧了起來，最後照罰不誤。他們認爲公路警察這樣找麻煩，他們担憂未來的生計。

據汽車業者說：公路警察執法犯法，公路車平時超額載人司空見慣，尤其禮拜天天公路警察在車內叫乘客向後擠，乘客像沙丁魚似的，擠得皮挨皮，肉貼肉的。直達車規定有票者即有座位，可是有票者沒有座位却大有人在，只得站着，這不是超載是什麼？至於普通車更無論矣。至計程車超載，充其量一人而已，也不可能超載二人。

他們列舉公路車與計程車之優劣點：公路車方面：一、因超載致空氣不好，衛生更不用談。二、公路車班少，所以幾乎站票多於坐票，乘客嘖有煩言。三、公路車上抓手多，有許多乘客在擁擠的情況下，金錢財物被抓去者不貴。四、公路車因爲擠得水洩不通，尤其時值盛夏，男女貼得太緊，在心理與道德上往往有造成敗壞的危險。

他們舉出計程車的優點：一、票價一樣，有舒適的位置可坐，乘客不致產生旅途勞頓之苦。二、計程車內空氣好，不致使乘客窒息。三、計程車內清潔衛生，且有收音機欣賞，愉悅乘客身心。四、計程車內沒有抓手，乘客不虞金錢財物的損失。五、計程車中途不停，直達目的地，比公路車上下乘客躭誤時間爲快，乘車樂得坐計程車。

美國在越南的政治措施已露曙光

（上接第一版）

苦的經驗中醒悟過來了。越南和尚反政府的示威，時間也比過去幾次都長，除西貢外，和尚尼姑到好幾個省份自焚的，而且還有九人之多，有武裝部隊的機槍大炮爲後盾。但美國政府自始至終，堅定的支持阮高奇政府，和尚學生軍人也無能爲力。倘若美國政府如過去一樣，說這是多數民意表示，應該尊重，不再支持阮高奇政府，那末，南越到今天可能又調換了幾個政府的領袖。政局常在混亂之中，徒然給越共造機會。

無疑的美國今天是世界的希望，她的性格依然很忠厚，她的目標非常正確，她的民主自由思想不但適合人性需要，而且適合世界進化潮流。所缺憾的就是不能根據現實需要，因時因地而拿出一套適合世界各地情況的辦法，老是以自己的尺度衡量別人，單刀直入的講自由選舉，講多黨制交換執政，講反對黨之必要。這一套的辦法，往往吃虧一遇。[illegible]原則是一定的，但實行的方法必須隨時間空間以及各種情況而變化運用，更不能操切於一格。[illegible]每一代都有權利爲自己選擇他們認爲最快樂的生活的形式。[illegible]所以只要原則確定，實行方法不一定完全要照美國方式去做。[illegible]

法軍將否留駐西德問題
戴高樂刁難．西德傷腦筋

·波恩通訊·

法總統戴高樂自從八年前得勢，掌握了政權後，他一直用他最擅長的「打撲克」手法來對付他的盟友，使對方神經緊張，傷透了腦筋，感到束手無策。如果人們不善忘的話，當能記憶共同市場的「馬拉松回合」，戴高樂經已向每一盟友表示，即使到達了最後破裂的邊緣，他是無動於中，不會眨一下他的眼睛的。現在撲克牌戲一個新回合又已開始。這是法總統和西德總理的對手戲。

這個新回合的開宗明義是關於法國軍隊的繼續駐防西德問題。戴高樂坦率聲明，謂法國的七萬五千名陸軍將會從萊茵河撤透，除非能適合他所提的條件——而那些條件是具有一切政治後果，將會惹起「所謂四强負責」整個德國的。

戴高樂是想和德國人單獨談判這一重要問題的，如果談判是這種無條件担承的適當字眼的話。事實上，他只是需要西德政府正式要求法國軍隊留駐西德領土，因爲法國軍隊由本年七月起不再隸屬於北約指揮部。西德總理艾哈德業已作「清晰和決定」的表示，這並不是無條件的。是的，艾氏對于國家聲望的問題也可能很敏感的，倘若戴高樂堅持具有國防担承的法國軍隊，在法國人指揮下沿萊茵河與莫色耳河駐防，那末，它使牽涉西德的國家聲望了。

這些問題現時正在波恩各種政治商討中提出，它們是極重要的，因爲它們的決議將決定法德合作的前途，它的延續或破裂。自本年三月七日戴高樂總統向美國詹森總統發出第一封信後，西德境內法軍去留的問題經已困擾德國人的神經。因爲具有精明遠見的戴高樂，在這種老練的撲克牌戲中翻出每一張外交和政治的王牌，使人們對於法國在西德的軍事担承多所揣測，而無法明白他的眞正意向所在。

戴高樂是一個冷靜的撲克能手，作爲一個戰術家，在神經戰中他甚少有敵手的。自他由莫斯科歸來後，關於法軍的留駐西德，是否他已採取任何堅强的立場，還是很難加以確定的。事實依然是這樣，法德最後一次交換照會是關於七月一日的最後限期和西德委派一個專員的問題——該專員將代表西德領土的最高權力和担任聯絡官的任務——及今爲止並沒有引起法國實質的耳語。

西德政府堅持，而且這樣是正當的，法國退出北約軍事系統後，一九五四年有關法軍駐防西德的協定，將不再照現時的形式被採納，而須依照西德的利益予以修訂。可是法國是反對任何新協定的安排，[illegible]——以及想一切保存不變，照原來一樣。

同一人物，他片面決定拒絕軍事完整，並曾把這個同盟投入在惡劣危機中，現在他企圖同時錯誤地運用佔領的權力。法國一心一意把它的軍隊退出北約同盟，其所表示的目的是保護它自己的利益和國家的主權，現在應該易地而處，同情西德政府的想望，保衛西德的利益的。但縱使兩個國家具有相同的目的，它並不意味這些目的是一致的。

[illegible]

就執政黨的大多數議員來說：法德合作是一種担承，不僅在政治方面而且也在情感意識方面。面對批准法軍由西德撤退的選擇，這個基督民主黨和基督社會黨的聯盟是艾哈德總理的困境。他和外長史魯達備受兩黨各派系的攻擊。在這種一種局勢下，需要勇氣和毅力來保持冷靜的。戴高樂至今還沒有打出他在國內政策中所持而且他知道王牌是那張牌在西德手上時是怎樣的有價值。同時，戴高樂也必定會審慎考慮的準備怎樣去下這注，[illegible]就此，只有雙方出於誠懇共和衷合作的制，可能出現一個雙方都有勝利者的。

據說上週戴高樂與波恩艾哈德會談兩國間的問題已大有進展，並保證法國希望見到東西德統一，並保證法國充份支持大西洋同盟，雖然她已退出大西洋公約組織。德國方面認爲戴氏已開闢一條途徑，以便法軍留駐西德的困難問題，得以解決。由此看來，戴高樂畢竟是重視法德友誼的。

香港旅遊業出現低潮
原因複雜也值得憂慮

（本報訊）目前香港的旅遊，仍然在淡季中，歐美、中東及東南亞各地遊客到港很少，直接影響是一流酒店空置的房間創今年的新紀錄，據有關人士估計，現在港九的一流酒店平均有六成客房空置着。間接影響的是專做遊客生意的珠寶首飾商店、藝術品商店、高級洋服商店，一片冷淡，預料須到九月，各地遊客到港方能逐漸增加，旅業纔開始進入旺季的邊緣。

今年香港旅遊淡月的開始，除了季節性是其中一個原因之外，四月初九龍發生騷動事件，也影響歐美和中東遊客到港的心理。雖然四至五月份仍然有相當遊客到港，可是在港逗留的時間很短。到了六月，香港發生前此罕見的雨災，遊客到港更少。七月份遊客繼續出現港尚未有明顯的復增，是遊客到港的特殊情況。

留的時間仍然很短暫。今年上半年遊客到港的數字尚未公佈，惟從去年同期比較，增加率祇爲百分之十二。足見今年上半年，香港遊客生意發展仍未如所期，其發展率的輕微，可能是九年來的新低潮。

查自一九五九年至一九六五年，每年遊客到港比率都是增加的：一九五九年遊客到港比一九五八年增加百分之三十一；一九六○年遊客到港比一九五九年增加百分之十八；一九六一年遊客到港比一九六○年增加百分之三十五；一九六二年遊客到港比一九六一年增加百分之十四點六；一九六三年增加百分之十七；一九六四年遊客到港比一九六三年增加百分之二十三；一九六五年遊客到港比一九六四年增加百分之十二點一。由一九五九年至一九六四年每年平均增加率是百分之廿二。去年開始的增加率已比平均數字降低百分之十，今年上半年的增加率可能繼續減緩。本來世界人口逐年增加，交通事業不斷的發展，遊客人數每年增加百分之十是應有進展的速度，其他地區均有這樣的進展率。

今年一至五月遊客到港數字是一十八萬○三百三十三人，加上六月份的數字，相信今年上半年遊客到港也不及去年總數的一半。今年全年的遊客到港數字能否達到去年的紀錄，亦成疑問。

但今年上半年香港旅遊業有一種突出的表現，這就日本遊客到港明顯增加，其中有兩個月且多過英聯邦遊客數字。原因是日本人在國內申請外匯的公價外匯，僅足到港作短期的遊玩，行遠一些就要動用黑市外匯了；因此日本人出國遊玩，多數以香港爲目的地。

根據一項調查報告，每一名遊客到港消費平均一千四百五十港元，其中百分之五十五是購買物品，百分之二十是酒店房租，百分之二十是飲食消費，其餘百分之十五是交通費及其他零用。足見香港旅遊業每年的無形收入是很可觀的。改善對遊客的服務精神及供應價錢公道的物品給遊客是極爲重要的。

瀛海異趣談

禁書禁片尺度如此這般

·桑稚·

最近，義大利肉彈珍娜羅露寶烈吉妲因在「四挑美情」的演出過份暴露，因而被控犯淫褻之罪。同時，玉婆伊莉莎白泰萊與李察波頓合演的「誰害怕維珍妮亞·烏爾芙」，因含有淫褻成份，在美國田納西州被禁映。由于這兩宗新聞，我們不妨談談電影及書籍的被禁的幕後秘密。

在英國，最近上下議院已準備從新修改「剪刀政策」，事實上，不少有識之士已提出質問：當局對于電影電視及文學作品的檢查尺度在那裏呢？于是，手持藍鉛筆的人，逐漸受人注意了。外國人愛稱「藍鉛筆」代表着強勁的權力，英國的電視節目均由「獨立電視委會」檢查，舞台劇却要經過張伯倫爵士的審查。電影呢？電檢處由哈力爵士及約翰·特維恩主持，後者是秘書之職。至于書刊，大部份由警局代執行，發現不妥之處，亦由他們起訴。

無論那一個組織，處理有傷風化這問題，意見并不一，尺度是時價不同的。肉彈白麗伊莉首次在電視演「冷和平」時便觸雷，有一場遭禁映，因為男主角的手放置在她膝頭上，過份性感。可是，另一個趣談節目，每逢週日播出，其內容大部份是粗鄙不堪的笑話，一連播映八年了，一直都順利通過。

還有其他例子，時裝攝影家大衛·比里在一夜之間，被檢舉兩次，羅蘭士夏飛說一句有關駱駝的笑話，也被控有淫褻成份等等，理由方面，是層出不窮，給人們的印象是——如檢查官個人認為不恰當，有妨礙公共道德的話，你的罪名便成立。這麼看來，他們確是無上權威的。

電影不適宜兒童觀看的，拿證明文件作為資別。至于電視，有關成人性愛問題的已安排深夜時份播映，因為在這時間，大部份孩子已入睡。書籍方面，情形較為複雜了，如「香水花園」之類的印度性愛古典作品，在愛丁堡是被禁售的；但在倫敦，各報攤都有。又例如，「芬妮曉爾」（即「歡場女子回憶錄」）這本西洋金瓶梅，最近在曼徹斯特，數千本被充公沒收，但在其他城市，可以公開發售。在伯明罕，法官認為「江湖豪客」這本小說是黃色的，可是在公共圖書館隨時可以借閱。

由于此類糊塗事越來越多，不少人士便表示「我們的社會不需要這些檢查官，把他們再趕出去吧！」目前，有不少畫家指出，他們再不受尊敬。

著名的影評家泰南最近在電台，竟然頻頻「三字經」，引起若干聽衆嘩然。華嘉娜絲蒂在「快人快語」的演出，空前大胆，替英國奪得一項金像獎，于是檢查諸公變了啞口無言。

事實告訴大家，無論官方對于檢查尺度如何嚴密，一樣有人冒險向當局挑戰，他們可能純粹為了生意眼，或為了一個原則，那便是新道德觀念。

不妨聽聽好萊塢大製片家查理士·菲爾曼的話，他便是玉婆主演「誰害怕維珍妮亞·烏爾芙」的製片人。他最近這麼對記者說：「我個人對于那些檢查老爺們的高見，常是不大苟同的，每一次，我都跟他們爭辯。」正因如此，他攝製的片子如「慾望號街車」、「七年之癢」等都是引起議論的，正如「誰」片一樣。

最近他的新作是占士邦的「皇家賭場」，現在拍攝中。但他透露有一場戲，可能難逃剪刀之封的，就是大衛尼雲與烏蘇拉安德絲在浴缸內一同出浴。他承認說：「這幕戲，原著與劇本都沒有的，這是我在片場工作時突來的「靈感。」」

至于安德絲本人，對于電影檢查尺度的意見是：「這是各人的眼光不同，還有胃口也各異。不過，只要能表現美感，也受剪刀之封，是不值得的。女子胴體能給人視覺上的快感，這有什麼不妥之處？難道帶來痛苦，才值得鼓勵嗎？」

不久之前，電檢處的秘書特維恩公開對報界發表：「我們的主要目的在保護兒童的心智發展，有關成年人的性愛問題，我們反較不重視。我們集中檢舉殘暴的題材，對于幼稚的心靈，殘暴的行為比性感還有害處。但成年人看色情鏡頭，沒有多大壞影響，對于兒童看過殘暴的故事，對于心理的不良反應，是難以形容的。」

話說回來，如果沒有一個檢查的機構，若干不擇手段的製片人及出版商，便會推出不忍卒睹的作品，對于社會人心，確有敗壞的作用的。

歐洲最擺架子的城市維也納

漢　松

每年有不少愛好跳華爾滋舞的人特別到奧地利的首都維也納練習他們的舞蹈，準備參加每年二月間在那裏的大歌劇場舉行的大舞會，他們認為那是畢生最大的光榮。維也納乃華爾滋舞的搖籃，相傳下來一百多年，仍受到大衆歡迎。

維也納仍是在歐洲最擺架子的城市，有似在哈斯堡王朝統治時代，鼎盛時又曾擁有半個歐洲的疆土，最後的一個皇帝法蘭斯約瑟造像明信片仍在各處出售。老年的維也納人願意回復昔日的時代，現今每天晨早，在哥夫堡宮內，西班牙騎術學校仍有訓練着名的白馬和騎士。在每個星期日，維也納兒童歌唱團在帝國教堂唱大彌撒。所有的狗都戴着口罩，因為在兩百年前，奧地利皇后瑪利亞泰利莎曾下令這樣做，免獵犬咬傷了她的鹿。并不多每一個維也納人都有名銜的，王子或伯爵不可勝數。過去宮殿的禮儀仍然存在，當一個高尚男子碰到一個女人，他會趨前俯身去吻她的手；不一定要真的吻到，有時不過作狀而已。假如一個外來的人不能夠說流利的德語，不要隨便跟人用德語談話，否則會被認為是不敬的。寧可用英語，因為英語是在維也納的第二種流行語言。

在維也納的每種東西都是戲劇化的，在內城有許多建築得輝煌華麗的建築物，看來是王宮，其實是大歌劇場，戲院、音樂堂、博物院、圖書館、美術館和政府公署。更有許多大的雕刻人像，有的是古代帝王、英雄或神話中人物。在城市內很容易看到樹林，這是在歐洲的首都罕見的景色。每一株樹都有編號，在市府均有登記。盟軍委員會在十年前才將那個城市交還維也納人，所以沒有多的機會趕及歐洲的其他首都的現代化。捷克與匈牙利離開維也納不遠，乘汽車一小時便可到達，維也納就成為鐵幕國家與西方國貿易的中心。政府由兩個黨派所組成，但各都無野心掌握全權。維也納是在歐洲的唯一城市，人口比在五十年前為少。也許如此，維也納看來像一個懶洋洋的首都。它確是一個歌劇與音樂的城市，它的英雄是音樂指揮不是吉他彈奏者，不是高音歌唱家不是鼓手。它是一個有最多王宮、公園、銅像、音樂四重奏和朱古力餅的城市。冬季可在維也納溜冰或到維也納林木撬雪。

維也納是一個文明城市，初看來似一個鄉村。但也很大，什麼東西都可得到。它是一個奇趣的城市，有高的教堂塔樓和其他像影剪的建築物在各建築之上。它是一個飲品者的城市，有十種咖啡，十六種啤酒，五十多種酒。它是在維典之西，有最佳的水泉。（上）

無法傳遞的信件

·雷也同譯·

幾年以前，有一個叫作弗萊德·亞斯當的人，住在英國一個小城，他服務於該市郵局，被稱為死信郵差，因為他專門處理那些地址寫錯和模糊不清的信件。他和太太住在一間古老屋子，還有他的小女兒和年幼兒子。飯後他總喜歡點起烟斗，告訴孩子他怎麼對些遺失信件作最後努力，他比喻自己好像偵探，他們家庭真沒有半點不安。

可是不幸的事情發生了，一個陽光普照的早晨，他的幼子突然生病，四十八小時內便死去。

亞斯當心靈悲痛，幾乎失去知覺，他的太太和小女兒——瑪麗安，勉強收拾創傷，來處理善後，爸爸却沒有這麼做，正如一封沒有地址的死信一樣，每天早上亞斯當起床上班，像一個夢遊病人，除了萬不得已他不講話。他獨自用餐，坐在餐桌邊像一尊塑像。很早他便上床睡了，然而太太發現他，躺在床上，大多數時間都是用眼望住天花板。時間多過一天，他的悲痛加深一天。她對丈夫說，這樣對死去的兒子毫無益處，對他生活也無益。但她講的話他都不聽。

時間漸漸接近聖誕節了，一個晦暗下午，亞斯當坐在高桌上工作，在搖擺不定的燈光下，打開一大堆新郵件，上面有一封不能傳遞的信，下面只有用鉛筆寫道：「北極聖誕老人」。亞斯當想把它丟掉，似乎有什麼吸力令他不這麼做，他把信封打開，裏面寫道：

親愛的聖誕老人：今年我們家裏都很悲傷，所以我想不必再替我帶什麼禮物了。小弟去春去了天國，你若要來，我只求你將他的玩具帶給他，包括木馬、火車等，我會放在廚房火爐邊。我想他在天國若沒有這些玩具，一定會寂寞的。他喜歡的是騎木馬，一定要帶給他，倒不需要帶禮物給我了。但是却要想辦法，使爸爸能和往常一樣，唧着烟斗講故事。求你一定辦到。只有如此才能醫好他！若能成功，我將做你的好女兒。

瑪麗安。

當晚亞斯當快步回家，站在黑暗的天井裏，劃了一根火柴，當開門進屋的時候，從烟斗裏噴了一大口氣，凝結在太太和女兒頭上，像雨後彩雲一般，他就如往常一樣，對他們笑了。

呂布在城中等待袁術的救兵，久之不見動靜。呂布心想，袁術不發兵，是因為女兒沒有嫁給他做兒媳。於是又將女兒綁在馬背上，想利用夜間衝出重圍，送到袁術那裏去。但被曹兵所阻退回，呂布自將千餘騎出戰，敗回不敢出。呂布欲陳宮高順守城，自己領兵去斷曹操的糧道，但他的太太說陳宮不可靠。陳宮又請呂布以步騎出屯城外，以為勢於外，呂布的太太又不肯，說曹操待陳宮如赤子而陳宮舍之而來，今天我們待宮不如曹操，欲委全城妻子，一旦有變如何是好？故呂布不納。呂布這人太無骨氣，只要有利，不擇手段，只要自己存在，那怕是犧牲兒女、妻子，給人當兒子，什麼都來，也就是無所不為的傢伙。此時急了，先送了女兒，又想到他的漂亮老婆身上。他想關羽為人很重義氣，何不把老婆作為交換賀禮，請他在劉備曹操面前轉圜？於是就將老婆綁了送去。這老婆無論是不是叫貂蟬，但總生得漂亮是不錯的。關羽此時大概還沒有老婆，也就收下了。關羽收下之後，就問曹操說「可以收下嗎」？曹操說「當然可以」。關羽問了曹操兩三次？曹操便心覺有異。於是就命把呂布老婆帶來看看。曹操一看，果然生得漂亮，於是曹操便把她留下來。這段可說是三國時代的「內幕新聞」，只見於「蜀記」，陳壽未採入三國志。此事元人雜劇中有「關羽月下斬貂蟬」一齣戲，此戲在演義之前，蜀記有此說是很可信的。

三十、白門樓呂布喪命

呂布送了老婆，仍然沒有下文。另外只有他的一個朋友張揚，真正關心他，張揚發兵救呂布，不料却為他的部下楊醜所出賣。原來楊醜是想投降曹操的。但楊醜却遭到另一個同事名叫眭固的暗殺，替張揚報仇雪恨。眭固殺了楊醜，帶了張揚的兵去投降袁紹。曹操知道了，派了史渙帶領人馬去把眭固吃掉，收編了張揚的部隊。呂布困在白門樓上，毫無辦法，水漲越高，城中內部叛了。侯成發難，把陳宮捉了，開城投降曹操去了。呂布一見大勢已去，只得開城向曹操投降。他對曹操說：「你所怕的，不過呂布一人而已。我現在已服了！天下的事有我倆來幹，是沒有問題的了。你統步兵，我帶騎兵，可以橫行天下，還怕有打不平的地方麽？」劉備坐在一旁，聽得呂布之言，心中暗暗着急了：讓他倆合作，天下就沒有我劉備的一份了。劉備就在曹操耳邊說道：「明公別聽呂布之言，他當初對丁建陽和董卓的故事，還不夠警惕嗎？」曹操大致也對呂布這人的心性有所了解，知道呂布是靠不住的傢伙，於是就把呂布、高順、陳宮幾個人一齊殺了。只留下一個張遼沒有殺，曹操並且優禮相加，拜為中郎將，後來做了曹操的一員忠實大將。三國「人中呂布」到此結束，他的「馬中赤兔」後歸關羽。

張遼字文遠，雁門馬邑人。本姓聶，因避怨變姓。少時曾為郡吏。幷州刺史丁原以張遼武力過人，召他為從事。丁原帶兵晉京，何進派遼到河北募兵千餘人。何進失敗後，歸屬董卓。董卓失敗，歸於呂布，拜騎都尉。（五十七）

國劇繽紛續錄

（九十八）裴婆生

爲龍吟定目

陸軍劇展，計演卅二天，開未有的格局，値得贊許。我在三日參加漢聲國劇社成立茶會，晤到胡學傑兄，談到龍吟擬演劇目，爲適合景萃殿卿的配搭，提出一捧雪，烏龍院，孔雀東南飛三齣。其故在一捧雪除胡少安能演，餘則不多。烏龍院必帶劉唐下書，可以讓殿卿一顯身手，必定不凡。孔雀東南飛的焦仲卿多用小生，但劉貞模演過却請周正榮。須由驪珠考慮是謝景萃抑佟世忠。總之此三齣很夠紮硬，可傲睨同儕。不意消息傳來，竟成定局，可見馬朱兩位之從言也。

大宛在前次演本戲以後，曾函告桐春，有機會不妨將虞姬恨鐵龍山艷陽樓等，加以銜接而演出。此次所定則虞姬恨鐵龍山皆得見。尤其劇目名稱很夠響稱，這威震華夏，九伐中原，楚漢風雲，皆切合現狀，而是我們希望遠景。桐春也經一番周思而定的。祇盼望慧如特別努力，以正視聽的成功。

看了龍吟大宛的定目，覺得干城所定的三天，蘇小妹（新排），穆柯寨（曾演十餘場），十三妹（有人演過），似乎二妹一寨，應稍變動。因爲表示似無生角，獨揚旦角，未能十全十美。從前梅蘭芳沒有王鳳卿，也排不出這許多戲？故而妄想有改碼之必要，是形形色色，有關於整個劇團，以戲爲主，似應考慮也。

聯演的劇目

陸軍劇展，在末尾的兩天，有陸光大宛龍吟干城聯合演出兩晚，這是集各團的大成，要火熾，要熱烈，茲聞劇目已經擬定，呈候核准中。聞所定如下：

（一）頭二本虹霓關，戰蒲關，英雄義。

（二）失空斬，八演五花洞。

（三）斷橋，轅門斬子，虮蜡廟。

（四）八演鐵公鷄，四郎探母。

依照個人的管見，認爲聯演的主旨，必須具有戰鬥與文藝，因此所列各戲，如失空斬，轅門斬子，四郎探母，皆不足以達成此任務，而也不一定爲觀衆所欣看，値得檢討。特以告排戲的職員，須加考慮。就所蠡測，應照下列比較爲宜：

（一）頭二本虹霓關，戰蒲關，虮蜡廟。（容納較多）

（二）斷橋，穆柯寨，八演鐵公鷄。（人才較多）

如照此上演，相信尙可鬨動一時。陸總政治部可再作周密之核議，以留佳話。

在添丁以後

·秀山·

小洪兩口子結婚三年還沒有兒女，看見別人的小寶寶是那麼的活潑天眞，就非常羨慕和希望能夠做爸媽了。

這是一個不難達到目的的問題，從立下這個願望後的一年，他們就添了一個男丁。

歲月的過去並不因甚麼而遲或快。當孩子彌月之後，夫妻倆因孩子的降生而來的歡欣高潮稍稍過去後，兒女實際與自己有關問題就漸漸抬頭，進而因有了一個嬰兒的闖進他們的生活圈子來的瑣事便開始被注意，覺得，有了一個孩子，固然改變了原先僅是兩口子的生活形式，同時快樂與煩惱的事也隨之而來。有時，這意念在某一種情況，是會浮現起支配了意識而至及於品性的。

一天，嬰兒哭鬧了一陣之後，睡了，小洪就多少帶點近於煩惱的意味說：「兒女累，亦即兒女債，眞的此言是珍珠都沒有那麼眞的。」

「就這麼看，你就覺得煩惱了嗎？」做妻子的帶點不滿的神氣答腔。「殊不知更爲難了我。」

「一言以蔽之，就叫做兒女累。」他體貼妻子似地說：「兒女，給他們累的人當然是父母，那連你也包括在內的。」

這話，是把她說成跟他一樣，她也就感到心慰理得，那原先有點責問似的神容鬆弛了，微微一笑。繼而夫妻談心的意味便浮起上來，就用話家常般的態度說：「你是說過喜歡男孩子的。」

「當時情勢逼着我。」他露出誠實的神容。

「我不明白你的意思。」她臉上也溢漾着一股疑惑神態。

「你試回憶一下，」他提起她運用腦子的暗示。「當我說這話時，彼此之間的情緒是怎樣的。」

她凝神沉默着去回憶。但僅幾轉瞬間後就顯得不耐煩地說：「我希望你還是坦白點好。」

「我有什麼不坦白？」他否定一下她那含有指責的意味。「喏——，那晚，聖誕的前夕，我要赴派對，你肚裏已有了六個月，不方便跳舞，我看出你有連我最好也不要去的意思，但派對主人是我的一個相當要好的朋友，要我無論如何一定要幫忙，事實上我參加與其說爲了跳舞，不如說是爲了幫忙工作，而你偏不滿意我去，理由是恐怕我接近女人。這情緒，一直在你心裏盤據了很多天，剛巧，這時我跟你談起腹中的是男或女，我爲了避烽頭火勢起見，所以就說喜歡男的。」

當他如數家珍般的把聲音歇下後，她「哦——」的一聲作恍然而悟式的微笑，自然當時的妬忌這今經已完全不存在了，却一經提及，便勾起夢重來，因之，便不禁心裏有點歡然，却仍要強地做作得向他白一眼，也微咬嘴唇，却用蠻不講理的意味說：「你知道對我不住就好了。」

「哎！你還要那麼說，那簡直是把我嘔死了。」他認眞地顯得有點微微在生氣的樣子。

她歡然地一笑，說：「既然不是那麼的一個人就算了，何必着惱。」

他聞言，心一暢，似乎原先結下的結子，一時間，都鬆解下來了。

夫妻，在一般情形的來說，情緒會是多方面的，至少，是喜和近於惱那兩種方式常在心頭交替出現；還有的就是閒閒常常，那就是沒有喜和惱那兩種意味了。

此刻，他們惱一陣，喜一陣之後，那剛才還是喜的那種意味又隨着時間的稍稍逝去而冲淡了；同時談話的情緒也闌珊，當下，再寥寥落落的交談一陣後，女的因點家常小事而走開，剩下做丈夫的獨自在小廳裏拿着報紙來打發時間了。

光陰，依着它進行的速度而打發了一陣後，孩子週歲了，照例又要爲孩子而招待一次親友。雖然，這些繁文縟節般的事可以省去，却有一些無事忙的人偏要慫慂，而且還把這話說成是與面子有關的問題，那他們就得商量了。

她說：「阿蝦週歲時，我們準備怎樣——大做一番呢還是跟至親的人吃一頓飯就算？」

「隨便點好了。」他因有感於經濟情況不很好而要從儉。

（上）

郵政史話

周遊

三月二十日爲吾國郵政紀念日，民國三十六年五月十五日，交通部爲珍重我國創辦郵政之歷史，以激勵從業人員與社會人士合作以促進郵政事業之進步，特定每年三月二十日，即創辦郵政之日爲「郵政節」。

迄今已有十六年之歷史。

考我國「置郵」之起源甚爲悠久，孟子公孫丑篇云：「德之流行，速於置郵而傳命。」亦曰「郵置」。古之「置郵」者，以郵驛傳遞官書。後漢書郭符許傳云：「議張孝仲芻牧之中，知范特祖郵置之役。」廣雅曰：「郵，驛也。」置郵，亦驛也。馬遞曰置，步遞曰置者，度其遠近之間而置之也。」此則古代置郵而傳命之概況。而所遞僅限於官書，民間則不與焉。及至清末，此種置郵乃漸及於民間。而是時有馬撥子，仍以官書爲主，全國各省城州縣衙門，均養有快馬，每至一站，則另換快馬傳遞，所送之公文封之角上，插一鷄翎，最緊急者，則插兩隻翎，此名曰飛遞。日行六百里，名六百里加緊。八百者則曰八百里加緊。而此時私人有與官場相識者，亦可順便投遞，不收費用。此種官差順帶之私函，除書名投寄地姓名之外，尙必有各種客套語，如「遊子在外，無不思家，家報代遞，感德無涯」。或者「平安家報，以慰遊子，倘蒙遞到，感德無已」等語。

其次爲信局子：爲商人經營，在北京多山東人經辦。傳云此種信局子始於明，但無可稽考。遞信一封，索價六百文，直至民國初年尙有存在者。信局後經郵局數次交涉始罷。信局子寄信時，並無郵票，經某局代送信件則於信封加蓋「某某郵局」字樣。此種封印後爲各國集郵家搜購，其價不菲。再次尙有送報人及鏢局子，也附遞郵件。後因郵局之創設而被淘汰。然清代之馬撥子爲官設，屬總理各國事務衙門，餘皆民辦者。

晚清由官辦而兼收受民間信件者，則爲清光緒四年三月二十三日海關郵務辦事處，收受民間往來各通商口岸之信件，但仍屬代辦性質，尙未正式設立郵局。

我國正式創設現代郵局，則始於清光緒二十三年三月二十日，由總理各國通商事務衙門奏准海關辦理郵務擴充爲國營事業。然在擬議中，輿論頗多異議，有人謂：在各省都有馬撥子，何必又創郵局呢？現在有信局子代人民送信也就夠了，又何必國家再辦郵局與小民爭利？或曰：以國家而辦信局子，未免有失政體。諸如此類，少見多怪也。國人皆以爲不屑辦，而西人則重視非常。其時英人勢力最大，而我郵政總局之大權，落入英人之手；法國勢力亦不弱，而總郵務司一缺，則落入法人之手。直至日本投降之日止，北平郵務長還是法國人鐵士蘭。

（上）

余叔岩窘迫奏藝

諸葛父俟

民國十七年唐生智在武漢戰敗垮台後，所部湘軍第八軍（軍長李品湘）第卅五軍（軍長何鍵）第卅六軍（軍長廖磊），皆經李宗仁秉承中樞命令予以收編，旋由白崇禧統率李品湘、廖磊兩軍北伐，（何軍留駐湖南）遂獲勝利，克復京津，進抵山海關，奉軍遁還老家。維時李濟琛坐鎮廣東，李宗仁雄據湖北，白崇禧揚燕薊，所謂「桂系」勢力之盛，自民國以來，未嘗有也。

越十八年，武漢政治分會主任李宗仁，以擅行任免湖南主席，與中樞反目，唐生智派龔浩在南京活動，通過當時之軍委會保定行營主任何成濬，而以「湘軍回湘」爲號召，乃將成屯北國之舊部第八軍與卅六軍重行掌握，表示擁護中央，承諾，設總部於北京。生智之父唐辰，即在北京稱觴慶祝六十壽，名伶假行堂會演戲娛賓，派皖人徐權爲提調。生智指定須邀余叔岩、楊小樓合演「八大錘」。時余伶因便血輟演已久，與楊小樓失和亦已五載，相見且不作寒暄應酬語，亦不願委曲應召登台，然唐生智堅不允許。

徐權乃以危詞勸余伶勉爲其難，謂唐總司令素性橫蠻，若拂逆其意興，恐有不測。余氏答謂：「我不唱戲，總不致犯下殺頭之罪吧？」徐言：「你抽大烟，唐總司令就可以逮捕你置之於法，看你怕不怕？」余氏不免躊躇，繼謂：「我與楊小樓見面連話都不願意說，到台上無論如何亦提不起興趣跟他合作演戲，萬一唱蹩了，不特開罪於觀衆，我自己的名譽也將大受損失，豈不糟糕嗎？」徐惻然道：「我負責保證，只要你肯登台，臨場隨便應付過去，即不認眞賣氣力，主人和觀衆亦不會有異議的。」余猶遲疑，徐又以甘言勸之曰：「我一輩子從不佩服人，就是佩服你的劇藝。這次能看到你在戲台上亮亮相，也就過癮了。」余氏不得已，勉強應命，臨場時草草表演，在觀衆熱烈鼓掌聲中，謝幕畢事。民廿一年春，愚于役北都晤及余氏，曾閒談上述故事，余氏不否認，但無慍色，只言「徐權的提調工夫眞不賴！」我問「楊小樓當時在台上對你是否誠心合作？」余氏謂：「我根本就沒注意他的形色與動作，只顧敷衍交差拉倒」。舊時之軍閥與官僚，視戲劇演員爲賣藝者，與倡優同列併論，任意作踐，固不僅唐生智有然也。

五六月杭州風俗

○期生○

農曆六月間稱爲伏天，分初伏，二伏，三伏。在杭州初伏這天，中上人家普通要殺鷄闔家團食，他們認爲伏日所吃的東西，較平素所吃滋補。當地有晒製伏薑之舉，就是事先買好帶皮的生薑，擺在幾籠裏晒乾。據說這種乾薑，專治胃痛。婦女們往廟寺燒香，叫做「燒伏香」。

末伏常在立秋節的前十天，所以當地有「秋裏十日伏，伏裏十日秋」之諺。在立秋那天，要購備秋桃，全家每人一枚分食，但食後的桃核都留藏起來，等到了除夕就靜悄悄地把它放在火爐裏燒掉，認如此可以避免瘟疫的發生和傳染。

六月初一到初六，多到廟宇燃黃花燭，供奉「斗姥」，舉行禮懺，叫做「拜斗」。同時要在這六天中持齋茹素，叫做「斗素」。俗稱六月十九爲觀音誕辰，要舉辦放燈，在這幾天晚間遠望西湖裏那些浮蕩映輝的荷燈，宛若星羅棋布，煞是好看。更有許多善男信女的香客們，在十八日夜裏相率湧出金門，渡湖到天竺寺去露宿避凶。

廿八爲雷神誕辰，往城隍廟中山雷神殿拈香拜佛者，更途爲之塞。

杭人迷信五六兩月，是不宜遷居和結婚的，稱之爲凶月。

自由報
THE FREE NEWS
第七六六期
中華民國僑務委員會頒發　台敎新字第三三三號登記證
社長：雷嘯岑
督印人：黃行警
社址：香港銅鑼灣高士威道二十號四樓
20, CAUSEWAY RD 3RD FL. HONG KONG
TEL. 771726　電報掛號：7191
承印者：大同印務公司
地址：香港北角和富道九六號
台灣分社
台北市西寧南路壹零號二樓

聽而不聞

糊塗騎士

民意代表的權勢問題

陳伉

世俗所稱「民意代表」，是指一般由民衆選舉出來的代議士，如國會和省市議會的議員皆屬之。同是號稱爲議員的人，由於政治制度的關係，他的權力未可一概而論。在極權專政如實行納粹主義、法西斯主義、共產主義的國家中，雖然亦有議會和議員，却與憲政國家大異其趣。前者只是御用的工具，專做執政者的應聲蟲；後者卻有監督和糾舉政事的權力，個人且享受若干的法定特權——在議會發言，對外不負責任，在開會時縱然犯了私罪亦不得隨便逮捕——權勢煊赫，威風凜凜，好不洋洋然人也。本文所討論的民意代表權勢問題，是以憲政國家的議員爲準則，所闡述的事實，是以本國的中央民意代表爲依據。

夷考中央民意代表的權勢，實有正副之分，亦即有成文與習慣之別，茲分釋其義理如次。

正的方面

我國的中央民意代表計有三種：即國民大會代表與立法、監察委員是也。按照憲法規定，這三種議員的職責，各有所司，地位相等，似乎沒有上下床之別。若論實際政治價值，應以立法委員獨佔鰲頭，由價值而產生權力，由權力而潛滋威勢，立委之義，大矣哉！立法委員担任政府的荷包，各個部門的預算或法案，非經他們審核通過不可。行政院的施政計畫，先得徵取立委的同意，向他們負責，立委對於行政院長有權力趕他下台，行政院長却不能解散立法院。立委隨時可以質詢行政各部首長的施政得失，無所顧忌，說得對的，敬謹接受，說得不對的，亦須洗耳恭聽，未可反脣相稽。做過了三年立委，即成爲當然的律師和會計師，不管是否學過法律，懂得會計是怎末回事，皆沒關係。

監察委員對文武官吏有繩衍糾謬之權，可以調閱任何機關的卷宗或帳簿，可以彈劾全國一切的公務人員。掌管着國家財政上的審計事業，政府任命某些行政官員，事前必須經過他們同意。若夫國大代表，除却選舉正副總統以外，祇能兼作官吏而已。

就民意代表的法定職責而言，權力則有之，說不上威勢。但由正面的法定職責而產生的副作用——權勢，那就「不可方物」，尤其立法委員，可謂至矣盡矣，蔑以加矣。不過，這種無形的習慣權勢，許多人皆不想、也不願享有它，甚至於避之若浼。最近監察院提案彈劾兩位政務官的文書內，記有「懾於立委權勢」一語，因而引起筆者的注意，謹就管見所及，談談民意代表的權勢問題——即副作用問題。

先說立委：在審核行政機關的預算或法案時，各主管部門的首長自不免有所疏通請託，俗言「打蛇隨棍上」，具有審核權力的立法委員，即可以乘機發揮副作用，對主管機關要索某種利益，最普通的方法是藉工商企業名義（包括自己暗中經營的和別人公開設置的），向國家銀行貸款，或向國營生產機構承購物資，誰也不敢不買帳，否則不特預算或法案通不過，後患必然孔多。當你出席議會報告政務時，左一質詢，右一指摘，拈到某點缺失，打破砂鍋問到底，措詞有如法官審訊犯人，父親教訓兒子，看你受不受得了？行政官署那有毫無錯失的事情，倘被議員再三嚴切質詢，宣騰於報紙上，便是失職，即有去職的危險，要作官的人士當然害怕，就是對於官位並不在乎的強項吏，如果常被議員當面指戟斥責，亦會心灰意冷，求去不遑的，而議員們之權勢乃大張，官吏自非畏懼三分不可。議員的法定質詢權雖說是限於政策問題，實際却事無鉅細都可問，詢問的詞氣與顏色，愛怎樣表現皆無所謂，因爲在議會發言對外不負責任，雖誹謗侮辱也不致於吃官司，天生權勢於余，法律道德其於余何哉！英國議員在議會發言要遵守一條戒律：不許有「非議會的言語」（Wn-Parlimental Lounguage）。然那是西方的習慣，與咱們的「國情」不合，應毋庸議。質詢權這項武器，在政治上確有無堅不克，彈不虛發的效能，例如司法獨立的法院，若有兼任律師的議員向法官通關節、說官司，似無「懾於立委權勢」之必要，大可鐵面無私，我行我素了。但是，你那頂頭上司——司法行政部長——就會挨受無限的質詢炮彈，弄得體無完膚，爲着替上司減少煩憂，保障自身職位的安全，雖包文拯再生於今日，對着議員這種權勢，也不能不有所懾伏而低頭呵！所以，普通律師在法庭上作辯護人，說話稍越範圍和份際的，法官立示警告或制止，唯有議員兼律師的，儘可肆無忌憚，放言狂論，外行話，非常識的話，粗魯話，充口而出，滔滔不歇，失格失態，滿不在乎，法官也不敢予以干涉。這些屬於副作用的權勢，便把議員的聲價大大的貶了值！

監察委員只有彈劾權而無質詢權，又不能兼作官吏和律師、會計師。要想徵召行政官吏到院會報告某項政事，官吏可藉「於法無據」，由拒不應命，也就莫可如何。行使彈劾糾舉權力，亦須言之有物，證據確鑿，副作用的權勢不及立委遠矣。但監委有調閱案卷之權，關係重大的卷宗帳冊，如果延不交還，行政機關或案件的當事人就不得了。從彈劾、糾舉而調閱卷宗這些過程中，即可發生深鉅權勢，[illegible]利用它，便有意想不到的效力，[illegible]國大代表除兼任官吏以外，[illegible]副作用可言，權勢二字，充其量在六年一次的集會期間，多得一點俸祿而已。社會人士和政府文武官員，誰也不把「國大代」看在眼中，副作用卑卑不足道也。

民意代表基於正面作用而產生的權勢，中外皆然，義所應爾，否則政治上就發揮不了制衡作用，流於御用工具之列，怎末可以呢！問題是由副作用而來的無形權勢，構成政治上的陰暗面。於是乎，貪污、瀆職之風氣大作，毀損了代議士的崇高聲譽，助長了政治上的腐敗生活，這是值得警惕的。要消弭這種副作用，端賴代議士自律自清，嚴肅內部紀律，不使副作用大過正的權勢，樹之風聲，資爲楷模，清明之治，可立而待也。

今日與明日

日共「背叛」毛共

日共脫離毛共的手心而走「獨立自主路綫」，最近已經明朗化。以野坂參三（日共中央主席）和宮本顯治（日共中央總書記）爲首的日共「中共派」（又稱「主流派」或「代代木派」），是在毛共支持下發展壯大起來的。日共主席野坂參三到抗日戰爭結束時他返國止，在陝北延安住了六年之久。他返日公開活動後，日共在總書記德田球一領導下，野坂爲中央宣傳部長，已躋身爲第二號領袖。德田於一九五三年客死北平，日共曾因受到盟軍總部和日本治安當局的打擊一度陷於低潮。一九六〇年日共「八大」，野坂參三被選爲主席，於俄共與毛共嚴重分裂後，日共變本加厲地更死跟毛共，所以又被稱爲「中共盲從派」。按日共於一九五〇年十月二一日公開始活動時，只有黨員一千二百人，而現在黨員已達二十萬以上。這些「成就」雖然是日共本身的「努力」爲其主要原因，但毛共在人力物力各方面的大力支持，也是功不可沒的。日共是在這樣背景下發展起來的一個政黨，居然也背叛毛共，當然爲毛共所不能容忍。近日，毛共以劉寧一被日本當局拒絕入境爲藉口，已把日共和「美帝」、「佐藤反動政府」及「俄修」，捏在一起加以大事攻擊了。

毛共日共凌厲互噬

劉寧一被日本法務當局視爲「不受歡迎人物」拒絕其入境出席「第十二屆禁止原子彈氫彈世界大會」，却是基於安全理由。[illegible]

多餘的事兒

自由談

民意機關爲着保全本身的信譽，常有「自清」運動的正大作風，這是示信於選民，值得稱贊。

不過，所謂「自清」乃是自己檢束的意思，應該先求諸己，而由民意機關照例設置的紀律委員會之類的單位負責進行，如過去立法院對若干違背紀律，久久不來台灣報到，亦不請假的委員予以罷免，即其例證。若夫民意代表利用職權而有蔑紀非法的行爲，如最近報紙揭露有立監委員與國大代表涉及「盜豆案」，以及官商勾結向國家銀行借貸鉅款後，即辭去其負有担保責任的董監事職務等情事，民意機關要「自清」的話，唯有假手於紀律委員會，只在信譽上弄個清楚明白，涇渭攸分足矣。若發生法律責任問題，那是司法機關的事，不在「自清」之列，也不僅是「自清」就可以了事的。

因此之故，民意機關不先進行自清工作，發揮紀律的效能，而要求行政首長來當衆報告，證明民意代表是否有如社會上傳說的不法行爲，這祇是一種宣傳作用，沒有觸及問題的核心。盜豆案已在法院偵訊審理中，行政院長怎能夠當衆證明是否有民意代表涉嫌於其中呢？非法貸款事件并不是行政院主辦的，對與不對，主管部門負有攸歸，行政院長亦未便遽加論斷。所以，立法院要行政院長出席證明盜豆及非法貸款案有無民意代表在內的決議，我們認爲這是自我宣傳的多餘之事，却使行政院長大感尷尬，實在不足爲訓。

民意機關如其眞有實事求是，澄清，保全信譽的決心，最簡單而扼要的辦法，不妨由立監兩院聯合大代表合組調查團，向各個有關部門切實查明，調閱案卷，眞象即可以明瞭，殊不致張皇幽渺，小題大做，而徒[illegible]行政院長來作證。美國參議院雖常有邀請政府各部首長出席作證之舉，應知道美國參議院的性質，與咱們的立法院有異，未可等量齊觀，其義理非片言所能盡也。

名爲「自清」，實際却希望別人來代清，我敢担保行政院長在立法院報告時，一定說是不清楚是否有民意代表涉及盜豆案，應候法院訊問後，除此以外，他還能說甚麼呢？民衆的眼睛是雪亮的，是是非非，大家心裏有數，光是搞宣傳玩藝，實係無用之長物，是亦不可以已乎。

馮五先生

自由世界三個防衛組織先後面臨根本解體危機

·紐約通訊·

自從第二次世界大戰宣告結束後，自由世界為了提防及應付共黨的武裝侵畧，顛覆及滲透活動起見，曾經先後地組成北大西洋公約組織，中央公約組織，及東南亞公約組織三項主要的地區性集體防衛制度。然而在過去半年多的時間裏面，這三項重大的西方防衛公約組織受有增無已的內部壓力。因此令自由國家的觀察人士無法抑制沉重的憂慮。在他們的心目中看起來，這些集體防衛組織在過去十餘年期間中，是否能夠有效地發揮集體防衛的功效及對共黨的擴張勢力，令他們感到重大的疑問。在最近之前，北大西洋公約組織，曾經被認為是西方國家最團結及關係最密切的代表和象徵。該集體防衛組織始創於一九四九年，主要的目的是阻遏蘇俄及東歐共黨集團向西歐擴張。在成立之初，只有十二個國家參加。後來會員國則增至十五個。這個防衛公約組織的軍事結構及指揮，是完全合併性的，因此是統一的。當時規模之大——及組織的嚴密，被公認為承平時期裏面無前例的軍事聯盟。

克里姆林宮是否在戰後曾經計劃向西歐發動武裝的侵畧，那是令人懷疑的一項問題，因為直至目前為止，還無法找到確實的證據。但最少，北大西洋公約組織的成立，加上當時那項「馬歇爾計劃」的實施，却毫無疑問地將西歐的士氣挽救過來。因為在第二次世界大戰結束後的最初幾年來說，那是非常黑暗的日子。而且，北大西洋公約組織及馬歇爾計劃又曾經阻遏希臘和義大利兩國國家裏面的共黨攫取政權的陰謀。

時至今日，大部份美國人士已經意識到北大西洋公約組織的弱點，就是該公約由一個在政治上及軍事上勢力最強的國家所支配。這個會員國就是美國本身。在戰後的初期，由於西歐國家在各方面均陷元氣大傷的狀態中的緣故，因此，它們接受美國的支配。可是到了最近，由於共黨威脅顯然已告減退的緣故，而且這些西歐國家的經濟實力已經充分地復原，能夠再次用自己的一對腳穩定地站起來之故，因此美國的保護及支配權，越來越令西歐國家難以繼續接受。

該公約組織現時正在軍事方面採取改善的步驟，目的是令到較細小的會員國在另一項重大的核子設計工作上面有發言權。這項工作已經在十二月提出報告。不過在政治問題方面，却仍然無法尋到一項妥善的解決方法。這裏所指的政治問題，就是北約會員國在外交政策方面尋求較大的獨立行動自由。該公約的北歐會員國不單只避免核子武器，而且經常流露採取中立政策的傾向。

至於中央公約組織，則始創於一九五五年。它原名「巴格達公約組織」，是一項由英國支持的聯盟，其餘會員國是土耳其、伊拉克、伊朗，及巴基斯坦。該集體防衛的目的是阻止蘇俄的勢力滲透到中東地區裏面去。

這項公約組織曾經發生許多變遷。最初的一項就是一九五八年間，伊拉克發生政變退出該公約組織。如果蘇俄真的曾經認眞地計劃向中東發動一項軍事侵畧的話，這個共黨國家可能已經在伊拉克退出該公約的時候便採取行動——派一批傘兵佔據與蘇俄毗連的伊朗山地區。

到了一九五九年間，美國跟土耳其、伊朗，及巴基斯坦分別締結雙邊性的協定，因此令中央公約的實力宣告增強起來，同時美國在名義上成為一個會員國。然而美國給與公約的一切軍事與技術援助，卻無法阻止蘇俄外交活動對該公約所起的腐蝕作用。因此到了最近，土耳其和伊朗已經和莫斯科改善關係。伊朗甚至禁止美國的轟炸機和飛彈在伊朗境內設立基地。而另外，巴基斯坦已經和中共發展友好的關係，同時接受中共坦克車及飛機的援助，從而彌補與印度發生武裝衝突時所遭受的損失。

在三項主要的西方集體防衛公約裏面，最渺茫的就是東南亞公約組織。該公約成立於一九五五年，會員國是澳洲，法國，紐西蘭，巴基斯坦，菲律賓，泰國，英國及美國。目的是阻嚇東南亞境內的共黨威脅。雖然東南亞公約組織設有一個規模細小的軍事設計署及一個特別的「反顛覆」辦公處，可是，却沒有合併的及統一的指揮軍事組織。除了在一九六二年間，該公約組織曾經派遣部隊往泰國境內採取預防性的屯駐之外，該公約組織所採取軍事活動，大部份是依照雙邊協定而進行的。此際，美國在南越境內進行的防衛活動，被宣佈為南越係位於東南亞公約的「防衛傘」之下的。馬來西亞及星加坡並非東南亞公約組織的會員國。至於法國和巴基斯坦則實際上已經退出該項集體防衛組織。就現階段而論，英國的會員身份正面臨一項嚴重的考驗，因為「對印尼與馬來西亞的對抗」顯然行將結束的緣故，因此，英國正感受有增無已的壓力，要求派遣象徵式的武裝部隊屯駐與南越毗連的泰國境內。然而，如果英國堅持拒絕採取這項行動，那麼英國對東南亞公約組織的承諾，便會立刻被人懷疑，甚至被認為是不可思議的。由於英國現時正感受沉重的政治及經濟壓力的緣故，因此在一般觀察家的心目中看起來，他們認為英國可能堅持地拒絕派遣象徵式的武裝部隊前往泰國境內協防。在這樣微妙的情況下，澳洲及紐西蘭與美國締結的「美澳紐公約」，有可能代替東南亞地區內的公約組織。然而澳洲及紐西蘭兩國政府要決定這樣做的時候，却還必須對國內反對派的抨擊設法阻力。

美空中英雄阿當斯歷險記

·西貢通訊·

在越南作戰的美國飛行員，也和這個世紀裏的三場戰爭——第一次世界大戰，第二次世界大戰，韓戰——從事飛機出擊的其他美國飛機員一般，經常出發敵人領空，大家都把生死置諸度外，自顧不到所謂危險。在他們來說，簡直是無所謂危險，危險已經成為他們的尋常事務。

最近，北越共黨增強了防空力量，高射炮多而且比較準確，俄製的飛彈也突然多起來，再加上向來銷聲匿跡不敢出頭的米格機，也間中露臉了。從事出擊的美國飛行員在這種情形之下，他們很可能冒着殉職或被俘的危險。幸而遇事而能脫險生還的，美國人都把他視為英雄，熱烈地予以歡迎。

七月中旬，駐南越的美國飛行員凌烟閣的英雄譜中又添了兩個海軍青年軍官，其中一人，由於曾經協助他的其他美俘，美軍當局沒有宣佈他的姓名，祇說他是從敵國境內的共黨俘虜營逃出的。他在深山密林之中躲藏了二十三天，直至一架美國巨型直昇機上的駕駛員看見他在地面用白色布袋砌成的求救訊號，纔把他拯救出險。

另一個英雄，名叫阿當斯，現年祇二十五歲，却是唯一被擊落於北越地區而兩度獲救脫險的美國飛行員。並且，他兩次遇事都是不欲飛機墜毀於人口衆多之區，寧願冒險降落別處。

他第一次的脫險是去年十月在北越河內附近：當時他所駕的F八式戰鬥機給一枚俄製飛彈射中，他憶述當時的情形說：「座駕機被擊中後，仍然向前飛行。我屏息靜氣想了一會兒，我知道機身受創很重，於是將着身體，把駕駛桿一拉，使飛機轉向海上飛去。」機隊指揮官高聲用無綫電叫他按擊彈射降落，但他的無綫電收音機顯然失靈，並沒有聽到指揮官的指示。

阿當斯說：「幾秒鐘後，我從鏡子裏就看到火焰從機旁冲起，我再飛了幾分鐘，機上的儀器也都失靈。」最後，却是機身突然爆炸，把飛機炸開，因而觸動了彈射降落傘，把他從已毀的飛機射出。降落傘緩緩張開，把他飄降於南中國海面，幸運得很，他僅手部略受灼傷。機隊指揮官看到這種情形，指揮飛機槍掃射趕走了附近北越漁船。再過幾分鐘直昇機飛來把他送回他所駐的航空母艦柯里士堅尼號上。艦上航空隊官兵用紙製的飛彈，作為歡迎他安然脫險的象徵，並敬以兩安士的最佳白蘭地酒，使他鎮靜下來。

最饒幽默感的阿當斯，給在美國田納西州的家裏一封電報說：「作了一次事前沒有準備的游泳，一切平安。」

阿當斯在去年冬季回國渡假之後，又再被選參加柯里士堅尼號上六名作第二次空襲北越任務飛行員之一。今年七月十二日，柯里士堅尼號抵達南中國海僅三日，阿當斯於出擊之中，再度遭敵地面炮火擊中，他的飛機距離河內三十哩。其中着火，再也無法使飛機可以飛到海上。阿當斯祇有將飛機朝向似乎遠離人口衆多的河內與海防之間的深山。在距聳立的山峯還有半哩之時，他的飛機正在上空二百呎左右，他急急地發出無綫電說：「真對不起，我要跳傘了。」然後他就於飛機撞到山頭之前幾秒鐘從駕駛艙彈出。

由於附近村子裏擴聲器緊急地喊出很大的聲音，阿當斯知道他的降落已給北越人發現了。但不久，憑他袋裏的小無綫電機發出的訊號，美國直昇機因而知道他失事的所在地，迅速飛到而把他平安救出。這是美國飛行員在最近一次北越人直昇機救出的。四小時半之後，他又安全降落於柯里士堅尼號上。同事們都紛紛叫他「電燈泡頭」。原來他因為早先頭髮稀少，航空隊人員給他起了這個綽號。阿當斯說：「我又是兩安士白蘭地酒給他們喝。」他第一件事是打個電報回家。他這一次的電文是：「你們信不信？我又再幹了一次。」

港工廠趕製聖誕貨品

應付歐美訂單

九月底以前必須交船運出

（本報訊）供應歐美各地聖誕節銷售的貨品，現在很多廠家趕製及趕付都很忙碌。由於今年環境比較特殊，一般聖誕節貨品付運要比去年提早，很多類貨品準備九月份付運完畢，十月份付出就稍為遲嫌，因此大廠及小廠都要開夜工趕貨。預料本月下半月趕貨更為緊張。

今年很多聖誕節貨品要提早付運的原因，第一、是英國入口附加稅將由十二月開始取銷，最近英國商人頻頻催促港方將各種聖誕節貨品盡量在八月底以前運出，特別是對於英國市場存底疏薄的貨品，如衣服及膠鞋，因為去年底到今年初英國發生大風雪，禦寒衣着品及雪靴都已售清了。今年英國市場聖誕節貨品上市時間預算比去年提早一個月，往年十月下半月才大量上市，今年九月初就普遍上市發售。這是英國入口商為了爭取時間，預算把握聖誕節貨品售出後，入口附加稅雖然取消亦不致影響聖誕節貨品的售價。第二、美國國內很多廠家都忙於製造軍需品，對於國內市場銷售的很多種貨品無暇兼顧，美國入口商為了適應環境，今年向港訂購聖誕節銷售的各種貨品比去年提早，並且預早通知本港廠家提前製造。例如衣服、鞋類、原子粒收音機、塑膠花、玩具、假髮等，八月份及九月份集中完成付出。最近美國商人已開始向港訂購明年春夏季銷售的貨品。一般廠家預算明年春夏季節貨至十一月開始，因此很多廠家現在要加緊趕製聖誕節貨品，以便九月底付運完畢，十月份就要開始製造明年春夏季貨品，以便十一月開始付運。第三、今年本港羊毛衫輸往西德實施限額制度，限額的計算年度開始是去年十月一日至今年九月三十日，限額的羊毛衫八十七萬五千打，現在已經接滿了限額的訂單，因為港府工商處規定，八月底最低限度要付出百分之七十，否則就要扣減明年的配額，一般有配額的羊毛衫廠為了維持明年度配額的權益，預算九月底付運完竣，故此一般趕貨十分忙碌。還有輸往西德的棉質睡衣，亦因為有限額管制，製衣廠趕貨亦忙。

現在一般工廠對於輸往歐美的聖誕節貨品趕製雖然很忙碌，但工人不敷應用的情形，尚很少出現，主要原因是今年各主要行業的工廠極少擴充，工人流動性不及往年那麼大，兼因建築三行的粗工大部份轉入工廠找工作，使各行業的工廠粗工供應增加，對於趕貨也有相當幫助。

聖誕節貨品趕製高潮預計延至九月上半月，但輸往英國的聖誕節貨品一部份要盡量在本月底付運完畢。一部份廠家對於英國綫的聖誕節貨品趕製及趕付高潮過後，九月份開工將會放慢一些，但大部份產品以輸美為主的廠家，生產忙碌的情形將會延至今年底。

滬海異趣談

美國名髮師年入十萬金

・桑稚・

身材頎長，面孔漂亮，皮膚略帶黃褐色的男子，看來他的年齡剛好過了二十歲，原來他是個理髮專家。這個專家居然敢跟伊莉莎伯泰來抬槓；瑪莉蓮夢露有一回請他理髮，他開價一千元；並且曾有一次，隆重的請求柯德莉夏萍，不要因爲找他理髮而乘飛機橫過整個美國。

這個大名鼎鼎的理髮師，就是佐治馬士特斯，他担負起了一份世界上最微妙而又是最光明燦爛的職業，使他的收入爬升至每年十萬美元的紀錄。

原來，那天是從華盛頓遠道而來的詹森琳達小姐，在等待他前來理髮。「隨你歡喜的做去吧。」那位總統的小姐說道。

事後，他說道：「琳達並未提及任何關於害怕她父母的話。她滿不在乎，躭心的倒反而是我。琳達所躊躇的是他的外貌變化太多，而她目前，還是個大學校學生。所有大學女生，大多數遵守一致的習慣，她們彼此之間，並不想要太多的差異。我當時以爲她害怕「過份裝扮」她的外貌。她雖然是當今總統的千金小姐，但骨子裏仍然是德州大學的女學生，不能不顧慮她的學校的同學們的一般打扮。」這自然是個非常可怕的問題；但是，經過了一連串三次的化粧後，結果使曾在四月間學院頒獎禮中看見她的人，無不驚異她判若兩人。

這一次琳達的改變容貌，過程是使人驚異的。幾乎是僅經過一晚功夫，一個平淡樸素的德州大學型典的女生，變成一個低調的由好萊塢職業美容家，盜取了一些表演的紀錄的冶艷女郎。那些電視觀眾和報紙的讀者，都對於[illegible]換容貌，爲之詫異，迄今仍未釋然。

琳達小姐[illegible]的男友佐治咸美頓[illegible]秘書的安排，馬士特斯也表示了肯替她「做」一次頭髮。

琳達在三月間，訪問好萊塢時，當時她是作爲咸美頓家中的賓客。馬士特斯便來替她梳頭。

琳達三次「做」頭髮，都是假咸美頓的家中進行。但是頭一次，卻使轟響好萊塢婦女界的馬士特斯先生，面臨着一項手忙腳亂抖顫的工作。他後來回憶道：「起初，我並沒有[illegible]——雖然我要面對的是白宮的[illegible]琳達還是一個大學生，她對於搽脂抹粉這件事，可說是還不習慣。她跟好萊塢的女性截然不同，而且我並不想使她和好萊塢的艷冶女郎爭妍鬥麗。」

「我知道，我這趟工作，要進行得從容不迫。我自然不敢肯定她是否用過小的眼蓋脊，和唇膏，但是從我回憶起她的照片，當時她的頭髮，整理是十分簡單的，充其量，捲幾個彎波罷了。」

「因此，頭一晚，我祇用了十分少的化粧品，但我確曾圖使琳達的眼眉拱高起來一點。她從前是沒有整理過她的眼眉毛，因此我不能不從眼眉底下的毫毛，拔除了一些。

「當時我相信，如對於彎眼眉的思想，起初時是稍爲有點震動，但是我們得咸美頓之助，謝謝上帝，她陪着我和她做頭髮，由頭至尾，都沒有離開，這樣給予琳達不少鼓舞，使我能和她「做頭髮」下去。

「琳達，」他說道：「且讓他喜歡怎樣替你梳頭，妳就由他的主意吧，不要多阻撓他。」

「我在第一晚，替她用了點褐色眼影膏，和一層淡淡的潤濕的油膏在她的面孔上，由於她的皮膚，顏色鮮艷，潤濕，祇要輕抹一些便夠了。

「琳達是個頎人頎的美人，她需要很長的頭髮，她的面髮顏色黃黑色。琳達的面頰很大而美，帶褐色。兩頰的頰骨，我認爲，這微微地外露，是她面部上具有吸引別人注意的地方。

「第二次所做」，大概是跟下午以前所做相同。她仍舊穿上那件袍子，祇是頭髮上用洗頭水浸濕了。而這一次我更進一步，把她的眼眉中段的拱形再彎高一點。但，眼皮的綫紋加深一層，唇膏也加強一些。我並不用唇膏底油劑。」

到了四月十八日那天，他從下午二時半起替琳達化粧至四時半，琳達已大爲放心，讓馬士特斯去替做頭髮。於是，一個樸實無華的德州小姐，突然間以千嬌百媚的姿態，出現於金像獎大會之中。

心理學家科學分析
大人物成功的兩因素

○若知譯○

作爲一個心理學家，多年以來我都在研究着許多偉人和普通人的遭遇，希望從中發覺他們的生活所以成功的內在原因。在我看來，其中有兩個原因最重要；第一是努力工作，頭腦冷靜而有深謀遠慮。其次便是能夠把握一時興起的熱烈衝動。

我舉不出一個眞正有成就的人，他的成功不是由於有頭腦，肯努力的結果；但是我不敢斷言，在他們的經歷中，有許多成功是由於把「衝動」立即化爲行動之故。

我們大多數人，在一天之中總有幾次等於窒息了我們的良好的衝動。這些衝動的內在火焰，在瞬息之間照亮了心智：過後，在它們的餘輝中，感到滿足，我們又回到例行中生活，只模糊地覺得：我們總得就某些事情採取一些行動，或覺得至少我們的用心是良善。

在這樣的情形下，我們對內在的自我犯了罪，因爲「衝動」係在潛意識和日常行爲之間開關的交通路綫。威廉．詹姆斯（1842至1910）美國心理學家兼哲學家說過：「每當一個決心或感情的燦爛光輝就這樣地讓它消失掉，毫無結果的時候，這比失去一個機會還要糟糕；這會阻止未來的感情，使它不會循着正常的途徑發洩。」因此，在未來生活中遇到緊急狀況的時候，我們會失去當機立斷，毅然採取行動的能力。

有一次，在好萊塢，一家製片場把皮特金和我留下。場方一位年輕的負責人向我們提出一個雄心勃勃的製片計劃。我們兩人都覺得這計劃不錯。我認爲，這問題顯然是值得考慮的：我們可加以思索，加以討論之後，再決定如何進行。但是，當我還在那裏捉摸着這個主意之際，皮特金已衝到電話跟前去，開始口述一封給他所認識的華爾街一位朋友的電報。他很熱烈地向對方解釋這個計劃。（電話內容長達一碼。）電報費很貴，但是，它爲對方帶來信心。

令我驚奇的是，那一封電報的結果，是使他得以簽訂一件價值達一千萬美元的製片合同！如果我們當時多加討論，遲延不決，我們可能把整個計劃都取消掉。但是，皮特金知道當機立斷。他一生都信賴他的衝動，視此爲他的最靠得住的顧問。

歐洲最擺架子的城市維也納

漢松

維也納的水陸空交通都極便利，跟歐洲各大城市相接。在城內有許多大酒店，最大的酒店是帝國酒店，房租每天由六英鎊到九英鎊，但即使最平的租金，每天最少要三英鎊。

在維也納很多值得遊覽的地方，但使人失望的是那條著名的多瑙河，它並不美麗。那首馳名的「藍色多瑙河」是多麼的動聽，但是真的多瑙河就無可留戀。遊客可在早晨看練馬，聽音樂，參觀昔日的王宮，欣賞王家的珠寶，到美術館看古今大畫家的傑作，到動物園看各種鳥獸，到維也納遊樂場坐大車輪等等。

喫啡在一六八三年開始傳到維也納，在維也納的喫啡館是歐洲聞名的，有許多間均有久遠的歷史。在一個顧客坐下時，侍者就首先注意他的講話，假如是英語，他就會遞進一份英文日報，假如所說的是德國語，就遞進德文日報。當喝完了喫啡但未看完報紙，侍者就會端來一杯開水。假如顧客是一個外國人，他們多會搬出一個古時代的箏來娛客。

維也納的男女多是肥胖的，他們不停的吃東西，每天最少要吃六餐，早晨是很薄的早餐，十一時吃肉食和喫啡，午餐是最主要的餐，下午茶是喫啡和點心，約在七時吃薄的晚餐，在更夜後吃一頓大餐。在間中，他們亦到餐室看近期雜誌，寫信或約會朋友。維也納人最喜歡吃的炙熱的牛肉伴以胡蘿蔔。維也納的臘腸雖世界馳名，但是本地人則少吃。

維也納的夜生活也不遜色，在歐洲的其他大都市，從中東到來尋樂的富翁多以那裏是在歐洲的第一站。歌曲、女人和酒，在維也納是最出色的。但是在維也納的本地人絕少到夜總會或酒巴去，他們到歌劇場、戲院、音樂堂消磨時間，或在家中玩音樂或聽唱片。

在維也納城內的交通很便利，除有充份的巴士外，更有電車和的士，遊客可乘飛機到空中俯覽全城和附近流域也極有趣味。維也納的氣候經常寒冷而少炎熱，所以市民也多注重衣著，質料和手工多屬在歐洲的第一流的。

在維也納有一間已有二百年歷史的帝國當舖，本是一個大王宮，內有店子一百個，貯藏所押的手鐲。各人都可押物，不用寫出押者的姓名和地址，祇發一張當票，月息兩厘，若滿六個月不去贖回，就作公開拍賣，每天都有舉行。更有不少遊客參加競拍，將買到的東西留作紀念或攜回去贈給親友。（下）

呂布爲李傕所敗，張遼隨呂布奪徐州。此後和關羽建交頗厚。在徐州領魯國相，時年僅二十八。曹操陷下邳，率領所屬投降。

建安元年冬，張濟自關中到南陽，不久張濟死之。他的從子叫張繡，繼承了張濟，領其部衆。

三十一、袁術皇帝夢的破滅

呂布被曹操吃掉，他的親家翁袁術，沒有援助他。原來他是想做皇帝的美夢。

袁氏兄弟在漢末本應有一番作爲的，誰知二袁都無遠大作爲。他們在當時政壇，比任何羣雄的資本都雄厚，四世三公，門生故吏滿天下。可是二袁被董卓迫走之後，弟兄二人各奔前程。雖然是弟兄，但袁術是司空袁逢的嫡子，術爲大太太所生，袁紹爲丫環所出，而且袁紹過繼了出去給左中郎袁成爲子，左中郎的地位也不及司空高。袁術一直瞧他哥哥不起。弟兄分道揚鑣之後，更不親熱。爲了豫州刺史的關係，弟兄結怨。袁紹派了周昕來接豫州刺史，却被袁術趕走。第二次袁紹與劉表聯合，劉表是殺了孫堅的人，孫堅是袁術的盟友，袁術更加痛恨。初平三年的冬天，揚州刺史陳溫病死，袁紹派了一位袁遺來做。當時的揚州，只有安徽的北部，首縣是壽春。（今安徽壽縣）袁術便派兵把袁遺趕走，他派了陳瑀來做。因此袁紹也不甘心，約劉表從後面施壓力，袁術抵擋不住，一氣之下，領兵到鄴縣（臨漳）找袁紹，要與他哥哥一決雌雄。而袁紹又與曹操臨時勾結，曹操帶了人馬由袞州趕來助陣，袁紹怎能抵擋得住三面大軍？打得袁術潰不成軍，跑到壽春去找他的部下——豫州刺史陳瑀。不料陳瑀忘恩負義，給袁術吃了閉門羹。袁術雖敗，對付一個陳瑀，還不成問題，把陳瑀趕走，自己做起揚州刺史來；自己又兼了一個「徐州伯」。「伯」就是「霸」的意思，「徐州伯」就是「徐州的霸王」。

袁術這人也未免太狂妄了，以一個揚州刺史，他竟想做皇帝。當孫堅死後，袁術知道他獲得一顆傳國璽，存在吳夫人那裏，袁強她交出來，據爲己有。雖然李傕、郭汜給了他一個左將軍的頭銜，他也不滿意。他一心要想僭號稱尊。自西漢以來，便有「五德始終」的思想，以漢朝是火德，大舜是土德，火能生土，代替漢朝的一定應是大舜之後。袁術也自認是春秋陳國大夫袁濤塗的子孫，而袁濤塗也是大舜的苗裔，所以袁術有滿腦子的「五德始終」的思想，要效法王莽的故事。

袁術就在建安二年（公元一九七）的春天，宣佈即皇帝位，自稱「仲家」。他是想在歷史上留下一點帝制的痕跡。可是他的國號、年號都沒有記載下來。他的主簿閻衆說術，以爲漢室雖微，但無殷紂之暴。期期以爲不可。袁術不聽。以九江太守爲淮南尹，置公卿，嬪妃，後宮數百，大興土木，營建宮殿，奢侈淫佚，享受了一年的大國寡民的皇帝生活。在這年（建安二年），因爲曹操忙於對付張繡和呂布，難得他苟安了一年。（五十八）

蓮芝演十三妹

干城劇團此次參加劇展，演出三日，完全由徐蓮芝獨挑大樑，新排蘇小妹，及久著稱的穆柯寨，與排好已久的十三妹，份量相當吃重。微覺缺憾，是麟崑在謀活動，因之未曾派演，但恐其他劇團以有老生，也難安排。據說蘇小妹一戲，祇排了兩週便告純熟，以她扮小生很俊，雖未見及，相信不會有差。茲談其十三妹。

蓮芝的十三妹，已曾演過多次，但是經洗練後是第一回。由何名家指點？那是王瑞卿高足呂扮女士。她是民國卅年的名票，在民國廿六年吳宅堂會，與馬連良馬連昆演龍鳳呈祥，她飾孫尚香。又與吳彥衡演青石山飾九尾狐，功力已相當的深。來台後，祇有民國四十年在中山堂，與張怡琴女士聯演十三妹，張演悅來店，呂演能仁寺，看了對兩位的印象很深。當蓮芝在台北時，適逢嘉有兄請客而識呂女士，即向她請敎，挽戀沈夫人爲介；其時呂已不談戲劇近十年，不願爲人講說，但以蓮芝聰明始勉允，亦是機緣。當指點身段，不憚其煩，把家中椅桌搬開，嚴格的譬解，約有兩月，其誠摯訓練，實可欽稱。蓮芝應不忘這位良師，充實劇藝也。

國劇續紛續錄

姜婆生（九十九）

我在干城歷次公演，曾力促推出，迄無機會。這次看到，因將如何洗練的經過，署告觀衆，並附劇影以覘一斑。另知她的乾父陳君，會在爲覓兩位良師，或許是正秋玉薇，但願其努力，方可登峯造極。

天賜奇才

小陸光最近演出，所有各戲，皆極火爆而夠精采，前程應是無量也。我看了三天，覺得其中最突出而最精悍者，要數泗洲城中的那位悟空，是程天賜扮演。小小年紀不過九歲，在三張桌子疊高，先在最高的桌上，連翻觔斗三個，最後再翻一個到台上直立，那簡直是神奇，認爲以前小大鵬與復興尚未見過，確是奇才。穆成桐王少亭兩位敎導，是得成功，堪以爲賀。

程天賜的身上靈活無比，應該多學短打戲，我很盼望他能成爲第二個蓋叫天。至少要學到十五齡以上，則年歲較大，再學長靠。能夠如蓋叫天，也可無須學長靠，此爲應注意的一點。最好另就其他學生，先習長靠，這是我對小陸光的一種看法，希望他們加以考慮。

小陸光的青衣，就現有的來看，多是好材料，但還嫌不夠，希望敎導的老師，在天氣稍涼，督促多練多吊。因爲比較上，似乎老生份量爲重，我所顧慮的，不能再蹈以往的實情，是小大鵬多青衣花衫，不復興多老生，好像是打牌的缺一門，那在三年後的演出，要有點困難，祈再考慮之。能否成爲自由中國之一寶，須要有縝密的計劃，洪濤兄想必早已瞭如指掌，幸有以成之！

在添丁以後

·秀山·

「王太太她們先通知了所有跟我們相識的人，那些人都說要好好地跟我們熱鬧一番，也有人提議乘機到郊外去樂一天的。」她鄭重其事地說。

「那麼，」他沉吟了，「我們考慮一下吧。」

「那還有什麼好考慮的，橫豎別人要推我們上轎，看來只得坐了。」

「不過，」他頓歇下來以思考，「一不做，二不休，那班太太固是座上嘉賓了，那些先生們就似乎不應冷落，「那就索性闊統請，所有親朋都請來吃一番。」這就得要先搞金融了。」他皺一下眉頭。在喉裏發出一記低聲，意味出事情得要研究了。但一轉念間又那麼開口：「不夠，情勢已經不容我們考慮。」

「這就是一個傷腦筋的問題。」他在有點心事中吐出。

「相信也不用倒貼得太多的。我暗示她們最好將賀禮作現金，彼此，彼此。」

「這是你們那些太太團方面的事，我就不敢說了。」

「他們爲甚麼那麼不明？」她有點很很然。

「不是這樣，」他解釋：「賀禮不能向人作硬性的規定，一也；二來自己的缺點也不想向人太過暴露。」

他的話，就是把事情層層剝去後的眞正內容。不錯，在交際場中，一般來說，只能實際情形，在可能內，別人是要掩飾一下的，那即近於庸則賓之，實則虛之般的意味。小洪，是中級的受薪階級，每月所入，以之養妻活兒，雖綽有餘裕，如果要撑場面，就破綻畢露了。何況，同事們有些好胡鬧的，僅送來一個公價人情，就到來吃一番，而那些「人情」還可能不是現鈔，是一些物件呢。物件雖然有用，要買也等如金錢，那是指經濟力量負担得起來說，不然，縱有所欲，也只好望洋興嘆的。

目前，他們的情況就是如此。

然而，天下事，客觀與主觀往往絕不相同；遺憾的，不僅只泛指人與人之間的事，有時就是親如父母子女，或夫妻間也是如此的。比如小洪兩口子，對於孩子週歲大宴親朋的事，就在做妻子的主張之下進行了，小洪弄瓦，覺得人生一件樂事，但固然是反而性的煩惱存在的。

這是他們添丁後的一則花邊新聞。

還有，就是孩子的偶然患病了，往往夫妻間因此而發生一點不同的意見，那焦點，是由於孩子因病而扭紋，做做母親的因而發牢騷，尤其在晚上無眠時，就做出一些不合理的事，於是做丈夫的就因糾正而有所爭論了。

比如那次孩子發高熱，晚上不肯安眠，她在連續兩晚仍是午夜無眠中，就那麼的怨艾：「眞的是累人精，如果惹得我性起上來，就將你送給人了。」

「這話，是怎樣講法？」他不滿地問。

「他扭紋得人討厭啊！」她憤憤然答。

「這有什麼辦法的！」他以滿不是滋味的聲調說：「孩子的嘛，你在小時也是這樣的。」「你怎知我小時……」她有點蠻不講的事理了。

當然，那麼他可能發展下去，相持不下，不大不小的結果，就是一場啓稽，兩人都認爲心平氣和，風平浪靜地一靜，是添了後的煩惱！（下）

憶吳佩孚

諸葛文侯

近代中國軍人之中，愚最讚許吳佩孚，其人雖缺乏現代知識，而事功未著，晚年蹭蹬淪落，賫志以歿，允屬失敗人物。然若不以成敗論人，則吳氏固不失其爲庸中佼佼之時代英雄也。

吳以秀才從戎，隸北洋軍人曹錕部曲，洊升至第三師師長，即藉第三師在湖南衡陽自由撤防之役，顯露頭角，蔚成時代英雄，延譽中外，嗣是治軍洛陽，官拜兩湖巡閱使。曾與段祺瑞之皖系集團軍大戰於山東河北間，獲得勝利，聲威益著，致遭「關外王」張作霖之嫉忌，奉總統命，再度統率五十萬大軍，與奉軍鏖戰於山海關，旋以部將馮玉祥倒戈，潛師回至北京，囚禁曹總統，通電主和，使吳氏進退失據，鍛羽南下，揭櫫「討賊」旗號，最後與張作霖聯盟會師，擊潰了馮玉祥軍於居庸關外，此民國十五年八月間事，而吳氏之一生事業，亦從此宣告結束矣。

吳氏在得勢時，頗知適應時代，投合民衆好惡，表示愛國精神。對國事主張召開國民大會，協議解決，而痛詆北洋官僚政客之徇私誤國；對外交堅決反抗日本帝國主義，不稍妥協；個人對政治祿位不事攘奪，但以練兵保國爲職志，而其軍隊紀律嚴肅，從無擾民行爲，尤堪稱道，所部第三師二萬餘士卒駐防衡陽經年，即未聞有騷擾民間情事，此爲吾國南北軍隊所罕見之現象（僅馮玉祥軍差堪伯仲），應予表揚也。吳氏幕府中，亦能延攬人才，文如張子武，楊雲史，武如蔣百里，政治人物如張紹曾等，皆與吳氏交游密切，樂於弼助，迥非一般椎魯跋扈之北洋軍閥所可同語也。

吳氏之私生活亦甚謹嚴，自奉儉樸，不搞惡習。民國十年夏，湖南省長趙恒惕與鄂人蔣作賓，李書城，孔庚，夏斗寅等，興援鄂之師，擬驅逐鄂督王占元失敗後，吳對趙頗示維護，趙曾斥資遴購一美女，派員送赴洛陽，備侍氏爲妾媵，吳和顏拒却，然不以爲忤。此事愚聞之於世丈鍾槐村（伯毅），自非謠傳。吳於衡陽撤防之役，與趙氏多有往還，時趙亦係湘軍譚延闓所部師長，驍勇善戰，吳氏許爲幹才，深相結納，故吳對湘軍援鄂戰役，僅派兵攻佔岳州，制止戰亂，即與趙談和息爭，吳軍旋退出岳州，示無吞湘意，俾全道義之交。未幾，且將聲名狼藉之鄂督王占元更換，可見吳氏之開明作風，有足多者。（上）

郵政史話

周遊

然而當時如非外國人創辦，我國尚無此人材，也無創辦郵政之新知識。而清廷戶部應辦此務，然戶部則毫不感興趣，而且也無一通洋文的官兒，將郵務大權輕輕奉送外人，歸總理各國事務衙門掌管。至清光緒三年五月三十日，海關與郵政彼此劃分，乃以其事改隸郵傳部。

民國肇造，郵政改隸交通部。民國三年，始行新郵區制，並加入萬國郵會與國際通郵。民國十六年，國民政府奠都南京，交通部在南京設郵政總局，各地客郵則相繼取銷，郵路亦從各城市擴至窮鄉僻壤。民國二十六年，對日抗戰軍興，郵政總局西遷昆渝，舉辦軍郵，並維持淪陷地區郵政，以利民間通訊。至抗戰勝利，各地郵政始相繼恢復。東北及台灣郵政機構亦於光復後統一接管。

我國郵政咸知爲綠色，今已成爲我國郵政之代表色。然爲何以「綠」色爲代表色？此則爲我國郵政史上之懸案。我國郵政，舉凡郵差制服、郵筒、郵車、郵箱，皆尚綠色。信差有「綠衣人」或「綠衣使者」之稱。但郵政爲何採用綠色標記？則未必衆所週知。按往昔郵政官書「現代郵政」一卷四期云：「綠色代表平定、和平，郵政可以溝通人類的思想、感情及文化，有促進世界和平之功能。」美國國會前郵政委員會主席克萊氏在其所著「郵政政策」云：「郵政員工爲世界和平的軍隊」。又有人謂：「世界各國之市街的交通指揮燈，亦以綠色表示安全通行」。然而世界各國郵政之顏色，並非一律，而萬國郵政公約規程，亦無用色之明文規定。考世界各國郵差制服與郵筒郵車之刷色，也並非一致。如英國與香港所見郵車與郵筒，皆是紅色，信差制服冬黑夏黃。法國郵筒有用藍色，瑞士則有用黃色。由此益證各國郵政用色並無標準，亦並無代表色之稱。故郵政綠色，實爲我國郵政的舊制特色，而與國際無關。

我國郵政尚綠色，究係何人創議？何時開始採用？迄今仍是懸案。在現行之「郵政法」與「郵政規則」上，皆無明文規定。查舊時「郵政綱要」載稱：「郵政定章所用顏色，凡用於信筒、信箱、各項郵車、郵船，及除牌匾外，其他觀瞻所繫之器具，均以黃綠二色爲定制，然不得以兩色互相間隔塗傳……至於質地永宜飾以綠色，黃色僅係用以酌配花紋。」但據同書「制服」欄載稱：「信差制服須合於全體郵政所用標準之樣式及顏色，即係應如供應服所發深藍色布等類之服式……」觀此，可知郵筒、郵箱、郵車等採用綠色已久。信差亦採用綠色則較遲。因十五年印之「郵政綱要」尚規定制服爲藍色也。（下）

愛國藝人阿箱

。夏華宗。

阿箱，是一個有民族氣節熱愛祖國的民間藝人。一九一〇年，他從台灣逃命到杭州，住在泰望山麓的一個破祠堂裏，過着乞丐生涯。一天，他在貧病交迫之下，竟發瘋了，天天喊着：「還我箱來！還我箱來！」所以人們便叫他「阿箱」。

阿箱，本名叫金二圭，是台灣新竹人；他精於繪畫和木刻。一八九四年甲午戰爭以後，台灣被日本估據了。日本雖想方法奴化和壓制台灣人民，但是台灣人民便採取了各種各樣的方式，爲反抗日本的血腥統治，前仆後繼地進行着抗日活動。這位民間藝人阿箱，也是當時參加抗日的積極份子之一。

那時還只二十多歲的金二圭，運用他的木刻和繪畫，揭露了日本軍閥的殘暴兇狠與毒辣，迫害台灣人民的事實；或作爲武器，暴露漢奸與日本勾結的醜惡行爲。他把這些作品，有的刻成小冊，有的畫成大畫片，秘密地散發出去。不久，日本的政府發現了，立刻進行大搜查；於是他不得不化裝逃出了家鄉，到處奔波，與敵人進行鬥爭。後來，敵人的監視加緊了，到處佈置着密探，除非捕捉到他，不肯甘休之勢。他一想：「要在一天晚上，……」於是他特地把頭髮全部剃光，換了一身襤褸衣服，並且忍痛地把左眼弄瞎，使工作順利進行。他特製了一隻小木箱，在箱底一個地方，鑲着一塊木版，打開箱子，用那塊木版上刻着許多小印幅的宣傳畫；一張張貼起來。這樣他又在敵人的眼皮底下，繼續和敵人進行鬥爭，一直堅持了二十一年之久。後來，他被敵人發覺了，搜索了他所住的整個村莊，金二圭雖未被捉去，但那隻特製的木箱，便用火燒付之一炬了。

他在台灣是再也不能住下去了。據說，於是在朋友的幫助下，乘了一隻運糖的帆船逃到福建。日本曾派人到福建勸告他，謀害他未果。後來，他從福建到浙江，已經把所帶的一切都變賣光了；最後到了杭州，於是不得不開始求乞。所以，雖然當他發生了瘋病後，他還是念念不忘他那隻作爲與敵人鬥爭的唯一武器——木箱。人們雖只知道他叫「阿箱」，其實，這個綽號，正可以作爲紀念他那可欽可佩的愛國事跡哩。

內政部登記證內版台誌字第○三一號

自由報

THE FREE NEWS

第八七六期

中華民國僑務委員會登記證台僑新字第三二三號
中華郵政台字第一二八二號執照登記爲第一類新聞紙類
（半週刊每星期三、六出版）
每份港幣壹角
台灣零售每份新台幣一元
社長：雷嘯岑
督印人：黃行雲
社址：香港銅鑼灣高士威道二十號二樓
20, CAUSEWAY RD 3RD FL.
HONG KONG
TEL. 771726　電報掛號：7191
承印者：大同印務公司
地址：香港北角和富道九六號
台灣分社
台北市西寧南路壹壹零號二樓
電話：三〇三四六
台郵撥儲金戶九二五二

美軍在越南能獲勝嗎？

周琨

（一）

韓戰之發生，是俄共頭子史達林嗾使北韓共軍，擬以閃電式的突襲行動，摧毀南韓政府後，沿用俄共過去控制波蘭、捷克的故智，而假藉所謂「聯合政府」名義，將南北韓統一起來，成爲俄帝的附庸政權。初不料美國竟急起對抗，以牙還牙，更未料到美國利用俄帝正在退出聯合國的階段中，把韓戰問題通過聯合國，渙汗大號，變質爲自由世界討伐侵畧者的國際戰爭，有如十字軍東征戰役之重演。此時俄帝的原子武器尚在經營創造期間，不足以與美國相抗衡，而美國對付韓戰的策畧，亦標榜爲有限度的「警察行動」，俄帝既未敢直接參戰，以防招來美國優勢原子武器的毀滅性攻擊，眼見韓共實力消耗殆盡，再難支持了，只好知難而退，狐搰狐埋，以第三者姿態，適應英美的妥協心理，倡議和談，一拍即合，因爲韓共的戰爭行爲，始終是被動的。

越戰在本質上雖係受着中俄共的教唆支援而產生的，但方式不同，它是一種蠶食性的長期游擊戰，而越南本身的抵抗能力，由於社會組織鬆懈，政局動盪不安，戰鬥力薄弱之故，非如當年南韓軍民萬衆一心、敵愾同仇的情況所可同語。至於美國對抗越共侵畧行動的處境，亦與韓戰迥異：（一）美軍在二次大戰後，依據國際協約，駐屯南韓地區，負有捍衛南韓的職責，也就是履行維護世界和平的國際義務，因而獲得聯合國的支持，各個會員國紛紛出兵助戰，一致申討侵畧者——韓共。

這次美國出兵討伐越共，亦是基於十年前的日內瓦和談協定，但其形勢大異於韓戰，即倡導幷主持日內瓦和談協定的英法兩國，一則袖手旁觀，避不參預，一則高唱反調，洩氣拉腿，變成了美國單獨作戰的局面，白宮曾派遣大員洛奇，哈里曼游說列國出兵應援越南，結果只有與日內瓦協定無關的南韓，響應美國的號召而已。

（二）

越南政府對抗越共游擊戰的策畧，在吳廷琰執政時期內，在軍事與政治尚能配合，如利用「戰畧村」的組織以遏制共黨滲透，削弱敵方游擊戰的擴張力量，嚴禁在野黨派和僧侶們在後方掀起政潮，給共黨份子以製造動亂的機會。所以，美軍在越南的實力雖然不及現在的一半，而越共侵畧勢力之進展，却不如今日這末厲害｜至少在首都西貢地區的恐怖行動，未聞有公然襲擊警察總署，以及美軍營和宿舍隨時被爆炸攻擊的猖獗情形。迨吳廷琰政府垮台，「戰畧村」隨之瓦解，藩籬盡撤，組織渙散，越南各都市間常常發生動亂，農村多受共黨包圍，越共不特肆行滲透自由地區，爲所欲爲，越南各界民衆，爲着苟全性命，避免眼前禍害計，暗中且甘受共黨脅持，或替共軍作情報，或以財物供應恐怖份子，對於反共戰爭漠不關心。處於這種環境之下，美軍在越南對付越共游擊戰的策畧，決不宜沿襲韓戰的故智，仍以有限度的「警察行動」爲宗旨，顧忌多端，但期阻遏越共擴張勢力，而不願一鼓作氣地對共軍從事速戰速決的掃蕩戰。美國陸軍在越南以及整個東南亞地區，絕對沒法跟共黨進行游擊戰，這是舉世周知的事實。空軍的轟炸威力，亦不能迫使敵方知難而退，停戰議和。何況美空軍的轟炸亦是有限度的，光是摧毀一些軍事設備如飛彈發射台，或交通要道和運輸船隻，即欲越共俯首認輸，談何容易！相反地，由於長期空襲，使各地區人民枉罹無妄之災的結果，勢必激起一般越人的民族反抗意識，對美軍懷有仇視心理，更易受共黨的煽惑，影響美軍作戰前途，至爲深鉅。久而久之，美軍欲罷不能，進退失據，眞正陷於泥淖中，士兵起厭戰之思，國內唱反戰之論，白宮當局抵不住與論的壓力，要想以「紙老虎」身份下台，亦很困難了。

（三）

最近華盛頓方面認爲越南戰局很樂觀，相信勝利在望了，我們不知道究係何所據而云然的？

美國最顧忌的，是害怕直接與毛共發生軍事衝突，因而對於越戰採取「不求勝」主義，這與韓戰時以害怕蘇俄參戰而對毛共巢穴不敢進搗，即對毛共軍唯一的交通綫鴨綠江大橋亦不敢炸毀的舊策畧一樣，不啻是使用陳年的老藥方醫治新疾病，那有不糟糕的？所不同者，只是美國認爲俄毛正在反目交惡之中，毛共是直接支援越共的，俄共表面上雖然聲援越共，然實際幷不熱心。美國乃一心以爲鴻鵠將至，企圖利用這項矛盾形勢，拉攏蘇俄，孤立毛共，進而促使俄共與毛共發生火拼行爲，以期助漁人之利，似此一廂情願的天眞幻想，可哂已極！最近俄共[illegible]的態度了，俄帝柯錫金[illegible]強硬，聲明[illegible]「侵畧」越南。於是乎美軍直接空襲北越，目的仍在示威迫和。可是，共黨的游擊戰術是以鄉村包圍都市——即以「面」控制「點」，美越聯軍祇能以「點」攻擊「面」，而估着聯軍百分之八十以上實力的美軍，又根本不能從事游擊戰，因爲游擊戰的唯一前提，是要和當地民衆沆瀣一氣的，美軍的膚色、語言、習慣等等，與越人格格不相入，怎能取得戰區民衆的合作呢？只看駐越南美軍於行軍之際，常常遭受越共突襲與截擊的損失，就是確切的反證了。（下轉第二版）

這樣的越戰「和談」

北越

還有多少籌碼？

今日與明日

毛共中央的救亡會議

毛共中央委員會從八月一日到十二日在北平召開一次全體會議，是即一九五六年選出的第八屆中委、候補中委舉行的十一次全體會議。根據毛共黨章規定，一年至少要召開兩次中委全體會議。但上屆十中全會召開於一九六二年九月（廿四——廿七日），距今已將四年之久。在過去四年中，正是「內憂外患」交迫，使毛共極權統治陷於「周章狼狽」的階段。當時，毛共政權是繼一九五九年後「連續三年遭到嚴重災害」後，進行所謂「調整」時期，毛共黨內出現大批「反黨份子」及「右傾機會主義份子」，以至「無產階級和資產階級鬥爭」激烈化，而召開鎮壓的會議。三年十一個月後的這一次會議，正是在所謂「無產階級文化大革命」進行中，整肅了黨內大批「反黨反社會主義反毛澤東思想」的「牛鬼蛇神」後舉行的。毛共內部的政治經濟，它自已雖吹噓「非常好」，但從其種種表現上看，却是「非常壞」。所以這次會議也可視爲救亡會議。

毛共八屆十一中全會於十二日通過的「會議公報」上，強調將「文化大革命進行到底」，繼續執行「大躍進」和加強反對「美帝」、「蘇修」及援助北越。這些濫調本來就是它近四年所執行的政策的再一次「總結」的宣佈，並無任何新的內容可言。

八月十一日北平「人民日報」刊載毛酋在北平共黨辦公處接見「羣衆」的消息，本已發行但却又收回重印。同日晚上香港「新晚報」也是於發行後再高價收回把毛酋那段接見「羣衆」的消息剔除，再度印刷以一段廣告填補「偉大的毛主席」所遺下的空版。但第二天又發表了毛酋的消息，但將「毛主席」調換位置放在「黨中央」之上；這說明毛酋獨行的作風，在毛共八屆十一中全會上遭到了反對。雖然，最後在表面上看似乎是毛酋佔了上風，仍能控制「大風大浪」，但這並不等於風平浪靜。相信今日毛酋的寶座如坐在火山上，一旦爆發就不可收拾。

「林彪時代」即將開始

毛共中央委員會全體會議，爲僅次於所謂「全國代表大會」的最高決策機關。在會議最後一天所通過的公報上，兩次提到「林彪同志。」手中控制「槍桿子」的林彪，自從一九五九年繼彭德懷出長「國防部」後日漸得勢，特別是自從掀起所謂「文化大革命」的浪潮後，已充份可以看出他是在「高舉毛澤東思想偉大紅旗」的烟幕下，儼然是「文化大革命」的「司令員」，暗中在進行派系間爭權奪勢的火拼。

在該毛共十一中全會「會議公報」中對林彪那篇「人民戰爭勝利萬歲」文章，給予了極高的評價。此外，「全會認爲，林彪同志號召人民解放軍在全軍展開學習毛澤東同志著作的羣衆運動，爲全黨全國樹立了光輝的榜樣。」這些「光榮」破例地加在林彪頭上，充份說明林彪在內訌中已獲得勝利並穩可作爲毛酋的繼承人。

「一旦所謂林彪時代」開始，毛共對外將更強硬，對內統治將更殘酷。以美國爲首的自由陣營，特別是復國有責的我中華民國當局，如在這個毛共「大分裂」階段不採取及時而有效的措施，將又失去一個更好的機會！（何如）

自由談

慚愧！

日本政府擬允許三個北韓的技術人員入境，目的是在促成日本工商界售賣一所輕工業工廠給北韓這樁生意，理由是執行其所謂「政經分離」政策，與政治外交無關。

然而，大韓民國政府不聽這套廢話，朝野上下同聲憤慨，認爲這是日本當局蓄意玩弄兩個韓國的不友好行爲，除提出嚴重抗議外，立即決定對策：要拘捕進入「李承晚綫」領海內的日本漁船，要禁止在韓國境內一切日本商人的活動，要抵制日貨，最後不惜廢棄日韓建交條約。態度堅強，沒有商量餘地，日本只好屈服，聲明無限期延緩三個北韓共特入境的簽證手續了。

咱們中華民國在二次大戰結束時，聲明對日本實行「不報復主義」，中日議和又放棄賠償損失的要求。詎日本解除佔領生活，獨立自主後，即以「政經分離」的口實，拼命跟毛共親近，隨便輸出戰畧物資到大陸上，售賣輕工業工廠給毛共，經常允許毛共份子進入日本活動，甚至毛共份子在日本投奔自由，日政府竟替毛共幫忙，不讓投奔自由的人前來台灣，任由共特綁架而去。我政府雖然嚴重抗議，亦曾召回駐日外交人員，但日本滿不在乎，依然我行我素，且迭次宣稱不受「吉田書簡」的約束，公然玩弄「兩個中國」的陰謀詭計，肆無忌憚，其不友好的作風，比允許三個韓共入境更甚十倍。可是，我們却忍辱含垢，不了了之，瞧着南韓這次對付日本玩弄兩個韓國的強硬政策，終於獲得勝利，我實在慚愧難堪，認爲咄咄怪事！

論軍事和經濟實力，咱們幷不弱於南韓，論國際地位且凌駕南韓之上，談報復方法，我們也有的是。爲甚末我們對於日本以怨報德的行爲，竟百般忍耐，卑以自牧呢？再四思索，惶惑莫解。搞外交固不能意氣用事，但關係整個國家生存的利害問題，決不宜馬虎過去，更不可聽受別國的莠言蠱惑，自暴自棄。

我總覺得弱國的外交政策必須堅持原則，在重要關頭，應有寧爲玉碎，不求瓦全的獨立自主精神，一味的忍讓，決不是辦法。尤其對日外交不可過於遷就，因爲日本民族勢利成性，絕無道義氣習，是謂「駱駝型」——揹重不揹輕的。南韓這次對日外交結果，不是很明確的例證嗎？

馬五先生

東南亞第二戰場呼之欲出

毛共動亂泰國肆無忌憚

泰東北及泰南共黨活動連成一氣

·曼谷通訊·

在越南戰局改變之際，共黨正在泰國點燃戰火，準備開闢亞洲第二戰場，他們目前正在美國空軍力量結集的泰國，加緊其恐怖活動。

衆所週知，泰國目前對於美國在越戰努力中所處的地位，實際是個極爲重要的國家；因此，中共及北越所控制及所武裝的共黨游擊隊，他們爲什麼要在泰國偏僻的地區，逐步加强其謀殺、勒索及襲擊泰國警察人員，其原因係易於洞悉的。因爲由於美國利用在泰國的五個巨大空軍基地，對北越境內的軍事目標，大肆轟炸；同時對經寮國的供應綫——胡志明走廊，亦予以重創。除此之外，美國亦利用這些巨大的空軍基地，從事偵察，搜索及拯救的工作任務，因而使到美國在空襲中陣亡的飛行員數字，已大爲減少。

美國除了一面在越南進行戰鬥之外，另一方面亦正在加强，建築泰國的防禦工事，確保泰國之安全，俾以對付未來的侵畧。現在泰國除了擁有美國所利用的五個巨大空軍基地外，另外兩個巨大的新基地，亦正在興工建築中，其中一個空軍基地係座落於泰國東北之坤敬，另一個係在暹羅灣之梭桃邑。梭桃邑基地係一個海空軍兩用基地，該基地於八月十日正式啓用。據官方人士表示說：這個海空軍基地，在美國海空軍之戰畧重要性方面，更勝於越南之金蘭灣基地。

目前，美國已有二萬五千名軍事人員在泰國，其中約三分二係空軍人員，他們駕駛數以百爲計的戰鬥機，空襲越南境內及寮國境內的共黨部隊以及敵人之軍事目標。泰國之美國軍事力量，在今年上六個月中，已增加兩倍以上。美國在泰國軍事力量之增加，對共黨是沒有什麼秘密可言的。

在七月六日，泰國警方官員宣佈：泰國警察部隊在陸軍協助之下，在泰國東北部及南部地區，已擊斃一百名以上的共黨游擊隊，並俘擄了約八百名嫌疑份子；同時，在共黨統治下的二千多名的村民，亦已投向警方。根據泰國保安部隊所鹵獲的共黨秘密文件表示，泰國東北部及泰國南部地區的共黨會保持密切的聯絡。

目前共黨在泰國東北部山區，森林及偏僻村莊地區之恐怖活動，正在蔓延之中。據悉在寮國邊境附近的共黨游擊隊，業已擁有堅强的據點。同時發現共黨游擊隊在該區的軍事行動，其規模已遠比一年前爲大，明目張胆的與小量的警察部隊及陸軍部隊公開交鋒。今年以來在該區被共黨恐怖份子所殺害的人民已達幾十名，其中最少有七個村莊的村長被害。一年以前，泰國政府企圖鎮壓嚴重的共黨恐怖活動，已派遣兩營皇家陸軍部隊進駐共黨游擊隊擾亂的各府。同時該區之警察力量正在大事增加。

但是，滿佈叢林的龐大山地，却助長恐怖份子的活動，它們時常利用崎嶇的森林地帶，從事埋伏狙擊的活動，藉對地形熟悉而大胆妄爲。有些地區，如果沒有武裝部隊護送，泰國的官員是不敢進入這些地區的，好像佛統府之加那縣，即是一個非常危險的地區，因爲該區距共黨的重要運輸綫，滲透路綫——胡志明走廊，僅有湄公河一河相隔。共黨游擊隊採取各種花樣，襲擊附近的警局，當泰國的救援部隊趕到出事地點時，它們已逃入森林裏面去了，甚至不惜將受重傷而不能逃走的同伴殺死，以滅口供。有一次，一名附近村莊的商人說：有些村民協助共黨游擊隊逃入森林。同時他還解釋：『當你在森林裏面被一羣野獸圍困着的時候，如果你不把食品餵牠，牠們就勢必將你吃掉。』這就是該區村民爲什麼要協助共黨游擊隊的原因了。當地村民視共黨游擊隊如虎狼，極爲驚怕，同時他們深知鞭長莫及的道理，若他們反抗游擊隊，政府部隊是不能及時趕到救他們的。」

共黨恐怖份子及其游擊隊極爲活躍的地區，係在泰國之東北部及南部地區；泰國東北部各府，乃係泰國最貧困及貧瘠的地區，與寮國邊境接壤的地帶，均爲一些崎嶇的原始大森林。該區約有四萬北越難民，大部份係與恐怖份子合作的。同時，該區講寮國方言的人民，他們的長久傳統思想，係與泰國政府隔膜的。泰國之西北部界，係與緬甸及寮國接壤，對於共黨滲透份子甚爲重要，因此，共黨游擊隊亦加强在該區的軍事行動。泰國之南部與馬來半島相接，原爲馬共恐怖份子的避難所。他們係由馬共恐怖份子頭目陳平領導，經常與泰國之叛亂份子合作，在該區大施恐怖手段，發動游擊戰。恐怖份子最爲活躍的地點，係在西南之克拉地峽，最近恐怖份子與泰國的警察部隊，在該地曾展開一項全面性的陣地戰，其勢力之壯大，由此可見。泰國官方人士報導：看來克拉地峽一帶的共黨游擊隊的武器裝備，係特別優良的，而他們的活動係在中共北平電台之宣傳廣播下支持的。最近共黨在戰畧方面，曾有一項重大的改變，這種變更便是泰國東北部及西南部共黨游擊隊組織之「合併」。這次合併係由北平電台所宣佈，將其描述爲「解放」泰國計劃之一部。泰國及美國官員均表示說：泰國共黨的命令係來自中共及河內所主持的一個秘密總部，這個秘密總部係設在泰國境內的，它經常與共黨游擊隊保持密切的接觸。同時在泰國南部領導反游擊戰的泰官員說：共黨業已在森林裏面建立了一個電台，經常從事共黨宣傳的廣播及傳播對共黨各游擊隊的電碼訓令。據所鹵獲的共黨文件指出，謂共黨游擊隊與當地泰國官員勾結而發動恐怖活動，當然這些泰國地方官員係共產賄賂的，其恐怖活動旨在獲得當地更多的控制。

美國正加緊援助泰國對付共黨恐怖份子之作戰，但除了武器及其他裝備之外，並沒有派遣部隊參加作戰。（上）

美擴軍努力進行順利

較預期提早一年達成

海陸空及陸戰隊共三百零九萬餘

（紐約通訊）美國在一年前宣佈擴建達三百零九萬三千多人的龐大兵力計劃，現在它的成就已經超越了目標需要的數量，但仍有繼續增加之勢。

究竟美國軍隊最後將會有多少？

五角大厦官員通常不願談論這些問題；遇到這些場合時，他們總會運用外交詞令來應付。

副國防部長范斯遇到這些問題時便說：「目前我們還不清楚竟究需要多少。」又說：「我們仍不知道軍事人力上面的界限是什麼。」

越南戰爭的發展，乃是決定美國全部兵力將會提高至何種水平的最大因素。

目前在越南方面的美軍人數已接近三十萬人。這個數目，預料在今年底便會增至四十萬，並在下年度還可能會升至更高。

如果越戰發展所需要的增援人員超出了預算，這便可以預畧到此次軍事建設計劃的效果了。

由於越戰需要派出了大量軍隊赴越作戰，美國本土便需要增加相當的新兵和軍隊來戍守，彌補那些援越軍隊的空缺了。又因爲大批人員駐守越南，經過一年服務後，將促使補充兵員、提高其所能發揮的力量。

美國這項大計劃於一年前便着手執行了。隨後國會接獲要求，撥欵來增加陸軍、海軍、陸戰隊和空軍各種人員四十五萬二千人。

根據國防部長麥納馬拉在國會中的提案，這項計劃是定於一九六七年七月卅日完成的，到時軍隊便可增加至三百零九萬三千一百零九人。

但是，由於這計劃進展神速，它的目標在今年六月卅日便完成了，不但時間早了一年，而且還超過了預期的結果。

美國兵力，在海軍和空軍方面的人數遠較預算爲多，截至今年六月卅日止，海軍人員現有七十四萬四千六百廿六人，較預算多出一萬七千人；空軍方面則有八十八萬七千三百○七人，多出人數有三萬四千人之衆。

不過在陸軍和陸戰隊方面的結果還未符理想。陸軍人員現有一百一十九萬九千七百六十四人——比較預算數目少三萬四千人；陸戰隊人數現爲廿六萬一千六百五十九人，目標人數是廿七萬八千一百八十四人。

這項擴增兵力計劃在執行了的一年期間，以八月和九月期徵召得最多新兵——八月份應徵新兵共有三萬六千六百人，九月份則有三萬一千二百人。這些新兵將會全部進入陸軍服務。由於新兵應徵情況良好，顯示這項計劃的進展有增無已。

據五角大厦官員表示，目前美國兵力的增加數目，已經超過國會所批准的數目，但是由於並無明文法律加以限制，因此，它的增加不會受到阻止。

現在議院中的軍事委員會經已留心到這計劃的加速進展，已在國防經費預算案中增加五億六千九百萬元，以抵消由七月開始的一九六七年會計年度中大量軍隊的薪金及津貼支出。

當局估計，這筆五億多元的欵項，大概祇需要一半便可以足夠應付支出了。

香港銀行押滙業務轉（上）

出口進口生意俱佳

「本地信用証」亦開始大派用場

（本報訊）近來本港銀行的出入口押滙生意開始轉旺，一方面因爲對遠洋區聖誕節貨品付運已普遍展開，另方面各大行業逐漸增加向外訂購秋冬季應銷貨品，大工廠向外訂購第四季需用的原料亦告增加。還有一點最爲突出的，就是本地的廠商與廠商交易，使用「本地信用證」漸趨廣泛，於是銀行的業務更獲得一些增益。

據銀行界人士透露：踏入本月份以來，出入口押滙無意開始轉旺，出口押滙生意增加最爲明顯，主要原因是聖誕節貨品對遠洋區付運已普遍展開，尤其是輸往英國及美國的聖誕節貨品比去年提早。輸英聖誕節貨品提早付運，則是今年十二月開始英國政府撤銷貨物入口附加稅，如果像往年在九月至十月份纔將聖誕節貨品大量運往，到達英國銷售的時間無多，故此英商在七月中旬已經紛紛通知港方將聖誕節貨品盡量在八月底以前付齊，九月份付運就嫌遲了。近幾天由港付往英國的聖誕節貨品，大部份是憑信用證付貨，D．P．方式付貨不多，D．A．方式付貨更少。因爲英商大部份催促港方付貨，原定D．P．方式付運的，也有很多臨時改開信用證，這是導使本港廠家趕製趕運的一種手法。輸美聖誕節貨品提早付運，則是美國國內的大工廠多數趕製軍用物資，對於很多類聖誕節貨品無暇兼顧，美國商人今年提早向港訂購，也提早將信用證開來，通知港方在八月份付出大部份聖誕節貨品，其餘一部則要九月付運完畢。而付往美國的聖誕節貨品則是全部採取信用證方式付運，本港大部份廠家的週轉獲得裨益。此外付往加拿大、中南美、澳洲、非洲、西歐及北歐的聖誕節貨品，亦將於八至九月陸續付出。今年付往這些地區的聖誕節貨品，很少採取D．P．方式，這亦是一種較大的轉變。

入口押滙生意，其增旺情形，雖不若出口押滙那麼明顯，但很多行業的入口商逐漸增加訂購秋季應銷品，其中以開出信用證向歐美日本訂購貨品最爲活躍。同時本港很多大工廠訂購第四季應用的原料也顯著增加，因爲大工廠接入第四季出口的工業品訂單很多，相應訂購所需的原料。但由銀行開出信用票向東南亞訂購糧食及土產尚未見怎樣增加，主要原因是東南亞的部份糧食及土產價格高昂，輸港無化算，港商暫緩訂購。

至於本港廠商與廠商之間交易，使用「本地信用證」，近來已有漸趨廣泛態勢，主要原因是供應原料的廠家，對於賒放特別審慎，於是採取一種比較穩當的方式，由買家經銀行開出信用證給賣家，交易完成後由銀行保證付欵。這種「本地信用證」，過去是很少採用的，但現在很多布廠向紗廠訂購棉紗，以及製衣廠向布廠訂購布匹，都採用「本地信用證」。這是一種變通的方式。據說採用這種方式交易的廠家，以中大型廠較多，小廠沒有這種方式來應付。

美軍在越南能獲勝嗎？

（上接第一版）

俄毛共之間，儘管爲着世界革命的理論和方法問題，有所爭執詬詐，但對應援越共以反抗美越聯軍是一致的。美國越是害怕戰事連綿，急求和談，俄毛共就必然利用美國這種弱點，支援越共抗戰到底，就戰爭的態勢而言，美軍利在速決，共軍貴能持久，前者必須訴之於陣地戰，後者則以游擊戰爲最好。基此，美國的「不求勝」策畧，是用其所短以應付敵方之所長，寧有倖理嗎？

俄帝可以利用韓共、毛共侵襲南韓，也可以利用越共進攻南越，美國就不敢支持中華民國的大軍反攻大陸或參加越戰，處處畏縮自出馬，給敵人以「美帝侵畧別國」的宣傳口實，然後又怕痛怕癢，跋前疐後，而美其名曰「嚇阻政策」，大言炎炎地誇談「報復主義」，更宣稱美國決不放棄其保衛自由世界的職責，結果是到處吃癟，自喪信譽。

綜觀上述情況，我們敢斷言越共決不會停戰言和，毛共亦無須公然出兵援助越共，一心一意地跟美軍進行游擊戰，曠日持久，消耗美國的人力物力，有如大象被蟲蟻集聚滿身，晝夜嚙齧，最後終歸不支而倒斃完事。不信，請拭目以俟之罷！（完）

瀛海異聞談

演員捉弄人與被捉弄

·桑雅·

演員與演員間也常常鬥法的，甚至面對觀衆的時候也如此。到目前爲止，最叫人津津樂道的是歷士夏理遜的事件——那一年他與女星姬鳳蒙合演舞台劇「沒有眼淚的法國人」，每當親熱鏡頭出現時，姬鳳蒙必手癢，去拔歷士的襟上的綫口。歷士實在忍無可忍，乃決定裝彈簧作爲報復，他的方法是把三十尺長的白綫隱藏在襟後面，祇突出綫口部份。

姬鳳蒙當然不知，乃照例用手拔綫口。她一邊唸對白，一邊拔，忘了形，拔了十尺多長才發覺！這時歷士攬住她的小蠻腰，要她把每寸棉綫滾妥才放了她。台下的觀衆口呆目瞪，祇以爲他們在爆肚表演。

從此之後，姬鳳蒙再不敢接觸歷士的襟領了。

這種私自鬥法的玩意太對不住觀衆吧？殊不知，這祇是一個輕微的事件。下面的例子更爲惡作劇——一個著名的倫敦舞台演員（姑諱其名）爲了想戲弄另一個演員（不妨替他改上一個普通的名字保羅），乃賄賂一名技工，於演戲時，把保羅旁邊電話突然發出鈴聲，目的是使他在不知所措的情形下而出醜，因爲電話不是依照劇情而突然作響，這個玩笑不是等閒的。

怎料保羅的神情非常冷靜，伸手把聽筒接聽，喃喃幾句之後，便遞給作弄他的演員說道：「有人找你。」這一來，吃苦頭的還是惡作劇之人。

講到電話，也有第二段古——大家都認識羅拔摩利這位英國明星吧？有一年他前往澳洲演舞台劇「吾兒愛德華」，其中一幕是他等電話鈴響聲，但因爲他事前得罪了某演員，乃故意陷害他，到劇情發展到那一時刻，電話竟然不響。

羅拔摩利在電話旁邊踱來踱去，乾着急，觀衆也莫名其妙跟他一起等，如何下場呢？羅拔奇思之下，靈機一觸，乃過去說：「呢？還是我搖電話找他吧。」憑這一句對白，才渡過了難關，眞是揑一把汗。

阿爾拔芬尼在倫敦演「說謊者比利」，演至一半，全院因電力失常，頓成黑暗世界，芬尼人急智生，乃大叫道：「賓利，祖母又把電燈扭熄了。」觀衆聽後，大笑不已，還未笑完，戲院電燈便恢復正常了。

伊莎·蘭查絲特扮演王子德谷劇「眞誠之重要」中的披爾絲小姐，其中一幕是要她拿起一個布袋走入台後，怎料當她提起時，發覺這布袋實在太重了，無法提起來，只得硬着頭皮，把它拖入內。爲什麼那布袋那麼重呢？原來袋裏全是石頭。這惡作劇，誰幹的呢？是大名歌星已故影員性格演員查理士羅頓。

美國喜劇千面小生東尼南杜，在百老滙主演「男人，女人」一劇時，劇情需要之下，他是要喝兩杯鷄酒時，那當然不會是眞酒，是凍茶而已。但一經人換成苦藥了，芬尼的表情當堂苦口苦臉，聲音也隨着變了，他只得急急唸完，希望早點入場。

男中音名演員卡羅素，是最愛惡作劇的，專向演員下手，他的拿手好戲是把戲服的袖口縫密，把帽載滿了水等，使演員出場前狼狽非常，而他自己便樂在其中了。

歌劇演員的脾氣往往很厲害，其中以著名的瑪嘉瑞·卡拉絲最爲聞名。有一次，她在米蘭演出名劇，那晚與經理人安東尼奧鬧翻，她懷恨在心，其中一幕是她的愛人上斷頭台，她乃借題發揮，她用手指着經理的籍座，大聲叫道：「那人便是，殘酷的惡魔！我的愛人，你看到沒有？」

馬龍白蘭度是在舞台劇露頭角的，有一次，他搶老演員布蘭克的鏡頭，後者大發雷霆，幾乎要拆舞台。照劇情，布蘭克要一口氣唸台詞三十分鐘之久，馬龍只得洗耳恭聽，但馬不甘這呆頭呆腦地聽，乃諸般作態，動道具，撫弄衣服，甚至對樂師做鬼臉，一點也不集中。在場唸台詞的布蘭克眞是爲之吹脹了。

威廉斯是倫敦名舞台演員，有一次他幾乎被台下觀衆喝倒彩，是這樣的——他開槍把敵人打死，但臨時那槍不響，他連忙再扳擊，連扳三次，也沒有響，那眞是急死他了！他只得踢了對方演員一腳，這時，對方也很拍擋，情急智生，說：「我料不到你的鞋是有毒的。」于是他倒地不起了。

一位作家說得好：「舞台是演員的金石，它宛如戰場，如果你生還，你不是單幸運，還表示你有天才。」

睡眠的研究

荻譯

睡眠本身是一個謎，但有誰不喜歡睡眠呢？而且，睡眠帶來了舒適與休息——這是兩方面的——精神與肉體。

大致上，睡眠可分兩種，靜與動，這即是說，安睡與做夢。前者佔你睡眠百份之七十時間，腦中電波也是緩慢的；至于較活動的睡眠，科學家稱爲REN，其意思是「快眼運動」，因當你做夢時，眼球頻頻在眼蓋之下活動。爲什麼會這樣呢？這仍是一個謎。人處于這個狀態之下，腦中的細胞不停活動。電波像阿哥哥的節奏——這是最令科學家着迷的，他們已開始不斷研究睡眠所引起的各種問題了。

首先，我們不妨談談夢遊病。這種病通常是小孩子患的多。原因似乎是腦部神經中樞未夠成熟。但當孩子長大後，病便將隨着消失的了，雖然亦有一些依然遺留下來的。

夢遊者的奇行，相信大家都聽過不少，如在夢中駕車、煑飯、甚至殺人等。在過去，人們相信夢遊病患者的行徑，完全是依照夢中的行爲。

可是，這個想法是錯的。根據加州大學的安東尼·基爾斯與阿倫·積谷遜博士的研究結果，指出夢遊者是處于安睡的狀態中的。當對方眞正做夢時，反不會產生夢遊的。

他們觀察的結果，夢遊者往往是睜大眼睛的，給人茫然的感覺，但不是像漫畫裏那般伸直雙手向前摸索，走動是有時像個屍那麼硬冰冰的。

夢遊者醒來時，永遠記不起自己幹過什麼事情的。

在睡眠的實驗中，貓是最適宜的一種動物，因爲它們不但愛睡，而且許多時候站立着都可以睡着。

威廉斯·杜寧博士便喜歡拿貓來做實驗。他的其中一隻黑貓名叫杜杜，做實驗時，那塊磚頭是放上，依然快樂地安睡，這因爲體內的筋肉還支持住它。但當它是處于做夢的狀態，它便不支，倒下來了。

在水池中央，它不安睡時，便跌落水中了。原來做夢時，神經便不集中了，于是四肢的肌肉便鬆弛了，不受控制。

不過，如果設法使貓安睡七十天，那麼，它的性格便有顯著的變化，一些剛烈暴躁，一些無精打彩。因此，無論安睡或做夢，是要兩者兼備的，才是健康的象徵。（上）

心理學家科學分析

大人物成功的兩因素

○若知譯○

在許多很有氣派的經理桌子後面，坐着一些人，他們所以坐在那裏，因爲他們也具有同樣的經驗。你也許不止一次看見過這一類的人在採取行動。某人向他提出一個新建議。這建議也許會牽涉到公司裏的大變動。他却能立即決定，召進一位同僚，面諭以如何進行改組——馬上實行，不是等到下週或下月。

我們嫉妒這一類人，他們何以會如此輕易地作了決定，而且馬上訴諸行動？但是，此種「輕易」乃累積多年的經驗而得來的。他們之所以走上成功之路，就是因爲他們具有此種能力，最初是在小問題上當機立斷，後來應用在較大的問題上，於是養成了「說做就做」的習慣。

前美國總統柯立芝，原是一個最不會被一時衝動所驅使的人，然而，他曾訓練自己，使他自己依賴他的「預感」。他曾在一個小地方的律師事務所當律師，有一天，當他正與一位重要的顧客談話的時候，有人打電話通知他，說是該郡一位政界大亨到這城裏來了。柯立芝想起，他一定要去見這位地方上的名人，並向他表示自己願競選州議員。這位一向羞怯的年輕律師毫不遲疑地，匆匆把他與顧客之間的談話結束掉，離開事務所，去找那位地方領袖去了。那個衝動產生了結果，從那時起，內心的驅使不斷地把柯立芝領向政治上的成功之路。

我們應該知道受衝動驅使而行事的人，不一定是心浮氣躁的。胆小的人反而害怕感情衝動會帶來各種各樣的錯誤。

但是，錯誤總是難免的——不管我們採取那一條路綫，我們總是會犯錯的。歷史上有些最大的錯誤，還是在深思熟慮之後鑄成的。

不行動的錯誤，往往比因一時衝動而犯的錯誤更加嚴重。前者的惡果之一是：它們會叫我們養成惰性。有一位太太，丈夫棄家他去，有一天，這位太太來向我求計。他們之間的癥結所在，似乎只是屬於脾氣方面的，並不難調整。這位太太告訴我，她現在眞正想做的，只是給她的丈夫一個電話，跟他談談；我告訴她，叫她還是依照她心裏所想的做去。她走了，走的時候似乎心情相當不安。

但是她並不曾去打電話。幾天之後，她又來了。走的時候，她再度受着內心驅使，要給她的先生打電話。她還是不曾打。一點家庭的小糾紛，只要在電話裏幾句話就可能解決的，但結果他們是離異了。她從小起，就一再犯着優柔寡斷，坐失良機的錯誤，因此，到這個有關緊要的當兒，她還是遲疑莫決，不能採取行動。（中）

周衡著　新三國

但是袁術時代的揚州，只有九江廬江二郡，其餘的丹陽、會稽、吳郡、豫章、都在孫策手裏。怎經得起他這樣的浪費。弄得民窮財盡了，士卒凍餒，江淮間的老百姓，人民相食，其慘狀可知。他腹背受敵，不到一年，呂布被曹操解決，徐州入于曹操之手。他在四面楚歌聲中，惶惶不可終日。建安四年（公元一九八年），他燒去了他的皇帝宮殿，投奔他的部下雷薄、陳蘭那裏，不料這兩個部下也不理他，都餉以閉門羹。窮途末路之際，他想投到袁紹那裏去。這時的袁紹，已經制據了幽州、青州、冀州、并州四州之地，爲四州之共主，在羣雄之中，是首屈一指的霸主。他想不如將皇帝讓給袁紹吧。袁紹雖沒有公開接受皇帝，心中却深爲之喜，即刻派人去接袁術。袁術便準備殘餘部隊，到鄴縣去。他萬萬沒料到，曹操已經派了劉備率同關羽張飛及精兵千多人，在徐州的大路上等候他了。袁術此路不通，乃折回安徽，到了離壽春約八十里之地的江亭，便以憂憤嘔血而死了。皇帝夢到此幻滅。

三十二、袁紹解決了公孫瓚

漢末羣雄並立，實力最大的，袁紹應該是首屈一指的。袁氏四世三公，門生故舊遍天下。但是袁紹這人無遠見，「志大而智小，色厲而胆薄，忌克而少威，兵多而分畫不明，將驕而政令不一。」這是曹操對袁紹的批評。曹操認識袁紹可說是最淸楚了。

當建安元年即公元一九六年，曹操迎得了獻帝都許，這可以說。在漢末政治上是一個重大轉變。當初董卓立獻帝，袁紹是不讚成的。當獻帝在河東時，袁紹便派了潁川人郭圖爲使，去晉見獻帝。郭圖回來之後，勸袁紹迎獻帝。沮授也曾以書面諫紹，勸他迎獻帝。沮授書云：「……今迎朝廷，至義也，又於時宜大義也，若不早圖，必有先人者也。夫權不失機，功在速捷，將軍宜圖之。」袁紹都不肯聽。不久，曹操把獻帝挾走之後，河南、關中都相繼內附，袁紹這才後悔。可見袁紹這人實在是「志大而智小」了。等到曹操挾夫子都許時，袁紹要曹操幸天子都鄄城，因爲鄄城距袁紹勢力範圍較近。此時曹操那裏肯聽他這一套？曹操迎獻帝都許，用意就是在挾天子以令諸侯。現成的最佳利用品他不要，給別人拿走他又反悔，眞是一個不成器的東西。

到了許昌，曹操自爲大將軍，封武平侯。封袁紹爲太尉；因按班位，在大將軍之下，不受。於是曹操把大將軍讓給袁紹做。袁紹說：「曹操當數死矣，我救存之。今乃挾天子以令我乎！」曹操從來不在乎虛名，他只注重抓實權。雖然班位高，但袁紹沒有實權，皇帝在曹操手頭。但如果沮授之諫袁紹採納了，則沒有曹操的一分了。三國的歷史又要改寫了。袁紹雖不行，他手下尚有不少智囊人物，挾天子以令諸侯，說不定曹操也會被袁紹吃掉。袁紹雖不行，但絕不是董卓、李傕、郭汜一般殘暴人物，至少袁氏在漢實是有相當淵源的。擅自廢立之事，他還不敢冒昧從事。董卓立獻帝廢弘農王，他就是大加反對的一個。（五十九）

國劇繽紛錄

婆娑生（一〇〇）

曾禧說腔

定公近在天文台述及台灣票界有三位高才，是鄒偉成（寒山樓主），趙培鑫，曹曾禧。此評的確恰當。論他們的造詣，皆受教於名家，故其唱腔很具前輩典型，資格也相當的深，研討平劇至少也有卅年，並非偶然撳戲藝。寒山去港，十年未歸。培鑫組班，正在抖擻戲藝。而曾禧已早依明駝，近以天熱，該隊勞軍甫歸，公演尚未定檔期，事實上可以歇夏休息，祇在研究腔調以遣溽暑。

昨晤嘉有兒，偶談劇事，承告曾禧現在每週有二三日常往永康街六巷十五號去玩，如遇同好，互相切磋論腔，興致甚濃。爲此奉告各位愛好平劇的朋友，如有雅興，不妨函曾禧聯絡，大概所費不多，既得學藝，又可吊嗓，一舉而兩得，極有趣味，想學者不妨其試之。

從前的名角，對於授藝設腔，非常矜持，動輒必提條件，尤其爲爾服務若干年。現在時代變遷，此法已是無人接受，形成不敢請教，有的是錄音，又何必耗錢財，費腦筋？曾禧能迎合時代，爲劇藝流傳着想，是不易多見的。實有可稱之處，爲革除陋習也。

聽正秋會審

天氣正熱，每日在九五度下，下班回家，先就浴洗，再坐庭院，有微風飄來，耳聽妙音，那裏都不想去，是樂趣勝坐冷氣間也。因想聽唱，再向李方晨兄借唱片，而李公子送來的片子，頗以爲異，是梅蘭芳的玉堂春，張君秋的新玉堂春，顧正秋的三堂會審。同是一齣戲，三人唱來腔調都不很雷同，而腔均響朗，是皆可聽。要說時代不同，各均出心裁以爭勝，亦足稱也。惟顧氏唱片有特異之點，畧以述之。

首先，片上特註「本片特請劇評家厲謙先生指導製作」，此爲一特例，多無此種記載，即西洋歌曲，亦祇載歌者的名家姓字，很少指導的標記。但此先生的指導，在片中更有奇徵，有幾句慢板唱完，來一陣熱烈的掌聲。這種措施，在錄音中偶或有之。但有幾位名家不歡迎鼓掌，爲冲淡了唱腔的餘緒，不意唱片忽亦有之，未免大煞風景，而且流傳到海外去，恐怕聽者以爲古今從未有之，認是奇事。這樣的安排，對正秋所唱很好的腔，皆爲其冲淡，未能增音色之美，反有減弱，我甚惜之。這動作未見高明，希望再版時，能免則減免，用以告海山唱片公司，爲重顧氏所唱也。

燕爾新婚

・林詩然・

他起來，雖然已日上三竿，而且還是仲夏的炎熱日子，卻因四週都是婆娑青翠的綠葉，所以走到窗前一望，不禁襟懷爲之一暢，笑瞇瞇，覺得宇宙間的一切都是愉快美滿的。

「達令，給我拿一隻梳子。」背後有一個嬌滴滴的聲音在喚他。

他知道這是嬌妻的閫令，也只有妻子對於丈夫才有這樣權威，而做丈夫的也有絕對甘心服從的必要，爲了這，他就發出和靄的「嗯」的一聲，笑嘻嘻的轉身走到化粧台前拿起一隻梳子遞給她。

「Thank You。」她溫嫵地拿一雙晶瑩的眸子瞟一下他。

「不必客氣。」他斯文而有禮地微笑着。

她接過梳子隨便攏攏髮。那時，她因梳髮的動作而頭稍微俯下，兼作偶然畧微的向左右搖，視綫就沒有投向他。而他則像是侍候似的站在床邊，其實在欣賞她理粧的姿態，也是覺得她非常可親，致站着不動的。

「對不起，」她抬眼斜睨一下他。「再給我拿一隻鏡子好嗎？」

「好，」他的聲音與態度都很溫柔，說着就轉身走到化粧枱前拿起一隻鏡子再遞給她。

她接過鏡子一照，一張鵝蛋型而豐滿着海棠春睡神態的臉龐就出現在她的眼前了。他的視綫也投向鏡。對於鏡中那張臉影覺得有畫圖性的美感，爲的它只能將人象襯着背景截出圓圓的一部份，像是封面美人，也像是畫裏眞眞，跟面對着的她似乎又有多少分別，因之，一時就眈眈而覗了。

「達令。」他喚她。

「我看見了一朵花。」

「什麼花？」她邊在欣賞鏡中的自己邊發問。

「人花。」他衝口而出地吐出這兩個字。

「我聞所未聞。」她把視綫從鏡中出發向他拋一個弧型又回到鏡上。

「嘿——就是鏡中的那個。」他佻撻地。

「唔，你是說我。」她撒嬌地。然後神意一揚，就開口：「我也看見一朵花——」說着嘻嘻而笑，而且笑得彎了腰。在如此情況中，她偷眼瞟一下他。說：「就是你。」

「男人，沒有給人形容作花的。」他說。

「那麼，你拿我們女人作侮辱。」她佯惱地，實在是撒嬌，同時也噘一下嘴。

「我沒有這樣存心——至少是對於你。」他忙作分辯。

「大前提是包括一切的。」她還是不肯放鬆地。

「不過，也有例外。比如有兩隻眼睛的是動物，人也有兩隻眼睛，一般來說，卻不稱作動物而稱人。」他多少有點近於不倫不類地耍出在學校時那套。

「我知你的理論學的成績很高。」她打趣地，「不過，我的小導師，請你不要再在我的面前賣弄吧。」

「不敢，不敢，我的小茉莉，我吟盡腹中的詩，吐出心中所有的意思，無非都爲歌頌你。」他唸出當年演劇時的台詞。

「你又在想起絲了。」她白他一眼。

「名花經已有主——。」他嘻笑地說，當然，意猶未盡地，還要接下去，却因發言時意念太匆促，一時窒住了嘴，爲了要繼續，便臨時爆肚地接上那麼的話：「我是不妄求，不見異思遷，縱然有弱水三千，我只取一瓢飲。」

（上）

海嶠壹談薈

憶吳佩孚

諸葛文侯

曹錕以愚昧武夫，妄冀非份，藉賄選僭作國家行政元首，醜聲直騰於全國，佩孚內心上亦不以爲然，但曹氏乃其直接長官，故在曹氏進行賄選運動期間，始終留洛陽而不赴京津。對大選問題亦不贊一詞，表示置身事外，自愛自重，顧全公誼私情，可謂善於自處也矣。當民國十四年秋間，直奉戰爭醞釀甚亟之際，吳以曹錕與張作霖有兒女姻親關係，防曹氏不欲參預直系在天津召集之軍事會議，迨接得曹氏電告以「你就是我，我就是你，親家之親，不如我之親」，即馳往天津，受任直軍最高統帥職務，劍及履及，籌綫作戰計劃職，義無返顧，恪盡軍人服從天職。

吳氏立身行己，標榜「三不主義」，即不通電下野，不出洋，不住租界是也。吳在失敗後下野，表示消極，亦不向外發表談話，文過飾非，蕭然自遁，不落恒蹊。彼於直奉戰爭受馮玉祥倒戈叛變而蒼黃挫敗後，乘兵艦遠赴四川萬縣，托庇於友軍楊森之防地，決不進入津滬之外國租界中，不願攜帶隨員，遨遊歐美，待機重振旗鼓，終其身履行「三不主義」宣言，了無愧怍。似此磊落風度與光明人格，殊堪欽佩，愚之所以讚美吳氏者，即甚於是。

吳氏久握兵符，顯赫一時，然不殖私財，不貪享受，一旦失勢在野，日常生活費用，胥賴朋儕接濟，世人至今並未聞吳氏在本國或外邦，置有私產，儲有磁貨，以視一般高級軍官之姬妾盈門，私財累累，其品格之高下爲何如也！吾國對日抗戰軍興，吳氏盤居北平，備受敵寇與漢奸包圍煽誘，欲加利用，然吳氏涅而不淄，晚節彌堅。國民政府轉移重慶後，行政院長孔祥熙會派員潛赴北國，勸吳氏設法脫離虎口，南下避禍，吳婉謝之，矢言決不附逆，以副國人期望而已。日寇知吳氏堅貞不屈，嗣以吳患牙疾，由日醫診治，乘機注射毒劑，致吳於死。

現代軍人中，具有如吳氏資質與際遇者，頗不乏人，然皆卑卑不足道，非腐化貪悖，即怙惡貽禍，否則犯上作亂，暮四朝三。吾人閉目深思，細數過去之同等風雲人物，能與吳氏媲美者，究安在耶？信可傳也。

（下）

台北銀河洞觀瀑小記

澗叟

台北市近郊銀河洞以瀑見稱，「萬丈石泉冷似冰，岩頭日暖紫烟凝。」此其具體而微之寫照也。當此災威肆虐之際，吾人身臨其境，但覺雙眼洗塵塞竹裏，銀河匹練自天來，自亦身心怡爽，這盡溽暑之良法也。

銀河洞位新店鎮至坪林公路中之德高嶺，西距新店市街四公里許，與大崎腳近在咫尺。如在銀河洞站下車而往，過小橋，一路溪聲可聽，雲山四合，斜坡直上，約一公里，再進則鳥道石梯，其境幽絕。仰見遠處危峯竦立，山高三百八十二公尺，有懸瀑一綫自天而下，正是「路從深谷穿雲入，水自懸岩下澗流」。仙姿神韻，美景天成。瀑寬盈丈，長百餘公尺，裊裊如垂練，既激於石，則碎玉擲冰，散珠噴雪，又蒙密紛紜，如雨如霧，如萬人鳴鼓，轟隆雷動，聲震峽谷，此即銀河洞瀑布也。

徑側叢篁交蔭，皆高兩丈外，鳥鳴上下，絲映鬢眉，山風拂袂，飄然而秋，無怪詩人詠之曰：「萬木蕭森人面綠，一聲幽鳥道提壺（據王禹稱詩：提壺係小鳥名）」，此誠寫實之作。

前行得一平台，此乃觀瀑佳處。瀑從德高嶺左面山壁飛墮，如飄雲拖練，聲勢壯偉。滙爲洪流後，如玉龍走潭，洶湧奔赴。上則日光照射，幻作七色，殆與彩虹同一成因，眞美不勝收。附近有溥心畬題壁詩，頗多王孫之思，亦聊誌雪泥鴻爪云爾。

瀑布之左上方，有懸岩若洞，因位於懸瀑旁，故顏曰「銀河洞」。洞外飾棟宇，岩前護以石欄，中祀觀音佛祖。洞中長年住苦修老僧一人，日與青磬紅魚爲伍，畧不與人周旋，殆亦不食人間烟火之儔輩歟！洞口危峯摩天，搖搖欲墜，人履其中，陡覺藐小。惟洞殊淺，而洞口雜樹斜出，葛蘿如翠帶飄拂，野花點綴，好鳥爭鳴，尤饒奇趣。

洞上峯頭，亦頗足登臨，白雲冉冉，掠空而過，一望羣山無盡，文山溪水，宛在目前，宋人所謂：「不畏浮雲遮望眼，自緣身在最高層。」此種豪情，殆可於此時此地得之。

更上有小徑通木柵指南宮，步行句鐘可達。

偶憶書畫家吳承燕有銀河洞觀瀑一首，詩中品泉賞瀑，道盡此間遠近水國山色，雖寥寥筆墨，誠無限奇峯也。詩云：「翠嶂丹崖曉霧開，銀河匹練自天來。一溪曲水鳴幽澗，四索長空運積煤，證道蜿蜒叢竹裏，清泉飛灑碧山隈。聯吟品茗增豪興，幾度徘徊未忍回。」

挑選眼鏡的學問

○荻書○

近年來，戴眼鏡的人越來越多了，中年與老年的老花眼鏡且不去說它，學校功課的繁重，都給許多年輕人帶來一副眼鏡，有的雖不是近視，也要配付平光的甚或是輕度的近視眼鏡來戴，以便趕時髦。而一到夏天，則又許多平時不戴眼鏡的人，要戴起太陽鏡來緩和強烈的陽光。所以，挑選眼鏡的學問，就變成一項有用的常識了。

戴眼鏡不祇要講求舒適，也要研究它的外形與自己面部的配合。眼鏡公司中的驗眼師，都會度量你的面形而介紹一種適合你的眼鏡，如果你心目中那副眼鏡的形狀與他所介紹的不同時，最好能放棄自己這一時所喜歡的那一種，而接受他的，因爲他們是吃這一行飯的，多少總有點研究與心得。

通常選擇眼鏡的規則，是眼鏡的兩邊應與面部的闊度相符，眼鏡的上邊應與眉齊，至少也要緊接住眉毛下邊。眼鏡的鼻夾應該是恰好地夾住鼻鞍，不太緊或太鬆都不行，如果這個部份不合適，可讓眼鏡公司的職員替你修整，戴過一個時間後如有鬆弛的情形，應再拿回去整理，那不會化很多錢的。眼鏡柄也是如此，一定要弄得妥貼。

至於眼鏡框的色澤與質地，也有講究。這應與你的性格與衣服相配稱。你如果是性情爽朗而喜歡跳跳蹦蹦的活潑少女，你可以用粉紅色，或橙色的眼鏡框。但通常因顧慮到與衣服的色澤不致有強烈的對照，大都以珊瑚色澤花紋的塑膠作眼鏡框。因那是一種中立性色澤，可配合任何性格與各種顏色的衣服。至於鍍金或其他過份炫耀的眼鏡框，在赴外國或外地旅行時，則嫌過份誇張，在家居或本地的社交場合中，則無所謂。

在要從好幾付眼鏡中決定挑選一付時，則要對着全身鏡子自行打量一番，看那一付更能配合你的面型、髮型以至身型。

最後，不要忘記請一位知己陪你一起去，因爲他或她往往能給你以標準而有益的意見。

下列簡單介紹幾種普通面型的配鏡意見：一、長方型：配圓形的鏡框，鏡框下邊要強調式地低一點，這樣可使人對你的面型有圓形的視覺。二、四方型：配扁方形的鏡框，要避免用方型與圓形的鏡框。鏡框上、下兩邊要微向上斜起，左、右兩邊與面部闊度相符。三、圓型：配扁圓形的鏡框，鏡框兩邊不妨濶大一點，來強調這個鏡框的扁圓形。四、梨型：要配一種上部寬而下部窄的鏡框，鏡框上邊兩端要加濶，以分散人家對你頸部的注意力。

內政部台誌字第〇三一號內銷證

自由報

THE FREE NEWS

第六七九期

中華民國僑務委員會頒發
台敎新字第三二三號登記證
中華郵政台字第一二八二號執照
登記爲第一類新聞紙類
（半週刊每星期三、六出版）
每份港幣壹角
台灣零售價新台幣貳元
社長：雷嘯岑
督印人：黃行賓
社址：香港銅鑼灣高士威道二十號四樓
20, CAUSEWAY RD 3RD FL. HONG KONG
TEL. 771726　電報掛號：7191
承印者：大同印務公司
地址：香港北角和富道九六號
台灣分社
台北市西寧南路壹壹零號二樓
電話：三〇三四六
台郵報儲金戶九二五二

透視中央民意代表增選補選問題

・郭甄泰・

依最近修正公佈之動員勘亂時期臨時條欵第五條：『總統爲適應動員勘亂需要，得調整中央政府之行政機構及人事機構，並對於依法選舉產生之中央公職人員，因人口增加，或因故出缺而能增選或補選之自由及光復地區，均得訂頒辦法實施之。』之規定，在勘亂委員會或另稱某某會成立之後，對於自由及光復區之中央民意代表，自必須訂頒增選補選辦法，依法予以辦理。惟辦理增選補選，雖勢在必行，但依時論勢，此舉純爲遷就本省省議會多數議員之願望，並非甚合時宜。

第一、共匪已試爆核子三次，在明年至後年間，即將擁有氫彈，中程飛彈，飛彈潛艇。麥納瑪拉說：『中共在今後數年內可由飛機投擲笨重原始的核子彈，三五年內可發展由中程彈道飛彈發射的彈頭，並可生產少數這種飛彈』。我們反攻大陸，必須在今年，至遲在明年以前開始行動，選舉妨礙軍事，大陸淪陷前車，可爲殷鑒。現在頒訂辦法，辦理選舉，難免使中央、地方有所分心，政治上的注意力，不能集中，萬一因此失去時機，則因小失大，莫此爲甚。

第二、將來反攻大陸，可能發生兩種情況：一爲共匪內部分裂，衆叛親離，人民揭竿而起，紛紛反正，共匪於旦夕之間完全崩潰；一爲寸土必爭，在無前綫、無後方之下炮火連天，曠日持久。此次所定增訂臨時條欵，係假定光復大陸各省按照時間先後的次序進行，光復一省即辦理一省選舉。事實上，無此可能。

第三、中央民意代表，需要老成謀國之士，新血、舊血，俱係一樣。加以吾國立法院、國民大會均係採多數表決制，增加少數新血，並不能發生任何重大作用。復查立委人數依憲法第六十四條的規定，省人口在三百萬以下者選出五人，其超過三百萬人每超過一百萬人增選一人。民國三十六年，台省人口約六百萬人，依規定選出立法委員八人，[illegible]，依規定共應有立法委員十四人。現在台省立委祇有六人，因蔡培火作官，另一人死亡，尙有缺額二人，依立法委員選舉罷免法施行條例第四十五條『立法委員經罷免後，由遞補人依次遞補』之規定，應由遞補人依次遞補二人，此外因人口增加關係，尙可增選六人，工礦團體南區尙可遞補一人婦女保障名額尙可補選一人，合併計之，台省立委實可遞補三人，增選六人，補選一人，共可達十五人。但即此亦不過爲立法委員現有總人數四百六十五人之三十一分之一而已。立法院代表全國民意，不能代表某一區域，同時又係採多數表決制，縱使現任台省立委全體辭職，另換新血，亦難起衰振敝，發生重大作用。至於國大代表，台省區域代表原爲二十四人，因現在行政區域，已由八縣九市共十七縣市改爲二十一縣市，人口由六百萬增至一千二百萬，依照憲法第廿六條每一縣市可選出代表一人，人口逾五十萬者，每增加五十萬人增選代表一人之規定，二十一縣市應選出代表二十三人（台北市，台北縣各二人），此外因人口增加尙可增選十二人。職業團體（職業公會，商會，農會）原爲四人，亦可增選若干人。台省現有國大代表祇餘二十人，其餘四人因無人遞補，尙在虛懸。總計台省國大代表除職業團體名額另計外，尙可補選四人，增選十二人，合併計之，當在四十人以上。但此亦不過爲現有國大代表總人數一千四百餘人三十七分之一。吾國國民大會六年開會一次，任務僅爲選舉總統副總統投票二次，所謂新人，舊人，新血，舊血云云，更無關係。最後就監察委員言，監察委員係採取補選制，但台省監委法定名額五人，現均健在，既不能增選，亦不能補選。請他們辭職，以便補選，就常理言，無甚可能，亦無此必要。基於上述關係，此次自由地區中央民意代表增選補選之決定，站在本省立場言，換面孔像洪炎秋先生所主張的一新耳目，自屬一般人士之希望，但站在全國立場及反攻大陸時機言，並非當之舉。

第四、自動員勘亂時期條欵成立後，台灣省議員陳重光等四十一人聯名函請台省中央民意代表辭職，以敷新政新人需代之需要；台省中央民意之代表，不甘退讓，反唇相稽，輿論界法學家，亦對此紛紛表示意見。因此許多政治上之弱點，遂又被重新提起。例如：『台灣省議會爲臨時參議會非正式之省諮會，無權選舉監察委員』；『立法委員十餘年來尙未通過地方自治通則，所司何事』；『中央民意代表已幹了十九年，老態龍鍾，應予停職留薪』；『立委與候補立委是在同一法律下，同一時間選出，剝奪候補立委候補權，觀立法院僅作爲民主政治之點綴』；『他們代表誰行使職權』，這類詬誶之詞，不一而足，把中央民意代表攻擊的體無完膚。此種互相詆諆，暴露弱點的作風，値此國步艱危時期，殊不相宜。現在國民大會既已通過條文，動員勘亂委員會即將成立，頒訂辦法，俾自由地區中央民意代表實行增選補選，自難從緩，但鑒於上述各點，必須注意以下數項意見。（下轉第二版）

一枚銅板的兩面

毛家軍換頭

今日與明日

由林彪「扶正」看毛共動態

毛共獨裁政權，十七年來有很多事都是出乎「正常人」想像以外的，像最近雷厲風行的所謂「無產階級文化大革命」來說，可謂從古至今歷史上最突出的奸宄也不敢爲。因爲，道是一場徹底毀殺中國數千年文化傳統的罪惡措施。就在這場「毒風」刮起後，「後來居上」的林彪突見「冒尖」，在「高舉毛澤東思想偉大紅旗」烟幕下，由林彪「掛帥」主持指揮大權。廿二日毛共召開八屆十一中全會後所發表的「會議公報」上，除毛酋名字外，兩次提到林彪這個所謂「光輝的榜樣」。這已充份顯示出林彪在毛僞政權中，他已是一人之下萬人之上的二把交椅。本欄上期根據毛共前述「會議公報」判斷，曾指出在中國大陸上「林彪時代即將開始」；證之於日前來自貝爾格萊德的消息，眞是不幸而言中。據南斯拉夫官方通訊社來自北平的一項消息說：林彪已躍居僅次毛酋的地位，同時升任兩項重要職務：一、林彪在毛黨中央本爲第五副主席，但現已「大躍進」越過劉少奇，周恩來、朱德、陳雲之上爲第一副主席。二、毛共中央「軍委」主席，本爲毛酋，林彪爲第一副主席；但現在毛酋已讓「賢」，把「軍委」主席交給了林彪。

林彪連升五級，是否是事實，尙待證實。其實，根本不用證實，即或林彪還未由毛酋「扶正」，而在事實上，他在毛共政權中已有僅次於毛酋的權勢。他是所謂「毛澤東思想」惟一解釋者，又最會「活學活用」毛酋「思想」。在這方面，於毛共八屆十一中全會後的「會議公報」中，已正式「規定」他是「全國，全黨」的光輝榜樣」。只此一點，已足以證明林彪的「地位」了。

林彪由於從一九五九年繼彭德懷出任「國防部長」後，一直「高舉毛澤東思想偉大紅旗」，放個屁也忘不了結合「毛主席著作」，所以深得毛酋之歡喜，乃升官進爵，位居羣魔之上。林彪今日的地位和聲勢，證明「黨指揮槍」還是槍指揮黨」之爭，已經「勝利結束」。結果是「槍」佔上風，而「黨」是在「槍」的「指揮」下；因爲「槍桿子出政權」啊！林彪控制「槍桿子」，指揮「槍桿子」在握後，對毛共內部「保皇黨」的一派，難逃被整肅厄運，已是不容懷疑的事。至於毛酋本人，即或不會在短期間惡貫滿盈而「龍馭賓天」，恐怕他也會成爲傀儡，只要林彪「狂熱病」一來，還有，從毛黨八屆十一中全會後所發表的「會議公報」上看，毛共的「強硬」政策一定要「進行到底」。特別是在林彪控制之下，毛共的「左傾冒險主義」，必作風份外，毛共不會太久，必插手越戰，對所謂「虛弱」的美國「紙老虎」正式挑戰。爲今之計，望美國放棄幻想，正視現實。俗語說：「先下手爲強，後下手遭殃。」願美國以及我國政府當局，三復斯言。（何如）

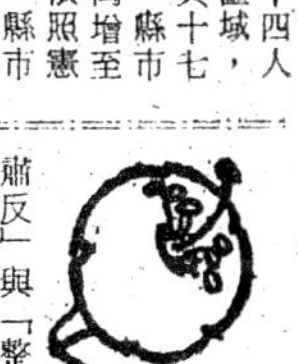

言語道斷

自從毛共竊據中國大陸以來，十餘年之間，所謂「肅反」與「整肅」運動，層出不窮，被整被反的人士，有社會各界的廣大民衆，有共幹，有秧歌政權的文武高級幹部，有共黨的中央大員，現在的「文化大革命」惡作劇，更顯示着包括共幹在內的中國高級知識份子盡是反抗共產暴政的，毛共政權可謂沒有安定過，一直在鬥爭抗拒之中，事實昭彰，有目共覩。

可是，英美各國的左傾學者與姑息政客們，常以毛共政權已趨穩定爲理由，主張改變對華外交政策，要跟毛共親近，把它拉入聯合國，使其遵守國際義務，即可促進世界和平云云，美國一些鷄蛋頭式的官僚政客，如富爾布萊特之流，且造出「圍堵而不孤立」的詖詞，強迫政府當局對毛共妥協，說甚末不管你喜歡不喜歡共產主義，毛共政權已經穩固地控制着七億人民，是既成事實了這類廢話。

反觀英美這般官僚政客和左傾學者，扯着民主旗號，對於反共的自由國家中，只要有人偶爾表示不滿現實，搞出一些游行示威，反對政府的行動，即張大其詞，指說這是政府不民主，人民不支持，國家不安定的明證，認爲不值得援助。如越南吳廷琰政府禁止佛教徒示威搗亂，美國即策動軍人政變，予以推翻。然對毛共政權之殺人如蔴，長期實行流血鎭壓運動，却認爲內部穩定了，言語道斷，不亦怪哉？思之思之，這也可歸入「見怪不怪」之列。強權主義者絕無正義公道觀念存在，遇事怕强欺弱，只是犧牲別人，顧全自己，表面上又要以「替天行道」的救世主自居，用意在害怕共禍流傳到本國來。但求本身安全，即令共黨統治了世界各地區，亦無所謂，反正人嘴兩塊皮，說東又說西，有的就是口實可藉也。

咱們成千以上的學者教授，曾經寫信給美國的左傾親共份子講道理。我認爲沒有絲毫用處。那些道理他們何嘗不懂得，由於苟安自私的心理作祟，祇好閉着眼睛瞎話三千，掩飾醜態而已。我們自己如果沒有作法——至少也要有「成事不足，敗事有餘」的本領——專靠講道理，說人情，以期達成反共復國的願望，那是很渺茫的！

馮子先生

東南亞第二戰場呼之欲出

毛共動亂泰國肆無忌憚

泰東北及泰南共黨活動連成一氣

·曼谷通訊·

泰國當局深信，美國部隊直接介入此項作戰，則共黨勢必指責泰國政府係屬美國的傀儡政府。在最近一項剛完成簽署的協議下，美國準備另外供給泰國二十二架直昇機及十五艘最速快艇，作反游擊戰巡邏之用，同時有一支由一百三十名人員組成的美國特種部隊，正在協助訓練加速擴展中的泰國保安部隊。又同時，泰國在美國支持下，已加速發展道些敏感地區的農業計劃，由於這些地區的村民曾埋怨泰國政府疏忽對他們在生活方面的照料，因而成為共黨宣傳攻擊的對象。

泰國與美國間有一點歧見，是有關美國對泰國所提供的武器質量。泰國當局表示說：在軍事援助計劃之下所收到美國的武器，均為第二次世界大戰時期的陳舊武器，其中許多還比不上共黨游擊隊目前所使用的武器。因為共黨游擊隊目前所使用的武器，有些係共黨在越南政府部隊及美軍手中所獲的美國較新式的武器，其他有些係從寮國運來。他們亦擁有中共製的手榴彈及手槍，以及大量軍火及通訊器材。

泰國一位戰地軍官作這樣的評論：「我們有足夠的軍事力量來消除目前進行活動的各股共黨恐怖份子，但是我們的最大問題係如何來逮捕他們。他們知道其所要殺害的警察、士兵、教師、村長及警區官員，但是我們却不知道他們是誰。若我們不能找出一種方法來區別共黨恐怖份子與村民，則泰國勢將如越南一樣，進行一項長久的戰爭。同時美國在這兩年內，如能將越南之局勢完全改觀，則泰國之共黨作亂將隨之衰退而自行消失。」

美國陸軍在柯叻的第九後勤司令部正在加緊貯備武器、軍火及車輪，其物資已足夠一個一萬七千名的戰鬥師的應用。同時在梭桃邑的一個長達六百呎的軍用碼頭已告完成，軍火貯藏庫亦已興建中。當泰國加緊其對共黨游擊隊的作戰時，美國深信共黨大規模的侵略目前亦能抵制了。（下）

透視中央民意代表增選補選問題

（上接第一版）

一、範圍宜小時間宜早。我國最重要之國策為反攻大陸，反攻勝利軍警學兵士農工商任何人均有發展之餘地；不能於最近期內反攻，則偏安局面，縱能長久，國際局勢，政治態勢，均將改觀，中央民意代表皮之不存，毛將焉附？尚有何爭執之可言。故此次辦理增選補選之範圍應儘量縮小，其現任中央民意代表不願辭職者，『汝安則為之』，不必勉強。因行政區域重劃而必須增選者，應令原代表留任原縣市，藉以減少再選之煩。關於自由地區應暫以台灣區為限，其他方面可暫維現狀，毋庸勞民傷財，多事更張。至於選舉時間，則因反攻大陸時機關係，必須從速辦理，不能拖延。

二、毋忘選舉罷免法之規定。查動員戡亂臨時條款修正條文之效力同於憲法。凡憲法中所未明白規定而由上項臨時條款訂定者，應視為同於憲法之條文。茲立法委員得「增選與補選」，已超出「現任」立法委員之範圍，故其為「第一屆」立法委員，而非「現任」立法委員，自無疑義。既為「第一屆立法委員」，則其所謂「繼續行使職權」，等於『延長任期』，尤無疑義。過去有關解釋謂：「由現任立法委員繼續行使職權，而非延長任期」云云，顯與上項修正條款第五條之規定抵觸，依法當然失其效力。在須定增選補選辦法時，對於立委，係採取候補制度，對於遇有缺額，應遵守選舉罷免法施行條例，『依次遞補』之規定，特予注意，以補充新血，以健全憲政體制。俾免再一次造成歷史上之錯誤。

三、提拔新血，另訂辦法。台省完全受本國中學大學教育之青年，已以萬計，屈居下位，無由進、、。此次台省議會籲請台省中央民意代表全體辭職，即係擬以新人代替之意，宜予擇優破格提拔，施以嚴格之新生活訓練，俾能在中央地方各機關從速接棒。至於各級公務人員，其已屆退休年齡者，必須特予優待，不吝加給休退金，并保障其餘年之生活勒令退休，藉收新陳代謝之效。

禁試協定完全喪失作用

原核軍備競賽如火如荼

○紐約通訊○

法國最近在太平洋舉行的核子爆炸試驗，只是一連串新核子試驗中的第一項而已。中共正忙於再次準備新的核子爆炸試驗。蘇俄、英國及美國亦然。為什麼會發生這樣的現象？主要的事實是——那些令核子競賽緩慢下來的企圖，現在差不多已失去效用。

三年前，一百零五個國家簽署那項局部性的禁止核子武器爆炸試驗的協定。（該項協定不禁止的是在地下舉行的核子爆炸試驗。）該項協定的原意，是令到那項核子軍備競賽緩慢下來。然而時至今日，核子軍備的競賽却越來越激烈。

剛在上月二日，法國已經在太平洋開始一連串的大氣層中核子爆炸試驗。法國和中共均拒絕簽署該項在一九六三年締結的禁試協定。現在，這兩個「國家」正爭先恐後地製造一枚氫氣彈，同時在大氣層中進行核子彈頭的爆炸試驗。

英國現時正在地下進行核子爆炸試驗，目的是加緊發展一枚「北極星」式潛艇艦隊所使用的核子彈頭。至於蘇俄，事實上從未停止核子軍備的競賽。這個共黨國家現時正設法在核子實力方面向美國迎頭趕上。據官方當局表示：單就過去一年而論，蘇俄已經令本身的核子武器儲藏量倍增起來——從六千米格噸的總威力增至一萬二千米格噸威力的程度。（一米格噸等於一百萬噸黃色烈性炸藥的威力。）

美國並沒有站着不動。雖然山姆叔叔現時正在越南戰場上用子彈及非核子的炸彈作戰，可是他却同時在進行較新的核子武器的試驗及生產，因此將更多新式的原子武器儲藏起來。（上）

高叫「給我滾出去」之餘

台北市違建會祕書公然率衆毆打市民

（本報記者匡謬）台北市政府官署，近年來似乎是多事之秋，也是大台北百多萬市民詬病的衙門。尤其是經常發生全武行打鬥的鬧劇，不是官員與官員之間大演「鐵公雞」，便是糾衆「修理」前往辦理公務的市民，諸如此類打鬥全武行好戲層出不窮。台北各報章時有精彩的社會新聞可看。官箴掃地事小，騰笑中外的台北官署，實在是台北百萬市民的莫大恥辱。

八月八日上午九時，台北市政府又發生一件市府官員率衆毆辱市民的鬧劇，差點鬧出人命。事情經過實情是這樣的：

八月八日上午九時，有大陸義胞第二食品加工生產合作社理事主席王勳，因該社漳州街廠房拆遷事宜，前往台北市政府「違建處理委員會」拜會該會秘書胡大彬洽商該社廠房拆遷處理情形，在言語之間發生衝突，胡大彬未待王勳說完情由，即大聲斥罵說：「你們那裏是什麼義胞合作社，簡直是流氓集團！給我滾出去！」王勳乃洽商公務而來，豈肯甘受其辱，隨即向該處秘書胡大彬說：「我是台北市民，為處理公務而來，為什麼罵我流氓？要我滾出！」胡大彬隨即行使秘書權威，喝令該處公務人員陳志及不知姓名之員工十餘人，將王勳拖出辦公室外之走廊。王勳不甘受此侮辱，力圖掙扎，誰知胡大彬竟喝令「不出去給我打拖！」其屬十餘人便連拖帶打，竟將王勳喉部扼傷，險些氣絕；身上其他各部受傷多處，打的鼻青臉腫，昏倒於地。幸而其時台北地方法院職員彭午寅，馮金秀在該會協辦公務，目睹此情，乃上前勸止，始免於再遭毒打。

據王勳對記者說：胡大彬為市府官員，竟敢在官署中光天化日之下，率衆毆辱前往市府辦公之市民，實屬不法已極。除依法向台北地檢處提出自訴外，並請大陸災胞救濟總會主持正義，依法懲兇。又王勳並業已發出「新社字第〇五七號」呈文，請求中國大陸救災總會處理中。（八月十日寄自台北）

析論立監兩院的五大案（一）

·本報記者劍聲·

前言

何謂五大案？在立法院係指盜豆案，配售日片案，復興公司取代大秦案，東亞公司貸款案，各行局呆賬案。

但監察院財政經濟委員會由于鎮洲、王澍霖、王文光、吳大宇、金越光等五委員組成之調查小組，調查味新公司貸款三千萬元到手後，隨即倒閉案，中華毛紡廠緊急貸款四千萬元案，大秦公司呆賬與台銀和復興公司合作案，各棉織廠原棉貸款四億元案，以及東亞紡織公司緊急貸款一千萬元案，亦謂之五大案。

此外有由李晉芳律師代范文徵、高孝侃向監察院呈訴：「以立法委員為首之詐欺集團，虛設「中寶企業股份有限公司」，募股騙錢，各級主管偽造文書，助張其欺枉，應請依法糾彈」一案。

糾彈案件　有欠嚴謹

記者為使讀者瞭解起見，特撰通訊作有系統的分析與報導，分成兩部份，一是立法院的質詢案，一是監察院的調查案。先說立法院的質詢案。

自從五十三年十二月間至五十四年十二月間，先後發生立人、大德源、德源、大華、大慶成、永源等六家油廠有盜賣黃豆案之後，社會上盛傳有中央級民意代表插足其間，但僅止於道聽途聞而已。到了五十四年十二月間，台北大華油廠盜豆案發生後，當時，來自鐵路局「同仁」的檢舉書所列舉十大罪狀，而「罪魁」並非鐵路局長徐人壽，徐人壽不過是「替死鬼」而已。該案在台北地檢處檢察官周德美偵查期間，大華油廠負責人王作昌，尚未投案之前，他雖知道東窗事發，也知道治安人員到處在找他，然而王作昌却住在某要員的公館，在晚間，坐了該要員的小轎車往某委員公館「避難」，使治安人員束手無策。當該案起訴後，監察院會表示：「監察院對本案的調查工作，並未就此結束，因為監察院相信參與本案的，至少有一二位『大亨』和十數位中央級民意代表在內，必須要查個水落石出」。結果，監察院糾彈告訴大家，不但沒有中央級民意代表在內，誠如有一次審查糾正案的五位委員在中午聚餐時（按：記者亦應邀參加餐會），有些委員說，沒有把中信局與省交通處列入糾正案，表示遺憾。

由此可見，監察院在處理糾彈案的態度了。

片商啓事　刺激立委

到今年六月一日和三日，台北市影片商一百餘家，在台北各日晚報刊登啓事，指責「行政院新聞局漠視輔導影片國策，將價值新台幣三千餘萬元的日片配額（據查係四十）分配於極少數日片商，黑幕重重，措施不公；中央級民意代表亦插手其間，護航說項，影響立監兩院名聲甚巨，請新聞局公開答復，並請清廉立法委員主持公道。」片商為什麼要請立法委員主持公道呢？因為他們分別向立法院請願，監察院呈訴都沒有得到具體的效果，乃刊此啓事。在啓事刊出後，新聞局雖未公開答復，但已有人說這種回聲是基於「唱雙簧」而來，然乎？豈其然乎！

六月七日，湖北籍立委鄧翔宇等二十三人，「為連日報載各影片公司啓事，為日片配額不公，請新聞局公開答復，及立監兩院清廉委員主持公道，並語涉高級民意代表，究係如何情形，請行政院迅即查明答復」。

就在五、六月間，報上不斷刊出各方面向監察院呈訴之大秦案、東亞案、中實案、以及中華毛紡廠貸款，隱約之間，中央級民意代表呼之欲出，在新聞相激相盪之下，立法委員受此刺激，因此，在七月五日，河北籍立委王秉鈞等八十人，為日片進口輔導失當，引起糾紛，影響立法院院譽，而向行政院提出質詢。

七月八日，遼寧籍立委莫竹寒等六人，為盜豆案報載涉及立法院委員若干人，特向行政院提出質詢。質詢文中並引述各報新聞報導與評論，如「近日報載：『盜豆案將有驚人發展，若干官員中央級民意代表涉嫌受賄舞弊瀆職，檢方獲證據賄款逾千萬元』。「該案有六位立委，二位監委，及二位國大代表涉及」。

立委質詢　日片豆案

七月二十二日，四川籍立法委員趙惠謨、王子蘭、王長慧等一百一十人，致函立法院院長黃國書、副院長倪文亞說：近來各報登載盜豆案、處理日片、以及東亞改組借款各案，均語涉中央民意代表。令人有中央民意代表罪該萬死之感。按中央民意代表合國民大會、監察院及立法院，數近兩千之多，單就立法院在台委員而論，亦有四百五六十人，人數既多，人品自難齊一。報紙籠統而指，涇渭不分，果係揮足染指者，自屬咎有應得，自問潔己奉公者，殊苦無從分辨。擬由秘書處分函各報，如要登載此類消息，務必直指姓名，庶使社會收激濁揚清之效云。

瀛海異趣錄

維也納着意維護下一代

·桑稚·

一九四七年五月，在維也納一間醫院發出一種啼叫聲音，並不悅耳，但是在一個母親的耳朵裏，那是最好聽的音樂。一個新嬰孩的誕生，是個男孩子，名叫里奧普德，簡名賓迪。他的父親是在八萬五千名幸運的維也納戰俘中一個得在一九四五年平安返家的，他的母親本來是在一間軍械廠做工的，現已失業，但在賓迪誕生之後，她非常喜歡。使她覺得奇異的事正在家裏，有許多等候着她，她的鄰人所贈送的鮮花穀成所送的禮物外，更有一個大的包裹，當她拆開來看時，她覺得非常驚喜，不禁叫出聲來，內有床布、嬰孩衣服、香皂、爽身粉、……一個嬰孩所需要的東西，應有盡有。在包裹的面上，附有一封信，寫着維也納市最後已有能力改變給嬰孩的禮物的計劃，在信的開首，引用市長的祝詞，所寫如下：「我們維也納人，當我們的兒童是我們的將來，我們很高興答應支持他們而盡我們的能力來幫助他們強健，受好的教育，而成爲有用的維也納市民：……」

這個包裹並不是城市當局對那個新生嬰孩的第一種幫助，在賓迪尚未誕生之前，他的母親便得到城市的孕婦指導委員會的照料，使到做母親的人能夠面臨未來而有信心。隨之有住屋的問題，因爲有了孩子，就要一間較大的房屋，賓迪出生不久後，他的母親在一間電力公司找到一份事做，細小的賓迪在日間就交由一間「爬行育嬰所」照料，這種幼稚園專爲細小嬰孩到三歲的孩子而設。市政局撥出巨欵來支持他們，由一九四六年到去年年底爲止，在維也納已有六十間。這不獨使一代小孩得到較好的居住地方，同時也對工業有莫大的幫助，因爲照現今勞工市場的情勢，假如得不到做工的母親們相助，便不難會崩潰。

賓迪在幼稚園是很快樂的，在午餐時所吃的東西，比較他的母親在家裏能夠供給的要好得多。同時，有褓母很細心照料，常常教他遊戲。夏季時，整個幼稚園會到維也納郊外的林樹間幾個星期。不久後，賓迪就要被送到學校讀書了。在維也納的小學校，在第二次世界大戰未爆發之前有四百多間，有三十六間被炮火所全毀，六十八間受到大的破壞，一百一十二間受到較輕的破壞，而所剩的完整學校已被佔領的軍隊所沒收，將之變做醫院或政府機關。賓迪就讀的學校是在一間大厦裏，在那個建築物內共有學校三間。賓迪在一個星期裏是上午上課，下一個星期改在下午上課，如此輪流下去。後來賓迪得在一間新建築的學校讀書，他對於這一點是非常高興的，因新學校有更好的設備。直到去年底爲止，維也納已有四十六間新學校，共有三百九十四課室。有二百間學校經修理好或改造爲現代化。

在放學後，賓迪由日間兒童照料所看管。有人指導他做夜課。後來就去遊戲。在隔鄰，設有遊戲場，冬季可溜冰，夏季可游泳。在維也納有三十二個游泳池，兒童可隨時去游泳，不收費用。維也納現有兒童遊戲場共達五百七十七個。

有一天，賓迪的母親被送到醫院去，第二天早晨他的父親說他有了一個小妹妹。當他的妹妹回到家裏後，賓迪受吩咐要物別好來對待她，因爲她行走時不正常。賓迪担心他的妹妹不能夠到學校上課，但在一九五九年維也納設立一間殘廢兒童學校，當賓迪的妹妹到六歲時，有學校的專車載她上學和回家。在學校裏她不獨讀書和寫字，更有在特別設備的健身室鍛鍊身體，又在戶內的游泳池作水的治療。不久後，那個細小的瑪麗利用扶手杖的幫助能夠行路；她對縫衣極覺興趣，故她長大後就在一間衣服製造廠當練習員。

隨着歲月的增加，賓迪已是一個很英俊強健的青年，他要知道許多有關維也納青年的協助與指導計劃。在一個夏季他被送到奧地利阿爾卑斯山的夏令營，營長乃一個維也納教師，他並不是普通的教員，乃在維也納教育學院教書的教師。那個教師對賓迪講述在過去奧地利兒童所過的生活，又向他解釋管束青年的法規，更指導他在有暇的時候主要做些有用的事。爲了對此事的鼓勵，在維也納有五十二間青年圖書館、攝影會、手工中心和許多爲青年而設的組織。城市當局雖撥出巨欵來作經費，但很值得，因爲在今日的維也納沒有「阿飛」問題的。

睡眠的研究

荻譯

對于嬰孩來說，做夢的睡眠尤爲重要；至少，他百份之五十時間都處于這種狀態中，有些還得百份之八十。

一些科學家相信嬰孩未出世，在胚中時，這種狀態是足足每天維持廿四小時的。

這種做夢狀態，是十三年前被發現的。我們雖稱爲做夢狀態，事實上，做夢只是其中一種效果。不要忘記，本文簡稱是REM係指眼球轉動之義。

在嬰孩來說，眼球轉動是一種刺激，使神經中樞接受這個「挑戰」而發育。

如果成年人沒有REM的現象，個性也像貓一樣，大大改變的。如果連續十六晚，睡眠時眼球不轉動，很容易會引致發狂的。所以，做夢越多，則表示精神得以鬆弛，消除緊張。

但，一個人如何會自動調整REM的現象呢？這是一個謎，一個生物學無法解釋的難題。

最近，紐約市醫學中心研究所，已證實酒鬼的幻覺是夢境的一種伸延。雖然他們似乎是淸醒，但其行徑與表現，完全與做噩夢的人一模一樣。理由是他們的REM睡眠是不夠，喝了太多酒，把這種現象趕走了，正式恢復淸醒時，REM才出現了。

REM對于身體也有影響的，在公爵大學的一次研究，十名心臟病人中，有四名在REM睡眠狀態中感到胸痛。對于患癌病的人，也有影響。換言之，夢常常帶來快樂與憂患，這是有可能的。正所謂「夢境成眞」，大概就是這個意思吧？（下）

心理學家科學分析 大人物成功的兩因素

○若知譯○

我們都知道，人們在採取任何重要步驟之前，那種猶豫不決，反覆思考的苦惱。那個問題常常是値得爭辯的，有値得贊成的地方，也有値得反對的，我們越想越覺得它們功過相抵，難以決定，結果是萬分焦急，無所適從。衝動的行爲起源於潛意識中已迅速地把這情況加以評價，它可能避免掉進一切煩擾。經過苦思索後所作的決定，若一旦證明它是錯了，我們往往會悔不當初，反而想到最初的那一個預感可能是對的！

要採取行動，就是當我們內心剛一有善良的衝動時，我們的精神肌肉和聲音，就要同時發生作用。譬如，有一天，一位年輕的大學講師，正坐在那裏聽威爾遜州長在大學畢業典禮上發表演說（那時威爾遜競選新澤西州州長，後來成爲美國總統），這位助教曾經寫過一部有關政治科學的書，他想出版，可是跟出版商們都談不攏，這一部書代表他的思想，它的顯然失敗，很使他對他的教學前途感到失望。

威爾遜在講演中所說的某幾句話，使得這位講師覺得他應當去向這位州長求教。他曾聽人說過，威爾遜冷漠、嚴峻，令人難以接近；但是，演說一結束，他的內心衝動使他穿過羣衆，他握住威爾遜的手，很快地說道：「你的演說眞了不起！我曾寫過一部書，主張……」在幾句簡潔的話之後，他陳述了他的理論。

「不對，」威爾遜搖搖頭。「不對，」他說：「你的看法錯了。我要告訴你爲何不對。今天午飯後，請你到教職員俱樂部來看我。」在俱樂部裏，威爾遜與他熱烈地談了兩小時，在威氏所給他的鼓勵下，這位講師寫了一部新書，銷了十萬冊以上，他在教育界中的地位也因而奠定了。在成功者的平生故事中，充滿了這一類的插曲，這些插曲成爲他們事業的轉捩點，這些眞正的衝動是具有睿智的。它們指出那一條道路是我們該採取的，因爲它們代表我們在潛意識中的看法。

請翻閱一下你自己的過去經驗，並注意到有多少次，你最快樂的時刻和最大的成功，是因你心血來潮，立即採取行動而產生的。因此，請服從你的最善良的衝動，並使你自己勇往直前！（下）

新三國　周藥譯著

卅三、衣帶詔的風波

建安四年的春天，即公元一九九年，袁紹派了麴義和劉和，（劉虞之子）會合劉虞的從事漁陽鮮于輔，齊周都尉鮮于銀，合攻公孫瓚，瓚軍大敗，走回易京固守。易京，是公孫瓚所築的城，圍塹十重，在塹裏築京。（「絕高謂之京」）京高五六丈，京上築樓，中塹爲京，特高十丈。公孫瓚自己住在中塹，裏面積穀三百萬斛。諸將的家小都各築高樓。他準備效法董卓築眉塢的故事，他說：「昔謂天下事可指日而定，今日視之，非我所決，不如休兵力田畜穀。兵法云百萬不攻。今吾樓千重，食盡此穀，足知天下之事矣。」這是何等愚笨的笑話！董卓那樣兇狠勢大，都沒有維持住他的「眉塢」，公孫瓚憑什麽？人到了窮途末路或者晚年的時候，很容易發生一種奇想，幻想發生一種奇蹟，等待奇蹟。此之謂狗雄人物，而不是英雄人物。英雄人物是去創造奇蹟。三國時代的英雄人物，如曹操、劉備、孫策等人，都是去創造他們的奇蹟。故公孫瓚的作法和幻想，實在使人好笑。但在三國時代，他這種作法，却不會令人感到奇蹟的。

公孫瓚效董卓的故事，築京積粮固守了一年多，袁紹曾經派人攻打過，一年多也沒有攻得下；但是，袁紹並沒有拿出他的主力去攻打。到建安四年，袁紹決心要先把公孫瓚解決，便集中了大部隊，將公孫瓚重重圍困。如此局面，公孫瓚當然受不了，他派了自己兒子向黑山賊求救，自己帶兵突圍而出，扼守西南區，與黑山之衆，橫斷袁紹之後。結果此一計劃爲長史關靖所諫止，沒有實行。關靖的理由說得很對：公之能守者，完全是靠將的家眷在城，如果一旦突圍出去，這種固守的決心便失去了。若固守待以時日，袁紹粮食困難便告退兵，只要袁紹兵退，四方之衆必然復合。如公捨此而去，「軍無重鎭」，則失去本而「孤在草野」，那就危險了。關靖字士起，是太原人，「英雄記」說他是個「酷吏」，「諂而無大謀」，但爲公孫瓚所信任。

公孫瓚的兒子去把救兵搬來了，公孫瓚作書約定以舉火爲號。不料傳書的人被袁紹的採子抓住了，因此軍機洩露。袁紹照書信所約，按時舉火。公孫瓚以爲救兵已到，自己率領大軍由城突出，以裏應外合之勢夾攻袁紹。豈料袁紹設下埋伏，殺得公孫瓚大敗而回，堅守不敢再出戰。袁紹派人從地下進攻，掘地道直通公孫瓚的「中京」，先用末柱支撐着地道，等到把「中京」下挖空到一半的時候，用火燒木柱，公孫瓚的「中京」便告倒塌了。公孫瓚到此，知已必敗，沒有辦法挽救，率性把一家完全殺光，然後自殺。關靖不願獨生，也赴袁軍被殺。袁紹把公孫瓚等人的頭送到許昌去了。至此袁紹與曹操兩大勢力相拒在官渡。這是建安四年，公元一九九年春的事。

劉備實是一個不甘久居人下的領袖人物，他把曹操也認識很清楚。他在許昌時，對曹操的一切言行作風更有所了解。（六十）

復建其不再來

復興劇校造就未定六器的張復建，當其在校時，振飩夫婦，視同豬子，與愛惜復蓉相同，有好的吃，必予復建，有好的玩，必偕復建，其恩可謂深重。乃畢業後，忽與王氏幾至涉訟，登報聲斥，遂至離校。經人介紹而進陸光。終以所會的戲太少，由穆成桐時常指點。不過復建却心雄萬丈，自以爲不凡，皆捧者所予的效果。可是無論要與環春相擬，相去或不八千里？也是亦不得意。此時已有名嫂，親其眉淸目秀，爲不易得之材，願意供養，因此罷習劇之事，每月給以相當生活費，使其補習攻讀。現在學業已很進步，支用亦無缺，閒時侍奉遊玩，心情也愉快，對戲也已厭倦。劉正忠亦無心栽培。因此復建其不致再來，徒使人留作懷念。在遜淸時代，北方有一句話：十年出一個狀元，十年未必出一個戲子。可證矣。可惜復建練得一身武功，至今成爲英雄無用武之地，在他藝術的前途，不免是一種損失。不知有誰肯出每月約四五千包銀，再來扶起這已等下野的童伶，難矣哉！

國劇繽紛續錄

（一〇一）姿婆生

看過雲特刊

在遏雲最近演出雁門關，出了一本特刊，於看戲時候，特化四元，購閱一冊。就印刷來說，很精美，封面有張大千畫的芝竹，文字方面，有鄧老，周郎，桂員，肯漢四君大作，照片方面，近時的尙不多，以前嬌小的均付闕如，似不夠份量。論說不貴，但與五元冰點，則不能相提並論。

文字大致無錯，惟作家周郎所記，似有質疑。（一）女四大名旦，曾有時爲章遏雲，雪艷琴，新艷秋，金友琴。後來金友琴下嫁陳氏，或以杜麗雲遞補，豁公知之甚詳。並未有胡碧蘭。胡李名於北津，未曾在上海馳紅，且在遏雲之後。新艷秋亦更在後也。遏雲在新明打泡過三日，至於遊藝園登台，似未琴本入劇藝未超神化，也未能有此。其奠定基礎是在西珠市口開明，唱白天，是三六及星日，我們同夥五六人，看了有五六十場。其時同台爲胡碧蘭青衣，玉蘭芳（即新艷秋）花旦，恩維銘老生，遏雲是花衫列大軸。每人票價四毫（二元大洋約十一毫餘）。後來到天津才被倪家用勢力強聘，量珠娶去。因監督極嚴很不自由，幸有李景光律師仗義始獲脫幅，重入劇壇，以後大名鼎鼎，始獲四旦之魁首。其最盛時期，是在滬漢兩地，尤其在漢光大舞台老板，連續約採京朝角色赴漢登台，是關以往的紀錄。（未完）

燕爾新婚

·林詩然·

「那麼，你就去修行吧，不必再有眷屬了。」她佯惱地睨視一下他。

「我們已開始了那神仙眷屬似的生活了。」他說着就溫柔地坐在她的身邊，以手繞過她的背而摟着肩膀。「我們是永不分離的一對啊！」

他的話，用柔情蔓種的意念吐出，就把她那微近嬌羞的，佯裝的態，事實上是拂淘得淨盡了。同時，有一溫馨的意味在心頭盪漾，於是，一種如膠似漆的意念就在胸中盤據，兩人情投意合地依偎着了。

那是屬於一種靜的享受。在靜中彼此都有一陣子默默不言。那是屬於心中的接觸，夫妻，在心靈同彈出一個律調中融洽於另一個境界裏了。

這是他們新婚燕爾的第一天。昨日，經過簡單合法的結婚儀式後，雙雙來到郊外的別墅裏要渡過蜜月中的第一個階段的。在用過晚膳，休息過一會兒後，爲了月媚花嬌的宜人景色，就雙雙攜手倚在窗前，好一會兒後，便踱到園裏來了。

他們，在鶼鶼鰈鰈的喁喁細語中，固然談及目前的，也偶然問斷的回憶。在回憶中，她說：「仲君，你爲什麼要愛我的？」

「我不愛你，還愛那一個？」他至情地吐出。

「嘻，我不信。」她嬌嬌地，「我要你說得具體點，詳細點，不要太籠統。」

「好，那就說我們中的一段。」他邊說邊在流吟。當一歇後，就作另起話題的開口：「記得演南鳳凰中探情郎那幕，我求你求婚時的神情嗎？」

「記得，那是你在舞台上的一條分界綫。」她說得有點正經地。

「嗯，」他潛思着，腦子裏隱約有些舊事在浮現。同時腦子裏也浮起另一張女孩子的臉孔，然後有所感喟地發出一聲：「唉！」才繼續：「眞是甚麼都有一個定數的。」

她吸收了他的神氣，更領略了話中之意，一時間，雖有悵觸，却掩蓋不了往事的瀰漫，於是，腦裏冉冉浮起「小美萄」那一幕。

當他們還有一年就取得學士的銜頭時——三年級的學生，心情是輕鬆的，爲的不似應屆畢業生的忙於準備考試和出路，而又不似一二年級的那麼「弟弟妹妹」（在校的資格還不夠老。）因之，心情就相當輕鬆；所以，一般來說，在學校中便相當活動了。不過，這是指一般來說，並不是說所有三年級的學生，每人都愛出風頭，而且能夠出風頭的，而和她，是愛活動的，也能達到目的中的兩個。所以逢着什麼日子，除開會演說之外，還担任一點遊藝節目中的戲劇；至於體育方面，則較少參加。那時，他担任描寫「五四時代」愛國家，愛民族，滿腔熱血的青年典型的白話劇的主角，演對手戲的本來是絲絲。怎知，在要演出前的兩天，絲絲忽然因事不能參加，只好將配角的齒子「扶正」。兩人初次担綱主角，都能演出水準，惹得相當好評，尤以壯烈纏綿中那探情求婚那幕，演得極爲出色。而在演出時，他又戲假情眞地臨時將台詞說得更爲親切，動作與表情也極端到家，直把她的芳心惹得波瀾盪漾。從此，他們的感情就躍進了一步。再在這個基礎上不斷地斟情，就初戀起來了。然後，在畢業後才結婚。

咋天，他們婚後，就暫住到別墅裏來，這是他的一個世伯所有，借住一個短期的。

當往事迅疾地在腦裏掠過後，她因一陣風把窗帘掀動，意識就回到現實來了，就先作前奏曲地這麼說：「達令，風兒很討厭，掀帘推戶，像要偷睇別人秘密的樣子。」

「唔，它只想親親你的臉蛋兒。」他打趣地。

「人們開口都只說風姨，那當然是屬於女的；基於異性相吸的道理，它想親你才眞。」她還擊。

「呃！你可謂口齒伶俐。」

接着，窗外傳進一片鳥聲。她很欣賞這個環境，便偕他下床，併肩移步至帘前，喁喁細語地談着詩一般的話語。（下）

俞階青託恨流萍

允明

光緒初年，彭雪琴玉麟，儆居西湖第一樓，樓爲俞曲園（樾）所築。彭俞交誼甚摯，特以移讓也。彭有詩云：「鶴巢底事讓鴻居，我跟樓頭笑我粗。寄語苔溪賢太史，梅花一幅當房租。」蓋畫梅爲贈，聊以解嘲之句也。曲園長孫陛雲，字階青，時方髫齡，韶秀可喜；雪琴之女孫綺華，長於陛雲者兩年，青梅竹馬，兩小無猜，曲園乞婚於彭，彭遂許之。及曲園賦悼亡，欲兩小成婚，彭弗可。又再三請先迎入門，俟冠歲，再涓吉成禮，彭不能却，勉許之。光緒七年辛巳，雪琴辭官返湘，挈綺華同歸，時陛雲方十四，綺華十六，舟發胥江，一別千古，三十遂成長往，其後三十年，陛雲有高陽台詞之作，繫以小敘：

「辛巳歲，先室綺華，侍祖外舅彭剛直公歸衡陽，……依依惜別，爲度一夜於樓處，三十年來，微雖感逝之懷，焉得遂人而語？黃陵瑤瑟，颺乘仙女之蹤；元武明珠，淚結相思之字。野水孤帆，城陰一角；夕陽無語，離思當年，低迴獨諷云：……」詞爲：「崎岸無人，亂山如夢，重來儘耐思量。乍展情芽，嬌絲騎竹年光。關河未識天涯遠，只離愁，酸沁迴腸。掩離觴，忍淚低鬟，已渺羅裳。颸寒問暖尋常語，到臨岐囑咐，垂老難忘。小坐邀涼，一雙人影斜陽。卅年綺恨飄風過，剩秋燈誰話滄桑？向橫塘。淡月昏烟，獨雁迴翔。」

俟陛雲功名成就，再送其赴蘇成婚。王湘綺記雪琴歸湘時：「居衡陽向陞老屋，舊宅三間，其未遂時所居也，今當貴復居之。兩親既亡，一妻被出，旁無侍者，子弟又已遠析，人情懷本，物態變遷，一想今昔，但有愴恨。雪琴殊自傷仰不以爲懷。……」可知其居處之岑寂。綺華侍祖家居，而陛雲又蹭蹬名場，標梅迨吉，嫁杳無期，攖疾遂卒。直至光緒二十四年戊戌，陛雲始以一甲第三人登進士第，其年已三十，而距綺華之卒又十餘載矣。明燈索夢，倍感淒其！繼室某，即俞平伯生母，傳不甚相洽。辛亥後寓居燕都，頗有外寵，又皆先後下堂去。其晚年有浣溪沙數闋，如「風皺柔懷水不如，碧城消息近來疏。嫩涼人意倦妝梳，錦幄明燈宛索夢，文梁斜日點窺書。晉騰渾不信當初。」「莫向流萍託愛根，侵階羅襪怨黃昏。單衾殘燭與溫存。風定流塵棲繡榻，街空斜月掩朱門。穠華如水瀡留痕」。「山色林光一碧收，小車穿葦宛行舟。退朝裙屐此淹留。衰柳有情還繫馬，夕陽如夢獨登樓。題牆殘字蘚花秋。」可見老境之落寞。民國卅九年十月十二日卒於舊京，年八十三。

世界婚俗采奇錄

周遊

要嫁男人先嫁樹

印度有好幾個地區的女人，在她的一生中，必須要嫁二次。一定有許多人覺得奇怪，爲什麼嫁了二次却只有一個丈夫呢？說來就是有趣。原來那幾個地區的風俗，女孩子到了十五六歲，她必須嫁給一株樹，到了這之後，才能眞正嫁給一個男人的。一個沒有嫁給樹做老婆的女人，是沒有男人敢娶的，因爲他們認爲這個女人一定是不祥的人，過門會帶來不祥的事。更奇怪的，她們在出嫁的兩次婚禮儀式中，嫁樹的儀式比嫁人更爲隆重。嫁樹的婚禮是由鄉老主持，村中不論相識與否，男男女女都來集會祈禱，祝福新娘未來的幸福。

一個窮人家，她們可能在這次婚禮過後宣告破產，因爲他們必須要大宴親友以示隆重。

要娶老婆先婚樹

無獨有偶的，在西里伯斯島的土人，男人討老婆，必須先娶一株樹做老婆的怪俗，這是他們民族中的一種迷信，認爲這樣才能夠豐收。娶樹的婚禮也相當隆重的，男的穿上了美麗的沙龍，頭上戴着一個花串，而那株做新娘的樹，也裝飾起來，樹枝纏了許多各色的鮮花紅布。當男人再和女人結婚的時候，那株樹就是最主要的聘禮之用品，比台灣人所風行的禮餅更爲重視。女的快出嫁時，把她的一件下裳掛在男人結過婚的那株樹上，他們認爲這是新娘兒孫滿堂的徵兆。先嫁樹和先娶樹的風俗，眞可謂無獨有偶。

先行偷香再說媒

新幾內亞的風俗更古怪，一個男人要想娶到一位妻子，那麼他必須要設法奪得她的貞操，然後拿到憑據向酋長請求，着令未來的岳丈把女兒送過門來。正因爲如此，新幾內亞發生偷香竊玉的事件十分普遍。許多有情的男女，他們預先約定之下，女的在半夜裏暗暗地將房門虛掩，讓郎進來，好事之後，才大叫大嚷，把家人吵醒，而她早把情人放走了，但還把自己的內衣給他帶走，好給他作爲求親的證據。

初夜權讓給朋友

在非洲的加薩斯勒民族，對於洞房花燭夜的一刻千金亳不珍惜。當婚禮完成之後，新郎便把洞房的責任交給他一位最好的朋友，把初夜權奉獻給他。加薩斯勒人認爲這是無尙的光榮，倘若新娘在初夜受孕，那麼，新郎今後將會十分得意了。所以在初夜裏新娘不能拒絕。這位代表丈夫的任何要求。而新娘和新郎正式行夫婦敦倫之禮，則要挨到三個月之後，因爲他要等待證明他的朋友是否爲他帶來了喜訊呢！（上）

說「吹牛圖」

○綠窗○

我國文人有一個普遍的嗜好，閒來沒事，兩三知己天南地北扯談起來。談扯是少不了烟茶助興，大概吸烟可以啓發靈感，開拓談話的源路；喝茶能夠刺激腦神經，滋潤舌頭喉嚨，使談天興緻逐漸步入高潮。

他們祇要倒在籐椅上，點上一支香烟，首先從「今天天氣……」開始，展開了所謂「清談」的序幕，於是話題便如當前日本流行的「推理小說」，剝繭抽絲，越扯越長。有時從紅樓夢的人物背景，可以扯到越南和戰問題；也可由瑪莉蓮夢露的自殺，聊到唐明皇遊月宮的神話……但是到了結束階段，却總得套上一個「公式化」的尾聲彼此相互恭維稱頌一番，灌飽了虛榮的腦袋大家才起立散會！據說這個「公式」是遠從三國時代留下來的。因爲曹操曾在一個寂寞的傍晚，邀約劉備「青梅煮酒論英雄」，結果却留給後人一個「誰也不行，就是咱哥兒們行！」的公式。

我自養成「吹牛」這個毛病（有人稱作「生活的藝術」），已有十年的歷史。「吹」了十年，雖結交了不少朋友，但當我最近過「四十大慶」時，送賀禮的「淸談朋友」却只剩下丁君一人而已。（上）

內政部登記證內版台報字第〇三一號

自由報

THE FREE NEWS

第六八〇期

中華民國僑務委員會登記
台教新字第三三三號登記證
中華郵政台字第一二八二號執照
登記爲第一類新聞紙類
（半週刊星期三、六出版）
每份港幣壹角
台灣零售價新台幣貳元
社長：雷嘯岑
督印人：黃行喜
社址：香港銅鑼灣高士威道二十號二樓
20, CAUSEWAY RD 3RD FL. HONG KONG
TEL. 771726　電報掛號：7191
承印者：大同印務公司
地址：香港北角和富道九六號
台灣分社
台北市西寧南路壹零號二樓
電話：三〇四三六
台郵撥帳戶金九二二二

文字的科學化（上）

宗德岡

關於中國語文的改革問題，曾在台北國語日報及中華日報訪問趙元任先生的特寫中，先後促請政府對美國學校和一年一度的教師研習會，將中國語文採用共匪漢字拼音教材爲課本一事，提出有效對策。東南亞華僑社會也有此情形。這便不能不使我們有所警惕，認爲文字科學化這件事，再無法因循下去了。他們爲要了解中國文化，需求最簡便的工具，這是值得同情的；責備他們是沒有用的，能給他們一套比共匪更簡便的工具才行。爲了反共和保存中國固有文化，恐怕文字科學化，非作有計畫的推行不可了。

吾國文字科學化所以不能推動的原因，可說完全是人爲的因素，非價值的，舉其要點，不外是：

（一）共匪既在大陸上推行「漢字拼音」，爲了反共，所以，在目前不宜跟它唱和。

（二）台灣剛歸還祖國，爲了使本省同胞認識祖國的文化，此時此地不宜進行文字改革。

（三）若採用國字註音第二式，國字的形象完全不存在了，又與共匪漢字拼音所用的字母差不了多少。

（四）現在的鉛字，若實施文字科學化，都得毀棄掉，蒙受很大的損失。

（五）使用文字是一種習慣，方塊字成了固定的習慣，要改變是不容易的，所以，大家習慣的反對文字科學化。

（六）最後便是民族自尊心的關係了。

現在再看看當初爲什麼有國字註音字母第二式的提出：

（一）依照英語以二十六個母字統御六十多萬語詞的方法，中國語文便要用四萬二千多字。

（二）英文字母最多的只有兩畫，中國字部首有的到十七畫之多。

（三）六十多萬條語詞，就是六十多萬項知識；他們不受文字的牽累，把時間大部分用到開拓思想的新天地上去。我們因受文字的牽累太大，在基本的知識上與人家相差太遠了；經過這樣的統計和比較，不能不使人戰慄。

（四）受過初中教育的人，都有點英語習慣了，實施起來不會有多大困難。

（五）英文打字機的便捷和鉛字可以利用。

（六）能夠推行第一式成功，第二式國人當也可以接受。

根據前面條列出來的困難和需要，產生以下的綜合看法：

（一）漢字的字形是經過多次改革的，貢獻最大的要算草書，可惜祖先們沒有把這種習慣固定下來繼續下去，很不幸的，又走上了楷書這條路。最聰明的是日本人，他們的平假名便是受到了草書的方便。草書的優點是筆畫簡化，柔綫順勢的，擺脫了方塊字的架勢，寫起來方便省時。

受中國文字影響最大的日、韓二國，現在他們都擺脫了漢字的束縛，而走上拼音化；其次就是越南。從中、日、韓、越四國字形變化過程上來看，對繁難漢字的簡化都有共同需要。不過，日、韓、越三國成功了，我們却失敗了，使這三國在文字的進化上「後來居上」。

漢字的繁難是人所共知的，一個字竟有三十二畫之多。改革既是一種需要，便與反共與國粹問題不相抵觸，而且恰相吻合。反共須有科學的工具，國粹亦需新的成就來充實它。國父的三民主義是新的國粹；蔣總統完成北伐，統一中國，領導抗戰，打倒日本帝國主義，取消不平等條約，使中國成爲五強之一；今又領導反共復國之役，爲自由人類共同的要求。胡適先生所提倡的白話文，吳稚暉、趙元任先生所推行的國字註音字母，吳健雄、李政道、楊振寧博士在物理學上的成就等等，在在都是新的國粹，且超過歷史上任何一個時代的成就。我們若不以古薄今，似可如此評價。

（二）再從歷史上觀察，漢字正音使用字母這個方法，是從梵文學來的，有些字並受西涼等地語音的影響。歐洲各國現用的文字，是從埃及、迦太基、希臘、拉丁文轉化而來的，到十四世紀方才成熟。再以英文的音標來說，過去用的是韋氏音標，現在多用國際音標，還有侃因、腦特氏、鍾斯氏音標，比較起來，後者較前者簡化。近世我們最大的改進是推行漢字註音符號，甩掉了反切不定的煩惱。這些改革與國家的自尊以及傳統文化無損，並得到了莫大的幫助。今天歐美的科學之所以較我們進步，就是他們沒有我們文字上這樣大的牽累，有時間去考慮別種問題。我們等到把文字學順後，已經筋疲力盡了，那裏還有時間、精力再去想別的問題呢？在台灣所推行的國語運動，若沒有國字註音符號，會有今天這樣的成效嗎？拼音化的好處，事實俱在，不容我們否認的。

如果經驗、成效告訴我們，拼音化是文字改革最有效的方法，那末，語文專家學者先生們，便應有胆有識的挑起這副重担，不需要急着去立什麼法，先展開一項討論，大家有了共同的認識，做起來便易如反掌。以下的三個問題須加以相當的商酌：

（一）「書」字簡體寫法是三畫，「分」是兩畫，「從」是四畫。這些字比那一式的註音符號筆畫都少。就以第一式來說：「書」字是五畫，多兩畫；「分」字是四畫，多兩畫；「從」字是五畫，多一畫。第二式「書」字草寫筆畫相等；「分」字多兩畫；「從」字多一畫。這是隨便舉了幾個例子，像這一類的字，只有委屈它了。不可據此以否定文字科學化的需要。

（二）究竟採用那一式國字註音字母代替方塊字？（甲）現行第一式既已成了習慣，除了印刷體外，再參照草書、簡體字筆畫加以簡化，採柔綫順勢的，擺脫方塊字架勢的束縛。這些字母又都是過去的古字，與保存固有文化不悖，似屬可行。

空着急

和約　大馬　印尼

無人上鈎

非洲　援助

今日與明日

劉少奇一落千丈

八月一日至十二日毛共召開八屆十一中全會，會後所發表的「會議公報」，一改過去慣例，沒有發表出席人數，已使人預料到在毛共中央的人事方面必有大幅度的異動。迨八月十八日毛共在北平爲慶祝「文化大革命」的「勝利」而舉行「百萬人集會」的，毛澤東與林彪在天安門上的「並肩而立」，林彪接受「羣衆」的「歡呼」，並由林彪「代表毛主席」和「黨中央」發表演說，已充份證明林彪在毛共中央已成爲第二號首腦，而一直被視爲毛酋「欽定」繼承人的劉少奇，却由「二號共酋「暴跌」至第八位。

在該「百萬人集會」上，毛酋與林彪相提並論，其次爲在演說中強調「響應林彪同志號召」的周恩來，再次爲毛共「中央文化革命小組」組長及新任政治局委員的大會主持人陳伯達。第五名爲「林家鋪子」新人陶鑄，第六名爲鄧小平，第七名爲康生，下邊才輪到毛共中央第一副主席兼「國家主席」的劉少奇。這說明在毛共八屆十一中全會中，在人事方面，確有很大的變動。毛共中央最高權力機關爲由七人組成的政治局常務委員會。劉少奇在所謂「百萬人集會」中排名第八，據估計，他不但已讓出毛共中央第一副主席職位，甚至更被踢出政治局常務委員會。

劉少奇自從一九四五年抗日戰爭結束後，毛酋赴重慶與政府當局舉行「政治協商會議」時，他就在延安代理毛共中央主席。二十多年來，一直排名毛酋之後坐二把交椅。但在毛共統治小集團爭權奪勢內訌中，却敗於林彪手下，不但「跌」下了「毛家班」的政治舞台，並且「跌」得十分之重。相信，不久將來他更會和彭眞等人一樣，由「下降」而「失蹤」。

劉少奇走上目前這步背運，在表面上看是受他手下頭號大將彭眞的牽連，實際上以彭眞爲首的「保皇黨」遭到整肅，是受劉少奇這個「後台老板」的影響。因爲毛共決定由林彪操刀對劉少奇小集團下手已不自今日開始了。過去，劉少奇會根據「蘇聯老大哥」的「先進經驗」，對毛酋親自制訂的「農業合作化」政策提出「反對意見，認爲「太慢了」！一九五七年前後，毛酋鼓勵「大鳴」「大放」，由劉少奇到彭眞也不同意，所以「鳴」「放」搞不好」。毛酋於一九五八年所提出的「大躍進」主張，劉少奇亦不盡予以支持。毛酋選擇繼承人的標準，主要是「聽話」，而劉少奇嚴重地違犯了「不辨風向」的「錯誤」，所以，當毛酋自知來日無多，「要自我進行決定誰是自己的繼承人時，圈定了一直「高舉毛澤東思想偉大紅旗」的林彪，而踢開了劉少奇。

十八日的「百萬人集會」上，毛酋把林彪拉在自己身邊，在天安門上「並肩而立」，並指示林彪代表他本人和「黨中央」發表演說，主要用意就是表示他已決定把林彪「扶正」，作爲他的未來繼承人。

林彪掌權後，在所謂「把無產階級文化大革命進行到底」中，必將大陸上被視爲反共的力量和傳統文化，全面地予以殘酷的打擊。對外，則根據所謂「毛澤東軍事思想」和他於去年九月三日所發表那篇「人民戰爭勝利萬歲」文章所指出的「方向」強硬到底。（何如）

自由談

憂慮印尼前途

馬五先生

印尼這次反共運動的經過情形和結局，與一九二七年（民國十六年）吾國的淸黨運動相彷彿。共黨在印尼各地區的勢力，遠比當年我國的毛共爲強大，它擁有三百萬以上的黨員和同路人，共黨在印尼創立的時間亦在卅年以上，若干高級共幹佔據着政府和軍中的要津，又有總統蘇卡諾做掩護工具，它要乘機奪取政權，成立「印尼人民共和國」，實在是大有可能的。

然而，大多數人民爲陸軍作後盾，蘇哈托、納蘇賢等將領登高一呼，揭櫫反共旗幟，共黨勢力即迅告崩潰，這證明愛好自由的人性與理性潛力之偉大，一旦發揮起來，沛然莫之能禦。挾共黨以自重的蘇卡諾，若不是奄有開國元勳的勞績，雖欲作一掛名的行政元首，亦戞戞乎其難哉。試看他聲明自己還是內閣總理，且要反對馬來西亞到底的言論剛發出，而眞正的內閣總理蘇哈托，即發佈印、馬進行復交工作的談話，給蘇卡諾以難堪，表示着「前面賣生薑，後面叫不辣」的藐視態度，可以概見矣。

印尼局面尙未確實穩定，潛伏各地區的共黨餘孽不少，如中爪哇最近就有「黑衫隊」的暴動組織出現，隱患堪虞。因爲印尼全國的島嶼甚多，中國大陸上的毛共隨時可以人力物力接濟印尼共黨，防不勝防。治本之法，一方面力求安定社會秩序，同時積極改進民衆經濟生活，以杜塞共黨煽惑釀亂的口實，印尼本身的能力，殊不足以語此，非獲得外來援助不可。因此，外交政策即須有新的擘劃，妥爲運用，以期達到「得道者多助」的目的。我很躭心印尼沒有傑出的政治人才，光是靠軍人秉持國鈞，那是不夠的。

毛共於一九二七年八月落草爲寇之後，勢窮力蹙，流竄到江西井崗山喘息不遑，當時如果中國沒有連綿的戰亂發生，毛共早已消滅了。印尼今日可憂之處不在共黨殘餘力量，而在人民生計與生活的窮困現象不能改善，終成爲共黨死灰復燃的風爐，萬一共黨乘機竊發，勢將不可收拾，重蹈吾國當年的覆轍，思之不勝憂惶也。

非常的國難，端賴非常的人才和措施來解救，東南亞的前途的安危禍福，繫於印尼能否構成一個穩固堅強的自由國家，跂予望之。

台北政聞集錦
鬧劇與喜劇皆有　插曲亦多采多姿

（本報台北通信）近來台北的天時氣候酷熱異常，令人難耐，而政治氣候亦特別熱鬧，多采多姿。鬧得最起勁的，就是立法院因東亞企業公司非法貸欵案，牽及立委郭某侯某等若干人，要求行政院長暨有關主管部門首長到院報告眞象，已經吵鬧了三天，實際上沒有絲毫結果，只是給社會人士明瞭大多數立法委員是淸白之士而已。然行政部門的大員不僅忙得滿頭大汗，就誤了許多要務，且激起一些插曲，徒亂人意。至於所謂「五大疑案」——大秦紡織公司轉讓，盜賣黃豆，東亞企業公司貸欵，日製電影片進口，國家銀行十四億元呆帳等等問題，依然原封未動，難解難分。

當立法院第一天開始討論這些疑問案件時，立委郭登敖會說有行政院某顯要，暗中供給民意代表們的資料，因而引起這次的軒然大波。外間即謠諑紛傳，謂某顯要是指的行政院副院長黃少谷，黃氏聞之驚詫，隨即分函全體立法委員聲明絕無其事。實則社會人士皆知道黃氏性情平和圓到，處事穩練周密，在政治上素有「甘草」之雅號，他是個息事而決不多事的人，又剛剛重入行政院作助手，於情於理於法，他何致於有此助長政爭的行爲呢！至於立法院的質詢情況，亦已呈現着再衰三竭之狀態，議塲上空座累累，許多立委皆不出席，這塲鬧劇看來就要無結果而散了，何苦乃爾耶？

行政院國軍退除役官兵就業輔導會，擁有許多生產機構，每年替國家增益不少的收入，有些產品是外銷的，且可爭取外滙，如木材即係大宗輸出品，商人以其有利可圖，樂於經營。最近乃有民意代表亦見獵心馳，利用審核行政機關歲出預算的時機，藉名某商號向輔導會申請配購外銷木材，民意代表在暗中說話，於是乎，有若干與民意代表有關的商號，都分別配購了自一千到三五千立方公尺不等的木材，皆大歡喜。詎料外銷木材依照貿易委員會的規定，須有「外銷績效」的商家——即曾經做過外銷貿易而有憑證可稽者，方許辦理木材出口和結滙事宜，而上述這些憑「特權」配得木材的商號，多不具備法定條件，以致拈到唇邊的肥肉，無法吞咽下去，只好向輔導會聲明暫行放棄業已批准配購之木材，讓那些有「外銷績效」的商號來承購，事實上或許玩的金蟬脫殼之計，亦未可知也。

國民大會秘書長易人後，原任秘書長谷正綱升任爲「憲政研討委員會」副主任，位高俸祿亦高（每月一萬二千元台幣），但職務淸閒，而谷副主任素性勇於負責，在國民大會秘書處內特闢辦公室，新購汽車出入，尚有直屬的辦公人員（由秘書處調用者），每日到會辦公，却無公可辦，谷氏要看國大秘書處的公事，却難住了新任秘書長郭澄。蓋按照體制，國大秘書處的公文，只是由秘書長處理的，「憲政研討會」似毋須過問，因而郭氏左右爲難，不知如何是好。有人說，國大秘書處如係公司性質，郭澄是總經理，谷正綱是董事長，那就不會有困難了！

國大秘書處人員衆多，經費龐大，各個代表，常有借支薪情事，過去決不發生問題。自郭氏接任秘書長以來，秘書處就缺乏活動經費了，代表們借支固然不行，即秘書處臨時要用錢，也大感拮据，何以有此現象？據說這是國家銀行打官話，非有政府的支付命令不能撥欵，實際原因是郭氏沒有搞好所謂「公共關係」，他就任秘書長後，並未拜訪各銀行主持人，不像洪蘭友之面面周到，也不如谷正剛之政治聲望，纔有這種吃瘪的情況。據記者觀察，郭澄對於國大秘書長的職責殊不容易展佈，將來困難尚多，前任谷正剛之再三辭職，決非偶然的。

國民大會的「憲政研討會」分設若十研討委員會從事研究工作，每一委員會最多設置七個召集人，這原是無謂的玩藝，但競選召集人的活動，日來熱烈非常，有人到處奔走拜託，有人請客拉票，忙得不亦樂乎。究不知當選了召集人，又有甚末作用？唯一的理由就是大家閒得無聊。不過，競選召集人尚未聞有花錢買票情事，不如開大會競選主席團時，竟有不惜鉅資以期獲雋者，可謂差勝一籌也。（八月十四日大元於台北）

析論立監兩院的五大案（二）

．本報記者劍聲．

八月二日，立法院通過立委王子蘭等二十四人的臨時動議，決定於同月五日（第三十七會期第三十六次會議）邀請行政院長暨有關部會首長列席院會報告五大案。

立委王子蘭等所提動議：「爲報載官商勾結各案，涉及本院名譽，擬請行政院院長率同有關首長到院報告，並備質詢而維院譽案。」臨時動議謂：「近來各報登載，官商勾結，出賣黃豆案，配售日片案，復興公司取代大秦產業案，東亞公司貸欵案，以及造成各行局巨額呆賬案，侵及庫帑，敗壞官常，究否屬實，亟待澄淸。而屢屢語涉本院，有所謂黑幕重重，中央民意代表亦插足其間，影响院譽甚鉅。又有所謂『特權集團』等語。同人於公不容忽視，於私難安緘默。竊以物必先腐而後虫生之，如果政府各主管部門皆能保持淸廉，尊重法守，民意代表縱想插足，亦無隙可乘。國家之敗，由於官邪。凡此各案眞相如何？政策目的何在？以及中央民意代表有無牽涉在內？行政院督率所屬機關人員，應已有所查考。事關同人聲譽，擬請院會定期邀請行政院長偕同主管部局首長列席本院報告，並備質詢，而維院譽。」

大衆情緒　左右國會

由此觀之，前文列舉立委之質詢案及臨時動議提案，都是根據報載新聞而來，這是可喜的現象。不過，在一個輿論健全的民主社會中，可能不致發生瑕疵。像美國那樣民主的國家，輿論謹代表大衆的情緒，而非眞正的代表「大衆意見」。因爲一般人對於重大的問題，如財經金融問題，不會具有精確和詳盡的知識，尤其關於法令方面的知識，以及審愼的論斷。任何重大問題的事實，往往是極其複雜的，因之縱或知道了事實，也仍不免於主觀的衡斷。當年，美國參議院爲「凡爾寨和約」召開的審查會，費時達數星期之久，便是受了正確的和不正確的報導。

這個例證，在這次所謂「五大案」的評論中，此間有一家報紙的「社論」，也犯了同樣的毛病。該報在立法院以一四五票否定十六票而通過王子蘭委員等二十四人臨時動議的翌日，即八月三日，發表社論：「政院豈是洗刷立委涉嫌的工具？」——我們對立法院昨天通過之決議深表遺憾」。其中有：「這明明是一個某些立法委員是否涉嫌刑事的單純司法事件，如今却以政策性的報告爲藉口，要請行政院長爲幾個涉嫌五大案的立法委員洗刷，其爲質詢權的濫用，豈僅吳延環委員等幾位所深致慨嘆而已哉！」最後結論：「……我們對於四百多位立法委員所組成的立法院，對於中央級民意代表涉嫌五大案的道路傳說，竟然憑由一四五位立法委員作下這麼一個決議，實在不勝遺憾。」

某報社論　前後矛盾

至此，記者再引述該報另一篇社論，請讀者看看，並印證我所說的輿論僅僅代表「大衆情緒」，而非眞正的「大衆意見」的話，是否有錯誤。

話說七月十四日，該報社論：「澄淸中央民意代表涉嫌黃豆案的傳說」。該報社論「對於莫竹寒等六位立法委員，聞傳說而對行政院提出質詢，要求澄淸，我們認爲是十分恰當的。尤其値得欣賞的是：鑒於過去立法院之幾次肅淸運動，每每雷聲大，雨點小，鬧得一塲無結果。這次六位立委，更能不要求黨籍同僚的反響與精神。而就他們質詢中所提出的兩大問題，六個疑點論，不但措詞尖銳，與過去習見之徒眩文采者，迥不相同；而且邏輯謹嚴，與過去習見之泛泛而論者他們打破砂鍋問到底的決心和態度，這種就事論事的認眞作風，在立委行使質詢權問題上確實予人一項極端新穎印象。」

臨時動議　目的他淸

立法院委員在輿論鼓勵之下，而由王子蘭委員等二十四人提臨時動議，經出席院會委員百分之九十長率同有關部局首長列席報告，並備質詢，以維院譽，而達到他淸的目的。殊料，在院會通過之後的若干日晚報即著論抨擊，並强力的反對。我很冷靜的看法，結果發現立法委員並不是跟着「大衆意見」奔馳，而是跟着「大衆情緒」奔馳，這種被「大衆情緒」牽着鼻子走的行爲，不但値得檢討，而且是很可怕的，是一個非常嚴重的問題。尤其是知識分子，對某一個問題，不會沒有判斷能力，既有辨識是非黑白的能力，爲什麼發生出「情緒」而產生行爲呢？原因是任何一個有高深學問的人，要做到大智若愚，智慧不受個人利害、派系恩怨所蒙蔽，這是件很難很難的事。而王子蘭委員等二十四人之臨時動議，就是在這種主觀和客觀的「情緒」下而獲得通過的。

彰化下屆水利會長
三人逐鹿看誰捷足

本報記者李維鈞

彰化縣農田水利會會長今年任期屆滿，據有關單位表示：如果沒有什麼特殊問題，今年九至十月間即可進行改選。算來時間已經日漸迫近，有志逐鹿會長寶座的人士，早已在各方面展開佈署了。會長的改選是要經過水利各區域代表的選舉而選出的，彰化縣全縣水利會代表計四十一位，誰能獲得代表半數以上——廿一票——便準獲得當選。再執政黨中國國民黨對各地水利會是很有影響力的，角逐水利會長的人，也大多數是執政黨黨員，誰能掌握有廿一票支持的話，當然連黨方提名這一關也無問題。

根據對選情至爲瞭解的某權威人士對記者透露，目前有意逐鹿會長者有三位，一是現任彰化縣建設局長黃大熖，一是現任水利會總幹事梁火煌，再一位便是現任彰化縣二水鄉鄉長陳永龍。

這三位熱中於會長寶座的人，要是以學歷、經歷、能力、經驗來衡量，其中以現任縣建設局長的黃大熖，算是頂呱呱的。黃氏早年在日本讀大學時，唸的是農業建設，在建設方面是學有專長的老資格；他做了好幾年建設局長，可說學驗俱豐，爲人亦很乾淨（不要錢）。另外一位梁火煌因爲是水會的現任總幹事，由於他幹水利會工作好幾年，對於業務各方面很熟悉，儘管在某些地方尚嫌稍嫩一些，要是他繼承現任會長林生財的衣缽的話，當然也駕輕就熟。但談到陳永龍，在各界人士的觀感中，就顯得隔膜了。

以上三位各有千秋，但據一般人士推測：黃大熖呼聲最高，因爲他前後三次參加競選彰化縣長，均在某種因素下由黨方所勸阻，而放棄縣長提名，黃對組織是絕對服從。由各方面保守估計，黃將來可獲廿六票之多，如沒有特殊變化，水利會會長寶座非黃莫屬。但須獲得黨方提名，才能夠順化進行，這一關甚爲重要，且看黃氏的運氣如何了。

禁試協定完全喪失作用
原核軍備競賽如火如荼

○紐約通訊○

美國自一九六三年八月以來，曾經舉行九十六次核子爆炸試驗，用去數以億計的金錢。在這九十六次試驗中，有二十四次是在過去六個月舉行的。正如蘇俄進行的試驗那樣，美國這些爆炸全部在地下舉行的。美國原子能委員會向國會作證的時候透露：美國進行上述核子爆炸試驗的結果，經令美國的核子軍火庫大大地改善。據估計：美國目前儲藏的核子武器總威力達二萬五千米格噸，比蘇俄的大一倍。

而另外若干其它國家目前雖然沒有舉行實際的核子爆炸試驗，可是它們正不遺餘力地進行準備的工作。一般觀察家認爲：目前已經成爲核子國家的共五個，然而，「核子俱樂部」的會員將告超過五個，只是時間上的問題而已。不錯，一九六三年的局部禁止核試協定，已經終止美俄兩國在大氣層中舉行核試所產生的大量輻射塵，可是，該項禁試協定對於阻遏核子軍備競賽一節，却顯然是沒有效果。

法國總統戴高樂已經展開一項全面性的努力，希望令法國儘快地獲致一枚氫氣彈。法國的核子科學家已經準備於本年九月在太平洋爆炸兩枚含熱核子原料的炸彈。如果一切進行順利的話，法國將於明年舉行氫氣彈的爆炸試驗。

中共上一次核子爆炸試驗，於本年五月九日在新疆的上空舉行。中共下一次的爆炸試驗，被認爲可能時才會舉行。中共上一次試爆的核子裝置威力，較美國原子能委員會最初所作估計强大得多——較美國投擲廣島上空的那枚原子彈威力，最少大過十倍，可能大二十倍。西方專家認爲：中共的核子發展甚爲迅速，可能在今後一年內獲致氫氣彈。西方認爲，中共現時擁有四十五枚原子彈，同時將在今後三年內具有用飛彈去威脅亞洲鄰邦的能力。（中）

瀛海異聞談

最驚險戲劇主角鬥牛士

·桑雅·

鬥牛勇士，鬥牛藝術的表演人，千萬人的偶像，世界上最驚險戲劇的主角，不怕死的人，傳統的保持者。羨慕榮耀的人，假如你沒有看過鬥牛，你也許會懷疑一個鬥牛勇士究竟是否有上述的各種品質；假如你曾看過一場，就會認爲那確屬奇觀，馬上便會有深刻的印象與認識。它包括有芭蕾舞及音樂的美妙，在任何啞劇也不能跟它比較得上。它具有一種緊張性，會使到你在每一秒鐘也著急。它有壯麗的行列，從一代一代相傳下來。這是人類所知道最自然的比賽。人與牛在事前都不知道對方的厲害，他們是陌生的相鬥者。鬥牛在週年都有寶座力，因爲沒有兩隻牛與兩個鬥牛勇士是相似的。

多數人對鬥牛覺得特別迷惑，因爲它對藝術有神秘性。在人類的早期，在幾千年之前，公牛被視爲神異的動物；照歷史記載，在古代里特島，有一種宗教儀式，人與牛相鬥，而力士竟能雙手執牛角而將牠翻轉身像翻斛斗，直到那隻牛被弄到筋疲力盡爲止。在古代羅馬，鬥牛也頗普遍，後來更流傳到西歐各地。直到十一世紀，西班牙的鬥牛在宗教節目舉行，追趕和刺牛，這可藉以表現出鬥牛者的勇敢和嫻熟的技巧。

在隨後的四個世紀，鬥牛藝術逐漸改善，不再由人騎在馬背用長戟來逐牛，他們改爲步行而用劍，也不再是採取獵捕格式，而是智取與勇敢的戰鬥。從前的鬥牛勇士穿着閃亮的盔甲，好像一個武士，現今他出場時是一個普通人，祇配有一把劍，一幅披肩和他的勇氣而已。

到一七〇〇年間，鬥牛開始成爲一種職業，鬥牛場在各處遍設，鬥牛時所用的紅披肩也首次劃一採用。現今的鬥牛就是承襲這些而來。這種鬥牛雖在西班牙開始，但是世界各地都有熱愛鬥牛的人，尤以在墨西哥和美洲各國爲甚。

一場鬥牛有好的演出，雖靠鬥牛者的勇敢和技術，但重心還是在牛的本身；牠的勇氣、惡意和强健，可造成一齣最感動人的戲劇。今日所有公牛都照上述的情況而訓練，牠們有耐久的氣力和能夠延長時間的挑戰。今日的公牛卻沒有像從前的兇惡。今日鬥牛勇士碰到最大的危險，是當他靜立，讓牛直衝前來，他急速躲避之時，假如牛角[illegible]傷他的身體，還會得到大衆的喝彩。

鬥牛本身分作三段，這包括在馬背上的挑戰，插短標槍入牛頸上，最後是屠殺（按葡萄牙鬥牛是並不把牛殺死）。在開始前，鬥牛會會長或鬥牛主事人發命，鬥牛勇士與隨員進場，巡行一週，後來所有不必留在廣場中的人物都退出，會長就發令打開閘門，讓進第一隻公牛，牠被訓練成熟而有殺性的，假如牠是一隻好公牛，牠就立即會追趕在場中的人。

開始的第一段，有騎馬的人用長戈和徒步的人用披肩去觸怒牛，使牠隨處奔跑；鬥牛勇士就有機會去偵察那隻牛的舉動，牠是怎樣強和怎樣兇惡？牠怎樣運用牠的身體？它有什麼特別品質？執戈的人將把牛的頸刺傷，牠覺得痛而愈怒，但因受傷就減少她的氣力。那些人在工作完畢後就退場。鬥牛勇士就跟牛作首次的接觸。在開始時他用披肩去逗那隻公牛走過去，使他多得機會去考驗牠的脾氣。

第二步是在各段時間上最短的，有幾根長約十八寸的鐵標槍插入牛背上。這是由助手去幹，但多數是由鬥牛勇士本人親手投擲插入。這使到牛覺痛苦而更惡，同時也削減牠的精力。

第三段是鬥牛的最主要的部份，劍的插入牛身就成爲比賽的結束。但是在事前，鬥牛勇士表演他曾練習多年的技術，用披肩去惹他的對敵前來，然後急身避開；用來殺牛的劍是十分鋒利的，鬥牛勇士使用的劍十分鋒利的，鬥牛勇士的出擊劍法也十分高強，牛假如中要害，會立即死亡。

世界第一艘導彈輕巡艦

。若愚譯。

世界上第一艘導彈輕巡洋艦浦羅維斯登號，該艦現爲美海軍第七艦隊司令薛伊中將座艦。

浦羅維斯登號飛彈巡洋艦（CLG—6）係由八二號巡洋艦改建而成，於一九四五年五月十五日在波士頓海軍造船廠下水服役，該艦屬於萬噸的克利夫蘭級輕型巡洋艦，如同它同級的姊妹艦一樣，其最初的武器包括十二門三聯裝的六吋炮，十二門雙聯裝的五吋炮及若干二十與四十厘高射機關炮，艦尾則裝有飛機彈射器二具，俾起飛其所携之兩架海鷗式水上觀測飛機。

該艦於試航及試炮完成後，適值二次大戰結束，但美國政府仍指派它於訪問路德島州（該艦即以其州府爲名）後駛往地中海服勤。此後三年中，它便經常往來於波士頓與直布羅陀、波恩、特利司德港等地，担任一些臨時任務。

一九四九年六月，浦羅維斯登艦再返波士頓造船廠，奉命將全部艦身及槍炮用一種塑膠物質封閉起來而暫停服役。

正當該艦因長期的封藏日趨衰老之時，海軍當局却已爲了一種新式武器，開始動腦筋重新啓用那些封藏艦艇。

早在一九四五年，美國海軍便因要對付日軍的自殺飛機而開始研究一種對空飛彈，直到十年後，一種軍艦上使用的超音速，海對空飛彈方告發展成功。

爲了使用這種武器，海軍需要一艘速度快而排水量較大的軍艦，浦羅維斯登號則恰可滿足此一需求。於是，自一九五七年起，它便開始由CLG—82改建爲CLG.—6。原來的九門六吋炮及十門五吋炮移至船頭，其位置則代以最新式的通信設備，艦上若干艙並加裝空氣調節設備。

兩具海對空飛彈發射器則設於艦尾甲板，每分鐘可發射兩百四十枚飛彈，每枚重二千七百磅，有效射程在八哩以上，速度爲兩個半馬克。搜索及追蹤雷達則建於上部甲板。

改建工程費時兩年餘，浦羅維斯登號乃於一九五九年九月十七日復役。翌年春，駛往關塔拿摩港接受海軍艦隊訓練組所實施的三個月成軍訓練。訓練期間，美國政府高級官員對浦羅維斯登號出色的戰備操演及飛彈試射均甚滿意，而界該艦以最高的嘉獎。訓練完成後，即奉派駛來西太平洋加入第七艦隊。

在它未納入第七艦隊前，若千人士對於一且戰事發生，美航空母艦在赤共優勢空軍之航程內，能否如意執行任務一事，深表懷疑。但今日，第七艦隊的艦艇，將以海對空飛彈在其航空母艦編隊的上空，撐起一個密不通風的防空網。這不僅意味着第七艦隊的戰力增加，而也是自由世界總戰力的增強。

充滿蓬勃生氣的中美洲

。榆柏。

目前，隣接美國的中美洲，到處充滿着生氣蓬勃的現象。這是好消息——尤其是在這個時候！

一個正在萌芽中的共同市場，使到該區爲之改觀，新興的工業及投資事業隨而開辦。迄最近所看到的，所發生的情形，僅可以說是一個開始。

工業改革的開始，現在使到這些世界稱中美洲爲「香蕉國」的已有大大的改變。顯示這五個小國家——尼加拉瓜，薩爾瓦多，哥斯達黎加，瓜地瑪拉及洪都拉斯，最後從正當世界其他國家在進步而他們這個地區尤保持落後的昏睡中，覺醒而振作起來了。

全力推行已達三年的中美洲共同市場，業已放出革新的火花，並產生了一種新的生活方式，已非往日那種貧困而落後的生活方式了。由於五國經濟的結合，給他們帶來了前所未有的喜悅，使到他們充滿了生命的活力。當地及外來投資的人士，所建置的工廠以及正在興工的工廠，爲數已達數百間之多。該區之商人，許多已爲現代的商業所引吸了，蜂擁的跑去工業技術學校，接受技術訓練的洗禮，或從鄉村跑去城市以發展事業，該區之農民也不甘寂寞，隨而放棄了田野的工作，離開家鄉，去找新工作了。

許多中美洲人民現在都已明白了，在他們的傳統農業國度裏，許許多多的加工貨物，他們自己均能出產了。這些加工的物品在過去甚至在最近均需從國外輸運入口。雖然如此，除了各大都市受影響而爲之改觀外，普遍鄉村，仍然停滯於落後的狀態，未受到影響。但是中美洲共同市場正在加緊努力工作及逐漸壯大之中。

美國正在全力以赴的援助中美洲各國，尤其是對中美洲共同市場的協助，可以說是盡其所能而爲之，因此成爲影響該區物價穩定的主力。正如尼加拉瓜官員所稱：共同市場爲中美洲諸國全盤進步計劃中的唯一途徑，同時亦爲繼續對付共黨掀起的經濟及社會混亂的衛士。

即以馬拉瓜一間擁有五百萬美元資金的現代化工廠爲例，該工廠係當地人士開辦的，廠裏的工作人員正在將自日本及德國進口的生鐵，鍊製成建築用的鐵枝鋼架。該廠一位經理曾這樣說：「幾年以前，每個人都認爲在此間做這種工作太熱了，但現在你們在中美洲任何一個地方建築房子或工廠，不用我們的產品，是無法能夠興工建築的。」

一九六〇年，該地區之貿易，總共才三千二百七十萬美元。當時共同市場的專家，希望在一九六八年，能夠打破一億美元的紀錄。這是料想不到的，在一九六四年其貿易總額，卻達到一億五百萬美元。去年繼續增加到一億三千萬。（上）

新三國

周[illegible]著

同時與董承是有密切關係的。當曹操說出「天下英雄唯使君與操耳」的話時，是在席間，其時天上忽然雷震，劉備聽到此言，心想曹操認清了自己是該注意的人物，心生急智，急將筷子丟掉，表演驚惶失措的膽小樣子，同時還說「聖人云：『迅雷風烈必變』」。其實他那裏是怕雷震呢！

在這段期間，有所謂「衣帶詔」的風波。此事先主紀及魏武紀均有紀載。今人有懷疑此事者。此事是無可懷疑的，陳壽記入二本紀中，絕不致僅傳而已。而且董承時爲車騎將軍之品位，不然的話，他和長水校尉種輯、議郎吳碩、將軍王子服、吳子蘭等，是不會服誅的。董承告訴劉備，他是奉有獻帝密詔書於衣帶中的。當謀誅曹操的計劃尚未成熟的，袁術想借徐州通過，到袁紹那裏去，曹操就派了劉備和朱靈兩個去半路攔截。結果是袁術尚未到達徐州就死了。而劉備派走之後，曹操的兩位謀士，程昱與郭嘉同時對曹操說「劉備不可縱」。曹操失悔之至，派人追之，已來不及了。劉備一出，首先佔據下邳，朱靈只得回去。繼之把徐州刺史車冑殺了，關雲長守下邳，劉備駐小沛。這時候，東海昌霸等郡縣，反抗曹操，願歸劉備，合衆就有數萬之衆。劉備一面外交袁紹以爲奧援，派孫乾爲使。孫乾字公佑，北海人，劉備領徐州，辟爲從事。曹操派了劉岱、王忠二將前去攻打，劉岱字公山（這是沛國的劉岱，與前兗州刺史劉岱同名。）王忠是扶風人，當亭長出身，此人喜啖人，從曹操拜五官中郎將，出征時，他的馬身上掛了骷髏，以爲歡笑。劉王二將來打劉備，那豈是關、張的對手？二將被關張活捉了。

在此，必須把董承說一說。因爲他是「衣帶詔」的主角。獻帝之所以授他密詔，可能是因他爲漢室的皇親，即靈帝之母董太后之姪，於獻帝應是丈人。陳壽三國志說「獻帝舅車騎將軍董承」，爲什麼稱舅呢，裴松之說是因古無丈人之名，故稱舅也。董承這個人，沒有治國爲政的本領，可是他的陰謀卻有幾套，他有心匡扶漢室的幼主，可是他的才能卻不能勝；他想找到一個治國平天下而又忠心漢室的人才，由於他認識不清，結果找來的人，沒有一個是他理想中人物。李傕、楊奉失敗在他手裏，他怕韓暹專政，去請來了曹操；曹操才幹有餘，可是曹操專政擅權比韓暹更利害得多，獻帝遷許之後，一切大權操在曹操手裏，董承雖是車騎將軍，可是他沒有實力。曹操手下的文武都是能手，獻帝是年青幼主，董承就爲之耽憂。到許昌之後，曹操的尾巴便漸漸露出來了。董承當初並沒有料到曹操會有今天這樣態度。因此又想辦法來幹掉曹操。他找到了劉備，是不失一個好對象，可是劉備此時在曹操的手下，實力根本談不上，而且劉備和曹操出則同車，坐則同席，如果要效法誅董卓的故事，談何容易！許昌裏裏外外，上上下下，那個不是曹操的心腹人？劉備「未發」，是他明智的地方，那比董承高明多了。劉備趁「要擊」袁術之時，把徐州佔領，形式就顯露了。此爲建安四年的事。董承的「衣帶詔」，在建安五年始被曹操察覺，因爲同謀誅曹的人，還有幾個有兵力的人在內。（六十一）

看過雲特刊（續）

姉的學程，雖曾拜瑤師之門，實際獲得是名琴師穆鐵芬隨時說講所致。因硯秋赴法，鐵芬不願隨行，遂留滬上。章氏即延其吊嗓，並爲說腔，乃得大成。越二年，鐵芬病故，身後蕭條，喪葬之費，卹養之資，皆過雲獨任，所耗不少，梨園界人均稱其義。茲畧就所知，以備周郎參考，蓋記事殊不可有訛也。

將成大器話蓮芝

去年十月廿四日，余在民族晚報刊有「今後的三旦」，是爲了台灣的平劇，在旦角一行，因爲正秋已嫁，素琴垂老，美麟簡出，僅有慧芬正芬驪珠趙原慧如尚在馳騁，不得不寄望於下一代。而下一代之中，祇屬望於徐露王復蓉徐蓮芝三人。不過徐露適王企祥，復蓉在醉心電影，看來祇有蓮芝。因爲現行的旦角，必須文武兼全，而古愛蓮鈕方雨，固是良才，猶不能致之，似難爭衡，應是事實。

國劇續紛續錄

姜婆生（一〇二）

蓮芝現隸干城劇團，已曾來台北公演三次，所演劇目皆頗動人。最近陸軍劇展公演三日，一人獨挑，並無生行，亦是奇跡，是將成大器的朕兆。但欲成大器，端賴名師指點，茲畧談其所從的師資：她自九歲開始學戲，由其嫂燕俠（徐春生之內室）指點，燕俠擅花旦，前在上海劇場曾演多次，故蓮芝的花旦特精。當她隸軍聲劇團在紅樓演唱，很多人見之，驚爲奇事，以僅十三歲的童伶，乃能如此，實不多見。名劇評家文紀曾建議拜白玉薇爲師，乃嫂燕俠未有遠見，堅予拒絕。後來由軍聲轉入龍吟，其時該隊尚無老生，亦難發展。適逢明駝需要角色，以佐慧芬，余即勸其北來，爲尋師資也。甯願減低包銀，北來應聘，爲培植人才，始多方爲介名家授戲，竟得小成。

首先介請名票郭曉農兒，爲說醉酒會審的唱腔，復懇李湘芬夫人爲說醉酒別姬的身段。又承吳梅夫人所介，請以前名坤票呂粉夫人說悅來店能仁寺全部動作。再請笛王徐炎老教以鬧學遊園。如此情形，在蓮芝來說，可云絕好的機遇。這許多名家，爲何肯如此教導，因她秉性淳厚，無時下一般女性的驕縱，愛其才而施之也。正在此時，不意明駝王隊長倡滑稽式的拜師，從秦慧芬爲師，而慧芬事忙體弱，無暇施教，而隊中似有屈列二旦的模樣，約滿辭去，再回併編而成的干城劇團，由於主任李中，總領隊王悅農，副總領隊楊道傑三君的愛護，盡力施教，於是聲譽陡起，更驚北市的觀衆！（未完）

「同住難」

。正德。

「相見好，同住難！」這乃是一句俗語。俗語，就是人同此心，心同此理的意思；換句話說，當然是人人雷同的見解了。

同住，爲什麼難呢？一般來說，就是屋子中的每個單位，亦即是每人所佔有的空間太少，眞的是連呼吸的氣息也足以影響彼此，遑論生活習慣上不同的波及了。生活習慣不同的人，一個愛熱鬧，一個喜歡清靜的，固然不易合得來，即使是個性上比較接近的，也不能絕對百分之百地和諧相處。要舉例，最好就說甲乙二人，他們是很要好的朋友，性情也接近，同是單身漢，便合租一個房子。但偏巧彼此工作的時間經常不同，有時甲當日班，乙則輪夜。當那麼情況下的休息時，每每甲在睡中，乙已下班歸來。這一來、未睡的，難免有點普通的活動，結果，有可能會發生點聲息，那就令到在睡中的醒來了。睡眠，是我們一生中佔着相當重要的事，進一步說，也與精神事業有關，因爲假如一夜睡不足，尤其是如果經常如此，就會影響到工作成績，那就會威脅生活上頭來了。因之，很多人都討厭別人把他在睡中吵醒。自然，甲與乙也不能例外。就由於這個原故，他們分居了。

這是一個例。還有，就是我所體驗到的，是同屋住的人之間的相處問題了。

固然，因瑣碎的磨擦而發生的同住難的事經已嘗過，那因磨擦而有所謂黑口黑面相對固然難堪，反之，太客氣也是一種精神上的累贅，因爲不能自然地隨意所欲嘛。自然，見面打招呼，笑面相對，是應的禮貌，本不必列在累贅的範圍。可是，人是有自己的嗜好和生活習慣方式的，在這個形式下，往往會忽畧了別人，因而產生的誤會也未嘗沒有。據此，人，能夠和諧相處，眞的是一件不容易恰好辦到的事。

在此，我願談談我的朋友T君。T君，有點書生氣，自然，爲了生活，他也像一般人那樣作付出勞力換取金錢，作爲衣食住行的手段。但在業餘的時間，他就好讀書兼寫稿子，因此，在用功的時候，精神難免集中於這一方面，關於人客的事就難免忽畧了。雖然，他有時明在跟人打個照面，縱有招呼，可能客氣的程度打了個折扣，甚或把對方視而不見。

因此，他就招來批評了。甲說：「T這個人眞無禮，看見人，有時只眼光光。」乙說：「T這個人傻頭傻腦，看着書寫起甚麼東西來連父親姓乜也不知道。」丙說：「假如有人向我這方面打聽他，我就說他這個人是極有問題的——不懂共處。」

這，雖然但是屬於一種所謂「閒問語」，却也不能小覷它，因爲一顆種籽落在泥地上，不論貧瘠，到適當時機，就脫穎而出，結果，是多少都會有點影響的。

一天，T君另謀高就之後，對我說：「我險些兒給淘汰。」我說：「爲什麼？」我知道他對於那份新職是很勝任的。

「因爲在乙方面我被調查過——那是關於工作能力之外的其他一切。」「這是品格行爲等等問題？」他嚴肅地重重點了一下頭，然後說：「有人說我待人接物成問題。」「誰說的？」「同屋住的那三條光棍。」他慨嘆地一歎。「他們雖然是無意中傷，却在無意中向人表白了一個無道；現在的機構，再調查而終於用了我。但我方面已經過了一些不必要的麻煩了。」

這是同屋住中也是屬於同住難的事之一，這些事我現在經已體驗到。

世界婚俗采奇錄

周遊

戀愛自由結婚要搶

自由戀愛，結婚要搶的奇俗，盛行在西非的布蘭沙加民族中。那裏的女人，有權選擇自己的對象，那就是在每年春夏雨季中所舉行的「祭月神會」中，未婚男女彼此歌舞，他們都爲求偶而來的。

當一個女孩子找到對象之後，她一定要帶回去給父兄認識的，要得到父兄的同意許可，方能結婚。婚禮的習俗却十分奇怪，在結婚那天，新娘打扮好了就躲在房裏，等候新郎來搶奪。男方率領人馬，浩浩蕩蕩到女家，他們必須要把女家的人們制服，才可以將新娘搶到手；否則人手不足，搶不到手，那就成了倒運的新郎。

結婚如同囚犯

在尼泊爾一些地方，如果是初到的旅客，一定會覺得奇怪的，爲什麼那裏的犯人都是一男一女縛在一起？其實，他們却是正在進行婚禮呢！尼泊爾好些地方，都風行着集團結婚的，選擇了良辰吉日後，新郎和新娘的手都要縛在一起，形同犯人的手銬，一對一對的在街上巡遊。他們對於結婚並不講究衣著裝飾，沒有錢的人和有錢的人差不多，因此看來，十足是十分襤褸的犯人一樣。

爲什麼新郎新娘要把手縛在一起呢？原來那裏的男人都是在遙遠地方謀生的，新娘就用此種方法，表示避免丈夫婚後遠離的意思，象徵把丈夫拉着不會失去他。

成婚要先受罪

我們幾千年來，都認爲「洞房花燭夜，金榜題名時」都是無尚快樂愜意的事。可是却有結婚視同受罪的奇俗。

南斯拉夫南部若干地區，盛行着一種怪風俗。他們的婚禮都在廟堂進行，廟的中央有一條大圓柱子，由新娘反手把新郎縛在柱子上，二十四小時後，才把他解下來。而在這二十四小時內，新郎滴水不沾，飢喝得要死。

在澳洲北部地方，做新郎實在是一件苦事。他們必須表示自己是一個男子大丈夫，於是男子要求一婚，每天必須在烈日下站着，一動也不動，連水也不喝，如此經過兩星期，才可以和那女子正式結爲夫婦。倘若有些體格不好的男人，在烈日之下昏倒下去，他的婚姻不但便因此而宣告破產了，而且還要付給一筆相當可觀的賠償呢！

滴血爲盟與「老醜的貓」

吉普賽人的若干部落中，對於婚禮的儀式十分嚴肅的。一對一對新婚男女，跪在神像面前，由一個祭司爲他們祈禱祝福，而男女雙方也宣誓斯守白頭，他們使用的「結金蘭」差不多和中國人採取的滴血爲盟的儀式。男女雙方把手腕割破，流出一些鮮血來，用碗裝着。祈禱完畢，則將這些血滲入麵粉，製成餅，分別送給親友吃，這才算正式成爲夫婦。

比屬貝德尼地方的高一路民族，女兒就是他們的財富。嫁女要索一大把聘金，越付出多的聘金，老婆的身價越高；相反的，如果不用錢討回的老婆，却會給人瞧不起，譏之爲「老醜的貓」。（下）

豫西綠林豪傑

諸葛文俊

河南西部之寶豐、淅川、內鄉、鎮平等縣區，民情强悍，義勇，素號難治。自民國肇建以來，所謂「紅槍會」之組織，即以豫西爲最盛，著名人物如白狼，老洋人，樊鍾秀，別廷芳等，胥係寶豐一帶出身者。民初袁世凱爲芟夷白狼之反抗勢力，曾動員鄂豫各省軍民，圍剿數年，始告平息。

寶豐縣境有小市鎮名曰「商九務」者，民衆多業酒，宋代名儒程頤（明道）曾任該鎮「酒官」，司酒稅之役，暇時設帳講學，民皆霑在樂間，以故當地人民於强悍之中，具義俠氣質，上述白狼等綠林豪傑，除別廷芳籍內鄉外，皆屬「商九務」人士。

樊鍾秀橫行豫西多年後，感國父孫公革命大義，率衆轆轤驅馳，跋山涉水，經過大小戰役若干次，備歷艱危險，終於到達廣州，受命爲「建國豫軍總司令」，忠貞自誓，百折不移。據民黨長老言：樊在廣州每與朋儕閒談時，豪放不羈，好以兩足蹲椅上，侃侃樂道，然一聞國父聲音，即正襟危坐，默爾而息矣。民十五年國民革命軍越嶺北伐，樊氏仍以「建國豫軍總司令」率部進至中原，與北洋軍鏖戰。民十六年春，樊在武漢遊戰，革命軍總政治部主任鄧演達勸樊氏改「建國豫軍」爲「國民革命軍」，以昭劃一，樊謂除非孫大元帥有命令，否則任何人皆無權更易先大元帥所頒授之建國軍名義。嗣後樊氏重返豫西，鬱鬱不得志，於民國十九年中原戰爭之役，被中樞空軍炸死。

別廷芳爲人誠懇尚義，內鄉、淅川、鎮平各縣民衆皆受其領導。吾國對日抗戰軍興，別氏基於民族主義思想，組織民間武力，抗拒敵寇不懈，迭建功績。別在抗戰前，曾因事忤豫省主席劉峙，劉擬加以懲創，時愚友何浩若兄任豫省財政廳長，知別氏忠於國家，從中緩頰，且帶領別氏至京晉謁蔣公，遲蒙訓勉有加，別殊感奮，答言「草莽之人未曾見過天子，禮儀有失，恭祈諒宥」。何氏偕別歸其故里「商九務」鎮，別氏召集當地民衆大會，何即席演說，先賢程明道在本鎮作酒官史事，衆皆悅服，因而別氏勢力所及之豫西各縣，旋即免稅與無厘截留情事。何氏回開封，別贈以珍貴禮物，中有「金馨石」一品，謂係往昔專爲進貢內廷之用，名貴異常，食之精神大旺。中日戰役結束後，別氏亦默默無聞，不知所終，殆朱家，郭解之流亞也歟！

「吹牛圖」說

。緣窗。

丁君寄來的是一幅漫畫，畫中人物吞雲吐霧，仰頭哈腰，正在海闊天空的雜論着；畫旁寫着三個「抽家派」的毛筆字，今天仔細一「欣賞」半天，我這才悟出它是「吹牛圖」三字。

當時看了很不舒服，想立刻去找丁君理論一番，以洩受辱。忽然太太一把擰着我的耳朵，厲聲叫道：「你還不覺悟？都四十歲了！人家外國人說過：『人生始於四十』，我還剩下多少時間給你去吹牛呢？」

確嗎？時間就掛着就好了！壁上掛的那幅「吹牛圖」，只好無語的答道……（下）

自由報

THE FREE NEWS

第六八一期

中華民國僑務委員會頒發
台報新字第三二三號登記證
中華郵政台字第一二八二號執照
登記爲第一類新聞紙類
（半週刊每星期三、六出版）
每份港幣壹角
台灣零售價新台幣貳元
社長：雷嘯岑
督印人：黃行實
社址：香港銅鑼灣高士威道二十號四樓
20, CAUSEWAY RD 3RD FL.
HONG KONG
TEL. 771726　電報掛號：7191
承印者：大同印務公司
地址：香港北角和富道九六號
台灣分社
台北市西寧南路壹壹零號二樓
電話：三〇三四六
台郵服儲金戶九二五二

文字的科學化（下）

・宗德崗・

日本民族的模仿性很大，二次大戰後的文字改革，仍是沿用舊有的再加以簡化罷了，而沒有遽用拉丁字母，這可見他們對這件事的愼重，值得參考。（乙）試用第二式注音，看能演進到一個什麼程度？若能到「風行草偃」、「形勢比人强」之境界，當可「順理成章」「水到渠成」的以之代替方塊字。

所謂「羣行羣止看識見」，這件事就要看國人的識見了。集思廣益的加以研討，得出一個可行的結論，使這椿民族文化大業底於成，使我們文字的進化再向前邁一步。商酌的時候應有孔子「毋固，毋我」的氣度，並有祖先們的魄力和眼光，使我們的文字能夠成爲最實用的文化工具。

胡適之先生生前曾担心的說，我們在這裏待得愈久，便難免愈保守。這句關心國人前途的話，值得回味。「擇其善者而從之」乃國人優美之心性，豈可讓他人專美。今人每詬病青年作文程度之低落，一切罪過均應歸之於高中之講解古典文，致使孩子們連一二百字的短文都寫不清順；毛子水、趙友培諸位先生再三强調高初中白話文講解的重要，但並未引起大家注意，依然這樣一誤再誤的因循下去，這就是胡先生所說的保守。這個問題並不是一個小問題，先是作文程度低落，後而失去興趣和信心，這眞是中國文化最可悲的現象，也是我們子孫最不幸的事！趙甌北有兩首詩：

滿眼生機轉化鈞，天工人巧兩爭新；預支五百年新意，過去千年又覺陳。

李杜詩篇萬口傳，至今已覺不新鮮；江山代有人才出，各領風騷五百年。

這可代表中國人的進化觀，現在是「天工人巧兩爭新」的時代，我們究竟是迎頭趕上或因循落後，就看我們這一代的人有沒有趙氏的眼光了！

蔣總統在整理中國文化遺產和改進民族習性裏說，對這兩項問題要「去其糟粕，存其精華」；文字科學化符合這項原則。同時，也滿足了「新、速、實、簡」的要求。蔣廷黻先生在「偉大的中山先生」文章裏說：

「中山先生不向古史找方案，也不向西洋古史求出路，他所尋求的是最進步的方案。」又說「中山先生領導我們建立新中國，是要我們往前進，不是要我們往後退；是要我們往前看，不是要我們轉過頭往古代看。」

文字的科學化是往前進，是最進步的方案。王雲五王先生在文化發展裏說：

「我國最常用的單字，也多至數千個，不僅檢字困難，且全副字架佔地殊廣，從事於排字工作之人，左右奔走，上下檢尋，其辛勞與遲緩，遠非使用字母者所可比擬。」

林語堂、桂中樞等幾位先生，對中國文字打字、印刷術的改進，也曾費過一番心血，但仍未得出一個簡便而適用的方法。最近又有中文電腦的試驗。中國讀書人什麼時候能和英美的朋友，用打字機代替書寫呢？把時間、精力省下來去想想重要的問題，這是大家所企盼的。如我們的文字不能進步到拼音字母化，便永無此日。

有關文字改革的討論，可參閱國語辭典第一冊前頭的序和各項附文、胡適文存第二集卷二中的高元國音學序、趙元任國語留聲片序、國語月刊「漢字改革號」、趙元任博士語言問題第十講「語言跟文字」、子水文存「關於我國文字的一些常識」，便可對文字科學化有更清楚的了解，和深切的認識。這些重要的文獻中，除了强調國字拼音字母化的重要外，並主張用詞類連書，消除破音字和四聲的麻煩。中國的文法大家既主張「句本位」，現在國校的學生教他們死記每一個字的四聲，簡直是一種時間、精力上的浪費，也可以說是一種摧殘！

來台後我只看到兩位眞正的有識之士，蔣夢麟先生爲了提倡節育不怕砍頭，孫哲生先生對民族主義的人口論，作了合乎時宜的解釋。這就是古訓中所說的「大事難事看担當」。文字科學化這項民族文化革新事業，也須有担當的人來推動！（下）

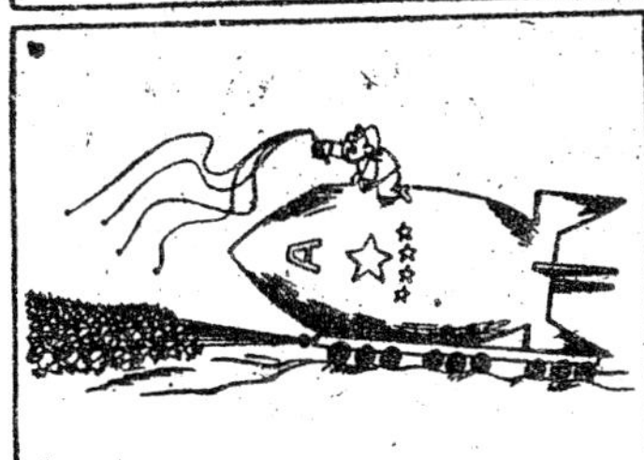

最後關頭

還拖得多遠？

今日与明日

毛共已經瘋狂

毛共所進行的文化大整肅運動，愈來愈離譜，愈來愈瘋狂。經過八月十八日在北平召開的所謂「慶祝文化大革命百萬人集會」後，從二十日起由毛酋到林彪這一派，竟出動所謂「紅衛兵」上街亂闖、亂鬧，橫行無忌，人人側目；眞是瘋狂無聊到了極點。所謂「紅衛兵」，也就是包括大中小學在內的青少年男女，最小的只有七歲，他們上街「鬧革命」，簡直「鬧」得天翻地覆，雞犬不寧；據說是由於毛酋這個「統帥」在後爲他們「撐腰」，所以「什麽也不怕」。

毛酋瘋狂地利用青少年「打頭陣」，可見在毛共上層那一小撮「人」中間的爭奪血拚，以毛酋和林彪爲首的小集團，雖然在第一個回合中已佔了上風，進而到現階段敵對派首領劉少奇已開始步彭眞、陸定一和羅瑞卿等人之途，但擁護劉少奇的「保皇黨」，在毛共中央和在其政權及共軍中，仍有不可忽視的「抗拒」力量存在。也就是說，由於這些被指爲「牛鬼蛇神」的「走資產階級道路的反革命集團」仍在作垂死的掙扎，所以，已使毛共不能掌握全局，但爲了取得所謂「最後勝利」，達到「大立毛澤東思想」的目的，所以不得不鼓動無知的青少年上街，「造」反和「人海戰術」，向有「舊」色彩的一切事物「反」。諸如改街名，砸商店（其實沒有一家是「私營」者）招牌，剪行人「怪髮」，撕途人「奇裝異服」，甚至進入理髮店、服裝店去檢查騷擾，再不就下限時「改變作風」的「警告書」或貼「大字報」，其行徑簡直和惹八國聯軍進佔北平的義和團一樣。義和團在「扶清滅洋」口號下胡來，獲得了慈禧太后顢頇小集團的支持，但結果完全失敗，而爲古今中外歷史上寫下最滑稽的一頁。毛共所攪的「紅衛兵」正和義和團一樣，因有毛酋「撐腰」，所以在「興無滅資」口號下，向所有被毛酋視爲「障礙」的東西進行「總攻擊」。如果一個還有一點理性的政權，或是到了山窮水盡於黔驢技之境，也不會無聊到這步田地；而毛共却相反地在北平「人民日報」和「解放軍報」上連續發表社論或文章爲這些「機械人」——「紅衛兵」叫好助威。結果，走上慈禧的命運是可以肯定的。

當然，這是毛酋一項有計劃的陰謀，發展下來已對附共的尾巴政團所謂「民主黨派」開刀了。限令它們在七十二小時內「自動解散」。所謂「民主黨派」，在毛共破壞抗戰以至戰後破壞政府接收復員中，它們替毛共作應聲蟲建立了極大的「功勞」。迨毛共政權開鑼，一些所謂「民主人士」在毛共「成立聯合政府」誘騙下，紛紛集中北平參加「新政協」，接着也都沐猴而冠當上了所謂「人民官兒」。但到一九五七年，由於章伯鈞之流「不辨風向」，竟趁「大鳴大放」階段，向毛共提出「輪流主政」主張。結果，毛共露出「陽謀」，把這些最卑鄙最無恥的政治渣滓，一律給加上「右派」罪名，被打得頭破血出。從此以後，所謂「民主黨派」已名存實亡，走上滅絕之路。這次藉「紅衛兵」之手，連名義也不許存在了。海外附共的尾巴份子，如果還有一點良知的話，應該不再徬徨而抉擇「活路」了。（何如）

自由談

人心大變

馮二先生

宇宙變動不居，人間的一切事事物物，日新月異，芸芸衆生的思想行爲，乃至於與生俱來的人性，也大起變化了。最顯著的例證，就是做人的道理。遠的不必談，即以我輩自己所體驗的事實來說罷：我輩自幼年到成人的生活階段中，舉凡所親炙的父兄之教，師傅之訓，社會人士的薰陶，朋友長官的規誡，總是以禮義廉恥、忠孝仁愛爲做人的根本，大家心悅誠服，相率身體而力行之。尤其是讀書明理的士大夫，服膺古先聖賢垂訓那套做人的義理，遇事行己有恥，有所不爲，要以儒家所昭示的「富貴不能淫，貧賤不能移，威武不能屈」的大丈夫自任。

時至今日，世事變了，人心也變了，許多自然界的定律，過去認爲確切不移的眞理，如今亦成了疑問，有些且被推翻了。談到人類的生活現象，其變化之大，眞是恍若隔世，莫可究詰，語其概要，有目共覩。

人與人相處之間，無所謂「四維」「八德」的觀念，一是皆以個人的利害好惡爲標準，爲着私慾，可以犯上作亂，可以賣友求榮，可以背信喪德，可以昧廉鮮恥，乃至於迕逆父母，作踐恩親。若夫遇事爲目的不擇手段，見利以攘奪爲前提，負義忘恩，以怨報德，尤屬習見習聞，毫不足怪。談到政治生活情形，那更是今昔逈異，背道而馳，越是無所不爲，罔知羞恥者，越容易蜚黃騰達，一帆風順。舊時代也有這類的人物，但在社會淸議與國家紀綱的約束制裁之下，決不容易招搖闖騙，徼倖得逞的。如今呢，在社會上最得法，在政治最活躍的就是這類人，且被譽爲幹練之才，爲不可多得的忠實同志。再看學術界，一生沒有踏進過大專學校之門的，居然以學者自封，衆人亦以學者視之，强不知以爲知，藉曲學以阿世，而眞正讀書有得之士，以其不屑自炫自夸，賣弄欺人，反而委頓沉淪，永難發跡。總而言之，過去講究做人而從修養工夫所構成的長處和優點，現在都變成了短處和缺點！

促成這種變化的主要因素，便是功利主義思想深中於人心，損人利己，大家認爲當然，了無愧怍。於是乎凡屬尊重四維八德的，乃成爲頑固腐敗的落伍份子，理合打倒唾棄了。於是乎口頭大呼反共，行爲學習共黨的情形，也就恬不爲怪了。可怕孰甚，可悲又孰甚哉！

五大疑案何時了？

立法院的質詢潮已暫平息　行政院的查究工作方開始

（本報台北通信）立法院對於最近發生的所謂「五大疑案」質詢運動，喧嚷了幾天之後，已於十七日宣告中止對行政首長的質詢工作了。但事情尚在發展中，將來結果如何，殊難逆料。

行政院嚴院長於十六日向立法院院會聲明，除盜豆案已由法庭訊理，聽候法律裁判外，其他四案即飭主管機關澈查具報，必予依法究處。站在行政院的立場，只能這樣說。議員在議會發言，對外不負責任，可以隨便暢所欲言，如立委吳望伋在十六日的院會質詢中，指說立監委員「有人搶別人的老婆」，又謂「有些行政官員滿口道德仁義，行為男盜女娼」，也無所謂。立委羅衡說：「現在一般行政官，每事沒人負責，而每事無不違法舞弊」，坐在政府首長席上的袞袞諸公，只好默然聽之而已。

今後的問題在能否破除情面，澈查真象？最高檢察署已經發出命令，飭屬依法查究，行政院如果嚴令司法行政部和情報機構切實調查，沒有不能和盤托出的。就怕牽涉太廣，不僅是少數民意代表有關係，行政機構的要員亦在嫌疑之列，那問題就大了！例如盜豆案，道路傳言某政要和某行政機關即有沾染，未免駭人聽聞。過去幾天在立法院質詢時，大家只集中注意於「大秦紡織公司」轉讓於尚未立案之民營「復興公司」這回事，而台灣銀行總經理毛松年於答復說明時，詞色激動強硬，聲稱自己是個「公忠體國」「奉公守法」之人，因而引起立委們羣情譁然，認為「公忠體國」一語，非一個銀行經理的身份所能當，而「奉公守法」云云，亦不攻自破，因為台銀將國家鉅額資財，以最優惠條件，讓與並未經呈准立案之民營商業機構，就是很明顯的非法措施也。由於「大秦」與「東亞」兩公司的轉讓暨貸款情事，立委連續質詢不已，以致其他三案擱在一旁，沒有議論，尤其是日本影片進口配額和銀行呆賬問題，弊竇重重，真正澈查起來，其嚴重性決不亞於「東亞紡織公司」貸款千萬元的程度，而牽涉的人必更多。

至於涉嫌這「五大疑案」的民意代表，究係那些人？目前見之於公文書（監察院彈劾書）的，是立委郭紫峻、侯庭督、劉全忠、李公權、張光濤五人。事實上涉及「五大疑案」的大有人在，且不止是立法委員而已，監察委員亦有不免者。據洞悉政情與商情的人士指稱，立委五百餘人中，可能列入嫌疑犯罪中者，約為二十餘名，監委約為五六名。國大代表或有二十名。台灣地方小，好管閒事的人又多，任何事情都沒法長久隱瞞的。執政黨方面對於立法院這次掀起的質詢潮，認為是「自清」運動，採取靜觀態度，不願表示甚麼意見。經過這場質詢風波之後，無論「五大疑案」能否查得水落石出，無形之中亦有一種收穫，即一般民意代表對於利用特權以營私的行為，深具戒心，不致肆無忌憚的為所欲為了。立法院這次熱烈的質詢場面上，有一點值得注意的現象，除開榜上有名的幾位與「東亞公司」貸款案有關係的委員，噤不發言外，某些平日擅長質詢，遇事必問的鋒頭人物，亦相率三緘其口，不贊一詞，也無人仗義執言，提出實行「自清」的建議，完全表現著「他清」的氣氛。因此，有人預料「五大疑案」將不了了之，終歸以「疑案」下場而已。（八月十七日大元於台北）

析論立監兩院的五大案（三）

·本報記者劍聲·

八月三日，有關方面舉行會議，總統指示嚴院長，就實際了解情況，坦率說明（詳黃煥如委員質詢案）。大概這個消息被監察院所悉，因此，下午舉行審查會，通過彈劾財政部長陳慶瑜、經濟部長李國鼎、司長牛權瑄案，案中涉及東亞公司有立法委員身份之五位董事。因而若干輿論態度，在二十四小時後，即一夜之間，來了個三百六十度的大轉變，看報的人被弄得莫名其妙。這個問題前文已有析論，這裏姑且不談。

現在，我們要報道的是行政院長在立法院報告時的態度和立場，的確值得鼓掌叫好。

徐鼐幽默　記者迷惘

嚴院長報告的內容，重要的有三點：一是關於政策性的問題由行政院報告並答詢，如大秦案呆賬由財政部長報告，配售日片案由新聞局長報告。二是屬於司法機關的東亞公司貸款案，與盜豆案刑事部份，正在法院審理中，行政院既不能報告也不便於答詢，以免引起不必要的誤解。至於盜豆案行政部份，由台灣省政府秘書長徐鼐報告並答復質詢；至於徐秘書長可否列席院會報告並答詢，由諸位委員先生決定。當時，在場委員以鼓掌表示同意並歡迎徐鼐列席報告盜豆案行政部份。當徐鼐報告時，有一段開場白，既幽默，又生動，他說：「我是省地方政府人員，在體制上講，我不能列席貴院（指立法院）報告，今天蒙諸位委員的同意，我感到很榮幸。」記者聽了這段開場白之後，也曾有一個感想：「我今天是採訪國會新聞呢？還是採訪省議會新聞？」我很迷惘。當然，立委諸公可能認為記者的感想太幼稚了。但不管他們如何看法，這總是立法院的創例。至於這個創例是否妥當，後世史家自有公論。

財長報告　數字不確

據財政部長陳慶瑜報告：截至五十四年底止，各銀行呆滯放款的總額為新台幣一十四億五千五百一十七萬五千元，其中包括：呆賬損失為一千八百五十六萬七千元。催收款項為四億七千四百八十八萬八千元。逾期放款為九億六千一百七十二萬元。佔全體銀行自四十年至五十四年歷年底放款餘額累計一千三百八十億餘元之一．〇四%。

記者按：陳部長報告之數字，並不正確。如果呆滯放款總額為一十四億五千五百一十七萬五千元，其比率佔歷年底放款餘額累計一千三百八十億餘元的報告不假，依此推算，則歷年底放款餘額累計應為一千三百九十九億二千零六萬餘元，否則，其比率應為一．〇五四四%。這雖是件小事，但似足以說明這位財長在立法院報告，是什麼態度了。

陳部長並說明政府對呆滯放款形成的原因，及所採取措施。謂今後當繼續努力一面積極清理舊欠，一方面防止新欠，使工商業獲得所需要的資金。

至於大秦案，陳部長除口頭報告外，並由台銀發表「大秦紡織公司案處理經過報告」。此項類似「白皮書」的報告，其中有幾點使人不解：

第一、台灣銀行報告，所謂「適有本省工業界知名人士組織之復興公司，函稱願與台銀合作經營。」復興公司究係由那些知名之士組織的？台銀沒有說明。為什麼不說明呢？可能因說明而怕洩露某些首長與知名人士「裙帶關係」的天機吧。

台灣銀行　圖利他人

第二、知名人士組織的復興公司，其資本為二千四百萬元，其資本為保證存單一千一百萬元，票據九百萬元，另由台銀撥借週轉金四百萬元。民股未拿出絲毫現金作資本，而且提供之保證存單與票據，竟派了三次用途，作貸款之保證。台銀則投資一千六百萬元，以大秦原有之債權作為投資，因而台銀由債權人變成債務人，形成雙重身份與品格。同時，大秦存貨存料，原議照價七折，由復興公司承購，分三年付款，作為大秦償還台銀貸款舊欠；轉手之間，以存貨原料總價八千萬元計，復興立賺二千四百萬元。另有大秦應收之賬款約二千萬至三千萬元，可作週轉金。准此，復興公司以二千萬元之存單與票據，而獲得數千萬元之利益，誠天下未有之「大手筆」，這樣的生意那裏去找！

第三、復興公司與台銀簽訂合作經營契約的時間是五十四年十二月二十四日，但當時復興公司尚未依法登記，如按舊公司法第二十七條規定，凡未經設立登記，而以公司名稱為法律行為時，其行為負責人應負刑事責任，法院並得科一千元以下之罰金，並禁止其使用公司名稱。而商業登記法亦明文規定，商號非依公司組織者，不得用公司字樣。公司登記，須經核准發給執照後，始生效力。

台銀明知復興公司係未經登記核准發給執照之公司，竟與之簽訂合作契約而未檢舉，殊顯得有圖利於他人之嫌疑。

台南防癆病院

急待澈底整飭

（本報台南通信）省立台南結核病防治院，自曾澤永接長院務以來，對於施醫防癆病患，以及處理院務至為腐敗，而且內部黑幕重重，諸如尅扣病人伙食。每一位住院病人，每天除防癆協會免費供給白米外，伙食費每人台幣十二元，另加一元茶水費，但是每天所食的菜不上七元，每人每天尅扣約有五元，以目前四幢病房住院一百名計算，院方每天就多賺五百元，一個月就有一萬五千元，數目非常驚人。因此病人對院方給予伙食均表不滿，曾向曾澤永交涉，籲請改善，尚無結果。其次少數護士服務精神極其惡劣，如病房護士葉雪玉，對任何病人態度驕傲蠻橫，時有侮辱病人之情事，曾引起病人全體強烈反對，促院方從速開革，但曾院長未予採納，病人紛紛退院。顧名思義，該院既係防癆病，惟對於病患者申請住院，每有拒收之事。如前屏東一姓張病人，因一時咯血不止，乘計程車前往該院請求住院治療，病情相當嚴重，至該院時仍繼續咯血，此係急症，站在省立醫院以及道義上測隱之心人人有之的立場，應該以救人為前提；然院方要求病人先繳交保證金五百元，及預繳伙食費二百元，始准住院。可憐該張姓病人係一介貧民，家無恒產，其所乘計程車亦係鄰居同情捐款所贈，而且家居遙遠之屏東，舉目無親，安能籌此巨款？雖經全體病人聯名保證，請院方先予收留，以保生命安全，而院方堅持要舉出一人全權負責該病人所有一切醫藥及住院等費，此種過份苛求，無人願意作保，即臨時發起募捐，院內的病人踴躍輸將，登時湊足數百元濟助，促其返梓另謀他計。該張姓病人見景傷情，一時氣憤填胸，夫妻相擁嚎啕大哭。病人遽遭重大刺激，口中鮮血傾吐，滔滔不絕，值班醫生睹狀大為同情，暫時注射止血針，即乘車回家，翌日乃魂歸離恨天了！（上）

禁試協定完全喪失作用

原核軍備競賽如火如荼

○紐約通訊○

至於越洲彈道飛彈，西方人士認為中共要過十年後才能夠發展成功。

英國現時正展開一項十億元的加強本國核子軍備實力的計劃。這項計劃的中心部份是建造四艘核子潛艇，每一艘能夠發射十六枚「北極星」核子飛彈，射程遠達三千哩。為了令核子彈頭臻於完善的地步，英國曾經於去年在美國的合作下在尼華達州舉行兩次地下爆炸試驗。及至目前，英國已經儲藏一千至一千五百枚的核子彈。

許多跡象顯示蘇俄正不遺餘力地設法在核子軍備方面獲致優勢。據情報顯示，蘇俄目前優先進行的計劃，就是發展新式的及較為巨型的飛彈，準備載運「超級的核子彈頭」。

蘇俄曾經於四年前爆炸一枚五十八米格噸的超級彈，西方觀察家認為這個共黨國家可能已經發展一種一百米格噸的恐怖彈。

然則美國的情況又如何？在一九六三年上半年至一九六六年上半年這段時間中，美國已經為地下試驗而用去五億七千萬元。這九十六次的地下試驗，已經令美國的核子地位獲致大大的改善。可以指出的新成就有下列數點：（一）核子武器的重量減輕，但威力增加。（二）中性電子彈的發展獲致重大的進步。（三）能夠衝破最堅強敵人防衛網的飛彈彈頭。（四）發展「較硬」的彈頭，用以阻止蘇俄的反飛彈飛彈對飛行中的美國飛彈可能產生的中和作用。

現階段，最少有十個國家擁有或者不久便具備製造原子彈的能力，這十個國家是：西德，印度，日本，比利時，加拿大，捷克，以色列，義大利，荷蘭，及瑞典。從現在起，至一九七〇年止這段時間，這十個國家能夠每年製造一千枚原子彈，如果這些國家想這樣做的話。它們已經擁有製造這種武器的原料。就目前來說，這十個國家已經決定不進行核子爆炸試驗。然而，如果它們要進行這種試驗的話，卻沒有一種力量能夠制止它們。最近巴基斯坦向聯合國提出一控訴：印度將「不久」進行一項地下核子爆炸試驗。許多觀察家認為，最有可能成為一個新核子國的就是印度，因為印度對於核子的技巧及智識相當進步，而且擁有製造這種武器的資源。只要新德里當局決定開始，那麼在一年內，印度便可以進行第一項原子裝置的爆炸試驗。專家們認為：三年前所締結的那項局部性禁止核子爆炸試驗，事實上對於緩和核子軍備競賽已經完全喪失效用。（下）

瀛海異聞錄

美騙子新猷—郵購地產

·桑稚·

想以八百美元用「郵購」方式置入一塊土地嗎？這是美國各地的吸引人的廣告的字眼；它且稱担保風景幽美的理想住宅區。可是這些所謂理想的退休隱逸地方，不過是騙徒的搵老襯廣告而已，可能結果乃是一片沼澤地，荒凉的地方。

但是此種最殘忍的歹徒，每年騙進數百萬美元，而各州的官員，熱視無覩，任由他們存在。積克是費城的電視機修理員，他的妻子是一間保險公司的文員；有一天她去檢查身體發現自己有肺結核症，專家建議她到比較乾燥的南部去休養，保證她很快痊癒。因而積克檢視報紙，發現一則售地的廣告。有一則內容相當合式：「阿利桑那州土地，僅要十元即可保留一英畝半，售價是七百九十五美元。健康與財富在等候着你們，空氣清新，終年可作戶外生活。」

一 積克立即作覆，決定購買下來。爲了愛妻，他把一張七百九十五美元的支票，直接寄去。這是兩年以前的事情。今天的積克與妻子，靠領救濟金一百廿三元爲活，在內華達州住在一個破爛的小屋內，無水無電；附近也無道路，最接近的市鎭是廿英里，夫妻二人坐在門前，有時在一百四十度之氣溫下，飽受煎熬。當日他們怎樣上當的呢？找到了代理公司，却通知他們來得太早，還有幾年才發展得好，沒有食水及其他設備，先回家去再說。電燈公司也沒有綫路拉入，除非他自己掏錢，否則祇好在漆黑的環境下過活。積克以爲可以在附近的城市找到職業，但一切落空，最慘是房屋建在沙漠中心。

他不過是數以萬計的美國人中之一個，他們厭倦了都市的生活，及在退休中，或爲了健康問題，物色休養地方，做了老襯而已。這種「郵購沙漠」商人，業務日趨蓬勃，你可以說他們是棍騙集團，但因爲沒有對付他們的法律，吃虧的人無處投訴，也無法統計多少人受了騙。僅以加州而言，據估計過去五年至少被歹徒刮去五億美元，所售出的土地，多數是毫無用途的。

有一個專做棍騙的土地生意的商人，在三藩市的酒店貼出招牌，在三天之內成交了地產七十五萬美元。他們出售的是內華達州沙漠，誰也沒有他的辦法；後來加州當局勉強找出一條法例，指他出售土地沒有標貼通告，才把整個歹徒機構消滅了。然而已有許多人遭受損失。

郵購土地歹徒，甚至把內華達州的沙漠，以每英畝二千五百美元兜售，其實所值不過八角錢罷了。他們出售佛羅列達州的沼澤地或荒島，美其名爲「天堂島嶼」，但這些小島在潮漲時，整個被海水淹沒。

阿利桑那州政府地產專員佛烈塔利，數年前在參議院的一個小組委員作證供稱：「郵購地產在美國現在是最大的騙局之一。」結果參議院派人調查後，若干州的議會通過了一條法律，制裁那些以欺騙方式售地的歹徒。不過，多數法律對于那批騙子是無可奈何的，而且證明毫無價值。騙徒繼續出售沙漠及池塘，在廣告上大吹大擂爲餌。最近參院已提出一項法案，管制郵購售地產了，但依然有的是漏洞，有些條欵的內容是很弱的，騙徒仍可走法律漏洞，成功地達到欺騙目的。

郵購地產的騙子，出盡八寶騙人，在阿利桑那州西南部，一個地區面積爲一萬三千二百六十英里，人口不過七千，一家所謂地產發展公司却「出術」，在廣告上刊出美麗的風景，另附帶動人的文字，說是這片土地並非「未開發」及難以接近，祇要附郵一元，即可寄上精美說明書，投資者大有「中實」機會，土地已有一切必要的水電設備及所有的服務。後來揭穿其僞，除非買家有一個數千加侖的水糟，才不致于渴死，有自備發電機，才不會晚上在漆黑的環境內生活。供應的食水是每千加侖五角美金。

有些人寫信去官方調查，所得到的答覆是「此土地大有成爲度假區的可能」，氣候良好。但這地段實際上無水無電，剷土機還未動手築路，地產騙子在圖上畫出了許多動人名字的新路，僅是一片無草生的沙漠而已。投資的人事後莫不破產。

投機地產商又在美國的西南部，刮得盤滿砵滿，在科羅拉多州發售鹽路易谷的不毛之地，每英畝達四百美元；在內華達州，騙子兜售一片「草原」，美其名爲運動家天堂，實際上在州政府的官產處，列爲三、四級的瘦地。

希特勒當年孤注一擲 慘烈的保芝戰役紀實

·錦繡·

在一九四四年十二月隆冬時期，在離比利時巴斯墩城東北幾哩的小鄉村華丁剛下過大雪，美國降傘隊部五〇一旅中的一個隊長霍利斯從小樓望下面的街道，看見有許多德國步兵的遺屍被雪所掩。他們是在一小時之前被美軍擊斃的。霍利斯特囑他的部屬與夏軍曹用無綫電向他們的長官第三營營長金斯和中校報告，據情報謂敵軍坦克車在華丁村附近集合的消息正確，他們頗容易將那個小村佔領，現等候命令，執行工作。但在頗久後仍不能跟第三營取得聯絡。美國第三營所駐的地方離開華丁村不遠，他們也是從巴斯墩的總部派出來的，來跟第一營和第二營來防備敵軍的反攻。霍利斯隊長等了差不多半個鐘頭，仍未能跟他的上峯有所接觸；時間寶貴，他就派一個專差携帶公文跑步回到巴斯墩去。他是蕭偉爾班長；但他離開後不到五分鐘後就折返來了，他隨即大聲叫着說：「敵人的坦克車來了！」（一）

充滿蓬勃生氣的中美洲

·榆柏·

六年以前，該區農產品佔貿易比率額的百分之四十一，在一九六五年，農產品之貿易，已下降至百分之三十四，而工業產品之貿易卻升高至百分之六十六。

在中美洲共同市場的利益誘惑下，該區之私人投資事業，正在逐步昇高，因此，投資事業的資金，大量擁入該區。當然，投資的對像目標，係各類型的新工廠，其中包括食品加工工廠，化粧品工廠，及橡膠車輪製造廠等。在中美洲五個國家的工業投資，去年的投資額，其資金總共有一億五千萬美元之多。其中約有半數係從美國流入。

該區之商人表示說：共同市場已使到他們對工業方面的投資思想改變了，現在他們認爲將資本用在投資事業方面，好過將其用來做生意，或放在購置田地方面。據一名薩爾瓦多的商人說：在中美洲共同市場未成立之前，該國之投資欵額，只有五百萬美元至二千萬美元之間，但是，現在單以薩爾瓦多及哥斯達黎加合營的一所肥料公司爲例，該公司即擁有幾個價值一千四百萬美元的工廠。該商人幷謂：像這樣大的一間公司，我們並不感覺驚奇，而視其爲一樁司空見慣的事，照樣的去投資。

許多中美洲的商人新血，係在美國各大學接受教育。在過去，許多在美國接受教育的中美洲留學生，均留在美國而不願回國，因爲他們認爲自己的國家天地太小了，對於他們的才能及野心難免要爲環境地域所限制，有如英雄無用武之地。現在這種情形已經改變了，那些在美國接受教育和受訓的人士，現在發現這個共同市場能供給五個國家那麽大的一個地區，給他們去發展，使到他們在這個大的區域裏面，能夠發揮他們的才能和實現他們的理想，爲未來的光明前途而努力。

中美洲共同市場的經濟學家均坦然承認，在共同市場發展的前題下，該區之全盤政治合作，係其最終目標。同時，該區之各種政治活動，在市場機構的照耀下，現在已露出光輝，但這種光輝卻爲強大的經濟網所代替了。正如一名官員所說：終有一天，中美洲人民將體會到政治的合作和經濟的合作將歸併一起，不僅有益於該區，而且還是一樁不可避免的事。

自從一九六一年以來，已進行組織中美洲經濟合作銀行，目前該銀行的基金，已超過一億美元，其中七千五百萬係以貸欵方式向美國借來的。中美洲專家亦正在進行辦理一種該區全部公民通用的護照，其他的專家亦正在研究一致的社會安全制度，以使到這五個中美洲國家對投資的人士，有一致的吸引力。同時中美洲工業研究所規勸該區所有各製造廠商，對於原料之檢驗及成品之生產，其質量應符合標準。至於該區之衛生，通訊及交通問題，共同市場各部門機構亦正分別加以解決中。

再向前看一步，該區之策劃人士，亦在進行全國性及地區性的公共事業計劃之工作，如公路，發電廠，港口，化學廠，鋼鐵製造廠等之興建。現在該區各大城市，新的高樓大廈，正在增加，廣濶的街道亦有新型的汽車及電單車出現，新的餐廳，酒家，旅店，商店，也開業了，與三年前的市面，眞有天淵之別。

充滿生氣蓬勃的中美洲，雖然受共同市場的刺激而步向光明的大道，進而大興改革，但來自美國援助亦佔非常重要的地位。即以去年來說，美援達一億美元，均用在學校，道路，發電廠，醫院，食物以及各公有或私有的發展銀行方面。正如中美洲官員所說：他們認爲共同市場僅係一個開始，但在這段開始的時間，已使許多人受益不少。（下）

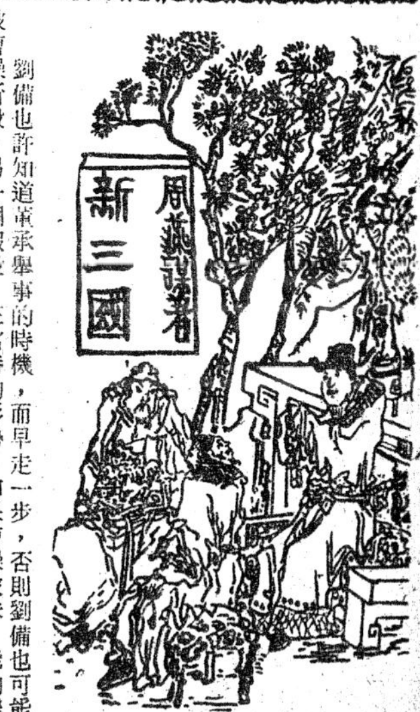

劉備也許知道董承舉事的時機，而早走一步，否則劉備也可能被曹操所殺。另一個假設：在當時的形勢，如果曹操被誅，能夠繼承曹操的人只有一個袁紹，那恐怕漢朝的局面可能更糟。因爲袁紹早目無朝廷，睨睥皇室；他一旦當朝，他又可能做效董卓的故事，廢了獻帝，重立弘農王。那時天下又必大亂一翻，那必是董卓之亂的重演。劉備董承雖有復興漢室之志，但其時沒有實力。在那羣雄割據之時，完全講實力，有才能還要有實力方能濟事。曹操對於這一點認得非常清楚，他說「有文事者，必有武畧濟之」，所謂「武畧」，在曹操眼下也就是武力。如果曹操被董承的衣帶詔所誅，局面更要壞，是可想而知的。董承誅曹操不成，反被曹操殺了全家老小，連同謀的种輯、吳碩、王服的老小完全都被殺盡了。

卅四、劉關張徐州失散了

此時的局面，袁紹已經和曹操翻臉，劉備和袁紹聯合，此乃勢在必然。袁紹曹操二雄終於不能並立。當曹操東征劉備之時，他手下諸將都諫議：現在「與公爭天下者，袁紹也。今方來而棄之東，紹乘人後若何？」可是曹操究竟是曹操，爲諸將所不及，他知劉備乃是人傑，今日不解決，終爲後患。豈不高人幾等？曹操答諸將說：「劉備人傑也，今不擊必爲後患。袁紹雖有大志，而見事遲，必不動也。」曹操認識袁紹也太清楚了。等到曹操把劉備打敗，生擒關羽及劉備家小之後，袁紹還沒有動手。如果當曹操東征劉備時，袁紹乘機大軍攻許，把皇帝挾了，眞是輕而易舉的事。然而袁紹雖與劉備聯合，却沒有動手攻許昌，可見袁紹無能之至了。劉備之所以結盟於袁紹，也就是防曹操不敢冒昧東征，誰知袁紹在曹操攻劉備時按兵不動，既不攻許，又不援助，任由曹操各個擊破。假若袁紹在此時動手，雖不一定拿下許昌，至少劉備不會失敗；劉備不失敗，袁紹也不致於被曹操解決。到那時、中原也許成爲三雄並立的局面。可惜袁紹沒有遠見。袁劉聯合，曹操將不會得志。所以曹操確不失爲「奸雄」！能做到一個「雄」字太不簡單。曹操知道劉備是有決斷，有遠見的人傑，他如先打袁紹，劉備必然動手打許昌；反之，他如先打劉備，袁紹就不會動手，曹操把袁紹料定了。

劉備敗奔袁紹，曹操又將下邳的關羽圍困，全被俘擄。這樣一來，劉備更慘了。劉備以「深得人心」見長，得人們敬重，可是要論用兵打仗，講軍事之學，他却不是曹操的對手。曹操對於孫子兵法，研究通了，曾經註解過孫子兵法，題爲「孟德新書」，沒有流傳後世。况且曹操最近又接收了呂布手下的猛將張遼等，說得上是猛將如雲，謀士如雨。劉備在小沛一敗，不敢往下邳，只得逃向青州，首縣是今日的河北南皮縣。青州是袁紹的地盤，是袁紹的兒子袁譚把守，做了青州刺史，袁譚是劉備的學生，袁譚一面迎接劉備，一面報告他父親。袁紹聽說劉備來到，甚是高興，親自出迎還不夠，他竟走到鄴城（河南臨漳）二百里的地方去迎接劉備。自古到今，迎接客人沒有如此熱心，沒有迎上二百里的。可見得劉備在當時之受人敬重之一斑了。（六十二）

國劇繽紛續錄

（一○三）娑婆生

將成大器話蓮芝（續）

蓮芝進干城以後，成就甚速，已學成的，有少康中興，趙五娘，瀟湘夜雨，香羅帶，蘇小妹，不可謂少。但余的看法，以梅蘭芳的成功，所從的老師，大概有十二三位，是採集各方之大成，才有此成果。會逢陳董事長主張，栽培此姝，擬請顧正秋白玉薇兩女士爲她教戲說腔，已經顧白兩位允可。我曾告玉薇，可以由顧說青衣，妳說花衫，玉薇甚韙是議，聞已在安排拜師。大概兩位每人授以十齣，則加以前所學，當可有四十餘齣，將成自由中國伶工很突出的一人。抑又聞說，名媛陳夫人將於秋涼後，或授以釵頭鳳，紅娘。是將以前所演的，重行整理，再經如許名家的指導，所謂三年有成，相信再過時日，蓮芝或可成下一代無敵手之材。問題是看蓮芝能否再具較大的決心，待等顧白兩位教導三年，尚有二三名家仍願爲授霍小玉，杜十娘，玉簪記等戲。所以要成大器，必須淵博，如有四五十齣可演，也許這旦角的寶座她可穩坐若干年。而她的長處，也是專心戲劇，且又誠樸謹愿，不解修飾，或許是成功的基素。將來成名，不知可憶我這曲突徙薪人？來台十六年，能策畫造成一伶，亦平生的快事。最後頗寄望於李王兩兄，要注意加强干城劇團的陣容，是亦不可忽視的。

明德新村

新店附近，有地曰大坪林，國內著名的裕隆汽車廠在焉。大坪林附近，有明德新村，於是明德新村票房，遂得聚居的名票不少，組織成功，僅約廿人，每週約吊嗓兩次，票友雖非甚多，但能者實甚夥。主其事者，爲立院閔劍梅君，文郎家榮留學美國，八九年前在台唱淨角甚著稱，學成與青年坤票上官筱慧博士結婚，一家之中，嗜戲成癖，綽綽有名也。

裕隆汽車廠平劇社，不久前曾演一場戲，因與明德新村相距至邇，即請協助，於是一齣探母回令，非常精采，現於舞台。在探母之前，有捉放曹，是裕隆同人劉國瑾、溫仁熙、馮長生三位所唱，調門不低很可以，不過動作尚未純熟。探母一齣的四郎，原定四演，由沈玉文佟樹藩章成一陳玉書担任。而李夫人陳玉書，爲名票吳鑄生高足，向來很少登台，此爲難得，一場回令，遂大增色。所可惜的樹藩，以感冒而却扮，由王琪代庖，王琪能戲甚多，生丑均可以，祇是味兒稍差；不過關營的搶背，仍很俐落。坐宮由玉文飾四郎，所唱慢板散板快板可說無一段不佳，唱腔是純厚蒼老，確像以往名家的音調，她與韓平子會唱過一回，久已著名。而叫小番一句，不用拖音，尤其台北坤票中所沒有的。聽這回戲，確是過癮，難得。（未完）

奢侈成風

○厚生

物質趨向於文明，是人類的一種幸福。但文明與奢有別，文明，是利用物力，減少人力；換言之，就是使人的享受程度提高，比如交通工具的發展，以代替步行等等就是。這是從好的方面來說的話。壞的，便是人們應用物質，踵事增華，以做成一種奢侈風氣。奢侈，本來不必要物質進步到今天的程度才可以談得上，古代，也有不少富豪，在奴役人民，以達到自己的享慾，甚而虛耗巨量的物資以達到個人的作樂目的。

我國的隋煬帝是其中一個。外國也有不少這樣的昏君，其結果都是以可悲的結局做收場的。此外，就不說帝王之類那麼的人物吧，普通一點的，就說平民，一食萬錢的，何嘗沒有？自然，也有勤儉自持的。

但，一切都有所謂風氣。在淳樸的鄉村，擁有萬頃良田的大粮戶，下塘摸魚，上山採樵；反之，在竭盡能力之外，還要東拉西扯才能勉强敷衍過去的普通階級，卻邏常奢靡稱星地過較豐富的物質生活。

當然，也是我已經說過的能夠享受高度物質生活的人，是幸福的，卻不應勉强，一勉强就近奢侈。爲了要說明這事，我還是列舉身邊的事實作資料，以見今日的社會風氣之一斑。——以下是我在渡輪上聽來的。

胖女人說：「喂，連自用車也沒有一輛，我是不能夠的。」

長髮女子答腔：「還要最新款的。」

矮師奶插嘴：「×××的車花了二萬多塊錢，全新的，坐起來，軟棉棉的，全無半點舟車勞頓之苦，多好。」「所以呢！叫我們用慣了車子的，叫我們怎能搭巴士？」

「唉！站到腿都疲都是擠不上的。」

「所以我們一定要有一輛自用車，最好是豪華的。」

接着，還有七嘴八舌的吱吱喳喳聲音，所言的無非都在這個範圍內兜圈子，茲不贅。

——以下是一對夫妻的對話。

「喂，我們的車子應該換了。」女人說。

「唔，看看再算吧……。」男的毫不起勁地。

「他們，都換了本年度的新車；未換的，也準備換了。只有你，相信連想也沒有想及，致令我在別人面前丟面子。因爲我們的車，跟別人的相比，就如小巫之見大巫！」

「哎！我的太太，我不是吝嗇，凡事要通盤籌劃才好。應知一子錯，滿盤皆落索。換車，需要金錢，那不是空口說說就可以使鈔票滾滾而來的。」

「我不管這許多！一個星期內，這事便得要辦妥。第二，我先通知你，我們的傢俬得要換過，用了兩年，殘舊了。」

「車子能行，就是達到交通目的。像只能用而不用，就叫做暴殄天物。你們，那些只懂得享受的，不懂得賺錢的人的吃力啊！」那是近於喃喃自語的聲音。根據這些聲調所象徵的心意，男人是向女人屈服了。

此外，還有過不少諸如此類的事。這一切，都是風氣奢華的一個例子。有人說：這是世紀末的作風。有人說：是東施效顰的結果。我說：不論如何，一言以蔽之，如力有所逮，把有餘的施諸缺乏者，不論在那一個角度說，都是值得歌頌的。不然，如勉强支出，以作份外的享受時，就屬於奢華了。這是否應該的和值得的事，我們得先要商榷一下才好。

銀漢雙星的神話與實際

○傅仲山

我國古代天文學上，向有二十八宿之稱。二十八宿分列于四方，各主七宿；位於北方玄武七宿裏的第二宿爲「牽牛」，第三宿爲「織女」。這兩個耀眼的星星，是爲我們自古以來，民間最熟悉最具神話性的「銀漢雙星」。

牽牛星，「河鼓二」，或稱「黃姑」，「天鼓」，亦稱「大將軍」。「曆學會通」上說：「河鼓，天軍之鼓，中央大星四大將軍，左右旗將，亦名牽牛星，左右有旗爲河鼓旗表。」古時多以牛宿爲牽牛，河鼓乃是它近傍的星象，今則直以河鼓爲牽牛。按河鼓三星居銀河之南，與銀河以北的織女星遙遙相望，「河鼓二」乃天鷹座主星，爲一等星之標準星。色黃，即今日通稱之牽牛星。「織女」，一稱「天女」，晉書天文志說：「織女三星在天紀東端，天女也。」漢書天文志則說：「織女天帝孫也。」因又有「天孫」之稱。按「織女」三星乃天琴座主星，形如正三角形，位銀河北，與「牽牛」相對。「織女」一色青白，乃一等星，今所指「織女星」即此。

就近代天文常識而言：牽牛織女乃是銀河系的兩恒星。銀河，一稱銀漢，也稱天河；是由一千五百多個大小不一的星球所組成的，太陽也是他的組成份子之一。銀河系裏最明亮的恒星，共有二十二顆，太陽同牽牛祇能算較小的兩顆。二者相較，牽牛在質量上比太陽要大一倍半。織女星比起太陽來，更要大上十五倍。就熱度而言，太陽表面的熱度攝氏六千度，牽牛爲八千五百度，織女爲一萬度。星球愈大，熱度愈高。由熱度產生的光亮，亦隨之增大；牽牛比起太陽要明亮十倍，織女則比太陽要明亮四十八倍。因爲這兩顆星的光亮特別强，所以在銀河系中顯得非常凸出。銀河系除了太陽，牽牛是距地球第四顆最近的恒星，織女是第六顆最近的恒星。這三個恒星在銀河系中，形成一鈍角三角形，三者的距離，乃指光年來計算。所謂光年，就是光波在一年中所行的距離；光波每秒鐘行三十萬公里，一年約行十萬億公里。太陽與地球的距離，是一億五千萬公里，假使用時速八百哩的飛機，由地球到達太陽，整整須要二十二年，光波却祇要八分鐘另二十秒便可以到達地球。光波速度的驚人，不難想見。牽牛織女星在銀河系中，與太陽比較接近，雖然如此，牽牛距離太陽，却要十六個「光年」（以光波之速尚要行十六年，才能到達。）太陽與織女的離距，却須要二十七個「光年」。

即以牽牛織女兩個星來說，「盈盈一水間，脈脈不得語」，在地球上看來，好像祇隔了一道窄窄的天河；誰又能料到這道天河竟有一百五十五萬億公里的寬呢？牽牛織女兩個星球的距離，要十五個半「光年」才能到達。拿時速八百哩的噴射機爲喻，從織女星起飛，二十四小時不停，也得一千二百萬年以後才能到達牽牛星。這一個天文學上的驚人數字，雖不見得十分準確，但也不見得全不可靠；但憑這些驚人的數字，也足夠人咋舌不已了！

與傳統神話中，七夕那一夜之間，牛郎織女由烏鵲橋上越過天河相晤，傾訴離情的傳說比較起來，眞是天地懸絕。古時文人雅士每當七夕：「天階夜色凉如水，臥看牽牛織女星。」的時候，誰又能想到這兩個「盈盈一水」之隔的星星，竟然是如此龐大，同時又隔離得這樣令人不可思議的遙遠呢！

湖南名儒葉德輝

諸葛文侯

長沙葉德輝，清末翰苑之士也。學識胥可觀，然玩世不恭，終以此招殺身之禍。民國十六年春間，被冒籍國民黨員之湘省共黨份子毛澤東，夏曦，郭亮等，假民衆大會公審裁判名義，戕殺於長沙城內又一村之廣場上，時論惜之。

葉氏體軀碩健，面部星斗燦然，湘人皆稱「葉麻子」而不名。進士及第後，絕意仕宦生涯，搜藏漢學載籍甚多，讀書自適，與世無爭，對版本審書甚精，爲湖南藏書家之冠。性詼詭健談，常揭示二語於其書齋云：「老婆不借，書不借」，以杜塞友好借閱典籍之要求。平居研究男女兩性問題頗有心得，尤善言黃帝「素問經」一義理，曾專書刊行於世，道學先生詆之爲名教罪人，非所願也。與人游宴周旋間，詞鋒尖刻，令人啼笑皆非，彼則引以爲樂。民國四年袁世凱醞釀洪憲帝制之際，葉領銜湖湘文教界知名之士，上表稱臣勸進，唯王壬秋（闓運）拒不附署，葉銜之，聲言：「湖南有兩個公羊學家，王壬秋與我，他講的公羊學跟我不同，我讀過的書他或許尚未寓目呵！」其狂態若是。

民國十六年國民革命軍佔領湘鄂後，「農民協會」之組織蠭起，而以湖南省境更熱烈，打土豪，捕地主，肆行無忌。葉氏家素封，爲大地主，對農民運動殊不滿，逢人作尖刻之評論，並戲擬聯語嵌「農會」二字以示人：「農運宏開，稻粱菽麥黍稷，一般雜種」；「會場廣大，馬牛羊雞犬豕，六畜成羣」。共黨份子暨一般青年學生聞而憎惡殊甚，維時省黨部機關報，副刊闢有「野火」一欄，凡屬黨部決定予以懲創之人，必先由「野火」發表文字，指述其罪惡，造成輿論，然後嗾使仇怨者出面檢舉，資爲清算根據。葉氏爲人尚非剝削階級之流，迄無人舉證控訴其爲惡霸地主。毛澤東等旨在彰「農協」威勢，鎮壓高級知識份子，乃由農會捕禁葉氏，召集羣衆萬餘人大會於省府後之又一村（教育會所在地）廣場上，中鋪紅氈一大張，置椅使葉氏危坐，聽受會衆指斥謾罵，迫省黨部常委仇鰲（亦山）担任大會主席，蓋仇氏原係國民黨老同志，與葉氏同屬長沙人，且爲多年知交，共黨脅持仇氏主席公審大會，即所以毀壞國民黨人之社會信譽，居心甚毒辣也。葉氏在公審中，未作一語，而態度鎮靜無懼色，夷然視死如歸，其子某到場請求代老父受戮，聲淚俱下，羣衆亦惻然，而共黨堅不許，於是乎，葉氏被槍殺矣！

當共黨拘捕葉氏之初，曾任湖南第一師範校長之易培基亦在長沙，住湘雅醫院中，頗不以「農協」任意捕治官紳地主爲然，毛澤東與夏、郭諸人皆第一師範出身者，由郭亮面勸易氏對葉案勿批評，否則將不能保障其安全，易氏震慴無聲，未幾，離湘赴滬以避禍焉。

醒時情緒問題

—科學家有研究—

○晉凌譯○

如果起床的候，像一頭巨熊，在地板上顛簸的走着，不理妻子，怒罵孩子，回到寫子樓，滿肚悶氣。這樣的情緒，是和早上睡醒起床時有着重大的關係。

醫方科學家發現了此種眞相，確非一般人所能想像。科學家認爲人們在早上醒來時候的情緒，有着重要的影響，甚至影響以後整天的工作和情況的。如果在醒來後最初的卅分鐘，情緒是寧靜安詳的，那末生理上的行動，亦有着良好的影響了。

最近，醫界認爲醒來時，是由於人體的「身體電池」，突然的充電，準備第二天工作應用；同時在醒後十秒鐘至半小時的期間，腦部才回復正常工作。（一）

自由報

THE FREE NEWS

第六八二期

中華民國僑務委員會頒發
台教新字第三二三號登記證
中華郵政台字第一二八二號執照
登記爲第一類新聞紙類
（半週刊每星期三、六出版）

每份港幣壹角
台灣零售價新台幣貳元

社長：雷嘯岑
督印人：黃行齋

社址：香港銅鑼灣高士威道二十號四樓
20, CAUSEWAY RD 3RD FL.
HONG KONG
TEL. 771726　電報掛號：7191

承印者：大同印務公司
地址：香港北角和富道九六號

台灣分社
台北市西寧南路壹零壹號二樓
電話：三〇三四六
台郵劃撥儲金九二五二

如何全面動員激勵科學

·祁倫·

今年六月十日「政治評論」半月刊，筆者曾爲文就「羅致科學人才的作法」評論「高薪禮聘國外科學人才政策」，因限於篇幅，故未涉及科學人才的發掘、選拔和培植；今年四月「國魂」雙月刊246期，筆者曾爲文提出「溝通文武學校科學教育的構思」，亦未論及如何動員軍民及公私團體激勵科學發展的作法。日前，筆者讀到由美國科學服務社 Science Service，科學天才發掘社 Science Talent Search，科學俱樂部Science Club出版的美國太空計劃Projects Space of America，發現美國那種全面動員激勵自然科學發展的作法，確可作爲我國借鏡，故特以「如何全面動員激勵科學」爲題予以申述。

吳光第的故事

吳光第是台灣雲林斗六鎮的一個高中畢業生，他發明的「防風火柴」，我中央標準局不給他專利許可，他被迫送到日本，結果得到日本的專利，並立刻被美國以一萬二千美元購去專利權；吳君又發明及研究許多國防武器，被日本大使館武官推薦日本軍方並擬邀吳君去日本。

這件事被徵信新聞報專訪獨家報導之後，我國防部及聯勤總部於見報當日即派員親訪吳君，並替吳君安排研究環境，爲國家挽留了一位即將「外流」的科學人才。……可是，截至筆者爲文時，尚無其他團體如中央研究院、中央標準局、各大專院校及公私團體與個人科學工作者對吳君有何聯系……如在美國，照「美國太空計劃」書中所述，早經公私團體及各科學機構與相關的科學家重視並採取選拔和培植的行動；即使在其他較文明的國家如以色列，印尼、土耳其等國，也不至像我國社會這種對科學人才的冷漠！所喜有着「世界第一流」之稱的中國國軍，立即採取行動支助這位被美、日譽爲「中國愛迪生」的吳光第。但是，認眞說來，這還是有損國家顏面的事！因爲我們未能及時「發掘」「科學人才」！又未能在吳君的防風火柴申請專利時、我中央標準局未在權責範圍內予以鼓勵——因這原故，吳君才因失望而將希望寄托日本（把他的其餘兵器新發明函寄日本駐華大使）！待新聞刊佈後，除國防部及聯勤總部外，其餘大專院校科學教授（他們多領有研究費）及公私科學團體與公司行號則未能予以重視！

外人譏評我國是「文化沙漠」，又說「台灣只有第三流科學家」。以「毋忘在莒」的精神坦白檢討並研究分析，外人所指乃是我國社會沒有「文化環境」和「科學氣氛」，並非沒有代表文化的報刊書籍及研究發展科學的學人和藝技。如果我們培植文化環境使國人人人皆感到精神糧食的重要，使人人都有發掘、培植科學人才的責任感，則以激勵科學起飛的成就便可一雪文化沙漠之恥矣！

美國的作法

五十年前，美國的科學水準落在英、德、法、荷蘭、瑞士等國之後；五十年後，美國集世界第一流科學技藝而執世界科學之牛耳。即使日本偸襲珍珠港和蘇俄搶先射衛星，美國均憑其衆多的科學和技術人才及科學教育和工業基礎，都能一一以「後來居上」態勢超越並確保其成就，且能以領先姿態「急進」。分析原因，不得不歸功於1921年由民間發起組成的科學服務社及各地分社；此外，其後成立的科學天才發掘社和科學俱樂部也功不可沒。

這三個由民間組成的科學人才發掘與培植的機構，人員多係義務性，經費來自民間捐獻，欵項絕大部份用於科學人才的發掘與培植的直接開支，全美各地均有其分支機構。例如設於華盛頓特區北西大區1719北街的科學服務社 Science Service Lnc; 1719 N Street, N. W. Waslington 6, D. C.，便有各州的分社；此分社又與各州的科學俱樂部總部合作（科學俱樂部總部設於華盛頓）；各鎮亦有此類分支機構，負責該鎮科學人才之發掘工作。如果本鎮某科學天才被他鎮發掘，則習慣上便是本鎮科學服務社及科學俱樂部的失職，而將遭到地方新聞機構（報刊電台及電視）的輿論譏評（法律上則不負任何責任，政府亦無權申誡）。

所有本鎮或本州之公私立中學在校學生及居住本地區之失學青年，是科學服務社及科學俱樂部和科學天才發掘社的注意對象。他們除接受個人申請及舉辦測驗外，並授權有資格的各中學科學教師舉辦「科學性向測驗」Science Aptitude Examination。任何青年如欲了解自己科學天才情況，可附一角五分向華盛頓特區北西六區一七一九號北街科學服務社函索全部科學性向測驗試卷，經此自行測驗後如確信自己對某類科學有特殊天才，即可大胆地毛遂自薦，向上述科學三機構中任一單位或在校之科學教師申請參加他們的選拔。

選拔工作的第一步是各中學舉行的科學性向測驗，社會青年則由科學服務社辦理。這種科學性向測驗，預先並未訂出及格分數標準，而是將所有參加者的分數列於一曲綫上，該曲綫上的分數送由鎮科學服務社，就各校曲綫上的分數選定「可予及格」者送州科學服務社接受再測驗。

再測驗只是再度評審，不是要學生親自再參加科學性向測驗，而是由州科學服務社根據全州曲綫分數選定「可予及格」者，然後函請該校送來該生之全部學科成績及相關資料副本，並邀請該校科學教師及有關人員提出該生性格、能力、嗜好、人格及態度等證詞。

魔鬼與傀儡

空自着急

今日與明日

毛酋蠻攪「此路不通」

毛酋小集團多行不義弄得四面楚歌，所以，才在「變色」的嚴重危機壓力下，出動「赤飛」到處暴動「造反」，鬧得天翻地覆殺氣橫空。這是毛酋、林彪當權派，在沒有辦法中想出的一個「絕招」；企圖經過一番「蠻搞」，把以劉少奇爲首的「保皇黨」，反共人士及所謂「舊文化，舊思想，舊習慣，舊風俗」這「四舊」徹底清除，以達到「大立毛澤東思想」和鞏固其所謂「人民江山」的妄想。事實上，在毛酋「統帥」下的所謂「紅衛兵」上街「造反」才十幾天，已充份證明「此路不通」。「赤飛」們礮教堂「侮修女，加上「反帝」，「反修」，已引起許多西方國家和蘇俄的羣起憤怒的抗議。復由於「赤飛」們對善良居民和思想上「有問題」共幹及所謂「民主黨派」，「民族資本家」，過份騷擾、凌辱或暴毆，「國」內各階層人士也被迫採取各種手段來「反造反」了。日前，僅北平一地就有「赤飛」八人被殺一人失蹤。復有一名武裝方面的共幹越過深圳邊境逃入香港求生。同時對駐守邊境的香港警方人員宣稱：如不給予政治庇護他就自殺。這些事實都說明，毛共所統治下的所謂「天堂」，被壓迫的同胞和覺醒的共幹，均已有了「時日曷喪，吾與汝偕亡」的決心。毛酋所奢想的政權永不「變色」，看來不但完全沒有可能，同時還可以肯定地說：「莫可奈何花落去」的日子，絕不會太遠了。

毛酋小集團危機加深

日前，毛共大事宣傳「帝國主義和一切反動派都是紙老虎」。這個「紙老虎」中當然也包括「蘇修」在內。北平市發現傳單，宣稱由八月二十九日起舉行連續三天的反俄示威。據說不但示威路綫已經決定，復有了解決兩項「舊習慣」——大小便問題，已在俄駐北平使館附近地區，修建了很多臨時廁所。毛共此舉，顯然地對莫斯科的抗議置之不理，進而進行有計劃地、有組織地「反修」示威運動，後果如何呢？西歐最大亂黨的意共，於兩天前在該黨中央機關報「團結報」上發表社論，認爲毛共的胡攪蠻纏「政策」，已在內部和國際遭到了俄毛關係進一步惡化，遲早有一天俄共要和毛共內部「現代修正主義」份子勾結一起，裏應外合向毛酋當權派小集團發動「總攻擊」。所謂「現代修正主義」份子是所要「粉碎」的主要「敵人」之一。自毛酋發動「赤飛」上街「造反」後，但同時可能進一步打擊了修正派，但俄毛攜手的可能性也加深了，已經的當權派危機也加深了。毛共內部嚴重分裂，大陸全面各階層同胞已到達近於爆發與毛酋小集團「偕亡」的行動的前夕，希望我中華民國當局，勿再放棄目前這個「可遇不可求」的反攻機會了。（何如）

自由談

人性的潛力

人類的本質無論是善或惡，但有一種共同的生活志趣——要求自由。「不自由，毋寧死」這句格言，全世界的芸芸衆生沒有不同聲共鳴的，這叫作「人性」。

自由生活有行爲與思想之別。人的行爲有時候需要加以限制，大家基於共同生活的各種關係，亦能容忍下去。唯有思想自由卻是不折不扣的人權，人類文明之不斷演進，即靠思想自由這股內燃力的作用而然，否則一切自然科學與社會科學皆無從進步到今天的境界，跟初民社會的穴居野處情況差不多。所以，古往今來的任何暴力，要想禁止人類的自由思想，絕對辦不到，結果非被自由思想的潛力打倒不可——思想只能疏導，卻不能統制——史乘昭然，人所共喻。

共產主義者以統制思想爲其所謂世界革命的唯一法則，也就是它永遠沒法成功的癥結所在。俄共政權創立了五十年，到頭來不得不走修正主義路綫，相當地承認人類思想自由的妥當性，而效棄以暴力統制思想的魔術。詎中國大陸上的毛共政權，晴着陳腐不切實際的馬列主義教條不放，硬要把人民的思想定於一尊，即所謂「毛澤東思想」是也。

毛澤東思想的內容就是甚末「大躍進」，如土法煉鋼、人民公社，以及一畝地生產稻谷十萬斤，毛澤東一小時游泳長江九英里之類，憑幻想支配事實，將人類視同無機體的工具，以致迫使共黨內部亦大起反感。因爲共產主義者亦是人，同樣的具有人性，違背人性的統制思想魔術，終難忍受的。毛共由開始進行「文化大革命」，聲稱要「千萬顆人頭落地」的殘酷作風，忽然發出「要文鬥，不要武鬥」，「要寬容反對黨」的柔靡之聲，這就是反證着自由思想的潛力沛然莫之能禦，毛酋終於向它低頭了。

毛共這場「文化大革命」惡作劇，上演到半途即唱軋了，這對秧歌王朝前途的惡劣影响，比較對外戰爭吃下大敗仗還要厲害，原因是毛共內部的人心已告渙散，經過這次同室操戈之後，創痕與裂痕再也不能彌縫無間了。多行不義者，必然陷於「自斃」之命運，古今一揆，決無例外，人性之義，大矣哉！

求職求才　免費介紹

高雄區國民就業輔導中心
高雄市中山一路三〇三號

公路客貨車監理與檢查應不分公民營一視同仁

○本報高雄航訊○

本報第六七六期刊載：省須公路行車取締法規，公路局車未括在內，民營客貨車業者情慨惑」之報導後，大快此間民營客貨業者憤怒的心。他們特別指出：不僅公路警察，市警局交通隊管他們，即連毫不相關的保警、憲兵也管。他們深切爲今後的生計憂煩。

這一官民事業（生意）的競爭，已由基層的同業公會，到省交通處，省議會，交通部，行政院，監察院；但至今懸而未決，不知將伊於胡底。

高雄市是台灣第二大都市，又係國際港口，由於人口激增，目前已逾六十萬大關，客貨運的交流率極高，倘憑公路局高雄運輸處的百餘輛客車，顯然供不應求；而貨運由也不能單靠縱貫線的鐵路，所可濟事。因此民營客貨運，遂應客觀情勢的需要而繁榮起來，這是自然的趨向。但同行是冤家，所以就引起了官民競爭的態勢。民營客貨業者在武裝的干擾下，飲泣吞聲，怨氣載道。這改弦易轍，在執行上若不不再取刁難，獷橫的作法，否則民營客貨業者是走投無路，寃抑難伸的。

高雄市的貨運公司（行）共有八十家，營業車擁有七百多輛，目前正面臨了一個嚴重關頭：即有用之車，置於無用之地。按公路法第五十七條規定：「汽車所有人應於申請發給牌照使用前，依交通部指定之金額加入責任保險」。公路局監理所每年作車輛安全檢查兩次，對未投保之車輛拒絕辦理安全檢查；貨運業者爲了通過安全檢查，取得使用牌照，就不得不向省營的：「台灣產物保險公司」，和十餘家民營的保險公司去投保。十年前民營保險公司很少，無論公民營保險公司都大賺其錢。隨着人口的遽增與貨運的需要，保險業者如雨後春筍相繼成立，彼此爲了搶拉生意，要求貨運業者投保，提供一成佣金給省營的保險公司；民營保險公司則提二成，仍相當賺錢。近兩年來貨車肇禍率高，公民營公司理當賠償，他們都是唯利是圖，賺錢的買賣則拼命去搶，却忽略了賠償的事是責無旁貸的，致保險公司聯合起來向貨運行退保；貨運行爲了通過安全檢查，不得不向省營「台灣產物保險公司」乞求投保，而該公司，同樣拒之門外。如此所造成的後果是：監理所不予安全檢查，更嚴重的是「吊機牌照」。台灣省汽車貨運公會聯合會，會建議交通處，請示交通部，該部批示仍須保險。貨運業者處在這種「上天無路，入地無門」的情況下，他們有以下幾點意見：一、公路法的規定太硬性，理應體察貨運業者的苦況，作合情合理的修改，減少他們的負担與損失；二、希望交通部改變現有保險制度，採用自由投保制度，體察民艱以蘇民困；三、將有用之車，置於無用之地，不僅是財產上的損失，失業後的結果，足可造成社會的不安與不景氣；四、他們希望政府正視保險公司爲社會謀福利的機構，應該爲人保險，他們却反其道而行，爲自己保險；五、肇事的貨車並非每天必有，集衆資賠少數肇事者，是理所應然的事；六、公路局的車爲什麼不投保，而可通過監理所的安全檢查（實際上聽說不檢查），領取執照，他們認爲這是一件極不合理極不公平的事：七、投保之貨運公司（行）之投保費一年計算，有時沒有車禍，也遭中途退保的威脅，無緣無故的被退保，影響他們的營運，莫此爲甚；八、此間貨運業者一致指斥公民營退保的作風，具有共通性，他們懷疑內中有某些微妙關係，因此他們認爲保險公司不負責任，指他們爲了保障社會安全，沒有理由拒保或退保；九、貨運業者認爲，無論公民營保險公司，其保險項目不僅車輛一項，其他多種項目，他們大賺其錢，即有少數肇事車輛，爲了社會安全及公司信譽，挹注賠償，亦是應該的；十、公民營保險公司之資本額規定最低爲六千萬元，即以某保險公司爲例，他們每年的盈餘數字，相當可觀，而聯合退保事，使貨運公司（行）感到極度的惶惑。

據此間某產物保險公司稱：目前他們所採取的是強制保險，不參加保險者有兩項規定：第一、每輛汽車提供五萬元保證金，繳台灣銀行；第二、購買保險單制。這兩點貨車業者認爲不僅是於法無據，而且是卡死了人。他們說：每一貨運公司都是股東制的財團法人，汽車行也是合資性質，目前每輛大型車價格四十萬元，每家最起碼條件須有三至五輛，若以五輛計五五廿五萬元。若貨運業者均有雄厚的資金，保險公司大可不必，幹麼政府還要設保險公司？三方面（保險公司，汽車客貨運公司，公路局監理所）對峙的局面，受害的是汽車客貨運業者，蒙利者爲保險公司，公路局。這一場三角糾紛，正在方興未艾，聚訟紛紜中。

據此間交通界客觀人士分析：第一、本來公路局之基本業務是公路工程的興修與養護，至客貨運尚在其次，不宜捨本逐末；第二：根本的解決辦法是公路局不准兼辦監理事務，歸還建制隸屬交通部，公路警察調歸警務處。在今後執行客貨車的檢查，不論公民營，一律秉公處理，方可平息民憤，安定民生，消除民怨。他認爲非如此，政府難於樹立威信，非如此不足以使民心悅誠服，因此，他特別強調，今後的客貨運之興衰，攸關經濟的榮枯，而民富又爲財稅的最大源流；交通部、財政部是否改弦更張，爲客貨業者設身處地的想，社會人士只有拭目以待了。（八月十六日寄）

東方明珠「誤卯」風波

○本報高雄航訊○

高雄港務局港務組，八月十七日上午九時三十分，因延誤中國航運公司東方明珠號萬噸巨輪出港時間，而被該公司聯絡人許如勤指斥，一位辦事員徐德發竟與他吵鬧起來，幾乎大打出手，把個辦公所內搞得八嘴八舌，烏烟瘴氣。

事緣：東方明珠號巨輪客貨俱已裝妥，原定於今晨八時啓碇駛往香港轉赴美國。七時經聯檢處廬中校檢查完畢，因漢堡丸出港延誤時間，八時半領港派遣的拖船，準備領船出港；詎料兩個拖船高陽號暨旗山號竟停在岸邊不動，巨輪無法移動。但在東方明珠號後面申請出港的漢堡丸，却優先出了港。

許一氣之下，在港務組與徐德發吵鬧了起來。後經港務副組長孫文全拉開，允即刻通知拖船前往，一場風波始告平息。

記者跟許如勤直奔十號碼頭，已九點四十分，輪笛嗚嗚的長鳴，拖船却在幾百公尺港內觀望。聯檢處的廬中校也說：「港務組太不像話」。許如勤說：這條船是我國航業鉅子董浩雲的；董氏計劃將在高雄第二港口設一規模最大的造船廠，他所購五萬噸浮塢曾計劃在去年從馬爾他拖來高港，後來中途改移日本橫濱，租給三菱公司，因而引起國內議論。說到這裏，他指出眼前的事實，不願再說下去。我問他是不是沒有「燒香」？他說：「燒香的次數可多了；我們低聲下氣，講盡好話，他們根本無動於衷」。時間到了九點五十分，汽笛又狂叫一陣，許如勤急得跳脚，他說：「按規定貨輪上載有客人，港務局應該儘速按時准許出港。這次船上載了廿幾位外國人，有美國、日本、菲律賓等國人士，港務組這種作風，簡直是在外國人面前丟盡了國家的面子」。十時正，拖船才緩緩而來，明珠號這才解纜，準備出港。回頭許如勤又至港務組將事實經過報告港務組長冉鴻翩，冉氏檢討的說：「這件事誤會也有，我們的錯誤也有」。許如勤又與孫文全副組長說：「你們領港的指揮不動拖船」。孫副組長否認其事，說：「我有兩件實例可以作證」。說到這裏，他把話吞了下去，他有顧忌的說：「這位記者先生在場，我不便說出」。他真的不再講下去了。（八月十七日）

大秦貸款　原來如此

第四、台銀報告說：「復興公司現任董事，多爲本省工業界知名之士」，「爲社會所信賴，不敢不顧信譽。」請問，味新公司不是「知名之士」組織的嗎？何以貸款三千萬元後，即告週轉不靈而倒閉？換句話說，各銀行呆滯放款而無法收回者，其對象都是工商界的知名之士，台銀對此又將何以自圓其說呢？

第五、台銀報告並告訴大家，當初台銀貸款給大秦的經過是：大秦向台銀貸款總額爲新台幣二億一千三百二十六萬餘元，其中既定抵押權之貸款爲九千七百零九萬元，無抵押之信用貸款爲一億一千六百五十七萬元。連同未收到之利息四千七百六十八萬元，本息共爲二億六千一百三十五萬餘元。

所謂復興公司係本省工商界知名之士所組成，台銀雖未說明，但財政部長陳慶瑜在立法院公布了復興公司民股董事九人，台銀代表六人。民股：苗育秀（他有一位太太劉氏爲立委）、趙廷箴、徐有庠、趙璋（外貿會主委徐柏園的外甥）、叢滑五（原裕台公司職員）、吳朱蓀松、應道春（兼總經理）、吳汝楘、趙諒公（董事長，係徐之姻親）。

台銀代表：奚炎、費蕭辰（台銀副理）、葉含章、武鏞、潘萬新、饒潤昌。

監察人五人，民股三人，台銀代表二人。民股：徐渭源、吳新禎、王永慶（台塑公司董事長）。台銀代表：胡泳、鍾家成。這就是所謂知名人士。其實，幕後主持這件事的人，的確是知名人士，該幕後人既是中央民意代表，又是台銀法律顧問。有人感慨的對一位同業說：「假使我有一位哥哥作背景，我也會爲非作歹，移花接木，使自己發財。」這雖是笑話，但係眞實的故事。

析論立監兩院的五大案（四）

・本報記者劍聲・

立委質詢　各有對象

立法院委員登記質詢五大案的委員，一共是三十一人，以籍貫而言，湖北、廣東兩省各四人，山東、江蘇兩省各三人，山西、河南、四川、河北三省各二人，餘湖南、浙江等各一。就黨派言，除民社黨二人外，餘爲國民黨籍委員，其中團方與中社各一人，朱家三人，而CC方面則佔絕大多數。

就質詢內容而言，有些委員以盜豆案爲主，如王長慧是。有些委員以東亞案、大秦案爲主題。有些委員則以日片爲對象，也有以東亞或以大秦爲中心問題的。

各立委質詢內容和意見，綜合報道如下：

關於盜豆案部份：黃豆一千七百二十五萬二千七百四八公斤，黃豆粉三百七十二萬一千五百零七公斤，花生油七十七萬四千一百八十公斤，花生粕四十五萬零九百四十公斤，花生仁六十六萬六千四百六十二公斤半，玉米三十三萬六千七百六十公斤，竹筍二千八百零八箱，蘆筍九百零二箱，總量在二萬二千八百公噸以上。如以載重三公噸卡車載運，須七千六百以上車次。如以火車載運，須一百列火車箱才能搬運。堆積起來座小山。這算是世界第一位的竊盜物資。上列被盜賣物資，計值新台幣一億六千五百八十三萬七千一百八十四元五角一分。糧食局委託加工物資被盜者，計有花生油八二、二三八點二六八公斤，菜仔油二七九、九三〇・五八公斤，米糠油四五、四三七點〇一二公斤，花生粕四三八、一二三點二六公斤，菜仔粕一五七、八三四點九五公斤，脫脂米糠二、五四三、一八一、八三九公斤，豆粉八六一、八四五公斤，蔴袋七二、七七〇隻，油箱一百個。上列被盜賣物資，計值新台幣一千七百八十七萬七千零一十八元八角六分。

省府主席　應負何責

各行庫直接貸借立人等六家油廠之款項計新台幣五千六百四十四萬六千五百五十八元四角三分。連同前述盜賣物資之價款合計新台幣二億四千零一十六萬〇七百六十一元八角。其中大華油廠佔八千六百六十二萬餘元爲最多，其次是大德源佔四千三百二十萬餘元，再次是永源油廠佔四千一百九十九萬餘元，而立人油廠佔三千五百三十一萬餘元名列第四，德源油廠佔二千二百零四萬餘元名列第五，大慶成最少，亦佔一千零九十五萬餘元。

立委胡純俞認爲：這樣龐大的物資重量，這樣鉅額的金錢數目，雖云保密到底有其同犯十餘人知道，而省府各階層主管都被蒙在鼓裏，事前毫不知情嗎？有無漏網魚？二萬多公噸物資悄然被盜，古今中外，可算是一件大事，也是一件奇聞，在行政上，應負什麼責任？

前任鐵路局長陳舜畊，清廉有守，辦事認眞，倘鐵路局仍在陳舜畊主持之下，相信盜豆案不會發生；即令發生，亦不至如此嚴重。黃主席蒞任伊始，即罷黜清廉負責的陳舜畊。罷黜清廉，無異鼓勵貪汙，黃主席能說明陳舜畊罷黜的原因和理由嗎？

澳海異聞錄

澳人玩飛機逐漸成時尚

·桑雅·

在過去，駕駛飛機是有錢佬的玩意兒；飛在天上，在普通人士眼中，那無疑一頭金鳥，是高不可攀的。但近年來，這種情形改變了，有人坐飛機像坐巴士那麼隨便，而私家飛機也越來越普遍了。因爲，它不但代表財富，還象徵主人的胆識。

飛機變成如此普遍，最大的原因在那裏呢？是在飛機製造業的進步。現在，飛機不但輕便，舒適，而且駕駛方面，非常簡單，又安全可靠，確是一個誘惑。

至於經濟方面，仍然是屬於有錢佬的寵物。可是，代價與多年前比較，已有一個很大的距離了。

更要緊的是——人們越對飛行發生興趣。這正如汽車開始普及的情形相彷，有了駕駛癮，自然樂於購買一架回來玩玩了。在不少富豪的眼中，有時，一架袖珍飛機比一艘豪華遊艇，更容易打理。

在澳洲來說，願意學習駕駛飛機的青年不少，至少有七千七百多人。他們的學習態度相當嚴肅，不是光爲了玩玩的。

澳洲的一間「薛特飛行駕駛學校」，這是最著名的，老板的兒子格林，是廿三歲的青年，他與父親一起授課的。他接見記者時，特駕駛四個座位的一七二西施娜型的飛機，作示範表演。

他年紀輕輕，但飛行技術不錯，已有飛行七百個鐘頭的經驗了。

未飛行之前，格林先行檢驗飛機的機翼與機件，還有油箱與水箱等，之後，他招呼記者上機，大家縛上安全帶後，然後引擎開動了。

轉眼間，飛機離地飛行了。平均的速度每小時五十哩的話，眞是很舒服的，給人飄飄然之感。當飛離地面二千呎之後，機身一樣非常平穩。

在起飛或降陸之際，才不准吸烟，在空時，吸烟是不妨害的。身在機內，聲响的不大，比汽車開動時高一點，但無需像呼叫那般去談話。

在上空時，便可以滑翔的了。當風力不能夠支持時，會有响號作爲警告的，所以非常安全。

着陸的時候，每因機場擠迫，那當然需要更高技巧，但這也沒有危險。

由于一切都是簡單而安全，人們便喜歡以時間與金錢去學習飛機了。至少可以從此類輕巧的飛機着手。在半空滑翔的滋味，確是快樂過神仙的。

去年澳洲持有駕駛飛機執照的人共五千九百五十四人，今年的數目自然會增加。他們的年紀，最輕竟是十七歲，最老是六十三歲。一九五〇年，只有八百七十二人獲得駕駛飛機執照吧了。

目前，私人與團體所擁有飛機的數字，已達二千多架，一年平均增加三百架。

皇家維多利亞飛行俱樂部秘書麥柏遜說：「數年前，人們的觀念是，別人會替自己駕駛飛機，那是專門的技術。但現在，迥然不同了，自己動手才是一種享受。這種轉變，顯然由于駕駛原來是一件輕而易舉的事。」

在墨爾砵，飛機租售不算貴。但獲得駕駛執照之前，要多少錢才學懂駕駛呢？每小時教授費用爲十二至十四鎊，其他雜費另計。大約要五十小時才能畢業。這樣算起來，有八百鎊左右便全部攪妥了。

考試前，你必需接受身體檢查，然後分兩次飛行：第一次是雙人飛行十五小時，即考官坐在你身旁，然後是個人單獨飛行八小時。如果考官滿意，你便合格了。

駕駛飛行並不複雜，初學者只須用心半小時，便可以上手了。在某種情形下，比駕車還容易。

如一架九二〇〇W型的輕巧飛機，可以滑翔兩用，機尾是W型，每架約值三萬六千鎊，時速爲二百哩，在陸地祇走三百碼便起飛了。在澳洲，此類飛機每小時租值是廿六鎊。

希特勒當年孤注一擲 慘烈的保芝戰役紀實

·錦繡·

在一九四四年十一月，希特勒跟左爾中將和基輔元帥秘密計劃在安登尼斯區反攻，消滅盎特衛，普魯塞斯，盧森堡戰綫的聯軍。這樣可扭轉在西歐的戰局，也可能是整個戰局。希特勒決意冒險，作孤注一擲。他認爲德國的未來幸運全葬於此。

在十二月十一日與十二日，希特勒到他的大本營「鷹巢」，召見他的部屬各司令，因爲人數太多，要分兩次聚集。納粹元首看來是有病態，但是他的聲音還頗响亮，他提出大反攻的計劃。德軍西部總指揮溫隆斯特要去破在蒙斯州與華賽渡利的美國第一軍，再過繆士阿去佔領盎特衛，繼而截斷聯軍的供應綫；在正面的總攻擊交第六麗薩師團，由莫德爾元帥指揮，擁有四個裝甲部隊和四個步兵隊。

施哥辛尼上校，那個曾冒險救墨索里尼而聞名的德國軍官，除負責指揮第一百五十麗薩旅之外，他又担當別種軍事工作，他擾亂和破壞聯軍的陣綫和交通，將俘虜的美軍所穿的軍裝交由德軍穿着，扮成美軍濫入搗亂。（二）

果然有一大隊德軍的老虎坦克和整營的德國步兵向前進。他們是隸屬德軍第五廬薩師團的軍隊，由溫孟杜費爾將軍指揮。他們剛突破美軍第二十八師的陣地而到達華丁村暫作基地。

霍利斯隊長聽到這種壞消息，立即下令，叫他的部屬趕快搬來各種阻障物，像馬車，傢俬和各種雜物，堆起來想延阻那些戰車的急進。更用機關槍和手榴彈作對付。但這好像以卵迎石，德軍坦克猛向守軍開炮。霍利斯看見情勢不對，就下令撤退，他本人持機槍殿後掩護。他終於壯烈犧牲了。在二百名降傘隊隊員中，事後逃返巴斯墩的只不過八十三名。德國第五廬薩師團經頑抗後，佔領了華丁村。

名女間諜瑪泰哈麗其人

·尼之·

在桃麗絲黛主演的「艷諜飄香」中，又有一個鏡頭映出她所扮的瑪泰哈麗，雖然出現的時間極少，但因使人想到那個世界最馳名的女間諜，不會被人忘記的。

假如瑪泰哈麗仍然生存的話，今年她已九十歲了。她在一八七六年出生，原本姓名是瑪嘉烈賽爾里。父親是荷蘭經營牛乳業的商人，當晚年到荷屬東印度旅行時在巴厘島結識一個在神廟跳舞的女郎，發生戀愛，就有了瑪嘉烈。那個老商人在本國已有妻室，不便帶他的情婦返回荷蘭，就留下一筆金錢，作她的生活費和養育他們的女兒之用，更答應將源源滙欵來接濟。但在兩年後，那個荷蘭老商人，就再沒有音訊。那個可憐的巴厘婦人祇有歷盡艱辛來養大她的女兒。瑪嘉烈生得很美，她是一個早熟女郎，同時因家庭的經濟不佳，要在一間小酒店做女侍。一個在荷蘭陸軍中的蘇格蘭籍少尉愛上了她，他們結婚後就到蘇格蘭作蜜月旅行；但不久後他們回到爪哇。那個少尉結婚後，性情突變，終日酗酒賭博，極少返家。他的妻子勸他無效；結果她本人也不守婦道，愛上一個馬來人，名叫阿默瑪泰哈麗。瑪泰哈麗意即「晨早之眼」，後來瑪嘉烈賽爾里就用瑪泰哈麗的名字。

瑪嘉烈跟那個馬來人的來往事，被她的丈夫探悉，苦無證據；但當她生了一個女孩，相貌絕對似那個馬來人，那個軍官就決意拋棄她，因爲她幹出這樣丟臉的事。在爪哇的瑪嘉烈的親友也不理她，她就極力求她的丈夫，暫時不要跟她離婚，使她仍可持原有護照到歐洲找尋生活。當她到巴黎後住了很久，所帶的錢都用盡，祇剩得她的母親所遺下在神廟跳舞用的裝飾品。她就配帶上去向當地的一間大酒店求職，以跳神秘舞做號召娛客。果然大受歡迎！在巴黎的公子哥兒，顯貴富豪都爭着追求她。一九〇五年在埃及總督前跳舞，大受讚賞。當時最名貴的雪茄烟就用「瑪泰哈麗」爲名。她後來會同時做法國陸軍部長和德國王太子的情婦，此外跟她有關係的名人，不知凡幾。

法國秘密警察首長認爲她可能是一個極有用處的間諜，因爲她結識的要人很多，利用她的美色，可能獲得許多寶貴的情報。瑪泰哈麗的間諜行爲，始終沒有眞確的紀錄，在法國的軍事情報檔案上也沒有。但在一九一七年她又被法國軍事法庭所控，要負責那宗五萬名法軍的被殺案，說她出賣情報作反諜。瑪泰哈麗否認控罪，被押入獄，經再審訊後，認爲罪名確立，要被槍決。瑪泰哈麗說經已有孕，想借此免於一死，但誰是經手人，倒令法官疑惑，因爲跟她獨自在一起的，只有那個七十二歲的老律師，那個律師也極勇敢的承認他確跟瑪泰哈麗有染，但她仍逃不出一死。

另外又傳說瑪泰哈麗沒有死。當行刑時，幾個法軍向她瞄準，侯發令就向她開槍，但那個四十歲的女間諜竟揭開她的長袍，暴露出她的全裸身體，那幾個行刑的兵士看呆了，覺得麻醉無力，任由她從容離去。又有傳說那個監刑官只有自己走前，拔出手槍向她的頭部連放兩槍，結束了她的生命。此外還有幾部有關瑪泰哈麗的傳說和小說，也有改編成電影的，那部在三十四年前由嘉寶與李門那花路主演，雖被認爲故事是準確，但也沒有人能加以保證。不過無論如何，瑪泰哈麗總是被公認的一位馳名的女間諜。

參加英國選美者現身說法

原作者：卡倫·溫蘭

最近，本港有關人士又舉辦「香港小姐」選美會了。下面的一篇文章是英國一位著名的選美小姐的自述。她的名字叫卡倫·溫蘭，她常常參加英國各地的選美會，也常常獲獎。

信不信由你，在英國，一個身段美好的女子，是可以靠選美會而過活的。各地的選美會實在太多了。不過，我要立即補充一句，單憑美姿是不夠的。老實說，這一行逐漸已成爲舞台化，如果你沒有經驗，以及不懂得「技倆」，任你貌若天仙，也無法受評判員所垂青的。

據我所知，目前已有五十名女性，專在這圈子混的；她們對于參加選美會，抱有無限的信心。選美會的獎金，從五百鎊到一千鎊，往往成爲她們任何一位的囊中物；其他愛出風頭的良家婦女是難有希望染指的。

大部份的選美會要分區舉行，然後集合各區的前三名來一個「決賽」。冠軍十鎊，其餘爲五鎊與三鎊。分區賽的前三名也有獎金，但屬于鼓勵性質，實在微乎其微。稍爲心水清的人，大都會發覺到，一年中好幾次的選美會的決賽美女，總是熟口熟面的人。我當然是其中的一位。

我不妨對各位憶述一九六四年九月間那次選美事件——「南海選美會」。決賽時只剩下廿名競爭。但天啦，對于我們，大家都是認識的，「這一次變了『行家』大競爭了。」這次選美的獎金不但優厚，而且優勝者可以在電視連續表演一個星期。我也畏她三分。當時，最大的熱門是鍾露美絲，她是這行的「高手」哩，那晚決賽在「波蘭劇院」內舉行的，她出場時，博得雷動的掌聲。但當地人對於所派出的代表「加莉遜小姐」寄望還大，所以，當加莉遜只得第二名時，幾乎引起劇院騷動。那晚自然是露美絲獲選爲「南海小姐」第一，但從加冕到走下舞台，她一直受觀衆所嘲弄及揶揄，喝倒彩之聲，眞使她難堪。不過，她的本領便是在此——泰山崩於前，而色不變。她一樣微笑自若，在憤怒的人羣中走過。

我認爲參加選美的小姐，必須具有這種勇氣。如果是普通的少女，面臨這種情景，不哭啼，才怪哩。

每一次選美會舉行，人們必會提出這個疑問：「這是有內幕的嗎？爲什麼某某不當選呢？台下大部份人都認爲她是合適呢！」究竟原因在那裏呢？原因很多，但是主要的，我認爲若干所謂選美評判員，是未夠資格的。他們被邀担任評判員，往往只爲了他們在社會上的地位；對於選美的標準是不大了解的。對於這種人，我們只能說他們懂得欣賞髮型美。下列人士，作爲評判員，那自然不夠高明了：（一）理髮師——一個長髮的美人，他便會欣賞。（二）名流太太——這種人的審美眼光，往往集中於天生麗質那種人。（三）美容界人士——他們對本地人自然有偏愛，往往未夠公允。當作評判的人，於欣賞容貌之外，最離奇的，有時是評判員本身常擺烏龍，計錯分數，便被聘爲第一流的模特兒。最後的「夢境小姐」選舉，冠軍是一個免費遊覽。

還未正式宣佈誰是優勝者之前，那段休息時間，我們的心情十分緊張。這時，其中一名是瑪麗絲的參加者對我們說：「我等等讓我看評判的分數，但到最後關頭，還是慕蓮當選呀！」宣佈「冠軍是｜」我們大家不是慕蓮上前道賀，連入圍也沒有，也感到不滿，是一場歡喜一場空。我們六人之間，但當評判員的事，我們不忍，然後提出抗議，我們知道不是瑪麗作弄我們，而報假信點端，原來人席他們改變主意。後來各方面打聽，才獲一點決定，他們認爲解釋是不符合規章，于是重新再作。

因此，選美會的過程是相當複雜及微妙的。像我們這樣的巡迴各地參加選美，是需要本錢的，平均每次購置衣服，至少也要三四十鎊，雜費與交通費自然另計。

編者附誌：「新三國」續稿未到暫停一期。

明德新村（續）

張吉瑛的公主，進步神速，簡直是隨心所欲，唱來多有好腔，把鐵鏡公主大爲吐氣，夠派頭，夠樣兒。眞是後起之秀，將來無止境。最妙是我在唱出關時，到後面如厠，順便看看吉瑛厚英，吉瑛說：我眞想不到，你會這末遠的路，跑這裏來，看我的戲，謝謝。我說：爲看角兒的名作。她說不要取笑我們。厚英則告以住址，希望有空去談談。

轉到前台，成一已上場，正唱見娘。他吃調不高而味很醇。曾聽過烏盆計趕三關上天台，也是久歷劇陣。他唱至別家止，是探母一齣中最難唱的一大段，能演得無疵，實是不易。翰章的六郎，調門相同，也唱過四五次，所以甚熟，眞成極硬的裏子。厚英的四夫人，論扮相確是美，而雅淡動人，更是神氣十足。她的嗓音漸次恢復，將來在劇藝界仍可有微名，倘更續探，不難成名票，而聯勤晚會亦常羅致，已爲人所重視，惜乎劇團無法爭取之。

國劇繽紛續錄

鉴婺生（一〇四）

這齣戲的蕭太后，請了王蘊青，實爲難得。他近來事忙，對平劇興趣甚淡，可是資格爲廿年以上的名票，宗梅而不學張，腔味甚夠，太后一角也不常演，完全爲捧吉瑛而爲之。資格既深，台步動作皆是以往的典型，而回令的神情，尤爲老到，把逸鳳夫人的活兒，轉移了。佟樹聲本工花臉，本次改演丑角，與李蔚東相配，過關回令多有神氣，可見能手。再明德的楊肇新，演宗保，唱得很高。李英寅太君，調門更響，足可一快。

此齣戲，有一位勞苦功高的，是麥聚敬箴。他因肝疾未愈，不能動手拉，也不能唱，可是後台一切安排，事無鉅細，皆由其躬任之。忙出忙進，奔走不停，才搞成這台好戲。因爲請票友登台，不是找劇團承之化錢就辦得到，要四平八穩，確實無交誼，就不好談。所以看戲容易，辦戲實難，不得不佩服他的經驗。有些票房，揭示永不唱明場是爲此也。

岳飛集錦

千古以下，論精忠報國，當推南宋岳武穆，是三代以後所僅有。許多英雄豪傑，輒應環境而產生，南宋無武穆，早已淪亡。高宗體於二帝之復還，乃輕信秦檜，自隳長城，偏安於江左，大爲可惜。平劇有關於岳武穆之戲甚多，實可時常扮演，以示範於今世。

播送平劇，必須用技巧，方能生動受聽。警察電台常能揮此功能，因此每逢假日節目，極有精采。（未完）

狐狸

。大可。

——狐狸性格中的一面據說是風騷，却也狡憎，現在取牠的後者借作一個半老女人的形容。

厨房，很靜。公用這個所在的人都去了街；不然，就是那些爲數不多的男人只躲在房裏。這個弄膳用的厨房面積雖小，却經常得要同時容納幾個人，時常，肩膀相觸，顯得相當侷促。此刻，靜靜地，沒有人舉炊，只住騎樓房的師奶在唇間吸着半截廉價紙烟，把收音機放在灶上，聽着一些趣味性的故事來洗碗碟。

她邊在這樣手腦並用的情況中，還撥出一點精神去想心事，那是有關在這幾百尺面積平房裏玩弄手段的事。

屋子，雖然是那麼小小的一間，却住有六七個單位的人——房間的，床位的人，閣仔的每個單位的人，從一個以至六七個。他們和她們中，有些早出晚歸，把租用的地方當作公寓似的住；有些經常都在家，甚麼都在那幾十尺的房間內舉行；有些在家與外出的時間幾乎各佔一半。屋內的人，尤其是包租婆，對於那些住客就得要用點心思去利用和應付了。師奶是半個包租婆，經常，她都那麼的盤算着。

此刻，她在洗碗碟的動作中，將腦子分開三個方面去活動，那是既聽故事和指揮手的工作，另一方面，那是去管理或尋覓別人的不是了。在這麼的情況中，當觸綫下意識地觸及甚麼時，就去動腦筋，却輒一思維就放下。腦汁就匯在另一方面那去。她，就是一個那麼樣的人，心多、思路雜亂無章，愛管點閒事，却又患得患失得小器量；什麼事心滿意足地眉笑顏開，反之，誰對她稍爲白了一眼，就眦睚必報。現在，她看到板架上放着一小堆芽菜根了，就滿不是[illegible]，嗤了一下鼻，同時跟她合影包租的八嫂的十歲女兒亞萍那張小女孩的圓臉影子就浮動在她的腦子裏了。

「嘿！她正是一個鬼靈精。」她在心裏暗罵，同時眼睛下意識地向門口一瞟。因爲她知道這個小女孩在外邊。「一入如此，人人如此，那我就成爲你們的奴僕了！凡是包租的，也應該做點清潔及公衆的工作，如果連自己也顧不了，還說要指點別人?嘿！」接着，就喟然地舒了一口氣，是嘆息自己的多勞的。

當這樣的想法很快在腦子裏掠過後，她的精神又集中在收音機播出的故事上去了。

「那是一個刁鑽的女人，因小故跟人發生衝突，別人忍讓了，她還是咄咄逼人地指責個不休。」

「從這個影響，她覺得自己要別人服從，就得蠻點了。殊不知，關於這麼上頭的事，縱然畫虎肖虎，也只獲得人賞以一個厭字，何況等而下之的畫虎不成呢？但她沒有自知之明，也是腦子不夠精細，那就表現出來了東施效顰式的令人肉麻了。」

此刻，當她一認爲這樣可以把自己表現出得意時，便近於衝動地把頭向門邊一扭，就提高那鷄啼似的半百過外的蠻婦的粗糙嗓音向外嚷：「亞萍！」那是將尾音拖得頗長的。「來啦！你看你……。」

外邊沒有答話，也沒有出現那聞聲而來的那個小女孩的人影。

她稍等一陣後，覺得自己的作爲沒有反應，便帶點惱意地更把嗓音提得高些，因而鷄啼似的成份更濃地嚷：「亞萍，你是否撞聾[illegible]，叫都不來的。當心你媽回來鞭你！」

這是連說帶罵，語氣也有點凌厲，十歲的亞萍在頭房聽得不很清楚，却明白師奶在呼喚她，便連忙放下玩着的東西，奔奔跑跑地來到廚房門口，却眼瞪瞪地瞟着她，大有詢問的意味。

「你呀，」她開口了。「怎麼懶得連摘下的芽菜根也不放在垃圾桶裏，要人跟手尾？小女孩，要學做家庭工夫的。」

（上）

才、德、骨氣和利害

○仁厚○

人生最難的學問，莫過於如何識人。人性千變萬化，幾乎比廬山還難認出眞面目來。尤其在一個人一帆風順時節，人人遷就，個個謳歌，更是眞僞莫辨。逆風吹來，「利盡而交疏」的朋友，隨風而去，才一旦時來運轉，那批吹去的人又順着風捲土重來，使出了千種溫柔，萬般解數，使前嫌盡棄，幾誤爲以前人家的一段冷淡，無非是自己的神經過敏。

古人擇交，以「友直友諒友多聞」爲原則，才德並重，而德尤重於才，直和諒都屬於德一方面的。這些標準說來容易，做來却難。手執無數高帽，帶着一臉溫順的，常令聽者大悅，那裏會管他是否直諒。

清朝孫嘉淦御史，有過一篇奏疏，對人性的分析，相當透澈。他說：『德者，君子之所獨，才則君子小人共之，而小人勝焉。語言奏對，君子直而小人佞諂，則與耳習投矣。奔走周旋，君子拙而小人便辟，則與目習投矣。即課事考勞，君子孤行其意而恥於言功，小人巧於迎合而工於顯動，則與心習又投矣」。有才無德之人，是能言善語，會獻殷勤的，善於自我表揚的。而有骨氣的人，却不肯隨意遷就。因此也就難得惹人注意，更難得給人欣賞。

當年齊國有位鄒忌，生得漂亮，自以爲比當時的標準美男子城北徐公英俊。他曾問過他的太太，姨太太和客人，到底他是不是比徐公好看?他們都一致證實他的看法。第二天，徐公來，他一看自以爲不如，對鏡再一看，便覺不如遠甚；於是恍然於妻妾賓客的同聲附和，無非爲着「私我」，「畏我」和「有求於我」。

更因此悟出治國的一篇大道理來。

因爲有私、有畏、有求，所以人與人之間，不能推誠相見,也就不易認識得清楚。凡肯推誠相見，直言相向的直友，必然是無私、無畏、無有求的。廿餘年來，身經變亂，每一次變動，總像照妖鏡似的會照出一批人的原形來。而每每總會拍案嘆息的覺得，交友和用人，實在德比才更爲重要。

「今宵牛女度佳期」

．夜闌，

鄭大樞的台灣風物吟有一首詠七夕的詩說：「今宵牛女度佳期，海外家家乞巧宜；殺狗祭魁成底事，結緣黃豆始何時！」自注：「台地向無鵲。七夕士子殺狗取頭祭魁星；又黃豆和糖及芋頭龍眼等物相贈遺，謂之結緣。」牛郎織女的七夕故事，在神話中最富於人情味。他的起源很古，最晚當在漢朝，專爲雙星離恨的古詩說：「迢迢牽牛星，皎皎河漢女！纖纖出素手；札札弄機杼。終日不成章，泣涕零如雨。河漢清且淺，相去復幾許？盈盈一水間，脈脈不得語！」而六朝梁人吳均的續齊諧記說：「桂陽城武丁有仙道，忽謂其弟曰：『七月七日織女何事渡河？』答曰：『暫詣牽牛。』世人至今云織女嫁牽牛也。」至於渡河以鵲爲橋之說則始於應劭的風俗通。鵲是如此地成人之美，所以向來以鵲爲喜兆。開元天寶遺事：「時人之家，聞鵲聲皆以爲喜兆，故謂靈鵲報喜。」後人稱鵲也都冠一個喜字，而成爲「喜鵲」了。

以狗祭魁，他處無此風俗，而是台灣的特色。台灣有「不食牛犬，功名不顯」之說，巡台御史六十七重陽詩有句：「朝來門巷集儒巾，屠狗吹簫共賽神。」自注：「台俗，七夕中秋重陽俱祀魁星，是日生有殺犬取其首以祀者。」現在已無此俗，但在日據之前必極盛行。省老說犬祭之典很隆重——禮行三獻，鼓亦三慶。

（據重怡氏說）這也是於古禮有淵源的，後漢書禮儀志：「明帝永平二年三月，上始帥羣臣躬養三老五更于辟雍，行大射之禮，郡縣道行鄉飲酒於學校，皆祀聖師周公孔子，牲以犬。」周壽昌後漢書注補說：「此當時鄉校春秋常祀也。」而魯相乙瑛碑有云：「春秋享禮，出王家錢，給大酒值。」台地讀書人用祀禮用大牢，而七夕祭魁則用狗，是並不突亢的；至於用狗頭，則頭是魁首之意，當是取第一名狀頭的口彩。

「結緣」則和「乞巧」一樣，因是從雙星故事聯想而來。牛女的愛情，實在是天地間至上的「緣」，豆和芋，以及龍眼，牠們的圓粒又可諧音爲緣，尤其「食龍眼以取明目之意」（彰化縣志），還合於衛生之道。織女是神化了的勤勞婦女，她能織成無縫的天衣，這種工巧，在過去是無法想像的，於是又是巧的化身，而歷來女人就都要向她乞巧。台灣通史：「入夜，婦女陳花果於庭，祀雙星，猶古之乞巧也。」彰化縣志：「七月初七日，人家兒女備針綫花粉瓜果之屬，祭於中庭，日乞巧。」此風[illegible]之間已有了。荊楚歲時記：「七月初七日爲牽牛織女聚會之夜，人家婦女，結綵縷，穿七孔針，或以金銀塚石爲針，陳几筵酒脯瓜果於庭中以乞巧，有嬉子網於瓜上，則以爲符應。」嬉子就是蜘蛛，直到現在，各地還以蜘蛛爲喜兆。乞巧的方式，代有不同，與地志：「齊武帝起層城觀，七月七日，宮人多登之以穿針。」開元天寶遺事說：「唐宮中每遇七夕，宮女各執九孔針五色綫，向月穿之，過者爲得巧。」帝市景物畧：「七月七日之午投巧針；婦女曝盌水日中，頃之，水面生膜，繡針投之則浮，則看水底針影有成雲物花頭鳥獸影者謂之得巧。」

無論乞巧也好，爲雙星的離恨所感動也好，向來七夕行事都是趣味性重於宗敎性。但在台灣又衍化而成「七娘媽」而且和一切雜神同樣地管着人間的禍福。如雲林採訪冊說：「七月初七日世傳爲牛女渡河，巫家以爲七娘誕，登壇說法，鼓角喧嘩。兒女感其術，冀爲解厄消災，臨朝赴會，日過關限度。」現在有些地方還有用五色紙於七夕祭「七娘媽」以祀的。

醒時情緒問題

—科學家有研究—

○晉凌譯○

華盛頓的一位[illegible]方研究家保羅辛打士透露說：「我們已[illegible]得人們在其腦部和身體回復正常和完全[illegible]前，希望多幹點事；然而這期間，腦部還未回復正常工作，即進行工作，往往可能產生驟然情緒低落，精神不振，輕微沮喪的情形。由此情形，顯示腦部工作效率低落。」

有些人，可能感到驟然的疲倦，或是在早晨較後時，發生心緒不寧，精神緊張，直至需要休息幾分鐘，這種情形，才告消逝。美國試驗一批空軍的結果，證實美國今日的科學家，最近發現的理論。

在進行試驗時，將接受試驗者分成兩組：一組空軍在早上正常時間醒來，他們即接受一連串的試驗，包括神智方面的試驗。結果，他們先後合格。

第二組空軍則睡得較甜，要用鬧鐘把他們吵醒，強迫他們衝往浴室沐浴，回答緊急的問題，匆匆的吃早餐，然後着他們繼續應付當天以後的工作；可是他們無法應付，他們的工作效率甚低，不如另一組的空軍那末好成績。

（二）

自由報
THE FREE NEWS
第三八六期
中華民國僑務委員會核發台教新字第三三三號登記證
中華郵政台字第一二八二號執照登記爲第一類新聞紙類
（每星期三、六出版）
每份港幣壹角　台灣零售價新台幣貳元
社長：雷嘯岑
督印人：黃行譽
社址：香港銅鑼灣高士威道二十號四樓
20, CAUSEWAY RD 3RD FL. HONG KONG
TEL. 771726　電報掛號：7191
承印者：大同印務公司
地址：香港北角和富道四六號
台灣分社
台北市西寧南路壹零號二樓
電話：六三二○三
台郵劃撥帳戶二五一九九

如何全面動員激勵科學

祁倫

州科學服務社就全部「可予及格」者的全部資料詳細審查評析之後，就全部科學項目中選出最佳科學天才，然後送科學俱樂部總部予以最後評審以選出一年一度的全美科學天才。在上述選拔過程中，科學天才發掘社除協助科學服務社一切必須支援外，並提供數達六十萬美元作爲入圍之州科學天才之獎金；科學俱樂部則支援人力──因所有參加科學俱樂部的會員，都是本地區、本州及本國的現役名科學家。這些名科學家以他們所學專長及個人名譽，儘量公正地協助科學服務社發掘美國未來的科學家。

由全美名科學家參加的科學俱樂部總部，於收到全國科學天才推薦資料及成績後，即着手愼重的仔細分析評判。並從全部參加科學性向測驗者發掘可能被鎮及州遺漏的科學天才，然後就每一參加者呈送之科學研究計劃報告書（僅一千字，圖說照片例外），予以研究分析。這些看來屬於「異想天開」的報告書，代表中學生的科學知識和他豐富的想像力，經專家審核認係創造性者或認有重大改革意義者，即予「錄取」；對報告書中所述「目前正遭遇重大困難而該生却有解決辦法──照作者構思而非目前科學藝技──」者，亦予「錄取」；對報告書中所述而富科學創造思想者，亦予選拔。所有以上經錄取及選拔的報告書作者，除參考其全部資料（學科成績，教師證詞等）外，必要時並函詢或面試該生有關該報告書所述科學之進一步解釋。如此綜合所有這些評審，科學俱樂部總部聘請的評審委員會，即舉行鑑定公證，自全部錄取及選拔中者，決定百分之十的學生爲榮譽組Honors Group。所有經決定爲榮譽組的科學天才，乃經評審決議認係「具有卓越之科學潛力」，並各按其志願推薦進入大專院校（因爲具有某種科學天才者不一定能通得大專入學考試），同時推薦該大專予以科學獎學金之援助。

雖說政府權力和法律都無獎勵科學人才作爲，但在習慣上，廿年來經科學俱樂部推薦的科學天才生從未被任何州立或私立大專拒絕。這種從民間力量推動的科學天才發掘、選拔和培植工作，能順利推行，實乃全國人士重視科學的氣氛所養成。

除推薦入大專及代申請獎學金外，該生並獲科學紀念獎品、獎金和榮譽證──榮譽證相當於僱主推薦函，對其日後謀職大有幫助。

此外，科學俱樂部總部另在「榮譽組」中再選拔四十名優勝者爲「首獎」，並頒發他們參加每年三月在華盛頓舉行的「科學天才講習會」Science Talent Institute，與由科學家組成的評審委員見面並接受個別的面試，接受由民間捐贈之獎品及競選西屋電氣公司捐贈之五名西屋獎學金（頭名可得七千五百元，餘爲六千、五千、四千、三千五百元）。這四十名準科學家，從此便獲得特別照顧和培植，包括推薦大專院校入學、優厚的獎學金、進入自己選定的科學實驗所參觀或實驗，並保證他們在求學及研究過程所需一切的支助，如圖書資料、科學器材，以及會見全國名科學家研討等。

這種發掘、選拔與培植科學天才的工作，似乎女青年較受優待──因爲男女青年在同等機會的競賽中，男女的評選是分開辦理的。實際上，這也是合乎科學的公平競賽，因爲生理上的先天原故，女青年的科學智商，平均說來畧遜於男性也。

我國應採的作法

最重要的，應是動員整個社會的一切力量，首先造成普遍深入的科學環境和科學氣氛，尤以擴大動員民間的人力和巨大財力，成立類似美國科學服務社和科學俱樂部的組織，聘請國家科學家成立總部（義務性，同美國係榮譽職），聘請省、縣、鄉鎮的科學工作者成立分、支部及小組；授權各中學科學教員推動科學性向測驗以發掘科學天才。其所需支薪人員及事務經費，概由民間捐贈，並以民營公司行號捐贈之獎學金支付培植科學人才。此外，修改大專入學法規，使有科學天才青年能在科學俱樂部總部推薦下進入理想的學校；修改有關法令使公私研究機構和科學實驗所對科學天才開啓門戶；並以輿論力量鼓勵科學學人幫助後進及制裁那些妒才之自私者。

在我們這個只習慣坐享科學成就的社會，推動科學發展工作最大的困難，便是有錢人不肯出錢，有能力者又不願「多管閒事」，而且事事仰賴政府。另外的大困難，便是我國科學機構領導者多患崇洋心理和迷信「金字招牌」，大大地刺傷了青年的自尊心（如中央研究院的「高薪禮聘國外學人」案，如中央標準局拒發吳光第專利案），大大地「獎勵」人才外流並打擊國內人才的出頭。

使有錢者出錢並不難，而且民間捐資興學及捐贈獎學金事情已有多起，如稍加開導及辦理有績效，則必可蔚成獎勵科學人才踴躍捐欵風氣。

使有能力者樂於出力也很容易，因爲人皆有榮譽心及責任感。發掘、選拔、培植科學人才，乃是每一成名科學家及學人所樂意的事，只要有人登高一呼，再以輿論力量配合，全國學人及科學工作者必樂於義務地貢獻智力。

使崇洋媚外及事事依賴政府的舊思想清除，做來則比較困難！但，撤換各級科學領導者使無法領導這種舊思想，便可望收效而建立起「自力更生」的信念。

但，由於吳光第的事，故筆者認爲第一步可作的，可由我國國防部及救國團協同作全面的、開創性的、有計劃的激勵科學工作：發掘人才由學校並選拔，然後送軍校測驗相關院系以軍費生、非軍籍培植公費進修（畢業後僅服預備役），或由救國團推薦文學校深造，軍方研究機構及實驗所對其開放，軍方科學教師及技術專家予以指導，其所需經費則以民間捐募爲主，儘量以不增加國庫負擔爲原則。如行之有時，當可培植起社會的科學氣氛，誘導民間起而接替此項激勵科學的歷史性任務矣！（完）

漫無止境

請君上當

今日與明日

林彪接主「軍委」獲得證實

林彪在所謂「無產階級文化大革命」中竄起，由中共中央第五副主席升充第一副主席，由「軍委」第一副主席升任主席。前一項職務變動雖未正式公佈，但從八月十八日北平舉行「慶祝文化大革命」集會時數百共酋排名的順序上得到證實。後一項職務，在八月卅一日北平電台一項廣播中亦得到證實。

毛酋是個好話說盡壞事作盡的權術家，他對權力視同自己的生命一樣重要，特別是軍權，由於「槍桿子出政權」的關係，所以，他死抓不放「軍委」主席已達三十多年，時至今日他居然能夠放棄此項形同「命根子」的職務，實在不是那麼簡單，也決不是像外國「專家」分析那麼「順理成章」。相信，這不是他自己的自願。

林彪侵犯毛酋

根據近一年來中國大陸局勢變化情況來分析，毛酋在四面楚歌中，曾經一度陷於非常危險的境地；所以，於去年末溜出北京，去向手握實際軍權的林彪求助；林彪乘機對他要脅，要求毛酋交出「軍委」領導權。毛酋爲解除燃眉之危，只有把「軍委」主席交給林彪。進而林彪「挾天子號令諸侯」，用毛酋名義排除了劉少奇、彭眞一派的勢力。如謂這是爲毛酋鞏固地位，勿寧說是這爲林彪本身清掃作爲毛酋繼承人的舖路石。在以彭眞爲首的「保皇黨」中，竟連毛酋的心腹如宣傳部副部長周揚也被整肅，同時，林彪却大力安插「自己人」如陶鑄之流升官；這些事實，不僅表示林彪愈來愈得勢，並在其逐漸擴大的過程中，已有侵犯毛酋身邊小集團的趨勢。

毛酋被推上「完蛋」的邊緣

毛酋即或信任林彪，把他提升爲黨中央第一副主席，並以「軍委」第一副主席名義替他主持軍事，何必要把「軍委」主委也交給林彪呢？相信，這是毛酋在被迫情況下不得不這樣作。據估計，在今日中國大陸上，毛酋所存在的只是所謂「毛澤東思想」這個象徵的幌子，而已無一點實權了。毛酋在現階段，雖被林彪捧上了天，但到林彪把異己份子徹底肅清後，不需要再利用毛酋作爲「幌子」時，只要一放手，毛酋必「跌」得粉身碎骨歸於完蛋大吉！

在毛共這場內訌中，眞正「勝利」的是林彪小集團，可能毛澤東和劉少奇小集團一樣是失敗的一羣。八月卅一日林彪代表「毛主席」和「黨中央」接見「紅衛兵」時，他強調「衝擊一切阻力，克服各種困難，把無產階級文化大革命更加轟轟烈烈地開展起來」。這表示毛共上層的內訌，將出現一個新的局面。說不定林彪在清除敵對份子中，連毛酋也受到進一步的壓制。（何如）

自由談

思想與生活

資本主義社會之構成，導源於工業革命，發育於重商主義，而以自由競爭，累積私有財富，追求個人享受爲目的。在學說思想上，所謂功利主義乃應運而生，大行其道，權利義務平等之說，視爲天經地義，無可置疑。

因此之故，生活在資本主義社會中的人，遇事講究契約行爲，重視權利義務之銖兩悉偁，無所謂道義精神，人的信用價値完全不存在。譬如彼此雖然訂立了契約或合同，亦不敢信任，還要請律師證明；至親好友同赴餐室飲盃咖啡或者吃一碟客飯，照帳單各付一半的錢，認爲義所應爾，毫無慚恧之感；兒女們成了家，父母偶爾到兒女家行脚吃頓飯，照樣要給飯錢的；有位曾經在新大陸留學歸國多年的中國朋友，某年重遊紐約，在市街上偶遇着彼邦的一名同學，班荆道故，頗爲親切，約赴餐館一敍，臨付帳時，那位學友聲言：「本來應該由我付帳招待的，但我是執行律師業務，因爲跟你談話時間過久，損失了在『奧飛思』跟當事人的談話費收入不少，祇好各付餐費罷！」這些都是資本主義社會普遍的人生觀，充分表現着功利主義的毒素深中於人心，恬不爲怪。

咱們中國人的傳統生活習慣，無論任何事情，人的信用價値是第一，商場貿遷有無，一句話就算數，商場互相信守不渝。在交際應酬場合中，爭着支付費用，即使身上只有一點買米的錢，也要打腫臉充胖子，毅然作東的。中國人固有的不成文婚姻法制，只要男女雙方交換生庚八字就算定了婚，民法規定只要舉行了三人以上參加的公開儀式，便係合法的正式婚姻。西方人却要寫結婚證書，教本人和雙方家長暨介紹人都簽名，這種證書的唯一作用，就是準備他日到法庭打離婚官司派用場，此外毫無意義與價値之可言，也就是人與人之間互不信任的表示。

若謂上述中國人尊道義、重信用、講溫情這套生活習慣是不科學的落伍思想，一定要像西方人那種刻薄險狠的功利主義作風，才算是現代化的進步生活，那末，我們就不必反對毛共今日在大陸上要徹底毀棄中國固有文化思想大革命惡作劇了，行嗎？

前期資本主義對人類殊有裨益，後期資本主義對人類祇有罪惡而已。明乎此，即知國父所創三民主義的精深博大了。

馬五先生

雙方均正積極增兵 越南較大戰役正醞釀中

美國估計將在聖誕節前後爆發

．紐約通訊．

越來越多明顯跡象顯示：大約到了本年聖誕節左右的時候，美國可能要在越南境內應付一場韓戰規模的戰事。

這意味着美國屆時要調動數約四十七萬的大軍屯駐東南亞地區裏面——這個數字的美軍，就是在一九五三的時候，美國為了應付韓戰而直接地動用的最高數字的美軍。

目前，美國為了應付越南戰事而動用的武裝部隊人數，大約是三十七萬五千人——其中在南越境內作戰的佔二十九萬人，駐海岸以外的海軍佔六萬人，至於散布南越鄰近基地裏面的軍事人員，最少佔二萬五千人。（這裏所指的鄰近基地，是關島、泰國、菲律賓、及沖繩境內的供應站，空軍基地，及其它軍事設備。）

過去數星期，不斷傳出的消息暗示：到了本年年底的時候，駐南越境內的美軍總數，將增至四十萬人的數字——較目前的人數約多了十一萬。美國官方對於這項消息直至目前為止並沒有加以正式的否認。事實上從總統詹森起，美國有若干位領袖人士曾經在公開的談話中認為應該大量增加駐南越境內的美國武裝部隊，作為一種嘗試在共黨部隊身上施展壓力的手段，從而令河內政權同意（在談判席上設法解決越戰的問題。

在本年七月二十日那天，美國總統詹森在一項新聞記者招待會席上表示：「我們將需要更多的人力」。到了八月十日那天，參議院國防小組主席史丹尼斯發表談話稱：「在南越地面上作最後的階段的時候，可能增至五十萬至六十萬。很明顯地在越南戰場上，我們正需要更多的軍隊」。史丹尼斯在本年一月間已經這樣揣測：到了本年底的時候，美國駐南越境內的隊總數，將達到四十萬人。

另外，一位美國國防部官員（他的名字不便予以發表）估計：一九六六年年底駐南越境內的美軍實際總數，大概接近三十七萬五千人。不過他同時透露：國防部官員表示——在今後數個月內，可能使南越方面的美國地面部隊增至四十五萬人。國防部官員強調地表示：這些討論的中心，只是增加美軍人數的可能性這一方面，並非謂在現階段中，華盛頓最高當局仍然沒有確實決定南越境內的美軍增至上述的程度。

關於美國可能大量增加南越境內武裝部隊人數的問題，在過去兩周中引起新鮮注意力的原因，是為了兩項研究報告書的內容均認為目前駐南越境內的美軍人數是不充足的；尤其是為了這場越戰可能長期打下去的緣故，目前派遣到這個印支半島國家戰場上的美國武裝部隊數量可能無法應付有增無已的作戰負担。

美國前任副總統尼克遜最近在西貢和高級美國軍事官員舉行會談後發表談話稱：如果美國要贏取越南戰爭的勝利的話，他認為駐南越境內的美國武裝部隊總數，必須增至五十萬人。至於上述的兩項研究報告書，一項由美國海軍陸戰隊所擬就的，另一項由美國陸戰隊所準備。海軍陸戰隊認為：除非駐南越境內的部隊總數，從目前的程度增至七十五萬人，否則共黨北越能夠無了期地繼續目前的作戰活動。陸軍認為在目前的越戰進展速度下，共黨北越能夠繼續打八年的時間。

然而，美國國防部却在一項簡短的聲明裏面表示：美國國防部及聯合參謀部沒有研究該兩項報告書，並沒有抹煞如下的一項可能性：該兩項的報告書可能最後地獲致華盛頓最高層官員的研究。（上）

台南防痨病院急待澈底整飭

該院院長曾澤永，近以涉嫌利用職權，假報銷而侵佔公欵，已於日前經台南地方法院檢察處偵辦，扣押，解送司法調查站。據查曾澤永係於五十年十月間接長該院，至今年七月間，先後利用職權，挪取防痨經費，用以招待貴賓的公欵，無法報銷，乃籍防痨工作之檢查及宣導的名義來填補。

該院為防痨工作出差的員工，每次所報出差費，雖經院長核准，但並不照數發放；

據該站初步調查，院長曾澤永接事將近五年，涉嫌侵佔公欵五萬餘元，業經傳訊該院辦理有關防痨工作的護士多人查證，並調閱該院會計賬冊，細查。據檢察官偵訊時問：「原屬防痨專欵數筆，用到何處去了」，他却搖頭說「不知道」。檢察官繼續再問：「你身為該院院長，怎能說不知道院內業務上經費的開支？」他還是說「不太清楚」。看來曾氏的瀆職罪，會要成立的。（續完。八月十四日吳光勳寄）

赤化活動無所不用其極 緬甸對毛共大有疑忌

——仰光通訊

在這年頭，曾經一度馳名于世的滇緬公路，為了路旁的山泥崩瀉和路面冲毀，已差不多不可能通車了。這條貫通中緬兩國邊境，由緬甸的臘戍北上，通達中國雲南省會昆明的公路綫，曾于第二次世界大戰期間，運輸過數以百萬噸計的補給物品，有助于抗日作戰成功不少。現在，緬甸已不再把滇緬公路維持一等的補養狀態。這並不是偶然的疏忽，為了安全的緣故，緬甸寧願任由這條長一千三百英里的公路，處在不良於行的狀態中，以免太方便了野心勃勃的中共。

在理論上而言，中共與緬甸簽訂的一項邊界協定，已結束了邊境上的一切衝突。但實際上，緬甸對于他們與中共的邊境，仍具有顯著的戒心，因為已有很充份的明證，證明中共對邊區的陰謀，並且對于由仰光經艾拉瓦第河接滇緬公路通入雲南省境的水陸補給路綫，具有長期性的興趣。

緬甸的國家元首尼溫將軍所憂慮的，是緬甸山區各族人——閃族，卡欽族，卡倫族等等——與中共之間，有結成一個同盟的可能，而由親中共的緬甸共黨份子充作居間人。

本來，尼溫及其軍事革命委員會，已自認為世界對付叛變的一流專家。他們感覺對于本國族人的叛亂問題，是可以從容應付的，祇要純屬族人的問題。然而，他們所感到困擾的隱憂，却是中共可能直接插手緬甸族人的不安的亂事中。

在目前，緬甸領袖對這種局面，還算控制得來。但在緬甸的報章，每天都有關于緬甸正規軍隊與所謂叛徒份子之間發生小規模軍事衝突的消息，揭載于封面版。那些所謂叛徒，是具有種種形式與政治信念，但大多數是各族人，其中許多是聽命于中共的共黨份子。

早在尼溫將軍于四年前取得緬甸政權開始，中共對重開滇緬路作為一條補給綫的興趣，已經明顯。中共已經從事不尋常的活動，向緬甸政府提出援助的建議。並擬資助緬甸發展改進中緬邊境交通的工程計劃，俾增加中共沿仰光，艾拉瓦第河，滇緬公路整條補給綫的便利。

當尼溫察覺中共建議的性質之時，緬甸方面即已慎重從事減省若干項工程計劃，以免助長中共目標之發展。這就是尼溫之所以大事推却中共援助至最低限度的重大原因之一。

中共的活動，還有一方面，引起了緬甸的深切關心的，那就是中共的「中國銀行」在緬甸展開奇怪的貸欵業務。他們貸出的欵子，是落在某些華僑壞份子的手上。那些華僑壞份子都是開設典押店或鴉片烟窟的。這難怪緬甸的領袖們懷疑「中國銀行」貸欵的動機，並非祇為營利而已。

緬甸政府之實行全國貸欵與資助的銀行業務，收歸國營，其目的之一，就是藉以終止中共那種貸欵偏門行業與吸毒敗行的傾覆活動。結果是「中國銀行」，跟那些印度人貸欵業和大規模的西方商業銀行，統統關閉了。

另一宗事情，緬甸當局相信中共是其中的一個角色。那是無人地帶的無政府情勢。山區的族人行動方便，從緬甸到泰國，寮國或中國大陸那些非法的勾當。鴉片的販運是主要的行業。

泰國，寮國和緬甸的多方面人士都深信：中共確參與那種販運毒品的行當，還有緬甸邊區的閃族人，充作中共的居間夥伴，奔走滇緬邊境之間。

析論立監兩院的五大案（五）

．本報記者劍聲．

立法委員行使質詢權來檢討黃豆管制政策。同時主張政府應分期分區檢查設立在全省各地的糧食局的倉庫。

黃豆進口 政策錯誤

黃豆進口的管制政策是錯誤的。「行政院對外貿會的錯誤政策與徇私行為，何以不予糾正？」立法委員多反對管制，主張由人民自由進口自由加工。並認為行政院應糾正外貿會。尤其美援黃豆停止後，事實上已無管制的必要。如開放自由進口，即無從盜賣，亦不必盜賣。政府長期管制進口，即為製造盜賣根源。

由於配售黃豆不公，而發生黑市情事。政府許可登記的榨油廠有三百多家，外貿會核准配豆的油廠只有七十多家，此七十多家中，經常生產者，只有二十餘家。多數油廠准許設立，而不准配豆，等於製造黃豆黑市，鼓勵盜賣，於是形成配豆油廠中竟有三分之二以上不自生產，經常以黃豆轉賣圖利；甚至停工油廠，亦照常配豆。其中有官商勾結嫌疑，應否澈查？

實績制度應該取消（包括日片實績制）。蓋油廠配購黃豆多少，憑實績好壞而決定，由政府金融機關百分之百墊欵，各油廠榨油後，以油欵繳豆欵。少數油廠不花分文，配得黃豆，多數油廠仰賴黑市，求過於供，教揉升木，遂造成兩億四千萬元的空前盜豆案。這種過分優待少數油廠而造成特權，助長官商勾結，製造盜賣之實績制度，立法院主張取消。

立委主張 追賍追保

主辦機關失職，監察院竟不糾彈。中信局負責進口黃豆，不自備倉庫，交由鐵路局貨運服務所保管，既不嚴格執行繳欵提豆，復不規定進倉時間；貨運所復貪圖蠅頭小利，轉租各油廠倉庫，使各油廠得以收買祿不足以養廉的管理人員，大胆轉賣圖利。甚至黃豆根本不進倉，在運輸途中即被盜賣，歷時達三年之久！主辦進口機關，以及負責保管單位，墊欵金融機構，彼此平素毫無聯繫，放棄監督稽核責任，如交通處，如省政府，如中信局，如財政主管機關首長，苟非串通舞弊，即為顯著失職。例如，苗栗大德源油廠以土地廠房機器設備向土地銀行苗栗分行申請貸欵，就是因為「有省議員林為寬及苗栗議長林為恭（現任苗栗縣長）等地方知名人士（詳行政院致立法院四八七五號函）」在內，而順利核准貸欵。因此立委認為應該澈查嚴辦失職公務員，不能讓不法人員尤其高級公務員逍遙法外。並且要追賍追保。

盜豆的是少數油廠商人，損失却要納稅人來賠償，是非常不合理的。油廠配豆，均有抵押担保，盜豆有關低級公務員，依法判刑，重要担保人員，都逍遙法外，至損失賠償，重在追賍追保，六家油廠兩億多的賍欵，到那裏去了？如由貨運所及鐵路局盈餘中分十年賠償，等於國庫損失，由省庫賠償。萬一該兩單位因盈餘不夠賠償而加價，等於人民賠償。政府能保證鐵路局十年不加價嗎？現在運輸途中根本未進倉庫而被盜賣之黃豆亦由貨運所賠償，合理嗎？所謂盈餘，亦係人民血汗，盜豆貪污人員逍遙法外，責令人民代為賠償，於法於理於情，均有未合。行政院長嚴家淦、省府秘書長徐鼐都說貨運所出有倉單，依法自應兌現。否則，倉庫名譽和提單制度將破產。然而事實上，許多黃豆未進倉庫，倉庫提單從何而來？貨運所未出倉單，何以也要負賠償之責任？這種以公欵作為私人貪污賠償，減輕私人刑責，似有假公濟私鼓勵貪污之嫌。

配售日片 極不公平

配售日片案，行政院在答復立委鄧翔宇質詢案中，說：「新聞局處五十五年度日片分配期間，除監察院內政委員會曾提案糾正外（記者按：八月十二日，監委吳大宇指這句話是春秋之筆），立法院委員從未有向新聞局請託或要求情事。」而去年十二月三十日晚上，由立委主持的「日片進口糾紛協調會議」，參加者有立監委員和政府首長（詳本報第六一九期台北通訊）。行政院對此事可能因時過而健忘了。

日片問題發生在實績制度，此一制度實為經由監察院糾正行政院廢止的「代理制度」演變而來。此制係保護少數片商的特權，極不公平。監委王枕華曾於去年十二月二十七日提案彈劾，但由於一二監委護航，致審查會流產，使該劾彈案胎死腹中。

立委認為，「新聞局所採之實績制度，仍係過去代理商制度之變相恢復。」為什麼不改為統購標售或公開議價呢？為何不將每部日片差額權利金七十萬元至八十萬元，化私為公，撥充輔導發展國產片之用？日片如何分配應是我們自己的事，為什麼還要受日本人干涉？中日合作策進會是民間團體，不是影片商，為什麼要分到兩部片子？如政府認為應該補助，何不堂堂正正的補助，為什麼要以日片權利金來貼補？這些，確都是問題。

遠海異趣談

捷克境內的「地獄之門」

·桑雅·

世界眞有地獄嗎？共黨國家捷克倒眞有個地獄，數世紀以來無人敢去。後來有人探測過「地獄之門」，知道它是一個可怖的地方。

在捷克的費拉維亞一個荒涼的山谷中，四週是被幾乎不可走近的峭壁所包圍着，谷內有一連系的山洞，其中一個名叫西史卡拉的洞口，與其他的洞穴大有不同。數百年來，在此地區的居民，視其爲禁地，不但無人敢走進去，而且不願冒險的從遠處看它一眼。居民是出於迷信嗎？有一部份道理。據說這個洞穴是被鬼怪保護着的，任何人胆敢進去調査，侵入其範圍，事後必定不疾而死，神秘地丟了性命。

於是這個洞被視爲地獄，洞口稱爲地獄之門。數百年相傳下來，說是比西史卡拉洞，直通往地獄去的地方，鬼怪操縱着那些死人的靈魂。從地球的硫底深處，常發出毛骨悚然的可怕叫聲，似是有人遭受酷刑。其他的稗史則說這個地獄，藏着已絕種的人類所遺下的巨額財寶，可是這些財物，受數百個鬼魂守護着，任何人摸一下，必定暴斃。民間於是煞有介事地傳着這個神怪的說法。

後來還是有一批研究史前歷史的考古學家，博胆進入「地獄」一遊，他們要冒險證明稗史的說法是否正確。專家們毫無傷害地達到了所謂「地獄之門」；可是他們無法說服任何附近居民不相信這裏通往地獄。也不會找他們任何人一齊「入地獄」。甚至一不迷信的老百姓誰也沒有這份胆量，敢替他們挑運找到的財寶。

經過一度小工程把「地獄洞口」擴大之後，考古學家們發現洞穴內有若干個巨大的岩道室，空空如也。但是通過了大室，發現不少小室，其中一端被石塊阻塞着的還有一大堆沙塞住。經過了數小時的挖掘工作，把通道障礙消除，進入了另一個廣濶的洞穴，這才使他們大吃一驚。原來謠傳此西史卡拉洞是通往地獄之門的說法，一部份並非虛言。原來洞內是史前的生物或是人類，在這些神秘的地點舉行殯葬儀式，因而打破了一部份的謎。

洞穴的中心有一個巨大的火灶，相信是經常升火的，把洞頂也燻黑了，牆壁也層層烏烟。洞底的坑內，發現了一個經過火葬的男性殘骨及灰燼，圍繞屍灰的是許多燒不溶的金屬物件，武器，表示火葬的是一個古代的重要人物，也許是一個酋長。

在火葬爐的前面，有不少燒焦了的木材及車輛的木框，坐在上面的是另一具屍骨，或許那個人是馬車伕，把酋長的屍推運抵洞內。但是在附近一看，似乎酋長還有人陪葬死，顯示至少有四十個最美麗的少女，一齊殉死。她們慘受犧牲，她們並未被投入火坑內焚燒，因爲一個個的赤裸女子，還像生時一樣，用各種姿態端坐着的，屍骸尚未化掉，是被迷信相信那批古代封建的犧牲品。

她們并非被強迫送入洞內陪葬的，一若死去的酋長，把臭皮囊燒成灰燼後，她們是圍繞着一起，逐個被用刀斬斃的，面對着酋長的骨灰。原來生時好淫的酋長，死後也要活的女人向他取悅，她們身上不留寸縷，但仍然配着古代的金飾，琥珀珠等裝飾物。

又因爲使用大批黃沙，像埃及法魯王的墓加以密封，完全不透空氣，因此多數少女的屍體依然存在。甚至皮膚也不腐爛，她們的黑色秀髮的依然黏緊在頭皮上。

在洞室的最遠一端，有一個舉行犧牲儀式的祭壇，是用石板砌成的，上面放着一些穀物及飾物，並且有若干女人被切下的四肢，手脚仍戴着戒指及金飾。那些穀物，據說是給死掉的酋長在陰間享用的。可是數千年後仍未爛掉。至於火堆裏砍下來的金屬飾物，女人手脚是表示他的財富的象徵。可是考古學家仍認爲是一個謎。究竟用途及用意何在？

考古學家把所有史前的物品，全部搬走準備作詳細的研究，然後把這「地獄之門」再封妥。於是二千五百年的地獄之謎，總算是被揭破了一部份。可是沒有一位考古學家能忘掉洞內可怖的情景。這個洞，仍是捷克人不敢踏入半步的地方。

出現越南戰場的新武器

·近文·

美國現時正公開地利用越南戰場去試驗新式的武器。令人担心的一項問題是：如果蘇俄開始採取同樣行動的話，屆時會發生什麼事情？

在本年七月七日那天，在共黨北越「首都」河內三十三哩外的高空中飛行的蘇俄製造「米格式十一」型噴射戰鬥機，發射空中對空中的飛彈去攻擊進襲的美國戰鬥轟炸機。刊載報紙上的消息表示：「美機與共機在河內附近上空發生遭遇戰」；然而，這段新聞報導的背後，却隱藏着意味深長的發展——工藝戰爭已經進入一個新的階段。進一步言之，每天發表的戰事公報及傷亡報告的後面，一種新的因素已經出現。這項新因素顯示出今日的越南戰事，就另一角度來看，越來越像三十年前發生在西班牙境內的那次戰事。

在三〇年代末期的時候，西班牙發生一項大流血的內戰。當時歐洲地區內的列強認爲西班牙是一個理想試驗場——讓他們在那個內戰戰場上面試驗他們已經發展及正在發展中的地面及空中新武器。因此，蘇俄試驗其新製造的飛機及其他武器，並且納粹德國則在西班牙內戰裏面改善那種性能令人驚駭的「史吐卡」型單翼俯衝轟炸機，和那種後來被一般人認識的ME—109戰鬥機。

以上所述的是三十年前的事。現在，越南戰場已經變成另一個新式武器試驗場。當前被觀察家認爲最重大一項問題是：共黨集團的國家（尤其蘇俄），是否會像美國那樣利用越南戰場作爲一個長期的軍事工藝試驗的場所，雖然這樣做的時候，要付出各種形式的死亡代價。而另外，如果越南戰事繼續打四五年時間的話，中共亦有可能步蘇俄的後塵而參加這項軍事工藝試驗的競賽。

直至目前爲止，克里姆林宮大聲疾呼表示繼續及儘量援助河內的北越共黨政府，可是，對於移交到北越手上的俄製武器，却始終採取非常審慎的態度而沒有大敲大擂。蘇俄除了供應機關槍，小型武器，臼炮之外，同時包括下列的在內：高射炮，地面對空中飛彈（使用電子計算器及雷達等設備發射），及小量超音速戰鬥機和若干由戰鬥機發射的飛彈。

上述那些蘇俄製造的地面對空中飛彈，已經服役多年，因此用現代標準去衡量的時候，這些飛彈乃是一種落伍的武器。（上）

希特勒當年孤注一擲 慘烈的保芝戰役紀實

·錦繡·

溫孟杜斐爾的第五麗薩軍團，擁有四個裝甲部隊和四個步兵，原計劃向西推進，衝破巴斯墩、南茂的聯軍，將可跟第六麗薩軍團從北面向附近會師。第七軍擁有一個裝甲部隊和五個步兵隊担任保護德軍從泰南到盧森堡一帶的補給綫。

希特勒曾掘堂擊桌大聲說：「這將是我們的最後反攻，當它結束之後，將不會再有了。美國與英國的軍隊將被我們完全粉碎！」

希特勒決定十二月十六日早晨爲德反攻日，這看來是十分適當的日期。在那年九月中旬，美軍在許特珍和受風雪之困，又遭德軍襲擊，死傷數目重大。當反擊開始後，第五麗薩軍團，先由炮兵作劇烈炮轟做前奏，將到來援防不及的美軍第二十八師的陣地佔領而向巴斯墩推進。美國只力里將軍下令固守巴斯墩，不論任何代價。美國第一〇一降落傘部隊急從雷姆城調到巴斯墩協助防守。當時司令泰萊少將在美國，然由准將麥奧利斐，一個富有經驗的炮兵將材代署一切，他的部下伊韋爾上校與金納德上校都是勇敢善戰的軍官，巴斯墩離開雷姆城凡九十哩，他們就盡量徵集三百八十一部各種車輛，載着大軍浩浩蕩蕩的往巴斯墩，以那裏的一間大士教學校做指揮部。

在十二月初有十五輛施曼型的美國坦克從巴斯墩開出爭得當萊鎮，後來展開那場著名「保芝戰役」，這是在第二次世界大戰當中最慘烈的戰役之一，美國一〇一降落傘部隊雖以寡敵衆，但每次將攻來的敵軍擊退。德軍不得要領，勸降的方法，在十二月二十二日，德軍四人持白旗到美國前綫陣地求見，說是奉德將溫盧特韋之命，將軍書遞給麥奧利斐准將，勸他投降。揚言若不依從，德軍將把在巴斯墩和附近的美軍全消滅。麥奧利斐所給的回答是「NUTS」！這是指「到地獄去吧」的意思，是麥奧利斐拒不接納，但美軍的局勢確是危急，軍火和糧食都告欠缺，因天氣惡劣，美國飛機未能飛到作空投。幸得在翌晨太陽出來，美國空軍出動，大炸德軍陣地，後來又投下降傘部隊增防，又有大量軍火，食糧與藥物等投下接濟。在下午，麥奧利斐又接到消息，巴頓將軍向北推進，第七軍與第三軍又阻延德國的第七軍防守保芝地帶。假如巴頓將軍的軍隊能突過，可能在聖誕節時到達巴斯墩。

在十二月二十四日，溫盧費韋決意在巴頓的軍隊未到之前將巴斯墩佔領。他動員幾次攻勢，都被第一〇一降落傘部隊擊退。在保芝北綫，那個狡猾的施哥辛尼上校將假扮美軍的德軍混入美國軍隊中，又破壞電話和其他交通器材，使到將道路的標誌錯指方向，使到軍隊中大混亂，因此在軍隊中要執行各種口號或盤問，以防假扮的敵人。

薩爾斯堡——奧地利最迷人的古城

·尹家珍·

自從那部音樂影片「仙樂飄飄處處聞」在世界各地放映之後，在故事演出的地點，奧地利的古城薩爾斯堡的旅遊業便更加發達，遊客的數字不斷增加。可知影片確有很大的宣傳效力。

在歐洲仍有許多個歷史古城，保留的面貌，道路和建築物沒有改變。在薩爾莎河畔的薩爾斯堡可以說是其中最奧妙的。它被垂直的石牆所圍繞，許多條砌石的窄路禁止汽車行駛，大衆儘可安閒走路，不會受到交通上的氣煩。城市的嚮導員會勸駕車到來的遊客，暫時將他們的車子停在城門之外，會有人代爲照料，不會有失車之虞。

薩爾斯堡的歷史可追溯到石器時代，在公元前三千年已有人類去居住。後爲羅馬人所佔領。當羅馬帝國崩潰後，就落在野蠻民族的手上。

現今的城市乃在公元七百年由和斯區主教聖路柏特在羅馬人所遺下的廢墟建立的。它成爲一個獨立的王子國，由王子名銜的主教統治，逐漸將城擴大，成爲在歐洲最鞏固的城堡之一。那座有九百年歷史的荷衡薩爾斯堡堡壘之稱。這個堡壘經過許多場大戰後都從未被敵人佔領，故有長勝堡壘之稱。這個堡壘由各代的主教擴大，現在估差不多整個山丘的頂上。在幾年前它有崩潰的狀態，急由建築專家用三合土充實地基，這樣，預測可再支持最少二百年。

在堡壘之下，在石塊的空隙間築有聖律得修道院。教堂和墓地，有更早的歷史，乃由聖路柏特在七〇〇年所建立的。那間修道院被認爲是中歐的基督教搖籃。在接近的地方，有薩爾斯堡的最初大教堂，在七七四年築成，曾遭火焚過八次，最後一次在一六〇二年被毀，蕩然無存。王子總主教德力殊有意在遺址建築一座新教堂，規模要跟在羅馬的聖彼得大教堂同樣偉大的，可惜在開始興工時，他被巴維里亞公爵在一場戰爭中打敗，他的承繼人把他囚在堡壘，那座教堂雖繼續建築，但已照原定計劃收縮，可是雖比聖彼得大教堂畧小，但仍然可容納一萬人。

各個時代的總主教除了着重於薩爾斯堡的建築，使它爲在今日被稱讚做在世界上最美麗的城市之一外，也致力於文化和藝術。最大的收穫就是培養出在薩爾斯堡的最偉大的兒子莫札特。莫札特的父親爲總主教的音樂團的小提琴手。莫札特是一個音樂神童，在十一歲就被委做城市的音樂大師。薩爾斯堡人永遠想念莫札特。爲着尊崇他，特別設一個音樂節目，逐漸變成了薩爾斯堡節，也就是在歐洲最大的節日之一。薩爾斯堡也被稱做莫札特的城市。

凡到薩爾斯堡訪問的遊客都不會放過去。當地的著名木偶戲。在「仙樂飄飄處處聞」也有演出，除動作神氣非常生動之外，更和以最悅耳的音樂和歌唱，甚至有演出莫札特的歌劇「魔笛」。看薩爾斯堡的木偶戲的歷史並不很久遠，在本個世紀早期，薩爾斯堡著名雕刻家安東艾查教授開始作這種業餘的嗜好，誰知現在竟能吸引千萬名觀衆，更被拍成電視和電影。今日木偶戲已變成了艾查家族的職業。許曼艾查教授，創始人的兒子，他的妻和兩個女兒，更聘到十一個助手，演出各音樂大家的歌劇，特別是莫札特的作品。在前年爲紀念莎士比亞誕生四百週年，更曾演出莎翁的著名戲劇多齣，包括「暴風雨」、「羅密歐與朱麗葉」、「王子復仇記」等等。

艾查家人和他們的助手不獨安排和牽動木偶的演出，他們更設計和製造木偶。他們擁有木偶一千五百個，每一個高約三英尺，有多條扯綫來控制木偶的動作，使看來栩栩如生，但提綫的人要手法純手，須有多年的經驗。有些木偶是很複雜的，需要八隻人手才能夠使它們表演得生動。

岳飛集錦（續）

日前忽播「岳飛集錦」，是把岳母剌字，鎮潭州，八大鎚三齣聯貫而播出，爲李多奎、言菊朋余叔岩三人所唱，在台灣伶界來比擬，實是難有。最難得聽到菊朋在鎮潭州中所唱「清晨起」那段二黃元板，等於九天韶音。此戲未見過他演出，唱亦因唱片未購得故未聽過。我以爲國軍文藝活動，亦可以精忠報國，把此劇排出，較爲適合時代，而具有意義，不可忽視。向可增排岳家莊，把岳氏子女的英武藉以表現。演明場亦須用腦筋，予以安排，最近大宛的九伐中原，楚漢風雲，已微露端倪，以後希望其如此。經詳細考慮，此精忠報國，無老旦小生老生武生具備的劇團，簡直很難推出。如何克服此難題，是在劇團去研究，方可圓滿。

國劇繽紛續錄

姜婆生（一〇五）

獨樑獨柱

干城劇團的精神在士氣甚旺，通力合作，因此幾度公演獲好評。余前曾爲裴襄將軍言過，欲求與其他劇團逐鹿而爭强，必求陣容齊整，悉無闕角，否則祇不過參列充數，未能出人頭地。蓮芝雖肯用功，恐怕孤掌難鳴，此應考慮。

任何劇團，必須所謂四樑四柱，倘樑柱不全，難收指臂之效。以前梅蘭芳的劇班，老生王鳳卿，小生姜妙香，有時還請程繼先，淨角裘桂仙，武生楊盛春，小丑蕭長華，先是李敬山，二旦姚玉芙，武旦朱桂芳，而別姬必請楊小樓，無楊即不唱。須動請陳德霖，對於配角份量，銖鋪悉稱，不能稍軟，故走遍大江南北，總是廣獲盛譽，未曾稍差。其運用慧思，不能不服其周密，否則絕難享名。

干城爲培養角色，淨角雖有張義奎高柱，但尚無正工銅錘。二旦祇孫玉麗、周華萍，亦嫌軟弱，要有個青兒，亦無合式。武旦則無能者。老生不談周麟崑，則由復敏應特別訓練，使她幅度增寬。小生李少山則武的較可，文的總嫌稍貧。試看趙譚之組織，很夠齊整。所以充實陣容，有其必要。但是從大鵬復興出來的人才，甚多厭倦搭班，輒在企業部份，充任職員，也有千餘的收入，偶或串演猶可邀之，長期演戲，已感不勝，不願任之。可知此後二三年中，人才缺乏，是不簡單，將何以處之！

狐狸

○大可○

亞萍沒有出聲，卻多少有點滿不是滋味地踱過她的身旁，用兩掌攏起那小堆芽菜根，移步到垃圾前投下。

「還有，地上那些包裹魚菜的舊報紙，鹹水草，拿掃帚清潔一下吧。」她在吩咐。

亞萍默默地依着她的話去做。

接着，她又再吩咐：「冷巷今天還沒有抹，你現在就抹你們的房，順便抹抹冷巷吧。」

亞萍雖然平時慣於接受她的意見，但當玩着甚麼時，就不很願意遵從她的指示，且曾經拗違過她的差使，除了她當時給她駡了幾句外，還待她母親從工廠裏放工回來後駡了一頓，一面非說亞萍頑皮，懶，不聽吩咐，累得小女孩給媽教訓了一頓。從此，亞萍爲了怕受母親的指責，就較爲服從了她；不過，有時也有例外，那就是當她幹着點什麼，比如溫習功課或玩着東西時，就把她吩咐要做的事推說稍待一會兒了。現在，就是如此。

「你當心你媽回來鞭你。你媽是吩咐你要好好地做點工作的。」她狠狠地瞅了亞萍有點近於咬牙切齒的。

「我放好那隻小貓才來。」亞萍無可奈何地說着，就走出廚房了。當然，她沒有去推搪。一會兒便去抹地了。

她看着亞萍去担任公衆的工作不禁擠出一面得意的微笑了。

工作，誰也不喜歡去做，尤其是屬於公衆方面的，更懶得何於這是屬於自己的份內，只好在不得已的心情中去幹幹，但在能夠推卸時，仍要推卸一下的，比如師奶就是。她跟亞萍的媽八嫂，同是這層樓宇的包租婆。當合夥時，在口頭上有過這麼的協定：那就是八嫂多付一點錢，她則只付二份一，因爲她在履行二房東的義務時，例如清潔公用地方及其他屬於包租人應有的責任，她多負担一點，因爲她整天都閒在家，而八嫂卻要返廠去工作的。可是，在這個原則下，卻附有一個細節，那就是亞萍有空呢，要幫手。初時，她還不甚地對待亞萍，漸漸，她覺得亞萍好欺，八嫂也不吝嗇女兒的氣力，於是她就事事都吩咐道個小女孩去做了。曾經，人爲此而有過批評！

胖婦說：「師奶簡直就像是一個指揮官。」

高鼻樑女人答腔說：「可惜僱得一丁人。」

矮姑娘搭訕：「這也勝過我們這一個勤務兵。」

「唉！都沒有。我說得貢好。」胖婦得意地拍掌。「勤務兵，很似啊！」一個上了點年紀的人，差遣得一個小廝言聽語從，而且是無條件地隨意差遣，很貼切。」

「唉！不知八嫂爲什麼任由別人無條件地差使她的女兒。」高鼻樑的女人說。

「她出術啊！」矮姑娘的臉色有點神秘。

「對！」其他那兩個女人不願顯得自己是懵然地而作明白內幕的神氣。然後是胖婦的聲音：「她很懂得連絡是不是？」

「那還用說。」高鼻樑女人在擠眉弄眼。「大概不說你們也知，八嫂回來時，她必然眉開眼笑地表示得蠻好情感；更那個的，就是當着八嫂面前她顯得怪疼愛亞萍，連她拿起掃帚掃地，她也會搶過來自掃的。」

「唉！這樣做人眞是奸狡。」矮姑娘用鄙夷的口吻。

「我看她的性格眞的像是一隻老狐狸！」胖婦狠狠的說。

「對！我們叫她做老狐狸。」其他那兩個人齊聲附和。就這樣的，老狐狸那三個字便成爲師奶的綽號了。

對！她的狡猾處，眞的似是一隻狐狸，對人拉攏或排擠，奉承或欺壓，態度曖昧不明，臉孔千變萬化，其狡猾處，眞是與狐狸無異的。（下）

鬼節

漁翁

人死曰鬼。禮云：「衆生必死，死必歸土，此之謂鬼。」古有鬼母，據「述異記」載：「南海小虞山中有鬼母，能產天地鬼，一產十鬼，朝產之，暮食之。」有鬼市，「半夜而合，鷄鳴而散」，見「避暑雜話」。又有所謂「鬼門關」者，李德裕詩：「崖州在何處？生度鬼門關」。是則有生必有死，死而爲鬼神，幾乎是「定論」了。

陰曆七月十五日的「中元節」，俗謂七月初一日起，大開鬼門關，准鬼魂自由出入，不加限制，至月底爲止。故七月又名之曰「鬼月」。這一天，到處作水陸大醮，建盂蘭勝會，設孤魂道場，夜間放河燈，並燄口施食，以超度無主的遊魂。道風俗雖屬迷信，不足爲訓，而生者同情於死者的美德，亦不可厚非。

考中元節的來源，起於大藏經中「目連救母」的故事。經中記載釋迦牟尼佛大弟子目連的母親劉氏，因毁了九世經壇，罪孽深重，死後被罰入十層地獄，受餓鬼之苦。時目連已成正覺高僧，即入地獄救母，在餓鬼叢中，見到母親，以缽盛飯奉母，但入口而化爲烈火。目連還求釋迦援手。釋迦言：「罪孽深重的餓鬼，非一人之力可以拯救，應於七月十五日，設盂蘭盆，置奇果素食於盆中，以十方僧衆之力，代爲祈禱，超度十方遊魂，七代父母，然後爾母始得解脫罪惡而就食」。

目連依照佛的指示行之，其母果得脫離餓鬼之苦海，於是目連向釋迦建議：「凡佛門弟子欲行孝順者，皆應設立盂蘭盆會供養。」釋迦稱善。後人因此增廣其說，而演成今日「盂蘭盆會」之盛舉。

中元祀祖，源出宗教，漸及民間，據修行記載：「七月中元日，地官降下，定人間善惡。道士於是夜誦經，餓鬼囚徒，亦得解脫。」此乃道教之所爲，而佛教仿之，亦同日開盂蘭盆法會，以百種供物，供奉三寶，超度父母。各地相習成風，雖祀典各異，而「愼終追遠」一也。

談到秋嘗，在江南各處，不僅燒衣服，化冥錢爲已足，更有於七月十二日起，設三牲酒醴茶飯於家廟，由年長者率子弟出門跪迎已故之祖先，迎至家廟，依次排席。雖未見神，而禮儀之隆重，如在生者然。每日供奉三次，至十五日焚化衣服與冥錢後，即歡送於門外，復行跪拜禮。較清明掃墓之禮節，殆尤過之。

七月爲鬼月，中元日鬼節。在這一月內，到處是鬼，而民間一言一行，無非鬼話鬼事，明知渺茫無稽，而必奉行惟謹者，蓋有「祭之以禮」的深長意義在焉。

憶述浙東鬥牛

・仁哲・

從前，浙東鬥牛叫做「操牛」。這種娛樂節目，是廟宇爲酬神而舉行的。鬥牛都是選身材高大的黃牛，飼主對善鬥的牛出力大，愛護備至，飼料用最佳的食物。到相鬥的前幾天，常灌以有營養的肉汁，人參湯或用酒，讓牠養精蓄銳。

操牛未出發前，主人要替牠化粧，牛角縛插雉鷄尾毛，身披甲，如同馬鞍一樣。上面再插幾面小旗，就好像平劇的大將全身披甲一樣頭額上裝一玻璃框，用些古代名將的姓名如關雲長、張飛、趙雲等，以表示此牛是能征慣戰的猛將。

當一隻操牛來到廟前時，都有數人拉牽，牛昂首濶步，滿身像穿繡袍佩玉帶，脖子掛一串小銅鈴，噴氣勃勃，威風凜凜。當牠看到別隻操牛，便仰首鳴，叫出「牟牟」的聲音，如同人吹着戰鬥的角號。鬥牛場地，是用一坵很大而犂平的水田，田的二端，用細竹編結成一個牛角洞門的紙樓，上面高懸一塊紅布，號稱龍門。牛準備上場相鬥時，飼主要用强烈的酒，盛在竹筒裏灌進牛嘴；牛喝了酒，不久即咆哮眼紅，牛蹄不斷敲着地面，大有躍躍欲鬥之概。此時先把全身披甲卸除，幾人拉牽護衛，導牛下水田。

在觀衆熱烈鼓掌中，雙方都將牛牽着，先來繞場一週；二隻牛由幾個人慢慢拉近，把繩從牛鼻抽出。此時牠們已擺好陣勢，但又相約倒退幾步，然後兩牛以雷霆萬鈞之勢，向前猛衝，只聽得「轟通」一聲，牛角對牛角，硬碰硬的。當時雖然二牛拚命用頭角觸碰，但並未能把敵方擊潰，牛腳像支撐的支幹，踏在水田，又互相前衝的盤旋着。田內水花四濺，一進一退，簡直像拉鋸一樣的膠着。有時又倒退一二十公尺，低俯着牛頭，怒目盯着敵方，猛撲攫擊。四周觀賞的人，在旁吶喊助威，緊張而激烈。

開始操牛前評判員是預先按牛的大小體力相等配好，一對一的排好順序。善戰的牛，都有一鼓作氣的鬥志，來擊敗對方。當敗者在步步倒退之時，到弱者無力抵擋之時，旁邊專等評判結果的人，即上前把牛拉開，讓勝者牽牛上岸。此時牠神采飛揚，牛眼亮晶晶的發光，搖頭擺尾，得意洋洋的叫着「牟牟」：，似乎像高奏凱歌。道時便有很多喜歡飼養操牛的而來，在得勝者面前，評頭論足，向飼主問這問那，因此時牛的身價已高百倍了。鬥贏的牛，飼主牽到溪澗洗淨泥濘揩乾，然後拉到神前供奉的金花（紙做的），將神獻給優勝者的牛，由飼主代表接受，把它縛在牛的角上。然後再把卸下的全身披掛，重新安放在牛的身上。一切打扮妥當，飼主同跟隨的幾個人就拉牽着牛喜氣洋洋嘻嘻哈哈的回家去了。

醒時情緒問題

—科學家有研究—

○晋凌譯○

根據芝加哥心理學家米爾頓麥哥里博士補充意見，他特別在婚姻指導方面感到興趣。他說：「到來我的醫務所裏，七對夫婦中，有五對是在醒來期間感到特別的緊張，所以才請教治療的辦法。差不多，他們沒有例外地很緊張的趕到浴室去。」

美國政府進行研究美國業務中發生「善忘」者的成因。發現大多數人們，要請假來應付由緊張和壓力所產生的不適感覺。

另一項進一步的精密研究，發現在五百宗試驗事件中，有一百一十宗，是由於凌晨的不適而引起的，像在夫婦和兒女間發生衝突的情勢；八十二宗是發生於夫或妻登床時有着不和的氣氛，而醒來時仍然沒有和解。

而另二百卅一宗，則顯露他們於早上起床時，情緒不佳，因而到寫字樓後，工作效率受到影響。（三）

自由報
THE FREE NEWS
第四八六期

中華民國僑務委員會頒發 台教新字第三二三號登記證
中華郵政台字第一二八二號執照 登記爲第一類新聞紙類
（半週刊每星期三、六出版）
每份港幣壹角 台灣零售價新台幣貳元
社長：雷嘯岑
督印人：黃行審
社址：香港銅鑼灣高士威道二十號四樓
20, CAUSEWAY RD 3RD FL. HONG KONG
TEL. 771726　電報掛號：7191
承印者：大同印務公司
地址：香港北角和富道九六號
台灣分社
台北市西寧南路壹零零號二樓
電話：三〇三四六
台郵撥儲金戶九二五二

從美俄太空條約之締結談起

彭樹楷

今年七月，美俄兩國在日內瓦，締結一項以自由及和平的探測月球及其他星球爲內容之條約。

較早的新聞電訊，說詹森建議美俄及其他太空强國共同訂立條約，禁止在月球上作軍事活動，並否認任何人或任何國家對月球有宗主權。這項條約將與目前南極禁止軍事活動的十二國條約相類似。詹森總統說，這個訂約的建議將於聯合國廿八國太空委員會首先由美大使高德柏提出討論。他說，在這以後，則將由與太空探測有關國家來舉行正式的談判。

這些太空强國擬議中的太空條約，當以七月十二日在日內瓦召開的美俄太空條約之締結爲始；也可能以美俄太空條約爲藍圖，或則如同美、英、俄三國核子禁試協定，僅由各太空强國予以簽字即行生效。筆者尚未閱到該太空條約全文，但由電訊報導，則可察其主旨在於「禁止任何國家將月球用作軍事基地及據爲己有」，並可能包括禁止使月球受到有害的沾污及各國太空人在月球上應互相協助等在內。

當國際太空法及太空主權兩大問題仍在議論商榷之際，這種將月球獻出作爲地球客的自由、和平用途之條約，仍值得欣賀。

可是，鑒於條約本身的拘束能力之執行問題困難萬分，所以太空主權及太空法乃迫切需要。否則，誰負責管制太空工具？依據什麼？管制權是否應交由太空船通過的各國分別行使？假如不是的話，是否應由發射太空船的國家行使？假如也不是的話，是否應由一種國際太空機構行使？太空的高度是否應加以劃分？如何劃分？俾供國際民航協會使用；超越此一高度之外，應爲各國所共有。

聯合國憲章第五十一條明文規定對飛機要加以管制，但此規定並不適用於太空船、人造衛星、以及航空太空火箭、太空飛機。火箭是一種太空工具，它無需依靠太空氣動力即可運行；衛星是一種軌道上的星體，它可根據星體運行法則，無需依靠內部或外部的力量即可運動。於是，國際民航法規亦應加以修訂，俾將太空船、人造衛星、太空火箭列入所管轄的範圍之外——凡是航行於軌道上或超越軌道以外的一切太空船，姑不論其高度爲何，均不應由各國加以管制。這是一九五九年三月十二日，美國律師協會舉辦的太空法律座談會的議題。他們認爲不應以高度做爲決定管制權的因素，而應以軌道行之，蓋因軌道可以說明太空器在某一段時間內的實際情況；太空器可以說明軌道上的離心速度及星球之間的進入軌道，不論其離開地球之距離如何。

如果太空器太空管制權未能確定，則單憑文字上的一紙條約，既無太空法作爲依據，亦無拘束能力的條約予以鑑別及管理，更無一國際太空機構專責其事，則該條約的價值便值得懷疑。沒有法律爲基礎的條約，條約本身便是脆弱的。

美國律師協會一致認爲應由聯合國成立一太空機構，制定國際太空法，利用一種代號確立衛星軌道，及建立有關器材、裝備、訓練資格與效率、識別信號，以及載波週率等各項作業標準。該太空機構應負責對太空船加以審核，對太空船在太空的活動加以監督，並對未經審核過的太空船加以偵測、區分、與處理。

在優異的科學技術迅速進展之中，科學用途與軍事用途越來越不易區分。例如偵察衛星可用於國防軍事偵察，亦可用於火災、海難等用途。不過，太空活動規定與軍備限制這兩個問題，雖彼此關連，但若將之視爲一體，則將貽害無窮——國際性的軍備限制需要經過很長的時間，透過外交磋商途徑始可達成；而太空和平用途，則可在此太空發展的起步階段便可藉國際太空法予以約束。

筆者曾於本年三月初就「領海領空與太空主權問題」爲文在本報談太空主權未能協議的原因，這些原因如不消除，國際太空法便不易協定。今年八月一日出版的「法律評論」月刊，筆者又以「太空之國際管制」爲題，再次强調太空主權及太空法之迫切性與重要性。可是，在可望的將來，這兩大問題都不可能達成協議。

太空主權及太空法未達成協議前，國際管制太空便無法展開工作，而美俄兩國日內瓦太空條約的單邊協定，對其他國家也無拘束力，且該兩締約國也難認眞執行。

越來越多的太空器已使太空染着濃厚戰爭性的軍事氣息，但是我們尚有方法予以阻遏；越來越多的文明星球上智慧動物（如飛碟）之發現，則是地球共同災難的重大關鍵——如何避免觸怒他們及意外地得罪他們呢？這又有賴國際太空法的及早議訂了。

大言不慚

悔不當初

今日與明日

毛共四面楚歌

毛共一年多以來，在世界各地連續「失手」，其孤立情形眞已到了「老鼠過街，人人喊打」的境地。八月十二日它在八屆十一中全會後所發表的「會議公報」中，也不得不承認目前是一個「大分裂，大改組」的局面。然而不知顢頇的毛共從那一個角度看，却認爲「形勢大好」！也許就在這樣對它「有利」的局勢下，越發表現出一副「强硬」的態度，大有「美帝」和「蘇修」終有一天都必敗在它的手下之概。

自從毛林二酋異想天開出動紅色爛仔（小流氓）所謂「紅衛兵」上街「造反」後，一方面在內部密鑼緊鼓地整肅黨內異己小集團；一方面更加緊「反帝」和「反修」。北平「紅衛兵」騷擾蘇俄及東德駐平外交人員，復將通往蘇俄大使館的一條街道改爲「反修路」。蘇俄共黨中央委員會於八月卅一日發表一項空前凌厲的聲明，在聲明中公開指稱毛酋是異端，其所採取的措施爲「特殊的方針」。其後六七天來，共黨集團東德、捷克、保加利亞、匈牙利、南斯拉夫和法共、意共等，亦分別以憎惡的口吻和嘲笑的態度，攻擊毛共的「紅衛兵」運動，簡直是過於離譜的胡鬧。日本親毛共的社會黨和左傾團體如「亞非問題研究會」等組織，在毛共「紅衛兵」鬧得天翻地覆情況下，亦由絕對支持毛共，而開始「懷疑」。總之，毛共在國際間「一必由孤立走向更孤立。

毛共瘋了嗎？相信它是瘋了。不過，它在瘋狂中爲了扭轉「國」內及國際對它絕對不利的局面，可能挑起一個出人預料以外的戰爭。

有介入越戰的徵兆

毛共中央黨政軍大權，很顯然已操縱於林彪這個獨夫的手中。林彪掌權必比以前還「强硬」，這是國際觀察家所共同承認的事實。特別是八月卅一日毛、林諸酋再一次在北平「檢閱」紅小鬼後，此種趨勢比前益爲濃厚。林彪和周恩來在向「紅衛兵」所作的演說中，均强調「紅衛兵是解放軍的後備軍」。九月三日北越成立政權二十一周年，毛酋在打給北越政權的賀電中，再一次保證毛共準備與北越採取聯合行動對付「美帝」，「直至獲得最後勝利爲止。」並謂：「美帝國主義者，妄想憑擴大侵畧與騙人的和談，以免於失敗；但英勇的越南人民將不會被嚇倒或被騙的，美侵畧者決不能免於必然失敗的命運」。顯然毛共在目前仍能控制北越，並已準備插手越戰。毛共當局並已對「紅衛兵」下令：「支持越南對美帝國主義的戰鬥。」

同日——九月三日，爲林彪「人民戰爭勝利萬歲」一文發表一周年。毛共「人民日報」發表「紀念」論文，在論文中一再强調準備與「美帝」戰爭，並認爲一定可以取得「勝利」。

林彪已出任「紅衛兵」的總司令」，同時，在北平仍有三十萬左右的「紅衛兵」在集中訓練。進一步是否把「紅衛兵」改編爲「抗美援越志願軍」？看來大有可能。因爲，毛共於面臨崩潰之前，它必作一次冒險。（何如）

自由談

中國人的大浩刧

毛共在中國大陸上陷於衆叛親離的境遇中——黨內黨外的知識份子和一般成年人，都抱有「反毛澤東思想」的强烈意志——無以自拔，竟利用童年的中學生作工具，錫以「紅衛兵」頭銜，教唆他們丟却書本到處胡行妄爲，弄得閭里騷驛，民不聊生，而美其名曰「文化大革命」，這眞是羣魔亂舞的邪門兒，亘古所未有的人類浩刧也！

「紅衛兵」指斥商場的雜貨店不賣「毛主席著作」，就是「反社會主義」，即在搗毁拿問之列。世人譏其爲胡鬧，我却認爲很幽默，把「毛主席著作」看成破銅爛鐵以及其他的荒貨一樣，要在雜貨攤子上賤價求售，這不是一大諷刺嗎？此外還有許多無法無天，悖情害理，令人匪夷所思的行爲，不勝枚舉，總而言之：幼稚瘋狂，豈有此理！

毛共掀起所謂「文化大革命」運動的作用，除却毁棄社會上舊有的一切文物和生活習慣而外，要把成年人全部消滅掉，只剩下一般紅色小鬼，奉戴毛賊東爲齊天大聖，家家戶戶懸出他的相片，人人抱着一部「毛主席全集」，便是正統的馬列主義社會建設了，這是對內的。對外呢？既要反資本帝國主義，又要反俄共修正主義。不惜與全球人類爲敵。似此瞎鬧亂來，他們究竟何所恃而無恐呢？

他們所恃者，就是內部一般民衆手無寸鐵，懾伏暴力之下，莫可奈何。外部國際間的俄帝不會跟他們實行火拼，美帝英帝基於「黃禍」思想，對於地大物博而人多的中國，希望永遠在動亂之中，沒法統一建設，趨於强盛，因而始終保持着重歐輕亞政策，而藉口於避免原子戰爭，不特不願爲着拯救自由人類的浩刦，跟毛共衝突，且以實力制止台灣的中華民國政府對大陸弔民伐罪，敉平內亂。所以，無論毛共在大陸上怎樣胡搞——殺人放火，打家刧舍——鬧得天翻地覆，也不會招致外來的干涉反對，肆行無忌，滿不在乎。

毛共這樣的「革命」方法，若說可以成功，那就無異於說太陽可以從西邊出來。人性與文化思想的潛力是偉大的，我們相信中國人終能憑着自己的力量，消除惡魔，還我河山，大家堅定信心，各盡所能，努力自救，衝向前去罷！

馬五先生

瑞士考慮派軍一萬名參加聯合國和平軍團

聯合聞訊大為興奮認為意義重大

最近聯合國為了瑞士政府表示願意加入國際和平軍的集團，殊感異外，也大為興奮。

新任駐聯合國瑞士首席代表凱拉爾在日內瓦聲稱，瑞士政府正在考慮一項派遣軍隊參加國際和平軍工作的建議。

瑞士的國際知名的法律家馬克哈比斯亦說，瑞士可以供應軍隊一萬人，作為聯合國支配於和平工作之用。

過去瑞士雖然肩任國際中間人的職務，代理無外交關係之國家間一切事宜，但它自身並非聯合國的會員國。所以它此次表示有意遣軍為聯合國服務，是很可驚異的一回事。

凱拉爾說：「瑞士素以中立為其外交政策。我認為即使瑞士派兵加入國際和平軍工作的計劃一旦實現了，亦不會影響其永遠中立的立場。」

「伯爾尼方面時常感覺到此舉在原則上不免有矛盾之處，因為聯合國憲章第七條所定的會員國的義務乃在於以軍事行動對付一切和平破壞者及侵略者。就是為了此法律上的問題，所以瑞士從不加入聯合國，而現今當然亦不想加入。」

「但從另一方面言之，瑞士的政策和聯合國的政策是相同的，彼此都是維護世界的和平與安全。以此之故，瑞士軍隊參加聯合國的和平軍活動是無可反對的。」

目前瑞士有足夠的軍隊可以請纓參加聯合國軍團，為和平而努力。此項軍隊即使完全以志願兵的姿態加入聯合國軍團，瑞士政府亦無異議。

瑞士軍隊的編練，乃依據國際公法，惟有身體完全強健的人始得入伍。公民於二十歲時即被徵召入伍，受訓四個月。往後每年須受強制訓練三星期，直至三十二歲為止。三十二歲後，每三年再受訓練一次，直至四十歲時為止。

雖然瑞士的人口不及五百萬，（不包括一百萬外國人），它在第二次世界大戰時仍可照此國際人民兵役法而動員五十萬大軍。

還有一層，瑞士軍方有一個統一的方法，能夠迅速召集各色的兵員，應付緊急的事故。瑞士在政治上和社會上，有其特殊的堅強結構，每一個兵士於服役期滿時即被遣回家，他不但可以隨帶他的服裝，且可攜返他的槍枝，以及四十八發子彈，以及其他武器與配備。

所以全國各部隊可於最短的期間中實行召集，不須到軍營報到，馬上便可趕赴指定的地點集合。

將來參加聯合國的和平軍，瑞士無須變更其軍隊的組織，只要挑調了一支新的編遣隊，即可成行。

現今此事正由小組委員會加以研究，尋求法律上與技術上的圓滿結論。該小組委員會包含有政治部，陸軍部和司法警察聯合部的官員。

此外，司法警察聯合部的外交委員會對於法則方面特別注意。他們要決定：在何種條件下瑞士的軍人方可請纓作志願軍，參加聯合國保護和平的工作；何時可以參加；經濟的供應問題；確定立場，使瑞士的兵士在服役聯國時能夠明瞭其應做的事情；製定法則，使瑞士的兵士有所遵循。

凱拉爾表示這些問題均可迎刃而解，一點麻煩也沒有。瑞士青年參加請纓參軍的反應極其興奮，足以顯示他們對於維護世界和平的熱忱。

在凱拉爾公開發表此言論之前，瑞士有許多社團對此事也曾作一番研討。他們研究的結果，大多數是認為「事屬可行」的。

實則軍隊服務於外國，此事與瑞士的傳統並無抵觸。從歷史上言之，當年教皇即曾受由天主教徒中徵募的瑞士雇傭兵的保護。

一七八九年法國革命之前，法國的皇帝們相沿成習，僱用了瑞士兵為御林軍。當巴黎皇宮受到暴民襲擊時，瑞士兵捨命護衛法皇路易十六，死難者不計其數。

瑞士的雇傭兵曾在歐洲各地作戰，為許多的王子們效命。瑞士的號兵曾為歐洲各國的帝王執鉞，遠至波蘭國內都有他們的蹤跡。

現今聯合國方面對於瑞士參加和平軍的建議，尚無正式的反應。但瑞士對於此舉若有具體辦法時，聯合國方面必定表示歡迎。

聯合國方面計有十五個會員國同意提供軍隊充作和平工作，但實際上只有幾個國家會盡其職責。特別是歐洲方面，惟有瑞典，丹麥和愛爾蘭三國出兵參加國際和平軍而已。

舉一個例子，要在塞浦路斯地方維持足夠的聯國軍隊，此事就有相當的困難。為了政治上的關係，派往塞浦路斯的和平軍的選擇問題大有限制，所以此項任務只落在幾個國家軍隊的身上。

假使能夠增添了一批世界公認「中立」的瑞士生力軍，特別是此項軍力達到一萬人，那麼對於維護世界和平的工作當有重大的貢獻了。

雙方均正積極增兵　越南較大戰役正醞釀中

美國估計將在聖誕節前後爆發

・紐約通訊・

不管該兩項研究報告書將引起怎樣的發展，可是就目前的跡象來說，越戰的雙方顯然正進行「升級」的活動。最低限度直至目前為止，沒有一方面似乎已經能夠改變均勢。最近獲致的情報消息估計：一九六五年年底，南越境內的共黨部隊總數是二十三萬人。然而到了現在，已經增至二十八萬二千人。這些情報同時顯示：在一百七十七個敵人的戰鬥營部隊裏面，北越陸軍佔了八十一營（即百分之四十六）。

由於雙方繼續集結軍隊的緣故，因此，令越戰有增無已地「國際化」。雖然直至目前為止，負担最大部份作戰責任的是南越政府部隊及南越的共黨游擊隊，可是這種現象可能不會長久地持續下去。南越政府的正規陸軍總數只有二十七萬五千人，但盟邦駐越的軍隊總數已經超過這個數字。另外

雙方集結大軍的另一項後果，會令這場越戰流血更多及更緊張。據一位消息靈通的美國人士稱：「我們現時處在一種進行持續性戰鬥活動的地位上。由於越來越多的美軍抵達南越境內的緣故，因此能夠隨時遣調數目較大的美軍到戰場去進行搜索與殲滅敵人的活動。」敵人方面顯然亦願意進行較為激烈的戰鬥。最近，共黨北越第三二四B師的整師部隊越過第十七度緯綫而滲透到南越極北的廣治省境內。一位美軍人士稱：這一師北越部隊「第一次地由該師的軍官指揮作戰。而且事前曾受特別的訓練。」據稱：這支北越正規軍甚至利用去年在「德朗河谷」戰役中所受到的教訓而在廣治省內用新的戰略去對付機動化的美軍。

從上述種種事實來看，一般觀察家認為雙方有增無已集結大軍的結果，將令越南戰事在今後數個月的時間中更趨激烈。若干美軍事人士強調：美國必須停止「點滴」式的增軍計劃，而應該大規模地及迅速地增加在越南的兵力，從而爭取一項真正的及永久的攻勢。（完）

苗栗各界建碑紀念義人鄭漢

（本報苗栗航訊）苗栗縣各界為紀念小義人鄭漢，去年九月二日在中港溪急流中，拯人於溺，而自身遭滅頂的見義勇為，捨己救人的精神，特在苗栗縣造橋鄉談文車站西南方，崩嵌山頂，籌建十八公尺高蠟燭人像型紀念碑一座，永誌其義舉，而垂不朽。經於八月廿日舉行破土典禮。

破土典禮由救國團苗栗縣團委會主任委員吳德楣先生主持，苗縣各界首長前往觀禮者多人。典禮中，吳主任委員並報告鄭漢義舉及籌建紀念碑之經過。苗縣長林為恭亦致詞說：鄭漢小小年紀不幸犧牲，但其義名永留人間，而給我們苗栗縣帶來永恆光榮的一頁。典禮儀式非常隆重，禮成後並訪問小義人鄭漢之家。

行善之人不但人恆敬之，而且美名留芳萬世，千秋景仰。諺云：「人過留名，雁過留聲」，人生終不免一死，但死有輕於鴻毛，有重於泰山。像小義人鄭漢，其勇義之行，雖死仍活。

苗縣各界對建碑紀念義人的舉，深為擁護，多能盡力捐輸，尤其該鄉鄉民林官老先生等，自動捐贈紀念碑用地百坪之多，更屬難能可貴，值得表彰。（艾龍飛八月廿二日寄）

析論立監兩院的五大案（六）

・本報記者劍聲・

立法委員抨擊財政部長陳慶瑜的報告，都是表面文章。他們的結論是：大秦先把國庫的錢吃了，台銀不得已吃下大秦，而復興公司又把台銀吃掉，而且是以小吃大。

官方報告　表面文章

台銀拍賣大秦，既未依強制執行法公開拍賣於前，又與復興公司預訂轉讓契約於後，台銀與復興公司合作經營，且未獲行政院允准，却竟說行政院同意。台銀標得大秦設定抵押財產後，則大秦的財產即為台銀所有，也就成為公產。而公產在立即在現場將財產轉讓給復興公司，這便是非法轉讓，除該行主管人員應負賠償責任並受行政處分外，須負刑事責任。

立法委員鄧翔宇是大秦公司的債權人，因此，他對大秦案中官商勾結的情形知道很清楚。但他在行使質詢權時，並未把官商勾結的詳情與具體的事實公諸社會。

立法院對大秦案在政策上的檢討，大致分為：

據台銀報告，大秦對台銀最後欠款本息共為二億六千一百三十五萬餘元，法院拍賣大秦抵押品，價值為九千一百零九萬元，其餘一億六千五百餘萬元的欠款，為何無抵押品？是不是重復抵押？是不是私人信用借款？是否列入呆賬？此項巨額損失，應由何人負責？台銀報告沒有交代。

法院拍賣大秦資產，既由台銀標得，即變為公產；如再轉讓，應照公產處理程序，依法標售。何以不經標售，逕行轉讓當時尚未取得登記之復興公司？顯係預先佈置之私人組合。此種私相授受，有無通舞弊嫌疑？應予查究。同時，復興公司若干民股董事，在去年底還是公務員。

大秦資產　非法轉讓

台銀向法院標購大秦資產，照原價轉讓復興，目的在收回欠債；何以分文未得，反投資復興一千六百萬元，其餘八千一百餘萬元，又分十年償還，並且立即貸予週轉金四千四百萬元？假使在十年之內，復興經營失敗，是否全部成為呆賬？過去台銀對大秦純係債權人地位，現對復興投資一千六百萬元，除長期債權外，又加上股東地位，債權變成股本，多一盜竊責任，是否又蹈唐榮覆轍？

大秦存貨，以七折優待，轉讓給復興公司，分三年清償。一般慣例，脫貨求錢，減價求現，既打七折，又分期付款，特別優待，致遭物議，若無弊情，其誰信之？台銀如此對復興特別優待，目的在收回欠債，事實上，兩億多萬的債款，等於減為八千餘萬的債務，仍要十年償還。此外，台銀所得的是一千六百萬元的股權，如果以此優厚條件，對待大秦，恐怕所得遠不止此。此一惡例，其患無窮。中紡轉移民營，員工請願要求援大秦例承購。此例影響整個國營事業的經營。

五十三年十月五日，台銀前任總經理周友端，在立法院財政委員會報告大秦貸款經過時，說大秦經營有毛利可圖，因此而不斷增加放款，達新台幣二億四千四百四十二萬七千元，佔該公司登記資本額六千七百五十萬元之百分之三六二．一一。當時，立法院認為此項貸款，終將成為呆帳。今果不幸而言中。

銀行呆賬　數字驚人

各行庫局呆賬問題，是個老問題，而這個問題却越來越嚴重。呆賬案之發生，都是由於政策性的救濟性的或徇私性的貸款而來。誠如立委質詢所說：「一切呆賬極大多數為號稱政治性貸款而來。」

據財政部長說，截至五十四年底，各行局呆滯欠款共為新台幣一十四億五千五百一十七萬五千元。

據監察院第二次呆賬調查報告，至五十四年底，各行局逾期放款及催收款，即呆滯欠款，共達十九億餘元。據立法院五十三年十月十六日，第三十四會期第九次會議質詢案指出：「如今一部份監察委員借住台銀房屋，行同私產，故部份委員吃人家的嘴短，用人家的手短，監察機關僅派員查核台銀帳冊，因此浪費人力物力及時間之舉耳。乃台銀呆賬自四十二年起，至五十二年止，已超過四十七億元，台銀為避免洩漏實際數字，多已改為催收款項。……簡言之，台銀將呆賬改為催收款項，而將催收款項改為新借款，令查帳人員無法斷定何筆為呆款」也。（劉兆勳質詢）

由此觀之，監察院對各行庫呆賬案迄今，為何未提彈劾呢？尤其東亞貸款案，依照監察院彈劾書的選輯與說法，何以獨厚於台銀負責人而未列入彈劾案？總不至於如質詢案所指：「吃人家的嘴短，用人家的手短」吧？

況今之世界，工業技術的進步和工業設備的改良，日新月異，所謂今之新設備，三、五年後成為廢鐵，因此，工業設備的機器抵押貸款，成為呆賬，故抵押貸款政策，並無保障，應予檢討改進。

瀛海異聞談

三十四年後的世界預測

·秦雅·

二〇〇〇年度的世界將是怎樣的一種情形呢？那將是一個可想像的世界！

時間過得不太慢，只要再過三十餘年，便是二〇〇〇年度了。年輕的人都可以身歷其境的。

美國波士頓大學教授亞信莫夫曾以多年的時間從事研究，他對於將來的世界所作驚人的預測，幾乎使人難以置信。

他是科學家兼作家，著作等身，已出版的書凡六十六種，最近刋行的一本書名爲「人類對於科學研究的指南」。該書計共八六四頁，包含有衛生學和生物學方面的詳細測驗與參考資料。

亞信莫夫敎授對於未來世界的揣測，不是盲人摸象那般的臆說，而是經過科學的測驗和探討的。他認爲到了二〇〇〇年的時候，人類已經找到了太陽系的終點，而且已經移至地底去居住。那時候人類已能運用技術，製成了人造肢體和器官。但爲了世界人口極度膨脹，糧食異常短拙，人類已臨到了人吃人地步的邊緣。

他尚在繼續著書立說，準備再出好幾本書，其中包括有一本六萬言的「原子論」。他迫切的詢問朋友：「你以爲美國會有六千人喜歡讀我這本六萬字的書麼？若是沒有的話，那麼我的出版商就要虧本了。」

什麼叫做原力呢？依照亞信莫夫的解釋，原力就是原子世界裏一道閃光中的微粒。此閃光不含電子，不含任何物質，却含有某一分量的力，這就是原力。

此原力當然只代表了亞信莫夫的一種信念，一如他在他著書的主題的含義，這些書便是：「太陽的王國」、「生命的源泉」、「人類的腦」、「幾何三角的範圍」、「在原子裏面」、及「其他事物的時間與空間」等。因爲他是科學想像家，他曾經寫成了二十五本的想像的書。他對於時間的計算一事最感興趣，且亦最有研究，成爲「將來」的和「過去」的時間計算的專家。最早的一個故事是他於一九三八年寫成的，題爲「宇宙的螺絲鑽」，在這裏他把宇宙的時間安排成螺絲鑽的形式，其系統有條不紊。

他最近在紐約科學學院演講，曾說：「我從未失言，我覺得我所說的是對的。」人家對於他的學說也認爲有他的一套，不可抹殺，所以他被邀請從事於二〇〇〇年度的世界情形的揣測。

似亞信莫夫敎授對此頗有把握，瞭若指掌，有先見之明。他預料：「到了二〇〇〇年的時候，我們已經移民於月球，且已登陸火星。那時候將有許多無人的探測器不斷的向太陽系行進，探索。」

「我可以保證」，亞信莫夫又說：「那時候世界不會有核武器的戰爭發生，國會亦不反對花費億萬元的鉅款以從事太空探險。」

那時候醫藥的情形如何呢？亞信莫夫說：「普洛斯泰西新藥將成爲萬能藥品，藥到病除。人造的血管、心臟、腎臟以及所有的器官均已可以移植於人體上，成效卓著。」

那麼，人類的壽命有否增長呢？他笑了：「我想人類的壽命不可能比現在的更長，但他們在體力上可以年輕許多。當然的，世界到了二〇〇〇年時必定人口擠迫，可能引致了許多精神上的問題發生，「那時人們要住在地底的「摩天大廈」，以向下代替了向上。這樣做可以避免了惡劣氣候的侵襲，但多了一種意外的危險。人們住在地底，上落全賴電梯，一旦電流斷了，千千萬萬的人成了甕中之鱉，其危殆的情形可以想見。

「五十年前，人們即已感到生活的滿足，他們沒有冷氣機以調節氣溫，沒有各項機器以代操作，他們照樣可以過日子。但若使一座電化的城市斷了電，那就是不可想像的一回事了。」

關於衣服的問題，亞信莫夫敎授亦有奇異的揣測。他說：「到了二〇〇〇年時，人類的衣服是拋棄式的。那就是說對於一切衣服以拋棄代替了洗滌，衣服汚濁時一擲了之，不再洗滌。這樣可以省水又省力，且避免洗衣水流回江河去，有碍衛生。」

末了，就是最重要的糧食的問題。亞信莫夫敎授說：「現今世界各地常感糧荒，而到了二〇〇〇年時，此情形將更爲嚴重。各地糧食不敷自給，可能發明一種發酵粉，吃了些少，肚子就可服飽了。這倒是解決糧荒的一個好辦法。」

希特勒當年孤注一擲 慘烈的保芝戰役紀實

○錦編○

德軍因未能完成他們的心願及時佔領巴斯墩，同時他們號稱無敵的老虎坦克被美軍所擊毀，老羞成怒，就會將在聖章夫所俘的美軍約一百六十名解到馬爾美地全數用機關槍掃死，因恐有逃脫大難的人，事後更逐一檢看是否有生存者，發覺時再用手槍擊斃。祗有一個名叫夏利的美軍中尉倖得逃生，由他回述經過。在相隔六天後，有二百名美軍在拉基芝遇伏，他們全數被解除武裝，也同樣被機槍掃死。德國的殘忍增加了美軍的鬥志，他們要爲戰友報仇！

在一九四四年聖誕節，希特勒的反攻在許多戰綫上被迫停止。在北部，第六瀘薩軍不能有稍進；在中部不能攻入巴斯墩，第五瀘薩軍更不夠燃料來補給他們的坦克和裝甲車輛；在南部，巴頓打擊和深挫德國的第七軍，保芝戰綫就逐漸縮小了。

在聖誕節美國哈蒙少將的第二裝甲隊擊敗德國的第二瀘薩隊，德國遭遇極大的損失，保芝戰役進入最高潮。美國與德國的「坦克車大決戰」就是紀錄這一個戰役的。它的片名原文，是「保芝戰役」，是的確值得一看的影片，場面偉大，同時演出迫真。在一次的交戰中，美國第二裝甲隊曾將八十一輛德國坦克擊潰。

從一九四四年十二月二十六日到一九四五年正月三日，德軍繼續猛攻巴斯墩，但每次被守軍擊退，在巴斯墩附近的德軍死屍堆積如山。在正月三日，保芝之戰爭結束，德軍經過在歷史上最大的戰爭賭博失敗後退走。在那天，那個不認輸的希特勒還說那是減輕他們所處局勢緊張的戰爭，雖然未能達到他們的希望的勝利。

保芝戰役會動員二十九支美國軍隊與四支英國軍隊作戰，聯軍傷亡七萬五千人，德軍的損失更大，傷亡十萬人，八百輛坦克和一千三百架飛機被毁。但打擊最大的還是希特勒爲進行這次的大反攻，特別調返的軍隊和軍火與供應品等。乘這個弱點，蘇俄軍隊在正月十二日經過波蘭直到亞西亞，再到離柏林僅五十哩的地方。

軍事家對保芝戰役最確實的批評是：「希特勒對西綫的大冒險賭博，招引了在東綫的大悲劇，更加速那個最後與不能避免的德國被擊敗的時間」。（四，完）

出現越南戰場的新武器

○近文○

美國空軍使用的電子反擊措施及戰術已經令那些俄製飛彈變成無用的東西。然而，蘇俄製造的「米格廿一」型噴射戰鬥機却不可同日而語，美國參議院軍事委員會最近在一次聆聽中獲悉如下的事實：就理論方面言「米格廿一」型機的性能，較美空軍的「幽靈」式噴射戰鬥機畧爲優勝一籌。

就現階段來說，共黨北越境內只有少數這種蘇俄製造的「米格二十一」型噴射戰鬥機。不過就另外的一方面來說，假如克里姆林宮的集體統治者決定將這種類型的飛機大量供應北越，同時對北越的空軍駕駛員進行充分的訓練的話，那麼，北越的上空屆時將會天天發生激烈的空戰，一如十三年前的朝鮮的鴨綠江附近上空所發生的空戰一樣。（當時美國的「軍刀」式噴射戰鬥機經常與共黨的「米格十五」式噴射戰鬥機發生猛烈的空戰。）

如果蘇俄決定令越戰升級，同時將那項冷戰武器競賽變成一項熱戰武器競賽的話，那麼，蘇俄便會迅速地派出噴射轟炸機，同時使用最新式的武器去轟炸美國的第七艦隊，用進步的導向飛彈去擊落美國轟炸機，用潛艇去擊沉美國的運輸船隻，同時使用各種電子裝備去干擾美國的無綫電通訊及導航的設備。

美國方面對於如下的一項事實採取公開的態度——在作戰的情況下，美軍正試驗一連串的新裝備——從糧食包到軍用飛機在內。美國當局在過去五年的時間裏面，繼續不斷地實施那項研究及發展新武器及軍用裝備的計劃，同時利用這次越南戰事作爲試驗及改良這些武器與裝備的場所。

在美國空軍部隊內，最大的革命是直升飛機。在一九六一年十二月的時候，爲了改善軍隊的機動力起見而運往南越境內的直升飛機，爲數不足一百架。可是時至今日，在南越境內屆負作戰用途的美國直升飛機，却增至一千九百架以上。就另一方面來說，美國陸軍實地研究的結果，巳經創造第二次世界大戰結束以來的第一種最新型部隊——第一空中騎兵師。這支全部空中機動化的部隊，擁有的直升飛機不會少過四百二十八架。這些直升機具有特別性能——能夠將三營人數的軍隊，武器，其它供應品，及一個旅的總部運到任何一個地區去。美國國防部現時正着手組織第二個空中騎兵師。

一種新型的坦克車已經被投進越南的戰塲上。這種坦克車名叫「雪裏丹」，可以用飛機或直升機空運，同時有一門能夠發射導向飛彈及普通炮彈的大炮。而另外，有三副由人携帶的雷達，亦已在南越戰塲中進行試驗。這些雷達用以偵察共黨游擊隊或車輛的活動所在地及方向。現時美國國防部經定購一百二十五副這種手提雷達。今後可能定構的數量，會增至一千三百副以上。美國海軍飛機最近空襲北越的時候，負責指揮的是一種名叫「母鷄」的過輪推進飛機。這種飛機用雷達及電子計算機在導向飛彈射程外海岸區上空担當監視及偵察的角色。美國國防部現時建議研究一種直徑二千尺的衛星，用以射入環繞地球的軌道中，作爲一個人造月亮，將陽光反對在大部份地球上面，特別是越南地區。從而便利晚上的空襲及作戰的行動。美國空軍在晚上出擊時，使用一種名叫「噴烟」的飛機。這種飛機的機關槍，能在一分鐘內發射一千發。總而言之：美國境內各軍事研究中心所發展的新裝置正被運往越南進行試驗，希望能夠用工藝去擊敗越共游擊隊。（下）

名畫失竊的傳奇性故事

○文賀譯○

聯合國文教科學組織在去年夏季出版了一種季刊，名叫「博物館」，內容提示怎樣預防在美術館內的名貴藝術品，特別是繪畫被竊。最近國際警察組織曾查考那種刊物所舉出的各種防盜辦法，認爲仍未能達到十分安全，應作更進一步的研究。

雖然沒有人能夠確定說出那一件是在世界上的博物館內的第一宗竊案，但是在九十年前，即在一八七六年春季，在倫敦的一間美術館內有一幅名畫被人偷去，事後竊匪勒索巨欵，且曾轟動一時。在一個暴風雨的晚上，一個著名歹徒阿當和孚弄破倫敦的雅固美術館的門進入，將英國著名畫家根士寶拉所繪的地溫郡公爵夫人肖像偷走。在幾日後，美術館的管理人接到和孚來信，向他勒索幾千英鎊，願將那幅油畫歸還。那間美術館認爲太苛，雖曾秘密跟那個不法之徒討價還錢，但不能滿足和孚的奢望，結果未能成事。那個歹徒就一直扣留那幅圖畫凡二十五年之久，直到一九零一年，和孚因貧病交迫，他乃寫信給雅固美術館，減底價錢，將那幅美人畫歸還，後卒成交。那間美術館付出多少錢呢，始終沒有揭露。和孚得逃法網，但在不久後就病逝。

世界最馳名的名畫失竊相信無過於在五十五年前，即在一九一一年那幅由義大利的超人達文西所繪的「夢娜麗莎」在巴黎盧孚爾博物館內被人偷去。竊匪佩路芝亞把它拿走有三個動機，第一個動機，他是一個摹繪師和製畫架匠，他常出入那間博物館，愛上了那個永遠作微笑、繪在一塊合桃木板上的美人。第二個動機，像達文西，他也是義大利人，他有愛國心，認爲那幅畫應送還給義國。第三個動機，佩路芝亞想將「夢娜麗莎」賣去而得到一大筆錢。就算在一九一一年，那幅圖也估計最少值一百萬美元。

在八月某一日，佩路芝亞在盧孚爾博物館開放的時間內扮成遊客進去，他躲在厠所內，到深夜時他走了出來，將掛在牆上的「夢娜麗莎」取下來，將畫架除去，用布包着那幅畫，從那個極少用到的後門樓梯竄走。他已預早將後門的鎖弄開。

佩路芝亞跟「夢娜麗莎」躲居在巴黎的一間簡陋的閣樓超過兩年，後因他需欵孔急，他就携帶那幅名畫到義大利羅倫斯城，向一著名美術品商人兜售那幅名畫，索價五十萬法郎。那個商人詐作跟他交易，暗中召到警察將佩路芝亞拘捕，蒙娜麗莎也就交還與盧孚爾博物館。佩路芝亞可說是夠運，那個審案的法案很仁慈，輕判他下獄幾年。

在一九六一年七月，倫敦國家美術館出價美金三十九萬二千元購買得一幅由西班牙著名畫家哥耶所繪的英國名將威靈頓公爵像，那幅畫的面積只有兩方呎，被掛在美術館的大堂入門處。一個月後，那幅人像竟被人偷去，美術館隨即收到許多勒索的函件，取價由那幅畫的買價陸續減到最少美金十四萬元，美術館後決定不取贖。

在一九六五年五月，倫敦每日鏡報編輯接到一張匿名的字條和一張在貝明咸火車站貯物處所發的領物證後，領到一個小包裹，拆開來看是一幅圖畫，沒有畫框，那就是失蹤已很久的威靈頓公爵像。在七月某一日，有一個頭髮灰白色，戴着眼鏡的貨車司機，走入在倫敦的蘇格蘭場投案，他說他是那個將威靈頓公爵像偷走的人，他恐怕有人會冒認去領懸賞金，所以他特到來自首。他說他盜哥耶那幅人像的動機，全完是爲想行善事。當警方問他怎樣將那幅畫偷去，他說那是極容易的事，美術館的前面搭着高架，進行修葺的工作，他就攀上去，從屋內的厠所半開的窗子進去，他看見在裏面沒有看守人、雷達或其他防盜的設備，他就很容易的將威靈頓公爵像拿走，照原來的地方離開，他直認他曾向博物館勒贖，他强調說，他想得的金錢不是爲着自巳，我的主要目的，就是想利用那些錢，設立一個慈善基金，代貧窮和老年的人繳付電視牌照費。他本人曾因無欵繳電視牌照費而被拘捕，又因無罰欵而被判下獄七十天。

國劇繽紛續錄

娑婆生（一〇六）

搜孤的不凡

當民國三十六年八月三十日，爲杜月笙先生六十壽，在上海中國大戲院義演慶祝，共演九晚，劇目之精采，爲抗戰勝利後所罕有。其中最著稱者，爲第五夜，由孟小冬趙培鑫裘盛戎魏蓮芳所演之搜孤救孤，在梨園成爲佳話。在其前者，尚有章遏雲葉盛蘭芙蓉草馬富祿的得意緣。此爲小冬最後一次的演唱，唱完之後出贈戲裝，告別氍毹，下嫁於杜氏。彌足留念。

培鑫陪乃師演出搜孤，唱做均佳，得到襯托之妙，受小冬的欣賞，始收爲弟子，加以指點，劇藝遂大有進步，到台以後，始有鶴立鷄羣之概。這是天賦良機，造成如此的趨勢，並非偶然。培鑫來台後，以業務甚忙，偶或走票，以失空斬在三軍托兒所演出，盛況空前。以後極少登台。相隔二年，又在中山堂演捉放宿店，在國光戲院演洪羊洞，皆余派名劇，享譽達到最高潮，一致贊美。不幸業務失敗，牽及縲絏，乃有去港之行，獲識譚硯華，相偕來台，組織劇社，迭有演出，幾有廿次。

余以既組劇社，必須有名劇推出，方能叫座。前曾開列戲目十餘齣，請其陸續上演，列有搜孤救孤不妨一試，准可滿堂。日前在三軍托兒所再度公演，第二夕爲搜孤救孤，此戲雖不很大，但極緊湊，亦極難唱，培鑫一唱，顯屬不凡，以精氣神三點均能貫澈，唱腔之醇，較他劇更卯上，當然以娘子及白虎堂兩段，更是神完氣足，精采已極，可以繼武於小冬。更望下次多演這類戲，把失空斬捉放洪羊洞暫擱置，以觀衆看得太多，而新的比較多采多姿，廣收稱譽也。

此戲的配搭甚好，張鴻福的公孫杵臼，袁玉鴻的屠岸賈，程復琴的程妻，皆特別卯上，使全劇極爲生動有色，成爲好戲，是近半年間所僅見的一齣有價值之戲，爲之一快。

惜無菊壇

台北的平劇，在各報之中，倡導最力要算華報。對於啓發與報道，實有不可磨滅的功績。故友王冰厂在世的時候，始另闢一版，築爲菊壇，一時喜愛劇評人，趨之若鶩，而冰厂對與劇團聯絡，手腕微妙，頗得水乳交融之概。其時梅花煦人鴻年克常雪公諸兄，經常執筆。菊壇誠如九月蟹肥，傲色獨挺。雖有部份人士，時常蠱惑，尚無特向，亦無風浪，確是燦爛時期。（未完）

一張舊照片

○鄭欲龍○

她偶然翻動一下箱篋，無意中看到一張舊照片，觀賞一回之後，就扭頭對在閱讀着報紙的丈夫說：「你還記得我們那次相偕到中山陵的日子是何年何月嗎？」

他聞言，便把注意力從報章上收回來，用在太太的問題上，同時也將視綫投向她。視綫，多少含有點近於呆呆地，象徵出盤據在腦子的問題尚未解決。於是她又開口：

「好像是一九四×年的秋天，你提議去看紅葉，我說可順道到中山陵逛逛，對嗎？」

「是的，」他頓然醒悟般地。「正確年份和月日却已忘記了。」

「可惜，當年沒有在照片上寫下歲月曆數——。」她有似自語地喃喃着，說着就把拿在手上的照片遞向他了。

他接過一看：照片，在眼簾中所出現的人物，是他和她；那時，都作學生的打扮，他穿的是全套中山裝，她是藍布長衫，由於初秋的天氣，就加上一件羊毛小外套。頭髮，是直的，而他的則剪得短短，那是勝利後的第二個年頭嘛，雖然民族翻身戰爭勝利的日子狂歡了每一個成員，但由於山河剛好從頭收拾，百廢待興，爲了配合建設的年頭樸儉的號召，縱然是大學生，男的也不穿西裝，女的亦不在服裝上下工夫，淳淳樸樸地，表現出戰時節約的運動遺下的精神，那現象是朝氣蓬勃的。

她把照片交了給他，就繼續她那整理舊物的工作，而他則對着照片在回憶，雖然也偶有交談，而心爲是嚮往於當年的事的，漸漸，她也陷在回憶中。於是歲月就倒流了。

他，十八歲，就遠遠地從鄉間來到那曾經是六朝金粉地的國都，進入最高學府之門求深造。由於賦性關係，也是家道寒微的影響，就勤勤懇懇的讀書；這結果，成績是超著的。到兩三年後，便爲一些同學所注意。剛巧，在一偶然的場合，他爲幾個女同學所注意并跟着，便爲她們所談論起來。盼盼說：「他人品好，學問好，排球也打得不錯；只是有一點不好，就是不肯結交女同學。」麗虹說：「他懷疑定有心理上的毛病。」蔓萍插嘴：「我們要設法把他俘虜過來。」「那就有待於我們的大學小姐了。」雪筠說着就望向秋春。秋春，是她們的校花，美麗溫柔，懂得怎樣顰和笑，有不少男同學在追求她，但都不能成功，倖運者只懂得她的客一應酬，就不再交往下去。這，是由於她的高傲性格所使然——她看不起那些只知在裙下稱臣的男子，覺得他們是缺乏了丈夫氣的。（上）

銀婚過後的感觸

淑媛

結婚多年，日子一久，不覺大有感觸。我亦有夫矣！似乎也有些兒理想，爲啥不寫它一筆，以資流芳百世呢？因有此作。

首先把我自己記下來，以備將來找不到我時，可作爲參考。這並不是笑話，而是二十幾年的經驗之談，過去那個不高不矮，不胖不瘦，有著白裏透紅的瓜子臉，明亮清澈的丹鳳眼，及終日嘻嘻哈哈，笑口常開，活潑健康的我，已不知躲到哪裏去了。不要說找不到，連回憶都有些模糊了。現在，雖然多吃了二十幾年的糧食，可是越吃越瘦，三角臉、凹眼眶、尖嘴巴，配起來倒也相稱。整天頭昏心跳，貧血到了家，手足冷顫，似乎心臟有些缺漏。不過也非毫無善狀比如胃口奇佳；終日飢腸轆轆。精神強旺，澈夜雖睡無眠。這都是進步的地方！讓我開始說正經的吧！

我們在去年夏天，歡度了銀婚佳期，感激維納斯的啓示，我得到了二十五年來第一件結婚紀念禮物——一張全家福的照相。上面除了我倆，還包括六個小淘氣，使我受寵若驚，大有不虛此生之感。

我的他，長得高高大大的，又黑又結實。他的內心和外表，倒也恰成正比，因此內外一致，是個道道地地的正常人。至於性情，更是出名的好人，對上司，朋友，同事，都謙恭有禮，忠恕兩全，除了欺欺化子（乞丐），打打孩子，氣氣妻子外，的確無懈可擊。而且見多識廣，萬事皆通；祇是後悔的機會多了些，未免美中不足。

人人都說我們是恩愛夫妻，我也這麼想。何以見得呢？有事實爲證。就拿夫妻吵架這件事來說吧！誰家夫婦不鬥嘴，不過我敢打賭，我倆是全世界夫婦吵架次數最少的一對。因爲過去十多年，他爲了職務的關係，一月回來二、三天，所以沒有工夫吵架；現在雖然時常吵鬧，可是爲時短暫，眞是小意思。將來呢？我進了棺材，也就沒有機會吵架了。憑此三點，你能說我們不是恩愛夫妻嗎？這是指消極方面而論，還有好的方面咧！比方吃東西吧，總是把自己不敢吃、不想吃的肥肉呀，滷湯呀，儘量叫我推銷，希望我長得白白胖胖。我有病，一定要我在床上靜養，實行最原始而天然的治病法，不藥而愈；既省錢，又免吃藥之苦，一舉二得。如此關心，能說不是愛的表現嗎？

至於對錢財的看法，也有獨到之處。他深知聚沙成丘之道，所以一分一厘，決不浪費。例如學校募捐、救濟貧病、打發化子，都是寧少毋多；不過他有時也很慷慨的，遇上朋友同遊，或竹林之戲，花錢決不後人。這就是我們聚了二十幾年的沙，至今尚未成丘之最大原因。對於家用，並不苛刻，總是要我買這買那，祇是算帳時，朝你瞪眼埋怨而已。對於娛樂方面，他也很注意的，所以家裏有電視機、收音機、電唱機、附帶英文講座唱片一盒，每月至少讓孩子看電影二、三次，限在假期內；幸而我不受限制，可以陪他隨時欣賞，不過我總是缺席，由於趣味不同，祇得棄權，還落個不識抬舉。打小牌，亦是其娛樂之一；雖然他的技術高明，牌經精通，輸的時候多，不過非戰之罪，乃天亡我也！他自尊心很重，所以每日西裝筆挺，皮鞋發亮，很像百萬富翁，就怕別人小看了他。太太應該到廚房去，如出外工作，怕坍了他的台，所以他是全家的財源，我們的主人、救星，具有無上的權威；滿足了自尊心，加強了優越感，這是多麼高貴的紳士呀！不特此也，還富有丈夫氣概，婦人女子之事，從不過問。道地的遠庖廚的君子，發號施令，倒是大有一手。他最喜歡我整天坐在家裏，做女工等着他下班。要出去，必先經過他批准，儘可能早些回來；否則就會不大如意了，這是不忍分離的象徵呀！

唐代傳奇作家李公佐

·夜闌·

在唐代的傳奇小說作家中，比較有名的，除了沈既濟，還有李公佐。

李公佐，字顓蒙，隴西人。曾經中過進士。生於代宗時，卒於宣宗大中二年，活了八十來歲，一生的官運非常不亨通。也許就因爲他的鬱鬱不得志，以及他時遭貶謫，深悉人世的炎涼，才使他寫出了那篇寓意深長的短篇小說，「南柯太守傳」。

這篇小說敘述一個叫做淳于棼的人，平常好俠嗜酒，曾在軍中做事。但因爲任性自肆，不爲長官所容，頗不得志。一天，他喝多了酒，醉倒在東廡下。恍惚中見有兩個紫衣使者，引他進入宅南一棵古槐樹的大洞中。入洞後，見其中也有山川、城郭、道路，然與人間大不相同。後來到了一所城池，上書大槐安國。見了國王，國王大喜，立刻招爲駙馬，從此恩寵備至。不久，委任他做南柯郡的太守。淳于棼做了二十年的南柯太守，風化廣被，很得國王的賞識，於是賜食品、賜爵位、顯赫一時。

公主爲他生了五男二女，男的都做了官，女也都嫁了有地位的望族，所以他不但官運亨通，家庭生活也非常的幸福美滿。後來另外有一個檀蘿國來進攻南柯郡，淳于棼用人不當，大敗而歸，公主也因病致死，淳于棼在傷心失意之餘，請求回到國都。回都以後，因爲功大位高，威福日盛，引起國王的疑懼，因此國王便留下他的兒女，派人把他送還故里。這時淳于棼悚然驚醒，原來竟是南柯一夢。然而夢中的情景，好像過了一生。後來他令僕人挖掘槐洞，發現原來是一個巨大的螞蟻穴，其中積土的形狀，與夢中所見的城郭台榭無異，這就是夢中的大槐安國了。所謂南柯郡，也不過槐樹南枝上的另一個螞蟻穴而已。淳于棼經歷了這一番榮華富貴之後，恍然感悟到人生的虛幻，從此遂戒絕酒色，遁入道門。

這個故事的寓意有二：第一是諷刺當時那般竊居高位驕橫一時的官吏，一生的鑽營奔波、勾心鬥角，也不過像一羣螞蟻的熙熙攘攘一般。正如這篇故事後的贊語所云：「貴極祿位，權傾國都，達人視此，蟻聚何殊。」第二是表現了作者「人世虛幻」的人生觀。這種人生觀，正是中國文化受了佛教影響以後的產物。在當時一般人，在事業受了挫折以後，便以消極的逃避來麻醉自己，上焉者出世高蹈，下焉者便採取一種袖手旁觀，隔岸觀火的態度。這種「人生觀」可以做爲一種思想上的境界，對啓發擴展人類思想的領域有莫大的裨益，但却並不是一種可資採取的正當人生態度。

李公佐除了「南柯太守傳」以外，尚作有「古嶽瀆經」，「謝小娥傳」，「廬江馮媼傳」。這三篇中，除了「謝小娥」是一篇俠義小說較有名外，其餘的都沒有什麼特色，實在說都比不上「南柯太守傳」的價值。

另外一點值得注意的，就是唐代的傳奇小說，對後世的戲曲影響很大。例如元馬致遠的「黃粱夢」，就是取材於沈濟的「枕中記」；明湯顯祖的「南柯記」，就是取材於李公佐的「南柯太守傳」。其他取材於唐人傳奇的小說，成了最通俗的民間故事，對我國人民的思想，生活，均發生了很大的影響。

醒時情緒問題

—科學家有研究—

○晉凌譯○

究竟怎樣避免凌晨所產生的不適，專家建議可遵照以下的各點。

（一）要爲家人擬定秩序，使他們每天早上要循着良好秩序習慣，梳洗和吃東西，及如厠，以免爲此而爭先恐後，及等得不耐煩，產生不良情緒。

（二）登床就寢時，不要思索未解決的事。當然夫婦吵架是不能免，但是在睡時，不要繼續「冷戰」，否則第二天醒來，情形會更爲惡化。

（三）在早上時不要討論無法解決的事。當早晨下床時，實不適於爲難題而傷腦筋，否則，事情非但不會好轉，反而更爲惡劣。

（四）當起身時，應該先讓別的人，自己不要爭先恐後的搶用厠所或浴室。這樣可避免引起緊張的情緒。

（五）每天撥出時間，作爲思索和應付解決疑難的事，最好的時間，是在晚餐後，因爲這時腹部和胃部飽滿，心靈鬆弛。

（六）如果在白天裏；發生意外的緊張，那末，回憶其發生原因，這樣，第二天便不要犯同樣的過失。早上起床時，在床上多留五分鐘，以克服當時沮喪的情緒及增加工作效率。

最後，在起床時即使沒有不適的感覺，也可以把眼睛連續閃動三十次，自然會有意想不到的幫助。（四，完）

自由報
THE FREE NEWS
第六八五期
內政部登記證內版台報字第〇三[illegible]號
中華民國僑務委員會頒發台教新字第三二三號登記證
中華郵政台字第一二八二號執照登記爲第一類新聞紙類
（半週刊每星期三、六出版）
每份港幣壹角
台灣零售價新台幣貳元
社長：雷嘯岑
督印人：黃行審
社址：香港銅鑼灣高士威道二十號四樓
20, CAUSEWAY RD 3RD FL., HONG KONG
TEL. 771726　電報掛號：7191
承印者：大同印務公司
地址：香港北角和富道九六號
台灣分社
台北市西寧南路壹壹零號二樓
電話：三〇三四六
台郵撥儲金戶九二五二

美德聯合發展太空

·彭樹楷·

本年七月二日，筆者曾在本報談到「歐洲聯合發展太空之展望」；本年三月出版的美國「空軍與太空」文摘，曾以美德共同探測太空爲題，談及美總統詹森邀請西德共同參加太空探測的情形，並分析由太空國際合作邁向世界和平坦途的可能，認爲美國主動邀請包括西德內的在六十九個國家參加太空科學的目的，業已建立了良好基礎使其趨向成功之途。

美國曾與八十四個國家訂立原子科學合作協議，其目的也是邁向世界和平；美國又推行所謂與中共作「文化交流」新政策，因而邀請中共科學家參加八月卅一日至九月七日、及九月九日至十日在舊金山舉行兩種「國際物理學會議」（本年八月十三日路透社電）是否意欲藉拉攏戰爭販子的科學家來影響「絕不行仁道」的毛幫加入「世界和平」之建設呢？

本文僅就美德聯合發展太空探討其前程與影響。

一九六五年十二月廿二日，華府發份重要新聞說：美總統詹森於數天前邀請西德參加太空探測。稍後，當西德官方訪問團在美國國宴上，詹森首先指出兩國政府已同意發射一西德製的衛星研究太空幅射綫。同時，詹森又提出兩國進一步合作探測木星及太陽的建議。

再後，當艾哈德總理訪美時，除討論西德希望負担北大西洋公約更大的核子任務外，便是得到美國贊同西德在未來太空聯合發展中担任主要角色（藉太空主角聲譽掩蓋其在北大西洋公約的核子配角聲譽）。

在英、法、西德、比利時、意大利、荷蘭、澳大利亞等七國組成的「歐洲太空」組織之外，加上今日美國與西德的單邊協定，將會產生何種國際外交影響呢？美國之參予歐洲太空組織，其意義是否如同美國之加入歐洲共同市場呢？是否意味美、歐兩大洲之邁向世界和平的初步聯合——藉科學合作達到政治合作呢？

以純科學技術來說，美德聯合探測太空，無疑地將迫使歐洲太空組織的加速推展其太空工業，進而擴展太空工業技術應用於和平及科學方面以福祉民生。詹森總統就是根據「科學能引導和平合作」的構思，才建議與西德合作，才批准中共科學家往美國出席國際會議。

美國與六十九個國家簽署太空合作協定後的成績，該說是可觀的，它出錢出力，在計劃發射的十四枚國際衛星已發射四枚，並由美供應衛星進行十六次發射實驗，另外又協助各國發射二百多次探空火箭，又支助五十多個國家研製火箭並各在其本國陸地發射，又與十七個國家協議在其領土內建立太空器追踪站及資料搜集站，又與蘇俄協定彼此交換太空探測資料及從事氣象衛星之合作。

美國並透過聯合國支助及擴大太空國際合作工作，包括與歐洲太空研究組織、歐洲發射器發展組織、各國科學院及共產國家之所謂民間科學團體建立關係，從事太空和平用途的探測、研究、開發等合作。另外，美國又透過聯合國大會，制定合法原則以管理在太空中之共同義務，及禁止各國獨佔太空與將太空用作軍事攻擊之戰爭基地。

由於西德在歐洲太空組織所担負的重要角色，加之西德欣然接受詹森建議，則如虎添翼地使西德在歐洲太空發展中居於舉足輕重地位，因而將使歐洲各國亦參予由美國間接、由西德直接領導的太空事業之發展，所以下述五大目標便可望促成美洲歐洲的大合作而加速實現矣！如果蘇俄不與美國合作，則蘇俄便將被摒棄於國際太空事務之外；但蘇俄早經料到美國這着棋力，故當美國提議美俄氣象衛星的合作建議時即欣然同意（本年七月並與美國簽訂「太空法」，筆者將另文分析）。這五大目標是：

（一）各國共同負担在赤道區設立發射基地，俾利用地球自轉關係，使發射「同步」及「停留軌道」衛星容易。

（二）發射國際性多目標導航衛星，俾助航海及航空之航行管制、轉播遇險訊號、及支助救護作業等。

（三）協同建立一個能夠從海上浮標系統、地面氣象台、以及固定的高空氣球收集氣象資料之衛星，俾對全球性天氣提供較佳之天氣守視。

（四）協調環繞地球天氣探空火箭之發射，以探測五十至一百哩以上的高層大氣。

（五）使全球性通信衛星得由美、歐兩洲之合作而推展至全球，俾利於全球文化交流。

美德太空合作，尚欲進一步由通信衛星廣播而淘汰地面之無綫電發射機——由新聞自由、視聽自由進而邁向政治自由和整個世界「大自由」的坦途！

死亡任務

A

手法不同

今日與明日

日本政經掮客紛訪北平幹什麼？

日本與毛共貿易的團體，値此毛共出動赤色小流氓上街「造反」，鬧得烏天黑地，雞犬不寧之際，爲與毛共商談來年度貿易，紛紛組織「代表團」前往北平。日本「商人」甘冒剪頭髮、斷鞋尖或搜身、毆打的危險進入中國大陸，充份表現出「島國民性」那種「要錢不要命」的「偉大精神」！

日本方面本來邀請毛共對日統戰頭子之一的廖承志於九月間前往東京談判貿易，但因劉寧一於七月末被日本法務當局拒絕入境，毛共爲表示「強硬」而改變初衷，堅持易地在北平談判。「日本國際貿易促進協會」組織一個十五人「經濟友好代表團」，「日中（毛）綜合貿易聯絡協議會」派一代表，和以前外相小坂善太郎爲首的一行八人「訪中（毛）自民黨議員團」，分別於上（八）月末前往北平「訪問」。前兩個所謂「貿易團體」派人前往北平與毛共談判貿易，似乎還「名正言順」；當然他們在談判貿易外還有不可告人的政治使命，這已不是什麼秘密。尤其値得「吃驚」的是八個自民黨國會議員，如謂他們是到北平談判貿易，那根本是騙人的鬼話，因爲他們與任何對毛共貿易團體都沒有關係，本身又不是商人，那麼除了負有政治暗盤交易的任務外，實無其他任何理由好解釋的了。這八個人，不但都是執政黨國會議員，其中還有四個「相」級人物，小坂善太郎爲前外相，古井新實、福田一、江崎眞澄則分別爲前厚生相、通產相及防衛廳長官。他們將在大陸「訪問」四周。據日本方面報導，他們是繼今年五月松村謙三（自民黨「元老」、前文部相）訪平後，又一次「朝拜」毛幫，任務主要在政治方面；據說是爲了向毛共闡明日本的「立場」，爭取毛共的「諒解」，以打破日毛間因拒劉寧一入境而弄成的「僵局」。

日本與毛共貿易額，近四年雖一再上升，仍在日本全年對外貿易總額中，一直在百分之二左右。即或「利潤」可觀，相信亦所獲無幾。但因與毛共通過貿易勾勾搭搭，在政治上的損失實無法估計！本來自日共宣佈「獨立自主」與毛共脫幅後，日與毛共貿易額已顯著減低。就日本立場言，這眞是一億人民之幸。遺憾的是自民黨內部一些親毛份子，却惟恐與毛共關係疏遠，所以，一方面大聲疾呼放棄「吉田書簡」對中華民國最高當局的承諾，一方面積極活動，千方百計，分批往「朝」北平。

値此毛共領導小集團分裂，整個大陸動盪不安，瀕臨崩潰的期間，日本短視政經掮客却惟恐毛共完蛋，誠使人有憎怒交迸之感。希望中華民國當局，以至全自由陣營，密切注意這些無恥政客的活動；更希望佐藤政府能放遠目光，勿在有意無意中替將要滅亡的毛共作政治上和經濟上的輸血。（何如）

自由談

不通之輩

馮子先生

在美國號稱爲「中國通」的高級知識份子費正清其人者，認定毛共政權對內對外的一切殘暴政策與行爲，都和中國的儒學思想并不違悖，處處替毛共作辯護，主張美國改變現行對華外交政策，要與毛共政權妥協締交。許多美國人士——尤其是知識份子，誤信這位「中國通」的見解頗有道理，而對白宮當局形成一種輿論的壓力。

現在毛共掀起「文化大革命」運動，即以反舊有的文物制度、風俗習慣、生活方式爲目的，且利用童男稚女爲「造反」工具，組織「紅衛兵」集團，實施「義和團」式的暴亂行動，到處打家刦舍，凌辱善良人民，連中國數千年來流行着的高尚游藝——象棋，也指爲封建主義產品，非剷除不可了。我不知費正清之流，對此作何感想，是否仍認爲與中國的儒學思想相脗合呢？

我素來不相信所謂「某國通」或「某國問題專家」這種瞎說，像美國的「中國問題專家」拉鐵摩爾，他祇是在內蒙和新疆一帶遊覽了一下，回到新大陸，寫些中國西北邊陲情況的報導文字發表在刊物上，便以「中國問題專家」自命，實際對整個中國的眞象莫名其妙，不知所云，費正淸亦是這類貨色，騙騙美國一般未曾到過東方的人士而已。過去咱們中國也有以「日本通」自命的妄人，對日本問題隨時發表意見，睥睨當代，旁若無人。當第二次大戰初期，這個自命爲「日本通」的角色，在重慶參加中日戰事座談會時，力排衆議，肯定地斷言日本一定北向進攻蘇俄，說是「如果日本不北攻蘇俄而南進與英美作戰，請殺我的頭！」迨珍珠港事變發生後，當時參預座談會的屈武，遇着那「日本通」笑問道：「怎末樣，你的頭殺不殺呢？」日本通祇好赧顏不作聲了。中日兩國緊隣，吾國留日學生比今日留美的人士更多，而咱們的所謂「日本通」也者，其見識不過爾爾，你能相信西半球的美國，眞有「中國問題專家」或「中國通」存在嗎？

因此，我們可以作這樣的結論：凡屬對國際問題自命爲某國通，搔首弄姿，自炫自夸的人士，八成兒是個不通之輩。憑着這種尺度以衡量美國的「中國通」和中國的「日本通」，包管錯不了啦！

自由報

台南開元區藏垢納污 有歹徒公然聚賭抽頭

被憲兵抓到送警結果乃平安無事

（本報台南記者朱武州航訊）八月三日本報六七四期「赤嵌樓下」報導台南市小東路一巷一帶聚賭吃飯之歹徒頗多，影响社會安寧至巨，且曾鬧出不少事故，警方袖手不聞等情事。查該巷居民以眷屬爲衆，又與軍區接近，雖然在六日晚上警方抓了一批賭徒，送進拘留所各處三五日禁閉，但彼等俱爲販夫走卒之流。而眞正善於結交之士，仍然照賭抽頭不誤，巷內居民議論紛紛，煩言嘖嘖，對警方開元派出所爲何不加强整頓取締，深感惶惑。

十六日晚上有居民向開元派出所密告檢舉，但管區副主管却推三阻四的謂：「派不出人來」云云。

八月廿日晨三時許，軍區憲兵數人當場查獲對警方有關係聚賭抽頭之李××；該李××認爲憲兵不給面子，大吵謂：「我是老百姓，你抓我不行，叫警察來好了。」旋憲兵派車把管區警員接來，警員只叫李××「十時到派出所來」便完事。據聞事後連賭具也發還了李××！

據查李××自恃爲××畫刊社長，但旣不能寫文章，只終日到處化緣，五十也好，百元更妙。最近因其在海濱舞廳跳白舞，被地檢處以詐欺罪嫌提起公訴。此君神通廣大，去年曾利用其不按期出版之畫刊第一版，把上任警察局長猛捧一頓，反正局長大人也弄不淸，何況這年頭誰不願聽好話呢？於是欣喜之下，除給予經濟支助外，頓成莫逆。李××這下子可不得了！挾警察局長的威勢以自重，聲言對警方如何有辦法！連同住一巷內摯友某部某少校的太太也成了「莫逆」之交，少校爲了羞恥感，只好忍氣吞聲。距少校又於十日黃昏在家門前被流氓毆傷，眞是禍不單行。

據傳聞，管區派出所警員王×係李某的同鄉，小東路一巷旣屬眷區，違章建築勢所難免，李××藉此乃與警員勾結，那些未有建築執照，建得很像樣的房子，不知根據何種法令建成？這些都是近兩年的事兒，內中若謂沒有問題，其誰信之？最近一件事不能說是空穴來風吧，七月十四日該巷有一居民××，以密告書寄向夏局長檢舉管區警員對違建處理上有毛病，但是七月十九日下午管區警員及分局承辦人，便服將密告人和違建人召來，在李××家內密談，叫密告人打個讓手。密告人鑒於麻煩惹上身，不賣帳也不行，於是乎，管區警員「依颱風災害照原樣修復報備了事」。而事實上，現場表示得很明白，却不是那麼回事。

基於上述，再以開元派出所轄區：中正新村市場大違建案警員設工廠造TTD爆炸火災案，台灣各報交相報導指責。最使人難以解釋的，市立第二中學對面鐵道旁之私娼寮，不但靠近眷區，又靠近學府，乃視若無睹。這些事情的產生，其原因安在？李××並不值得可怕，可怕的是警察官吏在玩法，良莠不分，明明有着壞事去請警方來取締，可推說派不出人來，而密告可知相反的姓名。幸虧類此事件不多，否則社會秩序將告大亂也。

南市新聞記者公會 公然岐視僑報會員

（本報記者曾振軍台南航訊）台南市新聞記者公會，本屆理事任期屆滿，改選在卽。本屆理事長當選以還，對於海外各會員換發新會員證，別出心裁的首創苛擾規定，排擠海外各僑報會員。查香港時報、香港自由報、東京內外新聞等僑報，依法在台北設有分社，負責各縣市業務發行、新聞採訪及人員管理，僑居地總社早已有案可稽，其服務證及聘書，有的由分社發給，也有的逕由總社發給，過去十餘年來，海外僑報會員，俱以此種證件申請入會及換發新會員證，其中且亦有曾經當選過理監事數屆者。何期至本年初換發新會員證時，該會竟拒絕所有海外僑報各會員換發新證。

據該會稱：已行函海外僑居地總社連絡，是否台南各僑報負責人暨記者現仍繼續服務，待正式覆函後方准換發。此種舉措未免過於刁難，跡近荒謬。台南各僑報負責人記者，是否繼續担任工作，一目瞭然，同時又可以服務證件及聘書爲根據，再不然亦可向台北分社提出查詢。倘非有僑居地總社來信證明，就失去會員資格，然則過去十餘年中，僑報非但有合法會員資格，且還當選理監事，又將何以自圓其說？該會理監事會中成員，不乏曾經當選過十餘年老經驗理監事，對該會以往情形，瞭如指掌，爲什麽也會附和，殊覺費解。這種「黨同伐異」的做法似不應出現在搖筆桿朋友身上。況記者公會係屬民間組織，本屆理事長如此做法，顯得氣量不夠，未免太顢頇了！爲此在記者節前夕，改選在卽，記者不得不寄語下屆新任的理監事，對此不合情理的措施，應于徹底改善，幷力謀會員福利，加强會員感情聯繫，激發文人相愛良知，共同以筆桿爲光復山河、消滅共匪而盡力，才是正理。（八、廿九。）

距中秋尚有二十日

香港商場銀根緊絀罕見

一般憂慮節後情況更加惡劣

（本報訊）中秋節距今尚有二十天，香港商場銀根出現前所罕見的緊絀狀態，銀行對工商業的信貸固然收得很緊，工商業內部的授受亦呈顯著收縮，大多數借中秋節將屆的話題來催促欠賬，但實際收賬的成績殊不理想。銀行界及工商界人士担心中秋節後商場可能更加惡劣；因爲中秋節未到就提早催收，今後三週內如果催收更緊，可能導致很多不良的後果。

現時很多銀行對於一般欠欵凡屬到期的，無一不在催討之列，原因是最近銀行內部銀根也逐漸抽緊了。由於銀行的放欵全屬抵押透支或信用透支，以往在中秋節前的一段時間內，極少催收欠欵；但現在多數藉口中秋節將屆臨，紛紛追收到期的欠欵。對於放欵方面更是全面的收縮。雖然銀行對工商業的信用收縮已經是多時的現象，但一部份銀行今年加緊在中秋節前的一段時間內催收，實在是對於有關工商單位實力的考驗。至於工商業內部，賒賬的催收更是普遍，一般都以中秋節週轉的話題向客戶加緊催收。但截至目前爲止，收賬成績表現尚差。今後三週內催收將是一日比一日緊，於是整個商場銀根出現以往多年中秋節罕見的緊絀情形。這種情形在今後二十天內將會更加嚴重。中秋節後商場銀根仍然不會轉鬆，且有可能繼續趨緊。

目前商場已有兩種不良的反映：其一是中秋節商場貨物交投表現異常呆滯。以往在中秋節前的一段時間內，有關行業銷售節貨的大小拆銷商，均陸續購入各種貨品，以便供應中秋節銷售，但今年情況有很大的變化。例如洋酒士多，海味雜貨等大、小拆銷商，因爲銀根特別緊，尚未敢大量購入貨品以應銷售。其他凡屬於中秋節貨品也受到各方面催收貨賬的影响，非急於補充的也盡量拖慢，造成一般貨物買賣十分冷淡。其二是商場授受信用收得很緊，很多商家感到欲借無門，實力較好的還可盡量設法應付中秋節前的週轉，實力欠佳的工商單位已難應付各方面的貸欵催收。有些商人甚至連期票也不肯簽付，因爲兩週或三週兌現的期票，自忖沒有把握兌現，索性採取拖賬的措施來過關，對於以後的信用喪失，亦在所不計。

還有一種更明顯的現象，就是採用本地信用證來維持買賣信用已經很普遍：布廠向紗廠訂購棉紗，製衣廠向布廠訂購布料，開出本地信用證由來已久。現在很多行業對於大宗貨物交易，賣家方面也要求買家由銀行開出本地信用證，方肯接受買盤。例如建築商向本地鐵廠訂購鐵條，以往一直沒有開本地信用證的，現在轆鐵廠亦要求開出本地信用證。但是能夠開出本地信用證的工商單位，已經是有實力，足見工商業內部授信收縮的嚴重情形，確是以往多年中秋節前所僅見。

析論立監兩院的五大案（七）

·本報記者劍聲·

東亞公司貸欵案，是立法院通過王子蘭委員等二十四人提案，邀請行政院長等列席報告並備詢而行使質詢權達到「他淸」的主要導火綫。

三年前，立委羣（包括湖北籍、江西籍、河北籍）組織「尿素」工廠，並內定由江西籍的一位委員出任董事長，其廠房設備已開工，並與台肥公司簽訂合約，前任經濟部長亦全力支持；不料，在萬事齊備時，或許由於事機不密，或者因爲分潤不均，總之，該尿素工廠全盤計劃，據傳，係因東亞公司五位董事中之一二委員的「破壞」，促成全軍覆沒，經濟部某首長因此而下台。這件事，當時曾震驚國會，使許多「門外」人不知該尿素廠關門大吉之所以然。

幕後人物　另有目標

該委員等挨了一記悶棍，等於啞子吃黃蓮，苦在心頭。這次，他們也一聲不响，在幕後策劃提案，發動攻勢，表面上以五大案爲主題，實際上這是一種策略，是一種聲東擊西的迂迴戰術，使對方無從識破「天機」而已。主要的對象還是東亞公司的董事長與總經理，這一仗是「旗開得勝」，滿載而歸。但最後的勝負，可能要修正，也可能在另一「戰場上」轉勝爲敗。當然，勝敗乃軍家常事。

立委羣原計劃要採取「備兵」策略，自己則隱藏起來，甚至企圖「隔岸觀戰」。但這種策略未能得售，於是只好由幕後走到幕前，担任導演與「主角」。故明眼人對五大案的前因後果，以及私人間之恩恩怨怨，不難明白。這等於「自相殘殺」，其結果是今後立法院將成爲多事之秋的局面，怎不叫人痛心與隱憂？

就在立法院開始質詢五大案的前夕，監察院公布了王文光委員等五人提案彈劾財經兩部長與經濟部的一位司長的彈劾書。當時，此間輿論都一致讚揚，因彈劾書中有五位立法委員是東亞公司的董事，加上事後若干立法委員對國會記者的談話，都說監察委員「彈」得好。而五位提案的監察委員逢人便說接到電話，市民的道賀聲與喝彩聲，使他們笑顏常開。這，充分說明「大衆情緒」係來自一面倒的新聞報道，因此，各報都忽視了彈劾案的「巧合」與「創例」。沒有幾天，大華晚報有一篇社論：「看政治風暴」（八月十日），其言論態度與「監察委員光芒四射」（四日）的社論，恰恰相反。

東亞案件　何其巧合

該社論有：「第一、人們對於新聞的報導頗多不滿。大家相率就（東亞）彈劾案全文做文章，却未能提供有系統的報導，把更多『事實』告訴讀者、聽衆或觀衆。立法委員與行政首長之間的問答，報導雖詳，也未能提出更多的事實。較之任何一件大的社會新聞發生後，各報所作的發掘事實之努力，實屬相形見拙。

「人們以爲彈劾案對於東亞一案所舉發的事實是有欠充份的：東亞獲准貸欵三千萬，何以到手一千萬就『洗手不幹』？這一千萬是給的現欵，還是抵了舊帳？政府用三千萬使東亞能恢復生產，究竟值不值得？政府有關首長在東亞一案放出了一千萬就被彈劾，何以公家銀行有呆賬十四億，黃豆被盜一億數千萬，居然不加彈劾？

「其次，立監兩院因彈劾權與質詢權的行使，已使其威望進入新的高潮，而行政院的威望則相對的進入新的低潮。社會大衆覺得，立監兩院沒有自淸，却逼着行政院去自淸了。然而，立監兩院眞的用不着自淸嗎？疏於律己，嚴於責人，這與中國的傳統道德標準相符合嗎？

「監察院不以壞人作爲彈劾的對象，而以好人，肯作事的作爲彈劾的對象，這樣一來，誰肯做好人呢？誰敢做好人呢？……我們以爲，在監察院提出彈劾案之時，也該把被彈劾者歷年對國家所作的貢獻作一公允的評價。否則，是難以使社會大衆感到心悅誠服的。」

所以，我說此間的輿論不是「大衆意見」而是「大衆情緒」，其依據此在。

立監兩院　嚴於責人

話說監察院提出東亞彈劾案後，誠如語云，「塞翁失馬，焉知非福」。彈劾案不但替行政院解圍，且成爲「案屬司法機關不得答復質詢的充分理由」。換言之，假如立法委員質詢東亞案涉及司法部份時，卽屬於質詢權干涉司法的含義，所以，立委在質詢五大案時，對東亞案僅僅提到而已，不像質詢其他案件那麼凌厲，因爲立委們不願作歷史罪人——質詢權干涉司法。這一點，也是那些有心人所沒有料想到的。

總之，立法院質詢五大案的後果，有人說不了了之，但事實並不盡然。君不見政府已公布創制複決兩權行使的辦法嗎？而政壇不亦有政院與省府將改組或局部改組之說甚囂塵上嗎？

瀛海異趣談

賭后與甘迺迪遺孀不歡

．桑雅．

已故美國總統甘迺迪之遺孀積桂蓮最近前往西班牙渡假，引起兩場不大不小的風波。首先，謠傳她與駐梵蒂岡的西班牙大使安東尼奧．加里居斯秘密訂婚，另一件事是在一個宴會裏，摩納哥王妃嘉麗絲姬莉當衆說話，刺傷了她。

在西班牙，一年一度的史維爾慈善晚舞會，是一件盛事，被邀參加者全是知名人士。那晚嘉賓，除積桂蓮外，包括駐西班牙的美國大使刁克，摩納哥國王伉儷也在場。

那晚嘉麗絲姬莉遲到一小時之久，積桂蓮顯然等得不耐煩，但仍與主人美甸拿西里公爵暢談甚歡。舞會舉行的地點是十六世紀的豪華宮殿，名叫派拉之歷，在新約聖經也曾被提及的古蹟之一。

是晚最高潮的一個節目是五十八名年輕貌美的女舞蹈家，一一上前與摩納哥王妃行禮。但積桂蓮反而更受那些姑娘們所吸引，搶去了嘉麗絲姬莉不少鏡頭。她本人確是非常開心，在宴會上，她料不到與故友重逢，對方是西班牙的「花花公子」親王荷漢魯，十年前他與伊拉公主離婚，曾轟動一時。現在，伊拉公主像伊朗廢后蘇拉雅一樣，已加入電影界了。

積桂蓮曾與駐西班牙的美國大使夫人傾談了一段時間，但當摩納哥國王伉儷抵達時，她却不在場了。于是，一輪鼓掌與國歌高奏之下，嘉麗絲姬莉遂坐在積桂蓮坐過的座位之上。一會兒，積桂蓮出現了，史維爾市長在她身旁作陪，她發覺自己的座位被佔，遂坐在嘉麗絲右邊第三個座位。這時，氣氛立即緊張起來，附近的美國和西班牙的保安人員，不停監視着，嘉麗絲的笑容也隨即收歛起，板起面孔來了。

積桂蓮禮貌地與嘉麗絲談幾句話，但反應是冷淡的，她只直望着眼前的攝影記者，偶爾與倫尼亞王子談兩句話，但眼光從不在積桂蓮的身上停留半刻。

當音樂響時，嘉麗絲示意丈夫，于是他們翩翩起舞了。這一行動無疑向她示威，像這麼說：「看我有丈夫陪我跳舞。」

積桂蓮坐在那裏，孤零零一個人，已有落落寡歡的表情了。

積桂蓮第一個離開舞池，嘉麗絲跟隨着，在人頭湧湧的賓客中間，她們兩人的距離拉近了，積桂蓮企圖作最後的努力，微笑向嘉麗絲說話親善。但對方雙眼下垂，唇邊吐了九個不清楚的字，然後拉丈夫朝着飯堂走了。

第二天，是鬥牛的節目，在史城著名的杜曼斯鬥牛場舉行。這一次，積桂蓮不再受冷落了，她的座位是都督廂座，而嘉麗絲與丈夫只坐公衆棚吧了。鬥牛勇士是著名的哥多布斯，他有鬥牛披頭四之稱，他在衆目睽睽之下，竟然不理會嘉麗絲，直朝向積桂蓮那邊鞠躬行禮，後來還表示爲她而鬥牛。

當時，全場矚目，積桂蓮把一個小型首飾箱放在鬥牛士的帽裏，箱內是鑄有甘迺迪像的硬幣。嘉麗絲的臉孔雖有太陽眼鏡掩飾，不悅之情已很明顯了。

接着第二晚，她們兩人又碰頭了，是杜拿斯宮殿的宴會，積桂蓮便是被招待住在裏間。那晚，兩人的關係依然不大親熱，彼此之間顯然是有心病的，這次，連陌生人也看得出來了。

進餐後，攝記的照相機鎂光閃閃，完全是集中在積桂蓮的身上，把嘉麗絲冷落了。後者幾乎有敵視的眼光了。

她們的心病是什麼呢？

有一位專欄作者指出：大約十年前，一位社交女攝記與波士頓的望族（信奉天主教的愛爾蘭族）一名男子結婚，也信奉天主教的愛爾蘭族嘉麗絲立即感到無限的失望。那對新婚夫婦便是甘迺迪及積桂蓮。

話雖如此，嘉麗絲事後矢口否認與積桂蓮不和，說這完全出于誤會。眞相如何，大概只有她們兩人才曉得吧！

三度謀殺希魔的德國律師

○文彬○

在西德馳名避暑區韋士巴登城的每天早晨，有一個年紀約五十歲的男子在馬路上行走，他很溫和，看來不會傷害一隻蒼蠅；這個戴上眼鏡像個學者的人，是那城裏的人對他最恭敬，而不敢直目注視他，一個德國人也許會向他指出他就是施拉賓多爭，他曾多次企圖謀殺希特勒。另一個德國人也許會補充說，有奇跡發現，他不致被處極刑。這個奇跡可以說是在第二次世界大戰當中最奇異的一個。

○在一九四五年二月一日，當施拉賓多爭在柏林受審，控以謀殺希特勒罪名時，美國飛機去轟炸這個德國首都，一顆炸彈正投中法庭，傷亡甚重，施拉賓多爭則僅受輕傷，而所有證據和文件都完全被毀了。幾個月之後，美軍曾第二次挽回施拉賓多爭的生命。他們到大集中營，解放所有被禁受毒刑的人，在那裏的主任軍官正打算將施拉賓多哥投入焚燒爐中時，幸得美軍到快一步。

施拉賓多爭追憶前事，仍很喜歡向人說，他圖暗殺希特拉不是一次而是幾次。在納粹統治德國的時候，雖有人暗中唾罵希特勒的惡政，但極少人有胆去反抗他或圖謀暗殺他，施拉賓多爭可以說是個中之英雄。

當第二次世界大戰爆發後，施拉賓多爭被徵入陸軍，年紀二十四歲時已升做少校。他現年五十九歲，身材高，頭髮斑白，但仍精神奕奕。他戴上金框眼鏡，但這不會掩蓋他的明亮的眼睛。他喜歡穿着舊式的商人深色衣服。他說他在學生時代就憎惡納粹黨徒。當時他們仍未攪德國大學。本人愛好和平，認爲人類全體應自由過活。當他在荷蘭大學畢業後，他就執業做律師，但繼續跟納料鬥爭。（上）

「法國之旅」單車賽

○凌漢家○

法國人之熱愛自行車，遠勝過法郎與美食珍饌。但是法國人並不怎樣地把騎自行車與運動或運輸連繫在一塊。對於牧師、跑市場的農人與銀行家們，鬥牛比賽爲西班牙人的兇猛民族性帶來一種有秩序的發洩；而每年春、夏舉行的自行車比賽，則使成千成萬的法國自行車崇拜狂爲之心醉神迷。

法國人以該國舉行的自行車比賽次數超過任何其他國家而自豪。在每年爲數約三百次的自行車比賽中，「法國之旅」是破費最鉅，爲時最久而又最危險的自行車馬拉松賽跑。參加今年「法國之旅」的人共有一百三十二名，賽程爲二千七百五十英里——由盧昂起，穿越比利時，攀登阿爾卑斯山入義大利，然後橫越法國南部至庇里牛斯山，最後向東北方繞行抵達巴黎。這些被酷陽灼傷，身上粘滿灰塵的競賽者，每天於清晨五時出發，晚間則在滿掛法國旗的城鎮中下車休息，這些城鎮以八千元的代價買得這個權利。爲什麼？理由是：餐館與商店的生意將因此增加四百分之四；旅社的房間早在數月前就有人預訂了。在「法國之旅」期間，差不多法國的每一家報紙的銷量加百分之十。

在各城各省，學校與商家紛紛停課停業，爲競賽者歡呼打氣。浩蕩的自行車馬拉松行列往往使交通阻塞達二小時之久。「法國之旅」係由一家有提倡頭腦的，名叫「汽車」的運動報紙所發起，並從廣告商獲得經費上的支持。這些廣告商們以四千元買下跟蹤競賽者的權利。尾隨競賽者的五花八門的宣傳車，大呼小叫地爲各種產品宣傳着。

在伴隨競賽者的車列與人員中，包括三輛紅十字救護車、活動自行車裝修店舖供應車的備用自行車及零件。提倡者的最大花費之一，是要隨時把食物與飲料供給座墊上的競賽者。說起來也好笑，這些傢伙的嘴巴竟然工作得跟結實的大腿一樣的忙碌。今年，他們嚼掉了一千隻烤雞，三百磅的巧克力，十二萬隻乾梅；吞下二萬一千公升的人造鑛泉水（如汽水、蘇打水）。白脫與油煎食物是被禁止食用的，因爲它們容易使人引起痙攣。採訪車賽新聞的直昇機在上空盤旋着。電視機被架設在彎曲的山路上，拍攝着競賽者的熱烈競賽鏡頭。一家製造瓶裝瓦斯的公司，雇了十二名巴黎輕鬆歌劇明星，在每一休息站的活動戲台上作免費表演。巨大的廣告牌中包括一根六十五英尺長的鞋油管子與一隻十七英尺長的蒼蠅，後者還能發出痛苦的呻吟聲，以宣揚殺虫劑的宏效。

賽車者的痛苦是眞實的。他們抵抗着各種危險。他們之中有一半自動淘汰了。另有幾個人在撞車與拌跌時受重傷。一個熱心的幫助者把一桶冷水澆到一個義大利人頭上，竟把他拌倒在地上。在去年的競賽中，法國的紅選手從山路上摔下來，折斷了背骨。去年的得勝者在今年三月裏遭到同樣的不幸。大多數的賽車者每年總要跌倒五六次。西班牙的紅選手巴哈蒙德於一九五七年放棄自行車馬拉松賽跑時說：「沒有人能夠忍受！」一兩年後，巴蒙德再度出馬，奪得冠軍。競賽者通常由於教練的鼓勵才能忍受痛苦。組員間通常約定要扶助本組中最迅速的騎士，爲他們擋風，有的爲他們衝撞挑釁的敵手。在數年前的一次調查中，接受訪問的法國士兵裏，知道法國總理大名的，只佔百分之二十五；但能說出「法國之旅」冠軍名字的，竟佔百分之九十七。

新三國

周燕謀著

這時劉備和關張失散了，關羽保劉備家眷權且降曹，張飛流落到汝南地方。這一幕，即是三國演義中所謂「徐州失散」。這是建安五年春天的事。

本來袁紹也想打曹操，當他消滅公孫瓚以後，就曾經挑選了十萬步兵，一萬騎兵，大舉南征，一到黎陽，便躊躇不前。此人實在無用。當劉備派人聯絡袁紹，正是千載難逢之機，可惜袁紹依然猶豫不決。他當年打董卓只是如此作風，所以曹操把他料定了，也吃定了。等到曹操只留下少數兵馬守許昌，全部人馬都去打劉備時，黎陽空虛，袁紹仍是按兵不動。田豐勸他趕快發兵，他推說兒子生病，把田豐氣得要死。等到徐州之戰成了定局，袁雖方醒悟已遲了。

卅五、袁本初大軍出東郡　關雲長白馬斬顏良

中原以北的梟雄，公孫瓚被袁紹破敗，袁術被劉備截斷通袁紹去路而被氣死，呂布被曹操活捉提斬了。劉、關、張弟兄被曹操打散，關羽保了劉備家小權降了曹操。此時只有袁紹和曹操二雄對峙。江東有孫氏兄弟，在發憤圖強，曹操此時根本是鞭長莫及。按照曹操的計劃，曹操先解決了劉備，次一步應是輪到袁紹了。在前面曾說過，曹操了解袁紹最清楚，他決定先打劉備，袁紹是不會馬上動手的；如果先打袁紹，劉備是有決斷的人物，必然趁打袁紹的時候，攻打曹操的大本營。現在劉備已破，再來解決袁紹，這是曹操預定的決策。解決了袁紹，再打荊州的劉表、解決了孫氏弟兄，這是曹操創業的大計。如果不是赤壁一戰，曹操取勝而下江南，掃平孫氏，三國的歷史是不會演出的。這是現勢一個大輪廓，下面便掀起袁、曹二雄火拼的序幕。

曹操與劉備交鋒是在建安五年春，劉徐州之戰成了定局之後，袁紹才感到後悔和不安。可是已經遲了。袁紹曾經派了人去請劉表從南方夾攻曹操，但劉表也是一個無大作爲的漢室宗族，他採取坐觀成敗的態度。劉備既敗之後，曹操的後顧之憂解除了。當時還有一個藏霸，此人本是泰山一帶的強盜，他是聽呂布調遣的，曹操破呂布之後，才把徐州之兵權交給他，他這一支軍頗能牽制袁紹從山東北部進兵，但却不能成爲袁紹的大患。於是袁、曹二雄只有各自使出全力相拼了。此一大戰、在河南境內的黃河沿岸展開。

袁紹自從破滅公孫瓚之後，就分遣了兒子外甥等人各鎮四方、長子袁譚去守青州，次子袁熙去守幽州，派外甥高幹去守幷州。劉備歸袁紹時，收拾部份散失的士卒，雖然已經是敗兵之將，但却受到「袁氏父子傾心敬重」。

建安五年二月，袁紹開始動手，先派了郭圖、淳于瓊、顏良進攻東郡太守劉延於白馬。（此地在今之河南滑縣東二十里，這就是演義與戲劇上的白馬坡斬顏良誅文醜的地方。）（六十三）

國劇繽紛錄

（一〇七）　姿婆生

惜無菊壇（續）

不幸冰厂作古，由幾位友好推薦鳳翔接編，他曾任北平正報編輯，重為馮婦，自屬游刃有餘；但是壓力仍常來臨，不免有些對劇團批評過於尖刻，此非鳳翔所能推拒，是非遂起，後來解釋亦已諒解。前人有云：不成也蕭何，敗也蕭何，因此關係，鳳翔辭退。不意糾紛又來，大宛干城亦遭批評，引起拒刊登廣告。燦爛的菊壇，被人認為「敬而遠之」，實太可惜。

該報當局，深謀遠慮，覺得力爭與其報紙看齊，而免是非，減煩惱，不如將菊壇稿件，併入綜合文藝版，如此應有盡有，封閉菊壇，成為以後的記憶。不過感念至此，想到是「誰毀了菊壇」，亦是歷史上永遠的痕跡。在大家共同的口號，振發平劇！闡揚平劇！不勝其惋惜！

兩段集錦

聽播音，看平劇，許多人以為聽不如看。我則却愛聽而不常喜看。以聽到的妙音，是無價可比也。上次會聽復興電台播出尚小雲的六月雪，與春秋配的原板，根本未曾看過他演此戲，認為幸事。上週警察電台及有兩段集錦，是蘇武牧羊與釣龜哭靈，所貴者，是每個集錦是三位伶票所唱，有的已早歸地府，為更難得，特為記出，以告同好。

蘇武牧羊自望鄉起，由馬連良唱，已聞過多次，是他獨擅。以後原板，是名坤票李淑嫻所唱，自屬名貴，接連在一起，可以聽出李氏所唱，饒有馬派韻味。再接，是東園所以稱為台灣坤票生行，應數第一。再接是貫大元所唱牧羊時的原板，其腔調與馬氏不同，也極饒味。

釣龜是以往名老旦文榮壽所唱，他的腔調是謹嚴而蒼老，不尚花俏。文是民六隨譚鑫培到上海，那時龔雲甫已紅，而未大顯，遲了幾年始來。行路訓子是由票友下海的臥雲居士，一名玉敬臣，夜黃昏這段唱，得邀可以，白口就差勁，不及松介眉的老練，所以未能顯名。哭靈由名老旦李多奎唱，一段反二黃，有如暮鼓晨鐘，極其淒涼動人。警台於此兩段集錦之外，尚播有上海名票青衣包小蝶唱生死恨探寒窯，則片子較老，發音微澀，但仍很不錯，亦難得聽到的。

寄語賓秋

琴票郭乃英兄，已自南投調到新竹，每週必返。越昨相晤於北淡車中，知其在新成立的「春秋票社」，係名票高華所主持，近設在第一飯店樓上，皆知名之士也。因托乃英代為寄語賓秋。

台灣劇藝，在卅九年時期，琴票周長華，注力於程派，造成不少的學程，票友，而沈規織，黃補中，羅七雲，其尤著者。雖非完全投教，但多互相研究，頗呈絢爛。（未完）

一張舊照片

○鄭欲龍○

現在，發覺他的不肯結交女同學，更聞聽那幾個同學的把征服他的希望期待在她身上，她就下意識地流露出傲然的神態說：「你們只會看我的！」這自然是下決心要向他的不肯結交女同學的性格挑戰的表示。

兩個小時後，她到他選修的科系的課室去旁聽，又故意坐在他的身旁，在聽課時，就不斷地以筆談的方式向他討論課中的問題。他以同學關係，以為她真的不很明白，便悉心為她解答。當一堂既畢的時候，她就向他借筆記來抄錄了。

當然，他是很願意把簿子交給她的。

晚上，他收到她的信，那寥寥數語的內容是叫他到她家用膳。他以跟她僅是泛泛的同學，感情尚淺，不便太過叨光，而且沒有被請的理由，不便赴宴，同時還寫了一封信，準備明天交給她以謝厚意並請諒的。怎知，明天一見她，信還未交出，她就大發雷霆地罵：

「你怎麼這樣的不識抬舉。」

他聽說，却不禁一愣，繼而回復他的剛果不屈的性格傲然以答：「我是無功不受祿的。」

「甚麼功和祿，我不知。我只知道你來陪我吃一頓飯。」她刁蠻地說。

「請客人是不應該用你如今那樣的態度說。」

「你既然不喝請酒，那就得要吃罰酒！」

「我什麼酒都可以拒吧，這是我的自由。」

「繼忠，難道你忘記了『LADIES FIRST』那句話。」她稍稍收斂一下刁蠻而含有溫柔的態度。

「同時我也要尊重自己。」

「難道你尊重了我就是對你自己的侮辱？」

他語塞似地在囁嚅了。

「喲——，你這就要明白過來了，我請你共飯，為的是要彼此好，也算是禮尚往來，因你借了筆記簿給我，我得益不淺，正是投桃報李之意。怎麼這樣的想不通呢？」她誠懇而溫柔，再加上本來的嫵媚美麗，就予人有春風拂臉的感受，一時間，性情剛梗的他，也受感於柔情地俯下頭，像正有悔於自己的不是處。

「現在還未遲，就跟我同去吃午飯吧。」她說着向他更嫵媚地一笑。

他從來甚少接近女孩子的，也沒有戀愛過，當然未解愛情的滋味。此刻，隱約嘗試到了，一種陶然的感覺便從心坎裏騰起，飄飄然有溫馨的意味。於是，便點點頭，算是答應她了。

這時，剛好是午飯的時候，她偕他驅車到市區最負盛名的一間飯店去用膳了。她是當地一個富商的女兒，平時驕生慣養的被雙親視如掌珠，不住在宿舍，返校與回家都有自用車接送。當下，午餐吃過後，她又駕着車子，跟他一同回校去上課了。

凡事，一有了開始，就有所繼續。他們共用過一餐飯後，就奠下了結交的基礎，以後，便時有同行共坐了。

這，是令一些追求她的人妒忌的事，為了從妒生惱，本來互相勾心鬥角以求獲得她的青睞的那班男同學因為陣綫的分明，利害已趨於一致，便聯合起來向他動武；雖然，他來自農村，體格壯碩，却寡不敵眾地被毆傷了。這一來，出乎那班飛型青年意外的是促成他倆更融洽，為的當她知他因她而被圍毆，就立即趕到醫院去慰問了。

在病榻之旁，她抱歉地說：「繼忠，我對不起你！」

「不關你的事。」他明知故作地要抹去她的責任。

「不，我清清楚楚，是我害了你。」她聲淚俱下地。

他無法再拘了，只有長嘆息：「哎——。」然後沉綫地繼續說：「我真想不到那些人會那麼的狠。」接着又搖搖頭，表示對事情的惱怒和遺憾。

「繼忠，不要想得太多，從今天起，我愛你，我知你也愛我，不管他們怎樣也拆不了我們的。同時，學校方面已向他們採取了行動。」她真情流露地用着安慰的口吻。

「你真的對我那麼好。」他感激地。

「我一向對你都是好的，只是你不跟我好就是了。」

「哎！你不知——。」他有滿懷心事儼然不知從何說起的意味。

「你有什麼苦衷嗎？」她關心地。

他搖搖頭，表示不願意吐露。

這時，她已真的愛上他。從愛做出發，她敏感地以為他的所謂苦衷就是已有了心上人，便訝然以此作問。他搖頭，說：「是有愧於我自己的貧窮，不敢對你高攀而已。」

她極力表示不計及這些，還堅決地許下將來一定懇求父親協助他開拓前途。

他感於她的真情，便死心塌地愛着她了。

不久，他康復出院了。暇日，兩人常倩影雙雙地在市區或郊外逛逛，這張照片就是那時拍成的。（下）

柴米夫妻

紫雪

我的妻，是地道的鄉下女人，而我也是個土俚土氣的鄉下佬。我們的結合，外界人看來是平淡不足道的，而在我們，的確是美滿幸福的。十幾年來，我確實得她很多好處。

她嫁給我已滿十四年了。當初我的願望是要求她給咱生三個兒子，一個女兒，湊成半打家庭；上帝賜我恩惠，十年後的今天如願以償，完滿達成任務。

我這一生最煩惱的是：多感冒，腸胃不好，稍受涼就頭痛，飲食不當就鬧急性腸胃炎。自從她來後，茶飯、被服應時補給，所以我才有現在的身體，健康如恒。

我喜歡夜晚躺在床上看書，常看到下半夜兩點鐘，後來被她發覺了，嚴格取締，限制最多十二點熄燈。有時我等她睡着了，看得起勁，忘記了規定的熄燈時間；她忽然醒來一看錶，不管三七二十一，拍啦！把電燈關掉，緊跟着會說：「早點睡吧，老爺。我同你就這樣很滿意了，不望你中狀元秀才了。」

多少年來，家庭經濟大權，由她一手掌握，開門七件事我索性不過問。我的收入不及半千一月，而她却能嚴謹的支配，從不虧欠，維持六口之家的生活，實在不容易。

昨天是我的生日，前天晚上她就提醒我：中午回家吃飯。我說大熱天不必麻煩，而她的理由是：「孩子們一天天的大了，應該讓他們知道父母的生日與年齡。」我對於這些小事，素不講究，自從她來了這十幾年，竟不曾忘過一次。最使我難忘的，去年我到馬來西亞考察；忽然收到兩封家信一時大吃一驚，想是家中發生緊要事情。急忙打開一看，原來是兩個孩子寫的，他們兄弟倆都是說，明天是我的生日，他們在家裏，媽媽做麵條吃，表示慶祝。老二特別寫明「叫我自己也買碗「大滷麵」（大滷麵）。這全是妻的意思，她不會寫信，心腹體己話也要借孩子們的筆。

我的妻，日常生活盡量節儉，她不愛出去玩耍，在娛樂、衣著、食物上省下錢來，作為一些必要的開支。暑假過後，學校開始註冊了，我正要八方張羅湊學費時，她也不着急，不慌不忙。等到我張惶得頭直冒汗，她呀！拿住題目，緊盯住我說：「辦法想到了沒有？」等我期期艾艾的難堪時，她會從手提袋掏出一厚疊現鈔，塞進我的手中說：「你這個糊塗老子呀！全沒有把孩子們的事放在心上。」這叫我還說什麼？只有慚愧的笑笑接過來了。

對我來說，她的外表看着鄉俚俗氣，但我已感到很滿足。她把家看得一切都是實實在在，從不與人爭吃爭穿，可說是標準的好太太。

我本來不會寫文章，一時興趣所至而姿在這裏表功，把我的黃臉婆，在這表白幾句，惹人見笑罷了。

海嘯臺談薈

談盧小嘉

諸葛文侯

曾於四十餘年前，在國內負有「四公子」雅號之一之盧小嘉——其他三公子為袁克文，張學良，張孝若是也。克文號寒雲，係袁世凱次子，孝若之父為南通狀元張謇——最近病逝台北，享年七十又六齡，四公子健存者，僅張少帥漢卿（學良）一人而已。

小嘉之父盧永祥任浙江督軍時，淞滬地區亦歸其部將何豐林領兵駐防，稱上海鎮守使。維時小嘉闊少，年愈於學業，與父蔭徜徉十里洋場申江上，昕夕馳騁於歌台舞榭間，生活豪放，名噪一時。袁寒雲亦寓滬，與『晶報』主持人張丹斧過從甚密，常以小品文字刊諸『晶報』，多屬風花雪月之作。頗負時譽，且因其反對乃父帝制自為，曾以「瓊樓高處不勝寒」之詩句諷諫，人多稱道之。孝若年未三十，即膺選江蘇省議會議長，鋒頭甚健。學良則以二十許之青年人，任奉軍高級將領，鎮守幽燕之地，因續娶京都名媛趙四小姐而名聞全國。此即四公子雅號之所由來也。

上海法租界有「共舞台」，係當地黑社會首腦人物黃金榮所經營者，坤伶露蘭春以台柱受黃金榮眷戀備至。蘭春習鬚生戲藝，專演海派新劇如「閻瑞生驚夢」之類，唱腔亦純宗海派。凡對皮黃劇略有造詣者，皆視海派腔調為野狐禪。一夕，盧小嘉入「共舞台」觀露蘭春表藝，台下觀眾嘖然叫好不已，小嘉殊不耐，批評蘭春技藝殊不足道，即被顧曲之華叢瞰之。蓋若輩胥屬黃金榮門徒，奉命為露伶捧場，不容許有所訾議也。

盧氏受辱後，以在租界內無可如何，忍氣吞聲，歸而訴屈於上海鎮守使何豐林與防軍師長陳樂山，必求有以報復焉。旋緹騎四出，偵查黃金榮踪迹所至，某日，黃氏行經華界邊際地方，即被駐軍捉去懲處，繼挽人說情，向小嘉負荆請罪，並斥巨金獻軍方為禮，方得省釋。洎是，小嘉乃北去京津，視上海為畏途矣。

民國廿一年春間，愚于役故都，一日聞北平警察局長鮑毓麟言，勝清攝政王載灃之媳某，於夜間席捲珍貴品物，偕情人潛奔天津，要求警局查緝。經確查，知女方之情人即係盧小嘉，雙雙燕居天津租界內，無從緝究也。載灃亦以顧惜王爺聲價，未便張揚其事，唯有不了了之耳。盧與王爺之媳相處若干年，終告脫幅另娶，女亦老大嫁作商人婦，洗盡鉛華，淡泊自安。十年前，愚初識盧氏於台北友人齊壽山先生家，知其寡學而氣宇開擴不俗，且健談，對皮簧戲劇尤有湛深研究，唱鬚生戲韻味醇醇，不同凡響。月旦在台北之平劇諸藝員優劣點，入木三分，允稱確評。愚曾以彼流連津滬時期之軼事豔聞相詢，笑謂少年荒唐生活，所可道也，言之醜也。

四公子中，讀書首推袁寒雲，事業以張漢卿為著，享壽最高數盧小嘉，而張孝若則以壯年死於非命——被乃父之老僕槍殺於寢宮內。小嘉自五十歲後，鋒芒已斂，寡交息游，頗有今是而昨非之意念，雖曰未學，吾必謂之學矣。

內政部台誌字第〇三〇號內銷證

自由報

THE FREE NEWS

第六八六期

中華民國僑務委員會登記
台灣新字第三二三號登記證
中華郵政台字第一二八二號執照登記爲第一類新聞紙類
（每逢星期三、六出版）（半週刊）
每份港幣壹角
台灣每份新台幣貳元
社長：雷嘯岑
督印人：賈行奮
社址：香港銅鑼灣高士威道二十號四樓
20, CAUSEWAY RD 3RD FL. HONG KONG
TEL. 771726　電報掛號：7191
承印者：大同印務公司
地址：香港北角和富道九十六號
台灣分社
台北市西寧南路發發街二號二樓
電話：三〇三六
台郵撥儲金戶九二五二

論西南問題與中國前途

——從越戰在我國西南發展說起

楊湘藻

由於越南戰爭長期在我國西南邊沿進行，在反攻復國的今天，西南問題，便有提出討論的必要。西南一隅，因地勢多山，交通不便，工業落後，缺乏近代的物質文明，承平時期，其地位在國人心目中，雖未及東南沿海與東北等之繁華，而獲得平等重視，然而，由於其具有特殊之條件，每當國家面臨厄運之時，而屢次能在危難中挽救其免於覆亡。諸如民國以來之護法，抗日，皆發自西南，得西南力量支撐而轉危爲安。然西南一地，非獨未如東南、東北、西北等地，給國家時導無窮外患，頻增國人之困，且由於西南之安定，而消弭若干外患於無形。因此，非常時期，它在軍事與政治上富有不可思議的價值意義。

從歷史的邏輯推斷，西南往往成爲中原羣雄最後決鬥以決勝敗之地，關乎中國之命運，至深且鉅。從現實若干情況評判，西南問題與世界安危尤連鎖不可分割，所以，望期挽救中國厄運消除世界緊張，似應如何把握運用西南，使其在反攻復國中產生新的價值，此爲今日當研究西南問題者一。其次，當越戰關鍵發展，共黨內鬨及國際外交戰場敵我消長之時，於反攻則爲戰機，如於西南尤具意義，故如何把握之相與利用，此爲必須瞭解西南與研究西南問題者二。復次，尚有兩層附帶之意義。晚近，東南、東北、西北諸域，歷來有關政、經、人物、史事之記載屢見今日社會，可謂文采風流，史不絕書，惟獨西南一角，據筆者淺知，昆明似是我國最克具有市政之都，蔡松坡之前，唐繼堯之後，若千史事，社會乏識，更遑論桂、黔、川、康、藏諸省矣。爲彌補此一歷史真空，此應爲研究西南問題者三。西南問題之提出，對於東北、西北、東南等問題之研究，或可同時啓導其衍生，此亦爲研究西南問題的意義之四。

西南地理形勢與歷史價值

西南在中國地理上，括湘省以西，合粵之一部，及桂、黔、川、滇、康、藏諸省，形成一個廣大區域。在政治及軍事上說，據西南而處長江上游，居高臨下，建瓴之勢，關險重疊，易守難攻，東出桂粵以入閩浙而震江南，中出黔東，入三湘踰洞庭而下四省，或出北開要樊鎖鑰，而進窺中原。西出秦隴僞幽燕，一望大漠而指西陲。且用兵，有如天降。中國版圖盡拒胸底。越西藏以制尼泊爾、不丹、印度半島。據滇桂，出河口，鎮南關、下越南，以制寮、泰、緬甸、中南半島及南洋諸國，居高原天府之雄姿，睥睨東南亞洲，爲歷代豪傑同相圖謀發展之地。

縱觀古近，承平盛世，或戰爭有利於我，西南未又受到應有的重視，當中國板蕩，每遇兵事挫敗、形勢不利於我之時，主事者，便各自圖謀西南，有得西南以定天下，或獲西南而自保，或取西南謀捲土重來之計者，自秦末至劉邦，遂漢末之劉備，魏晉之司馬父子，明末之諸王，太平天國之石達開等，雖各人因策略之運用而得失不同，然圖取西南而思想則爲一致（忽必烈經金沙江取雲南而中國底定，洪秀全等之革命，未能事前奠定西南而貿然東下，以致後方多事，不得不屢屢回兵西征之蹶起，功虧一簣，終致挫敗。大清皇室，由破敗之餘起能中興者，能不謂爲西南之安定及其力量牽掣太平諸軍有以致之？國父之革命，蔡松坡、唐繼堯等之護法，總統之北伐，皆各首先獲得西南之呼應與默契。聲勢所播，令清庭變色，袁氏喪胆，使北洋軍閥精神解體，而不伐自潰者，諸賢盍莫不挾西南之勢以制之，西南之勢，寧不大乎？抗戰八年者，終於獲得最後勝利以賴。亦一覦西南力量，西南。惜乎勝利之後方面，固輕易失陷，一亂，而究其主因，毛共之叛國人斯時已沉醉於勝利之狂歡，受復負接收美夢之迷惑，由西南政治撤退，大軍北移，對西南完全喪失心理上之準備，貽西南政治軍事眞空，遂致剿匪之役西南臨事無備，乏力自衛，終至不戰，而退，何異拱手讓敵，寧非我事前疏防於未然失策所致之大憾事乎？由之以觀，在中國政局上，主其事者凡能保有西南，在西南政治與軍事上，事前若有充份的準備與妥善的安排而能運用得當，必可成爲進攻退守之所，緣其不僅有足夠的資源，尤有強大的戰鬥潛力。所以歷來北方或中央政權的組成，往往因未能獲取西南或不見諒於西南而寢枕不安，蓋西南政治地理上，其勢，動可主決中央組織的地位，在經濟上其力量亦足與軍事上，可致該政體興敗與存亡之重，顯然起着決定性的重大作用。

中共新大西南之幻想及與東南亞之關係。

今日西南，自毛澤東劫據大陸之後，體認西南之重要，思以充份利用其價值。爲鞏固其僞政權及陰謀向外發展，對西南初期曾一度命其親信，進駐重兵，派遣黨賀龍等重要幹部坐鎭西南，在該地繼續密佈署，深築基礎，藉其雄厚武力，對內用縱横以南北策應，歇朝，以作其京畿之勤王軍。

（下轉第三版）

「要左手還是右手？」

力不從心了！

今日與明日

毛酋蠻幹必造成更大的混亂

毛澤東、林彪小集團，爲防止他們這一撮人控制的所謂「人民江山」，被「走資本主義路綫」的「反黨」小集團所「篡奪」，才掀起所謂「文化大革命」。在這個運動的幕後，毛、林一派和劉少奇領導的「保皇黨」各擺陣式，赤膊上陣，短兵相接；由於這是生死存亡的「頭等大事」，所以，雙方均集中全力進行火拼。迨「保皇黨」首領彭眞被摔下擂台後，毛、林集團初步佔了上風。但劉少奇指揮的「保皇黨」不但在中共黨、政中央仍保持其相當的勢力，即在地方黨政和軍事系統中，亦是根深蒂固，並不是一舉可下而可全部肅清的。毛、林小集團深知剪草不除根，終必後患無窮，所以才「狗急跳墻」組織赤色男女「飛兵」到處滋擾；無法無天，大有手持「尚方寶劍」，只有「統帥」毛澤東才是他或她們的頂頭上司，誰也不放在眼裏。結果，到處發生流血衝突，連「當家作主」的黨委人，和在地方「掛帥」的黨委都和「紅衞兵」發生對立、打毆一類的事件。毛酋本來以爲出此「絕招」，一定可以打倒黨內敵對的「牛鬼蛇神」，和潛伏各地各階層的反共份子；結果呢？卻大出預料之外，愈「造反」愈混亂，不但敵對的抵抗未稍減低，反而是愈來愈強；如任令這些「飛兵」鬧下去，必闖出使僞政權「變色」的大禍來。其實就此而言，已呈不可收拾狀態了。毛林小集團日前所提出的「不要武門」要「文門」，並不是照顧其壓「輿論」，更不是改變其倒行逆施的「政策」，而是迫於客觀形勢不得不「低頭」。

毛林小集團靠「槍桿子」爲背景，以爲「天下老子第一」加專横」（蘿單語），無人胆敢不低頭認「罪」，自稱「該死」。所以，他們才敢胡來，任意改組黨政組織，順我者生，逆我者「整」。在紅朝坐第二把交椅二十多年的劉少奇，就因爲對毛酋的部份「政策」提出反對的意見，而被連降七級，只懂溜鬚拍馬之流，如陶鑄這個毛頭小子，一九五六年毛共「八大」上被「選」爲中央委員，但就因爲他是「喊萬歲專家」，加上久是林彪親信，一躍而躋身「天京」之「王」位。由黨中央書記處書記而副主席。其地位由微不足道而躍至僅次於林彪、周恩來，坐上第四把交椅。毛林兩酋如此破壞「紀律」和「傳統」，終至把中共政權帶上了「絕境」。在過去幾個月中，眞是「大樑不正二樑歪」，由於毛澤東道個「眞命天子」無道，變臣林彪更是氣燄炙天，不可一世，在他們的影響下，凡屬攀龍附鳳的得勢大小嘍囉，無不本着「一朝權在手，便把令來行」的「政策」辦事，結果，在錯誤基礎上發生更大的錯誤。北平「大字報」上已公開透露，周恩來曾以黨中央「副主席」兼「國務院總理」身份，親到清華大學去承認錯誤，並公開向羣衆道歉。這和過去一樣，並不是中共中央掌權派勇於面對現實而公開承認錯誤；而是不利形勢強迫它不得不作第二次的「低頭」。

毛澤東是「神」，他是「永遠正確」的，連放個屁都被他的御用宣傳走卒說成是「放之四海而皆準的眞理」。然而在他「直接指揮」下進行的「文化大革命」，爲時不到半年已連續發生錯誤，可見毛酋的「神聖」地位已瀕臨破産。但以毛酋的性格而言，他必不會承認錯誤，爲了挽回面子，必進行更大規模的整肅。相對地也必引起更爲強烈的反抗，派系間繼續火拼，大陸必由混亂走向更大的混亂。（何如）

奇怪的民主偏見

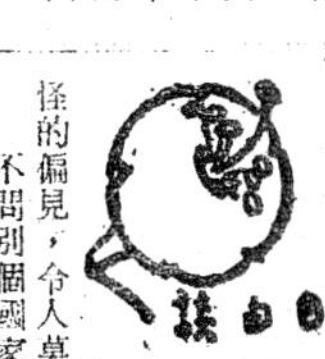

西方人，特別是美國人的民主觀念中，有些很奇怪的偏見，令人莫名其妙。

不問別個國家的人民教育程度如何，社會結構怎樣，工商業發展到何階段，更不管別國的傳統文化思想和民族性習是何內容，就得完全依照美國的方式辦理，否則便是不民主。此其一。

民主政治就是政黨政治，但政黨之產生發展，基於主觀條件與客觀環境關係，成就各不相同，不是隨便就能夠憑選舉以取得政權。在美國人士觀感中，一個政黨執掌政權至多不能超過八年，即須讓給其他的在野黨來當國，否則便是不民主。此其二。

民主社會需要有反對黨，憑着選舉制爭取議會席次，反對政府發揮監督糾正責任。這是對的。但反對固然不是爲反對，也不是毫無所擇的睹氣反對，若在國步艱難，對手遭遇每相忍爲國，對政府表示合作，亦爲義所應爾。可是，在美國人士看來，如果政局平靜無事，沒有反對黨經常吵吵鬧鬧，羣衆藉故示威游行的話，縱使這國家內憂外患交作，人民求生不遂，也就是不民主。此其三。

由此之故，美國對於自由友邦的政治情報和輿論價值亦抱持着偏見，即凡是官方的消息或言論，皆視爲無足輕重的宣傳品。例如數年前首先揭發毛酋澤東將要解除其僞政權主席職務的一內幕消息，原是台北的官方通訊機構，然美國方面漠然不以爲意，迨事實證明後，只好如粵語所謂「冇晒表情」了。最近則稍爲毛酋病入膏肓，可能不久於人世，以及認爲毛酋對於共黨組織力業已削弱的論斷，在台灣和海外與國民黨人士有關的報紙中，早已有所分析描述，然美國方面並不重視，但海外一家與國民黨人無關的報紙，拾人牙慧，說毛酋可能已失勢了，而美聯社即據爲重要新聞，用電報傳播於全球，如此情形，不一而足，這不是偏見作用嗎？

明乎此，即知全世界凡屬接受美援的自由國家，對美國未能心悅誠服，表示抗一氣的精神，而美國人士乃有「以金錢買友誼」的感想，這決非偶然的現象，因果相生，有由來也。

馮正先生

台北政聞集錦

（本報台北通信）本月一日新任考試院長孫科就職典禮中，執政黨祕書長谷鳳翔到場致詞，他希望考試委員不要在學校兼課，意在杜防政府舉行各種考試時可能發生的諸弊和流弊。但各考試委員殊不以為然，首由翁之鏞提出異議，認為考試委員在學校教書並不違法，且因教書而瞭解一般知識水準，對考政更有裨助。他聲言：「考試委員可以不當，教書工作決不能放棄」。詞氣甚為堅決。嗣經副院長程天放打圓場，纔把緊張氣氛和緩了。

最近在立監兩院鬧得熱烈的所謂五大疑案，其中「盜豆案」經司法機關積極偵訊之下，已有一名國大代表——油業公會總幹事——被扣押了。據說有立監委員各一名，亦在法院傳訊之列。而其他四案已由行政院嚴令徹查，情報機構掌握有若干資料，看趨勢，這五大疑案不會無疾而終，必有新的發展可觀也。

上月十六日台北「大華晚報」刊出社論，對監院彈劾財經兩部長有所批評，全篇意旨在希望台諫御史們善盡職責，不要有所偏頗。然有立法委員胡某，除在立院提出質詢，攻訐「大華晚報」干涉質詢彈劾大權，挑撥立監委員情感，膽大妄言而外，又在刊物上著文指說台灣的新聞界人士亦有涉及五大疑案「官商勾結」、「敲詐分肥」、「從中取利」情事，說「大華晚報」是「利令智昏」、「反對查辦貪污」。當初該報以問心無愧，是非自有公論，主張置之不理，雖社長耿修業建議由他個人出面答復，大家亦未同意。詎香港華僑日報於上月卅一日刊出「胡××」捧打盡新聞界」一文，大華晚報乃認為非說話不可了。該報著文請教胡某，台灣新聞界人士涉嫌五大疑案，從中取利者究竟是誰？事實安在？民意代表在議會發言對外不負責，但在刊物上寫的文章，卻負有法律責任。這場筆墨官司是否會釀成刑事案件，殊不可知。

十年前，台灣「大同公司」負責人林挺生侵佔敵產海軍資財一案，原案雖仍在法院冷藏着，並未了結，但人們多已健忘，最近台北一家報紙忽然舊事重提，將全案內容合盤托出，呼籲政府注意查究，似在給五大疑案湊熱鬧，如果究問起來，好戲還在後頭呢！（九月四日大元於台北）

武訓中學巡禮

本報記者台中航訊

一個晴朗的早上，記者單人匹馬，闖進了一所規模宏大、環境清幽，校宇整潔的學宮。誰也不知道我這不速之客的無覓王的來路。臨近校門，回顧肅然，祇有「私立武訓中學」六個大字對我表示歡迎。進得校門，愈覺校地廣濶，校宇軒然壯觀，置身校園，如臨春風，令人好感。

烏日是台灣縱貫鐵路中的一個重鎮，交通便利。武訓中學就在此誕生了七易寒暑。武訓苦行興學佳話，在人們的心目中是欽仰不已的故事。該學宮以「武訓」名校，創校人的精神絕非一般「學店」可比，自不待言。（記者想）

早上的不速之客，是出人意料的事。早起的工友，向記者問明了來意，由他引見了該校創設人楊德鈞校長。精神飽滿，穿着樸實的楊德鈞先生，對我這位不速之客甚表歡迎。他將記者延入他的校長室，我們打開「話匣子」。暑假中的學宮，一片肅然，靜靜的校長室，祇有我們兩人的聲音在交換感情。

武訓精神的發揚

不待記者發問，楊校長首先介紹他一手興辦的這學校說：「敝校創設已經七年了，是我獨資創辦的。有錢的人，興辦學校，為國育才，是一件有意義的事；武訓夫子行乞興學的精神，啟示了我設校的動機，也給我不少的勇氣。今天能辦到粗具規模，可說是差強人意了。但是，我絕不因為稍有所成，而感到滿足。老實說，距我的計劃和理想，還很遙遠。」

『楊校長太客氣了。在台中地區來說，私立中學貴校應該是首屆一指的了，校譽之佳，升學錄之高，是為一般人所稱道的。記者早有所聞，久已想來拜訪貴校的，到今天才抽出半日之暇，實在是冒闖。」記者也客氣了幾句。

「貴校升學錄高，校風又佳，請問貴校有何不同的教育法方？記者很想知道一點」。

楊校長講話非常豪爽，他很自得的說：

「要辦好教育，沒有什麼了不起方法，主要在個人的目的正確不正確。如果目的正確，為國培育人才而教育，沒有辦不好的；如果是圖利而「攪學校」，無異是一所「學店」，那末，怎麼也攪不好的。」

「目的正確固然是成功的主要原因，但教育的方法，相信貴校也有不少可資其他借鏡的，請校長說說好嗎」？

「五嚴」和「四多」

楊校長說：「談到方法，也是極平常的事，我主要的原則只有兩項：一是『五嚴』，二是『四多』。」

港人不再滙欵大陸 親共銀行門可羅雀

「紅衛兵」亂整僑眷結果

（本報訊）香港部份居民滙欵往大陸幾呈停頓狀態，東南亞及其他遠洋區華僑滙欵來港轉駁大陸的，亦擱留在港未敢滙返，於是此間與中共有關係的銀行滙欵收入一落千丈。

最近旬日間，香港很多人都收到大陸的家屬消息，據謂「紅衛兵」對於經常有外滙收入的人，指為資產階級殘餘份子，予以種種的迫害。雖然一般來信都是寫得很簡單，不敢詳細說出迫害的情形，但通知港方的親屬未有再收到來信之前，不可滙欵及寄物品，幾乎是同一的口吻。因此港人暫時不敢滙欵返大陸接濟親屬，海外華僑對於大陸親屬的滙欵，經香港內駁的，亦暫時擱留香港。

在過去多年來，大陸各地經常有僑滙收入的人，一向獲得特別優待，在大陸糧食最缺乏的時候，一般僑眷都可以利用購物證，買到所需要的食米及雜糧、肉食、糖類、油脂等。但現在一般僑眷以及有外滙收入的人，都受到迫害，以往靠僑滙維持生活的人，已要被迫害參加「勞動」，現在即使有錢滙返大陸，但亦等於充公，香港一部份人有家屬在大陸的，雖然對於暫停滙欵接濟十分難過，但為了避免家屬受到進一步的迫害，祇有忍心暫停滙欵。

由港滙入大陸的欵項每年有多少？雖然不容易有詳細的數字透露，但估計每年起碼有三億港元。在以往滙欵最多的幾年，當然不止此數；最近兩三年間滙往大陸的欵項無疑是逐漸減少，可是每年仍在三億港元以上。

滙往大陸的欵項最多的時候，每年約達十億港元。可是最近十年來逐漸減少，雖然一九六〇年至六二年間，大陸發生嚴重饑荒的時期，滙往大陸的欵項曾告復增，當時因香港很多人不忍大陸的親友饑寒交迫，除了寄食物及衣服接濟之外，還把欵項滙入大陸接濟親友，估計這三年間每年滙入大陸的欵項約達五億港元。但一九六三年起，滙入大陸的欵項又逐漸減少，一方面為饑荒漸成過去，另方面居留在香港的一部份僑眷，赴美國及加拿大亦漸多，對於滙欵入大陸也影響而減少。特別是越戰發生後，香港很多人感覺滙欵入大陸，等於間接支持中共對外侵畧，因為滙返大陸的欵項，收欵人祇能按月提取以每一港元兌四角二分七的「人民幣」，殊不值得，除了部份人對於家屬不能不接濟以外，對於其他親友很少再滙欵接濟了。

現在大陸方面的「紅衛兵」迫害僑眷，以及對於從前曾經有外滙收入的人也要加以清算，於是堵塞了大量的僑滙來源，香港的中共銀行亦因此而減少僑欵及內滙的收入，對於他們的營業及週轉都有影響。

究竟滙入大陸的欵項是否還有一個時期停頓，雖然難以逆料，但中共政權迫害僑眷，無形中堵塞了僑滙，對於中共經濟當然有影響。即使今後停止對僑眷迫害，滙往大陸的欵項亦決難恢復從前的數字了。

析論立監兩院的五大案（八）

·本報記者劍聲·

質詢動機　並不純正

立法院提案質詢五大案的原因和若干委員的動機，目的，前文已有報導，完全是基於「派系恩怨，私人利益」。現在，記者所報導的是監察院的五大案。

監察院財經兩委員會所推派而組成之五人小組，所調查的五大案計有：中華毛廠貸欵四千萬元案，大秦拍賣台銀承受廠房機器與復興公司合作經營兩億六千餘萬元案，味新公司獲得貸欵三千萬元後即倒閉案，各棉紡工廠貸欵四億餘元案，東亞公司貸欵一千萬元案，與並未同時處理之由立法委員創設中實企業股份有限公司「詐欺」案。

該五人小組於今年五月十一日正式組成，分由財政委員會第二四五次會議推派王澍霖、于鎮洲委員；經濟委員會第二三九次會議推派金越光、王文光、吳大宇委員等，會同財政委員會所推委員，一併調查前述五案。該小組由金越光調查中華毛紡貸欵案，吳大宇調查大秦案，王文光調查東亞案，王澍霖、于鎮洲兩委員分別調查味新貸欵案與棉紡工廠原棉貸欵案。而原棉貸欵案是個比較老的案子，也是很複雜的案子。至於由立委而設立之中實企業公司「詐欺」案，因該案原訴人范文徵、高孝侃已委請李晉芳律師向台北法院進行訴訟中，所以監察院沒有調查，旨在避免外界誤解。在這五個調查案中，以東亞貸欵案為最特出，而且有許多耐人尋味的「巧合」，和使人百思而不解的「創例」，這是監察院過去所沒有的現象，值得大書而特書。

監院彈劾　不少「創例」

所謂「巧合」，如東亞彈劾案之提出的時間，是八月三日，翌日各報公布彈劾全文，五日便是立法院質詢五大案的首次會議，這是過去所未見的巧合；其次是東亞彈劾案的審查委員，一共是十二人，這十二人是陳大榕、蕭一山、郭育、丁俊生、劉永濟、張志廣、陳訪先、馬慶瑞、劉延濤、段克昌、王竹祺、葉時修委員等，除段、王兩委員外，都是屬於監察院的「多數派」，這也是巧合之一。時間與人事上的巧合，如非特出，安能如此？

不過，我們對另外幾位審查委員的大公無私的精神，表示欽佩。他們是青年黨籍之丁俊生、葉時修和劉永濟。他們並未因東亞案中之五立委中的李公權，是青年黨黨員而袒護，或提出異議，或主張將彈劾案擱置。他們認為李公權如有違法情事，就應該負責任。這種精神，這種觀念，開風氣之先，怎不叫人佩服。尤其李公權那種不逃避責任的「硬漢」作風，更叫人叫好。在彈劾東亞案未提出之前，李氏應自治學會理事長李宗黃之邀請，代表我國出席在曼谷舉行之「國際地方政府聯合第十八屆大會」的代表，後來，他因涉及東亞案，乃自動向李宗黃懇辭「中國代表」，以免招致外界誤會，形成「是非難分，辯白無門」的僵局。這種光明磊落的作風，也是立法院鮮有之創例。

據悉：東亞公司有五位立法委員董事，其中如立委劉全忠、李公權等董事，自就任至今，既未負實際責任，也未拿公司半分錢，但最後在彈劾案中敬陪末座。

彈劾書未彈劾台銀負責人，和財經小組主持人，也是「巧合」。

所謂「創例」，也就是彈劾書不無有瑕疵之處，由於有瑕疵，就難免授人話柄而抨擊彈劾書，進而影響彈劾案的預期效果，這使人感到相當的遺憾。

審理案件　應否調查

第一、東亞案原訴人為該公司舊董事王重寸，他在今年春間，就連續向監察院財經兩委員分別提出訴狀，指出「某特權集團對於東亞紡織公司，內吃股東，外吃政府」。此時，王重寸、王慧秋已在法院提起訴訟。當時監察院財經兩委員會於五月十一日推派委員調查東亞案時，王重寸等向法院請求宣告公司五十四年九月十五日決議無效事件，正在台灣高等法院審理中，依照監察院第六一四次院會決議：在法院審理中的案件，以不必派委員調查為原則。四十八年一月十三日，監察院第五六二次會議決議，已進入司法程序者不必行查。依此規定，王重寸呈訴東亞公司案件，監察院應待司法程序結束後調查，始符合上述決議規定。今監察院竟明知而「創例」派委員調查案件繫屬於司法程序之東亞公司，那麼，另一案件為什麼又以案屬法院為理由而不調查呢？何故厚此薄彼？今後是否將援東亞例而否定自己的決議呢？

第二、自今年五月十一日決定推委員調查至東亞彈劾案的提出並公佈，前後總共八十五天，較同一時間調查之其他數案都要快，這種按時提出調查報告，與及時提案彈劾的精神，而獲得社會一致頌揚，這種「創例」，對今後其他調查案，有沒有約束力？而其他同時調查之案件，迄今（八月廿日）尚未提出調查報告，這又是什麼緣故呢？

瀛海異聞談

委內瑞拉有個幽靈花園

‧春雅‧

在南美洲委內瑞拉國的馬利亞李安莎公園，也許是這世界唯一供給幽靈的花園。它隱藏在一個佔地十四萬四千英畝的雨季森林，具有幾十個細小的祭台，有許多燃着的洋燭閃光，散雜有許多藏着所謂靈驗治病藥粉的空封和一瓶瓶的香水。

在平坦的草場上常見一羣拜神的人舉行他們的求神禮節，他們是將耶教和其他異教混合的。委內瑞拉人確信馬利亞李安莎公園有絕大的法力。從委內瑞拉的首都卡拉加斯乘汽車向西南行約五小時便可到達。它是在卡拉卡斯區那裏產生那個最普通的傳說：據說馬利亞是在白種人未到美洲之前的一個印第安族酋長的美麗女兒，在隔鄰，另一個種族人因妒忌她的美色和她具有治病的魔力，就派幾個壯丁乘她在山間漫遊時，推她落山谷下跌死。她的芳魂不滅，時常出現，且將向她請求療病者醫治好，因此她就被捧做聖女或愛與豐裕的女神。馬利亞李安莎的力量不僅限於那個地方，在卡拉加斯的公路邊，汽車駕駛人每天都經過一個馬利亞李安莎赤體騎着一隻貘的雕刻像，可是車行太快，很少遊客有注意及此。

但是馬利亞李安莎的信徒，在她的節日，多數圍着那個人像舉行跳舞和演奏音樂。更有人赤腳走過破碎的玻璃片或燒炙的火烘，作爲一種贖罪的行爲。在衆人相信馬利亞李安莎仍在居住的花園中，也有舉行相同的節日。

除了馬利亞李安莎之外，當地人也相信有另兩個幽靈存在：一個是尼高斐立，一個是印第安族酋長居加佩羅，他曾極力抗西班牙人的侵略，死於戰鬥中。委內瑞拉人喜歡舉行降神，所召到的幽靈，就是尼高斐立或居加佩羅。在一間小神廟裏，在祭壇上設有燃着的洋燭，一個大十字架和一幅馬利亞李安莎的繪像，那個幽靈的媒介人，赤腳坐在壇前，他先將遍體灑上法國香水，口抽一枝雪茄，在他的頸項掛着一個大十字架，他人不可用雙手交加着在胸前，或交結着手指，否則幽靈便不會到附身；另有一個人在他的背後，不斷用手勢作各種奇異的記號，那個認爲受幽靈附身的人就會顫動，後來四肢硬直，倒在地上，他開始用西班牙語高呼。在場的信徒就同聲叫喊：「歡迎我們所景仰的尼高斐立。」那個被附身者就說：我不會向人討錢或給錢與人，但我們將幫助你們，假如你們有病，或求職業或愛情。

在森林裏的一間最大神廟裏掛着委內瑞拉人最尊敬的五幅人像，一個是南美洲的解放者西蒙保里亞，一個是穿紅色長褲的尼高斐立，一個是華師佐斯古哥里奧，委內瑞拉的聖徒，一個是女預言家妮拉譚瑪莎，一個是馬利亞李安莎。更放有一尊聖母瑪利亞像，在祭壇上放有洋燭，弓箭和金鼓。委內瑞拉人迷信，在死後，他們多隨馬利亞李安莎在她的花園出現。

那間神廟領有政府的特准設立的牌照，誇稱有自己的法律顧問律師，凡想參加做神廟組員的人，先要一次喝二十一大水杯清水。在那個花園鄰近城市居住的人，都相信他們是跟幽魂的陰影下同住。委內瑞拉政府派出調查員監視防止有人幹不軌行爲或作神棍，最近曾取消四十個祭壇，因有涉及上述的問題。像所有在南美洲的國家，委內瑞拉的人是信奉天主教，所以當地的教會也極力勸教徒不要有那種邪說的傾向和信仰，但是未能有重大的效果。因爲連農林部的官員也相信那個被認爲幽靈所出沒的花園確常有離奇不可思議的事發生，像其中一個人的妻子經久生病。羣醫束手，認爲她不久就會死亡，誰知當她被抬到那處的水泉，被稱爲「聖水」的洗浴之後，她就突然全愈了。

三度謀殺希魔的德國律師

○文彬○

當納粹得勢之後，施拉賓多孚也不加入做黨員。在第二次世界大戰未爆發前，在一九三九年七月，施拉賓多孚訪問英國，他去見納粹的最大敵人溫士頓邱吉爾，施拉賓多孚對邱吉爾說：「我不是納粹黨員，但我是一個熱心的愛國者。」他曾向邱吉爾提出警告，希特勒的軍隊將於幾個星期後進攻波蘭。可惜邱吉爾在當時並未當政，他將密告轉知英首相張伯倫，但後者看作閒事，並不理會。

施拉賓多孚在一九四三年開始有謀殺希特勒的動機。當時他是蘇俄前線的德軍參謀長泰斯高少將的副官，泰斯高也是憎惡希特勒的份子，施拉賓多孚就跟他同謀去把希特勒消滅。他們組成一個反叛機關，雖有一個裝刺客願意到希特勒的總部向那個大獨裁者下手，但是希特勒有衛鋒護衛軍重重保護，在接近他的身邊人物都不許攜帶武器的。所以這個暗殺計劃不能進行，祇有等候機會。

當德軍在史達林格勒和北非戰事失利後，希特勒從東普魯士的總部乘飛機到蘇俄施茂連斯基，召集軍官舉行重要會議，施拉賓多孚認爲時機已到，就秘密製造兩枚計時炸彈，放入兩隻白蘭地酒空瓶內，包裝好後交給一個跟希特勒同來的參謀勃特上校，請他順便帶往拉斯登堡的好朋友史迪夫少將。勃特上校跟希特勒乘同一架飛機回到他們的總部，施拉賓多孚親自送機，將兩瓶僞裝的酒交給勃特上校，預早已將炸彈佈置好，將在半小時後爆炸。那天是一九四三年三月十三日，這是對預謀者的一個不祥的日子，因爲炸彈不依時爆炸，希特勒得以平安無事在拉斯登堡降落。施拉賓多孚聞悉非常心焦，他急忙拍電報給勃特上校，不要將兩瓶酒交給史迪夫少將，因爲在忙亂中他將兩瓶酒弄錯調，他會帶來兩瓶好酒調回。勃特上校不知有詐，就被瞞過。不久後，施拉賓多孚乘專機抵達他急向勃特上校換回那兩瓶僞酒。若果那兩枚計時炸彈及時爆炸，那架飛機必被炸碎，希特勒那能不死呢？

事敗後，勇敢的泰斯高少將決意親自動手，作自我犧牲，跟希特勒共亡。在幾個星期後，他探悉希特勒將在柏林親自舉行軍事展覽揭幕禮，他就暗懷一枚由施拉賓多孚特製的炸彈，想衝出近希特勒的身邊時就標擊將炸彈爆炸。（二）

論西南問題與中國前途

（上接第一版）

對外沿西南邊緣，擴展領土，重劃疆域，西起藏原，不丹、尼泊爾、及印度半島之一部份，南自越南、緬甸、寮、泰、收中南半島諸國入其版圖，與西結成一線，大事武裝西南，對西南國防、交通、戰略要道，新能源等現代建設不遺餘力，以利其對外黷武，冀希達到新大西南之幻想。

在共產主義極力擴張下，目前東南亞諸國，對於來自中共西南之軍事與政治威脅，心理壓迫尤大，憂患忡忡，精神上有不勝負荷之感。前故印度總理尼赫魯，痛哭流涕於國會，卒致心力交瘁，憂患暴斃。繼之夏斯屈亦勞瘁以死，情形之嚴重，可見一斑。毛澤東之所以積極支持北越，旨在一方面取越南以制印度及中南半島，從經濟上佔領緬泰糧倉，搜刮生存資源，二方面，軍事上以切斷東西兩洋之交通，絕中東與非、律賓、日本之生命線，如石油、工業原料等，從而思以全部控制佔領亞洲。因此，今日西南與印度洋、中東、南洋、澳洲、東南亞諸海洋國家，其利害關係，已不言而喻。此爲毛澤東對外黷武重視西南之第一步驟，所以，今日西南一隅，毛澤東屯集軍事戰力，對內則用以作爲控制中國人民之箭垛，對外則用以作爲東南亞諸國輸送政治陰謀與軍事武力的頭號基地，步向世界的起程站，它威脅着亞洲的安全與世界的和平。

如何尋出解決西南問題的商榷

西南的歷史紀錄與現實情況，既如上述，西南的重要性亦即可知。從未來反攻形勢以觀，就一旦採取行動而言，西南勢必成爲一大障礙。如何除此障礙？似應分別擬具萬千具體計劃，予以有效實施，首先在政略與戰略上控制西南。然擬具計劃之先決條件又必須對西南作通盤詳盡之認識，凡有關西南各省民族、文化、語言、風俗、生活、地理、……予以充份瞭解，同時，對歷朝人物當時情勢及謀取西南之戰略思想與戰術運用，分別檢討，參攷得失之後，當不難尋出有效答案。

越戰毗鄰西南，非獨有助於從事西南計劃之推行，抑且尤有利於復國之機運。唯越戰進行數載，截至最近中共宣稱；美機於雲南上空與米格機遭遇，戰爭已進入西南，我國迄今仍然未能參加派兵援越之戰，頗表遺憾，然而，從來戰機者，一方面因來自客觀形勢，一方面則有賴主觀創造，斷非全賴客觀也。故吾人必須主動創造戰機！如何創造戰機？端在吾人之智慧也。

總之，姑勿論把握越戰或中共內鬨等因素以爲機會，或者重創機運有無切合西南問題的研究與計劃之推行，而西南問題應被重視，則爲歷史所公認，殆無疑議。自來有謂：「天下未亂蜀先亂，天下已定蜀未定」，皆泛指西南有興啓戰源，歸結敗亡之寓意，所以，無論吾人今後在東北開闢戰場，或發生戰鬥，西南必具其應有的軍事價值。從大陸內部暴發革命以論，西南亦具其革命之意義。設以檢討過去的態度而言，昔日中共輕攫西南，未必不會對西南事先設置陰謀，使吾人當時入其彀而不省者，因此，今日西南問題之提出研究，非獨爲反攻復國與文化歷史所必需，同時，對於未來中國問題的處理，當亦富有重大之意義。

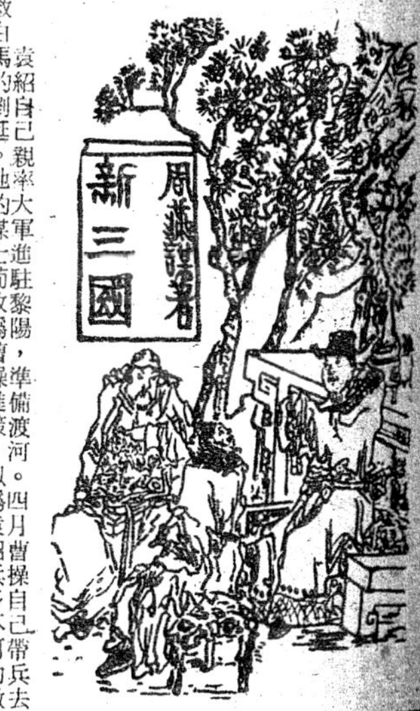

袁紹自己親率大軍進駐黎陽，準備渡河。四月曹操自己帶兵去救白馬的劉延。他的謀士荀攸爲曹操進策，以爲袁紹兵多不可力敵，先要分散袁紹的兵力，然後再出延津，（即今河南延津縣北之河岸也）於是曹操先以部隊作繞道進攻袁紹的後方之勢，用以分散袁紹的兵力。袁紹果然分兵拒之。這邊曹操便迅捷引兵集中，派關羽、張遼二將前登，關羽望見顏良在麾蓋之下耀武揚威，「羽策馬刺良於萬衆之中，斬其首還。紹諸將莫能當者，遂解白馬圍。袁軍大驚。」陳壽在此顯了他的神來之筆。幾句話描寫關羽斬顏良之神態，寫得活靈活現。「策馬刺良於萬衆之中」，眞是神來之筆。演義上說關羽又誅文醜，但關羽傳及其他各傳均無記載。可是羅貫中並非造謠，此事在宋時已有人書之於筆記。宋人洪邁容齋二筆云：「關公手殺袁紹二將顏良文醜於萬衆之中」，演義也有了根據。洪邁可能根據說書人或口碑。關羽斬了袁紹大將顏良之後，獻帑封以漢壽亭侯。斬顏良後關羽已知劉備下落。

關羽斬顏良一陣，曹營、袁軍都很驚駭，同時雲長已得知劉備消息，張飛也可能在此時找到了劉備。袁紹分了一部兵馬給劉備派他到汝南，與汝南一部游擊隊首領龔都打成一氣。此時關羽封印封金，拜書辭操而去，在汝南地方找到了劉備。曹操派了蔡陽擊之，被劉備所破。先主傳說蔡陽爲先主所殺。此時關張同在身邊，演義說關羽斬蔡，情理所當然。關張之勇在當世是有名的。劉備是主將，其事歸於劉傳，此乃史家之通例。演義渲染，也並不離譜。

卅六、袁本初損兵折將曹孟德以弱克强

顏良被關羽斬於萬衆之中，袁紹大怒，又派了文醜挑戰，曹兵不出，使人登高察看，見文醜兵只五六千騎，不久逐漸增加，不可勝數。此時曹操命令士兵解鞍放馬，使袁兵鬆懈。時曹軍一切輜重皆已上路，準備撤退。諸將以爲袁軍勢大，不如還保大本營。荀攸對諸將說：「此乃誘敵之計，怎可去之」！不久文醜、劉備率五六千騎兵前後而至，諸將對曹操說「可上馬」了。曹操說：「還不行」。不久，袁兵愈多，有的士兵已在奪取曹兵輜重了。此時，曹操下令即刻上馬，曹操以六百騎兵突擊大破之。袁紹大將文醜陣亡。乘勝再戰，文醜之衆全部被擒。顏良、文醜皆袁紹名將，二將戰死，紹軍大震。

顏良、文醜二將陣亡，曹操固然先聲奪人，然而袁軍主力並沒有損失，勝負尚未達決定階段。曹操破顏良、文醜後，回師官渡。袁紹使進兵武陽。（武陽，爲司隸校尉河南尹屬縣，今河南武陽縣東南二十八里）袁紹兵力雄厚，沿着濟河北岸，依沙堆紮營，擺了幾十里路之長。曹操兵力比較單薄，不能把部隊拉長來對付。袁紹利用沙堆壘上沙土，造成若干土山，士兵在山上射箭，居高臨下，弄得曹兵活動大受影響，行動必須用盾牌掩護。曹操也還以顏色，發明了一種砲車，名曰「霹靂車」，利用槓桿的原理，把大石頭拋射到袁軍營中，把土山上平頂樓房打碎，始挽回劣勢。

袁紹又新施一計，掘地道直通曹營。曹操也掘地道以資對付；袁紹所掘地道由南北向，曹操所掘則爲東西向。袁紹所掘的是地下「陰道」，曹操所掘則是露天的「陽道」。（六十四）

寄語實秋（續）

後來劇運忽變爲梅張並呈，於是學程者日就稀少。大鵬總算造成一古愛蓮，但能唱的戲不多，僅有十餘齣。後來古退出大鵬，繼起有邵佩瑜，初時其勢甚猛，還延至今，已有六七年，仍未得有大顯著的成就，殆將與古同一轍。是否教導無力，進度甚滯，不得而知，惟佩瑜年已二十，深以慮之。其他劇團可云無學程者，程派之式微，於今爲甚。此絕妙之音調，行將絕傳，不無可惜。兄懷絕藝，徹視菊壇，不再多傳此藝，則此後之斷續，自在意中，不禁感歎。希望在此組織之消遣中，多爲推展，俾使不墜。倘具此願，會當約後起之秀，前來參盟受教，其有意於斯乎？因在票社中聽教，其耳提面命之功，勝於單獨施教，渴望見惠好音，以便攜介，不勝幸甚。

國劇繽紛錄

姿馨生（一〇八一）

謝摶九贈本

一年前，在國劇欣賞會聚談，即涉及劇本問題，由於國內劇本的確感到荒缺，是舊本所唱已嫌陳腔，要有新的無非模擬匪區，而出乎自編的極少，爲的是有些不太精采，有的則劇團不用，落成他們多在自編自導，或即發生不倫不類。（是編者不富於文學，更缺乏剪裁之能。）會中得到結論，請各名家多多撰寫。不久以後，克常改戰太平，雪岩編玉鐲緣（即女秀才），摶九先生卻編了花蕊夫人，是以前尚小雲曾演過。不過由教育部審定後，戰太平由[illegible]演過，花蕊夫人僅電視台演過，總湊時間略有刪節，始終未詳看，近將再演，容俟細觀。

我認爲編好劇本，而劇團動輒以需要角色稍多，不予排演，是不太近情理，將使編者擱筆。而寫戲稿者的諸君，一天到晚，專事捧場，圖求戲票，似亦未盡責。應該力爲推展，以求改觀，才是正理。在半年以前，即冒昧遺書倪摶九先生，索花蕊夫人本，此爲有情節而具節烈性的悲劇，却有關於世道人心的。得復始知在電視公司排演，俟其歸還，當再寄來，祇有耿耿在心，佇偫以待。越昨，摶九忽寄劇本，知是重新油印，眞是信人，不遺在遠，彌深感謝。披閱之下，在卷首有幾句警語，「劇本的編寫，本來不是件容易的事，尤其反共抗俄的大時代中，劇本的主題，無形中受了一種限制，更不容易寫出一部既合時代需要，又爲觀衆擊節贊賞的作品，所以近年來國劇新劇本的編寫，與演出，感覺相當的吃力。（未完）

小品三則

○意都譯○

（按：原作者依里奧．維多利尼，一九〇九年生於西西里，定居米蘭，在他作品中可聞到義大利南方的濃重氣息。他曾譯介過許多美國小說，故受美國文學影響甚深。他可以說是個優秀的散文小說家，對青年作家有鉅大影響。他曾任義大利許多報刊及出版社的編輯及顧問。他的書亦爲各國所翻譯出版。一九四九年，海明威曾出版過他的「西西里會話」。」）

一、沙漠

「城市中心是荒漠」。我們在玩牌、談天。四個人，我們抽烟，手上執着愛司、皇帝、皇后——還有衛士。

「你說城市裏正中心」？

「我如此說：城市向北方，向西方，向東方，也向南方，風自廣場與街巷裏吹起。」

「而它是荒漠？」

「荒漠。它是石塊與塵砂，處處長着苦艾，如此而已——沒有水——還有烏鴉」。

「還有蜥蜴」？

「還有蜥蜴。」

「夜裏沒亮光？」

「沒有星辰。」

我們互視。一張牌被扔在桌上，又一張，又一張，還有一張，拿坡里人贏了。

「哦，它很大嗎？」

「沒人知道。四處散着獸骨，帶角的頭骨。」

「眞正的荒漠。」

「甚至見不到破屋。」

「人的房屋？」

「人的。房間。」

「你怎麼到那裏的？」

「出租汽車。我帶着行李。」

「它是荒漠？」

克勞頓人放F牌，舉手抓抓前額。其他人拿着牌，沒人往下扔。黑桃皇后擺在桌上。

「我看得到，」克勞頓說，「廢墟、樹根、鐵軌、和焚燒的車廂架。」

我們拋下牌。

「你是說另一個荒漠？」

「不，還是那個。」

「地球只有一個中心。」

拿坡里人吐口痰，拿起這疊牌。

「我家也有一個」，他說，「四邊圍着城牆，裏面沒有一片草，經過的人都稱它爲荒漠。它位於橄欖林中央。」

「我可以想見，」克勞頓人說，「它和現在一樣，它是荒漠。」

我們又點上香烟。有個不打牌的西班牙人，他一言不發。

他獨自在噴烟草。

「荒漠很深。」他的話什麼意思？我們轉向他等待着。

「它淹蓋住我，」他又說。「我坐在道裏。我嚼着烟草。我無法逃避！」

「來吧！」拿坡里人說。

他笑——笑聲只有他自己聽得見。那個人站起來。

「哦，往前的可愛荒漠！」他說。

別人隨着說。

「發光的砂。」

「偉大的太陽！」

「上路的日子！」

「遨遊的地方！」

「哦，可愛的荒漠！」

（上）

新聞記者表演平劇

馬五先生

台北新聞界同仁爲紀念記者節，於九月一二日假中山堂舉行平劇晚會兩場，登台的盡是些新聞界票友，可謂集「羊毛」之大成，甚盛事也。二日晚，老友禹志翔兄約往欣賞，他說，他們是票友的戲不能嚴格太高，這是很明情理的話，我當然同意。

是夕，共計演出六齣舊劇，即「戰樊城」、「轅門射戟」、「春秋配」、「思凡」、「坐宮」、「打漁殺家」。我祇談談最後四齣戲的觀感，却說不上「劇評」，因爲我對此道亦係「羊毛」之列啊！

「春秋配」飾李春發的小生傅戈，去香衣的馬永惠二位，都是夫婦倆，他們在台上並不邋遢，信非初出茅廬之輩，頗有舞台經驗了。這純粹是唱工戲，馬女士的嗓音尚夠標準，扮相亦佳。唯唱詞多顯別出新裁者，如首場西皮搖板「勸母親且息怒，容兒細講」—一段，省略原詞太多，似有「三條腿」之嫌。次場二簧慢板的一般舊詞爲：「出門來羞答答，將頭低下，忍不住淚珠兒點點如麻，我好比花未開，風吹雨打，吞聲忍着氣，暗自嗟呀」。馬女士已將詞句除掉「我好比花未開」一句外，全都改變了，首句改爲「受逼迫去檢柴」云云，似不若舊詞之歌唱順口而雅緻中聽。檢柴回家唱應唱西皮散板「好一個賢君子，性情不苟，同家去對母親細說根由」一兩句，往時聽燕京名伶演唱皆然，是夕馬女士亦將它抹去了，未免美中不足。傅君的扮相和唱工皆不錯，如能再對身段方面加以鍛鍊，那就更好了。

「思凡」是崑曲，表演一個青年女尼六根未淨的煩惱，悔悟意念；在禪房時的愁悶憂思和下山時的愉悅羞澀情緒，都要藉各種動態以配合臉部的表情，方爲上乘。宋丹昂女士飾女尼「色空」，身段與動作皆俐落，頗似西方劇壇所演的Opera，坐在我後面的一位洋人，即頻頻鼓掌不絕，微惜表情方面不無缺欠。宋女士畢業於中國藝術專科學校，又入台大留習文學，將來必有很好的成就。前歲曾在老友[illegible]健工兒家，會聽過她清唱「鳳還巢」一折，認爲不同凡響也。

「坐宮」的鐵鏡公主宣以文女士，係徵信新聞報從業人員，身上臉上都有戲，唱詞亦清脆，允屬難得。唯在行動中兩手擺擺過甚，不像穩重大方的公主儀態，這點希望宣女士稍加琢磨爲是。張昭泰君的楊延輝，嗓門微嫌窄，然尚穩練，路子亦正。他是「華聲電台」的同業，馮志翔兄笑謂他似乎深受了留聲唱片的薰陶，其然，豈其然乎？去了環的小姐，不知甚麼名雌，她伴着公主站在一旁，穩重如泰山，瑪的忠實兵，「硬是要得」——這是一句四川諺語。

大軸「打漁殺家」，飾蕭恩的李殿係「攝影新聞」職員，唱做均爲老練，不愧演大軸戲的角色。「聯合報」王蘊青君去蕭桂英，爲是夕戲劇中唯一演女角的男子漢，他的扮相有些像四十年前在上海窟紅的綠牡丹（男性），嗓音亦甜潤，上場時父女對說「一輪明月照蘆花」這句詞的身段和動作，稍現生硬而已。普通演此劇，首由桂英在幕內唱二簧倒板「開船[illegible]」，然後蕭恩叫聲「開船」，父女二人即在「急急風」的鑼鼓聲中出場，是夕先由李俊倪榮上場來演先鋒，想必也有考究，但劇情殊欠緊凑！我本想瞧瞧那位演教師爺的技藝，因時間太晚，只好割愛還家睡覺去者。

薛時雨居官不忘貧賤

夜蘭

呂新吾嘗言：「而今士大夫聚首時，只問我輩奔忙，熬熬煎煎，是爲天下國家，欲濟世安民乎？抑爲身家妻子，欲位高金多乎？世之治亂，民之死生，國之安危，只於這兩個念頭定了！」說來十分沉痛。學優而仕，從政服官，要當勿忘本來面目，庶勤政愛民事耳。昔薛時雨居官不忘貧賤，因述之以爲貪鄙卑汚者，知所儆。

時雨字慰農，晚號桑根老人，滁之全州人，少舉於鄉，以侍母疾，不應禮部試者十年。至咸豐癸丑進士，知嘉善縣，再遷杭州府，兼督糧政，代行藩臬，旋以疾歸，主崇文尊經惜陰書院。光緒乙酉逝於江陵。陳石遺稱其「治績備見，而宦游勇退」。在官時有善政，杭人思之，爲造湖船名薛舫，並結廬於西湖鳳林寺後，顏曰薛廬，以旌好官。

時雨倜儻儒者，不自忘其少賤且貧，其初抵杭垣，有詩紀之云：「揚帆度新關，關吏睨而笑。是眞窮措大，破襆裹詩料。薄暮入東城，人烟翳夕照。舉目無因依，自矢特立操。沿街覓投止，晚風暗吹帽。須便問居，無庸卜杯珓。官游寄傍人家，自我信變調。淨宇懸琴囊，斗室支茶灶。百錢沽斗酒，洗塵作慰勞。」「禱晨謁大吏，聯步相追隨。新婦或愆儀，宛若先挪揄。手版躬自陳，義與榛栗符。禮成屈一膝，欲坐乃趦趄。大吏但頷頤，答拜姑徐徐。讀書希崇顯，此狀何卑汚？倘令妻孥見，謂我不丈夫。思之實忸怩，退食自嗟吁。卓哉陶淵明，掛冠賦歸歟。」其寫描畫版低心之狀，怳讀官場現形記之另一頁。

惟其有所不爲乃可有爲，及爲旗道時，值洪楊之亂，遇有投奔者，輒延納之，衙署爲滿，酒食旅店，半爲避難之人，而以「白裘杜廈古人心」自解。年五十無子，娶妾亦不育，以猶子爲嗣，生日自述云：「……相士號半仙，相我形貌殊。前生老瞿曇，今生爲老儒。面有陰騭文，晚景桑榆象。我聞啞然笑，素性疏浮屠。赤子教書不讀，鄙我酒肉軀。五十望富貴，男乃翁子徒！果依若所言，吾將尋故吾。西湖叢林多，刦後荒榛蕪。方丈首開闢，瓶缽次第儲。募化十萬緡，伽藍重塵鑄。浴佛金重塗。敎主尊香山，伽藍奉蘇。百年得解脫，千古歸廬兮。成就過來人，免爲俗氣汚。無量大歡喜，但惡相士誣。」引作自壽詩，不堪語妻孥「胸懷何等洒落？」李蒓客見之，讀爲眞摯老成，百年所僅見者。

著名女間諜 姬麗絲妲的故事

○質譯○

姬麗絲妲金維爾是在我們的時代最偉大女間諜之一，她是英國與波蘭的女英雄，曾跟納粹戰爭，後來當她的國家在第四次歷史上的分解後，她對抗操縱她的國家的主子，她受英國的獎賞，邱吉爾本人曾讚揚和多謝她。她的眞名是施卡北克伯爵夫人。

一個在歐洲幹情報工作的人，靡有不識美艷的姬麗絲妲。當她在倫敦遭一個色情狂的兇手謀殺死的消息傳出後，相識她的人都同聲歎息！也有不少人懷疑姬麗絲妲是否屬諜鬥爭中的犧牲者。

在一九五二年六月十五日下午十時十五分鐘，深黃色頭髮常是笑臉迎人的姬麗絲妲在進入倫敦的墨爾堡酒店時，她的老相籍的守門人高德斯基，她向他打招呼。當姬麗絲妲登樓時，尾後有人趕上來說：「姬麗絲，我可以到來見你嗎？」後來那個人聽到姬麗絲妲的呼救聲。「擺開我，把他弄走，幫助我！」姬麗絲妲大聲叫着。那個守門人和其他兩個職員上前赴援，但已經太遲，姬麗絲妲倒在地上，一把短劍挿在她的胸前，她因流血過多而死亡。那個兇手凝目望着她的屍體說：「我愛她，我殺死她，報警將這件事快快辦妥。」酒店職員搜他的衣袋，尋出一個小劍套，他們就將他鎖在一間房子裏，召到蘇格蘭場的警探。（一）

自由報
THE FREE NEWS
第七八六期
中華民國僑務委員會登記證台僑字第三二三號
中華郵政台字第二一八二號執照登記爲第一類新聞紙類
（星期三、六出版）
每份港幣壹角
台灣零售每份新台幣貳元
社長：雷嘯岑
督印人：黃行蓉
社址：香港銅鑼灣高士威道二十號三樓
20, CAUSEWAY RD 3RD Fl. HONG KONG
TEL. 771726　電報掛號：7191
承印者：大同印務公司
地址：香港北角和富道九六號
台灣分社
台北市西寧南路壹零號二樓
電話：三〇三四六
台郵撥帳戶九二五二

正視毛共的整肅運動（上）

何浩若

一、我不同意國內外評論對整肅運動的看法

如火如荼的毛共匪幫的整肅運動已燒遍了整個中國大陸。兩個月來國內外的報紙雜誌也有着不少的評論。也許我的見聞有限，在我看到的許多評論中，很少有人能說出這次大整肅的眞意義。國內國外的報紙刊物和學者專家都有一個共同看法，認爲這次毛共的整肅運動是共產黨內部的權力鬥爭。不論是國外的報導或是國內的評論，對此一認識差不多是千篇一律的。讓我先舉一個例。中央日報六月九日社論的標題是『對毛共內鬨之幾點判斷』。社論說：

『南斯拉夫首都貝爾格勒特官方報紙，六月七日北平通訊，說是周匪恩來與陳匪毅公開發表意見，贊成其所謂「無產階級文化大革命」。這一條新聞提供我們一項重要參考資料。

毛共匪幫的首腦階層在目前可分爲三個派系，鄧小平與林彪兩匪是一系。劉少奇與彭眞兩匪又是一系。周恩來與陳毅等匪亦是一系。這次毛共內鬨顯然是林、鄧對劉、彭的鬥爭，而周匪恩來乃是騎牆派。現在騎牆派公開說話，靠近林、鄧一方，這就可以證明林彪與鄧小平兩匪佔了上風，而劉少奇與彭眞已告失脚，如今剩下的問題是劉匪將如何自處與如何安置而已。』

讀者不要誤會以爲我在批評中央日報。其實中央日報的社論是合乎世界標準的。今年七月一日是毛共建黨的四十五週年紀念。美國的聯合社於七月二日傳播了威廉賴揚（William L. Ryan）一篇專稿，題目是『彭眞完蛋了嗎？』（Is Peng Chen Finished）這篇專稿，台北的英文報紙也都爲之披露。（見七月五日英文中國郵報）賴揚的看法和中央日報一樣。他根據毛共報紙慶祝共匪建黨四十五週年紀念文字登載的先後來決定匪黨首領的地位。他說第一名自然是毛澤東，其次便是劉少奇，再次是周恩來，接着是林彪，再次是鄧小平。他說毛共報紙登載紀念文章是照上列的次序，也表示作者的地位。他以爲劉少奇仍居第二位，周恩來第三，林彪第四，鄧小平第五。不過他接着說周恩來的政，林彪的軍，和鄧小平的黨都要鬥倒彭眞，但彭眞仍然是僞政治局委員和北平市市長。彭眞完蛋了嗎？他爲什麼不倒呢？賴揚以爲在這次權力鬥爭中，假如彭眞倒了，就將影響到劉少奇。劉少奇現在仍然是和毛澤東合作的。因此賴揚認爲毛共的首領們不願公開罷免彭眞而希望彭眞自我坦白認罪。賴揚的專論有一點和日本朝日新聞的社論相同。他根據過去彭眞的言論說彭眞不是修正主義者。他說現在的整肅說彭眞是修正主義者是不對的。朝日新聞是日本有地位的報紙，曾因修正主義爲彭眞呼冤叫屈。賴揚對彭眞的看法是和朝日新聞相同的。

中央日報的社論，是今年六月九日發表的。美國聯合社的專論是七月二日發表的。兩篇文章的持論相同，中央日報的社論發表在先。在這裏我們不能詳舉國內外各報紙的評論，但是他們大多數都是和中央日報相同，認爲這次的整肅是共匪內部的權力鬥爭。因此我們說，中央日報對共匪整肅運動的評論是合乎世界標準的。但是我不同意這樣的看法。即令國內外的評論到現在仍然是一致的，我也不同意這樣的看法。下面是我不同意的理由。

這次的整肅運動，導源於一九六五年十一月上海文滙報以姚文元名義發表的『評新編歷史劇海瑞罷官』一文。姚文元這人名不見經傳。可是到了整肅運動展開以後，姚文元竟成了一個無上的權威。有人推測說姚文元就是毛酋澤東的化名。毛酋躲在上海親自發動這一運動。這自然是推測之詞。整肅運動到了今年四月才由軍方的解放軍報正式展開。一九六六年四月二十四日的僞『人民日報』、『解放軍報』和僞『中國青年報』聯合發表『工、農、兵座談會上批判吳含反黨反共產主義立場和思想』一文說：『吳含（日旁，以下同）借海瑞的嘴，含沙射影的罵我國人民「家家窮得乾乾淨淨沒有錢用，」這同現代修正主義者赫魯曉夫罵我們「五個人穿一條褲子，喝大鍋清水湯」是一模一樣的」。吳含是『吳南星集團』的首領。吳南星是寫『三家村札記』的筆名，吳南星包括三個人。吳是吳含，南是馬南邨，是鄧拓的化名。星是繁星，是廖沫沙的化名。吳含是僞北平市副市長。鄧拓是共黨北平市委會的書記。廖沫沙是共黨北平市委會的統戰部長。彭眞是僞北平市市長兼市委會第一書記。吳含、鄧拓、廖沫沙都是彭眞的部下。彭眞又是劉少奇一手提拔起來的。把劉少奇、彭眞、吳含、鄧拓、廖沫沙聯在一起，權力鬥爭論者便說這次整肅是林彪、鄧小平集團鬥爭劉少奇和彭眞。但是整肅運動攻擊吳南星集團，明明白白說他們是反毛反共產黨和反共產主義。吳含借海瑞的嘴所罵的皇帝也就是毛皇帝。我們要問劉少奇和彭眞這一集團是不是反毛澤東反共產黨和反共產主義呢？說劉少奇反毛反黨和反共產主義是說不通的。當英國的蒙哥馬利元帥訪問匪幫的時候，毛酋曾經親自告訴他：劉少奇是他的繼承人，事實上毛酋也認劉爲其繼承人，並且是無可否認的。在如此情況之下，劉少奇何必反毛呢？他既要做共產黨的未來領袖，他何能反黨反共產主義呢？權力鬥爭論者替彭眞呼冤，說彭眞是毛的忠實信徒，不是修正主義者，彭眞又何能反毛反黨呢？整肅運動發生以後，凡可能成爲毛的繼承人如周恩來、林彪、鄧小平之流想借機會打擊劉少奇來爭奪權位自在意中。但是這次的整肅是毛酋親自發動的，是對付反共集團，劉、周、林、鄧都是毛酋的忠實部屬，也都是忠實的共黨黨員，在反反共的立場上應當是聯絡一致而不是彼此鬥爭的。

戴高樂：「不要玩火啦！」

腦子裏沒有好東西！

今日與明日

毛共中央人事「大換班」

中共這幾個月來，由於「無產階級文化大革命」觸礁而出動「紅衛兵」到處無法無天地「造反」，有兩種現象爲人所盡知並也十分值得注意：其一，在毛共黨內以至整個大陸各階層出現了空前混亂現象；其二，黨內中上層人事變動之大，爲空前所未有。這兩件事，如用毛共前幾年的一句濫調說，眞可以說是「一天等於二十年！」

毛共在其主席毛澤東下，有五個副主席，還有作爲最高決策機構的政治局七人常務委員會。

毛共中央五個副主席的順序是：劉少奇、周恩來、朱德、陳雲和林彪。但現在已只有林彪一人爲副主席。而政治局七人常務委員會，依照最近毛共黨所排列的順序，已改變爲：毛澤東、林彪、周恩來、陶鑄、陳伯達、鄧小平和康生。原政治局常委劉少奇、朱德和陳雲已被踢出政治局常委會，遺缺由得勢派的陶鑄、康生等人升補。

前述毛共中央人事變動，可由下述兩則消息得到證實：其一，九月十二日在北平創刊的「紅衛兵」報上稱：「紅衛兵的總司令是毛澤東中國共產黨主席，副總司令是林彪副主席，副總理，國防部長。」其二，同日「新華社」北平電訊稱：「澳大利亞共產黨（馬克思列寧主義者——按特別加註此語即表示係親毛共派）主席愛．弗．希爾同志和夫人喬．希爾，應中國共產黨中央委員會邀請，來我國進行訪問」，於到達北平機場時前往歡迎者，有「中共中央政治局常務委員周恩來同志，中共中央政治局常委康生同志和夫人曹軼歐……」。

「不倒翁」周恩來雖有「毛共米高揚」之稱，並在毛共中央仍佔第三位，但顯見他已不是副主席。在他之上只有二人，無疑一個是主席毛酋，一個是副主席林彪。

康生排名爲第七，他是毛共中央政治局常委，在他之上的毛澤東、林彪、周恩來不算，連陶鑄、陳伯達及鄧小平當然都是常委了。

一波未平一波又起

久被毛酋嫉視的「獨眼龍」劉伯承因在四川搞「叛變」已被軟禁於北平。同時在地方遭到整肅的還有毛共西南局第一書記李井泉，西北局第一書記劉瀾濤，內蒙第一書記烏蘭夫和廣東省長陳郁及四川省長李大章等人。他們有的是屬於劉伯承派，但多數屬於劉少奇的「保皇黨」。北平「紅衛兵」在外省到處與地方黨委發生衝突，這說明在大陸各地與毛林小集團對立的「當權派」仍保有一定的勢力，看情形一時還無法剪草除根。

特別值得注意的是毛共新疆自治區第一書記兼新疆軍區司令員王恩茂也發生了問題。可能，王恩茂與烏蘭夫均與「蘇修」有關。如果確是如此，對毛共來說，眞是一波未平一波又起，其所妄想的「不變色」，看來已是「形勢比人強」，根本無法扭轉了。（何如）

自由談

談威信

威望與信譽屬於形而上的精神作用，是從實踐的行爲中創造、累積起來的客觀存在，二者相輔相成，互爲因果，不可虛構，不可冒充。

樹威必先立信。商鞅相秦變法之際，藉徙木賞金的細事以示信於民，良有以也。政府頒佈任何一種法令，必須如同發出任何一項諾言，必須如同發行通貨然，按照票面價値，十足兌現，稍有折扣變通，信用馬上低落，終致不可收拾。對日抗戰末期，財政部把貸自美國的五億元黃金，事先公告人民，訂價出售，名曰「儲購黃金辦法」，敎民衆預繳擬購金額的法幣，定期發給黃金如數。詎於六個月後黃金運到時，當局竟以金價高漲的理由，扣三[illegible]不發，悍然自毀信用，行同刦掠民財。往後政府復員還都，而物價始終波動無常，終於釀成「金元券」崩潰的下場，即導源於尅扣黃金的一著，政府信用已經喪失了！

信譽之爲物，有如供奉在神龕上的偶像，人們昕夕頂禮膜拜，相信它很靈驗而奄有禍福人類的威力。若一旦被醉漢狂夫將它摔在地下，沾着污泥，再要洗得乾乾淨淨置之於神位上，人們對它的信仰亦就大不如前了。所以，商鞅爲要使他變法圖強的政令能夠徹底施行，乃以徙木賞金這類極輕微而容易做到的細事，對民衆立信示範，堅定大家的信心，讓大家知道小事且如此認眞不苟，國家大計更非切實遵行不可也。

常聞政治人物遇事強調「政府威信所在」之說，卻不顧自身對人民是否建立了信譽？眞正的權威是靠信用作基礎構成的。爲政之道如不立信而只講權威，那便是暴政，共黨政權即如此。毛共僞朝廷在大陸上肆立十七年了，除却頒佈一種亂七八糟的所謂「婚姻法」而外，始終無法無天，專靠權威來統治人民，今天認定你是進步份子或民主人士，明天又說你是反革命的階級敵人了，這就是共黨政權必亡的基因。

民無信不立，當國者要想樹立政治權威，請先講求政府信用，否則縱有權威亦係強弩之末，毫無用場的！

馬五先生

香港文教新聞影劇各界 宣言聲援大陸知識份子

（本報訊）香港文化教育新聞影劇各界知名人士林翼中、黃麟書、李璜、陳訓畬、謝伯昌等一千三百餘人，頃發表聲援大陸知識份子宣言，强烈譴責毛澤東爲首之中共一小撮寡頭領導所加於大陸知識份子之恐怖鬥爭與野蠻迫害，指出其爲「衆叛親離的瘋狂掙扎」，雖極端使人驚駭，但最後的結果，不啻自掘墳墓，而加速僞政權之崩潰。茲誌宣言全文如次：

在最近幾個月來，我們對大陸發生的一個政治大風暴，一直予以嚴肅的注意，而因這個政治風暴涉及大陸所有知識份子對抗中共統治方式的鬥爭，尤爲我們所不能緘默。

就以目前所知的事實，中共在其所稱「文化革命」的口號下，刻正以各種瘋狂粗暴的手段，企圖達到其公開宣稱摧毀中國固有文化的目的。其中包括：

一、以「北京大學」爲首的七十幾所正規大學和專上學院的正副校長負責人，被中共加以「反毛」、「反共」及「傳播資產階級思想」等罪名，被提出清算及撤除職位。

二、許多資深教授、知名作家、戲劇、音樂、電影的負責人、及處於高級職位的文化工作者，皆被指爲「牛鬼蛇神」，備受迫害，安危莫測。其獲咎之由，亦皆緣於反抗「毛澤東思想」。

三、據英國駐北平記者的報道，及其他可靠方面消息，北平大學教授有人因堅拒「文化革命」，被驅遊街示衆，胸前背後各掛一木牌，上書「我是反黨份子」，該教授家庭復遭中共暴徒搗毀，竟日登門辱罵；在廣州、上海等地，有因不堪如此迫害，亦不肯向中共屈服而自殺的，迄今所知，頗不乏人。

四、大陸各大學生專心向學，對滅絕人性的「文化革命」予以消極抵制，詎料中共老羞成怒，不由分說便宣佈廢除大學升學試，並揚言要將大學文科二、三年級學生勒令「提前畢業」。

五、不少中共黨政軍高級人員，亦以反對毛澤東的寡頭領導，部落思想，被提出整肅，與知識份子的橫受誅鋤，殆無二致。

六、大陸中學生年幼無知，亦竟被中共強迫參加「紅衛兵」組織，任其在各地瘋狂搗亂，致許多歷史文物教堂佛寺乃至廣州黃花崗七十二烈士豐碑，亦被其搗毀無餘，造成中國文化空前未有之浩刧。

凡茲事實，皆可顯出目前中共全力推行並不諱言爲「生死鬥爭」的「文化革命」實爲毛澤東寡頭統治，衆叛親離的瘋狂掙扎，就其所加之於知識份子的迫害手段言，其野蠻暴虐，誠足使人驚駭，但知識份子以其文字、藝術表達的反毛方式，從不同文化崗位致力，推廣的反毛運動，及其不爲暴力所屈的大無畏精神，則亦足使奸胆爲寒，而獲得舉世自由人士的敬佩。據我們了解，此次大陸發生的政治風暴，雖多少帶有中共本身權力鬥爭的因素，但其出自知識份子對毛澤東個人獨裁，及「神話」思想的反抗，仍爲根本不移的事實。易言之，中共內部所謂「修正主義份子」，辦高等敎育的人所以主張「專家治校」，高級將領所以主張「軍隊專業化」和「正規化」（反對中共「黨校」），負責「民兵」制度的人所以會鼓吹「二合爲一」，經建幹部所以會主張「公社」農民放寬「自留地」、從事宣傳教育工作的人所以會寫出「燕山夜話」以及「海瑞罷官」，無一而非受了知識份子的影響，亦即是中國傳統文化的影響。由此思想表現於行爲，故以知識份子爲主的反毛運動，便深入於中共內層，遍及於軍隊基幹，而使毛澤東及其左右深受「亡黨」、「亡頭」的威脅，當權者亦承認，中三十年代的中國知識份子是「毛澤東思想」最大的敵人，由此而看這次大陸知識份子所作反毛運動的鬥爭，其聲勢之大，意志之強，實爲中共政權建立以來所未有。

我們深知，中國文化寬大溫和，最終必能消除中共暴政而實現孫中山先生建國立國的理想，但在這一頁歷史展出之前，毛澤東及其羽翼對知識份子的恐怖鬥爭，亦必變本加厲，不遺餘力。我們茲特鄭重聲明，昭告中外，我們皆爲海外教育文化工作者的一員，我們對中國文化學術負有薪盡火傳、繼往開來的職責，我們確認大陸現行共產主義的奴役制度、愚民政策，皆與中國文化生活方式不相容，知識份子爲此發出反毛的吼聲，乃是出於良知的驅使，既非所謂「資產階級思想」，亦非取法蘇俄的「修正主義」，而爲一種人性尊嚴的自覺。他們在大陸高舉自由的火炬，已照亮了每一個中國人的心，並爲中國文化復興啓其機運。我們支持他們的行動，信任他們的良心，同情他們的遭遇，也認定他們目前所作的犧牲，必能取得應有的代價。風雨如晦，雞鳴不已，知識份子總是時代的前驅，他們今天的振臂高呼，必能喚起所有大陸人民，滙合而成爲沛然莫之能禦的力量。蔣總統曾說過：「不爲敵人，便是朋友」，我們願意表明，他們是我們的朋友。我們不能容忍他們橫受中共的迫害。中國讀書人的本色，是「鐵肩担道義，辣手著文章」，公理當前，義無反顧，我們有的是筆桿，我們有的藝術良知，自可相信必能與大陸知識份子，共同達成國家民族賦予我們的任務。

中縣走馬觀鄉

本報記者台中航訊

在自由的寶島上，如論天時、地利與人和，台中縣要算是首善之區。地處亞熱帶的台灣，台中地區是熱、溫帶的「分水嶺」（姑妄名之）；由北南下，列車馳過了台中地區，便覺得是另一個季節，由南而北，也是有同樣之感。台中正處熱溫帶之間，故氣候溫和，特產豐饒，丘陵平原，兼而有之。這些得天獨厚的優良條件，給台中常來了「人和」的氣氛，如論地方派系，台中縣可說是絕無有的地方。所以到寶島來定居的人們，都感覺到台中是一個最佳的地方。

暑假，給人們帶來興奮和蓬勃的朝氣，青年學生們由學校走向了鄉村，公務員們減少了上辦公的時間，這正是一個「興奮」、「蓬勃」和歡愉的季節。記者也趁這個熱鬧，在台中來了一次「走馬觀花」，雖然是片爪和點滴的「走馬觀花」，倒不失一點一滴的收穫。

社教運動的先鋒隊

社教運動，如海洋的和風一般吹到了台中縣每一個鄉村，每一個角落。台中縣的軍警公務人員，深入到每一個鄉鎮村里，他們利用「夏令」的公餘時間，來推行了一件很有意義的「社會教育工作」，如論「親民」「便民」，這倒是一件值得喝采的事。軍警公務人員，平日深居官署，少與村民爲伍，可是這次「社教運動」之風，却把他們吹到鄉村來了。教員、學生、警員、衛生人員，村里幹事、農事小組人員、以及熱心社教運動的地方人士，他們分組或分頭的到處訪問、服務，家家探求，戶戶訪問。（上）

武訓中學巡禮

本報記者台中航訊

請問何謂「五嚴」？

上課嚴，管教嚴，考試嚴，體育嚴，合作嚴。

未待記者繼續問，楊校又接着說：所謂「四多」，也並不是故意給學生增加不勝負荷之功課與作業，係基於學生們的智力、精力，在不妨礙學生們的健康原則下，注重多作業，多考試，多活動，多建設。

談了約三十分鐘，記者站起來說：「參觀一下好嗎？」「很好，很好，歡迎還來不及呢！」由校長室步出，首先參觀了實驗室，其次是儀器室、教具室、家事室、史地特別教室等。據記者所見而論，私立學校，有如此設備的尚不多見。

最後，據楊校長稱：下學年度起，因爲新生班次的增加，校務日繁，他已物色了一位優秀的教育家顧德榮先生前來本校繼任校長，他祇專任常務董事職務，各有專責，以便進一步的發展。此事已經董事會決議通過。

據悉：新任武訓中學校長顧德榮氏，年方鼎盛，畢業於中央政治大學政治系。顧氏在此之前，担任國立藝術專科學校總務長職務，聲譽卓著。這是該校六七年來人事上的大變動，也是該校發展校務向前邁進了一大步。

當記者辭出校門時，已是烈日當空火傘高張的時候了。任重道遠，記者還得趕往新的途程。（中縣記者王永亭）（下）

析論立監兩院的五大案（九）

·本報記者劍聲·

事實部份　張冠李戴

第三、東亞彈劾案「事實經過」部份，竟有「張冠李戴」之笑話。彈劾書中之東亞公司五十三、五十四年度，資產負債以及淨値之差距情形，與退稅手續不清等等。實爲東亞公司本屆董事長郭紫峻任內整理業務之成就部份，而彈劾書說是台銀派駐該公司總稽核歷次向台銀總行所提之報告，因而東亞公司在報端啓事指爲「張冠李戴」。此不但證明彈劾書有瑕疵，且有未盡調查之能事之嫌。

第四、彈劾書爲何不把東亞公司自創辦迄今之改組經過與向銀行貸款之詳情，「從頭說起」？而僅謂：「卷查東亞自四十六年開工設廠以來，資本結構，即不健全，中間經過政府清理整理以及該公司股東間幾度改組，債務日益累積，股東意見紛歧，管理經營不善，產銷日見萎縮，資產週轉日感困難，公司情況日益惡化」云。但「事實經過」部份，沒有把前述之事實詳細提出，如「中間經過政府清理整理」的經過情形怎樣？如「幾度改組」的委員和顧問委員，不是參加代表王重寸股東等出席整理會議嗎？何故略而不把「事實經過」公諸社會呢？如「債務日益累積」，多少呢？那些「股東意見紛歧」呢？那些人內吃股東呢？這許多問題都沒有「交代」。

許多疑問　沒有交代

比如說，彈劾書謂「東亞公司尚欠台灣銀行四千二百餘萬元。」既未說明始於何年何月何日，又未說明止於什麼時候。但東亞公司八月四日聲明：該公司的增資至減資完成期間，對台銀債務之減少如下：五十三年十一月三十日貸款餘額合計七千零一十三萬七千四百二元八角八分，至今年二月二十日（本屆董事改組後之第六天止），貸款餘額計二千七百零六萬六千一百六十五元四角五分，在此期間內，東亞公司償還台銀貸款達四千三百零七萬餘元。這兩個絕對不同的數字，到底那一個不假？如根據東亞公司的聲明，則彈劾書所載數字不確，反之，東亞公司的聲明爲謊言。

第五、彈劾書指出：「今年二月二十二日，東亞公司臨時股東會改選董監事，郭紫峻、侯庭督（據台銀報告以上十一人均係大和外聘人員及夥計）……等當選爲董監事。復於二月二十四日再度呈經濟部請求體念實情，賜函台灣銀行一次貸款五千萬元。經濟部至此態度完全改變……」云。意思說，經濟部改變態度係基於五立委任董監事之故。東亞公司申請抵押貸款手續是在前任董事長黃聯發任內，而郭紫峻委員等是年三月四日就任東亞董事的職務，執行前屆董事長未了事項；至於「以爭取週轉金爲工作目標之一」，這是不是整理委員會的事，應不應該包括五立委之外的其他幾位委員在內，由於彈劾書未說出全部整理委員之名字，不無瑕疵而使人生疑。

第六、彈劾書指出：今年「六月十一日上午，東亞公司董事長郭紫峻，副董事長兼代總經理侯庭督，常務監察人張光濤等，到台灣銀行要求再撥貸款。該行以東亞抵押手續尚未辦妥，董事長變更登記，亦未辦完，不便撥款。侯經理即大吵大鬧，台銀負責人懾於立委權勢，即時以緊急電話通知各聯貸銀行，當日下午三時在台銀開會，由奚副總經理主持，在該公司董事長變更登記未辦妥前，准再借五百萬元。」

整理委員　爲何不提

至此，我們不妨冷靜的想一想，則所謂「台銀負責人懾於立委權勢」，試問，究爲何而懾？台銀不也是有立委法律顧問嗎？類此詞彙，亦爲彈劾書之「創例」。嚴格的說：「立委」二字，非身分證職業欄內的固定職業，凡是當選民意代表之後，其他事情都不能做？況法律並沒有限制立委不能做生意。但却規定監察委員不得執行業務，事實上監委利用職務營商者並不乏人。所謂「內吃股東，外吃政府」，根據最高法院判決書裁：增資與減資，都是前任董事長黃聯發任內的事。

東亞公司資本總額爲新台幣七千萬元，其中五千萬元爲普通股，分爲一千萬股。二千萬元爲第一優先股，分爲四百萬股；優先股年息一分二厘，保證付息，但優先股依公司法在公司章程中明文規定無「表決權」。這是東亞公司於五十三年十二月三十日股東會決議及修改之公司章程。

該公司於五十四年九月十五日召集股東臨時會，討論增資新台幣七千萬元，及發行優先股辦法草案。這次發行第二優先股七千萬元，實際只收到六千萬元，年息爲一分五厘，優先股也無表決權。

就在這個時候，第一優先股二千萬元，瞬息即告用光，各股東因優先股息負担過重，且資本淨値日蝕，乃將第一優先股改爲普通股，並承認與普通股同一折扣率折減。而第二優先股繳足六千萬元，則折減爲五千萬元之際，王重寸等即向法院提出異議之訴。之後，因一二審法院判決敗訴，王等一面上訴最高法院，一面向監察院呈訴現任董事「內吃股東，外吃政府」，監察院據此而調查而彈劾，各報根據彈劾書而大做文章。由於彈劾書未盡調查之能事，且違背法令，致前提不眞而結果亦不實。

滄海異聞錄

驚人的鑽石竊案故事

·桑雅·

在一九六二年五月廿九日的早晨，英國德比爾鑽石公司的董事長俄班海爵士——鑽石皇帝，剛在他那倫敦郊外華麗別墅的樓下餐廳坐下來，打算瀏覽一下當天的晨報，再開始用早餐。忽然電話鈴响了，他很不高興的由傭人手中接過耳機，猛地往耳朵上一貼，便先自直嚷起來：「誰這麼早就不讓我清靜的？有什麼了不起的事？」「……什麼……什麼……」他開始張口結舌，緊捏着拳頭，還直咬牙。俄班海就這樣像隻木偶似地怔了半天，誰也不知道電話是什麼時候掛斷的，但是他把耳機往地上一掉，張着的嘴直淌口水。

直到當天下午，人們才從倫敦的晚報上看到一則驚人的消息：德比爾鑽石公司南非約翰紐斯保礦山辦公大樓的地下保險室裏，放存着的鑽石全部失竊了。

自從鑽石被人類視為珍貴的石頭以後，在南非一帶便大事開採。英國人雖然制定法律：禁止非白種人經營鑽石的開採、營運、買賣；可是鑽石太容易藏匿了，所以私營鑽石的各色人物，比比皆是。英國德比爾公司擁有南非所有鑽石的礦產，是今日世界獨攬的鑽石的供應者。其為防止私營而花費的金錢可觀之至，處處警衛森嚴，無論在開採、琢造、營運、保管珍藏方面，都有着極機警的戒備。單是在守備監護方面所用的人，儼然是一支私家軍隊，滿佈全球各地。

德比爾公司在南非產鑽礦的地方都設廠開採，其集聚的重地設在約翰紐斯堡，在南非聯邦東南，距德班港三百哩。在一九二八年以前，那還是一片荒土，如今為了開採金礦和鑽石礦，形成了非洲開羅以南最大的城市，擁有五十一萬以上的人口。非洲各地所產的鑽石，都先運到此地，有的就在此琢造；大部份是把原石一起送到倫敦，然後從倫敦分配到世界各地的運銷總機構。

由於鑽石體積小，走私偷竊非常容易，所以凡是在鑽石礦裏工作的土人，都簽訂有極苛嚴的合同，每一合同的期限是兩年。在這整整兩年的歲月裏，工作的土人絕對不准走出那警衛森嚴、四周環繞着通電流的鐵絲網一步，直到合同期滿，才得空身走出礦場回家。

鑽石礦場工作人員的一進一出，都要經過縝密的檢查，檢查方法是用X光透視。因為從前有人把鑽石吞在肚子裏，有人壓在舌頭底下，也有的塞在屁股裏。假如發現藏在肚子裏，便隨即灌腸瀉下來，然後治以盜竊罪。最痛苦的竊取鑽石方法，是在大腿上用刀割一條很深的縫，把鑽石塞進去縫起來，有時為了一粒鑽石，潰爛着傷口往外逃，有時未必逃避過警衛的監視。

有的把鑽石捆成一包，或盛在一隻小鐵罐中，拋在橫河裏任其流出礦區的界外，然後在外呼應的走私者，就打發人潛入河底去打撈起來。現在這條路子也被杜絕了，礦主在河床上裝了很細的鋼網，而且安了極科學的測量器，一遇到硬物觸及鋼網，測量器上立刻冒光。還有把大量鑽石盛在瓦罐裏，埋藏在礦場的邊緣深處，等到工作期滿離開了礦場回到家裏，再挖掘隧道，在地下穿過礦場四周的大壕溝，取出埋藏在地裏的鑽石來。一九五三年就有這麼一包鑽石，計重一千四百克拉，包了飛機走私出境，終於在半途被截獲了。從此，每一礦場壕溝之外，便裝了一層雷達網；這樣一來，即使在地下一百呎深處，也難越雷池一步了。雖然警備嚴密到如此地步，走私的還是那麼猖獗，南非各地法院的案子，每百件中就有九十件有關鑽石的走私的。

德比爾鑽石公司成立至今，已有過三次巨大竊案。遠在一八八二年發生過一次，一名叫亞當瓦池的美國人，配了一副郵車保險箱上的鑰匙，把那一次正穿過沙漠郵車裏所載的鑽石竊取一光，當時那批鑽石約值二十一萬鎊。後來若不是亞當瓦池自行懺悔而投案，恐怕一直是個謎。在一九五四年，連續發生了兩次盜竊鑽石巨案，在由約翰紐斯保飛赴倫敦之前，鑽石裝箱是慎重密封的，送上飛機前還經過一番查驗，但到倫敦啓封後，鑽石竟變成了碎石了。經過大半年的偵查，才發現竟是鑽石皇帝的女兒瑪麗．朋克夫人的女秘書，琴娜．溫絲頓小姐所為。

最近這一次的被竊，德比爾公司延聘了歐洲所著名的公私偵探，辦理這重大竊案。

三度謀殺希魔的德國律師

○文彬○

以為希特勒會一時被炸死；誰知希特勒命不該絕，他好像早知有陰謀，故他改早時間行揭幕禮，在完畢之後從後門離去。在那個時期施拉賓多孚尚未到，就挽回希特勒與他本人的生命。

一九四四年七月二十日發生的希特勒的總部被炸，轟動全球，那個計時炸彈也是由施拉賓多孚所佈置的，放在一個反納粹德國的高級軍官溫施賓芬堡伯爵的公事袋內。當伯爵進入會議室時，暗將公事包放在離希特勒的座位不遠處的桌子腳下。在安排下，有人叫伯爵去聽電話。當他離開不到一分鐘後，炸彈就爆炸了！四個人被炸死，重傷者兩人，輕傷者多人，但希特勒生存。溫施賓芬堡公爵以為大功告成急拍電話返柏林報告。他並不知勒特上校（即施拉賓多孚曾托他帶兩瓶白蘭地酒的軍官）將放在他的腳下的公事包移開，這就救回希特勒的生命，但勒特上校本人倒被炸死。

這件暗殺發生後，納粹秘密警察或渾稱「蓋世太保」大捕受嫌疑犯七千多人，其中有五千人因受毒打，吊死，槍斃或自殺而死。施拉賓多孚少校在八月二十日被捕，除即被削除軍籍，他不肯作供，故被毒打。但他也不屈服，他就被押獄中，直至一九四五年二月出那最惡毒的法官費士勒提審。施拉賓多孚本人是律師出身的，所以他頻頻作辯後，當把那個法官難倒，因此審了幾天，仍未能判決。在最後一天，美國飛機大隊去轟炸，法庭被炸中，法官被炸死，文件與證據也全被毀。

今日，施拉賓多孚在韋大巴城和離開兩哩不遠的法蘭克海城做律師。他雖計劃過幾次大謀殺案，但是他本人倒愛好收集那些精緻最容易被破碎的中國瓷器，這未免使人覺得詫異？（三．完）

腓尼基人多才缺德

期生

腓尼基人曾在地中海沿岸各處戰略要點，卡第茲、迦太基、馬賽、馬爾他、西西里、科西嘉，乃至遙遠的英國海岸，大西洋中的其他島嶼，建立過貿易中心與要塞。他們控制過塞浦路斯東部與南部，邁羅斯與羅德斯島。他們叫奴隸在他們的礦山裏工作。他們欺凌弱小，只在和最高貴的商人交易時才表現出誠意。他們也幹海盜的行當。後來希臘人常稱海盜頭目為「腓尼基人」。

紀元前八百年左右，希臘詩人荷馬曾在他的奧德賽中很恰當的批評說：「腓尼基人來了，這些著名水手惡棍，在他們暗黑的船上隨身帶着無數的小飾物」。

但是腓尼基人不只是商人與海盜，他們也是文明的傳播者。他們從埃及、克利地以及近東地區將科學與寫字的藝術傳入希臘、非洲、義大利與西班牙。他們以貿易溝通了東方與西方，以經紀人的姿態來往於巴比倫和埃及之間。文明即隨着他們所帶的貨物，傳入歐洲。

腓尼基從事商業活動的貴族階級都喜歡多做生意，很少想到戰爭；這是他們的城市所以會聚集起大量財富的原因。

比伯羅斯（(Bibles)、可能是他們最早的城市，所以後來希臘人把任何書都叫做（Bible），而聖經（Bible）」一字即從此字衍出。

比伯羅斯以南大約五十哩處，也是在海邊，就是波斯王薛西斯集合他的全部艦隊攻擊希臘的西頓城。波希海戰中，主要的就是用的腓尼基船隻。因此波希戰爭說得切實些，應該是希腓戰爭。波斯軍隊包圍並且攻下了希臘人佔領的西頓之後，驕傲的腓尼基商人曾縱火焚燬了他們自己的這一城市，當時葬身火海的有四萬人。

腓尼基最重要的城市的泰爾，此城建立在海岸之外若十哩的小島上，海港極為壯觀。來自地中海所有國家的奴隸們在這裏整日忙碌，將成捆、成簍、成箱的貨物搬運到倉庫裏或海船上。泰爾王海拉姆一世（Hiram I. 969—936 B. C.）是大衛王與所羅門王的朋友，他供應給他們許多杉木、木匠與石匠。到紀元前五百二十年，泰爾城太富有了，根據古書的記載，那裏的白銀多得「像灰塵」，黃金多得「像污泥」。

泰爾城周圍不過二哩半，但是其建築物都很高大，足可容納其二萬五千名居民。另一部份居民則住在對岸海邊的舊泰爾城。歷史上記載到巴比倫王尼布甲尼撒圍攻泰爾城十三年之久，但是他是否曾奪取此城，則未見提及。

亞歷山大大帝最後征服了此一海島城堡。他先摧毀了舊泰爾城，從舊泰爾城築一堤道，才達成他的征服工作。

迦太基是腓尼基人的另一根據地。迦太基人即是腓尼基人的一支。漢尼拔即是舉世無匹的商人水手民族腓尼基的子孫。腓尼基人的智慧創建了迦太基城堡，高聳的建築物分列在狹窄街道的兩旁，那狹窄的街道看去就像峽谷。迦太基曾對抗羅馬，經過很長一段時期之後，其商民才屈服於人多勢眾的羅馬軍團。紀元前一四九年，那裏曾有七十萬居民。

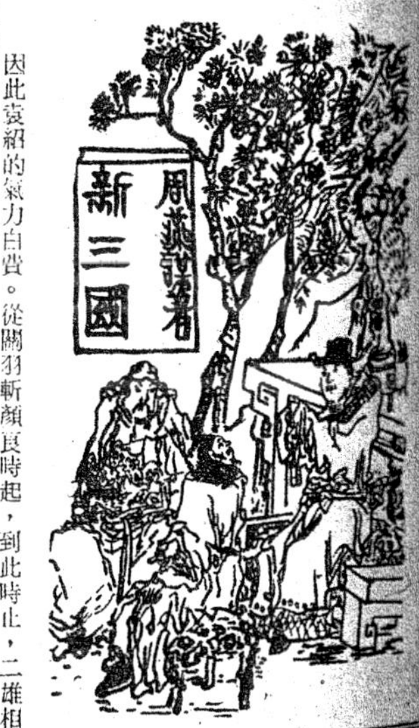

因此袁紹的氣力白費。從關羽斬顏良時起，到此時止，二雄相拒已經半年了。但是曹操的情勢則逐漸的惡化，主要原因是糧食不濟。曹操打算撤兵。於是先寫了一封信給許昌的荀彧，商議退兵之策。當時曹操的兵力較弱，倘使一動，袁紹乘勢追擊，那是十分危險的。荀彧給曹操的回信說：「公以至弱當至強者，不能制，必為所乘。」又云：「此用奇之時，不可失也」。荀彧獻此策，後來曹操增加他的封邑，在表文中也慎重說及，十分可信的。曹操採納了荀彧的建議，堅苦的支持下去，同時成功得失在此一舉，不戰而退也是必敗，所以只有在此與袁本初決一雌雄了。曹操決意拼這一戰，於是積極動員起來，他先派了大將徐晃去刦軍糧，用火燒了袁紹不少運輸的糧車。

徐晃字公明，他原屬楊奉的部下，被曹操收服下來，成為他的五虎將之一。（五虎將是張遼、于禁、樂進、張郃、徐晃）張遼是呂布的部下，張郃原是袁紹的部將，和徐晃三人乃是投降而來，後來三人表現得非常好，曹操皆重用之。只有于、樂二將乃是嫡系部將。這時的張郃尚在袁紹營中。

卅七、曹操大胆燒糧袁紹孤行致敗

到了十月，袁紹又派了淳于瓊等五人，率領一萬多人馬前去刦糧。袁紹帳下有一個謀士，名叫許攸，此人性好貪得，袁紹不能滿足他的慾望，許攸便出賣了袁紹，投降曹操。左右的人都疑心他是詐降，只有荀攸、賈詡二人則持獨見，勸曹操去刦袁紹的糧車。曹操深以為然，斷然採取行動。

曹操把握此一良機親自帶了五千人馬衝夜前往，到時天已明亮。淳于瓊等見曹操兵少，直出營門列開陣勢。曹操此次刦糧，是拼命的一仗，存亡在此孤注一擲。淳于瓊抵擋不住，退入營內，曹操一直攻進他的大營，淳于瓊被曹軍殺得四散。袁紹聽得曹操親自去攻淳于瓊的營，對他的兒子袁譚說：「我趁此時機，把曹賊的大營打敗，他就無家可歸了。」於是就派了張郃、高覽去刦曹操的大本營。張郃不以為然，對袁紹說：「與其去刦營，不如去護糧，淳于瓊決不是曹操的對手。」袁紹堅持了自己的意見，張郃高覽不敢當面違令，只好去了。結果攻不進曹操的大營，後來聽說淳于瓊被殺，張、高二將不滿袁紹的一意孤行，便投降了曹操。袁紹聽說張郃投降曹操，自相驚擾，被曹操乘勝痛擊，全軍崩潰，袁紹祇帶了八百騎兵逃命。曹操這次用兵也很殘酷，他把袁紹的兵活埋了七萬多人。

劉備、關羽、張飛、趙雲見袁紹大勢已去，跑到荊州依劉表去了。袁紹兵敗之後，遂由北強南弱之勢，一變而為南強北弱。但曹操並無絕對的優勢。當時曹操乘勝追擊，冀州郡縣多有投降曹操的。然當袁紹回去之後，收拾了不少舊部散兵，那些叛變的郡縣又相繼收復。曹操雖然大勝，但沒有一鼓掃蕩，便中途停頓，可見袁紹的兵力尚足以自守。到了第二年（建安六年）春，曹操始又進兵官渡，大破袁紹於倉亭。袁紹經過官渡兩次大敗、元氣大喪，一蹶不振，嘔得吐血。就在建安七年，吐血症復發而死。（六十五）

謝摶九贈本（續）

但是時代畢竟需要振奮人心，激勵忠貞的故事，才能配合當前的政策。國劇自然也應該在這個原則之下，負起所應負的使命，絕不應『自甘沉醉』在風花雪月，離合悲歡的情調中，忽略了大時代賦予的任務。然而爲了求其能予人以深刻的感動，而激發觀衆內心的共鳴，似乎不應當完全傾向於八股的形式之內。我們所選擇的道路，應該是內涵重於形式，努力把握表現與影響的技巧，教忠而使人領悟到孝，敎節而使人領悟到義，懲邪惡而激忠貞，頌賢良而揭奸宄，使觀衆於不知不覺中接受了劇情的啓發，而激發眞實感，才能夠有動人的啓示力」。如此看法，我認爲確是擲地有金石聲。我必須竭其駑駘，把花蕊夫人一劇，設法搬上舞台，使大衆看看是否具有意義，而可歌可泣的堅貞悲劇！

國劇繽紛續錄

姿樂生（一〇九）

花劇內容有（一）御苑幽思，（二）錦城驚變，（三）試舞定封，（四）蜀宮春夢，（五）虎將征蜀，（六）解甲拒諫，（七）虎前題詩，（八）戰降納美，（九）詢國上變，（十）行園殉節。而演花蕊的角色，必須文武全才，在六場試舞，有排子夜深沉類如別姬。在二十場納美，有著傳的『十四萬人齊解甲，更無一個是男兒』的名詩。在廿四場殉節，有戎裝騎馬挾箭，完全是奇女子風度。因謝摶九，併以附註。

聯演的兩八

陸軍劇展，最後的兩夕，是陸光大宛龍吟干城四隊聯演，有兩齣八美的戲，一爲八五花洞，一爲八美跑車，極其姸絢之能事。但觀後微感不足的，八五花洞的八位潘金蓮的服裝不一致，顏色更有深淡，六位是一個顏色，而假的徐蓮芝，眞的唐復美，所穿衣服較深，大概是干城自己供應，因此與別隊不一。於此點經辦員於事先應就經費項下，製八套一律的顏色。最好用鵝黃色，更爲漂亮。再所用扇子，武大用紅色鵝毛扇，也不合，可即就市上所售二三元一把的摺扇；而潘金蓮用黑色摺扇，實料雖好，顏色不合，宜用淡色摺扇；最好用孔雀毛的扇子，才顯姸麗。記得我在民國廿七年，於漢口爲冬社辦義演，有四五花洞，四位潘金蓮，穿鵝黃色綢質褂褲，用孔雀毛的扇子，腳穿粉紅色繡花鞋，眞是美極。希望陸軍當局以後注意。而唱句應該兩位唱一句（或快板），四人唱一句，就有些減色。（未完）

小品三則

意都譯

二、世界的城市

我們整天運負砂石，現在休息一會；天已晴。

「哼！」我們說。

山邊的燈火已亮，海上也是的。我們互相凝望，高處有女郎們經過，我們繼續說：「哼！」

忽然高個子說：「亞里崗！」我們終於開口：「亞里崗？」

「雪黎！亞里崗！」

「也有雪黎？」

「世界的城市！」

兩個女郎經過。她們站定。

我們指着燈亮。

「城市。」

「世界的城市。」

她們笑了，仍然站着不動。高個子說：「馬尼拉，小姐！」

我們向她們指着樹葉間的光亮，水上的光亮。

「和舊金山！」高個子大喊。

我們大家都高喊起來。

「里昂！」

「亞加布羅！」

跟着是個小傢伙：「亞加達．史里維亞。」

他很年青，有點發抖，我們問他什麼意思。

「我到過，」小傢伙說：「它在波斯。」

一條死船在下方飄過。「我到過巴比倫。」一個老人說。

「巴比倫？」

——「巴比倫。巴比倫。」

「那，」高個子想想說，「是個古城。」

「我還不夠老嗎？我年輕時在那裏。」老人說。

「它在砂底下，」高個子說：「它已死了許多世紀了。」

「哦！是。」老人答，「它很美！」

他嘆道，「它也有這種亮光！」

作家

我以爲作個作家非常可卑。

我自我父親身上看出。他是個馬蹄匠，他寫悲劇，可是不認爲寫悲劇比釘馬蹄高明。事實上，當他釘馬蹄時不允許別人對他說：「不是這樣，應該那樣。你錯了。」他用藍色的眼光望着你，搖搖頭。但是寫作時，他接受任何人的意見。

他聽任何人的話而不搖頭。他同意。在寫作時他很謙遜，他說要向人人學習。由於他愛好寫作，所以必須謙遜；虛者常盈。

我祖母笑他所寫的東西。

「多笨！」她會說。

我母親也一樣。她笑他的作品。只有我兄弟們和我不笑。我看他紅着臉，謙遜地鞠躬，我便學了他的樣子。有次我爲要學習，溜進他房去。

我父親時常會那樣：他溜出家們以便獨自寫作。有次我跟他去。我們在田野中走了八天，四邊是白色的花朵，我們有時在巖石邊樹影下休息。他寫作，我學習。我們回來後，我母親揍了我一頓。

後來，父親對我抱歉一番。

我沒有回答。我可能告訴他，我原諒他？

他以恐懼的聲音對我說：「回答！你原諒我嗎？」他像是哈姆雷特的父親那復仇的幽靈。他需要的不是原宥。

但是我便如此地懂了寫作是什麼。

（下）

平台首功說林亮

夜蘭

康熙六十年，當朱一貴之亂時，與千總董方同爲先鋒，在一日間一股作氣攻克鹿耳門、安平兩要害，導致清軍收復府治，建立平台首功的，即是當時的澎湖右營守備林亮。

林亮字漢侯，是福建漳浦人。爲人豪放不羈，好結交天下豪傑。他曾說：大丈夫志在四方，焉能屈守鄉閭，長爲農夫沒世哉？乃決意從戎，一面練武，一面留心海務；對於沿海島嶼地形，航道以及佈陣作戰，無不熟悉。康熙四十五年，被擢爲台灣水師右營把總，後遷昇澎湖右營守備。康熙六十五年，朱一貴起事，旬餘而全台俱陷；文武官員或死亂中，或逃澎湖。因澎台僅一水之隔，故澎島居民人心惶惶，將弁們亦以孤島難守，咸議撤回廈門，紛紛令部屬登舟，準備離澎。

守備林亮目睹此狀，按劍厲聲喝道：「朝廷封疆，尺寸不可棄也。吾儕享昇平，食祿廩，捐軀報國，正在今日！焉有鋒刃未血，而相率委去耶？大丈夫死忠義耳！寧能駢首市曹，爲法吏所辱？請整兵船，守禦要害，決一死戰。戰不捷而亮死，公等歸亦未遲。」諸將弁頗受感動，乃誓願死守。林亮一面跑至碼頭，下令驅官民家屬登岸，並宣稱倡言退廈者處斬。人心始告安定。且紛紛捐獻家財，供作購買軍糧及製造兵械之需。

未幾，閩浙總督覺羅滿保聞警，乃遣水師提督施世驃，南澳鎮總兵藍廷珍率水陸軍萬餘，戰船四百餘艘至澎。遂以林亮與千總董方爲先鋒，六月十六日領舟師數百人自澎進發，一連攻克鹿耳門及安平兩要害。由於其一日兩捷，使清軍士氣爲之大振。十七、十九兩日，又戰於鯤鯓，林亮駕舟夾擊，橫衝敵陣，朱軍復敗，退守府治。世驃乃命林亮與董方等率兵一千二百人，由西港仔暗渡，以拊府治之背；廷珍復統大軍繼林董等之後而至。二十二日黎明，大戰於郊區，連戰連捷，遂收復府治。事平之後，據藍廷珍上書總督滿保說：「澎湖右營守備林亮，平台首功，且有抗守澎湖之大節，人品將畧，在軍前諸將之上……」滿保得書大喜，曾奬賞林亮以白金四百兩，並手書褒揚。嗣陞安平水師副將矣。

再談吳佩孚

諸葛文侯

前談吳佩孚軼事，承世丈趙公夷午（恒惕）告以其中不無舛誤之處，特補述一二於此。

民國十四年冬臘，吳氏指麾直系大軍，與奉軍張作霖部大戰於山海關外之際，因左翼統帥馮玉祥潛師倒戈回京而敗績後，並未入川，初乘兵艦南下，擬託庇於南京之直系將領齊燮元防區，未受歡迎，旋赴湖南岳州暫事憩息，而北都之段執政祺瑞，密電湘省長趙夷午禁制之。趙爲感紉吳氏當年由衡陽撤防北歸，使湘人少罹內戰鋒鏑禍害之舊誼，即徵得省議會同意，容納吳氏避地於岳州，曾電達段執政與馮玉祥，盼勿煎逼太急，否則雖引起戰亂亦所弗惜。段馮默然不復，吳氏遂得徜徉洞庭湖畔，度其流亡生活焉。越民國十五年間，廣州革命軍北伐入湘，吳氏乃西行入川，駐節萬縣之大江中，以兵輪爲家。蓋萬縣係川軍楊子惠（森）軍部所在，吳不欲登陸僑居，致有喧賓奪主之嫌也。楊將軍對吳氏亦如湖南趙省長然，優禮接待，供應無缺，其風義有足多者。吳在落魄期間，仍隨帶衛兵一團，文武幕僚若干人，生活費用胥由當地東道主照料，良非易易。迨川軍易幟，吳不得已，北上息影於故都之什錦花園胡同，衛除與幕僚相從猶昔。民國廿一年春，愚在北平旅次，猶見有戴五色旗帽徽之士兵招搖過市，詢諸路人，謂係吳大帥衛兵云。

前談吾湘趙省長曾於民十一年選購美女，派鍾伯毅（才宏）先生送赴洛陽備充吳氏妾媵，而吳婉謝一節，據趙夷公言，彼決不知有此事。然愚聞諸鍾世丈所述，信以爲眞，意者鍾世丈等狃於習俗而私自嘗試之所爲耶？此乃當年吾國仕宦場中盛行之風氣，時易而俗殊，微論有無，皆不足爲賢者病也。

假使當年吳子玉率第三師入湘戰勝桂軍後，北庭內閣總理段祺瑞不因忌嫉直系勢力擴張，而以湖南督軍一職授之吳氏，即無衡陽撤防之變故發生。吳若坐鎮湖南，則民十五年廣州北伐軍殊不易攻佔長沙，局勢如何演變，尚未可知也。嗣後國民革命軍在湖北境內與吳氏所屬直軍苦戰時，若孫傳芳不袖手旁觀，而與吳通力合作，革命軍亦不致勢如破竹，迅即席捲中原，迫使張大元帥作霖在幽燕頓感孤危，不得不退歸東北，終遭日本軍閥暗算，畢命於皇姑屯，更促成革命軍統一全國之機運。此一錯綜複雜之史事，後世史家未必瞭解其癥結所在，愚故附述梗概，聊以徵信焉。

吳子玉晚年蹭蹬落拓，望門投止，歷盡辛酸，不出洋，不住租界，仍受各方有力者維護而優遇之，殆緣於平日爲人迥異一般軍閥，雖政敵亦存尊敬之意念，殆所謂公道自在人心也歟！

著名女間諜
姬麗絲妲的故事

質譯

在幾分鐘後，有兩個偵緝部的探員來到，將姬麗絲妲的房子圍封，殺人疑犯被用手銬扣着，帶返總部問話。那個疑犯的體格細小，眼睛和頭髮都是黑色，前額頗高，他穿着一件棕色外衣，衣著整齊，看來是一個斯文人。但他很緊張與侷促不安。他跟警方頗爲合作。他供稱名叫但尼斯蔑爾杜尼，他承認說：「我直認我殺死姬麗絲妲金維爾。我深愛她，所以我不惜把她殺死。現在沒有別人能夠得到她。我願意殺人償命。」

探長曾寧到塞爾堡酒店向司理人韋爾斯調查，獲悉姬麗絲妲在一九四五年戰爭結束之後就開始住在那裏，她是一個端正和有學問的婦人。有時出外旅行幾個月，去探海外的親戚或在輪船上做女侍役。酒店中各職員特別是司理人都讚她的好處。但是他們會覺得奇異，她有時的動作有點古怪，像想忘記過去的一切事情。他們也覺得訝異，一個像她這樣有學問的婦人會做百貨公司的售貨員。她能夠說幾國語言。她甚至在一間酒店做衣帽間的管理員。

在姬麗絲妲未被謀殺前一年許，她曾在一艘往南非洲和西半球及地中海的遊客船上做女侍役；當她在修咸頓上岸後，即住在倫敦的塞爾堡酒店，警察查得她從南非的行程回到後不過兩天，在酒店的人沒有一個知道姬麗絲妲是一個波蘭伯爵夫人，出自一個貴族家庭。也沒有人在事前看見過那個殺人兇手。

探員後檢查姬麗絲妲在酒店所住宿的房子，尋到一隻小皮喼，裏面有她的海員證件，有寫出她的最接近親屬是住在西德波昂的安得烈堅尼地少校。曾寧探長立即拍電報通知他姬麗絲妲遇害的消息。警探又尋到一張飛機票，是搭六月十六日上午十五分鐘從倫敦到比利時首都布魯塞爾斯的班機的，這恰是在姬麗絲妲遇刺後十二個鐘頭。搜查的警探更覺得驚奇，在室內尋出許多勳章，像法國的十字戰爭勇敢奬章，英王喬治勇敢奬章，OBE勳章，都是奬給有偉大功績的人的。更有一種不能被認出的波蘭奬章。一個在百貨商店做售貨員的女子，一個輪船上的女侍役，怎能擁有屬於英國將軍才可得到的勳章呢？後來他們尋到許多張奬狀，才知道那些奬章確屬姬麗絲妲所有的，藉此以表揚她的勇敢行爲和功績。在小皮喼內又尋出姬麗絲妲的袖珍日記，在她被謀殺的那天在簿上寫着，「跟包佩及新雅吃晚餐」。（一）

內政部登記證內警台誌字第〇三一〇號

自由報

THE FREE NEWS

第六八八期

中華民國僑務委員會登記證
台教新字第三三三〇號
中華郵政台字第一二八二號執照
登記爲第一類新聞紙類
（半週刊每星期三、六出版）

每份港幣壹角　台灣零售價新台幣貳元

社長：雷嘯岑
督印人：黃行寶

社址：香港銅鑼灣高士威道二十號三樓
20, CAUSEWAY RD 3RD FL.
HONG KONG
TEL. 771726　電報掛號：7191

承印者：大同印務公司
地址：香港北角和富道九六號

台灣分社
台北市西寧南路壹壹號二樓
電話：三〇三四六
台郵撥儲金戶九二五二

正視毛共的整肅運動（中）

・何浩若・

根據上述理由，我們不同意權力鬥爭的看法。共黨內部的權力鬥爭不會要打倒毛，打倒共產黨和打倒共產主義。把共產主義和共產黨打倒以後，共黨內部便沒有權力可以鬥爭了。

我認爲把共匪的整肅看作匪黨內部的權力鬥爭是一種成見。國內外的評論者之所以形成這一成見也有相當背景和理由。所有共產黨統治的國家都經常發生內部的權力鬥爭。民主國家的新陳代謝靠選舉，共產國家的新陳代謝靠鬥爭和整肅。共產黨徒認爲一切事物都有矛盾，而矛盾又必須統一。矛盾統一後又會發生新的矛盾，因此共黨內部的鬥爭是永不止息的。從原則上講，共產黨的整肅大部份都是內部權力的鬥爭，而這次的整肅又發生在毛酋澤東久未露面傳已死亡之後，很容易使人聯想到是毛酋繼承人的內鬨。我不同意這一看法。下面說明我所認識的這次共匪整肅運動的意義。

二、我所認識的這次毛共整肅運動的意義

我不同意國內外評論家對毛共內部權力鬥爭的看法。我以爲這次毛共所搞的「社會主義文化大革命」是一個共匪對抗中國人民和知識份子的反共反匪的生死鬥爭。我現在從整肅運動的對象和整肅運動的內容兩方面，來說明我對這一運動的認識。

甲、整肅運動的對象

共匪當局在這次整肅中明白提出來的對象，自然是以吳含（日旁）爲首的吳南星集團，吳南星這三個字是代表吳含、鄧拓和廖沫沙的化名。這三個人都是彭眞的部下。吳南星集團當然不是毛共這次整肅的最後對象。毛共整肅的眞正和最後對象是誰呢？因爲吳南星集團三個主角都是彭眞的部下，權力鬥爭論者便向上看，而牽涉到彭眞和劉少奇，認爲是毛酋繼承人的內鬨。我和權力鬥爭論者的看法不同。我根據事實向下看，以爲中國大陸上的知識份子才是這次反共的中堅，而在北京代表中國知識份子反共的便是陸平所領導的北京大學。陸平原是共產黨員，但也是北京市委會經過整肅改組以後，第一件事便是改組僞北京大學。毛共北京市委會六月三日的命令是這樣的：

①「派以張承先爲首的工作組到北京大學對社會主義文化大革命進行領導」。②「撤銷北京大學黨委書記陸平，副書記彭珮雲的一切職務，並對北京大學黨委進行改組」。③「在北大改組期間，由工作組代行黨委的職權」。

因爲北京大學的重要性，所以我們再引一段毛共所宣佈的北京大學的罪狀。六月五日僞人民日報等報刊載一篇「黨中央的決定，百倍的鼓舞了我們的鬥志」一文說：

「北京大學是我國教育領域中的一個重要的悠久歷史的反黨反社會主義陣地，反黨反社會主義的，實行修正主義路綫的前北京市委一些主要負責人，一直把它看成爲同無產階級爭奪青年一代的基地。」「陸平等推行資產階級的修正主義的教育路綫，竭力要把青年學生引向修正主義的道路，竭力要把青年學生培養成資產階級的接班人。」

上面的話說得太明顯了，共匪要和反共的知識份子爭奪下一代青年。北京大學原是製造政治風暴的搖籃。一九五七年毛共大鳴大放的時候，北大師生組織了一個「百花學社」，而引起了風潮。共黨陸平繼馬寅初擔任北大校長，本想把反共的知識份子同化。想不到連陸平都被整肅。毛共是在本年六月三日晚十二時半由共黨北京市委的第二書記吳德率領軍警去佔領北大的。在工作組接收北大的時候還發生了學生互毆的情形。這無疑的是反共的知識份子和共產匪黨一個激烈的鬥爭。但是北京大學在本身以外所發生的反共力量似乎更大。據毛共新華社的廣播，陸平在從事反黨反共產主義的活動時，曾經把他的經驗印發匪僞各大專學院，計與北大這條黑綫有聯絡呼應的，除北京市外，有下列各校。①上海市有復旦大學、上海京劇院、上海音樂學院等。②南京市有南京大學等。③河北省有天津大學、南開大學、河北大學、天津師範大學、天津醫學院、天津工學院、天津音樂學院、天津師範學院、天津財政學院、河北台興學院、河北紡織學院、外語專科學校等。④山東省有山東大學等。⑤河南省有鄭州大學、開封師範學院、河南農學院、河南醫學院、河南中醫學院、河南工學院等。⑥湖北省有武漢大學等。⑦江西省有江西師範學院等。⑧福建省有福州大學、廈門大學等。⑨廣東省有中山大學、暨南大學等。⑩四川省有重慶大學、四川建築工程學院、四川醫學院、四川交通學院、四川郵電學院等。⑪雲南省有雲南大學等。⑫新疆有新疆大學、「八一」農學院等。

上文我們說到毛共的整肅我們不應當從吳南星集團向上看到彭眞和劉少奇，我們應當向下看。大陸反共的知識份子，根據新華社的報導，大陸上十二個地方指名的大學響應北大反黨反共的便有三十七個。假如將各地某大學等的「等」字也計算在內，差不多所有的大專學院都在響應北大反黨反共。這是如何的嚴重啊！如何能說僅是毛共內部的權力鬥爭呢！

文化宮

文化革命

「這小妖搗什麼鬼？」

排除異己的「絕招」

今日與明日

覺醒的大陸青年開反毛了！

北平「紅衛兵」在他們貼出的「大字報」中透露，毛共「共產主義青年團」（簡稱「共青團」）已於一個月前解散。據說，該組織已不是一個「革命團體」，所以，要求取消「共青團」中央委員會，改變名稱並重新建立永久性組織。

毛澤東林彪小集團，在黨內的鬥爭於目前雖似佔了上風，但其形勢實爲四分五裂衆叛親離，如謂這一小撮頑預的獨夫還有人擁護，勿寧說已成爲絕對孤立派。毛林小集團狗急跳牆異想天開，爲擊敗劉少奇的「保皇派」和所有反毛的「當權派」，既不能運用既有的黨政組織，更不能利用「共青團」，而另組織「紅衛兵」，這已充份顯示出在毛共的各種既有組織中，均充滿了反毛反共勢力，也可以說這些組織的「當權派」，都對毛酋的罪惡統治有所不滿，甚至形成「黑幫」，等待有利機會到來，一下子就把毛澤東的「天下」給翻過來。

這些事實說明，毛共下令撤消「共青團」中央委員會，一點也不意外。該「共青團」中央委員會，係由書記處書記八人，候補書記四人及常務委員會二十九名常務委員所構成。如謂這批人也有「反黨反社會主義反毛澤東思想」的「罪惡活動」，實在使人懷疑。因爲，他們之中有的是毛共中央委員，有的是現役軍人。如常務委員辛國治在「取消軍銜」前是「少將」，爲現任共軍總政治部副主任之一。據估計，在「共青團」中央委員會中，有一部份人是屬於反毛的敵對派，然而解散該中央委員會，絕對不是針對該中委員會那幾十個人而採取的措施，乃是由於參加「共青團」的大陸青年已大部覺醒，由絕對擁毛一變而絕對反毛；如果「共青團」不加改組，可能使毛共尾大不掉後患無窮。

「共青團」爲大陸上十五歲至二十五歲「思想積極」青年的組織。照毛共的說法，「少先隊」、「共青團」和「毛共」是「革命」的「三代人」。而負有「承先啓後」重責的「共青團」，居然也發生嚴重問題，這就無異於是「腰斬」毛共「革命」組織系統，其不完蛋的可眞有鬼了！

參加「共青團」的青年，約三千萬至六千萬人。其中，多是大中學生。他們在過去毛共攫國內戰階段，爲毛共「打江山」立過極大「功勞」。而時至今日，已成爲毛共「革命」的對象，眞是不可思議。在此次所謂「文化大革命」初期，「共青團」已完全不受毛林小集團的信任。於六月初整肅毛共北平市委第一書記兼「市長」彭眞後不久，就改組了「共青團」，將副書記汪家鏐等人列入「反黨黑幫」予以整肅。從此以後，三個月來毛共對「共青團」從未放鬆整肅活動。在組織「紅衛兵」過程中，是經過數月鬥爭階段中，已將「共青團」出現的「組織打亂，並「揪」出了大批「牛鬼蛇神」，打入了十八層地獄。

毛共全面解散「共青團」中央委員會，改組「共青團」勢在必行。估計，必以上街到處「造反」的「紅衛兵」爲基礎，另起爐灶重新建立青年組織。可是，這個「新生」的青年組織是否可靠呢？相信經過一個時期，他們於發覺被騙後，必又是由擁毛而反毛。總之，毛共已心勞日絀，儘管仍不斷作垂死掙扎，但那只是迴光返照，來日無多是可以肯定的。（何如）

自由談

近年專門對詹森政府越南政策唱反調的美參院外交委員會主席傅布萊特，現在公然主張美國不應該再阻止毛共參加聯合國了。傅布萊特同時又一次強調表示憂慮越南的升級戰爭，終有一天，使得美國會同毛共面對面的打一仗。如果讓毛共參加聯合國，他儼然認爲，便可以對它起着約束作用，亦就可以避免他所最害怕的毛共與美國兵戎相見。言外之意，這是傅布萊特主張讓毛共參加聯合國的理由之尤。

歐美國家和政客主張讓毛共參加聯合國的理由不外兩個：首先，他們不能假裝看不見毛共統治着中國大陸的所謂「現實」主義者，英國可爲其代表。他們不問大陸同胞是非黑白，也不管大陸同胞是如何極端厭惡唾棄毛共那個集古今中外暴虐之大成的政權，而認爲它到底是存在的現實，是現實就該給予承認。他們甚而欺人自欺的說毛共僞政權統治大陸已很鞏固，不讓它參加聯合國無異剝奪大陸七億人口在這個世界和平機構表達其意見的權利，是反「民主」原則的。胡說一氣，「莫名其妙」。其次便是「約束論」者，他們以爲由於毛共政權被擯斥於聯合國之外，聯合國對於毛共的放火，闖禍行爲毫無辦法，到處是僞造爲理論，說是如果讓毛共政權參加聯合國，則它就不能不遵守聯合國憲章，否則亦可以由聯合國出面去管束它，糾正它。傅布萊特便是這一流人。這一流人，雖然扯的是約束論的旗幟，其實是聯合國形同感化院，但其實他們是綏靖主義者，妄想以此收買毛共。他們的主張果眞得逞，其結果將不但必然會使聯合國龍蛇雜處，最終還必然會使得聯合國一如當年的國際聯盟「有疾而終」，成爲歷史名詞。

匪夷所思

以專門反對詹森政府越南政策的傅布萊特而高叫讓毛共政權進入聯合國，事不出奇。傅布萊特亦只是「立異鳴高」，企圖有朝一日以取代詹森總統的地位而已。以目前而論，他并不足以影響美國政府的既定政策。値得我們注意的是，詹森政府對毛共，亦早經奉行「圍堵而不孤立」了，兩者相距，亦不過五十步與百步而已。也所以，所謂「聯合國中國代表權」的煩惱問題，要求其不再出現，除了釜底抽薪──打回大陸，埋葬毛共僞政權──別無捷徑。俯仰由人，偏安自娛，將絕對不是辦法。

高雄市中小學校不合理措施舉隅

本報記者高雄市航訊

高雄市中學共十二所，目前業已開始辦理入學註冊手續。十二所中學以市二中最具規模，學生最多，師資的質素也比較高，且位於市中心區，交通便捷；爲全市家長及小學生嚮往的最大目標，僉以進入市二中爲無上光榮。所以小學生在聯攷時的第一志願，即係市二中。但市二中每年暑期入學，多半被一大批所謂「保送生」所佔據。既然是「保送生」，其在學術科的水準上，應該是具有過人之長了，其實「鴉鴉烏」的學生多的是。何以故？第一是市郊之分，第二是國民學校搞鬼。在志願升學行將實施之際，保送辦法仍在高市大行其道，這花樣也眞出奇。

該校九月一日開學之日，貼出了一張佈告，命學生購買以下幾種課外參攷書：第一、投攷高中必備，第二、初中綜合自然，第三、實驗英文法，第四、初中生理衛生教科圖，第五、明密電碼快譯書，第六、學生手冊。至於初一新生，還規定必買字典、字帖等等。學生看過後，這張佈告翌日卻被移去了，總共書錢每生須繳六七十元。在繳費時不僅是新生，二、三年級舊生亦被强迫購買。奇怪的是所買的書籍，有些是不發給學生的，學生們說這是「倒欠」。而滑稽的是「學生手冊」有三十張學生請假單，有位家長說：每生請假三天用一張，三十張用完去了一學期的大半時間。事實上，學生根本三年來一張不用的佔絕大多數，可是每年暑假都必須要買，買了又沒有用。以該校三千學生計，這筆浪費的非法收入有廿萬元。這種辦法在市二中行之有年，未悉教育科及教育廳有所聞否？

高雄市國民學校的校舍修繕費，五十五學年度所列爲五十萬元，（挹注的未包括在內，）高市有國校五十所，若平均分配，實在微乎其微；但有些學校得不到分配，有些學校則每年分配數次，每次不超過二萬元（因爲超過二萬元，主計室規定必須公開招標，因此有心人就用分批式的請欵，只經比價手續，比價非常簡單，找一家小營造商，或土木包工業，教他另找兩家估價單一填，是輕而易舉的事），至於修與不修是另一回事。換幾塊瓦算修，裝幾塊玻璃算修，換兩塊天花板亦算修，橫豎有發票，可以報銷，誰說沒修？這種風氣，亦已經司空見慣，不足爲奇。聽說高市某國校上年度前後請修繕費達八萬元之多，其實根本沒修繕什麼，這筆錢就眞叫人咋舌納罕。總之，凡屬高市教育何經費，在年度結束前如果用不完，也想盡方法直至用完方休。（九月四日寄）

紅衛兵胡鬧結果 毛共工業品輸港近月來大見減少

（本報訊）中共的「紅衞兵」騷亂已由城市擴及農村，對於生產方面逐漸有擴大性的影響。近月來中共工業品對香港輸出已經減少，但農牧產品對香港輸出仍然增加，如果「紅衞兵」的騷亂逐漸擴展各地的農村去，農牧產品對香港輸出亦將有逐漸減少的可能。

近數月來，中共的外交活動極不順利，不但很多曾經受到中共經濟援助的所謂「中立」小國，即逐漸與中共脫離，與中共同一路綫的共產國家亦漸漸多對中共發生惡感；這種趨勢已漸次影響中共貨品的出口。因爲中共很多貨品是經香港再輸出的，在外交活動繼續失敗，形成孤立狀態下的中共政權，雖然貿易方面并未有直接關係，但再加上中共內部的騷動影響，對中共經濟亦逐漸產生壞的因素。

大家都知道，過去這幾年來中共貨品大量輸出，一方面爲了套取外滙，另方面則利用所謂經濟援助方式將大量物品贈送與東南亞及非洲部份國家；本來中共是沒有能力把大量農牧產品及工業品那麼大量輸出的，但爲了達到目的，就不擇手段，極力壓制大陸同胞的口糧及生活必需品，於是造成大陸同胞成爲中共政權的農奴與工奴，早就燃起全國的怒火。現在中共一方面外交已有全盤失敗的傾向，另方面內部騷亂有日益擴大的可能，政權迫切需要外滙收入，可是內部的領導階層逐漸發生大變動，中共貨品輸出逐漸減少似無可避免。

以中共貨品對香港輸出而言，今年上半年來貨總值十一億四千二百萬元，比去年上半年僅增加一千八百萬元，增加率祇爲百分之一點六，比較一九六五年來貨增加百分之十八已呈明顯退縮。

各類貨品對香港輸出，仍以紗布及其他製成品、牲畜、水果、蔬菜三大項最重要，紗布及其他製成品來貨共值二億○五百四十四萬元，牲畜來貨共值一億九千三百八十一萬元，水果、蔬菜來貨共值八千九百七十八萬元。其中以牲畜來貨佔該貨的進口總值百分之九十，使香港牲畜市場完全被控制。生猪固然如此，生牛來貨亦顯著增加，去年上半年生牛來貨二萬五千餘頭，值九百五十餘元，今年上半年生牛來貨四萬一千餘頭，值一千七百餘萬元。家畜方面，除了中共來貨之外，其他外地來貨已告絕跡。因此香港新界的牲畜養業遭受中共來貨的影響極大，今年上半年業務更爲困難。

假定今後中共貨品對香港輸出將繼續減少，香港經濟將會逐漸有良好的反應。因爲中共貨品最近幾年連續增加輸出，奪去香港很大筆的外滙，但向香港購回的貨品極少，去年祇向香港購回七千一百萬元的貨品，其中港產品只佔一千七百萬元；可是去年中共來貨則爲二十三億二千二百萬元。今年上半年向香港購回三千五百萬元貨品，港產品祇佔五百萬元。中共內部的騷亂如果繼續擴大，來貨更減少勢所必然，這對香港殊爲有利。

街談巷議　閒話「中實」

台北街談巷議東亞案，並有這樣的一說，質詢權與監察權，成爲某些政團的工具。而郭紫峻等當年「種瓜」，今天得到的當然是瓜不是豆。而「官商勾結」一詞之創作人，做夢也沒有想到十年後的今天，身受其「害」。

關於監察院五人小組調查之其他毛紡廠案，如大秦案，如原棉貸欵案等，究於何時調查完畢？是否提案糾彈？這是大衆所注意的事，也是爲人摸不着猜不透的「迷」。因這幾個案子亦涉及中央民意代表呀！

立院某委員質詢說：「以五案而言，外傳不僅有官商勾結及立法委員之插手，插手者尚有社會聞人及新聞界之人士在內。蓋新聞界消息靈通，知有黑事，不盡輿論之責，反用爲敲詐之資，而倘得分肥，又轉爲掩飾，淆亂是非。此或與若干民意代表插手之法，大抵相同，此亦調查不可忽視之一面」云云。

比如說，由立法委員所組織之中實企業股份有限公司，被害人范文徵、高孝侃等，委請李晉芳律師正式向監察院呈訴該公司主持人有「詐欺」之不法行爲，而政府各級主管機關亦有「偽造文書」「助張其欺枉」嫌疑，結果，中實案尚未調查而東亞案彈劾書却公諸社會。監委既明察秋毫，何對此案不見與薪？

現在我將這兩案之內容作一分析。

立委行詐　非法騙財

中實企業公司由立法院吳鐵老派下立委爲核心。被害人范文徵、高孝侃等於五十三年九月，應募該公司優先股各一萬股，並各一次繳足股欵新台幣一十萬元。但至被害人於今年五月呈訴時，已一年九個月，該公司尚未開始營業，顯與舊公司第十六條規定「公司設立登記後，滿六個月尚未開始營業者，主管官署或利害關係人申請，得撤銷其設立登記。」不符。

析論立監兩院的五大案（十）

·本報記者劍聲·

該公司於五十三年九月十八日登報公開招股，其代收股欵銀行爲「華南銀行總行」，依照證管法第十二條第一項規定：「募集股欵收集後，公司應於辦理設立登記時，提供前條（即第十一條規定之代收股欵銀行）收欵銀行收足股欵之明確證件。」但該公司所提出於主管官署者爲「驗資證明」，而非法定之代收股欵華南銀行總行的「證件」。所謂「驗資證明」，除由華銀出具新台幣四百十萬元之證明外，餘由非法代收股欵之台北區合會（陳逢源）出具九百八十五萬之證明，另由合作金庫證明六千六百○五萬元之「驗資」文書。而台北區合會與合作金庫非該證券發行公司申請經主管官署核准之代收股欵銀行，顯與證券商管理辦法第十一、第十二條規定不合。

就該公司法定代收股款華銀總行所出具之「驗資證明」言，係借自該銀行五十三年十一月二十六日一天之結存金額四百十萬元，並無「代收股款」之明確證件。所謂「一天之結存金額」，即該證券發行公司向華銀總行借得以本行庫存撥與「中實」帳戶，而收取一天之貸款利息，經驗資證明後，即撥還各原貸銀行。這與「會計師查核簽證財務報告應行注意事項」第九條第一項規定相違。會計師簽證不實，華銀、合庫、台北區合會偽證「股款」，而證管會明知竟未依法「由工作人員組成小組共同審核」，乃徇情爲中實公司核准公開募股，施騙於大衆投資人。

偽造文書　未有交代

舊公司法規定股東名簿應編號記載「各股份已繳之股款，及其繳納之年月日」但中實公司呈報募定無記名普通股及優先股共四千萬元，其股東名冊沒有「股數」或「號數」之記載。至記名股票則一律記載其繳款期日爲「五十三年十月十四日」，此與受害人范文徵等所持股票繳欵期日不符，此足以證明中實公司發起人及家屬認股三千餘萬元，皆非事實。

同時，中實公司迄今未依招股章程規定，配發任何優先股東的股息。因此，被害人范文徵等狀訴監察院調查中實公司與主管機關人員勾結之不法行爲。因爲中實公司獲准公開募股，係華銀等金融機構之偽造「驗資證明」文書而來，由於銀行驗資證明，使投資人誤信中實公司而受騙；由於銀行驗資證明，使中實公司獲得爲數約四百萬元之投資人的資金。此與政府保障投資人權益之政策違背。

中實公司是否如被害人范文徵等所指訴有違法非法事實，監察院應有一交代，何以迄今沒有下文呢，實在使人無法釋疑，因而社會傳說紛紜。

中縣走馬觀鄉

——本報記者台中航訊

他們有醫藥衛生服務，軍隊助民收割，公教人員深入村里，宣導林縣長積極推行的「國民生活公約」，家家戶戶的牆壁上，都貼有一份由台中縣府贈送的火車、汽車時刻表，提示鄉民守時的精神。記者是快馬加鞭，走遍了清水、東勢、大安、大甲、太平、后里、外埔、大肚、龍井、豐原、石岡、神岡、大雅、霧峯等鄉鎮，社教運動的浪潮，都在如火如荼的澎湃着。可惜我這小小無冕王沒有「王俸」可拿，不然，也可作各種詳情的訪問。這是一件憾事。

林鶴年親自下鄉

在社教運動的浪潮聲中，林鶴年縣長本是一個「原動力」，但是，爲了「爲民表率」，「身教重於言教」起見，也顧不得什麼「一縣之長」的頭銜，冒暑下鄉，深入村里，探求民隱。所謂「君子之德風」，縣長領頭，縣議員、鄉、鎮長、鄉、鎮代表們，也紛紛響應加入社教運動之行列，民衆服務站人員，更是全力以赴。在台中縣一鄉鎮基層幹部的「革新運動」會上，記者看到了林縣長僕僕風塵，晒得烏黑，與往日在官署相見，判若兩人。林鶴年召集了全縣各鄉鎮基層幹部，實施革新運動的講習，參加者約千餘人，林縣長宣示了蔣總統「革新動員戰鬥」的訓示，與會人員當場簽訂了「國民生活公約」，全體舉手表示保證實踐公約，這是一次動人的場面。

值得表揚的一群

由於社教運動浪潮的洗禮，台中縣的佳話頻傳。據記者所悉，這次大雨給台中帶來了一次不大不小的水災，在這次水災中，正表現了台中地方人士守望相助，修堤堵災，軍民合作，有錢出錢，有力出力，捐助慰勞災民，在此都表現着互助合作，軍民一家的「民胞物與」的精神。熱心的人士，都受到縣府的表揚，恕我不再一一好人好事的詳述。

在社教運動浪潮聲中，華僑同胞也慷慨解囊，黃萬居先生，就是一個例子。他獨自捐了十萬元鉅欵，爲購三光國校校地之用，以發展台中縣的地方教育。

大安鄉前任大安國校校長黃卿，亦在當地駐軍興建營房的工程中，自動邀請駐軍移駐他的大院，供茶供水，協助工作，使興建營房的工程提早完成。不要小視了這點小事，反攻大陸，我們就是建築在軍民合作的基礎上呢！

「走馬觀花」的週遊各鄉，祇有單車一輛，也聊可謂僕僕風塵，但是看到許多令人欣慰的鏡頭，却又將僕僕風洗滌殆盡。只是記者的行脚尚有一段途程等待着的。（中縣記者王永亭）

（下）

滬海興趣談

賭城百週年滄桑說不完

·泰雅·

賭城蒙地卡羅在今年內，完全陷于節日式的玩樂狀態中，只因爲那裏的居民在慶祝該城的一百週年紀念。由于這個紀念，各地遊客雲來，于是，又增加七萬鎊左右的收入了。

其實，最大的贏家依然是摩納哥的王子倫尼亞二世，難怪他近月來總是笑口常開了。爲了贏全賭城的利益，他與希臘油船大王奧那西斯鬥法，因爲這位大亨控制了賭博公司的大部份股份。今年六月間，國會授權倫尼亞王子，強迫奧那西斯出讓股份；目前，政府終于佔有百分之五十。

自一九五二年來，奧那西斯已握緊蒙地卡羅的命脈的了，不單是賭場，還包括豪華酒店。他的股票只值三十五萬鎊，但現已高漲達三倍了，難怪他購買一艘二百三十噸的遊艇也毫不動容。

在過去，賭場老板往往打勝仗的，而這次，倫尼亞王子一反傳統，竟然穩操勝券，在歷史上可寫出光輝的一頁哩。大約一百年前，查理十三世執政時，民生窮困，一位名布蘭亞的建議簽訂五十年合約，在國內建立賭場，然後撥部份收入作爲國庫。自此之後，摩納哥立即繁榮起來。

到目前爲止，摩納哥的經濟命脈依然多少要依賴賭場附帶各方面的收入，那裏的地價，其數目非常驚人，最近兩房一廳轉售，便值三萬鎊。至于普通一層樓，値十萬鎊。摩納哥佔地共三六〇畝，但摩天大厦林立，平均每層高三十層的，稅務方面，小小一個寫字樓每年也要抽二萬鎊。收入百份之十是歸入政府的。最大的吸引力仍在賭場內，最大的數字是來自蒙地卡羅的無綫電台。

倫尼亞王子從不到賭場的。他因爲無此必要也。他的年薪達十萬鎊。他還有雷達控制的遊艇及私家車，每行駛三千里之後，便買新車了。代價的百份之九是來自賭場的，也許這是他最不喜歡別人向他提及問題。

石油大王阿卡汗年青的時候，是賭場的常客，據說，他每天都往銀行提一千鎊現鈔，然後用報紙捲住鈔紙便前往賭場了。通常他是贏的。有人還說他全靠這些豪氣，才贏得了烈打希和芙這位紅星的芳心。

賭城在大戰期間也受影響，要化了一筆錢才恢復舊觀。一九四八年，賭場的生意不佳，那年要虧十五萬鎊。于是，裝置吃角子機來吸引遊客，這一招果然收得。

對于英國人，賭場始終是一個旅遊中心，今年十二月八至十五日，已定爲「英國週」，作爲慶祝百年紀念。

賭場的宣傳工作做得很妥善，凡是贏大錢的濶客均到處表揚，藉此吸引人下注。至於大明星的ＢＢ與金露華到過場的話，必請他們拍照留念。

據賭場的歷史，贏大錢的人不少，最顯著的例子是英人查理士·維爾斯，他一夜之間，共贏了五萬鎊，刮清台上的現欵，凡五次之多。另一個是查利·高賓，他便是著名「使賭城銀行破產」的人。可是，第二年，他敗得一敗塗地，贏回來的全部交回賭城。查麗嬪在那裏演唱，每晚酬勞是一千鎊，可是她爛賭，當晚輸光了，這差不多變了白唱。作家奧賓咸專寫賭場血案的小說，但他本人每每是鎩羽而歸。

最妙的一件事是——一位遊客經過一間小教堂，他聽到牧師領導信徒唱聖詩第六首；他迷信，乃決定下注賭第六這個號碼，結果連續六次都是開這個數目，贏了大錢。後來有人知道，幾乎使到教堂的秩序大亂，原來他們是前往求聖蹟。牧師只得宣佈，三十六之下的聖詩，暫時作廢不唱。

下面的一個故事，更富于傳奇彩色，——一個英國習醫的大學生輸去了五百鎊，這是他全部的財產。賭場公司送回他一張返倫敦的機票，由于他羞見父母，乃在澳洲下機，居留那裏打理農場。三十年後，他重返賭城，但已是一名富豪了。他的遊艇停泊于港口外。他這次可以昂昂然走入賭場了。

最後，不能不提一位女賭客，她的綽號是「小麻雀」。她本是巴黎的歌女，但嫁給千萬富翁，當堂判若兩人。她嗜賭如命，有時，她打長途電話下注的。她的遊艇達二千四百噸，私家飛機有酒吧設備的。

賭城的「莊家」會不會輸光的呢？

其中一老板卡沙說：「不會的。在可能範圍之內，我們有本領在兩分鐘內取二百萬美元現款前來應急。」

兩父子智擒銀行劫匪故事

·大春·

在紅獅餐廳裏，除了掌店的柯拔和女侍艾黛外，只有寥寥可數的顧客而已。這時一位身裁高大，木口木面的陌生大漢，踱了進來。

那是星期三的夜晚，每逢星期三，顧客都是那末冷清清的，往往只有幾位顧客，在餐廳一角，擲鏢點綴而已。

「大杯威士忌」，陌生漢到酒吧前：「不要混冰的」。

柯拔如命的倒滿了一杯，端到這位陌生顧客面前說：「先生，這已經會使你暖起來。哦，先生，你是這村的生客，是嗎？」

那人沒有理會，一口氣把那杯威士忌喝進肚裏，「再來一杯」，他說。當他喝完第二杯酒，便拿出一個漲滿的珠皮銀包，從裏邊取出一張面額五鎊的鈔票，放在枱面。

「對不起，先生，」柯拔說：「我沒有那麽多錢找贖，尤其是在星期三晚。」但是那陌生漢好像沒有聽到似的。

柯拔想了一會，急提着說：「艾黛，你替我上樓，在我寢室裏我的褲袋中，拿些錢來，就是那套最好料子的長褲口袋裏。」

女侍艾黛立刻放下手中的絨綫，離開收銀機，欣然的說：「原來收在那兒」，她向陌生漢微笑着說：「謝謝你先生，我常常感到奇怪，不知他的錢究竟收在那兒的。」

可是那個陌生漢仍然板着面孔，只是凝視着她，使她面泛桃紅，不好意思的走開。

柯拔想，這人像教人討厭的叫化子，尤其是這人的眼睛，這人的呆板，眞像啤酒瓶的瓶底。

在擲鏢那角落裏，村裏的郵差畢學堅，是擲鏢隊隊長，他先後擲中兩次二十分，一次五分，另兩次爲十六分。他看看自己的積分，沾沾自喜的說：「這兒再沒有對手了。」

除了他之外，還有兩名跟他比賽的人，那是送牛奶工人貝白歷，和幹散工的查理士史密夫。

（上）

在英倫保衛戰建立殊勳的

英空軍元帥許唐定其人

·宗基譯·

二十五年前，即在一九四一年九月德國飛機傾巢到英國襲擊，但被英國皇家空軍勇敢抵抗，把他們擊退，造成在世界戰爭歷史上的重要一頁，扭轉整個戰局，英國也得以保全，所以當時的英國首相邱吉爾也曾稱讚說：「在人類的爭鬥中，沒有這樣大的功績，以寡對敵而獲得勝利的。」

英國皇家空軍在不列顛戰役雖有最光榮的功績，但是當時的戰鬥總司令空軍元帥許唐定爵士却始終沒有大的顯露；名字也不常被人談及。在不列顛戰役的隨軍記者奧斯汀在一九四一年所發表的回憶錄中寫着：「在這些不知名的戰鬥飛行員之上的首腦，也是像他們一樣的隱沒。今日，當他的責任已經完畢了，而曾令希特勒受到首次挫折，在不列顛戰役獲得勝利的他，仍然是不出名。英國空軍部決定飛行員的名字不要逐日被提及，除非當他們獲獎或者在受傷或陣亡的名單上出現是例外；這樣，空軍元帥許唐定爵士也拒絕讓他自己的名字宣揚。他說：「我不能自己接受而讓我的飛行員被禁止的事。」

當英國本土不會再受到德國的進攻的威脅之後，許唐定爵士就靜靜的走到美國担任另一種重要的任務。美國雖答應英國給予在軍器上的幫助，但他在美國的工作，是要美國政府所交與的飛機，不獨足夠在未來的戰爭之用，更要能適合使用的型式和配備等等……在表面上看來，許唐定跟他的飛行戰鬥員頗有不相合處，他已不年輕了，當戰爭爆發是他已經五十七歲，他的軍役年份差不多已經過去，他在不夠一年後就要退休。自從一九〇〇年開始，他就好像跟武器共同生活，開始是大炮，後來是飛機。當他在一九一四年參加皇家飛行隊時，他已經在皇家炮兵隊服務十四年。從一九一四年打落，他細心研究每一種戰鬥飛機的改良，由他曾用來飛過戰壕的駱駝式飛機到噴火式和颶風式飛機，他選擇在世界戰爭的第二部期內用的。他熟悉飛行員應要怎樣造成的，因爲他曾任空軍部訓練主任。他也曉得飛機製造和發展的問題，因爲他曾在航空委員會担任研究和補充委員六年之久。

假如他穿着便裝在街上行走，沒有人會再看他一眼，認出他是一個特出的將才，使英國在不列顛戰役獲得勝利的英雄。許唐定看來冷酷，過去他們叫他做「悶氣」他也不以爲忤。有一次某報想討好他而叫他做「一個溫柔的蘇格蘭人」，他看過後說：「確是寫得妙！除了我并不溫柔外，我也不是一個蘇格蘭人」。他寡言笑，但假如有一個人能跟他談得投機，而又言中之物或是有特別的提議，他就滔滔不絕了。否則談話是簡短的，慣用「是嗎？」的口頭禪。他最喜歡談空戰的技巧，當他最起勁時，往往推動一隻字紙籃代表一隊轟炸機，用他摺起的眼鏡代表戰鬥機的攻擊。有時像小孩子一般突然跳上坐椅去看在牆上掛着的地圖。（上）

新三國

周[illegible]著

卅八、袁氏弟兄鬩牆　曹操漁翁得利

袁紹死後，左右的人廢長而立了袁尚。這在當時甚爲忌諱的，因此弟兄鬩牆。然而曹操進攻還未能一下子把袁氏弟兄消滅，到建安八年五月，曹操擱置了取河北的軍事行動，回兵許都，八月出兵征劉表；兵至西平時，袁氏弟兄又復鬩牆如故。曹操知道，如果加兵袁氏弟兄，則必然團結對外，所以曹操把進兵河北之軍事行動暫時停止。果然不出曹操所料，袁氏弟兄便告內鬨，到時曹操回兵救援。建安八年八月，袁譚被袁尚打敗奔至平原，袁尚追擊，袁譚向曹操求救。曹操見機會來臨，才回兵攻取河北去救袁譚。十月曹兵到了黎陽，袁尚退兵回鄴城，部將呂曠、呂翔又叛變，投降了曹操。曹操知袁譚投降有詐，以女嫁袁譚以結其心。建安九年二月，曹操引兵攻袁尚的鄴城，這是袁尚的根據地。袁尚命審配和蘇由守住鄴城，自己帶兵去攻袁譚的平原。曹操進兵至洹水，距鄴城五十里。此時鄴城中的蘇由叛變，與審配在城中打了起來，蘇由內應不成，遂投降了曹操。曹操揮軍攻城，掘地道攻城，審配作內塹以當之。審配的部將馮禮開闔門把曹兵放了進來，被審配發覺，已進去了三百人，從城上以大石擲下痛擊闔門，闔門緊閉，三百曹兵全部打死於闔門內。曹操大怒，重重包圍，繞城挖溝周圍四十餘里，開始挖溝甚淺，以示可以超越。審配知道，這是曹操誘敵之計，緊守不出。曹操又在一夜之間，掘溝二丈多深，引漳水以灌入溝中，城中餓死者大半。自五月到八月城不可破。袁尚聞鄴城危急，領兵萬人回救鄴城，由西山而行，東至陽平亭，（鄴城西北，）距鄴只十七里，臨滏水，舉火爲號以示救兵到來。城中也舉火相應。

審配見援兵到來，意欲裏應外合突圍，曹操內外迎擊，袁尚、審配內外皆敗。袁尚走漳水，背水爲營，曹兵又至，袁尚不得已，派陰夔、陳琳乞降，曹操不准降。袁尚奔到濫口（即祁山），曹兵又至，危急之際，袁尚部將馬延等臨陣投降，於是袁軍大潰。袁尚奔中山。曹操盡收其輜重、印綬節鉞及衣物，持示鄴城守兵。鄴城袁氏家小見了，大小自殺。審配之侄審榮守東門，半夜開城迎曹操。審配在城中苦戰，結果被擒。審配辭色壯烈，終無告饒之辭，見者莫不歎息。結果不屈被殺。此人不失爲袁氏一大忠臣。

當曹操圍攻鄴城的時候，袁譚則攻取甘陵、安平、渤海、河間等郡，又會曹兵攻袁尚於中山，袁尚乃奔故安依袁熙。袁譚全部收編了袁尚的部隊。曹操見袁譚四處略地，將兵討伐，袁譚拔平原，并南皮，自屯龍湊。（在平原東北，即今之東南瀕河要地）十二月，曹操領兵偪駐於袁譚兵營附近，袁譚大恐，半夜逃出南皮，臨清河而屯。建安十年正月，曹操兵下清河，將袁譚部衆全部擊潰，俘擄袁譚及其部將。袁尚、袁熙爲其部將焦觸、張南叛攻，只得奔走遼西烏丸，焦觸自號幽州刺史。到十二年，曹操始進攻遼西，擊烏丸。

（六十六）

自由報

聯演的兩八（續）

八美跑車在溪皇莊所唱，覺得馬驪珠唱小生，周慧如唱雜劇，張正芬、吳劍虹的越劇皆好；尤以徐蓮芝的台灣戲，震驚全院。不原定正芬唱梆子，她唱越劇，臨時改變。不過其他如復美復貞復秋曉霞，多唱流行歌曲，可惜無麥克風，坐第六排，祇聞歌名，聽不到歌聲。下次也要改進。更望她們四位有空的時間，也練練別種歌曲，以期下次更多采多姿。

黃蔡之音

台灣的平劇，惟在票界有如臥虎藏龍，時有名家發現，耳福不淺。週末到水利局小坐消遣，聽到徐春甫唱馬鞍山，陶孝善唱鳳還巢，已很難得。另有一位黃夫人唱起解，從流水開始，到慢板完結，嗓音既響遏雲，更妙在是梅派，很夠味兒。據說她已謝絕劇社，吊嗓近五年，三年前，因其外子逝世，為排遣愁緒，在昨歲又復試唱。極望假以時日，能得一露。

國劇繽紛續錄（一一〇）

婆娑生

假日為念歐陽鳳，赴南陽街一訪，過到高岐山，他近拜克圖為師，同時帶師收徒，又成全陳復秋。久已不見，請唱鳳還巢，由春甫操琴，孝善二胡，夠其朗潤。我很盼其能繼武克剛，因他的弓法手音，皆臻上乘，不難獲致也。孝善電約台中名坤票蔡夫人來唱，她唱生死恨的耳邊廂一大段，抑揚頓挫，極夠梅味，又是難得聽到，為了她在星二即作歸計。所奇的本省籍坤票，對梅氏的這一段，皆學得相當逼真，已經過三四位，而王香葉夫人尤為精到，實是不易。外省籍的坤票很少唱這一段，為的是非常吃力，而不易唱好，亦是異事。

為報宜三

近聞宜三的自拉自唱，談到許多人捧徐蓮芝，譽之過甚，且要在擇師。正與鄙見不謀而合。蓮芝能戲不少，但熱俠投之，不免或有不太着實，以來源非出自名家，必須加以洗練。例如徐露前演拾玉鐲，由白玉薇重排，即演至一小時，而一切動作，極為細膩，配以文場，便成好看。因此，不再從師，就難成大器而享大名，確為充實她藝技的要素。但是老師很多，究竟從那位的才好，頗願聞明教。在台灣可以為其師者，如金素琴、顧正秋、李湘芬、陳美麟各位，都有收徐為徒之意，但因拜過秦慧芬為師，均有記在心裏，不便言出，以致無法選從，為她唯一的難題（未完）

家戲

○田素材○

丁樹材對他的老婆說：「阿香，我在官塘看好了一層房子，三房一廳，有七百多呎地，首期只繳三千塊錢，以後月供四百，六年付清。」

「建築材料好嗎？」

「相當不錯，柚木地板，兩個廁所，廚房也大。」

「如果是這樣，那就很值得。要知道，我們在這裏每個月付三百八十塊錢，住上一百年也還是別人的產業。」

「我也是這麼想，買房子總比租房子合算得多。」

「我沒有去看過，這層房子，不知道其餘的條件如何？」

「所有的條件都好，只是稍稍偏僻一點；我所謂偏僻，是指離鬧市較遠而言的，實際上那地方也有許多鄰居。」

「離巴士站和菜場遠嗎？」

「不遠，距巴士站不到一百步路，菜場則就在巴士站的旁邊。」

「這樣說來，好像還比這裏方便。」

「唯一的缺點是那邊很少熟人。」

「沒有熟人有什麼關係？只要時間一久，生人也就變成熟人了。」

「那末你是同意買這層房子了？」

「像你這種喜歡挑剔的人都滿意了，你想我還有什麼問題呢！」

「不，你還是去看一看的好。」

第二天，他們一起去看這層房子，丁太太發覺這地方十分理想，要比老地方更少缺點。她一忽兒拉一拉廁所的水，一忽兒開開窗望一望附近的景物，覺得非常滿意，便對丈夫說道：「阿材，我決意要這層房子，你快點去辦手續吧，免得好的幾層被人選去。」

「你沒有注意到這地方有一個嚴重的缺點嗎？」

「我不覺得有什麼缺點。」

「以後每逢週末要邀角到家裏來打麻將，別人就會裹足不前了。」

「這有什麼關係？總是住房子要緊，」丁太太說：「老實說，如果我能從此不打牌，好好管教管教孩子，一定會得到更多的益處。」

「如果你有這種決心，你實在稱得上是個賢妻良母。」

「你說這話不怕得罪我麼！我什麼地方不像個賢妻良母呢？」

「你是的，」樹材說：「不過你對孩子的學業不甚注意，他們的成績都只是勉強及格而已。」

「今後我就會注意這個問題了。過去是沒有好的環境，朋友對我們的干擾也太多。」

「不錯，住在這個地方，朋友就不大想來走動啦！」

「只要樓下沒有鬧市，孩子們遠離那些沒有教養的孩子，今後他們也能好好讀書啦！」

「你說的對，總是孩子的前途要緊。」

一個多月以後，丁樹材搬了家，一家人都很興奮。尤其是丁太太。

「這地方真好，既不東晒，又不西晒，看出去是青山而不是天台木屋，我相信我們住在這個地方，多活五年是不成問題的。」

「但願你滿意這個地方。」

「現在遺留下的問題就是孩子上學的地方太遠，下學期一定要就近替他們找學校才對。」

「這件事容易辦。」（上）

無政府主義與理學主義

諸葛文侯

胡展堂（漢民）先生在生時，其私生活殊整嚴，然不以理學派自居，對於標榜某某主義者的當代人物，每有不滿之詞色表示，尤不喜汪精衛一流人以無政府主義作幌子，而實際熱中功名富貴，常言：「我最厭惡這些無政府主義者」，所指對象固不僅汪氏而已。

近代名人真能服膺無政府主義的，唯吳稚暉先生差堪稱許。吾國對日抗戰期間，國府主席林子超先生逝世後，中樞曾擬推戴吳先生繼任元首職位，吳遜謝曰：「我是個不修邊幅的人，日常喜歡在市街上手持着豆腐干或花生米，邊走邊吃，豈是國家元首所應有的？國府主席隨時要正其衣冠，接受外國使節呈遞國書，我連中國的長袍亦穿得雜亂無章，洋式的大禮服更不知怎樣穿法，教我作國府主席，豈不失格丟人嗎？」這與莊子所述靈龜寧曳尾於泥塗，而不願被人供奉於神龕上的意念相同，是幽默語府主義者如汪氏與某某等，不足觀也矣。

今世之無政府主義者，與吾國古代之理學家，允稱難兄難弟。所謂理學家那種矯情作態，道貌岸然的言行，實在令人作嘔。理學主義以宋代為最著者，程頤、朱熹之流，儼然以聖賢自視，逢人表示其「非禮勿言，非禮勿視，非禮勿動」的俗陋模樣，實際上並不是那末回事。朱熹就有非法侵佔民產的行為。宋人胡銓（澹庵）曾因反對王安石的新政，被謫赴蠻荒之地，受苦十年纔召還。他回來時，在朋儕游宴中，偶遇一位異性美人黎倩，吟詩遣興，說是「君恩許歸始一醉，傍有微頰生梨渦」。食色性也，人之常情，這有什末大驚小怪之必要呢？然理學主義者程頤却扳起理學大師的面孔，作詩大事抨擊，詩云：「十年湖海一身輕，歸對梨渦向有情，世事無如人慾險，幾人到此誤平生」。這類理學主義者如其言行一致，他們就應該絕子絕孫纔對吧！

我自從離開學園，踏進社會生活圈以來，歷時四十餘年，交游的朋友不知若干，待候過的上司也不少。積四十年之經驗，根據許多事實印證，乃知凡是在人前不苟言笑，拒鬪男女兩性問題的理學主義者，其好色慕少艾的行為，比一般好談風月的人士更厲害！民國十七八年間，我住在南京，有一位留日同學的四川朋友王君，他担任川軍某巨頭的駐京代表，在應酬場合中，吃酒、抽香烟、打牌、乃至吸鴉片烟都來，就是絕口不談女人的事，別人提起逛秦淮河尋樂的話，他總是一本正經的嚴肅表情，默然危坐無聲，朋輩皆稱之為「王君子」。過了半年，忽聞「王君子」病逝消息，而且是死於花柳惡疾，仔思查詢結果，原來「王君子」每週末必單騎潛赴蘇州找女人玩樂，他不在京滬「單嫖」而到吳門去，為的是避免有熟人識破他的假道學面目。即此可知擺理學架子的士大夫，視無政府主義者更可憐而可哂也。

光緒辛丑年福州鼠疫

福泉

前清光緒辛丑年，鼠疫侵襲福州，談虎色變，人心惶惶。官廳認作天災流行，束手無策。人民求神告佛，早晚唸經誦咒，甚至祈禱於竹木土筆與神靈附體之神僮，大街小巷以迎神賽會，請求瘟神逐鬼為急務。至於疫情，則任其猖獗而不理。死亡慘重，無可救藥，其憂惶恐怖情形，不堪廻憶，追念六十餘年往事，值得重提，聊當盲翁說古。

當鼠疫猖披之時，中醫裹足不前，探病入戶被染而死者，城內棺材供不應求，祇有日夜趕工應市。無漆棺材，（閩俗喪家多停柩家中，將棺材加漆，然後安葬。惟染疫死者，片刻不敢停留，趕速抬去掩埋，以防感染。）即是富貴之家，亦不例外。在大街小巷有如穿梭，到了晚間城門關閉之後，停在附近一帶，等候出城的棺材，不計其數。此種現象，可謂慘絕人寰。

當時疫情嚴重，到了夜闌人靜，死氣沉沉的長街上，小鑼刀叉的聲音，與使人厲怕人的叫喊，雜在一起，後面則又跟着面目猙獰的黑白無常偶像，鬼形鬼狀，亂跳亂跑，此即謂之趕鬼（即是逮捕疫鬼之意）。夜夜趕鬼，趕了一個多月之後，疫勢尚在蔓延，即由居民虔誠恭請五帝親出鎮壓疫魔。五帝者，張、鍾、劉、史、趙五個異姓結拜兄弟，他們的偶像獸面人身，謂是最高的瘟神，坐着紅綾繡龍轎子，出巡的行列，蜿蜒至二三里，高照（閩語），熱箱（大鑼）先行，鑼鼓管絃，沿途吹奏，香担，馬上（小孩戲裝騎於馬上），台閣（八人抬的小戲台，上坐戲裝美麗男女），無常。（木雕的頭，竹做的架子，穿上衣服，人套在中間，走起路來，生動活潑，白衣帽高者是白無常，全黑而矮者是黑無常。）五帝轎子殿在最後，家家戶戶排着香案，陳設花菓，雞鴨魚肉，供奉瘟神，號曰「五帝會」。會期大約在一個月以上。閩人對此盛典，興高采烈。最後一日，所有無常偶像紛集五帝廟前，靜待押送「福桶」（福桶內裝雞毛、肉骨、豬血、犬血，加蓋加封，事前由許願担桶多人，在神前抽籤，中籤者由無常擒獲加以鐵鍊，押送廟中陰殿之內，並由諸無常徹夜看守，人之甘充此役者，謂能獲福得利，殊可笑耳。）由多數無常鬼押送「福桶」及抬桶之人飛跑江邊，即將該桶裝入預糊紙船之內，船內供有五帝紙像，及刀槍旗幟模型，與食物，送到萬壽橋或洪山橋焚化，這是叫做「出海」。出海者是表明已將所捕的疫鬼驅到海外的意思。自趕鬼至出海，為時總在三個月上下，其間雨量、溫度、濕度、季節，完全改變，病菌無法生存，是已不驅自滅，與鬼神何關。

著名女間諜　姬麗絲妲的故事

○質　譯○

包佩的名字在倫敦電話簿上可以找到，警探就召他來查究，他告知警方，在那天晚上，他跟新雅馬斯達在倫敦蘇荷區一家義大利餐館，名叫「希望」的，同吃晚餐。包佩是一個頗為聞名的室內美術設計師。他認識姬麗絲妲有兩年，他極稱讚他的女朋友是一個美麗、可愛和勇敢的女郎。曾寧探長就打蛇隨棍上，問包佩怎麼知道姬麗絲妲是一個勇敢的女郎？又問他可知道那些獎章的來歷？包佩說他所知甚少，她在戰時曾幹地下工作。她是一個情報員，能說十個國家的方言，但她極少提及過去發生的事。曾寧探長又問他可知姬麗絲妲仍是一個情報員嗎？她可能因這件事而遭殺身之禍。包佩回答他毫無所知。他也從來沒聽過尼斯茂爾杜尼的名字，姬麗絲妲從來沒有向他提及過。據他所知，姬麗絲妲將於數天後在「溫芝斯達堡壘」號遊客船上服務。他也不知她將赴比京。

探長又召到新雅來問話，她說她於六月前在船上認識姬麗絲妲，當時她是一個船上的女侍役。新雅女士又說在姬麗絲妲遇害的晚上，她們兩人在餐館等候包佩，她從窗外看見一個陌生的男子在窗外不斷窺望她們，她將這件事告訴姬麗絲妲，她祇聳肩說：「當我在十二三歲時，我的父親給我一枝長槍，他帶我去行獵，在那些日子中，在波蘭仍有許多野狼，我迷路被十幾隻餓狼撲前來咬我，我就向牠們開槍，盡將牠們殺死。自後我就不再怕男人或狼了。」當包佩來到之後，那個男子隨失了去向。（三）

內政部台誌字第〇三一七號內銷登記

自由報

THE FREE NEWS

第六八九期

中華民國僑務委員會頒發
台教新字第三二三號登記證
中華郵政台字第一二八二號執照
登記為第一類新聞紙類
（半週刊每星期三、六出版）
每份港幣壹角
台灣零售價新台幣貳元
社長：雷嘯岑
督印人：黃行審
社址：香港銅鑼灣高士威道二十號四樓
20, CAUSEWAY RD 3RD FL. HONG KONG
TEL. 771726 電報掛號：7191
承印者：大同印務公司
地址：香港北角和富道九六號
台灣分社
台北市西寧南路壹壹零號二樓
電話：三〇三四六
台郵劃儲金戶九二五二

正視毛共的整肅運動（下）

何浩若

毛共對上述嚴重情形也採取了最嚴重的處理方法，就是把全國所有的大專學院停辦半年。據新華社的報導，毛共中央及偽「國務院」於六月十三日發布指示所有匪偽大專院校將本年度的入學註冊時間，一律向後延期半年，以便「有充分時間徹底的進行社會文化革命」。毛共把整肅叫做「社會主義文化大革命」。匪區所有的大專院校原定今年九月開學，現在要一律延到一九六七年一月才開始註冊，以便有時間來進行整肅。至於那些暑期畢業應當升入大學的高中學生約有五十萬人，一律要留在原校，以保證「社會文化革命運動」進行的成功。那就是說，這些學生一律不准離開學校，聽候整肅。這是偽大專學院以及高中的情形。至於偽大學校長反共、反毛被檢舉的已多達二十餘人，其中最突出的除北京大學校長陸平以外，要算武漢大學校長李達。李達是共黨最先研究馬克思理論而獲得成就的，是一個道地的馬克思主義的信徒。連李達都領導武大的師生參加反黨、反毛，還不是整個中國大陸的知識份子奮發反共呢？這次的整肅還牽涉毛共的文化宣傳幹部，如周揚、夏衍、林默涵、陽翰笙、田漢這一班人。周揚、夏衍都是毛共在奪取政權時的文化打手。現在周揚、夏衍都倒戈反共了。中國共產黨的末日該不遠了吧！

乙、整肅的內容

我現在再從整肅運動的內容說明我對這一問題的認識，毛共六月十日出版的「紅旗」雜誌的社論說：「在毛澤東和黨中央直接領導下，上海市委會發動了對吳含（日旁）的批判，由姚文元執筆，在「文匯報」刊登了「評新編歷史劇海瑞罷官」，「紅旗」說這文化革命的號角竟觸怒了北京市的修正主義者而不服從毛主席的指導」。據此最先受到整肅的就是吳含的「海瑞罷官」，一直到一九六六年四月才正式攻擊吳南星集團的「三家村札記」和馬南邨的「燕山夜話」。「海瑞罷官」一劇應當是這次被整肅的主題。「海瑞罷官」究竟說了些什麼？海瑞罵皇帝究竟罵了些什麼？這些都是歐美和其他外國記者所不易懂的，但是中國人的歷史，中國人應當懂得。海瑞罵的皇帝是「嘉靖」皇帝。要點就在「嘉靖」兩個字上面，海瑞罵嘉靖皇帝把家家搞得乾乾淨淨。「嘉靖」便是「家淨」，因此「解放軍報」和「人民日報」的聯合聲明：「吳含借海瑞的嘴含沙射影的罵我國人民「家家窮得乾乾淨淨沒有錢用」。這同現代修正主義者赫魯曉夫罵我們「五個人穿一條褲子，喝大鍋清水湯」是一模一樣的。」

戴高樂這個「撮合山」

這便是「文化革命」

嘉靖皇帝把「家家窮得乾乾淨淨沒有錢用」是大陸人民和知識份子反毛、反黨和反共產主義的主要理由，也是毛共這次整肅的主要內容。老大哥」說中國大陸的人民「五個人穿一條褲子，喝大鍋清水湯」也要解釋。現在大陸上的中國五口之家確是祇有一條像樣的褲子可以穿着外出，因此這家便把這條褲子掛在大門口，誰要出門便誰穿褲子，其餘不出門的便穿着破褲子或是乾脆不穿褲子。假如不是解放軍報引「蘇聯老大哥」的話，誰都很難相信這個世界上有這樣的人間地獄。大陸逃到台灣的難民說：老百姓貼春聯，一邊是「二三四五」，一邊是「六七八九」，中間是「南北」二字。這春聯的意思是右邊無「一」，左邊無「十」，中間沒有「東西」。也就是無衣無食沒有東西。這和「家家窮得乾乾淨淨沒有錢用」，「五個人穿一條褲子，喝大鍋清水湯」是一樣的。不過不敢明言而已。爭資產階級要他們掃地出門，原是要他們窮得乾乾淨淨。現在大陸上的人民已經窮了，「五個人穿一條褲子，喝大鍋清水湯」，而毛共却大聲疾呼不准海瑞罵皇帝，還說是資產階級抬頭，有何理由可講呢？據整肅的內容，我們必須說明這不是毛酋繼承人權力鬥爭的內閧，而是大陸上人民和知識份子聯合起來的反共鬥爭。假如這一認識是正確的話，我們就必須以全力支持大陸上的人民和知識份子的反共運動。（完）

今日與明日

毛林諸酋步入絕境

毛澤東林彪孤立小集團，為鞏固他們的罪惡統治，企圖永遠不「變色」，所以，近兩年由文藝整風而如火如荼地推行所謂「文化大革命」；在這項運動的幕後，則是進行爭權奪勢的內鬨。在毛林小集團的計劃中，認為把毛酋捧在前頭，以其地位之「尊」和「思想」的「正確」，再加上林彪的「槍桿子」，兩人狼狽為奸，誤信絕對可以一下子而肅清所有的反毛反共「牛鬼蛇神」。結果，他們所期望的目標，不但愈來愈渺茫，並且是樹立了更多的敵人；其情勢之糟，即或不至馬上「亡黨亡國」，但發展下去，毛林小集團「亡頭」那是絕對不可避免的。

毛林二酋眼看敵對派像滾雪球似的，不但未「粉碎」反而有愈來愈大之勢。這兩個異想天開的獨夫，在敵對勢力「炮打司令部」足以使彼等粉身碎骨的危殆情況下，才狗急跳牆利用無知狂熱青少年男女組織「紅衛兵」，採用暴亂手法到處「造反」。在表面上據說是為了「除舊立新」推行「文化大革命」；實際上在幕後則是利用許許多多的「兩條腿畜牲」（紅衛兵）亂「鬪」亂「鬥」，由壓制反毛反共的大陸各階層人士，進而徹底「打倒」「異己份子」。由八月二十日到九月十五日，「造反」只「造」了二十五天，結果，不但未到預期效果，反而是上自「當權派」下至工農群眾，均和毛林諸酋唱「對台戲」，並起與「紅衛兵」對抗，大規模的流血衝突就達數十起之多。所以，毛林諸酋於九月十五日再在天安門亮相，召開所謂「百萬人集會」。同時，將來自外省區的「紅衛兵」遣反農村「幫助秋收」。其實，這是以退為進的詭計，如果不「收兵」，毛共政權可能於極短的時間內就由「千萬人頭落地」而「變色」。

毛林小集團是否知難而退了呢？不是的。

九月十六日北平出版的十二期「紅旗」雜誌，以「掌握鬥爭的大方向」為題發表社論稱：「黨內走資本主義道路的當權派，即反革命的修正主義份子，是最主要的最危險的敵人。如果不把他們打倒，一旦有機可乘，就會「一起來篡奪我們的黨和國家的領導權」。這類「最主要的最危險的敵人」，據說，是「一小撮」，可是，為什麼施[illegible]招」而仍然打不垮呢？

且看毛林小集團的招認吧：在前述「紅旗」雜誌社論中說：「文化大革命的鬥爭絕不是鬥爭一切領導幹部，也絕對不是鬥爭群眾」。這是為了孤立「敵人」被迫而縮小範圍的策略改變。當「紅衛兵」開始「造反」後，毛林諸酋以為這批小混虫真「天下無敵」，除了少數自己派系的幹部外，一律在打擊之列。既鬥爭異己的「一切領導幹部」，更通過所謂「除四舊」和「四清運動」，無限制的「鬥爭群眾」。結果，天下大亂，使毛林小集團陷入四面楚歌中。

九月十五日天安門第三次集會中，出席的以毛林為首的共酋，共一百七十一人的名單分析，可得到下列數點結論：

一、既是關於「文化大革命」的集會，却由毛牌特務康生主持，這說明所謂「文化大革命」云云只是流血屠殺的一種煙幕而已。

二、毛共中央委員會（包括中央委員和候補中委）共有成員一百八十人，而出席集會的只有六十八人，只佔三分之一強。「共青團」中央委員只有一人（廢除「軍銜」前的「少將」，名叫王道義），這說明毛共黨團已形成大分裂。

三、毛共六個中央局，只有華北局和中南局第一書記李雪峯和王任重露面，說明「當權派」已等於毛共中央（毛林派）脫節，既不聽毛酋「指示」，更「違背十六條」。

十二期「紅旗」在社論中說：「這次運動的重點」是鬥爭「當權派」和「政治上的代表人物」，並一定要「把文化大革命進行到底」。但孤立敵對派的企圖，已經被事實給粉碎了。九月二十日「解放軍報」在社論中透露，共軍內部組織黨、團、行政、青年和工農群眾起反毛反共之後，也有不穩現象，這表明被孤立的不是別人而是毛林小集團本身。

毛林一小撮人，已走進絕境，前進不行後退不可。惟一的結局，可以肯定地說，那就是完蛋大吉！（何如）

自由談

毛酋生死之謎

關於毛酋澤東個人的動態，近來西方新聞記者迭有報導，說他月前從上海坐飛機回到北平時，行動需要兩人扶持着；他幾次參加在「天安門」舉行的群眾大會，皆未說話，而由林彪代表發言；又說他在某次大會中曾經穿着軍服站在台上，默然接受群眾的歡呼；而奉命「造反」的紅衛兵，最近亦提出毛酋當眾說話的要求。西方記者揣測毛酋不發言的原因，可能是由於喉嚨患有癌症。總而言之：毛酋的健康大有問題，那是無庸懷疑的。

但我很懷疑他是否尚在人間？毛酋原是愛說話的，平常對那些普通集會如「人代會議」「政協會議」的場合，都要大發議論，表示「領袖」氣派，豈有參加百萬人以上的群眾大會，又是關係秧歌政權生死存亡的重大舉動，他既然躬預其役，祇要一息尚存，決無默不作聲之理。即令喉嚨有疾，也可以小聲講話，用擴音機傳播出來的。如其他已經不存在了，那出現群眾大會的「毛主席」是個替身，當然不宜說話，否則聲音不對，尤其是毛酋那一口湘潭腔，別處的人絕對沒法學習。再則毛酋素來不穿軍服，他頭上經常蓄着長髮，帶上一頂「解放裝」的獵式軍帽，就活像唱文明戲的俳優角色，極不合式也。這便是我懷疑他或許已經撒手於人間的根據。

我們如果大膽假設毛酋業已翹了辮子，對於毛共集團這次掀起的內部整肅運動，那就很容易理解其來龍去脈之所在了。劉少奇是法定的繼承人，也是毛酋最親信的老幹部，他在黨政軍各方面都奠立有基礎。林彪、周恩來之徒要想反對他，只有假藉「毛澤東思想」反修正主義這項大題目，動員軍隊來從事鬥爭，才有獲勝之可能。他們知道共黨各級黨部的當權人物中，多有劉少奇派，若使用舊有那套檢討批評的鬥爭方法，於事無濟了。乃別出心裁，驅策一般童男稚女的「紅衛兵」出來造反，把形勢擴大，亂事鬧大，即有正當理由調動軍隊佈防，脅迫劉派不敢反擊，迅速造成既成事實，而以這一大堆罪孽深重的「紅衛兵」，作為整肅中的犧牲份子了，可謂一舉而數得。

大陸上不管毛酋是否生存着，從此動亂不已，必然之勢。我們對於這種大好的復興機會，難道又讓它隨便溜過去嗎？

馮五先生

疑案中之疑案

（本報台北通信）轟動一時之所謂五大疑案，有關各方面正在分別查究之中。尤以「盜豆」案中樞極為重視，嚴飭究處，法院偵查甚力，除已扣押若干嫌疑人犯外（內有國大代表一名），日前又查得有立法委員涉身於其間，證據是某有關公司之帳簿上，註明付某某立委欵項若干萬元。現行法令規定當過立委三年後，不管是否明法，皆可作律師，因此，凡屬五大疑案中涉及立委有銀錢關係者，多係「律師公費」名義行之，如大秦紡織公司轉讓於「復興公司」一案，立委林某就拿了卅八萬元的「律師公費」——他是台灣銀行的律師，而台行素來即專聘立委作法律顧問或訴訟代理人——即其明證。

五大案中已由監察院正式提出彈章的，係東亞公司貸款事項。此案已由公務員懲戒委員會決議懲戒辦法為：經濟部長李國鼎撤職，財政部長陳慶瑜申誡。理由是銀行貸款業務，乃屬於財政部職掌，經濟部只是對政策性的貸款，纔能夠過問。東亞公司的貸款並非政策性的，而經濟部挺身作主，多方疏通，然後徵求財政部同意者，顯屬違法。但該會委員長馬壽華對於這項懲戒決議案不贊同，要依法交由委員會復議，否則他就辭職不幹，現在正僵持中。如果懲戒委員們於復議時，依然維持決議，勢將引起政潮，殊堪注意。

日前執政黨中委會，會由谷正綱出面，召集監察院本黨委員開談話會，意在說服各委員對五大案須慎重處理。但監委們振振有辭，陳大榕發言道：「有人盜竊國家的公帑，我們警告制止，這難道亦有錯處嗎？」吳大宇繼起痛陳懲處貪污，整飭政風之重要理由，激昂慷慨，言之有物。谷氏認為應該懲處大的壞人，不要放掉老虎而打蒼蠅，於是監委們即問：誰個是大壞人，請說出來，我們一定彈劾不貸。一場激辯，無結果而散了。

關於大秦公司由台灣銀行以極優惠條件，轉售給復興公司一案，監察院祇是指出台行既以優惠條件為復興公司幫忙，又繼續對該公司貸出鉅款的各種辦法失當。實則最大的毛病尚不在此，大秦公司售價三千萬元，中有大批成紗與布匹一概交與台行轉交復興公司的，這批紗布都是成品，然復興公司竟列了六百萬元的「製造費」，台行亦予同意，是則復興公司以兩千四百萬元即購得三千萬元的實物了！復興公司的總經理原是台行高級職員，而處理其事的雙方人士，皆係當朝顯貴的親戚，因而縱有那巧立名目的的六百萬元紗布「製造費」的怪事發生呵！

據熟悉財經界情形的人說，對國內工商界玩弄一點花樣，貪取若干非份之財的行為，不過是小巫而已。最大億來之物，是對外貿易或貸款事件，樣樣都有回扣，為數驚人，而在名義上又有「吸收外資」「發展經濟事業」的正大題目，不特無人反對，且被視為對國家財經卓具功績的幹練之才，名利雙收，令人健羨。例如多年來美國黃豆進口的運費，即近乎天文數目，這筆錢是怎樣處分的？台灣的米、糖外銷，肥料輸入，數額之大，無從估計，經辦人所得的回扣，是否交與國庫了呢？台諫官明察秋毫，却忽視了輿薪，可惜可惜。（九月十七日於台北）

高雄新型屠宰場 下月起開工作業

（本報高雄通訊）籌備達八年，迭經波折阻擾，將於今年十月正式開工作業。此一新型屠宰場，開台灣新興屠宰事業之先河，相繼需待設立北、台中兩場，一俟設立後，台灣舊有的屠宰方式，卽告完全廢除，而成為歷史的陳跡。

高雄新型屠宰場在倡議、計劃、與建過程中，遭遇到不少阻擾，諸如家畜市場、屠宰業界，屠宰公會的反對。他們認為，一旦該新屠宰場設立後，他們的舊有生意，屠宰方式完全被變更剝奪，必至失業。這是一種舊觀念在作祟；可是形勢比人強，這種新技術，為議會所採納，該場始得以施工興建。

該場下月開工只是地方性的屠宰，專供高市每日所需，尚不能擴展為更大區域的業務。這不是限於設備，而是屠體拍賣制度未能建立，仍沿襲舊有的毛猪拍賣制度所使然。前者在美、日等國，凡有電化屠宰場的地方，就有屠體拍賣制度；而後者毛猪拍賣，是家畜市場對養猪（牛、羊）業者一種「硬吃」式的交易方式，中間剝削，極不合理。此種制度經省府決定仍准予存在，而屠體制度乃不能代之而興，未來該場的作用，不過是「代宰」而已，距統購統銷的構想尚頗遙遠。

據高雄市政府財政科稱：該場將以企業經營方式，作為本市公營事業。以目前計劃估計，每年收支可有盈餘；如順利推進，並於適當時間內，將毛猪拍賣改進為屠體拍賣，藉以減輕消費者負担云云。根據財政科這種說法，顯明的，在未廢除家畜市場、實施屠體拍賣制前，肉價不可能下降，消費者的負担仍無法減輕；而家畜市場的場房設備已在新型屠宰場內設立，所謂「企業經營方式」，作為本市公營事業」云云，不過是一種宣傳而已。因為構成企業的要件已經被破壞，購銷不能做到一元化也。

台灣山地人民的生活

人口激增・耕地不足　百分十四依靠高利貸

（本報台灣東部記者楊美霖航訊）在政府決心改善山地同胞生活聲中，仍有部份山地同胞，遭受高利貸款的剝削，尤以散居於偏僻地區的平地山胞受害為烈。根據花蓮縣政府和縣議會聯合組成的調查小組提出的調查報告中指出，以本縣玉里鎮柱埔里的平地山胞受害最為嚴重云云。該地山胞有百分之十四依靠高利貸款為生，三十六戶人家負債額為八十一萬九千九百五十二元，平均每戶負債高達二萬二千零七十七元六角。

形成高利貸猖獗的原因，是人口增加，耕地不足，加以山地同胞不善生產，頭腦簡單，只顧現實的緣故，因而使專以放高利貸為業的吸血鬼們，乘機在山胞身上打主意，剝削他們的血汗錢。

為了保障山地同胞的合法權利，確實照顧山胞們的生活計，不僅高利貸的惡性剝削應予革除，還應該處處為山胞們的福利着想才是。

該調查小組提出了六項處理意見：一、請合作金庫繼續擴大辦理平地山胞低利貸款。二、請縣政府通令各鄉鎮公所儘量調處，使高利貸款逐漸消弭。三、加強宣傳，使山胞們深刻了解高利貸款之為害。四、指導平地山胞實施節約。五、輔導平地山胞從事副業生產。六、劃撥土地，提供平地山胞開墾。

以上這六點建議，一般人均認為很具體，要做到亦並不困難，只看當局有沒有決心去為山胞們謀求真正的福利，而認真澈底去執行。又不僅應消弭高利貸於山村，還應着手於改善山胞的生活；同時不僅注視平地山胞的福利，更應該進而惠及全部山地同胞，那樣才算政府盡到了職責。

析論立監兩院的五大案（十一）

・本報記者劍聲・

東亞貸款 用途正當

東亞貸款案，既非政策性的貸款，當然不是政治性的、救濟性的貸款，行政院長在立法院答覆質詢時說的很清楚。而彈劾書除說明「政策性」而外，綜觀其全文，且有貸款一千萬元被瓜分之含義，係由於「貸款到手，董監辭」的大字標題所影響。那麼，這一千萬元到那兒去了？且讓記者慢慢道來。

根據八月十五日，在立法院加開院會——也是最後一次質詢五大疑案的院會——散發之文書「東亞紡織公司第一、二次（各）聯貸五百萬元借款用途支付明細表」載：

四月十九日，支付結滙日本紅株式會社D/A進口墨西哥棉一千五百包之部份到期價款，計二百八十八萬一千二百九十元四角六分。

二十至二十二日，支付基隆人造棉二十萬五千二百磅之關稅、港工捐，倉租費，計一百二十萬零七千三百四十六元四角。

同日，支付瞎P/A棉五十包價款，計三十六萬二千元。

十九至二十一日，付貨物稅款計十五萬七千零三十七元二角。

二十日，支付交通銀行利息四十二萬一千二百元。（以上是第一次貸款五百萬元的用途，實際上超支二萬八千八百七十四元〇六分。）

六月十四至十六日，支付瞎P/A原棉及東非棉共二百八十包價款，計一百六十七萬七千三百三十六元二角六分。

同日，支付向第一銀行贖回抵押棉紗四五件，計十九萬一千八百八十一元。

十四至十五日，支付結滙日本丸紅及三菱D/A進口原棉價款之二部份，計九十萬元。

十三至十五日，支付五月下半月工廠工資及六月份職員薪資，計七十二萬九千七百四十三元五角。

十四日，支付工廠五月份電費、勞保費，計十九萬四千三百零一元九角。

十三至十五日，支付貨物稅計十五萬七千一百八十元零二角。

十四至十六日，支付銀行交換票據款九十三萬元。

十三日，支付聯貸及長期資金利息等三十二萬六千三百零一元六角九分。

十三日至十七日，支付購買物料款十七萬零一百三十八元。

十七日，支付原棉五百包開信用狀簽證結滙款一萬五千元。（以上係第二次貸款五百萬元的用途。）

記者報導 本於事實

由此可知，這一千萬貸款，完全用於公司生產營運週轉。不但未落入董監事個人私囊，政府因此而收入稅款達一百五十二萬餘元，銀行利息收入七十四萬餘元。在同一期間內，該公司另由銷貨收入款項下，購買棉花生產，達四百七十三萬八千三百餘元。這一事實，彈劾書既未說明，而台北報紙也未公布，於是造成社會大衆對東亞五位立委董監事的錯覺，誤認他們「非善類」，這是令人不可理解的一件事。此與中實涉嫌詐騙的內容如何，聰明的讀者，自有公評。

走筆至此，記者不得不強調撰此通訊的動機和目標。記者和東亞五位立委董監事沒有任何淵緣，假如說有的話，亦僅僅由於工作關係而與其中一二人相識而已！同時，東亞案發生前後，我既未吃東亞的一餐飯，甚至到現在為止，連一杯開水也未喝過。我所引用的文件，都是「官文書」，並由立法院公開給大家的。如有人說，你既與他們無淵源，為什麼要替東亞說話呢？誠如一位同業問我：「你一向站在監察院立場講話的，為什麼指責東亞彈劾案的缺點呢？」當時，我笑着說：我對事不對人。因為東亞彈劾案卻有不少的瑕疵。由於有瑕疵，因而影響彈劾案的效果。如有人公開刊登啟事糾正彈劾案；試問監察院何以自處？易言之，我為了愛護監察院的優良聲譽，並維護彈劾權；同時，辯冤白謗，為民喉舌，是新聞從業人員的天職；本於這些，我根據所知事實而寫這篇通訊，讓讀者去辨別是非而已。特一併聲明，以免有心人之誤解。

結語

現在，立法院質詢五大案業已結束，而最高檢察長趙琛於八月十五日下令徹查五大疑案，並表示不問身份，一律依法偵辦；因而，轟動一時的五大疑案由立法院進入司法偵查階段。換句話說，在司法進行偵查程序中的案件，立法機關不得質詢，監察機關不得調查。除非審判違背法令，否則，立委質詢與監委調查便有干涉審判之嫌。

據一位政壇人士透露，立法院的質詢，本來在八月十三日那天加開的院會就可以結束，由於幕後協調工作沒有完全達成任務，再加台銀總經理毛松年在院會報告有點「毛」言「毛」語，致反對者振振有詞而加開第四次院會。之後，乃又由前副院長余井塘先生從中斡旋，而立委張金鑑等提案：關於改革政策性貸款由院會作成決議送行政院執行。至於改善黃豆配給日片進口問題，亦經立委劉振東等提案，經院會通過交由內政委員會審查。於是，立法院質詢案至此告一段落。

則所謂司法機關偵查五大疑案，等於給立法院結束質詢案的最佳途徑，這就是「政治藝術」。至於台北地院偵查五大案的結果如何，容後續文報道。（全文完）

訂正

九月十四日出版之本報第六八六期，第一版及第三版所刊「論西南問題與中國前途」一文，魯魚亥豕，頗有錯漏。合亟訂正，並向讀者及作者深致歉意。計開：

第一段第十四行「研判」誤為「評判」。

第十一行「筆者」誤為「華者」。

第十二行「最先」誤為「最克」。

第二段第八行「中國版圖盡拓」誤為「盡拖」。

第十五行「獨不能」誤為「猶不能」。

第一版倒數十五行「政治軍事於眞空」，漏「於」字。

第一版倒數第四行「用以適衡南北」，誤為「用縱橫以南北」。

第三版第二行「藏康」誤為「藏原」。

第三版第三十六字「若干具體計劃」誤為「萬千具體計劃」。

盧海異聞談

美國女子道德墮落舉例

·朶雅·

由長孖辮子的少女，以迄居住在郊外的艷麗家庭主婦，她們從開始的時候，都是普通的樸實女人；但不久之後，她們染上了不良習慣，道德墮落了，太多的好女人變爲吸毒、盜竊、有自殺意向及沉迷肉慾，現已形成嚴重的問題。

嘉芙蓮是典型的在美國生長的女人，本來是向好的方面走的。她這年卅歲的婦人，其一舉一動都含有性感成份在內，她嫁了一個發達的商人，有三個子女，居住在費城郊外的一座美麗別墅，但她週末多數在阿蘭大城，與認識的四個職業樂手之一鬼混。她說：「丈夫已不再接近我了，我愛爵士音樂，我愛做放蕩的事情。我的一生祇有幾十個春秋，不會再有來世。丈夫是個老古董，我祇好自己找樂，反正我倆均不擬離婚。」嘉芙蓮太乾脆了，她講這段話時，毫無懊悔的口吻。

她是進過大學的，但每週末必與男人混在一起，開派對吸大麻草，繼而歡樂到凌晨才拖着疲勞的身子回家去。嘉芙蓮不是在美國獨一無二的這樣的女子。全國數以萬計的女人，變爲亂交、通姦、吸毒、酗酒，以滿足自己的刺激需要，而不限于在何年齡的女子。

傳統上而言，女人是在社會上受非正式的道德的保障，女人比較男人應該保守些。但過去數十年，社會產生極大變化，女人從家裏走出來，她們遭遇的一切，與男人無異，多數女人有了更多的自由，才曉得應該盡情享受。一切男人犯的罪惡，女人照犯無誤。若干社會學家說：「因爲女人的道德標準劇烈地變化，我們的社會道德低落了。」

若干專家報告說，自從一九五五年，女人亂交已有驚人的增加，婚外「亂籠」事情大增，使已故金賽博士的報告書變爲落後。過去十年女人酗酒增加百分之五百，較多數人想像更快。又據精神學家說，女人同性戀，反較我們想像的發展更遠。刑事學家指出大都市的吸大麻草及吞快樂片提神丸的數字，已顯示社會大有問題；而女子在這方面的嗜好，絕不後人。「業餘娼妓」數字躍升。每年有更多的婦人被控毒打子女。

女人進行謀殺亦數見不鮮。

美國壞女人已形成當地的社會一大問題，一位著名的精神學家說：「女人在一旦變爲放浪，她們把丈夫子女朋友視爲無物，乜都敢做。」

以一位頗有地位的某東部城市的醫生的卅五歲妻子而言，本來吃喝無憂，又是活躍社交團體的人物，但她色誘十九歲的姪兒，把大量的金錢與一輛新汽車送給他，過了六個月的荒唐生活，她竟想說服這個親戚小姘頭向丈夫下毒手，她的詭計得售，又取了丈夫的人壽保險七萬五千美元，另五萬美元的公債卷及股票。不過東窗事發了，她與小姘夫被判長期徒刑。

謀殺是更多女人幹的事情。由一九三五年至一九六五年的卅個年頭，男人謀殺數字減低甚少，但女人犯謀殺案，同期增加幾近一倍。一九三五年女人因兇殺被捕的只估百分之九，男人估百分之九十一，一九六二年女人已增至百分之十七。

謀殺數字增加，不過是女人道德墮落行爲中一部份事實而已，更多女人使用兇器對付小孩子，調查者估計每年有更多的孩子被毒打喪命，其數字超過患血癌及其他惡病數字總和。專家估計每年有一萬名孩子被毒打甚至被殺。女子越來越受現代生活的壓力影響，向最容易方法去解決問題，通常是把她們的子女做爲洩氣的目標。

珍格羅佛夫人是一位美麗的年輕主婦，嫁給一個做冷氣機生意的丈夫，每週工作六、七小時，未及一年生下一個孩子。以後不知怎樣，脾性越來越焦燥，孩子到三歲時，即受她莫名其妙的虐待，有一天因爲他不能拿一隻水瓶來，竟施夏楚，把無知小孩打得遍體鱗傷。隣居看不過眼，報告警察，判她入獄三年。

最嚴重的問題，是在亂交的事情上。一位著名的精神學家說：「性革命已使未婚女人、離婚或分居的女人，大胆地暢所欲爲，而毫不感覺是罪惡。性革命使許多女人從事廣泛地亂交，主張熱魏無不歡迎。此是對我們的社會的一項大威脅。」最可驚的是「換妻」，本來這不算是新穎的玩意，但已發展至驚人程度，各階層的女人均增加非法的性活動。

據許多調查人士提出的驚人而難聽到的報告說，不少「性俱樂部」是由女人發起組織的，她們做攪手人，廣招會員，她們採取主動了。芝加哥一位精神學家，曾治療一位兩個子女的年輕主婦，她是看報徵求夫婦參加文娛活動，而上了當的。幾乎把一場大好婚姻破壞無遺。

女子同性戀也可以在小廣告中，找到對手。一位波士頓人便是去應徵參加夫婦的酒動，而染上了這個異癖，幾乎不能自拔。女人同性戀成爲一個極普遍的問題，美國心理分析學家協會，最近特別召開討論會，曾指摘社會沒有把這種疾病施以治療。有一個十六歲的少女，未嘗過人事，竟已先被引誘，大攪同性戀行爲。她根本還在不明世事的人生階段，即有此異癖，是非常可悲的事。

兩父子智擒銀行刦匪故事

·大春·

貝白歷連攪兩標，都沒有中着目標。他不甘畢學堅的傲氣說：「要是祁理參加，相信你不會那末得意的。」他停下來，他們不期然向四周打量，發覺一個老人坐在附近的一張桌旁，沉默不語。

在這幾個星期來，祁理好像老了幾年，在這期間，他每晚都靜坐那兒，不言不語。他的眼睛，痴呆而望，沉緬於回憶中。他哀悼懷念着亡妻。他的妻子雅芙，在一個月前死於心臟病。那是在他參加跟隣村擲鏢比賽回來，發現妻子安詳的睡在安樂椅上，然而她不是睡着而是死了。因此，祁理十分哀傷。

他的幹警員的兒子祖義，想盡辦法，安慰這位老人家，可是一切徒然。

貝白歷看了哀傷中的祁理一眼，搖頭的惋惜，他覺得祁理十分可憐。祁理過去是擲鏢最佳鏢手，他自妻子死後，不必說要他參加擲鏢，就是連鏢，也沒有摸過。

酒吧的掌店柯拔，看夠了那位陌生客，他把目光移注於祁理這邊來。他認爲祁理眞是一位情深的丈夫。他發現有點奇怪，爲什麼那位陌生人底雙目不注的向每個人打量，看來有點可疑。

正在這個時候從廳外邊停着一部汽車，接着有人高聲說話，「謝謝你探長」。其中一人說：「我只到這兒留下個口信，幾分鐘內，我回到警署向探目威爾斯報到的。」

那位陌生客突然緊張起來，他立刻離座，走到那羣擲鏢客中，拔出一根手槍！他高聲的對他們說：「各人聽着，我是一位建築商，到這兒找尋地盆興建新居。喂，我要跟你們擲鏢。但是，你們有任何異動，我要把你們先行幹掉的。」說完把槍放回外衣袋。

這時做警察的祖義進來，除下帽子，他兩腿踏在地上，頻頻呼冷。那個陌生漢立刻從剛才底黑玄墳的面孔，化作勉强的笑容說：「酒保，拿酒來，現在輪到我了。」當他看到祖義便說：「你怎樣啦警官？來一杯威士忌，暖暖身子，好嗎？」（中）

在英倫保衛戰建立殊勳的

英空軍元帥許唐定其人

·崇基譯·

他常向人表示說：「我最不同意理論而同意實踐」，這就是他本人的自我批評。他喜歡單獨一人坐在一間大房子裏面默想，跟部下談話時喜歡在室內行來行去。他隨時會自駕一架輕便飛機到各個基地視察，他常到飛機庫或飛行場研究各種新型的颶風式，噴火式戰鬥機，試驗和討論新的裝備。他曾費去三年半的時間建立一個強大的戰鬥機隊伍；在這個時期內他會做出兩件事對不列顛戰役有最大的貢獻，而結果使到英國獲得勝利。他選用配備有八口機關槍的戰鬥機做他的武器，他利用從研究西班牙內戰所得到的學識用在這次的戰爭上。他在一架噴火式或颶風式戰鬥機的機翼暗藏機關槍八門，集中掃射，每秒鐘可發子彈一百二十枚；德國的馬司岡特一○九式戰鬥機的速率是跟噴火戰鬥機相等，可是它所裝的單管炮不及英機的八口機關槍利害，許唐定曾指出德國空軍的大錯誤，他們以爲參加西班牙內亂的戰術是準確的，他們派出兩三架轟炸機，但有許多架戰鬥機作保護；當戰鬥機跟迎敵的較劣質飛機交戰時，轟炸機便得從容前去轟炸。他們就看重轟炸機的速率多過武器的裝配。在不列顛戰役他們也是這樣，誰知英國的戰鬥機品質是比德國的優勝。英國在不列顛戰役的得勝不是僥倖，實因爲有一個最能幹的戰鬥總指揮。奧斯汀於一九四一年五月在他的不列顛戰役的評定內寫着：「也許在各種新的危險，新的勝利，新的英勇事蹟，噴射、颶風故事有一個時期在背景上將會消失，但無論在這個戰爭未結束之前有什麼發生，沒有誰能比得上最初一批幾百個戰鬥飛行員拯救英國而將希特勒擊敗。在他們的總司令許唐定爵士指揮下，他計劃他們的戰鬥和沒有懷疑到他們的勝利。讓我們記得這件事，從一九四○年八月到十一月的四個月中，在他們當中有三百七十七名死亡；在一個冷酷的軍事觀點上，這看來是一個小損失和輕微的勝利，但當不列顛戰役的戰鬥機飛行員的數目能作正式公佈時，我們將知道他們爲我們爭取自由的代價是多麼的寶貴和多麼受到人們的尊崇。（下）

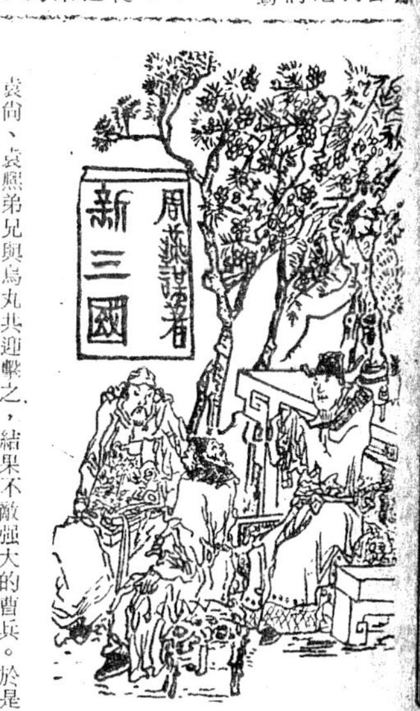

袁尚、袁熙弟兄與烏丸共迎擊之，結果不敵強大的曹兵。於是袁氏兄弟投奔遼東公孫康，被公孫康誘斬，將頭送給曹操。曹操回師經過袁紹之墓，特臨祭祀，他還大哭一場，眞哭假哭不得而知，史書上如此記載。他宣慰袁紹的妻子，發還其家人的寶物，給予救濟。曹操不愧是一大奸雄，處處表現得假仁假義，此其一例而已。

在此要特別一提的是烏丸。烏丸亦作烏桓，即是東胡。在漢初時，匈奴冒頓滅其國，餘類退保烏丸山，因以號稱烏丸。烏丸在今之熱河、遼寧境內，該族曾經屢次侵犯中原。曹操一面是討袁氏兄弟，同時一面也想把烏丸制服。建安十一年，曹操籌劃出兵征伐，在現今的河北東北境，闢了兩條水路，以便運糧。建安十二年出兵，因沿海大水，道路不通。以前劉虞爲公孫瓚所殺，他部下有一人名叫田疇，決心要爲上司報仇，就帶領了宗族，入居徐無山中（在今河北遵化縣西），後漢以來，此路不通，避難的人依附者很多，成了當時的政治避難所。田疇在此訂定了臨時約法，申明約束，居然很有規模。曹操出兵烏丸時，把田疇網羅在軍中。田疇對曹操說：「舊北平郡之北，本有一條路，出盧龍塞可到柳城的。（柳城，在今遼寧興城縣西北）很久已經不通了。如果從此路進兵，攻其不備，可大獲全勝。」曹操聽了，就從此路進兵，果然一戰而殺了三個烏丸的酋長。袁熙袁尚和一個酋長逃入遼東依公孫康。公孫康要據地自立，曹操料定他不能容納袁氏兄弟，逕從柳城回兵。果然公孫康把袁氏兄弟殺了。到此，袁氏父子才算完全消滅。從建安四年曹袁交惡始，至此前後共經九年。曹操破陶謙、呂布、袁術等羣雄，前後不到三四年。所以說袁紹確是曹操一個大勁敵。曹操這一下把全國的十三州，囊括了七州，他原來的地盤是兗、豫、徐、與司隸校尉，加上袁氏父子的冀、幷、青、幽四州，十三州有其七矣。但實際上只有劉表的荊州和孫權的揚州，不服從曹操的命令，劉璋已接受漢朝廷的命令，馬騰的涼州和士燮兄弟所佔的交州，都與許昌朝廷暗通聲息，接受過拜封。以『綏南中郎將』的名義『董督七郡』。眞正不服曹操的只有劉表和孫氏兄弟而已。

卅九、曹孟德收編烏桓　孫伯符輕佻遇刺

曹操解決了袁紹之後，連同他的三個兒子和一個外甥，一幷剷草除根。跟着倒楣的還有烏桓各部。曹操掃平了袁氏最後的兩個之後，把烏桓的男女軍收編了二十餘萬之多，男的編爲騎兵，把其餘烏桓人民全部遷徙到中原來。這一下曹操眞正是『兵多將廣』了。除了收編了袁氏的各部之外，在掃平河北的時候，又有黑山賊張燕，率領了變相的黃巾十餘萬人向他投降。曹操有此雄厚資本，那怕孫氏兄弟和一個劉表不滅！曹操在併吞了袁氏四州之後，就注意到了劉表的荊州和孫策的揚州了。所以他在解決了袁氏父子之後，就向劉表開刀。後來劉表被曹操嚇死，此是後話。下面先把江東孫氏兄弟說一說。這是孫氏兄弟底定江南的重大關鍵。（六十七）

國劇繽紛續錄

婆娑生　（二十一）

為報宜三（續）

在內行尚有一種習氣，所謂拜師，結果碰頭以後，很少受到教戲。如已往某坤票拜了金大姐，僅說了一齣三娘教子，似乎掛名已足。我常不解。記得從前余叔岩拜譚鑫培，祇學二齣半，太平橋洪羊洞與失街亭的王平，其餘皆是從烟榻旁偸來的。而余氏遂離譚自成一派。當然現在也不必論宗派。以台灣的生行，那位可以歸納一派，就是顯證，多自成一家，唱得不差。說到此事便是難了，如果掛名而學不到，對小姑娘並無得益，不知君以為如何？蓮芝如不再訓導，這塊美材，未免可惜。徐露之所以比較成功，就因為有劉鳴寶、朱琴心、白玉薇幾位指點，尤以鳴寶為更接近，後來全仗白玉薇。她的機遇不壞。

我的看法，已有根底基礎，在未獲良師以前，端賴自修。現在錄音帶很普遍，先定練那幾齣，可以搜羅，自己練好，請人指點身段，比較簡單。要蓮芝自己細想。不過梅蘭芳就很自由，綜其一生，所從之師，約有十餘，並無老師加以限制。此點能否辦得通？我也曾為其試過矣。

尊著國劇藝苑，已寄小兒兩冊，轉送耶魯大學戲劇學院，大概已有多人看到。以郵費太貴，餘容續辦，先以為報，即請釋注。

哀素雯慰素琴

民國廿九年，余自漢口魔窟逃出，及抵上海，為尋求由香港飛南雄的機票，約停留兩月，藉以疏散久羈的心情。其時麒麟童在卡爾登戲院組班演唱；旦角有金素雯，看過她一次演香妃，很夠動人。但是不久忽隱，改由王熙春接伕，後來知其賦嫁，與胡治藩結褵。來台以後，常聽播出描容上路，每憶其人。月前傳出她與胡君在上海受到共匪迫害，雙雙自縊！這一位藝人遭受到如此殘酷，大概因其佐麒氏在華東戲劇研究院，而最近為了麒氏演海瑞罷官，受到整肅，素雯同時遭殃。共匪的殘忍，要利用的時候就捧你，不用則一腳踹入地獄。素雯未與乃姊素琴同時逃出魔窟，受如此迫害，誠可哀也。

素琴聞訊，哀痛欲絕，已將這殘暴控訴於世界，是理所當然。但手續必須廣為宣傳，透過外交使節，向每個角落的華僑，作為報告，使他們知道大陸在受非人的生活，以堅定他們的反共，為一要旨。尤其此項工作，必持之以久，不能使人忘卻。再事已至此，無法挽救，故慰素琴，勿過哀傷，而在謀為妹報這血海冤仇，使素雯稍可瞑目，想必以為是。聊寄數言代面。

家數

○田素材○

這樣過了六個月之久，一切都已安定下來，幾個孩子也已轉到附近的學校，而且學業大有進步。當然這應該歸功於這個環境。

可是，丁太太現在開始對這個環境厭倦了，她覺得新房子有種種優點，也就有它的缺點。譬如這個地方雖然比鬧區清靜得多，可是要看一場戲，可遠不及鬧區的方便。至於那些過去常來走動的朋友，現在差不多絕了跡；過去常來邀他們打麻雀的人家，現在都把他們看成遠到舊金山居住一樣，永不會把他們想起來。

丁太太過去是因為剛搬了新住處有着一種刺激作用，所以倒也能忘情於雀局。可是現在生活已經安定下來，牌癮也開始蠢動了。然而她的住處沒電話，很難有機會同外面的人聯絡。

丁太太的牌癮是很大的，縱然不是香港第一位，總也在十名之內，她有一次打了兩天兩夜牌，到歇手時倒在地上不省人事。像這樣的一個人，一旦牌癮發起來，實在是不堪設想的。

據說一個吸白粉的人，如果戒掉以後再吸，分量必然會增加。而丁太太就碰到了這樣的情形。

有一天，她的一個鄰居女人來找她，說是有幾個朋友從市區來探訪他們，想打幾圈麻將，邀她去湊角。丁太太當然一口答應。自從這次以後，丁太太就變得癮癢難熬，可是附近卻找不到熟人來湊角，在這種情形之下，她就得想個變通的辦法，來過她的牌癮。後來，她忽然想起自己的三個孩子都已長大，一個十六歲，一個十三歲，最小的女兒也已十歲。這些孩子由於環境的陶冶，對於麻將一道早就通曉。如果找孩子湊角打上幾圈牌，雖然不及與外人打牌痛快，仍不失為沒法之中的權宜辦法。

孩子們都衷心響應母親的號召，都想試一試自己的技藝。丁太太就告訴他們，每個人都預支二十元的糖菓零用費，如果輸了，今後逐日照扣；如果贏了，留着作為下次的賭本。這樣，每天下午，當孩子們放學以後，四個人就坐上牌桌，玩上八圈或十二圈。從前丁太太督導兒女做功課並不甚嚴，到了這時候，根本就採取放任政策，再也不去管他們了。

丁樹材認為與其讓老婆到鬧區的朋友家裏去打麻雀，不如讓她同孩子們玩玩的好。因為這樣不論誰輸誰贏，都沒有甚麼關係。

這事過了一些日子，一學期結束了，當成績報告單發下來的那天，大兒子的功課有一大半不及格，老二只有一科沒有紅字；小女兒呢，名次排在班上最後的一名。丁太太看到這些成績報告單，嘆了口氣說：「我以為同兒女一起玩玩牌不會有什麼大輸贏，現在我才知道我輸了大錢！」

丁樹材看情形不對，只好將房子轉讓，又遷回鬧市來住。（下）

政治人物立言之道

諸葛文侯

政治生活有如演戲然，登台獻藝者不論飾演何種角色，必須保持劇中人的份際與其應有的風格，不能隨便，否則觀眾即當場指摘，甚至喝倒采，「通」「通」之聲大作，未免大煞風景矣。

政治人物最容易失態或失格的，莫過於在公共場合的言語情形，稍不留心，便鬧笑話。這等於舞台上的演員臨場說錯了台詞，把一齣戲給唱軋了，永貽笑柄於人間，政治飯之不容易吃，有如是者，茲述數例以明之：

民國十九年至廿一年間，浙人高凌百任國民政府秘書，每週一，中樞各行政部門簡任職以上人員，照例集合於國府大禮堂，舉行紀念週會，高氏奉主席之命登台報告重要政事，按其份際，應以「報告」為限度，方合體制。然高氏每次發言皆作訓話口吻，劈頭就說是「我上次對大家說過的事情，想必都已照辦了」。他忘記了站在台下前排的官員盡是些選任、特任級的院部長，餘眾即為簡任官，如黨國元老于右任、王寵惠諸公皆在其列，聽到這位毛頭小子的訓話式論調，寧不啼笑皆非嗎？有一次我站在于右老的背後，當高氏聲言「我上次對大家說過」這句台詞時，右老即搖首輕說「胡鬧」二字。高凌百不久亦就外放星嘉坡總領事了。

對日抗戰時期，國民黨中央黨部在重慶舉行某次紀念週會，指派皖人安懷音登台講述國父遺教，他提出國父對於「人性問題」的一篇演說來作題材，首先闡明人類的先天本質有「人性」與「獸性」兩種性能。然後暢論每個人必須發揚人性，泯滅獸性的道理，夸夸其談。由於情緒激動之故，他伸手指着台下的人說道：「你們若不注意人性的發揚，而讓獸性抬頭，那你就是禽獸，就是猪，就是狗！」好像父親責教兒子的氣度，然居心固無他也。台下聽眾感覺難以忍受，為之譁然起鬨，不歡而散，且聯名簽呈中常委，要求對安氏加以處分。

對日抗戰時期，中央考試院設在重慶上淸寺，與英國駐華大使館毗隣。考試院修築地下防空洞所鑿隧道，進入英使館地址之下，使館人員恐地面建築物或有坍陷之虞，懇託我方辦理社交團體且與戴院長相識之某君，向戴協商可否將隧道方向稍予改變。某欣然應命，馳赴考試院，適見院長戴季陶先生立於該院大禮堂門前，乃揮手揚聲為禮曰：「哈囉，戴先生！」戴氏登時怒目斥之曰：「哈囉？我是國家的選任官，你是甚末玩藝？敢對我作此輕薄之言，豈有此理！」即令某走進禮堂，在國父遺像前罰站五分鐘，方許出去。

在現代政治要人之中，對眾立言從不失態，而又善於藏拙的，以譚組安（延闓）先生首屈一指。他對三民主義的內容固屬瞭解，但因缺少社會科學的基本智識，每逢紀念週會講演時，總不談三民主義的理論問題，所發言論皆冠冕堂皇，簡明扼要，沒有一點破綻可尋，而又極合份際，不失行政大員的風度。

孔子的「四教」，專列言語一科，可見言語對於人生的重要性。幹政治生活的人，如果對言語方面不下些修養工夫，那是很難發達的！

蛇異雜談

晉陵春

自從聖經上記載夏娃因受蛇的誘惑吞下禁果，遭受被逐出伊甸園的懲罰，迄今蛇被人目為淫邪罪惡的象徵。

因毒蛇咬人會致死命，一般人「見蛇色變」。現今分佈在溫、熱兩帶地區的蛇約有一千七百餘種。最大的蛇要算歐亞洲的網狀大蟒，長達三十二呎；其次是南美的森蚺，非洲的岩蟒都在二十五呎以上。最小最毒的蛇，據說是中國的紅絲蛇（又名紅絲鬼），形若遊絲，目力難及，其毒無比，殊難防範。毒蛇的尅星「食蛇蛇」，產自巴西，當地人飼養它以防範毒蛇侵入家室，每次可連啖三條之多。

台灣田野間盛產一種小草尾蛇，據說它有「狡兎三窟」的黠智。因此台灣人戲呼兩面討好的人為「草尾蛇」。又因鵝糞可令蛇腫脹而死，為蛇所避而遠之，蛇類出沒地區的人家，多養鵝數隻防止其侵入，輒有奇驗。

蛇與美人結上不解之緣，電影，馬戲團或夜總會玩蛇的美人，比比皆是。但仰光更有弄蛇老嫗名大安仙者，能與豢養二十年之久的毒蟒頻作接吻的表演，蛇涎淌入櫻口，安然無恙。此項絕技，殊屬世界上罕見的奇觀。

神秘之國的印度，有一種不成文的法律，對蛇、牛、猴特別尊崇，視若神明，不敢殺害，任其自生自滅。被蛇咬的人立請巫醫前來唸咒驅魔，並遭人用腳踐踏至死為止，謂之靈魂得救。八月中的蛇神節，家家祭祀，處處放生。

科學極端發達的美國，也有祀蛇巫的淫穢毒教流行各地。祭祀儀式常在深夜，秘密而不定的地點集合舉行。開始時女祭師對巨蟒頂禮膜拜，歌唱不休，男女信徒也在唱和中手舞足蹈，形同瘋狂。移時女祭師牽出一頭山羊宰殺，男祭師在旁以木盆接盛羊血，傳遞信徒依次飲畢，大家如着魔般嘶喊胡鬧，男女糾纏得一團糟，非至筋疲力竭，仆地不醒人事不休，黎明才做鳥獸散。信此者多屬厭世嫉俗之輩，深嗜後，如着邪魔，錯亂時恆演出自殺殺人的慘劇。警方千方百計搜捕，迄今無法一網打盡。

世界上有兩大著名的蛇城：第一要算意大利的哥羅尤城，因城近森林地區，各種各式的蛇充斥其間，居民亦多捕捉販賣為生。城中兒童平時也手提大蛇玩弄，如玩球然。每年蛇節規定此日嚴禁捉蛇，但居民必須早在兩月前即行準備餵養多條，屆時放出任其遨遊，通衢小巷無處無蛇，行人手捧頸纏，恣意玩樂，彷彿是大蛇的王國。

其次是巴西聖保羅省的奇異毒蛇城。成千成萬的毒蛇，被豢養在鋼筋水泥製的層層蛇屋裏，並有城牆環繞，儼然各立門戶，似示互不侵犯然。平時，全部毒蛇均住在屋外面草地上用餐遊憩，你以為這是養着好玩嗎？原來它是巴西國立蛇療研究所的特區。因為每年總有成千上萬的人被毒蛇咬傷，急待治療，該所的設立係專為抽取毒液製造血清以供療毒之用。

著名女間諜
姬麗絲妲的故事

○質　譯○

調查繼續下去，蘇格蘭場不願意將這件案子列為一種因妒忌的情殺案，可是姬麗絲妲金維爾的名字在警方完全沒有紀錄，雖然她是一個波蘭人。對茂爾杜尼所得的履歷也極少；在幾個月之前，在倫敦的革新會曾向蘇格蘭場查問茂爾杜尼曾否犯過罪，因他想向該會求職，經調查後，證明他沒有犯罪的案底。警探在革新會茂爾杜尼斯的住所搜出一張海員聯合會會員證，推測姬麗絲妲在某個海港結識那個人，也許他們在同一艘船上做事。

後來有兩個從軍事情報局派來的人會見督察長，謂暫時不想發表什麼公佈，但極關心這件事，因為姬麗絲妲曾任該局的情報員。警探隨又去調查姬麗絲妲曾在服務的船輪公司和她預備加入的那間公司。隨着有一個主要證人到英國，他乘軍機從外地趕到，他是安德烈堅尼地少校，軍事情報員；他首先乘車到公眾殮房，他向着那個美麗的女子的屍體，肅立致敬。他曾經很敬愛姬麗絲妲的。當他離開時，他很傷心和憤怒，他最後向她的遺體行軍禮，然後離去。

在同一個時間又有一個新證人到蘇格蘭場，他是甘鼎力上校，在幾個月前他在一間很華貴的俱樂部再見到姬麗絲妲，他們很相好，他不相信那件謀殺案是由於愛情的動機；他指證說：「姬麗絲妲有很多仇人，我不能夠揭露軍事秘密，但施卡北克伯爵夫人確曾幫助逮捕過許多敵方的間諜且予正法，由於她的地下活動，有許多納粹軍人消滅。」（四）

內政部登記台報字第○三壹號

自由報

THE FREE NEWS

第○九六期

中華民國僑務委員會發給僑刊登記證
台灣省新聞處登記證
中華郵政台字第一一二八二號執照登記爲第一類新聞紙類
（逢星期三、六出版）
每份港幣壹角
台灣零售每份新台幣貳元
社長：雷嘯岑
督印人：黃行審
社址：香港銅鑼灣高士威道二十號四樓
20, CAUSEWAY RD 3RD FL. HONG KONG
TEL. 771726 電報掛號：7191
承印者：大同印務公司
地址：香港北角和富道九六號
台灣分社
台北市西寧南路壹零壹號二樓
電話：三○四三六二
台郵劃撥儲金戶九二五二

論反共運動的策略問題（上）

○雷嘯岑○

二次大戰後的國際大勢，是以蘇俄爲領導主體的共產極權主義集團，向全球各地區侵襲擴張，釀亂不已，迫使美國爲着本身的安全生存，提倡「自由運動」，而以財力物力和人力應援各個受共禍威脅的國家，爲保護自由生活共同奮鬥。這樣就構成了兩大集團對立的態勢，美俄在國際間各顯神通，彼此都希望能以「不戰而屈人之兵」的冷戰策略，掌握世界霸權。但一般自由國家志在反抗共黨侵略，保持獨立自由，對於美俄爭霸的得失關係，尚屬次要問題。因此，我們在國際局勢演化變遷的波濤冲盪之中，即應該把握重點，堅定立場，遇事要有自己的認識和主張，不能盲目的讓別人牽着鼻子走。

反共的認識論

目前全世界的人口共計爲卅億人，據蘇俄統計，散佈在全世界的共黨份子綜計有五千萬人（美國調查統計爲四千四百萬人），五千萬個共產主義者硬要改變二十九億五千萬人的生活方式，這是合理而可能的事嗎？依常識判斷是決不可能的。然而，今天全球人類就被這五千萬個共黨份子弄得動盪不安，到處發生變亂，究竟危機何在呢？基本原因固然是舊有帝國主義貽患於人間的事實甚爲深鉅，給共黨以宣傳煽惑的大好題材，在思想上容易激起人們的同情共鳴，受其玩弄而不自覺，但以美國爲盟主的反共作風亦關係匪淺。

我們并不希望用世界大戰的方法來解決共禍問題。現代戰爭手段完全以原核子武器爲主，破壞力難以估計，而共產集團國家多是落後地區，工業未發達，人口不集中，它比較英美法德以及日本這些工業發展的國家，挺得起轟炸破壞。蘇俄雖然已躋於工業國家之列，然地廣而人口不密集，它害怕轟炸的程度不如英美等國遠甚。至於中國大陸上的毛共政權，又視蘇俄的工業尤爲落後，尚在農業經濟生活階段中，而土地之廣袤亦差比俄國，更具有推作的潛能。所以，使用原核子戰爭手段殊不可能消滅共黨，反而由於原核子武器廣泛攻擊的結果，使一般民衆枉遭池魚之殃，對於擁有原核子戰爭優勢能力的美英方面，發生怨心情，容易接受共黨的蠱惑，而共禍問題仍未解決，這是不智之舉。自由世界反共運動的錯誤之處，不在其竭力避免全面核子大戰，而在其推進自由運動的方法事倍功半，不得要領。反共鬥爭一定要重視民族主義的力量，自由世界唱出「聯合世界上被壓迫民族反抗殖民帝國主義」，共產黨即利用民族思想，進行「反殖民政策」、「反帝」的宣傳，着着奏效，而全球廿九億五千萬人，乃讓五千萬個共黨份子搞得寢饋難安，惶惶不可終日，唯一原因就是忽視了民族主義的潛力。西方人士經常强調着「貧窮，是培育共產主義的溫床」、「民主生活是抵抗共產主義的有力武器」這一類說法，這種理論只有一半是對的，如中東和南亞的印尼，以及非洲和南美若干的新興國家，都是貧窮的，他們曾經實行親共政策，跟共黨組織聯合政府，大有赤化之勢。近年來這些國家相繼發生反共的政變行動，罷黜了親共的行政首長，而由陸軍人物接掌政權，這便是民族主義的潛力使然。因爲每個國家的陸軍本質，都具有國家（Nation）責任（Duty）榮譽（Honor）這三項元素，也就是民族主義的結晶體，跟那「無祖國」觀念的共產主義終難相容。

共產主義認定資本主義社會通行的民主自由生活方式，都是資產階級壓迫、剝削人民的假面具，他們絕不相信這是合理的制度。他們在進行「世界革命」運動中，一切講鬥爭，重實力，對敵人沒有妥協合作的觀念存在，只是向實力低頭屈服，有時候雖然也喚「聯合政府」之說，那不過是爲要實現滲透、顛覆陰謀的一種手段而已。二次大戰後的捷克與波蘭，都誠心誠意地跟共黨組織聯合政府，一切內政外交政策，皆唯共黨的意旨是從，結果如何，世所週知，毋須贅述。二次大戰前，日本共產黨人在國內被排除得乾乾淨淨，眞是生無立足之地，死無葬身之所，一二倖存的份子如岡野進等，祇好逃命託庇於中共地區，對日本不發生作用。戰後美國以盟軍統帥管領日本，迷信西方式的民主自由生活，是反共產主義有力武器，乃承認日本共產黨爲合法政黨，公開活動，而日共勢力即突飛猛進，日本從此多事了。中國的毛共勢力，若不是美國在二次大戰時，强迫國民政府承認它合法存在，與之妥協合作，中國大陸也就不致於很迅速地淪入共黨之手，貽禍至今爲烈！可是美國總是憑着自己的尺度以衡量別人，硬要對一切友邦推銷美式民主制度，作爲反共的萬應靈丹。於是，全世界二十九億五千萬人，乃受到極少數的五千萬個共黨份子莫大的威脅，罔知所屆了。

反共的方法論

共產黨既是崇尚實力的唯物主義者，而其進行世界革命的方略，又係採取蠶食政策，隨時乘弱攻昧，取亂侮亡，領導指揮共產集團國家的蘇俄，表面上置身事外，暗地裏對其國際間的第五縱隊教唆指使，施展局部的武力進攻，如過去的韓戰，現在的越戰，都是這種方式。

一年一度的威脅

紅色不行了！

今日與明日

劉少奇大勢不好

毛澤東林彪小集團，數個月來所搞的鬼把戲，所謂「無產階級文化大革命」，當然也是目的之一，因爲不「除四舊」，所謂「毛澤東思想」根本就不能樹於一尊；所以，這項「革命運動」是搞了一些，不過搞得很少，收效亦微。但在幕後所進行的爭權奪勢內訌，才是運動的中心主題，並且，搞得熱火朝天，眞是「赤膊上陣，殺聲震天」；然而儘管毛林小集團決心很大，來勢亦頗猛，但其所遭遇的阻力也很大，並顯著地有迫使毛林小集團有「進」不得也哥哥之感。以毛澤東爲「統帥」，以林彪的「槍桿子」爲工具，在毛共內部進行整肅，照說是應該所向披靡，指日可達「勝利收兵」的目的的。然而卻事與願違，毛林小集團的目標，沒有順利達到。簡單地說，就是因爲他們所要整肅的對象，並不是在毛共內部沒有「羣衆」的泛泛之輩，而是僅次於毛酋坐毛共二把交椅近三十年的劉少奇和以他爲首的「當權派」及「政治上代表人物」。所以毛林小集團出動「紅衛兵」上街「造反」以還，儘管這批知識小盲從有如「鬪將」，到處搞到鷄飛狗走鳥烟瘴氣，然而對敵對派所加的壓力，劉少奇爲首的所謂「黨內走資本主義道路當權派」的反抗，亦相對地愈來愈頑强。毛林小集團所喊的調調他們被整的一羣又何嘗不知道，這是「你死我活的鬥爭」！

毛林小集團於九月十五日在天安門召集百萬「紅衛兵」和共軍大集會後，表面上似乎是「紅衛兵」的「造反」暫停了，但實際上是由於樹敵太多，無法向前推進而不得不縮短戰綫，集中力量來對劉少奇。因爲劉少奇和他的「保皇黨」被毛林小集團視爲「最主要的」最危險的敵人。」

劉少奇本來被毛林小集團視爲必欲除之而後安枕的「大狗牙」（陳伯達語），但劉少奇的爪牙並不是輕而易舉就可拔掉的。九月十五日天安門的大集會，他不但出了席，在一張照片上他居然還直着腰板緊挨毛酋坐在毛酋的右邊。

劉少奇是林彪的「死敵」，只要劉少奇一天不倒下，林彪的「皇儲」地位就受嚴重的威脅。上星期五來自莫斯科的消息說：「中共政府主席劉少奇，已被好勇鬥狠的青年紅衛兵所抨擊」。據稱：「紅衛兵自稱他們所要推翻的主要目標只是一小撮的由共產主義偏向資本主義的領袖」。該消息又指出：毛林小集團所要整肅的人物劉少奇爲其主要目標之一。迄目前止，毛林小集團仍只用「當權派」或「代表人物」一語暗指劉少奇，但一直未敢公開指明。這說明，幹掉劉少奇仍須費一番手脚。但可以肯定，劉少奇必「挨整」，並且時間也不會太久了。

對中國大陸政治氣候最敏感的香港尾巴份子，已對他們過去「敬愛」的劉少奇「國家主席」進行「打落水狗」，以響應他們的「舵手」毛澤東和毛酋的「親密戰友」林彪的號召了。香港混「民幣」吃飯的尾巴們，早於九月初就已成立十一「國慶」籌委會。該會於九月十七日發出的「通告」中，曾公開宣佈「掛像辦法」，其中仍有劉少奇像。但九月二十三日又改了「辦法」，把劉少奇像取消了。

這說明劉少奇「大勢不好」；同時，也證明尾巴份子的極端可憐與無恥。如果還稍有正義良心的話，能不感慨繫之乎？（何如）

自由談

讀書人的厄運

共產黨最嫉視知識份子，必須剷除淨盡而後已。實則任何地區的共黨頭目，無一而非知識界中人，否則他們根本就搞不成黨的組織體，更休說奪取政權的話了。

但共黨一旦奪取了政權，即把知識份子看作第一號的「階級敵人」，非打倒不可，你縱然對它俯首稱臣，自認罪孽深重，百依百順地甘作奴隸，亦難逃「整肅」的悲慘下場。原因是共黨要以人類爲芻狗，施行它那套無人性、無理性的共產主義，它知道讀書明理的士大夫們對共產黨的一切作爲，決不會由衷的贊同奉行，至少亦具有「腹非」的潛在意識，這在共黨看來，便是大逆不道，生活在共黨統治下的人，絕對不許可有思想之自由的！

俄共對於曾是列寧信徒，且爲蘇維埃政權拼命從事於理論闡揚，立下了汗馬功勞的元老重臣，如布哈林、拉底克等人，最後也要他們自承爲罪該萬死的階級敵人，一律格殺掉。即此可知今日中國大陸上毛共假手於「紅衛兵」，把黨內黨外的高級知識份子大整特整實爲勢所必至，理有固然，非如此就不成其爲共產黨了。

可是，知識份子表面上好像手無寸鐵，對共黨的殘暴行爲無可奈何，但實際上具有反抗暴政的無限與無形的偉大力量——爭取自由和堅持眞理的思想潛力。試看古今中外歷史上的暴虐政權，結果都是被讀書明理的知識份子搞垮的。暴君可以殘殺有形的讀書人，如秦始皇之焚書坑儒，比毛共今日「文化大革命」行爲，殘暴更甚百倍，然而「人間尚有未燒書」的思想潛力，始終保存於天壤間，很快的就把暴政打倒了，這是最顯明的史證。

我不知一般在海外替毛共從事文化宣傳工作的我輩中人——高級知識份子——對於大陸上方興未艾的整肅讀書人之惡作劇，於意云何？吾儕人的政治觀點，雖然有歧異，但人性與理性的本質不同一，致爭取思想自由的本能亦是同一的。兎死狐悲，物傷其類，因而我很自然地惦念着諸君的前途，同是天涯淪落人，故不能已言如此，但願好自爲之吧！

馬五先生

對地方自治生活一大諷刺

桃園派系明爭暗鬥 政治風波層出不窮

（本報記者鄔維孚桃園縣航訊）近月來桃園縣的政壇上，發生了幾件人所週知的政治風波，讀者們想必記憶猶新。

第一件爲桃園縣水利會長蔡達三，因涉嫌貪污而被檢舉，然被畏罪潛逃，于八月份始由至親友好勸勉出面投案。

第二件是爲平鎭鄉長王年龍及該鄉建設課長等，因涉嫌楊梅段公路假報銷，而被人檢舉，並經新竹地方法院判決五年刑期，該案刻正在上訴階段。

第三件爲中壢鎭長邱垂周，講買油印機及蔴袋等芝蔴小事之報銷，遭派系從中檢舉，案由新竹地院偵察中。邱鎭長雖未停職，看樣子將來是脫不了刑責。

第四件是縣屬十二所中學違規向學生家長攤派不「樂」之捐，亦被反對派人士提檢舉，依法究辦。但這件案子，因各校校長所募捐之款，均係取之於公，而用之於公，爲學生家長們同情，不但不予追究，而且聯署向縣議會呈情；縣議長謝科援獲聯署後，有感本縣財政萬分困難，縣府對於各校增班所需經費，一間教室需要七萬元，而所補助款項僅四萬元，其他課桌修建設備費，更無分文補助，所以說這件案子，是值得同情諒宥的。謝議長已于本（九）月十日爲該案致函新竹地檢處，要求從寬處理，以利地方建設。

第五件爲桃園縣政府建設局長陳維增，土木課長李家全，亦因楊梅鎭道路工程報銷舞弊遭到牽連，經新竹地院一審分別判處徒刑，省府已下令停職。這兩位大員被停職後，確實困擾了縣太爺陳長壽，由于省府既不派員接替，縣府又無適當人選，建設局却成眞空，業務陷于癱瘓態勢。縣太爺擬自行代理，但廳峯不批准（與法不合）。這第一招被駁回，擬再度遴選由縣府主秘李樹猷代理建設局長，該局技正游進益代理土木課長。這樣或許不會被打退堂鼓了。

第六件即爲中壢國校，擅自變更建築三對自然增班教室地形，妨碍都市計劃案，有鎭民代表會萬送、郭熒煊、潘玉田、黃盛岳等十二人提出反對，並于九月八九兩日臨時大會上專題討論，激動了大會全體代表一致反對，嚴厲指責該校校長呂金藐視民意，擅自違規處理。曾萬送等代表連署書中指出，中壢國校興建五十三學年度三對等及自然增班教室，前經第八屆四次經常大會決議有三點：（一）該校在本學年度增班教室十二間，只能在校覓地址興建，不得向校外發展。（二）不得妨碍都市計劃。（三）興建教室計劃階段，應呈報鎭公所，請建設課技術人員參考設計，製訂藍圖，然後施工。該校確未遵照代表會決議案施行，竟擅自變更建築地形，其中用意何在，局外人是不得而知的。該案經代表們一致通過，一定要徹查究辦。

第七件係龍潭鄉農會總幹事黃德揚，在他總幹事任內，涉嫌挪用公款等案，該會理監事通過于今年六月一日呈報省府解職，因黃某在該農會担任總幹事不到兩年，不但挪用公款甚鉅，且對農會業務毫無建樹，經常不到農會上班，綜理會務，使一個既已虧損之農會業務幾乎陷于停頓。省府于八月中旬下令解職，而黃某既不辦理移交，竟異想天開，挽請五名理事代爲向省府陳情訴願。但省府接到他的訴願案後，又將原案駁回。省府在駁回的理由中稱：「依照訴願法規定，應在接到解職命令後一個月之內，提出訴願」。黃德揚不僅是在一個月之後，始行提出，且係該農會五名理事代爲提出，與訴願法不合，乃被駁回。

記者舉出這七件政壇的風波，只不過是印證桃園縣地方派系紛爭的一斑，同時也看出了桃園縣地方人士的不合作，隨時如此的不合作，隨時都在明爭暗鬥之中，這是對於地方自治生活的一大諷刺也。

苗栗縣政新猷

本報苗栗航訊

苗栗縣響應貫徹蔣總統訓示，實施民生社會福利政策，發展社區改進貧窮百姓生活環境，及增進生活水準工作，以嘉盛、福星兩里爲示範新社區爲開端，在國軍四七七九部隊協建下，及黨政軍民全力嚮應密切配合推動下，月餘來已將街巷堆積的髒亂剷除乾淨，凹凸的街道變成平坦，溝圳排通，並依案拓建公厠、晒場、中山堂等公共場所中，使貧窮無力自建的鄉村，亦能隨時代而邁進，享受時代新生活，增進身心健康。

此項工作雖然艱巨，然在偉大的戰士們，以攻無不克、戰無不勝的精神下實施之，於是輕而易舉；雖然天氣炎熱，有的人坐着仍需揮汗，然百鍊金鋼的勇敢戰士們，却精神百倍毫無倦容。尤其年高而有實業家之稱的林爲恭縣長及黨政軍各界首長，亦於百忙中抽暇冒着炎暑前往慰勞指導，更使進程迅速。

民生社會福利工作之實施，在苗縣來說，不限於此兩里之「點」，目前已擴展至「面」，尤以機關團體推展最爲積極，縣首轄的苗栗鎭已是全面動員，人人實踐力行，因該鎭之陳求志鎭長，向以即說即做，身先力行爲治事之道，小處着手爲前提，故目前已拓建小巷多條，使之清潔美觀而又整齊，據說還要加鋪柏油路面云。（記者艾龍飛九月十三日寄）

滇緬邊國軍游擊隊近況

中華民國有支武裝部隊，流落在泰國北部的邊區。那裏很接近緬甸的邊境，人數約爲一千六百名。領導這支軍隊的人，是一位年齡約爲五十五歲，姓段名希文，長得矮矮胖胖，頭髮已染上斑白的顏色。

五年前，他們在緬甸邊區，歎得賦了，撤退出來，到了泰國的北邊，就在荒山野嶺之中，披荊斬棘，在山嶺上，蓋搭了一些毫無裝飾的簡陋房子，作爲避難所，住了下來。「我們是得不到外間任何的援助，連美國也不肯援助我們，所以才不得已暫時借居這些山頭。」這句話，是段希文將軍所說。表示他們在那裏，不過是等待機會，好打回到中國大陸上去。」

這支人馬，在那裏有何作爲呢？段將軍說：「搜集情報，接應從大陸逃出的難民，補訓隊伍。」

據在曼谷的專家估計，段將軍所指揮的，約有三千五百人。其中有相當大的部份，是跟另外兩個有關的組織，共同作掩護鴉片烟土運輸商隊，帶領他們的黑貨，經過匪盜多如牛毛的緬甸山嶺地區，進入寮國和泰國的生意。

他們這種生意，是等於抽稅。據曼谷的情報消息，湄薩朗地方，就靠着這份收入，蓋搭了不少稻草上蓋的中文學校，和辦理相當良好的訓練中心。他們同時向當地的山地土著人民，展開救濟計劃；另外，還有六千中國難民，陸續到達該區，也獲得相當照顧。至於他們的財政來源如何，段將軍總部的人士，並不作答。

泰國總理乃他儂政府官員，在公開場合，絕少提及這支中華民國的武裝部隊。泰國軍官偶然也騎着騾子，從湄察平原的稻田阡陌中，攀越山嶺，歷時兩天，前往訪問湄薩朗地方。——但這種行動，並不是明張旗鼓的進行。

緬甸總理奈溫將軍，一再表示，段將軍的部隊，是比侵略的敵人，更要壞些。

但泰國和某些西方外交家，私下表示，他們同意段將軍的說法：「如果我們不駐紮在那裏，共產黨也不會放過那塊地方。」

「我們在泰國的北部大門，替他們做看門狗。」段將軍說道：「在泰國別的地區，時時發生顛覆活動，但我們這裏，從來沒有發生過。」

「你也許會問我，爲什麼不在一九六一年間，隨同國軍撤退回台？」段將軍說：「唔，但你要知道，我們的部隊中，很多是雲南人。踏過緬甸邊境，就可以回到老家。我們還有不少親朋戚友在雲南。再說，將來有機會打擊中共時，我們由此進入雲南，倒是方便不過的事。」段將軍對泰國政府友誼，表示相處甚爲良好。他說他的家人，住在曼谷，他穿了便服，便可以到曼谷，去看視他們。（一）

台北市公車調整票價問題

·本報記者李萍台北航訊·

第三屆第七次省議會開會期間，省議員黃光平於省政總質詢時，針對台北市公共汽車的營運情況，提出改進意見，建議政府在「不必先行加價，亦能整頓改善」前提下，希望省府依據公路法第廿三條規定予以接管。

由於省議員黃光平對高玉樹市長强調的「公車如不加價，就要關門」之說，力持反對，故有公開辯論之舉，會引起百萬市民的重視和關注，且先後有羅邦藥廠，清安醫院等自願出資向電視公司購買「時間」，作爲高、黃辯論公車有無必要加價問題。

就事論事，把一個糾纏不清各有說法的問題，用公開方式來辯論，將正反兩方的意見，都毫無保留的提出來，互相印證，彼此校驗，則眞理愈辯而愈明，一定可以得出一個比較正確的答案來，公車處沒有不據理力爭的理由。誠如省府主席黃杰所說：基於民主政治精神，凡負行政責任的首長，除向民衆提供滿意的服務外，並接受批評，歸納公意，使工作不斷改進，做到止於至善。然辯論的消息，說說罷了，被公車應否加價問題鬧得頭昏腦脹的市民，欲觀二派精彩辯析，結果是「有」疾而終。

被邀參加電視上公車座談會的市議員歐陽斌、尹毅、陳鴻韜、荊鳳崗等四位，亦以不是「專家」爲理由，臨陣退縮了。實則辯論不看也罷，看了也許更要腦脹頭昏。

公車處之積弊深重，並非始於今日。雜亂加上派系，使這一個缺乏營養的機構更形「消瘦」，存在的困難益趨嚴重，一個缺乏交通營運經驗的車管處主管，不先行整頓內部，從「節流」着手，光看着乘客的荷包，急急乎「開源」，難怪人言嘖嘖。

調度「空」心

北市公車處已往將行車路綫及調度，劃分爲五個區。一區在西門，二區中正路，三區大龍峒，四區萬華，五區公館。每區由區主任負責一切行政業務上之處決。

江成濤上任後，將原有五個區撤消，改爲調度中心，並由隨江成濤到公車處之楊國榮，任調度中心主任。據說：楊國榮前係公路局駐某小鎭站長，且有官僚作風，對屬下每事必下條子，但十九均不能發揮其「手諭」效用，並常有爭吵情事發生。調度失去效能，站與站各自爲政，形成癱瘓狀態，圈內人（公車處）譏之曰：調度「空」心。原來擬定的幾手高招，無形中化解了。於是又改爲現今之四個「所」，與原有之「區」並無分別。過站，站不停，車掌「情緒」惡劣。業務依舊，所異者僅將「區」改爲「所」而已。

營運所新姿態

營運所於八月九日成立。江成濤說：營運所成立後，公車將逐步做到出車率多而速，減少乘客擁擠現象，並要求行車人員必須做到每站停車載客等等。言猶在耳，二十二日有乘客北市議員陳建綠，與友數人，追車而上。且37路公車，曾出現「男車掌」，眞是怪事。

江成濤指出，營運所成立以來，公車行駛班次，已有顯著增加。例如5路公車，八月九日前每日行駛一九五次，八月十日後爲二三〇次。以乘客立場言，似較前增加百分之二十，方便多了。但人員、車輛並沒有增，僅將原有車輛加速行駛，縮短行車人員休息時間，將已勞累的駕駛、車掌加速疲勞，將車輛加速耗損。月來待修車輛已達飽和，創空前紀錄。

公車處爲所謂檢修方便起見，分區、分車保養。例如南〇路綫近中正路保養塲，配屬之車輛爲「日野式」尖頭舊車，10路車行駛台北火車站與士林之間，因近城中保養塲，故分配均爲「五十鈴」即平頭新車。舊車須經常修理，據云：某日車僅四輛行駛，形成最大乘客容量。

不加價能否平衡

省府派來北市的公車督導小組，經月餘的實地觀察督導後，已獲有較確實而完整的初步資料。結論是，如果能夠將票價略加調整，對這一個公用事業機構而言，固然有其裨益，但假如不調整，也不致於關門。

該督導小組並指出：公車一至六月份的虧蝕，共約一百五十餘萬元。六月份虧蝕幾佔一至五月全部百分之五十；造成此一虧本達六十餘萬元之主要原因，約一百輛停擺待料。各綫車次減少，乘客擁擠，形成「惡性超載」。這種現象，實在叫人不能寬恕。

公車處由員工福利社代辦支出的售票佣金，每月高達七十萬元。如果按百分之五計，公車處每月可收入一千五六百萬元。以偌大的一筆收入，還說虧本，我們不知道公車處每月需要多少錢才夠開銷？

江成濤謂：租車營運，每輛每日可賺二三百元，以目前五百餘輛行駛北市計，月入淨賺四五百萬元，實在是一筆好買賣，爲什麼一定要加價，才能維持營運呢？我們認爲租車行駛，前程似錦，無須增加市民負担吧？

瀛海異趣談

化粧品·婦女·洋囡囡

·桑雅·

許多遊客說：英國女人是美麗的，這句話是真是假呢？答案通常是——對不起，是假的。原來從頭到尾來看，百分之七十五的女人，尤其是適合結婚年齡的女人，都是「假的」，不是眞材實料。

最近，一位道貌岸然的男子，走進倫敦的一間商店裏，把手中的皮包放在玻璃櫃之上，打開它，然後拿出十種假指甲及兩對假睫毛，他憤憤地說：「我要退貨，這些東西把我的太太變成一隻怪物呢！」

難怪一位專欄作家說過：「女人現在可以依賴各式各樣的化粧品以及義乳義臀之類工具，再過八年，女人已不是人，變成洋囡囡了。」

一但這種現象有誰留意着嗎？

一位失戀的男子說：「我終于找到機會與她親近了，當我跳舞時與她貼面，怎知她的臉像塗了一層膠，黏在我的皮膚上。爲這件事，我們鬧翻了。」

另有一個男人的遭遇是女伴的假睫毛竟然貼在他的額上，不過，對方若無其事地把它拿回，當場再黏回自己的眼皮上。

話雖如此，假睫毛在過去兩年，十分暢銷，去年之內，赫福克郡的「眼魅」公司，便共銷一百萬對假睫毛。

義乳也大受歡迎，「可愛乳罩公司」，曾請人進行調查，其報告書指出，在英國，在十六至卅五歲的女人，百分之六十是配戴義乳。

義乳是什麼東西呢？這是第二次世界大戰後的發明品，便是把一種軟膠塞得乳罩半滿；可惜，它們容易滑出來，常來不少尷尬的場面。

一位在戲院賣雪糕的女郎這麼憶述說：「我配戴過一次，便畢生難忘了！那一天，其中一個義乳竟然滑出，跌了出來，于是，托盤上只有一邊乳房突出，多麼難看呀！但影片剛結束，我只得站在這裏不能來應付觀衆買雪糕。這種情形，簡直是受罪哩！」

至于另一種義乳是吹氣的，平坦胸脯的少女，一吹之下，便馬上變了大肉彈，非常見功。

這裏便有一個使人啼笑皆非的故事——一位女子是配戴吹氣乳罩搭飛機，她太大意了，當飛機升空，到某一空氣層，壓力自然不同，于是，胸前的義乳爆裂，使她無地自容。

由於這種缺點，商人乃聲明設計一種安全的義乳，就是把海棉或膠質縫給于乳罩尼龍之上，這樣，便沒有滑脫的危險了。不過，如果你用力過度，也會出事的。

「可愛乳罩公司」的發言人說：「凡是配戴這類東西，尷尬局面是不免的。例如，義臀，如果滑脫了出來，那更成爲笑柄了。在美國，沒有什麼公司製義臀的，只部份留給藝人所用。」

假髮是人人都知道是，無須細述。

近來，玉腿上流行繪蝴蝶花草之樣圖案，爲了利便，英人乃索性推出透明圖案，貼在腿上便可以了。至于女性的眼部亦如此，爲了增加美麗，紐約的著名美容師布蘆竟建議在眼皮黏上鑽石。

「一位政治家這麼咆哮過：「什麼也沒有，只有使人可惡的謊言，謊言及統計數字。」……」

這一番話，對于女界的美容方面，也是恰當的。

要扮一個假美人，代價要付多少呢？就算一算吧——換上假髮，至少要十九先令十一便士，假睫毛每對八先令六便士，塑膠假指甲，値十先令六便士，還有義乳，十三先令十一便士。

不過，如果你是富有，打扮自然可以豪華些，例如一個女星，要一把眞正的金髮，上面髮網黏上鑽石，結果共値一千鎊之巨。

一七七〇年，英國的古老法例，女人在結婚前被發覺不是原庄，這是指貞操以外的事情，做新郎的可以有權起訴的。今時今日，做丈夫的也要一隻眼開，一隻眼閉了；究其實，女人如此苦心打扮，何嘗不是爲悅己者容呢？

兩父子智擒銀行劫匪故事

·大春·

祖義搖搖頭，便走到祁理身旁：「啊，爸爸，今晚我不會返家睡了，因爲不久之前，在碧道斯省里的銀行發生劫案，一名職員被劫匪殺死，現在動員所有警員，搜索那個劫匪兇手。我們認爲很難找到兇手，因爲沒有人見過他的臉兒的。」於是他舉步離去，但他駐足回顧他的父親說：「爸，你自己找點開心吧，別終日愁容滿面，傷壞身子，來一場擲鏢，或是幹點其他快樂的事。」

祁理聽到兒子那麼說，好像活生起來：「你的主意很好！」他說着站起來：「快給我鏢子……」他從畢學堅那兒接過鏢。祖義喜形於色，看見爸爸改變作風，他十分安心，便舉步行往大門。可是他的父親把他叫住：「祖義，等一會，你看看我的鏢法，我要將三枝鏢擲在同一格裏。」

那個陌生人看得有點呆，但他提高警覺，衣袋裏的手槍顯然隆了起來。當祖義行到大門，停下來回顧，而全室寂然的看着那裏擲鏢。祁理先後擲出三枝鏢，都沒有擲中紅心。尤其是柯拔，他搖頭不信祁理會走了樣！過去祁理的鏢法，是全鎮最佳的，無人能出其右，難道他爲了哀悼亡妻而影響了？

祖義說：「爸，你一定是長久沒有擲鏢，才會疏荒，現在讓我教你怎樣回復水準。」他立刻向鏢盆走去，當經過那陌生漢身旁，祖義以迅雷不及掩耳手法，拼力的揮拳，向陌生漢的頸骨斬去，對方不虞有他，立刻被擊倒地而無力反抗，祖義蹲下來，伸手進入那人衣袋，取去手槍。在場的人，這時才敢說話和拭着額上的冷汗。

那個女侍艾黛，迎將上來，詢問祖義怎樣知道陌生漢袋裏有槍。他伸手挽抱着父親的肩膊，得意的說：「當爸爸說他要擲鏢，我已經感到納罕，同時他把第一鏢擲在九號，第二鏢也是九號，第三鏢亦是落在那兒，我立刻領悟，這是緊急的訊號，因爲他藉鏢擲出九九的訊號呢！」（下）

魔術秘密三例

·璇真·

台上是魔術表演，台下的觀衆鴉去無聲了，而且心情十分緊張。他們等待着。

是什麼的精彩節目呢？原來是「鋸箱美人」！這時，鋸刀拉動的聲響是使人心跳的，多麼驚險呀，多麼迫眞呀，箱分爲二，這表示箱內的女人也被鋸開兩截了！

此前，魔術師已清楚讓觀衆看過，箱是空空如也的，女助手鑽入去之後，頭部、雙手、兩腿，均露出箱外，然後由台下觀衆捉住，這樣，還會是假的嗎？還會有什麼戲法可變呢？

當鋸妥之後，魔術師把兩截木箱拉開，但，天呀！箱內女郎依然無恙，而且還會說話，她笑時，那邊的雙腿還會移動的。

奇了！是不？最後，兩截木箱拼回原位似的，魔術師作狀喃喃自語，唸咒郎平安無事地從裏面跳出來，與觀衆見面了。

幕下了，幕後人會看見，原來這位魔術師是有兩個女郎做助手的。

這種鋸美人把戲，早在一九二一年便由舊牛丁設計的，後來才被魔術師所利用。原來入箱的女郎，被蓋住之後，便得立即縮作一團，只伸出雙手與頭部。另一位女郎藏身于木箱下的地方，她的工作是雙足在另一邊伸出來。

上台的觀衆，只有一個是眞正的觀衆，他捉住女郎的雙手；另一個是「鬼仔」魔術師的同謀，由他作狀捉住女郎的雙腳，如此表演，便萬無一失了。

當女郎入箱後，魔術師照例將木箱打一個轉，讓觀衆看清楚木箱的四周是無任何附屬物，支撐着箱子的長椅當然不計算，就這兩三秒鐘，箱內女郎便乘機縮作一團，雙腿屈曲提高；同時，另一女郎巧妙地伸出雙腳來。

俗語說，無遮無扇，神仙難變。便是這個原因了。魔術不過是一種高明的掩眼法。

又例如，埃及人首的表演，如果你不知其中奧祕，那必然使你大大驚奇的。

表演是這樣的——一個箱子放在圓桌上，然後，打開箱子，竟然出現一個埃及人頭，他會講話，解答觀衆的問題，持續幾分鐘之久，箱蓋關上，不久，再打開，裏面什麼也沒有。

是什麼原理呢？

這是由英人史杜第所想出來的，據說英女皇維多利亞讀過史的故事，甚感興趣，乃下令魔師在白金漢宮，經常表演。

事實上，這全是鏡子的作怪。眞是有一個人是坐在桌子下面的，他把頭伸出桌面吧了。他坐在八塊鏡子的後面，只要那邊鏡子的角度瞄準，互相反映，自然會產生錯覺，以爲桌面下空無一物了。

另一位著名的法國魔術師羅拔·侯丁，居然要向地心吸力挑戰呢。

通常這個表演是這樣的——一個小童作被催眠狀，垂直身子，分別側躺在兩條棍子之上，總而言之，全身的重量，全由這兩條棍子支撐的了。

兩條棍子支撐一個人，有什麼了不起呢？問題在魔術師突然將一條棍子拿走了！這麼一來，只剩下一條棍子，照常理身體必向下墜；可是，我們的表演者並不是這樣，他依然動也不動地懸躺在那裏，身體像兩條棍子的那麼筆直，一點也不屈曲！不受地心吸力所影響。

其實，秘密全在他身上那些特別設計的皮帶與鋼套，他倚靠它們，畧受訓練，便可以表演了。

新三國

在袁紹強盛的時期，威脅到曹操。袁曹二雄均無力顧及到江東的孫氏兄弟，孫策很順利併吞了江東。曹操挾了天子，還以安撫的手段對待孫策。以他弟弟女嫁了孫策之弟孫匡；孫匡是孫策最小的一個兄弟。孫匡字季佐，曾舉過茂才，沒有試用就死了。曹氏給他生了一個兒子孫泰。孫匡死時，年方二十多歲。吳志有他的傳。曹操又娶了孫賁之女做曹彰的妻子。又禮辟過孫權、孫翊，又命揚州刺史舉孫權爲茂才。這些都是曹操安撫孫氏的手段。

當曹操與袁紹相峙於官渡的時候，孫策暗中佈署，想在曹袁火拼的時候偷襲許昌以迎獻帝。秘密佈署。不料正當他積極待發之際，被吳郡太守許貢上了一道表章於漢獻帝：說「孫策驍雄，與項羽相似，宜加貴寵，召還京邑。若放於外，必作世患」。又不料許貢的表章被孫策的候吏（即斥候長）發現，將表章呈交孫策，孫策召許貢進見，孫策命武士將許貢處以絞死。許貢有一個不知姓名的食客，爲了要替許貢復仇，與許貢的小兒子（不知名）匿於江邊。時過孫出獵，正在追逐一隻鹿，因他所乘的乃是一匹駿馬，跑得飛快，從騎武士跟不上去，剩下孫策單人獨騎。許貢的食客和三名刺客潛伏亂草中，突出在孫策坐騎之前，孫策一見是刺客，拔箭射之，一人應絃而倒，其他兩個刺客恐怖已極，舉弓箭射向孫策，一箭射中孫策面頰。此時孫策從騎兵突至，把刺客殺死於草中。

孫策性格作風，酷似他的父親孫堅，甚至其結局也如同一轍，太胆驍勇，身爲一個統帥，輕佻冒險。陳壽評孫堅說：「勇摯剛毅，孤微發迹，導溫戮卓，山陵杜塞，有忠壯之烈。」評孫策說：「英氣傑濟，猛銳冠世。覽奇取異，志陵中夏。」最後說孫堅孫策皆「輕佻果躁，隕身致敗，且割據江東孫策之基兆也。」孫堅孫策都因輕佻而死於小人之手，良可歎也。

孫策被刺重傷，自知不能長久，把張昭召了來，吩咐說：「中國方亂，夫以吳越之衆，三江（吳淞江、錢塘江、浦陽是也）之固，足以觀成敗。公等善相吾弟！」孫策當着羣下面前，將印綬交與孫權，又對權吩咐了遺言：「舉江東之衆，決機於兩陣之間，與天下爭衡，卿不如我。舉賢任能，各盡其心，以保江東，我不如卿。」當天到了半夜，孫策就死了。死時只有二十六歲，眞正可惜！時爲建安五年事也。

四十、孫仲謀坐領江東　曹孟德自爲丞相

孫權繼父兄之業坐領江東。權字仲謀，是孫堅的第二個兒子。年十五歲時，便做過揚州吳郡陽羨縣長。吳郡察舉爲孝廉，揚州舉爲茂才，行奉義校尉。當時漢帝爲安撫孫氏，派了使臣劉琬（三國志無傳）前往加錫命。劉琬觀孫氏兄弟，極爲稱譽孫仲謀，說他「形貌奇偉，骨體不恆，有大貴之表，年又最壽」。對於其他二人，皆云「雖各才秀明達，然皆祿祚不終」。劉琬的相法相的一點不錯。孫權年幼一直跟孫策征討於江南。

（六十八）

國劇繽紛錄

鋆鑾生（一一三）

觀五台　看別窰

五台山會兒，自最近有唱片發行，始為人注意。以前大都列在開鑼戲，無足稱道。這與除三害受人研究，有同樣的趨勢。不過除三害以生為主，淨為輔（非普通的裏子），而五台山以淨為主，生為輔，適是相反。久不看電視平劇，日前忽演五台山，由馬維勝楊傳英配唱，精神甚足，看了很痛快。不過略有小錯，就是六郎不該把令公骸骨，放在屁股後面，應該擺在桌上。（以後五郎索看，就在桌上很對）

此戲之後，由陸光當家旦角張正芬演別窰，由李環春配平貴，提調似乎有欠考慮。正芬的表情與唱腔，均相當的好，很夠一聽。環春的功架姿式，也臻上乘，就是他沒有好嗓子，唱起來頗有毛澀之音，但非麒派，成為美中不足。此戲很少以武生來搭配，此為第一次——我相信任何名武生多不會唱好，亦不能怪環春，所謂不對工，是提調勉强為之。希望下次注意，以免掃興，尚此拜託。

少安闖奇徑

少安來書，以自經喪偶，深居簡出，閉戶研習，未嘗有意，前次組班，困難重重，無法維持而告散。近以復興劇校協助，月初在三軍托兒所公演三晚，其中有奇徑，即經名老旦王鳴詠傳授，演全本目蓮救母。此實國內稀有特別的一次好戲，不可不贊其毅力與遠見，為劇壇放一異彩。

少安有好嗓，以前反串釣金龜，極有好評。此次演劉青提，自五鬼來捉，經滑油山，至遊六殿，必可勝任愉快，允無疑義。其前尚有未來夫人周韻華與黃晉的斷橋，亦極生色。次夕全本鼎盛春秋，由戰樊城起，經長亭會，文昭關，浣紗計，魚藏劍，刺王僚止。與其師李東園一樣，後面反串王僚。浣紗女由周韻華飾，而張鴻福前演伍尚，後演姬光，是極佳的眞配，精采可看。

第三晚是秦香蓮，少安飾王延齡，反串包公，仍有周韻華的香蓮，張鴻福的陳世美，黃晉的公主，孫復韻的國太，搭配的嚴整，極為可觀。尚特煩盤復薇飾陳母，更其硬紮。此次演過，我仍望少安以後即如此安排，常請復興協助，使她們多得習練的機會，而可免組班的種種煩惱。如此則隨時隨地可演，比較簡單易為。

海光在奮袂

海光劇團，已久別了，聞說十二日起，在文藝活動中心，有七天的演出，報紙透露戲碼，可以看出他們是在奮袂。因有幾齣戲是相當的精采，是旁的劇團所未演過，或少演的也。（未完）

養虎貽患（童話）

○冰○

農夫日出而作，日入而息，勤勤勞勞，生活倒也過得相當愉快。康樂的人，生活是要求有點花架的，於是，村莊有時舉行歌唱舞蹈的晚會了，偶然，當農忙稍暇，也進行一點畋獵，這，既可寓遊玩的滅野獸，也可調劑一下刻板的生活。

一天，田老在行獵中，擊斃了一頭猛虎，但，在不遠處，看見有一隻乳虎在蠕蠕而動，一時間，為好奇所支使，便向前去將乳虎抱起，帶回家。

『田老，乳虎炆吃，是非常美味的。』有人這麼向他說。

『我不忍心殺牠。』田老喜愛之情溢於言表。

『這些兇猛的東西不是家畜嘛，當牠爪牙鋒利的時候，就不再認親的。』

『這個——』他頓下來沉吟。『馬戲班的獅虎象豹，不都是很馴順而聽話的嗎？』

『一來你不是馴獸師，二來那些懂得表演的猛獸也要鐵籠囚着，每出押登台，也只限於在一個鐵圈裏活動，而且電鞭嘩虎虎生威的在被人揮動着牠們野性難馴啊！』

他仍是搖搖頭，表示不很同意別人的見解的意思。

那人看着他，吁一口氣，有旣咲他的愚頑，也莫奈何他的用意。

歲月就這麼的打發了，好一大段。

乳虎，當經過了他的悉心飼養後，比原來的體格大得兩倍以上了，同時，也較靈活和似懂人意，誰捏拉牠，尤其是牠的主子，牠只要拍兩下手掌，牠就遠遠看見，就表現出萬獸之王的特點三縱兩跳就走近來，以爪抓他伸出的手，這向他撒嬌。他再對着牠那矯健的姿態很開心，認為當日的不管牠而食是一件幸事。

『喂，田老，你看牠以兩腳站起高與人齊了。』有人向他道這麼提示。

『牠長得很快嘛！』他豎開心地。

『當心牠野性一發，就不是一件等閒的事，牠會噬畜傷人。我看還是把牠關起來吧。』

『不必，我把牠[illegible]着待，或[illegible]犬，看守門戶，巡邏村子，狐鼠兎狼，自然不敢接近。縱有宵小之徒，也望而驚遁的。』

『這個——』，如能夠眞的做得到固然好，可是凡事也要從壞的方面去設想一下啊。』那人苦口婆心地，也有虎若患村，則彼此禍患與共的意味。

『你的話也有理由，不過，未到其時，不必實行其事，屆時再看情形才斟酌事實去應付吧。』

『這也是道理。因未雨綢繆固然未可厚非，再作杞人憂天式的喋喋不休，大可不必的。』不過，防虎為害，並不是杞人憂天，只是虎王其性固執，而這頭虎目前確也還算馴順，為了感情，沒有人再去議論他了。

不過，雖沒有人議論他，他自己却因虎而發生問題，那就是飼料的事。

虎，誰也知是肉食動物。初時，牠還算少，給點乳類吃吃便可以，因為他畜有牛羊馬豬等牲口，其中有些是在授乳期中的。稍後，單只是液體不能滿足牠的口腹，便飼以一點肉類，至於那些東西的來源，是他獵獲的鼠兎；因在村邊的林間屋後的小邱，只要花點工夫去獵捕，或設網作陷阱，都不難獲得。再後來，他就縱虎到林間去，由牠捕食小動物，如此，牠便回復野生生活的第一步了。（下）

吳永與慈禧

夜闌

拳變餘聞，記庚子七月八國聯軍入北京，慈禧太后挾清帝出走事云：『二十一日黎明，兩宮聞洋兵已入城，倉猝出宮。妃主均委之以去。兩宮均乘道旁騾車，王公內侍皆步行，出德勝門，炮聲不絕，趣行至貫市東，光裕駝行獻駝轎三乘，帝與貝子溥倫同一乘。太后皇后同一乘。太后衣藍布夏衣，尚未櫛也。帝衣黑紗長衣，黑布戰裙，臥具皆不及攜。是日勺水未入口，晚宿於民居。隨扈者——神機虎神營練兵千人，馬玉崑兵千餘人，兵無所得食，沿途掠於民間。時酷暑，途行甚苦，暮抵居庸關，延慶州知州秦奎良來迎，太后易奎良轎而行。二十四日，抵懷來，縣令吳永聞駕至，倉皇出跪迎大堂側，太后入居吳夫人室，皇后居其子婦室，帝居簽押房。太后手拍梳桌，命進食，蓋出京三日，僅進三鷄子也。隨啓奩自取梳櫛焉！吳夫人，會襲侯紀澤女也，為太后梳頭，太后乃命帝書硃諭，命吳令往東南各省催餉糈，以典史攝縣印。吳令進燕席，並選裝女衣，並進帝及大阿哥衣，蓋兩宮出京三日，始得安食易衣也。』此敘出走之狼狽，及沿途之苦況，均屬實情；惟至懷來後，有關縣令吳永之接待，俱不與事實不符，且語多有誤，轉吳字漁川，浙江吳興人，十九歲為諸生，從郭嵩燾習古文義法，郭以為致，薦於曾紀澤，頗受青睞，以次女妻之，時為光緒十四年，戊子，吳方二十四歲。及甲午前一年，以家貧親老，援例以知縣試吏直隸。二十三年丁酉，補授懷來縣知縣。二十五年己亥，曾夫人逝世。據吳氏口述劉治襄筆記之『庚子西狩叢談』所云：當吳接到延慶州之急諜，知兩宮有至懷來之訊，即為準備行宮，並出城至距懷來二十五里之榆林堡迎候。如謂：『予姊夫江陰繆石蓮延福，適於前月避難來署，予即請其多書堯天舜日等頌揚朱聯；西關有行台一所，本為大員往來過境公館，即預備此為行宮，連夜糊壁貼聯，懸燈結綵，掃除陳設，粗有可觀。』又謂：『予先室曾夫人於前一年己亥小除日逝世，未有子女，是時尚未續娶。惟予一姊一姪，適以前月來署，尚有一嫂，亦從在署中，餘則祗幕客數人，及京官舊友之避來署者，此外別無眷屬，祗得託姊丈代為主持照料。並借用民房舖戶廟宇，囑為布置掃除，以為王公大臣及隨扈宮吏公館。』試以吳所自述者，與拳變餘聞相較，則羅說殊失實。近他報載及此事，尚沿羅說，殆未細考也。

至吳永進鷄卵事，非由慈禧拍桌索食，乃命李蓮英傳語，西狩叢談亦曾詳述。至慈禧召見吳永時情形，叢談云：『先絮絮問瑣事，因言此行匆促，竟未攜帶衣服，頗感寒冷，能否設法預備？予奏謂臣妻已故，奩具箱篋，均存寄京寓，署中無女眷；惟臣母尚有遺衣數襲，現在任所，恐粗陋不足用。曰：能暖體即可；但皇帝衣單薄，格格們皆祗隨身衣，能為多備幾件尤佳。予奏答臣回署當檢點呈進。曰：爾可先回去料理。……予匆匆到署，即啓篋檢衣服，惟得先生母柯太夫人呢夾襖一件，尚覺完整，即以此件，預備進奉太后。又檢得缺襟大袖江綢馬褂，藍綢夾衫長袍各一件，擬進奉皇上。惟兩格格衣服無相稱者，繼思旗籍婦女可通用男子服，乃以予自用綢縐綫夾春紗長衫數件，拉雜湊置，並為一包，當即馳赴宮內呈送。予姊逝世，姊夫繆石逸新續娶，有鏡奩一具，予取以進奉，梳篦脂粉悉具。少間復傳起入見，則太后及皇上均已將予所進衣服更換，威儀稍整。兩格格亦穿予長衫，竹立門外閒看，不復如前狼狽矣！』所記亦足補羅說之誤。

兒女成羣述姻緣

明共

稱夫妻為配偶，這個『配』字實在太有意義了。

常聽人說，某君滿腹才華，樣子也帥，那位夫人却是個矮冬瓜，看起來多麼不配；事實上，他們竟如膠似漆，形影不離。也有說某君才不出衆，貌不驚人，他的太太却長得如花似玉，看上去何等的不調和，當下大有爲這位婀娜多姿的美人叫屈之意。其實呢，相配與否？不能僅是從外形上這一小部份來衡量的。我是個結過兩次婚的人，對此頗有體驗，不揣冒昧，我是一個獨生子，因勝利，猶在求學之年，當抗戰突然棄世，家中轉轉淒涼，父親雖然還不需要娶媳婦，而母親却迫切需要抱孫子。經過千選萬挑，終於娶了原有親戚關係的某小姐，拜堂（家鄉結婚禮）如儀後，我竟發現我的終身伴侶，與理想差得太遠了。她除了面孔能夠派司之外，她的悟性和意境實在太幼稚，談起話來，格格不入；她對我的個性喜好全不了解，為了討我喜歡，那做作的態度，尤其不忍卒看。她愈討好，我愈痛苦；可憐她，更可憐自己，這是未經者所不能體味於萬一的。在家時，我很少和她談話，好多事情我都去問我母親。家裏雖然這樣不調和，畢竟也相安無事。母親常常背着她責備我：『你這樣大了，仍舊什麼都問我；她也沒有什麼不好，你不能這般冷淡她……。』那時我眞無法答覆，也無法道出內心的痛楚。按理說，我母親這般對她愛護，她應由衷感激，格外孝敬才對，不料她竟不把這些放在心裏，實在是愚不可及的。

婚姻不滿，時局日非，我就決心外出。三十五年初冬，不顧老母淚眼滂沱，即踏上征途，去到那萬里迢迢的塞北——長春。那時雖年輕膚淺，但竟得上司的賞識，派為×師的一個團主任，即不說是少年得志，也算得一帆風順。此時，我母由家中來信，說自我外出後，媳婦怨謗百出，對她異常不好，無法忍受。而我的妻呢！却來信說婆媳和得，家中很好。這就弄得百思不解。經過愼重考慮，我就寫信給妻，意思是說我們的婚姻本來欠圓滿，如今你和母親又不能善處，我且遠離鄉井，不知何時始能返家，殊不忍她青春虛渡，勸其不須顧及世俗，協議離婚。但是她却很不為然，强調『一女不事二夫』，合情合理，我當然不再强求，只勸她以後善視老母，我將來一定好好待她的。

不久長春被圍，家書從此魚沉雁斷。三十五年，我於萬刧之餘，逃來此地，與家取得連絡，母親即來函促歸，謂媳婦狠毒，受盡她的磨折，如我不速作歸計，她將只有隨我亡父之一途。（上）

著名女間諜　姬麗絲妲的故事

○曾譯○

那個軍官又極力讚揚姬麗絲妲的勇敢和智慧，她的仇人是誰呢？可能是從前的納粹黨員。在第二次世界大戰期內，姬麗絲妲曾由降落傘到敵軍的陣地後方活動，在戰後她有沒有利用降落傘到鐵幕國家呢？她有沒有參加自由波蘭運動跟蘇俄作對，上校沒有講及她的現時工作，也不敢肯定姬麗絲妲是否已脫離了情報局，但他很樂意敘述她過去的一些勇敢的行動。

甘慕力上校在法國初遇姬麗絲妲，當時她的秘密名字是叫做『積昆蓮雜蔓』。在一九四四年的一個夜晚，甘慕力上校在法國東南部的一個高原地帶指揮三千名法國地下工作人員，美麗的姬麗絲妲利用降落傘落在離他們的據點不遠的地方，當時風力很強，那個女降落傘員墜地時所配帶的長槍也因撞地破壞，但她幸得無恙。有六名德軍過去想拘捕她，但被姬麗絲妲發覺立即向他們拋了一枚手榴彈把他們結束了。她隨後投到甘慕力上校麾下，她担任許多次破毀敵人的工作，都非常成功。（五）

自由報
THE FREE NEWS
第一九六一期
中華民國僑務委員會登記
每份港幣壹角
社長：雷嘯岑
督印人：黃行普
20, CAUSEWAY RD 3RD FL.
HONG KONG
TEL. 771726　電報掛號：7191
承印者：大同印務公司
台灣分社

論反共運動的策畧問題（下）

雷嘯岑

自由世界的集體安全公約，祇在對付冷戰方面，能夠發生效用，非所語於局部熱戰也。對付局部熱戰的策畧，基本上要藉重於民族主義，使當地政府和人民認爲這是關係本身生死存亡的自救行動，而非爲他人作嫁者，這叫作「自發的戰爭」，大家劍及及，唯力是視，知道是因何而戰，爲誰而戰。蘇俄就是採取這種策畧以進行蠶食性的局部熱戰，若逢形勢不利，深信無法制勝時，即以第三者姿態，提倡和談，往事歷歷可稽，世所共喻。

美國指導自由世界局部熱戰的策畧却異是。挺身而出，事必躬親，不但戰鬥計畫和行動都要由美方作主，即對於情報事項，亦不相信當地政府供給的資料。不特此也，且須以作戰地區實行美式民主制爲其參戰的先決條件，否則不惜棄置不顧，或者策動政變，先把朋友打倒，再跟敵人戰爭，却不管該地區的實際情形，是否具備了實施美式民主制的資格。不特此也，美國一方面强調集體安全作用，號召自由國家共同參戰，然對於願意出兵參戰的自由國家，又表示或迎或拒的好惡心情。這樣便是十足的「領導的戰爭」，大大損傷了作戰國家的民族自尊心，使當地政府和人民，感覺他們只是替美國利益作戰的「傭兵」，而與自身無關，越戰情形即係很確切的例證。「自發的戰爭」和「領導的戰爭」，效力迥然不同，結果也就兩樣，美國過去在韓戰中死傷了十萬名以上的戰士，耗費了幾十億金元的物力財力，祇落得一個「紙老虎」的頭銜而下場。如今在越戰中，派遣了接近於韓戰的兵員，還要標榜「不求勝」主義，隨時向敵人甘言求和，而越南人民始終不明白這場戰爭究竟是爲着甚末原由而發作的，一些熱中政治利慾的宗教徒，且高呼「美軍撤出去」的口號，表現着以怨報德的變態心理，毛病就在「領導的戰爭」，抹煞了民族主義的潛力啊！

美國對於運用集體安全公約的冷戰策畧，也同樣犯着「領導的戰爭」毛病。法國總統戴高樂之退出北大西洋公約組織體系，反對盟軍總部設在法國境內，即源於民族自尊心的關係，因爲法國以東道主地位，而在公約體系的軍事組織中，祇能担任偏稗的副手末將，一切都要聽命於美方，沒有絲毫自發自動的權力。就自由世界反共運動的全局利害設想，只要戴高樂不將法國帶進「華沙公約」體系內，依然站在自由陣營的行列中，讓法國退出北大西洋公約組織，另搞歐洲共同市場，與西德聯盟領導西歐地區的自由運動，這對反共前途的裨益，并不在北大西洋公約之下，因其爲自發的鬥爭行動也。美國人可以指摘戴高樂自毀長城，妨害集體安全制，其他自由國家的人士，亦對戴高樂之退出北大西洋公約申申而詈，即不免愚昧之譏。老實講，美國以外的自由國家，只求反共運動能夠成功，并不想、也不必要跟別國爭政治地位的高下。大家固然期望着美俄爭霸的最後勝利屬於美國，但在反共方法上，却不必專爲美國的馬首是瞻，民族獨立精神和自尊心，非保持不可，否則同是做別國的附庸，同是毀棄民族自尊心，唯之與阿，相去幾何，於美俄又何擇焉。

二次大戰後的英國，陷於疲癃殘疾的景況中，賴有美國的「馬歇爾計畫」，援助英國脫出苦境，經濟得告復甦。然英國於勉强渡過難關之後，即發出「要貿易，不要援助」（Trade No Aid）的要求，表示自力更生精神。英美同種同文，具有深厚的血緣關係，在國際上遇事兩國併駕齊驅，分庭抗禮；美國對英國亦特別尊重，并不像對其他接受美援國家之頤指氣使，挑剔責難。但英國還是願意放棄美援，自求多福，這就是民族思想的關係。英國的心情如此，其他接受美援的國家，莫不皆然。美國朋友不瞭解這點訣竅，漠視了民族主義的潛力，而使動機善良、耗費龐大的援外計畫，竟變成「以金錢購買友誼」的市儈行爲，太可惜了！

「紅衛兵」把戲之一

「紅衛兵」把戲之二

今日與明日

毛共「新躍進」的幻夢

一九六二年起的最近四年中，毛共一再宣傳「經濟顯著好轉」，一些半吊子的西方「專家」或「權威人士」，亦有類似的論調。其實，這完全是胡說「九」（酒）道！

毛共發展所謂「國民經濟」的基礎，主要是靠農業生產。農業生產好，則其垂危的政權，可以稍喘一口氣，如果歉收，則其本來就已動搖的罪惡政權，必益形不安。近七年，毛共日走下坡，其原因固然是由於毛酋無視現實倒行逆施有以致之，但主要原因，則是因爲連年歉收，起了連鎖作用的影響所造成。

毛澤東林彪小集團，因爲出動小流氓組織所謂「紅衛兵」到處橫衝直撞造成多次流血事件，鬧得天怒人怨，如果繼續「造反」下去，可能把毛林二酋「造」瓜，把毛共政權「反」掉；所以，毛林二酋以「幫助秋收」爲名，「發配」小流氓們到農村去監視農民「作好秋收戰鬥」，俾讓各大城市與「紅衛兵」對立的怒潮緩和一下；同時爲欺騙內部和國際間的「睜眼盲人」，當時間進入九月後，它在高喊「把無產階級文化大革命進行到底」的同時，也大力宣傳「生產的新躍進」。特別是九月二十日，毛共「謊言掛帥」和「突出造謠」的報紙，均謂「今年是個豐收年」。並指稱農村已開始秋收，共軍和「紅衛兵」已分赴「農業戰綫支援」云云。不用說今年秋收不但不會比去年增產，就是增產今年糧食產量也不如去年。去年不如前年，前年不如大前年，簡直是「王小二過年一年不如一年」！去年（一九六五）毛共統治下的大陸糧產量約一億八千萬噸，比一九五七年少五百萬噸，比一九六四年減少三百萬噸。而一九五七年大陸人口總數爲六億四千六百萬，然到一九六四年已增至七億四千三百萬。人口增加一億，而糧產却連年「大躍退」；儘管毛共乞靈於「殺」這個「一字憲法」，企圖達到一箭雙鵰的目的——一方面大事屠殺以減輕人口壓力，一方面用屠殺來迫使農民「幹勁衝天」，但因大陸上除農民消極抵抗破壞毛共農業生產計畫外，再加上各種條件無一具備，所以，其「爭取好收成」的幻夢永遠作不成。

一九六六年爲毛共所謂「第三個五年計畫」的第一年，而這一年作爲其「投資」主要來源的農產已經落空了。估計大陸糧產量三分之一的良收，不但未豐收，反而是減產五百萬噸。同時，由於毛林小集團搞「文化大革命」，年間約一億三千萬美元的「僑滙」收入也受到嚴重影響，由逐漸減少，進而呈現斷絕狀態。

毛共所夢想的「生產新躍進」已成爲泡影，不管它怎樣喊「抓革命，促生產」，由於經濟陷於崩潰的境地，既無可「抓」，更無可「促」。最後歸於滅亡的結局是不會太久的了。

（何如）

自由談

專門給二三强權國家作宣講台，光道廢話的聯合國大會，又像煞有介事開幕如儀了。

不用提啦，大會中吵鬧得最起勁的題材，首先就是所謂「中國代表權」問題，俄共代表和東歐的附庸嘍囉們，齊聲反對中華民國代表出席，其他弱小國家的預會人員相率發表議論，莫衷一是。英美代表坐在一旁欣賞大家鬧鬨，「粒聲唔出」，等到大家鬧夠了，乃以聯合國「大老闆」的姿態，提議投票表決，結果是以「差不多」的票數，否決俄共代表的主張，表示對中華民國又一次幫了大忙！

中華民國是聯合國的原始創立者，現在跟全世界的大多數國家依然結交如故，幹嘛還要發生所謂「中國代表權」的問題呢？你們如果願意蛇鼠一窩，要教毛共政權加入聯合國，那是另一回事，而中華民國是否羞與爲伍，亦用不着你們操心。每次會議居然恬不爲怪地吱吱喳喳討論「中國代表權」，實在是對咱們中國人莫大的侮辱，去你的！

法國拒絕參加原核子禁試會議，這是關係全球人類安危禍福的大問題，聯大會議爲甚末不提出來辯論一番，投票表決呢？當年蘇俄以大軍血洗匈牙利人民的爭取自由運動，聯合國爲甚末又裝聾作啞，視若無睹？以維護世界和平秩序，保障人類自由生活爲職責的聯合國，固應如是耶？

據說，這次聯大會議要討論越戰問題，這更是小題大作的瞎話三千，恰如我們湖南話：「扯卵談」！聯大討論越戰時，敢說美國出兵反抗共禍是破壞世界和平？或者認爲越共應該侵佔越南嗎？假使有一如此，無論能否生效，總算是有種的行爲，僅作空談而止於呼籲和平，那便是無謂已極的卵彈琴，可恥孰甚哉！

可惱可恥之事

馮三先生

咱們政府爲着聯合國代表權這項不應該有問題，每年都在外交上要緊張一次，也不知冤枉花了若干金錢——連同繳納聯合國會費在內——實在是浪費，而今而後，可以休矣。咱們只要在國際上能夠搗亂，使强權主義者感覺頭痛，即令不光復中原河山，你看聯大會議還敢討論「中國代表權」問題不？夫人必自侮而後人侮之，國必自伐而後人伐之，自己不爭氣，就難怪受辱召侮了！

怎樣消除亞洲共禍

世界動亂之源在亞洲，而以中國大陸上的毛共政權爲禍首。蘇俄利用亞非各國地區的第五縱隊，藉內亂方式到處進行蠶食性的侵襲擴張計畫，而揚言共產主義并非輸出品，表示跟俄共無關，意旨就是要避免觸發全面大戰，狡詐極了。美國以維護世界和平爲己任，對東西各個自由國家，分別作下安全互助的承諾，然心裏又抱存着重歐輕亞思想。於是乎，在亞洲方面對付共黨掀起局部侵畧戰爭的方針，乃採取「不求勝戰」的所謂「警察行動」，開古今戰事所未有之奇局，而託詞於避免全面大戰，又說是「在錯誤的地區，跟錯誤的敵人，進行錯誤的戰爭」，這在理論與事實上都是自相矛盾的。由於重歐輕亞思想作祟，美國對於毛共在東方製造的局部戰爭行爲，總是以蘇俄可能介入的自我估計爲口實，藉以掩飾其不可告人的隱衷。迨毛共與蘇俄反目分裂後，英美又發明一種對付亞洲共禍的新理論，認定毛共下一代的人物，可能改變對外政策，願走「和平共存」路綫，於是乎「圍堵而不孤立」的說法，洋洋盈耳了！這些想法與作法，正中着俄共的下懷，求之不得，因爲它害怕全面大戰的心情，遠比英美爲甚，既能暢行蠶食性的局部擴張陰謀，又無觸發毀滅性的全面大戰之危險，何樂不爲呢！

至於毛共，根本就不怕全面大戰，且希望發生大戰，使世界人類都淪於「一窮二白」的生活中，實所企幸。它對英美這套反共的心理與作風，看得清清楚楚，如見其肺肝然。（下轉第二版）

儘管美國求和心切
越戰解決仍遙遙無期
主要原因爲毛共絕對不要和平
．紐約通訊．

軍隊，畢竟還需要多少金錢，武器，人命，以及時間，才能贏取這場越南戰爭？這一直是大家所欲知的問題。目前，幾乎所有美國人民，均爲這個難測的問題而懊惱，但却沒有一個人能給予滿意的答覆，甚至詹遜總統亦復如此。

一般人對越南問題的最樂觀看法是，美國已經挽回了越局的頹勢，而且也曾贏得了些許軍事勝利，但這輝煌的作戰成就，並不曾有助於政府統治地區的開發；譬如，直至目前爲止，越南的鐵路，仍舊陷於一種癱瘓狀態。甚至公路行駛，也談不到安全。顯然地，這些廣大鄉村地區，仍爲越共所擾亂，而綏靖節目的推行，仍舊不如理想。

美國軍方現正積極從各方面抽調兵力，用以增援越南，日前，美軍增援越南的數字，約卅一萬五千名左右，據估計年底將增至四十萬。但屆時若越局仍沒有重大的轉機，則美軍的人數，可能繼續的增多，其初步預定目標爲七十萬餘。

最近，一位美軍將領曾作出了越戰將持續八年和動用美軍七十萬的預測，但却爲華盛頓打了一個大折扣。原因是此種令人喪氣的預言，竟於美國會選舉年頭提出，殊有令詹遜政府大煞風景之感。在另一方面，一般美國高級政府官員的看法，也與此迥異；他們絕不相信越戰將延長如此久。雖然所有美國政府官員，均拒絕公開對越戰作出肯定的預測，但就一般的估計，這場戰爭在一九六八年春天將有重大的轉機。

至於共黨方面，顯然已經失勢，無論如何，一年前的軍事勝利，已告完全破滅。目前河內政權正呼籲人民，準備長期作戰。顯然地，他們正希冀以時間挫弱美國的耐心，繼而迫使美軍自越南退出。但這是一種眞正的如意算盤嗎？目前北越的民心士氣，已經低沉不堪，雖然滲入南部的北越軍隊，仍不時戰鬥者作戰，但此種戰鬥意態續多次，殊堪懷疑。

直至目前爲止，越共與北越軍仍不曾發動着一場大規模的雨季攻勢，充其量也祇是游擊式的突襲。但是，根據情報方面透露，北越軍仍舊持續的向南部滲透和集結，其目的不外是準備於美國會選舉前後發動一場大規模的奇襲，進而予美軍以重創，甚或影響美國的選舉。相反地，如果北越軍將來可能改變戰術，即轉而進行一種純粹的游擊戰爭。

然而，有些人對越局的看法，與此間迥異。他們的持論，似乎更加樂觀一點，事實上，他們認爲北越軍的大量集結，也不過企圖維持一種軍事均勢，以俟機會成熟時，來談判越南問題。但是目前仍沒有任何跡象顯示，河內政權準備談判越南問題，雖然華盛頓已經遣巡迴大使哈里曼隨時隨地準備出席談判。

根據有關方面消息稱：目前河內政權正希冀美國民主黨於十一月國會選舉挫敗，如此迫使詹遜總統終止越戰的持續，這項消息不僅會頻頻自河內傳出，甚至威爾遜於七月間訪問莫斯科時，也曾聽聞此說。如果北越果抱此種幻想，則殊屬大錯！根據最近白宮所舉行的民意調查，一般美國人民對生活費用的提高，房租的增加，較之越戰的發展尤爲關切。

固然，美國公衆與論，曾不時地對越戰感到無比的混亂和懊惱，但絕談不上大力反對。至於不久前的大量美機被北越炮火擊落，也僅被視爲一種偶然事件，絕非任何戰局的逆轉。當然若此種不幸事件，竟接連的發生，美國人民可能會爲之譁然。但事實絕不如此，根據事後調查，美機空襲北越曾連續兩日大量被擊落事件，主要因爲飛行員受到嚴格的政治限制，選擇目標，集中轟炸，但又不能隨便攻擊敵人的炮火陣地。

對整個越局的發展，這仍屬次要問題。事實上，爲一般美國人民所關切的，[illegible]日期愈逼迫。其次，若就最近美國會初選的結果來看，以反對越戰爲競選政綱，絕非一張勝利的王牌。譬如，以反對越戰見稱的奧列岡州長哈福特，於此次參議員初選中，竟失却了百分之廿的選票。至於其未來國會選舉時的勝負，仍當是一個大問題。

在原則上，一般美國公衆輿論，是堅持贏取這場越戰。至於撤退之說，從來不曾爲他們考慮過。如此，目前詹森總統仍以大量增派美軍入越爲政策的重心；在美軍數字增大至一定的限度時，越戰的形勢，將必然出現一種新的轉變，雖然這仍需要時間來鑑定。

滇緬邊國軍游擊隊近況

那天恰巧有四百名段將軍的隊伍，奉命離開他們的總部基地，前往緬甸邊境。開拔前，他們還列隊等候檢閱，和逐個點名，走過他們的長官面前，然後出發。

「他們是奉段將軍命，前往公幹。」有個總部的官員說「不過，他却沒有說明他們的公幹，是怎樣的一項任務。」他們每天要步行八小時，差不多要走一個月，才能到達中國大陸的邊緣。」

這批剛要出發的士兵，與及另外約三千一百名他們的同志，均以湄薩朗及其附近的泰北山嶺爲基地。這支穿起了草黃色制服的隊伍，散佈在遙遠的寮泰緬三角邊界，組成了一支最大而單獨的反共武力。

自一九六一年後，他們在湄薩朗，即建立起訓練中心來。他們教育了將近六百名中國難民的兒童，並建築起了一道防止共黨滲透的堤壩。泰國人私下頗表感激。

流亡在湄薩朗的一百七十二個家庭，從不毛的山地中，胼手胝足的，開闢出他們的生活的田園來。他們養豬、種菜，並用騾車從鄰近的泰國鄉鎮，販運商品來開設商店。救活了那些許久以來，即賴種植罌粟，以供應世界上尼古丁買賣需要的阿卡族、苗族和其他的山地土人。

一個在曼谷的美國專家說得好：「段將軍跟其他山地土著民族一樣，沒有多大選擇的餘地。他沒有獲得任何方面的援助，並且又要維持一支有訓練的軍事組織。他們唯一的收入，祇好倚靠掩護鴉片烟土運輸商隊，收取稅捐。」

段將軍的部隊，看來絕似一支強悍的正式軍隊。他們戴着一頂草黃色的壘球隊員所戴的帽子，脚着顏色不同的襪子和皮鞋。每個士兵，最少要背上六十磅的物品——包括五天糧食，盛在一個白布造的馬蹄型的圓口袋之內。一雙特製的橡膠底帆布鞋，或者一雙暑天便鞋。一頂塑膠的太陽遮，和一份正規行軍的裝置。有些人並且要背着一個造飯的鐵鍋。

每個小隊，均配有一具小型的手提無綫電報機，一挺輕機關鎗。這些武器，絕大部份是美國製品。例如二次大戰的卡賓鎗，和M—1式來復鎗，所有的鎗械管口，都厚厚地塗抹上油質，以避免雨季的雨水淋濕。

「你看見，都是美國軍火，」有個軍官說道：「但絕不是美國人送給我們。是由我們用美金購買回來。每顆來復槍子彈的代價是一角哩。」

那個參謀人員，拒絕透露出售軍火商人的姓名。他用大笑來答覆這個詢問。據美國在曼谷和永珍的消息說，他們許久就獲得情報：五角大廈將一部份軍火，送給了寮國待遇不佳的隊伍。其中小部份流入泰國其他買者之手。——反叛的緬甸土人，中華民國流亡部隊，和苗族，於泰國東北部的共產黨游擊隊。軍火走私，盛行於這個地區，已有數十年之久。

在課室中，有二十個中國的青年，正在練習跪地爬行。另外一個生得結實的中年男子，他是個導師，在旁邊指導。「他們是在接受特殊的訓練，以備越過邊境，進入中共大陸。」那個參謀人員說。「[illegible]援他們抵抗共產黨的戰術。」担任教練的，是一個年紀三十二歲的人。他從前是中共邊界警察，逃奔到自由區來。他知道所有進入雲南的路徑。他的同僚說道：「由這裏進入中國大陸，比任何地方都容易得多。」但也並不等於簡單的散步。（中）

台灣省農會理事長
朱萬成談農會虧損的內容

（本報桃園縣記者鄔維孚航訊）台灣省共有廿縣市，自從光復以後，雖然由農業社會，經過廿一年來的改進，進展到半工業社會了，但因其主要的產品，還是以農業爲主，而以工業爲副，譬如台灣所出產的糖、香蕉、大米等，均爲農產品。

台灣省農會理事長朱萬成先生曾對記者說過：「我們台灣的農業技術、品種、灌溉等，在亞洲國家來說，不愧爲最進步的。在日本及韓國，他們雖然施肥用飛機在空中普遍散播于稻田中，這不過是在工作上減少人力消耗的一種方法，其所收的效果却不均衡，而田中的秧苗並不能普遍均勻受惠。」

記者問朱理事長，台灣省高雄縣與桃園縣兩個縣轄鄉鎮農會多數都有虧損現象，是什麼原因？他說：虧損的因素很多，一是人爲的關係，二是基礎的問題，三是多數鄉鎮派系紛爭。不過近年來經過政府的輔導，和地方人士的團結與改進，高縣原有十一個鄉鎮虧損農會中，有些原已陷于癱瘓狀態的，如路竹，田寮、阿蓮、鳳山等農會，均已逐漸復興，大致都已彌補了。

據記者所悉，目前桃園縣有五個虧損農會，據縣農會統計有蘆竹鄉農會虧損二百六十六萬一千九百五十三元，楊梅鎮農會有二百二十二萬七千○九十元，中壢鎮農會有二百六十一萬六千九百五十二元，龜山鄉農會有一百七十一萬一千九百二十三元，龍潭鄉農會有三十七萬六千一百七十三元。由于虧損甚鉅，情形非常嚴重，省府于八月份開始，除派員分別駐會督導外，並將縣府農會輔導課人事全部調動，遣兵調將，甚爲忙碌。省府此一舉措，看來是拿出最後一招，非切實整頓一番不可。若能將這五個農會從虧損中，轉而爲盈餘，這不但是五個鄉鎮農民的一大喜訊，同時也替桃園縣主管當局分憂解愁。記者于日前曾走訪楊梅鎮農會總幹事周朝洋先生，要瞭解一點農會虧累的原因何在？他以沉重的心情，只說了幾句話，他說：省府的輔導辦法都很多，坐鎮督導也沒有用，這些辦法與輔導，只不過是治標而已；唯一治本之法，是要存欵多。以本會目前來說，虧蝕二百多萬元，每月利息就要六萬多元，平均每天要付出兩千多元的利息。而現在本會每天所盈餘的只付利息都不夠，尚有員工的薪金即無着落，以致舊欠未了，利上再揹利，別無開源之道，怎能不虧呢？他認爲省府要能夠貸欵總有改進希望，輔導歸輔導。本會目前的存欵不到六百萬元，地方上開闢財源的辦法很多，但是沒有經濟支援作後盾，一切都是幻想。

論反共運動的策略問題

（上接第一版）

它儘管反對俄共的修正主義，誓不兩立，却不愁俄共有兵戎相見之可能；它大力反美仇美，更知道美國不會、也不敢訴之於武力手段，以逸待勞，爲所欲爲。[illegible]

各個有色人種弱小民族國家中，頗有煽惑[illegible]往，給共黨的局部侵略擴張陰謀，增加思想[illegible]

滬海異趣談

英國兩賭馬大亨鬥法記

・桑雅・

香港的賽馬季節快開始了，大家不妨看看下列兩個「英國賭亨」的鬥法故事：就這樣開始吧！

去年英國的各式賭博，來往的銀碼，數字可達九億一千五百萬鎊之巨，至于賭博俱樂部這方面的數字也有二億鎊。換言之，每週在賭博用途的錢，共達二千萬鎊｜這麼龐大的數字，其中大部份是下賽馬方面的，去年的是下注額，便已漲百份之五十，共六億一千萬鎊。

不用說，現代人對于賭博是狂熱的，但，大家亦可不知，這不是現代人所僅有的狂熱。追溯到維多利亞時代，情況一樣非常熱閙。當時有一個人名叫哈利．希士丁侯爵，他爲了賽馬，傾家蕩產，年僅廿六，便一命嗚呼了。起因不外爲了討好女人的芳心。

在大部份英國人的眼中，他仍是一個「偉大」的賭徒。他曾肯付一萬二千鎊（相等于今日的十萬鎊）購買一匹馬；在週年大賽中，爲了同一匹馬，他竟輸去了十二萬鎊。那塲的大熱是「隱士」，馬主是亨利．卓別靈，是一個非常富有的地主。如果「隱士」跑不出，他更輸得厲害，他共下注了十四萬鎊，以今日的銀紙計算，可值一百五十萬鎊之多。

如此一塲豪賭，便是發生一八六七年的英國。此情此景，今天也瞠乎其後。

一八六○年間，哈士丁抵達牛津，他還不過是十八歲的大學畢業生，那時已被認爲是「賭馬大王」了。據說，他的賭博習慣在易通大學時，已養成的了。而且，他的酒量也不錯。事實上，他什麼都賭，從沙蟹到賽馬，都會引起他的興趣。不過，他終于遇到一位勁敵，那便是亨利．卓別靈。亨利是有錢仔，剛承受二萬五千畝地的遺產。當時，威爾斯王子伯弟也常與他往來，視爲「死黨」。

亨利嗜愛打獵，身手倒不凡，伯弟對他非常傾慕，有時幾乎連母后的主意也違背。伯弟受了亨利的影響，還學懂了抽烟。

話分兩頭，哈士丁廿歲那年，在倫敦的林瑪酒店下榻。這酒店的咖啡廳，是馬迷聚集之所。附近便是紅燈區，不少賭客賦了錢，便召妓女，十分方便。難怪當時林瑪酒店被稱爲「賭鬼的天堂」。

一八六三年間，哈士丁每年的入息是二萬鎊，他已成爲著名的「馬主」，旗下有馬十七匹。廿一歲生辰那天，恰巧便是他被選爲馬會董事之日。

哈士丁的愛情生活似乎却不大如意，他這時結識了碧珍，立起愛慕之心。碧珍是貴族出身，如花似玉，雅號爲「袖珍的愛神」。幾乎是同時，亨利也在一個塲合認識了她，自然抗拒不住她的美貌。

由于碧珍的存在，哈士丁與亨利碰頭一下子便成爲情敵了。亨利常在上流社會出入，自然佔優勢，他的追求手段也確有一套。當愛情被捲入賽馬塲，兩人的衝突便更白熱了。

哈士丁的練馬師是約翰弟列，騎師是佐治．霍咸。佐治與佛蘭．雅治被列爲當時最享響的騎師，不過，佐治的年齡大一點，而佛蘭似乎更具膽識，他對于金錢奉若神明。佐治像哈士丁一樣，喜歡杯中物，而他個性害羞，不愛出風頭。唯其如此，他才榮獲十四次騎師冠軍，共贏馬共二千五百八十七次之多。但他內心裏，佛蘭是他的眞正對手。

佛蘭廿九歲時，吞槍自殺。他的戰路也是非凡的，共贏頭馬，二千七百四十八次，只是彩金不夠佐治多。

現在，回到哈士丁與亨利兩人的身上。後者雖然要向碧珍求婚，但出乎意料，她願嫁哈士丁，因爲她喜歡他賭馬的豪氣。這種豪氣並不長久，他的馬匹連戰皆北，正如本文上述，最傷心的一役是「隱士」跑出，于是他傾家蕩產，負債累累，他雖廿六歲，却已表現出身心交疲了。一八六八年十一月十日，他終于因心臟病而逝世。

標準時間創始人的故事

若愚

創定標準時間的，是美國人道德查里氏。他生於一八二五年四月廿五日紐約州會阿爾班尼北面的薩拉拖迦泉。他在那裏曾担任婦女神學院院長達三十五年之久。他是耶魯大學的畢業生。他自從大學畢業後，在教育工作之餘，鑒於美國全國鐵路機構當時所採用的時間，常因各地而異，完全沒有一個標準，統一的時間，對於交通方面，未免諸多不便，障礙重重。因此他便立下心願，決意要創造一種標準時間制度，俾便把美國各地不同的時間劃一起來，以利交通！

他常常與美國各地鐵路當局聯絡，磋商研究；美國鐵路當局亦感到標準時間的重要，亟需建立，並認爲道氏的意見與辦法非常寶貴。道氏在他們的協助與鼓勵之下，更加倍努力，埋首研究，孜孜矻矻，即於一八七○年，完成了他的驚人巨著「鐵路的國家時間制度」一書（此書厚達一百零七頁，現在美國國會圖書館還存着一本）。他以西緯七十五度做基本，分美國爲四個時間區域。這本書在當時，凡是美國鐵路人員都人手一冊。

道氏這個頗有時代性的偉大計畫，在經過耶魯大學、西點軍官學院、和紐約州天文台長的認可後，即準備開始實行。不幸，由於當時美國各地的鐵路局，互相競爭，意見分歧，終使道氏的計畫被擱至十二年之後始實現。不過，一八七七年，紐約市是首先實行道氏的標準時間計畫的一個區域。正午的時候，一紅色的橡皮汽球在很高的紐約市中心區上空，上面標示着標準時間的正確數字，以便全體市民都可以看到。

然而，當一八七九年時，加拿大太平洋總工程師傅勒銘氏，又在托朗托加拿大研究所提出一篇論文，名爲時間計算；建議全世界時間制度應求劃一，統一標準。至一八八一年，萬國地理學會在威尼斯開會，傳氏即建議鐵路當局應一律採用標準時間，經各會員認可。因此，後來很多人都說標準時間，是傅勒銘氏所創定的！

迨一八八三年，美國各鐵路當局彼此取得諒解後，即於是年十一月十八日，美國全國七萬八千哩鐵路的主管人，才開始實行全用標準時間的方案。當時，美國全國共劃分爲四個時間區：第一區是西經七十五度，第二區是西經九十度，第三區是一百零五度，第四區是西經一百二十度。完全是根據道德查里氏所實施的「鐵路國家時間制度」一書；因此，道氏才眞正是標準時間的創始人。

現在，爲求應用方便起見，全世界各個標準時間區的分界，已並不完全是完整直綫的了。

在航空發達的今天，時間的應用愈關重要，飲水思源，我們都得感謝道德查里氏的功績。但很不幸地，道氏於一九○四年十一月十二日，竟被火車撞死了！

聯合國總部爭奪戰談往

・晉楚燕・

聯合國正在舉行廿一屆大會。讀者們不消說都知道聯合國總部設在紐約。但廿一年前這還是經過一塲激烈鬥爭才告決定的，可能許多人都不再記得了吧？

一九四六年世界各國都想爭取聯合國會址設置，當然，經投票結果，以美國爲最理想，而在美國則以紐約爲合適；那時紐約市政建設委員會，急切地在紐約尋找適當的位置，來建造聯合國的永久總部。

石油大王洛克斐勒五位公子：約翰台維遜第三、納爾遜、勞倫斯、溫脫洛普和最小弟弟大衛，對社會公益事業熱心支持，老二納爾遜就被市長指定爲紐約市政建設委員會之委員。當時納爾遜曾有意思看中自己家族的產業洛克斐勒中心劇院來作爲聯合國大會會塲，但是爲了契約及其他種種關係，祇好放棄他的願望。那時其他城市如費城、舊金山等都向聯合國辦事處申請要求在那裏建立。十二月十一日最後投票時，納爾遜因公遠在墨西哥，他急切地飛回紐約，作最後的爭取；但成功湖方面却傳來了一片失望的報告，因爲大家都對紐約方面尋找適當的地址都無能爲力，各國代表們的眼光都集中費城方面發展，在最後投票的二十四小時前，納爾遜猶在作努力的爭取，因爲他得到消息，各國代表心目中紐約仍爲最理想的地址。他與他的好友佛蘭西斯．納密遜在辦公室內商討爭取的辦法，當然祇要在紐約找出適當的地址，各國代表都會贊成投紐約方面一票的。

納爾遜與納密遜在辦公桌地圖上，逐一數點着洛克斐勒在紐約的產業。一直指到赫特遜河邊，納密遜指着一塊地區——樸肯地區來徵求納爾遜的同意，當然納爾遜自己知道兄弟中對公益事業的捐助是從不讓人的，但那邊樸肯區正是大哥約翰的產業，何況那邊剛完成新的房屋。他不得不掛了一個電話給遠在佛吉尼亞的大哥，請問他是否可以採納？如他允許的話，他的一片新建築得馬上拆除。大哥約翰的回話正表現他的豪爽，他說：「這批建築剛造好，馬上拆掉，眞有點可惜。不過若這個建議是解決問題的最好辦法，那我還是捨得。」那時小弟大衞正在紐約，他建議能否化錢買其他地方來替代？但是在急切的期限中，找不出適當的對象。同時在聯合國美國代表華倫．奧斯汀還希望地點儘可能接近市中心。樸肯區當然還合理想，但總覺離紐約市中心區太遠。突然納爾遜想起曼哈頓附近有否辦法找出一塊地來？他得知那邊有一塊地準備興摩天大樓，原有的貧民住宅，遂漸拆除中。他馬上與那邊負責人索根道夫聯絡，且華盛頓方面打來電話，當時的國務卿貝爾納斯聲明對他們的熱心捐獻感到欽佩；同時政府同意他們的贈與並可以免稅。紐約市長威廉也來信說可以在附近讓出幾處重重的交通要道。離開會前三分鐘，美國代表奧斯汀携帶了這批文件向成功湖的聯合國總部建造委員會交卷，當時建造委員會主席爲哥倫比亞安哥爾博士，他向各國代表宣佈洛克斐勒這項熱心的捐獻，獲得了各國代表一片的掌聲。不久在曼哈頓地區，就矗立起了舉世矚目的聯合國總部大廈。

對方認爲能出八百五十萬元的代價，他可以放棄他的計畫。當然八百五十萬不是一個小數目，經納爾遜幾個兄弟商討的結果，還是請他們的父親老洛克斐勒。洛氏聽了他們前後交涉的結果與辦法後，不遲疑的答應由他出助八百五十萬來購置這片土地。他們兄弟與奮地在最短時間完成了這項交易，那時離開會祇十分鐘而已。

建安五年，孫策遇刺於小人死後，孫權悲痛不已，時長史張昭對於孫權說：「孝廉！此豈哭的時候嗎？昔周公立法，而伯禽不拘死法，而孫權宜說，那并不是違背父命的，此時此地不容許呀！況今奸宄競逐，豺狼滿道的，此時此地哀思親戚而顧禮制，這豈不是開門而揖盜嗎？這不是爲仁之道啊！」孫權聽了張昭建議，化悲傷爲振作，才更換了孝服，上馬巡軍。在此時的江南諸郡，尚有若干地方不服從孫氏統治的，如會稽、吳郡、丹陽、豫章、廬陵等地，皆是深險之地，尚未能盡歸服。而天下英豪在州郡，作賓旅寄寓之士，以安危去就爲意，根本沒有君臣之固。孫氏遣臣張昭、周瑜等人，以爲孫權可以共成大事，故二人委心而事之。孫權對待張昭，則以師傅之禮；周瑜、程普、呂範等，都是能通將帥之才。廣招江南各地俊秀，聘求名士，於是魯肅、諸葛瑾等始爲賓客。分部諸將，鎮撫山越（百越之遺民也），征討不服從者。曹操是聰明絕頂的人物，見孫權盛大有作爲，此時曹操又不能遠征江東，因爲他的作戰計劃仍是「遠交近攻」的策略，等先解決了劉表之後，再乘勝由長江上游而下江南。現在他仍須安撫之，表孫權爲討虜將軍，領會稽太守屯吳郡，處理郡務，他只派了郡丞到會稽代行太守職務。（建安七年），孫權之母吳氏病故（演義和戲劇的「甘露寺」吳國太，是吳太之妹）。建安八年，孫權西征黃祖，使呂範平了鄱陽、會稽；又使程普討樂安，（漢名樂平縣，吳改）太史慈領海昏，韓當、周泰、呂蒙爲劇縣令。（建安十年，使賀齊討上饒，（今江西上饒縣）十二年又西征黃祖，到十三年把黃祖全部消滅掉。同年又使賀齊討黟縣、歙縣，劃分部縣，正是一番新興氣象。到此孫權在江南勢力大張。

曹操把袁氏打平之後，次一步，便將前頭指向荊州劉表。建安十三年春末打劉表的荊州時，曹操便在鄴城玄武池，在池中訓練水軍。這玄武池是人工所鑿，是他征討劉表和孫權的準備工作。玄武池又作元武池。（鄴城有魏故苑，尚有元武池，尚有漁梁釣台，今已成爲廢墟，遺跡無存。）

曹操又罷三公官，置丞相和御史大夫，十三年六月曹操自爲丞相，希慮爲御史大夫。可見曹操早有野心獨攬政權，以便專政獨裁。三公官即太尉、司徒、司空。丞相後漢已廢而置三公官，曹操廢三公復官爲丞相。以前三公或稱丞相，丞相即事權統一在一人之手。自此以後，沿之及隋唐，公是共爲宰輔，或名相國，要非等常人臣之職，多爲梟雄篡奪之階梯矣。御史大夫是秦官，漢因用之，掌副丞相，以後華歆爲之，成爲曹操之附屬品了。（曹操自爲丞相乃據後漢書。以公爲臣丞相乃陳壽忌諱之筆。）

四、諸葛亮高臥隆中　劉玄德草廬三顧

劉表的荊州，安頓了劉備，駐在新野。雖此地不大，但乃荊州的屏障。同時荊州很久未經戰火，人民安居樂業，各地不少人都逃到荊州避難。劉備在此獲得了一位臥龍先生，歷史上鼎鼎大名的諸葛亮。

（六十九）

海光在奮鬥（續）

起布問探聽該是崑曲，我以前在北平祇見名票楊衡玉演過，身段相當吃重，而唱句也不少，無人用皮黃來唱，未知他們如何！寧武關與紅豆館主侗五和余叔岩唱過，極精采。以前有人說譚鑫培唱皮黃，實不敢信，因爲老師唱皮黃，而兩位崑徒唱崑曲，他們從那裏學來的？如果金棠唱皮黃，則不過爾爾。桑園寄子沙橋餞別白帝城，皆屬動聽耐看的戲，不過寄子不帶團圓，總是一缺憾，也不知金棠其能演否？沙橋餞別近聽播音，陳大濩相當的不賴，已接近余派！白帝城是菊朋所擅，好在李正殿醉，金棠向何人請教的？深爲係之。趙原除秦香蓮香羅帶桑園會以外，祇有會審，能夠全如君秋唱法，則可一飽耳福。他此次戲目，似不及金棠之精采，爲何無新戲推出，殊爲不解其故。

國劇繽紛續錄

裳婆生

（一一四）

太戈爾的壽戲

旅居墨西哥作家楊允元教授，研究印度詩人太戈爾的著作，曾有成就的著述。近爲第九卷第二期傳記文學，寫太戈爾訪華顛事，是民國十三年四月十二日，太戈爾來華抵上海，然後周游各地——北平、太原、漢口、杭州、南京，五月二十九日在上海張氏花園有一次大聚會，始赴港返印。當五月八日太戈爾六十四歲誕辰，學術界人士由胡適博士主席，爲其祝壽，是新月社演出，地點在北平，演出的戲，是太氏創作劇「齊德拉」，爲兼歌舞的戲，劇中人林徽因（長民的女公子）飾齊德拉（公主），張歆海飾阿俊那（王子），徐志摩飾愛神。太氏先登台說明他怎樣創作此劇，並就座中觀劇，非常滿意，認爲林女士英語說得極夠流利，其餘亦相當成功。

演此劇時，余適在平服務，因非學術界中人，未能往觀。惟此特殊壽戲，印象極深，茲閱楊教授所記，頗然湧上腦際，以國人爲異國詩人作壽而演戲，殆從未有之。自甘地之死，尼赫魯繼變心意，與吾國斷絕邦交，爲匪作倀，現正自食其果也。

喜聞綺霞歸來

台北的伶工，這十六年來，能單槍匹馬，闖蕩世界，爲平劇宣揚，祇有戴綺霞一人。她先走菲島，竭教導之能事。再往美國，揭國粹之眞諦。五六年來，奔走不停。或謂其淘金自養，但是把平劇帶給他們觀賞，出於自費，其努力於國民外交，要亦有功效，誰有其劣績，堪以一稱也。（未完）

養虎貽患（童話）

冰

十天八日後，虎便經常逗留在林間不肯回來，他恐從此失去了虎，便用盡方法，才能把牠誘回來；之後，便把牠關在猪欄的隣室，目的是要牠同猪馴性。當然他是天天爲牠獵取小動物以作飼料的。

一夜，他在睡眠中突聞悽厲的猪叫聲，心知有異，便急忙起來持鎗去看，在黑暗中似乎看見有一個似人那麼大小的黑影在蠕動，便瞄槍準備射擊。那一瞬間，聽聞巨型動物的咀嚼聲，便聯想到此物身上去。因此，收機頓爆，要看清楚點才再決定；於是便躡足前走，待接近猪欄時，呃！那間因虎小室的門已被弄破，待燈光投向猪欄時，似乎看到血跡斑斑，猪欄的另一邊，那隻虎正在吞食着一頭被噬斃的猪猡！

「嘿」！他驚叫起來了。同時向虎發出一聲吆喝。但也奇怪，那隻畜牲，竟馴順得向他垂頭擺尾地走近來，像平時給牠餵了以後向他表示感謝意。這一來，他的一團怒氣消弭了，覺得牠畢竟是值得他的擺尾搖頭？同時，也原諒了牠的噬猪，因爲牠腹飢嘛！至少，也有悔於自己的疏忽，如果留心牠那日增的食量，牠是不會弄出這個亂子來的。於是，他把虎噬猪的責任，歸到自己的身上來了，那就是無條件原諒了虎。

至此，話得分兩頭，當他正發生以上的情感時，有些鄰人也因被猪的悽厲叫聲驚醒而取守望相助的態度持槍出看，當發現了他已先在，便已多少猜中了是什麼一回事，再看見他的對虎的態度時，更眞相大白了。爲此，村民甲就說：「田老，虎已爲患了嘛！」「牠餓。」他在爲虎掩飾。

「餓時獸性難馴，假如沒有猪遭虎吻，我們就可能被覬覦及的。」乙說。

「不必杞憂。一來我們不至於沒有家畜，二來我能夠馴服牠，而且以後我多給牠點飼料就不會再發生同樣的事了」。

「這個，與我們全體的生命財產有關。因爲牲畜是我們財產的一部份，若更不幸而及於人，那就更不是等閒事了。」丙說。

「那我就把牠關得更牢吧。」

接着，其他的人紛紛說出意見：有些說要將虎宰而食之；有些說要將虎縱之歸山，有些說要賣給獵戶……。可是，種種意見他都不肯接納，只答應將虎關得更牢。結果，就那麼的擾攘一回，各人就都散去。當他們爭論時，虎由始至終都馴服地蹲在他的身邊，他覺得虎那麼可愛，就更以爲各人都所言皆謬，便摸摸虎頭，要牠重歸小屋。牠亦很能言聽語從地完全接納主人的擺佈。然後他把給虎吻餘的那半隻猪猡拉在一邊，作爲虎明天的大餐；之後，就進入屋去繼續休息了。

翌日，虎繼續吃去了那半隻猪，便仍是顯得相當馴順地跟人與及一切生物共處得相安無異。可是，第三天的晚上，牠就又不安份起來！午夜，又破門而出，再噬另一隻猪。然後，又是另一隻。每次事發，鄉人都有所批評，不過，他仍是袒護和姑息牠。如是者，經過半月之後，他欄內的猪，經已盡遭虎吻。以後，就及於鄰人的。當然，鄰人不甘損失，要他賠償。他因理屈，就只好照辦。如是者，經過一段日子後，他破產了；同時，虎也比前長大了許多，肥肥壯壯，兒威十足，對於他的訓示，在飢餓時，就不服從，而且還作饑相地向他虛噬。這時，他爲了滿足虎的食慾，也是免鄰家的猪繼再爲所傷而要賠償起見，就儘量的獵取小動物以飼虎，這一來，就花去了他的耕種時間不少，致農作物收穫的成績比前打了一個大折扣，弄到一個本來豐衣足食的家，要舉債以過活了。至此，他仔細地思量：若再養虎下去，就經濟力量越來越差，結果是不堪想像的。於是，他就將虎縱之歸山；不過，虎因住慣了這條村子，就經常回來覓食，爲禍牛羊，村人都怨他是養虎爲患！

（下）

兒女成羣述姻緣

明其

我回家後，果然面目全非，婆媳早已分炊，母親骨瘦如柴，見到我就大哭不止，此時我眞是心如刀割。在家停留數日，百般勸慰母親，就將妻和子倉卒接了出來；正因婆媳不和，母親未能偕行，由此造成我一生最不可饒恕的一大罪愆，言之傷心！

來港後，她仍然故態依舊，並且喜歡和鄰居往來，自作聰明的誇大吹牛，扭怩作態，眞使我不敢見人；假使我和別的女人接談，她不問究竟，立即醋缸大翻，不堪入耳的謾語，就開始，短兵相接，幾無寧日。年青人要面子，我和她的「內戰」就同連珠炮般發射出來。這時適有一位淺薄的同鄉常來我家勸解，我想這位先生倒和她很相配呢！這不過是個幻想，後來竟因爲他而使我眞正獲得解脫。我和她離婚數月，他們就結婚了，天造地設，我確爲她慶幸，能夠有個好歸宿。

時間一晃就是幾年，我感到自己光棍混下去總不是事，「不孝有三」的一項罪名，緊扣着担當不起啊。四十三年的春天，經一位友人介紹，認識了我現在的老妻。當時我的朋友，都提醒我說：「玫瑰雖好而有刺」。現在追求她的人很多，你插足進去，更沒有立足之地了，你呢？」我說，我只有拿紙彈來傳心聲。結果她終於選中我，並說服了她父母的地域觀念，不要聘金，也不要禮餅，我們就草草的結了婚。她和我的前妻，容貌、教育程度，都不相上下，但是她的悟力甚高，馬上能見到事情，稍爲一提，有時一個會意，對我了解深徹，她可以從我的行動表情中推斷出我的意向，而我很多事情都不照實，夫妻間這一點是最爲重要的。

當然，我也很瞭解她，她能吃苦，不怕窮。記得我們看電影，爲省車錢，常常走路，我曾感嘆的說：「窮有什麼意思！」她說：「窮還不快活，就是窮一窮大不快活。如果窮還不快活，那就更沒有意思了。」她這樣說，我不禁舒暢了很多。又一次出街，經過一條傢具店，我提議去問問衣櫃的價錢，看過出來後，她笑着說：「剛才你那裏是問價錢，不過是爲了門口站着的那位漂亮小姐！何必要假借一個名義呢？」我雖矢口否認，而內心給她看透，不由一陣臉紅。夫妻間這種趣事很多，回憶起來猶自好笑。

每週末回家，菜肴都很精美，我暗想：有這樣下去會入不敷出，我不免有點担心。但當我在某一個週末的前夕，因休假順道返家，一抵門口，就聽到她在罵梅兒：「你爸爸明天就回來，就急不及待了。」進門後，他們正在開飯，桌上僅是一碗豆芽菜，梅兒還在撇嘴，原來是妻準備一點好菜等候我明天回來，梅兒吵着要吃而惹她生氣。此情此景，我誠說不出內心的難過。她對兒女管教很嚴，闔兒現在讀二年級，在學校一直名列前矛，保持模範生的銜頭。她在複雜的從置大厦從來和鄰居傳過感情，對我來往親朋，更招待備至。當然她也有一點脾氣，有時不免和我爭吵幾句，但很快就可冰消，事後檢討總是我的辣椒脾氣不正當的時候居多，內心常感愧疚。

結婚近十年了，兒女成羣，她雖容顏不復當年，而慧心長青，夫妻感情正若陳年老酒，愈久愈醇。人家看來，她可能無多可取，而我卻把她當「寶貝」呢。（下）

歐陽修的詩詞古文

台向陽

宋初，沿續晚唐五代的唯美文風。像楊億、劉筠、錢惟演等，所作詩文，都以李商隱爲宗，極盡艷麗雕鏤的能事，他們編集了一冊西崑酬唱集；後人稱這類的作品，叫做西崑體。歐陽修曾感慨地說：「楊劉風采，聳動天下。」從這句話，也就不難想像西崑體在當時影響力之大了。

在歐陽修以前，曾有些古文家，聲嘶力竭地反對西崑體；他們提倡以明道實用的文學，表現淸眞古樸的韻調，的記敘江、湖、山水、田園、逸放的詩文，來代替時下的艷麗濃抹。只因他們的魄力不夠，無法扭轉文壇的時尚。一直到歐陽修出來後，才使古文重新抬頭，進而替代西崑體的地位，成爲大衆所愛好的文體。

從歐陽修的「記舊本韓文後」一文中，可以略知他提倡古文的經過。他說：小時他無意間在朋友的家裏，得到韓文集的殘卷，深爲喜愛，被他的理采所吸引，才發現自己以前學習的路子，完全走錯了。舉了進士以後，跟尹師魯求得別人所藏的韓文，重加補齊刊行，並進而研究韓愈的文理，極力提倡古文，而韓愈的文集，也因而流傳於世間。

同時，他吸引了不少傑出的後進，像曾鞏、王安石、蘇軾，他們都是出自他的門下，對古文的推動及發展，都有極大成就。由於這樣浩大的陣容加入，使得宋代的古文大放光彩。所以代表宋代的文學，除了韻文方面的詞以外，在散文方面，便要推樸質的古文。

所謂古文運動，就是散文運動。宋代的古文家，所提出文學理論，認爲文章在佐助教化，維護儒家所提倡的倫常道德，使人們在理性與情慾之間，得到適當的安排。因此他們的主張，保留在經書裏。「師經」、「明道」、「致用」於「文」的修飾；不然，而沒有一輩子盡力於文字的理想，便不能達到古聖賢高遠不朽的境界，他們不是太可悲了嗎？另外由於他們不是處在西崑唯美的？

文風下，因而極力「排揚劉」那類膚淺風月作品，而推崇唐代韓愈的文章，作爲寫平易樸質、清新雅淡的古文的典型，所以「尊韓」。他們除了具備完整的文學主張外，更提出成熟動人的作品，使得世人不得不承認這種文體，是最易於表達情志和感懷的。就拿歐陽修的作品來說，記敘山水、遊記、亭舍的小品，如醉翁亭記、有美堂記都是些不可多得作品；抒情寄慨的，有瀧岡阡表，讀李翺文等；其他如祭文、傳贊、辯論、贈答的文章，都能出神入化，享譽千古不朽的盛名。

其實歐陽修的詩詞，也很傑出，只是他的古文名望太高，使得他在詩詞的成就，被淹蓋了。大體說來，他的詩接近韓詩的風格，古樸深遠。他的詞，豪放中帶有沈著的氣質。歐陽修曾自述他的廬山高那首詩，他人寫不出那麼好，只有李白或許能夠；他的明妃曲後篇，李白也寫不出來，祇有杜甫或許能夠；至於他的明妃曲前篇，連杜甫都寫不出來，只有他方寫得出來。這雖近於誇大，其實讀過他的明妃曲，我們不難相信，每個著名的作家，都有他一兩篇工力特深的作品，是任何人都超越不了的。下面便是他的得意之作——明妃曲：

胡人以鞍馬爲家，射獵爲俗，泉甘草美無常處，鳥驚獸駭爭馳逐。誰將漢女嫁胡兒，風沙無情面如玉，身行不遇中國人，馬上自作思歸曲。推手爲琵卻手琶，胡人共聽亦咨嗟。玉顏流落死天涯，琵琶卻傳來漢家。漢宮爭按新聲譜，遺恨已深聲更苦。纖纖女手生洞房，學得琵琶不下堂；不識黃雲出塞路，豈知此聲能斷腸。

他的詞如生查子中的「月上柳梢頭，人約黃昏後」。是最膾炙人口的。至於「平蕪盡處是春山，行人更在春山外。」一言情之深，更是神來之筆。

內政部登記台報字第〇二三號

自由報

THE FREE NEWS

第六九二期

中華民國僑務委員會登記證僑台報新字第三三二號
中華郵政台字第一二八二號執照登記為第一類新聞紙類
（半週刊每星期三、六出版）
每份港幣壹角
台灣零售每份新台幣壹元
社長：雷嘯岑
督印人：黃行智
社址：香港銅鑼灣高士威道二十號四樓
20, CAUSEWAY RD 3RD FL., HONG KONG
TEL. 771726　電報掛號：7191
承印者：大同印務公司
地址：香港北角和富道九六號
台灣分社
台北市西寧南路壹零壹號二樓
電話：三〇三四六
台郵撥儲金戶九二五二

本報重要啟事

為配合慶祝雙十國慶佳節計，原定十月八日出版之本報第六九三期，延遲於十月十日出版。至於六九四期，則仍按原定之十月十二日出版。敬希注意。

世界變局二十年

·宋文明·

從一九四六年——戰後時代正式開始的一年——至一九六六年的今天，足足過了二十年的時間。在這二十年的時間之內，這個世界所經歷的變化之劇烈，之廣泛，之深刻，我想絕沒有任何一個歷史上的其他同樣階段所能比擬。因過去歷史上所發出的任何類似劇烈變化，多屬一種表面現象，雖關係複雜，畫面熱烈，而其內在本質，則很簡單。而最近這二十年的世界變化，從表面到本質，從個體到集體，從雙邊到多邊，無不高潮迭起，引人入勝，一幕幕充滿了戲劇化的效果。

這二十年世界的一個最顯著特點，便是兩大集團之間冷戰的爆發及繼續。這種冷戰先由東歐各國的被落入共黨統治而開始，其中尤以一九四八年的捷克政變為最引人注意。由東歐情況的變化，引起了西歐及西方集團的反應，於是，便有馬歇爾計劃，柏林空運，北大西洋公約，西德整軍，及西歐聯合運動一連串行動的出現。而在東方，這種冷戰先以中國內部的爭論來開始，而終於導致了中國大陸、韓國、寮國、越南四項局部性熱戰，以及馬來亞與菲律賓兩場內部剿共鬥爭。總計在這些冷熱間作的鬥爭中，在馬來亞與菲律賓，反共者終獲全勝；在韓國與寮國，造成一種僵持局面；中國大陸歸落共黨之手；越南之戰現仍在繼續，未來結局，尚未揭曉。

這種冷戰，最初以美俄兩國為主體，而美國尤居上風。但一九四九年蘇俄爆發原子彈，一九五三年再爆發氫彈，一九五五出現洲際轟炸機，一九五七年施放人造衛星及接着出現洲際飛彈，使兩者冷戰態勢便發生了重大變化，并導發了一九六二年的古巴危機。古巴危機是美俄冷戰的最高潮，也是它們冷戰關係的轉捩點。由此開始，美俄冷戰日漸趨於緩和，而美與中共之間的冷戰則又日漸擴大，於是世界冷戰重心由歐東移，變成了以美國與中共為主體的局面了。

在這種冷戰之後，過去二十年歷史的另一個特點，便是亞洲、非洲等落後地區中立運動的興起。這種中立主義運動的最原始倡導者，為印度前總理尼赫魯，隨後陸續加入了印尼總統蘇加諾，阿聯總統納塞，南斯拉夫總統狄托，幾內亞總統杜里，及迦納前總統恩克魯瑪等人。在這些人的互相勾結，推波助瀾之下，這種運動在一九六零年前後，曾達到一個前所未見的高峯。這種原因，除了當時美俄冷戰正屬緊張階段，相當影響了中立國家的觀感之外，當時非洲國家的突然大批獲得獨立，對此亦為一大助力。但不旋踵間，由於中共與印度發生戰爭，印度對外態度趨於消極，以及亞、非集團內部因實際利害矛盾，產生四分五裂局面，致整個中立運動也受到了很大不利的影響。

隨着與這種中立運動同時出現的，便是世界兩大集團內部的分裂與腐蝕。在冷戰之初，整個世界是趨向於兩極化。但亞非地區的中立運動，使這種兩極化運動發生了重大的轉向。而接着出現的兩大集團內部的分裂與腐蝕，更使這種兩極化現象完全趨於崩解。兩大集團內部的這種分裂與腐蝕，首先由南斯拉夫的脫離蘇俄控制而開始，接着，英法與以色列密謀發動對蘇彝士運河戰爭，而與美國對立，使西方集團產生了一次嚴重的裂痕。自一九五八年戴高樂重返法國政壇，執行一種獨立的外交政策，儼然以歐洲盟主自居，杯葛美國，并逐漸脫離北大西洋公約體系，使西方集團的一元領導便正式告一結束。而在蘇俄集體方面，除了東歐波蘭、羅馬尼亞等國，經常對俄表示不滿，匈牙利并發生過一次公開的反俄暴動之外，而最為全世界所注意，及在共黨集團內部發生最大作用者，便是中俄共的公開鬥爭與分裂。這一分裂不僅結束了蘇俄在共黨內部的一元領導，使共黨控制地區裂成兩半，而且也使全世界共產主義運動由此出現了各種各樣的內爭。在這種情勢下，整個世界大局已不再是兩極化的發展，而是呈現了四分五裂的轉變。

因此現在，除了兩大集團的繼續對立之外，還有第三中立集團。而在兩大集團內部，在西方有戴高樂主義的法國自成一格，在共黨又有毛澤東思想的中共另起爐灶。就是在中立集團，其內部組成關係，也龐雜紛歧，已非任何一個單一的公式所能解釋的世界。所以對於今日的世界，可以稱之為三個集團，也可以稱之為五個重心，但均已說明兩極化的時代已經完全過去了。

在這二十年來的變化中，每一重大變化，都曾帶來震驚，都曾使全世界的人們感到眼花撩亂。但在這些變化中，沒有任何一種另外的變化，曾如中俄共爭執這樣完全出乎世人的意外，并使人如此驚愕。

（下轉第二版）

枉作小人

如何打破？

今日與明日

「十一」·毛共「尾慶」

罪惡的毛共政權，成立迄今已十七年了！

十七年來，毛共政權從來沒有現階段這麼糟過。它的糟並不是局部有毛病，而是「千瘡百孔」遍「體」腐爛。在國際上，它包括共產集團和它的「兄弟黨」在內，無不視毛共是「痲瘋漢」；因而使它由孤立走向更孤立，由更孤立而形成「孤家寡人」。在大陸內部，毛共黨內派閥林立，有的首領是「槍桿子」，有的「代表人物」為「黨棍子」，林林總總，互立陣角，亦時上陣，火拼方興未艾。在地方黨政首領有的建立「獨立王國」，有的拒受毛酋命令擁兵自重。至於各階層被統治的羣眾，更是抱着「時日曷喪，吾及汝偕亡」的決心，從各個戰綫各個角落，消極的或積極的對毛共極權統治進行破壞或抵抗。所以，可以肯定地說，今年的「十、一」，將是毛共政權的最後一次「尾慶」。

林彪不能掌握全局

這次毛共「尾慶」在北平天安門參加遊行者約一百五十萬人，數目空前眾多。其中，以共軍和「紅衛兵」為主，此為過去所未有的最大「特色」。大批共軍參加毛共「十、一」，從一九五九年以來這是第一次。而「紅衛兵」又是「向解放軍學習」的共軍「後備軍」。這些事實都足以說明這次毛共「尾慶」是由共軍扮演「羣眾」，導演者則是前數月「紮職」為「二路元帥」的林彪。

今年北平「尾慶」毛酋雖有出席，但係在林彪「陪同」下步上天安門的。相信這是「押解」；不然，以毛酋的個性來說，他不會仍是「啞吧」。據推測，毛酋病老體衰，對偽政權已完全失去實際控制權力，而成了林彪的「御用」工具。

毛酋當已來日無多，而在毛共中央仍屬「毛頭小子」的林彪於毛酋「龍馭賓天」後能掌握全局嗎？看來，絕對無此可能。

八月以迄「十、一」表面上看毛共內部已建立了「毛澤東——林彪路綫」；但這個「路綫」雖已初步形成，還未開始就已阻碍重重，一旦發軔，相信不是「翻車」就是進入絕谷進退不得。

劉少奇地位「回升」了？

十月一日毛共登上天安門城頭的共酋順序，據二日香港「大公報」稱：「同毛主席和林彪一起走上天安門的，還有黨和國家其他領導人：周恩來、劉少奇、陶鑄、宋慶齡、董必武、陳伯達、鄧小平、康生、朱德……」。毛酋是「土皇帝」，林彪是他的「最親密戰友」，二人遙遙領先，八、九月中已成「定局」。問題是毛林小集團所要幹掉的反毛「當權派」的「代表人物」劉少奇，在近兩個月，在毛共黨內已由二把交椅降居第八。而在「尾慶」名單上卻「回升」至第三位。其實，這並不等於劉酋轉危為安，因為「十、一」是「建國大典」，而劉少奇在名義上仍是「國家主席」，所以，毛林小集團為保持所謂「國家體制」的「點綴」，不得不把他拉出來，把宋慶齡、董必武兩個「國家副主席」壓在周恩來、陶鑄、陳伯達三人之上，說明了這次「尾慶」排名是一次「例外」。如果劉少奇未失勢，為什麼在香港「十、一」慶祝會上取消了他的照片呢？不過，劉少奇可能還是林彪心腹大患，不久將來將有更為「熱火朝天」的內訌醜劇上演。（何如）

自由談

提高生準說

青年黨朋友左舜生先生最近在台北小住，每日酬酢繁忙。他於離開台北之前一日晨七時，纔跟我晤談，我問他：「十年未到台灣來了，此行觀感如何？」他慨然說道：「台灣的生活水準真是現代化了。一個中下級公務人員的家裏，就有冰箱、電視機、電話等類設備，出門多坐計程汽車，有些還是自備的私人汽車，好不濶綽也。」我說，這就叫作「提高生活水準」，表示咱們「經濟起飛」了！相予搖頭太息，作會心的微哂。

所謂「提高生活水準」之說，是美國人倡導的調兒，美國產業發達，科技進步，物阜而民康，國富而兵強，所處的地理環境又極優越，他們在安全繁榮的生計中，實行提高生活水準，殆屬義所應爾，千該萬該。德國人的科學、工業與文化程度，并不亞於美國。但他們戰後一般社會大衆的日常生活，皆自發的十分節約刻苦，令人欣讚。五年前我旅行西德時，在火車或輪船上，目擊一般進出餐廳的旅客，盡係外來人士，德籍男女旅客手持着自備「便當」式的飯菜，到時候就在座位上用膳，然後走到自來水龍頭旁，呷一口自來水就算是喝了咖啡，一餐之能事畢矣。這才是臥薪嘗胆的刻苦精神，難怪德國的國力到今天乃雄視於世界，教人刮目相看了！

咱們國家的生產力和經濟情況，有那一點能夠比得上西德的千百分之一嗎？更不必說美國了。然而一般人藉口「提高生活水準」云云，要向美國看齊，拼命講究享受，侈言「經濟起飛」，同時又高呼「毋忘在莒」、「臥薪嘗胆」這類口號，言行兩極化，恬不為怪。社會上充溢着奢靡浪費的生活景色，官吏為着追求現代化的生活享受，賄賂公行，肆無忌憚。走進台北市林林總總，美輪美奐的觀光大飯店，瞧着那種紙醉金迷的消費怪象，至少我個人即發生「傷心慘目」的感想。如此提高生活水準，不止是飲鴆止渴而已，乃完全恢復了舊時次殖民地的上海租界上那種腐爛的生活形態，哀莫大於心死，其斯之謂歟！

有美國的富強康樂情形，即可談提高水準的話，恣情享受，誰也不會反對，否則便是醉生夢死的禍國行為，是時代的罪人，好樣不學，學壞樣，非鳴鼓而攻之不可！

馮玉先生

儘管自由國家的努力尚嫌不足 共黨在亞非歐美活動 事實上業已日益沒落

紐約通訊

由於越戰是最重大的事情，使美國人以至世界人士全都注意越戰和它有關的問題，卻忽略了世界其他地區反共工作的成就，或當地的情形不期而然地符合了自由的願望。這些地區是廣泛的，包括非洲、亞洲、拉丁美洲、中東各地。

從事實的例證，可以見到上述許多地區的共黨活動多已停頓，最低限度這種活動於遭受重大的頓挫之後，已日漸趨於沒落了。在這種情形之下，原來被視為對和平的嚴重威脅，差不多是不存在了。

但儘管如此，美國國內與海外，對於詹森總統世界問題的處理，仍然不斷地批評。不過，大部份的意見，僉認為採取堅定和忍耐的政策，對自由是有利的，和做來很有效果的。

美國國內外許多評論家，迄今仍然一口咬定不贊同美國當局現行的世界政策。特別是關於越南問題。但詹森總統和魯斯克國務卿並不因這些批評而煩惱，更不因別人的非議而改變自己的既定政策。

在這兩巨頭的心目中，顯然抱着美國在目前於世界面臨共產主義不斷的威脅之下，必須有若干足以使世界局面恢復穩定的成就能夠達到。

美國總統詹森和他的高級僚屬，似乎都深具信心，認定越戰將必勝利，甚至以妥協的方式，仍然是勝利的。瞻望世界，似乎可以獲得第二次世界大戰以來初次的世局安定的日子。這完全是由於美國所持沉毅的態度與堅定不移的立場所得的效果。

詹森和他的僚屬環顧世局，雖則他們深知像這樣廣大而分散的世界，總有一些地區或某種事情會有煩擾，但他們仍然有着很好的理由，足以感到快慰與樂觀。美國現政府對外政策的成就，有許多實例可佐證：美國曾經以強硬的行動，盛陳強大兵力的結果，就替多明尼加共和國打開了政治安定之途。這一硬着的成果是顯而可見的。在此以前，美國亦曾以堅決強硬的作風遏阻了巴拿馬這個富有戰略價值地區的危機。

古巴雖然已經成了共黨在拉丁美洲立足點，但美國政策運用的結果，最低限度目前已使古巴卡斯特羅政策處於孤立。

同時所有整個中美洲、南美洲地區，共黨所作的威脅都給壓制下去了。照情形看，共黨在該地區勢力已日就萎縮。

哥倫比亞與委內瑞拉兩國，曾因卡斯特羅的資助和蘇俄的支持，游擊隊頗曾活躍一時，但今日已相當沉寂，反而兩國當局的反游擊工作却做得很活躍。

在秘魯也曾有過相同的情形，那裏曾有過真正的威脅，但後來亦給擊下去了。另一個美國利益所關的危地馬拉，曾經蓬勃一時，而遭壓制的共黨勢力，迄今仍未能捲土重來。

白宮方面很希望參議院內的議員以及全國各地那些批評美國政策的人，能夠到多明尼加一看，就知道美國這種行動已收到真好效果的事實。

亞洲方面，除了越南共黨仍未深信他們的侵略定必徒勞無功之外，其他各國大致與拉丁美洲情形相彷彿。都是共黨曾經抬頭，終於俱給壓下了，至於對和平威脅最大的中共，現正陷於內部騷動不寧的狀態。

中俄共頭目的決裂，在目前對於世界事務是一項重大的影響因素。俄共經已表現出不欲附同中共那種好戰思想。

日本是美國政策成功的地方。自從一九四五年戰敗後經麥克阿瑟將軍的扶掖，日本一直走着美國政策路綫。

生氣蓬勃的中華民國現時已入於完全安穩狀態。一九五八年艾森豪總統曾以斷然而強硬的作風對付中共在台灣海峽的威脅，中共終於見到美軍強大實力而退縮了。非律賓目前正在新選出的政府領導之下，於沉靜中求進步。

新興的馬來西亞在五萬名英軍支持之下，經已渡過了印尼威脅的危機，目前也在發展中。

印尼自從去年共黨領導的十月政變流產之後，印尼共黨反面招來殺身之禍，目前主政的軍方實力人物已決定取消對抗大馬並徹底消除共黨，積極推進經濟發展。這個轉變，符合了自由世界的要求。

泰國目前已在美國實力護衛之下發展中。

印度政策已有轉變，唾棄中共之外，也已改向於實際的問題。它深知祇有美國才肯於中共威脅之時挺身而出。也唯有美國的糧食纔可能救印度的饑荒。

巴基斯坦也趨向於變了。該國總統阿尤布汗原是反共的，但因與印度為敵，更受他的親共反美之外長布都的慫恿，以致轉向中共勾結。但中共的失敗使他警覺起來，於是黜布都，也再與美國攜手交好了。

柬埔寨那個善於投機的施哈努王子，眼看情形不對，已開始改變了對中共的口吻。

寮國的趨勢也是有希望的。鑒於越南的情形，已使寮人反共更堅決。

那個對內反共，對外慣於採兩面政策的緬甸，一般情形是平穩的。

南越最為美國關心的，阮高基政府已擊敗了佛教徒和野心份子的離心運動，政局已轉趨穩定。最堪鼓舞的因素是越共迄今似仍無發動雨季攻勢的力量。而越南民心反共的趨勢，轉向南越的更多。

拉丁美洲是美國本土的後門，而亞洲是則為美國在遠東的前綫。這兩大地區的安定，解除了美國許多煩惱。

至於非洲國家，絕大部份年來都領悟到共黨的威脅，因而也背棄共黨。特別是對中共的決絕，使這個洲內大量的新興國家不至成為共黨的基地。這也大為減低美國對該區的顧慮。

中東方面，祇葉門內部未安定，但那個野心勃勃的阿聯總統納薩近來很少高呼聯合阿剌伯各國對以色列戰爭，所以該區目前也比較穩定了。

滇緬邊國軍游擊隊近況

受訓的士兵，每一次約為三百至六百人，他們並有許多人是從現在仍然住在緬甸的中國難民中，抽調到這裏來受訓的，有的已達一年之久。受訓的久暫，視乎他們要求的特別課程，是怎樣的性質而定。

「當我們有了欵項時，士兵們就可以分到零用錢。」有個担任訓練的軍官說道，「但是，在我們毫無收入時，他們也就沒有分文可領了。不過，這裏也沒有甚麼東西好買。」

有部份受訓的學生，大約是十來歲，來自緬甸的山族土人。他們自己種菜，養鷄和餵豬，成為他們受訓的節目之一。

早上六時，這些受訓人員，便起床早操，在他們的籃球場上，大踏正步，來回地走來走去。早操過後，他們再到竹建的課室，坐在自己編製的竹桌和竹椅之上，聽受中文的功課。

我們見到一隊身穿恤衫長褲的中國少年男女，從山腳朝山上走，舒徐地朝着崎嶇的泥濘載途、陡峭沖天的山徑上攀爬。山的巔峯，就是段希文將軍的總部。他們雖然是筋疲力竭，但是心情愉快，一路上歡欣談笑不停。

「我們下週便要開課了。」有一個年約十六、七歲的少年說道：他的家，是在湄公河流域的一個小鎮——錢港。在那裏也曾受過英語補習。他說「我們要趕到山上，去準備寄宿呢。」

這羣孩子，全數是三十人左右，由住在低地的他們的父母送到山上來，跟其他的中國少年，接受中文教育。由緬甸及中國大陸逃出撤退到這裏來的中國難民六千人，僅有段將軍開辦的中國學校。那些低地的中國僑民，難民，即使他們有能力供得起送子弟進入[illegible]文學校，但是仍要使他們的子弟，接受中文教育。

據悉，擁有一千六百人的段氏部隊，是從間接方面——那些鴉片烟走私——接受資助，因而得以在湄薩朗開設學校，維持着一綫的中國文化。

山上的初級學校，約有學生四十人，教師十四人。他們中有不少受過大學教育，從軍已久的老練軍人；此外高級班，又有學生一百七十人，教師十名。

他們所授的課程，除了中文，文化和地理之外，據一個教師說，高級學生更教授英文，反共的公民學和歷史。學生一律自己洗衫，種菜蔬，和幫忙增建課室校舍。

學校的課室，跟湄薩朗的兵營和民居分隔開，看來很像一間修道院。建築材料，大半利用竹子。書桌是竹製，黑板也用竹子漆成黑色。音樂教室，有一只梵娥鈴小提琴，一只小風琴和一只小手風琴。

教科書，多數是台灣出版的，不過數量少得很，因為來源不多，運輸也不利便的原故。段將軍說：他相信，明年度學生入學的人數，將達到一千人左右，原因是緬甸厲行零售商國有化政策，許多中國人，被迫關閉了商店，逃到山地來，蓋搭茅舍，暫且棲身。

這支國軍，空下來的時候，協助人民蓋搭民居，碰到收穫時，也下田幫忙收割。段將軍為了改善他和當地山胞的關係，也對他們有所資助，使他們順利地遂行掩護鴉片商人的旅行隊。我們現今仍然可以看見光着腳板的阿卡族，和苗族土人，肩挑着菜蔬，在泥濘而狹窄的湄薩朗市街上喚賣。

「這些人的半數，都是鴉片煙鬼，命運註定了他們由懶惰而墮落了。」一個中國軍官說道。

「但是，到了飢餓來襲擊他們時，我們仍要幫忙他們。」另一個中國軍官說。這就是湄薩朗山上的景色，和老百姓的生活情況。有一個教師說：「我們在這裏工作，仍然是值得驕傲，祇是太寂寞了，這裏沒有書籍，沒有報紙，祇好靠着無綫電收音機聽到外間的聲音。我們沒有在此長住下去的計劃！」（下）

一九六六年國際共產黨的一般情況和民主國家反共的形勢

△何浩若▽

一、一九六六年世界各國共產黨黨員數字的統計

[illegible]

這個世界上究竟有多少共產黨？這個問題就像人口一樣，很難有精確的統計。有許多國家的共產黨還是祕密的，地下的人數更無從查考。蘇俄的「黨的生活」雜誌（Party Life）每年都有大概的報導。究竟世界各國有多少共產黨員，包括民主國家在內，我想蘇俄也無法確知的。這裏所根據的數字是美國國務院情報司（Bureau Of Intelligece and Recearch）所發表的估計，[illegible]

[illegible]是守中立的。這三部份的數字如下表：

集團	國名	黨員人數	總數
親蘇俄集團	保加利亞	五五〇、三八四	一九、一八六、五二〇
	捷克	一、六八四、四一六	
	東德	一、六一〇、六七九	
	匈牙利	五四〇、〇〇〇	
	外蒙	四六、〇〇〇	
	波蘭	一、七二五、〇〇〇	
	蘇俄	一二、〇〇〇、〇〇〇	
	南斯拉夫	一、〇三〇、〇四一	
親中共集團	阿爾巴尼亞	五三、〇〇〇	二〇、八五三、〇〇〇
	中共	一八、五〇〇、〇〇〇	
	北韓	一、六〇〇、〇〇〇	
	北越	七〇〇、〇〇〇	
中立	古巴	五〇、〇〇〇	一、五〇〇、〇〇〇
	羅馬尼亞	一、四五〇、〇〇〇	

世界變局二十年

（上接第一版）

一九六六年八月二十九日及三十日，中共「紅衛兵」在北平向蘇俄大使館連續舉行大規模示威時，它們曾高呼這樣的口號：「修正主義份子，我們正等待報仇機會。」「我們要剝你們的皮，要使你們的血流盡」。「我們要把你們燒焦，讓風把你們的灰吹得一點不剩」。

聽了這些口號，再回想一下過去二十年來的情形，想想當年中俄共要員的會晤，回想中共的宣傳「一面倒」，真使人感到這個世界實在變化太大。

既然過去的二十年，世界發生了如此大的變化，[illegible]

「這一切變化尚不感到太突兀；但假若一個人從現在起，即充耳不聞，閉目不視，待過二十年後突然翻開最新的報紙，那他一定將會感到目瞪口呆。這就是我們的世界，也是我們的時代。你說它是變幻莫測也好，你說它是太富諷刺也好。（完）

瀛海異聞談

巴黎鐵塔始建前前後後

秦雅

世界上第一個最盛大的國際博覽會於一八八九年在巴黎舉行，藉以紀念法國大革命一百週年。為了隆重其事，同時想使那個城市得到一種永久性的龐大建築物留為紀念，法國政府便懸賞巨金，徵求最適當的提議品；應徵者共有七百件，其中包括有斷頭台，太陽塔供給全城燈光，洒水樓，在乾燥天氣時可潤濕各處街道。但是那筆獎金給予建築一座高一千尺的鐵塔的計劃，在完成後將是在世界上最高的建築物。

這座鐵塔乃由現代鋼鐵建築先驅，法國工程師加斯塔孚艾斐爾設計的。艾氏曾利用鋼鐵改革橋樑的建築，他先後在法國、俄國、西班牙、葡萄牙、羅馬尼亞、埃及和南美洲多個國家建築鐵橋。美國鋼鐵公司的總裁在最近曾稱讚艾斐爾的見解乃現代摩天樓外框的鋼鐵工程的基本，他可稱為鼻祖。艾氏也曾計劃那座現在紐約灣內的自由神像的鐵如。

艾斐爾曾動用四十名劃則師，二百五十名工人，二萬八千件鐵製零件，英金約五十萬鎊，兩年的時間才完成這座在桑河邊的大鐵塔。四面大的拱門在地面，佔地二英畝半，鐵塔高九百八十四尺，重六千九百噸，乃在當時世界最高的建築物，名叫艾斐爾塔，以紀念那個設計和建築者。但我國人普遍叫它做巴黎鐵塔。

在巴黎鐵塔的建築計劃得到法國政府的批准，但未興工之前，巴黎市民曾作劇烈的反對，特別住在鐵塔附近的人，恐怕那座逐件綴成的鐵塔會倒塌，他們的屋宇當會被壓碎。後來有四十七位法國名流，他們包括仲馬、莫泊桑、谷諾、許士敏、李安邦等人，在他們給法國政府的反對呈文上寫着：「我們到來的作家、畫家、彫刻家、建築家、愛好那沒有受到滋擾的美麗巴黎的人，盡我們的力量來反抗在我們的城市中心建築一座無用的怪物，艾斐爾塔。」有許多市民響應，更有人發出警告，他們將不許那座鐵塔築成，建造一尺就拆一尺。但是法國政府僅簡單答覆：「這樣高貴和美麗的外表，將成為博覽會的特出櫥窗。」另在建築期內更派人保護，免受破壞，結果平安無事。

巴黎鐵塔並不是古怪難看，它的莊力武建築，是巴黎的一種光榮，也是世最受人讚賞的風景之一。在初建時，它為是完全無用的，一九○九年在法國國會有人提議將它拆去，免得有阻交通。但現在有很多用處，在塔上設有播音、電視、訊號、氣像台等等。在第一層樓上有酒在第二層樓有發聽的設備。

當那座大鐵塔在七十七年前揭幕時國大發明家愛她生特別趕去參加。其時二十一響，法國的三色國旗竿升上在當類建築最高的建築物之頂上。艾斐爾很的說：「現在祇有法國的國旗能夠有高八十四尺的旗竿。」去年有超過七百萬人觀，平均每日有三萬人，他們繳納一百的入塲券，搭升降機或步行一千七百上到塔頂，它可以說是在世界上最多人遊築物。

多年來這個在空中的金鑛乃艾斐爾財產，但現在歸巴黎市政局所有，每金十萬英鎊，交由一間私人公司經理，僱用三百多名職員照料，除了經費外，仍可得到純利五十萬鎊。

巴黎鐵塔有三種特別的遊客，患百兒童被帶上那高一千尺的樓頂，由於度，空氣的作用能夠得到頂好的效果。戲班或雜技團的翻根斗的爬登鐵塔外驚人的動作。自殺者到最上頂躍下，到今超過三百二十人。現在有人看守有人跳下去。

在最高層有用玻璃的上蓋罩着，遊上可以俯視整個巴黎城景，更可瞭望哩外的地方，所以這並不奇異。巴黎為巴黎的著名標誌，在圖畫，影片，歌曲，郵票和各種紀念品上都可以看至那個國際間著名的大騙子域多廖士度瞞騙出售那座鐵塔。

最近有一個阿拉伯石油酋長到巴黎對一個法國官員說：「難怪你們的國我們富有，你們的採油塔也比較我們多呢。」那個酋長並不是全然錯，因爾也有點像採油塔的。

名人傳記與教育

綠霞

在這個社會裏，有所謂：「貧富懸殊」的兩個極端，貧的一群和富的一群兩者生活的環境相差很遠，因此兒童的教育，在情感和智慧的發展也不能一同。

不過，在他們的心底，却有個共同的希望，就是長大後做一個對社會有貢獻的人，不是容易的事，要達到這個階段，必要經過一番努力為受不少挫折，嘗試多少辛酸，才能成功。如果如此的對孩子說，有什麼益處呢？這麼能嚇怕孩子的向上心。

最直接的，而又最有益處的，無疑是給孩子們看傳記，看那些成功的人既親自執筆的自傳。

自傳可以給兒童認識一個完整，有次序的奮鬥過程，使他知道「成功的事」，做一個有貢獻的人」，不是一朝一夕就能成功的事。

同時，傳記給有錢的學生「知道了歷來的成功人物，不是在舒適的環境中培育出來，不是有了金錢，就能爬上成功之途，而要靠自己的努力、毅力、忍耐、和大無畏精神，才能達成使命。

給貧窮的學生一種的鼓勵，和同情，使他們不再感到自卑，自餒，而要學傳記的作者一樣，以不屈不撓的精神，走上成功的道路。

名人的傳記，隨處可以找到，每一本都可使兒童獲得很大的啟發。

傳記以自傳為佳，因為是作者親自執筆。第一比較完整，第二誇張的成份少。因為一經有別人執筆，傳記的主人翁，便變成神人了，往往自少便聰穎過人，真實性不夠大。

小學六年級以上的學生，胡適的「四十自述」可以讀了，胡適的「留學日記」也可以作為課餘讀物。前些時在傳記文學雜誌刊載趙楊步偉氏（趙元任夫人）的「自傳」，也是最佳的傳記書籍，裏面有寫到早期的中國留學生的貧困的努力，例如：傅斯年，劉半農等，無錢時要捱餓，有錢時亦吃不飽，因為有錢在手上，捨不得拿去吃白麵包，而去買書籍來豐富學問，有時，覺得日間上街，花錢的機會多，于是將生活方式換了過來。如此的勤苦求學，孩子們讀到當受到感動。

聳立在銀座四丁目的一座圓型設計的三愛百貨商店「夢之塔」的老板：市村清，最近寫了一本自傳，裏面寫他幼年時的貧窮，和如何的達成自已的學業。

「阿清！你在學校的成績是很好，可是家裏恐怕無論如何沒有辦法送你升學。祖父倒可教你一個能夠升學的辦法。我買一頭雌的小牛給你，你得拼命把牠養好。這樣養着，牛就一次一次地生出小牛來，到你進中學大學時，就變成幾頭了，就可以去上學。好不好，試一試怎麼辦？」

祖父說過之後，不知打的什麼算盤，果真買了一頭小牛給我。我歡天喜地，從此每天每天，專心一意去照料小牛。」

這種求學方法，多麼令人感動，可見當市村清飼養得小牛又肥又白又大的時候：

「有一天，我家裏突然來了一個叫作『執達吏』的人跟父親在講什麼，這個人忽然動我牛的手，說要運走。」而這只是他一點的挫折，以後還經很多艱苦，終於讓他以半工半讀在東京中央大學夜學部讀書。結果，因為不斷困頓於貧與病的苦悶，中途退學，向於事業上發奮。

現今讀書，只期求一張「文憑」，文憑可以鞏固你的生命，但是她使你滿足于目前生活，而消磨了壯志凌雲。

在孩子的課餘時間多多鼓勵孩子讀點傳記罷！

黑人喇叭王奮鬥成功自述

路加譯

美國黑人喇叭王路易士岩士唐，曾經在自傳裏透露他的一生，現在他又補充地說出他的心聲。

我（路易士岩士唐自稱）能夠保持着我底口唇，也許全靠一種藥膏，這是在德國一位喇叭手自製的。

過去好幾年，我的表演沒有停過，因為自從有了名氣之後，每天均應聘登場。每次在更衣時，總在胸膛、背部、喉頸、及腹部，這樣可以避免着寒和吹奏得如意。而且常常服些甘油和蜜糖，可以使我的氣管通暢一點。有時我腹部微痛需服些止痛藥。我永不將喇叭的吹嘴，放在更衣室，因為這樣常給是虫爬進去，所以我把它放在袋裏。

有時，上述的藥物都治不了我的毛病時，因此，常常將硝石甜酒，塗在面部、唇上，這樣所有的不適，均自然消滅。在過去，極熱的天氣下媽媽許多時拿來運糖給我服食，以却感冒。而我拿來在唇上塗，感到無限舒服，我已懂得其中奧妙了。

當我還是小孩子時，媽媽使出她一套的家庭治療法，遇着口痛，她便提許多山甲，煮熟了，連汁水份，着我們用水送着吃進去。像這樣許多不同的情形，我們自動習慣了。

由我成名而至五十二歲，那是一段漫長的日子。過去許多在紐奧連的老友，常常喝了許多酒，因此他們在音樂界愈來愈少，因為他們無論怎樣，在表演前總倒給你一杯威士忌，他們以為這樣可以奏得出色一點。可是，事實並非如此，喝了一杯威士忌酒後，便有七分醉意，連自己的樂器也無法找到，即使找到，也無法集中精神演奏，於是神志迷惘，演出什麼樣子，一點也不知了。所以，我對於妨礙我的一切事，總設法避免。唯其如此，我在音樂界裏，能夠立足不倒那末久。（一）

新三國

周瑜讀者

三國時代的史實，大部份是繫於曹操、劉備、諸葛亮、孫權、司馬懿這幾個人身上。尤其是由於諸葛亮一出而由劉玄德三顧茅廬之後，三國的史實都息息受着他的影響。特別三國的後期，他負是三國歷史舞台上的第一個主角。在此以前，關於劉備的事，說得不多，甚至諸葛亮尚未出面，更沒有談到。因為他是幾個主角之一，關於三國的鼎立和蜀國的建立甚大。

諸葛亮字孔明，琅玡陽都人（即山東沂水縣）生於漢靈帝光和四年（西元一八一年），沂水在琅玡山下，東漢時代沂水名陽都，他就出生在陽都，陽都是背依山落，而向平原，由孫平原兼而有之生活環境。他是漢司隸校尉諸葛豐之後。父親諸葛珪（三國無傳）字君貢，漢末做過太山郡丞。他弟兄姊妹四人，兄諸葛瑾，姊妹二，亮排行第三，老四是諸葛均。諸葛瑾大他七歲。諸葛亮幼孤，他從叔父諸葛玄，袁術所署的豫章太守，諸葛亮和乃弟諸葛均都從叔父生活在官署中。不久，漢朝更換朱皓代諸葛玄，玄與劉表有舊，往荊州依劉表，諸葛亮跟他叔父到了荊州的襄陽城西二十里的隆中，隆中屬南陽之鄧縣，諸葛亮和他叔父就在隆中躬耕為生，正式避亂作一個農夫。他的出師表中說：「臣本布衣，躬耕南陽。」

諸葛亮身材高大，是一個山東大個子，他比劉備還高，劉備高七尺五寸，他身長八尺，步履穩健，穿着樸實。不久叔父死了，除了自耕之外，折節讀書，好為梁父吟，常喜以管仲、樂毅自比。他和崔州平、徐庶等相友善。徐庶的舅父做過博陵太守時，游學於京師（洛陽），後來京師大亂，逃難到江東去了。他們分道揚鑣，後來在兩個不同的政治集團中各為各的。

諸葛亮與徐元直相伯友，他們可能是一個「學問」集團。漢末及三國的生命，要想出頭幹一番事業的，有幾個顯著的集團，第一是「豪門」，「兄弟幫」，「學問」，如袁紹、曹操、孫堅父子都是「豪門」，起事容易，劉備關張，屬於「兄弟幫」，孫堅弟要依靠豪門，有了「死黨」，也可以打出豪門。學問大多數是要依靠豪門，有了一個豪門，才有學問的出路。徐庶見劉備於新野，劉備對元直深為器重，徐庶說：「我算不了什麼，諸葛亮者臥龍也，將軍可願見他否？」在襄樊一帶，已有心訪求賢士，他曾經見到過司馬德操，司馬德徽曾對劉備說：「儒生俗士豈識時務，識時務者在乎俊傑，此間有伏龍、鳳雛。」「伏龍」「鳳雛」之號早已聞名於世。原來劉備在新野的時候，早劉備問：「伏龍、鳳雛是如何人也？」德操說：「諸葛孔明，龐士元也。」劉備聽了徐庶和司馬德之言，又在外面聽說過「伏龍」「鳳雛」的聲名，早已想訪求伏龍這位名士的動機，成竹於心。此時的劉備，還不知道臥龍先生的高傲，他對徐庶說：「先生和他一起來見我好嗎？」於是徐庶說：「此人只可就見，不可屈致。將軍何不枉駕一顧」？劉備才「三顧茅廬」，成為千古美談。（七〇）

喜聞綺霞歸來（續）

綺霞在美，各方交譽，頗著聲譽，何以忽然爲從知還，歸返祖國，始有不得已的所苦。昨日聯察電台的訪問，始知體力不健，故爲有氣無力，不能不回來請醫生檢查診斷，斷且將息，以求恢服。此亦無法避免，祇有小休。極望多滋補，善調養，相信二三月後，當可康復，在劇圈來說，仍是可喜之事也。

她在美國演出次數，約有十餘，最著者，當以在華盛頓大學所演，爲最高潮，無一中觀眾，約近兩千，皆美國知名之士，無一華僑參加，此誠不易。因爲要使他們愛看而耐久坐，並不簡單。選演之戲爲貴妃醉酒，是竭盡東方歌舞之妙。次爲坐樓殺惜，表現中國倫教之旨。無怪觀者欣賞不已，紛往後台致敬，慇勤交接。經此一場，才發生加州大學聘請參予劇組之舉。總之有她的努力，在美國加強奠定基礎，使各票社更形活躍，功不可沒。或有請她在不久演出，我以爲大可稍緩，且待總統八秩大壽，再作計議，在十一月間，亦無妨也。

國劇繽紛錄

鑑藝生　（一一五）

與鳳仙談蘇小妹

徐蓮芝在文藝活動中心演出程派名劇賺文娟，現在改名蘇小妹，客觀的看法，似乎並不完美，其問題在於編劇的技巧不太周至，造成很平淡無奇，很少高潮，尤其唱腔，更須研究，必須重加洗練，方臻佳妙。此戲極不易演，程氏編成後，極少演出，即大鵬排過，也未多演，爲的是唱做非常難以討好，不太好即便易於走瘟。因此我於七年前在空軍總部看楊鳳仙小姐演過，印象極深，全神貫注，非常生動，是驅車往婦聯五村，與鳳仙小姐之談，對此戲的剖析，極有見解。演戲的人員，必須具有內在的揣摩，是每個人所必具有，否則捉摸便會不太合於戲情。後起的演員，對臉部的表情，往往不太夠，就是犯了「呆木雕」，成爲唱得很好，表情不夠。蘇劇也些微有一點，是不可不注意的。茲略述鳳仙的見解，可說是一針見血之言。

我認爲一個演員，對劇中人的體會，一定要深刻，當然還就牽涉到個人學識，身份與揣摩修養的能力上去。（這是無論那位伶票，多應該具有的條件）蘇小妹的氣質不能用一般演法去演，要有含蓄但不是呆板，要能嬌媚但不是放蕩，要具活潑但不俗氣，隨時隨地，要表現出她的才氣，和喜歡調侃的個性來才好。蓮芝是現今的名伶，有專家指導，我不能妄加批評，只覺得她若能稍爲放鬆一點，是不是更加好些？（未完）

木箱旅行傳奇

嘉陵　譯

洛杉磯機場裝運部一位職員，有一貨倉作例行檢查時，突然間，在漆黑的角落裏，他看到一個巨型木箱，發出燐光！他感到好奇，於是召集一旁的工人，將這木箱打開，裏邊走出一個十八歲青年白頓仁‧羅賓遜，那是一個思鄉的英國男子。

白頓仁‧羅賓遜原是在澳洲的雪梨，他想從雪梨，把自己空運，希望回到倫敦。但當這木箱在雪梨裝後，便運上飛機，經過了一個鐘頭到了地方，他在那個卅七吋乘廿八吋，乘廿五吋的木箱裏，給人們錯放進飛機，直運到洛杉磯的飛機場，由於他無法受得住，於是從箱內……他說：「我以爲是已經死了的人」。他立刻給送往醫院，到醫院療養一時期始復原。那些經濟拮据的旅行者，利用木箱「屈蛇」方法旅行，愈來愈多。可能致命危險，但他們仍甘冒生命危險。

航空公司對於那些巨型的木箱，特別嚴密注意，留心木箱有什麼特殊的動態和特徵。在雪梨的一些航空公司當局，把一些含有刺激性嗅藥物，漆在木箱上，以看看木箱裏有什麼反應和可疑之處。

「木箱旅行」無疑是危險和不舒適的，可是卻很便宜，省回高貴的飛機費。

一位美國的電器技師狄崔斯，躲在一木箱中，由澳洲飛往美國，木箱上寫着寄交「胡夫收啓」。當機場的人員，發現這個木箱的無人物主，前來領取，和付給一百六十鎊的欠運費，認爲可疑，乃予以檢驗，發現裏面有一張便條，上寫着：「謝謝此次的運載」——狄霍斯」。

但是並非所有的「木箱旅行」是自願的。在羅馬機場，聽到一位外交官的行李箱裏發出聲音，行李箱是寄往埃及大使館的，機場人員大起疑心，大使館的聽差笑着解釋說：「那是音樂器材」。但是那些警方人員不信，堅要打開箱子看看，在開啓之後，赫然發現一個男子，穿着一雙拖鞋，坐在一張小椅子上，用螺絲鑽緊箱底，同時戴一頂頭盔，以免頭部撞到箱頂。原來這個人名叫毛迪滎洛克，又名約瑟戴漢，是個埃及派往以色列的間諜。他和上級不和，即爲上級以藥迷暈，裝箱運回開羅，然而這次遭羅馬警方發現了，他只不過暫時能夠逃難，但是在他獲釋後，自願返回以色列，而遭以色列囚禁於監獄裏。

在五年前，倫敦一位女秘書，因深戀着老板，拒愛而失戀，甚至避而不見，歲女孩子嘉露杜利丹，希望能到披頭四……，她想盡辦法向老板……，可是始終無法如願。後來她想到一個辦法，在蒙華矛資貨運火車站，鑽進一個茶葉箱裏，一位朋友把這箱當作包裹，在上面寫着：「送給披頭四的禮物」。想省回三鎊六便士的旅費而能達成願望。在月台上，躲於箱裏的嘉露杜利丹，覺得酷熱難耐，想把衣服脫下，由於箱子蠕動，爲苦力所見，即上前查究。發現她匿在裏邊，這個十二歲的女孩說：「我慶幸出了來，在裏面感到暈眩。我事前絕無想到需要新鮮空氣和食物。」

在一九五九年，五名華籍的男子，躲在一艘船上的下鎖的櫃裏，由香港開往澳洲，意圖「屈蛇」入境，這個櫃只有幾呎高，五十四寸長，卅寸闊，當抵雪梨時，其中三人慶幸生還，兩個則窒息而死。他們的屍體在雪梨的海岸給人們發現。

一九四二年，一位意大利女郎，在一個英國官員的行李箱裏，旅行了三千里，由雅迪士雅巴巴，至蘇丹的赫林，當抵達目的地時，兩人被捕，當入境手續而給當局疑爲間諜，但是當他們在監獄獲釋後六天，他們結婚了，而成爲佳話。

閻伯川的修養功夫

吳文蔚

閻伯川先生於卸行政院長後，隱居金山，除埋首著述外，對其隨從左右的屬員，每日須召集小組會議，以討論身體力行與自我修養之方法，步驟、和心得，討論結果，由領導小組總結報告呈閱，閻氏過目後，每人一份，以作生活上修養之主臬。茲將第三十四次小組會議總結，如何嚴密環境以達去除烟、賭、偷、欺之目的，使人人以正確的思想引導行爲，以達到大同的全面規範生活，逐漸成爲由內向外不敢犯，由外向內不敢犯。從視、聽、言、動上痛下功夫。

甲、關於「視」

一、隨時隨地觀察外界的事物。

二、不看無用的書籍，（如灰色的，桃色的）要看有益的和正當的書報和雜誌。

三、時時留心，取人之長而效之，鑑人之短而去之。

乙、關於「聽」

一、聽先生的教訓指示，與教員諍友的（此處的教員，是指規過的人而言）勸告警戒。

二、在環境上不該聽的話絕對不聽，不明白的話，錯誤和曲解的話，要分別說明、解釋、辯證。

丙、關於「言」

一、不說風涼話、洩氣話、下流話、諷刺話、虛偽話和一切損人不利己的話。

二、要說對的話，和該說的話。

三、緊張的話不說，輕薄的話不說，不明白的話不說。

丁、關於「動」

一、每日按時起睡，按時進餐，按時作息。

二、行動上要嚴肅而不遲誤，迅速而不慌張，活潑而不浪漫。

三、工作上要精密的分工，各負各責，不遲緩、不錯誤。

四、同志間應互相檢點、督促、糾正，集體規範，養成嚴肅、正大、親愛、團結、互助、互管，和自助自管的風氣。

閻氏個人的修養是「腹不留物」，胸懷曠達，猶如千頃碧野。其最發人深省者，爲「持得住、擺得開」。他歡喜認錯、改錯，最忌執錯、飾錯。太原大會堂名爲「自省堂」，自省堂內牆上，書有「悔過自新」四個大字，以自勵。他的儀態常是泰然的，從不冒火發氣，他說：「冒火是妄氣的膨脹，認錯是眞理的發光」，有妄氣的人就會把眞理遮蔽。民國三十九年於行政院任內，有一雜誌著文批評，左右以有乖事實，請予答辯，閻氏謂：我能不辨，才敢從政。在善惡而禁非，自不能不拒托，若辨不勝其辨，何堪從政？不管是善意的批評，惡意的侮罵，均當有則視爲醫病劑，無則視爲防疫劑，各自檢點耳。（上）

慈母憶語

紫君

每個人都有母親。每個人都要誇耀自己母親的偉大。也許我是一個不孝順的兒子，所以，我始終沒有想到這個問題。如今讀了很多人物的大作，才覺悟到我的母親，是一位標準的賢妻良母，她是眞正的偉大。

我的家裏，約有八九十畝地，並開一個榨油廠。在人烟稠密的魯東，能有這樣多的田產，雖稱不上財主，但也算得上小康之家了。父親有弟兄兩個，伯父是一個樸實的農人。除了稼穡，別無所嗜，所以，祖父命他主持農事。父親卻不然，除了讀書之外，又有許多雅興，諸如搜集古畫古玩，飼養鴿子金魚，捕魚打獵，栽花種樹等，而對耕稼，卻一點興趣也沒有。因之，祖父就命他經理油房。在祖父的督導，伯父與父親的努力之下，家業蒸蒸日上。

抗戰開始，家中被日本兵及土匪連續洗刦，油房倒閉。父親所搜集的古畫古玩，都被搶去，所飼養的三百多隻鴿子，也幾乎被吃光。父親受此刺激，脾氣變得非常暴躁，而且天天喝酒，時常醉得不能回家，睡在街頭，睡在路邊，有時甚至倒臥在水溝裏。祖父在無可奈何之下，就給伯父和父親分家。當時很多人都預言，父親所分的家業，很快就要揮霍光了。但事實證明，一般人都完全料錯了。分家之後，不到七年，我家就變成全村首富之家。這一切，應該歸功於我的母親。

提起我的母親，使我感到驕傲的是：母親雖沒有讀過書，但她的才幹，卻不是一般受過相當教育的女性所能比得上。她對父親的規勸體貼，對我們姊妹的教導愛護，不在話下。而最主要的是她對家務的料理，家計的擘劃，無不使人稱道。第一，在生活方面：她不禁止爸爸喝酒，但說服爸爸到外面喝酒。家中自己釀造多種酒類，使爸爸每餐都有酒喝，但每餐只許喝一杯。第二、在農事方面：因爸爸不諳耕稼，平常請兩個長工去處理，在農忙時，再增雇臨時工，爸爸祇負督導之責。其實，與其說督導，不如說學習，爸爸由督導，漸漸也學會了耕作。第三，在家務方面：母親不願請人幫忙，一切都由自己動手。每天要做十多個人的飯，要洗十多個人的衣服，要餵猪狗雞鴨，要到菜園拔菜，又要到草園拿草。室內是窗明几淨，院子是乾乾淨淨的。（上）

著名女間諜　姬麗絲妲的故事

○貿譯○

德國就懸賞金擒她，不論生死都可得賞。甘慕力上校的援助得利，德國祇能利用滑翔機運軍隊來作戰，但勇敢的姬麗絲妲率領隊員携機關槍和手榴彈打伏擊，使敵人受到極大的傷亡；但是德軍作猛烈攻擊，四天後，甘慕力上校奉命撤退，姬麗絲妲隨同上校在晚上偸過敵軍的陣地，步行了七十七哩到一間小屋過夜，翌晨他們合力衝出封鎖，將許多名德軍擊斃，但有一小隊德軍趕到，他們就伏在路邊的小叢林中，但德軍帶有警犬，其中一只狗發現了他們。姬麗絲妲隨即伸出一隻手，讓那只狗去舐它，姬麗絲妲隨即用手撫着狗頸，德軍雖搜索，但那只狗不動，牠很忠誠隨同姬麗絲妲左右幾個月，直到牠被流彈射死爲止。

在蘇格蘭場的警員聽到甘慕力上校所講的故事，都欽佩姬麗絲妲的勇敢，最後甘慕力上校又講出姬麗絲妲怎樣救他本人，和美國情報員非田的生命：他們已被判死刑，在翌晨六時執行，甘慕力上校在午夜聽到姬麗絲妲在監獄外吹口哨，她吹出那首他們喜歡共同吹的「法蘭琪與尊尼」那首歌曲，甘慕力上校也就吹出來，使她知道經已尋到他。不過這個簡直是瘋狂的事，一個被德軍通緝的人，竟敢在納粹監獄外唱一首美國歌曲。在晨早六時半，房門緊閉，甘慕力上校認爲在那個時間德軍一定會到來押他們去行刑，誰知完全沒有動靜。（六）

自由報
THE FREE NEWS
第六九三期
中華民國僑務委員會登記
台教新字第三三三號登記證
中華郵政台字第一二八二號執照登記爲第一類新聞紙類
（半週刊每星期三、六出版）
每份港幣壹角
台灣零售價新台幣壹元
社長：曾鳴岑
督印人：黃行哲
社址：香港銅鑼灣高士威道二十號四樓
20, CAUSEWAY RD 3RD FL. HONG KONG
TEL. 771726　電報掛號：7191
承印者：大同印務公司
地址：香港北角和富道九六號
台灣分社
台北市西寧南路壹壹零號二樓
電話：三〇三四六
台郵撥儲金戶九二五二

本報重要啟事

爲配合慶祝雙十國慶佳節計，原定十月八日出版之本報本期（第六九三期），延遲於今日出版。至於下期（第六九四期），則仍按原定之十月十二日出版。敬希　注……

實踐　國父的偉大遺教發揚先烈
革命精神集中海內外意志團結海內外力
量同心協力滙合大陸反毛反共的洪流
解救大陸億萬同胞的苦難重建民族獨
立民權自由民生樂利的新中國

中華民國五十五年雙十國慶　蔣中正

革命事業與王道仁政

——慶祝中華民國五十五年雙十國……

國父孫先生領導中國國民革命，推翻滿清而建立民國，其主要目的，爲建設完成一個三民主義富強康樂的民主共和國，使中國在國際地位上獲得自由平等，在國內社會上全民能同享富裕康樂的生活。

國父自述其革命思想的淵源，是繼承自堯、舜、禹、湯、文、武、周公、孔子一脈相傳下來的中國文化統緒。革命事業，就是順乎天而應乎人的事業。所以一個革命黨員，必須懷着以天下蒼生爲己任的抱負，著盡本身的心智才力，而爲社會人羣服務。革命的進程，雖先有破壞而後有建設，但破壞僅係過渡的手段，而建設才是最終的目標。

民國既立，國父揭櫫「建設之首要在民生」，認定一切建設之着眼，必以解決改善人民之生活爲先務，然後可以致社會於富庶繁榮，謀國家之長治久安，此實本乎我國傳統文化的「王道仁政」之淵源，宗旨十分正確，誠爲古今中外立國所應循的不易至理大道。惜乎當日國人多囿于淺見，對國父三民主義民生建設的主張，竟未能深切體認而信奉實行，遂令國家社會秩序紛然，一切未能走上軌道。不幸國父又大功未竟，即與世長辭，臨終遺囑，猶諄諄以完成三民主義建國大業的責任，期諸後死的下代。

民國成立迄今五十餘年，內憂外患，擾不已。初則軍閥政客竊柄弄權，割據爭雄，四分五裂。後由繼承國父遺志今總統蔣公，繼續……北伐，平定全……統一之局甫成……黨倡亂，日寇……紛乘迭至……蔣公指麾若定……內撥外，畢竟……當抗日戰爭勝……國家聲譽地……時機。不料毛……肆虐，全面叛……家長蛇，竟吞……

……府，則被迫退處台灣，困守一隅，勉維國家的命脈於不墜。

毛共僞政權以騙術起家，它雖捧着馬克斯「階級鬥爭」「不斷革命」的教條，而迷信地奉爲金科玉律，然他們鑒於中國……固有民族文……陶之根深蒂……國父孫先生……義，又爲中……衣鉢眞傳，……論及其具體……爲全國人民……在理論上批……共產主義「……」之說的錯……更再三明白……適合中國需……具在，大家……，不用多辯……們只看毛共……種種暴政措……見其無一不……國傳統，違……義原則的。……動，……生……吸髓；對外……兵，到處挑……顛覆侵略，……無天之殘酷……，罄竹難書……年納粹主義者的罪惡，尤爲昭彰可恨。

共產黨往往自詡其「社會革命」，是「徹底解決問題」「爲人類創造永久幸福」的，同時又自掩其暴戾行爲，叫做「革命手段」。依照我們的看法，共產黨的所謂「社會革命」，只是一種絕滅中國歷史文化人倫社會的空前的刦掠暴行，其結果不但不能「爲人類創造永久幸福」，而且必然造成人間地獄的悲慘局面。

我們三民主義的革命事業則不然。我們雖不諱言破壞，也不諱言對反革命的制裁，但我們一切以王道仁政爲依歸，絕對……根據三民主義而施行的革命措施，諸如耕者有其田，都市平均地權，農地重劃，推行自治，整理戶籍，整頓役政，普及教育，獎勵工商，振興水利，發展交通，舉辦社會勞工福利保險等等，百廢俱興，績效顯著，爲全世界人士所共見，稱譽不絕。……，各得其所。

有些人不明「革命」的眞諦，以爲革命與王道仁政不相容，一定要霸道蠻幹。……在大陸和中……府在台灣的……相比較，便可知這種見解是錯誤的了。有人看見毛共試爆幾次原子裝置，便認爲它的「力量壯大」，這便是皮毛的淺見。其實關於原子核子的理論和技術，在今天已不算什麼秘密，而可說是普通的常識。我們中華民國也並非不能製幾枚原子彈，只是我們基於三民主義的仁政立足點，處處顧慮到人民的幸福樂利生活，才不肯像毛共「寧要原子不要褲子」的橫暴行徑而已。

晚近又有些西方人常把「黃禍」二字作口頭禪，他們更無知地認爲毛共是中國文化的產物，眞是可哂之極。殊不知中國文化精神，原是一種王道仁政精神。毛共的行爲，實在是中國文化所絕對唾棄的暴行。如果那些西方人恐懼「黃禍」的重演，就必須切實援助我們本着中國王道文化而實踐三民主義的中華民國，幫忙我們早日反攻大陸，消滅毛共，才是一個正本清源的辦法。

欣逢我們中華民國雙十國慶佳節來臨，謹略述革命與王道仁政之義，以申明我們當前反共復國建國之目標。願與我海內外同胞努力共勉，爲邁進這一偉大目標而奮鬥。

胆戰心驚！

老毛的文化！

自由談

中國人的大浩刦

毛共之所謂「文化大革命」，揚言反四舊，連喝茶，亦視爲資本主義的舊生活，非剷除不可，寧非千古奇談！

按照這樣的辯證法則來創造社會主義的社會，人類縱然回復到穴居野處、茹毛飲血的原始生活還不夠，因爲初民社會幷無所謂「毛澤東全集」之類的文字著作發行，人們祇是日出而作，日……，生活過得很有規律……規律，就不會天天講搞運動，便係資本主義意識形態呀！……舊有的文物制度和……價，都在摧毀唾棄之列，而所謂新的社會主義建設標準，又漫無邊際與界說，是不是要人民不穿衣褲，不吃飯睡覺，晝夜勞動生產，纔合乎「毛澤東思想」呢？人類吃飯要用筷子或刀叉，睡覺要有床舖，在「紅衛兵」看來，這亦是舊有資本主義的奢侈浪費方法，爲社會主義社會所不容的。像這樣的「文化大革命」行爲，若說可以成功，那除非能使太陽改從西邊出來。但太陽果眞從西邊出來了，又與毛共所炫耀的「東方紅」思想大相背馳，變成了「反黨反社會主義的毒菌」，如何是好呢？

投共人士章行嚴（士釗），十年前來到海外對人說：毛共政權僭立伊始，曾經遴派了十餘名法學專家——章氏亦在內——組織一個法制委員會，教他們研究一套與舊有六法全書相異的社會主義新六法大全，以便頒佈實施。他們絞盡腦汁從事研究了一年多，弄來弄去，總是脫不出舊六法思想的範疇，祇好知難而退，自動解散了。如今「紅衛兵」以瘋狂而野蠻的破壞手段，否定當有的一切文物和習俗，卻提不出建設性的新方案來，這只能說是人類的一大浩刦，與文化革命的意識相距十萬八千里，是對「文化」二字的誹謗污辱！

乳臭小鬼的「紅衛兵」，無知無識，甘受毛共利用驅策，胡搞亂來，罔顧死活，我們只覺得可惱又可憐而已。唯大陸上幾億同胞枉遭浩刦，甚至禍及枯骨，悲慘情形，不堪想像。這才是我們同心協力以救亡圖存的重要責任，要用行動來挽救國家民族的危亡，各盡所能，義無返顧，光是報導口評述，隔岸觀火，而別無有效的對策付諸實行，咱們使不算是有種的黃帝子孫，念之哉，宜勉力！

馬五先生

黃豆案的發展情形

立監兩院的同意經過不同　行政官吏亦將有被逮問者

（本報台北通信）台北地方法院爲「黃豆案」拘押了立監委員六名，據說還有立委數名將予繼續拘捕訊究。立監兩院對於法院函請同意指名拘捕立監委員的處置情形，頗不一樣，這是關係法治與人權的問題，値得注視的。

立法院院會時，主席（院長）將法院密函當衆宣讀後，在場委員一致鼓掌表示同意，五分鐘就完成了法定手續。而承辦黃豆案的檢察官李兆欣，亦在院長辦公室坐候立法院的回文，他於取得回文，潛立院外的辦案人員，即將參加會議的立委劉景健逮捕押解到法院去了。憲法第八條規定，凡是拘捕一個普通人民，亦得說明犯罪事實，方能採取行動；逮捕最高民意代表，似不應如此草率從事吧？立院對於同意司法機關逮捕立委這回事，非同小可，乃以鼓掌方式作無言的通過，亦未免掉以輕心，太隨便了。用鼓掌方式通過議案，原是羣衆大會的一般作風，堂堂國會，殊不宜向羣衆大會看齊也。立院對司法機關的同意回文，也應該派人送達來文的機關，方合體制，承辦本案的檢察官沒有必要呆在立院院長辦公室等候回文，立院亦沒有理由將答復司法機關的文書，交給一個私人之手。

監察院的情形却不同了。當主席當場拆開法院密函，對衆宣讀後，即有人發言，指出法院來文僅說是某字號案件有涉及監察委員的，請予同意於必要時，加以逮捕（不是傳訊，因傳訊並無須乎同意也）。這樣，監院同人即不知道被指名逮捕的委員，究竟是犯下了甚末罪行，豈能隨便同意法院的要求嗎？又說，即使某監委有犯罪事實，大家同意法院可以拘押，亦不能在監察院門口即細鎖本人，否則本院決不同意，蓋法院所謂『有逃亡之虞』的顧慮，並不存在，何必故作驚人之舉呢？據由主席李嗣璁聲述法院已交來有關某監委犯罪資料，且宣佈了內容，大家纔決議同意，然仍附以詳細的決議文，表示維護法治與人權的精神。

被法院指名逮捕的三位監察委員中，是日參加院會的只有于鎮洲，他於聆悉法院來文後，起立發言本人于役本院多年，素承同仁愛護，現在爲着黃豆案牽涉到本人，無論是否有罪，都覺得對不起各位同仁，深爲慚愧。好漢作事一身當，將來結果如何，概與本院同仁無關，特此聲明。說畢即退席，逕赴法院報到。社會人士認爲監察院處理本案的經過情況，十分愼重而合理，而于鎮洲的表示亦相當漂亮，殊堪稱讚。

連日來，外界紛傳着法院尚要指名逮捕幾個立委，而且有名有姓，言之鑿鑿，其中有姓林和姓曾的，據聞姓林的私人存款在台幣乙千萬元以上，亦經確查有據云。因盜豆案而判處無期徒刑的油商王作昌，謠傳他在東窗事發以前，即已將私人財富變成外滙，存到巴西去了，家小亦已前往巴西，本人準備出國到海外作寓公。迨豆案發生，王氏被捕判刑後，原來替他經手搞外滙存款的人，竟黑着良心，將那大批金錢捲逃到加拿大，據爲己有了！害得王氏的家屬又要回台灣來，確否且待記者訪查後再行報導。

黃豆案有關中央民意代表方面的偵查工作，初告段落了，如果尚有立監委員牽涉在內，法院隨時可以逕行拘傳，不成問題。今後法院在偵訊過程中，某些行政官吏勢必受到與在押的立監委員同樣待遇，非束身司敗，聽候究問不可。好戲纔開場，夠瞧的啦！

（九月廿七日大元於台北）

從雙十慶典看強大國軍

·吳立人·

每逢國慶佳節，海外各個地區的僑胞，都紛紛組團返國，參與多彩多姿的十月慶典。僑胞回到祖國後，他們最迫切期待的，就是觀覲蔣總統，其次就是參觀壯大的國軍陣容，諸如國慶大閱兵，三軍聯合實彈演習等等，最後他們才是觀光旅行，飽覽台灣寶島的風光。

今天適逢中華民國五十五年雙十國慶，筆者特就十六年來雙十慶典中，我英勇國軍日益強大的陣容和士氣，以及精良的戰鬥技能，作一綜合性的報導，以饗海外同胞。

民國三十九年雙十節是大陸陷入鐵幕，政府遷台以來的第一個國慶日。由於國土淪陷，億萬同胞遭到浩劫，因此大家以嚴肅的心情，來迎接這個偉大的日子。這年的國慶，中樞舉行了隆重而簡單的儀式，會中蔣總統宣讀卅九年雙十節告全國同胞書。國軍方面，鳳山和左營的陸、海軍基地，曾分別舉行閱兵典禮，全體官兵矢志收復大陸、解救同胞。這便是政府遷台後第一次國慶的情形。

到了民國四十年，國內「地方自治、土地改革」相繼實施，經濟方面，金融安定，生產增加，穩定了民生的基礎；軍事方面，戰鬥力量較前大爲增強。五月一日美國在華成立軍事顧問團，加強對我的軍事援助。同時全世界大多數民主國家，都已認清中共的眞正面目，對我從觀望而轉爲同情；這一年的國慶日，政府舉行了遷台後的首次閱兵大典。上午十時，受閱部隊肅立道旁，陣容整齊，精神飽滿。蔣總統乘大閱兵車，每過一處，道旁的民衆均高呼總統萬歲，中華民國萬歲。十一時，總統親臨檢閱台，隨之開始分列式。閱兵過程結束後，受閱部隊集合台前，舉行慶祝典禮，並聆訓。至下午一時十分，始結束了此一大規模的典禮。

四十一年的雙十國慶日，全省各處普遍舉行慶典。單以台北來說，中樞舉行紀念典禮，國慶閱兵大典，還有全國各界的慶祝大會，以及晚間在三軍球場所舉行的戰鬥晚會，非常熱鬧。雙十閱兵大典，於上午十時開始。蔣總統在統帥旗下登上了閱兵台，接着率領陪閱官，分乘二十輛檢閱車出發，首先檢閱總統府廣場前的儀隊，繼即沿介壽路、公園路、中山南路，……重回到閱兵台。受檢部隊包括配有全部新式武器之陸、海、空軍各兵種。典禮完畢以後，三軍官兵受到蔣總統嘉勉與民衆的歡呼，並爲中外人士公認爲世界上裝備精良，戰鬥力強大的隊伍。

民國四十二年，韓戰的進停問題，是震撼國際的一件大事。一心想回台灣的反共義士，終以大無畏的精神，擊破重重難關，於是年十月九日，第一批義士六十三人，返抵國門，給四十二年的雙十國慶添上了意外的欣喜。因此，民國四十二年的雙十國慶，無論在情緒上或規模上，可說是政府自三十八年遷台以來，最熱烈、最盛大的一次。閱兵大典於十日上午十時開始。在艷陽普照的總統府前，陸、海、空軍健兒們，雄赳赳、氣昂昂，精神抖擻、步伐整齊，接受蔣總統的檢閱。那年閱兵的軍容，又有了很大的進步。總統於閱兵後，勗勉三軍將士，今後要格外努力完成訓練，達成反共抗俄收復大陸的任務。

民國四十三年的國慶閱兵典禮，以廿一響禮炮揭開序幕，並以國防部示範樂隊所奏的「雙十勝利進行曲」作爲結束——這是國慶閱兵大典中的一個新花樣。

當天的淸晨，我空軍健兒，携帶大批的紙彈，遠往福建沿海散發，戍守在前哨的戰士和各地的播音站，亦對共區傳播自由中國軍民歡慶雙十節的佳音。

在這些紙彈中，有十萬面小型青天白日滿地紅國旗、領袖肖像、文告以及漫畫。內容除了報導自由祖國的盛況的消息外，並告慰大陸同胞：「記住雙十節和你們的希望永遠同在。」

四十四年雙十閱兵的軍容，壯麗無比。受閱的三軍行列，海軍一馬當先，全部白色服裝，空軍爲黃制服，陸軍一色草綠。在受檢的部隊中，通信兵裝在車上的活動無綫電台，天綫高聳入雲，極爲壯觀。工兵裝備有巨型起重機、開路機、造橋機等；衛生部隊的行列中，有活動的戰地醫院等等；國軍盛大的行列和車隊，贏得了參觀者人人的讚譽。（上）

一九六六年國際共產黨的一般情況和民主國家反共的形勢

△何浩若▽

依據上表，共產集團共有十四個國家，全體共產黨員人數爲四千一百五十八萬九千五百二十人，佔全數百分之九十四以上。共產集團以外的民主國家的共產黨員人數，不到全數百分之六。茲簡單說明如後。

乙、民主國家的共產黨員人數

據美國國務院的調查，一九六四年年底，共產集團以外的民主國家共有共產黨員四百五十萬人。但是到了一九六六年年初，這四百五十萬的數字，便降落到二百六十萬，減少了百分之四十二。降落的最大原因當然仍是印尼的轉變。印尼原有共產黨員二百多萬人，一九六六年六月美國國務院的調查只列十萬人。自從印尼淸共，共黨的領袖被捕或被殺以後，恐怕自承爲印尼共產黨員的連十萬人都不到。一九六五年是國際共產黨最倒霉的一年。除去印尼以外，其他民主國家的共產黨員，也紛紛退黨。西德原有共產黨員五萬，到一九六六年初只留下一萬人。墨西哥更壞，原有五萬共產黨員，只留下五千名。他如伊拉克本有共產黨員一萬五千名，也只剩下兩千名。

民主國家的共產黨員紛紛脫黨的理由之一是匪俄交惡，使得各國的黨員無所適從。美國國務院的調查報告說，至少有十八個民主國家的共產黨，因爲匪俄衝突而分裂。以印度爲例，印度共產黨分裂爲二，親中共的約有七萬人，親俄的約有五萬人。報告說有九個國家的共產黨是親中共的。這九個國家是阿爾巴尼亞、北韓、北越、越南，（有共產黨員三萬一千人）印尼、日本、泰國、馬來西亞，和紐西蘭。其實這幾個國家，如北越和北韓都參加了蘇聯共黨的第二十三屆代表會，北韓還正式宣佈脫離中共。日共最近也和中共鬧翻了，下命令不准掛毛匪澤東的像片。紐西蘭的共產黨是擁毛匪的。除此以外恐怕便只有阿爾巴尼亞了。擁毛匪的印尼共產黨現已沒落。除非印尼共黨能死灰復燃，便擁毛也無能爲力了。一九六六年以前，印尼共產黨的人數居民主國家的第一位。就在共產集團裏面，也僅次於中共和蘇俄。現在這民主國家的第一位祇好讓給意大利了。意大利現在有共產黨員一百三十五萬人。法國第二，有二十八萬人。日本第三，有十三萬七千人。印度第四，親毛和親蘇的兩派合起來也只有十二萬多人。國際共產黨的活動特別注重非洲和拉丁美洲。美國的黑人不肯加入美國共產黨。非洲的黑人因爲知識水準太低，本身也不能起作用，只是受蘇俄國際共產黨的支配。美國國務院調查說到布市剛果的情形。布市剛果並沒有正式的共產黨。所謂「國家革命運動黨」就根本不是一個共產黨。但是布市剛果無疑的是共產黨在西非的根據地。中共和古巴都在布市剛果設有大規模的訓練班。最近布市剛果的陸軍反共，就是因爲古巴所主辦的訓練班引起來的。奈及利亞和塞內加爾在一九六四年的調查報告，還列有共產黨員人數。後來因爲根據蘇俄的報告，這兩國就沒有正式的共產黨，因此這次美國的調查報告，就根本取消不列了。至於拉丁美洲的情形，最有力量的共產黨要算阿根廷，有黨員六萬五千人。其次是智利的共產黨，有三萬人。再次是巴西共產黨，有二萬三千人。古巴的共產黨有十萬人。古巴屬於共產集團，上面已經報導過了。美國共產黨的親毛份子被開除黨籍。美國調查沒有說到它本國的情形。美國共產黨是秘密活動沒有正式登記的，據估計不會超過三萬人。

丙、從共產黨員數字看國際共黨的趨勢

現在我們就全世界共產黨員的數字說明一下一九六六年國際共產黨的趨勢。一九六六年的國際共產黨，單就人數一面講，無疑的是走下坡路的。我們不能就共產集團的黨員人數，祇能就民主國家的共黨人數，來觀察國際共產黨的趨勢。共產國家的人民加入共產黨是沒有自由的。執政的共黨，要人民加入黨，人民是不敢反對的。像中共和蘇俄，要增加黨員人數，是毫不成問題的。不過共產黨是統治階級，要維持少數人獨裁，共產國家不能讓人民隨意入共產黨。至於民主國家，凡承認共產黨合法的，人民都可隨意加入。（二）

武昌首義時的外交

王康

辛亥革命之所以成功，除了革命黨人的大無畏犧牲精神是主要因素以外，外交政策的正確，也是一個重要原因。當武昌起義的頭幾天，各省尚未響應，革命軍的力量也很單薄，如果列強同情清政府而反對革命軍，以後的發展究竟如何，那就很難說了。

在武昌起義時，漢口有英、俄、法、德、日等五國租界，革命軍渡江進攻漢口時，戰火就延燒到各國租界的邊緣了。如大智門火車站的爭奪戰，即在英、法兩國租界的旁邊，假使英法等國藉口干涉，對革命軍的民心士氣，必然是一個很大的打擊。由於當時軍政府在外交上的肆應得宜，各國領事不但沒有協助清廷打擊革命軍，反而很快就承認革命軍為交戰團體，並宣佈嚴守中立，這對於革命軍的士氣，是一個很大的鼓勵。

辛亥年八月十九日晚間，武昌新軍工程營首先起義，其他各部隊裏的革命同志也立即起而響應，當晚就攻下督署，佔領武昌，第二天就推定黎元洪為都督，組織軍政府，並任命胡瑛為外交部長。

首義後的第二天，即陽曆十月十二日，軍政府即照會各國領事，請求他們嚴守中立，並承認革命軍為交戰團體。照會全文是：

「中華民國軍政府鄂省都督為照會事：我軍政府自廣州之役，團體潰後，乃轉而向西，遂得志於四川。在昔各友邦，未遑認我為與國者，以惟有人民主權而無土地故耳。今既取得四川屬之土地，國家之三要，於是乎備矣。軍政府復組國之情切，憤滿清之無狀，復命本都督起兵武昌，共圖討賊，推倒專制政府，建立民國。同時對於各友邦，益敦睦誼，以期維持世界之和平，增進人類之幸福。所有國民軍對外之行動，特先知照，免致誤會：

一、所有清國前此與各國締結之條約，皆繼續有效。

二、賠款外債照舊担任，仍由各省按期如數攤還。

三、居留軍政府佔領地區內之各國人民財產，均一律保護。

四、所有各國之既得權利，亦一體保護。

五、清政府與各國所立條約所許之權利，所借之國債，其事件成立於此次知照後者，軍政府概不承認。

六、各國如有助清政府以妨害軍政府者，以敵人視之。

七、各國如有接濟清政府以可為戰事用之物品者，搜獲一概沒收。

以上七條，特行通知各友邦，俾知師以義動，並無絲毫排外之性質參雜其間也。相應照會貴領事，轉呈貴國政府查照，須至照會者。

黃帝紀元四千六百零九年八月二十一日

即一千九百一十一年十月十二日」。

自從照會送出後，軍政府外交部又派員分訪各國領事，要求他們承認革命軍是交戰團體。在此項交涉中，出力最多而收效最大的是夏維松。夏是李國鏞的外甥，李於武昌首義後，自動向都督府投效，願在外交方面為革命軍效勞。外交部派李氏做代表，李氏並推薦他的外甥夏維松，外交部也立即照派。夏是俄國留學生，研究法律，精通俄語，曾任方言學堂俄文教員，與當時俄國駐漢口總領事敖康夫私交很深。李國鏞和夏維松於十月十四日拜會敖康夫，請他贊助承認革命軍為交戰團體，並示意領事團要求清軍遠離租界十里以外作戰。敖康夫說：「過去歐美各國革命，須在革命軍對政府軍打勝仗以後，外國才肯承認革命軍是交戰團體。（上）

一顆炸彈的故事

同盟會員丘啓新追懷往事

符貽

寄居在南太平洋法屬大溪地的華僑丘啓新老先生，去年曾組團返國參加雙十慶典，當他看到閱兵大典上雄壯的國軍行列時，不禁勾引起他自己當年英勇果敢的革命往事。

他告訴了筆者一則「手擲炸彈」感動了萬千人民，終於大家齊心協力，驅逐了韃虜的故事。

丘老先生說，辛亥年十月十日武昌革命起事後，在廣東，最先響應的是惠陽龍江鎮的義勇軍，這支義勇軍是鄧仲演領導的。鄧仲演把龍江鎮的革命黨人和槍枝都集攏起來，去攻打惠州城。

滿清政府得悉鄧仲演打算要攻打惠州的消息後，便派了千總李聲展，集合五個營的兵力，在深圳集中，準備去攻打鄧仲演的革命軍。李聲展邀功心切，他的五營軍隊還沒有集結好，便迫不及待，先帶了四百人馬從深圳打向龍江鎮去了。

李聲展知道鄧仲演帶的人和槍都離開了龍江鎮去攻打惠州城，不料用了一個很高明的計策，不先去救惠州城，卻先向革命黨的基地龍江鎮進軍。

這時，好在滿清的新軍裏面也有了革命黨，就在滿清的千總李聲展帶了四百軍隊要去攻打龍江鎮的同時，新軍裏面三位下級軍官，也帶了七十二位參加革命黨的新軍，急急忙忙的前去解救龍江鎮的危難。這三位新軍裏的下級軍官是徐榮標、黃中興、曾福山，他們都是惠州人。妙就妙在要去攻打龍江鎮的李聲展，和要去保衛革命基地龍江鎮的徐、黃、曾等人，都不約而同從深圳出發，而且又是同乘一班火車；李聲展的四百軍隊到了龍江鎮先駐紮在郊外，徐榮標等革命黨人却直接進入了鎮內。但是這時候的龍江鎮不但缺乏武器，甚至連兵員都沒有。徐榮標、黃中興、曾福山等人早就想到了這個問題，所以，曾帶了些炸彈來；不過，龍江鎮的鄉下人從來沒有看見過炸彈，到那裏找人去向敵人扔炸彈呢？（上）

第一位為革命犧牲的陸皓東

蒲郁

在推翻滿清，締造民國的過程中，陸皓東先生要算是：為中國革命流血的第一位烈士了。

國父孫中山先生，對於為革命犧牲的許多同志，都寄以無限的懷念和敬意；而對於陸皓東烈士，緬懷尤深。他曾謂：「皓東聰明好學，貞摯誠懇，能詩能畫，沉勇果敢，為世之英才。惜以事敗而犧牲，元良淪亡，誠革命前途之大不幸也。惟其死節之烈，浩氣英風，實足為後死者之模範。每一念及，仰止無窮，其精靈之縈繞吾懷者，無日或間也。」我們讀了這一段沉痛的文字，不難體味出烈士對國家、民族的功績，是何等的偉大！所以我們除了要永遠追念之外，更要效法他為國犧牲的精神，來為民族、國家效勞。

陸皓東烈士，生於民國紀元前四十四年（一八六八年）的中秋節，所以號中桂，字獻香。他是國父的小同鄉，兩家相距不遠，兩人年齡又很相近（他小國父二歲），所以小時候時常玩在一起。

皓東在八歲時，進入家鄉私塾念書，從小就喜歡畫圖畫，因此塾師時常指責他不專心讀書。可是聰明的陸皓東却認為：圖畫也是讀書的一部份，為什麼不可以？他為了對世俗表示反抗，所以還是依然如故，塾師也莫奈之何。由於陸烈士生前愛好繪畫，我們現在所懸掛的青天白日滿地紅的國旗，就是由他所設計的。

在他十七歲那一年，國父由檀香山返國，兩人久別乍聚，倍覺親密。這時陸皓東已有很好的國學根基，國父則與西洋環境接觸，不但知識豐富，而且思想新穎，兩人交談之下，非常投機，友誼愈堅。

有一天，兩人相偕出外郊遊，經過一座北帝廟時，看到鄉民很虔誠的向神像叩頭膜拜，於是不約而同的前往開導，但是毫無效果。他倆為了證實神像不過是個「木偶」，乃將神像毀壞，鄉人大譁，驚慌之下，向兩家提出嚴重交涉，國父因此避往香港，陸皓東到了上海。這也就象徵着兩人携手革命的開始。

他到上海學習電報，畢業後，派往蕪湖電報局工作。二十三歲時回到家鄉結婚，這又湊成了與國父共事革命的機緣。

再說，國父在香港讀書期間，適值中法越南戰爭，清廷庸懦無能的表現，帶給國父很大的刺激，因此孕育了革命救國的思想。不久，他返回廣州，進入博濟書院肄業，並交結鄭士良等人，經常談論革命。隨後由於在廣州言論不自由，又轉學到香港西醫書院，結交更多同志，革命思想也更為成熟。這時，陸皓東也由上海到了香港，經常跟國父、陳少白、尤列、楊鶴齡等人，研討革命救國問題。

西曆一八九二年，國父在西醫書院畢了業，到澳門行醫，並在廣州開設藥房，以掩護革命工作。革命同志們便利用廣雅書局內的抗風軒，作為同志的聚會所。這時，對革命進行，已有了初步的具體計劃，經大家推舉國父和陸皓東從廣州北上，先到北京、天津去窺察清廷虛實，後來又轉往武漢一帶，觀看長江形勢，以作為未來起事的根據，這便是陸皓東眞正開始革命的工作。（上）

五十五年雙十節頌辭

宗孝忱

十為成數又成雙。佳節天成表駿龐。

五十五年思建國。中山突兀聳珠江。

武昌一夜播天聲。舉國風從革命成。

前事堪師有微妙。人心歸順自輸誠。

元戎連任見輿情。睿智剛强頌龜齡。

天佑吾華動則變。舉頭同仰蔣山青。

緜緜葛藟本同根。愛國僑胞信可徵。

慶祝佳辰齊感發。同心戮力助中興。

國慶憶舊

老兵萬耀煌答客問

謝光麟

七十六歲高齡的萬耀煌老先生，第一眼望過去簡直叫人不敢相信：滿頭的黑髮，健壯的步伐，爽朗的笑聲，鏗鏘有力的言談，眉宇間深藏着一股英豪之氣，好似有着一種無形的潛在力量，在迫使你對這位自稱「老丘八」的革命元老，不由得不肅然起敬。

萬先生早歲追隨，總理參加革命，曾親身參加武昌起義策劃工作，對起義前因後果及起義經過，瞭如指掌，為目前台灣少數開國元老之一。民國成立後，曾歷任師長、軍長、司令、陸軍大學教育長，中央陸軍軍官學校教育長，湖北省政府主席；來台後，曾在革命實踐研究院担任主任之職。記者以國慶屆臨，特拜訪萬先生於台北市郊寓所，以下即是與萬先生的一席談話。

問：萬先生曾親身參加武昌起義嗎？

答：武昌起義時，我正在保定軍官學堂受訓，為了革命，乃毅然南下，至滬，曾謁滬軍都督陳其美先生，命我負責督練滬軍。日後，陳派我回鄂與黎都督聯絡；我至武昌，黎命我隨戰時總司令黃克强先生攻擊漢口，部隊渡河後，以陰雨泥濘，秩序紊亂，攻擊未能奏功，旋折返武昌。時黃克强先生已赴滬，是時孫發緒代英領事到總司令部，謂與北軍約定停戰三天，以便和談，和談文件須蓋有中央大都督印信。此時黎都督已往武昌郊外葛店，我自請往追，促請回省，我星夜馳回，蓋印交換和約。以後，大局形勢已定，和議既成，革命暫告一段落，我再回保定軍校繼續學業。

問：武昌起義與以往革命失敗有何關係？

答：辛亥武昌起義的成功，是經歷十次失敗後的成果。十次革命的失敗，先烈們的血並沒有白流。每失敗一次，革命的浪潮就隨着高漲。經過十次革命的風暴，全國同胞革命情緒醞釀成熟，武昌起義，不過是引火綫，瓜熟蒂落，革命成功，也是必然的結果。不過，黃花岡及其他各役都是從外向內，而武昌起義則是從內向外的。

問：起義前的民情如何？

答：在當時湖北實行新政，有許多當時留學日本的學生回國後，均加入了革命同盟會組織。他們返國時，還秘密的携回許多革命宣傳品，這些宣傳品，在湖北知識青年中流傳得很快，對於啓發革命思想，具有極大的作用。

問：知識青年對起義成功發揮了何種功效？

答：青年是國家的菁英，國家的盛衰成敗完全要靠青年人。「武昌首義」的成功，不是靠某個人，而是靠民衆，尤其是年方十七、八歲或廿五、六歲的小伙子。因為青年人有着滿腔的熱血與真誠，加上璞玉般純潔的個性，不為名利，不貪生怕死，毫無畏懼地為自己的理想、信仰而犧牲。

這些知識份子受到革命思想的薰陶後，他們心中都以孫中山先生為日月辰星，以同盟會為嚮往的目標，於是他們有組織，由許多多三、五人的小組織，逐漸合併於「羣治學社」。稍後又改為振武學社，到了辛亥元旦，復改名為文學社。組織日趨健全，發展更加迅速。（七）

國旗的故事

·趙芳·

國旗是立國的象徵，尊榮的代表。我國有了青天白日滿地紅國旗後，其間發生過許多可歌可泣的壯烈事跡，實在值得傳誦，俾資表彰！

陸皓東手創國旗

民國紀元前十八年孫中山先生創立興中會於檀香山，次年春，興中會正式成立於香港，誓詞有：「驅除韃虜，恢復中華」！並決議襲取廣州爲革命根據地。爲了起義，陸皓東特創制「青天白日」旗，以爲革命標幟。

陸先生創制國旗的時候，他設計的意義是深遠的：「青天白日」是表示青天所覆，白日所照，無不有中華民族偉大精神存在。「白日」十二道光芒，光輝四射，象徵一十二個時辰，和一年十二個月，國運昌隆，照耀宇宙。易曰：「天行健，君子以自强不息」。不斷的努力，國家和民族，就永遠如青天之不老，如白日之輝煌。

國父採用了這個設計，製成了「青天白日滿地紅」的國旗，它具有三種鮮明的顏色：「藍」，象徵青天的高潔；「白」，代表白日的純潔，中華民族的偉大，和炎黃華裔光明磊落的胸懷；「紅」，代表冒險犯難，奮勇犧牲。民前十八年九月九日，第一次廣州起義失敗，陸皓東爲革命殉難第一人，而青天白日旗，却揷上廣州城頭，吹起革命號角。

恢復青天白日旗

武昌起義，各省革命旗幟不一。武漢義師用十八黃星旗，滬軍都督府用五色旗，粵、桂、滇、黔諸省則用青天白日旗。可是，到了臨時政府成立，參議院却決議以五色旗爲國旗。

其後袁世凱稱帝，使用黃色金龍旗。爲鞏固帝制，承認日本帝國主義所提出的二十一條賣國條件。後經　國父領導同志，予以推翻；袁世凱於民國五年六月六日羞憤而死，結束了八十日洪憲帝制幻夢。

袁世凱既歿，黎元洪繼任總統，恢復約法，旋又發生督軍團及張勳復辟事件，結果張勳被推翻，接着就是安福系上台，又復倒行逆施，竟甘心與日本締結種種喪權辱國條約。　國父爲了挽救中國，毅然離北赴廣州，[illegible]（上）

雙十在祖國

·謝冰瑩·

王子誠是印尼的僑生，他第一次參加在台灣舉行的慶祝國慶紀念大會。

「聽說有人在晚上三、四點鐘的時候，就去總統府前面的廣場，等着看明天的閱兵典禮，是眞的嗎？」王子誠問他的同學李吉。

「可不是眞的？你若是不信，現在我陪你去看看，已經有人帶了席子和毛巾被躺在那裏了。」

一來爲了好奇，二來也爲了要看總統府燈光輝煌的夜景，他眞的拉着李吉一同搭三路公車上街了。

「不假吧？你瞧，看台上已經坐了這許多觀衆。」李吉指給子誠看。

「那麼，明天，還不知道要擠成什麼樣子呢？」

「哼！明天，你怎麼擠得進來呢？連樹枝上，屋頂上都爬滿了人，要想看清楚，除非你也睡到這裏來，佔住這個位置。」

李吉說完，子誠緊緊地握住了他的雙手。

「李大哥，我求求你陪我睡在這裏，明天我們好看三軍檢閱。」

「我是看過的，場面眞偉大；但我今晚還要趕一篇論文。你如果有興趣，就請留在這裏吧，我替你送毯子來。」

「那倒用不着，我不大怕冷。同時我也想嘗一嘗這種露天睡覺的滋味。李大哥，你回去吧。」

李吉眞的回去了。他了解王子誠那種愛國的熱忱，一看見青天白日滿地紅的國旗飄揚，就會興奮得流下淚來。

×　×

十月九號這一夜，王子誠完全沉醉在一個快樂、興奮、美麗而雄壯的夢境裏，醒來的時候只見前後左右都擠滿了人。

——難道他們都像我一樣在這裏？

王子誠感到有點饑餓和口渴；但他捨不得離開，他知道一走，馬上就會有人來佔住這個距離檢閱台的位置；他寧可忍受一切，看到那些在晨風中招展的國旗，他眞的流出眼淚來了。

（上）

革命志士頌

稚嬰

志士既聞道，參盟結義儔。三民宣革命，四海應揚桴。冀解蒼生困，還蠲社稷憂。相携思拯溺，共濟勵同舟。責任挺肩受，犧牲拼血流。但伸鴻鵠志，豈爲稻粱謀。勇氣凌河嶽，精忠貫斗牛。功成何必我，果熟自然收。世患今逾昔，邦基動更浮。尚稽誅赤寇，亟待割癌瘤。正義當無敵，半途莫罷休。艱難期後死，黽勉效前修。華夏山河復，青編姓字留。馨香崇廟祀，俎豆薦千秋。

黃季陸分析辛亥革命成功的因素

越衡

曾經追隨　國父參加革命的前任教育部長黃季陸，在雙十國慶前夕，應記者之請，就當年武昌辛亥革命成功的因素，作了一個概括的介紹和分析。

遠在五十五年前的十月十日，辛亥革命在武昌爆發，其時　國父正由舊金山前往美國的東部，照一般常理來說，國父於得悉革命軍佔領武漢之後，本可停止東行，折回舊金山，由太平洋返國，親自參與革命之戰，以快生平。可是，他却衡量全局，擇其最急而有更大貢獻於革命者，個人利害毫未計及。

國父當日第一個決定爲：革命軍既已佔領武昌，革命的成敗，已不單在決勝疆場之上，而是在折衷國際樽俎之間。所以他先從外交入手，待此問題解決之後再行返國。

辛亥年正是庚子義和團事件之後十一年，在八國聯軍佔領北京期間，中國雖倖免於瓜分，但自此之後，民族自信心漸趨喪失，每遇外交問題發生，無不談虎變色。因此　國父認爲，當時最應顧慮者爲外交問題；以後的種種事實證明，國父確是一位雄才大略，獨具隻眼的領袖。當時他舉了一個例子說，當革命軍佔領武昌以後，兩湖總督瑞徵，本擬逃往漢口租界，求援於各國領事，指革命軍爲義和團。而德國駐漢口領事，竟有援助瑞徵以對付革命軍之主張，幸而當時法國駐漢口領事羅氏，係　國父的舊友，正任領事團首席領事，當各國領事召集會議共同行動時，羅氏力持正義云：「革命軍乃奉孫逸仙博士之革命行動，孫氏所領導之革命，乃以改良政治爲目的，決非拳匪可比。」於是各國乃宣言嚴守中立。瑞徵因不得外力之援助，逃往上海，革命黨遂能保住武漢。

國父當日的第二個決定是，他認爲在中國利益最大的有英、日、美、法、德、俄六個國家。在分析這六個國家的利害關係後所得的結論是：美法兩國政府與人民對革命均有好感，不致妨害我們！德俄兩國當時之趨勢，尚趨向於滿清政府；英國則因日英同盟關係，唯日本之馬首是瞻。日本與中國的關係最密，日本軍閥對中國侵略之野心尤爲可怕，其民間志士雖多同情中國之革命，且有爲革命而犧牲者，但是日本政府之方針，則爲反對革命者。欲轉移對我革命有切身成敗關係之日本政府對華方針，對英國的爭取，十分重要；若英國同情革命，則日本也不足慮了，於是　國父便決定了暫不返國，直赴紐約乘船赴英，作其外交活動。

（上）

治學嚴謹

國父治學的精神，不僅嚴謹，而且求精。在學時如此，在革命時如此，及至做了大總統亦復如此。在吳稚暉所述總理行誼中，曾說：「他民國元年，把大總統讓與袁世凱，他也深望袁世凱有一點天良，對待中國穩定的做去，讓他趁這個當口，在十年中，完成了二十萬哩鐵道再說。所以他辭了大總統，自願做一個鐵道督辦，決不是尋一個事情，拿點薪水來休息的。他是熱心把二十萬哩鐵道，彈指實現。他在上海成立了一個鐵路督辦事處，我也到過好幾次，總是地圖擺滿了地，自己伏在地圖上，拿着鉛筆東畫西畫；凡是鐵路工程的圖書，每間屋裏都堆着，他要研究到自然精博，決不肯含糊的。」又邵元冲所作總理治學記中，曾說：「八年夏，[illegible]入總理書室，見其方拭汗校閱孫文學說排印稿。余謂：「先生何自苦若是，何不命他人校之？」總理謂：「此稿已由人校二度，此爲第三度，特自校之。然仍時見其訛誤，校書之不易，於斯可證。」從這裏我們可以體認　國父治學態度的認眞勤奮，而作爲國人的示範。

從史蹟中看國父生平

魯生

刻苦簡樸

國父一生盡瘁革命，志在救國救民，無私慾，無企圖，所以從不爲自己打算。當任大總統時，胡漢民記述當時的生活說：「余以　中山先生平時精神，訂定南京總統府薪俸至薄。自秘書長以至錄事，每人月領三十元，宿食[illegible]習，掃蕩無遺。財部亦在總統府內，陳錦濤（部長）不能堪。至謂余曰：「余爲部長不如前清之司員筆貼多矣。」唐紹儀在總統府兩日，亦謂余曰：「大總統府亦無特別之浴間，固是異聞；而孫先生以二十年在海外之習慣而能堪，尤可異也。」由唐陳觀之，固不免固陋，即克强等亦不謂然。」以一國元首之尊，生活如平民，這使我們可以認識　國父的生活是刻苦簡樸，而毫無個人享受企圖的。

原恕寬厚

「不念舊惡」「與人爲善」，這是儒家的高尚哲學。而國父待人則寬恕之至，完全[illegible]

當興中會第一次起義的時候，當時加盟而在會中具有力量的楊衢雲想做總統，國父爲顧全大局同意讓與；同志不服，以致起義動搖。然楊仍妄自行動，反加動搖，致起義遭受挫折。後來過了幾年，楊衢雲從南非到日本去見　國父，向　國父認錯。當時　國父曾將和楊談話情形告知陳少白說：「我責問他當日的事情；你要做總統，我就讓你做總統，你說要最後到廣州，我讓你最後到廣州。你爲什麼到了時期，你自己不來。那還罷了。隨後我打電報止你不來，隔一日，你又不多不少派了六百人來，把事情弄糟了。得了消息，便一個人跑掉。這算什麼把戲？楊無話可講，最後他說：「以前的事，是我的錯，請你恕我前過，容我再來効力。」我聽了又好氣又好笑

（上）

雙十節雜詠

·綠萍·

（一）
結綵張燈爆竹喧，滿城喜氣似新年。欣逢雙十迎佳節，四海同歌國運延。

（二）
兒女街前笑語嬉，青天白日耀旌旗。相逢互祝昇平運，萬載千年奠國基。

（三）
今朝歡樂笑開顏，應念先賢創業艱。建國功成由革命，犧牲血跡尚斑斑。

（四）
當年革命念英雄，建國開基立大功。勇氣仁心俱不朽，千秋萬世慕高風。

（五）
大哉國父莫能名，社會邦家仰救星。主義三民垂典則，大同世界進昇平。

（六）
人無遠見歎民初，割據乘機恨狡徒。太息蒼生塗炭苦，兵連禍結國爲墟。

（七）
國軍北伐義旗揚，萬衆壺漿迓道旁。幸見山河歸一統，奈何倭寇又披猖。

（八）
八年抗戰歷艱危，舉國同心勉力支。領袖指麾能若定，卒殲頑寇凱歌歸。

（九）
抗倭勝後國權張，「聯國」羣邦列五强。若趁良機勤建設，前途國運正無量。

（十）
剩餘兵燹萬民窮，毛寇狼心又逞兇。大陸沈淪成黑獄，赤氛如火半天紅。

（十一）
回首山河半壁殘，埋頭苦幹保台灣。十年生聚今成長，携手相期挽倒瀾。

（十二）
三民建設矢從頭，內外同心效已收。在莒不忘齊奮鬥，早除赤禍復神州。

自由報
THE FREE NEWS
第四九六期
中華民國僑務委員會登記證台僑新字第三三二號
中華郵政台字第一二八二號執照登記爲第一類新聞紙類
（半週刊每星期三、六出版）
每份港幣壹角
台灣每份售價新台幣貳元
社長：雷嘯岑
督印人：黃行雪
社址：香港銅鑼灣高士威道二十號四樓
20, CAUSEWAY RD 3RD FL. HONG KONG
TEL. 771726　電報掛號：7191
承印者：大同印務公司
地址：香港北角和富道九六號
台灣分社
台北市西寧南路愛國寄廬二號二樓
電話：三〇四六六
台郵劃撥儲金戶九二五二

論台北法院逮問民意代表事件

·陳　侃·

台灣最近發生的所謂「五大疑案」問題，經民意代表對行政首長嚴厲質詢，輿論紛紛指摘，繼之以台諫提出彈章後，當局爲整飭紀綱計，交由司法機關切實查究，而以盜竊黃豆一案，最爲突出。除有關的商人和鐵路局管理倉庫人員，業經法院分別刑外，近又拘押了中央民意代表七名——計有立監委員六名，國大代表一名——其中國大代表周烈範係以油業公會總幹事職位，犯下賄賂罪行，證據確鑿，自應靜候究處。至於被逮問的立監委員，據法院偵訊消息，他們是曾經在議會爲管制黃豆政策替油商說話，或爲保障油商既得利益而利用職權，向行政機關說情，因而分別收受商人的賄金。

若干年來，少數罔知自愛的中央民意代表，利用機會權力，假冒律師名義，目無法紀，貪取非份財貨，笑罵由人，恬不知恥，早已爲社會人士所詬病，如今東窗事發，身罹法網，眞是孽由自作，於人何尤！可是，我們以客觀立場，基於正義與法律的觀點，覺得目前這場官司，似有「不演正戲唱雜戲」之嫌，試申其說。

甚末是正戲？

由政府機關管制着、價值幾億元台幣的舶來品黃豆，奉令交給公家的倉庫保存後，竟被盜竊得一乾二淨，顆粒無存，似此駭人聽聞的離奇事件，決不僅是幾家煉油廠勾結鐵路局倉庫職員所能做得到的。然法院只是拘辦了幾個油商和倉庫職員，另由台灣省府飭令鐵路局賠償被盜去的黃豆——等於由政府賠錢——就算是已盡到「徹查究處」之能事了！究竟偌大的一項國家物資，是否官商勾結而盜賣的？盜賣的經過情形如何？盜賣始終莫名其妙。依常識判斷，值價幾億元台幣的黃豆，堆集起來，大可與台灣的最高峯「玉山」等量齊觀，豈是幾個煉油商人勾串幾個倉庫職員就能夠盜賣乾淨的？若謂其中沒有重要官吏通同行竊，合夥分贓，誰其信之呢？我們認爲這些問題纔是黃豆案的正本戲劇，非嚴切查究，弄個水落石出不可！鐵路局長徐人壽因此去職，那只是「失於覺察」的行政處分，與法律責任不相干，隱形在本案背景中的官員，大有人在吧？

現在法院拘究六名立監委員的事實，據說是他們爲着黃豆進口稅率減低，限制新設煉油廠，維持原有黃豆進口的配額管制等問題，接受商人的賄賂，或在議會給商家「護航」，或向有關行政機關游說。如果實際內容僅止於此，那便是表演雜劇了。何以見得呢？

上述立監委員護航與說情諸事項，都是屬於政策性的問題，立法委員有人在院會中替商民利益護航，監察委員向行政機關爲商人作說客，這情形在英美各國的議會中，司空見慣，毫不奇怪。譬如黃豆進口稅率由百分之十五減低爲百分之十，即令不是由行政機關向議會提出的，而是某某立委受着商人的賄買囑託而自動建議的，也非犯罪行爲，一則建議案須經過大多數議員的贊成纔能夠通過，二則須要行政機關同意纔可以付諸實施，其他各項政策性問題亦然，這能構成刑事責任嗎？假使這些被拘究的立監委員，曾是參預盜豆行爲的人，那就罪有應得，法無可恕了。他們只爲黃豆管制政策而受賄替商人活動奔波，雖屬不法行爲，却是另一問題，不宜與「盜豆」案混爲一談的。我們不知道法院掌握着的「盜豆」案證據和參考資料，是否有立監委員涉嫌竊盜侵佔罪行，很希望明悉概要，作爲立言的準則。我們固無意爲少數不成材的民意代表開脫貪污罪過，祇是憑着法律觀點，就事論事，甚願鑑賞盜豆案的正戲，以釋疑團而已。雜劇非不能唱，但應知所先後，則近道矣。

遏制貪污之道

「國家之敗，由官邪也；官之失職，賄賂彰也。」要想整飭政風，奠定清明之治，決不是專對已然的貪污行爲執法相繩，就能夠如願以償的。刑事政策的最高原則，是要防患於未然，刑期無刑的。今日一般公務人員之貪污現象，縱非絕後，亦屬空前，眞是人慾橫流，肆無忌憚了。這原因未可完全歸咎於待遇菲薄，君不見許多末秩微俸而奉公守法的中下級公務員，并無餓死的事實發現嗎？構成賄賂公行、目無法紀的貪黷風氣之基本因素有二，即紀綱不振、特權橫肆是也。由於紀綱不振，於是乎賞罰不明，功過混淆，一般公務人員日唯奔競逢迎，朋比爲奸，以期滿足私慾是務，利慾薰心，廉恥道喪，國法不足畏，人言不足惜，輿論的制裁力量亦無從發揮，正義不彰，公道泯滅，任何卑污苟賤的事情，皆悍然爲之，無所瞻顧。譬如有些中央民意代表初到台灣時，一副窮酸相，如今乃在銀行存款千萬元以上，且有非義棒法，弄上四五個妻妾者，他們的錢是從那兒來的？他們的腐爛生活應不應該？又如省級代議士有兼營醜業，穢聲四播者。凡此惡行，政府置之不問，社會視爲尋常。南韓國會議員在會議席上，有以穢物爲質詢武器者，立即受到紀律制裁，褫奪了民意代表的職位。我們的議會中，幾曾見有紀律的效用存在呢？紀綱凌夷，乃至於此，政風之窳敗，民德之墮落，殆屬理有固然也。

依照憲法規定：立委除管制行政部門的「荷包」——經費預算——而外，對於一般政策性的政事，負有核議、質詢的職責。監委對一切政務有督察、糾舉、彈劾之權力。這是法定的特權，其幅度甚廣泛，其威力殊強烈，善用之，足以福國利民，濫用之，即容易發生貪黷作惡的弊害，終致敗壞政風，貽禍社會國家。曠觀立監委員近十餘年來的服務情況，濫用特權的行爲甚多，而這些玩法以「多行不義」的民意代表亦係極少數的人士。（下轉第二版）

毛酋的文化

一場糊塗

今日与明日

林彪周恩來意見分歧

周恩來在今日毛共中央那一小撮掌權派中，如謂其沒有失勢，不如說是其地位極其微妙。過去毛酋的「親密戰友」有劉少奇、周恩來、陳雲、彭眞和林彪等數人；然自掀起所謂「無產階級文化大革命」後，劉少奇由二把交椅「跌」至第八，周恩來雖仍維持其第三把交椅的地位，但近數月，每發表毛共諸酋名單的，首先是毛酋，接着就是他惟一的「最親密戰友」林彪，而周恩來只維持一個「黨和國家領導人」的名義，毛酋的「戰友」他是無份了。

周恩來在毛共罪惡集團中久經風險，但由於他善觀風向，所謂「東風硬隨東風，西風硬隨西風」，故能維持其「領導」地位於不墜，並博得一個「不倒翁」的「雅號」。可是，自從數日前，林彪在毛共政權中公開「冒尖」掌握實權後，有很多跡象顯示周、林他們「師生」之間的意見並不一致。也就是說，林彪堅持「把文化大革命進行到底」，而周恩來則強調「緩進」，既着眼於國際的不利影响，更主張不可停頓「生產」。

毛共十月一日「尾慶」後第二天，西方數家通訊社從周恩來和林彪在天安門上所發表的演說中尋出跡象，認爲他們二人意見分歧，立場不一致。

「十、一」林彪在演說中，充滿了火藥氣味。對於所謂「文化大革命」問題，他說：「這場大革命」要鬥倒一小撮黨內走資本主義道路的當權派，橫掃社會上的一切牛鬼蛇神；破剝削階級的四舊，立無產階級的四新」。又說：「以毛主席爲代表的無產階級革命路綫，同資產階級反對革命路綫的鬥爭還在繼續」。然周恩來的演說，語氣却較爲緩和，同時也顯示這次所謂「無產階級文化大革命」已經完成任務，毛共內部已沒有什麼「一小撮黨內走資本主義道路的當權派」。他說：「現在全黨全國正掀起一個大學毛澤東同志著作的高潮，七億人民的精神面貌煥然一新」。

毛共少數掌權派組織「紅衛兵」作爲他們消滅敵對的「當權派」的「闖將」打手，可能是林彪以「槍桿子」爲背景，出的歪主意，並強迫毛酋爲「統帥」，實際是他的一支「機動大軍」。這種「窮」極無聊的措施，相信周恩來的同意是在「人頭落地」的壓力下勉強同意的。

九月十五日林、周二酋在北平「接見全國各地來京革命師生」時，在講話中，林彪稱「紅衛兵戰士們」，而周恩來只稱他們爲「同志們」，「同學們」。

毛共上階層的內訌，在未來如果林彪小集團眞的得到「勝利」，必有更爲「熱火朝天」的「好戲」上演。以林彪的獨夫性格而言，周恩來就是再油滑，如果失去「利用價值」，相信林彪一定要把他幹掉的。（何如）

自由談

雙十節國慶感言

自從民國卅九年違難海隅，迄今，躬逢雙十節國慶紀念良辰，已歷十六個年次了。然個人心情之興奮而又沉重的感覺，殆莫過於今日，何以故呢？

興奮的是海外僑胞熱愛中華民國的情操，隨着歲序而逐年激增，顯示着磅礴的國運，復興氣象昭然可覩。同時，大陸上的秧歌僞政權，由於多行不義，惡貫滿盈之故，已陷入衆叛親離、孤危無援的絕境中，即其所謂「污腥旗」亦面目全非，變成了妖魔古怪的殯儀幌，僅供作殉葬品而已。試看它那塊號稱爲「國旗」的紅布上，既繪着毛酋澤東的形像，又塗些毛酋的著作名詞，古今萬國幾曾見有這類怪誕不經的「國旗」呢？只有和尚道士們替人辦喪事時，畫符籙和怪物於紙紮旗幟或燈籠上，藉以點綴葬儀的情狀，庶幾近之。這表示秧歌王朝的氣數已盡，其亡其亡，可立而待也。

沉重的是想到大陸同胞於飽經毛共清算鬥爭，死亡枕藉之後，如今更遭受「紅衛兵」瘋狂肆虐，無法無天，廣泛洗刧民財，殘害民命的大浩刼，爲禍之烈，倍甚於洪水猛獸。咱們在歡渡雙十節國慶紀念良辰之際，每個人都不期然而然地懷念大陸上那種人間地獄的慘狀，不禁於邑悲憤，憂思難忘。尤其是那些幼稚無知的青年子弟，被毛共以「紅衛兵」的符咒催眠，相率中風狂走，胡來瞎鬧，罔知死活，而到處肆受打擊、犧牲，如廣州一隅的「紅衛兵」，即被憤怒的民衆，用爆炸手段，傷亡了近千人。子何辜，罹此奇禍，誰無兒女，寧不痛心嗎？

我們熱誠將興奮和沉重的心情，轉化爲救國救民的行動力量，大家各盡所能，一致奮鬥，及時光復中原，拯同胞於水火之中，纔算是盡到了國民的天職。如其對着雙十節興奮歡樂片刻，即把國事置之度外，看到大陸上「紅衛兵」「造反」消息後，止於太息長歎，毫無對策與行動可言，而以自身幸得脫離共黨荼毒爲滿足，那便是沒有是非、羞惡、惻忍之心，不配稱爲好樣兒的炎黃子孫，慶祝雙十節亦係多餘的事了！

馮王先生

不下於縣市議員選舉
桃園水利會長競選
五人出馬激烈角逐

（本報記者鄔維宇航訊）桃園農田水利會會長候選人，迄目前止，已登記出馬的有前任縣長徐崇德（閩南籍），前任議長黃啟得（閩南籍），前任省議員簡欣哲（閩南籍），現任該會評議委員范姜德（客家籍），前任縣長張芳燮（客家籍）。在表面上看起來，似乎形成閩南與客家兩派對壘之戰，且儼然這次會員代表與會長的競選，比較歷屆選舉更形激烈，殊不亞于縣市議員之選舉。當然在執政黨方面對這次選舉，是非常重視的，對于決定候選人的要求，評頭論腳都得審慎認真，詳加攷核，以免將來再蹈停職會長蔡達三的覆轍。

這登記出馬的五人，在桃園政壇上可說都是第一流人物，各有其基本地盤，各有其潛在的選民。因此就得看在過去選戰中，開出的競選支票有沒有兌現？對選民們有沒有交代清楚？由于許多政客們抱着平時不燒香，臨時抱佛腳的方法來欺騙選民，那麼，今次出馬，其被信任的機會就要打折扣了。

據熟悉內情人士告記者，其他候選人姑且不談，范姜德氏的呼聲一直是在其餘候選人之上，但並不是說范姜德在政壇上的聲望最高，而是說范氏在桃園縣內他奄有潛在天時、地利、人和的優越條件來支持他。由于范姜德這個人，外表上是篤實、忠厚型的好好先生，平時也不善于交際，且不苟言笑，見人總是親切和氣。他連任桃園縣新屋鄉鄉長四屆，連任桃園農田水利會一二三屆會員代表，及兩屆評議委員。即此可以想像這個人于公于私，做人處事之一般，確是不平凡的。

記者曾于日前特走訪范氏，問他對這次會長的競選有何感想？他除了送給記者一份連署書外，不願多發表客套的語句交際的應用詞。最後他只說了幾句，他說：我唯一的希望，他記者先生們在報紙發表輿論，應盡量以大衆的意見爲首要，更不要分什麼閩南、客家兩派之分，因此說法，不免以訛傳訛，弄得社會民衆混淆不清，播弄是非，無形中破壞地方團結。

其次我是絕對遵重上級的指示，服從黨的命令，聽取代表們的意見。這次的會長競選，我是由廿三位代表連署請我出來，其中有九位是閩南籍人士，列如提議人黃清輝，附議人黃崇鵬等代表，都是閩南籍，他們的誠意與美德，實在使我惶恐，若不接受他們的意思，當然在情理上是說不過去的。

茲附錄該水利會廿三位代表連署書理由如下：

「查代表范姜德先生，早與本會事業關係淵深，自從水利委員會以至水利會，經歷第一二三屆會員代表以及本會第二屆議事委員會主任委員，貢獻良多。范姜德先生係現任台灣省合會中堀公司經理，且連任四屆新屋鄉鄉長等要職，經驗豐富，務實求是，對于水利業務精通，又於經濟管理有方，且其做事認眞，勇于負責，實有過人之處，尤可貴者，對地方機關首長，以及父老會員之間，不分區域，融洽合作，協調無間，如若請其主持本會業務，定能爲區域內農民圖謀福利，而爲本會奠定科學經營之基礎，是最適合本會會長之人才無疑。謹請全體同仁敦請　先生出馬參加競選下屆本會會長，並請團結一致支持擁護爲禱。」

論台北法院遠問民意代表事件

（上接第一版）

但他們有如市場上劣幣驅逐良幣的作用，竟使大多數守正不阿，恪盡職責的立監委員同蒙不白之冤，殊堪慨歎！誰使少數立監委員悍然濫用特權，多行不義呢？追究本源，實係一般行政大員不知自愛，沒有公忠體國、奉公守法的精神，授人以柄，教猱升木，而政府對於一些惡法又不剔抉整理，如立委爲「當然律師」之類，就是釀成貪污行爲的因素。民意代表揹着「律師」招牌，藉「法律顧問」名義到處包攬詞訟，收受儀來之物，而恃勢脅迫行政和司法官吏聽從他們的要挾。一般不肖的官員由於自身不乾淨，害怕立監委員的核議、質詢、糾舉、彈劾諸權力，遇事不能，不遷就他們，國家銀行十多億的呆帳，大半亦由此而來的。於是乎，貪污之風大作矣。假使行政官吏毫無慚德，加以政府賞罰嚴明，實事求是，則立監委濫用特權的將無所施其技，如尹仲容、沈怡的作風，即其明證。

所以，要想革新庶政，遏制貪污，必須從根本上用工夫。正紀綱，講操守，辨是非，嚴賞罰，凡屬不合法合理的特權與惡法，一概屛棄不顧；同時民意機構亦能實行「自律」排除害羣之馬。這樣纔是政治舞台上的正戲演出，一定博得民衆喝采，光是表演雜劇或插曲，不會發生多大的號召力，這是我們的看法。

四十五年盛大的閱兵，分爲空中分列式和地面分列式。空中分列式歷時十五分鐘完畢，接着便是地面分列式。在受閱的地面部隊中，百分之八十已擁有機動車輛，足證我國陸軍已完全進入機械化階段。一五五加農巨炮，更成了大家注目的新式裝備。

這一年專程來台參加我國慶大典的外賓暨僑胞達一千餘人，外賓包括了比利時參議院訪華團、大韓民國和義大利議員訪華團，美國軍事將領三十五人，土耳其首都安哥拉市長艾倫、菲律賓首都馬尼拉市長拉遜、法國首都巴黎市長呂嘉等等。若以「普天同慶，薄海騰歡」來形容，再恰當也不過了。

四十六年國慶前夕，台北浸沉在一片歡愉的氣氛中。這一年的國慶慶祝活動，除了閱兵以外，國軍並舉行第一次大規模裝備展覽，分別展出教育訓練，及武器裝備，單以台北區爲例，共展出二百八十七項，其中陸軍九十三項，海軍三十八項，空軍七十項，聯勤八十六項，均極壯觀，中外佳賓觀後備致讚揚。

民國四十七年的國慶，雖較往年爲簡化，但是每個人的情緒却格外興奮，這是由於自八月二十三日以來，在中共炮火瘋狂的射擊之下，金、馬地區的保衛戰，已經獲得第一回合的勝利。此一勝利不僅證明我們能確保金、馬，而且我全國軍民，在　蔣總統的領導之下，已經負起遏止共產侵略的任務。

從雙十慶典看強大國軍

·吳立人·

這一天的清晨，空軍健兒在馬祖海峽上空，與共機發生空戰；結果擊落米格十七型機五架，擊傷二架。此項輝煌戰果，實爲四十七年雙十國慶的最佳獻禮。

民國四十八年的八月七日，台灣中南部因颱風過境，帶來一場不小的災害，軍民爲了合力整建災區，所以當年雙十節在台北沒有舉行閱兵大典，但是從十月初開始，蔣總統親臨北部及南部各軍事基地校閱陸、海、空三軍部隊戰備及訓練情形，從這次校閱中，我們知道：陸軍部隊已經從步兵戰車時代，邁入了飛彈時代，我們已經擁有威力驚人的勝利女神力士型飛彈，它可以攜帶原子彈頭，摧毀敵人的機場；海軍部隊戰技日精，偏向射擊，雙艦攻擊，水平或對空射擊，高綫傳遞，動作準確，百無一失。空軍戰具日新月異，響尾蛇飛彈首次公開表演，證明中國空軍不但有了克敵致勝的銳利武器，而且令人益增反共必勝的信心。

「前瞻」部隊是四十九年國慶閱兵的最大特色，這是他們第一次展露在國人面前。這支受過嚴格訓練的隊伍，不但個個都是虎背熊腰的英雄好漢，而且在配備方面，他們的步槍已改爲半自動式，而且火箭筒、機槍以及通訊裝備等等，都有了劃時代的革新，這些部隊的機動力、通訊力以及後勤支援力，較以前增加數倍，並能適應原子地區或非原子地區的任何戰爭。在反攻大陸的行動中，前瞻部隊將担任起極爲主要的任務。

民國五十年國慶閱兵大典，是自開始閱兵以來，規模最大的一次，受閱官兵人數近一萬三千餘人，估計至少有一百萬民衆參觀了慶典。軍鴿、蛙人、飛彈都是這年閱兵的新鮮項目。蛙人經過時，大家看到那一個個古銅色皮膚的大漢，人人都說「棒極了」，難怪他們能夠在深夜裏冒著七級強風，登陸大陸沿海，插上了青天白日滿地紅的國旗！（中）

因此民主國家的共產黨員數目就無異於共產黨興衰的一個溫度表。共產黨得勢，黨員人數便會增加；共產黨失敗，黨員人數便會減少。一九六六年的情形怎樣呢？一九六六年國際共產黨的情形最壞。上文已經說過民主國家的共產黨員從四百五十萬降落到二百六十萬，減少了百分之四十二。單只印尼一國，便從兩百多萬減到十萬。也許有人會說印尼是因爲政變清黨，祇是一個地方的局部失敗，不能認爲一般的趨勢。可是西德和墨西哥的情形便不能說因爲政變而局部失敗了。西德和墨西哥一樣，原有共產黨員五萬人。到了一九六六年，西德只剩下一萬，有四萬人退黨。墨西哥只剩下五千人，有四萬五千人退黨。這一趨勢，在民主國家是很普遍而且明顯的。這表示國際共產黨在一九六六年的失敗。還有一點我們應當提到的。我們首先提出兩個問題來：一是全世界各國的人口，二是全世界各國的共產黨人數。現在的估計是人口約爲三十三億，而共產黨員則最高不會超過五千萬。照這樣講，共產黨人數和人口比，祇有百分之一點五。每一千個人中祇有十五個共產黨。我們知道當前人類的糾紛和戰爭，都是共產黨造成的。共產黨要實現世界革命，也就等於說，要以十五個人的少數，來強迫九百八十五個人的多數，來接受他們的教條。這是最不民主也是最不合理的。

二、一個赤色帝國的分裂與崩潰

甲、手創赤色帝國的史達林

蘇俄的革命是列寧領導的。但是以殘酷無比的手段，極盡陰謀詭計的能事，把蘇俄變成一個赤色帝國的，却是史達林。不過不論那一個獨裁者，不論古今中外，他所手創的帝國，不會長久的，不會超過

一九六六年國際共產黨的一般情況和民主國家反共的形勢

△何浩若▽

他的生命很久的。獨裁者愈殘酷，他的帝國崩潰愈快。拿近代史來說吧。希特勒於一九三三年奪得德國的政權，便不可一世的席捲西歐，建立了一個德意志帝國。他殘殺異己和猶太人，眞是有口皆碑。可是他於一九四五年五月一日失敗自殺了。他的帝國也投降了。有多久呢？才十二年。莫索里尼是歐洲的第二個獨裁者，也重建了一個新的羅馬帝國。可是從他於一九一九年三月廿三日進軍羅馬，到一九四三年七月廿六日被捕，一九四四年四月廿九日被殺，才廿四年。歐洲第三個獨裁者史達林可說是最幸運的了。他從一九二四年一月廿一日起，在列寧死了以後，實行獨裁，殘殺同僚，臣服附庸國家，到一九五三年不明不白的死去。居然有廿九年。可是他死後屍骨未寒，便被赫魯歇夫清算得體無完膚。他所手創的赤色帝國，也開始分裂。首先便是赫毛交惡發生中共和蘇俄的鬥爭。到現在連華沙公約的附庸國家都控制不住了。在這裏，我們想到中國歷史上的秦始皇。秦始皇於西歷紀元前二二一年統一中國，以最殘暴的手段迫害中國人民。他紀元前二一四年修築萬里長城，於紀元前二一三年焚書坑儒。他死於紀元前二一〇年。他死後三年，到紀元前二〇七年，他的帝國便崩潰了。前後還不到十四年。中國歷來的統治者，其殘暴堪與秦始皇比擬的，兩千多年來只有一個毛匪澤東。中共匪幫現在所進行的文化革命，比焚書坑儒還厲害。可是毛匪的統治，已經超過十七年了。還能久嗎？這個橫渡長江的浮屍，爲什麼要在死前發動整肅呢？他不想做史達林第二，被人鞭屍。要知道任何人不能扭轉歷史。其結果還不是一樣嗎？現在讓我們回到原來的題目，講一講現代赤色帝國的分裂。

乙、從雅爾達條約到華沙公約

（一）造成赤色帝國的雅爾達條約

造成赤色帝國的是雅爾達條約。一九五〇年九月廿日的美國國會記錄（Congressional Record, September 22,1950 P. A6829）引述了美國總統佛蘭克林羅斯福的幾句話。羅斯福說：「我和你一樣並不相信共產主義。但是美國共產黨並沒什麼錯。我有幾個最好的朋友便是美國共產黨員」。（三）

武昌首義時的外交

·王康·

現在淸政府有海軍兵艦五隻停泊在漢口劉家廟江面，鄂督瑞澂在楚豫兵艦上，張彪也在江面。蔭昌日內率援軍南下，貴軍政府不先發制人，尚待何時？如果斤斤計較戰地的遠近，大好的獲勝機會就要錯過了。」經松等渡江回武昌，向黎都督報告交涉經過。因此軍政府才堅決渡江，對淸軍發動攻勢，以爭取外交上的勝利。同時瑞澂也派員遊說各國領事，請各國駐軍用重炮轟擊革命軍；但八國聯軍後，各國與淸廷締結的和約下規定，對華軍事行動，一國不能自行行動，於是漢口領事團舉行會議，商討淸政府的要求，日本領事雖然主張干涉，但是法俄等國領事反對，所以淸廷在外交上的第一回合就完全失敗了。

各國何以趨向於中立而不走太平天國時援助淸政府的舊路呢？因爲這時淸政府過於腐敗，民心盡失，而革命黨的首腦人物如國父孫中山先生及黃克強先生等，都是人格偉大、思想開明及學識宏通的革命志士，得到全國人民的擁戴，革命軍又軍紀嚴明，秋毫無犯，不僅沒有排外行爲，而且照會領事團，承認淸廷與各國簽訂的一切條約，並願保護革命軍佔領區內外僑生命財產的安全。各國領事預測革命一定成功，因此主張保持中立。

本來武昌首義之夕，革命黨在漢口沒有報紙爲自己宣傳，外人對革命軍的政策及其他作爲，原來茫無所知，等到援獲軍政府的照會後，才知道他們的對外態度，並[illegible]任都督後，才[illegible]一個美國記者從漢口冒險渡江到武昌，訪問黎元洪，黎元洪親自接見。當時軍政府民政部長湯化龍也在座。湯原爲湖北諮議局局長，學貫中西，名重一時。該記者問軍政府今後將採用何種政體？湯未等黎都督開口，就用流利的英語答覆說：「共和政體」。該記者喜出望外，回到漢口後就向全世界報導此事，次日各西文報紙都用大標題在第一版刊出，使其在國際上造成一種有利於革命軍的氣氛。

十月十六日漢口領事團舉行會議，決定承認革命軍爲交戰團體。十七日領事團派英人葛福，持公函至軍政府謁黎都督，並贊領事團歡迎中國革命軍勇敢文明，外僑又承保護，因此，承認革命軍爲交戰團體，各國並嚴守中立。太平天國打了十幾年的仗而未得到的國際地位，武昌軍政府在首義一星期內就取得了，這不能不說是外交上的一大勝利。革命軍得到國際的承認後，士氣民心也爲之大振。十月十八日，英、俄、德、日、法各國領事正式發布中立文告，其中文譯文是：

「爲布告嚴守中立事：現値中國政府與中國國民軍互起戰爭。查國際公法，勿論何國政府，與其國民開釁，其駐在該國之外國人，無權干涉，並應嚴守中立，不得藏匿兩有關係之職守者，亦不得輔助何方面之狀態，據此，領事等自應嚴守中立，並照租界規則，不准携帶軍械之武裝人員在租界內發現，及在租界內儲藏各式軍械及炸藥等事。此係本領事遵守公法，敦結交誼上應盡之天職，爲此闔切布告，希望中國無論何項官民，輔助本領事等遵守達其目的，則本領事幸甚，中國幸甚。謹此布告。

西曆一千九百一十一年十月十八日（八月二十七日）」。

自各國嚴守中立的消息公布後，淸廷當局聞訊，日益恐慌，各省亦紛紛起而响應革命軍，後來領事團出面調停雙方停戰，接着南北議和成功，淸帝退位，中華民國於焉誕生。總之，當時外交上的成功，對於推翻滿淸，建立民國有很大的影响。

第一位為革命犧牲的陸皓東

·浦節·

民國紀元前十八年（一八九四年），國父逕往檀香山組織興中會，陸皓東和其他同志仍在港粵，暗地裏進行革命運動，並變賣祖父遺產，悉數捐獻爲革命經費。這年的七月，因朝鮮事件而引起了中日戰爭，淸廷節節敗退，革命同志們愈感到：惟有早日推翻腐敗的滿淸政府，中國才有強盛的一天。

翌年，戰爭結束，淸廷與日本訂下了喪權辱國的馬關條約，舉國沸騰，革命黨人更是傷心，但是淸廷這種違背民心的作爲，却給黨人有了更多可乘之機會。於是香港同志議決先行進襲廣州，作爲革命的根據地，陸皓東就是這個時候，設計了代表革命黨的青天白日旗。

又過了半年，聯絡工作大體就緒，城內外滿淸所屬的防營及水師，也都有人響應。於是擇定九月初九日起事，因爲這一天爲重陽節，粵俗舉行秋祭掃墓，便於行事。當時的原計劃是：由香港方面招募會黨三千人，於初八晚乘輪到廣州，配合廣州同志起義，同時並利用木桶，暗裝短槍及彈藥，以供黨人使用。可惜到了九日黎明，香港人手始終不到，臨時得悉，他們要改遲二天；不幸就在這延宕的時間內，被淸吏破了秘密。陸皓東得悉淸兵搜索黨人的消息後，立即通知同志分散，自己不顧他人勸說，冒險返往雙門底機關，收藏黨員名冊。他說：「黨員名冊最重要，倘被搜去，淸吏按着名冊株連，我黨豈有餘類？我個人冒生命危險，去保全多數同志，實分內事。」結果當他抵達後，他知道已被淸兵密查包圍，他知道已難倖免，便緊閉門戶，將黨員名冊燒燬，淸吏破門而入時，已火化殆盡！可是他和程耀臣、程懷、程奎光和梁榮等五位同志，却不幸被捕入獄。

淸吏嚴刑訊問，陸皓東寧死不供，只索紙筆，慷慨陳書，其中有一段說：「……滿淸以建州賊種，入主中國，奪我土地，殺我祖宗，擄我子女玉帛，試思誰吃誰之毛？誰踐誰之土？揚州十日，嘉定三屠，與夫兩王入粵，殘殺我漢人之歷史，猶多聞而知之，而謂此爲恩澤乎？今日非廢滅滿淸，決不足以光復漢族；非誅除漢奸，又不足以廢滅滿淸。……今事雖不成，此心甚慰。但一我可殺，而繼我而起者不可盡殺，公羊既歿，九世含冤，異人歸楚，吾說自驗，吾言盡矣，請速行刑！」

淸吏以其措辭激烈，又不招供，並施剪挿手足及鑿齒等毒刑，陸皓東死而復甦數次，他仍厲聲呵斥不已，死時年僅二十九歲。

這是第一次推翻滿淸的革命，也是黨人第一次的犧牲，陸皓東和其他數位烈士，以他們的頭顱和鮮血，喚醒了民族的覺悟，從此之後，革命黨人此仆彼起，經過多次起義，終於在辛亥年武昌起義，推翻了腐敗專制的滿淸政府，肇建了中華民國。（下）

一顆炸彈的故事

同盟會員丘啓新追懷往事

·衍貽·

當時徐榮標手裏拿了一顆炸彈，站在龍江鎮的大街當中，向街上圍着觀看的羣衆，徵求扔炸彈衝殺敵的勇士；可是，老百姓個個心驚膽跳，誰都怕炸彈會隨時突然爆炸。

丘啓新看到大家都不敢應徵，他便大踏步的走上前去，大聲說：「我敢」！然後就把徐榮標手裏的炸彈接了過來，這時圍觀者對着這位年輕的小伙子，由衷的發出了采聲和掌聲。

由於丘啓新的勇敢行爲，就等於當着衆人把自己的生命獻給革命一樣，因此感動着全龍江鎮的人，大家有刀的拿刀，有棒子的拿棒子，都團擁起來，集合在新軍的革命英雄徐榮標、黃興中、曾福山的底下。這時剛好滿淸千總李聲展手下的六十個先鋒隊從郊外衝進了龍江鎮，但是，不一會功夫就被鎮上拿刀拿棍的革命義勇軍解決了。

龍江鎮的革命義勇軍們，因此增添了六十支長槍；等到李聲展帶了剩下的三百多軍隊向龍江鎮進攻時，鎮內的義勇軍已聲威大震。同時，街頭巷角的人民都敲鑼擊鼓，吶喊助陣。李聲展的軍隊弄得草木皆兵，不知道革命軍究竟有多少，嚇得一管槍都不敢放就朝山裏逃。第二天，革命義勇軍乘勝反擊，並大聲吶喊要李聲展投降。李聲展只好乖乖地豎起了白旗。

李聲展一投降，其他在深圳集結的要解救惠州被圍的滿淸軍隊，再也不敢前進了。因此，惠州城很順利的被鄧仲元領導的革命軍光復了。惠州一光復，廣州省城裏的滿淸軍隊見大勢已去，也就土崩瓦解了。廣州一光復，接着整個廣東都落到了革命黨人手裏。

所以，說起來，廣東的光復，和丘啓新手捧炸彈的果敢行爲，有着很大的關係。

丘啓新今年七十四歲，他從十七歲就開始參加同盟會。他因爲早先參加了同盟會，所以，在那次保衛革命大本營的龍江鎮的戰役裏，才顯得那麼的英勇、果敢。

民國三年，革命成功後，他到南太平洋大溪地經商，現在他又是一位反共愛國的僑領。（下）

武昌革命起義頌

·稚英·

浩浩長江水，巍巍黃鶴樓。光明臨大地，時會值淸秋。革命旌旗擁，同胞意氣投。機關羅俊彥，帷幄運良籌。踴躍登前陣，號呼殺寇仇。舉槍雖缺彈，破釜矢沉舟（當時首先舉義之工程營同志，僅有子彈三盒，衆皆以刺刀上槍端衝鋒）。取義爭民主，成仁博自由。且看施手段，不惜擲頭顱。勃勃奚他顧，斤斤豈自謀。精忠貫日月，勇猛過貔貅。正氣驚神鬼，先聲奪虜酋。江山旋復旦，民國紀洪猷。夙昔典型在，輝煌史蹟留。千年祟祀享，萬衆永歌謳。令節逢雙十，歡騰遍五洲。

國慶憶舊

老兵萬耀煌答客問

謝兆麟

再說漢口組織的湖北共進會，其組成份子，有當地和各省奔往參加的青年，會務發展非常迅速。唯因共進會有文學社的人參加，兩個組織性質相同，目的一致，遂有合併之議。到了辛亥年七月間聯合會議，決定軍事由文學社，政務由共進會負責。彼此合作無間，對革命的進展甚有助益。

問：當時的革命環境如何？

答：辛亥年是天佑革命之年，三月廿九日既有廣州之役，全國人心激盪，川漢鐵路風潮，湖北方面，革命黨人在漢口開大會，張伯烈截指痛哭，推代表赴京請願，武漢人心惶惶，四川尤爲騷亂。淸廷命端方帶步軍一標及卅二標之一營入川，其他部隊亦紛紛調離武昌。此時諸同志重新部署，準備更積極。八月三日在武昌胭脂巷機關部開會，由孫武主持，推蔣翊武爲總指揮，孫武爲參謀長。論聲望，孫武（共進會）爲先，論實力，蔣翊武（文學社）爲大，時蔣氏隨軍往岳州，孫武自動推舉蔣翊武爲總指揮，可知革命黨人處處求事之有濟，不爭權位。

問：起義時的經過情形怎樣？

答：原來有八月十五利用元末殺韃子的民間諺語作起義之日；到八月三日，炮八標發生偶然事故，走露風聲，一時準備不及，遂有廿五日起事之改變。

到了十八日，孫武在俄租界寶善里製炸彈失愼，俄刑捕破機關部，於是所有名冊、印信、旗幟、鈔票、佈告等都被搜去，並逮捕黨員同志多人交江漢關報告湖廣總督瑞澂，於是按圖索驥，將武昌各秘密機關破獲，查封的查封，逮捕的逮捕，眞是風聲鶴唳，草木皆兵，革命黨人生命，到了此時，已是千鈞一髮。

蔣翊武是日已由岳州回到武昌，正在機關部與劉復基等商量起事準備，鄧玉麟、邢伯謙自漢口來報稱：孫武炸傷，總機關被破，名冊搜洗一空。接着又報告：各處機關失事，淸廷到處捕人，弄得滿城風雨。於是乃決定當日發難。蔣以總司令職權，下命令各部隊聽炮八標炮聲同時舉義。未料當夜炮隊命令未送到，而機關部被軍警破門而入，劉復基被捕，蔣翊武不得不出走。次晨彭、劉、楊三烈士就義，武昌關閉城門，搜索黨人，人人自危。工程營熊秉坤等遂冒險與卅標蔡濟民等商議，於是晚由工程營首先發難，期能依照昨晚命令行事。於是熊秉坤、金兆龍遂於當日黃昏舉槍發難！詎料這一槍竟石破天驚，而誕生了民主共和的中華民國！

最後，萬老先生說，我願以黃克強先生在武昌第一次舉行的國慶日所作的祝詞，作爲這次談話的結束。

江漢湯湯，這似水流年，當記起八月十九；

風雲鬱鬱，願中華民國，繼自今萬歲千秋。

（下）

國旗的故事

·趙芳·

民國六年，國會非常會議開會於廣州，組織軍政府。民國九年陸榮廷敗走，非常國會議決，推選國父為非常大總統，於民國十年五月五日國父宣誓就職，革命政府遂告成立，重振革命陣營，使中華民族在重重黑暗勢力包圍中得到一條光明奮鬥的途徑。同時並明令以青天白日滿地紅旗為中華民國國旗。

楊惠敏冒死獻旗

民國二十六年七月七日蘆溝橋事變發生後，日寇處心積慮，計劃大舉侵犯我國。二十六年八月九日，日駐上海海軍官二人，企圖闖入上海虹橋飛行道，並開槍射擊機場衛兵，當場被我守兵反擊斃命，日寇便藉口向我上海大施進攻；我政府為應付緊急事變，調集郊區部隊應戰，十三日上午九時一刻，敵我在閘北遭遇，發生激戰，從此便展開了全面的對日抗戰。「一八一三」淞滬浴血抗戰，我軍以傷亡過重，轉移陣地，閘北一綫，守軍亦轉進蘇州河以南。我陸軍第五二四團謝晉元團長，則固守蘇州河北岸，是為抗戰最著名的「四行倉庫」之戰，也就是抗日戰史上的「八百壯士」。這支國軍的英勇抗敵精神，不僅喚起了國人的抗戰決心，在國際上亦震動中外。當時我女童軍楊惠敏深為感動，不顧生命危險，冒熾烈炮火，隻身投入陣地，向八百壯士敬獻國旗，使我青天白日滿地紅的國旗，高舉飄揚在硝烟彈雨中，士氣為之提高，戰志因以昂揚，日寇亦為之喪胆！「八一三」之役，奠定了抗戰勝利的基礎，粉碎了敵人速戰速決的迷夢。

巨濟島英勇護旗

民國三十九年六月二十五日，俄帝嗾使北韓向南韓發動侵略，聯合國決議派聯軍援韓，阻遏兇燄，中共竟打着「抗美援朝」的旗號，介入韓戰。

韓戰經多次激烈戰役，共軍士氣低落，傷亡慘重，在陣前起義的反共義士多達一十七萬三千七百餘人，其中華籍反共義士約兩萬一千三百餘人，被送往巨濟島戰俘營集中管理。

華籍義士在共幹的花言巧語、欺騙、恫嚇之下，除了少數被誘騙外，仍有一萬四千四百五十名中國反共義士，抱定「誓死回台灣」，義士們為了表示決心，並用自己的鮮血製成了一幅青天白日滿地紅的國旗，在巨濟島戰俘營七十二聯隊廣場中央升起。當時印度軍隊阻止義士升旗，並開槍射擊，反共義士，冒着印軍的槍口刺刀，前仆後繼，不惜犧牲，勇敢的發起護旗運動，當時為護旗犧牲及負傷的義士達數十人之多，在一場激烈的肉搏戰鬥中，終於升起了青天白日滿地紅的國旗。這種英勇壯烈的愛國精神，實在值得國人敬佩效法！（下）

雙十在祖國

·謝冰瑩·

——祖國，啊，偉大的祖國，我終于回到你的懷抱來了。

王子誠自言自語。他從口袋裏摸出一本日記簿出來，用原子筆在上面不停地寫着，那些筆跡是清晰的，有力的。他要把昨夜的經過情形，詳細地寫出來寄給他的母親和妹妹——這是他留在印尼兩個最親的骨肉。

× ×

七點半開始，便有隊伍陸續進場了，那雄壯的軍樂聲，那整齊的步伐，那光閃閃的武器，那歡笑的人聲，掌聲……簡直把王子誠弄得幾乎要狂叫起來了。

時間似乎過得特別快，一下功夫就到十點了，大會正式開始，當蔣總統出現在陽台上時，那如暴雷一般的掌聲，真是驚天動地；當一隊隊的陸、海、空軍隊伍，雄赳赳，氣昂昂地經過閱兵台的時候，掌聲更像響亮的炮聲絡繹不絕。

——勇敢的戰士，雄壯的行列，這是反攻復國的精神堡壘，看吧，他們臉上，浮着勝利的笑容，他們的身體，像鋼筋鐵骨一般結實，我的熱血和他們一樣在沸騰，我也要加入他們的隊伍……

王子誠心裏想着，一顆興奮的心，幾乎要跳出來了！不知什麼時候，李吉悄悄地擠到了他的身邊。

「小老弟，我眞不放心，深怕你丟了。看你這副呆相，我來這麼久了，你還點也不知道。」

「李大哥，我眞高興死！快要發瘋了。這麼偉大的場面，我還是生平第一次看到，太使人感動了，我一輩子也不會忘記！」

「好，現在已經散會了，我們回去吧。明年的今天，請學校派你來正式參加慶祝大會好嗎？」

王子誠在李吉的催促下，他用手帕擦着額上的汗珠，如醉如夢地向着密密麻麻的人羣中擠出去。

「子誠，告訴我，你有什麼感想嗎？」李吉問。

「國軍眞是太偉大！過去在印尼，我不知道自己的祖國是這麼的進步，有這麼多訓練有素的英勇國軍，祇要看了國慶閱兵，誰都會相信，我們一定可以打回大陸，重建我們的祖國。」（下）

雙十國慶有感

馬小梅

年來自由中國在　蔣總統領導下，無論軍事、政治、以及工商等部門，俱有莫大之進展，海外，國內，僑胞，軍民，一心一德，誓必消滅毛寇，光復大陸，値茲佳節，感而賦此。

天高氣爽白雲悠，佳節欣逢喜莫及。
四海同心為國謀，三軍智勇虎威立。
英雄決志誓同仇，壯士熱腸雪恨急。
定卜明年回九州，載謌載舞慶雙十。

國慶紀念

漁翁

海上欣逢國慶時，滄桑今又寫新詩。
雲橫五嶺家園遠，雁度三湘鐵幕垂。
萬里風塞悲戰馬，中原父老望旌旗。
遺民盡在胡塵裏，惟願登壇早誓師！

從史蹟中看國父生平

魯生

楊衢雲天大的錯，就在國父一笑中恕之。再次，有位留德的陸軍學生王發科，加入同盟會後為滿洲同學知道了，要通電國內撤他回去，王發科急了，跑到巴黎去找留法海軍學生湯鄉銘，湯亦為同志，當時國父在巴黎，於是湯出主意，和王偷進旅館房內，將國父的皮包割開，將黨人的名冊取了出來，跑到中國公使館去獻給公使，邀功求救。當時公使孫寶琦，思想比較開通，乃叫他們將名冊送還；湯於是獨自去見　國父，將割皮包的責任推在王的身上。　國父接了名冊，安之若素，未嘗加以責斥。到了辛亥革命成功，國父出任大總統，湯仍厚顏求職，國父也就給他做海軍次長，對在巴黎發生的事，未嘗置懷。像這類原恕寬厚的事，在國父偉大史跡中記載甚多。

愈挫愈奮

國父領導革命，每次起義失敗，從不氣餒。辛亥前一年一月廣州新軍之役，這是第九次的起義，又未成功，一般同志多已失去信心。而　國父認為國內革命風潮高漲，華僑愛國思想熾烈，應乘機再圖義舉。於是庚戌年十月在南洋召開會議，商量起義，參加者有黃興、趙聲、胡漢民等，席間國父鼓勵同志要奮勇向前，而同志面有難色，尤以經費困難為慮。　國父慨然以籌款自任。一夕之間，同志為　國父的無畏精神所感動，於是連袂奮起，紛紛回國效命，於是而有悲壯激烈的黃花岡之役。接着武昌起義，民國成立了。　國父這種愈挫愈奮的大無畏精神，是革命事業成功的基礎。所以　國父創知難行易學說，訓示國人：「吾心信其可行，雖移山塡海之難，終有成功之日；吾心信其不可行，則反掌折枝之易，亦終無收效之期。」

功成不居

當　國父讓位於袁世凱之後，袁世凱授　國父以大勳位，　國父函辭不受，在那封函中有這樣的話：「若此次革命之成功，則直為全國人心理，南北將士和衷之所成就，文更無可褒異之處。若文得圖一己之殊榮，則歷年共事之人，死者不計，生者今尚流離失所者，文將何以對之？……若文既受勳位及附年金，是文因革命而得金錢，則曾經從事革命者，以私人之關係前來求助，文將無詞以對，而有應接不暇之勢，此文不能受此勳位之故也。」這使我們認識　國父締造民國功成不居的偉大風度。（下）

黃季陸分析辛亥革命成功的因素

越衡

日本政府當時竟有「不惜施用武力以干涉中國革命」的主張，其理由究屬何在，可以從下面的事例中看出：日人古島一雄先生當時隨犬養來華贊助革命工作，在其動程之前，有一日本要人名都築馨六告之：「目下世界已有美國為共和國，如再聽任中國亦為共和國，則被挾制在中間之日本帝國，其前途究將如何？希君等善為考慮。」原來日本政府當日此一對華方針，一在蓄意侵略中國，一在深恐中國共和政體建立後，對日本不利。由於日本政府此將一恩想之根深蒂固，卒至造成後來之侵華戰爭與珍珠港事件，弄到日本國家幾至於覆滅。

中山先生英國之行，在外交上所獲之成就，對於後來日本對華方針之改變究竟發生多大影響，那是無法估計的。可是有一事實足以說明，則是日本在辛亥革命時，以武力干涉中國革命之舉並未實現，而後來內田外相因迫於民間輿論之攻擊，在日本議會確曾聲明，其並無以武力強迫中國維持帝制之企圖，則倒成了事實。

　國父到了英國，另一重要奮鬥，關係辛亥革命的成功效果更大。即是，當時滿清政府與英國為首的四個銀行團，已有兩筆大借欵，正接近交付與籌募的時候：一筆是川漢鐵路大借欵一萬萬元，業已募集存儲待付；一是幣制借欵一萬萬元，已簽約，而正擬發行債劵籌募中。假使這兩筆大借欵為滿清政府所得，以作為對付革命軍的戰費，那將對革命事業有着很大的打擊，但經　國父向英國政府交涉的結果，獲得了三項重大成就：一是四國銀行團停止支付滿清一切借欵。二是勸止日本援助滿清。三是取消英屬各地對　國父的放逐令。辛亥革命之能迅速成功，　國父此一努力當是其重要原因之一。

黃季陸接著指出，當　國父在國外肩負外交活動之際，他本人雖然不在國內從事革命的奮鬥，但是他對于國內革命勢力的聲援，却有着極大的貢獻。

　國父在當時已看出了一個隱伏的重大危機，那就是一般人把革命的成敗都寄托在國外金錢與武器的援助，而沒有把革命大業的成敗，建立在自身的奮鬥上面。當他初抵上海的時候，勿論是黨內黨外，都以為他此次回國帶有大批外國借欵，而他的答覆則乾脆而忠實：「余不名一錢也，所帶回者惟革命之精神耳，不達目的誓不中止。」

　國父上面這一番話，是對當時革命黨人提出一個嚴重的警告。當時，他在英國外交的成就，只是制止了四國銀行團的撥付滿清的借欵，這是一時的、消極的收穫，因為在辛亥以前，各國在中國有重大利益的國家，對於中國革命並不如何重視，他們認為中國數千年根深蒂固的專制政體，以少數書生組成的革命黨，怎能一舉革命成功？同時他們事前對此一問題並無準備。（中）

五十五年雙十國慶

·南鴻·

雙十今逢雙五年。吉祥佳節寫新篇。鴻鈞運轉從今始。錦繡河山盡漢天。

青春漫道喚難回。復國雄心永不灰。寄語中原諸父老。王師捲土定重來。

龍馬精神矍鑠翁。八旬元首氣如虹。萬民擁戴欣連任。待竟中華再造功。

（總統年登八秩，精神矍鑠，今年當選連任，薄海騰歡。）

元輔登庸慶得人。政壇格局倍清新。中興氣象雲雷動。殲虜收京拯兆民。

赤寇途窮勢已孤。土崩瓦解在斯須。秦嬴新莽難持久。暴政終亡定不誣。

炎黃華裔遍瀛寰。故國相期衣錦還。何處自由乾淨土。全僑嚮往在台灣。

回憶當年革命時。健兒効死恨歸遲。幾多海外華僑血。染出青天白日旗。

卽今禹域遍腥羶。國破家亡十七年。熱血男兒應共勵。復仇雪恥著先鞭。

人豪嶽降百年週。國父榮名播九州。堪笑毛朝狐鼠輩。中山陵下亦低頭。

（今年為國父誕辰百週年，毛共為籠絡民心，亦醜顏籌備紀念。）

今朝海上曝秋陽。來歲還鄉濯大江。黃鶴樓頭歌一曲。中華民國又重光。

自由報

THE FREE NEWS

第五九六期

中華民國僑務委員會登記證台港字第三三三號登記
中華郵政台字第一二八二號執照登記為第一類新聞紙類
（逢星期三、六出版）
每份港幣壹角
台灣零售每份新台幣貳元
社長：雷嘯岑
督印人：黃行著
社址：香港銅鑼灣高士威道二十號四樓
20, CAUSEWAY RD 3RD FL. HONG KONG
TEL. 771726　電報掛號：7191
承印者：大同印務公司
地址：香港北角和富道九十六號
台灣分社
台北市西寧南路壹壹零號二樓
電話：六四三〇三
台郵撥儲金戶九二五二

追在眉梢的越南大戰（上）

彭樹楷

本報九月三、七兩日的紐約通訊說：「越來越多明顯跡象顯示，大約到了本年聖誕節前後的時候，美國可能要在越南境內應付一場韓戰規模的戰事。」

筆者對此有相同看法，所根據的是不同資料。

該通訊是以美軍增援越南和北越加緊滲透南越的純軍事態勢所作的「美國人的估計」；本文則係以毛共和國際動態所作的綜合研判，乃是「一個中國人的看法」。

先從毛共動態談起

人類有史以來，除了以剽奪為生的部落或海盜外，便只有毛澤東這個「老子就不信那個邪」、「出兩個太陽給大家看看」的狂漢，才以戰爭為其終生職業！他那「槍桿子出政權」、「以世界鄉村包圍世界城市」、以及「與天公共比高」的「毛澤東思想」，就是「以戰爭為職業」的證明；再以他「井岡山落草」、「二萬五千里長征」、以及「延安時代」假抗日眞擴張，與抗日勝利後的公開叛亂，一直到他攫取政權以來的「總路綫」、「大躍進」、「公社」、和「下放」、「交心運動」、「百花齊放」、「社會主義教育運動」、「文化大革命」、以及近來鬧得天翻地覆的「紅衛兵大造反」等等由毛澤東一手導演的「戰史」來看，更絕對正確地證明毛魔是一個唯恐天下不亂的職業戰爭販子！

自古以來，即使是公認最好戰的毛利人（Waoris）、印第安人、以及烏延督族（Wyandots），也都是把戰爭看作不是平常的事件；甚至蠻族如奧沙哲（Osage），史籍也記其「不輕言戰爭」。又說他們在「公議」決定開戰之後，戰士們便要「離開妻室、齋戒沐浴、整理兵器、採繪身體」，最後是「舉行戰舞」之後出發作戰」。

我們看毛魔今日所作所為，無一不酷似奧沙哲，有時甚且過之。例如：（一）毛魔係以「毛澤東思想」來「私決」「時時打、處處打、打盡殺絕地戰到底」，搞「人民戰爭的世界革命」——「反帝國主義、反資本主義、反蘇聯修正主義」；（二）毛魔也「離開妻室」，自去年十一月起幾乎有五個月未公開露面；（三）「齋戒沐浴」地由東德醫生在北平為他「更換全身細胞」的兩年後，便「暢游長江」沐浴一番；（四）毛魔以核爆、增軍與印度、蘇俄、越南等隣近國界處的陣式佈署，應該屬於「整理兵器」之類了；（五）繼前年的「更換全身細胞」之後，又來一次「大換血」，豈不等於「採繪身體」；（六）毛魔已由「紅衛兵」領頭舉行了「戰舞」！

現在，便是「戰舞之後的出發打仗」了。

打仗？是的。內外趨勢，對毛魔太不利了！不戰，他的黨政、黨軍、軍政之間的矛盾便越來越大，越深！不戰，他就收不回在亞洲、非洲、拉丁美洲丟得精光的顏面（中國人甚至亞洲人，都是最講面子的；這一點，歐洲及美洲人應該明白才是）！不戰，毛澤東就對付不了那股反毛反黨的澎湃壓力！不戰，他就不成其為戰爭販子！就等於他自己宣佈「毛澤東思想」的死刑！至於打了之後是否如願以償？這點是毛魔絕不担心的，因為他已「大胆假設」並且以「假設」來肯定地「一切帝國主義、修正主義、資本主義、與所有反動派都是紙老虎，而原子彈也是紙老虎！」言外之意，當然反美、反俄、反英、反日、反……都是百戰百勝的！甚至「來他一次新八國聯軍，我們也會打它個落花流水的！」

打是打定了的！

在什麼地方打呢？目前情形，越南當然是「天時、地利、人和」等各方面都比較理想的地方了！我們看毛魔屢次拒絕來自各國的對越戰的和平調停便知道的；九月九日，美毛華沙會談毛共代表王國權的悍然聲明拒絕與美和解的新聞報導中，便有這麼一段：「美國、蘇俄和其他若干國家鼓吹在日內瓦協議的基礎上解決越南問題，是絕對辦不到的。」這，不是很明顯地要利用越戰來「試驗」他的「毛澤東人民戰爭世界革命思想」麼？如果在越南打敗了美國，他便打敗了民主集團的領導者；如果利用越戰掀起美俄大戰，他豈不是要坐收漁人之利、使中國大陸成為「世界革命的基地」麼？萬一美俄不互相打起來，毛魔也要冒「兩面作戰」之險大幹一番的。九月九日中央日報載：「共匪人民日報揚言：將與美俄兩面作戰」。（本月八日中央社台北電），更是明顯的說明——說明以戰爭為終生職業的毛澤東，絕不放棄在越南戰場「出兩個太陽」的機會；而且，他也絕不會自動放鬆每一個「造反」的戰爭機會的。最近逃港的毛共民兵隊長張宗耀說：毛軍已經開抵中越邊境並已進入北越，看來越南大戰免不了的啊！更何况毛魔日前給胡志明電報又提出「併肩作戰到底」的保證呢！除非美自由國家，特別是美國決定退出越南，退出東南亞，退出整個亞洲！否則，大戰便免不了的！

自殺！

非倒不可。

今日與明日

美國大作其和平夢

參加越南剿共戰爭的七個國家——越南共和國本身，及美國、大韓民國、泰國、澳洲、紐西蘭和菲律賓，將於本（十）月二十四、二十五兩天，在馬尼拉舉行一次會議。由於美國對毛共所採取的是「磕頭政策」，並在越南戰爭中沒有長遠計劃，美國本身消耗龐大人力物力不算，還連帶着把有關國家拖進了拔足不得的泥潭。所以，更鼓勵了毛共和北越的侵略「雄心」，為亞洲和平反共國家，帶來了極大的危害。因此，自由陣營特別是亞洲國家，於深感美國莫名其妙之餘，已更加對美國失去信心。

詹森總統為爭取亞洲反共國家對他和他的政府的信心和支持，藉馬尼拉七國會議的機會，將訪問亞洲兩週。本（十）月十八日詹森由檀香山出發，將分別訪問紐西蘭、澳洲、菲律賓、泰國、馬來西亞和大韓民國。下（十一）月二日結束漢城之訪問返回華盛頓。

美國詹森總統，如謂是為了加強各參加越戰國家的團結，以求早日阻遏北越向南侵略的兇燄，並給罪魁禍首毛共以膺懲，毋寧說是專為商討「和平戰略」。可以斷言，美國越是這樣退退縮縮，越南之戰距離和平也就越遠。因為，如此正合了「滅自己志氣，長敵人威風」那句話兒。要知道，以毛共為主要後台老板的越戰，你越喊什麼和平什麼談判，它就越威風百倍，強調什麼「美帝是紙老虎」一定能取得「最後勝利」。

美國頭痛醫頭、腳痛醫腳的下策，根本不是辦法。毛共是「亂源」，要想徹底清除禍亂之源，就非要對毛共大刀闊斧地幹一番不可。不然，美國會有吃大虧的一天。

詹森訪韓面面觀

詹森總統此次訪問亞洲六個國家，惟獨不到越南共和國，這說明他和他的政府沒有求取完全勝利的決心。論數字，除美國外，參加越戰的外國軍隊，就屬大韓民國了。此次詹森往訪漢城，可能是爭取韓國增派援軍赴越。

詹森訪韓之行，必受到韓國朝野的極端重視與歡迎。但如謂歡迎的是美國總統，勿寧說是他們歡迎美國總統表示堅絕反共、反侵略的決心與政策。希望詹森總統有出人預料以外的好「表現」。

詹森總統訪韓，不但執政黨歡迎，在野黨亦不例外。但以「揭晉」馳名國際的韓國在野黨，於詹森總統訪問韓國時，必提出一些莫名其妙的意見，如反對向越南增派軍隊之類。在自由和極權壁壘分明的今日，反共戰爭是整體的，絕沒有「單幹戶」。事實確是如此。譬如越南這場戰爭，表面上是越共游擊隊和北越胡志明政權，但罪魁禍首則是毛共。共黨方所消耗的物資，是由毛共明白支援的；所以，並不能嚴格地劃分今日反共地區範圍。大韓民國派兵援越，是為整個反共大業貢獻力量，十分值得敬佩。而韓國在野黨無視於此，甚至藉此一口實杯葛執政黨，殊為不當之至。

韓國援越軍隊已超過四萬兵，美國方面仍希望韓國陸續增兵援越。至於本身所遭受的來自北韓的威脅，則由駐韓美軍全力負責其安全。關於這一點，美國實應於商請韓國出兵援越之同時，亦把消滅北韓統一韓國的問題，放在首先考慮的最重要的地位。不然，大韓民國當局實難免「捨己耘人」之譏。（何如）

再看國際局勢

法國的戴高樂這次東來推銷他的中立主義，其目的並非為了越南和平，而是幫助共黨要美軍撤出越南，進一步想恢復法國在二次世界大戰前在東南亞的昔日「領導權」；但他却遭逢來自美、越與毛共諸方面的挫折。

自由談

談官吏貪污問題

馬五先生

有政府的組織，以管理眾人之事，即須設置官職，任用官吏；有官吏處理政務，就難免發生貪污行為。時無論古今，地不分東西南北，到處皆然，殊不足怪。

任何國家皆有懲治貪污的法令，犯之者執法以繩，毫無假借，議親議貴，絕不瞻徇。這樣，政風必然清明，貪官污吏也就相應減少，乃至於人人知恥自愛，根本不發生貪污行為了。

在喪亂之秋，社會生計不正常，人民生活不安定，而一般人心亦多變態，官吏貪污的機會乃較多。假使政府稍事因循，不能嚴整紀綱，信賞必罰，政風自然趨於情落，人民以賄賂公行為常事，官吏以受賄索賄為當然，國事即沒有不敗壞的。所以，古今來大有為的行政首長，一是皆以懲貪滌污為首務，尤其是亂世，更要藉嚴刑峻法以奠立清明之治，國家纔有興隆之望，所謂「治亂世，用重典」，義所應爾也。民國三年袁世凱以五百元貪污案件，槍斃了京兆尹（首都市長）王治馨，政風為之一振，全國大小官吏相率懍刑畏威，不敢以身試法。就是到了後來的北洋軍閥政府時期，北京高等檢察廳，亦因「金佛郎案」，逮捕過在任的外交總長羅文幹，下之於獄，多少尚表示着法律之前，人人平等的法治精神，其他的一般官吏，亦不像今日以貪污為作官之本的情形，毫無所擇的見錢眼開，貪得無厭。至於民意代表利用職權和特殊身份（如不懂法律而冒充律師之類），隨便貪圖非份之財的怪現象，在北洋軍閥政府之下，是罕見的。

不過，話又說回來，舊時軍閥政府的大小官吏，所得的俸金皆足以養廉，人莫不有好善之心，生活既夠維持，人言亦復可畏，貪念自然降低了。假使俸祿過於微薄，日在啼飢號寒之中，而希望官吏不貪污，即無異置貓兒於魚肆，放鼠子於米倉，要它不偷食魚米，行嗎？明乎此，則消除貪污風氣的方法，當知所擇矣。

自由報

反毛份子怒火中燒 陸豐偽縣長李建華等百餘共幹被集體毒斃

——本報讀者國權來函報導

編輯先生：

我是貴報的忠實讀者。自大陸紅衛兵暴政產生後，海外報刊雖有不斷的報導，但較為偏僻地區的同胞和反毛份子對於這一暴政反抗的許多事實，由於中共的嚴密封鎖，很少外洩。我現在報導一件大快人心的事實，盼貴報能予披露。

我是粵東陸豐碣石人，於九月十二日返抵家門探視母病，於九月下旬返回本港。

在九月十四日的那一天，陸豐縣人民委員會自偽縣長李建華以下一百餘名員工，於當日午餐竟全體中毒死亡，無一倖免。次日，此項消息很快傳遍於陸豐各地。據說，偽縣長李建華，平時許多措施深為當地工農所痛恨，最近復公然支持紅衛兵對陸豐縣黨委進行鬥爭，指為反黨反毛份子。此次事件，外間傳說，係當地反毛份子於飯鍋中放置烈性毒藥所致；是否如此，不得而知。但陸豐共警及民兵，已逮捕數十人秘密審訊中。

事情發生後不到幾天，就在九月二十日晚上，碣石陸豐第二中學旁邊宿舍突告爆炸，聲震遐邇。第二天早上，獲悉該宿舍是晚住有紅衛兵二百餘人，由於爆炸力強，屋頂下陷，牆壁倒塌，當場有二十餘紅衛兵被壓死或壓傷；此事可能亦係出於那些反黨反毛份子的傑作。

讀者國權謹上　十月十日

從雙十慶典看強大國軍

•吳立人•

民國五十一年由於時局關係，停止舉行閱兵；國軍慶祝國慶的節目，改用特技表演的方式舉行。據次日報紙登載，被國軍特技表演吸引去的觀衆，近百萬之多。

這是陸、海、空三軍第一次在台北市聯合表演，在兩個半小時的節目中，觀衆對國軍訓練的精良與裝備的新穎，留下了極為深刻的印象。第一個節目由陸軍傘兵表演空降，担任定點跳傘的傘兵，巧妙地運用他的傘繩，不偏不倚落在指定的圈子裏；接着由海軍蛙人作水上特技表演，當蛙人表演如何在水底破壞敵人工事時，河面揚起陣陣的水柱，情況逼真，贏得了觀衆熱烈的掌聲；最後的大軸戲是雷虎的九機編隊演出了大雁翻斗、菱形右滾和炸彈開花，參觀者有的為他們揑一把冷汗，有的看得目瞪口呆，大家無不讚美國軍確是一支神奇的雄師。

五十二年閱兵的特色，是徒步部隊減少，車輛部隊增加，這顯示了國軍的火力及機動性。在陸軍方面，配備齊全的○○○放部隊、飛彈部隊、○○空投部隊的各型空投機械，都是受人注目的焦點；就海軍方面說，兩棲偵察和水中爆破部隊，也都參加了；空軍有四種不同型式的噴射機羣首次作混合編隊，以菱形通過閱兵台上空，向大閱官致敬。機羣總數為一百六十架，各型的性能原有很大的差別，但能以同樣的速度編隊飛行，足以表明技術的精良和訓練的進步！

文藝工作隊，是這次國慶閱兵大典中最突出的一支隊伍——二十輛懸有四十幅巨型漫畫的車隊徐徐通過閱兵台。

這是一支心理戰的隊伍，進軍大陸可用軍力進攻，而光復大業則需配合政治宣傳，號召大陸千萬同胞響應我軍行動，使得弔民伐罪的聖戰，能夠一舉成功。

五十三年的國慶閱兵大典，約有一萬一千多陸、海、空軍精銳部隊接受校閱，閱兵行列中的鷹式飛彈，F—104戰鬥機，以及華克猛犬式戰車……等，樣樣齊備。

從大溪地來的僑領劉逐湖，被閱兵的大場面感動得流出眼淚，他說：我們有這樣精銳的雄師，總統的英明領導，一定可以打回大陸去。

來自香港的老僑領關梅說：過去幾年，台灣海峽每一發生戰爭，他都極為祖國担憂；今天看到了祖國的精銳三軍，不但不再憂慮，同時，也不愁中共不垮了。

這次國慶的各項活動，比往年都要熱烈。除了萬人矚目的閱兵大典，還有經濟建設成果展覽、宗教文物展覽、歷史文物展覽、各界的慶祝大會，以及新公園和中山堂前晚間施放五彩高空焰火，處處呈現一片歡樂的景象。

去（五十四）年的國慶閱兵大典，在我國建軍史上，可說是空前的檢閱。這是以二萬四千名人員，及五百餘輛各型車輛及民防部隊所組成的一支壯大隊伍，他們包括了第二綫武力的一部分，顯示出了我們前綫和後方同樣具有精銳的軍力。

另外的一大特色是，全球各地回國參加雙十國慶的僑團達六十三個團體，及個別回國僑胞共計一千五百餘人，除了參加了這個普天同慶、薄海歡騰的國慶紀念大會外，還加入了廿五萬羣衆慶祝國慶的遊行行列。

這一支分別來自全球五大洲，四十三個地區的浩大華僑行列，隊伍前有「華僑回國慶祝國慶」八個大紅字牌，各地區僑團團長、副團長和僑胞們，都緊隨在各僑居地名牌後面步行。他們在溫煦的陽光下，踏着輕快的步伐，隊伍從夾道擁擠的人牆中慢慢前進，民衆歡呼着，遊行的僑胞們，個個也高興得合不攏了嘴巴。

十數年來，中華民國已從風雨飄搖中，逐漸變得安定、茁壯、富庶。這種進步的情形，見之於我們的國軍，尤為顯著。我們英勇的國軍，不僅是裝備精良，戰鬥的技能，也到了運用自如的境界；戰鬥力日益強大，士氣亦日益高昂。所以我們這支壯大的隊伍，已經不單是反攻復國的雄師，而且成為了保衛遠東和平安全的柱石。（下）

香港旅遊業開始入旺季

（本報訊）香港旅遊業開始踏入旺季，近日由歐洲、美洲、中東、東南亞各地抵港的商人及遊客大告增加。其中大部份是來港作商務活動，以及專程來港洽訂港產品，小部份是純粹的旅遊性質。因此本港一流酒店的客房逐漸有較多客商租住。更有些由歐美動程來港的客商，事前已有電報到港，於是本港有關洋行及大工廠預先替他們預留酒店客房，作妥善的居停及款接。

由於各地客商到港逐漸增加，不僅對香港有關旅遊的各行業生意有良好的刺激，並且對香港產品出口外銷有更大的幫助。不過，單就旅遊業而言，它是香港的很大的無形收入，因為一般有商業任務的客商以及純粹遊客，在港消費的數字都很大，包括住酒店，交通費用，飲食及購物品等，實在是很可觀的。預料今後兩個多月內，各地旅遊客到港的仍將繼續增加，尤其是十一月至十二月上半月，是下半年遊旅業最旺的時候，直接間接對香港經濟有很大幫助。

大家都知道，今年上半年香港旅遊生意發展未如理想，雖然遊客到港的人數仍有增加，但增加率的微小，是過去多年的最低紀錄。根據統計報告，一九五九年遊客到港比一九五八年增加百分之三十四；一九六○年遊客到港比一九五九年增加百分之十八；一九六一年遊客到港比一九六○年增加百分之三十五；一九六二年遊客到港比一九六一年增加百分之四十點六；一九六三年遊客到港比一九六二年增加百分之十七；一九六四年遊客到港比一九六三年增加百分之二十三；一九六五年遊客到港比一九六四年增加百分之十二點一；今年上半年遊客到港僅比去年同期增加百分之十點七。就去年而論，其增加率已比過去六年平均數字降低百分之十。本來世界人口逐年增加，世界經濟及交通亦年有進展，遊客人數每年增加百分之十，實在是應有的進展速度，其他地區的旅遊業專家都承認這一客觀事實是合理的。

今年上半年香港旅遊業一直是吹淡風。造成這種現象，當然有很多不利的因素影響；例如今年四月間九龍發生大騷動，六月份又因為暴雨釀成巨災，都影響遊客裹足不前。現在香港旅遊業已經渡過了一段很長的淡月，開始進入旺季了。一般寄望今後三個月內各地遊客到港繼續增加，則今年遊客到港的增加率可望達到去年的相同紀錄。

事實上，每一遊客在港的消費是很可觀的，據「遠東調查組織公司」所曾給旅遊協會提供全面性的資料，它指出：每一遊客在香港的消費約為一千四百五十元，其中百分之五十五用於購買物品，百分之二十用於住酒店的房租開支，百分之十用於飲食，百分之五用於遊覽的支需，百分之十用於其他方面消費。以去年到港的遊客四十四萬六千七百四十三人的總消費計算，就達到六億四千七百七十七萬元。這無疑對香港社會經濟幫助是很大的。

一九六六年國際共產黨的一般情況和民主國家反共的形勢

△何浩若▽

這幾個朋友中之一便是隨着羅斯福參加雅爾達會議的希斯。（Alger Hiss）不幸的羅斯福在雅爾達病得很重，雅爾達會議只好由希斯代表主持。這樣一來，三個人的會議，羅斯福（希斯代表）史達林和邱吉爾，便變成了兩個共產黨和一個民主人士。在三分之二的多數通過之下，雅爾達會議承認史達林佔領東歐十一個國家，並且把波蘭的一部份，和波羅的海的三個小國併入蘇聯。邱吉爾在雅爾達是有苦說不出的。他原主張不由法國而由巴爾幹進攻歐洲，以防止蘇俄入侵東歐。但是他的建議被羅斯福拒絕了。在雅爾達他們不僅不謀補救，還用條約承認蘇聯所佔領的既得利益。史達林雖然承認東歐各國將來可以舉行自由選舉，但是後來也就沒有提過。最壞的是除去把外蒙古送給蘇俄以外，雅爾達會議還允許了蘇俄派兵進佔我們的東北。這是我們丟掉中國大陸的關鍵。假如當日是由美軍接收東北日軍的投降，蘇俄就不能把關東軍的武器轉交中共。蘇俄之能席捲東歐，赤化中國大陸，完全是由於雅爾達會議。因此我們說，『造成赤色帝國的是雅爾達條約』。

（二）維護赤色帝國的華沙公約

為什麼我們又說『維護赤色帝國的是華沙公約』呢？這是因為華沙公約後來成為赤色帝國的核心組織。史達林自雅爾達會議後，利用雅爾達條約，一方面用陰謀詭計顛覆滲透的方法，蠶食東歐；一方面遣兵東北，接受日本投降，援助中共匪黨，赤化中國大陸。一直到一九五○年二月十四日中共和蘇俄簽訂『中俄友好同盟互助條約』止，史達林可以說已經完成了他建立赤色帝國的大業。從一九五○年到一九五六年，蘇俄對於附庸國家的領導權，是毫無問題的。這時候的史達林，真可算是君臨鐵幕。不僅小的附庸俯首聽命，就是毛匪澤東，也高喊『史達林爺爺』，和導演一面倒的醜劇。史達林死於一九五三年。他的繼承人感於北大西洋公約同盟國的威脅，於一九五五年五月十四日在莫斯科簽訂華沙公約，來控制東歐附庸，並且維護這個赤色帝國的安全。華沙公約包括蘇俄、波蘭、捷克、東德、匈牙利、羅馬尼亞、保加利亞，和阿爾巴尼亞八個共產國家。其餘的共產國家如中共外蒙北韓北越都派觀察員，也等於加入此一公約。這時候古巴還沒有赤化。南斯拉夫也和蘇俄簽有『俄南友好合作與戰時合作條約』。自從史達林死後，狄托也逐漸對蘇俄消除敵意。這時候的華沙公約，統一了東歐的軍事，蘇俄可以在公約國內駐軍，也有權支配公約國的內政，可以說是赤色帝國的核心，也可以說是維護赤色帝國的工具。但是到了現在，到了一九六六年，這個維護赤色帝國的華沙公約怎樣呢？這個維護赤色帝國的華沙公約不僅變得毫無力量，而且開始分裂。下面讓我們報導一點一九六六年華沙公約國和蘇俄的關係。

丙、東歐附庸國家開始擺脫蘇俄的控制

華沙公約國家的分裂並不自一九六六年才開始。早在一九六一年十二月十一日，阿爾巴尼亞便與蘇俄斷絕邦交。說到阿爾巴尼亞和蘇俄絕交，其原因實由於赫毛交惡和匪俄衝突。首先企圖擺脫蘇俄控制的是中共。這也是赤色帝國崩潰的開始。赫毛交惡和匪俄衝突的經過情形，我們早已報導過。在這裏不再詳述。但是有一點我們應當提及的是中共敢和蘇俄衝突的原因是蘇俄控制中共的力量不夠。衝突的開始是因為蘇俄企圖控制中共而引起毛匪的反感。毛匪澤東雖然喊『史達林爺爺』，但共匪與共匪之間絕對不會有溫情，更不會有父子關係的情感。有人說，假如史達林仍然健在，毛匪澤東絕對不會反俄，因為毛匪很崇拜史達林。這樣的講法是完全不瞭解共產黨的。共產黨只懂得力量和利害。史達林控制毛匪的力量，就是高崗和饒漱石。當日的高崗藉着蘇俄的扶植在滿洲建立王國，使得毛匪一面倒。可是史達林一死，毛匪便迅速的把高饒解決了。赫魯歇夫在取得政權之先，還要跑到北京去和毛匪照一個像，比史達林差多了。等到赫魯歇夫羽毛豐滿，想效法史魔故智，扶植彭德懷和黃克誠來繼承高饒的任務失敗以後，衝突便正式開始了。這應當是赤色帝國的第一次分裂。繼之便是阿爾巴尼亞和蘇俄的絕交。因為有蘇俄和中共的對立，才有一九六六年羅馬尼亞藉着華沙公約來擺脫蘇俄的控制。（四）

瀛海異聞錄

男人領呔故事五味俱全

·桑·

富商愛德華，一七八○年一位倫敦法庭被控，原告是他的男僕，罪名是主人將他閹割。出乎任何人的意料，被告出庭時，立即俯首認罪，他對法官作如此解釋：「他竟然敢打我的領呔，出街招搖過市，所以，我要懲罰他。」

結果，法官大發雷霆之怒，馬上判案「入獄十年；但不是被告，而是原告，就是那位男僕。

最後，男僕提出抗議；獲得陪審員的同意，他可以付一千元作爲賠償費用，非倫才肯罷休。

這是一個笑話嗎？非也。當然，代表男性尊嚴的領呔是被十分重視的。

還不相信嗎？如果大家讀過一本叫「鍾斯辛」的小說，便會記得書中的一個失業的宣傳人員，把五十元積蓄孤注一擲，購置了一條條紋精美、代表誠實的領呔；結果，憑了這條領呔，他找到工作了。

這可以想象到，昔日男人的領呔是佔了多麼重要的地位！

照理，在男人身上的衣飾，如帽、恤衫、皮帶、手套等，都有實際的用途，唯有領呔是純粹裝飾之用吧了。可是，它反被視爲如此重要，爲什麼呢？這使人想起孔雀的羽毛來。

到今時今日，根據最新的數字統計，每位美國人平均買一件恤衫，便同時買四條領呔；那麼，如果他買三件衫，一年他便買一打領呔。

這個數字，以世界各國來說，沒有一個能比得上。而且，每位男人的領呔大部份是自己選購，只有少數是別人送給他的。

一位時裝作家這麼寫過：一個男人遠行的話，最標準是隨身攜帶十二條領呔，這只是指爲期兩週的旅行而言。

查打領呔的歷史，已非常悠久，但如何起始，仍是一個謎，不過一六七三年間，可以說是領呔的復興時代。

法國路易十四世，曾爲國家的安全，從外國招募一批僱傭兵，他們的服飾立即使巴黎女性留下深刻的印象，其中一個特式是在喉間打了一個領結。法國少女對此非常嚮往，不過，爲了自尊心，法國男性並不模倣。

一六七三年的一個春天早晨，一位花花公子杜蒙，爲了博取異性的歡心，乃決定打領呔，但他打了整整兩個鐘頭，還未能把它結妥。

床上他的十八歲情婦伊莉絲坐在那裏。帶着微笑，欣賞他的窘態；結果，她忍不住站起身來，替他結，只消八分鐘，便完全結妥了。

這一招，杜蒙當堂感到驚奇，但他的嫉妬心來了。她怎會懂得打結呢？那必然是曾與那些僱傭兵發生過關係了！于是他拔出匕首，連刺伊莉絲幾刀，她便當場應聲倒地喪生了。後來，因爲這件案，巴黎男人立即紛紛打領呔了。

這一個風尚，是用一條性命換來的哩。

不過，領呔受人歡迎的國家，要首推英倫。一七四○年間，每一個英倫男人都要結領呔的，欵式甚多，有些領呔竟有廿四寸長的，另一種却與鈕扣這麼細小。他們在外交場合，如不打呔，是違反禮儀的；甚至在決鬥的時候，雙方也得領呔齊整，否則被視爲一種侮辱。

生于一七七八年的佐治．拜恩．什魯美爾在百科全書上有名字，全因爲他的領呔設計，在當時是十分有名的，連英皇喬治四世也召他入宮，聘他爲宮廷服裝的顧問。

關于喬治四世，還有一件趣事：在一次公衆場合中，他把領呔遺失了，後來由一婦人拾到，她認爲是皇家之物，但同時發覺那是現成的領呔，無需每天結呔那麼麻煩。她靈機一觸，要求一百鎊的代價，才不把這不體面的事情揭穿。

到一八五○年，英倫人士對于領呔越來越瘋狂了，一本禮節的書籍，清楚地列明打領呔的方法，一共三十二種之多哩。

物極必反，這種狂熱終于消退了。到今時今日，打領呔無疑是禮儀的一部份，但不是代表什麼特權階級了。

結束本文之前，不妨說一個笑話——有一個人在赴宴之前，叫人替他打領呔，但抵達後，發覺它鬆解了，他立即直向洗手間奔去，以免失禮，遭人訕笑。

在洗手間，他碰到一人，并求他幫忙替他弄妥領呔。那人答允，但要他先仰躺在地上。情勢危急，他不得不答允。

那人騎在他身上，不消兩分鐘，果然攪掂了。他有點不明白，乃問道：「爲什麼要我躺下呢？」

「這樣我才曉得結的。我習慣如此，無有辦法。」

「爲什麼？」

「因爲我的職業是抬死屍的。」

黑人喇叭王奮鬥成功自述

·路加譯·

所以，我對於妨碍我的一切事，總設法避免。唯其如此，我在音樂界裏，能夠屹立不倒那末久。

我結過四次婚。我底第四位妻子露茜莉，我愛之甚深，因爲他最了解我，常助我一臂之力。

在一九二九年，我踏入紐約。每個人在紐約，都瘋狂的嬉戲，我也和那些人混在一起。那時我還年輕，只要吹喇叭，猛吹就行了。

我有了名氣之後，誰也爭着請我了，所有的樂隊領班，都希望我過他們的樂隊裏。然而我有自己的思想。我希望能自己籌組一隊樂隊。終於我達到願望，於一九三七年，我和樂隊前往佐治亞州的沙雲拿市，在那裏遇上了祖奧利華，這個人就是給予我一生最大機會的恩人。

然而祖奧利華本身的生活不大好，他經營一小型的菜攤，售賣馬鈴薯和蕃茄，他在攤前搖高衣袖，售賣瓜菜。雖然他的境遇不大好，但爲人倒樂觀，在異鄉相逢，他高興得很。他確充滿生活的精神。其實他年事已高，而且患着齒槽膿漏症，牙齒常常流膿，同時牙齒愈來愈壞。

在過去的日子，人們只顧着用口吹奏樂器，把緊張集中於嘴唇，終有一天會爆炸。可是他們却沒有注意到這種情形，因爲他們不覺得生命的重要，唇部沒有鬆弛的機會，這就是可懷復可惘的事。

我記得祖奧利華在紐奧連往往於街頭遊行時担任管樂手。後來去了紐約，再由紐約南下。在那時的日子，如果三四天沒有工作，很難找到樂隊的；同時，如果賺不到錢，便沒有朋友。人們多麼的勢利！祖奧利華住一間龐租房間，但常常欠租，爲包租婆執着他討租。他最後改行，經營菜攤。由於他的鼓勵，我離開紐奧連謀發展。現在異鄉相逢，我很假他的境遇，於是把袋裏僅有的一百五十元，贈給他，以報知遇之恩。我自己事實上不需要那末多錢。不過我每晚收入七十五元，但我有一個妻子。

現在活到六十六歲，我可算歷盡滄桑，回憶前塵，感慨萬端，不堪回首！（下）

老兵憶述辛亥首義

彬之

在辛亥首義時，有一個十八歲的小兵，曾經參加了革命的行動。現在這位小兵已經變成了老戰士；但他緬懷往事，不勝依依，忘不了一生中最值得記憶的時光。

這位現任光復大陸設計研究委員會秘書長的朱懷冰，在五十多年前，他是當時學生軍中的一個小兵。在國慶前夕，朱老先生，特別和記者談起一段學生軍的往事。他說：辛亥之役以後，清軍曾經大舉反撲，革命軍情勢告急，黎元洪且已離城他往，而使武昌成了一座空城；不久，漢陽爲清軍奪去，十月廿七日，清軍火燒漢口，漫天硝烟，人心惶惶，一般都以爲一江之隔的武昌，也是朝不保夕了。

當時，負責在武昌城外放哨和城內巡查的，都是學生軍。學生軍原是清軍陸軍第四中學的學生，在南京受訓，集體來到湖北，參加革命陣營的。

滿清時代，最有錢的機構，便是藩庫，湖北也不例外。滿清末年，國庫雖然日見匱乏，但各地却仍然有錢，加之適値秋澇開征，藩庫堆滿了銀錠。而守庫者因革命軍突起，老早溜掉了，根本無人管理，以致銀兩委棄於地。而担任守庫重責的，都是學生軍，他們從來沒有一份私心，視大批銀錠如無物！單說那種廉潔的表現，便不難看出學生軍是如何的了不起了。

朱先生接着又說：湖北省當時還通用一種錢幣，那是張之洞所創辦的千文官票，發行和印制，都是由官錢局統一辦理。因爲革命軍興，國庫沒人負責管理，官票都被丟棄於地。其時湖北省還沒有完全光復，官票仍然流通，隨便拿上一疊，都可以發上一筆洋財，而且外人根本都不會知道。可是，守庫的學生軍，不但沒有發這個洋財，而在發現了以後，自動地一一爲其檢拾、整理、歸庫，絲毫不苟。視疊疊錢財有如糞土，胸襟朗如日月。

在首義之初，革命黨人有一個共同的現象，就是不計待遇和本身的安危。當時最特殊的狀況是：上至都督、文武人員，下至士兵，大家只有工作和職務上的分別，待遇却完全一樣，並無差異，不分上下，每人月支銀元十元，作爲生活費用。一直到南北統一，才開始實施薪給制。

在那種狀況下，眞是做到甘苦與共，患難與共，生死與共的境地，故能同德同心，萬衆一體，組成無堅不摧的革命精神，終能推翻滿清，建立民國。

朱老先生說：學生軍是辛亥革命時一支新生力量，他們守漢陽、守漢口，眞可以說是一以當十，十以當百。這些熱血沸騰的青年，從參戰到退伍，沒有一個人是爲了升官發財。大家夢寐以求的，只是革命的成功！所以朱老先生認爲，辛亥革命的成功，當年英勇的學生軍，功勞也不少的。

新三國

諸葛亮隆中決策　曹孟德兵出荊襄

劉玄德三顧茅廬，求賢輔弼，表現了至誠的情操。諸葛亮感於三顧之誠，決定出山。他爲什麼第一二次枉顧都不肯出？我相信他不是不肯出不想出，他既然是自比管樂，並不是不想有一番作爲。徐庶和司馬德操的推薦，當是早有安排，要他「枉顧」，不可「屈就」。這話不是很顯然嗎？一方面是有計劃的出山，一方面也要使劉備死心塌地的信任，提高自己的身價。劉備一生之中，這件事做得最成功。關、張和劉備是「弟兄幫」，當時劉備器重孔明之情好日密，關羽、張飛甚表不滿。劉備對關張說：「孤之有孔明，猶魚之有水也，願諸君勿復言」！關、張始不復言。劉關張三人感情，是超過一切的，由「學閥」中出來的諸葛亮與劉備感情日密，是否會影響到關、張和劉備之間「兄弟幫」的感情呢？在關張二人來說，是有所顧忌的。在當時社會，形態事實如此。曹氏出於「門閥」，以心術名利羅致人才；孫氏兄弟也是出於「豪門」，以「意氣相投」相結合；劉關張是屬於「兄弟幫」之一型，出身皆爲平民，諸葛亮爲何不去投奔曹操和孫權呢？他本「布衣，躬耕隴畝」，他也是平民出身。關張更無論矣。大而言之，蜀國的主要人物，大部份是屬於平民出身的。說他們是平民集團，是不爲過的。所以劉備與諸葛亮之間雖然感情日密，但絕不會使劉備失去關張這左右臂的。

劉備在第三次枉顧之時，孔明便傾心而談，把他的全部佈局的機密完全公開於劉備之前。孔明說：「今曹操已擁百萬之衆，挾天子以令諸侯，此誠不可與爭鋒。孫權據有江東，已歷三世，國險而民附，賢能爲之用，此可與爲援，而不可圖也。荊州北據漢沔，（漢水沔水）利盡南海，東連吳會，西通巴蜀，此用武之國，而其主不能守，此天所以資將軍，將軍豈有意乎？……若跨有荊益，保其岩阻，西和諸戎，南撫夷越，外結好孫權，內修政理；天下有變，則命一上將將荊州之軍以向宛、洛，將軍親率益州之衆以出秦川，百姓孰不簞食壺漿以迎將軍者乎？誠如是，則霸業可成，漢室可興矣！」

他這一篇天下大勢的宏論，見及最早，看得最透徹，說得事理昭然，使得劉備傾心信服。劉備是一條困在陸上的大鯨魚，這一下眞是如魚之得水一般的相依爲命。因爲他那一篇國際現勢的分析，不僅是實際情形，而且也是正中劉備的胸懷。劉備之成帝業，獲得諸葛亮是一主要關鍵，我相信是沒有人反對的吧！

劉表把劉備擺在新野，是要他屏障中原的曹兵。劉表既不聽劉備的計劃，又不肯依附曹操，沒有人能知道他肚皮裏賣的什麼藥。他不但不聽信劉備，而且漸起懷疑。他又偏聽老婆的話，又見一般士民都歸附劉備，劉備的人一天比一天多，他的心實有前門拒虎後門迎狼的感覺。其實眞是多餘的。劉表死了之後，孔明勸劉備奪荊州，劉備都沒有肯幹。劉表的猶豫觀望，曹操却是按部就班，一步跟一步幹的人物，所以就在建安十三年七月，曹操的大軍向荊州方向出發了。

（七一）

國劇繽紛續錄

鑒嬰生（一一六）

與鳳仙談蘇小妹（續）

唱腔方面，固然全以程腔來唱，頗爲不易，亦難討好；所以能用少許程腔梅唱的方法來處置，是不是很好？（此種說法，極合情理。）我演時唱那四句，好像就是這種方式唱出的。小生部份：我在旦角時說出，要喬裝壽夫；馬上進場，約有五六分鐘的時間，已整個改爲小生，出來亮相，觀衆的眼前一亮，也覺得改裝動作之速。倒板是在閃簾唱的，四擊頭出來亮相，再唱原板，特別似有精神。我演時是坐船去的，因爲後面的搖板，都是說什麼涉水……水涯等一類的話，加之女流之輩，能騎馬者，究竟不多，所以還是以坐船，手中持扇，比較合理些，雅致些。（論由秦家到三湘，事實河流較多，小妹又是文弱的才女，自以坐船爲合理。）改扮男裝，不可曲綫太露（雖然有美的綫條但非男子。）應設法含蓄一點，不然似男非男，弄巧成拙！我們的丑角不唸「數板」，但臨時抓哏之處，硬是可取，因具有時代意義。似乎在演出的風格上，另有一種味兒。一般的俗不可耐情況，儘量避免。那年競賽會獲第二，有印象嗎？（日前克常談到此劇的數板，我亦以爲太多而近貧，減低情緒）

我們以前演出蘇小妹的多少場，現已經記不清，總之環島以外，還應金門前綫同志的邀請，也去演出。似乎一般批評，還不壞，更無毀詞。此次干城首次演出，似不太理想。個人觀感，整個的劇中人，不分主角配角，都有關係。那時演出，任華飽是一位翻譯官，文娟是一位廣播小姐，秦少游是耍筆桿多年的文人，柳元卿是辦行政的老吏，尼姑是專司化裝的專家，互相研究，排了兩月，方始上演，不是急就成章，似乎在水準上說起來，比貴美少山等爲高明，許多幽默詼諧之處，非常高級，實在比一般伶工，要高佳一着。能烘托小妹的才氣，排出一戲，實在不太簡單。可知以往梅派的編者（非齊如山一人），將每齣編得故事生動，情文並茂，確應稱佩！

我與鳳仙在同觀蘇小妹後，交換意見，得到觀感，是敢說無差。其他干城把電影蘇小妹的情節插入，以致與程編原本，遂有距離，落到部份觀衆在說：平劇不及電影好，以平劇比較電影的輕鬆，而情節也較有趣味也。希望蓮芝在再演之時，要予以檢討，能否使其更加完善，值得三省！

爺爺與兵

尉天聰

周老先生來台灣的時候，剛剛五十八歲零七個月。那時候他的小兒子周先生正轉學到台大從二年級唸起；學周老先生的口氣說，完全是『皮勃瞪眼的，一副毛孩子像』。但十五年一過，周老先生真的老了，皮勃瞪眼的毛孩子也當老師了。以兒子。這個兒子又黑又結實，一生下來就成了家裏的霸王。周老先生管他叫虎子，滿宿舍的人都跟着叫。虎子笑起來傻傻的，大夥兒都喜歡逗他。但他一天到晚纏着周老先生，連夜晚也是跟着爺爺睡。周先生跟植物園只隔着一條馬路，周老先生沒事總帶着虎子沿着荷花池閒逛。跟一堆老頭子打太極拳，看小學生拿着毛筆寫生，聽女學生嘰哩咕嚕唸着洋文。虎子則手裏拿着一串浸了鹽水的『芭拉』（台灣話指石榴）一邊吃一邊看一羣小孩在走道上跳家家。過年的時候，周老先生總要周先生用黃裱紙寫上一塊『周氏三代宗親靈位』，摸着虎子的頭殼說：『虎子啊！來拜一拜祖先』日子久了，一逢上過年過節，虎子會自動喊着：『爺爺拜拜！』

時間一年一年過去，周老先生漸漸染上了風濕，漸漸地走起路來有些顫顫了。虎子也打幼稚園進到小學，晚上他仍然是跟着爺爺，燈光下翻着一本一本注音符號的小人書，把白天學來的拿來考爺爺。『爺爺，考你：西嶽是甚麼山？』『爺爺，隴海路跟平漢路在那裏會合？』『考爺爺呢？』周老先生笑了：『虎子背的地理，爺爺早用腳量過呢！』『爺爺！』虎子把眼睜得大大的：『大陸的芭拉有沒有台灣大？』

提起芭拉，周老先生真止不住又笑了。兒子、媳婦，加上小虎子一，全都喜歡，就他一個孩子，說甚麼也是吃不來。晚上，他給虎子講家鄉的石榴，櫻桃，大白杏，講打獵，抓蝸蟈，講那個掉了半顆門牙的石獅子。講着講着，虎子睡着了，他仍然被那些回憶弄得無法入睡。

虎子一天天長大了，愛拉着爺爺看電影。看了就想飛機，聽到飛機聲就拉着爺爺往外跑。雙十節到了，學校住滿了兵，虎子一天不停列隊的穿着整齊的坦克兵，兩隻眼瞪着一羣兵擦拭大炮和槍支。

「小朋友，你叫什麼名字？」忽然一個老兵摸着他的頭。

「周學勤！」

「那裏人？」

「徐州！」

「是北徐州還是南徐州？」

虎子不知道自己是那徐州，他聽爺爺說過那裏有隻鐵牛，就對那個老兵說是鐵牛徐州。老兵笑了。虎子也跑了，跑回家告訴爺爺，爺爺說準是老鄉親，於是拖着虎子去找，找到了，確是同鄉，韓戰以後才過來台灣的。

「叫伯伯啊！」

他拉虎子說：「伯伯可以帶你回大陸！」

這些天周老先生不再去植物園，不再打太極拳，清早起來，就去找那些老兵聊天，拉他們到家裏坐，同他們講下霜的柿子園，講五十年前的土匪頭子邵蓮花。

「小虎子啊！」周老先生說：「就要回大陸了！讓伯伯把虎子帶回去好不好？」

雙十節那天，周老先生一大清早就帶着虎子去看閱兵。虎子要找伯伯，看不清楚，就朝着隊伍直喊。雙十節過去了，兵也走了。周老先生仍然不停地講柿子園，講邵蓮花。小虎子不懂，但他知道那是老家。他會把那下霜後紅成一片的柿子園寫進作文裏。爸爸的朋友來了，他會對他們講大盜邵蓮花的故事。在植物園，他會對一羣同伴吹噓鬥鵪鶉的熱鬧。他仍然喜歡唸小人書，愛看打架的電影，聽飛機劃過天空。同他一樣，爺爺開始成天盼望下一個雙十節到來。

雙十標誌象徵幸福

慶祝雙十國慶的標誌，我們都知道是兩個十字並排連接成廿。因此有雙十牌樓和雙十燈等。其他雙十標誌也到處皆是。以我國書寫右起的例規，右邊的十字是代表「十」月，左邊的十字代表「十」日。

國慶是國家的大慶典，也是大喜事。雙十字的標誌正象徵着吉利和佳兆。我們先談「雙」字，在中國人千百年來的俗語中，對於成雙的，稱「吉慶」，而且含有「合而爲一」的合作無間意思。我們再說「十」字，在國人的心目中，十是「十全十美」和「十分十足」的最高滿足意境，一個十字就夠代表「十全十美」，再來一個十字代表了「十分十足」，美滿，豈不是雙喜臨門，值得大大慶祝嗎？

歐美各國對雙十標誌的看法，他們因爲不知中文十字的含意，所以都看成是兩個十字架合成的，或者是兩個紅十字

國慶雜談

會標誌合成的。十字架是基督流血爲拯救世人的「博愛」象徵，正合我們無數革命先烈爲創造民國而犧牲的精神。紅十字是世界性公益團體，幫助傷患的、受災的、饑餓的人類得以解脫的「慈愛」誌標，也正合我們中華民國以拯救苦難同胞，扶助弱小的民族的立國精神。所以，我們慶祝國慶的雙十標誌，自西方人的觀點看來，也是象徵着人類最大的幸福的。

穿着長袍奮勇殺敵

湯翔

出身於滿清政府湖北陸軍小學第二期的革命元老尹呈輔老先生，曾經『武昌首義』中担任過排長、營長、旅長、師長、武漢行營辦公廳中將主任等職，不只是親身與滿清搏鬥，更担任過訓練革命新軍的任務。談起這些往事，尹老先生仍然記憶猶新。

尹老先生說：參加新軍的青年，多爲各大學校的學生，在萬分急迫的情況下，根本就談不到怎樣訓練了，僅僅是教新軍們怎麼樣拿槍，怎麼樣開槍，那裏還有時間立正，稍息，踢正步呢？

同時，當時也沒有制服，青年學生們穿什麼衣服來投効，就穿什麼衣服上戰場；大多數的學生都是穿着長袍的，於是爲行動上的方便起見，都在腰上紮一根帶子，將長袍的下擺挽上去塞在腰帶裏，毫不畏懼的拿着槍與滿清人拼個你死我活。（上）

黃季陸分析辛亥革命成功的因素

越衡

迄至武昌起義，在他們的看法，最多也不過如太平天國革命運動，造成一個內亂的局面，不久仍將歸於平息的。但國父英國之行能有所成就，我認爲正是由於當時列强正在審愼觀望，方針未定時而獲得的結果。過此，則情形便大不相同了。

由於滿清政府崩潰太速，列强尚未能將中國革命之成功與列强本身利害作一衡量，所以暫取觀望態度；及至南北統一，袁世凱當政，列强方決定其援助中國舊勢力，打擊革命的明確方針。此一方針既定之後，列强便於民國二年，以二千五百萬鎊大借款支持袁世凱政權，袁即用來對付我們革命黨人，在很短期內二次革命便歸於失敗。二次革命失敗的原因，一是由於袁世凱得到了外援，而我們沒有；更主要的原因，則是自辛亥之後，革命黨人革命精神的消失。若單是失去外援，仍能保持蓬勃的革命精神，仍可不致失敗的；問題是我們兩個失敗的原因皆已具備，又焉能不召致慘痛的失敗呢？這一事例，說明了把革命的成敗寄託在外力援助的不可靠；同時更說明了在革命精神喪失之後的革命運動，未有不歸於挫折的。這個事實，不是正好值得我們今日的警惕嗎？

今日革命的大勢，勿論在主觀及客觀方面，我們都比辛亥時爲優。目前國際現勢雖然混淆不清，卻有一重點我們是可以把握得住的，那就是今日的世界，已形成民主與極權兩個集團的尖銳對立，勿論在思想上，利害上及生活方式上，均無並存之理；只要我們能夠堅定，忍耐，鞏固我們自己，我們將永不會孤立的。成功的機會時時都在等着我們。總裁對我們曾有一珍貴的指示，他說：「應確認反共復國的大業，必須有堅强的信念和奮發的志氣。」與國父辛亥歸國時所說：「余不名一錢也，所帶回者惟革命之精神耳，不達目的，誓不中止」。有此信念和勇氣，我們便不怕失敗，以達到最後的成功。

黃季陸說：憑他個人幾十年革命的經驗看來，我們從來就沒有像現在這樣好的革命基礎，從來也沒有像現在這樣强大進步的力量，我們有最好的憑藉。與當年在廣州，在抗戰時的四川，都大不相同。那時我們是草率成軍，沒有建設的基礎。現在完全不然。因此反攻大陸，重建國家，决非難事。因爲今日的中共，它不祇是我們的敵人，同時亦是在大陸上億萬迫切待救同胞的敵人，更是整個自由世界的敵人；祇要我們結合自由世界的力量，反攻大陸是必然水到渠成的。他認爲只要我們反攻回去，也正是建設富强的三民主義新中國的最好時機。（下）

逢雙慶、憶全僑

·盧元駿·

南呂一枝花

又欣傳佳節臨，看景象當時樣。指蓬萊談氣數，勝鄂渚轉乾陽。你看那雙五年慶典恰成雙。這壁廂待收故國江山壯，那壁廂正慶元戎耄耋强。自難忘黃鶴樓重開鳳紀，更須認淡江濱湧出[illegible]章。

梁州第七

且休分昔和今兩度興邦。都憑你力和錢一德輸將。愛家鄉狂熱誰能望。眞箇是忠心俠胆，愈艱難愈見赤衷腸。稱你是革命之母，這榮銜的是庥光。你本也遭受着無盡悲傷。却曉能有强大的祖國，逸有繁榮的僑鄉。你排却當地之際遇艱虞，你嚴拒共黨之僞善說謊。偏乘風向復興岡萬里歸航。堅强。驍騎。將大任都放在兩肩上。仗智明消魔障。指日同驅渡海疆。論功勳孰與衡量。

尾

立瀛洲放眼東南望。窺僑埠繁心日夜忙。恰良辰令旦好同賞。看檣[illegible]待飛揚。更元首晉壽康。合相謳乾旋坤轉天心朗。

自由報

THE FREE NEWS

第六九九期

社長：[illegible]
督印人：[illegible]
社址：香港銅鑼灣高士威道二十號四樓
20, CAUSEWAY RD 3RD FL, HONG KONG
TEL. 771726　電報掛號：7191
承印者：大同印務公司
地址：香港北角和富道九六號
台灣分社
台北市西寧南路壹壹號二樓
電話：三〇三四六
台灣撥儲金戶九二五二

迫在眉梢的越南大戰（下）

·彭樹楷·

蘇俄一直怨恨毛魔搖撼了他的國際共產領導權，也一直敵視毛魔戰爭狂的冒險激進在東南亞、非洲、拉丁美洲所造成的勢力，故一直或明或暗予以破壞而獲得相當成果。他的這一措施與美國不謀而合，因而觸怒了毛魔親自領導「紅衛兵」在北平蘇俄大使館連續四十八小時大遊行以揭開「大造反」序幕，更加深兩者間分裂的深度。同時，「紅衛兵」又在中、俄境大叫大鬧迫使蘇俄不得不增調援軍加以嚴密戒備。

美國並不願與任何國家發生軍事戰鬥，特別是核武器的可怖毀滅能力，更是使美國自己把自己約束得不敢輕言戰爭。但是，美國史上從來沒有一次臣服於挑戰者腳下的。今年六月十八日，筆者會在本報以「美國願與中共一戰麼」為題有着較詳細的分析。再看近來美軍增調越南以及海空軍事佈署來研究，同時參照美國自詹森總統以下各級官員的公開言論，美國是決定在「實實在在忍無可忍而一切和平方法全部用盡了的時候」，便只有接受毛共的挑戰來「較量」一番了！

美國的政策是：準備戰爭但不放棄任何和平的機會。現在，他一方面在不經宣佈動員而徵調後備軍每日數千人持續地增兵越南，並在越戰場配備各型核彈以外的新武器外又裝配大刀、弓箭等「原始」武器給陸軍，同時從各艦隊抽調大批艦艇及海軍飛機，而且以平均每天一枚的比率裝置着「義勇兵」洲際飛彈，更重要的是全盤調整他的全球性軍事佈置將世界中心移至亞洲、將亞洲中心移至中國大陸……

在這些軍事備戰之外，美國支持英國、印度、泰國、菲律賓等國調解越戰，並經由華沙會議面對面地向毛共代表王國權「謀和」……。

所有以上美國軍事備戰的情形，是令除了毛魔外所有中國人不安的，因為大戰在中國大陸發生，那便是人類史上空前大酷劫！由於以上各種和平努力均告失敗，這種憂鬱便不是無根無據了！因為毛共在地面上所佔的軍事優勢是壓倒性的，美國不能在傳統戰爭中對付得了龐大人力的衝擊。然而，如果美國受到極大挑激，國家利益與自由世界遭到難已挽救危急時，美國便會像「古巴事件」那樣作一次核子攤牌把古巴從地圖上炸去而將中國大陸整個摧毀的。

這是駭人聽聞的一大悲劇，遺禍在第一擊中便一千零四十二萬五千餘方公里，為世界最大國土的地區在數分鐘內變成廢墟的戰爭，只有毛澤東這個狂漢才敢揚言：「原子彈是美國反動派用來嚇人的紙老虎，看樣子可怕，實際並不可怕。」（一九四六年八月毛魔接見美國記者安娜．路易斯．司特朗的談話）。

毛共核爆後，已使中華民國獲得更堅定的支持。

中華民國一直是「自力更生反攻、協同國際反共」的，在經濟迅速成長中，業已獲得強大的國力和國際的普遍重視因而提高了她在國際事務上的影響力，特別是亞洲和非洲。

亞洲方面，由於美國的堅定越南政策和中華民國的幕後努力，一個亞洲反共國家大團結的堅固軍事同盟——魏德邁將軍多年來所常提出的主張——業已初露曙光。魏德邁認為：美國阻止中華民國進行他們自己的鬥爭是錯誤的。筆者也認為美國害怕中華民國反攻會刺激毛共乃是不智的顧慮，而且他根本不了解中國的民族性，也根本不認識毛澤東這個人！

所喜美國政府及廣大人民已發現自己的錯誤和不智，現在正以種種措施糾正，只是尚欠積極而已。

一旦毛魔大冒險行動投入越戰之際，美國的行動和自由亞洲的反應便是迅速而有力的，因為此刻他們業已有了這種心理上的準備。

結論

由於毛魔的爭狂和國際上的接受挑戰意志，越南大戰危機已經快速地影響到世界各有關國家的變動：自由地區的民主國家已趨向團結；他們的共產黨也紛紛擺脫蘇俄或中共的控制而走獨立路綫。共產集團的國家也分裂為俄派派和毛派以及中間派。如果毛魔此時掀起越南大戰，我看不出其對他自己有何特殊意義！

蘇俄欲動　　靜觀其變

今日與明日

北韓與毛共徹底分裂

多行不義的毛共，在國際共產黨中，自數月前，北韓與日共與它脫幅而強調所謂「獨立自主」政策後，使毛共由孤立走向更孤立，無疑這對毛共的打擊是極為慘重的。日共於戰後死灰復燃發展壯大，是由毛共一手扶植起來的「私黨」，所以，日共與它閙「獨立」，使毛共憤惱交迸，而大罵「叛徒」不止。特別是北韓，雖然金日成政權是在蘇俄於日軍投降後侵入朝鮮半島北部，以「槍桿子」一手「泡製」出來的，但以其地理環境密邇中國東北，加上韓戰爆發後，毛共派遣「志願軍」入韓與聯軍以「人海對火海」對抗，傷亡之慘烈開曠古至今戰爭史上所罕見的新頁。北韓迄今仍能存在，當然要「歸功」於美國當局的懦怯，但韓戰停火後，北韓與毛共的關係卻不斷高倡什麼「用血鑄成的兄弟般友誼」，可見北韓對毛共「巴結」之深了。這種「友誼」到底不是「鐵鑄成的」，所以，數月前北韓明顯地表示，既不向蘇俄「一面倒」，也不擁毛共為「頭」，而改絃更張提出「獨立自主路綫」。

北韓勞動黨（共產黨）於十月十二日舉行第四屆十四次中央全會（以中央委員、候補中央委員和監察委員會委員為出席成員）後，更進一步明確地打出了「獨立自主」的主張，並有步東歐集團後塵的趨勢。

會上決定了廢除主席、副主席名義，並新設政治委員會常務委員會。此一機構是摹紡東歐共黨政權黨中央機構的形式而設立的。金日成過去的主席名稱也就像毛共的「主席」是「領袖」一樣，被渲染為既「正確」又「偉大」。但黨大會決定取銷他的主席名稱後，已成為政治委員會常務委員之一，顯見他的地位已急遽下跌，不然也許不會走上「集體領導」這着棋。在抗日的時期由於在中國東北長白山區進行「抗日」同時，也肆無忌憚地殘害東北老百姓，所以獲得「長白山之虎」名稱的金日成，雖然「主席」一名義被拿掉，但新名義卻書記，在表面上他仍是北韓政權最高的領導人。

北韓勞動黨過去的主席、副主席，均成為政治委員會常務委員會委員，惟有副主席之一兼副總理的金昌滿一個人「落選」。金昌滿係戰後由毛共控制地區返回北韓出任領導人之一的「毛狗派」（毛澤東走狗）。近數月他之「失踪」，顯見北韓政權為加強「獨立自主路綫」，早已開始並正在大力清除黨內的「毛狗派」。

日共於最近數個月中，亦不斷將走「北京路綫」的在黨內較高地位的份子開除黨籍。日共將於十月下旬召開第十屆黨代表大會。據日本治安機關根據可靠資料估計，會上再將二百左右名「毛共派」黨員清除黨外。

北韓已決定在日共召開大會時期派一代表團前往參加。看情形，它們或共同響應蘇俄及東歐各國共產黨一致制裁毛共的主張。

毛共無論在自由陣營或共產黨集團中，已成為「過街老鼠」；加上它不自量力，仍在「強硬」到底，並在內部如火如荼地進行內訌，無疑，倒在毛共懷裏的有數幾個「戰友」，必逐漸地「學習」日共北韓，與它「鬧獨立」。

今後的共產黨集團必日趨分裂，在分裂中最先被埋葬的必是毛共。（何如）

自由談

所謂「當然律師」

馬之先生

做過三年立法委員後，就取得當然的律師和會計師資格，這是訓政時期「官選」立法委員於最後散權時，為本身謀私益而自訂的惡法。自從憲政之治實施後，尚有若干不合時宜的法令，立法機關即應該嵬討檢覈，分別去取損益纔是。然而憲政實施將近廿年了，對於這項關係國家信譽和人民利害皆極重大的大經大法，始終存而不論。行政部門為着方便計，不欲多事更張，情有可原；立法機關職責所在，亦復漠不關心，殊難索解，唯一原因即係顧慮到本身依惡法而享有的特權，將有喪失之虞吧？

同是由惡法產生的特權如當然會計師也者，却未見有民意代表樂於爭取，而當然律師乃如蟻赴羶，有同嗜焉。一些不知法學為何物，且根本就未踏進過大專學校之門的國會議員，亦冒充律師，到處包攬詞訟，出入公門；又以「法律顧問」名義，替工商業公司行號作「傭兵」，充打手，而以「律師公費」名目，收取報酬，甚至勒索賄路，肆無忌憚。不特此也，有些「當然律師」為訴訟事件出庭給當事人辯護時，由於不懂法律，亂說亂搞，理屈詞窮之故，竟擺出在議會質詢行政官的氣燄，對法官也借口雌黃，罔知份際，丟醜失格，令人齒冷，無形之中把尊嚴的國會聲價蹧蹋不堪。我曾經目擊一個不識法律為何物的當然律師，在法庭上濫逞權威，口不擇言，當場被法官申斥道：「貴辯護人在別處享有甚大特殊身份，那是另一回事，此地是法庭，只能講法律，法律以外的話，請少說！」

基於上述情況，即知當然律師滿街走，而當然會計師卻沒人問津之所以然了。會計師是具備一些實材實料的，且不容易取得意外而鉅額的傭來之物。如林×假藉當然律師名義，為某某紡織公司轉售問題，連續索取公費百萬元，這在中華民國的法制史上，允屬空前之作。

造成政治上貪污風氣的原因固甚多，而以「當然律師」的特權為最深鉅，因其具有「合法貪污」的性能，義同賄賂公行也。似此弊害昭著的惡法如不革除，政治即休想有清明之望。至於精通法學的民意代表，自可正正堂堂地取得律師資格，固不必利用特權，貽人以口實，眞假貨色，是不能相提併論的。

來函述要

據台南市警察局十月八日函告：本報九月十日所刊「台南開元區藏垢納污……」通訊一則，除違章建築一項，本局正依法處理外，其餘均與事實不符，希予更正等情，特摘要聲述於此。

對強迫學生購買參考書事
高雄市二中幾位負責人
或彼此推諉或避而不談

（本報記者高雄通訊）本報第六八八期刊載：高市二中強迫學生購買課外參考書多種報導後，學生家長認爲確屬事實，但他們說實際上書價比報導的還多。記者爲進一步求實，乃於九月廿四日上午赴該校實地採訪，據該校教務主任許世雄稱：此項課外參考書是由合作社辦的，他不知道內情；合作社的負責人是訓導主任白德彰，事先事後都沒有經過他。同時他說：關於學校經濟的事，他一向置身事外，不聞不問。他也爲了解此事，特別領我到初中一年三班，他在教室外面向上課的老師打了個招呼，由窗戶外面問該班學生，除已辦之規定參考書外，還買了些什麼書？學生一致的答：一、一本簡解英漢辭典廿六元；二、一本最新華文字典十四元五角，三、兩本上下冊模範英文習字帖九元；共計四十九元五角。許主任轉問他們有沒有收據？他們一致的回答：「收據是有，繳錢以後都收回去了」。許則稱不知道，表示他未參與其事。但據白主任說：「除學生手冊是他經辦的外，所有參考書均是校長林守盤與教務主任許世雄決定的，他不應該向我身上推」。

記者問林校長對此事的看法：他避開本題，支吾其詞，大談「國家民族，教育文化是一家」一篇大道理。這位行將退休垂垂暮年的「老教育家」，一面說，一面鼻涕直往下淌，顯見他的體力已不勝此校長的重任，但他仍在苦撐。不知爲了什麼。

記者見該校中山大樓上與教室的屋頂高懸着兩句格言：「從生活中學來，用到生活上去」。及「生活即教育，教育即生活」。又在走廊上掛有幾塊掉牌上書「革新」，「守法」，「守信」，「守分」。校門邊面大書校訓「禮義廉恥」四字。這些口號與格言，如與強迫學生購買課外參考書相對照，未悉大家作何感想？（九月廿四日寄）

國聯在台建影城
限本年底前完成
「幾度夕陽紅」賣座成績好

（本報台灣航訊）國聯影業公司新片「幾度夕陽紅」在台北市上映以來，又創下了「瘋狂式」的高潮。

據發行的此間聯邦公司負責人沙榮峯說：「幾度夕陽紅」上映頭五天的紀錄，業已超過了新台幣一百萬元，這是今年開始以來鮮有的數字。

根據電影界人士分析「幾度夕陽紅」的賣座因素，不外乎是基於下述條件：

（一）國聯影業公司的招牌信譽可靠，因爲國聯公司成立以來，所推出的片子「七仙女」、「狀元及第」、「菟絲花」、「西施」等，都保持着放映當年度的最高票房紀錄，而且國聯的作品都有一個很高水準。

（二）李翰祥的作品成就在觀衆心目中久已播下不能憾逝的印象。

（三）瓊瑤的小說，因爲「幾度夕陽紅」是瓊瑤自認爲最滿意的作品。

（四）國聯「五鳳」首次合作，因爲江青、汪玲、甄珍、鈕方雨、李登惠雖屬同事，但同片演出這還是破天荒的第一次紀錄。

（五）楊羣、秦沛、劉維斌、吳風、金石的參加演出，使觀衆認爲尚係創舉。

看「幾度夕陽紅」照過去幾天情形，賣座將超過新台幣四百萬元，這也將是本年度國片的賣座冠軍。

（本報台灣航訊）香港國聯影業公司，現決撥款新台幣五百萬元，在板橋鎮郊，興建一座屬於國聯自己的影城。

國聯影城佔地面積達三千九十九坪，一條清澄的溪流圍繞着影城四週，李翰祥把這條溪流命名爲「護城河」。

國聯影城目前正在趕建一條古代街道，長近三百公尺，寬爲七公尺，整條街上有綢緞莊、林立南北貨店、客棧、米行、鐵器店、飯館，在這條街上，最絕的是還開了一間當舖。

前幾天，李翰祥又和一位梁姓建築師簽訂合同，由梁建築師負責設計一棟辦公大樓，並限期於今年底趕建成。

辦公大樓預定興建三層。兩座影棚的高度均爲一百四十尺，寬合七十尺，較國聯公司現有的影棚剛好大過一倍。

雖然這座影城還沒有建設完成，但是却早在兩個月前已經開始啓用，「鳳陽花鼓」和「破曉時分」兩部新片，大部份是在這座影城拍攝的。據李翰祥說：國聯公司將在明年的現在，全部撤離台北市，搬到影城。

一九六六年國際共產黨的一般情況和民主國家反共的形勢

△何浩若▽

（一）羅馬尼亞的轉變

上文說到美國國務院對世界各國共產黨黨員數字的調查，表列共產集團的人數，有親俄的國家，有親共的國家。祇有古巴和羅馬尼亞是中立的。古巴不是華沙公約的會員國，姑且不論。羅馬尼亞是華沙公約的會員國，又地居東歐，爲什麼列入中立國呢？原來羅馬尼亞在民族主義鼓勵之下，早想擺脫蘇俄的控制。在史達林時代，羅馬尼亞對蘇俄是絕對效忠的。當時羅國有一個女總理叫安娜柏克（Anna Parker）是史達林一手提拔的。據說當日只有她一個人能和史達林通長途電話。這位女共匪也言必稱莫斯科。有人問她今天氣候怎樣？她一定說「莫斯科今天下雪」或是「晴天」而絕不告訴你她所在地的氣候。這當然是一個笑話。不過安娜柏克確實替史達林殺了不少的羅馬尼亞的愛國志士。柏克的繼承者達奇便完全不同了。史達林死了以後，達奇便開始清除軍隊中的親俄份子。史達林組織了一個蘇羅聯合公司，控制羅國的石油和其他的企業。這個公司的股本，蘇俄佔百分之五十一，羅國佔百分之四十九，也就等於由蘇俄控制。達奇到了一九六一年，便公開攻擊蘇俄領導的經濟互助會議，說該會議的分工合作辦法，是有利於蘇俄的經濟侵略。他也反對蘇羅聯合公司。羅國的學生，原來規定是必須學習俄文的。達奇在一九六三年便廢止俄文課目，並且封閉在布加勒斯特的馬克斯學院，還禁止羅國的官員使用俄語。赫魯曉夫曾經顚覆的手段，鼓動達奇的副總理波德那拉政變。不料波德那拉反向達奇告密。因此達奇便公開宣言脫離和蘇俄的父黨與子黨的關係，並且派代表訪問中共。保證在匪俄鬥爭中嚴守中立。這就是美國國務院的調查，把羅馬尼亞列爲匪俄之間的中立國的理由。達奇死於一九六五年。他的繼承人蘇斯柯對羅馬尼亞脫離蘇俄控制的運動更加努力。一九六六年七月，蘇斯柯在慶祝羅共建黨四十五週年紀念的大會上，公開攻擊華沙公約，贊成取消歐洲所有軍事集團，包括華沙公約的軍事集團在內。羅馬尼亞在華沙公約的地位是相當重要的。羅馬尼亞的轉變，可以影響匈牙利，波蘭，捷克，和保加利亞等國對蘇俄的向背。

（二）匈牙利與波蘭

現在再說一點其他華沙公約會員國的情形。最受到蘇俄壓迫的華沙公約會員國要算匈牙利了。匈牙利在一九五六年發生大革命，被蘇俄派兵鎭壓，殺死了十多萬匈牙利人，並且一直現在爲止，還有四個師的蘇俄軍隊，長期駐在匈牙利。像這樣的一個國家，應當是徹底的臣服蘇俄了。但是大勢所趨，連匈牙利也發生了離心力量。卡達原是由蘇俄扶植的一個傀儡政權，但是卡達自從內部穩固以後，也逐漸的脫離蘇俄而成爲一個半獨立的國家。蘇俄是不願附庸國直接和西方接洽的。但是一九六五年赴東歐訪問的西方旅客二百萬人中，便有三十萬人訪問了匈牙利，比羅馬尼亞和波蘭還多。向東歐投資的西方廠商五百餘家，資本超過八億美元，其向匈牙利投資者，亦超過東歐諸國的平均數。卡達爲平息民怨，已經把集體農場改爲合作農場，並准許農民出售其農產品。這已和南斯拉夫一樣的向右走了。他停止干擾美國之音，並且准許自由國家的書刊雜誌入境。卡達並且歡迎一九五六年參加革命而逃亡國外的匈牙利人回國，而不予追究。假如不是有四個師的蘇俄軍隊駐留匈國，匈牙利反俄的趨勢和力量，一定比羅馬尼亞更大。卡達的傀儡政權也一定早被推翻。

現在再報導一點波蘭最近的情況。波蘭人之仇俄，也許更甚於匈牙利人，第二次世界大戰的時候，蘇俄曾集體屠殺波蘭的軍官，埋在一個萬人塚內。那種暴行，比納粹還要厲害。一九五六年波蘭也同樣發生過對蘇俄抗議的暴動。只是未釀成大流血而已。但是結果却爭得了波蘭的內政自主。

說到華沙公約，總部便在波蘭的首都華沙。蘇俄以此藉口，便在波蘭駐有重兵。現在波蘭執政的戈默卡，當然也是蘇俄的傀儡，但是大勢所趨，戈默卡也一樣的想脫離蘇俄的控制。波蘭天主教的力量特別大。一九六六年是天主教傳入波蘭的千年紀念，慶祝會前政府多方阻礙，但是仍然有三十多萬人排除萬難來參加慶祝。共產黨是反宗教的。就這一點已經可以看出波蘭的反共了。天主教傳入波蘭的千年紀念，確實是一件大事。美國曾發行一種紀念郵票，而引起波蘭政府的不滿。波蘭現在確實已有半獨立的地位，不是純粹的附庸國了。華沙已經像巴黎一樣的榮繁，並不像一個共產的都市。集體農場業已大部份放領。全國百分之八十的耕地，已歸農民所有。這自然與蘇俄的修正主義有關，可也離共產主義更遠了。波蘭和藝術家，對蘇俄時常冷嘲熱諷。戈默卡在蘇俄壓迫之下，企圖取締，並且查禁書刊，曾引起了學生的遊行示威和出版業的罷工。

一九六四年美國前副總統尼克遜和甘迺廸總統的弟弟羅拔甘迺廸訪問波蘭的時候，波蘭人盛大的歡迎他們，並且高呼「美國萬歲」。在目前的情況之下，戈默卡也沒有從前聽話了。赫魯曉夫被清算以後，波蘭竟敢發表意見，問爲什麼要清算赫魯曉夫，還要布里茲湼夫去解釋安撫一番。就像今年舉行羅馬尼亞建黨四十五週年紀念以後去安撫蘇斯柯一樣。波蘭簡直不像一個附庸國了。

（三）其他東歐附庸國家的情況

華沙公約名爲對抗北大西洋同盟，實係加强控制東歐的附庸國家。除去軍事控制以外，最使這些東歐大國不滿便是經濟控制。（五）

透視立監委涉嫌商行賄案（一）
從監察院第十四次臨時院會決議案說起

——本報記者張健生

前言

貪污禍國殃民，這是人所共知的事，世人對貪污深惡痛恨，亦無人不主張予以嚴懲。但懲治貪污，必須依憲法程序或依憲法程序所制訂之法律程序而進行，同時必須公平妥當。這是本報記者對六位立監委涉嫌油商行賄案的看法。

因爲中華民國憲法是反共復國的主要武器，也是維護法統的唯一依據。誠如林德賽教授在「現代民主國」第九章中指出，人民接受了憲法，然後纔聽從依憲法程序所產生出來的政府和官員。憲法且不僅是法典，它還規定了解決政治的方法。所以在憲政之國，主權即在憲法。

因爲民主國的起點乃是「人權清單」及構成法，且前者尤重於後者，因爲保障基本權利方是「法制組合」之目的，政府組織法（憲法之正身）尚祇是方法而已。

美國「獨立宣言」開頭便說：「一切人都是生而平等的；造物賦予人類以若干不可剝奪的權利；例如生存、自由、與追求幸福。爲了保證這些權利，人類組織了政府。而政府的權力是經過被統治者同意而產生的……」依此可見，國及政府之成立與「存在的理由」（Raison Detre），即在保障這些「先在的」人權。這個觀念已成爲一種普遍觀念。現在，台灣國民學校三年級的學生，都知道「地方上的事，由地方民衆自己推選人來辦理」。這就是人權先於國及政府而獨立存在的道理。

任何制度都有缺陷，憲政之治的民主制度也不例外，譬如，民主國可能最大流弊之一，即爲「多數之專制」。法國政治觀察家德克維埃在研究美國民主政治之後，便指出「多數之專制」幾乎是無法抵抗，無地可避的。但常聞人言，少數固然服從多數表決，而多數必須尊重少數的意見。假如在議會不准每人有平等發言權利，又焉能求得正當的多數決議？爲保障每人有平等發言權利，以及求得多數決議，因此有議員在會場之發言及表決對外不負刑責或不受追訴之規定；假定議員在會場之發言及表決而受司法追訴的話，則先於政府而存在的言論自由——人權即無保障；議員在會場的言論沒有保障，則憲法條文便成爲具文。這是民主政治的常識，不是什麼高深的政治理論。

這些基本觀念與普通常識，每個國人，尤其採訪國會新聞的記者，都必須有此認識。本報記者基於書生報國之旨，並基於維護中華民國憲法，以及支持反共國策而早日解救億萬同胞之人權遭受共匪蹂躪，而有此認識。

立監委涉嫌油商行賄案

濱海興趣談

假髮歷史悠久故事繁多

·桑梓·

在上個週末的下午，我在一個海灘碰到一個朋友帶着他的女朋友作海浴，他介紹那個長得頗爲漂亮的女子給我認識，在同日晚上，我參加一個宴會，又遇到那個朋友，他帶着一個更美麗的女子同來，我在懷疑那個青年朋友喜歡交結女朋友。在日間我見到他的女朋友是短髮作游泳裝的，在晚上我見到他的女朋友是挺高髮裝的。當我的朋友帶那個同來赴宴的女朋友到我的身邊時，對我說：「我們眞有緣份，三個人在同日內再次見面。」當時我竟答不出話來，我跟我的朋友，沒有錯再度見面，但是他指三個人，我就不明白他的意思了。那個女子是我從來沒有見過的，我以爲我的朋友是講錯了話。但他畢竟是一個聰明人，他知道我有點誤會，他就對他的女朋友說：「夏蓮，這位就是我們今日在海灘上遇到的X先生呢。」我立即明白我認爲我的朋友的兩個女朋友其實是同一個人，因爲髮型不同，同時由衣着和化裝不同，就判若兩人。最大的差別就是髮型。由短髮而變成梳長頭髮的挺高裝，不用說她時戴上假髮呢。我更佩服我的朋友眞會說話。假如他對我說：「這位就是今日你在海灘見過的X小姐。」就會把我看作一個老鄉。我就難以爲情了。

在近年來，香港的女子髮型都是仿照歐洲國家幾時髦的，這也是在四十年來的首次，歐西婦女放棄戴帽子而在頭上使人看到有頭髮，初由理髮師梳得緊大或是膠硬得很緊，使她們覺得不大舒服。直到在五年前，巴黎的理髮師有新的主意，將假頭髮滲入眞頭髮裏，使後者看來更長。不久後，倫敦的理髮師更發明用假髮變成的各樣髮型，像帽子般套在各人的頭部，便像是生出來的頭髮，天衣無縫，因此，婦女們就再沒有分長髮型或短髮型了，她們可以說是兩種俱全的。根據一個理髮師的報告，「祇有一個主顧，她的頭髮剪得很短，但是她有長二十二寸的假髮，它把她由一個男孩型的女子變做一個有性感的娃娃。」假髮業是很蓬勃，有一個假髮製造商說：「它是一種時髦的應用品，人們到去洗浴，在晚上又去參加宴會，祇要將假髮套在頭上便成。」就算一個對髮裝不甚講究的女子，也會覺得假髮是便利，可節省她們的梳頭的時間。

頭髮是照它的顏色和品質而定價錢的，最佳的一種是天然的白色頭髮或歐洲的金色頭髮，每安士值十一英鎊，伸港幣約一百七十六元（理髮師指出這也是眞金的價錢），每安士從灰白色和金色頭髮挑選出來的頭髮，每安士值五英鎊，但亞洲人的黑色頭髮，每安士不過十五先令，伸港幣約十二元而已，眞正的歐洲頭髮是輕、彎曲且容易料理，亞洲人的頭髮是直且粗硬，弄曲了又很容易變直。上乘的頭髮是來自義大利北部，堅韌、輕而油滑，但是來源極少，貧窮的義大利女子蓄髮到結婚前爲止，然後將它剪下賣錢來做嫁妝。義大利修女仍有犧牲她們的頭髮售給頭髮商人，現今各地頭髮商出重價搜購，最上乘的頭髮，現絕少有存貨，是求過於供，現今有西班牙利和有些比利時女子的頭髮供應市場，因爲眞頭髮缺少，有許多改用亞洲的頭髮或用人造絲所製的。

一個假髮要廿萬七千六百根頭髮用人手工編織而成，最好的金色假髮，値一百英鎊，最技巧的工人也需要七十八個鐘頭的時間才能完成。但最平宜的一種，用人造絲所製的也要英幣兩鎊，伸港幣三十二元。

婦女們戴假髮或梳高頭裝差不多有五千年歷史，最近不過再次時興，在一九二零年間，歐亞婦女多剪短頭髮或電頭，就少人梳高裝頭髮，在古代埃及婦女已有用假髮，突離開她們的頭部幾寸，使到她們的頭部覺得清涼，同時覺得高貴，婦女們以假髮是實際和豪華，在英國的婦女在後期才用假髮，乃由法國傳入的。在一七七零年間，婦女的假髮裝有高達七尺的。門戶就要特別擴大，才能通過。法國皇后瑪利安東妮在一七七六年乘轎子往參加一個舞會，因爲她的假髮太高，就要把轎子的頂蓋除去，有許多法國宮廷貴婦要跪在她們的馬車的廂裏，因她們的假髮太高。許多人懷疑現今女子的假髮會不會愈弄愈高，像十八世紀時代一樣。但有人預測，不久，在婦女服裝雜誌上，不獨會告訴讀者到處購買她們的衣服，也會指出可到那裏購買配合來打扮的假髮。

十年生死兩茫茫

力子

「十年生死兩茫茫，不思量，自難忘！千里孤墳，無處話淒涼，縱使相逢應不識，塵滿面，鬢如霜！」

這是蘇東坡先生念悼他已去世太太的一首小令，字裏行間，悲哀惻側，令人吟哦時不禁淚下。

筆者亡妻於三十一年中秋節後第五日離塵去世，迄今恰爲廿四周年。元微之先生悼亡詩中有句：「今日俸錢過十萬，與君營奠復營齋。」慚愧我這個小而且窮的白領階級，俸錢固然不足以營奠營齋來爲她追薦；就是想效顰先哲寫點東西來紀念她，也因我腹笥空空，更因一週來心神不寧，提起筆來難着一字。

亡妻羞稽的時候，長輩念其他在世時的孝順，卒寧想起她平日侍人接物的和藹可親，幼輩思慕她平日的慈愛呵護，莫不痛哭嚎啕。親族故舊以及左鄰右舍，沒有不痛惜這一個孝順媳婦，賢慧女人的。就筆者個人來說，半輩子孑然一身，一貧如洗，亦何嘗非因我這「賢內助」的中道見別。妻的爲人實在是典型的賢妻良母，不爲「天道無知，不貽好人」，使其不獲永年，不知是她的命薄？還是我的福薄？

妻的幼年曾留給我極壞的印象，她父親是遜清舉人，母親也出身世家，一兄兩弟，家中薄有資產。她是父母的掌上明珠，因此養成她幼年嬌慣倔强的個性。在她五歲，我八歲，有一次宴席上，她迫着她的母親要將一碗紅燒鯽魚變成活魚放進面盆裏給她玩，百般解釋，哭鬧不休。弄得在座的人不歡而散，我一怒離席而去。曾說：「這個女人蠻不講理，誰討她做老婆誰倒楣。」誰知當年冬天就在兩位母親的牌桌上「定」了親。因爲我對她有了很深的成見，一直過了十五個年頭，沒有和她交談一言。見面時她總是默默含情，我則冷面相向，每多使她難堪。雙方父母曾利用種種機會，誘導我們交談，都歸失敗。因此卻担心我們婚後情感的和諧。後來在大伯父大舅母的督迫下，勉强和她結了婚。婚後才使我震驚的，發現她在這十五年中，已經脫胎換骨，另換了一個人樣，變成溫柔體貼了。十足的是一個孝順長媳婦，敬愛丈夫的妻子，再不是我想中那麼刁蠻不講理的女孩子了。

我家也是一個大家庭，上有祖母、父母，下有五弟妹，自我們婚後，祖母年邁，母親也冀圖清淨，因她是長孫媳婦，將家事完全交她管理。二十二歲的她竟能任勞任怨，凡事處理得井井有條，恰到好處，博得全家老幼的贊許和愛戴。其後弟妹亦先後婚嫁分居，她因我經年在外，祖父母年事漸高，侍奉無人，故帶着孩子仍和老人們住在一起。她的娘家，也少不了她隨時的照顧。兩家的父母和弟妹妯娌們，偶有齟齬爭吵，得她片言，便能息事寧人，和諧如初。

（上）

英女皇聲譽崇隆

嘉陵撰

今日一些開明的英國人，需要積極的上一課，學習一些禮貌和謙虛。在過去年裏，他們把自己成爲社會上的生事之徒。他們利用每一次機會，以攻擊一個應生援助的目標，那就是女皇。

還就不是因爲現代世界上仍存君主政體或爲認爲英國最好改組爲共和政體，那些攻擊的人，全是那些吹毛求疵，惹事生非之徒。如果他們能保持緘默的話，在每年女皇的官式生辰中，將是女皇的一份「黃金禮物」。

過去一月後一月地，報章以頭條消息，報道對女皇不滿的消息像：「針對女皇的訪問，」「坏爲女皇」，「學生杯葛女皇的訪問」，「拒絕女皇的邀請」。

事後另一位同僚議員說：「我告訴他是民選的議員，無論他自己個人的觀點怎樣，在公衆的場面，應該保持自己的身份，他的態度，非但侮辱女皇，也侮辱了在場的主人，我認爲這樣的行爲，是不値得原諒的。」

事實像上述那位議員的態度極爲粗劣，在倫敦裏，克里資路議會，組織日益擴大。因此，在女皇壽辰，該議會兩位議員接受邀請，到白金漢宮參加園遊會，而倫敦市市長，是必然的嘉賓之一。本來，這是光榮的，但是那兩位議員卻感到並非光榮，竟然拒絕邀請，並謂派兩位普通的議員並無多大作用。但是如每一件事均以「作用」爲大前提，然後才行以禮貌，良好態度，那是不對的。

最頭痛的就是女皇無論遇到怎樣冷酷、諷諷和杯葛的態度，她也不能回答的。許多世紀以來，宮廷的禮儀，一直教她在任何場合下，保持緘默，因爲自然有他人振臂替她辯護。

在克里資里區的嘉曼議員，誘導他的同僚議員，尊敬他說：「我的教養，和戰時的軍服，一向教育我服從盡忠女皇。」

在一九六二年，女皇巡視阿里斯賓里市場，與自然界共同聚餐，設宴歡迎女皇，事後一些議員滿口怨言，說道：頓飯竟然每位要較六鎊十七仙令六便士。這眞是驚人，好像外地足球隊到來訪問或是當地本球會的榮譽消費一樣昂値。

四十一、張飛大喝嚇曹兵　趙雲單騎保幼主

建安十三年，曹操大兵出發了，荊襄官民震恐，一日數驚。

劉表何如人也前已交代過了。此人外貌儒雅，而心多疑忌。自從登上荊州牧之後，南收了零桂，北據漢川，地方數千里，帶甲十萬。當曹操與袁相持於官渡時，袁紹派人求助，以牽制曹操之後，劉表口雖答應而實不發兵，十足是一個無爲自保之徒，想自守江漢，坐觀天下之變。他的從事侍郎韓嵩，別駕劉先，向劉表建議，在袁曹相持之時，舉兵攻許昌，迎接漢帝以自重，使曹操首尾不能相顧。如其不然，採取下策，舉荊州以附曹操，也可長保福祚，垂之後世。此乃萬全之策，不料劉表狐疑不動，在前次曹操遠征烏丸之時，劉表也坐失良機。此時劉表的大將蒯越也勸他，劉表仍不聽。於是派了韓嵩去見曹操探聽虛實。結果曹操要劉表派子入許昌爲質，並宣揚曹操威德。劉表一聽，以爲韓嵩反爲曹操說客，要殺韓嵩，拷問從行者，知韓嵩並無他意乃告幸免。劉表既不助袁紹，又不附曹操，同時又收留了劉備，這是他取敗之道。收了又不能重用，又不納諫，更是糊塗加一級。當曹操北征烏桓時，劉備說劉表攻打許昌，迎接獻帝，表不能用。

曹操征荊州的軍隊尚未到達，劉表聞聽曹操大兵來了，急得吐血而亡，說劉表被曹操嚇死的毫不爲過。在曹操未加兵荊州之前，因劉表及妻子都喜歡他小兒子劉琮，把大兒子劉琦派爲江夏太守，立了小兒子爲嗣。三國演義說劉琦乃前妻所出，劉琮乃後妻所生，劉表後妻想立自己兒子爲嗣，時欲加害，教於諸葛亮，孔明告訴他免禍只有請求外調。這是小說家之言。但當劉表病重時，劉琦回荊州省親，蔡瑁、張允恐其見了劉表，對繼承人可能變掛，於是在外城阻止劉琦入城。同時還說「釋衆而來必見譴怒，傷親之心，以增其疾，非孝敬也。」劉琦只得痛哭流涕而回。劉表和袁紹一樣，廢長立幼，惹出亂子。不久曹兵快到了，劉琮遣使請降。此時劉備屯樊城，曹操的人馬來得好快，遂率領其衆奔襄陽而去，此時諸葛亮勸劉備攻劉琮以取荊州，劉備說：「吾不忍也」。劉備駐馬呼叫劉琮，劉琮嚇得不敢起來。劉琮的左右及荊州很多士民，皆歸劉備。劉備不忍取荊州，率衆到當陽，（今湖北荊門縣西南。）合衆十餘萬，輜重數千輛，一日只行十餘里，此時另外派遣關羽乘船數百艘，使在江陵會師。一日走十餘里，豈不是等死！所以有人建議劉備，丟了民兵趕快走，去保江陵，倘若曹兵一到，就不能抵抗了。劉備歎息說：「夫濟大事者，必以人爲本，今人歸吾，吾何忍棄之而去！」曹操以江陵軍實甚豐，恐劉備據之，於是盡丟了輜重以急行軍的姿態，輕騎追趕，到了襄陽，劉備已去。曹操乃以五千輕騎急追之，一日一夜行三百里，追到當陽長阪，（在今當陽縣東南一百二十里），劉備急了，命張飛領二十騎斷後，棄了妻小而逃，幸虧趙雲保了甘夫人及阿斗，安全無恙。張飛據水斷橋，瞋目橫矛，大喝道：「身是張益德也，可來共決死！」

（七十二）

自由報

干城的興漢圖

干城劇團在第三次公演時候，即擬有一「興漢圖」，是光武中興的一部份，也即是吳漢殺妻的斬經堂，自從前面的中狀元，招駙馬開始，迄揭竿起義，輔助光武取洛陽，攻長安，而至台蟒台，皆屬中興部份，不過此戲僅至起義爲止。由周麟崑主辦排練，已告純熟，余曾主張應接演關昆陽，以昆陽一役，不亞於赤壁之戰，東漢之所由興也。但干城爲急欲推出香羅帶而延展，未能把握時機，實爲可惜。

近有名劇評家齡西散人，將此齣改編，定名爲南寧公主，是把吳漢妻王蘭英的份量，特加唱做，予以增重。已由大鵬劇團排好演出，此歷史上有意義的好戲，與尋常戲劇不同。所謂合時代，饒意義，與觀衆相見，吳漢基於忠孝兩點觀念，忍痛割愛而殺蘭英，剿滅奸莽，恢復漢統，完全基於光復河山爲重，是對殺父之仇爲輔，所以此劇的寧氏教訓的第一點，是放走幼主劉秀爲先提，次即斫到帥旗不做僞官爲次要，先國家而再提私恨，顧慮吳漢意志不堅強，而使殺，賢婦爲國不得已之措施，最後決定自殉以報其媳，按步就班，層次分清，看來很明白。在這戲之中，吳漢爲主體，寧氏蘭英皆爲輔助，因此改名南寧公主，似乎尙待研究！以鐵鏡公主在探母一齣中，份量不在南寧之下，何以未爲正名，以事實是重四郎，吳漢爲興漢，其意義何嘗不如此，定名有道理的。有人把生死恨改爲韓玉娘，小上墳改爲飛飛飛，其實顧名思義，便不大同，於是覺得劇名是不易定也。

現在南寧公主已經演過，示人以如何定型，大家知道無非把斬經堂一齣，擴展而加幅添版，加添到是否合宜，姑候另行析評。不過干城所排的興漢圖，是否完全一致，不知周麟崑如何的剪裁，未曾看過，使觀衆莫測高深，是否以南寧公主劇本，依樣畫葫蘆，抑另有刪減或增補，也莫名其妙。好在斬經堂一戲，並非是一家所專有，演出者甚多，祗要不剿竊旁人所編，那也無妨。以前的少康興，不是各演各的，各有千秋，好壞由觀衆去捉摸。因此干城不能自慚形袖，藏之不露，何妨推出，也讓大家看看，好在名稱不同，並非以作較量或比賽，是互相揣摩之意，爲發展劇藝着想，也有其益，愈研究可愈有進步。海光前演香羅帶，不是干城也排演。既已有前例，何不繼步於後，頗望干城繼興崑一演，以觀其情爲幸。

國劇繽紛錄（一一七）

姿樂生

曹汝霖與「五四」運動

諸葛文侯

民國七年五月四日，以北大學生爲主體，聚集北京各大專學校青年子弟，爲反對第一次大戰後之「巴黎和會」，對我國山東問題袒護日本帝國主義不顧正義公道，而指政府外交失敗，大衆游行示威，火燒外長曹汝霖住宅，撲毆適在曹宅之駐日使節章宗祥，另有參預對日外事之陸宗輿，幸免於難。繼而全國各大都市學生踵起響應，要求懲辦親日派官員曹、章、陸三人，形勢嚴重，總統徐世昌旋下令免三人職，又申令謂三人「公忠體國」，並無罪過，光怪陸離，莫可究詰。泊是以後，世人皆認定曹、章、陸爲親日賣國人物，衆口一詞，殆成鐵案，而三人亦始終緘口無言，甘受唾罵。

近閱「九十老人曹汝霖」自傳，名曰「一生之回憶」，其中對五四運動經過情形，敘述綦詳，據言含詬受謗已四十餘年，且累及兒女在社會上到處被人揶揄譏誚，不得不於暮年將辭別人世之前，紀述事實眞象，公諸社會。夷考曹氏自傳內容，雖不無自諱之處，然其所述一切生活史事，大致尙誠實。如彼納妾蘇氏薛氏，因紅杏出牆而休遺下堂，如在官場應酬中，聽從妓女慫恿而參加賭博，致被捻秧輸去大洋四萬元等情節，皆直言無隱，即可概見也。

據曹氏所述五四運動初起時，純屬青年學生基於愛國熱情，因不明外交經過實況，誤信傳說而激發之行動，範圍僅限於京畿一隅。當日焚燬曹宅，毆傷章宗祥後，風潮原已靜息，政府對曹氏等亦信任如故。嗣有政敵某（西著未指名，但憑根據曹之文字，知其爲林長民也。），利用時機，起而煽動學生再接再厲，號召全國各大都市一致罷課罷市，要求政府懲辦親日派官員曹、章、陸三人，用意在打擊參戰督辦段祺瑞，因曹等皆係受段氏卵翼之段派親信幹部，而爲直隸系吳佩孚所指斥，亦爲總統徐世昌所不慊於心也。

五四學生集會遊行時，駐日公使章宗祥適於五月一日回國述職，是午總統徐世昌在公府約宴章使，約曹、陸與內閣總理錢能訓三人作陪，宴罷閒談中，京師警察總監吳炳湘電話報告錢總理，謂有學生二千人集會，即將遊行，勸阻無效，而京畿衞戍司令段芝貴擬調兵彈壓，恐釀事變，請示如何應付？錢氏語以勿調兵，並囑在座之曹、章、陸等折留公府勿外出。移時未聞動靜，曹、章聯袂返趙家樓曹宅休息，俄而大隊學生蜂擁前來趙家樓一帶，人聲鼎沸，曹氏命僕役用石塊泥土堵塞大門，章宗祥避入廚房鍋爐小室中，曹氏潛匿其婦之臥房旁一地下貯藏室內。學生大衆將大門衝破後，遍尋曹氏不獲，初拆鐵床、椅櫈等作武器，將客廳與臥室一切陳設搗毀，在房內搜出有燕窩、銀耳與首飾若干亦踐踏粉碎。最後取曹宅所藏汽油二桶，分潑壁檔間放火，登時火燄四起。章宗祥在鍋爐室驚聞火聲，慌急奔出，學生認係曹汝霖，蜂前叢毆，有人持鐵棍向其頭部猛擊，章氏暈倒在地，不省人事。旋有日本友人中江丑吉聞訊趕來，將章氏挾入曹宅對面一商店中，中江把門，操華語告學生：「他是我的朋友，要打就打我，我不怕！」學生雖未再尋章氏毆打，但日人中江亦被打成傷，唯非重創耳。（上）

閻伯川的修養功夫

吳文蔚

閻氏一生從政，在不生氣，不耍脾氣，他嘗說：「一人能如大喇嘛的稱，無論多大的橫逆、利誘、威脅、侮辱之襲來，則均可以不動心；能不爲所動，才是眞正的「自由、自主、自動和自樂」。「人生無論貧富貴賤，凡做一個人都要保持此四則，才眞正夠得上是一個有作爲的人呢」！

大喇嘛的稱，係滿清入關後，爲聯絡西藏、蒙古的喇嘛，特在五台山蓋了許多喇嘛寺，大喇嘛特勢凌人，不可一世，最初他們一到某處，地方官就還要跪着迎接，稍不如意，就用馬鞭打落地方官的頂子，亦不犯法，可見其勢力之煊赫！

當時有五台縣知事名駱長華者，一日，走到街上，見一個老夫用鞭打騾，打得厲害，便上前問說：「你爲什麼這樣打騾」？那老夫說：我揹了一揹草，大喇嘛還給我稱了一斤，牠馱了一馱草，連一斤也沒給我剩下，我養牠何用？所以我氣得打牠」。駱知事聽了，知道事非無因，便多方調查，後來調查出大喇嘛的稱，是稱鈎與稱提同在一個眼孔裏，所以稱東西，無論東西多重，稱桿都不會起來。駱知事最後將此事告到朝廷，清廷才下旨把他走了。

閻氏借此大喇嘛的稱說：人生要大喇嘛的稱，無論負多重的東西都沒有分兩，用以以喻人之修養，無論遇外來多大的刺激，都不露聲色，不爲所動，永恆靜如止水，心平氣和，才夠上做人的功夫。

民國三十三年，閻氏任第二戰區司令長官，駐節吉縣克難坡，爲提高行政辦公效率，特添集體辦公室，凡收文、辦稿、會簽、劃行、繕發等，均在一室。

時一幹部進報河南別廷芳[illegible]，閻氏[illegible]，遂將集體辦公室，改爲「悔別室」，並提詩一首，刻之於石上，其詩曰：「[illegible]南陽，路逢遺物須送還；國權重寄三十載，何難何易愧無顏。」筆者四十三年，由港抵台時，在台北遇一豫籍人氏，特以此事詢吾，問吾之感想，吾對之曰：閻先生做人的基本條件，則是以取人之長，彌己之短，永遠做人如此，處事亦如此，故在剿匪戰爭中非常有辦法。別廷芳少時爲綠林，壯志，爲滿清官，主治豫西，道不拾遺，物阜民富，有口皆碑，惟目不識丁，純粹大老粗一個，有此成績，誠屬難得！[illegible]自由報第六八期內同文諸賢作論及別氏先生，有謂別氏於中日戰役結束後，不知所終，實則別氏於抗戰末期不幸已遭人暗算了，言之痛心！

綜合閻氏一生的偉大成就，係在其能對儒學之深刻體會，故能有化習慈淨德裁成相輔的修養功夫，首推德先生說：「閻先生處世延爲世範，爭一代表，可爲人師」。閻先生雖是死了，但他留給世人的典型，空手而去，將永垂不朽。言論末了，我要說明閻伯川先生的修養功夫是什麼，即是其把儒家的「道」——「己所不欲，勿施於人」，融化爲「己所欲，先施於人」的心物一體之中的哲學了。（下）

國慶雜談

軍民合作水乳交融

武昌首義後，當時百姓們對於革命軍的協助，眞是無微不至，據曾參加是役的尹呈輔老先生說：當時人民對革命是極其歡迎的，老百姓時常自動的送茶、送水，甚至於送糧食，每一個人都樂於替革命做事，毫不畏懼滿清的恐嚇與阻撓。有的時候百姓們還將傷兵抬扶回家爲他們療養醫治，因此軍人們也就沒有第二個心，只曉得一心一意爲革命犧牲，爲了推翻滿清，建立民國，更爲了一大羣可愛可敬的老百姓，他們早已忘記了自己的安危，棄自己生命於不顧。

尹老先生又說：當時有些百姓還自動的充任偵探，來往於兩軍之間，一探得滿清的消息就設法告訴革命軍。記得有一次一個百姓被清兵逮住了，就問他是不是偵探？那百姓就裝傻說：什麼「曾台」？我不叫曾台，我們莊子裏倒有曾台這麼個人，你是不是要找他？這麼一來弄得詢問的人啼笑皆非，以爲他是個大傻瓜，就把他放掉了。

期望年青復興國家

湯翔

八十四歲的張承老先生，他原是武昌首義時上海地區的敢死隊長，他在接受記者訪問中談到他暗中招募敢死隊員的情形時說：招兵買馬，自非易事，特別是風雲日緊的上海，清廷早已提高警覺，但以人心思漢，終使天與人歸，雖然是冒險的工作，仍不乏各路英雄請纓歸來，在不到十天之內，已募集三千多人，包括士農工商等各形人物，這是上海獨立的基幹，也是一羣開創中華民國的無名英雄。談到這裏，張老先生興奮的表示，五十五年後的今天，我黃帝子孫又面臨到一次更爲艱鉅的復國使命，雖然如此，但老人家仍然深信「人心思漢，天與人歸」的歷史教訓，他說，只要我們現代的青年人，人人效法先烈的革命精神，繼往開來，則反攻復國的大業，一定能在我們這一代青年的手裏完成。（下）

著名女間諜 姬麗絲妲的故事

○賀譯○

直到上午十一時，一名德軍司令官手拿一支手提機關槍到來，跟他同來的人中，竟發現姬麗絲妲，她到來將他們省釋，她這樣做法，確是聞所未聞的，她有這樣的勇氣和思想，納粹在整個歐洲搜尋她，但她竟單身走到德軍軍營自認是一個英國間諜，她曾對司令官說：「我命令你立即釋放那三位將在明晨行刑的盟軍軍官。」

她向他警誡，假如那三位軍官或她本人被害，在那個軍營中的每一個人將會認爲是戰犯而被吊死，她跟那個德國軍官辯駁了十一個鐘頭，然後將他說服，其實在兩個月後，美國才將那個軍營所在的地方佔領，但姬麗絲妲能夠使他相信她所講的說話，她自認蒙哥馬利元帥的姪女，那個德軍司令雖不甚願意，但結果釋放那三個盟軍軍官，她好像有催眠術，使人順從她的安排和指揮。（七）

長白山魚皮韃子

東萊

我國東北邊境，牡丹江沿岸之長白山區中，至今仍有一種未開化之民族曰「魚皮韃子」。

魚皮韃子與原始野人相差無幾，他們祇有言語，並無文字，渾渾噩噩，散居於苦寒之邊塞地帶。惟賦性能耐寒冷，雖在隆冬，冰天雪地，仍不畏風雪，入山獵取野獸。又兼臂力過人，常在冰中與猛獸展開徒手搏鬥，如身軀龐大之野猪，亦能三拳兩腳，予以擊斃。每頭野猪，普通重達四五百斤，毫不費力，負之步出山中。至夏季則往牡丹江邊捕魚，技術亦相當精巧，若見江中魚羣，用鐵叉擲去，百發百中。至抗戰勝利時，亦有部份使用魚網者，似已漸趨進化。至於食糧，夏則魚蝦，冬則獸肉，如以米麵充飢，爲時甚少。有時或出現於佳木斯市場，將野獸皮毛，換取漢人之糖鹽粗布等物，生活頗爲純樸天眞。

內政部登記證內版臺報字第〇三一號

自由報

THE FREE NEWS

第六九七期

中華民國僑務委員會發
台報新字第三三二號登記證
中華郵政台字第一二八二號執照
登記爲第一類新聞紙類
（半週刊每星期三、六出版）
每份港幣壹角
台灣零售價新台幣貳元
社長：雷嘯岑
督印人：黃行寰
社址：香港銅鑼灣高士威道二十號四樓
20, CAUSEWAY RD 3RD FL.
HONG KONG
TEL. 771726　電報掛號：7191
承印者：大同印務公司
地址：香港北角和富道九六號
台灣分社
台北市西寧南路壹壹零號二樓
電話：三〇三四六
台郵撥儲金戶九二五二

由孔子學說看現代教育

王爾晉

每年孔子的誕辰紀念日，也是政府規定的「教師節」。這一天照例要開些紀念會，名人們要作一些演講詞，報刊雜誌要登載一些應景的文章。如果年年照例搞這種紀念玩藝，大家又不能完全按照孔子的道理去處事，則這種紀念會就成了例行公事，毫無價值之可言！

過去新派人士以打倒孔子、摧毀舊觀念爲時髦，曾喊出「打倒孔家店」，「綫裝書丟進茅坑裏」的口號。但我們看他們寫文章、講學、教育人，又依然脫離不了孔子學說的原則，我也不知道他們打倒了些什麼。孔子的偉大處就是他一生說了百分之九十的實話，做了百分之九十的實事。（可能有百分之十是言不由衷的話，行不由己的事）。實話實事大概都不容易被打倒，因爲它對世道人心有絕大的影響力，影響力大了，人就尊稱他爲「聖人」，「至聖先師」，他在後世所享的榮譽，也許出乎他當時的想像。

說起孔子的遭遇，也怪可憐的，他是個時代的不幸者，常常失業，一生都沒有的潤氣過。他有那麼大的學問，那麼高的品德，終以曲高寡和，沒有一個人給他在公家職位上想點辦法。他周遊列國去謀職，還在陳國餓了七天飯。跟隨他的門徒都餓得走不動路，依然找不到職務。在魯國弄了一個大司寇僅僅搞了三個月又失業了！也許因爲找不到職業的緣故，才促成了他著書立說，致力教育的動機。他刪詩書、訂禮樂、作春秋、纂易經，奠定了中國學術的基礎，而被稱爲百代儒宗。他的教育思想和教育方法完美無缺，深合人性，而被尊爲「萬世師表」。現在一般教育界人士都喊要效法孔子的教育精神和教育方法。但是孔子的學問的淵博，人格的高超，不但我們現在的人學不到，就連過去許多聖賢也都沒一個人能趕得上他。然則我們要效法孔子的究竟是些什麼呢？我以爲與其空喊孔子怎樣偉大，還不如針對當前教育上的重要弊端，依據孔子的作法，從事積極的改革，較爲實際。

一、要效法孔子不藉教育斂財的作風。孔子辦教育絕對不是以賺錢爲目的，他完全是爲國家培植人才，傳遞道統，也就是孟子所謂「樂天下之英才而育之，一樂也」。韓愈所謂「師者，傳道、受業、解惑也」。孔子自己也說：「古之學者爲己，今之學者爲人。」就是教育不是爲自己私利而是爲大衆服務。他創辦學校也沒有聚資蓋樓，添置設備，只是一個流動學校，露天講堂，徒弟跟着他走動，一有機會就開始講課，隨便談話中就把處人作事的道理灌輸給他們。他的門徒只要行一個束脩之禮署有表示一下就成爲他終生的學生。今日許多辦教育者無可諱言的大多數都是以斂財爲目的，公私立學校收取額外雜費之事時有所聞。惡性補習收取超額補習費已成爲牢不可破的惡習。孔子當年有三千門弟子，若像今日私立學校收費法則，早成了大富翁，又何致於周遊列國去謀事；又何必說：「富而可求也，雖執鞭之士吾亦爲之」，想趕馬車去賺錢呢？孔子最得意的門弟子顏回，人既聰明，品德修養極高，就是太窮，窮得連飯都吃不上，若孔子辦學要收取高額的費用，那顏回早就失學了，安能成爲孔子得意門生？今日要效法孔子教育精神，首先就要延長義務教育，增加公立學校校舍，以消除一切學店作風。

二、要效法孔子教弟子學以致用的目標。孔子以德行、言語、政事、文學四科；禮、樂、射、御、書、數六藝教誨弟子，達成知行合一，文武合一的要求。所以他教育出來的學生在當時社會各界，都佔有重要位置和良好表現。今日教育可謂無一定目標和計劃，大家都競競於升學，學校林立，學生滿堂，中學畢業急於考大學，大學畢業，有辦法者留洋，流洋以後即不回國，沒有辦法的就是失業。所以要效法孔子教育精神，就要着手計劃教育，計劃教出學生作何用途，使畢業學生一出校門都有職業分配。

三、要效法孔子有教無類的精神。史記孔子世家云：「孔子以詩書禮樂教，弟子蓋三千焉，身通六藝者七十有二人」。可見孔子的門弟子相當複雜，窮的富的好的壞的都有，孔子都能把他們教訓得服服貼貼。南郭惠子問於子貢曰：「夫子之門，何其雜也」？子貢曰：「君子正身以俟，欲來者不距，欲去者不止。且夫良醫之門多病人，檃栝之側多枉木，是以雜也」。可見孔子教育的着眼點是要把不好的人變好，是要教一切的人都得益處。今日教育界人士總是把貧富分得甚清，貧窮家子弟多被冷落，富家子弟則多蒙另眼看待；尤其是不能感化頑皮學生，諡爲太保太妹，除諷刺打擊外，不知發揮因人施教的功能。

四、要效法孔子學而不厭，誨人不倦的精神。教學方法首在啓發和引導，不應固守成規。凡講一課書或說一句話都應有啓發和引導一種新觀念的作用。孔子所謂「不憤不啓，不悱不發，舉一隅，不以三隅反，則不復也」。就是一種啓發引導作用。這種啓發引導作用，不是由胡說得來，而是基於好學深思的工夫。我們現在的教員那一個肯用功讀書，肯多用腦子思索呢？孔子時代的課本，有如留聲機一代一代傳下來，沒有一點兒新的發現和新的進步。現在又準備一代一代的傳下去，那些教員們永遠是個留聲機錄音片，我們的國家怎能有創造家發明家呢？

五、要效法孔子愛的教育。愛是謙和的，自制的。子貢說：「夫子溫、良、恭、儉、讓以得之」。論語又說：「子之燕居，申申如也，夭夭如也」。孔子也從沒有以專家自傲，他說：「有鄙夫問於我，空空如也，我叩其兩端而竭焉」。孔子是個超時代的人物，尚能那麼謙和，那麼自制，無怪乎他的門徒那麼敬愛他，佩服他。（下轉第二版）

一團糟

這是什麼指揮？

今日與明日

詹森和夢方酣

美國詹森總統，於出發訪問亞洲六個國家前，向蘇俄及毛共連續於七日、十三日和十七日發動和平建議，但所得的反應却是異常的惡劣。毛共罵他是「戰爭販子」，只此四字就算是「總答覆了。在俄共方面，其第一書記布列茲涅夫，在歡迎波共代表團的「友好大會」上所發表的演說中，對詹森總統七日包括改善美俄關係在內的東西歐和解的提議，也予以一口否決。

自詹森總統發表前述一連串的提議後，在國際間一些幻想和平的人士中，曾一度瀰漫了一股一廂情願的和平氣氛；但在毛共和布列茲涅夫的無情冷水下，已完全化歸烏有。布會在演說中强調：和平關鍵在於越戰，如果美國不停止對越南的「侵略」，則蘇俄不能考慮此項問題。

詹森總統對蘇俄的提議中，只强調「東西歐和解」，而絲毫未涉及越戰問題；但在布列茲涅夫的演說中，却把越戰問題放在首要的地位。越南戰禍是因北越發動南侵而產生的。美國幫助南越阻遏侵略，是站在正義的一面；而以蘇俄和毛共爲首的共產集團，强力支持北越却是與侵略者沆瀣一氣。詹森總統避而不談此問題，在宣傳上已棋輸一着。

對於支持北越堅持侵略，儘管俄毛在「技術」上大異其趣，然堅絕站在北越的一邊，却是完全一致的。美國應該從這個基本觀點看待事實，不然徒授人以柄，空遭惡意的抨擊。對於越戰，美國應痛下決心，堅持正義，恪守承諾，給侵略者以粉碎性的打擊。對於俄毛爭取「諒解」或「和平」以及所謂「和睦」，尤不應本末倒置，在和平幻想支使下，不敢堅持眞理。

其次，蘇俄視美國爲進行「世界革命」的最大阻障的基本觀點，並沒有改變。毛共自不在話下。同時，在蘇俄方面，再加上它要維持其共產政權「頭」的「尊嚴」，和避免毛共對它的凌厲詬罵，它當然要表現一種與美國「道不同不與爲謀」的決絕態度。對此，毛共已破口大罵，把「美帝」與「蘇修」相提並論，揑在一起「打」。十六日北平「人民日報」刊出一篇以「美蘇全球大勾結的供狀」爲題的「觀察員」文章，指責美俄不但「大勾結」，並在「實際」上已結成反對毛共的「新神聖同盟」。詹森總統的提議所發生的作用，那就是又一次更明顯地使俄毛自動地揭發出它們中間的裂痕，已到達無可彌補的地步。此外，也證明了蘇俄及毛共的堅持站在侵略者北越的一邊，與美國爲敵，與自由陣營爲敵。這兩項至爲明顯的事實，對詹森總統此次訪問亞洲六個國家，及其制訂新的亞洲政策，都有其極爲重要的意義。（何如）

自由談

是行動的時候了

馮丑先生

當毛酋澤東開始玩弄「紅衛兵」惡作劇時，我在本欄就指說這是毛酋爲要整肅共軍的準備工作，他要把這般幼稚無知的無產階級人家的青年子弟，一律作爲共軍的補充兵團，接替原有那些階級成分不夠清白的下級軍官和士兵。現在毛共果然將「紅衛兵」編組爲共軍預備隊了。

毛酋讓「紅衛兵」到處胡行妄爲，殺人劫財，其用意跟過去讓一般所謂貧農、雇農和地痞流氓們，到處清算鬥爭資產階級人士的情形相同——是在製造人與人之間的仇恨，使所有聽從毛共教唆作惡的傢伙，都感覺自己一身沾有血債，害怕遭受敵對者的報復，即非永遠跟着共產黨走不可。

目前毛酋心裏最感恐懼的，不是大陸上一般人民起來反抗僞政權，因爲一般人民被整得手無寸鐵而飢寒交迫，沒有作變鬥爭的自發能力了。祇有共黨和共軍中一般尚有人性的份子，對毛酋的政治作風與行爲，潛存着不滿心情，一旦國軍反攻，這般人即有相機反正之可能；不然，毛酋自斃後，這些反側之徒亦必起而效法俄共，勃發鞭屍運動。我認爲這便是毛酋亂搞「文化大革命」的基本原因。所以「紅衛兵」不特凌虐殘害一般非共人士，且公然殺戮共黨各省市的負責幹部，而以「紅衛兵」作共軍的預備隊，徹底清除軍中的不穩份子。

我們此刻認定毛酋這樣倒行逆施，決無倖理。但是，如果讓他經過長時間的蠻幹下去，而不及時予以打擊的話，也未嘗沒有成功之望。反正共產主義者是泯滅人性與理性的，把大陸上的六億人口再消滅一二億亦不在乎。至於國際間的譏嘲咒罵，更無所謂，何況英美這些政府當局，死心眼兒地抱定重歐輕亞政策，並不樂意中國統一而強大，將來他們又以「承認既成事實」的口實，不惜對此專以殺人劫財爲統治手段的毛共政權，表示親睦結交的態度。

要挽救中國人民的大浩劫，復興中華民國，咱們自己的力量，倚賴別人拔刀相助，固然不是辦法，等待毛共自行崩潰，亦係惰落的妄念。自朝野上下人士此時應該發憤自強，妥籌對策，一致各盡所能，以行動來完成自救救人的時代任務！

盜豆案最近動態

法院續傳兩立委一個到案一縮頭

黃豆案是偶然破露的

（本報台北通信）轟動一時的盜豆案，法院正在縝密偵查階段，最近有關本案的動態，綜計下列各點，足資報導。

台北地方法院曾繼續傳訊立法委員林棟、封仲平二人，封氏慨然應訊後，發佈書面談話，表示個人與盜豆案毫無關係，他主張澈究嚴辦，而且不論政治地位高低與得賄多少的犯人，皆應重懲不貸。他認爲受賄三五萬或數十萬元的，固然要辦，貪污幾百萬元乃至千萬元的，更應該辦。其說甚合理，其氣很旺盛。尤其所指貪污幾百萬甚至千萬元云云，並非隨便的言詞，事實上恐怕此中有人，呼之欲出，不過這些人物都是政壇要角，法院不易搜得他們受賄的確證，但社會人士的心裏皆有數，街談巷議，言之鑿鑿，只看將來是否能夠辦穿，眞正做到「法律之前，人人平等」的法治結局而已。

立委林棟的表現却不同。他對於法院的傳訊託病延期到案，這已經有些「衰」氣了。繼見着報紙上刋載有人建議政府應將牽涉盜豆案的立監委員和油商們的銀行存欵，一律凍結的消息，即趕忙在立法院向行政院長提出「書面質詢」，說是私人存欵如非贓物，依法不能凍結，好像認爲這項消息很嚴重，大有不得了之勢。有人說，社會謠傳林委員若干年來的「律師費」收入很可觀，爲數在千萬元以上，萬一政府眞的下令凍結，豈不糟糕嗎？所以他乃不避嫌疑，仗義執言，殆有不得已的苦衷也。可是，他這一着，在社會人士的觀感中，留下了不良的印象，大家覺得林大律師託病不到法庭應訊的態度未免太弱，而急不暇擇的反對凍結犯有貪污罪嫌之人的存欵，又未免太強了！

台北地方法院日前行文立法院，請將立院過去審議黃豆減稅案—由百分之十五減爲百分之十二的各委員發言紀錄，予以調閱。然立委關訊大譁，指法院「知法犯法」，違背憲法規定。因立委在會場發言，對外不負責任，是憲法上明文規定的，實則立委對減稅案無論表示贊成或反對，根本即不犯法，減稅與否乃係政策性的問題，是議員們職責以內應該討論的法案，發言贊成的，不見得個個都受了賄賂吧？不過，在法院方面要參閱黃豆減稅案的議員發言紀錄，作偵查盜豆行賄事件的參攷資料，似亦言之成理。彼此各有見解，各執一詞，結果如何，尚未可知也。

盜豆案件除立監委員已拘囚六名，傳訊兩名而外，行政官吏是否有人牽連在內？法院尚無表示，然社會傳說却盛。有說某顯要亦是知情的，有說某達官貴有收賄，還有人說，首先被拘捕的煉油業公會總幹事周烈範，於被捕後即曾要求跟某顯要通電話一次，表面上懇其救援，沒有甚末，實際上是有所爲而發的。所以，周當日希望法院不必認眞辦理本案，說是「牽涉太多，你們辦不了的！」因此，一般人預料：將來被拘傳諸人，如其判處了重刑，他們勢必儘情揭發全盤內幕，把某些倖逃法網的「同道」人士都扯出來，有福同享，有禍同受，這其間就難免株連一些行政官員了。

這次情報機構能夠很迅速而確實的，得到了黃豆案之若干重要證據，亦很偶然。原來煉油公會總幹事周烈範是行賄的總提調，他於聞悉政府嚴切查究本案的消息後，即命油業公會會計雷地，趕忙改造帳冊。於是，雷地携同全部原始帳簿赴北投開旅館，秘密製造，他一個人辦不了，又邀約了某某油廠的會計人員三名同來幫忙。某夕得暇，他們便在旅館搓麻將消遣，深宵未歇，旁人以其妨害安寧秩序，暗中報告該管警察派出所，說有人在某旅社聚賭不休。派出所巡官率領警士按址前去拿賭，果然雷地等四人正在玩牌，巡官按照違警律請他們到警局受罰，並無意外之處。詎雷地神色倉皇，急將堆放在床上的若干本帳簿收檢起來，還有大疊印花；巡官覩狀深滋詫異，即將帳簿取閱一下，知道是油業公會的原始帳帳簿，內中記列着黃豆價欵收支的龐大數字，乃順便把全部帳冊一併帶走。迨警局細看內容，纔明白這是與盜豆案有關的重要證據，馬上通知情報機構，因而搜查周烈範住宅，又查獲周氏所藏兩年來的舊日曆，上面記有詳細行賄帳項和有關人士的姓名，一目了然，案情大白；而法院分別拿人的行動即開始了！假使雷地等不玩牌，全力製造假帳完成後，把原始的眞帳冊銷毀了，法院偵查盜豆案即很不容易獲得眞確的證據，而若干收受「律師公費」的民意代表，亦就安然無事，「袋袋平安」，天生鴻運於予，法律其於予何哉！人生禍福關係，冥冥中似已註定，終歸是要膺受的。（十月十二日大元於台北）

由孔子學說看現代教育

（上接第一版）

今日之教育者多變爲官僚政客，不問其學問如何，品德如何，先擺出一副學者專家的面孔，使人望而生畏生厭。他們好鬧派系，排斥異己尤其教會學校，有些神父或牧師，那種擺架子的生硬態度，令人看了就要作嘔，許多畢業學生離校後，再不願意想那學校了。古人形容受教育則曰：「坐春風」。一個好的校長和教師應該如同春天那樣溫和才好。

五、要效法孔子發憤忘食的精神。孔子那一肚子學問，並非生而知之者，乃好古敏以求之者。孔子教人並非賣老資格，處處都擺出一副訓人的面孔，他乃憑他的眞才實學，高尚品格。今日教人多憑資格，只要師範畢業，或鑑定合格，即可端一輩子鐵飯碗，至於其效果如何？大家都不聞不問了。於是當校長幹教員即成爲少數人的專利品。教書教得好不好，人格如何，似乎都在其次了。今後應該打破資格的限制，而以眞才實學爲準則，凡不能推進教育進步者，不管什麼資格，都應當排除於教育界，以期掃除塵垢，放進一股新鮮空氣。

效法孔子若不能從孔子思想生活中，引得一些益處來改善自己，則徒然是一種空洞口號，妄費時間和口舌罷了。

透視立監委涉嫌商行賄案（二）

從監察院第十四次臨時院會決議案說起

—本報記者張健生

陳故副總統生前曾告誡國人，「希望大家不要做敵人所希望做的事。」

自從五大案發生後，竟有人說是「危害國本」，這當然是危言聳聽之詞；假如政府不依法偵辦，那纔是不可思議的事。況所謂五大大案，除黃豆案而外，其餘四大案，都有人和事在那裏。人，當然逃不了，事，也在那裏；祇要政府有「追」到底的決心，終有水落石出的一天。唯獨黃豆案，到底誰在「吃」豆子？到現在，還沒有偵查清楚呢！六位國會議員所涉嫌的案子，不是「盜豆案」，而是涉嫌油商行賄案。所謂「盜豆案」，除了設在苗栗縣由陳家珍、陳加成兄弟所經營之大德源及德源油廠，有「盜」豆行爲而外，如永源油廠係依侵佔公有財物罪而公訴的。

至於盜竊或侵佔黃豆案中，是不是有國會議員涉嫌？或者是不是有政府高級官員涉嫌？迄今尚未見官方有此表示。這亦便是民間傳說之所以成爲傳說的原因。

立監委涉嫌非現行犯案件而經法院要求立監院會於「必要時」同意逮捕拘禁者，當以這次爲「創例」。

一九六六年國際共產黨的一般情況和民主國家反共的形勢

△何浩若▽

蘇俄所領導的經濟互助委員會，根據國際分工的原則，規定各附庸國的任務，凡是蘇俄所缺乏的便強附庸國去生產，如波蘭的煤，羅馬尼亞的石油，匈牙利的加工食品如臘腸之類，小國之製造鐵釘。至於農產品照例是由附庸國努力生產，然後以廉價賣給蘇俄。這全是變相的經濟侵畧。羅馬尼亞就首先拒絕這項分工，寧願與歐西諸國增加貿易。一九六五年十二月間，東德的經濟部長艾培爾自殺就是因爲蘇俄強迫他簽訂了一項貿易協定，把東德的商品廉價賣與蘇俄，然後再以高價購買蘇俄的出品。艾培爾覺得這樣對不起東德的人民，而又不敢反抗，只好自殺了。像東德、捷克、保加利亞都是比較的馴服的。捷克原是一個工業化的國家。在蘇俄國際分工的支配之下，現在捷克已經窮得不像樣。捷克的工人曾經屢次以暴動抗議都被用屠殺的手段鎭服了。捷共因爲要保持他們的政權，鑑於大勢所趨，也漸次給予人民有限度的自由。至於保加利亞，則根本是一個落後的窮國，平時唯蘇俄之命是從。但是近來看到華沙公約的會員國都不肯服從蘇俄，又因爲匪俄之爭，便向蘇俄敲了一記不大不小的竹槓，獲得蘇俄三萬三千餘萬元的經援，作爲擁護蘇俄的報酬。這也算是赤色帝國解體和崩潰的另一象徵。

（四）西歐共黨對蘇俄的離異

當史達林執政的時候，西歐各國的共產黨是一致服從蘇俄的領導的。那時候西歐各國的共產黨也聲勢浩大。第二次世界大戰以後，根據一千九百四十七年的統計，意大利便有共產黨員二百二十萬人，法國也有共產黨員一百二十萬人。法國共產黨首領陶雷士和意大利共黨首領陶格里亞第等，也僕僕風塵，來來回回奔走於莫斯科與巴黎羅馬之間。民主國家的報紙，也時常諷刺的透露，陶雷士如何帶着穿貂皮大衣的太太，朝見史達林。史達林又如何誇獎陶格里亞第的忠實。那時候史達林的權威眞是大極了。他可以隨意把其他各國的共產黨員拿到莫斯科去坐牢或判絞刑。上文所提到的羅馬尼亞的達奇，和波蘭的戈默卡便都在莫斯科坐過牢。捷克共產黨的書記長史倫斯基，和捷克的外長克里門底斯，便以民族主義的罪名，在莫斯科被判絞刑。這些公開的判刑還不可怕，最可怕的還是莫斯科的醫生。那一國的共黨領袖有不利於跡象，便會請去莫斯科養病。養病的人，十個有九個是被養死的。後來因爲這一個方法用得太普遍了，便在史達林死前發生九個醫生的謀殺案。據說有九個醫生陰謀暗殺史達林。這一謀殺案是由史達林的隨從秘書舉發的。史達林將根據這一醫生謀殺案來整肅他的部下。就在這個緊張的時候，史達林和這位秘書便不明不白的壽終正寢了。史達林的繼承者也曾提到這九個醫生的謀殺案，並且牽涉到當日的內政部長。後來只是以不了了之。筆者提及這一故事，只是要說明當日史達林的權威。假如史達林要毛匪澤東到莫斯科去養病，毛匪聽了就會發抖的。史達林死了以後情形便不同。在理論上背叛史達林和蘇俄的，便是當日最忠實的陶格里亞第。他還是死在莫斯科。但是他留下一篇遺作，主張共產主義的多元論，否認蘇俄的領導。當史達林全盛的時期，只有南斯拉夫的狄托敢在右傾機會主義者的立場反對他。當時還沒有修正主義這一口號。其實狄托就是修正主義主者。當日美國有許多人希望毛匪澤東變成狄托。可是結果太出人意料，毛匪澤東沒有變狄托，赫魯歇夫却變成狄托，而使世界局勢更趨複雜。

在匪俄對立的形勢之下，西歐的共產黨失望了。意大利的黨員人數，從一九四七年的二百二十萬人降到一九六六年的一百三十五萬人。法國也由一百二十萬人降到二十八萬人。西德的數字更慘，一年之內由五萬人降到一萬人。一九六六年五月十二日，西歐十五個國家的共產黨，在奧國的維也納，舉行了一個爲期三日的會議，拒絕東歐諸國的共產黨參加，也就是特別拒絕蘇俄的共產黨參加。這個西歐共黨的高層會議，發表了一個公報，說是反對東歐共產黨的政治制度，贊成多黨制，準備建立西歐社會主義黨派和非共黨團體的新聯盟。同時計劃召開全歐共黨的會議，來討論全歐的安全問題。這簡直是要來領導蘇俄了。這是西歐共產黨第一次正式脫離蘇俄的控制，並且宣佈單獨採取行動來進行政治活動。這是非常重要的。在這裏我們要引一位美國研究東歐問題的專家喬治葛羅斯（George Gross）的一段話來結束這一個報導，葛羅斯氏在他新著的『共產主義問題』一書中說：

『未來的歷史學家必定認爲二十世紀六十年代的中心事件是蘇維埃帝國的瓦解，目前蘇俄在東歐的霸權業已支離破碎。這種土崩瓦解的趨勢，今後必定加強。』

三、一九六六年民主國家反共的形勢

本文着重在說明一九六六年世界各國共產黨的一般情況。但是我們明瞭國際共產黨一般情況之後，就必然的會想到民主國家反共的形勢。說到民主國家反共的形勢，我們就必然的會想到美俄對抗的力量。也許有人說，蘇俄是主張和平共存的，美國要避免世界大戰，美俄之間不會發生核子大戰的。儘管如此，但是誰也不能保證將來絕對不會發生核子大戰。（六）

瀛海異趣談

全世界最瘋狂的賽馬

·秦稚·

世界最離奇和像瘋狂式的大賽馬，每年舉行兩次：一次是在七月上旬，另一次是在在八月下旬，兩次都在義大利中部的古城西納比賽，來慶祝在那個城市的最重要的宗教節日。

西納城的人口在平時不過六萬人，但在賽馬那一天就臨時增加七萬五千人之多，因為旅店不夠，外來人多在公園露宿過夜，或在街頭遊蕩終宵，或到酒肆買醉。比賽前夕可說是城開不夜。其實很少人有足夠的睡眠，在黎明時更有許多火車和巴士載來大批特地趕來參觀熱鬧的遠地遊客，他們結集在城中的市街大廣場上。

在西納城舉行的賽馬，實在是不榮譽的，為爭取勝利，有人不惜拿出伸值二十二萬的義幣去賄賂騎師、馬主和照料馬匹的人。在西納賄賂是最普通的行為，但是勝利者所得到的，祗是一面大的絲織旗，上面人工繪有聖母瑪利亞的像。這樣的獎品，相傳下來沒有改變，已有七百多年歷史。

在比賽舉行之前一個星期，從二十四匹馬中挑選出十匹來參加，這些馬匹在平時祗用來拖車或負重，臨時改作賽跑競快之用。

在一七二〇年之前，原有二十五匹馬參加比賽，但因場地太窄狹，有兩個騎師遇意外斃命，自後就將馬匹減少。

在西納城，有十七個地區，但祗有大的地區有資格參加，每區也祗准派出一匹馬代表參加。有時更要抽籤來決定。當比賽的一切籌備好後，各區人士相對如敵人，這種心理要到比賽完畢後才冰消。每區努力集合資金去僱請一個最佳的騎師，除出重金去賄賂好的對手詐敗之外，更派出壯士保護出場的馬匹。賄賂的情況太過複雜，有時竟不能分得出誰想收買誰。據說在第二次世界大戰未爆發之前，有一個騎師，竟受其他九個地區賄，他得到一筆大金錢，貯入在羅馬的銀行。他雖被人毒打受傷，但住醫院內，受到了保障，傷愈後，他就挾巨款到海外作富翁。

在比賽的早晨三時，每區就帶他們的馬匹和騎師[illegible]求教勝利[illegible]祝福，許多人穿着古代武士服裝[illegible]大旗[illegible]浩浩蕩蕩[illegible]萬人空巷的街道[illegible]的道路，三厨看週[illegible]一英里的賽馬路程。[illegible]

[illegible]跑到終點也算獲得勝利！

十年生死兩茫茫

力子

七七事變起，大江南北相繼淪陷，我亦轉入政府機關服務，薪俸微薄，往往不能接濟家用。她便辭退傭人，量入為出，撙節支用，家中粗細一切瑣事，如燒飯洗衣，拔縫補綴，育兒乳哺，臭而且髒如倒母親和她自己房中的三個馬子（蘇北人家房中都備有溺器，俗名馬子），每天的洗滌，都是自己操作，絕不假手外人。稍有閒暇，還要縫製兒女衣物。這些瑣碎事，如無過人的體力和經驗，都是很難勝任的。她出生於小康之家，幼年也更嬌生慣養，更不是胸無點墨的粗人，竟能體認時艱，吃苦耐勞，不怨天不尤人，實在難能可貴。二十九年，我到了T地，十二月間是我的生日，接了她一封信，告訴我家中老幼生活狀況，另恭楷抄了馮延己的一首小詞來向我祝賀，馮詞是：「春日晏，綠酒一杯歌一遍，再拜陳三願：一願郎君千歲；二願妾身長健；三願好同梁上燕，歲歲長相見！」讀後頗令我有兒女情長之感。第二年三月間，傳外我部被包圍於某地，並且說我已經失蹤，她聞言攜帶二歲幼兒不顧一切危險，一日夜急馳一百五十餘里。終於夫婦相晤，相對無言，淚流不止。又因掛念家中老小，第二天就匆匆回去了。

她的急智，也是非常人所能及的。有次我返家省親，忽見日寇來了，並且挨戶搜查，道路已經封鎖，出走已是不可能。我自知與寇相遇，一頓「修理擺平」的生活，已是吃定了。她非常鎮靜，叫我睡在床上忍受一小時的痛苦，用毛刷沾了剛燒開的滾水，滴在我的臉上和胸前，便立刻起了黃豆大的水泡。日寇來了，她告訴漢奸翻譯，說我是在出天花！嚇得日寇轉身就走了，因此逃脫了一次殺身大禍。

她的民族性強，愛國心很重，曾經掩護過好幾個我方諜報人員做工作，都很圓滿。

她先後生過一男一女兩個孩子，第三胎分娩的時候，她死也不肯進入由日寇佔據的南通縣院，只好僱用了當地的土收生婆來接生，以致發生大不幸，不及急救而去世。我得訊回到家的時候，她已死去十幾個小時。患難中的夫妻，死別猶吝見一面，眞是痛絕人寰！回憶自幼年時因誤會了她不交言十五年，結婚到她去世也不過十年，其實眞正能和她在家相聚的時間，才不足一半；且這五年中我從未陪她儘情的玩樂一次，實在是我引為終身不可補償的憾事。如果能預知她不獲永年，那怕我就一賤為販夫，貧為乞丐，也不願一時一刻的離開她。

她去世已經整整廿四年了。一人的一生有幾個廿四年？這段漫長的日子裏，變幻太大了。我悼念她在萬分悲痛之餘，仍慶幸她能先我而去，否則她如仍活在世上的話，這廿四年中不知要把她折磨成什麼樣子。如果說死而有知的話，我想她亦將慶幸我能從九死一生中逃出魔掌，更高興我能謹記她在世常說的幾句話：「男人們應當奮發自勵，自謀發展，倘賴別人幫助，僅是暫時。」我自知自力更生很少求人幫助。現在雖年逾知命，精力仍舊硬朗，有信心也有毅力，我將回到故鄉，重創一番事業，到她墓前祭掃，來告慰她在天之靈。（下）

然而為女皇而花的是否會太多？一位議員表示並非過份，因為那是女皇第一次訪問這個市鎮，市上的人應該進行適當的措施。

歡讌女皇的聚餐，大部份的廚師，所用的瓷器和食物，都是從倫敦來的。當然，如果以較廉的飯餐，招待女皇，她不會因此而感到侮辱。事後竟然出現怨言，那只有使此次訪問，留下可恥的回憶，因而感到侮辱。

人們以不端的態度對待女皇，女皇從來沒有公開發表其觀感，但是却使她深深的感到難過。像去年在根德寶里，有三位議員，因為他們為了另付出欵訪問，威脅要杯葛女皇的項縫造新衣不滿；後來這件事卒獲圓滿解決，因為女皇的其中一位私人秘書，打電話給議員的辦事處，告訴他們，說女皇想召見所有的議員，絕不介意他們穿着什麼服飾。結果，沒有一位議員缺席，這次情形相當圓滿。

於一九六四年，女皇前往科爾摩的新建息薩斯大學，一位年青的哲學講師，拒絕跟女皇共進午餐。他首先反對為午餐而花費金錢，第二，他反對為了歡迎女皇，特別清理一個地盤，並鋪上草地。但是大學的發言人表示：「那塊地遲早也要整理的，現在只不過因利

英女皇聲譽崇隆

嘉陸譯

乘便，提早予以整理罷了。」

即使女皇乘坐火車旅行，但是也難免遭受批評。有一次她回故鄉——辛德陵咸，英國鐵路局將在諾登巴倫公園火車站月台封閉，這樣，皇室列車便能直通了。因此，乘客大為鼓噪，由於那車站封閉，引致他們無法搭到這班火車。他們說：「女皇自以為什麼呢？她無權要我們久候的。」這樣便情形，其實和女皇無關，所以事後，英國鐵路局公開為此錯誤而道歉。

許多時，人們直接攻擊皇室的，其實那是與皇室本身無關，而是由於過於熱心的官員，誤會了皇室人物的意願，才招致人們的攻擊。女皇遭到人們的攻擊，亦為家常便飯。而且許多時很難受的。同時女皇的一切舉動，事無大小，均成為批評之矢。從她教養兒女之道，至她所穿的衣服，甚至一顰一笑，或不苟言笑，亦為人們所批評。有些議員，似乎花大部份時間，用於針對皇室的遊船費用、皇室火車、及白金漢宮廷的電費等。然後并實行在國會中，提出這些耗費公帑太多。他們忘記女皇，從她的年薪幾近五十萬鎊中撥付這些開支，她的年薪是從國會支付的。再者，政府每年在公地方面收入共二百萬鎊，而女皇的薪金，只佔全英國人口每人兩便士而已。許多團體，對於女皇的生活胡亂肆意批評。

在今年的春季，英國安全委員會，批評女皇在策馬馳騁時頭巾，不帶頭盔。事實上，沒有一位君主，能夠隨時迎合所有人士的意思的。

然而這位女皇已經是一位相當英明、卓著、勇敢的君王，尤其是她處於最巨變的時代，對於許多棘手的問題[illegible]應該予以原諒[illegible]而不應事事[illegible]之處[illegible]給予[illegible]崇仰。那些人無事生非，吹毛求疵之徒，應該三緘其口了。（下）

新三國　周藥譯著

曹兵無敢近者。於是劉備乃同諸葛亮、張飛、趙雲數十騎走脫。斜趣漢津，才與關羽的水軍會合，乃渡過漢水。劉琦率萬人迎接劉備駐於夏口。

四十二、赤壁之戰說關鍵　孔明魯肅導演人

赤壁之戰是三國分立的關鍵，是三分天下的轉捩點。假如這一戰曹操勝了，或者曹操聽了賈詡的話，不下江南，天下就成為統一之局，而不會三分的。所以說這一戰實在是當時分裂和統一的大關鍵。因其是三國分立的大關鍵，所以應當特別重視這一歷史決定性的戰役。

魯肅是一個了不起的人物，他是臨淮郡東城縣人。父親早喪，依祖母長大，家財鉅萬，好交遊施舍，不治家事。天下喪亂，他大散其財以濟貧困。瑜周為居巢縣長時聞其名，請魯肅資助糧草，他便隨指一囷有三千斛的米與周瑜。周公瑾深以為奇，於是與魯肅定交。袁術曾署他為東城縣長，因見袁術無綱紀不足以立大事，才攜老弱及輕俠一羣少年百多人到居巢就周瑜。周瑜渡江而南，東城劉子揚與魯肅友善，勸他去巢湖就鄭寶，因鄭寶擁有一萬之衆在廬江一帶富饒之區。他以此事告公瑾，周瑜說：「當今之世，非但君擇臣，臣亦擇君」也。周瑜將之薦於孫權，孫與談得很歡悅，宴畢獨引魯肅合榻而談，密議天下大勢。魯肅發表了他分析大局的宏論，孫權大悅，相任為信密。

孫權繼父兄之業而有江東，已有三世，在江東很孚衆望。論起資格來，却不能與曹、劉相提並論。此時的曹操已是五十四歲的人了，孫權不過二十多歲的青年人，和曹操的兒子差不多。劉備雖屢戰屢敗，始終沒有一塊土地，這不過是時運不濟。他從靈帝末年時起兵，在北方轉戰十餘年，和曹操二袁呂布等都是當時同輩的羣雄，而且素得人望，很有英名，很多人都願意歸向他。曹操見了他也有幾分畏懼。所以曹操對於孫權，既不畏懼，又不視如火水，曹操曾經使張紘「輔孫權內附」。故曹操到了江陵之後，便寫了一封帶威脅性的信給孫權，要他投降。

可是孫權那般人成為了一個集團，豈是簡單。當曹操進兵荊州劉表剛死時，他們便注意了。而且魯肅早已對孫權分析過時局，早有一個時局的主張。他對孫權說：「夫荊楚與國鄰接，水流順北，外帶江漢，內阻山陵，有金城湯池之固，沃野千里，士民殷富，若據而有之，此帝王之資也。今劉表新亡，二子素不輯睦，軍中諸將，各有彼此。加之劉備天下梟雄，與曹有隙，寄寓於表，表惡其能而不能用也。若備與彼協心，上下齊同，則宜撫安，與結盟好；如有離違，宜別圖之，以濟大事。肅請得奉命，弔表二子，並慰勞其軍中用事者，及說備使撫表衆，同心一意，共治曹操，備必喜而從命。如其克偕，天下可定也。……」

魯子敬的分析大局『共治曹操』，與孔明不謀而合，這是現實利害的共同需要。（七十三）

敬悼梅君

四十年前，上海明星公司有兩顆紅星，即顧氏姊妹，梅君與蘭君。她姊妹兩人，非特能演電影，亦擅唱平劇，因此在黃浦江頭，聲譽卓著，鋒頭極健，人所咸知也。梅君適導演徐欣夫，而敵僞時期，明星公司亦幾解體，遂離開水銀燈下，做其賢妻良母。

欣夫任中影廠長時，他夫婦卜居台中，有時也偶爾應晚會串幾次戲，多是花旦戲，頗能發揮，描摹精細。迨中影廠改組，欣夫調任閒缺，梅君到台北，票過鐵弓緣花田錯，余均得見，訝其幾似內行，祇嗓音略低，甚欽其技。後來充任某保險公司襄理，曾以語之，此項業務，必須如袁慧燹之能跑，能找關係，則每年十萬，可無問題。昨歲曾聞恭禮談及她身體不太好，急需醫治休養，不過經濟極不好，甚爲費事。月前忽聞無法醫治，竟至仙逝，殊爲可惜，深致悼念。此一藝人終於爲環境不能克服病魔，而撒手塵寰。

在現狀來講，絕對要保持健康，否則一罹疾病，醫藥之費，動輒及萬，而能否完全治愈，猶未敢必有把握。茲在悼顧之餘，爲告藝人善自珍攝，有病是苦惱萬分，不可忽之。

國劇繽紛錄

（一一八）　婆生

愛蓮演碧玉

蔣總統壽誕即將來臨，各票房多在準備演戲慶祝，以表微忱。但聽報道，是一片大登殿，有中信局票社，銘傳商專，國劇欣賞會，東方畫刊（段承潤主演），絕少其他的戲。不過祝頌之戲很多，皆因臨時不易排出，亦是無法可解。日前在活動中心看梁紅玉，晤四四兵工廠劇社社長，詢其十月有無活動，據告已定演一場，戲目尚未決定。余即請自古愛蓮參加貴社，應先儘其獻演。昨看秦良玉，晤黃香，始知已定爲碧玉簪，由她配小憲，殊爲可喜。

愛蓮自離大鵬後，即從事攻讀，深受東吳大學呂光博士的愛護，學業完成。但於劇事仍未放棄，因受徐總裁的支助，加盟海光，但因就學不能長駐在隊，深恐貽誤隊務推展，又予謙辭，改由趙原担當。也曾一度助趙培鑫演出，但終無長期的任所，不免有所悶氣。而歸宿未成，亦是一因。不知愛護她的人士，亦知此情否？

四四廠完全爲愛惜人才，邀其參加劇社，月致車馬費幾百，無非使她得有消愁解悶之道。而舊時同學黃香，徐龍英，賈厚英，皆歡迎來臨，沆瀣一氣，當可發揮其技能。久不見其演出，碧玉簪一劇，大可欣賞，同文如有願看者，請函告，當請他們虛座以待也！

曹汝霖與「五四」運動

諸葛文侯

是時警察總監吳炳湘率大隊武裝警士掩至，下令「拿人」，學生羣衆四散，當場拘得廿餘人，皆屬盲從之輩，吳總監告曹氏，「兇犯」俱已逃脫，問曹如何處置？曹謂既非兇犯，何必拘捕，不妨省釋可也。

學生羣衆既散去，被捕諸人亦交保釋放，事情粗告段落。越數日，北大蔡校長發表談話，有「民亦勞止，汔可小康」之言，學潮已趨靜止狀態。章宗祥送入同仁醫院治療，總統徐世昌以曹宅被焚，特撥故宮「團城」房屋安頓曹氏家小，曹亦每日照舊處理外交部務如故。

未幾，林長民氏忽携棺材一口，馳赴北大附近向學生演說曹氏等親日賣國行爲，指曹等不特可以簽訂廿一條件，將來尚可簽「中日合併條約」。彼等有權力置人於死地，本人激於愛國義憤，誓與曹等拚命到底，故以棺材相隨，示祈死之決心云云，學生羣聲贊和，亦言「非拚到底不可！」林氏乃替學生設計，組織全國學生聯合總會，分派代表赴各大都市策動學潮，一致要求政府懲辦賣國官員曹、章、陸三人，而徐世昌對三人之免職令乃頒佈矣。

據曹氏自述：彼與林氏交非泛泛，其所以成仇原因，一爲彼與章宗祥二人曾受林氏囑託，向徐世昌保薦爲總統府秘書長，徐謂「我的秘書長用不着磐磐大才」，婉却之，然林氏誤認曹從中破壞。二爲某年夏曆除夕前，林向曹告貸三千元，曹於新正賀年之際方如數致送，閩人習俗認此係觸霉頭不吉利舉動，寓「送窮」之意，林登時大怒，拒不受，彼此遂積不相能矣。

曹等素受段祺瑞信任，段之參戰軍軍械以及軍費暨政費等，皆恃日本供應，而以借款方式爲之，如西原借款，膠濟路、洮南路借款等等，均由曹、章、陸諸人負責進行者。段氏取得「日援」，政治地位與權力即堅强高漲，對總統徐世昌有凌逼「震主」之勢，徐甚忌憚，樂得利用學潮機會，罷黜曹等，間接打擊段氏，斷絕其外援，計亦良得。曹錕覬覦總統之位，更懼段氏權力高漲，難與抗衡，徐世昌從而縱橫捭闔於其間，而段祺瑞危矣。

曹氏對五四運動指其爲親日賣國賊之觀感，曾謂：「此事對我一生名譽，關係太大……甚至我子女上學，亦受同學之揶揄，可見中毒之深。俗語說，眞金不怕火燒，話雖如此，然在此澆薄社會，子且不能信其父，何況他人？我若不於此時表其眞相，恐我之後人亦將誤會。故我寫此事不厭其詳，但求眞實，信不信由人，我總憑自己的記憶，將此事之眞實性報告出來，亦可使良心稍安而已」。

自五四運動後，曹氏即退出政壇，固爲時勢所使然，良非得已。但證以對日抗戰時期，曹氏滯迹北地，而始終未受日本脅持，担任華北僞政權之重要職位。戰後國府還都究問叛國份子甚嚴切，然曹氏亦不在其列，則世人誤認其爲親日賣國人士之眞實性如何，殆可想見。當年參預五四運動之文教界人士，健在者猶不鮮，對曹氏紀述此役經過情形，必能鑑別其中眞僞孰多，藉供史家採擇，是則曹氏自傳之作，未始無益也。（下）

慈母憶語

紫君

我眞不知媽媽是怎樣做的，有時我放學回家，見媽媽太辛苦了，想幫她做點事，但她馬上阻止，要我去溫習功課。媽媽不但針綫做得好，而且更能做一手好菜，凡到我家做長工的，都說吃的好，住的好，不願離去。爸爸受媽媽的感召，不但很少喝酒，而且非常勤勞。街坊閒談，無不欽佩母親的能幹。

卅四年秋天，抗戰勝利，家鄉被赤共竊踞，爸爸在祖父命令及母親督促之下，離家逃到青島，家中的事情，由母親一手掌理。到卅五年冬一天，共幹醞釀要開始清算鬥爭。祖父聞聲逃走。共幹就用卑鄙的手段，冒充母親和我的筆跡，三番五次的寫信，把父親騙回來。剛一到家，就被共幹扣押。並接連着清算鬥爭了五次，家產全部被搶光，房屋也被沒收作爲學校及監獄。到卅六年六月底，共幹開始那慘無人道的流血鬥爭，父親被慘殺。母親把我的兩個妹妹，暗中託付給伯母和姨母，自己帶着我，跋山涉水，從九死一生中逃到青島；在米珠薪桂、舉目無親的境況下，母親任勞任怨；給人做工，來供給我們讀書。

三十八年，青島撤退，母親要我隨軍離開。我因年齡太少，不願離開母親。母親再三曉諭，我堅決不走。母親說：「你是我的孩子，我的心肝，難道我還希望你離開我嗎？但爺爺只有你一個孫子，全家的希望，都寄託在你身上；我這些年來，吃這樣多的苦，受這樣多的難，就是爲的你，爲的給任家，保留一條命根；你不走我們全家都被赤共殺光了！」

「全家都被赤共殺光了，我活着還有什麼意思？要死，我與媽媽死在一塊，我絕對不走！」

「好！你要死，我現在就去撞死！沒想到你這樣不聽話，我這多年的心血白流了！」母親不禁痛哭流涕。

我見母親悲傷不已，內心就軟化下來，流着眼淚，向母親拜別。

一別十七載，思親淚已乾。興思念慈母，柔腸寸斷。天涯與海角，不知何日見。虔誠求上帝，佑我慈母安。他日復故土，實踐心頭願。（下）

重陽雜話

漁翁

舊曆九月九日，古人日以月皆値陽數，因名重陽，遂以爲節。重陽二字，見於屈原楚辭遠遊篇：「集重陽入帝宮兮。」其後魏文帝與鍾繇書：「歲往月來，忽復九月九日，九爲陽數，而日月並應，俗嘉其名，以爲宜於長久，故以宴饗高會。」是則重陽之名，由來尚矣。而重陽之故事繁多，茲舉二三，以作酬節之品。

桓景避災：桓景，汝南人，隨費長房遊，長房謂曰：「九月九日，汝南有大災厄，急令家人縫囊盛茱萸臂上，登山飲菊花酒，此禍可免」。景如其言，舉家登山。夕還，而雞犬牛羊，一時暴斃。長房曰：「此可代也」。因此，後人每於九日而有登高之舉。今更作爲爬山運動，故名之曰：「體育節」。

孟嘉落帽：孟嘉，晉江夏人，字萬年，爲桓溫參軍。九日宴龍山，風吹落帽，嘉不之覺，溫令孫盛爲文嘲之，嘉答之，其文甚美，四座歎賞。今人往往於重九而作文酒之會，亦援龍山之故事也。

王弘送酒：陶潛嗜杯中物，但九日無酒，徘徊籬邊，悵望久之，忽見白衣人至，乃王弘送酒使也。喜極！即便就飲。陶固曠達，王亦善解人意，至今猶傳爲佳話。

滕王閣宴會：唐初，閻伯嶼爲牧洪都，即今之江西南昌，重修滕王閣告成，於九月九日，大宴賓僚於閣上，先囑其婿吳子章撰序一篇，滿擬於宴會席上，當衆以炫耀其才華。不意王勃因省親過此，亦在被邀之列，當閻請衆賓作序時，王不辭而把筆成章，寫至：「落霞與孤鶩齊飛，秋水共長天一色」兩句，閻乃歎曰：「此天才也」。這篇駢文，雖仍不脫六朝艷麗之窠臼，而爲後人所口誦心維不已！

重陽糕：據五雜俎載：「九日作糕，自是古制，今江浙以北尚沿之。閩人乃以是日作糕，與端午間同，不知何取也。」古詩云：「蒸出棗糕滿店香，依然風雨古重陽；織工一飲登高酒，星火鳴機夜作忙。」又嘉話錄載：袁師德，給事中高之子，九日有客至，出糕謂坐客曰：某不忍，請諸公食」。蓋以父名「高」，故不忍食糕。傳爲笑談。

筆者客香島，已歷十七寒暑矣。在十年前的今日，曾登過太平山，寫了七絕三首，記得是：

白雲紅葉報秋還，佳節思親兩鬢斑；覽勝登高何處是？蒼蒼只有太平山。

憶昔龍山幾度登，黃花時節在江陵；而今放步層巒上，望國思家感不勝！

踏遍孤峯水上浮，此身今在最高頭；陶然覓得中山酒，事大如天醉豈休。

著名女間諜

姬麗絲妲的故事

○賀譯○

曾寧探長跟金棻力上校詳談了很久，他們都認爲那件謀殺案是含有政治意味，敵人？地點？時間？如爲舊日的納粹敵人，爲什麼他們要等到一九五二年才動手呢？現今的敵人？也許是蘇維埃波蘭？但有什麼證據，除非疑兇茂爾杜尼肯照直講話，他是受誰所僱呢？

在姬麗絲妲的證件上認爲最接近的親人是堅尼地少校，也去見曾寧探長，他說很抱歉來遲了，他曾自動去殮房。他仍頗動，因受了極大的打擊，沒有人問他是否愛上姬麗絲妲，但每個人都同情他的恐傷的遭遇。

曾寧探長拿出到比京的飛機票給堅尼地少校看，少校承認他確曾約定姬麗絲妲飛往比京，但後來他接到電報說延遲行期一日，堅尼地很不明白爲什麼要改期，曾寧探長就打電話問航空公司，據報姬麗絲妲曾向航空公司職員說，她因疲勞過甚，需要一點休息。」堅尼少校不相信此說，他認爲姬麗絲妲她不會疲倦的。在詰問中堅尼說出他在一九三九年初遇姬麗絲妲，他們在英國情報局服務，後來同用降落傘降到匈牙利去。堅尼在沒有問及她的過去，但她曾告訴他，到過怯尼亞獵捕獅子，担任英國與波蘭的反間諜工作，跟波蘭邊境有聯絡。她扮一個德國報紙通訊員，後來她扮一個農婦回到波蘭首都華沙活動，他就跟她失去了聯絡。他回到倫敦，從逃難到英國的難民中，聽聞有一個婦人在波蘭進行地下工作，幫助俘虜逃走，那個婦人無疑是姬麗絲妲。後來英情報局接她到英駐土耳其使館，等候堅尼地少校在一九四五年重遇姬麗絲妲於義大利，有一次她跟幾個義大利遊擊隊隊員出動，爲德軍所圍捕，她被命令舉起雙手，但在她的每隻手上拿着一枚手榴彈，她對德軍說：「不要動，否則我將把你們炸成碎塊。」德軍駭極就讓他們從容離去。在戰後我們仍有來往，在幾年前她問我可否認做她的親人，因爲她已沒有家人或是最好的朋友。她最不喜歡談及過去的事，特別是她的功績，她是一個十分謙遜的人。

茂爾杜尼的供詞極少，他說那是爲了愛情，此處別無動機，他促速將他判罪處死，雖然兇手的口先是不盡不實，但沒有直接的證據，他是受共產黨或前納粹黨派出來謀殺姬麗絲妲的，查茂爾杜尼曾跟姬麗絲妲同乘船到東非，後來她躲避跟她在同一艘船工作。（八）

內政部台誌字第○三一○號內銷台

自由報

THE FREE NEWS

第六九八期

中華民國僑務委員會頒發
台教新字第三二三號登記證
中華郵政台字第一二八二號執照
登記爲第一類新聞紙類
（半週刊每星期三、六出版）
每份港幣壹角
台灣零售價新台幣貳元
社長：雷嘯岑
督印人：黃行審
社址：香港銅鑼灣高士威道二十號四樓
20, CAUSEWAY RD 3RD FL. HONG KONG
TEL. 771726　電報掛號：7191
承印者：大同印務公司
地址：香港北角和富道九六號
台灣分社
台北市西寧南路壹壹零號二樓
電話：三〇三四六
台郵撥儲金戶九二五二

越局的和、戰、拖

·彭樹楷·

莫斯科和北平的關係以及莫斯科和華盛頓的關係，一直彼此有着重大影響。這影響，表現在越南戰爭尤爲尖銳。除南、北越兩當事者外，他們三者的關係，直接左右着越局的和、戰、與拖，也直接影響着動盪的世界局勢。

因爲詹森不是甘迺廸，毛澤東不是赫魯曉夫，所以越南不同於古巴，所以「快刀斬亂麻」的辦法不容易從美洲搬來亞洲，所以越南戰場上不太可能出現「急進勇退」的局勢，所以自一九五〇年毛共開始軍經援助胡志明、一九六三年毛共軍事顧問到達北越以來，越局一直陷於和、戰、拖的局面——和又和不成但仍不放棄謀和心願，戰又不敢大打一場但仍各調兵遣將，拖又拖不下去雙方都想求取光榮的結果。

就這樣，越局便膠着在苦撐、苦熬、苦等、苦戰、苦和、苦拖的痛苦陷阱裏了。

這正符合毛澤東的最佳利益了，也使蘇俄暗喜和暗憂。但，却苦了越南軍民，苦了美國子弟，也苦了志在剷除毛共禍根的自由亞洲人民了。

胡志明是當今倖存於世的老共產黨員，也是曾經飄洋過海喝過洋水的高級知識份子，他心裏當然也有他的理想和他的國家觀念，也當然了解莫斯科與北平兩大共黨的主要爭執的「民族解放戰爭」的不同意義，當然更明白美國的國家目的、國家政策、以及包括強大軍事與科學工藝的國力。因此，胡志明的內心，在此時此地，並非不想以和平方式結束越戰——免得到最後出現「只有國土、沒有人民」的悽慘局面。目前，已經超過二次大戰期間全部炸彈總數的炸彈落在小小的越國土上，並有各新型化學與生物戰劑投了下來，使得許多森林只有樹幹而無樹葉，有些農田只有禾桿而結不出谷粒：：所有這些，胡志明不會不明白的，這便是「以戰迫和」。

胡志明是越南人、越南屬於東方，東方人都有東方的哲學素養；「以戰迫和」是歐美人的精思，不合乎東方人的胡志明的思想，也不符合所有亞洲人的思想——亞洲沒有臣服於武力的紀錄。大戰期間日本慘炸重慶激起中國人抗戰到底的高昂士氣便是近例。日本至今每年紀念原子彈悲劇也是一個說明。這些，美國應該明白的。因此，美國應該給予胡志明機會和環境，讓他樂於和談並有勇氣擺脫毛共而敢於和談！否則，就應該速戰速決揮軍北伐並「擒賊擒王」地摧毀毛共政權！

和既不成，拖又不是上策，唯一的方法，便只有開闢第二乃至第三戰場，即使冒與蘇俄核子大戰也在所不惜！因爲長痛不如短痛！更何況史達林所建立的共黨大一統局面已分裂爲親俄、親毛、以及獨立的中間派別，再加上核子互毀的顧慮，蘇俄是否願意支助共黨叛逆的毛共掀起核子大戰、墜入毛共千方百計誘使美俄核戰俾坐收漁人之利的計謀呢？那末，美國還有什麼顧慮？爲什麼不及時動手，一方面聯軍直迫北越，一方面供應飛機大炮支援中華民國反攻大陸，一方面支助南韓北進，同時加強印度邊防，更爲重要的是贊助亞洲反共大聯盟用作亞洲反共強有力的堡壘。如此這般，利用「紅衛兵」在大陸正鬧得天怒人怨之際，豈不「勢如破竹」地一舉便可摧毀毛共小集團麼？

鑒於越局的主要參與者之同床異夢而又各自矛盾重重，世界局勢也由美、俄兩國經歐洲、美洲、非洲移來亞洲，並由美、俄兩主角演變至美、毛，蘇俄却或明或暗地退居中立的配角地位。蘇俄與美國關係的改進，美國與毛共、蘇俄與毛共關係的惡化，美國以應掌握得住越局和戰的主動！因爲美國與蘇俄似已協同維持和平共存路綫，而在和戰方向又因與毛共在明顯的異途，胡志明近來的與蘇俄接觸頻繁，在在都予美國以有利的時機，爲什麼美國還顧慮着不敢能大膽地戰或是勇敢地和呢？是美國國內意見尚待協調和國際輿論尚未成熟？還是莫斯科一面強調「社會主義陣營團結」一面警告美國「不得玩火」的言詞所恫嚇？美國已經擺好空前強大的作戰陣式，並在世界性的軍事佈署中作好了一切準備，那就甘願讓那原始、野蠻越共把世界第一流的美軍拖住手腳？當我看到美國直昇機在越共區上空吊回一具美軍屍體的照片時，我會流出老淚；當我看到新式配備的美軍身背大刀出入越南叢林地帶的照片時，我不禁爲這些英勇的美國子弟致以敬意！廿多年前，我曾與美軍併肩作戰，他們的國家榮譽和他們的熱情豪放，至今仍留有難忘的記憶；特別是他們那種不畏強禦和艱危、不怕暴力和犧牲的正義感，尤令我敬佩不已！因此，我深信，在正確的領導下，他們是不辱使命的！那末，爲什麼不讓他們發揮潛力打次響亮的大仗以結束越戰呢？

飢荒恐怖

如此「革命」

看這個瘋子

今日與明日

毛林小集團陷入進退維谷中

毛澤東林彪所開展的「無產階級文化大革命」以來，由於倒行逆施，蠻幹得愈來愈離譜，所以其處境亦愈來愈壞，不但當權派一穩住由毛奔左右一小撮人控制政權的效果，反而是眾叛親離，愈來愈亂，愈來愈糟。

毛林小集團在其內部，也像在國際間一樣，愈來愈孤立。其黨政組織機構已完全陷於癱瘓，由北平到地方已形成一片混亂。鄧小平「不穩」，陳毅、李雪峯、吳德和蕭望東在「紅衛兵」一貼出的「大字報」上均受到攻擊。劉少奇這個受「保皇黨」擁護的「當權派」自從「文化大革命」一開始，就是毛林小集團亟欲「鬥倒、鬥垮、鬥臭」的第一個對象，但到今天毛林小集團仍未敢對他下手。可見，被毛林小集團視爲「反黨反社會主義」的「黑幫」勢力太大了，他們的「黑綫」縱深發展交織於整個大陸。所以今日騎上虎背的毛林小集團，已陷於進退維谷的窘境中，因此，其行徑也愈來愈混亂。

劉少奇「黑幫」已使毛林小集團深感棘手，再加上鄧小平的勢力，反毛的「當權派」比前更爲雄厚了。「紅衛兵」攻擊陳毅，正如他們在「大字報」上攻擊王光美一樣，乃是別有所指的。陳毅被攻擊，可視爲攻擊周恩來，王光美挨「整」可視爲針對劉少奇。

毛共華北局第一書記李雪峯調兼毛共北平市委第一書記，毛共吉林省委第一書記吳德調充北平市委第二書記兼代北平市長。以他們二人爲首的北平「新市委」，如果不是林彪的親信，根本就不可能出任這份職務；但曾幾何時，他們也成了「紅衛兵」的「革命」對象，也可見毛林小集團的忠實走卒也不可靠了。

蕭望東原係南京軍區政治部「首長」，是林彪的心腹，所以，於陸定一被整肅後，調他出長僞「文化部」。然到今日他也「反」了。

在地方「反黨」的「當權派」除了中南地區林彪爪牙較多尚未出現較突出的「反中央」情況外，其他地區，如東北、西北，西南和華東，均有反毛反林建立「獨立王國」的跡象。只是未徹底決裂，還未發生「內戰」而已。

就這些已經夠毛林小集團頭痛的了，如果再加上共軍中的原「一野」、「二野」和「三野」這三個系統的陣營中去，毛林小集團的「司令部」不用炮打，就會完蛋的。

惟一毛林小集團在四面楚歌中「永遠忠於毛主席」、「堅決響應林彪同志號召」的僞「紅衛兵」，他們（或她們）都是些乳臭未乾的無知小孩子，即或把他（或她）們編入共軍作「後備軍」，一旦共軍不穩時，這些根本沒有思想的小孩子，即或不起來「造」毛澤東的「反」，也必混亂一團一哄而散。（何如）

自由談

談「惡性補習」

所謂「惡性補習」這個怪名詞，只是在台灣很流行，別處未之前聞也。

實施惡性補習這玩藝的，盡是些小學和初中教師，助成這種怪現象的主要原因，是屆時應該升學的人數太多，而容納量太少，供求律既不平衡，然一般家長又盼望自己的兒女們能夠升入較好的學校。同時，中小學生的課程負担又奇重，即令天資甚高的學生，亦不容易樣樣都能及格。於是乎一般中小學教師弄外快的機會來也！他們爲着大開補習之門起見，有如缺乏醫德的郎中，故意使病患人不康復，非繼續求醫不可，等候竹桿敲夠了纔罷手。搞惡性補習的教師亦然，平日對學生教課隨便對付，曠棄職責，留以有待，臨到學生畢業之年，相率施展「補習」工夫。爲求遂這項黑市生意興隆，且不妨礙公開的教員職務，所謂「惡補」時間，多在夜間九至十一二時，可憐一般童稚的小學生，每天睡眠不足，用腦過度，無形之中，心身深受殘害，影響健康最甚。如此的教育怪象若不剷除，將來中華民族的兒女們，勢必成爲不折不扣的「東亞病夫」，學問再好也不中用了！

剷除「惡性補習」的根本方法，須從改善學制着手，廣泛的增設學校，嚴格的培養、甄審師資而外，減少小學和初中若干不必要的課程，公私立學校收費的標準不宜太懸殊，教師待遇亦一律。憲法規定人民有享受基本教育之權利，政府對於小學和初中，尤其應該大量擴充，根據人口比例，做到供求平衡，後然實行小學畢業生免試升學制，這樣就自然而然地可以掃蕩惡性補習的乖戾風氣了。

不能改進學制，增設學校，且合理的訂定中小學課程，而但知痛惡「惡性補習」之風，教育機關像煞有介事的派員查禁，這都是揚湯止沸的空事，徒不切實際的廢話，亂人意而已。民國肇建迄今已逾半世紀，咱們國家最失敗的政治建設即是教育，沒有宗旨，也無原則和重心，不是好高騖遠，便是急功近利，任意胡來，莫名其妙，惡性補習的惡作劇，良有以也，豈偶然哉！

馬五先生

嘉義地方法院前任檢察官 李兆欣偵辦護士謝夏命案 監委調查認有偽造草率嫌

（本報嘉義通訊）嘉義地方法院前檢察官李兆欣，因偵辦女護士謝夏命案之被告劉堂坤、李發妨害風化等案，涉嫌違法瀆職，經被告劉堂坤之妻劉林瑞霞向監察院呈訴之後，監察院會於去年夏間派楊委員至嘉義調查並提出調查報告，該案現由監察院依法處理中。

該調查報告認為：檢察官李兆欣在承辦該案時，有「偽造渲染案情」，「對案件之處理，亦嫌草率」，並「忽視人權保障」等情節。調查報告指出：作證為國民應盡之義務，非依法令不得拒絕。刑事訴訟法中，對無正當理由拒絕證言者，已有處罰明文。而李兆欣始則故施有損黃瓊雲（酒家女）自尊心與顏面之問話：「妳（酒女）有沒有摸他（劉堂坤）生殖器？」「有無包皮？」「在玩前有無摸妳？」脅致黃女無法啓齒；繼則，以「妳認為損妳的名譽，可拒絕證言」為誘迫使黃女答稱，我不願作證。顯有「意圖取供而施強暴脅迫」之罪嫌，並觸犯刑法二十九條、一六八條之教唆偽證罪嫌。檢察官代表國家行使追訴之權，但必須無枉無縱。如欲無枉無縱，將視調查證據之是否週詳而定。李兆欣在承辦劉堂坤一案時，案情尚有待繼續查證，重要證物尚在送往日本鑑定時，即遽行提起公訴，此是否足以證明其別有用心，忽視人權？

調查報告並根據法院偵查案卷，及查詢李兆欣之談話筆錄列舉事證，說明其如何之不法。

本案發生於五十三年七月十八日，經李檢察官偵查後，於同年十一月九日，依偽造文書及強姦殺人罪提起公訴，案經嘉義地院刑庭審結，於五十四年五月廿九日依公訴法條，判處被告劉堂坤死刑。被告不服，乃向台灣高等法院台中分院上訴；台中高分院於同年七月二十七日亦判處被告死刑。被告旋即向最高院上訴；最高法院認為被告劉堂坤上訴有理由，於同年十一月十七日判決：被告劉堂坤妨害風化及執行刑部份撤銷，發回台中高分院。

最高法院撤銷原判而發回台中高分院的理由為：「按犯罪事實依證據認定之，不得以推測之詞持為被告犯罪之證據。」因為起訴書與一二審判決「認定劉堂坤實施強姦（女護士謝夏）之手段係預置麻醉藥劑，設詞誘騙謝女登樓至其臥室，先以有揮發性麻醉劑，強加謝女之口鼻，使之暈倒，不能抗拒，繼即對之姦淫等情」。姑無論所謂揮發性之麻醉劑，根本不舉其名，僅以開棺檢驗時之香味而揣測為使用有揮發性之麻醉劑；查藥劑中有無不須被麻醉人之合作而能使人一聞即行暈倒之藥劑，原審亦未加以調查，職權能事尚有未盡。且該項麻醉劑，既非口服，亦非注射，僅祇一聞之下，其香味能否在體內維持數日之久，不無疑問？」今竟「據此推定上訴人（劉堂坤）使用有揮發性之麻醉劑，將謝夏暈倒，殊難謂無違誤。」

至於劉堂坤殺死謝夏的動機，起訴書與一二審判決認為「恐事發張揚出去，影響其身分及名譽，乃萌殺人滅口之念，遂對之注射多量之巴比特魯安眠藥針劑，偽裝其係吞服安眠藥魯米諾自殺，將謝女抱回樓下護士值日室，放於謝女睡覺之原床上云云。查被害人（謝夏）與另一女護士楊淑在護士值日室同床睡眠，是夜上訴人（劉堂坤）回院時，楊淑、謝夏已先後就寢，門已閂好，且係內閂，門外面不能開啓，以及發見被害人服毒時，被害人之衣裙俱已更換各節，均屬不爭之事實，查上訴人究用何種方法誘使死者上樓，已滋疑問」，「尤其將被害人送回後，上訴人如何能將該值日室門之內閂閂好，更屬不可思議。凡此種種事實，均未明瞭，率行定讞，已不足以昭折服。」

劉堂坤強姦謝夏部份：最高法院判決指原審法院「否定謝女陰戶之血塊為月經，但未進而查明正常月經之意義，以及謝女生前月經是否正常，遽行否定為月經血塊，亦屬審判期日應調查之證據未予調查之違法」，而被譽為「一毛破案」之一毛問題，由於刑警大隊「並未作澈底之鑑定，原第一審檢察官，雖又將該項與謝夏陰毛不同之一根陰毛送往日本科學警察研究所作進一步之鑑定，而其結果僅稱該陰毛，與上訴人（劉堂坤）之陰毛色調類似而已。所謂色調，究應作如何解釋？是否足認為完全相同？是仍有進而求證之必要。次查原第一審（嘉義地院）判決，及檢察官（李兆欣）之起訴書，均認定上訴人為謝夏注射巴比特魯係在行姦以前，注射之原因為達到姦淫之圓滿目的；第二審（台中高分院）又變更起訴事實認為注射在行姦後，殺以滅口，究其理由亦僅以推測之詞而為論斷，未據述明所憑之證據，尤不足以昭折服。此與適用法律關係極鉅，應併予注意。」這就是所謂一毛破案的眞象了。

行使同意權 三分鐘完成

台北地方法院檢察官致立監兩院的公函相當簡單，內容除了委員的名字不同而外，其餘完全一樣。這封公函是九月二十三日分別由專人送交立法院長黃國書和監察院院長李嗣璁的。當天，正是立法院舉行第三十八會期第一次會議，由行政院嚴院長列席作施政報告並備質詢。接着，舉行秘密會議，由黃國書院長宣讀台北地方法院檢察官北檢寒字第一一二七一號公函，該函這樣的說：「五五年度貪偵字第二七六六號一案，牽涉貴院委員徐君佩、姚廷芳、劉景健等三人，將予傳訊，必要時將予逮捕或拘禁。是否同意，請查照見覆。」黃院長宣讀完畢後，並徵求院會「有無異議，沒有異議通過。」前後不到三分鐘，出席委員以鼓掌通過，時為九月二十三日上午十一時正。黃院長即宣佈散會，下午繼續開會並質詢。這是立院行使同意權速度最快的一次。

透視立監委涉嫌商行賄案（三）

從監察院第十四次臨時院會決議案說起

——本報記者張健生

立法院秘書長尹靜夫以最快速的行政效率，在五鐘內便完成覆文手續。同時，立法院新聞室主任修汝慶也充分發揮與國會記者合作的精神，不但立即宣佈立委名單，而且早在前幾天便協助「國記」解決若干涉嫌立委的照相問題。立法院在八分鐘內，完成同意台北地方法院檢察官於必要時逮捕拘禁三位涉嫌賄案的立法委員。立法院覆檢察官的公文是五五台議字第二一二七號，覆文說：「貴處五五年北檢寒字第一一二七一號函敬悉，經提第三十八會期第一次秘密會議議決：許可傳訊本院委員徐君佩、姚廷芳、劉景健等三人，並於必要時予以逮捕或拘禁，特覆。」

為什麼要找我

涉嫌油商行賄案的三位立委，只有劉景健委員一人參加該次立院院會。當立院秘密會議結束後，劉景健在會場內告訴幾位立委好友說：「我每月只拿植物油公會的顧問費二千元，為什麼他們要找我，而不找拿更多錢的人」？

他沒有進一步說拿更多錢的人是誰？他對着週圍的各報記者說：「因為我和周烈範（植物油公會總幹事，現任國大代表，早經法院偵訊而羈押）是同鄉，我過去担任國民參政會參政員，曾對周烈範幫過忙。到台灣後，這幾年情況稍差，周烈範為我在植物油公會當一名顧問，每月拿二千元顧問費。」……「我自己去找檢察官解釋。」……「這是不公平的。為什麼要來找我，為什麼要來找我。」他一面走一面對記者說：「你們平常在立法院，可以看出任何會議，我說過話沒有？如果有，當然是我不對。我從來沒有替他們講話，可以從會議記錄查出來。」

一九六六年國際共產黨的一般情況和民主國家反共的形勢

△何浩若▽

何況事實已經確定，蘇俄是一個共產國家，美國是一個反共的民主國家。說到民主國家的反共形勢，我們就必須面對事實來研究美國和蘇俄對抗的力量。

甲、美國和蘇俄對抗的力量

英國有一個私立的研究機構叫『戰略研究所』（The Institute of Strategtc Studies）是一個國際研究中心，從事國防世界安全和裁軍問題的探討的。這個研究所有一個包括十三個國家的研究委員會和研究員，並且可充份使用英國駐外武官所獲得的情報。這十三個國家當然都是民主國家，如英國、美國、西德、加拿大、和印度等國。但是因為有英國政府的協助，和充份供給情報，這個研究所所公佈的材料，是相當有力量而且可靠的。戰略研究所每年要公佈一次各強國兵力和武器的數字，並且與前一年的數字作一比較。『戰略研究所』所公佈的一九六六年美國與蘇俄武器和兵力的數字如下表（最後）：

戰略研究所的報告還作了一些補充說明，一九六五年的洲際飛彈數字美國和蘇俄是四比一。一九六六年的數字是三比一。理由是因為蘇俄的飛彈增加了百分之四十，而美國的飛彈因為一部份舊式的報廢，數目反而減少了七十一枚。補充說明指出蘇俄洲際飛彈的殺傷力大過美國。蘇俄最大的彈頭約等於三千萬噸炸藥。美國大多數的洲際飛彈彈頭僅等於一百萬噸炸藥。潛艇所發射的北極飛彈便祇有一百萬噸。據說美國的（Titan — Twos）『迪頓二號』有五百萬噸至一千六百萬噸炸藥的彈頭。但是也不及蘇俄的三千萬噸。有關軍隊的數字，蘇俄方面包括華沙公約會員國，但不包括中共。美國方面，則包括北大西洋同盟國。戰略研究所也提到中共的兩次核子試爆。但是調查報告說中共在最短期內，還不會有核子彈輸送的工具。報告說中共在西藏建築了二十五個機場，有兩個可以降落輕轟炸機。中共現在僅有極少數的TU4中程轟炸機，而且已經陳舊，是無法輸送核子彈的。在這裏我們只能依據英國戰略研究所的調查，報告美俄兵力的比較。這一年一度的報告，要到一九六七年一月才能看到。到那時候我們才能知道雙方在一九六六年的發展。我們相信和平的人類，並不需要核子戰爭。我們認為人類要獲得最後的和平，也必須反共。民主國家必須在避免核子戰爭的前題下進行反共。讓我們再研究一下在如此條件下的反共形勢。

乙、在避免核子戰爭的條件下看民主國家反共的形勢

蘇俄倡導和平共存，因而引起中共的不滿，要以暴力完成世界革命。毛匪澤東在『列寧萬歲』的小冊子裏面說：『要在人類文明的廢墟上重建光芒萬丈的文明』。至少在表面上講，贊成核子戰爭的不是蘇俄，而是中共。就事實上講，不論蘇俄所講的和平共存是眞是假，不論蘇俄已否放棄共產主義的世界革命，祇要美國有相等的，或優越的核子力量，來阻遏和報復蘇俄，蘇俄就不敢發動核子戰爭來完成世界革命。中共雖高唱暴力革命，目前還沒有輸送核子武器的工具。這當然是時間的問題。但是民主國家還有時間來解決這一個問題。我們相信先要有民主，然後才有和平。因為民主政治是由大多數人作主的。大多數人絕對愛好和平反對戰爭。共產國家是不民主的。獨裁的國家，終必走上戰爭的道路。我們相信美國是一個眞正民主的國家。美國本身不會發動核子戰爭，而且有力量防止蘇俄發動核子戰爭。但是美國為了求得人類的和平必須反共。今天危害世界和平倡導暴力革命的不是蘇俄，而是中共。如上所述，一九六六民主國家的反共，應當是如何摧毀中共暴政的問題。

一九六六年美國與蘇俄兵力比較表

（括弧內係一九六五年數字）

項目	美國	蘇俄
洲際飛彈	八五四（九二五）	二七〇（二〇〇）
艦艇發射之飛彈	五四四（四八〇）	一二〇（一二〇）
中距離飛彈	無	七五〇（七五〇）
長距離轟炸機	六二五（六三〇）	二〇〇（二〇〇）
中距離轟炸機	四三〇（五八〇）	一二五〇（一四〇〇）
各型航空母艦	四八（三七）	無
巡洋艦	三一（三三）	二〇（二〇）
驅逐艦	五九一（九三）	二六八（一三〇）
舊式潛水艇	一八六（一八一）	四一六（四四三）
核子潛水艇	六二（五四）	四〇（三〇）
現役軍隊	四，九六一〇〇〇	五，八三〇，〇〇〇
	北大西洋公約 二，八九六〇〇〇	華沙公約 二，九二五，〇〇〇

（七）

瀛海異聞談

環球最大規模的動物

·桑雅·

　在美國加里福尼亞州聖廸高城的聖廸高動物園，可算得是世界上最大的動物園，畜有五千多隻獸物，種類不下一千五百種。那些獸物沒有被鐵籠所禁，像在天然的山野環境，遊客拍一幅相片，誰都相信那是在眞正的森林中所拍得的。在那個動物園除注意到所畜養的各種獸物，務使差不多應有盡有之外，更注意到所種植的樹木和花草，他們是不吝惜金錢的，像有一株大棕樹，從外處搬運來種植，費用是五千元。講到那個動物園的財產，價值在六百萬元與七百萬元之間，在五十年前開始時幾乎不需用一文，但今年的開銷費預算是五百六十萬元。依據過去的記錄，遊客每隔五年就增加五十萬，在一九二五年有遊客二十三萬九千名，在一九五五年是一百三十四萬七千名，在一九六〇年是一百九十五萬二千名，在一九六五年加增到二百二十五萬二千名。現今那個動物園主事人因爲遊客續增，就撥款四十萬建築一個大的停車場。

　現在那個動物園的工作人員有四百名。那裏有一個很大的冰箱，除貯藏大量的肉食之外，更有蔬菜和魚類，足夠充那些動物頗久時間的飼料，不愁在缺貨時漲價。可見一切都有過詳密的計劃。

　聖廸高動物園的成立可以說是很偶然的。在一九一六年，巴拿馬、加里福尼亞國際展覽會在聖廸高擧行，經過兩年後閉幕。在會的最後，[illegible]差不多要蝕本，所以解散時就很混亂，有許多隻從巴拿馬運到的鹿竟沒有人要。眞是巧合，在海洋灘的娛樂場的動物園的主人因經營失敗，避債離城，遺落許多野獸，無人照料。聖廸高城的韋知福醫生知道這兩件事，就分頭接洽，願領養那些遺人遺下的動物；他又向巴爾布公園請撥出一塊空地來收容，公園管理局就給他一塊荒蕪不堪的地方，在其間有許多峽谷的。

　韋知福醫生曾任聖廸高動物學會會長二十五年，他決意在聖廸高設立一個大規模的動物園。他旅行美國各地參觀所設的動物園，都認爲不足借鏡；他隨即採悉在德國[illegible]靈眞的動物園，各種獸類都沒有用籠來關，牠們在巖穴間棲宿，用深坑相隔，不[illegible]越得過。韋知福醫生就籌得二千元，在峽谷闢建一個假山的畜獸場。這就使到聖廸高動物園聞名，同時在美國的其他動物園也[illegible]仿效。

　但是設立一個大動物園需要一大筆經費，幸得韋知福醫生是一個很有頭腦的人，他想出種種籌款和維持的方法。他是在聖廸高最有名氣的醫生，他善於詞令，結識許多富有的人，就向他們捐款，又向普通人請求捐一些建築材料，或在空暇時間幫助建築的工程。他又向各牧場捐贈所畜一些野獸，又從海員得到一些從外地帶回的小野獸。韋知福醫生又借出許多種動物給製片場拍戲，收回的租金。他常跟經營野獸買賣的商人交換獸類。他所養的野獸都極多營養的，他是第一個人用魚肝油來飼獅子的。他又常出高價徵購各種動物。該動物園曾自去捕海豹，更將多餘的售給別個動物園。除開支外，他們還賺錢不少。

　在聖廸高動物園內，有許多野獸是由美國獵人在非洲、亞洲或南美洲獵捕得來，特別廉價售出的。更有一個很大的笑話，在早年，韋知福感覺到在任何一個動物園內，若果沒有大象，就不成一個動物園；他就向美國著名打獵家法蘭北克定購兩隻。當這兩隻大象自印度運到聖廸高後，牠們不肯上卡車，韋知福知道印度大象的脾氣，他就騎上其中一隻象的背上，另一隻隨行，經過繁盛的街道，到動物園去。照訂單貨到後就要付錢，當時那個動物園不夠錢支付；韋知福就走去見百萬富翁施貝高商量，施貝高問那兩隻大象是否比他本人所畜的幾隻象更白色，韋知福醫生因需款孔急，就隨便說是。施貝高答應在第二日去看，韋知福醫生不知應如何應付，他就叫人搬到幾大桶白色的粉，塗在那兩隻大象的身上，除了牠們的黑色眼睛和粉紅色的口唇之外，全身都變成白色。施貝高到來看見了，[illegible]遇到最大的戲謔，他就簽了一張七千五百元的支票給韋知福醫生。

　在聖廸高動物園內附設有一個小動物園，專給小孩們跟所畜的不會傷人的小獸物一同遊戲。聖廸高動物園除去給成年人與孩子許多的樂趣之外，它也是一個小型的世界，假如小心研究，教會給我們的許多關於獸類也關於人類的事物。

助人的快樂

雷也同譯

　賀蘭斯·曼尼經年累月地計劃，把他的家庭改造成孩子們的樂園，他說：「如果把所有金錢和勞力花費在一個孩子身上，那也不算浪費。」他的理想已逐漸實現。

　後來一個慈善家問道：「親愛的曼尼先生，你說所有的奉獻只救一個孩子也值得的話，是不是太誇張了一點？」

　他肯定地說：「並不，雖然並非你我的孩子。」

　雖然那不是你我孩子，也不是鄰居孩子，這就是一個偉大慈善家所講的話。對我來說，他說出了高瞻遠矚助人的本質。

　我們常常聽說人類是自私的動物，因爲他的本性着重於本身利益。但這是靠不住的，因爲人有雙重性格，他會自私，也會無私。就如其他動物一樣，人類也要顧及本身利益，不顧自身的生物是無法生存下去的。然而人類尚有捨己爲羣的天性，當需要時他會爲羣而死。

　不單是人類如此，其他動物也有此本能，雄狒狒知道犧牲自己，從脆弱的狒狒羣中保護小狒；動物園管理員知道懲罰一隻黑猩猩會觸怒一羣同類的憤怒；甚至美國中部較低等頑猴也具此特性，譬如一個小猴跌倒在叢林地上哀叫，無論有多大危險，母猴都會很快帶他到安全地帶去的。

　那麼助人的本能要達到慈善的目的，是不是還有一段距離呢？事實是否定的。眞正的仁愛若不是這一日的——助人獲友，是無法存在的。我們隨時給予他人金錢和勞力的協助，會引以爲樂，因爲在基本上滿足了本性的要求。在今日說來，個人的給與是改正本身不幸最便宜而有效用的精神治療法，否定助人的快樂，等于否定了人類基本的要求。人人需要施與，我們本性上要扶助他人，就假如我們否定了這項本能，就像是冒着感情毀滅的危險，就像人們拒絕飢餓的要求，就會肉體死亡一般。

　然而在這複雜紛擾的生活中，隨時會忘掉這一眞理。日常生活煩雜，使我們只想到生活瑣事，子女教育和個人職責等，却忘記了極目遠望助人行爲就是本身的滿足。

　甚至有很多人對于助人爲快樂之本，表示冷淡和虛僞，我曾在很多慈善會上碰見他們，他們不把樂捐當作一件義舉，在衆目之下，他們捐獻，但事後吝嗇地抱怨。（上）

六死餘生述

閔十還

　在我的前半生中，都在和死神打交道。現在說起來，好像有點戲劇性，覺得很好玩；但一細想，當時的驚險，仍令我毛骨悚然。

×××

　三十二年四月間，鬼子由洋溪偷渡長江，一夜間向西南方竄擾一百餘里。當時我所在的部隊正由宜昌向宜都方面作旅次行軍，不知敵情，未作準備，突在觀音橋與鬼子遭遇；我所在的那個排那天適任尖兵，排長係我的舅父，因措手不及，一兩分鐘之內，全排犧牲殆盡！當時我已身中七刀，無力再行戰鬥，勉強向後奔跑了約三百公尺，體力不支倒下，自忖已是死定了。突有人拖着我向後跑，一看是排長——舅父，我又藉他扶之力，向後狂奔，跨過一隘道，道旁有一石洞，我實在無法再跑，只得掙脫開舅父，眼睛一閉，向石洞倒下。舅父亦氣喘如牛地在我身旁臥下。這時已離鬼子五六百公尺了，前面的槍聲和殺聲仍在繼續中；我氣息微弱，眼睛半睜開地對舅父說：「你走吧！不要管我了！」

　「要死就死在一起！」他霍地坐起來，環顧一下，眼睛直冒血絲：「這裏地形好，就在這裏和他們一拚！」他又向我審視：「你身體還不要緊，趕快翻過身來俯臥着，準備射擊！……我用刺刀，你用子彈，在未死前我倆要抓個本！」

　我用盡氣力翻過身來，「出槍」，「瞄準」，但精神是彷彿的，雙手是發抖的。

　鬼子繼續蜂擁而上，我倆的槍刀同時發出威力，一下子就幹掉他們十幾個！於是他們用「集火」攻擊，但這裏是石洞，夠不着；就這樣，他們一陣「集火」，一陣肉彈，我倆一陣槍彈，一陣刺刀！拖延了約二十分鐘，我們的「本隊」得有餘裕，作適當部署，實施反擊，並大獲全勝。我舅甥二人，乃得慶生還。

　我傷愈出院後，渾身刀疤；我的個子又高又大，於是「刀疤將軍」之名，在部隊中不脛而走。

×××

　三十五年秋，戡亂開始，本軍由張[illegible]家口[illegible]作戰。[illegible]時我已升任[illegible]師部參謀，[illegible]師部成立前後方指揮所，於是[illegible]撥歸[illegible]方指揮所，[illegible]且非戰鬥部隊，[illegible]坑式，天黑不久，突然[illegible]槍聲四起，始悉對方使用了迂迴戰術。[illegible]時，我已上坑[illegible]，很舒適。後來幾個參謀[illegible]，須迅[illegible]對方攻勢[illegible]，準備[illegible]。我笑着[illegible]說：「[illegible]今夜的伏擊，[illegible]可怕的伏擊！大家睡覺吧！」[illegible]保有什麼[illegible]事！我用棉被掩住耳朵的[illegible]那些[illegible]安然睡覺了。[illegible]（一）

新三國

周[illegible]著

　不料劉表死的太快，而曹操的下荊州也太快了。當魯子敬奉命赴荊州之時，劉琮已投降曹操，他又才改道向北。劉備奔到長阪與魯肅會合。魯肅見到劉備問道：「將軍意欲何往？」劉備說：「我打算到蒼梧。」魯肅問：「到蒼梧找何人？」劉備說：「找蒼梧太守吳巨，他和我是故交」。劉備又反問說：「子敬此時來此，有何高見？」

四十三、諸葛亮智激孫權　魯子敬力排衆議

　魯子敬慷慨陳詞：「吳巨的蒼梧，決非將軍棲身之所，更不能保將軍抵抗曹操。孫氏據有江東六郡，兵精糧足，不如東下與孫氏合作，協力共同破曹，此乃萬全之策。」

　魯子敬的請求，其實也是孔明早有的主張。他這一說，劉備正是窮途末路，加上諸葛亮力主聯孫破曹，當然應允魯肅在此和孔明訂交甚厚，因孔明之兄與子敬爲好友，故一見如故。於是一致同意東下夏口。到了夏口劉琦有一萬人馬。劉備則派了諸葛亮渡江，使說孫權，共商結盟的大計。

　雖然青年的孫權很想抵抗，可是手下一般文武多主張迎降曹操彌漫着很濃厚的降曹空氣。如果協力無間，加強合作，還得要陳說利害，而且同盟軍事還有很多協商連絡的事要待解決。

　魯子敬又安排了孔明和孫權一次商談。孔明對孫權說：「將軍如能以吳越之衆與中國抗衡，可與劉氏量力而共處之；如果不能，何不按兵束甲，北面而事之！今觀將軍外託服從之名，而內存猶豫之計，事急而不斷，禍至就來不及了！」孔明的說法對孫是一種刺激，亦非孫氏所顧問，他馬上還以顏色，孫權對孔明說：「如先生之言，劉豫州何不北面事之？」孔明又說：「田橫不過齊之一壯士，猶能守義不辱；何況劉豫州乃王室之冑，英才蓋世，衆士仰慕，如水之歸海，若大事不成，這是天命，豈能爲曹操之下」！孫權聽孔明之言，勃然的說：「我不能舉全吳之地，十萬之衆受制於人，我的大計已經決定了！不過新敗的劉豫州，怎能抵抗曹兵八十萬衆？」孔明說：「豫州雖敗於長阪，現今戰士還有關羽水軍精卒萬人，劉琦合江夏尚有一萬衆。曹操遠來疲弊，此時已成強弩之末，此乃兵之大忌。又北方之兵不習水戰，而荊州之兵其心未服，如將軍以猛將統兵數萬，與豫州協力同心，破曹操必也。」這一番話正中孫權下懷，孫權大悅。孔明刺激用得非常成功。

　曹操拿下荊州之後，寫了一封甚具威脅的信給孫權：「我奉了皇帝的命令，弔民代罪，大軍向南一揮，劉表的兒子劉琮即束手請降，現在水陸精兵八十萬衆，準備和你在吳郡打獵。」曹操在荊州又收了劉表大將文聘爲江夏太守，用荊州名士韓嵩、鄧義等人，的確可以一鼓征服孫權的，曹操的信並非狂妄。

　孫權看了曹操的來信之後，召集了一次緊急高階層會議，當時周瑜在吉安剿土匪，魯肅向孫權說：「此一關係將軍生死存亡的重要會議，何不請周公瑾回來共商大計？」孫權一面即刻派人召周瑜回柴桑，一面召開會議。

（七十四）

國劇繽紛續錄

鑒婆生　（一一九）

承潤的多才

一片祝壽聲中，到有六七場多演大登殿，取其易於排練，熟能生巧，爲其主題。東方畫刊前辦讀者晚會，曾請名坤票段承潤演鳳還巢，廣受觀衆的好評。這次爲祝總統壽，又演出一場，定於廿七日在國立藝術館舉行，仍懇段女士登場。初擬演大登殿，段女士以此戲唱的人太多，也沒有多大意思，不能盡量發揮，改定雙姣奇緣，自拾玉鐲起，經法門寺叩關，終至大審，那比大登殿吃重得多。段氏先飾孫玉姣，中飾宋巧姣，後演劉媒婆，一趕三，在坤票之中，尚是少見。以前曾見焦鴻英演過，迄無繼起。

這一趕三，雖多屬旦角類。但前面是花旦，中間爲青衣，後面是彩旦，沒有點功夫，是辦不了。即使辦得了，要做得好，唱得好，還得俏語動人，實不簡單。而於現在坤伶僅張正芬猶可演之，已知其不易，不須多介。聞說下月八日段女士尚有登台，戲碼迄猶未定。我望其將原來各人所演的西施，加以剪裁，作爲一晚演畢，主要是浣紗，夜宴，響屧廊，遊五湖的四場精采不減，其他冗場可删的則免之，是否可試，有待名家確定之。

國大代表祝壽

總統八十大壽，在民國史上是稀有的事，也是瑞氣所鍾，克享遐齡，理應表示慶祝，以伸微忱，造成薄海騰歡，是應有的事。在每年十月，慶祝的演出很多，今年更應積極，相信除軍中劇團以外，至少有十餘場。國劇欣賞會，內政部平劇社，教育部平劇社，中信局平劇社，銘傳商專等，都已有決定；此外尚有國大代表聯誼會，約在廿五日以前，地點非中山堂，即藝術館，就友人所告，大致如下：

（一）黃金台　由黨季君良夫人主演，伊立尚未定角。

（三）文昭關　由田權瑛夫人田希珍代表主唱。

（三）空城計　由包代表明叔關玉山主演。

（四）興唐滅巢　由馮代表著唐主唱，是否連收威，猶未決定。

這一台戲，具有特色性，即是四齣多屬生角戲，並無旦角。該社有旦角名票，但對票戲的興趣不濃，懶於登台。問題在於文場，必須邀名手，代價不低，至少要在二千以上，爲一大竅結。不過就祝壽來講，將以反攻爲貢獻，則生角之戲，似較大登殿一類爲佳也。

高爾夫球的故事

○若愚譯○

哈利，來一杯威士忌拌水。這次可別加水太多……還是你喜歡怎樣就怎樣吧：……我不裝作軟球委員會唯一人士。可是，如果你問我，我會咒罵剛從快林來的每一個職業球員。那一位想到這個謎一般的意見，讓職業手競技呢？我的意思是指冰哥羅士比拍攝鄂保羅炮艦時累透了。哎，我的天呀！當你組織一個職業和業餘的競技，各據一方，攻打同一個球，這未免有點破壞運動的精神，同時，我花的錢也冤枉呀！你相信這是快林所需的玩意嗎？我是指道一類運動，需要整隊的合作和努力，你不能希望一個體育家變成職業化。一件我不明瞭的事情——亞諾、賓馬，他在有生之日，永不許進俱樂部來，……拉夫，你今天跟誰玩呢？貝利加士伯，聞說他頗有男子風度。

你有沒有聽到他今天在球賽時偷襲得手呢？……難以相信……當然，我知道發生些什麼事情！……我今天剛好抽到和他「拍檔」，……我們一起玩，整個過程，我看得很清楚。

賓馬和我及職業手胖洛加斯，另一個業餘選手爲威爾遜四人合拍。我不曉得爲什麼威爾遜被派到我隊來，他有一股「塵」氣，總覺他幹得比人强。

我和賓馬先出場，因爲對待賓客禮貌的關係，我讓他打第一棒。我覺得很高興能這樣做，因爲我可以給他一點點幫忙：……我全不介意你是那一類職業球員，也不管你以前在那兒賽過，但在快林高爾夫和網球會還是首次，難免有點兒緊張。賓馬一定也有這種感受。因爲我注意到他應該打一棒漂亮的，却打不出。他很幸運，能清除傾斜的球，讓它滾至二百八十五碼……我曉得，它需要長途的追擊……可是，我們知道快林遲早要懲罰那些不整齊的棒手的。今日，他們打球的技巧和方法已絕對的破壞了這種球賽，他們只是巧妙地展示肌肉。我知道他們不會常常如此幸運的，在打球時我很友善地告訴他，並指出他的步法不大對勁，他好像很驚訝。球賽是整隊的活動，我們眞的需要互相幫忙，互相照應的，才能打得默契。

現在，你知道我，我並不希望他整天呼我馬田信博士。我化了十八年來練習健身運動，對他或許不會注意到，但對我却蠻重要哩。可是，你知道大部分高爾夫職業手是受很少教育的，同時，也不會深思熟慮的，因此，我讓他們用任何方法來跟我交朋友的。

我們的球在草地約一百四十五碼，一我用鏟有銅頭的球桿，打，由於風的關係，它於最後幾秒鐘轉了方向。我眞不在乎第一個洞。在我打球時，我已感到一定命中的。此外，自從我向賓馬指出推動棒的方法時，注意到他打得很好，我也還是時時提醒他樣，我雖然……因爲初學會的東西……總是容易忘掉的，他……他不斷地點頭表示……已能運用自如。（上）

男兒洗衣

南子

星期日的早晨，天像沉鬱寡歡的老人底臉兒，陰沉沉地，室外正飄著霏霏細雨，冷颯颯的風不停地吹著。我在廚房洗衣服，不管天氣怎樣，這是我星期日一定要做的工作。

「老陳呀！一個月花十幾塊錢，包給人洗，乾淨俐落，何必自討苦吃呢？」王老師看我正起勁地洗著衣服，對着我說。

「十幾塊錢我是不在乎的，我覺得洗衣服，是一種樂趣，何必包給人洗呢？」

「洗衣服是一種樂趣？我從沒聽說過，虧得你有這種高尚的樂趣」。他帶着譏諷的意味。

「洗衣服還可以磨鍊身心，有益無害。」我向他這麼解釋，做爲自我解嘲。

同事們都覺得我有點兒「怪」，爲什麼一定要自己洗衣服？是爲了每個月節省十幾塊錢嗎？抑或是眞的在磨鍊身心呢？這對他們似乎是個謎，因爲十幾位光桿兒同事的衣服，全包給人洗，就是我一個人不肯。

我是生長在鄉間的孩子，我母親是位賢淑勞動的女性。她每天黎明即起，燒好了早飯，就提着衣籃子，到河邊洗一家八口的衣服，在冬天裏，她仍冒着嚴寒的天氣，到河邊洗衣服，沒有一句的怨言。

有一次我放寒假回家，看母親天天都洗濯一大堆的衣物；我實在不忍心看雙鬢隱約可現幾根銀絲的母親，這麼勞碌下去，我向她要求：「媽！我來幫妳洗衣服好嗎？」「榮兒！媽的活兒，你不用管，你好好多看點兒書吧！」雖然我已由師範學校畢了業，她仍時常在勉勵我，加强進修。

「我可以把衣服洗乾淨了，在學校裏，衣服是由我自己洗咧！」

「算了吧！包給人洗，省得麻煩，讓同事們瞧見了，多不好意思。」她總是爲兒女着想。

「媽！難道男人就不該洗衣服嗎？又不是做壞事，有什麼不好意思的。」我聯合了五個兄弟和父親，勸她答應讓我們雇人來洗，她堅決的拒絕了：

「我還沒老呢！每天洗點衣服，可以勞動勞動筋骨，對身體倒有點兒好處，用不着雇人的。」

我母親一向反對男孩子幫忙家務，然而她偏偏就沒一個較大的女兒，來幫她的忙。每當看到媽媽終日忙碌於孩子、丈夫、家庭，忙碌終日時，我的心裏，總有一種異樣的感受：母親爲子女的犧牲太大了。我們受了母親勤勞精神的潛移默化，養成了刻苦耐勞的習性，不管是求學做事，一點兒也不敢疏懶。

現在我又離開媽的身邊，天天跟天眞的小朋友過着日子，生活過得非常愉快。每逢星期日，我一定在廚房裏洗自己的衣服，「母親每天勤勞地工作，做兒子的怎能過着安逸享樂的日子。」我時常這樣地警惕自己。

我已體會出，洗衣服並不是一件苦差事，用洗衣粉洗衣服，無數泡沫，搓幾下子，有一種滑膩的感覺。飄浮在盆子裏的水泡，東搖西盪地，煞是好看。

看着微黃的衣物，一經洗滌，變成潔白鮮艷，這時會從心裏，泛起一陣歡愉的微笑。星期日，如果是個風和日麗的好天氣，那就可以洗滌床單、被巾、晾在竹竿上，被風一吹，日一曬，只要過了午，就可以收拾起來，他有一種柔軟的感覺，似乎有點兒鮮美的味兒，夜晚睡起覺來，也格外的香甜。我認爲用自己洗的衣物，特別曉得如何保持清潔。

我一定要自己洗衣服，除非我宣佈退出桿兒集團。

汪精衛之親共與反共

諸葛文侯

汪精衛於民國十四年春間國父孫公逝世後，即以極力親媚共產黨之關係，平步青雲，乘機僭居廣州國民政府主席高位，且以國民黨領袖自居。越民國廿八年，又以反對共產黨爲理由，受敵寇日本帝國主義者誘惑，潛赴南京僭立僞國民政府政權，大力反共，終致身死異域，爲天下笑。實則汪氏一生並無一定之政治思想與主張，亦非元惡大憝之流，而政治領袖慾極强烈，殆一野心政客型之投機份子耳。

汪於民國紀元前夕，自北京出獄後，曾受袁世凱收買，與其長子袁克定結爲金蘭之交。迨國父辭去臨時總統，派汪氏與蔡元培等北上迎袁氏南下就職，袁暗嗾北洋軍曹錕部隊在京畿譁變，藉爲拒絕至南京接任之口實，汪乃流連北都不南行。旋與李石曾等倡設「進德會」，標榜「不作官，不納妾」諸信條，時人以其年少翩翩，頗著文采，竟有此超邁流俗之自律行爲，多所稱贊，是爲汪氏弋取清譽之肇基。

洎後終國父孫公在生之日，汪迄未涉足政壇，僅以廣東省教育會長地位，常代表孫公奔走周旋於南北軍政界顯要人士之間，綽負時望，在國民黨內之人緣亦甚佳，蓋汪氏言行溫文儒雅，頗能表示其與人無忤，與世無爭之氣度也。自國民黨採取容共政策後，黨內激起暗潮，汪亦置身事外，無所可否。民十四年春，汪隨國父北上幽燕時，因俄顧問鮑洛廷之介，得與蘇俄駐華大使加拉罕相往還。當孫公劇病之際，鮑洛廷環顧國民黨高級幹部人物中，能受其玩弄而對內對外又素少政治主張與恩怨者，莫若汪氏。據胡漢民先生於民國十九年八月十八日所講「汪精衛勾結共產黨之淵源與經過」指出：當孫先生將逝世時，加拉罕與鮑洛廷便邀汪赴蘇俄使館談話，加、鮑二人同聲語汪氏曰：「孫先生的病，看來已經絕望了，今後中國國民黨的領袖，除了你更有誰能繼承呢？」汪聞之，欣然色喜，而其親共意念乃以此爲嚆矢。

孫公離粵北上期間，廣州革命政府大元帥職務，指派粵省長胡漢民代理，胡氏對國民黨暨中華民國之勞績，以及政治地位與社會聲望，皆遠在汪精衛之上，而學識才幹亦非汪氏所能望其項背也。迨孫公下世，胡氏與今總統蔣公合力蕩平滇軍楊希閔、桂軍劉震寰之割據局面，統一全粵，組織國民政府時，汪以俄顧問鮑洛廷之慫恿支持，躍居國府主席高位，儼然國家元首，旋藉廖仲愷被刺案排除胡漢民，將胡謫赴俄京莫斯科。胡汪原爲久共患難，情同骨肉之革命同志，而汪氏爲貪圖政治權位，不惜與共黨勾結，出賣老友，更斥逐國民黨若干高級幹部如張繼、謝持、許崇智等人，其品格可知矣。（上）

著名女間諜
姬麗絲妲的故事

○賀譯○

她臨時取消另一海程，改在一艘船「新澳洲」號工作。茂爾杜尼仍在「鄧諾達堡壘」號船上工作。在同船的船員中沒有人能指出茂爾杜尼愛上姬麗絲妲，甚至很喜歡她。茂爾杜尼被多次盤問，他都直說他是秘密愛上姬麗絲妲，他說不知道姬麗絲妲是一個公爵夫人，獄卒曾講給他聽在報上的報導，他知道她在戰時很勇敢，曾得到多種極重要的獎章。他殺死姬麗絲妲，因爲她曾三次說他不敢殺死她，首次是他們在到澳洲的航程中，第二次是在修咸頓，第三次是於四月在倫敦發生；在爲這次他就決定去殺死她，因爲她使他有這個主意。他愛她，她也曾說過她也愛他，但不久後他尋出這不是眞實的。他妒忌那個跟她同去看電影的男子，他在革新會做事。他曾想等她回到倫敦時有機會見到她。在一個晚上，他在酒店等她，但她帶一個男子，她對他說沒有別的話可說，再享以閉門羹。翌日他則買了一把小劍，他再到酒店，但她已離開上另一艘船，名字則不知道。在案發那一天他碰到一個海員朋友，他是「溫查士達堡壘」號船的船員，剛從南非洲開到，據說在船上有一個美麗女侍役，讓人稱她是姬麗絲妲無疑。他聞悉之下十分忿怒，他就到革新會取出那把小劍，初時他還沒有定決刺殺她或被恐嚇她，他跟蹤她從酒店到希望餐館。（九）

自由報

內政部台誌字第〇三一號內銷證

THE FREE NEWS

第六九六期

中華民國僑務委員會登記 台教新字第三三三號登記證 中華郵政台字第一二八二號執照登記爲第一類新聞紙類
（逢星期三、六出版）（半週刊）

每份港幣壹角 台灣零售新台幣伍元

社長：雷嘯岑

督印人：黃行實

社址：香港銅鑼灣高士威道廿號四樓 20, CAUSEWAY RD 3RD FL. HONG KONG

TEL. 771726 電報掛號：7191

承印者：大同印務公司 地址：香港北角和富道九十六號

台灣分社 台北市西寧南路壹零號二樓 電話：三〇三四六 台郵撥九二五二號

我對共匪「文化大革命」及紅衛兵大造亂的觀感

・吳文蔚・

這幾個月來，共黨匪徒在大陸突然實施「文化大革命」，緊接着就來一次大整肅；這一次整肅的範圍極廣，上自匪僞政府內的權貴，下自各界特別是文教團體的有名人士，在文化大革命的口號下，這些被整肅的人物，一個個都倒了下來，打入冷宮，甚至不堪凌辱折磨，而趨於極端，造成自殺的悲慘局面。

在大整肅的風聲鶴唳下，緊跟着又出現一個新花樣，那就是紅衛兵造亂。這些紅衛兵，多是十三四歲的少年，來勢洶洶，橫衝直撞，肆施暴行，到處作亂！其姿勢猙獰至極，其行動令人憤慨，此演變雖使大陸人民無不憤恨填胸，然在其暴力壓制下，又不得不忍辱含屈，徒呼奈何。

國人對於匪共此舉，有的認爲是其內部的權力鬥爭，有的認爲是匪酋毛澤東自知其罪孽深重，甚恐民間反抗勢力强大，遭受死後鞭屍的厄運，故先來一次「殘猛鎮壓」，冀以消除後患。

這兩種看法，筆者認爲都有其成份，然其主要因素，還在其施爲上的主義與其領導主義的哲學。處今之世，我們不能視其文化革命的大整肅，是其內部權力鬥爭，而導致其同床異夢，已瀕臨末日的徵兆而嘲慰；亦不能視其紅衛兵橫衝直撞，到處造亂，惹得人民怨聲載道，衆叛親離，孤立自焚，死期不遠的形勢而自得。今日大陸匪共毛酋，雖係惡貫滿盈，臻於自作孽不可活之境地，但他絕非希特勒一型的人物，臨到絕境便自殺了事；他是有主義信仰的一個暴徒集團，他的主義是有哲學作指引基礎的一付毒劑，我們要緊防他臨危傷人的暴蠻做法，在死亡之前，大洒一次毒菌，使整個世界陷於癱瘓不安之狀。當此匪僞政權將墜未墜之際，毛共匪酋等將亡未亡之時，我們愈發要特別警惕，并自奮自發，潛研對策，細究辦法，以粉碎其主義之欺世符咒，破除其指引主義迷亂人類之蒙昏哲學，以堵洪源，永戢氾濫，以釜底抽薪，使其野火不能復生，方可導正人類於安謐，恢復世界秩序常規。筆者認爲，我們今日要收復大陸，解救億萬同胞於倒懸，實應積極的從這方面做起才對。

共產黨爲了其主義上的需要，就不得不與中國文化爲敵。他不僅要破壞中國的文化，而且還要破壞世界的文化。整個非共產世界的文化，都是以家庭生活作基礎，故其要廢除家庭生活，成立人民公社，其目的就是在破壞世界文化，而進行世界革命。中國的文化，最重人倫家庭生活，故其要破壞中國的文化，實行所謂文化大革命。

共產黨爲欲進行其世界革命，故在其政權的邊緣要建立密不透風的鐵幕，對外絕對封鎖消息，對幹部要大整肅，對治下人民要清算鬥爭。他要他的幹部和治下人民的生活言行習慣，永遠與其政權一致。在他的區域內，不僅不要反對的人，並且不要中立的人，就是同情他的人，亦認爲是不可靠的，故其要來一個大整肅。大整肅之後，還嫌不澈底，所以便組織起少年的紅衛兵，再來一次清一色全面的大清掃和總整理，其目的乃在使區內之幹部與人民，都變成與他的政權成爲血肉相連的個整體，與他的主義哲學完全達成一致，使他的政權、主義、哲學高於一切。他說東，都朝東；他說西，都向西；然後他便可以進行世界革命。故其大整肅與組織紅衛兵，實係其主義上的需要，是其政本政策，同時也是他政策上的一種有計劃的行動。

共產黨何以要破壞家庭文化呢？這是由於他的唯物哲學上的需要。按唯物哲學是把人當物看，只有利不利，沒有對不對。他的唯物哲學是集中分配，使勞動者的生產物交公，再給予維持生命的最低物資。

這種制度，就是要打破人類的人倫觀念，破壞家庭生活的傳統，而建立其社會關係的生活制度。故其準備要來一次文化大革命，乃是其必然的施爲。共黨匪徒視家庭關係的文化存在，即是其社會關係建立起來的阻力，故其必要破壞中國人倫家庭關係的文化，以實現其唯物哲學社會關係的生活。共產黨的唯物哲學的實行爲他生活的作風，與世界的文化碰壁，但大陸的中國文化一種冒險，今日毛澤東幹到底的作法，以破壞中國的力量，不惜孤注一擲，以搞文化大革命，來一次大整肅。他組織紅衛兵，便是以貫徹其破壞家庭生活的作法，並且還要使其紅衛兵，在不久的將來，在紐約街頭出現。我們看了他這種瘋狂的作爲，就必須深深地加以警惕，就必須解除其唯物哲學的毒劑，方爲今日反共的有效對策。筆者認爲對共產黨鬥爭，不是鬥力，而是鬥智；是民生主義的哲學。我們只要發揚我們三民主義的民生哲學，就可以解除了其共產主義的唯物哲學的毒劑，維護住我們的傳統文化。筆者作此言，是要求實幹，不是徒呼口號，願國內有道之士，有以正之。

馮子先生

「合作」的眞相

熱心的推銷員

今日与明日

毛林小集團的垂死掙扎

異想天開的毛澤東林彪罪惡小集團，爲進行以打擊敵對的「當權派」和一切反共反毛的所謂「牛鬼蛇神」爲主的「無產階級文化大革命」，廢棄過去所有的黨、政和青年組織，而另起爐灶，糾集各地無知稚齡男女，組織「紅衛兵」，到處無法無天的進行所謂「造反」。出動「紅衛兵」「造反」已兩個多月，毛林小集團不但未收到預期的效果，反而是所「造」者適得其「反」，亂成一團，不可收拾。

據日本各大報駐北平記者連日報導，目前在北平的「紅衛兵」人數，比前大有增多。「十．一」時，「紅衛兵」遣散地方，有規模擴大的趨勢，據說明了「紅衛兵」邪風，可以估計得到的，同時內部有了小部份新的混亂的變化，仍盲目地高倡「保衛毛主席」和「堅決響應林彪同志」的號召；另一部份則因迷失方向而「覺醒」，「靈」不「靈」。其實已經走上資本主義「路線」而與「反毛」的當權派合流。毛林小集團，卻仍執迷不悟，「不知死」的一方面利用共軍控制「紅衛兵」，另一方面强迫他們（或她）充當毛林小集團的後備軍，極端扭轉；作勢，擴大其對「當權派」的不利形勢。其實，只有「一不作」，「二不休」的毛林「四顧」，茫茫，前途是絕路，毛林孤立派已騎上「虎背」，後退也是死路，所以，才冒險作垂死的最後掙扎。

「紅衛兵」暴亂以還，第一個階段所「造」的「反」，只是民間「改」街名、「揪」出一些招牌，或在地方上所謂「資產階級份子」及「反革命份子」的血腥謀財害命的鬥爭。第二個階段是進行獨夫毛林小集團由地方「革命串聯」到北平，同時進行「升級」，受批判攻擊者擴大到毛共西北局第一書記劉瀾濤和西南局第一書記李井泉等大頭領。第三個階段所攻擊的也就是「當權派」第二書記李雪峯、毛共北平市委第二書記吳德、「紡」工業部長錢之光、「質」部長劉新權及「外交」部副部長等人。值得注意的是劉少奇的愛人王光美，「紅衛兵」在「大字報」上也「點」了她的「名」，要求她到清華大學去「作檢討」。

劉少奇是毛林小集團「大老闆」「當權派」的要幹，但因他的「黑勢力」接近；以毛澤東林彪爲首的「黑幫」勢力，所以始終只敢「揪」到他的老婆，甚至側擊，就不敢直接了當的下手對付他。

劉少奇、李雪峯等被攻擊的「問題人物」，不但參加了「十．一」的慶祝集會，更出席了十月十八日在北平的一百五十萬「紅衛兵」「大檢閱」。「紅」「黑」兩派勢均力敵，這不是「紅」「黑」不相信，而是毛林小集團不得不忍耐的龜孫子。

看情形，將來的發展到第四階段——是兩派正式上演「眞刀拼血」，內戰可能發生，「一千萬人」的流血，這一步，就是毛共由「集體」自己挖掘的墳墓，接着到了他們「頭落地」，鑽進「墳墓」去（何如）。

題外的話語

自由談

最近台北地方檢察處爲偵查黃豆案，致函立法院要求調閱當年立法委員對黃豆進口稅問題的發言紀錄，引起了一場軒然大波。

立委根據憲法七十三條硬性的明文規定，認爲法院的調卷行爲違憲，無可諒恕。法院却視立法院爲「行政公署」，依照刑事訴訟法是可以要求調閱卷宗的，亦由「發言人」發表聲明，有所辯解，更激起了立委們的憤懣，害得司法行政部長在立法院大吃其排頭，寃哉枉也。

我無意對這種已過之事論列其是非，但因此而觸發了兩點附帶的心思，值得談談。

一是立監委員都是民選的，他們行使着一般的「國會」職權，似乎并非「行政公署」。然而，依照五權憲法的政制體系，立監兩院是政府機構組織之一環，立監兩院發佈重要命令時，立監兩院院長都要跟行政、司法、考試各院長共同副署的，就法理觀點說，立監兩院在體上不是純粹的議會，而有「行政公署」的性質，但立監委員又十足地行使着「國會」的職權。此中妙諦，我認爲需要大法官解釋一下纔行，否則這類纏夾二的爭議，在所難免。

行政官員在議會中受挨罵，雖不說是理所當然，亦可謂勢所必至的。挨罵的人如其修養稍差，很容易動肝火，釀成假戲眞做的結果，風景爲之大煞。對日抗戰時期，我以地方行政職責，出席某次的重慶市參議會大會，因我說了一句指戟共產黨的話，遭到參議員中一個共黨地下工作者周欽岳的無理責罵，我也决不示弱，幾乎弄得會議無法進行。後來我的太老世伯許世英先生教導我曰：「你應知道議員們唯一發揚權力威風的場合，就是在開大會之際，表示着『大爺講的都對』，必卜逢凶化吉，等到閉了會，你還是照自己的主張做去就得了。當場跟議員們嘔氣，那是行政官的大忌呀！」許老這席話，使我勝讀十年書。朋友們，特別注意，念念毋忘，一生亦受用不盡也。記得當時國民參政員陶知行寫過一首白話詩云：「參政大員好威風，半年只有十天兒（法定半年集會一次，共開大會十天），任你喉頭講出血，怎奈當局耳朵聾」。錄此以備官場中人的參考焉。

台北要聞一二三事

政府正籌建三軍總醫院
民間創辦「育樂」事業
黃豆賄案有人抗傳掙扎

（本報台北通信）國軍在台分別設置之陸海空軍醫院，歷有年所，成績亦不壞，但因各自爲政的關係，收效仍未盡如理想。最近經國防部縝密研究設計，決定化零爲整，改設「三軍聯合總醫院」，將財力、人力綜合使用，去蕪存精，可以節約不少的行政費用，而業務更能發揚，對於國軍官兵的健康前途，裨益良多。新設的三軍總醫院院址，擇定在台北市內羅斯福路四段前國防醫學院舊址重新建築，新醫院建築費預算爲一億二千萬元新台幣，於一年內竣工。原在各個軍醫院服務的大夫，凡屬學有專長，未屆退休年齡者，一律錄用。至於總院一切設備，力求現代化，所有醫藥器材，皆保持最新式的水準，除舊佈新，完備無缺。未來的總院院長人選，以著名骨科醫師鄧述微呼聲最高。關於總醫院籌備事宜，指定台灣警備總部負責，已在積極推進中。

台灣新近成立的「亞洲育樂中心公司」，是由前任內政部次長鄧文儀發起組織的，業務以增進羣衆的身心健康爲主，故名曰「育樂」，表示與一般的「娛樂」性質不同。各項育樂建設，皆以合作方式，吸收海外華僑暨外邦的資金，共策進行。目前決定創建兩項育樂事業：一爲設立「跑馬場」，由香港僑商投資港幣一千萬元爲建設費，公司負責提供場地，所有馬匹與器材工具等，皆由港商供應。跑馬場擇定台北松山機場附近區域，面積二萬坪，比較香港跑馬場的範圍更大，已由工程師設計繪圖，預計來年春間即可始業也。二爲建置多層的鐵塔，除頂層供人登高游覽外，其餘各層分設茶室、飯廳、音樂場、彈子房等等。建塔經費與技術，由日本商家負担。日本東京現有鐵塔四座，游人甚多，台北建立一座鐵塔，不愁沒人游覽，若以每一游客購買入場券一張，付台幣拾元計算，三年內即可收回建塔成本了。

台北陽明山上，在日治時代建有「貴賓館」一座，專作招待外來貴賓之用，建築相當講究，所有大小樑柱與門窗等材料，用的都是台灣出產的檜木，這種木材沒有蟲侵蝕之虞，而其木質又結實堅固，產量不多，頗爲珍貴。最近陽明山國防研究院以原有「貴賓館」一年久失修，作用亦不大了，乃鳩工拆除，擬改建新式屋宇，飭由該院總務處負責進行。該處主任李某，曾將拆下之大小檜木，運到市內自己住宅中庋藏着。詎料被宵小瞷知，竟於一夜之間，將李宅儲藏的檜木，全部盜竊而去了，慢藏誨盜之說，信有徵也。李宅失竊後，却不敢向警局報案，因報案例須查詢大量木料的來源，自身即有侵佔公物之嫌，啞子吃黃蓮，有苦說不出。但國防研究院的職工們，都知道李主任潛運檜木到家裏這回事，聯名向該院張主任曉峯（其昀）檢舉，據說張氏對此事頗感棘手，不知如何處理纔好。然山上的一般學員議論紛紛，認爲非查究不可，結果如何，且聽下回分解罷。

涉嫌接受黃豆賄賂，經法院傳訊未到的立法委員林某，且仍託病延不應訊，且用書面在立法院會議中提出質詢，反對政府凍結一般有貪污嫌疑的公務員私人存欵，引起社會人士的非笑，認爲這位仁兄頗有「半夜敲門心裏驚」的現象，未免太沉不住氣了。事實上政府並無凍結私人存欵之意，報紙消息乃是新聞記者姑妄言之而已。據聞林某害怕到案應訊即有拘押的可能，一面請醫生出具抱病的證明書，藉以搪塞法院，同時分向關係方面補辦手續，把過去非法取得的金錢，一律做成合法的「律師公費」，另又哀懇有力人士替他說項疏通，教法院註消他的傳票。但據記者訪查所得，在押的立監委員中，已有人供出黃豆行賄內幕詳情，牽涉的政治人物不少，林某固然難免，且有某顯官亦在被攀之列。外間傳聞，擬藉宗教關係，請林某同教的「政治和尚」向當局緩頰，希望能在黃豆賄案的黑名單中，去掉他的名字，但在押的同道中人，如果被判罪刑，必不顧「爲親者諱」，一定要「和盤托出」的，將林某一切活動，屬徒勞也。（完）

透視立監委涉嫌商行賄案（三）

從監察院第十四次臨時院會決議案說起

——本報記者張健生

這三位立委，經台北地方法院檢察官李兆欣於九月二十三日偵訊後，即下令扣押，並禁止接見。據報載：李檢察官扣押三立委的罪名，是戡亂時期貪污治罪條例第六條第四欵：「對於非主管或監督之事務，利用職權機會或身份圖利」者，處五年以上有期徒刑，得併科三萬元以下罰金。扣押的理由：係依刑事訴訟法第七十六條第三欵：「有湮滅偽造變造證據或勾串共犯或證人之虞」，及同條第四欵：「所犯爲死刑、無期徒刑或最輕本刑爲五年以上有期徒刑之罪者」，得不經傳喚逕行拘提。

分別自動到案

監察院長李嗣璁於九月二十三日接到檢察官密函後，立即通知正在各地巡察中央暨地方政情之監察委員，務必在同月二十六日前回到監察院，以便爲行使同意逮捕或拘禁涉嫌油商行賄案之第十四次臨時會議。

九月二十六日的清晨，住在台北市濟南路一段三號之一的監委于鎮洲、住在新生南路一段一六一巷三十八號的孫玉琳、與住在南昌街一段五巷七號的郝遇林等住所門口，即有各報攝影記者在那裏守着。

那天出席會議的只有于鎮洲委員，其態度之鎮靜一如往日，就是各報記者訪問他時，他還是笑容滿面，沒有惱色。當主席於十時十分宣佈開會並宣讀檢察官密函之後，他立即拿出事先印好之書面聲明分送給出席委員，立即退席至監察院委員休息室舉行記者招待會，發表書面聲明，旋由監察院主任秘書張光亞陪同于氏，乘李院長的轎車直駛司法大厦，到台北地院首席檢察官辦公室報到應訊。而孫、郝兩委員，亦於台北地院檢察官收到監察院覆函前，即同日下午三時四十分左右，分別自動到案。

孫、郝、于三委員，經檢察官李兆欣偵訊後，亦以扣押立委徐君佩等三人之同一罪嫌同一理由將他們押扣，這是同日下午八時半前完成的。

未證實的傳聞

涉嫌油商行賄案之三位監委，其中孫玉琳、于鎮洲二人均發表書面聲明，而郝遇林沒有隻字的聲明。

于鎮洲在聲明中說：「一、監察委員，職司風憲。茲據法院來文指鎮洲有涉罪嫌，特自行往法院應訊。二、十餘年來，自認守職無虧，前院長于右任先生贈鎮洲語云：『威武不能屈爲有守，國家受其惠在立言。』鎮洲雖不敢自承，然無時不以此自勵。三、十餘年來，設有各種恩怨，捫心自問，皆因公而非爲私。四、倘鎮洲因此入獄，尚望新聞界同仁如有非直接採自鎮洲，或由於公開審訊所得之新聞，請勿遽爲人格之侮辱。五、十餘年來，院中同仁對鎮洲愛護教誨，永深銘感。但勿以鎮洲之被攀證而爲情感之激憤，益增鎮洲之罪衍。」

據傳說，在九月二十三日，于鎮洲已知涉嫌賄案，經一家晚報透露後，于爲此，曾有全家自殺意圖之說，後此說爲親友所聞，乃紛紛勸止，並以「如果你全家自殺的話，豈不授人以畏罪自盡的話柄嗎」？此說經記者從各方採訪，均未獲得證實，可能是誤傳。

監委孫玉琳於書面意見中說：「本人爲依法選出之監察委員，對於恪守國家法律自屬責無旁貸；同時本人又爲中國國民黨黨員，對於黨紀更有服膺之義務。此次司法機關，因本院有少數委員涉嫌刑責，具函徵求本院許可傳訊或逮捕拘禁，此種尊重憲法保障國會議員條欵之適法措施，個人深表贊同。其次，本黨中央對於整飭紀綱問題，迭有嚴正之指示，本人忝爲黨員，自更應遵照指示表示同意。側聞本人可能爲涉嫌人之一，如此訊屬實，在公爲恪遵法律，在私爲服膺黨紀，本人更應同意司法機關之此項請求，如經院會通過，即請由院會指派委員督同本人前往司法機關接受傳訊。靜候依法偵查，以明眞象。」

監院長時間討論

監察院臨時會議，經過三個半小時的熱烈討論，始愼重地通過決議，許可台北地院檢察官在必要時予以逮捕拘禁涉嫌的三位監委。在討論時，監委葉時修、張國柱、錢用和、郭學禮、梅公任、陳大榕、金越光、劉巨全、楊亮光、陶百川、金維繫、吳大宇、王冠吾、丁俊生、鄢景福等十五人在秘密會中，就程序問題加以發言，且有委員主張由院會推派委員進行調查，但由於持重的委員堅決不同意，終於以說服的方式而否決，最後院會推派陶百川、蕭一山、吳大宇、葉時修、張一中委員等五人起草決議文，經提院會通過公布，這已是下午一時四十分鐘了。

該決議文爲：「貪污禍國殃民，本院素所痛嫉，歷年以來迭加糾彈。同人如有犯者，自應依法嚴懲。若法院因此申請逮捕或拘禁，本院在了解案情後，自應迅予決定。但憲法第一〇二條既以許可或不許可之權，授予本院，本院必須愼重之行使，故該主辦法院應將該委員涉嫌犯罪之事實，作爲本院予以許可與否之依據。今據台北地方法院檢察處九月二十三日北檢沛忠字第一二一一六號要求逮捕或拘禁本院委員三人之來文，僅謂：『（一）本處偵辦五十五年偵字第二二七六號貪污罪嫌一案，對於貴院監察委員孫玉琳、于鎮洲、郝遇林將予偵訊，必要時並將逮捕或拘禁。（二）茲依憲法第一〇二條規定，函請許可迅賜惠覆。』既未叙明事實，甚至委員究竟涉嫌何一案件？亦僅告知其代號。

一九六六年國際共產黨的一般情況和民主國家反共的形勢

△何浩若▽

我們知道圍堵戰畧不是美國自由份子的主張，而是美國的國策。一九六六年五月十九日美國國務院和總統府的發言人，同時聲明詹森總統和魯斯克國務卿都看過了國防部長麥納瑪拉在加拿大蒙城的講演，而且同意他的說法。這個總統國務卿和國防部長三人同意的說法，一定是政策性的。但是圍堵就是圍堵，並不能解決問題。美國專欄作家艾索浦曾在一九六六年一月一日的『星期六晚郵報』透露美故總統甘迺廸被刺的前幾天，決心摧毀中共的核子裝備。但是這祗是一個報導，美國不會這樣做的。美國害怕因爲摧毀中共的核子裝備而引起核子大戰，就和圍堵而不進攻是一樣的。其實摧毀了中共暴政就摧毀了中共的核子裝備。但是要摧毀中共暴政，就不能專門憑藉美國的武力。民主國家的反共，必須要運用民族自決的力量，讓中國人來解決中國自己的問題。

一九六六年的越戰和印尼的反共，是一個明顯的對照。美國在越南用了無數的金錢，流了多少人的血汗，增兵數十萬，不能解決一個渺小的北越。可是在印尼，不費一錢，不用一兵，便打倒鐵幕以外最大的共產黨，和驅逐中共的勢力。上文我們詳述了蘇俄赤色帝國的瓦解。是什麼力量瓦解了這一個赤色帝國呢？是民族的力量。蘇俄和中共都曾以全力經營非洲，但是非洲各國，不僅拒絕了蘇俄，而且驅逐了中共。是什麼力量在非洲拒絕了蘇俄和驅逐了中共呢？是民族的力量。非洲國家自一九六五年六月的阿爾及利亞政變起，到一九六六年七月布拉薩市政變止，一共發生了七次陸軍反共的政變。陸軍代表什麼呢？非洲的陸軍和印尼的陸軍，都代表民族的力量。因爲有蘇俄的牽制，美國本身是不容易解決有關反共的局部的問題的。美國和其他的民主國家，必須援助各民族的愛好自由民主的人們，來自動自發的摧毀他們的獨裁暴政。一九六六年民主國家反共的策畧，在赤色帝國開始瓦解，中共匪邦進行整肅之際，應當運用民族的革命戰爭，來摧毀危害人類和平的根源——中國大陸上的中共暴政。關於完成此一神聖的任務，祗要民主國家同意，並且予以援助，中華民國是責無旁貸的。（八・完）

滬海異聞談

美國戒賭組織之賭鬼會

·桑稚·

去年一位高個子的男人，年約四十，他在紐約市的一間酒店的窗口徘徊，要跳樓自殺的樣子，但他始終拿不出勇氣來。結果，他喝得爛醉，倒在床上了。姑且叫這位男子爲哈里吧？他是一個賭鬼，專喜歡玩「沙蟹」。他的美麗妻子與「甜蜜家庭」都斷送了，一夜之間，他欠了二萬元，銀行不肯貸欵給他，他面臨絕境，遂希望了却此生。

在城市另一個地區，又有一個名叫佛蘭克的男子也準備吞槍自殺，原因是他欠了不法之徒一筆巨欵，到期了，無法償還，他們遂苦苦迫他，這時，他才發覺到是賭博害了他。

第三個男子佐治，正在機場買票子飛往巴西，但他結果沒有搭上那架飛機。他坦白的對友人說：「我還是拿不出決心來，在那邊，什麼賭博也沒有，怎能安居呢？」

這三個人——哈里、佛蘭克、佐治——都是紐約市的典型賭鬼；同時，他們是「無名賭鬼會」的會員，這個組織是最近設立的，其宗旨是「勸人戒賭」。上述的情形，是他們窮途的日子，現在，入會後，他們已改善了，已能夠在一年內不賭博了。

據統計，在美國，眞正的賭鬼實在不少，超過四百萬男女。他們不是普通的嗜賭人士那樣祇在逢場作戲的情形下面賭博，他們爲了賭博，是不顧一切的，時常孤注一擲，眞是不惜傾家蕩產，後果如何，一概不理。

他們在賭場那種賭博精神，相當驚人的，他們能夠日以繼夜賭下去，連進食這回事也忘了，正是老盲姓乜也不知道。他們的面目是很容易被發現的，在俱樂部啦，在馬場啦，他們便現出原形了。此時，他們爲了連連運用多種形式要與人下注。所有機會都不肯放過。

在心理學家的眼中，這班與賭博結下不解緣的男女，眞實患了一種病態，賭博對于他們不再是娛樂，不再是什麼逃避現實，而是一種迷執了，成爲他們的第二生命。爲了「延續」這個第二生命，許多時候，連自己寶貴的性命也犧牲了。

最顯著的實例是諾克先生，他妻子爲要他能戒賭成功，便勸他最好前往佛羅里達州渡假，希望他換換環境開開心，改變一下品性。但誰知他抵達後第三天立即被一班歹徒看上，把他的旅費騙去了。他心中不憤輸，乃將汽車出售，再去賭過，當然又輸了。這時知道是騙局可已遲了。他事後聳聳肩對太太說：「有什麼辦法呢？賭癮一起，天塌下來也當被蓋的，更何況，全市只有他們一個賭檔。」

賭癮大發時，確是無可收拾的。賭博是一種無孔不入的「病菌」，自己是無法進行治療的，除非有第三者的協助。「無名賭鬼會」便是負担起這個責任。這個會是兩年前在洛杉磯成立，現在，各城市均有分會，像戒烟一與戒酒一樣受人歡迎。凡是會員，每週開會一次，大家檢討自己的賭博經過，依照大家討論與研究解決的辦法，五六人合力之下，互相扶持，所以成績不錯，不少賭鬼眞的可以斬手指戒賭了。

究竟是什麼東西使男男女女如此沉迷賭裏呢？

根據會員的經驗，他們都認爲賭博是一種代替品，凡是一個人沒有快樂的童年，沒有可愛的家庭，或沒有安穩的社會地位，他便把精神寄托在賭博上面了。所以賭鬼的家庭都是不大美滿的，這包括經濟上與精神上這兩方面。

因此，該會爲了對症下藥，是要預先知道對方的家庭環境，或他內心所欠缺的是什麼的東西。

賭鬼都同意，賭博的輸贏是次要的，最要緊是全心全意去賭博，在過程中，他們才感到無上喜悅。若說他們爲了貪才去賭博是不大恰當的，否則，他們不能被稱爲賭鬼，賭鬼是相信賭博本身是一種藝術與哲理。假定無法看穿賭鬼們的心理，又怎能治療他們呢？

六死餘生述

閔十選

迷糊間，參謀長又到電話，命令所有人員，馬上輕裝在村莊中央集合。後勤參謀及一些同仁們快地都出去了；待我着好裝趕到村莊中央時，一個人影也未見，天又黑，還下着小雨，周圍槍聲已稀疏，好像戰事已經結束；正猶豫間，突發現幾個黑影向我迫近，並聽得：「什麼人？站住！」我一聽聲音不對，拔腳就跑！誰知前面又有幾個黑影擋住；我轉向左方，並聽得：「敵人！只一個！」「刺刀戳！不要打槍！」刹那間，我的背上好像挨了無數塊從拋擊過來的石塊，身體好像高空墜到那裏去了。甦醒時，天已亮，發覺躺在一個深谷裏，爬起來卸去背包，背包外部已被刺刀戳得稀爛，但除手上頭上被石頭碰傷外，其他各處連皮也未破。這時我才想起大概係敵軍追殺我時，我向前狂奔，誤掉入深谷的。谷四周係絕壁，插翅難飛，我心一急，不管外面有無敵軍，狂呼救命！未幾，發現右壁上空有幾個人頭向谷內探視，一看是自己人，他們才把用吊索吊起來。原來敵軍把我們山頭上各據點的守兵吃掉後，即進佔村莊，但不知指揮所人員已於此時突圍而出，但不能踐這村莊又被我們前方指揮所派來的增援部隊包圍，天亮前將敵軍五百餘人整個消滅在莊內！外面打了兩仗，我却在睡覺和深谷中度過，可笑亦可愧。

×　×　×

三十八年五月間，我同舅父由赤區逃出，在青島上船。船上的人太多，空氣極惡劣，途中停停駛駛，兩月餘尚未到達目的地。因此，有不少人罹病而死，有的氣還未斷，即被拋入海中，原因是怕傳染，而且拋掉一個，艙內即可騰出一點空隙。人們在此愈顯得無情。不幸的是，我也病了，痛得只存一口氣未斷；當時我已不知道什麼了，據說大家要把我丟下海，拖的拖，挪的挪，已把我移到艙面船舷邊，只差丟了！舅父慌了，霍地跪下來向大家求情，並抱着我的一雙腿死不放：「要丟把我倆一起丟！」我不能讓我的外甥——抗日有功的戰士，孤孤單單地一個人去餵魚！」就這樣拖拖挪挪地延遲了一點時間，船已進入粵江口停下，舅父喚來一隻漁划子，把我運上岸，買來一床蘆蓆，正擬包裹舁至荒郊，誰知我竟復甦了。

×　×　×

三十八年冬季，大局逆轉，我與舅父分道揚鑣。我參加廣西山地游擊隊。開始時戰事尚稱順利，不久地區逐漸縮小，且粮彈醫藥極感缺乏。同時當地民性強悍，與外地人格格不入；尤其一些流氓土匪，見了外地人就殺，他們說：「殺一個人比打一隻鳥强。」因爲鳥只能吃一頓，人的身上起碼有件衣服，甚至有錢。因此，我們有不少的落隊同志或眷屬，是很少能歸隊的。（二）

助人的快樂

雷也同譯

對于這些人不能不加理睬。對他們深以爲愧，但是却無法改變他們。不過我能指出如果他們能了解無私的助人是快樂的泉源，和更能滿足自私心的話，也許會改變初衷，因爲少數金錢慈善捐能使成千納稅人受益。照顧精神與肉體上有缺陷的人，更能獲致巨大愉快，就是只有少數精神患者復原，已數倍于你所捐往慈善會的金錢。讓我作一個統計，告訴你向何處捐欵是值得的。

在明尼蘇達州從一九六一年到六二年，每一個監犯要花掉納稅人一六三九元——大約三十年需五萬元。從另一方面說，本城兒童俱樂部每位兒童只需六十元；假如六十元代價就能防止一個少年進入監獄的話，那末，納稅人向俱樂部捐輸的每一塊錢即可盈餘廿七元。如果六十元能防止一個人在監獄裏花掉卅年的話，納稅人每元即可賺進八二〇元。而且這還不包括那些因無法工作而喪失的收入，家人的救濟消費；還有許多社會額外收入，在他進入監獄後都沒有了。

一間保險公司執行委員會對我指出，一個無法復原半身不遂的傷殘者，五十年約需十萬元，但是若參加一個三到四個月的訓練後（約需四千元），同樣時期只需一萬五千元便夠了。更重要的是他們能領受完人般的快樂。對於傷殘捐獻的成果指出，至少可以節省廿一元的稅金。那些不樂意施惠貧病的人見到這個統計後，應該改變初衷吧！

有些人他們會不會抱怨年復一年，月復一月，名目繁多的慈善捐欵呢？他們會說：假如你身邊常常準備一點濟貧金，你會領受到意想不到的快樂」。

這樣說來，實在是最好的理由。今日已有很多慈善機關因爲我們需要幫助那些倒運的人，我們就像你們每位一樣深深相信能克服所有困難。但是在古代的時候，我們確實上演過生命的悲劇。今日我們已有專門的智識和仗義救人的慈善家來解決面臨的難題，這是我們足以自慰的。

有些人說：「我們捐獻也應有一個限度呀！」

這話當然是對的。答案也很簡單，只要盡其所能量力而爲。選擇你喜歡的項目，如果需要時可以限制奉獻，你仍然會得到意想不到的快樂的。最後記住一句名言：當你看見一位受惠者快達懸崖峭壁山巔時，你便已接近它的尖端了。（下）

新三國

周燕謀著

在會議席上，除了魯肅之外，全場都是迎降之聲。此一會議諸葛亮當也在座。會議上雖然大家主張迎降，但因都不合孫權的意志。在衆人來說，迎降尚可各保官位，戰爭一旦爆發，十之八九是敗仗，做俘擄的吉凶不可知。何況孫權手下一班文武多是遠道來此避難的，大家是求福避凶，所以這「迎降」的氣氛是相當濃厚的。孫權主張尚未堅定，散會之後孫權起而更衣，魯肅跟在孫權後面，在沒有人的地方，孫權知道魯肅的意思，便拉了魯肅的手說：「子敬何以教我？」魯肅說：「我看衆人的議論，乃是置將軍於不顧，不足與圖大事。說實在話，我可以迎曹操，尚不失州郡的地位，將軍迎降，有何出路？望將軍早定大計，莫用衆人之議爲是」。孫權說：「子敬之言甚合孤意，孤對衆人都很失望。眞是天將卿賜給孤的啊！」

四四、拒曹兵孫劉聯盟、戰赤壁曹操敗陣

赤壁之戰的兩個導演，一是孔明，一是魯肅，那麼，赤壁之戰的主角應該是周瑜，劉備關張和黃蓋是要角。

周瑜是反對迎降極力的第二人。他由鄱陽回到柴桑之後，即刻去見孫權。羣臣皆說「曹操虎狼也，託名漢相，挾天子以征四方，動以朝廷爲辭，今日拒之事更不順。」等等氣氛彌着。公瑾與子敬確是高人一籌，能高展遠矚。他力排衆議，對孫權說得很精闢：「曹操雖託名漢相，其實漢賊。將軍以神武雄才，兼仗父兄之烈，割據江東，地方數千里，兵精足用，英雄樂業，應當橫行天下，爲漢室除殘去穢。」他分析曹兵的大忌，拒之必勝之理說：「今日曹操北方尚有內憂，馬超、韓遂尚在關西，爲曹操之後患。而且北方軍隊善於騎戰，今舍鞍馬而杖舟船，在水上與我吳越爭衡，此非北軍之所長。今日正是盛寒季節，馬無草料，驅中原士兵遠涉江湖之間，不服水土，必生疾病。此皆用兵之患。而曹操皆冒此大忌而用兵，將軍擒操宜在此時。瑜只領精兵三萬人，請駐夏口，保爲將軍破之。」

以上是周瑜知彼知己之分析。孫權說：「老賊欲廢漢自立，以前只忌二袁、呂布、劉表與孤而已；而今數雄已滅，惟孤尚存，此次與老賊誓不兩立。公瑾之言甚合孤意，此乃天以君賜我也。」孫權抗曹之意既決，即與諸葛亮決議，孫劉合盟，共同破操。派周瑜和程普爲左右都督，魯肅爲贊軍校尉，折衝於周瑜程普及孔明之間。周瑜也能尊重老將程普，低聲下氣，爭取程普的合作。劉備與劉琦方面，有孔明作爲聯繫，尚能合作，大體上沒有問題。諸葛亮的哥哥諸葛瑾和曹肅甚爲知己，根據這種關係，取得諸葛亮和劉備方面之合作。周瑜程普領了三萬人馬，從柴桑口開到江夏（武漢）會合了劉備的萬多人，再合劉琦的一萬左右，便不顧一切，毅然溯江而上，與曹操大軍決一死戰。（七十五）

電視平劇改進

電視平劇，現在已臻日益改進，就是不一律用佈景，畫面亦簡單而明顯，每個角兒，看得非常淸楚。主持者已善爲利導，値得贊佩。在演平劇用的佈景，要隨時活動使用，例如思凡的羅漢堂，有了便夠莊嚴。別姬的巡夜，有了帳幕便夠動看，不一定呆板固定也。

最近連看三場，是曹曾禧趙瑛瑛的法門寺，鈕方雨高惠蘭王鳴兆馬榮祥等人演的鴻鑾喜，哈元章孫元坡張富椿的陽平關。其中以陽平關爲最完整；其餘兩齣，稍有美中不足。即法門寺揭稱「硃砂井」，但僅演至廟堂叩閽而止，不見硃砂井；應改稱法門寺，觀衆易於明瞭。鴻鑾喜演至救起玉奴爲止，未帶棒打，大概是受時間限制所致。要知棒打爲整齣的最高潮，莫稽無良心，受到懲罰，爲一結論，不見是大可惜。我盼望以後定戲，要控制時間，注意馬前，可把金松莫稽的對白減少一些，動作之間，加快一些，把棒打添上，豈不更形完美？使本省同胞看得懂，是最大功效。吾甚願電視平劇，日益光大，用誌所見作參考。

國劇繽紛續錄（一二〇）

鑒婆生

思念觀衆

電視公司藝文夜談節目，楊華沙訪問甫自美國歸來的名伶戴綺霞，爲了別已三年，趕緊要看，見綺霞風采依然，服裝更形歐化，翩翩姿態，惹人不已。不知她寓居何處，無從訪候，但當然想去慰問，好在她必須休息一時期，容俟時日。

綺霞住美二年多，也擅了外交詞令，華沙問她：爲何忽作歸計？她的答詞，眞夠得體。她說：我是思念祖國，思念觀衆，思念親友，最後因健康關係，有氣無力，不得不休息。同時在美國的朋友，白天多很緊張，我却很閒。晚間談到戲劇，他們雖閒悠，我却緊張的東跑西奔，不勝其累。她並註解：在美二年多，總共不過演出八九場，我認爲並不過癮，想到國內觀衆的熱烈愛護，回來休息將養，預備演幾場，以答觀衆。眞是葉落歸根，不忘祖國，是任何一位同胞，多有此念，但綺霞尤其說得透澈。盼她早日康復，再看好戲！

她在美國的活動，如何情形，不得而知，因未見各報有刊出的圖片。當然他們不願爲她個人宣傳，偶見有某刊揭布她在美的照片，不過是部份的鱗爪，未窺全豹。我想日內去訪，索贈全部照片，爲其宣揚，以表她的爲國辛勞，是自由中國一項特色。希望綺霞電告九五一二二六一談，以備着手，略盡微忱。

高爾夫球的故事

若愚譯

高爾夫是一種吋吋進攻的球藝，這是無可置疑的，同時在第四洞只表示相距數吋之遙。

賓馬離開後，我要補上他的空位，我適當地放着四面球杓，準備攻擊，讓他有一百三十碼的控制射程；他有點兒焦急，我勸他還是輕鬆些，才打得出水準的。

你們明白每一個職業球員都幾乎是沒有氣質的，常常是我供給機會讓賓馬射的笑，羅加士則在一旁嘲笑他。因爲賓馬打球的姿勢，實在令人捧腹。但是，我猜羅君是想贏得錦標。我明白一切的笑都是由于羅君的皮膚，他本人却沒有想及這個。他常用錯了球棒。……

我能明白賓馬是不大適應的。我們拉起褲頭又繼續前進以做成我們角形的進攻。由于他的棒法甚劣，對命中目標乃是沒有把握的，我想跟他談話，他却一言不發。雖然我注意到他會經拉羅加士到一旁，並談了話，可能是叫他別嘲笑他。天呀，如果羅君和我一般想法，一定會罵他一頓。我們到了第六個標時，賓馬打起球來很是緊張，他的後打好像很生硬，神經十分緊張，我試圖把他的心情弛緩下來。我說是：「對，老友，這是一個新洞，好好地背打。」

他停下來面向着我說：「如果你不多說話，我會克服困難的。」

我不曉得是我愚蠢還是其他，我想我們是拍檔伙伴還是其他呢？我想，你爲甚麼這樣呢？羅加士是需要他的，而賓馬却轉問我。我假想他怎能夠跟羅加士般的人終年生活在一起呢？但倘若他公開地侮辱快林高爾夫會和網球會的會員，是對的。

我全然願意賓馬打遠球，因爲他很少用大腦思考的。在比賽中，他從不思想的。今天的球賽進行得不大順利。

這班職業球員是敏感的。賓馬離開球賽，他決定將一切球員忘掉。他喃喃自語說胃痛，或腹部不舒服。他又說，如果繼續玩下去，會有更多的疾病發生。

由於他的病，他就將他今日不能打入洞，得分少，統統歸咎於病；僞裝的病，是職業球員的拿手好戲，這樣可掩飾他的不行。

這個球場是我祖父借給球會興建的，如果准許亞諾賓馬在這兒比賽，則我不幹。或許你們以爲我是食古不化的人，但切莫忘記，高爾夫球是紳士的玩意，不是職業手的。

（下）

汪精衛之親共與反共

海嶠讀書會

諸葛文侯

洎是汪在粵中與共黨沆一氣，聽從鮑顧問之擺佈教唆，使國民黨內部分化，不復團結，囊且發生民國十五年三月十九日海軍局長李之龍謀叛事件。維時今總統蔣公以黃埔軍校校長兼廣州衛戍司令，揭破共黨逆謀，解聘蘇俄軍事顧問若干人，汪震怒，會迫蔣公離粵，繼聲言辭職，閉門謝客，汪料定政局將因此動盪不安，蔣公必無法收拾，最後非向彼屈服不可。鮑洛廷適遄返莫斯科，聞訊蒼黃馳回廣州，見大局安堵如常，無從掀風作浪，而汪氏乃不得不悄然去國，仍擁國府主席名位，以待局勢之變。

迨國民革命軍北伐節節進展，國府遷至武漢後，鮑洛廷即嗾使共黨裹脅民黨一般利慾薰心、罔知廉恥之所謂「左派」份子，羣起要求「汪主席」復職。汪急從法國取道莫斯科歸至上海，未經過國民黨中央同意，即與共黨領袖陳獨秀聯名發佈宣言，誓共生死，悍然以國民黨領袖自居；到武漢聲明復職時，又倡出「革命的向左來，不革命的滾開去」之激烈口號，以取悅共黨，而其叛民黨反共非共人士之行爲亦日益強化，不復顧及黨義與人格矣！

越民國十六年春四月，南京國府成立，實行淸共政策，汪在武漢仍與共黨度其政治蜜月生活，一面推行俄式之赤化制度，一面策動軍事「東征」計劃。初時汪對於共黨所提解決土地問題，武裝農會與工人糾察隊，農會工會直接捕治地主、土劣等項過激方案，頗表異議，迨第三國際代表印度人洛易（Loy）向汪保證共黨將重建汪氏在武漢政府之有效領導權力，而汪即欣然贊同土地方案——詳情見 Robert C. North 所著「莫斯科與中國共產黨」一書——付諸實施。至是年六月間，共黨逼迫汪氏表明態度，是否眞願意與共黨共生死存亡？且由第三國際代表洛易以史達林命令密示汪，其中指定數項革命方案：（一）改組國民黨，應以工農份子居於領導地位；（二）武裝工農軍隊五萬名，以青年學生充任中下級軍官；（三）沒收土地不必經過國府同意；（四）懲治右派軍官。共黨更聲明退出各級政府之現任職位，表示不惜分道揚鑣之決心，而反共非共之國民黨在役軍人如何鍵、許克祥等，亦在兩湖採取行動，反抗赤化政策，武漢總工會指汪縱容反動派。汪氏至此，乃深感四面楚歌，環境惡劣，曾對鮑洛廷、陳獨秀流淚而言曰：「吳稚暉曾警告我，說是『你們日後上了共產黨的當時，記取吳某的話』。我是一個文弱書生，其實他們何必聯絡武人來倒我！」（見蔡和森所譔「機會主義史」）其詞淒楚，其意悲哀，絕非政治家應有之談吐，而汪氏又從此暗與上海國民黨反共之西山會議派人物許崇智等通欵曲，乙向南京疏通，亦以反共人士自任，暮四朝三，目的祇在貪戀政治權位，無所謂政治節操也。（中）

深秋紡織娘之憶

紫雪

中元節過後，在江南的故鄉，便有了幾分秋意；尤其是到夜晚，當一輪明月或幾點疏星出現在天際的時候，你便可以從墻角落裏，或竹籬豆棚那邊聽到一陣「唧唧嚶嚶」的蟲聲，似在向你低低的訴說。

「蟲以鳴秋」，在故鄉的秋蟲中，有蟋蟀，蟈蟈兒，（亦名「叫哥哥」的）紡織娘等等。我討厭蟈蟈兒，不管白天或黑夜的「窮叫」，更看不慣蟋蟀那種强兇霸道自相殘殺的德性，獨對那身披綠色長裙的「織女」——紡織娘，有所偏愛。

紡織娘便是古人所說的莎鷄，詩經上便有所謂：「莎鷄振羽」之句。但亦有人把牠稱作絡緯的。在李白的詩中，便有「絡緯秋啼金井闌」的句子。牠愛棲止於豆棚瓜架上，入晚後，便「扎扎」地弄起了機杼，在秋蟲中，算是最富詩意的一種。

捕捉紡織娘，須在沒有月色的黑夜行之，因其警覺性很高，一發現有人影接近牠時，便倏地飛走了。但即使在黑夜，你亦得禁聲躡足，輕輕的走近牠，如對牠稍有驚動的話，牠便立卽停止鳴叫，使你不知其「芳蹤何處」了。遇到這種情形的時候，你便得沉着氣，耐着性子，屏息候在一旁，等到牠再次鳴叫時，循聲去確定牠的所在位置，出其不意的向牠奇襲，才能把牠捉到。

飼養紡織娘和飼養叫哥哥一樣，把牠放在竹篾編的籠子裏，每天祇須給牠在籠中放些紅豆或青菜葉之類的，你便可不用管牠了。兒時，最愛提着小竹籠，跟大姊去捕紡織娘；有一次手氣很好，捉到了好幾隻，高高興興的提着回家，誰知被母親見了，挨了一頓罵：「捉一個掛在家裏聽聽便可以了，捉那麼多幹什麼？別以爲牠是昆蟲，要知道牠也是一條小生命啊！」說着，只許我們留下一隻，逼着把其他的統統放走了。

家裏有了紡織娘，在午夜夢回的時候，你便不會因過於寂靜而有死氣沉沉的感覺。尤其是我，夏夜因常聽大人們講狐鬼的故事，致有時被夢魔驚醒後，猶心有餘悸的驚疑不置，但一聽床頭有紡織娘在叫時，心便定下來了，這也是我偏愛牠的原因之一。

九月深秋，天氣轉寒，往往一夜過來，紡織娘便殭死在籠裏了。當時，母親總是叫我們把牠盛在一個火柴盒裏，在後院的薔薇架下掘個坑，將牠埋葬在那兒。那時際，我便會感到有一陣淡淡的悲哀，襲向我的心頭。

黑死病談往

林錚

一三四八年一月，來自中東的三艘輪船，在義大利的熱那亞港口碇泊碼頭。這次航行，遙長亦艱苦得很，那些錨鏈一經繫緊之後，一隊一隊的餓鼠，就離開那些輪船去找尋東西吃。不多久之後，熱那亞的街道，隨處都瀰佈着死老鼠。那時的衛生情況很是不好，因此沒有一個人多大注意到這件事情；每一個人都知道那些老鼠是吃着人們拋到街道後邊去的垃圾和糞便來過活和繁殖起來的。後來那裏的人就開始死亡了。

那種黑死病就是這樣開始發生起來的。由於患病的人有着百分之九十的死亡率之故，這種可怕的疾病就把歐洲變爲一個龐大的藏骸所，令到歐洲有由四分之一以至二分之一的人口死亡。那個一三四八年的年頭，成爲歐洲歷史幾乎中斷起來的一個年度。

（上）

著名女間諜 姬麗絲妲的故事

○賀譯○

看她吃東西，後來返到酒店等候她回來。當他們碰面時，他就促她交回他寫給她的信，她說早已拋棄了。到這時他就把她勒死。

這是一個頗爲可笑的供詞，但是他說忘記那個他碰到的海員的姓名，警探隨即向那艘郵船的各船員詢問，沒有一個承認曾跟茂爾杜尼談及姬麗絲妲或別人的事。

甘慕力上校再被召返作供，他指出有一個著名作家基里遜寫一本有關戰時女英雄與地下鬥士的故事，他就跟姬麗絲妲有接觸，姬麗絲妲曾給他一點資料。她有寫出下面的經歷：「在三十七年前我在波蘭與俄羅斯交界的彼與特高鎮出生，本名是嘉士蒂娜基絲嘉。我的家屬在傳統上是很勇敢和堅强的，他們對付入侵的敵人、盜賊和野狼。當我在幼時已很野蠻，在學校常惹事，我的父親就把我轉學，從一間修理所辦的學校到另一間，因爲我太過頑皮而被逐出校。有一次在做彌撒時，在各同學望着我之下，我仍夠膽把手上執着的洋燭去燃着神父所穿的祭衣，他急忙撕開正着火的部份，後來他也笑起來。但是修道主持召到我的父親帶我回去，雖然再被帶到另一間學校。」在離開學校之後，她曾被選做波蘭選美皇后，不久後她跟施卡北克伯爵結婚，他是一個著名新聞記者。當德軍進攻波蘭時，伯爵從非洲怯尼亞飛返波蘭作戰，不久就壯烈犧牲。

在那些簡寫中沒有曾寧探長所主要知道的事，但從別處探得這個被犧牲者，她對自由的偉大貢獻將永久留在歷史中，在英國的黑暗日子，她曾幫助邱吉爾。那個殺人兇手在一九五二年九月被吊死。

（十、完）

內政部台報字第〇三號內銷證
自由報
THE FREE NEWS
第七〇〇期
中華民國僑務委員會頒發
台報新字第三二三號登記證
中華郵政台字第一二八二號執照
登記爲第一類新聞紙類
（半週刊每星期三、六出版）
每份港幣壹角
台灣零售價新台幣貳元
社長：雷嘯岑
督印人：黃行審
社址：香港銅鑼灣高士威道二十號四樓
20, CAUSEWAY RD 3RD FL.
HONG KONG
TEL. 771726　電報掛號：7191
承印者：大同印務公司
地址：香港北角和富道九六號
台灣分社
台北市西寧南路壹壹零號二樓
電話：三〇三四六
台郵撥儲金戶九二五二

誰贏得了二十年的冷戰和國際共產黨對台灣獨立運動的陰謀（一）

·何浩若·

一、冷戰這一名詞和冷戰二十年

一九六五年一月二十四日英前首相邱吉爾與世長辭了。蘇俄的『軍事新聞』（Krasnaya Zvezda）攻擊這一代巨人，稱之爲『冷戰之父』，並且說冷戰這一名詞是他在一九四六年在美國米蘇里州福爾敦(Fulton,Mo.)講演的時候首先引用的。其實是蘇俄的『軍事新聞』弄錯了。邱吉爾在那次演講中所首先提出的是『鐵幕』一名詞。至於『冷戰』這兩個字，據美國學者伍滋(H. F. Woods)在『美國成語』（American Sayings）一書中的考證是美國實業家巴樂和（Bernard Baruch）創造的。後來美國名記者李普曼（Walter Lippman）在一九四七年寫過一本書叫做『冷戰』。現在讓我們來結算一下這二十年來的冷戰吧。

從第二次世界大戰到現在，從一九四五年到一九六五年，恰好是二十年。不論冷戰這兩個字是誰首先使用的，現在一般人已經習慣的把一九四五年到一九六五年這一個時期叫做冷戰時期。參加冷戰的一方面是領導民主國家的美國，一方面是領導共產集團的蘇俄。究竟是那方面贏得了這次的冷戰呢？是領導共產集團的蘇俄呢？還是領導民主國家的美國呢？我們的答案很使人驚奇的。我們以爲贏得了這二十年冷戰的不是蘇俄，更不是美國，而是冷戰中的一個第五縱隊——美國共產黨。

二、美國共產黨在冷戰中所創造的奇蹟

首先讓我們把一九四五年和一九六五年的局勢比較一下。在第二次世界大戰結束的時候，在一九四五年，所謂共產集團祇蘇俄一國。這時候蘇俄的疆土比帝俄時代還小。蘇俄的人口，也不到兩萬萬。這時候蘇俄並沒有核子武器，沒有原子彈，在科學上更沒有驚人的發展。至於美國呢？在第二次世界大戰結束的時候，美國不僅獨有核子武器，而且擁有世界上最強大的陸海空軍。科學和工業的發達也遠在蘇俄之先。第二次世界大戰結束了，美國復員了，冷戰開始了。經過了二十年，到一九六五年，世界的局勢怎樣呢？所謂共產集團的蘇俄和中共匪幫等國家，已經佔有了全世界四分之一的土地，並且奴役了十萬萬以上約佔全世界百分之四十以上的人口。蘇俄不僅有原子彈，而且在科學上也有了驚人的進步。再說詳細一點吧。冷戰並不是完全不戰的，不過沒有蘇俄和美國的核子大戰而已。廿年以來在中國大陸、印尼、韓國、匈牙利、馬來亞、古巴、寮國、越南、塞普勒斯、埃及、阿爾及利亞、剛果等地均曾有過熱戰。單就美國而論，這些冷戰中零星的熱戰，已經付出五萬人的生命和六百億美元的代價，不過沒有贏得了其中任何的一次戰爭。首先是民主國家一方面失去了東歐諸國，接着便是中國大陸包括外蒙古在內，淪入鐵幕。我們累次的說過同意麥帥的看法，世局的關鍵在亞洲，亞洲的關鍵在中國。共產黨佔領中國大陸以後便實行列寧的遺策「到歐洲去的路是要從中國走，北京才是進入巴黎的大門」。中共發動韓戰壯大了北韓，隨即又發動越南戰而建立了北越。越南仍在拖着美國的泥腿，而共產集團赤化亞非兩洲和拉丁美洲的工作已經如火如荼。剛果行將在最近決定非洲的命運，而最突出的是古巴革命已經距離美國不到一百英里。這究竟是誰造成這樣的局面呢？是史達林、赫魯歇夫和毛匪澤東嗎？不是的。他們沒有這樣的本事。毛匪還是別人扶植起來的呢！是蘇俄和中共匪幫嗎？不是的。中共和蘇俄沒有這樣的力量。然則究竟是誰呢？是誰贏得了冷戰的勝利呢？經過美國國會多次的調查，根據美國國會調查的紀錄，造成目前的形勢的是美國共產黨。因此我們應當說美國共產黨贏得了二十年來的冷戰。

三、東歐和中國大陸的淪陷

美國國會紀錄（Congressional Record Sept.22.1950 P.A 6832）引述了羅斯福總統一段話。他說：「我和你們一樣，並不相信共匪主義，但是美國共產黨並沒有什麼錯；我有幾個最好的朋友便是共產黨黨員」。

當然，佛蘭克林羅斯福總統並不相信共產主義。但是正如他所說的，他有幾個最好朋友都是共產黨員，而其中的一個便是奧格希斯（Alger Hiss）。希斯是總統的助理，羅斯福對他是言聽計從的。羅斯福參加雅爾達會議的時候已經病很重了。會議中主要的議決案都是希斯作主的。據說雅爾達開了四天會，新聞記者去訪內幕消息。史達林是不說話的。羅斯福也沒有發表觀感。只有最近逝世的邱吉爾說：「上帝創造世界七天。我們創造世界四天。」究竟當日的情形如何？我們在這裏也無法考證了。但是東歐淪入鐵幕，完全是雅爾達會議決定的。在雅爾達，羅斯福同意把波蘭的一半和波羅的海三個小國併入蘇俄，並且承認史達林佔領了東歐十一個國家。（一一）

一丘之貉

燃料就是粮食

今日與明日

美國應該下大決心摧毀毛共核子設備

毛共不管大陸人民死活，敲骨吸髓恣意搜刮，集中全力悉索敝賦推行其罪大惡極的「寧要核子，不要褲子」政策。過去已三次試爆核武器，十月二十七日又第四次據說「發射導彈核武器成功」了。這是人類的不幸，特別是中國大陸七億數千萬同胞的不幸。

毛共的一些專門靠造謠吃飯的宣傳歹徒們，對毛共「發射導彈核武器成功」，據說竟「熱淚盈眶」，也許由於陷「枱面迷昏」狀態，所以，硬說這是「毛澤東思想的偉大勝利」，又是「文化大革命的輝煌成果」。毛共爲逞其毀滅自由的狼子野心，發展核武器已有十年左右的歷史。所謂「文化大革命」，乃數月前刮起的一股邪風，這兩件本是毫無關聯的。再說，「文化大革命」的主要目的係在於搶救完全破產的所謂「毛澤東思想」，而毛共的大小宣傳走狗們却題外發揮，「突出毛澤東思想」，和由林彪掌握的所謂「文化大革命」，尤見其無聊與無恥。

毛共集中搾取自大陸同胞的血汗，發展核武器，過去已消耗二十億元以上的美金，但其核子「成就」仍在「低級」。今後必更積極地向越洲彈道飛彈方向發展，以求能一舉而消滅「最兇惡的敵人美帝國主義」；所以，其將作更多的「投資」，消耗當倍增以至翻幾翻。

毛共本來仍掙扎於「一窮二白」的途徑上，大陸同胞一直在過着「糠菜半年粮」的牛馬不如生活，眞是黃台之瓜，何堪再摘；而罪惡的毛共政權却非要「大躍進」到成爲「核子大國」不可！

在這種情況下，毛共對大陸同胞必進行更徹底、更全面、更殘酷的搜刮。善良的黃炎子孫，從不奢想，只求能過其平平安安地溫飽生活。而毛共却連這個起碼的要求，也予以剝奪了；所以，可以斷言，今後大陸人民必在血腥的迫害下，掀起更爲洶湧的反共巨潮。

懦怯而自私的美國，一直不支持我國軍反攻大陸，這無異於「保護」毛共，讓它渡過難關而發展壯大。迨毛共此次試爆後，它仍無視此一殘酷的現實，說什麼「中共的核子能力很多年內仍屬有限」，甚至強調十八年後才能對美國發生威脅作用。也許就因爲如此，美國仍不願對毛共採取任何行動。

美國如敢面對現實，並還有意爭取亞洲自由國家的友誼的話，則應該毅然採取措施摧毀毛共的核子設備。不然，若干年後將是人類的一場的浩刦。而受害者，亦必包括美國在內。（何如）

自由談

低級的政治藝術

政治是高度的藝術，會玩的可使國人大悅，深得民心，不特本身富貴榮華，名利兼收，在歷史上亦佔有光榮的地位。這有如玩魔術的江湖術士，在台上玩弄的那套戲法，明明是假的，但不露出破綻，台下的觀衆卽莫名其妙，認爲眞的了。

搞政治如果一味的說眞話，做眞事，沒有絲毫的權謀術數，雖聖賢其猶病諸！問題在要取法乎魔術師，使觀衆彷分惚分，將假把戲看成眞事情，同時亦不宜完全搞的假玩藝，多少有點眞本領，像魔術師的雙手敏捷動作，卽是眞工夫，所謂神而明之，存乎其人是也。

譬如政府官員有時候表示勤求民隱的心情，巡部民間，訪查民情，或對貧苦衰殘的人幹些矜恤救濟工作時，悶聲不響，做了亦不說甚末。這樣的作風，縱使是「僞裝」行爲，然在老百姓的觀感中，總覺得政府官員勤政愛民，實心任事，自然而然地對政府發生向心力，心悅誠服，一致愛戴。如其事前就在報紙上竭力宣傳，臨時還要拍些照片作證，事後更向社會散發文件影片，對新聞記者報告一番，唯恐羣衆不知道自己的「德政」，那就表示你是志在宣傳，民衆雖然嚐受了一些好處，心裏亦不會產生感激之情，卽永遠得不到眞誠的民心傾向，人民與政府始終貌合神離，不能流[illegible]一氣。會玩政治藝術的決不如此，他自己決不作聲，讓民衆認定是眞愛民的行爲後，一人傳十，十人傳百，這種宣傳效力，比任何方法都廣大而深鉅。

現代吾國的政治人物，一方面重視宣傳，不遺餘力，同時又不懂得宣傳的方法，一是皆以「自我宣傳主義」爲本。殊不知自我宣傳的後果，眞情實事亦可能被社會大衆懷疑是假的，俗語說，「鄉下人看告示——總是你我吃虧」，作用正復相同，眞是得不償失，未免太冤了。這與一般官員把「公共關係」看成酒食徵逐的意義一樣，都犯着誤解名詞的毛病，寃枉花費許多人力財力，而其效能總是反作用大過正作用，何苦來哉！

現代的人都很聰明，交通與通訊方法又極進步。搞政治固然不能遇事率眞，毫無權術，却不能專用騙術以求治，「人民的眼睛是雪亮的」這句話，一點也不過份，自我宣傳的低級政治藝術，非改進不可了！

馮正先生

美英法蘇俄均投下大量金錢
超音速飛機發展費用
較初期預算大好幾倍

（紐約航訊）超音速飛機的發展費用，超出初期預算很遠。一九六二年，美國飛機製造商，估計建造一架超音速機需一十五億美元。那數字現已增至四十五億美元。少數關心用錢的美國國會議員堅持的說，美國應該完全退出超音速飛機的競賽，而不應花那麼多的錢。威斯康辛州民主黨參議員布洛克斯美爾質問：「在這時候應該浪費聯邦的錢來爭體面嗎？」

至於英法合作建造的「和衷」號，英國航空部最近修正成本預算由四億五千萬美元增至一十四億美元。而批評者說，甚至那數字也是太低。倫敦的星期日泰晤士報說：「謊言，可恥的謊言」。每日郵報說：「最後的成本，勢將達到二十一億美元。」

不過，超音速飛機的發展，仍在歐洲及美國繼續進行着。英國及法國，希望第一架模型的「和衷」超音速飛機可於一九六八年二月起飛，第二架模型的試驗可於一九六八年夏進行，而他們的超音速飛機，可於一九七一年正式飛航。「英國飛機公司」刻正建造這架時速一千四百五十哩的可載一百四十名乘客的「和衷」號的鼻頭和尾。英國的「布里斯托爾塞德萊」刻在製造它的引擎。法國的「蘇德航空」負責建造機翼及機身。爲了收回資本，「和衷」機製造者要售賣約一百四十架，每架一千六百萬美元；現已接到六十架的訂單，包括汎美航空公司的八架，環球航空公司的六架，大陸航空公司的三架，以及東方航空公司的兩架。

美國超音速飛機仍然在繪圖板上，但競爭的機身及引擎製造商已呈交藍圖，以供聯邦航空總署於本年底以前批准。洛歇及波音競爭機身承造合同，「通用電力」及「普拉特及威特尼」競爭承造引擎。洛歇提供一種雙三角翼的圖則。波音提議採用活動翼。這兩公司都說能夠建造一架可載三百乘客，在七萬呎高空以一千八百五十哩的時速飛行的飛機。美國的超音速飛機售價三千五百萬美元，售賣二百五十架，即可抵償所有費用。

超音速飛機競賽中的第三者——蘇俄——對於它的TU一四四的價錢及進度，一刻仍保持緘默。相信這飛機也使蘇俄使用着超過他們預期很多的錢；但像美國、法國及英國一般，蘇俄無疑的知道它不能中途而廢，因爲到一九八零年，超音速飛機將有一百五十億美元的市場。

若櫬繁四度來台
專程會晤李翰祥
國聯明年可拍片十三部

（本報台灣航訊）日本人參製片公司負責人若櫬繁，前天第四度飛抵台北。

據若櫬繁在飛機場上告訴記者說：他這次來台是要和李翰祥簽訂『水滸傳』正式合作契約。

若櫬繁說：屬於日本法人的「日本映畫輸出振興協會」已同意貸款日幣二億二千萬元，與李翰祥主持的國聯影業公司合作拍製「水滸傳」。

若櫬繁說：該振興協會每年有固定基金日幣二十億元，專門貸放與缺乏資金的日本國外影片公司合拍新片的日本製片公司，其唯一條件是合拍的新片，必須在全世界發行。若櫬繁說：人參製片公司和國聯影業公司合拍的「水滸傳」故事大綱經提請振興協會審查，並經原則同意，但是必須有正式合作契約才能核准。國聯公司過去和人參公司所簽訂的契約，係草約，依規章不符，無法獲准。因此他這次專程來台的目的就是要和李翰祥簽訂正式契約。

若櫬繁此次來台，正值李翰祥香港公幹未歸，爲了達成簽訂正式契約的目的，他決定等李翰祥回來再走。

（本報台灣航訊）國聯影業公司負責人李翰祥表示：國聯公司明年度製片計劃決定擴大，其製片基本數確定十部。

李翰祥說：這雖然是國聯公司和國泰機構新簽合同所規定，但是也是基於國聯本身所需要。李翰祥並解釋說：國聯公司擁有的人力，如果明年拍製新片十二部是非常輕鬆的事情。加上新近購買的四十萬元的攝影燈光，和兩部新式的攝影機，他相信國聯公司明年可以完成十二部新片。

在基本數十部新片裏，其中李翰祥將親自導演的兩部，其餘八部則將分別由郭南宏、宋存壽、林福地、朱牧、交楊甦等負責。

國聯公司的人力，除了上述導演外，在演員方面，人才濟濟，其中可以單獨挑大樑主演的有：江青、甄珍、鈕方雨、伍秀芳、萬儀、歸亞蕾、秦瑤、金莎、楊群、田野、金滔、康凱。

（本報台灣航訊）榮獲本屆金馬獎導演獎的李翰祥，對這次的獲得仍然感到非常高興。他認爲獎是一種鼓勵，一個導演的獲獎，非常有效的鼓勵。李翰祥說：他看了「貂蟬」重看前後曾一遍，感想不久，「貂蟬」是那祇是過去的作品。然而那部「貂蟬」卻給他帶來了亞洲影展的最佳導演獎，「也刷新了我國電影在國際性影展中從未獲獎的紀錄。」李翰祥說：「貂蟬」的獲獎對他的確是很大的鼓勵，因爲在「貂蟬」獲得之前，他並不給他這個責任，於是使他在等待新片的成績。當李翰祥不注意時，一個導演的成就，其了，只說：「我要把它風趣下來」心決，我就是「貂蟬」作爲我的標準。「凡是由我導演的新片，其成績絕不低於「貂蟬」的水準。」

這是李翰祥第二次獲得「金馬獎」，有人認爲這種對導演的最好鼓舞作用和年輕導演能享受，給他們和也鼓勵新進的導演，這種榮譽和鼓勵。

高雄衛生局太不衛生
違建房屋有幸有不幸
——本報高雄航訊——

▲一向被高雄市民所詬病的衛生局，在輿論所抨擊，議會所指責的情形下，在人口急劇增加，都市發展快速的現狀下，它的工作可以說是千頭萬緒，百事待興。可是自林桐龍局長到任迄今，忽忽數年，他究竟做了些什麼？高雄市民有目共睹是鮮有作爲。市民對衛生局，希望他們取締偽藥，防止灰塵，禁燃生煤，清除垃圾，檢驗飲料，防止性病等等；可是衛生局究竟做了什麼？和已做了些什麼？說起來可嘆！就衛生局的週遭環境來看，遍地垃圾穢物，無人打掃；最滑稽的垃圾車不加蓋，且車廂本身全是孔洞，每當滿堆垃圾的車疾駛過市布通衢大道，路人只有閉目掩鼻。俟垃圾車到達堆肥工廠，一車垃圾，所剩無幾了！有人說衛生局不衛生，滿街散穢物，確非過甚其辭。亦可見衛生局的本身是如何的不健全了。市民對它何敢存什麼奢望？

▲高雄市國際工專教室原申請爲三樓基礎，三樓完工後未經申請便自作主張，加蓋四樓。市府建設局據報，本年四月八日以高市府建督字第〇一五二二九號令市警察局，對該校超建部份依法取締，拆除令達該校後，校長陳韜急了，到處奔走活動，總算保全了面子而未拆除。據建設局某官員稱：該校超建部份，將來可能「變更設計」，因爲市府的公文呈報建設廳，至今沒有下文，究竟陳校長的文章是在建設廳、建設局，抑或警察局作了手腳，須進一步探證了。日前林森二路拆除攤販竹布篷時，拆除隊大隊人馬開到，三下五除二，幾十間賣油條、燒餅、豆漿之棚，嘩啦啦不到五分鐘拆得一乾二淨！這些寄人籬下，起三更、睡半夜以討生活的不幸者，淚汪汪的看着人家拆！兩相比較，怎麼解釋才是呢？

▲高雄港的走私之風，有野火燒不盡之勢，目前已達到極爲猖獗的境地。私梟在被港警所追得去投無路時，以走私快艇與港務警察的巡邏艇對撞，並擊傷警員。此案發生後，港警所長黃人大發雷霆，遍佈偵騎拿人。

高港走私與黃牛的接運貨物，可謂水凍三尺，非一日之寒。本來查緝走私與取締黃牛是屬於海關查緝範圍，港警所僅屬協助性質，今天港警所似乎取代了海關；私梟的猜忌乃轉移目標，對港警所挑戰，海關方面卻默爾而息。難道海關甘願放棄職權而不聞不問嗎？

日本與香港兩地，目前走私的航線多半是兩地的船員，因爲航行該兩地的船員，一般船員並非拿薪水，而是船員『倒貼』給有關部門。他們在船上作業所付出的勞務，所需要的代價，就是帶點私貨賺錢生活。可是他們首先上岸，等於白跑，因此貨帶不上岸而走險了。這情況不能以「走私」問題單獨來看。台灣人口過多，人浮於事，百業競爭劇烈；即以該兩航線來說，船多貨少，即不賺錢，但也聊勝於無。這一蓋繩頭小利，也聊勝於無。這是一個不景氣的現象，也是一個不容忽視的社會問題。如何杜絕走私，應該拿出正本清源的辦法，使走私消泯於無形，方爲上策。

透視立監委涉嫌商行賄案（四）
從監察院第十四次臨時院會決議案說起
——本報記者張健生

決議文獲得讚揚

「本院如果就此一紙空文，即予許可，則此例一開，任何地方法院首席檢察官一人皆援例以一紙空文要求逮捕拘禁民意代表，而該民意機關勢必祇好照例輕率許可，則憲法保障民意代表使其敢於盡言責糾官邪，而不虞構怨結仇誣陷害之意義從此盡失。民意機關監督政府之功能，勢必因之大[illegible]而開惡例。本院因此認爲必須審慎從事，以重法治。頃據李院長及蘇秘書長報告向台北地方法院檢察處焦首席查詢經過，獲悉本案情形，爰經決議許可該檢察處對各該委員，於必要時予以逮捕或拘禁。」

當監察院議決文經報紙公布後，街談巷議，口碑載道，說是監察院硬是較它的芳鄰！——立法院要得。且批評立法院院會太草率，秘書處太遷就了。許多立法委員私下也表示了這種態度，甚至有些委員爲此而主張罷尹靜夫之秘書長的職務。並說監察院之決議文，將成爲憲政史上的文獻。不過，自立委劉景健在立法院門前被司法警察官員逮捕之後，立法院院會即發現會場委員席十有九空，而以往熱衷於一問一答口頭質詢的立委們，紛紛改提書面質詢，這充分顯示「氣壓低」而不願多說話了。立委三緘金口的消極態度，是否有虧職守？將來自有公論。

公函詳畧之問題

此間輿論，對監察院之決議案文表示讚揚。如有一家報說：所謂「挾誣陷害之意義一節，亦不失爲合情合理之主張。因爲司法有獨立行使職責之權，固是無可置疑的事實，但憲法既以許可或不許可之權，授予立監兩院，就應當相互尊重其職權。故在司法機關函請監察院行使許可權時，在不妨礙案情偵查之原則下，將涉嫌委員犯罪之事實，予以說明，以使全體監委有所瞭解，作爲許可依據，要亦並非苛求，而且可溝通法院監院間之意見，以便利函請許可之順利通過。撇開法律不談，即就政治藝術觀點來說，又何吝於多寫幾個字和幾句文字」？像這次台北地檢處的公函，「連牽涉什麼案的案由都未提及，似嫌簡畧了。」監察院的「動機」一樣的是爲了維護法治精神。」

瀛海異聞錄

歐洲一打末路王孫近況

·柔雅·

目前，在世界各地，還有若干人士耐心等待着要做皇帝的。他們是一班狂人嗎？非也。他們當然是與皇室有關係，只是時勢轉移，遂變了末路王孫吧了。那麼，一共有多少位呢？共十二個，一打之多。

首先，是奧地利的哈斯堡博士，今年五十四歲了。他是奧地利與匈牙利最後一個皇帝的兒子，在國內原被稱爲奧大公爵的。他已是七個子女的父親，對于王位仍念念不忘。他個人瘦削，能懂五國語言，正謀求一位大學的講師職位。最近他返回奧大利亞居住。人們對他稱呼「陛下」，他最感高興。

第二個王位僭望者是葡萄牙的魯奴，他的封號是布拉根沙公爵。雖然很少人認識他，他仍自稱爲國王。一九五二年葡國獨裁者沙拉柴批准他回國。他仍堅持自己才是一國之君。

第三個輪到法國的亨利伯爵了。他是一位大濶佬，依然在政壇上活躍非常，支持他的人便常常高呼「吾王萬歲」的。不過，他始終無法建立勢力，所以法國政府容忍他住在國內。

第四個是保加利亞的辛尼安。曾有一個時期，他自稱爲全歐最窮的國王，但他娶了雅絲賓後，便情勢大變，因爲雅絲賓是西班牙最富有的寡婦。目前，辛尼安住在馬德里，空閒時建造模型飛機，他已搜集二百多架。其次，他喜歡滑水。一九四三年他是保加利亞國王，那時他才六歲。父王逝世，他便攝政。三年後，保加利亞進行普選，宣佈成立共和國，他便貶爲平民了。目前，他仍常常舉行派對，款待流亡的貴族人士。

第五個是義大利的烏巴圖。一九四六年，他做了廿六天帝王，便被廢了。幸虧他的祖宗有一百五十二萬鎊存在英倫，于是他能在葡萄牙養尊處優。他的別墅很大，有廿個房間。今年他六十二歲了，女子已分居，分別住在瑞士、布魯塞爾及巴黎，因此他相當孤獨。他們希望義大利恢復帝制。

第六個是阿爾巴尼亞的尼加。自一九六一年來，他都寓居于巴黎的酒店。他父親是國內著名的大盜，得兩百名白俄僱傭兵的幫忙，自稱爲阿國總統。當一九三九年，義大利侵阿國，他便自稱洛格一亞，帶妻子離國。目前，他的兒子尼加，身高六尺八寸，偉如巨無霸似的，住在馬德里，大部份財產投資在建築事業，他仍未婚，專與女秘書鬼混。他出入配槍，有保鏢保護。

第七個是唐朱安。巴斯朗那伯爵。他常常說：「我隨時動身準備做西班牙王。」這句話似乎已說了三十五年。

第八個是嵩俄．他雖然要與唐朱安爭王位，究竟是否將有一天鹿死誰手，那只有天曉得。

第九個是羅馬尼亞的米高。他父親加魯被廢，因爲他與女星鬧出桃色事件，但一九三〇年間，他再次執政。一九四〇年，他被迫退位，由米高接上。直至一九四七年，共黨專政，米高的王帝生涯便告一段落。目前，他在一間專打理破產公司裏工作。他很樂觀，仍希望回國做皇帝。

第十個是南斯拉夫的彼得。他說：「世上並無廢帝彼得這回事，我便是彼得大帝。」今年他已四十三歲，住在法國的里維拉。最初幾年，他與妻妾環遊世界，揮霍無度，如今，要變賣皇室珠寶來度日。

第十一個是蘇俄的維拉弟摩，今年四十九歲，在馬德里生活于紅燈綠酒的環境裏。他原在巴黎出世，他仍很富有，在其私邸有六名工人任差使，私家車三架之多，其中之一是勞斯萊斯。

最後一位是普魯斯的路易士親王。他是德王的男孫，流亡國外後，曾在美國汽車公司裏担任歐洲推銷主任一職。最近，他安居於西柏林，從事作曲。他說：「我對目前的政治不感覺興趣。不過，如果德國人民需要我，我仍肯挺身而出的。」事實上，何來這個奇蹟呢！

橫渡英倫海峽百零一年

—路加—

自從英國的伍長馬菲．衛拔，從英國的多維爾，艱辛地經過廿一小時四十五分，游到法國的嘉來，到今年已經是第一百〇一年了。

自他之後，有着數以打計，戴上泅水眼鏡，全身塗上油脂的人們，興緻勃勃的，跟英倫海峽的洶湧波濤，海潮，濃霧，使人麻木的寒冷海水，和刺人的星魚及水母等挑戰，他們對此全不以爲苦，反覺得那是充滿刺激和有趣。

在紀錄上而言，過去可能有數以千計的男女，曾試圖橫渡這廿多哩的海峽，可是大多給中途發生抽筋，暈浪，筋之力倦，及遭遇惡運等種種情形，而失敗下來。成功的人，只有五份之一弱。但人們還是不惜千方百計，以各種新奇的方法，想成功的橫渡英倫海峽，這種念頭，此起彼落。

像卜柏頓，是橫渡海峽狂之王，他造了一艘獨木舟，一張臥榻，一個桶子和一個長十五尺的鋼瓶，裝上外放的馬達，推動地橫渡海峽。但是沒有人曉得他下一次又用什麼工具了。

兩年之前，在十月的一天，一雙法國夫婦，穿上滑水工具在海峽上滑行，一小時廿分，他們不怕烈風巨浪及濃霧。同日裏，有三位法國人懸在一隻馬達快艇，高速的拖着，只須廿分鐘的時間而已。稍後倫敦一位波蘭籍人，想以十二呎長水屐，用水松爲兩枝長六呎的滑冰棒推進，由多維爾滑至嘉來。

一九〇九年，七月廿五日，路易士．布里萊，爲以飛行機器橫渡海峽的第一人。但早於一七八五年，有人用汽球作橫渡海峽之舉。至今仍有人想循這方法橫渡。一九一二年，雅育斯和唐辟嘉是世界著名科學之家的家人，他們欲以汽球出發，想創新紀錄的一頁。美國科羅里特州可可海灘蛙人佛烈巴第沙，於四年前，穿上深水泅泳呼吸器，及供應體力的藥丸，在十五呎海水下泅游。三星期後，倫敦一位幹書記的男子，也依照這方法泅泳。

總之，人們出盡各種方法，橫渡英倫海峽。在史甘文度的一位十四歲女董李安娜．毛道爾，僅以十五小時四十分鐘，游過海峽，她說她在自我催眠的情況而泳的。有十名十三歲至十八歲的女孩子游渡海峽，此種情形，過去很少見的；她們是倫敦一間女子學校學生。另有十名英國男生，以十一小時零兩分鐘游畢全程，把罕有的紀錄打破。

一九二三年，蘇理雲是第一位美國人橫渡海峽，他的紀錄爲廿七小時廿五分。一九二六年，第一位橫渡海峽的美國婦女爲芝杜露．德露。（一）

六死餘生述

閔十還

這時我突然患了瘧疾，有規律得很，三天一次。因晝夜都在作戰或行軍，不到兩月，只乘下皮包骨。一天，我實在無法轉動了，而且已兩天未吃飯（無飯可吃），顯然倒臥道旁，同伴們自顧不暇，那有力量抬着我走？分隊長流着淚，取下我的武器，他們都走了；這時我只得閉着眼睛，靜待死的來臨。

未幾，山坡上傳來人聲，我知道是流氓或土匪來了，乾脆閉着眼睛裝死。隨即聽得很多人聲和腳步聲漸漸接近我的身體，他們講的話，一半是國語，一半是土語，但大意我都聽得懂得。

「吊那馬害！送他一刀！」

「已經死翹翹了！不必把刀弄髒！」

「衣衫還好！看看口袋裏有錢不？」

他們把我翻過來，覆過去地剝得精光，連一雙破膠鞋也脫走了，可是頭上戴的一頂破棉軍帽（由東北帶來的）却未取走，夾套裏藏有一件軍校畢業證和一紙上尉任職令竟得留下。天氣太冷，渾身漸趨麻硬，最後想睜睜眼也睜不開了，

只覺得一忽兒在太空中飄蕩，一忽兒又在冰窖裏躲藏。清醒時，睜眼一看，發覺躺在一間茅草屋裏，身上蓋着一床破棉被，左邊燒有一堆火，右邊坐有一位老頭和一位老媼，另有一位大姑娘背後拖有一條大辮子，左手端着一碗水，右手用調羹向我口裏直灌，水暖暖地直入腹部。我知道是回什麼事，向他們點首示謝，他們都笑了。

我開始說話，他們都搖頭，而他們所說的我一句也不懂。我掀開被子，發覺身子仍是光光的，我迅速地又蓋起被子，那位大姑臉一紅，到裏面去了。未幾，她拿出一件破棉襖，一條短褲，一雙草鞋和一缽紅薯稀飯，放在我身邊，我穿好衣服後開始吃飲。偌大的一缽我都吃光了，他們在旁直笑。我向他們磕了一個頭，表示要走；那老頭做前導，走小路，不到半天，我已看到我的部隊。怪得很，他們對我們部隊的去處好像很清楚。

×　×　×

三十九年夏季，我隨游擊隊進入富國島，編入黃杰兵團。大概係水土不服，很多人患痢疾，死亡率佔百份之六十。留越國軍分三個管訓處，三處的人數差不多，而所有死亡的人都埋在一個地方，那地方大家稱爲「第四管訓處」，可見死亡數目之大。

我抵島不到五天，突然吐下瀉、高熱、不省人事。隊上把我，用汽車送到臨時搭蓋的醫院裏，因在路上顛簸得我厲害，未下車前，我竟死去了。復甦時，以爲自己仍是在家做小孩，誰知一看環境不對，有兩個兵用手壓着我的左臂正在給我打針！我當時嚇了一跳，怎樣自己闖進兵營裏面來了？於是我由童年生活回憶起，經發蒙讀書、投筆從戎、勝利、戡亂、打游擊、進入越南，才想起我是進入醫院了。醫官跑來向我笑笑，好像很得意；但這時我一點也不能動彈，僅僅能夠說話和看人而已。（三）

新三國

周燕謀著

四十五、曹操狹路逢關羽　周郎江陵戰曹仁

兩軍在形勢上，相對於湖北嘉魚縣西南和浦圻縣的正西的赤壁。赤壁乃是一座山。位於長江右岸，對岸的市鎮叫烏林。劉備的部隊是駐在江北，距烏林較近。故又有謂赤壁之戰叫烏林之役。

此一戰役中，表獻得最佳的，最了不起的一位大將是黃蓋。黃蓋公字覆，湖南人，是孫堅的老幹部，官至丹陽郡的都尉。（每郡一太守是文官，都尉一人，是武官）以曹操那麼聰明了一世，竟被黃蓋詐過。黃蓋詐降，曹操居然相信，（演義和戲劇有黃蓋獻苦肉計，此乃小說家之言）等着黃蓋前來投降。曹操在兩軍剛接觸時，即令大軍移到江岸的烏林，把所有的船連在一起，陸上的大軍，又在樹木叢雜的烏林紮營。等曹兵發現黃蓋押來投降的船隻完全裝的是澆了油的稻草時，已經來不及了。何況船與船連在一起，黃蓋在距曹兵二里之處，把草船燒起，猛衝過去，鑽進曹兵的船隊中，頃刻之間，各船烟霧瀰漫，船上扣了連環，又分不開，船上起火無法搶救。所有的船一齊燒光，又接連燒到烏林岸上的大營，幾十萬人的營帳全部燒光。同時周瑜、程普二軍從水陸二路掩殺，劉備方面的關張趙雲三將，各早已由孔明佈署好了，一見江中火起，一齊猛殺，曹兵大潰，不可收拾。曹操奪路走脫，向江陵奔命走了。這是建安十三年公元二〇八年十月至十一月間的大事。

赤壁烏林一戰，只殺得曹操號稱八十萬大軍四散奔逃，燒死長江者，不可勝計。因爲曹操軍隊自以爲人多力强，開始毫不在乎，將戰船連成「船海」猶如陸地，心想可以萬無一失。沒想到黃蓋一把火，燒得曹兵落花流水，焦頭爛額，不顧一切的逃命。而孫劉雙方面的聯軍，士氣旺盛，也是孤注一擲，因此一戰，乃是孫劉生死的關鍵。周瑜拼命的打，猛追、窮追，一心要把曹操趕回老家。劉備正是要報以往連吃敗仗之仇，尤其在當陽一帶，曹操追得他馬不停蹄，這一陣劉備方面當然拼命的追殺佔據地盤。先是曹操把劉備追趕到夏口，而今却是劉備把曹操由夏口趕回老家。

曹操帶了直系軍隊狼狽奔逃，路過華容道，狹路相逢關羽，帶了一隊人馬，早已在此等候多時。華容道在湖北監利縣之北，是到江陵的通路。關羽以逸待勞，大殺一陣。因爲關羽所帶人馬不過是二三千人，曹操雖然失敗，跟他身邊的最少也有十萬八萬之數，怎能抓到曹操。演義和戲劇上說是華容道是關羽賣了人情，將曹操放了，這話是小說家言，不可信爲史實。諸如借東風、草船借箭、三氣周瑜等，在赤壁戰中大大生色的，這些都不是事實。此即新三國的旨趣。如果華容道關羽兵多，那曹操也就難逃此難。關羽也決不會賣人情。關羽老早便想把曹操宰了的，怎會放他？關張都是痛恨曹操的行徑，而且是政敵，豈可因私而忘公？雖然和曹操有舊，那是一己之私，在此時此地，他決不會輕易放過。

曹操也是馬不停蹄，日夜敗退，跑到江陵、孫、劉聯軍也分向由水陸緊緊窮追不舍。（七十六）

國劇繽紛續錄（一二一）

姿婁生

干城得良配

三月以前，干城劇隊北來公演，曾告耘野組長，囑物色能兼文武的二旦，已詢多位，皆是碰壁。因爲她們現在台北，一方面在單位工作，有餘時間，隨時演出，每個人收入多在三千左右；參加劇團的每月十天勞軍，實在無法奔走値差，此爲却步之因。

日前在活動中心，看李貞娘，忽遇林萍，眞是踏破鐵鞋無覓處。正擬與她商談，承她見告，已參加干城劇團，曾演過打焦贊泗洲城兩齣，深爲一喜。據云：干城找了她三次，始告允任，實在是考慮再三，自離大鵬，休閑已慣，恐力不勝也。從前無武旦，因此干城對於武旦戲不能動，即金山寺斷橋也不能演，祗好擱起來，未免可惜。今有林萍，可以支配了。

林萍在大鵬的武工，不輸於姜竹華，終因屈居而至脫離。茲進干城，是出頭之日，當可大顯身手，一吐胸中塊壘，放出異彩。頗望干城珍護此才，善爲導引，輔助蓮芝。所謂千金易得，一將難求。若再覓得好淨角，則生旦淨丑，一無所缺，陣容逐漸嚴整，是迎頭趕上的趨勢，深爲可慶也。

唱片說教

中廣公司每逢星期日的平劇選播，自從聽衆要求，又恢復到上午十時五分播出，比以前多了二十五分鐘，這是愷琳的安排，頗可稱已能。並且自恢復以後，到了末尾又多一項唱片說教，大概是請教名家後的措施，爲一特色，確比其他電台不同，意義是「教」，功效是「學」，有助於平劇之推展，使初學者得到規範，甚好。

自開闢唱片說教以來，已有兩月，生旦淨各角，都已播過。她的辦法，是先念唱詞，再撥唱腔兩次，很夠淸楚。但我認爲稍有缺憾，就是零段，不夠完全。我想爲愷琳說一些意見，既是已經加了二十五分鐘，望勻時間，把唱片說教定爲十五分鐘。而所播不要是僅一段，例如空城計，把武侯司馬的唱腔，先都念出，然後統統播出，是否對於學的人起大作用？倘僅城樓的兩段，會唱了，其餘仍是不會，以此類推。旦角則遇到唱詞較多，則分兩週，那就是一月可以學兩齣，不僅零段而已。例如二進宮，因有生旦淨三位，可以把此戲分爲兩次也可以播完，這樣才是實實在在的說教，不知道是否可以考慮？再如徇聽衆意見，播出整齣，我希望不要播一個人唱的，例如文昭關，前段播言菊朋，後段播楊寶森。若是紅娘，則譚硯華、張正芬並播，豈不是音色更美？未悉以爲可採納否？

黑死病談往

林錚

那種鼠疫侵犯人類呼吸系統，並以頭痛，暈眩和發熱爲其開端。在鼠蹊和腋窩的地方發現一些很是疼痛的腺腫或者橫痃，皮膚並發出一些黑點。那個病人嘔吐鮮血，在四十八小時之內就不治死了。

無論貧富的人們都一樣受到這種疾病所襲擊。在死亡的威脅增加起來的時候，醫生都不肯替鼠疫的病患者治療。在一些地方，醫生並被禁止治療這種疾病的。許多教士也走到遠處去，人們都孤獨地死去。有一些家庭，甚至拋棄了他們自己的孩子。年紀較長的兒女，都離開他們年邁的父母讓父母們自己輪流當値。每一個地方都有人死亡，在街道上，在旅館裏面，在牀上或躺在地板上或者在性的摟抱狀態中死去。有一些患了鼠疫病的人們，知道死亡快要來臨起見，不惜把自己縫在被單裏面，以便使到較爲易於埋葬。

每一個城市都有着他們本身對抗鼠疫的方法。在義大利的米蘭城，患病的人們被迫遷離那個城市和被棄置在田野讓其死去。在佛羅倫斯城（那是鼠疫最流行的城市之一），無論什麼人如果照料過鼠疫病人的話，不要自己禁閉一個月，不得和別人來往。在威尼斯，做父親的人們購買一隻小船，把屍體運到附近的島嶼掩埋。在德國地區（單獨在一三四八年就有一百二十萬人死於鼠疫），許多鄉村實際上十室九空，並有一些市鎮和村莊被一羣一羣的餓狼所侵襲，情形悽慘得很。

到了一三四八年七八月，黑死病對歐洲人民的影響，達至激變的程度。商業和航運停頓起來。工業和製造業因爲缺乏工人都陷於停滯狀態。對於甚至最受人尊重的醫生們，這是一個不能抵受得住的時期。在十四世紀的醫藥，是神學和迷信的混合物，比羅馬時代以來，並沒有得到多大的進步。對於一切疾病的主要治療方法，就是放血。

在鼠疫增加其強烈程度的時候，民事和教會當局就催促醫學界人士找尋一種治療的辦法。那些醫生並沒有知道那種疫症是怎樣蔓延開來的，因此他們想出各種令人惡心的混合藥和治療方法，當然一些都沒有效果。一個義大利醫生斷定那種疫病是由人們特別是晚上性交傳播開來的。到了一三四八年年底，那些束手無策的醫生，開始勸告城市的人撤遷到鄉村的地方去——這個辦法徒然使到鼠疫傳染到鄉村的地區吧了。經過一個時期之後，人們認爲狗兒和貓兒是散佈這種疾病的媒介，因此牠們都被宰殺了去。沒有一個想到躺在街道上的那些死老鼠實際上是帶有鼠疫的桿菌的。醫生們沒有法子知道那些鼠虱，因爲鼠吃老鼠的血流來過活，所以和那些桿菌同化起來，當那隻病鼠死了的時候，那些鼠虱，就轉移到人們的身上去。那些跳虱咬入人體的皮膚裏面，那種疾病就傳到人們的身體上發生出來。人們經過四百年之後，人才發現撲滅鼠疫的方法。（中）

有趣的原子傳記

雷也同譯

本篇是敘述一個原子的用處，外表形狀，如何誕生，它的能力，和世界上存在的地方，差不多有一百種或更多的不同原子，自動地進入人體生活過程，所以只選擇一種炭（石旁）原子，因爲所有生物的細胞中都充滿了它，據我所知宇宙間沒有它，便不能生存。

宇宙間所充滿的炭原子，我只選擇你身體中的一種，一種被稱爲銘黃性X的，當你第一次在母體中形成胚胎的時候，它便跟隨進入你的細胞，直到今日。

到底炭原子是怎麼樣的一種東西呢？沒有一個人能知道它的形像，因爲它小到無法察覺，所以我們只有這麼說，那一部份是由炭原子所組成？它們怎樣結合在一起？

一粒原子是物質中最小部份，表示該物質的特性，而無其他作用，但是所有原子——無論氫、氧、炭、金或鉛——都由相同最小基本分子組成，其中有三種最爲重要，那是質子（正電），中子（中性），電子（負電）。

進一步來說，所有原子本質上相同，中央是沉重核心，或稱原子核，由質子與中子牢固地結合在一起，四週佈滿電子，在正常的狀況下圍繞原子核運行，正如星球圍繞太陽運行一般。

原子集合在分中子不同的地方，就是他有本身特點，例如，氫原子核具有兩個質子（通常是中性的），其他一百種原子就如階梯等量加增。

炭原子核屬于第六位等級，具有六個質子，通常六個中子，圍繞核子圈有六個電子，因爲原子核有正電荷，衛星電子是負電荷，相互吸引，而不會使電子飛揚，X—銘黃性原子結構大致如此。

但是炭原子的存在特性到底如何？它的結構性如何？是否還有其他特徵？

它是否就如前述只有固定六個電子呢？不是的，不少電子在四週游離，或是飛揚，但是原子核中仍然遺留炭素。是否只有固定六個中子存在于原子核中呢？也不是的，有各色各樣同位炭素，含有一至兩個附加中子，一粒原子必須有六個質子方成炭素，不多也不少。

炭原子是如何組成的呢？它們是否有特殊狀況方始形成？答案正是如此。原子有一段値得注意的歷程，當它從遙遠星球經過宇宙歷程，到達地球進入人體X—銘黃性的時候，曾經三次演變的過程。

誕生于新生星球的氫原子核——那就是質子，因爲星球酷熱，質子移動非常迅速，一次次地在星球間衝擊，克服其間電磁的排斥力，在這過程中，一粒質子喪失電荷，變爲中子，兩粒結合變爲物質中單一原子核，稱爲重氫；它能及時奪取其他質子和中子，於是成爲氦原子核，這就是星際宇宙間原始氫融合爲新生物——氦的基本過程，也是生成重原子的第一步驟。（上）

汪精衛之親共與反共

諸葛文侯

民國十六年夏間，武漢、南京、上海三處國民黨人士携手合流，訂期召開第三次全國代表大會，一致團結，完成統一全國之革命大業，臨時設置「特別委員會」代行中樞統治職權。在滬集議時，汪精衛特別努力進行，意興極其高昂，迨推選中樞黨政首長後，汪以不理於衆口，落選向隅，又分赴武漢、廣州策動軍人反對「特別委員會」，揚言「護黨救國」，且號召若干失意份子，於上海「大世界」娛樂場所，舉行所謂國民黨代表大會，貽笑中外，終致釀成共黨在廣州大暴動慘劇，膺受全國各界之指戟唾罵，無地自容，託病去國。經此慘痛教訓，汪氏之反共心理乃告奠定，且甚堅決。未幾，以表示擁護蔣總司令復職爲晉身之階，重入南京受任爲行政院長，直至對日抗戰軍興，被推選爲國民黨副總裁，安份守己，不復興風作浪。

越民國廿八年春間，一日愚與重慶「西南日報」社長汪觀之君，同謁汪氏於其寓所，延愚等入其書室暢談，狀極懇摯，汪笑謂：「你們看見了廣東省政府改組，以李漢魂作省主席的新聞紀載嗎？很奇怪，我是黨的副總裁，又是廣東人，中央政治會議決定改組粵省府這回事，事前我竟不知情呵！」愚等憮末置喙，汪又慨然曰：「我在政治上，只想作一根魔術師手中的棍子而已，怎奈魔術師亦不要我，你們認爲我應該怎末處呢？」愚等仍笑而不答，辭別回報社後，愚告觀之：「汪先生大概又要害政治病了，不久將赴馬賽游息，亦未可知。」一逾月，汪果然潛赴昆明，轉往越南「河內」暫居，旋發表主和通電，響應日寇內閣總理近衛文麿之和議聲明，且受日寇誘惑，北去上海與日寇軍人協力組織僞政權，開府金陵，而美其名曰「國府還都」，標榜反共政策，提倡中日和談，殊非愚始料所及也。隨汪叛國之重要份子如陳公博、周佛海等，皆係曾經參加中共組織之老共而失志反共者。

綜觀汪氏一生行徑，翻雲覆雨，爲幻譎張，無原則，無定見，一是皆以攘奪政治權力，發抒領袖慾爲本，言僞而辯，順非而澤，聰明反被聰明誤，追究本源，仍由於讀書太少，學識膚淺所致也。蓋汪平日但浸淫於詩詞小技，缺乏現代社會科學知識，對於政治生活，僅知舊時官僚政客投機取巧之法術，未聞大道，又惛於闇人貪慕虛榮之庸俗要求，急功好利，不擇手段，而國家乃受其禍害不淺矣！愚當私自忖度：設假汪氏不病死於對日抗戰結束之前，迨政府復員還都，懲治叛國漢奸時，彼決不致如陳羣之服毒自裁，而政府亦不忍將其明正典刑，或許效法法國政府對「維琪政權」首腦貝當元帥之處置方法，予以終身監禁。果如是，則若干次要之漢奸人物，皆將免於槍斃之下場，可見汪氏雖自斃猶累及一般同類人士不得善終，曷勝慨歎！

汪氏之人品及其行爲，對一般知識份子實具有教育意義，茲篇之作，旨在提醒世人立身行己，應有本末，不可專以搶奪爲目的，固無意攻擊身入九泉之個人也。（下）

奧妙至今未明的體內自然燃燒

一三木譯一

年前，在美國小城維斯特斯城，發生一宗令醫學界人士大感迷惑的案子。事緣在該天當地警方接獲一個報告謂：有一名平日嗜酒如命的婦人，在一間酒吧內正縱飲的時候，突然在她的口中噴出一度青藍色的火舌！當時她的情形，有如今日玩雜技的人玩「吞火」的把戲一般；所不同者，乃是這名婦人似乎感到很辛苦的樣子。據記載這件事實的書上刊載，當時這名婦人迅即將她拿在手上的酒瓶摔在一邊，兩手緊握着她自己的頸部，她曾多次圖將口部合攏來阻止火舌自口中噴出，但只是支持了數秒鐘的時間，她好像抵受不了火舌在喉內的煎熬，又要張開口兒，讓火舌吐出，藉以減輕她的痛苦。這名婦人在地上掙扎了數分鐘，便無緣無故的躺在地上死去了。最奇怪的就是當這名婦人斷氣後，她口中的火舌便不停噴出。

這件怪事發生後，當地醫方曾展開縝密的調查，圖研究出這婦人的死因爲何？同時，是什麼東西招致這婦人口中吐出火舌？有人懷疑，這名婦人之死，是與她所飲的酒內所含的酒精有關；他們認爲或許是有人在點火時不慎弄到這名婦人的酒內；但經過警方在當場一一詢問酒吧內的客人時，發覺當時酒吧內並無人點火，就連吸烟的客人也沒有。有人懷疑，到過高的氣溫可能造成酒精燃燒，因而導至該婦人的死亡；但據溫度計指出該天的氣溫只達華氏表七十度而已，這一個可疑又被推翻。

在醫方束手無策之餘，他們將這名暴斃的婦人送進解剖室，由醫學界解開這個死結。但經過當地數名醫學界權威在爲這名婦人欲解剖後，會診都找不出這名婦人致死的原因。他們一致覺得這婦人的內臟一點都找不出被焚燒過的跡象，致死的原因像謎一般的令人迷惑。（一）

自由報
THE FREE NEWS
第一〇七期
中華民國僑務委員會發證 台教新字第三三二號登記證
中華郵政台字第一二八二號執照登記爲第一類新聞紙類
（逢三、六出版 半週刊每星期）
每份港幣貳角 台灣零售價新台幣貳元
社長：雷嘯岑
督印人：黃行習
社址：香港銅鑼灣高士威道二十號四樓
20, CAUSEWAY RD 3RD FL. HONG KONG
TEL. 771726 電報掛號：7191
承印者：大同印務公司
地址：香港北角和富道九六號
台灣分社
台北市西寧南路壹叁零號二樓
電話：三〇三四六
台郵撥儲金戶九二五二

誰贏得了二十年的冷戰和國際共產黨對台灣獨立運動的陰謀（二）

何浩若

波蘭和南斯拉夫，美國同意組織聯合政府，但是重要的位置都屬於共產黨。史達林雖然承諾東歐各國將來舉行自由選舉，但是後來也就沒有提過。東歐的淪陷，完全是雅爾達會議決定的。這決定應當歸功的一個人，美國共產黨員希斯。在這裏我們雖然很難瞭解參加會議的邱吉爾，但是，我們却能原諒他，因爲他在反攻歐洲的時候主張從巴爾幹進兵，不攻法國，如此便可一面打擊德國，一面防止蘇俄侵入東歐。不過當日羅斯福深受希斯和其同伴的影响，不會同意邱吉爾的遠見的。東歐的陷落是美共的勝利。沒有雅爾達會議的決定，東歐便不會淪入鐵幕，後來匈牙利也不會發生革命。其他的枝節問題更不必提了。（雅爾達會議是一九四五年二月十一日召開。距離筆者屬稿的時候恰好是二十年。）

雅爾達會議也是失去中國大陸的關鍵。陰謀的開始就是拒絕中華民國的蔣總統參加該次會議。除去把外蒙古送給蘇俄以外，還允許了蘇俄派兵進佔東北。假設當日是由美軍接受東北日軍的投降，蘇俄就無法把關東軍的武器轉交中共，中國大陸是不會丟掉的。當日美國擁有原子彈，又有着世界最強大的陸海空軍。蘇俄就根本是美國從納粹魔掌下救出來的。從那一方面講，美國在當日也用不着向蘇俄讓步。讓蘇俄來援助中共奪取中國大陸無疑的是希斯在雅爾達的陰謀。但是使中國大陸淪陷的主要因素還不是希斯和雅爾達會議，而是美國的一個學術組織叫做太平洋協會(The Institute of Pacific Relations簡稱IPR)。美國太平洋協會使中國大陸淪陷的故事，說來眞是駭人聽聞。在大陸淪陷以後，在一九五一年至一九五二年之間，美國參議院的安全委員會，在麥克蘭參議員Senator Pat Mccarran領導之下，把這個駭人聽聞的故事，公諸於世。以下所報導的完全根據美國參議院調查的紀錄。

太平洋協會是一個民間的學術組織，但與美國國務院的關係至爲密切。美國參議院安全委員會的調查報告說：『太平洋協會是共產黨用來轉變美國遠東政策以達成共產目的的工具』(IPR was a vehicle used by the Communists to Orientate American fareastern Policy toward Communist objectives)（見參議院八十二屆報告二〇五〇第二二五頁）該報告又說該會支配了國務院的遠東政策達十五年之久，不僅影響了國務院對遠東方面的人事安排，而且假造報告說毛匪澤東並不是共產黨，而是農業改革者。這些僞造的報告對蔣委員長的攻擊，更是不遺餘力。使人意想不到的是該會竟與美國財政部長懷特(Harry Dexter White)合作派了一個共產黨員叫艾德納(Solomon Adler)做美國財政部駐重慶代表專門破壞中國法幣的信用。懷特也是一個共產黨員，曾經把美鈔印模秘密寄到蘇俄去，讓蘇俄大量印製眞的美鈔。懷特就是向陳光甫介紹冀朝鼎回國服務的。主持太平洋協會最久最有力的是拉鐵摩爾(Owen Lattimore)。冀朝鼎的美國籍太太（美國共產黨）便是拉鐵摩爾的秘書。拉鐵摩爾是研究蒙古問題的專家，當過羅斯福總統的特使。另外一個美共叫居禮（Lauclin Currie）也當過羅斯福的特使，和拉鐵摩爾一樣代表美國政府到重慶來和蔣委員長商洽公務。拉是國務院的顧問。在戰爭將要結束的時候，他做了美國第一任駐華的新聞處長。他的秘書便是冀朝鼎的父親冀貢泉，辦過紐約的華僑日報，也是一個有名的共產黨員。拉鐵摩爾不僅影響國務院的政策，還牽制了美國的新聞雜誌和出版界。他的權威大極了，攻擊蔣委員長和贊美毛匪澤東的書可以暢銷。不替中共說好話的有關遠東的著作就無法付印。據國會調查，拉鐵摩爾和太平洋協會牽制了美國的輿論，單祗『星期六晚郵報』(Saturday Evening Post)自一九四三年至一九四九年就登了六十篇文章頌揚毛匪澤東和攻擊蔣委員長。這些文章都是美共有計劃的安排的。經過太平洋協會的努力，美國國務院終於一九四九年停止國民政府的美援，把中國大陸送給共產黨。國務院的作法和後來在古巴扶植卡斯特羅是一樣的。大陸淪陷後再由太平洋協會的重要份子哲索普（Philip C. Jessup）起草白皮書爲自由中國落井下石。美國國會調查的結論是：『把中國送給中共可說是我們歷史上最悲慘的事。對於這件事，由各種基金支持的太平洋協會貢獻最大』『The loss of China to theCommunist may have been the most tragic event in our history, and one to which the foundation-supported IPR contributed heavily（Reece Committee Report P. 180）國會調查說拉鐵摩爾是『蘇聯陰謀明顯而且自願的工具』（A Conscious and articulate instrument of Soviet Conspiracy）美國政府根據此項調查控拉鐵摩爾叛國之罪，但涉訟經年，法院判決拉氏無罪。

「傑作」

毛酋：「人有我有」

今日與明日

毛酋「勝利」的哀鳴

十一月一日，北平電台廣播了毛共中央掌權派機關刊物「紅旗」十四期「以毛主席爲代表的無產階級革命的勝利」爲題目的社論全文。在社論中指出：於毛澤東、林彪小集團所主持進行的所謂「無產階級文化大革命」中，據說一派是以毛酋爲代表的「無產階級革命路綫」，一派則走的是「資產階級的反動路綫」。毛共所謂的「路綫」，根本無所謂「革命」或「反革命」，更沒有「正確」與「不正確」。反正是誰在內鬨中佔了上風誰就代表所謂「革命路綫」；反之，則成爲死有餘辜的「反動路綫」。這充份說明，毛共內部的「鬥爭」，根本就是派系之間的內訌。公說公有理，婆說婆有理；到底誰是誰非？那要看誰取得「最後勝利」了。

在「紅旗」社論中稱，毛酋的「革命路綫」，是有「羣衆支持」的。所以，取得了「勝利」。而「犯路綫錯誤的人，僅有一二人，最多不過數人」而已。如果眞的走「資產階級路綫」的反毛份子只是小貓三隻四隻，當然不費吹灰之力就可輕而易舉地得到「勝利」的。事實上，走反毛的「反革命路綫」的「同志」，不但不是「幾人」，而是形成一股頗爲不弱的「逆流」，毛林小集團喊打喊殺數月之久，但是不僅未能扭轉此一「逆流」，反而有被這個「逆流」淹沒的危機。

再說，如果眞是少數人，爲什麼毛林小集團把他們指爲「走資本主義路綫」的「當權派」？若不是擁有足以對毛林小集團進行「負隅頑抗」的力量的一個大派大系，相信早在「紅衛兵」大「造」其「反」中被「造瓜」或「反掉」了。又何必讓毛林小集團急得團團轉而拿不出有效的辦法來？

「紅旗」是毛酋「文化打手」陳伯達主編的毛共中央「指導刊物」；它在所謂「文化大革命」浪潮中，其地位僅次於象徵「槍桿子」的「解放軍報」。由它發表社論强調毛酋路綫「勝利」，這可視爲毛酋處境不妙，不但未「勝利」，反而可能是接近失敗了。

本來，在過去一段時期中，毛林小集團大喊大嚷要把所有「走資產階級路綫」的「反黨、反社會主義、反毛澤東思想」的「當權派」，全部「揪」出來「鬥倒」「鬥垮」「鬥臭」。時至今日却又說最多也不過「幾個人」「一二人」，可見敵對勢力相當頑强，所以迫使毛林小集團改變「策略」，縮小打擊面以求能分化「當權派」，先把一兩個首領幹垮，然後希望收到「樹倒猢猻散」之效。

北平傳出消息稱：下（十二）月毛共可能召開「全國人代會」，在「人代會」上將「合法」地向劉少奇開刀。劉少奇一完蛋，他的「保皇黨」將失去中心一哄而散。其實，如意算盤是毛林小集團的又一次可能是打不響再遭一次可恥的失敗。

如果毛林小集團再度失手，敵對派必「乘勝追擊」；接着，毛共政權必是由「天下大亂」而「壽終正寢」。（何如）

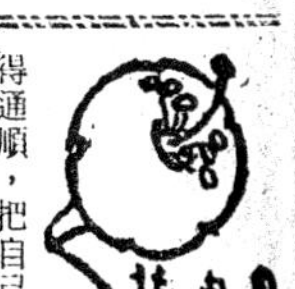

談國文程度

馮子先生

每一個國家的國民，對於本國文字至少也要能夠寫得通順，把自己的意思表達明白，讓別人看了就瞭解，這是起碼的條件。否則個人縱然具有專家學者的知識學問，亦無從傳播於社會大衆，裨益人羣，更沒法著書立說，藏之名山，垂訓後世。

不幸我國現代大多數知識份子的國文水準之差，殊出意料，因而一般青年學生的國文程度，乃低落到驚人的地步。一個大學畢業生寫一封信札或一篇短文，多見其文理欠通順，而且別字累累，令人不忍卒讀。構成這種現象的根本原因，就是國家的教育政策失敗——學制凌亂，沒有一定的宗旨。

近五十年來，咱們的教育方針究竟是以甚末爲中心？學制東改西改，漫無宗旨與標準可尋。就國文教育而言：從小學到大學的課程搭不合理，學生的負擔過重，而教師們又多是以商賈心情，專作「知識販子」，除却填鴨式的教授方法而外，不問其他，偶有課外作業或補習工作，也祗是爲著升學目的的臨急抱佛脚。加之以教師本身的國學根基就淺薄，當然教不出文理通順的學生來。其次，即爲教材問題，在過去很長的時期中，各級學校教科書，皆由書賈亂編發行，而託名「教育部審定」，眞是荒謬已極。後來雖由政府主管機關負責編書編發行事宜，亦未見得比書賈的產品高明多少。中學生使用的國文課本，其內容有極淺近的白話文，也有極艱深古奧的「易經」材料，試問今之國文教師，有幾個懂得「易經」義理的？自己既莫名其妙，又怎能夠教人呢？

國文程度的進展，一半靠先生循循善誘，一半靠自己孜孜用功，但學生的各項課程繁重不堪，再無精力和時間以從事於國文的寫作練習，研讀古今名家作品，從而融化摹擬，漸開茅塞，增進技能。在這種情況之下，一般青年學生國文程度之格外低落，可謂勢所必至，理有固然了。

要想挽救這種頹風，一在改革學制，妥訂課程，二在愼選師資，嚴禁濫竽充數，三即政府明令規定大學招生時，凡是文理不通順的一律不取。倘能如此，未來一般知識份子的國文寫作，一定比現在的情形強得多！

違憲不違憲「見仁見智」
鄭彥棻一言激起憤慨
立法委員紛紛質詢指責

（本報記者劍聲台北航訊）自今年六月間，由立委鄧翔宇等質詢日片案開始，到目前之調卷案爲止，立院與政院之間，幾幾乎鬧得有如水火，幸而嚴兼院長與有關方面能及時協調并表明確之態度，將已形成之「倒閣」風波，從不可收拾之邊緣，扭轉進入康莊大道。但立委與司法行政部長鄭彥棻間之隔閡，卻尚未獲彌縫。由於立法院之決議文指台北地方法院檢察官以普通法律對抗憲法，公然蔑視憲法；司法行政部長鄭彥棻於十月十四日在立法院院會，及十五日在立法院法制司法兩委員聯席會之言論，亦已成爲衆議紛紜之材料。

立法委員在院內之言論及表決，憲法硬性規定對院外不負責任，而台北地方法院發言人檢察官蔣嶸華說：立法委員在院內之言論，應作立委在院外犯罪之「參證」。因爲憲法沒有禁止。鄭部長說刑事訴訟法規定可作「參證」。他的邏輯是：凡是法律未規定不得「做」的事，法院有權決定。當立委指其違憲時，鄭部長認爲是見仁見智，如政府機關有不同見解時，應請由司法院解釋。因此，立法委員羣起而「質」之。行政院長的意見和看法，與立法院一樣，唯獨鄭部長的意見與嚴院長的意見相異，所以立委們以極諷譏的口吻質詢嚴院長說：究竟行政院領導司法行政部呢？抑係司法行政部領導行政院？

立法委員梁肅戎，以質詢方式檢討油商行賄案及盜賣黃豆案。他說：「本來這個案子正在司法審理和偵察期間，最好避免質詢，但是，我看到目前所進行的各種情況，我非常躭心在司法處理上會走向不正確或偏差的危險，所以願意很善意的來向嚴院長請教。黃豆案的重心，是價值數億元的黃豆被偷盜，但是錢，到底到什麼地方去了呢？行賄的人已經逮捕了，受賄的人在那裏？我不知道，這也許是偵察秘密，但是我沒有看出對象是誰？已進行到什麼程度？我深深躭心。處理一個法律問題，必須公平、合理、審慎，如有執行偏差的話，後果是非常嚴重的」。

關於苗栗大德源偷盜黃豆案，梁委員指出：就現在在法院裏已經審判的案件，我們看一看，老百姓有判死刑的（指陳家珍）有判無期徒刑的（指陳家成），然而政府官員沒有判死刑或無期徒刑的。立監委員和國大代表，已經被法院拘押，他說：「我看到報紙上有報道，有某個司長級的政府官員涉嫌被地檢處傳訊（記者按：前外貿會黃豆小組召集人、現任物質局長劉師誠曾被傳訊），不但沒有拘押，也沒有交保，就整個案件處理上就有偏差。政府官員不但不能拘，交保都不能，這就是偏差。」

這位立法委員說：懲治貪污條例的重點，不是絕對的以金錢爲主要量刑的標準，而是公務員應該盡忠職守。所謂瀆職，違背職務，任何收到賄賂的人，都應受到懲罰。政府官員，不能以金錢衡量，更不能作量刑的標準。

司法是一個非常神聖的工作，他說：這個機關不是宣傳機關，對於一個問題處理要非常慎重，因爲司法上一個措施，直接影響了每一個人民的身體自由生命財產，絕不能兒嬉處理。司法本身的風氣，今天還是像過去一樣相當的嚴重。法院的進步，不能看他建了多少官舍或做了什麼表報，要看裁判紀錄。

立委戰慶輝質詢說：「台北地檢處的四點聲明，顯然破壞憲法；而此四點聲明實爲鄭部長一人所主持。（據司法大廈的人說：四點聲明是司法部某參事的手筆，經高檢處周首席與鄭部長修改後，交台北地檢處焦首席蓋章，而後由發言人蔣嶸華對各報記者發表。現在，有人怕監察院調查，而意圖將原稿收回，另由焦首席照原稿抄一份，作爲原始文件，但焦首席不同意）。鄭部長的見仁見智觀念，是顛倒是非的濫觴；存有「見仁見智」的觀念，結果是有罪判有罪，無罪的可以判有罪。不幸，我們現任的司法行政部部長，就充滿了這種「見仁見智」的觀念與思想，並且執迷不悟，我全國人民的生命財產，將失去法律的保障，問題是非常嚴重的。請嚴院長注意「見仁見智」的觀念，在司法界漫延發展的嚴重後果。」

從立委這些質詢來看，足以懷疑法院在偵辦油商行賄案是有偏差的，果眞先逮捕拘禁而後找證據，不能說是最好的辦法。這次風波雖暫平息，但立法院與行政院之間之和協氣氛已減色不少。在不久的將來，行政院或許會改組，可拭目而待也。

慶祝總統八秩華誕
中縣文武青年會師

（本報台中記者航訊）台中縣救國團爲慶祝總統蔣公八秩華誕，以事實宣揚總統力行哲學，以行動力行總統訓示，特別舉行台中文武青年大會師。

這項文武青年大會師是由台中救國團主委丘樹林主持。據丘主委稱：這項祝壽活動，是爲了文武青年效忠領袖，實踐總統訓示，積極推行革新運動，擴大青年團結，鍛鍊體魄，培養戰鬥意志，熟練戰鬥技能，振發戰鬥精神，完成復國建國的時代使命爲目的。

文武青年大會，於十月二十二日舉行。計參加的單位，爲台中各中學校高級中學學生，共五千人；台中部隊青年戰士五千人；合計一萬人大會師。會師地點在台中清泉崗基地。行軍方式，一律以徒步戰備行軍，行軍序列及路綫分爲三路進行。

第一梯隊：豐原商職，豐原中學、后里農校、東工、新農、盲聾等學校。由豐商黎主任教官統一指揮。

第二梯隊：霧峯農職、萊中、武訓、中學等編成。由霧峯農職張主任教官統一指揮。

第三梯隊：由甲中、甲農、清中、致商、沙工等校編成，由大甲中學劉主任教官統一指揮。

此次文武青年大會師大會，由救國團丘主委担任總評判官。軍紀、服裝、演習科目、精神士氣等，爲評定成績之項目，成績優良單位，特在總統華誕大會上頒獎。

文武青年大會師隊伍於十月二十二日十一時抵達清泉崗大門口集合，由某部隊全體官兵迎接。十個單位軍樂隊響導進入營區，與某部隊青年戰士伍千人在大操場會合，並即時舉行會師宣誓大會。救國團丘主委及某部隊長共同主持並致詞。最後一萬文武青年宣誓效忠領袖。

大會中，會有空軍某部機羣在大會上空舉行特技表演，以助餘興。大會在高呼「中華民國萬歲」一聲中結果。（本報中縣記者王永亭）

透視立監委涉嫌商行賄案（五）
從監察院第十四次臨時院會決議案說起
——本報記者張健生

同一天另一家晚報，對這個問題有了反應。台北地檢處首席檢察官焦沛澍有這樣的一段話：「這個公函，在未發出前已經過仔細研究，文字方面，亦經過慎重斟酌。在處理公文上無法再作更多的說明。台北地檢處並不吝嗇多寫幾個字，實在礙於規定，不能將案情有所說明。若將案情洩露了，公務員是要負責任的。」

現在，記者本諸中華民國憲法對國民經濟問題，對人民權利問題，對法權監察權問題，等使問題，加以申論；並就民主國之構成基本要件，及司法之公平妥當之重要性，予以分析，使讀者有所認識。

先談國民經濟問題：我國之經濟政策，應以載於憲法「國民經濟」一節爲最高原則，是以「國民經濟應以民生主義爲基本原則」，旨在「謀國計民生之均足」。而民生主義之實現，惟有節制私人資本與發達國家資本。這就必須有計劃的一面充分發展人民之生產力，一面澈底改革經濟之組織，以期達到全民共享之目的。同盟會宣言：「文明之福祉，國民平等以享之，俾家給戶足，四海之內無一夫不獲其所。」因此即國計民生均足之眞諦。因此，憲法規定「公用事業及其他有獨佔性之企業，以公營爲原則。其經法律許可者，得由國民經營之。」（一四四條）什麼叫做「公用事業」？依民營公用事業監督條例之解釋：電燈、電力及其他電氣事業；電車，市內電話，自來水，煤氣，公共汽車及長途汽車；船舶與航空運輸，均謂之公用事業，除由政府公營外，亦得許民營，但須經政府核准。什麼叫做「獨佔性之企業」？依公營事業移轉民營條例規定：凡是直接涉及國防秘密之事業；專賣、或有獨佔性之事業；大規模公用，或有特定目的之事業，應由政府經營，不得轉讓民營。

依此釋義，則黃豆爲民生必需品，既非公用事業，又非獨佔性之企業，按理說，政府沒有嚴加限制進口之必要。假定政府不限制黃豆進口數量，而讓商人自由進口，則不可能發生盜豆、或侵占公有黃豆案，更不可能發生油商行賄案。因此，「很多人認爲這完全是由政策的不當，才產生了這許多舞弊的情事」。這是民間輿論的看法。

外貿會白皮書

在台北地方法院檢察官李兆欣以懲治貪污條例第六條第四款之罪嫌，將三位立委傳訊並扣押之翌日（即九月二十四日）報載外貿會於二十三日發表白皮書，強調現行辦法優點很多。該白皮書是以否定「護航」之新聞報道。而台北各報在同一天的版面上，一方面刊載立法委員爲油商「護航」的政策，因而被法院扣押；一方面報道外貿會的白皮書，等於間接否認中央民意代表有護航之行爲，眞使人啼笑皆非。

外貿會之「改善進口黃豆及其製品之調節供應辦法」的白皮書說：自民國五十二年美援黃豆停止後，統籌核配黃豆案，由於改配外匯關係，由美援會將黃豆核配七十六家溶劑油廠移交外貿會辦理。

遠海吳鎗談

美富豪荷活曉士之異行

桑稚

荷活．曉士是一個美國大亨，但他已有多年沒有公開露臉了。他是第一號怪人——沒有人知道他究竟住在那裏，他沒有辦公室，他沒有電話，他只喜歡打公衆電話與若干名親信聯絡而已。他們是代他辦理業務的，他們往往在半夜裏接到他的電話。

曉士是神秘莫測，出沒無常，而且，他的所作所爲是叫人費解的——最近，他竟然把在州際航空公司的大部份股份拋售，價值達四億九千萬美元——這個舉動是使人大感不解的。

有人說他這樣幹是爲了避免在年會席上露臉，那麼，更難令人置信了。

他的一生是多彩多姿的。他是一名大富豪，他最愛駕駛飛機，本身又是一個出色的工程師。一九三〇年間，他是翩翩佳公子，專以護花使者自居，人人愛稱他爲「華倫天奴」第二呢。而忽然，與世隔絕，不聞不問，豈不是一個奇跡？

他的怪行，實在不少。他平生最怕細菌，因此，他對進口食物是十分謹慎，每一樣食品是放在不同的冰箱的。

一九五七年，他與女星珍彼得絲結婚，她也同時停止在交際場所出現了。

曉士十九歲便開始其黃金時代，他父親給他一筆很可觀的財產，之後，他一帆風順，從未知道窮是什麼味道的。他一直喜歡追求的是女人。

在飛機的設計工作上言，他不是無名之輩。一九三五年，他自製一架飛機，打破了飛行的紀錄，那是時速達三百五十二哩。在當時來說，這是非常驚人的。後來，再造成爲軍機，美國政府不注意，遂爲日本空軍人員所賞識。

大戰期間，一架日本「神風隊」的飛機墜落美國國境，檢查之下，竟然發覺與曉士所設計的相近。敵人模倣國人發明的飛機，以及拿來轟炸自己國土，那簡直是一個諷刺。

一九三八年，曉士又創下一項新紀錄，那便是——他以九十一小時駕駛完成環遊世界的壯舉。當時，他成爲人們瘋狂崇拜的偶像了，他的榮譽勳章，眞是威風八面。但結果他沒有親身前往華府接受，兩年後是用郵寄方法送到他的手中的。

曉士是一個雄心勃勃的人，不久，他又設計一種巨無霸型飛機，他稱之爲「白象」，預料八引擎飛行，可儎七百名乘客，不停飛行三千五百哩。製造費用要達四千萬美元，以及需要長時間的訓練。

結果，曉士只起飛一次，這隻「巨無霸」只能升空離地七十呎，飛行了一哩。

他曾意外失事受傷兩次，非常嚴重，所以，他臉上留下深深的疤痕，還影響了健康。他常常這麼對人說：「飛行是我的生命，此心至死不渝」。

至于女人，他的名字常常與女星連在一起，如珍姐羅渣士，蓮娜端納，巴巴拉史丹域，鍾歌羅福，阿娃嘉娜等。他喜歡的話，隨時餽贈貴重禮物，如汽車，洋房，珠寶，甚至農場。

但曉士十九歲時，與名女人伊拉麗絲結婚，但生活殊不美滿，雙方關係只維持了四年，他把時間放在飛行之外，便集中精神攪電影，他攝製的好幾部影片非常賣座，如「蝴蝶夢」便是。有人認爲當年珍哈露慘淡收場，他也要負部份責任。

一九四〇年，他全力捧紅了一位女星，那便是大肉彈珍羅素，他特別爲她設計富于誘惑的乳罩，盡情暴露，于是電檢處加以干涉，但曉士毫不讓步，不肯剪半寸膠片，結果聘請一名數學專家，用儀器量度證明其他女星比珍羅素還暴露，爲什麼別人可以通過，而她不可能呢？

這場官司打了三年，結果曉士勝利了。那部影片是叫「不法之徒」，這片一推出，當然賣座奇佳，純賺八百萬美元。

最近，還有一件「妙事」，他計劃要把一名新星珍莉捧紅，便約了她在洛杉磯一間餐館等他；怎知一等便是八個月，每晚在那裏，有晚餐侍奉，但曉士從未露臉。同時，按時她可取薪酬。

由此可見，曉士確是舉世無雙的奇人。在有錢佬之中，像他這樣多才多藝，行蹤飄忽，更怕公衆露臉的，除了他，眞沒有第二個了。

不久前，竟有人揣測他已不在人間。

橫渡英倫海峽百零一年

——路加——

一次是在一九二七年，另一次爲一九三四年。前在聖地牙哥任女秘書的科蘭斯翟域，於一九五〇年及一九五七年先後以不同方向泅泳一次。這六式泅泳的，以她爲第一人。

一九六一年九月廿一與廿二日，阿根廷人安東尼奧雅拔圖，是同時來往橫渡海峽第一人。

橫渡海峽的紀錄，是常常翻新的。最佳的紀錄，是於一九六〇年由加拿大人海治贊臣所創，時間爲十小時少三分。在四年後，英人巴里屈臣，由英至法和由法至英的橫渡紀錄都是九小時卅五分。

在第二次世界大戰後，倫敦每日郵報及英國的「渡假營皇帝」比里畢連，先後提高人們對這「偉大游泳」的興趣。他們舉辦馬戲班的娛樂節目，及設置相當數目的獎金，以吸引世界各地人士，到多維爾去參加橫渡海峽比賽。

一九五〇年六十三歲比利時音樂教師，從基蠻斯尼斯角出發，祇游了一個鐘頭零五十一分鐘，便上水了。五年後在十八名參加者，祇有一埃及人和一位墨西哥人林畢全程。

然而，很少人在較早的時候上水的，他們的耐力較諸最有耐勞性的騾子還大。也許最快上水的紀錄，要算是五十六歲的整容手術醫生衛富烈史立塔，他是加里福尼亞洲長堤人。他在下水不久，即鑽上來，他說：「我已發現事前自己沒有作橫渡海峽的準備，因爲這些海水，是我從來沒有遭遇的，那末寒凍和洶湧的。」另一位五十多歲的醫生佐治希魯斯德，他在許多年前，已經放棄他第十五次橫渡海峽的嘗試了。他在那次的嘗試中游了四個半鐘頭尚有五哩便到法國海岸的終點了，可是他無法再游畢全程，而告中途上水。但是他毫不氣餒，立誓要捲土重來。他說：「我會再來的，而且我覺得適宜橫渡海峽的。否則，如果不行的話，那末在廿六年前開始嘗試中已經不適宜了」。

橫渡海峽的泳者，抱着再接再勵的決心，他們像那些在桶裏任令尼加拉瓜瀑布衝激的人一樣。（二）

六死餘生述

閔十還

第三天，隣床的病友才告訴我：當我由汽車上抬下時，醫院已開過晚飯，醫官以爲我已斷氣，怕延到明天發臭，立命掩埋班送我到「第四管訓處」。掩埋班的同志們圓鍬十字鎬都拿出來了，可是一見班長飯後出去散步去了，龍無頭不行，大家一哄而散。第二天早餐後，掩埋班正擬從事昨晚未辦之事，突來一法國軍醫巡視病房，見了躺在屋簷下的我，便問翻譯官這死的是什麼人？翻譯官在我身上搜查證據，在口袋內翻出我的上尉任職令和軍校畢業證，於是他們翻給那軍醫聽：「他是一個上尉！是蔣總統的學生！」

那軍醫臉色一沉，隨即俯身用手在我胸口上摸摸，摸後又慌張地叫出本院醫官，他挪挪醫官的手：「他還有氣！你們趕快給他醫；如果所需要的藥此處沒有，我拍電報叫西貢用專機送來！」他又拍拍醫官的肩：「他是貴國的重要幹部！你們不能馬虎！」

其實在醫院病死的上尉以上和高級軍事學校畢業的軍官，不知有多少，不過他未遇着罷了。

果然當天西貢方面派專機送藥到富國島，在那軍醫親自監督下，經七晝夜的注射與輸血，我竟復甦了。

我聽了之後，不覺一陣暈眩。

×　×　×

其後，到了某埠，我愛在鐵道邊散步，一面欣賞郊外風景，一面看來往火車上各色各樣的男女旅客，眞是其樂融融。一天晚餐後，我偕老趙漫步鐵道，過一鐵橋，橋長約二百餘公尺，高約十餘尺，橋下怪石嶙峋，人落下去當無活命。道係雙軌，但平行到橋上時却分得很開，跳遠紀錄再遠的也無法跳過。當時我要冒冒險，走鐵橋通過，老趙胆小，他走向右公路上去了。我走的是左軌，剛踏上橋，即聞前面有火車聲，我想：火車從前面來，當經過我右方，不會和我碰頭，我還是繼續走。剛走到中間，前面來的火車已由我右方轟聲如雷地一馳而過。我當時感到：如果它和我碰頭，那我不粉身碎骨才怪！火車聲音漸漸地遠了，但一剎那間，又好像漸漸地近了，怎麼！它又回來了？回頭一看，我的天啊！後面另外來了一列火車，正走的我這股道！我慌了，前進後退都來不及，向下跳向右跳也是一死！在這千鈞一髮之際，我靈機一動，霍地蹲下身，兩手抓着枕木，身體向兩條枕木空隙間墜下，而火車底已在我頭上滑過！頭部尚冒出枕木之上時，我頭髮被車風刮掉一大半。這時我已嚇得僵硬，但雙手仍是緊緊地抓着枕木。幸喜老趙來得快，把我提上橋，並背至橋頭，我在地上躺了很久才爬起來。

在這事發生不久前，曾閱報載：某地有一少女，偶走鐵橋，突來一列火車，該少女即貼身橋欄以避；誰知車過很久後，該少女仍兀立未動，走近一看，已玉殞香消了。我當時對此報道有點不大相信，我經過這次大險以後，我才心服口服了。

俗話說：「大難不死，必有後福。」我經過六次大難不死，想將來回到大陸後，我可在故鄉壽終正寢了。（四．完）

曹操到了江陵不敢停留，把曹仁留了下來；又跑到襄陽，又沒有停留，留了徐晃鎮守；這才一口氣跑到黃河以北的鄴縣，藉口向朝廷說是到潼關去對付馬超，而不敢回許昌去。可見曹操在赤壁一戰吃的是有生以來最大的一次敗仗，也是畢生的一大敗仗。

周瑜一直追到江陵岸的南郡，各隔大江，兩軍並未交鋒。周瑜便派了甘寧佔了夷陵。劉備在長江之南起了一座新城，叫做公安。曹仁分了一部人馬圍攻甘寧，甘寧求救於周瑜，公瑾留了凌統，和呂蒙去救甘寧，曹仁退走。周瑜乃屯兵長江北岸，定期大戰曹仁。公瑾此次親自掠陣，不料被曹兵飛矢射中右脅重傷，十分疼痛，乃告收兵。曹仁聽說周瑜因中箭臥床，便親自討戰，情況緊張。周瑜據報，從床上躍起，披掛上馬，按行軍營，激揚吏士。將士見周瑜興起，士氣爲之大振，曹仁無可奈何，只好退兵。

於是南郡江陵穩定下來。孫權拜周瑜爲偏將軍，領南郡太守，以下雋、漢昌、劉陽、州陵爲取給軍餉的縣邑。本人則鎮守在江陵。

赤壁大捷後，此時的荊州牧一職，由劉備、孫權共推劉琦爲荊州牧。劉琦是劉表的兒子，依封建時代的風氣，是十分名正言順的。但不久劉琦病死。此時劉、孫二人互相推爲州牧：劉備當劉琦死時，羣下就推劉備爲荊州牧，治地在公安。劉備表孫權爲徐州牧。漢末時代，軍閥割據，往往互表官職，不管漢帝准與不准，只要造成既成事實就行了。

四十六、劉玄德南征四郡　周公瑾死得可惜

赤壁一戰之後，三分鼎立之勢已具雛形。長江流域已完全沒有北兵了。曹操要想再圖進取，那是不可能的事。此時西北的馬超，韓遂已在蠢蠢欲動了。

在此歷來有「借荊州」之說，但那些說者都沒弄清楚眞相。說荊州是孫權的，後來借給劉備。荊州怎會是孫權的？按後漢的荊州，東境止到江陵郡爲止，孫權直到赤壁之戰前，打破黃祖的江夏，並沒有佔領其地，只把人民掠走，江夏太守仍是劉琦，怎能說荊州是孫權的？在此之前，荊州是劉表的。劉表死劉琮繼之，琮降劉琦繼之。琦死，劉備繼之。當劉琦爲荊州刺史時，劉備南征四郡。劉備派了關羽取了長沙，收了黃忠，太守韓玄投降。張飛取了零陵，太守劉度也投降。趙雲取了桂陽，太守趙範投降。又取了武陵，太守金旋也投降。劉備雖然做了荊州牧，但南郡是周瑜打下來的，因此劉備只屯治公安，向南方發展，取了四郡。但南郡是荊州境內的一塊，是被吳兵佔了的。而荊州牧仍是劉備。爲什麼魯肅傳說「後備詣京見權，求都督荊州，惟肅勸權借之」。這是吳人事後的藉口，前已言之，三國志各自稱美。「求爲都督荊州」一語，最多也只能說是讓出南郡一地而已；何況南郡一直不是讓給劉備的，怎能說「借荊州」？三國志乃據吳國史官所記史料，自多美言，以作爲異日攻打荊州的藉口而已。後來東吳奪取荊州，名之爲收復，以美其名，理所當然歸還。揭穿了「借荊州」之謎，原來是孫吳史官强詞奪理，以作爲呂蒙奪取荊州之張本。（七十七）

國劇繽紛續錄

鋆婆生（一二二）

發揚平劇應全面化

自從大陸淪陷於奸匪，將近百年來流傳的平劇，遭遇了厄運，初則藉此作統戰工具，而擅改已定的場次以及唱詞唸白，無非傳播馬克斯毒素。再則赴各國演出，以煽惑共產，而謀協調投入吶喊陣營。終至將劇中人服裝，改為現代化，明明是古人，而衣著近人時代，此種非驢非馬的平劇，把中華的國粹，葬送殆盡。東方的藝術，也蕩然無遺，以示世界各國觀看，將使他們認為原來如此，實是大可憂傷。匪區既是如此，台灣省從事平劇的人士，尤其必須重視這危機，這境運，竭力保持傳統的精神，重點在發揚。發揚的要旨，在乎什麼？必須要達到「普遍」；欲求普遍，就是要「全面化」。倘使這平劇，祇限於侷促在一隅演出，所吸引的觀衆，就台境的人口總數一千萬，來作測計，恐怕未必能有萬分之十，受到感召的，未免太少。我曾迭次建白，要普遍而達全面化！蔣部長蒞任之始，有賢明的措施，把舊有國光戲院、介壽堂停止放映電影。他的卓見，認為公有的建築物，不應以營業為目的，要使實際應用，將國光改為國軍文藝活動中心，使大家呼籲近十年，台北需要有演平劇的場所，才得到良好的地方。這是發展平劇可具功效，值得稱許。但介壽堂仍是門雖設而常關，未免感闕。活動中心自揭幕以來，各軍中劇團，如陸光海光大鵬明駝大宛龍吟干城，連續公演，迄今已有二百多次，輝煌燦爛，極夠聲色，深為愛好平劇的二千觀衆，無比的慶幸，眼福不淺。但是回頭反省，這項活動，已夠發展與闡揚，不過僅是台北市的民衆，才獲有此欣賞與享受，對於普遍，仍具缺憾。何以北市民衆，每月能有十餘場平劇可看，其他地區，如高雄基隆台中台南的民衆，每月三五場，都看不到？如何能引起他們的愛好，他們的欣賞？因此平劇的吸引力，與電影的距離，尚有遙遠的里程，怎樣會引起共鳴，值得研討與改進！改進的方式，除了全面化，無法得到普遍。吾人先在台省作全面化，就是在有機會的時候，分別在上列各地區，每處去演出三五日，如以七劇團計算，則每一地區，可以看到二十餘場的平劇，對於教忠，勸孝，激義，勵節，能夠發生愛國家，忠民族的觀念，於社教起絕大的作用。如此，所有民衆，多具有此觀念，也不致再有盲從共匪的毒素的思想，不能說，後效很淺，故不可不注意。絕不可囿於一隅，以自圈這藩籬，未能發揮固有的美德。因是筆者不憚煩瑣，再作此議，以求實現，於國家有百利而無一害，不可不為之。

黑死病談往

林錚

這種黑死病最為使人顛倒的副產品之一，就是這種疾病對婦女性行為的效果。照情形看來的像那種疾病的可怕狀況，對於她們的性的需求有着一種情慾上的刺激作用似的。根據各項紀錄，那時大多數城市的糧食供應都減少起來，因此所有階級的婦女們都在市街裏列隊遊行，公開懇求男人把一小片麵包或一小塊腐肉給與她們。在白天和晚上看見她們完全裸着身體在街上隨處跑着，那是一種普通得很的景象。至於她們為什麼這樣做，那就不能說出其附帶理由。她們當中無疑的因為患病以致陷於精神錯亂的狀態，但是對於其他許多女人，她們能夠裸露軀體而不致被捕，這一種事實，却有其本身特別使人迷惑的地方。一如所能想像的，一般，那些在鼠疫中幸獲生存的男人和女人，都以特異的速度結起婚來。男女兩性的追求，平均在廿四小時至四十八小時的時間內就可以完成。在埋葬故夫後回來的寡婦們，馬上跟陌生的人們開始挑逗起來，她們在數天後就再次結婚。這種程序，通常會重複過來，直至那個女人自己患着那種疾病，方才罷休。

時至今日，黑死病的桿菌，甚至在兔子、松鼠和一些嚙齒動物的身上找得出來。在一九五六年，一個美國男子在加州釣魚回來之後，在患有鼠疫的病症，在那種病症能夠準確的被診斷之前就已經死去了。在太空時代，黑死病仍有待人們詳細加以研究。（下）

葉天士故事

仁厚

男變女，女變男的事情，真是無代無之。據說，清代的有名神醫葉天士，曾處理過一宗女變男的事件，試錄於下：

姑蘇某富翁，膝下僅有一愛女，年及二十時，罹疾，延羣醫診治，未得要領。富翁聞葉天士之名，厚幣聘之至。葉天士診而笑曰：「是無疾也。請以此女屬余，百日後，當以強健之人還翁也。」翁富賠千金，而從其言。葉天士攜女歸，選年十七八之美婢，使與女共一室。且命婢無違女意，並以若得女歡，一生幸福無窮之言告婢。經數日，女之精神漸旺，體亦肥碩，與婢情日密，形影相隨不離。葉天士知事成，突於某日闖入二人之室，叱婢供出隱事。婢顫而言曰：先生非命婢不論何事，均須順從彼耶？彼實為女子者也。葉天士大笑，即命女易男裝而辮髮，以藥伸其足，使為美男子，喚富翁來覗之。翁駭其事，諄諄詢顛末，深謝其恩誼，並娶婢為媳婦。

這眞是一宗十分有趣的女變男故事了。不過細思之下，則不免使人不無懷疑，蓋祇靠按脈，即能診斷一個人生理上發生重大的變化，未知是否可能之事？而且為什麼羣醫都並不知曉，而偏偏葉天士却能洞悉其中秘密呢？此蓋為神醫之所以為神醫歟！

有趣的原子傳記

也同譯

在幾千萬年以後，星球逐漸不再是新生期，幾乎都充滿氫氣。現在氫原子一個接一個開始互相追逐結合，形成第二期緊張步驟——就在這一瞬間，炭原子便誕生，就時而論，已是三十億年前一致形成的。炭原子如何達到地球呢？成長中星球上不斷地從氣形成炭原子和重量原子，當壓塞沉其他原子後，便及時爆炸，炭及其他原子遂擴散于星球間，與淺海中的氫混合。

之後，一個初生星辰從氫氣中慢慢成長時，吸收了大量炭原子和其他種原子，最後形成就如上述循環不息，新生星辰永恆的太陽，時在四五億年前過後不久，一件意外事故使太陽分裂成地球和其他星球。炭原子形成巨大的火石當物質冷卻後即是星球。這就是炭原子生存地球上猛烈的第三步驟。

炭原子從未有變質過，它是很多重要物質的一部份，無論是生物或非生物，都經常有它存在其中。

炭原子亦能形成鑽石一部份——不含他種混合物的單純結晶體，可以摩擦下來，混合雙氧變為二氧化炭。二氧化炭由植物葉部吸收，轉變為醣類，這種植物通常為牛的飼料，吃牛排時，炭原子也在其中。在你祖先的身體中，炭原子進入鉻黃性物質，由父母先天性遺傳給兒子，一二粒鉻黃質從胚胎進入卵細胞，循環性傳給兒子。

假如當你死後，炭原子仍然存在你的軀體中，就會變為泥土，由植物吸收，在動植物間相互循環。

炭原子在人體中會形成骨骼、手指甲，或一束頭髮。就如二氧化炭在空氣中一樣，千萬年來在人體中吸進呼出，任何時間人體肺部中含有一〇〇〇、〇〇〇、〇〇〇、〇〇〇、〇〇〇、〇〇〇、〇〇〇、〇〇粒左右原子，所以你每一次起伏可能已呼吸到你心中崇拜偉人的口氣，——諸如米基蘭基羅，喬治華盛頓，摩塞士等；你所吸到的炭原子可能就是將來天才橫溢的奠基石。

在很久以前，炭原子存在于低能生物循環系統中，後因母體死亡變成泥土，停留在礦物質中若千萬年，然後又寄生于生物中開始生存循環。

是否這種天道循環永無休止呢？吾人並不知道炭原子是否永恒不變，一粒原子就是經過十年或更長時間也無法說它為什麼永無休止，甚至於最後燃燒毀滅，炭原子也會重回太空，它也會掠過長空進入新生星球。

星際間橫等量最後會同時消滅，是出于嚴重原子撞擊而分裂，裂片會形成他種原子。那麼可以說，也僅可以說，那就是會為你服務的炭原子的末日，就像你一樣，個體死亡；但也如你，為死亡而掙扎，或許又形成新的個體生命一部，一種新原子新性質。（下）

田興識透朱元璋

胡實

明太祖朱元璋，是中國史上由平民做皇帝的第二人。（第一個，是漢高祖劉邦。）這個平民皇帝，出生於一個淘金工人的窮苦家庭。做過牧童和流浪的小沙彌，乃一正牌無產階級。當他推翻元朝，大定天下，年逾六旬，子死孫孱，深懼身後接班無人，政權得而復失，於是悍然不顧階級感情，竟將一同出自田野，始終追隨反元的親密戰友，或戮或毒，進行徹底消滅，根絕江山被篡後患。所謂「金樽相共飲，白刃不相饒」的詩境，居然搬上現場。心機的陰險，手段的殘酷，就連那滿含資產階級成份的暴君，都要自愧弗如。清代名史評家趙翼，罵他具聖賢、豪傑、盜賊諸品性（見廿二史劄記）。意思就是說他的品性，集了聖賢豪傑盜賊的大成，堪稱批判朱元璋的一個的評公論。

明初有位齊魯英豪田興，似比趙翼搶先三百年，更了解朱元璋的品性。田興是個販運土產的小商人，經常由山東至江淮間走單幫。途次巧遇窮途潦倒的朱元璋，「識為英雄」，出資賙卹，並與結為異性兄弟。」（見田北湖所作田興傳）不久，朱元璋代郭子興統兵反元，田興參贊戎幕。反元大功初定，即開了小差，毅然放棄分享反元的勝利果實，寧願自我犧牲而浪跡江湖。田興以這種神龍見首不見尾的戰術去對付結拜兄弟，就因看透了朱元璋的品性，只可以共患難，不可以共富貴。

田興失蹤，朱元璋幾次派人尋訪，均隱不見面。洪武三年，田興在南京北岸的六合安間走單幫，發現猛虎害人，官吏懸賞捕虎，無人敢應。田興奮身出來，與虎相搏，十間格殺七虎，博得人民感戴，事聞朱元璋，一再詔請，堅入朝。最後特遣訪賢專使偕同，奉手書由南京渡江敦勸。朱元璋這封御筆手書，和他吟的那首「渡瀟湘」七絕一樣，同為後人讚賞。原文未入明史，僅見「開國興龍記」。吾師湖北方覺慧先生，好研明史。民廿五託筆者由南京至鳳陽，收購明史遺珠，無意中在市肆得一「開國興龍記」再抄本，方師看到，眞是喜出望外，視為至寶。

依據清代東南史學大師全祖望的說法，「明代野史，不下千家。」惜良莠不齊，眞假莫辨。其間記載元末農民起義和朱元璋事跡，而較為舊時史家最重視的，約有葉子奇的「草木子」、權衡的「庚申外史」、郎英的「七修類稿」，和錢謙益的「國初羣雄事略」。至於「開國興龍記」，作者未露身份，書亦流傳不廣。該書記有朱元璋觸犯大忌，所以受到舊時史家的忌諱摒棄。方師認為該書價值非凡，即以內記御筆手書原文，引錄於所著「明祖革命武功記」中。（上）

奧妙至今未明的
體內自然燃燒

—三木譯—

對於這一門症狀，醫學界人士列它為「體內自然燃燒」。起火的原因，有人認為是由於人體內的酒精作祟，有人則認為是貯備在體內的脂肪過量的關係，各人的意見各異，理論不一。這種自然燃燒的症狀，至今還是使醫學界人士大感迷惑的事情，目前他們尙未能找出一個完滿的答案去解釋為何人體會發生自然燃燒的現象。這種自然燃燒的致死案件，並非是最近始有的，根據某些醫書上的記載，即在十七世紀的時候，這些體內自然燃燒的致死案件，曾出現過數宗之多。醫學界解剖這些死屍後，發覺遇難者生前似乎是受了一種很高的溫度所侵擾，這種溫度並不能與人類平日發燒頭痛時的溫度相比，據他們的估計，令這些遇難者致死的溫度，是極可能超過千度的體溫。這個估計是他們檢驗了死者體內的肌內及骨骼而斷定的。

在一八六一年，一位美國物理學教授加士當於往非洲旅行回來後，寫了一篇見聞錄。在他的著作內，亦有一篇是敘述這種自然燃燒的事件。他說有一天，當他參觀一個小部落的祭神舞的時候，他看到一名跳完祭神舞的舞蹈員，躲在森林中偷喝他們祭神用的葡萄酒，正當他喝得酩酊大醉的時候，禍事發生了。他看到這名土人口中噴出一度藍色的火燄，火舌迅即燃燒着他的頭髮及身體，只是過了一會，這名土人便被燒至焦狀，而面部更燒至不辨人形。加士教授在目睹這件怪事發生後，曾要求該部落酋長將這名已死土人的屍體交給他來作實驗，企圖找出這名土人口中突然噴出火焰的緣因，但這個小部落的酋長認為他們的天神因憤怒這名土人私自盜取奉神用的祭酒，以致利用「天火」將他活活燒死。所以他們要將這名土人的屍體供奉在天神面前，來平息祂的怒氣。

加士教授對於這種迷信的傳說，自然是不會相信，當他旅行完返到國內的時候，他曾花了數天的時間，去翻記載「怪火」的紀錄。（一）

自由報

THE FREE NEWS

第二〇七期

中華民國僑務委員會頒發
台撥新字第三二三號登記證
中華郵政台字第一二八二號執照
登記爲第一類新聞紙類
（半週刊每星期三、六出版）
每份港幣壹角
台灣零售價新台幣貳元
社長：雷嘯岑
督印人：黃行審
社址：香港銅鑼灣高士威道二十號四樓
20, CAUSEWAY RD 3RD FL.
HONG KONG
TEL. 771726　電報掛號：7191
承印者：大同印務公司
地址：香港北角和富道九六號
台灣分社
台北市西寧南路壹壹零號二樓
電話：三〇三四六
台郵撥儲金戶九二五二

誰贏得了二十年的冷戰和國際共產黨對台灣獨立運動的陰謀（三）

·何浩若·

最奇怪的是到了一九六一年五月，國務院忽然令拉鐵摩爾訪問外蒙古。美國的新聞記者，紛紛向國務院提出詢問。國務院說：「他自然不是我們的官方的代表，但是我們很想知道他對外蒙古的印像」。拉鐵摩爾訪問外蒙四個月以後，美國便同意外蒙古進入聯合國。要知道拉鐵摩爾是被美國政府眞正控訴出賣中國的共產黨員啊！誰敢說贏得冷戰勝利造成奇跡的不是美國共產黨呢！

四、古巴的赤化和美國的危機

古巴離美國祇有九十英里。自從古巴淪陷以後美國朝野都大聲疾呼說共產黨威脅美國的安全。一九六一年參議院的安全委員會開始調查將十二大冊的調查記錄付印，美國人才知道大騙子卡斯特羅之能取得古巴政權，完全是美國共產黨的功勞。美共一方面滲透國務院，一方面滲透美國的新聞雜誌，其方法與手段與美共顛覆中國大陸的陰謀如出一轍。當古巴淪陷的時候，在國務院主管古巴事務的科長就是一個共產黨員。他叫威廉魏南William Wieland。國會調查記錄把魏南的身世調查得很清楚。第二次世界大戰的時候他改名換姓在古巴秘密工作。他進國務院的經過更爲突出。當日有一個蘇俄間諜叫涂根Laurence Duggan的，滲透了國務院做到了拉丁美洲司司長。魏南就是涂根介紹進國務院的，而且涂根在九個月內升了他四次官。他在一九四八年就認識了卡斯特羅而且確實知道他是一個共產黨員。他把美國駐古巴大使的報告都擱起來。他運用他的權力換掉說卡斯特羅是共黨的大使。他主張封鎖古巴海岸，不使古巴政府獲得軍火，同時又停止對古巴政府的美援，使卡斯特羅成功，使古巴政府失敗。國會調查紀錄說：「十年以前國務院以同樣的行爲打擊蔣介石的軍隊讓共產黨佔有中國大陸」。（第七百三十八頁）

配合魏南滲透國務院的工作，美共牽制了美國的輿論，拼命的攻擊古巴當局和贊揚卡斯特羅就和十年前美國輿論攻擊蔣總統和贊揚毛澤東一樣。（國會紀錄這樣說）替卡斯特羅發言滲透紐約時報的美共叫麥修斯(Herbert Mottews)，他不斷在紐約時報寫文說卡斯特羅是古巴的林肯和華盛頓。美國的報紙和有名的雜誌都被美共有計劃滲透，總有一兩個美共隱沒身份投入這些權威的輿論裏面。在一九五七年的春天，眞是一唱百和把卡斯特羅捧成古巴的救星。國會紀錄載着艾森豪對魏南的批評。當他的弟弟彌爾頓報告他卡斯特羅是共產黨，受着魏南的扶植的時候，艾克說：「魏南不是共產黨就是一個大傻瓜！」

現在想起來眞太可笑了。魏南怎麼會是一個大傻瓜呢？在這裏筆者又想起了美國太平洋協會顛覆中國大陸的故事。美國國會記錄載着中國有幾位極有名的學者和拉鐵摩爾哲索普賚正清密切合作了十多年。這些人雖然也主張反攻無望繼續和賚正清做很好的朋友，在有意無意之間，也說幾句話來諷刺國民政府，但是這些人確實不是共產黨。假使這些人，這些有名的學者，不是有政治野心，那就只有一個解釋，就是艾森豪所講的「大傻瓜」了。有一位美國朋友問筆者，他說：羅斯福夫人是有名的親共而且攻擊自由中國最力的，爲什麼自由中國要替她出紀念郵票呢？筆者說：「也許是以德報怨的意思」。這位美國朋友說：「這不是恩怨的問題，這是國家政策的問題，假如是以德報怨，自由中國何以不請希斯和拉鐵摩爾去當顧問呢！」

也許有人認爲這位朋友的反共態度太堅決一點，但是也不是完全沒有理由的。

自從距離美國九十英里的古巴被共黨佔領以後，美國有識之士大聲疾呼說美國當前的危機嚴重。都德參議員Senator Thomas Dodd是民主黨的反共的健者。他曾經在聯邦調查局工作很久，現在是參議院安全委員會的副主席。他在甘迺廸總統就職以後八個月，在一九六一年八月二十八日，在洛山磯講演。他歷數冷戰如何失敗以後，說像這樣繼續下去他以爲不到十五年美國便會淪入共產黨之手。他以爲今後五年間世局的變遷將決定美國的命運。魏德邁將軍（General A.C. Wedemeyer）是本報讀者所熟知。他在國會作證，非美活動委員會（House Committe on Un American activities）問他：『以你的經驗和背景以及對於共產黨陰謀的研究所得，對於共黨征服世界的時間表，你以爲我們落後了多久？』國會記錄說魏德邁將軍把眼睛看着地板，然後抬起頭來說：『據我粗淺和誠實的判斷，現在已經太遲了！』國會記錄又說，當把記錄送給魏德邁將軍修改時，他將記錄修改如下：『我並不完全是一個悲觀者，但現在眞是太遲已經來不及了！假如我是蘇俄的決策者，我將告訴赫魯歇夫（當時仍是赫執政）避免大戰，一點也不要改變政策，就照現在這樣的繼續下去，讓共黨的附庸國家煽火，和資本主義國家進行有限戰爭。』這是魏德邁將軍在一九五九年作證時說的話。到了一九六二年六月十九日，赫魯歇夫在羅馬尼亞的都城講演說：「美國將會赤化的，美國人民將會自動升起紅旗」。

危在旦夕

瘟神

今日與明日

北越只是嘴硬

在毛共於背後嚴密控制下陰謀南侵的北越胡志明政權，在美國軍機的轟炸下，已使它受到了致命性的打擊。但在表面上却似乎是「滿不在乎」，並且一再「頑强」地表示極有把握取得「最後勝利」。據估計，胡志明今日的處境，非常困難，有其不能自主的難言之隱。因有毛共的刺刀尖兒觸在他的背脊上，明知堅持侵略不肯服輸，最終必是死路一條；可是，由於他的政權命脈一握在毛共的手中，因爲越南戰爭是毛共實現擴張野心的一部份，所以，明知毛共拿他的政權當作犧牲品，甚至是「理論試驗品」；但却無法擺脫毛共的控制，而作出獨立自主的主張。

北越胡志明政權，對美國飛機不停轟炸所受到的損害是極爲嚴重的。雖然它未曾公開發表受損害的情況，但從其改變某些原定實施的計劃中就可窺出其眞象了。

去年十二月卅一日河內在廣播中透露，它已經過會議已決定由一九六六年起推行「第二個五年計劃」。但因美機空襲的不斷加强，不得不放棄這個「計劃」的執行。據北越重工業部長阮邦强於今年年初指稱：「我們在勞動力、生產設備和資金運用等方面，遭遇到了極大的困難；同時，這個困難在今後還將繼續下去」。又說：「一九六六、六七兩年中，各地方在消費物資方面要自給及運輸」。這說明，不但其「五年計劃」已經取銷，同時還表示將對農民加强搜刮。

美國農業部的有關官員最近曾就北越的經濟狀況分析稱：由於在北越的各種災害的襲擊，使北越食糧十分缺乏；在此一惡劣情況影響下，貿易突現萎縮，隨之更使北越政權預算赤字直線上升。

另據親共記者發自河內的報導稱：「北越已發生饑饉現象」，這是可以預料得到的：其一，軍隊大量移駐農村，致使農村城市提供食糧數量激減。其二，在美機轟炸下，鐵路、公路遭到破壞，交通工具已無法發揮效能。其三，補給南越游擊隊的物資不斷增加，

北越已發生饑荒，民心士氣必受到嚴重影響。當然，由於毛共過去一直對北越拍胸脯，不斷表示支持北越「打敗美帝」所需要的物資，一直由它「包下來」。可是，一直無法擺脫「一窮二白」的中國大陸，如在毛共殘酷刮掠的基礎上再進一步對自己進行敲骨吸髓的壓榨，本來就已不穩的大陸，勢必激起更爲洶湧的反共怒潮。

只要美國不鬆懈，繼續轟炸北越，不搞什麼諸如「聖誕停火」的把戲，不但可以在越南取得勝利，更可間接地拖垮毛共。（何如）

讀自由

再談國文程度

如果有人能夠別出心裁，把吾國固有的方塊字廢棄掉，改成拉丁化，而又簡單通俗，容易寫作，我是極端贊成的。否則像現在這樣的趨勢繼續下去，中國文字將不知道會變成啥玩藝啊！

咱們的方塊字都具有個別的意義和音讀，這與西方文字僅用幾十個字母拼組而成文字的構造法，迥不相同，國人的方言儘管複雜，然文字的解讀都是一樣的，這也就是中華民族永遠獨立生存的所以然。所以，要想寫出文理清順的中國文，必須多識字義，即令寫語體文，識字太少的亦就不堪寓目。每見今之青年人寫出的白話文中，常把「扼要」寫成「額要」，「以及」寫成「與及」者比比皆是。至於「嘗」「管」不分「乂」「又」「混淆，「了」「孑」莫辨等類情形，所在多有。這些盡是普通常用的單字，亦復懵然不知，毛病就在識字太少，責任應歸諉於中小學的國文教員，他們不知道多識字義與寫作文章的關係，因而缺少啟發式的教授方法。例如「良有以也」這句極通俗的成語，一般中小學乃至於大學裏的國文老師，他們能夠用口語將它的意義和使用法則，對學生說得清楚明白的，恐怕不多，自難怪現代知識青年的國文程度普遍低落了。

好談語體文的人，總以爲寫語體文比寫文言文容易得多。實則二者都需要多識字義，纔能夠寫成通順而簡練的文章，不然就變成王媽媽裹脚布式的作品，令人看了即感頭痛。例如「昨承枉顧失迎爲歉」這句極其淺明通俗的應酬文字，實無所謂文言與白話之分。但在識字無多者寫成白話，即爲「昨天承蒙你勞步來看我，適逢我出門了，未能歡迎大駕，眞是對不起之至。」比原文要多寫兩倍以上的字數，若說這樣幾算是眞正的語體文，那就祇有天曉得！

生活在現代環境中的國人，固然不需要再鑽古文的牛角尖，語體文殆有其適應性。但寫語體文也須通達簡練，尤其忌諱別字以及自己隨便胡寫的簡體字，且不能假借語體文的口實以掩護自己少識之無的弱點。

身爲中國人，應該多識些中國字，祇是認識「人之初」的三字經，那是不夠的。

馮之先生

違背黨紀‧不服從中央指示 國代瞿宗濤等三人被除黨籍 顏澤滋蘇友仁等四人受警告

（本報台北通信）今年中央民意代表的流年大不利，已有國大代表一名，立監委員各三名，被法院拘押訊處，還有立委四五名被傳訊；現又有國大代表瞿宗濤等三名，被國民黨開除黨籍，顏澤滋等四名受警告，原因是他們本年二月間國大代表會議中，違背黨紀，不服從中央指示。由中央紀律委員會檢舉，經中央常務會議通過執行。玆紀其決定書如左：

中國國民黨中央委員會決定書（五五）紀字第〇〇二三號

國民大會臨時會及第四次會議期間，本黨黨籍違紀代表處分案。

檢舉人：中央紀律委員會

被檢舉人：瞿宗濤，現年六三歲，安徽涇縣人，黨證組登字第三五一〇五號。

楊愼修，女現年六〇歲江蘇江陰人，黨證組登字第三一三六六號。

盛紫莊，（黨名盛節之）現年六七歲，江蘇六合人，黨證組登字第二三三九〇號。

顏澤滋，現年六三歲，廣東連平人，黨證組登字第三三二五〇二號。

蘇友仁，現年五九歲，福建德化人，黨證組登字第一二〇五六號。

周士傑，現年五七歲，熱河圍場人，黨證台登字第二七〇八九號。

章正綬，現年六二歲，安徽來安人，黨證組登字第八四三〇號。

決定

一、瞿宗濤、楊愼修、盛紫莊開除黨籍。

二、顏澤滋、蘇友仁、周士傑、章正綬警告。

事實

黨員瞿宗濤等（均係國民大會代表）於本（五五）年國民大會臨時會及第四次會議期間，不服從中央指示，或擅自領銜提出違反本黨重要決策之提案，或公開發表違反本黨決策之煽動性言論，或從不簽署本黨重要提案，案經紀律委員會蒐集各該員違紀資料，整理編訂成冊，其中情節雖輕重不一，而違紀事實，均甚彰明，因提出檢舉，並經第卅次委員會議決議，分別予以開除黨籍及警告等處分，報奉中央常務委員會議通過確定。

理由

查「服從黨的命令」，「貫徹黨的政策及決議」，黨章第五十六條已有明確之規定，為黨員對黨應守之信條，蓋必須如此，始能貫徹政策，實行主義。又五十一年度從政幹部登記規約第二項：「服從總裁領導，接受上級及所屬組織之決議。」第三項「基於本人職務，所擬提出有關重要政策之主張與重要提案，均先透過組織之討論與決議」。此乃從政幹部申請登記時自行簽署之誓言，信誓旦旦，豈容逾越。本案被檢舉人瞿宗濤、楊愼修、盛紫莊等，均為國家最高民意機關之代表，代表人民行使政權，責任至為重大，乃於本年國民大會期間，竟罔顧黨之立場，公然從事違反黨的決定之活動，其尤為有背黨章及從政黨員違反決議及指示處分辦法，事實彰明，核其行為，實已背棄黨紀，蔑視紀律，自紀律言，當為黨紀所不容。雖其中間有對黨所提某案表決時亦會舉手贊同，但一連串違紀行為，決不能因此而脫卸。黨員顏澤滋等四人，違紀事實，本應嚴懲，惟其情節，或因初則偏執成見，後即不再堅持，或因接受勸告，立即表示悔悟，本黨向以寬大為懷，黨紀制裁，乃不得已而使用，凡非怙惡不悛者，仍願給予自新之路，爰依黨章第五十八條及黨員違反黨紀處分規程第二條第一、三款之規定，決定處分如右。

透視立監委涉嫌商行賄案（六）

從監察院第十四次臨時院會決議案說起

——本報記者張健生

當時，為適應實際需要，美援會曾擬定標售、自由申請外滙進口黃豆及維持現行按照實績核配辦法等方案，報請行政院核定，並經行政院核定「自由申請集中採購」之原則，由外貿會前任副主委劉師誠主持小組通盤研究，並與美援會經濟部商定，於五十三年九月十三日公布之辦法，該項辦法重點：（一）進口黃豆（包括政府外滙、美援）全年需要量預定十七萬五千噸，其中軍方副食用一萬五千噸，並得按市場實際需要，酌予增減進口量。（二）各油廠進口黃豆由煉油公會每三個月或六個月為期，自行協議分配標準。（三）各油廠應個別或集體委託中信局代購，黃豆到達口岸時之手續，由各油廠自行辦理。（四）如煉油公會無法自行協議各油廠配額時，由中信局自行進口標售。（五）各油廠之豆油仍由糧食局收購，惟豆餅豆粉等由各廠自行銷售。

毛病出在那裏

該白皮書稱：自黃豆進口辦法改變後，每年進口數量均有增加。五十二年進口黃豆二十二萬二千一百六十二公噸，五十三年二十三萬零五公噸，五十四年二十三萬二千六百六十四公噸。進口黃豆係分配七十六家溶劑廠、省物資局、台糖公司高雄農化廠，及其他用途。

白皮書強調此項辦法優點：（一）每年進口仍有限制，以免影響省產黃豆。（二）仿照小麥進口辦法，各廠自行協調分配使用，由中信局集中採購，劃分權責，不相混淆。（三）根據多年經驗，對於黃豆製品之調節供應，盡可能採取自由營運原則，乃保留必要之督導干預，以資兼籌並顧。

由此觀之，則報載所謂「反對開放黃豆進口」而主張「繼續管制黃豆進口」；以及「增加配額，使廠商獲益更多」者，應非六位立監護航之功，而是經行政院核定原則由外貿會與美援會、經濟部商定而後公布之前述辦法所致。至於報界據以評論之「降低進口稅率，增加廠商利益」者，亦非民意代表之大手筆，此將行政院送立法院審議之海關稅則原案一查便知。黃豆進口稅率立法院第一次原案即為百分之十。這就是台北報紙「社論」不查明事實眞象便以推測之意識而妄斷是非之鐵證。

經濟政策令人迷惘

我們從政府公佈之「改善進口黃豆及其製造之調節供應辦法」來觀察並分析經濟政策的話，非常的使人迷惘。

我們的經濟政策，誠如省議員陳重光在省政總質詢時說：「我國是自由經濟」？是「民生主義的計劃經濟」？「實則不然」。因為「有時統制，得過嚴，如保障裕隆汽車公司，及電視公司等獨占壟斷的利益，有時過份自由，如味精工業，政府任之增設擴張」，而「不加管制，經盲目投資的結果，不但虛擲鉅額資金，損失國家資源，並釀致同業惡性競爭，帶來味精業者的危機」（詳省議會第三屆第七次大會質詢案）。這就是我們經濟政策的素描，怎不叫人迷惘。

何以維護憲法尊嚴

中華民國憲法既是反共的主要武器，又是維護法統的唯一依據，而人民之自由權利，係採憲法直接保障主義，如身體自由，如居住自由，如遷徙自由，如言論自由，如講學自由，如著作自由，如出版自由，如秘密通訊自由，如信仰宗教自由，如集會自由，如結社自由等諸自由。又如人民之平等權，有請願權，有訴願權，有訴訟權，有選舉權，有罷免權，有創制權，有複決權，有應考試權，有服公職權，有受教育權，有生存權，有工作權，有財產權等諸權利，

指亞運網球選拔會有失公正 劉香谷向社會呼籲糾正

（本報台北航信）網球名手、國大代表劉香谷女士，指亞運網球選拔委員會甄選第五屆亞運選手，有失公正，特向各方發出呼籲文字，請予糾正，原文如次：

為五屆亞運網球選拔委員會對女子網球代表選拔之裁定不當，抹煞比賽成績，違反國際比賽常規，應請迅予糾正，俾優勝者應得之正當代表權有所保障，而使體育之發展納入正規事。

竊香谷報名參加第五屆亞運女子網球代表第三期之選拔賽，於十月十九日至二十一日在台北市愛國西路三軍網球場舉行。此次循環比賽參加者計有劉香谷、張晴玲、劉玉蘭、李秀成四人。四人經循環比賽所得成績如左表：

姓名	比賽次數	勝負	得分	名次
劉香谷	三	勝二負一	勝五盤	第一
張晴玲	三	勝二負一	勝四盤	第二
劉玉蘭	三	勝二負一	勝四盤	第二
李秀	三	負三	勝二盤	第四

依據循環比賽結果，以分數計算，香谷得五分，多於其他三人。應被選拔為第一名。不料於十月二十二日見報方知竟取名列第二之張晴玲與劉玉蘭二人，而無香谷之名，深為詫異，大惑不解。香谷為使應得之正當代表權有所保障，及我國體育獲得正常之發展，特提出鄭重聲明並請惠予注意：

一、按國際及歷來網球比賽，其種類，分淘汰賽與循環賽二種，而代表分選拔不取決於第一、二次之淘汰賽，而是取決於第三次之循環賽，以循環賽結果，按得分多少來錄定名次。本屆女子網球代表循環賽，決賽成績，香谷得分最多，應入選為第一。而選拔委員會公佈名次，竟無香谷之名，實足令人不解。

如此剝奪香谷應得之正當代表權，其不合理情形香谷不能不提出鄭重呼籲。

二、又如男子選拔上，有李穗昌竟由棄權已無入選資格，林吉元應當選為第四名，但賽後李穗昌竟由棄權轉為當選，刪除林吉元之當選權。此種措施實屬乖謬。亦令人不滿。

香谷有感於此項事件，為個人權利之爭者小，為維護體育精神及中國體育能正常發展事大，尤以保持體育界人士道德、人品、情操之純潔，不讓體育界留下惡例為重要。爰本此義披瀝陳詞，敬請鑒察，迅予糾正，消除此項惡例，使我國體育得以納入正規，至為感幸。

劉香谷敬啓

民國五十五年十月二十三日

省林務局花蓮鳳林站發生官商勾結舞弊案

傳牽涉廣泛已有六人被扣

（本報記者楊美霖東部航訊）台灣省林務局花蓮鳳林工作站發生官商勾結辦理假報銷疑案，經花蓮縣警察局刑警隊偵查後，已將全案移送花蓮地方法院檢察處承辦本案檢察官陳劍鋒於十月二十二日下午分別傳詢林區主辦造林技工張吉子、林貴武、陳潤添、傅林財等四人，及包工陳金山、洪允煌兩人，認為嫌疑甚重，當即下令收押。另有該站出納宋濟民，會計鍾佩楷二人，亦於二十二日下午經刑警隊偵詢後，分別准以交保候傳。

承辦檢察官陳劍鋒日前傳詢木瓜林區管理處造林課長馮光顯、股長江雅鏘、技工鄭德富等三人，查證有關鳳林工作站所發生之造林舞弊官商勾結經過情形，詢問後分別飭回。現全案正由檢警雙方擴大偵查中。

據悉該案尚有課長主任階級之高級人員，牽涉在內，檢察官將于日內加以傳詢。據有關方面透露，該案最保守估計至少有十人以上將受到傳詢。

該案經人提出檢舉後，即由縣警隊於月前着手偵察，並將鳳林工作站的有關賬冊，收支傳票等全部携返查證後，認為案情複雜，牽涉人員衆多，該隊為獲得有力證據，已派員隨同該站會計鍾佩楷前往鳳林取回有關證物，但該證據為何物？警方未予透露。

該案發生於去年度，依照該站所報工人數，約有三百人之多，但經警方調查，發現其中有半數以上不實在；同時依規定，造林工作不得發包，而該工作站竟發包給商人，并從而以少報多，發生舞弊等情事。

該工作站去年度造林經費為新台幣六十萬元，究竟舞弊若干？由於賬冊很多，牽涉人員甚廣，警方一時尚未能查出，但咸信在精明能幹的檢警雙方，以剝繭抽絲的方式，陸續逐步偵查下，案情短期即可大白。

瀛海異聞談

維也納成歐洲老人天堂

·桑[illegible]·

在不久之前，奧地利的一份很暢銷的新聞週刊，曾給奧國的首都維也納一個新奇的名稱：「歐洲的養老院」。在表面上看起來，這個名字并不大好聽，其實頗為吻合。所有文明國家都極端尊敬和愛護他們的年老國民，在維也納更有特別好的待遇，它被叫做歐洲的養老院，正是一種難得的榮譽。

維也納並不會因為市民的年齡高而所有掛慮，他們很喜歡知道他們的父母和祖父母在今日能夠比以前的人更為長壽。這由於醫學的進步和社會法律的改革所致。在過去，大多數人為年老的問題而憂心，甚至要像奴隸一般，工作到死亡為止。

今日維也納市政局也不會因市民的年歲改變而有問題。在以往，維也納市民的平均壽命，男子約三十五歲，女子約三十八歲。今日在中歐的男子壽命平均六十六歲，女子是七十二歲。維也納人更署為長壽，今日的男子平均活到六十六又十分之五歲，女子活到七十二又十分之八歲。換句話說，維也納人是比較其他在中歐國家的人多活約八個月。

在今日，每四個維也納人中，就有一個超過六十歲。超過七十歲的維也納人，在一九五一年共有十一萬一千八百四十七人，在一九六一年已增加到十八萬二千零四十一人。這種情形，城市一定要照顧。維也納市的父老早已有計劃，在每一次世界大戰後，奧地利變成了一個共和國。在社會安全法中有規定撥欵建設養老院，市民更要大衆合力幫助年老的人，那個組織名叫「安樂房屋」。在經濟不景或大多數人失業的時期，這些安樂房屋，是那些貧苦人的庇安之所，他們可得到溫暖和食物。在一九四五年，維也納有這種收容所四十六間。後來改名為「日間房屋」，同時組織和進行的工作也有改變，這是專為無可依靠的老年人所設。因為老年人不以物質的缺乏為憂，他們感覺得寂寞是最難忍的。

在四年前更有進一步的改革，「日間房屋」改名為「領養老金人會」。這些會所乃由區街坊會所支持開辦，每個已領養老金的維也納人都可參加。在新式設備的房屋裏，領養老金的人很舒適的看書報、聽收音機或看電視；最主要的事，他們能夠找到一些人來談話。每天他們享受一個維也納快餐。又每個月舉行兩次大聚餐。為使老年的人不致呆鈍，在科烈斯多孚區的領養老金會還舉辦徵文比賽，有一個題目是：「在六十年前的科斯烈多孚」。投稿的老人很多，其中不少佳作。會所又放映活動電影或幻燈片，更有各種小型的集會。在夏日又有舉行乘長途汽車到鄉村旅行。領養老金的人，假如收入減少，就可免費。訪問那些會，假如有能力的話，是隨緣樂助。現今在維也納有這種領養老金人會九十二個，每天約有五千六百老人到那裏去。

在從前的大家庭中，包括有小孩子，成年人和老年人要照顧的，現今在維也納的社會多是極少有的了。家庭已經變成較小，跟從前不相同，他們也多出外工作。家庭的生活中心，主婦是在工作時間而離開的消遣上。當兒子長大後，他們自立家室而離開，剩回年老的一代，生活的問題，就開始了。每日去買餸，爬登公寓的四層樓梯，是有困難的應付。但他們仍認為自己還有精力，不想進入老人院，而要獨自居住。維也納市就成立一個家庭協助組織，他們僱請女工去幫助老年人做種種家務工作，平均每年在這種工作時間佔十萬個鐘頭。此外，更有熱心義務的工作人士。

維也納房屋設計部也為老年人設計新式的房屋，多是單層的，使他們不用登樓梯。樓梯採用不滑的材料，所用的傢俬都特製適合老年人的用的。這些房屋並不是集合在一個角落而築成，乃雜在普通屋宇之間，使到老年人仍能跟較年輕的一代有接觸。

一九六〇年，維也納市父老組織了一個「領養老金人之家管託局」，得市政局的幫助，建築一個名叫桑納荷芙養老院，共有單人居住的房屋一百四十五個，每間有匯房附室及衛生設備，又有夫婦同住的房屋十二間，每間有房子兩間。院中供膳，如個人另出資，可選購自己所喜歡的食品。但是早經規定各人吃同樣的東西。這間養老院是專為入息少的老人而設，經費向大衆募捐，市政局負担經費百分之二十五。另一間同樣的養老院「喜特升」在去年年底開幕。

由於戰爭和它的後果，有許多人失業或不能夠工作，在一九四五年，維也納要照顧這種人五萬一千名，其中多是老年人。現今祗有八千維也納人需要公家的幫助。城市父老盡力使老年人能夠出外旅行，這是在世界上的第一個城市舉行的。在一九五二年有十九對年老夫婦由城市出錢去旅行，到今天已超過三萬人曾得到這種享受。

橫渡英倫海峽百零一年

—路加—

巴西商人阿比奧高圖，一年裏作四次橫渡海峽的嘗試，但都當到失敗。至翌年（一九五八）他捲土重來，這次他橫渡成功，而且紀錄不錯，為十二小時四十五分。

一九六一年，佛烈巴第沙在他年前作著名的首次水中泗泳失敗之後，竟然他的視綫變得糊糢，所有物體的輪廓均重疊起來，那次他是由多維爾的嶙峋巖石出發。另有三位法國的蛙人，却限於體力無法征服海峽。佛烈巴沙第表示，雖然如此，他仍不灰心，絕不放棄他騾子一般的耐性和刻苦的精神。但是他說他底同行來的人，不容許他繼續嘗試，這是為了他的安全起見。

在許多橫渡海峽者之中，有一位無名英雄，是一位薄有名氣的比利時商人，而且又是在戰時的抗戰英雄，於一九四九年九月，準備了一切應用器具，作橫渡海峽之舉。

二百卅磅的殘廢人法南都茂連，一向都是在五哩範圍內的海面練習，從來沒有在鹽水裏作長途泗泳過。他分別用背泳和胸泳式渡峽，這樣可以在波濤中，載浮載沉。他最初是在法國海岸下水，他錯過了最好的潮水的機會，接着他的泗泳鏡於途中滑脫，油脂流進他的眼睛，海水使其眼睛發炎，洶湧的波濤，把他身上的油脂冲洗淨盡。於是他給海水凍得肌肉變成瘀藍色。同時他誤會那藥液的用法，原應只喝少許的，但是他竟一飲而盡，使他七個鐘頭來，產生嚴重的不適。

在八呎的波濤隨護的拖船船長，深恐拖船會撞及他，而他的經理法蘭泰順說他們要求他上水，可是他頑固如故，不肯上水，他已經泗泳了二十個鐘頭。那時，他在多維爾對開前兩哩的海面。可是海潮把他衝向福克史東，那是在十哩外的地方。根據專家估計，他應該還有五個鐘頭，在洶湧嚴寒的波濤中掙扎的才抵岸邊。可是專家估計錯誤了，他竟然以廿小時另一分鐘，完成其橫渡海峽的偉舉！他的經理法蘭泰順說，這只是勇氣才能支持他的。（三）

蛇戲—印度人特有的藝術

印度的蛇特別多，單在陸地的蛇就有三百多種，其中毒蛇有四十多種，一年之中被毒蛇咬死的至少有二萬人以上。但在這塊地方裏，竟也出現了玩蛇技的人，這些玩蛇的印度人被稱為「奈特」，是一種走江湖的遊民。所玩的蛇是世界上最毒的蛇，如眼鏡蛇和「烏梢」之類。大蛇小蛇都有，有的裝在木箱或大籃，有的裝在袋裏，大蛇長達一兩丈，須兩個人才抬得起，但是玩蛇的能夠指揮如意！

他們的演技，不但趣味，而且驚險。玩蛇人都是穿紅裙的，手拿着一種葫蘆形的樂器，傍邊放着籃子及布袋，玩蛇者奏起音樂，籃裏的蛇聽見樂聲便舉起頭來，自動把籃蓋掀開，蛇身愈伸愈長，有的青蛇，有的滿佈斑紋，從籃裏走出來了。牠們在空中徐徐擺動，黑溜溜的眼珠注視着吹樂器的人，音樂的抑揚頓挫，節拍快慢，牠們能聽得清楚，隨樂聲而起舞。跳舞時候，全身除尾巴的一部份着地外，其餘的部是離地而挺立起來，身軀左右擺動着，擺動的緩速完全跟樂聲的快慢一致。有時四五條蛇乃至十餘條蛇一齊表演，用牠們的身體排成一句印度文或其他國家的文字，這該確是神乎其技了！有的則聽見柔美的音樂旋律而做出種種美妙的姿態。等到樂器奏着催眠曲時，牠便將身體蜷成圓形，靜止不動，表現受了音樂的感動而安靜的睡眠。忽然，那導演的人吹着雄壯激昂的調子，蛇聽見了躍然而起，張口吐舌，怒眼四顧找尋敵人！此時玩蛇者即便出一隻松鼠來，蛇一見松鼠便向牠猛攻，表演一幕劇烈的蛇鼠之戰，相持達數十分鐘，結果是蛇得到勝利而收場。玩蛇的人也有豢養一種小動物名叫「蒙貴」，這種小動物形似黃狼，是印度的特產。做蛇戲的也有將蛇與「蒙貴」搏鬥，一場展其畢生的本領，好看過一場拳鬥，結果是毒蛇被「蒙貴」制服了。他們也是用同樣的樂器來捕蛇的，當他們知道那裏出現過毒蛇時，使用那樂器在那兒不斷地吹奏；不一會，蛇便從洞口爬出，怒眼而視，爬行到他面前數尺遠的地方，蜷成圓形，頭在中間揚起，以待對方再臨近時便向他猛攻；但那人吹着催眠曲，蛇聽了漸失去體力，睡得昏昏迷迷了。

至於玩蛇所用的樂器，據說是數千年來沿用的古東西，樂器名叫做「噴基」，形如葫蘆，一端有竹柄，中間隆起漲大，底部有二腔，一腔有數孔，用手指按而成調；另一腔則僅有一孔，只是發鳴鳴的沉濁聲音。吹樂器的人能同時吹出音調，又能吹出伴奏，聽來令人神往，而這蠢爾的動物，竟也會被音樂所迷惑了！

新三國

周[illegible]著

周瑜是一個非凡人物，以胆識而論，超過赤壁大戰參與的所有人物。他只有三萬人，要與曹操的二三十萬大軍決戰，實在令人佩服。他並不是盲目的大胆，他知此一戰可以寡擊衆而勝。他的眼光之高，與孔明不謀而合。他認識劉關張乃非凡人物，他說「劉備是個了不起的英雄，而有關羽、張飛熊虎之將，必非久屈人下者。」他在此時獻計孫權，把劉備騙到鎮江來，把孫權的妹妹嫁給他，趁機將劉備軟禁起來。他認為劉備好似一條蛟龍，一旦得到雲雨，終非池中之物。軟禁了劉備，想利用關張「熊虎之將」為東吳打天下。他的計策是夠狠的。最令人驚異的，就是他的戰畧與孔明不謀而合。他向孫權建議，他帶領孫瑜去打四川。孫瑜是孫權的堂弟。打下了劉璋的四川和張魯的漢中之後，留孫瑜在漢中，自己回來與孫權共同進駐襄陽。從襄陽漢中兩地，分兩路以鉗形攻勢北向宛洛，解決曹操。諸葛亮在隆中曾經對劉備說過：「天下有變，則命一上將將荊州之軍北向宛洛，將軍身率益州之衆以出秦川」。這不是與諸葛亮之見不謀而合嗎？

孫權很贊成周瑜的計劃，可惜他到了鎮江去請示此行的計劃回程的時候，走到巴丘（岳陽）就病死了。周瑜真死得可惜極了。此時他才三十六歲，時為建安十五年。

三氣周瑜根本無此事。大敵當前，曹操控制的政權一日尚存，諸葛亮決不會和東吳傾軋，抵消自己的力量。周瑜死了「臥龍悼喪」也是小說家故弄玄虛，均不可信。還有劉備到鎮江招親是有的，劉備和孫尚香偷偷捲逃也是揑造。他夫婦回公安是得到孫權准許的。「妻妹固好」是孫劉二家共同需要的政治婚姻。

四十七、孫權輕取交州地　曹操大築銅雀台

周瑜死前，遺表推薦魯肅，說「魯肅智畧過任，乞以代瑜」。孫權拜魯肅為奮武校尉，代領周瑜之衆四千餘人。程普領南郡太守。魯肅駐在陸口（湖北嘉魚西南，）程普由江夏調到周瑜的南郡駐紮。

劉備仍駐在公安，即南郡首縣的對岸，湖南的全境都為劉備所取得。此時諸葛亮以軍師中郎將的資格，兼督長沙、零陵、桂陽三郡。而武陵郡的居民，大多數是蠻夷，劉備只採取羈縻政策，所以用不着督了。

孫權在赤壁戰後，增加江夏、南郡二郡之地。他本來在曹操和周瑜交戰之時，乘虛攻取合肥的，可是沒有成功。守合肥的是揚州刺史劉馥，他聽了別駕蔣濟之計，詐稱曹操已經派遣了大軍來了，孫權不知虛實，信以為真，孫權知道曹操善用兵，趕快退却勞師而回。

但是孫權在另一方面收穫很大。廣東、廣西、安南等地都被他括去了。這三處地方，當時是交州的七郡。其中交趾郡的太守士變實力甚大，他是奉了曹操的命令，兼督其他六郡，劉表以前所派的刺史去接收，奈何不得他。（七十八）

國劇繽紛續錄

娑婆生（一二三）

薄海騰歡祝退齡

總統八十大壽，同胞們非常之興奮。有此賢明領袖，人民得安居樂業，故莫不感戴，自動舉辦晚會慶祝，以伸微忱。茲將演出晚會所知節目，畧爲寫記，以志鴻爪。

廿一日劇藝協會在三軍托兒所，演出四郎探母，由顧正秋飾鐵鏡公主，周正榮飾四郎，陳美麟飾蕭太后，最特別的杜姚谷香飾佘太君，爲各晚會中之最佳者。

廿一日郵政界同人在青潭大禮堂，演出麻姑上壽，端木增；慶頂珠—顏永淼，賈厚英；天女散花—賈厚英；蘆花河—戴慕蓉、朱全英兩夫人。五花洞—端木增何笑貞。同時全晚劇目，於十一月三日在國立藝術館再演，前有輕音樂，後有麻姑上壽，天女散花，蘆花河，而無慶頂珠五花洞。

廿七日爲東方畫刊在藝術館，是坤票段承潤演雙姣奇緣，由拾玉鐲起，至行路（硃砂井止）。段女士一趕三，先飾孫玉姣，後演宋巧姣，再扮劉媒婆，亦是最突出的。由曹會禧配趙廉，也甚出色。

三十卅一由復興劇校演出，在實踐大樓。劇目是羣仙祝壽，包括麻姑獻壽，由何復貞孫復韻主演，穿插八仙謳歌，下接蟠桃會，由張復華主演。

月終尚有台大平劇社演出四郎探母，由王馨東演四郎，蘇可勝演鐵鏡公主，其餘角色，尚在遴選中。

十一月一日，國劇欣賞會在藝術館，有名票全上的精采大賜福，計李心佛、孫雪岩、李熙、李景嵐、張大夏、宋丹昂諸位，可說是空前。次爲鳳凰山、張大夏（薛仁貴）。春秋配，宋丹昂（秋蓮），李景嵐（春發）。武家坡，費嘯天（平貴），潘美娜（寶釧）。黃鶴樓，李熙（劉備），李景嵐（周瑜），鍾啓英（趙雲）。

四日台灣電力公司平劇社演出在三軍托兒所，趕三關武家坡算軍粮銀空山大登殿五折，平貴—林永，寶釧—羅倫，代戰公主黃音，三人挑此五齣，功力很可以。

五六兩日，信社平劇社演出，在中山堂，第一日（一）福壽天齊—李后（王琪），除三害—周處（佟樹聲），王濬（郝景山），武家坡—平貴（佟樹藩王文卿），寶釧（佟夫人張婉君），銀空山—代戰（郝夫人申嘉），平貴（張逸凡），高思繼（蕭夫人向蘊華），大登殿—平貴（老名票顧博瀛），寶釧（蔡善功），代戰（魏中），他們演出有特色，是兄弟夫婦同上。

第二日是大鵬應邀，有金錢豹—張富椿，打櫻桃—嚴莉華，昭君出塞—嚴蘭靜李金和。而劇藝協會亦尚有兩天，屆時特稿未定也。

麻將與我

璇秋

我學懂了玩麻將已二三十年，那是從我童年的時候就開始了的。那時，我們的一家跟姨母和舅父等毗鄰而居，屋子雖然是各住一個單位，但拉開大門，或走下十來二十級樓梯，就連成一個大家庭。甚麼事，當然包括憂戚，甚至有點好吃好玩的，都一同共享。這十來二十個大大小小，男男女女，老老嫩嫩的人，由外祖母領導過這種相處得非常融融和和的生活。

在這種情形的生活中，我們有時是玩牌的。

外祖母，玩的是「六湖」——客家紙牌。我不懂，因爲那種長約三寸，濶約十二分的黑底而正面是米黃色，印上多爲我不懂的「牌字」，而紙質，或許是那些油墨有一種不令人愉快的臭味，摸的人又常是老婆婆與老公公的紙牌，我不喜歡。因之，便不學它的玩法。至於天九，雖然顏色不是黑，便是咖啡，因爲它是木製成的，不似紙質的那麼易爛，所以玩的人不似外祖母對於她那麼愛的紙牌的吝嗇，在某種情形下，任由我們做孩子的玩個痛快，因而對之就頗有點好感，而至認識了那些叫什麼牌，和玩法。說到麻將呢，因爲爸媽和姨丈、舅父母等都喜歡搓，而且一搓起來就是一個大半天，或由晚飯直至深夜，而玩的時候又是那麼的興高采烈，談笑風生，還有可口的宵夜，那就近似因屋及烏地給了我一個好印象，因而就想也有玩的份兒。眞的，湊句老話，就是皇天不負苦心人般地，當對於麻將還是僅懂皮毛那樣的程度，當她們三缺一時，我就給姨母等拉去湊數，或許暫代誰一下了。關於這，爸媽都不干涉，尤其是爸，當從外邊回來，看見我湊趣，還坐在我的背後加以指點呢。這大概是賞面給拉我湊數的人，也覺得不妨碍我的功課吧，因爲她們拉我玩牌的時候，多在假期，迄今還記得很清楚的，就是暑假與新年那些時候玩牌較多。漸漸，我經過這樣的實習後，就成爲麻將枱上一員正規軍了。

這是我在童年時的事。

當肄業中學後，書本一年比一年的深，同時，人事也有了變遷：外祖母，仙遊了；姨丈母，因爲事業的關係，到另外的地方去了；這一來，家庭式的玩麻將便減少了。何況，母親也不是一個標準賭徒，只逢場作戲式消遣一下，當兄弟姊妹遠離後，也意興索然了。

麻將，在人生方面說，有時也算得是一種交際應酬的工具，有些感情是那麼聯絡得來的。不過，另一方面也可能破壞感情；試看，多少人因搓麻將而鬧彆扭？更有，輸了錢的在牌桌大發牌氣，予人的印象很差。怪不得有人說：要看那個人的品格牌性怎麼樣，跟他或她搓多一點麻將，就可以窺悉一點。這事，若在牌張之外伸延下去，當離枱結賬時，贏家如果大大方方地請客，固可令輸家少點抱怨，而顯示出爲人的風度。那些風度，往往就是事業的本錢，要物色幹部的人，當然要找胸襟磊落，絕不婆婆媽媽相的來贊助自己。據我耳聞目擊所知，有些人是這樣被取或棄的。

至於我與麻將，這些年來的離離合合可說是學業和事業的影子。當學校的功課忙時，就跟麻將可謂絕緣了，及離開學校，在一般場合上，雖也偶有逢場作戲一下，却不知由於久違了，還是什麼，却興味索然；覺得，與其花幾個小時去築四方城智鬥，不如將時間與精神[illegible]

[illegible]了一些壞印象，其中[illegible]被人視之作大孩子[illegible]偶然在一些長麻將枱踏及他椅下的那條橫木，這一來，我就「因屋及烏」一地[illegible]了麻將。

大觀樓長聯

雅懷

「五百里滇池，奔來眼底；披襟岸幘，喜茫茫空濶無邊。看東驤金馬，西翥碧雞，南走蜿蜒，北翔縞素，騷人韻士，何妨選勝登臨。趁蟹嶼螺洲，梳裏就風鬟霧鬢；更蘋天葦地，點綴些翠羽丹霞。莫辜負四圍香稻，萬頃晴沙，九夏芙蓉，三春楊柳。」

「數千年往事，注到心頭；把酒臨風，歎滾滾英雄安在。想漢習樓船，唐標鐵柱，宋揮玉斧，元跨革囊；偉績豐功，費盡移山氣力。儘珠簾畫棟，捲不盡暮雨朝雲；便斷碣殘碑，都付與蒼烟落照。祇贏得幾杵疏鐘，半江漁火，兩行鴻雁，一片桑滄。」

這便是昆明的大觀樓，所懸的著名的孫髯翁所作長聯。孫氏的此一長聯，不僅情詞並茂，氣象縱橫，且上聯從「五百里滇池」開始，寫盡雲南的地理形勢，廣袤縱橫，氣象萬千；下聯自「數千年往事」寫起，詳叙雲南與中土歷史關係的沿革，發古幽思，感慨無窮。茲就孫聯中所述有關雲南地理歷史的景物，畧加銓註如下：

「東驤金馬」，是指昆明東郊雲華寺後面的金馬山。「金馬」有兩種釋義：一指因山勢如金馬奔馳，一是相傳有金馬穿降於此山而得名。現金馬山猶有金馬寺，寺中幷塑有金馬。

「西翥碧雞」，是指昆明西郊的碧雞關。「碧雞」的解釋有二：一是以碧雞關兩側的太華山及峽壁似雙翼飛翔而得名，一是相傳有碧雞飛止於關上之神話而得名。不過，碧雞關的碧雞寺已廢圮。「金馬碧雞」已成昆明的象徵。

「南走蜿蜒」，即指蛇山。此山伸展至昆明近郊，蜿蜒曲折，迤邐南行。

「北翔縞素」，形容昆明西北的雪山。按大小雪山，實際位於金沙江的西南，其主峯交亘於怒江和瀾滄江的橫斷山脉中，山勢有如白雲翱翔於羣峯之上，非常壯麗。

「漢習樓船」，是指漢武帝勳業極盛時，祇有雲南尚未征服。當時傳聞，雲南有滇池隔絕，如要出兵征討，必先準備水軍，因此漢武帝便在大內鑿「昆明池」，習樓船軍，以備征滇。

「唐標銅柱」：唐太宗當其武功極盛時，便派遣一位尉遲將軍，經川邊去征服雲南。但兵至金沙江岸與大渡河之間，由於當時交通阻滯，道路遙遠，補給困難，不能繼續前進；乃在金沙江與大渡河之間，建立「銅標」，以炫耀武功。

「宋揮玉斧」：宋太祖雖曾統一中原，但他自審當時的情勢和力量，就放棄了征服雲南的計劃。故在其御案上，拿了一柄裁紙用「玉斧」，把雲南這一區域在地圖上劃掉，以免狂費事功。

「元跨革囊」：元忽必烈率師由西北經西康草原，以快速騎兵，南下至金沙江。由滇西麗江、鶴慶間，用黃河上游的牛羊皮筏載運渡河，然後分兵兩路，向東西背馳急進。西路征服印度，建立「莫臥兒王國」；東路經雲貴山地進入湖廣沿海，滅南宋，統一中原。這便是「元跨革囊」以渡金沙江的功業。

田興識透朱元璋

胡實

這篇御筆手書原文，較後來其他野史所傳，更爲完整。文筆如並州剪，生動而有風趣。情辭誠摯親切，宛如友朋話舊。在中國帝王文學中，算得是一篇代表作。

書曰：「元璋見棄於兄長，不下十年。地角天涯，未知雲遊之處，何嘗暫時忘也。近聞打虎留江北，爲之喜不可抑。兩次詔請，更不得以勉強相屈。文臣好弄筆墨，所擬詞意，不能盡人心中所欲言。特自作書，畧表一二，願兄長聽之。

昔者龍鳳之僭，兄長勸我自爲計，又復辛苦跋涉，參謀行軍。一旦金陵下，告遇春曰：大業已定，天下有主，從此浪跡江湖，安享太平之福，不復再來多事矣。我故以爲數言。不意眞絕跡也。

皇天厭亂，使我滅南盜、驅北賊。無才無德，豈敢妄自尊大？天下遽推戴之，陳友諒有知，徒爲所笑耳！三年在此位，訪求山林賢人，日不暇給。兄長移家南來，離京甚近，非但避我，且又拒我。昨由去使傳言，令人聞之汗下。

雖然人之相知，莫如兄弟。我二人者，不同父母，甚於手足。昔之憂患，與今之安樂，所處各當其時。而平生交誼，不爲時勢變也。世未有兄因弟貴，惟是閉門躲垣，以爲得計者也。皇帝自是皇帝，元璋自是元璋。元璋不過偶然作皇帝，並非作皇帝，便改頭換面，而不是朱元璋也。本來我有兄長，並非作皇帝，便視兄長如臣民也。顧念兄弟之情，莫問君臣之禮。

至於明朝事業，兄長能助則助之，否則聽其自便。祇叙兄弟之情，斷不談國家之事。美不美，江中水，淸者自淸，濁者自濁。再不過江，不是脚色」。

田興接書，明知是誘騙入彀的一種「陽謀」。自悔不該多事做打虎英雄，招來這場意外麻煩。爲了顧全把弟的皇帝尊嚴，同時表現自己確算一個脚色，也曾過江一趟。但祇暢叙兄弟舊情，未受一官半職。把弟偶而談及國家大事，田興正色以「天子無戲言」相對。做了一個月的朝廷嘉賓，依然恢復平民生活。

田興再次放棄這個封官晉爵良機，在熱中名利之徒看來，一定譏爲太不識擡舉的呆瓜。後來朱元璋賊性復發，大肆屠殺，田興卻早已作了漏網之魚而克享天年，未作刀下斷頭冤鬼。田興的先見之明，這才爲後人所驚服。清初那些編寫明史的文化奴才，祇求還就統治階層愛好，不敢把田興避見天子，抗不受詔的俠義事跡列傳，無怪有人時興正史難盡信之嘆了！

（下）

奧妙至今未明的體內自然燃燒

—三木譯—

根據書本上的記載，他知道這種現象是被稱爲「自然燃燒」。經過他多月來參閱書本和他的推敲，他發覺在人體內的尿素中，是有很大部份的酒精在人體內餘留下來的，這一點也可以證明酒精在人體內是不會被消化去的。由於酒精在人體內不變質的緣故，所以有部份酒精是和在人體內的脂肪細胞中的和脂肪達到某一個飽和的程度之際，而未能排出體外時，而又適逢遇上一定的高溫度之際，酒精和脂肪這兩種助燃物品，便會在人體內成爲油燈之燃蕊似的能支持一定時間燃燒。他估計那時燃燒的火燄是會高達華氏數百度的；對於這種高溫度是怎樣產生出來的，在加士教授的著作還認爲這是一個令人難於解答的疑問。不過從他目睹該名土人活活被燒死時的情形，[illegible]

在一六九二年，又有一件類似上述兩宗自然燃燒的怪事發生。事緣有一名染上酒癮三年的婦人[illegible]，一晚在她臨睡前，她又倒約有三指之量的烈酒來喝；她喝下不久，[illegible]火燄，同時她的鼻孔及耳朵亦有火花噴出！[illegible]用自來水向她面上澆灑，[illegible]

內政部台誌字第〇三一三號內銷證

自由報

THE FREE NEWS

第七〇三期

中華民國僑務委員會頒發
台敎新字第三三二號登記證
中華郵政台字第一二八二號執照
登記爲第一類新聞紙類
（半週刊每星期三、六出版）
每份港幣壹角
台灣零售價新台幣貳元
社長：雷嘯岑
督印人：黃行奮
社址：香港銅鑼灣高士威道二十號四樓
20, CAUSEWAY RD 3RD FL.
HONG KONG
TEL. 771726　電報掛號：7191
承印者：大同印務公司
地址：香港北角英皇道九六號
台灣分社
台北市西寧南路壹壹零號二樓
電話：三〇三四六
台郵撥儲金戶九二五二

誰贏得了二十年的冷戰和國際共產黨對台灣獨立運動的陰謀

（四）

何浩若

現在悲觀一點的美國人會時常說到艾克和赫魯歇夫在大衞營（Camp David）見面的故事。當日赫魯歇夫抱着艾克的孫子說：「我不要葬埋你們，他（指艾克的孫子）就會自動升起紅旗的」。悲觀的美國人說：「等不到艾克的孫子了，也許艾克的兒子就要掛紅旗的」。

對於這樣悲觀的看法筆者並不同意。筆者認爲美國潛在的民主力量太大了。共產黨要發動心臟革命來打倒美國當前的政府是不可能的。不過美共滲透了美國政府和各機關使心臟衰弱，便影響到全世界的民主國家無法和共黨對抗因而失去冷戰。美國不能制止美共的活動，因爲美國太民主了。美國不會被共黨所佔有，也因爲美國太民主了。爲什麼美國政府不能制止美共的活動呢？因爲美國要保障言論和思想的自由，而且要保障人權。共產黨在美國是合法的政黨，做共產黨員並不犯法。言論更是自由，可以隨便講話和隨便批評。潛伏的共產黨滲透了美國的報紙要來造謠攻擊美國友邦的元首更可爲所欲爲。至於贊美友邦的共黨首領如毛澤東卡斯特羅那更不成問題。潛伏在政府的共黨假如偸竊文件有了叛國的行爲總應當處罰了。那也不然。這要看證據和控訴的程序。奧格希斯就是偸竊文件而被控訴的。但是奧格希斯却是因爲「僞證」判罪，現在也已刑滿出獄了。最標準而更突出的案子莫過於顚覆我中國大陸的塞維斯（Service）（即謝偉志）他偸竊文件被聯邦調查局捉到了而被捕入獄。經過三年訴願最高法院判決他無罪復職。國務院賠給他三萬多元美金的薪俸，又派他到英國利物浦當總領事。現在這人已經退休，領着養老金到南美洲去搞共產黨工作去了。最高法院爲什麼要判他無罪呢？完全是根據保障人權的法律的立場。許多人不瞭解，以爲美國最高法院幫助美共，甚至說華倫大法官（Chief Jusitice Warren）也是共產黨黨員。這是完全不正確的。美國不能破壞民主和法律來制止美共的活動。保障了法律和民主，美共也無法打倒美國。至少在理論上是這樣講的。詹森總統在就職時說：「假如有人以爲別人的顏色和思想和自己不同便予以歧視，這個便背叛了民主。」「顏色」是指黑人，思想應當是指共產黨了。我們的看法是：美國民主的潛在力量很大，美共革美國的命不容易成功。美共滲透美國政府，使反共的心臟衰弱，不僅不能全力幫助，甚而出賣其他的民主國家，因而喪失了二十年的冷戰，全世界三分之一的人民和四分之一的土地。

五、美共正在創造另一奇蹟
策動台灣獨立運動

國際共產黨策動台灣獨立運動的理由和動機，由於篇幅所限，不必更多敍述了。這裏祇講美共策動台灣獨立的事實。先要聲明的是美國和中華民國有着正常的外交和條約關係而且反共最友好和合作密切的國家。美共策動台灣獨立，完全與美國政府沒有關係。假如有美國政府的官員贊成台灣獨立那只能認作美共滲透政府的陰謀，不能認作代表美國政府的言論。必須如此才能正確的認識美共策動台灣獨立運動的事實。

遠在一九五四年，美國第一流雜誌—外交季刊—發表了台灣人李善和（音譯）的論文主張台灣獨立。外交季刊是美國很有名的刊物，爲什麼會刊出這名不見經傳的李善和的論文呢？這篇文章發表以後我留美學人紛紛著文反駁。但外交季刊並不予以發表。美國有一個反對中共進入聯合國的百萬人委員會，也覺得外交季刊的論文太離奇了，便由該委員會去文詢問。該外交季刊總編輯阿莫斯強（Hamilton F. Armstroug）覆函聲明李善和乃係假名，至於作者何人則恕難奉告。此還不是此地無銀三百兩嗎？外交季刊的論文祇是開端而已。比較具體而重要的便是所謂『康隆報告』。這是一篇在一九五九年十一月由美國參議院外交委員會發表的國際問題研究報告。所謂康隆也是一個假名。誰寫的這個報告我們都知道。那一個中國人幫助寫這個報告，我們也曉得。不過在美國，做共產黨並不犯法。他不公開身份也無法指控他。這個以共產黨同路人的身份所寫的康隆報告眞是荒謬絕倫。報告的結論說大陸人民已經接受人民公社，而台灣人民並不擁護國民政府。報告不僅主張台灣獨立，而且主張廢除東南亞反共公約，讓美國退出亞洲。正因爲美國共產黨要造成另一奇蹟，使美國退出亞洲，才加強策動台灣獨立的陰謀。美共的看法是這樣的：今天美國的軍事力量仍然能在南韓和越南支持，最主要的理由是因爲有台灣國民政府存在。在東南亞，祇有從台灣隨時可以調動二三十萬大軍馳援南韓和越南。要從美國或其他民主國家調動幾十萬大軍來馳援南韓和東南亞不可能的。假如美共能以獨立的陰謀使台灣這一個反共堡壘摧毀，亞洲美國軍隊就被迫退出亞洲，這就是美國共產黨企圖創造的另一奇蹟。

美國的官員也有主張台灣獨立的。但這是個人的意見，並不代表美國政府。美國從前駐印度的大使叫鮑爾斯（Charles Bowles）這人是有名的左傾的。他在一九六〇年四月份的外交季刊上發表一篇文章主張台灣獨立，建立一個什麼『中台國』。（下轉第二版）

一日了然

自食其果

今日与明日

大陸「黑帮」與「紅帮」大決鬥

十一月一日北平出版的「紅旗」雜誌上，在「以毛主席爲代表的無產階級革命路綫的勝利」的社論文字中，毛澤東林彪小集團，好像是在與敵對的「當權派」大混戰中，取得了初步的「勝利」。但這個「勝利」，純粹是虛張聲勢，充滿「報喜不報憂」的成份。既然毛酋是「無產階級革命路綫」的「代表」，那麼「資產階級反動路綫」的代表人物是誰呢？「紅旗」雜誌在社論中雖未明白指出是李七抑王八，但誰都知道這「一兩個人」頭一個就是所謂「國家主席」劉少奇，第二個大概不會不是毛共中央總書記「小矮子」鄧小平。

劉少奇在毛共領導小集團中坐二把交椅已二十多年，並一直被視爲不可改變的毛酋「王儲」。可是，「卅年風水輪流轉」，孰料，於今年八月毛共召開「八屆十一中全會」後，形勢完全逆轉，這位「少奇同志」的行情竟是「跳樓式」的「暴跌」，由毛共中央排名次序的第二，一下子就「滑」到第八。

而鄧小平這個「一塊豆腐墊兩個銅錢高」的小矮個子，在排名次序上雖沒有變動，但他被林彪、陶鑄、陳伯達、康生小集團視爲「異端」則是可以肯定的。

俗語說：「非我族類，其心必異」。劉少奇和鄧小平兩人，即或還未赤膊上陣，指着天安門罵姓毛姓林的祖宗，起碼他們二人對所謂「文化大革命」持以冷淡的態度，則是無可否認的事實。「紅旗」雜誌在社論中所指的「走錯誤路綫的人」，相信是首先指向這兩個人。

「紅旗」雜誌今年十一期的社論上說：是凡走錯誤路綫的人，「不管他地位多高，聲望多大，只要反對毛澤東思想，就要對他進行堅決的鬥爭」。在十二期「紅旗」雜誌的社論中所指出的：「竊取黨和國家領導地位」的少數「反黨份子」，近一步更明顯地表示，毛林小集團已在擦拳磨掌，準備對劉、鄧兩人下手了。

毛酋常「教導」他的「衆兒郎」們：「不打沒有把握的仗」。可是，對以劉、鄧爲首的反毛「當權派」，「造」他們的「反」這麼久，也沒有把他們鬥倒，鬥垮、鬥臭」。

這說明，劉、鄧二人的「黑幫」勢力不但足與毛林小集團的「紅幫」「負隅頑抗」，甚至是旗鼓相當。現在的情勢是雙方決鬥勢在必行。然而勝敗如何？可能是「紅幫」難勝，「黑幫」也佔不了上風。而被搞垮的却是所謂的什麼「中華人民共和國」。（何如）

自由談

讀史有感

諸葛亮在生之日，他對三國鼎立的局勢，始終抱定聯吳討曹的政略與戰略，而其主要用意，即在以「先爲不可勝」的戰鬥行動，保持蜀國的安全。所以，他幾次出師北伐的理由，說是「坐以待亡，不如伐之」。凡屬處在偏安之局的環境中，隨時需要表現着進取的精神和動作，纔可以強化人心士氣，蔚成「多難興邦」的機運。

等到諸葛孔明逝世後，蔣琬、費禕之流，便抱着苟安自娛的惰性觀念，認爲「丞相尚未能平定中原，況吾輩乎！」眼見曹魏不斷的對東吳用兵，而蜀漢毫無動作。雖有姜維遵循諸葛亮的遺志，主張北伐，而蔣、費等人仍然不以爲意，最後以「姑且試之」的兒戲心情，給姜維一萬人馬，讓他試行北伐，當然勞而無功。蔣、費二人主政將近二十年的結果，乃使蜀漢構成「坐以待亡」的形勢，人心渙散，外援斷絕，即令劉備健在，也就難免於危亡，何況劉禪葺，閹宦弄權，偏促益州一隅，焉有不敗亡之理呢？

瞻觀史乘紀錄，吾國自漢末以後，歷世王朝遭遇危難時運的不一而足，結局凡是能以攻爲守，抱有滿懷進取之心者，即莫不復興。這原因亦容易解釋，既有進取之心，則隨時警惕憤發，揚棄苟安逸豫觀念，而以網羅人才、匡復河山爲急務；在朝者朝乾夕惕，唯恐失職誤事，在野者草莽思奮，人人以能及時自見相期許，而奇才異能之士紛出矣。

諸葛亮固係蜀漢的一大政治家，但他的才幹是法家一流，法家用人多屬不賢於己者，每以對上表示讚歎悅服爲主。蔣琬，費禕原是孔明最器重的人才，治承乏丞相職位，其才智與作爲乃不及諸葛丞相之什一，雖有一豪傑人物姜維，亦不能展其抱負，蔣、費等人，非不爲也，是不能也。這便是法家秉政的大缺點。

亂世用人必須以天下爲公的眞誠，立賢無方的原則，廣求人才而信任之，專任之，使其勇於負責，而敢於發展個性以創造事業。法家者流沒有這種氣魄，此蜀漢之所以先亡也，可惜孰甚！

馮三先生

十大傑出企業家選舉

嚴慶齡伉儷雙雙膺選

（本報記者台北通訊）此次全國第一屆十大傑出企業家的選舉，已於十六日於此間國賓大飯店，由考試院長孫科博士，內政部長徐慶鍾氏，分別頒發金像獎與當選證書；與會人士約三百餘人，情況熱烈。其中最引人注目的，當推裕隆汽車公司董事長嚴慶齡以夫婦雙擋而當選十大傑出企業家。夫婦擋在藝術界、醫生界、政壇上，頗不乏有成就的人士，唯在工商企業界夫婦雙擋而又傑出者，實不多見。因此，嚴氏夫婦的當選，雖不說是絕後，但已已算是空前的了。其成爲美談，自屬意中事。

當選十大傑出企業家的嚴慶齡氏，是現任裕隆汽車公司董事長。我們今天看到，在台灣穿梭而行的大型「巴士」，小型「的士」，許多都是裕隆汽車公司的產品，於此可以想到齡氏在「行」的方面，給我們社會國家的貢獻了。這位留學德國的工程師，在斥資興辦裕隆汽車公司的時候，是幾經困難，備嘗艱辛的；在東南亞的國家中絕無僅有的汽車製造工業，完全靠嚴氏堅强的意志與克苦的精神，幫劃苦撐，時至今日，總算十年有成。這在我國民族機械工業中貢獻和榮譽，自非等閑可比。嚴氏創辦裕隆之動機，係響應總統蔣公「發動機救國」的號召，因汽車工業爲一包括多種工業之綜合性工業，汽車工業有成就，也能使其他如鋼鐵，玻璃，橡膠，油漆等工業隨之起飛，更可培植許多專業性的衛星工業。故嚴氏十年來孜孜不倦，經之營之，從事於機器工業者，確有其獨特的卓見與抱負。

裕隆公司，每年至少爲國家節省一千萬美元以上，同時，對政府的完稅額自亦不在少數。

蔣總統向極重視工業，尤其是汽車製造工業，故於五十年十月十二日曾親臨該公司大坪工廠參觀，由嚴氏親自接待，總統對該公司產銷情形垂詢甚詳，由此，足證總統之關懷汽車製造工業之一斑。

以台元紡織公司董事長而當選傑出的企業家的吳舜文女士，與她的夫君嚴氏，同爲享譽國際的著名學者企業家，可以說夫婦齊企。像這種情形，不要說在國內少有，就是在工業王國的美國，也是很少得見的。她除了主持國內最大的紡織廠，給我們社會在「衣」的方面，貢獻很多外，還得要在數間大學裏教授無數的青年學子；像這種教學、企業並重的精神，不僅是女性中的一大光彩，即使在男性中亦是難得的。

的確，吳董事長的生活是多彩多姿的，比如她在教導大學生與從事工商企業之餘，在百忙中仍不忘許多有意義的社會活動。她曾經當選過扶輪社的「榮譽公民」，也曾經担任過台北國際婦女會會長等榮譽的頭銜。（易鳴十月廿日於台北）

呂孟津繪鶴壽松齡

獻蔣總統恭祝嵩壽

（本報台中航訊）一位七十二高齡的老叟，爲了感謝政府光復台灣的德意，他費了九十天的寶貴時間，繪製了一幅巨畫──「百駿圖」，呈獻給台灣省政府主席黃杰，用以作爲台灣省二十一屆光復的敬禮。

這位七二高齡的老翁，名呂孟津，住台中縣神岡鄉三角村。呂老先生有此雅人之作，是有其家學淵源的。他的父親是前淸秀才，且擅長丹青。呂老先生十二歲時，便開始從乃父學習國畫，迄今已有六十年之歷史。呂老對於山水、人物、花鳥等類，都有獨到的創意，自成一格，與衆不同。

這位現任中部美術展覽審查委員的呂孟津先生，有一個美滿而幸福的家庭，有一個孫子、外孫共三十餘人之多。呂老先生爲報答政府在台灣的德政，他在幾個月之前，便在后里種馬牧場描繪駿馬的各種神態，前後一共花了三個多月的時間，繪成了「百駿圖」，百匹駿馬，確有百種不同的姿態，或騰、或奔、或臥、或躍，莫不栩栩如生，唯妙唯肖。呂老先生的畫馬，與淸代郎世寧的百馬圖可先後媲美。他這幅百駿圖長有十六尺，高五尺的巨畫，是他畢生最得意之作。

他另又受台中林縣長之託，繪一幅「鶴壽松齡」，呈獻蔣總統恭祝嵩壽。

「幾度夕陽紅」賣座好

台灣觀衆欣賞甄珍演出

（本報台灣特稿）中秋節晚上，在名導演李翰祥的家裏，遇到了「小淘氣」甄珍，她正在那裏翻閱李翰祥於民國卅年在上海出版的「青春電影」。

「哎呀！安娜，妳看這是誰？」甄珍頑皮的叫着，並且還把她翻閱的「青春電影」的一頁插圖遞給張翠英。

「小鬼。」張翠英白了甄珍一眼，痛愛雙重意義的這樣罵了一句。

「安娜，妳年輕的時候好漂亮！尤其是那雙大眼睛，眞是好迷人啊！」甄珍翻到的一頁照片，正是張翠英年輕時候，所拍的一張生活照片。

「怎麼，現在不漂亮了？」張翠英打趣着說。

甄珍沒有再說下去，只是自言自語的在說：「眞漂亮，越看越漂亮。」

「甄珍，那些『古董』有什麼好看的？」我插嘴說：「溫故而知新呀！」甄珍放下「青春電影」這樣說：「沒事兒，看看書我認爲是最好的消遣。」

「唉！文人．甄珍現在變成文人了。」我這幾句話本來是逗甄珍的，不料坐在對面的朱牧却搭上腔說：「你不知道啊？甄珍現在已經不是『小淘氣』了！」

「是甚麼？」朱牧有意賣關子，我却有些等不及的問。

「小．大．人．兒！」朱牧一個字一個字的唸着。

甄珍對這個新綽號沒有表示不合胃口，祇是輕聲罵了朱牧一句：「眞討厭。」

「說眞的，甄珍」我說：「妳也應該請請客了。」

「幹嗎要請客？」甄珍說：「李導演家裏要甚麼沒有，怎麼樣也輪不到我請客啊！」

於是我便把連日來觀衆對她在『幾度夕陽紅』演出的批評告訴她，沒想到甄珍眞太過猶太了，她說：「要請也不請你；這些是觀衆對我的批評，他們才是應該請的。」

「這也是我的批評呀！因我也是觀衆。」我說。

「那麼你對我的批評又怎樣？」

「簡直演活了『霜霜』」

「哈……哈……」甄珍在一陣笑聲過後，她從手皮包裏掏出一塊錢來說：「[illegible]！這是請你吃糖的。」逗得在場的人都笑了。

甄珍對演戲有一種非常正確的看法，她說：「我認爲除非是不想演，要演就一定要演好。」

甄珍說：「譬如我在『幾度夕陽紅』裏飾演的『霜霜』一角，我就費了很多時間去研究她的個性。我認爲一個演員要演好一個劇中人的角色，首先應該了解劇中人的個性，這樣演來就是再差，也差不到那裏去。」

甄珍又說：「就拿我在戲裏一場醉酒的場面來說，我眞的試喝了五、六次，因此使演出結果，就眞有些兒醉酒的味道。」

有一位姓田的觀衆對於甄珍醉酒的鏡頭特別欣賞，他祇是爲了要看這個鏡頭就連看了四遍『幾度夕陽紅』。

一般人對甄珍的批評是：「看『幾度夕陽紅』的過程中，總希望能多看她幾眼，那管就是一眼也就滿足了。」這就是甄珍的成功。

有一位導演曾這樣下過定語：「甄珍有一個大明星的派頭，因爲觀衆並不注她演的好不好，而祇是想看她的鏡頭，這就是一個電影明星的基本條件。」

透視立監委涉嫌商行賄案（七）

從監察院第十四次臨時院會決議案說起

──本報記者張健生

因爲中華民國訂有一個「人權清單」──憲法，所以成爲聯合國重要的會員國之一；同時，並遵守聯合國憲章中之「人的權利」和「基本自由」。

中華民國具備現代民主國的權利制度，成爲每人生活之有效保障。在這制度中，有視如至寶的「人權清單」，有永矢咸遵的憲法，有代表民意的國會，有對立法院負責並受監察院監督的行政院，有保障制度的法院，有窮年矻矻的法學家，有培育英才的法學院，有無數以辯護爲職業的律師，有成千成百的各種的社團，有在野的政黨。

自由不只是紙上的權利，這是一種實際的保證制度。做到這種保證便是政府的任務。自然還要有社會的及道德的支持。政府用什麼來保證權利呢？政府所倚賴的工具就是强制力。當有外侮的時候，政府便用軍隊或在必要情形下動員各方的力量，去抵禦它。當國內基本人權或任何次要的法律受得侵犯時，政府便在適當的程序下給予侵犯者懲罰。凡是人民的權利遇到重大阻碍時，政府便須用强有力的工具去破除這些阻碍。這就是權利保證的特性。這種特性，便是法律，它一經依程序制定並公佈，任何人即須遵守。尤其制訂法律的人，或執行法律或有審判權之公務員，不但要絕對的遵守，而且要絕對的尊重法律。

尊重人權尊重法律

耶穌同法利賽人的門徒同希律黨人說：「該撤的物當歸給該撒，上帝的物當歸給上帝」。可謂人神「兩治」最早的主張。而巴克爾說的更具體，他指出：「法律以其外在的方法對付人之某些外表行動，祇在供給人之內心生活以一個外在的間架而已。國依其性質不過恰恰是一個『最後的保險者』。法律是規約人之外表行爲，它對人之內心生活是不能也無法過問的。而權利與法律祇是若干必需的條件，是人們之某些外表行動的公認標準。離開這些條件，民主的政治生活及公平的社會生活即無從談起。是故尊重人權與合於人權的法律，是很緊要的，且並也是需要用力的。假如每個人均集中意志和力量，用於內心的及社會的活動，便會很少侵及他人的權利。

憲法中基本權利之確立，即本於「除碍」原則。故必先有一妨害衆人生活之嚴重的阻碍在，然後方在憲法中訂明此類阻碍必須加以排除。

譬如說，憲法第二章第八條，即本於「除碍」原則而立，因爲人身自由爲各種自由權之本，故有非依法律不得如何如何之規定。

權利保障周密切實

我國憲法關於權利的保障，不但周密切實，而且具體。由於過去的立憲體例，多以籠統的條文，作一抽象的規定，可以簡單說只是一種原則的抽象的保障方式。而近世以來之立憲體例，則爲之一變，即由抽象的保障而趨於具體的保護，亦即除標舉原則之外，還要具體的辦法來配合原則的實現。我國憲法的體例，即係如是。舉例來說吧！我國過去憲法或憲章，莫不標舉民族平等的原則，其表現形式類爲「中華民國人民無……種族之分，在法律上一律平等」的規定。但是這種規定只是抽象原則的表示，事實難得達到這一目的。而我國現行憲法乃一改過去之抽象原則，乃明定：「中華民國人民無分男女、宗教、種族、階級、黨派，在法律上一律平等」（第七條）。所謂「種族」與「各族」，係指漢、滿、蒙、回、藏五族而言，以明中華民族構成分子，而彰民族團結平等之精神。所謂平等，不僅在法律上一律平等，它包括在政治上、經濟上、文化上、社會上，以及生活習慣上，一律均處於平等之地位，毫無差異可言。這較諸今之美國，因黑人而鬧民權問題，不啻有天壤之別。爲確保民族平等，我國憲法與有具體的規定。如「國民大會以左列代表組織之：一、每縣市及其同等區域各選出代表一人，但其人口逾五十萬者，每增加五十萬人，增選代表一人；縣市同等區域以法律定之。二、蒙古選出代表每盟四人，每特旗一人。三、西藏選出代表，其名額以法律定之。四、各民族在邊疆地區選出代表，其名額以法律定之。五、僑居國外之國民選出代表，其名額以法律定之。六、職業團體選出代表，其名額以法律定之。七、婦女團體選出代表，其名額以法律定之。

誰贏得了二十年的冷戰和國際

共產黨對台灣獨立運動的陰謀

（接上第一版）有人說，鮑爾斯因爲不是共產黨員，他做過大使。還這也不成理由。大希斯也是總統的助理，還不是一樣嗎？他們的問題是和共產黨員不表明身份。所舉的一個例，哈佛中國敎授費正淸，是不是一個熟知的人？是共產黨與共產黨差不多。每次來台灣，都有連彭明敏的叛國運動。叛國案已經由報紙公佈了。在美國首先投函紐約時報爲彭明敏抗議的便是費正淸。費正淸在自由中國有很多好朋友，而且都是有名的學者。也許會有人替他辯護說他不是共產黨。但是筆者這篇文章是根據美國國會記錄寫的。根據美國國會記錄，美國前總統甘迺迪於一九四九年一月三十日在國會演講，正式指出美國拉鐵摩爾、費正淸是國際共產黨員，並且說費正淸斷送了中國大陸。這篇演講在甘迺迪當選總統以後又重印出來。載在一九六一年八月二十二日國會記錄的第六六五六頁。筆者希望會在太平洋協會中國分會工作和拉鐵摩爾費正淸密切合作過的中國學人不要再抹殺事實。因爲美共策動台灣獨立是自由中國一個生死存亡的問題。我們必須要反擊美共策動台灣獨立的企圖，加害中華民國的企圖，使美國退出亞洲的奇蹟永遠不能實現。（完）

美私生子數字急遽增加

·桑稚·

男女社交越文明，社會越多進步，但是，違反社會道德的風氣，亦因而熾盛。男女間未經正式結婚而苟合的也愈多。在此種不良的風氣之下，他們遺下腹中塊肉者，比比皆是。於是，私生子的數字，每年銳增。相信世界上私生子最多的要算是美國了，以下是美國私生子十年來增加的情形。

根據最近統計，美國每年的私生子為三十萬名。且這些私生子的數目尚繼續上升。根據統計的比率，每十四名出生的嬰孩中，即有一名是私生子。在非白種的美國人中，則每四名中，一名為私生子。為什麼私生子的數字日益增加？這個問題，使專家們也為之頭痛不已。

事實上，在美國未婚的婦女而產嬰的數字，繼續有增無已。由一九六一年起，私生子每年在銳增中。在一九六一年，美國出生註冊處的出生數字為四百二十六萬八千名，而其中二十四萬零二百人，為私生子。至一九六四年，出生的數字卻減至四百零五萬四千名，少了二十多萬，但私生子的數字反而增至二十七萬五千七百名。

根據統計的數字，私生子在一九四五年即開始銳增。那年裏，每一千名未婚的婦女中，十名是生孩子的。到一九六四年，每一千名未婚婦女，產下私生子的比率為二十三點八。從官方及正式結婚統計數字紀錄中，未婚婦女產子比率的增加，一九六四年的數字，較諸十年或二十年前，高出很多。

私生子問題，並不只是集中於年輕的婦女身上；根據事實，十多歲的少女產私生子比年紀較長的為少。一九六四年的二十萬六千名私生子中，十一萬零四百名或百份之四十，是由那些年紀十五歲至十九歲的少女所生的；但是這些未婚少女，還不如到達生育年紀的未婚婦女所產的那末多，她們佔百分之五十七。

自從一九五七年，二十五至二十九歲婦女出生嬰孩的數字，即每年銳增，由這年起，未婚的三十歲至三十四歲的婦女，產下的私生子數目，亦尖銳性的增加。此顯示十多歲的少女，在生育方面，比年紀較長的婦女為遵從社會道德觀念。而十多歲的少女之為未婚母親的，比一九三八年時的數字，高出不會很多。

在私生子方面，黑人婦女比白人的為多。由十五至四十四歲的白人婦女，是非白人的未婚婦女的六倍。但是非白人婦女的私生子，比白人婦女的私生子為多。比方在一九六四年，私生子的數目為二十七萬五千七百名，其中十六萬一千三百名或百分之五十八點五，為非白人者，同時大部份為黑人。

以一九六四年的統計出生數字來說，百分之六點八五的私生子，白人者僅佔百分之三點三九而已，但是在非白人中，私生子佔百分之二十四點五。

然而在白人和黑人婦女的私生子比率相距，一向就有相當距離，但一九五〇年至一九六〇年，則兩者距離極為接近。

美國衛生部兒童組，教育部及福利部進行多方面的研究，指出私生子的巨大數字，是由於收入低微的階層的婦女所生者。研究人士深信環境較富裕家庭的婦女，不是使用避孕器，便是由於道德社會方面的壓力，使她們不敢幹出不名譽的行為。

社會學家對於一九四三年起，私生子數字，按年銳增的原因，無法解釋。同時，由那時起，未婚而為人母者的生產率亦相繼增加。一九六〇年起，雖然有避孕藥丸在市面發售，可是也沒有影響私生子增加的趨勢。還有，由廿五至卅五歲的婦女，其私生子的增加比率，使社會科學家為之迷惑不已。特別是卅歲至卅四歲的婦女，更無法獲得答案。只是從數字方面顯示，美國的貧窮階層，產私生子者最多。

橫渡英倫海峽百零一年

—路加—

當法南都茂連，艱苦的開始愉快的獲最後勝利的事蹟傳揚之後，使希望橫渡海峽者的決心更加堅強了。拿愛華梅為例，他是個四十四歲的鋼鐵工人，有九名兒女。他在一個八月的早上，突然在鄰近法國嘉萊的衛辛港下水，不用隨護船，他只攜帶一個指南針，一瓶啤酒，及一些餅乾和糖，他全把這些東西放進一個管子裏，用一根長九尺的繩拖着。兩小時後繩子斷了，他迷了途。幸而在九個鐘頭後給一艘貨船發現，那時他已經筋疲力盡，船上人員把他載返陸上。

有許多泳家，往往功敗垂成，十分傷心。在廿年前的一個八月日子，廿八歲的智利人佐治巴勞特，在基獵斯尼斯角下水，他穩定的向西而泳，游了十五個多鐘頭；本來，他將可抵達終點，勝利在握，當他離多維爾海岸八百碼，突然一股範圍七哩的海潮向東而湧，橫掃海峽，佐治巴勞特奮力掙扎，可是海潮卻把他湧回法國那邊。直至他筋疲力盡，無法支持，才登上拖船。

在一九五七年的「盛大橫渡海峽」時，科蘭絲巴達第，從南嘉羅連州的格蘭威路村，懷着滿腔希望，參加渡海泳；初時的途程十分險惡，追隨她的那艘小艇，為浪所翻倒，她迫於放棄了。佛烈巴第沙的前妻玩妮，也想像前夫一樣，穿上泅泳器橫渡海峽，可是亦因佔計錯誤，而失敗下來，那時她的氧氣已告用罄，她由於未能及時補充空氣，迫於浮回水面。

在橫渡海峽史上，最奇妙的一次意外，要算是荷蘭一名主婦威理。古勞斯·雲萊素。她於一九四九年月廿七日，橫渡海峽，在海水裏浮沉十七個鐘頭，她跟海潮搏鬥，而能締造了不錯的紀錄。當她離英國海港還有半哩，突然大霧漫天而來，她的教練達潭，在濃霧下，無法看清楚方向，致未能給她指示，這時一艘報館的艇子，隨同游泳者採訪，教練遂向攝影記者求助，要求他們以拍攝照片的閃光胆，亮起一個，那末她可以看方向，但是攝影記者拒其所請。可是威理·古勞斯·雲萊素，卻在摸索搏鬥中，游到終點。

在一些情形中，游泳者似乎一反過去的頑固習慣格言，以後則而變為如果初次成功，以後則會連接地失敗。譬如，科蘭斯報域，對於她好幾次的渡海泳均不滿意。雖然她是先後以法國和英國為起點對游一次的第一位女性，但是她想一口氣不停的來回游泳。她一次失敗後，於一九五五年八月，再度嘗試，但是英倫海峽，似乎專跟那些想征服它的人對抗的，不容易給人征服。（四）

保密已逾二十五年　赫斯飛英謎尚未破

司馬牛

在不久前，有兩名納粹戰犯在柏林的斯班竇監獄被釋放。德國人士呼籲將那個唯一尚留在該監獄的從前納粹副元首赫斯也釋放，經得法國、英國與美國的同意，但是蘇俄作梗反對。最近蘇俄答應跟法英美三國討論對那個被判終身監禁的赫斯今後處置的問題。

赫斯在納粹鼎盛時期，曾是赫赫不可一世的人物之一，他能夠坐納粹黨第二把交椅，也可見他大有本領。他也是希特勒最親信的人。但是他怎會突然飛離德國到英去呢？這至今仍是一個大謎。

一九四六年十月一日在德國紐倫堡舉行的納粹戰犯審判判決，赫斯被定終身監禁。他的主要罪狀節略如下：「地位是副元首，赫斯乃納粹黨的頭目，負責處理所有的事務，有權用希特勒之名來決定黨領袖的所有問題……赫斯經得照會和願意參加德國對奧地利，捷克與波蘭的侵略……在一九三八年九月二十七日，慕尼黑事件發生時，他跟基圖（另一個納粹黨要員），執行希特勒的命令，將納粹黨的機械適應做秘密的動員……當他飛到英國時，赫斯帶有某種和平建議，他斷定希特勒準備接受的。這是很明顯，他的飛行是在希特勒指定進攻蘇俄的日期後十天……」

赫斯也曾作供和受詰問，但他多時都呈出呆痴狀態，但經精神病專家反複的檢驗以後，認為他明白一切，並非一個精神病患者，所以他被判有罪，不致問吊，也屬萬幸！

雷多孚赫斯在一九二〇年已加入納粹黨。他的父親是在埃及經營貨品批發的德國商人，赫斯在十四歲才離開埃及返德國來恩蘭受教育。在第一次世界大戰發生後，他加入德國陸軍，雖曾跟希特勒同屬一個軍團，但彼此並不認識。赫斯後轉做飛行員，曾受傷兩次。戰後他入慕尼黑大學研究經濟學。他曾費很多時間去派反猶太人的傳單，和跟當時在巴伐利亞騷動的武裝隊伍戰鬥。在一九一九年五月一日，慕尼黑的蘇維埃政權被推倒的戰鬥中，赫斯的一隻腿受傷。在一年後的某個晚上，他往聽希特勒的演說，受他的巧言花語所動，而加入納粹黨；後來成為希特勒的朋友，忠誠的黨徒和首領的秘書。希特勒一向認定赫斯是最可靠而沒有個人野心的心腹。他曾幫助希特勒完成那一本納粹黨的聖經：「我的奮鬥」。

在一九四一年五月十日下午五時四十五分，赫斯從德國岳斯堡單獨駕駛一架德國戰鬥機飛往蘇格蘭降落。在臨走前，曾專差送信通知希特勒。當希特勒獲悉這項消息，勃然大怒，但赫斯經已飛離幾個鐘頭，無法追趕攔阻他。他對他的部下說，赫斯一定是染了神經病。他認為那是一種陰謀，就拘捕赫斯起飛的機場的所有官兵和幾十名在那個副元首屬下的官員。（上）

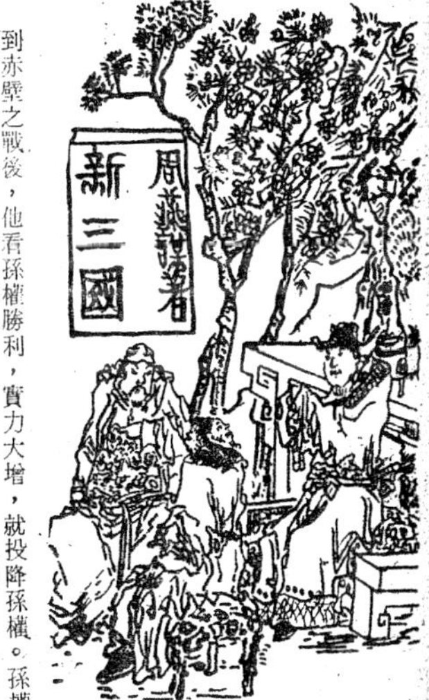

到赤壁之戰後，他看孫權勝利，實力大增，就投降孫權。孫權派了交州刺史步隲去接收，一點問題都沒有，十分順利。

周瑜是個極端鋒銳的青年人物，他的主張很積極，能冒險，有遠識。魯肅則十分穩重，他始終主張聯合劉備，對抗曹操；所以當他在任時期，孫劉兩方相安無事，與諸葛亮聯吳伐魏完全相同。如果周瑜不死，荊州方面恐怕就多事了。假設周瑜不死，他真的帶兵入蜀川，他必將失敗。為什麼？劉備和諸葛亮隆中對策早已有了藍圖，決不致坐視。當孫權告劉備去取川時，劉備和羣下計議，大家認為可以允許孫權去取益州，等孫權攻下益州之後，孫權終不能跨我荊州而有的，到時益州就是我們的了。當時在座的有一個謀士名叫殷觀的建議說：「我們合同孫權去攻益州，一定要先進兵，如果打不進去，退回來時，孫權則斷我軍之歸路。不如贊成他去打益州，推說我們的地方乃是新定，不宜動兵，請他們自己去打，我們樂助其成。」如此一來劉備倒反而好切斷孫權周瑜的歸路。因此孫權也不敢去取益州。如果周瑜斷然去取益州，劉備一定把孫權的江夏江陵二郡拿下來，進一步斷了周瑜的歸路。周瑜要想生返江東恐怕也難了。

在曹操方面，建安十四十五年間，無甚作為，暫取守勢。他靜了二年，在鄴城建造了一座舉世無雙的「銅雀台」，以娛晚景。此台是在赤壁之戰結束後建的，曹子建也尚未作那篇「銅雀台賦」。賦上所謂「連『二橋』於東西兮，若長空之蝃蝀」，被演義作者改「二橋」為「二喬」與東西兮，樂朝夕之與共」。但考此改賦之依據，還不是羅貫中，乃是杜牧；杜牧赤壁詩云：「東風不與周郎便，銅雀春深鎖二喬」。因此不但「二喬」早有所據，東風也有了依據。這當然是詩人推擬之詞，喬字本作橋。喬橋通用演義家也有所本，後人以「二橋」即「二喬」，即孫策周瑜之妻。曹操在赤壁敗績，是很自愧而丟臉的，他於是下令求才，頒了一道手教自明心跡。

四十八、奸雄手教明心跡　天下之人皆知僞

曹操自從罷了三公官，自為丞相，獨攬政權，挾天子以征四方之後，天下人都知他想「廢帝自為」，四方的謠言和一般士大夫的觀察都是如此。這些話他可能是聽到耳中的，所以他在建安十五年十二月已亥所頒的一道自明心跡的「手教」，以解釋他沒有野心，他自我解朝的說：我之所以能有今天，是預料不到的事。起初我本想稍稍做一點功名，以不負鄉人選舉之殷望。鄉人推舉我做了孝廉，我自問本非「岩穴等名之士」，所以我不敢不勉力做一番事業來，以不負眾望。但所謂事業也不過做一個征西將軍之類罷了。誰知出仕以來，時勢造英雄，迫得我一步一步的走上今天的地位。他又大言不慚的自我標榜的說：「如果不是我，漢朝早就完了，那不知道有多少人稱王稱帝，把中國瓜分了若干片呢！」他又闢謠說：「有人懷疑我想『廢帝自立』，要當皇帝，真是誣枉我了，是誹謗我的謠言。我本想把兵權交給國家，可是交還以後，後果實在不堪設想，仇人如此多，難免不被暗算，所以我只好幹下去行。」（七十九）

國劇繽紛續錄（一二四）

鸞婆生

信社兩場祝壽戲

中信局的信誼平劇社，最近改組，重選人才，由嚴行任社長，李景嵐、蕭翔鵡分任副社長，大事振作，對於爲蔣總統祝壽，特定十一月五六兩日在中山堂，舉行平劇晚會，爲台北市各票社演祝壽戲之最突出者。茲探得劇目如下：（十一月五日）

（一）福壽天齊——包公（邢樹元）李后（王琪）

（二）除三害——周處（佟樹聲）王濬（郝景山）

（三）武家坡——平貴（佟樹蕃——跑坡）（王文卿——回窰）寶釧（張婉君卽佟夫人）

（四）銀空山——代戰（中嘉）平貴（張逸凡）高思繼（向芳英）

（五）大登殿——平貴（顧博瀛）寶釧（蔡善功）代戰（魏中）王夫人（朱錫釗）王允（夏雲生）蘇龍（逍雲鵬）魏虎（邢樹元）馬達（劉興漢）江海（沙秀山）

是日的文武場及龍套，全由票友担任，多半是局中同人。（十一月六日）

金錢豹　張富椿；

打櫻桃　嚴莉華；

昭君出塞　嚴蘭靜與李金和

信社票房，人才濟濟，生旦淨丑，無一或缺，爲較整齊之組織。上次公演，父女、兄弟、夫婦均上，成爲佳話。此次祇少父女，而兄弟夫婦（佟郝兩家）依然存在，其他票房所少有。正副三位未曾登台，而從事監場督促之責，安排很好。一天票友，一天內行，情調不同，觀感亦異，如此定戲目，亦極費匠心。演出一次，而能極有聲色，確是不易。尤其派莉華演平兒，從未見過，大可過足戲癮，堪以稱之，先爲預測。

復興劇校祝壽

總統八十大壽，全國同胞薄海騰歡，紛紛演劇或歌曲，爲領袖慶祝。就台北而言，大致有卅場之多，是理應如此，責無旁貸。復興劇校爲感念德被，也有一場演出，地點是在中華路新建的某院大禮堂，可容納一千餘人。演出劇目是「羣仙祝壽」，也就是把瑤姑獻壽，加以擴大，增添八仙同祝，加編唱詞，比較熱烘，而有動人的序幕。可見該校別有匠心，與衆不同，爲一特點。這羣仙祝壽佳劇，大概在實踐大樓禮堂，並行破台禮。前面的獻壽，由何復貞主演。復貞近辭龍吟事，重回母校効力，並在中華文化學院肄業，是學藝兼修者。（未完）

山居小誌

·詹詹·

「獨坐幽篁裏，彈琴復長嘯；深林人不知，明月來相照。」——王維，竹里館

我來到山中，也有好幾個晝夜了。時間，對於我，好像是一幅空白！沒有不同的生活節目的交替，早早晚晚的過去，老是像一片浮雲在空中飄逸，去了復來，來了又去，單調得令人莫名其妙。在這樣情感中，覺得人之生在世上值得懷疑了。那就是要到世上來發點光和熱呢？還是寂寞地隨着歲月而到來和逝去？

雖然，我曾經在熙熙攘攘的社會中，過五花八門的生活，弄得腦脹目眩，但厠身在其中，就如在鮑魚之肆，久而不聞其臭。當來到山中時，那迥然絕異的生活，就覺得一是靜極，一是動極，兩者孰較可愛呢？細細衡量，便是最好將之調和，然，兩者就隨意互易一下，可是理想並不等如現實的人生，也就是熊掌與魚不可兼得，於是就只好懷着快慰似的心情隨遇而安了。安，這完全是心靈的事。所以苦行僧，啖素而甘，救世之佛，願意身入地獄，那精神有了寄託，雖艱苦，可以全不在乎。所以，我來到山中，覺得居民日出而作，日入而息，住的是泥屋草寮，食的是糙米瓜菜，穿的是粗布棉衣，沒有現代化的娛樂，六十歲的人，雖住在大城市中心的邊緣，有些還未看過電影，年中也難得到鬧市去走一次，但他們毫不在乎這些，還認爲，這些聲色犬馬的地方，是罪惡的淵源呢！

初時，我未入山時，不信有那些事實。當身歷後，才知生活的方式，世上是有無千百萬種的，正如不登泰山不知天下之大，囿於一個環境的見聞，猶如井底之蛙，坐井觀天，一己之得，就認爲是萬世不易的哲理，徒貽笑大方而已。爲此，我的眼界爲之一廣地，慶幸有山中之行。從這個觀點出發，我覺得自己的在山中並不單調，至少，思想起着變化了；同時，話也得要說回來，山中居民有些並不在乎都市的繁華，却有些是非常羨慕城市特點的，那以年紀較輕的人爲多。常常，我都聽聞到他們說着城市的事，希望能夠生活在那裏。據老年人說：年來山中已少有少年人居住，因爲他們和她們都目迷於鬧市的五色，只要稍有可能，就遷到那邊去。因之，山民的日來日少，而至如目前那麼的荒涼，房屋僅目前的三五七間，住着的，多是中年以上的人，他們和她們，種點菜，栽培一些花卉，靠道些的收入，就可以把生活打發得清清淡淡地過去了。

我爲了貪圖山中生活的清淡才來的。

至於我知道山上有人家是一次郊遊中偶然的發現。

當我們在山中重重疊疊地攀登穿插，繞過一個彎坳，就像柳暗花明又一村地看見有很多紫姹嫣紅的花卉展現在不遠的目前，那算得誘惑，把我們招引過去了。

我們向在地上工作着的老花農買了一點花。因爲口喝，向他買茶，他就笑着把我們招待到屋裏去，聲言是免費的。我覺得他人很和藹，便與他兜搭，居然談得很投契起來，奠下了我往到山中去的因子。

在山中，我已打發過三天了。還打算多住幾日才離去。晨曦，我跟吱喳的鳥兒用神交的方式對話；晚上，踏着清輝的月色到林間去聽蟲吟的內容，有時，遙望天宇，跟星星與自然交換心事，偶然，也彈琴與長嘯呢！

山，是蘊藏得很豐富的，比如海，淵博無涯。住在平原上久了的人，偶然到那邊去調濟一下，對於心靈上的發現，可能會有意想不到之妙處呢。（上）

夢魘病與我

·寧·

在我二十二三歲的時候，曾經患過相當嚴重的夢魘病。這病症，前後差不多困惱我兩年。而後來，却是自己用時間醫愈的。假如不是自己對這病症還有一點科學的認識，這裏面必可傳播出不少「的而且確」的神話。

夢魘症開始時，不過偶然有一晚覺得在睡夢中被重物壓迫得很厲害而已。到自己完全清醒之後，這現象也就消失了。進一步，却是先有夢，夢中必是見到一種恐怖現象，而後，這恐怖現象中所出現的人或物，或鬼就纏到自己身上，於是，身體被重壓，呼吸不自如，四肢五官，一律不聽指揮，愈是用勁的呼喚，愈不能動彈，愈是用勁的動彈，愈是絲毫動彈不得。直到最後被人呼醒或自己掙扎相當時期而甦醒，這時候，已是精疲力竭，膽戰心驚了。最嚴重的階段，可說相當驚險。我的經驗，在未上床以前，似乎就可以預感到。因爲在未上床以前，即覺得心神不定，而同時却昏昏思睡。有這現象，倒上床，即刻就有被夢魘的可能。這是一件最難堪的事。沉睡之極，當然極想安眠，但，剛一闔眼，神志就起變化，幻象就呈現眼前。而且自己的意識仍是相當清楚，知道是在自己的臥室，自己的臥床上，幻象也是以這臥室爲背境。所謂鬼或物，從自己熟悉的書架上或床底下紛紛鑽出來，或者是小偷匪竊之類，從窗口爬了進來。這幻想完全配合現實環境，而自己却既不能起身抗拒，也不能高聲呼援。在這一陣驚擾的瞬間，身上就覺得漸漸被重壓，厭得呼吸困難。這時候，由恐怖而變爲生死的掙扎。同時，自覺睡意很濃，爲了呼吸困難，却不能擺除一切而安眠，似乎是拖着極其疲倦的身心與惡魔打鬥。較爲危險的是，偶然一次，在打鬥中的一拳或一脚，都是用盡最大的氣力使出來的，而這一拳一脚却果然踢起來，不是打在床邊，就是踢在靠床的牆上，雖說自己由此而清醒，但手或脚必因此而受到了損傷。

那時候，我對佛洛以德的精神分析學正具有極濃厚的興趣，對這病症當然已有堅定的認識。（上）

懲治漢奸軼聞

諸葛文俊

[illegible]會述曹汝霖自「五四」運動後，被國人指爲親日派首要份子，息影林泉，無可抬頭。迨對日抗戰時期，曹氏陷身日寇勢力瀰漫之平津，然始終未受日本軍閥利用，担任華北僞政權中之任何職位，可謂出污泥而不染，足以洗滌親日派惡名矣。詎抗戰勝利後，曹氏竟一度被目爲漢奸人物，在北平枉遭軟禁若干日，設非蔣主席明鏡高懸，而前軍統局長戴雨農（笠）亦能主持公道，曹氏幾沉冤莫白焉。

據曹氏回憶錄紀述：民國卅六年冬間某日，忽接馬漢三（北平市某局局長）張本銓（軍統局華北區首腦）二人聯名請客帖，設席「北兵馬司」汪時璟住宅（汪亦漢字號人士），座客盡係華北僞政權時代諸顯要，如齊燮元，王蔭泰，殷汝耕等十餘人，謂係戴雨農局長欲與諸人晤面洽談，然獨缺王克敏，王揖唐二渠魁，另有湯薌銘被邀未到。宴會時間即在是日傍晚，賓主歡讌甚與，而不見戴局長蒞止，衆客亦未便詢及也。宴畢，賓主方在客廳敘談間，忽有北平市警察局督察長齊慶斌，帶領憲兵一名進入廳內，以嚴肅態度對客微微點頭，一語不發，旋命憲兵「把名單拿出來！」即按單唱名：第一名王蔭泰，次爲殷汝耕、齊燮元、余晉龢、潘毓桂、劉玉書、鄒荃蓀（北平商會會長）等共八名，唱畢，命憲兵「帶下去！」曹氏與其餘諸座上客幸未同受拿問，唯不許出門。是夕諸客胥留汪宅坐以待旦，屋主汪氏亦祗許在客廳內起居，形勢仍危急。

翌晚，齊督察長慶斌復來，語曹氏曰：「老先生跟我走」，行至大門口，齊又謂：「天津戴先生來電話，囑送您老回家」。比至曹宅，仍派憲兵監視行動。越三日後，憲兵撤去，改派軍統局行動科一科員來曹宅担任監視之責。再過數日，闔國府蔣主席駕臨北平，一夕深宵，天津市長杜建時蒼黃來晤曹氏，只言：「我剛從蔣主席那邊來，聽主席責備戴雨農說，曹某的事早已跟你說過，怎末你們還要跟他嚕囌呢？如果派有人員看守，趕快撤去，明天應去慰問道歉云云。」特來送個信，請放心罷。」

次日午後，戴雨農果然來曹宅，先飭科員回去，然後說明本人因公赴津，不料部屬昧於實情，以致驚動老先生，十分抱歉。曹謂：「報紙上將我與漢奸同列，似此侮辱性的惡名，看了實難受，應請爲我昭雪一下。」戴謂：「委座對待囌的言行，盡人皆知，連我亦吃了一排頭，還不夠爲您老昭雪嗎？」一塲虛驚，至是乃告結束。當日未被邀宴之王克敏、王揖唐均已分別逮捕治罪，唯臭名久著，惡貫滿盈之漢奸湯薌銘，泊後不特未受懲處，繼且以「湯住心」名義，居然豹變爲中國民主社會黨中央委員，設使大陸不變色，此一集團與帝制餘孽暨叛國漢奸於一身，殘殺國民黨人士最酷烈之元惡巨憝，又將蟬聯於政治界中，而以「民主人士」招搖過市，亦不怪哉！

當抗戰結束，國府還都，實行查究叛國份子時，戴雨農即主張依法律與政治途徑分別處理，中樞亦以爲然。未幾，戴氏遇難逝世，各地肅奸行動乃漫無標準，草菅[illegible]，毫無所擇，唯視金錢魔力爲轉移，終致構成「有條有理、無法無天」之民謠，人心爲之沮喪，政府信譽亦大受損失，識者慨嘆。世人每以戴笠爲兇殘成性者流，實則戴氏對人和藹，處事公正，而於忠奸順逆之義，理決不苟且。凡與戴氏熟悉者，皆有此認識也。

觀人於微

—夜閑—

▲觀人於臨財，觀人於臨難，觀人於忽略，觀人於酒後。——傳家寶。

▲觀人極難，不可輕加毀譽。一席之議論，或有可取，善其人一時之言可也；以此概其人之生平則不可。居游之人，相習未久，窺之而不見所長，含默可也；遽短其人則不可。——能升恒

▲觀人於失意時，言詞舉止，絕無怨尤憤激之氣，此卽是大有學識，其度量過人遠矣。——傳家寶

▲觀人之道：誠篤與迂執，急進與輕躁，二者界限，最難分劃清晰。大抵誠篤在根性上，迂執在行事上，本此根性以行事，則事事皆踏實地。急進在精神上，輕躁在形式上，抱此精神以赴事，則事事力爭上游。——陶覺。

▲觀人之道：莫善於李克之五觀，諸葛武侯之七觀。李克曰：居視其所親，富視其所與，達視其所舉，窮視其所不爲，貧視其所不取，此五觀也。靜以觀人，觀德爲主而才卽在其中。武侯曰：問之以是非，而觀其志；窮之以辭辯，而觀其變；咨之以計謀，而觀其識；告之以禍，而觀其勇；醉之以酒，而觀其性；臨之以利，而觀其廉；期之以事，而觀其信。此七觀也。動以觀人，觀才居多，而德亦兼有之。——陶覺。（上）

僑審台報字第〇三一號核准內銷

自由報

THE FREE NEWS

第七〇四期

中華民國僑務委員會登記證台僑新字第三三三號
中華郵政台字第一一二八二號執照登記爲第一類新聞紙類
（半週刊逢星期三、六出版）
每份港幣壹角
台灣零售價新台幣貳元
社長：雷嘯岑
督印人：黃行寶
社址：香港銅鑼灣高士威道二十號四樓
20, CAUSEWAY RD 3RD FL.
HONG KONG
TEL. 771726　電報掛號：7191
承印者：大同印務公司
地址：香港北角和富道九六號
台灣分社
台北市西寧南路壹零號二樓
電話：三〇三四六
台郵劃撥金戶二九二五

民主憲政的兩大問題

——選舉與政黨政治——

·黃元彬·

現代各個自由國家通行的民主憲政體制，它的主要效能就是選舉，而以政黨政治爲運用的樞紐。凡屬各級議會的議員，各地方的行政首長，皆由人民直接選舉，原則是選賢與能。這在理論上固然無懈可擊，事實上却不盡然，甚至比「官選」「令派」的更糟糕！英國政治家邱吉爾曾說：現代的民主政治可能是一種最壞的制度，但在沒有更好的政治制度替代以前，祇好率由舊章了。

選舉這玩藝，實在是害多而利少，最普遍的現象就是勞民傷財，越是實行普選的，傷財的程度就越厲害，而普選出來的人物，又多半是些庸才與廢才，所謂選賢與能，根本沒有這回事。倒是「官選」「令派」的議員和官吏，大體上還不致於太離譜，無知無識的傖夫俗子，聲名狼藉的卑鄙人物，絕對不會入彀的。然實行人民普選的結果，便是賢者不爲，爲者不賢。選舉的勝敗既是取決於金錢，而眞正有才學的人又多見其爲貧寒之士，當然不易膺選。美國已故總統甘迺廸競選時，若不是他的家資富裕，對那些擁有大量選民的勞工團體，不惜予以捐欵的話，未必能夠制勝共和黨的尼克遜吧？事後統計甘迺廸總統爲競選消耗的金錢，在美金兩千萬元以上，其中由民主黨贊助募集而來的捐欵，最多不過三分之一，金錢與選舉之關係有如此者，所謂普選的作用，蓋可知矣！

選舉既非花錢不行，而所花的錢且不在少數，競選者悉索敝賦以從事，債台高築，徼倖獲選了，唯一的急務即爲清償逋負。於是乎，當選議員的不惜給資本家充當傭兵，在立法上爲資產階級謀利益，藉以索取報酬；當選行政官吏的就利用權力機會，肆行貪污，納賄受賕，毫不在乎；於是乎，政治風氣趨於窳敗，人民大遭其殃，名爲申張民權的民主政治，實際招致病民的後果，曷勝慨嘆！

政黨政治的中心作用，亦係選舉問題。在民主社會中，多黨對峙，各顯神通，目的即在取得各級議會裏的議席和各地方的行政官職。各黨爲着爭取選舉的最後勝利，對於本黨的競選人物，事前仔細考查甄別，遴選合乎條件的候選人，鄭重提名，而以全黨的力量支持他，志在必得。所以，在多黨制之下，彼此勢均力敵的政黨提名的競選情形，確有必要。英國政黨雖不提名，但規定競選人須繳納一定額的保證金，假使選舉結果，競

[illegible]

主政治前途無裨益。

北美合衆國建國伊始，政黨僅有雛形，民主共和兩黨，選舉和的條件亦未具備，交互執政時，乃實行於各項官位公職「分贓制」（Spoil Systerm），彼此協

進步的國家之列。若以現在的眼光來看，美國公然實行「分贓制」，一的政治措施，不免大驚失色，殊不知這原是創進民主生活的醞酵過程呢！再就政治生活的實質而言，它本來就是巧取豪奪的來之物，英儒霍布士即認爲政治權位與強盜的贓物并無二致。只要大家能夠相安無事分贓，政治利益，殊何傷乎？與其勞民傷財而玩弄普選的假把戲，到不如實事求是以簡單的協商方法，實行分贓。

中華民國創建不過五十餘年，比較英美法各國的民主憲政演進年代，尚在幼稚時期，工商業未發展，國民教育不普及，社會結構不健全，祇取法乎上，躐等盲從，搞甚麽普選制度，談甚麽多黨政治，宜其弊害百出，一無是處，毛病就在未能「循序」而僞言邁頭趕上，却不求其具備應有條件。即如台灣省的地方自治情形，依照國父建國大綱所訂實行的條件，台灣祇有了。但台灣人民在日治時代也是過的殖民地生活，對於政治、法律的教育是被禁止的，在實際政治上更不讓，一旦實行地方自治之後，乃缺乏熟練的行政人才，各縣市政府非任用一個外省籍的幕僚長不可，談到行政效率，更差得多了。

民主政治道名詞很漂亮，民主生活亦爲大家所嚮往的，問題是要「循序」創進，急就章無濟於事，所謂務虛名而受實禍是也。謀國者其三思之！

與匪爲鄰

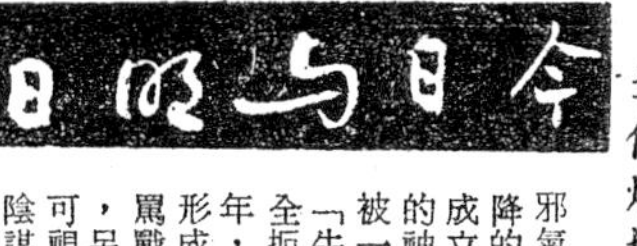

互不相讓

今日與明日

不應重視聯合國這個爛攤子

聯合國這個邪氣上升正氣下降的爛攤子，其成立初期所賦予的神聖職責，已被一些國際間的「牛鬼蛇神」完全扼殺。到了近年，它一方面已形成爲一個大國罵戰洩憤的所在，另一方面，更可視爲它是一個陰謀出賣的「政治交易所」。

昨（十五）日聯合國大會，又像煞有介事地根據議程討論所謂「中國代表權問題」了。這個問題在共產集團和親毛政權及一些莫名其妙的所謂「不結盟國家」的共同陰謀下，已在聯合國大會上「討論」十多年。自由國家代表在聯合國支持中華民國的好意，我們中國人民是感激的；但是中國人民亦深表遺憾。因爲，所謂「中國代表權問題」，能列入議程和討論及投票表決，根本上就是一件莫名其妙的事！

因爲，中華民國是成立聯合國最先發起國家之一，二十多年來恪遵聯合國憲章精神，盡到了作爲一個成員國家所應盡的義務。而中共呢？它是有侵略紀錄可稽的好戰成性、摧殘民主和蹂躪其統治下的中國人民的極權政權。它根本沒有資格進入聯合國。它是一直對聯合國採取仇視態度的；不但無視聯合國，甚至陰謀瓦解聯合國。如果不是它在印尼唆使印共所掀起的所謂「九月卅日事件」遭到粉碎性的可恥失敗，蘇加諾不失勢的話，中共已準備拉攏蘇加諾替它當走卒，召開所謂「新興國家會議」後，它是就準備建立「第二聯合國」來與合法聯合國進行分庭抗禮的。

聯合國對中共的表現，實在洩氣得到了令人憎惡的地步。如果還有多數會員國明辨是非堅持正義的話，根本自始就不應該讓所謂「中國代表權問題」列入議程。

去年聯合國於投票表決所謂「中國代表權問題」時，中華民國和毛共僞政權的票數竟是相同！當然，根據「重要問題」處理，必須得到三分之二的支持票數，毛共才會被「夾帶」進聯合國，其票數仍相差得遙遠得很。

而毛共由於在國際間作孽過多，所以，形勢日非，由孤立走向更孤立。所以，可以斷言它將永遠沒有鑽進聯合國的機會。這是一個事實：那就是每年所謂「照例」地在大會上搞一次所謂「中國代表權問題」，這是對我中華民國的侮辱，是對中國人民的精神虐待。中華民國根本早就不應該重視那個狗屁的聯合國，如果重得失，那些搞所謂「中國代表權問題」的國家的活動，更該起勁了。

所謂「弱國無外交」。吾人現在所應全力以赴的是團結一切可以團結的力量反攻大陸，一切枝枝節節的問題自然也就不存在了。不然，只捨本逐末作零零星星的努力，可頂什麽用呢？（何如）

自由談

販毒的「僑領」

最近台灣查獲的國際販毒案，其中有一名首要被逮的毒犯劉與智，原是經常由海外以「僑領」資格進入台灣活躍的人物。他能夠勾結外國人，利用外交特權從事販毒工作，又身藏毛共區域的通行證，而且還有毛共高級幹部的名片，情形已非單純的在台灣販毒事件了。劉某之所以能在台灣進行大量販毒，與其所當有「僑領」身份大有關係。

我從民國卅八年到現在，在海外所見的許多被視爲忠貞之士的所謂「僑領」也者，多半都是些別有用心的或投機取巧的垃圾份子。有的假藉「國慶」和「祝壽」名義，到台灣走走，博得政府的優遇稱讚後，回到僑居地招搖過市，詐騙營私；有的在海外跟毛共勾搭經商漁利之餘，瞧着形勢不對，又向台灣表示忠貞，而以回國參加雙十節和祝壽爲敲門磚；有的會經投靠毛共不得志，再向台灣賣弄「華僑投資」的蠱術，詐取「僑領」地位。這類垃圾份子，我可以用眞憑實據，舉出若干姓名和事實來。他們根本就不配充當「僑領」，相反的乃爲當地華僑社會大衆最鄙視的人物。

眞正的「僑領」決不賣弄蠱術，正裝成忠貞模樣，也不一定每年必到台灣參加大典，接受政府的招待，更不希望利用某種僑領名位，上得某種身份。但其在政治祖國的心情十分堅定而確切，盡其所能，爲反共復國問題而不斷努力，自居於無名英雄之列。諸如這類的僑領，咱們平日有無縝密的調查？對他們是否作過切實的聯繫呢？咱們所珍視網羅的「僑領」，多見其爲自媒自炫的表面忠貞份子如劉與智之流，再不然，便是一般爲當地僑胞所蔑視的無聊市儈，未得其救國之益，先受其病國之害，曷勝慨歎！

華僑在中華民國的創建過程中，貢獻最大，功績燦然，政府對海外僑胞，應該爭取的。但須實事求是，爭取那些眞正愛國而在華僑社會中具有信譽和號召力的「僑領」來歸，對國家前途應有裨益，而其要訣即在揚棄表面文章，摒除倖進之輩，以貌取人，沒有不僨事的！

馮正先生

距陽曆新年雖尚有個半月 港銀行拉緊對工商授信

有人担心年關前將有很大風險 非有卓著信用者甚難獲得透支

（本報訊）由於香港大部份工商業向未有轉機，新曆年關距今又祇有一個多月，銀行對於工商業的授信已作進一步收緊，商場授信更是步步緊縮；現在實力比較雄厚的大工廠與大商行都已小心翼翼，準備應付今年的新曆年關。

據銀行界人士透露：現在距新曆年關雖然尚有四十五天，但銀行已要及早準備，對於工商業授信已作進一步收緊。現在英商銀行對於紗廠的信用透支額也要收緊了，若干紗廠擬向英商銀行多用一點透支額訂購棉花，亦不獲同意接受，原因是英商銀行鑑於紗廠的業務大勢尚未好轉，英國政府雖然決定由十二月一日起撤銷貨物入口附加稅，但因爲英國商場銀根很緊，影響棉織品滯銷，英商還未敢恢復向港訂購大量新貨，故此對香港一般紗廠的業務也有直接間接影響。現在有些紗廠把棉紗向英商銀行抵押貸欵，英商銀行亦祇能做到市價七成左右抵押。有一家把建房機械向英商銀行抵押了數百萬元。已經遣散工人停止開工達一年餘的紗廠，英商銀行雖然想把它出售，亦未有人肯接辦經營，這亦造成英商銀行對其他紗廠的授信繼續收縮。

現在能夠獲得大銀行信用貸欵的，就是製造原子粒收音機的廠，因爲他們接入訂單很多，排至明年六月底交貨，並且這些大廠組織健全，大銀行自然對他們盡力支持。但除此之外，如布廠、製衣廠、羊毛衫廠、棉針織廠、毛巾廠、漂染廠、轆鐵廠、塑膠廠、膠鞋廠、塑膠用品廠、玩具廠、電筒廠、電池廠、鋁器廠、搪瓷廠、錶殼廠，其他金屬製品廠等，即使其中一部份規模較大的，也不能獲得大銀行的充分授信，規模較小的工廠，不用說也是沒法獲得銀行支持，因爲現在很多華資銀行自顧不暇，他們實在沒沒有餘力幫助中小廠。

至於對商業方面的授信，銀行更是收得很緊。例如一般銀行對於各行業入口商贖單，才從前要現欵贖單，從前的「信用贖單」已經不復存在了。又如對出口貨物的「押滙買單」，祇有對於信用良好的大商行才肯考慮接受；特別是付往東南亞、非洲、中東等的押滙付貨，多數不能獲得銀行接受買單，付往英國的貨屬於D．P．的，還有一部份大洋行仍然獲得英商銀行接受買單，但D．A．方式付貨的，就多數不肯接受了。「打包放欵」最近大銀行也收縮得很緊，除了信用極好的客戶才肯接受。因此，整個商場銀根最近遂因之而更緊。

商場方面的貨物買賣，雖然一般入口商及批發商繼續收縮放賬，但不能完全採取現欵交易，因此選擇放賬的客戶現在十分審慎；收進的期票能夠如常依期兌現的，還可以收一單再賒一單，但曾發覺期票不能兌現的，就索性停止賒放了。預料商場銀根緊絀的情況，仍將繼續延長，冬季商場的活力亦將因此而遭受很大的阻力。

銀行界人士認爲今年新曆年關前，香港工商業內部將有很大的風險，最近有很多的小工廠及商店拍賣，其中一部份竟沒有人過問，這種現狀是很令人担心的。

透視立監委涉嫌商行賄案（八）

從監察院第十四次臨時院會決議案說起

——本報記者張健生

所謂法律，係指國民大會代表選舉罷免法。該法第四條明定：蒙古各盟旗選出五十七名，西藏選出四十名，各民族在邊疆地區選出十七名，僑居國外之國民選出六十五名，婦女團體選出一六八名，職業團體選出六十五名，內地生活習慣特殊之國民選出十名。

如「立法院立法委員依左列規定選出之：各省、各直轄市選出者，其人口在三百萬以下者五人，其人口超過三百萬者每滿一百萬人增選一人。蒙古各盟旗選出二十二名，西藏選出十名，各民族在邊疆地區選出六名，僑居國外國民選出十九名，職業團體選出五十六名。」前述「立法委員名額，在十名以下者，婦女當選名額定爲一名；超過十名者，每滿十名應有婦女當選名額一名」。此爲憲法六十四條及立法院立法委員選舉罷免法第四、第五條所規定。國大代表與立法委員名額之分配，其選舉方法，兼採用以人口爲比例之地域代表制及職業代表制，並保障邊疆地域民族名額與婦女名額，旨在保障民族平等、提高女權並防止及排除「阻礙」，這就是權利保證的特性。

民意代表職權

所謂「內地生活習慣特殊之國民代表名額選舉，其辦法以法律定之。」而「生活習慣特殊之國民」，是指回民及佛教徒等國民而言，其信仰雖然不同，然爲國民則無差異，爲維護權利平等，而以特殊的辦法，以達成各民族參政權之平等。

不但如此，基於自由權利不可侵犯之原則，爲此，憲法對民意代表之職權，特予保障，並賦予特權。如國民大會之職權：（一）選舉總統副總統，（二）罷免總統副總統，（三）修改憲法，（四）複決立法院所提之憲法修正案。（第二十七條）如「國民大會代表在會議時所爲之言論及表決，對會外不負責任。」（第三二條）如「國民大會代表除現行犯外，在會期中非經國民大會許可，不得逮捕或拘禁。」（第三三條）爲國家最高之立法機關而代表人民行使立法權的立法院，由立法委員組織之，「立法院有議決法律案、預算案、戒嚴案、大赦案、宣戰案、媾和案、條約案及國家其他重要事項之權。」（第六十三條）「立法院對於行政院所提預算案，不得爲增加支出之提議。」（第七十條）「立法委員在院內所爲之言論及表決，對院外不負責任。」（第七十三條）「立法委員除現行犯外，非經立法院許可，不得逮捕或拘禁。」（第七十四條）「立法委員不得兼任官吏。」（第七十五條）而監察院爲國家最高監察機關，行使調查、同意、彈劾、糾舉、及審計權。（第九十條）監察委員在院內所爲之言論及表決，對院外不負責任（第一〇一條）。監察委員除現行犯外，非經監察院許可，不得逮捕或拘禁（第一〇三條）。監察委員不得兼任其他公職或執行業務（第一〇二條）。

另一不同說法

由此觀之，國民大會代表與立監兩院委員之職權，我國憲法都有明確的賦予其民意代表之特權，並特別保障其不因行使這種特權而遭受不法之侵害，這與其他民主國之憲法規定相同。

有人說，國大代表與立監委員爲「刑法上之公務員」，因爲他們係「依法令從事於公務之人員」（刑法第十條第二項）。但此說似是而非，實有檢討並澄清之必要。根據大法官會議釋字第十四號解釋文之解釋：國大代表與立監委員爲直接或間接之民意代表，而非行使司法權之監察院糾彈之對象。因此，省縣（市）議會議員，爲民意代表，自非行使監察權之對象。

國聯和聯邦兩公司 合作即將告一段落

三年合作新片十三部

（本報台灣航訊）國聯公司和聯邦的合作，將於明年一月十五日告一段落。國聯和聯邦決定暫時結束合作，並不是他們合作的不愉快，事實上是因爲聯邦公司正在籌劃建設廠棚自行製片，無法再兼顧到和國聯的合作。

李翰祥說：這是經過雙方在極融洽的氣氛下而作的結論。他認爲雖然他們的合作宣告結束，但是在未來的業務上仍有互相合作的機會。

在過去三年裏，國聯和聯邦合作的片子一共有十三部，其中包括已上映的，已拍完的，正在拍攝中的：

『七仙女』：江青、容蓉主演。

『狀元及第』：江青、鈕方雨主演。

『菟絲花』：汪玲、楊羣主演。

『西施』上下集：江青、趙雷主演。

『幾度夕陽紅』：江青、汪玲、甄珍、鈕方雨、李登惠、金石、楊羣、劉維斌、秦蓉主江。

『明月幾時圓』：甄珍、鈕方雨、劉維斌、吳風主演。

『塔裏的女人』：汪玲、楊羣主演。

『遠山含笑』：甄珍、汪玲、康凱主演。

『深情比酒濃』：歸亞蕾、金滔、李虹主演。

『鳳陽花鼓』：甄珍、鈕方雨、王冲主演。

『黑牛與白蛇』：江青、田野主演。

『破曉時分』：伍秀芳、楊羣、洪波主演。

慶祝台灣光復節感言

·黃國泰·

光陰似箭，時間過得實在太快，前幾天所過最快樂的雙十節，才從最長的一日裏，飛也似的滑走了，而瞬眼間，台灣人民所慶祝第二十一屆的偉大光復節，也從我們的期望中偷偷的溜跑似的過去了。這無價之寶的光陰，實在是太值得我們珍惜把握了。

在二十一年前的今天，台灣澎湖，是剛從被控制五十年之久的日本手裏，由祖國收回；那時不知道有多少的同胞響應熱烈的無名英雄，在那無人道的日本軍閥槍彈上，流過數不清的正義之血，來振起今日台、澎同胞們的生命與靈魂。也就是我們今天在台灣澎湖島上，所過的安定日子和今日光復節慶祝的來源。

我們慶祝光復節，最主要的意義是要我們知道爲什麼才會有今天的安祥日子；至於爲誰所制成，前面已講過，無須再談。我們現在則要知道，怎樣才能把人人爲我，我爲人人，這種永遠不磨滅的精神，發揚到今天的台灣人們來反救，救吾前身之大陸同胞們。從現在這個世界情勢看來，我們想要把共匪消滅，除了要自力更生的基本條件外，還得預備有效方法，古今革命先烈志士的積極精神，才能把萬惡的毛匪消滅、清除。

呀！前輩青年革命同志們，等着，我們這一代的，未完成先烈們所要求的期望：我們也應該要流出不盡的血，來向先烈志士們表示一點繼志報國的行動，並且也要利用天時、地利、人和將我們的鮮血，變成一把盛旺的火力，把共匪燒死！然後由後代的少年們，伸出仁愛，忠恕的手，把藏在水深火熱的大陸同胞解救出來，再進一步的向全世界所有被共匪黑暗思想所污染變色的自由國家民族，一體携手團結，自力更生，創進光明、偉大而和平的大同世界。

青年們，起來吧！提起勇氣，更邁進一步，便可達到太陽般明亮的光輝世界了。

（本報台灣航訊）由政府主辦的第三屆「金馬獎」影展，獲獎名單業經評審核定，並經正式公佈。在全部十六個劇情片主要金像獎中，香港國聯影業公司獨獲六座，佔總獎額的三分之一，其獲獎項目計有：

最佳影片：『西施』。

最佳導演：李翰祥『西施』。

最佳男主角：趙雷『西施』。

最佳女主角：歸亞蕾『烟雨濛濛』。她加盟國聯公司後的處女作是『深情比酒濃』。

最佳彩色攝影：王劍寒『西施』。

最佳彩色設計：顧毅『西施』。

最佳導演李翰祥在獲獎後，曾發表一項書面談話，感謝各界對他的支持和愛護。

瀛海異趣談

美婦女眼下的歐洲男子

·桑雅·

歷史上的大情人都出在歐洲，這不是一件偶然的事。筆者是一個美國女人，但是我曾經在丹麥、意大利、德國、法國有過愉快的戀愛生活。我現住在巴黎，丈夫就是法國人。經驗告訴我，在愛情方面，美國男人實比歐洲男人差得太遠了！

一個歐洲男人，並不靠了吻女人的香，或者是說些恭維話來表現他的風度。他了解女人，同時也使她知道他是了解她的。凡是有關她的一切，從香水一直到政治，他都表示深切的關切。到目前為止，在我所認識的那些歐洲太太中，還找不到一個不滿意或者不愉快的人。

當然，歐洲男人也有不忠實於自己太太的，但是正如我的朋友瑪特蘭納所說：「我的丈夫在外面有了情婦，然而他仍替我選購我所喜歡的帽子。」

但是這種不忠實的情形，在歐洲遠不及美國那麼多。尤其是在拉丁民族的國家裏，婚姻多數是被視為眞正的終身大事。即使太太是一個酒徒，她仍會獲得丈夫的尊敬。即使她已經知道，或者是猜想自己的先生在別一個女人那裏找到了安慰，她也不會受到丈夫公開的奚落或侮辱。

這種把婚姻看做終身大事的態度，使得妻子在感情上有了很大的保障，即使丈夫有了外遇，她仍可以設法彌補這種缺憾，就像瑪特蘭納的丈夫，他也從來沒有對自己的妻子撒謊，他不會對她說：「今天我要和一些男同事消磨一個晚上」，或者是「今天晚上要工作得遲，怕不能及時回來了」。他會帶着微笑在晚上離開了家，第二天早餐前又帶了微笑回到家裏。

我說歐洲人懂得愛情，是說他們幾乎把愛情當一回事。我在柏林遇見的那個男朋友寇特就是一個例子。他知道我喜歡爵士音樂，也許他對爵士音樂並不感覺興趣，可是他仍為我搜羅了許多爵士樂的唱片。再說，在羅馬的那個維多，也許他對女人的服裝沒有多大興趣，可是當他知道我很喜歡那種意大利式的時裝時，他便替我找來了一個手工很好，代價却不貴的裁縫師傅。法國丈夫常伴着他的妻子到店裏去買東西，幫助她選擇衣服，甚至對妻子的頭髮式樣也都關心。

歐洲男人同時也了解他的太太是喜歡女朋友的，因此他不會以傲慢冷落的態度來對付妻子的女朋友。當我的丈夫回家發現我有朋友在家時，他不會表現出「你們這班傢伙怎麼又來了」的態度，相反的，他立刻會以男主人的身份，幫助我來招待她們；不像一個美國丈夫，除了憤憤不平地在賬單上簽字之外，其他什麼都不管。

更難得的是，一個歐洲丈夫肯眞正的負起做父親的責任。他們肯眞正的來教育並指導他的兒女。甚至某一部電影是否適宜讓子女們看，都由他來決定。在我們的家庭中，兩個孩子就很少有爭吵的事件。這使我想起了美國少年犯罪嚴重的情形，做父親的不肯多負一些對子女教育的責任，也是重要原因之一。

我是在印第安那州一座小城裏長大的。我還記得美國男人看見了女孩子就像跳起來要把她抓住似的。歐洲人知道女子的心裏反應要比男子慢得多，他們懂得愛情的藝術。

假如在丹麥一處海灘上，我遇見了一個在那裏渡假的丹麥青年，我們倆一同游水、划艇。在第一次約會的時候，他碰我一下；第二次他在向我道晚安的時候，他才吻了一下；我的第三、第四、第五次會面時，他沒有更進一步的行動。這時我心裏便覺得奇怪了。當一個女孩子開始奇怪她的男朋友為什麼不吻她的時候，那是表示她已有了這種需要了。他那若即若離的態度，越使得她對他有好感。如果那丹麥青年和我第一次見面時就吻了我，也許我以後不會再理他了，可是因為他懂得女孩子心理，倒使我被他吸引住了。

當我回到柏林以後，我覺得這個丹麥青年，樣子並不漂亮，可是人却十分聰明。而這種聰明正是美國男人們所缺乏的。

美國男人第一次和一個女孩子見面他會怎樣呢？他希望立刻就取得代價。如果他請這個女朋友去看電影，那他至少希望能獲得一個接吻；如果他請她吃飯又看電影，那他心裏一定打算要換取一次熱烈的擁抱，因為他在她身上花了更多的錢；假如他飯後又請她上夜總會跳舞，那不用說他預定的下一個目的地一定是附近的一家旅館。

美國男人相信一手交錢一手交貨的政策。如果拒不交貨的話，他會變成什麼樣子就很難說了。

上次我返回美國，看到美國青年對婚姻問題的觀念，使我大大吃了一驚。在婚禮前的一個酒會上，新郎的男朋友就在說：「如果搞不好的話，離婚好了。」事實上，這位新郎確也抱着這種心理。

大多的美國人，在結婚時候心裏就記起「里諾」——著名的離婚城，事實上他們在結婚之後也往往走上這條路。

赫斯飛英謎尚未破

保密已逾二十五年

司馬牛

赫斯的失蹤不獨使到希特勒驚奇，邱吉爾對他的突然到境也無從猜度，史達林更極度思疑。赫斯却強調他有安排和平的本領。他特別選定在蘇格蘭降落，因為他認識在當時那個地帶駐守的英國皇家空軍司令夏美頓公爵，他們於一九三六在柏林舉行的世運會相識的。赫斯從飛機用降落傘跳下的地點，離夏美頓公爵的公館不過廿二哩，距他起飛時約四個鐘頭。當安全降落後，他的無人控制的戰鬥機就墜地焚毀。赫斯着村人帶路往見公爵，他瞞稱名叫阿爾佛罕，有要務見他。英國當局就在翌晨安排會見。赫斯對夏美頓公爵解釋，他的任務是全然為着人道主義，希特勒不想擊毀英國，多殺生靈，希望能夠談判和平，停止戰爭。赫斯又說這是他的第四次企圖飛來英國，前三次都因天氣惡劣，未能成行。他又請公爵轉向英皇要求賜予特別待遇，因為他是非武裝而來，同時乃出於自己主意的。後他又訂明德國不想跟英首相邱吉爾談判，因為他乃納粹的最大仇敵。德國的理想人物，就是反對黨的領袖夏美頓公爵。赫斯的談話，是由曾任駐德英大使館的一等秘書却柏力克傳達的。赫斯在五月十四日更恐嚇英政府，假如繼續戰爭，德國就會加緊封鎖英國，英人就要挨受飢餓。（中）

橫渡英倫海峽百零一年

—路加—

在多維爾和嘉萊間的海峽波濤，猛力的衝激着她的面，使她感到難受，不久她底摩托艇的駕駛上，發生亂子，她奮力搏鬥，經過七個半鐘頭，她終於放棄了。她疲乏得要命，在回多維爾途中，她在船上睡了三個鐘頭。

一位加里福尼亞的長途游泳明星葛烈特，安得遜，她決定在橫渡英倫海峽後，便環遊世界，她從英國游向法國那邊，締造十六小時四十分鐘的紀錄。她只休息了五分鐘，接着又從法國海岸，游回英國去。當她到了海峽的途中，那時她在水裏已經游了廿四個鐘頭，她無法支持，而須登船，即送醫院療養休息，因為她疲勞過度了。

回溯芝杜露．綺德露，傳說她在橫渡海峽的途中，脫去泳衣，但是這傳說遭到否決。同樣的傳說，落於科蘭斯翟域身上，但是沒有人見她脫去泳衣的。

在幾年前，樂蒂史高米太太，只在身上塗上油脂，從阿賓尼下水，橫渡赫德遜河；據說如果要她穿上泳衣參加橫渡嘉多連那海峽比賽，她却不參加，雖然這比賽可獲二萬五千美元獎金。

第一位母親橫渡英倫海峽的新運明頓，哥遜太太說：如果有誰人不穿泳衣比賽的，她則不願參加了。她表示少女不穿泳衣而泳，會使人噴飯，而已婚婦女裸泳，則簡直是羞家。

在兩年前八月的一天，一隊十名婦女，準備裸泳橫渡英倫海峽，廿五歲的夏麗月赫遜雅荷表示，這為英國的破題兒第一遭。她們不想給當局檢控，因此在游離岸邊後，才作裸泳。然而，不幸得很，當她們游了十五哩，經過七小時廿一分，波浪洶湧，她們發生暈眩，於是她們的裸泳，無法持續。海峽游泳會派出監視的人員莊活，却大嘆可惜。莊活已經七十六歲，他說會方規例，並無說及裸泳的條文。

自從馬菲衛拔的時代，芝加哥一位滿面鬍子的物理化學家德伊力遜，把最近的發明品，介紹給海峽游泳方面，那就是計算機了。

去年裏，德伊力遜，帶同計算機橫渡海峽，他花了十二小時卅五分，游畢全程；他僅休息八分鐘，再繼續回程而游，但在十一時五十四分後，由於洶湧波濤，迫得放棄下來。兩星期後，他再橫渡海峽之舉，但當他近着法國還有三哩半，游了十一小時，他不理計算機，即放棄下來，他說計算機十分累事，他自己方面，十二小時十三分到達法國，再把油脂塗身，於淩晨二時廿三分，差不多於十八小時後，他在多維爾登岸。於一九六一年他的來回橫渡海峽紀錄，總共時間為卅小時三分，比阿根廷人安東尼奧雅拔圖所創的紀錄，多出十三小時。

假如馬菲衛拔靈魂尚在的話，目覩今日人們橫渡海峽，並不以任何的機器，而只憑人的體力、勇氣和決心完成偉舉，當感到滿意。

由一九五〇年開始舉辦橫渡海峽的比賽，同時任何人想橫渡海峽，必引動數以千計的人們參觀的。料不到介於英法間廿二哩的海峽，竟然具有那麼大的魅力，吸引着長途泳手，即使冒着生命的危險，仍要在其間一展身手。（五．完）

新三國

後面的話乃是實情。他不敢太阿倒持。權力是危險之物，既得之則患失之。就曹操的手教觀之，所謂謠言者，乃是實情。

曹操在建安十五年的這道「手教」是否由於衷誠，是很難說的，有人以他一生沒有「廢帝自立」，人臣自居至終證明他是眞心。有人說是虛詐。我們知道曹操此人是注重實權而不假虛名的，他常說不可「假虛名而遭實禍」。他雖然沒有廢帝自立，但他的心目中和實際上，那裏還有一點兒皇帝在眼裏！獻帝的身邊那一個人不是曹操的心腹？十九歲的娃娃皇帝懂得什麼？他怕的是旁人把獻帝挾走，或者假託獻帝的密旨謀害他。文武百官，沒有一個不是以曹操的馬首是瞻。任何一代權臣都沒有他的實權大。

曹操為了表明心跡，下了「手教」之後，還自動把自己的封邑四縣三萬戶交還三縣，共計兩萬戶，只留下平武縣一萬戶。說他此一舉措乃詐術，很有根據。他十五年讓出封邑，可是他到了建安十八年却復變本加厲，一舉而割了十個郡的地方以自肥，由平武侯而晉爵為魏公。這是否也是未料到的呢？他既然在自明心跡中表示他的丞相已經太大了，何以過了三年功夫就爬上「魏公」的寶座呢？不僅如此，他還要登上魏王寶座呢！如果他再多活幾年；「廢帝自立」必能實現無疑。可是也有極少數人為曹操辯誣，打起翻案來，那就難說了。

曹操自從挾了天子以來，處處以朝廷為名，四方征討，當然有極大的方便。後漢三國時代距古代封建制不遠，人民普遍有崇敬帝王的思想，皇帝的命令，誰敢違抗？違抗就是大逆不道，人人得而誅之。有人說曹操挾了天子也沒有多少用，那是今人以今天的時代思想來衡量古人的，這是大錯。今天的天子無用，古代的天子却有用。曹操一步一步登上丞相、魏公、魏王的寶座，大部是由一個大奸佞董昭的獻議，其實何嘗不是曹操自己的暗示？許多政治人物莫不是這樣，自己假裝推讓一翻，故意做作，以使天下老百姓相信他不是篡奪而是天意，或者禪讓。後來的曹丕不就是這樣嗎？如果不是陳壽撰史的廻護，曹操的面目可就難看極了。學問好，智慧高，本事大，這不是好人壞人的分別標準。

四十九、曹孟德經營西北 馬孟起兵下潼關

建安十六年有三件大事：一是曹操提拔兒子曹丕做五官中郎將，設置官屬，為副丞相。第二件事是曹操經營西北。第三件是劉備進兵益州。

五官中郎將屬光祿勳，秩比二千石，主五官郎，凡郎官皆主之。更置執戟，宿衛諸殿門，出則充車騎。起初五官中郎不常設官屬，為了隆重曹操的丞相之故，特為副丞相置官屬。曹操已進入晚年了，不得不為兒子鋪路，作為將來接棒的人。

西北方面，有太原的商曜在大陵反抗曹操。曹操派了夏侯淵和徐晃帶兵攻破之。（八十）

國劇繽紛續錄（一二五）

鍪婆生

復興劇校祝壽（續）

王母將是孫復韻，其餘由同學配搭。下接蟠桃會，由張復華主演，配以全校各生，非常熱熾，另有景象，在祝壽聲中要以此戲爲突出。演期爲兩日，亦較其他單位爲多。

另聞台電公司劇社，因檔期無空，延期始演。戲目是趕三關，武家坡，算粮，銀空山，大登殿。內中的薛平貴，是赴美歸來之林永獨任。寶釧爲坤票羅倫，代戰公主是黃香，他們的功力，很有根底，值得一看。

劇藝協會好戲

台灣劇藝協會，不甘後於人，爲祝總統八十壽，準備演出三晚，先在本月廿一日由任夫人顧正秋演出首場，劇碼是四郎探母。不過此戲，似乎沒有申祝的意義。任夫人特別請了杜姚谷香夫人助陣，扮飾佘太君。杜夫人來台十餘年，此爲第三次演出，（第二次與嚴蘭靜在總統官邸演坐宮，飾四郎。）許多觀衆瞻仰顏色，寶座一定空前，照所定票價，可收入在十萬以上。戲到是好戲，可惜小公務員看不起，兩人的票欵，可購十天的飯菜。

我有疑問，票價如此之高，則四天下來，可有四五十萬收入，這些錢不知劇藝將作何用途，應有說明，否則如果平分，那有些不太適合；如建築祖師廟基金，或建造劇藝協會本身用屋，都還可以。或則留到年底，以部份周濟苦哈哈，亦無不可。總之這幾位名角，絕不可以分分，以表崇敬領袖之意。凡事必須做得漂亮，才留美名，否則秋風起兮，不免借題作自私，也無以尊領袖。杜夫人極爲明智，寶錢則不演，招待則登場，以示風格，實可欽遲也。

墨絰從戎

以前凡是國家官吏，遭到父母之喪，禮應在籍守制，至少百日，國家如果命其從公，所謂奪情。尤其在軍中服務的將帥，如不得已飭令參預戎幕事情，所謂墨絰從戎，具載史冊。不過民間多有爲事務關係，也予從權；可是在五虞之內，絕少參加酬酢，或涉足歌場，爲盡人子之責，而循禮也。現在時代日新，依照歐美習慣，凡是父母業已窆葬，亦不嚴守古訓，相沿成習，友朋之間亦不以爲怪。最近丑行老伶工徐振山病逝台中，其女蓮芝因服喪未及一月，上呈乞假守制，請辭參加金像獎比賽的演出。主管干城的李將軍，甚感爲難，以居喪給假，是禮也；參預演出，是職也。循禮不能盡職，而干城即無法參加，有損整個名譽。（未完）

山居小誌

· 詹詹 ·

「世人結交需黃金，黃金不多交不深；縱然暫時相許諾，也是悠悠行路心！」我不喜歡銅臭的人！

有人說我孤高，傲岸。我不分辯。因爲「道不同，不相爲謀。」比如圓顱方趾的「人」何必斤斤於向猩猩較量，爲的彼此之間，根本相差就是天壤，怎值得「紆尊降貴」地去跟牠相提並論。

我不自認爲尊或貴，不過，對於卑鄙的人就不妨予以顏色。顏色，就是不妨橫眉冷對千夫指。你們人雖多，可又奈我何哉，三軍不可以奪志的！

金錢，我不會說過無用，只要來得其所，不偷，不騙，不欺，不搶，這才光明磊落，才足以自豪；反之，滿手血腥的財主，縱然富甲天下，何足道哉！那就是邉論「脚踏馬屎傍官勢」的那種等而下之的人了。

人，是有很多個類型的。有些，光風霽月，傲骨高風；有些，獐頭鼠目，專喜歡做點傷天害理的事；有些，卑鄙可恥，伏上了泥頭兒，就漢人學作胡人語地，反向城頭罵漢人；有些，更可憐得沒有了原則，隨便亂來，有奶的就認作娘。有些：這一切，都在五花八門的社會中各佔有一定的份量。他們彼此之間，怎樣相處呢？當然，氣味相投的，堪稱志同道合，不然，就同性相拒地，永不會混在一起。可是人世間，一切的一切，偏不能分得那麼清楚，是以，恩怨的事就多了。

何謂恩？是有好處給過人的解釋；至於怨，就是受了不平的待遇。不平，就是兩邊不相稱，顯著的是，才，就是主子的對於奴才，根據這個原則，凡是被歧視的都可包括在這個範圍之內。即使偏心也是，只是程度上深淺的不同而已。程度上不同，人們的反對也異，比如拍皮球，擊之重，跳得高，拍之輕，跳得低。這高高低低的跳躍，就是對於壓力的反應了。

這是指一般常見的現象而已。

其次，在性質上跟上者大同小異的，就是藐視。藐者，小之謂也。何以無端給人小覷，這中間自然有一個原故。拜金的，看輕兩袖清風的人；好耀武揚威的，不把弱者放在眼內；自大狂妄的，蔑視謙恭禮讓的人。一言以蔽之，這動機可稱得沒有來由，只是心理的變態吧了。不過，變態自變態，無端受你的變態輻射所及的人就不是滋味了。

——我是相信有不少人都曾經嘗受過這種滋味的。

事實，人是有所謂三衰六旺的。當在失意中，就想從這個圈套裏跳出來，每每就向認爲可以借力的東西攀拉，而那些東西，對於那隻求援的手，常加以拒絕，甚至世態炎涼得連旁觀的也投以一瞥蔑視的眼色。本來，「吹縐一池春水，干卿底事」的，而那些本質勢利的人，偏要如此！雖然，這在實質上未必會有甚麼損失，却在精神上的刺激就大啦！所以，古往今來，多少隱士，在飽經憂患之餘，爲了避世俗，亦即所謂煩惱，就在林間獨居起來，另闢自己的意識境界，的是大有原因的。雖然，這是消極行爲，爲一些人所不取；但在某一個角度看來，也未可厚非。

自然，我們應該努力向前，達到自己的理想；當力不對心，或環境太過惡劣時，可又如何？爲了逃避，或韜光養晦一下、就只好去做隱士了。

我，來到山中，初時，頗耐不過寂寞的；於是就對因單調而來的枯燥昇華而爲哲學性的沉思，從沉思中就領悟到種種因個性不同而表現的種種意識形態，又根據這些意識形態去檢討自己，這是我山居幾日以來的收穫了。（下）

夢魘病與我

· 寧 ·

我正想利用自己的親身經歷作爲研究的題材，所以，我並不將這病症視爲病症；存着這樣一個心願，乃至使夢魘症日益加深馴至最後的嚴重階段，才知道這玩笑不能再繼續開下去。可是，當自己將它當作病症處理的時候，最初以爲很簡單，後來才發覺自己的「養癰貽患」，已種下了比較難拔的禍根。

當時，我一面在讀書，也一面教書。每天七點鐘起床之後，總得在夜晚二時以後上床，五小時的睡眠已經不夠，再加上夢魘，當然影響身體很大。治療的第一步是停止教書與減少寫作，這樣，我可以在十二時以前上床，到次晨七時半至八時起床，先安排下標準的睡眠時間。

第二步，在臨睡前半小時，作一次自然的靜坐。這種自然的靜坐，是我從各種靜坐法中體念出來的。即是坐的姿態以最覺得自然的一種姿態爲準，不拘於任何靜坐法則。但爲着寧靜意識，於坐定之後，仍採取普通的所謂「守竅法」。據我所知，在中國各階層所流行的幾家靜坐守竅法，都是大同小異，部位雖有不同，而以本身肉體的某一部爲竅門，其理則一。不過，我所取的竅門，是依靜坐的姿態而異，因爲我每次的坐法是並不一樣的。這半小時的靜坐，並不能達到「入定」的程度。但，這卻是與夢魘打鬥前不可或少的準備。因爲在這半小時內可以檢束一切思慮而將本身置之物外。留下這一新鮮的直接的感念，使得在夢魘時可以容易地直接將這感念反映出來，對付那些潛意識的越軌的泛濫。當然，這是我從精神分析學裏體會出來的一種辦法。居然也是最有效的一種辦法。

坐到差不多可以到「忘我」的境地，納頭便睡。這一睡，可能平平無事，也可能夢魘隨來。當已感到被夢魘時，如果潛意識能立即反映靜坐的感念，則睡者自睡，魘者自魘，對於幻境，聽之自然，對於被壓迫的呼吸，也聽之自然，可能就此呼呼入睡，而不知夢魘究係何時解脫。但，在潛意識裏，靜坐的感念有時會被幻象所壓制，這時候，幻象叢生，痛苦加劇，心理上求聽之自然而不可得，依然掙扎呼號，則這一晚就可說完全失敗。經過幾次失敗之後，我的對策是將睡前的靜坐時間延長，由半小時延長至一小時。最初頗有效驗。但後來又發生了新問題，就是延長靜坐時間之後，可能在靜坐的後一半時間出現幻象——也就是一般宗教靜坐法中的所謂「魔」。這種幻象，除恐怖之外，並無呼吸困難或重壓的痛苦。但，既有這幻象，則入睡後就難保不夢魘重臨。宗教的靜坐法中，禦魔的唯一辦法是堅守竅門，這裏滲有宗教色彩，對「魔」的看法是用另一種態度；而我這野狐禪，既不承認那所謂竅門的「法」力，更無一定的竅門，雖明知宗教的禦魔而不能使用，這就不得不另打主意。我借用先父的一串掐唸珠，在手指上靜坐，希望用禪宗的制魔法，掐出現。但，失敗了，因爲幻象出現後，手指已掐不動，反而增加心理上的恐怖。自後來，我握一個小電燈鈕，管制一盞強光的電燈，祇要手指微微一動，強光的電燈就發亮，這方法，對驅逐幻象很有效。但卻也破壞了靜坐的連續功夫，好在我的靜坐不求「入定」，而祇在寧靜意識的活動。經過若干次，得到了新的領悟，就是，在（下）

陳著「四書道貫」評介

——兼及許著「論語類輯」及劉著「論語表解」二書

楊力行

黨國先進陳立夫先生的「四書道貫」出版前後，已讀到陳裕清先生在八月廿六日的中副所寫：「爲『四書道貫』一書出版訪問陳立夫先生」及華仲麐先生於十月卅一日在中副所發表：「陳立夫先生新著——『四書道貫』讀後」兩篇大文。甚爲羨佩陳、華二先生之先讀爲快及卓識。

十月十五日「四書道貫」出版問世時，我首先至世界書局購得一部精裝本，歸而日夜捧讀，至十月卅一日傍晚讀完後，又讀到華先生大文，深合我心。我幼讀儒書，長而從軍爲政及今日從事教學，對於「四書」可以說是讀得滾瓜爛熟了。此外，對於自古以來，先賢的有關注疏，當然亦涉獵不少，惟無論訓注，都是「照本宣科」，鮮有整理者。雖然曾承前經濟部長江星初（杓）先生惠贈越南僑領無錫自強老人許同萊先生（今已八十五歲高齡）手寫「論語類輯」一部，許老係按其父許復庵先生所輯「論語要畧」體例，分爲：一、審問學之大綱：博學篇第一，審問篇第二，愼思篇第三，明辨篇第四。二、道德仁義：弘道篇第五，明德篇第六，志仁篇第七，尚義篇第八。三、孝弟忠信詩書禮樂：孝弟篇第九，忠信篇第十，詩書篇第十一，禮樂篇第十二。四、誠意正心修身齊家：誠正篇第十三，修身篇上第十四，修身篇下第十五，齊家篇第十六。五、治國平天下：爲政篇第十七，爲政篇下第十八，保民篇第十九。六、聖學指歸上：蘊道篇第二十，感喟篇第二十一，弟子篇第二十二。七、聖學指歸下：動容篇第二十三，衣食篇第二十四，瞻聖篇第二十五。卷末附錄（一）錯簡，（二）重出，（三）章次索引。計三百面，三十二開一冊，卷首並有自序及凡例和目錄。自强老人父子此舉誠佳，且便利學子不少，但僅止於「論語」全書的四分之一，尚不及今之高中與大專所讀「中國文化基本教材」中「論語」的半數，可以說是美中不足。江星初部長曾囑我重加整理，最好是將「四書」全部徹底整理一番，分門別類，以利教學。我亦有志於此，祗因課務及俗事冗忙，迄未能如願爲歉耳。又「論語類輯」爲民國四十三年四月，由正中書局發行，基本定價一元五角。折合新台幣八折出售，尚不及三十元。（一）

觀人於微

—閑夜—

▲觀人之道，以德爲主，以才爲輔，才德全者，向己。其次有德無才者，其德可用。有才無德者，其才難用。——陶覺

▲觀人之法，以有操守而無官氣，多條理而少大言爲主。——曾國藩

▲觀人之道，以樸實廉介爲質。有其質，而更傅以他長，斯爲可貴。無其質，則長處亦不足恃。甘受和，白受采，古人所謂無本不立，義在此。——曾國藩

▲觀其出言不直則煩，觀其顏色不直則赧，觀其氣息不直則喘，觀其聽聆不直則惑，觀其眸子不直則眊然。——鄭氏周禮注

▲觀其交遊，則其賢不肖可察也。——管子

▲善觀人者，不在事功名義格套上，惟於心術微處，密窺而得之。——王畿

▲觀人之品行，可在其家內知之。因可以絲毫不受限制，而觀察其隨意行事之狀也。——約翰生（下）

內政部台誌字第〇三一三號內政部登記

自由報

THE FREE NEWS

第七〇五期

中華民國僑務委員會發
台教新字第三三三號登記證
中華郵政台字第一二八二號執照
登記爲第一類新聞紙類
（中華民國每星期三、六出版）
每份港幣壹角
台灣零售每份新台幣貳元
社長：雷嘯岑
督印人：黃行寶
社址：香港銅鑼灣高士威道二十號三樓
20, CAUSEWAY RD 3RD FL. HONG KONG
TEL: 771726　電報掛號：719
承印者：大同印務公司
地址：香港北角和富道九六號
台灣分社
台北市西寧南路壹壹零號二樓
電話：三〇三四六
台郵撥儲金戶二五二九

論知識份子

王爾晉

最近幾月來在報紙上看到中共在中國大陸上鬧文化革命，鬧得天翻地覆，首先遭殃的是那些有正義感的知識份子。他們有的被幽禁，有的被槍殺或自殺。這幾月來被害的知識份子雖無正式統計，但至少總在萬人以上了。共產黨爲什麼這樣的討厭知識份子？其實不單共產黨討厭知識份子，歷來那些暴君獨夫以及亂臣賊子，亦沒有不討厭知識份子的。因爲一般人在殘暴壓迫的環境中，大家都敢怒而不敢言，唯有具有正義感的知識份子才敢出來說幾句良心話。這類良心話，本來就是眞理，大家都翕然同情共鳴的；但在那些暴君獨夫和亂臣賊子聽來，便如同利刃刺透他的心胸般感覺痛楚，非把那些說良心話的人斬草除根不可，而且還要滅他們的九族，死了埋在墳墓裏還要挖出來鞭屍，你說他們對知識份子恨到了什麼程度？文人們平常總是以「文章報國」自許，然古今來知識份子因寫文章而招禍被害者，不勝枚舉，「文章報國」亦復談何容易！可是，知識份子多有一副傲骨和一股傻勁兒，明知文字每每賈禍，偏偏不信邪，遇到了不平或無理的事情，還是要搖筆舞弄文墨，表達自己的見解。過去許多暴君獨裁者，雖然用盡了方法以消滅文人寫的文章，但仍有許多揭發他們罪惡的文字遺留到現在。知識份子的可貴處，大概就在這一點。

武人戰勝敵人的武器是一支槍，文人戰勝敵人的武器就是一支筆。武人用一支槍把敵人射倒就算完事了，文人的一支筆，不是把敵人打倒了就完事，還要把他們的罪惡傳播到全世界和後世。所以從古以來，當政者最怕的就是文人；他們對付文人的辦法，不外籠絡與壓迫，如採用考試制度或經人推薦而給以官職，或用金錢收買，實施利誘，教他們別說壞話，別寫壞事，否則實行迫害、屠殺、放逐等恐怖政策，而大興其文字獄。一個純粹的知識份子，他是以追求眞理維護正義爲目的，他不是名位和金錢可以誘惑的，也不是屠殺放逐可以嚇倒的。你講道理，你誠心待人，就跟你合作，對你悅服；你不講道理，濫逞淫威，胡作妄爲，他就把你當作敵人，竭力反抗。大概一個純粹的知識份子都有這種氣概。普通一般人都認爲凡是讀書人就是純粹的知識份子，但我看來，有些讀書人却不一定是純粹的知識份子，他們縱然讀了些書，因爲失掉了讀書人的高貴氣概，解除了爲眞理奮鬥的精神武裝，乃變成了官僚、文丑、文丐及厭世者。他們讀書的唯一目的是在做官，爲了尋求官位，不惜直尺枉尋，無所不爲，甚且依附權奸或委身事敵，叛國煽亂。一方面奴顏婢膝以逢迎上官，一方面還要排斥異己，對知識份子互相攻訐，互相殘殺。其禍害之慘烈，亦不下於武人之殘民以逞。這類的讀書人，就是被別人解除了精神武裝，沒有正義感的僞君子，也就是一般暴君權臣最瞧不起的士大夫；他們不但不怕這些人，而且還輕視這些人。唐朝有個權臣朱全忠，他就最討厭那些好結黨排斥異己，好說虛話迎逢上官的知識份子。那過去被一些僞知識份子排斥得站不住腳的李振，即對朱全忠說：「此輩常自謂清流，宜投之黃河，使爲濁流。」全忠笑而從之。另一次全忠與僚佐及遊客坐於大柳之下，全忠獨言曰：「此柳宜爲車轂」。衆莫應。有遊客數人起應曰：「宜爲車轂」。全忠勃然厲聲謂：「書生輩，好順口玩人，皆此類也。車轂須用夾榆，柳木豈可爲之」。顧左右曰何待？左右數十人捽言宜爲車轂者悉撲殺之。又如清朝順治皇帝他內心是最討厭那些靦顏事敵的知識份子，清初入關，人心未服，就以官位金錢收買他們，利用他們收拾人心，迨局勢安定，就把他們一個個的宰掉了。因爲他怕自己朝裏的知識份子以後會跟他們學。所以，有好多當權者迫害知識份子，可說是知識份子不自尊自重所招致的。

歷史上最令人佩服，最使奸兇喪胆的，要算那些堅決地維護眞理與正義的純粹知識份子。他們爲了保持學術上的眞理，爲了反對暴君權臣的胡作妄爲，爲了反抗異族的侵畧，勇敢地說出對方的罪惡，坦白地寫出對方的犯罪事實，從容不迫的去接受死刑的宣判。如蘇格拉底，如哥白尼等，可說保持學術上的眞理而死的。中國周靈王二十四年那位齊國的太史，爲着要防止權臣崔杼篡改歷史，兄弟三人都以秉筆直書而被殺了。純粹的知識份子就有這種殉道的精神和勇氣，視死如歸，滿不在乎，終使暴君權奸們趨於潰滅，無可倖免。毛賊竊據中國大陸以後，實行一連串的暴政，集體屠殺人民，沒收人民的土地財產，強迫人民無止境的勞動，控制人民的思想言行，連不說話的自由亦沒有，知識份子便不斷的反抗。毛賊澤東迫害知識份子的手法比歷代的暴君更殘酷，他除了屠殺焚書而外，還用「檢舉」「坦白」「交心」「大鳴大放」叫知識份子自動出來認錯，不自主的說出自己內心的話，藉以一網打盡。但越打越多，最近這種反抗運動竟瀰漫到共黨領導階層了。毛賊就發動「紅衛兵」來打這些反抗份子，但不知打到何時才可休止。

知識份子能夠消滅得盡嗎？是滅不盡的。你能殺掉他和他的家族，却不能消滅他所傳佈的思想；你能焚毀他的文字著作，却不能消滅人性中的良知和正義。毛賊澤東迫害知識份子可算空前絕後，然而不惟不能撲滅反抗的怒火，反而越燒越熾，終且引火燒到身上了！我們眞感謝知識份子維護眞理與正義的精神，若沒有知識份子的奮鬥犧牲，人類恐怕早已走到末日的途徑了。

自古以來，知識份子除了少數爲利慾而失節的可憐人物外，大部份都不滿現實，而不滿現實乃是促使社會進步的內燃力，從這方面看來，可說是好的，也是需要的。當然，知識份子不清現實的言論，有時候不知不覺的流於偏激，也在所難免。過審斷他們的言論思想對不對，要看他是否從學術和正義立場而發的，只要不是存心反動搗亂，對他們只有用說服辯論的方法，訴之於理智，不宜隨便給他扣帽子。否則你殺他們既殺不完，封鎖他們的思想又封鎖不了，那你怎麼辦呢？

大失所望

因利乘便

日商挨毛共的悶棍

自從日本共產黨「走獨立自主路綫」與毛共脫韁後，日本最親毛共的主要集團，一爲一小撮被日共反毛「主流派」開除黨籍的死硬親毛的盲從派，一爲日本與毛共貿易的商人團體。

日本商人表現之「左」，比過去死忠毛共的日共有過而無不及。他們親近毛共，主要是爲了賺錢；但毛共並不那麼蠢，有錢給日本商人賺的同時，附帶條件，那就是要幫助它向日本搞統戰活動與進行政治走私。

眞應該「佩服」與毛共作生意的日本商人，他們在毛共政局陷極度混亂的現階段，敢冒毛共政權崩潰因而「本利無歸」的危險，不但力求與毛共擴大貿易，甚至給予更爲優厚的貿易條件。

日本綜合貿易代表團，從十一月五日起在北平與毛共方面開始洽談第五年度（一九六七年）綜合貿易。毛共方面於商談的第一步，即要求日本商人在第五年度中一定要購買其食米三十萬噸。日商購米必須首先取得日本政府的同意，所以，洽談一開頭就陷入僵局中。不用說來年出入口計劃總額談不出眉目，就連出入口是些什麼商品，也無法摸清了。談判全面陷於停頓，而毛共方面的頑強態度，却毫無讓步的表示。事情湊巧，前三天全日空客機失事，該社社長也就是綜合貿易代表團長岡崎嘉平太，他爲處理客機慘劇的善後，急離北平返日本；所以，日毛貿易談判將更一籌莫展。

關於日本購買毛共食米問題，日本政府通產省的方針，是：如果毛共增購日本化學肥料和鋼鐵，則日本購米量亦予提高（按一九六六年日購毛共食米三十一萬三千噸）。而農林省却強調：「今年豐收，購買毛米不能超過十六萬噸」。中共提出以三十萬噸爲限，不得再少的要求後，日本政府雖稍予放寬，但數量仍未超過二十萬噸。

這是日本政府根據國內需要而採取的定額，但毛共却要「強賣」，如果日本不買就大罵佐藤政府「反動透頂」。這眞是「豈有此理」！

中共方面所持的「理由」，據說係因爲在它與日本進行貿易中，日本方面出超；日本爲了扭轉這種不平衡現象，日本必須購米三十萬噸。否則，一切貿易無從談起。

日本親毛商人，十多年來由毛共手裏賺的利潤有限，但在政治上却一直爲毛共幫大忙。在日本商人方面，毛共認爲對他們一定「特別優待」。其實，毛共對任何國家或人士，只問「利用價值」，如果失去或減低這個價值，一腳踢開，滾他媽的！

急功近利，短視而膚淺的日本商人，對於毛共已極盡奴顏婢膝的能事，但從毛共所得到的「友誼」不過如此而已。（如何）

自由談

可憂慮的問題

馬五先生

二次大戰後，盟軍統帥麥克阿瑟將軍駐節日本東京發號施令，蘇俄大使馬立克以佔領國代表資格，常與麥帥晤談。某次麥帥跟他談到經濟問題，提及阿丹姆、斯米士的原富論，李嘉圖的地租說作討論資料，馬立克瞠目不知所對，他問：斯米士和李嘉圖是何許人也？使麥帥大爲吃驚。（詳見麥帥回憶錄）

實則這情形幷不足怪，俄共政權建立將近五十年了，馬立克在日本作大使時，年紀尚不到四十歲，他是自幼即由俄共政權培育出來的共產黨接棒人，除却熟讀研究馬克斯，恩格斯，列寧，史達林的言論思想與著作外，其他世界上任何一種知識學問皆沒有聽說過，對於麥帥所談的舊有資本主義經濟學說，當然聞所未聞，莫名其妙，非如此，即不成其爲共產黨的新進幹部了。

因此使我聯想到現時吾國大陸上「紅衛兵」造反的惡作劇，實在不容忽視。毛共政權僭立不過十餘年，毛共各級幹部——即所謂當權派，係從舊社會中培育出來的人物，關於馬、列、史、毛的言論思想以外的知識學問，多少還懂得一點，因而對於「毛澤東思想」和政治路綫，表示懷疑，不願盲從。於是毛酋祇好利用乳臭未乾的紅猴子起來造反，把所有受過舊社會教育的黨內黨外人士，一概要除，讓這類幼稚的紅猴子來接棒。他們除却馬、恩、列、史、毛的名字外，不但是不知道世界上還有甚末學說思想，將來連中國字也認識不了幾個，數典忘祖，不知所出，才是十足地道的共產主義者，視俄共的奴化政策更徹底，難怪毛共指其爲修正主義了。

如果讓毛共這樣胡鬧下去，再過十年八載，現時在大陸上生存着的四十歲以上人士，死的死了，老的老了，還有甚末人能夠瞭解共產主義的罪惡，跟咱們這般自由主義者裏應外合，從事反共救國工作呢？此刻我們除了宣揚「紅衛兵」的種種罪行，詛咒毛共多行不義必自斃以外，有何對策，作何準備，大家應該積極籌劃，各盡所能，悉力以赴，光是批評咒罵，決不能消除毛共政權的。歲月蹉跎催人老，年復一年的坐失時機，我們自身的惰性亦日益深沉，豈非大可憂慮的問題嗎？

擾攘多日提起公訴後
社會人士對豆案三觀感
被吏議民意代表聲譽欠佳咎由自取
法院拘訊立監委前後不一寬嚴有別
何以迄今未聞有行政官吏被究問者

（本報台北通信）因黃豆案賄賂行為而被吏議的中央民意代表徐君佩，孫玉琳等八人，業已偵查完畢，由檢察官提起公訴，進入正式審訊階段了。根據起訴書所述的理由與事實，被告等都是為着立法院討論黃豆進口稅率降低（由百分之十五，減為百分之十。）以及限制黃豆配給單位兩案時，接受煉油公會總幹事周烈範的賄託，替油商出力關說，構成了「戡亂時期懲治貪污條例」的罪行。

被告等是否應負刑責，祇有靜候法律裁判；目前社會一般輿論，却認為民意代表如果眞是觸發了貪污罪，一定有若干官吏是共同犯，否則決不可能的。

據說，當本案揭發伊始，情報機構蒐獲證據，傳訊煉油公會總幹事周烈範之際，周氏曾請教該會法律顧問某律師，對於本案內容應否據實說出，抑或隱諱不宣，利害孰多？某律師即主張合盤托出，理由是其中牽涉立監委員和高級官吏不少，政府投鼠忌器，當不致認眞查究，可望不了了之。所以，周烈範亦向情報機構說過：「這案子你們是不容易辦穿的，因為牽涉太多了。」詎料政府竟殊出意外。被告的民意代表中，接受周烈範賄款最多的是立委徐君佩，共計有台幣一百零三萬元，徐氏當時將這筆款項分別予以支配，且曾經開列名單和各人所得數目，交給周總幹事備查，這些受賄人員之中，多數是民意代表，也有若干行政官吏。但他被拘訊後，否認此款分給了別人，說是他自己一人受用的，表示好漢作事一身當，決不連累他人。據聞徐氏在看守所內接受檢察官偵訊時，曾作直率的答復曰：「老弟，款項都是我用了的，你就按照預定的腹案起訴罷，不必多問了。」他不像同案被逮問的諸人，對外發佈談話或聲明書，多所辯解，却始終緘默無言，表示待罪之身的硬漢氣概，頗受社會人稱讚。因而他在法院允許親友的頭一天，到看守所訪問他的人絡繹不絕，看守所長乾脆要他坐在接待室莫走動，等到「封關」時間再進入囚房，以免往返不歇。

起訴書公佈後，知道被告立委七人之中，受賄的情形相同，然只有三人於偵査時，即被拘捕，其餘的四人僅予傳訊，而林棟且抗傳不到，法院亦聽之。同樣的罪行，有的急加拘究，有的傳訊的放回，有的根本不到案，所謂「法律之前，人人平等」云云，似乎並不盡然，這是甚末道理，殊覺費解。社會一般人士對於本案的觀感，綜合言之，約有三點：被吏議的民意代表們，平日聲譽確屬欠佳，他們膺受打擊，就情理說，可謂咎由自取，於人無尤，此其一。法院對於拘訊這些立監委員的方法，前後不一，寬嚴有別，就法律說，實在令人莫名其妙，此其二。黃豆進口稅率和限制黃豆配給單位，都是行政機關主管事宜，既然因此發生了賄賂罪行，未聞行政官吏有被究問者？此其三。尤其是台灣省政府於黃豆盜案發生之初，未經法院究問，即一向而決議飭令鐵路局賠償兩億多元的黃豆價欵，等於國庫賠償；同時將鐵路局長徐人壽免職，調為省府顧問，隔幾天又將其顧問職務撤去，但又派省府委員某，私下向徐人壽溫語安慰。如此張皇失措的搞法，若謂其中沒有不可告人的隱情，那便是顢預幼稚，不成體統，二者必居其一，似有查究之必要吧？

因黃豆案對社會上亦發生了一項良好的副作用，即立法委員「被動」的實行自律，決議立委在任職期內停止執行律師與會計師業務。這原係久矣乎為世詬病的惡法，輿論界早已迭加指戟，然立委們漠然無所容心，直至黃豆賄案發作，政府決計要頒訂法令限制立法委員兼作律師與會計師，纔被迫自願停止享受這項惡法的權利，美則美矣，却未免有美中不足之嫌。因為那些被法院究問的立法委員，都是藉律師公費名義收受賄賂的，而其中又沒有一個是眞正的法學者。曾經担任最高學府的法學院長而未兼作律師的立委薩孟武說：不習法學的人縱然作律師一百年，也不會變成名實相副的律師。旨哉斯言，可以風世也。（十一月十二日大元於台北）

台中縣議會形形色色

·中縣記者王永亭·

議員出席寥若晨星

（本報台中航訊）台中縣第五屆議會第五次會議以來，出席的人數可以說是「每下愈況」，一次不如一次。大家似乎都以為出席不出席無關宏旨，多我一個少我一個，沒有什麼關係。議員們對選民所負託的神聖使命，早已抛到九霄雲外去了。對於選民的「支票」，不用說只有「空頭」一張。

八日的議會議程，定於上午十時開會的，但時鐘已指向十時五十分，到會的議員寥若晨星。等到秘書柯碧然宣佈開會時說，簽到人數為二十四人，出席人數九人。怪哉！那些議員到那兒代表民意去了呢？

最怪的，議員就是簽而不到，有的連簽名也請人代勞。所以有九位實際出席的議員就開砲了，砲口對向議長。林定順議員首先發難，林樹榮繼之。最後到會出席的議員建議：凡幾次不出席者，則扣發出席費。（按議員出席費每日八十元）此種建議不過是雷大雨小，不能成為事實的。但在議會能聽到一點雷聲也還不錯呢！

吃人口軟呷罷過關

上次沒有「過關」的教育捐案，這一下竟然順利「過關」，議員之微妙，令人不可思議。記者明察暗訪，原來是如此這般——「呷罷」過關。

九日下午六時半，在台中市台灣銀行三樓上，「有酒肉」，議員們飯。應邀的有台中縣議員十四人，都是四個調查小組召集人，以及正副議長齊集一堂；作東主的是省教育廳長潘振球，財政廳長周宏濤。因此，此種教育捐的案子，就在如此這般的情況下通過了。

林萬枝慷慨陳辭

林萬枝議員在本會期中，對於台中縣政府官員包庇舞弊，激烈質詢。林萬枝說：台中縣總工會儲蓄互助社，所標榜的口號是「替勞苦的工人謀福利」，事實是假工會之名，以行詐騙之實，惡性倒閉。而且縣府官員有勾結包庇放任之嫌。如今被害者，都是勞苦的工人，一部是家庭主婦和公教人員。他們平日節衣縮食，辛苦儲蓄一點錢，作為急用。如此官員連本帶利都領不到。現在勾結上下其手，危害社會，擾亂金融，惡性重大，請縣府趕快設法追回存款，仿台北第八信用合作社的例子，予以發還。林議員發言時慷慨激昂，獲得一片掌聲。

透視立監委涉嫌商行賄案（九）
從監察院第十四次臨時院會決議案說起
——本報記者張健生

司法院於四十二年三月二十一日，公布第十四號解釋文指出：憲法第九十七條第九十八條第九十九條，係由憲法草案第一〇二條第一〇三條第一〇四條而來。第一〇二原稱：監察院對於行政院或其各部會人員，認為有違法失職情事，得提出彈劾；第一〇三條則為中央及地方行政人員之彈劾；第一〇四條則為法官及考試人員之彈劾。在制憲會議中，若干代表認為監察院彈劾權行使之對象，應包括立法委員監察委員在內，曾經提出修正案數起，主張將第一〇二條行政院或其各部會人員，改為各院及其各部會人員，包括立法院監察院人員在內，並將第一〇四條有關法官及考試院人員之條文刪去；討論結果，對此並無疑義之修正文均未通過，即所以表示立監委員係屬除外。

立監委是否公務員

若謂同時復以中央公務人員字樣，可藉解釋之途徑，使立監委員包括在內，殊難自圓其說。在制憲者之意，當以立監委員為直接或間接之民意代表，均不認其為監察權行使之對象。至立監兩院其他人員，與國民大會職員，總統府及其所屬機關職員，自應屬監察權行使範圍，故憲法除規定行政、司法、考試三院外，復於第九十七條第二項（監察院對於中央及地方公務人員，認為有失職或違法情事，得提出糾舉案或彈劾案，如涉及刑事，應移送法院辦理。）及第九十八條（監察院對於中央及地方公務人員之彈劾案，須經監察委員一人以上之提議，九人以上之審查及決定，始得提出。）另有對中央公務人員之規定。

國民大會代表為民意代表，其非監察權行使之對象，更不待言。憲法草案及各修正案，對於國大代表，均無可以彈劾之擬議，與立監委員包括在內之各修正案，不予採納者，實為制憲時一貫之意思。

自治人員之屬於議事機關者，如省縣議會議員亦為民意代表，依上述理由，自亦非監察權行使之對象。

孫中山先生對監察制度有這樣的一段話：「……況且照心理上說，裁判人民的機關（按：指法院）已經獨立，裁判官吏的機關（按：指監察院）却仍在別的機關之下，這也是理論上說不去的，故此機關也要獨立。」（詳三民主義與中國民族之前途演講文）依選輯換位推論，監察院為裁判政府機關官吏的法院，裁判政府機關官吏的法院，對國大代表、立監委員、省縣（市）議員既無裁判之權，則該民意代表自非公務人員。

現行刑法有未當處

現行刑法，為訓政時期之產物，政府在行憲之初，未依憲法實施之準備程序規定：「自憲法公布之日起，現行法令之與憲法相抵觸者，國民政府應迅速分別予以修改或廢止，並應於依照本憲法所產生之國民大會集會以前，完成此項工作。」僅於行憲後之三十七年十一月七日公佈修正第五條條文；及四十三年七月二十一日修正第七十七條；一月廿三十日修正第一六〇條第一項而已。至於刑法第十條第二項：「稱公務員者，謂依法令從事於公務之人員。」仍原封未動。同時，該條文不包含依法令從事於公務之律師（三一統一六三）。

五十二年七月十五日公布之「戡亂時期貪污治罪條例」第二條規定：凡是「依據法令從事公務之人員，犯本條件之罪者，依本條例處斷。其受公務機關委託承辦公務之人，犯本條例之罪者亦同。」該條例顯與前述司法院之解釋相違，更與中央法規制定標準法之規定不合，為當然違憲。法律與憲法抵觸者無效。

當審議該條例時，立法委員程烈除提質詢外，並曾著文抨擊該條例之不當，其中指出：「法律之制訂，不能與憲法違背；本條例既稱以「澄清吏治為目的，則懲治對象為公務員，自不應將顯然為人民團體，或民意代表之「從事公益」，「辦理黨務」，暨「公職人員」一體混同在內。雖刑法第十條規定：「稱公務員者謂依法令從事於公務之人員」，但依選輯換位推論，並非「依法令從事公務之人員，皆稱為公務員。」

兩者有別又一證據

這「正如「人是動物」，不能說「動物是人」之理相同。況公務員須有考試、銓任、俸給、考績、服務、退休、撫卹、懲戒、彈劾等法律保障及約束，非公務人員則無之；若參加人民團體，或民意代表，亦稱為公務員，其毋乃違憲法乎？」因為「無論「從事公益」或辦理「黨務」，雖有「工作計劃」、「年度預算」「財務規章」，等因為憑藉，但均缺乏法定性，因其未經立法程序也。設有違反時，自不能視同「違反法律」，尤其量刑，亦祇能按一般民事糾紛指控。」

台中縣社會科長
陳懷仁被人檢舉

（本報記者台中航訊）台中縣政府社會科長陳懷仁，被縣民檢舉違法瀆職，包庇舞弊，列舉了八大罪狀。

陳田安議員於本月八日下午，接到豐原鎮四隣五十號居民陳鵬硯對陳懷仁的一封檢舉書，陳田安在議會上口頭報告，其八大罪狀如下：

（一）陳懷仁藉總統華誕祝壽為名而歛財。向台中人民團體及廠商募捐搭建牌樓四座；四座牌樓全用三夾板造的，每座不超過五千元，報帳則為一萬元。

（二）壽堂設置，更是虛浮濫帳。據報帳目為一萬八千元。若按價計算，每個壽桃價值一百元，一碗壽麵要五十元。試問有五十元一碗的麵，一百元一只的壽桃（麵包嗎）？

（三）社會科長陳懷仁在火車站舉行晚會，設置晚會堂，共花費一萬五千元之鉅。在台北舉行一場晚會也不過三五千元。一萬五是如何花的？

（四）陳懷仁藉祝壽歛財，在台中尚屬首次。

（五）陳懷仁為視導職務，三次報省眞除均未獲准。陳又利用職權，虛報出差費達一萬元之鉅；但對其部屬眞正出差却百般苛刻。

（六）陳懷仁以派系功臣自詡，為人拔扈驕橫，民政局徐視導與之洽商公務，當面受其侮辱。

（七）台中縣總工會辦理合會，其性質類似地下錢莊，本應早予取締，但陳懷仁多方包庇，違法瀆職。

（八）陳懷仁為了彌補浪費的活動費，命令辦理貧民施醫登記，偽造施醫證，圖冒領經費，但為屬員嚴拒。乃陳懷仁竟懷恨在心，將該員工作調動，因此該科竟發生集體請調情事。

（本報記者王永亭）

瀛海異趣談

科學顯示女性強過男性

·桑雅·

在留產所內，所有的男女嬰孩都是差不多的，如果沒有記號，就算做父親的，確難認得出誰是自己的骨肉。當男嬰孩拔上尿布，連男女也辨之不出。

他們眞是毫無特徵嗎？絕對不是的。生下來兩性的分別已很顯著的了，在以後的日子中，兩性不斷地競爭生長，也不斷地勝負來。最後分出勝負來，這一邊都一直被稱爲「弱者的名字」——就是女人！

女人眞是弱者嗎？有什麼科學證明？這全是藝術家的虛構，在現實的生活中，男人才是弱者。在各方面，女人是站在優勝這一邊的。

就拿生育開始講吧，通常在母體內，女性多懷胎一個月，在發育期間，男人則較遲了。

據澳洲人士的最新調查數字，女嬰離開母胎，並不比男嬰那麼容易死亡，日後平均比男嬰多活六個年頭，其比數是六十四・一八與六十七・九二。

過去的紀錄，也是女性佔優勢。一九〇〇年，男人是四十八歲，女人却是五十一歲，一九四八年的統計，男人六十六，女人七十點六三。

最近澳洲政府有關部門發表下列統計表：

年歲	男性	女性
十	五九・九三	六五・九九
二十	五十・四〇	五六・一六
三十	四一・一二	四六・四九
四十	三一・八四	三六・九九
五十	二三・一三	二七・九三
六十	一五・六九	一九・五一
七十	九・七七	一二・一九
八十	五・五七	六・六八
九十	三・〇二	三・四八

這個表說明什麼？例如，如果男女同是四十歲，男的只有希望多活三十一點四年，而女的可以活到三十六點九年了。如此推算下去，世界全是年老的寡婦了。

女性的壽命如此驕人，究竟有什麼法寶呢？

科學家及醫學界人士到目前爲止，仍未找出一個正確的答案來。大家都曉得，男女在生理與心理上都有差別，問題在這種差別爲何偏對女性有益呢？

有人這麼解釋：男人思想過度，加上家庭負担，自然容易衰老；此外，還有缺乏運動，抽烟，喝酒過度，于是血壓高、心臟病等便成了致命傷。

另一些人却是別一番道理：一切是荷爾蒙作怪。男女荷爾蒙都包含兩種元素——伊杜老與安杜老。而「伊」是有力量減除血液中的脂肪，這樣，血管硬化症之類，絕少發生了。更何況，在避孕藥內，「伊」素的含量也不少，這無疑錦上添花了。

一位名醫這麼說過：「大致上，女性的生活較易感滿足，因此以讓自己的精神輕鬆一下。若緊張，隨時可找出鬆弛的辦法。若干家庭主婦在花園相見，無緣無故相抱了大半天，這便是輕鬆身心最佳例證。這與商業社會中的男人，大異其趣了。」

在美國，有兩位社會學家，專研究修女僧人壽命的紀錄，由于他們一共搜集了四萬二千多名僧人的紀錄，他們的生活大同小異——無憂無慮，不理俗務。在這種情況下，兩性的壽命本應相接近。

可是，其結果仍是修女的壽命較長，平均比僧人多五年半。他們的結論是：女人天生的較爲長命的。

事實上，不單是人類，在動物界，雌性也是活得長壽些。

至于抵抗疾病，女性一樣佔鰲頭。一份報告書指出，在三百六十五宗的疾病中，二四五宗是男性的。

「男與女」一書的作者史海菲博士說：「男人容易病死，女性的抵抗力高出百份二十。」他列出兩性對幾種疾病的死亡率——血塞病，男比女容易喪生的百分率是五十點二；呼吸器官的毛病，三四點二，神經系統方面，三三點五；腎與排洩方面，八點九；皮膚病，一點九。只有腺部門的毛病，女性才吃虧一點。

有些醫學界人士建議，男人不妨按時注射女荷爾蒙，這樣，便有機會打敗女性了。

保密已逾二十五年　赫斯飛英謎尚未破

司馬牛

他確有信心，假如戰爭下去，德國必得勝利。他不忍見英國被毀滅。在當時的戰局看來，希特勒有把握擊敗英國的，赫斯也有一片婆心。

但是有人認爲赫斯飛到英國是有另一個原因。在第二次世界大戰爆發之後，他的個人名望逐漸消失。在戰時他名位是僅次於希特勒的人物，但專負責黨務，那是沉悶和已屬不重要的職務。德國最要緊的執行戰爭與外交事宜，希特勒寵用戈林、利賓托普、希姆萊、戈培爾與別的將軍。赫斯很不滿意而發生妒忌，他認爲希特勒過橋抽板，忘記了他的成功，曾靠他的助力不少。但他對他的元首與國家效忠，就想出他本人認爲是妙計，回復他的過去的地位，利用政治的手腕，單獨進行安排德國與英國的和平談判。

又據另一說，赫斯像希特勒也迷信星相學。在一九四〇年後期，他的星相學家向他指出，看星象，赫斯可能負起和平的工作而有成功，因此赫斯也毅然有此一行。在紐倫堡的審制中，英國的一個主控官提示一個原由，赫斯飛往英國，想安排和平，使到德國能夠傾全力去進攻蘇俄。俄國的主控官也向法庭表示確信有這種計劃。多猜忌的史達林更認爲那是邱吉爾與希特勒的陰謀。赫斯到蘇格蘭說服英國，正如在當年俄國的獨裁者容許德國侵犯波蘭和西方國家不加予干預一樣。所以在三年後，邱吉爾在第二次訪問莫斯科時想向史達林說明眞相，但無法使到史達林置信。因在戰時大家不能不互相利用，但是蘇俄人曾極憎恨邱吉爾。赫斯因執行那種不利蘇俄的任務，所以也被視作眼中釘，蘇俄曾表示不服將赫斯判爲終身監禁，認爲罪當問吊。他們不肯釋放赫斯這是舊恨尚未消吧！

在赫斯秘密離去後，希特勒寢食不安，他認爲這使他的威望受到重大的打擊。希特勒曾秘密下令，當赫斯返國立即加以槍決。（下）

國際走私大王

班越

惡跡昭彰的國際走私大王，共有六個，名爲「六巨頭」。他們有高度的嚴密組織，壟斷了大規模的走私，而且還偷運要犯出關，由一國至另一國。由於他們皆在幕後指揮，外表上是大亨，有正當的職業，國際警察不能動他分毫。國際警察已組織一特別小組，專責偵查他們的行動，以冀尋出他們的犯罪證據，繩之於法。

這六個有錢，有職業，有地位的人物，他們經常往來英國與歐洲大陸之間，目前正受到一隊偵探的密切注視。該隊偵探即是由國際警察總部特別派出的。

這六個人物中，一個是巨商，一個是建築師，一個是一間管理顧問商行的股東，一個是倫敦一間著名會所的會員，該會所的入會限制是很嚴格的，其他兩個也是各有專業的富人，他們的基地是英國。英國蘇格蘭場的警察知道他們的名字，國際警察更有他們的詳細紀錄。

他們被懷疑是犯罪的新渠魁。這些惡跡昭彰的人物就是第一流的私梟，他們壟斷歐洲大陸的重要走私，凡是大規模的走私就是他們的專利。他們有一個高度緊密組織的集團，名爲「大六」，也就是「六巨頭」之意。目前每一巨頭每年所做的買賣估計達一千萬鎊。

穿着斑紋衛生衣，瑟縮小艇中，左閃右避的走私者，以及本錢短少，身上藏着幾個手表，閃礫支吾通過關卡的夾帶私貨者，那種日子已不存在了。現在的走私是由一流酒店的貴賓套房中發號施令的。這些高高在上的「大君主」根本上就遠離他們的黨羽，好像南轅北轍，風馬牛不相及，所以警方迄今毫無作爲。後台老板的六巨頭始終逍遙法外，以大亨的姿態在社交場所出現。

歐陸七個國家的海關當局和稅務人員均承認，大規模有組織的商業性走私，其威脅是每月增加的。這個「大六」的私梟集團，每一個組織都在全歐各國設有分支機關，而且和類似的私幫有商業上的了解，他們經營有他們自己方式的出入口貿易。六巨頭的組織中有五個的總部設在倫敦，另一個組織則在蘇格蘭的主要城市格拉斯哥市中心區一座大廈設立辦事處。這個組織以規模龐大著稱，或許是歐洲最有效率的。它擁有大批貨車，兼營合法的副業，如載貨搬運等。又有快速汽車，以及高速的機動快艇，以便和進出蘇格蘭的船隻聯絡。在格拉斯哥和格陵諾克沿海岸的每一個碼頭，皆有它的情報人員。

這個龐大組織的幕後主持人，像多數其他組織的首腦一樣，是不易露面的，所以他的手下大多數不知他姓甚名誰，是何方神聖。但警方是知道他的，現在只等候他稍有失誤，露出馬腳。他是永不肯沾手這種齷齪工作，或甚至看看這些私貨的。但他却佔取最大部份的利潤，有時每次多達五千鎊，而從不少過一千鎊的。他的每年入息估計約二十萬鎊，當然是無須繳稅的。

這幾個走私組織是願意供應任何需要的，只要有大利可圖。（上）

新三國

周□□著

夏侯淵字妙才，乃夏侯惇之族弟。此人跟隨曹操起兵爲別部司馬騎都尉，有將畧，尤其在經營西北時，威望尤著，且係曹氏嫡系部將。

張魯在漢中郡，公開抗命。三月間，曹操派了鍾繇討伐。又派夏侯淵出兵河東郡與鍾繇會師。其實是曹操聲東擊西之策。揚言是征討張魯，實際時想解決陝西、甘肅兩地若干半獨立的勢力。馬超韓遂便是半獨立的軍閥之一。曹操和韓遂的父親是同歲孝廉，也是曹操同儕之輩。早先是馬騰和韓遂同在西北，初平三年，率兵到長安爲鎮西將軍，屯兵在郿塢，後來討長安董卓失敗，回涼州老地方。因與韓不和，請求到中央去做一名衛尉。馬超字孟起，封偏將軍都亭侯，繼承了馬騰的部曲。此人武藝超羣，爲三國有名勇將之一。馬超領了部曲，與韓遂合成聯軍，又與地方上的土豪楊秋、李堪、成宜等人相結合。看到鍾繇志在經營西北，於是不顧他父親尚在曹操政權勢力控制之下，兵出潼關。曹操派了曹仁先去抵抗，同時曹操下令諸將：「關西兵將精悍，堅壁勿與戰」。可見曹操深知西涼的兵驍悍。到了秋天七月，曹操才親自出馬跑到潼關前綫，先將軍隊運到黃河北岸。渡河時，有校尉丁斐先放牛馬以餌馬超的兵士，馬超士兵紛紛取馬牛，亂紛紛一楊糟，曹操的兵趁亂才渡過了河。曹操渡河後，在馳道外築夾道，部隊由夾道內運動，敵方看不到。曹兵由西而南，馬超見曹兵來得突然，不敢接與戰，退守渭口，即渭水入黃河處，（即今陝西華陰縣東北。）曹操聲稱疑兵，偷偷以舟船入渭水，搭了浮橋，半夜偷渡紮營於渭水之南。馬超半夜前來偷襲，曹操早已設下埋伏，被伏兵擊破。馬超敗了一陣，駐兵於渭水之南，馬超派了信使向曹操請和，並以割河西之地爲條件。曹操不許。到了九月間，馬超數度挑戰，曹兵不出。馬超派了信使又向曹操請和，並且願派一名馬氏任子爲人質（任子，子弟由父兄之功而得官者）曹操納賈詡之計，僞許其和議。韓遂約了曹操陣前晤談，二人大談故舊，相語甚歡。這是曹操反間之計。馬超因見他二人相談時，擊掌歡笑，以爲韓遂有出賣叛變的企圖，心中懷疑已彌漫着。曹操又給韓遂寫了一封書信，故意作塗改的字樣，使馬超疑心是韓遂所塗改的，更是懷疑韓遂。一日曹操忽然下來挑戰書，約馬超定期決戰。曹操先以輕兵出陣，戰鬥一陣，突出精銳夾攻，大破馬超，斬了成宜、李堪等土豪的首級。馬超、韓遂奔涼州，楊秋奔安定，曹操平定了西北一部份。

五十、張松法正共獻策　劉備大兵進益州

曹操破走馬超，讓鍾繇繼續經營西北，又派了韋康任涼州刺史，又繼留夏侯淵駐鎮長安，自己凱旋回許昌。如此才把赤壁大敗的面子收了回來。曹操到許昌，即刻把馬騰一家二百餘口斬盡殺絕。後來又激起馬超的二次興兵。（八十一）

國劇繽紛續錄

（一二六）　姿學生

墨經從戎（續）

因蜀同人勸蓮芝移孝作忠，但她意甚堅持，經過三番譬解，告以昔賢有墨經從戎之事，亦可效之。而所定排演之李貞娘，亦忠烈之故事，多服縞素，無說情鬥俏之跡，未傷孝思。始勉允從事，含淚排戲，是可稱也。

蓮芝誕於抗戰末期，在開封降生，其時物資缺乏，遠非今日可比，代乳之品，幾如珍物。而振山鍾愛特甚，一向對幼女疼憐。蓮芝既長，當知其事。因在服務所獲，於士林購三萬小屋，迎養父母，盡其所孝。茲值丁憂，亦無怪其哀毀。但即貽書勸其在大時代，忠孝勢難兩全，演過後不妨再請假小休，以補心中缺憾，可以行之。

弔盧小嘉

民初四公子，一般論者多定是張漢卿，張孝若，段宏業，盧小嘉。有謂是袁抱存克文，而缺段氏者是有誤也。此四公子對於聲色犬馬，皆著有令譽，因所到之處，多留鱗痕為人稱道。我識小嘉於新店唐宅，因舍弟之介，時已年過六十，為人極謙冲寧靜；事皆袁氏夫人主持，她極能幹，業保險事，每年收入在十五萬，為北市四大跑客之首，小嘉享盡清福，一無顧慮，不能不謂是運也。小嘉對於戲劇富研究，曾告余曰，北市所見各戲，當以元雙寨山的坐樓殺惜，宗淵的追信為最愜意。某次機薛會他曾唱托兆的金烏墜一段，確很具譚派韻調，並非余派，是為難得。

小嘉有一公案，傳言是細打黃金榮。緣在某夕，同在共舞台觀露蘭春，露偶有小錯，小嘉報以倒好，金榮尋至包廂，遽摑一掌。小嘉步出舞台，赴滬南告之何護軍使，次晚，豐林護使遣副官邀黃到署，斥其不應無法，遽責四十軍棍，始釋回宅。事後小嘉乃外出遨遊，旋在青島寓居，始娶袁夫人。前五六年，何萊臣因事需欵，囑轉懇袁夫人周濟，即電托「斟酌辦理」，意即請婉拒。事後，何君失信義而退票，袁夫人必欲為介者賠墊，為顧友誼，借貸以還之。茲值其作古，自信余實未負於小嘉，聊作弔誼。

信社小訪

在國光的午場，看幽靜的斷橋、小莊的馬上緣，晤到嚴秋心兄，即賀其近主信社劇務，將可重振也。他堅約一五前往小玩聽聽，上週五遄往作第一次的小訪，却聽到很多妙音。該社副社長蕭翔鵡，亦係老友，正與總提調李景嵐研討祝壽劇目，大致是福與天齊（即遇太后），除三害，武家坡銀空山大登殿，皆本局同人與眷屬彩串，是為難得，而魏主任中的代戰，扮相之美，恐在台北坤界尚是少見。（未完）

「賭仔性賴」

・璇・

有人焉，當風雲得意，認為自己很能幹；反之，就怨天尤人鬧情緒，不僅在工作態度上，就算在很微末的事情，甚至搓幾圈麻將，也是如此。所以，就有「賭仔性賴」這一句俗諺。

賴，就是將不如意的事情的理由委諸別人、或許是甚麼事物的影響。這，我們姑勿論其是否有眞實性，俱可見那個人的無聊與低能。無聊，誰也知是怎麼樣的解釋；低能，就是無本領了。比如，明知自己是受別人或什麼的事物影響，却為什麼不設法脫離那些影響呢？這結論，最好的解釋就是：初時，並不迷信這些，後來，給輸的委屈纏擾得不知道怎樣才是，便懶得去尋求眞正的原因，而一古腦兒把自己的霉氣的來由向別人身上賴了。同時，我們也不能忽略心理的問題，因為心中有了顧忌，就對事不敢放胆去做，就往往做成當進不進，當退不退，如此進退失據，對事未有不敗的。再者，心存顧忌，便不能全神去應付事情，因為在思考中往往要分神於那些顧忌的事。至於赴賭時看見尼姑，（意謂一髮不存，光禿禿，有輸光之意。）或給人攔着來討錢，都是不吉之兆，也應包括在這個賴的範圍內。

人，為什麼要賴呢？說得斯文點，就等如發牢騷，將不如意用任性的方式去發洩。

記得朋友甲從「梳打埠」回來，於看見我時，就用哭喪着的神情說：「乾乾淨淨了！」這句話的用意誰也知。那有什麼不快的呢？誰叫你貪，為了想贏別人的錢，反輸了自己的去。天下事，多不是這邊，就是那邊。譬喻賭，不是贏，就是輸，正如俗語說的，誰叫你的運氣不如人？所以，我聽了他的話，只因友誼而付出同情地苦笑一下就算。

「都是T啦，剛一上碼頭，就借了我幾百塊錢去。」他埋地怨說。

T，我知，是他的同事，也是我們的朋友；為人，好揮霍，雖說賺錢頗有點本領，却花錢的本領更大，時常，入不敷支，更東移西借以牽蘿補屋。到賭場去，已是家常便飯的事。每每，一敗塗地，要靠借才有「水脚」回來。當然，借去朋友甲的錢，不單是為了旅費，或許還要再「博」。但作為他這點錢的債主的那個朋友，剛巧此行也跟他同一樣的命運，便莫明所以地賴上他了。像這樣的事，我不便插嘴，當下，聽了便不再出聲了。

「本來，我的賭是贏的。」朋友甲再說。「唏！我整整的一千塊，遇見他，給他借了四百去，那就叫做彩頭給他討了去，所以他拿了我的錢去賭就贏，而我却輸了。」

我仍是只好苦笑而不便說甚麼。他看見我意興闌珊，也就不再發表意見了。

還有，就是有一件為我所知的事如下，那就是亞乙每輸了錢要發妻兒的脾氣。比如他在要賭、或在賭着的時候，千萬不要向他討錢，也不跟他談及一個輸的或是近似這樣的語音的字。不然，如果輸去了，就會發很大的脾氣。一次，兒子要上學，他剛鑽研着馬經，為妻的對他那麼說：「阿元這個月的書金要付了。你有零錢嗎？我手上的都是一百塊面額的。」他聽了不答話，只以手指指掛在板壁上的西裝外衣。做太太的會意，便在他的衣袋裏取了錢給兒子拿去交學費。後來，他從馬場上賭敗回來，就大發牢騷了。

以上所舉，不過是許多這樣事中的一兩個例吧了。

唉！「賭仔性賴」，似乎從來已久，而於尤烈，希望不要再維持下去！

陳著「四書道貫」評介

兼及許著「論語類輯」及劉著「論語表解」二書

楊力行

還有劉義生著「論語表解」，由中華叢書編審委員會出版，台灣書店總經銷，二十四開本，四六八頁，定價新台幣四十元，九折出售。內容計分第一部「論語表解淺說」，除「自序」和「凡例」外，計分一、說「表解本意」，二、說「孔子之道」，三、說「仁」，四、說「修己安人」，五、說「為學」，六、說「從政」，七、「施教」，八、結論，並附帶說「中」。第二部「論語表解」，除「前言」外，第一表為「孔子之道」，第二表論「仁」，計分附一、論「道」，二、論「德」，三、論「忠信與忠恕」，四、論「敬」，五、論「恭、寬、敏、惠」，六、論「智」，七、論「勇」，八、論「詩、禮、樂」，九、論「義」，十、論「孝弟」，第三表論「學」，附一、論「志」，二、論「師」，三、論「為己」，四、論「有恆」，五、論「知」，六、論「行」，七、論「中」，八、論「天命」，九、論「性與天道」，十、論「生死鬼神」，十一、論「喪祭」，十二、論「直」，十三、論「言行」，十四、論「文質」，十五、論「好樂」，十六、論「辨惑」，十七、論「從善改過」，十八、論「成人與善人」，十九、論「君子」，廿、論「君子與小人之比較」，廿一、論「士」，廿二、論「射」，廿三、論「恥」，廿四、論「好惡」，廿五、論「恩怨毀譽」，廿六、論「富貴貧賤」，廿七、「孔子的反省工夫」表解，廿八、「孔子的胸襟與志願」表解，廿九、「孔子的好學與著述」表解，卅、「孔子的儀態」表解，卅一、「孔子的日常生活」表解，卅二、「孔子的論人」表解，卅三、「孔子的論事」表解。第四表「論政」，附一、論「五美四惡」，二、論「君臣」，三、論「父子」，四、論「兄弟」，五、論「朋友」。第六表「孔子施教實況」表解，附「孔子生平」表解。附錄一、說明表列「論語」原文篇節出處，二、「論語人名索引」，三、「論語地名索引」，四、「論語官名索引」。

上列「論語」大小表解及其說明等，均甚簡明，有裨教學頗大，較之「論語類輯」更進一步矣。但讀完陳立夫先生的「四書道貫」後，深覺其係古往今來第一部徹底整理「四書」的「一貫之道」的好書，深以為慰。對於「四書」的教學裨益至大且深，陳立夫先生可以說是第一位整理國故之成功的學者，值得大書特書，更值得鄭重推薦給今之讀書種子們。值此大陸共匪徒們大鬧所謂「文化大革命」之際，意義尤為重大，特別是在我光輝燦爛的十月中旬出版，且以之作為恭祝總統蔣公八秩嵩壽的賀禮，更是價值連城的無價之寶，毋待詞費，允宜人手一篇也。（二）

也談海瑞其人其事

胡實

我國近來有些愛寫史劇的人，多犯虛構或誇大的通病，好像在原有史實之外，不捏造生非，或添油加醋，不足以顯示作者的鬼馬多才。（有些人還以此自詡為思想解放。）本來依照歐西劇作家處理史劇通例，自依斯克里斯，而莎士比亞，而蕭伯納，無不採用「史」「戲」並重的原則；一面固要保存歷史原有面目，一面也要適合戲劇發展程序。因為偏重歷史，難免枯燥之味，偏重戲劇，容易離譜亂彈。但是我國近來那些鬼馬多才的史劇作家，也許思想太過解放，經常祇求劇情的胡鬧，不求歷史的眞相，這就難怪要遭受人家的批判了。

現在中共進行的所謂文化大革命，眞實企圖，雖為政治方面的權利鬥爭，帶頭開刀，是先從文藝方面下手。吳含（口旁）寫的「海瑞罷官」，和周信芳編的「海瑞上疏」，都不幸被選作大革命前的祭旗羔羊。這兩部史劇，是否「一北一南，一罷一罵，串連在反黨反社會主義那根藤上的兩個瓜」，我們並無興趣過問。不過中共指出這兩部史劇，有些場次是虛構或誇大，倒也近乎事實。話又說回來，中共其他劇作家處理史劇，那個又曾嚴格講求「史」「戲」並重的原則！既屬普遍易犯的通病，祇尖銳地苛責少數幾個人，實在有失公允。

海瑞，是明代廣東瓊山人（今之海南），字汝賢，號剛峯先生，享年七十三歲（一五一五──一五八七）。他以舉人出身從政，歷事世宗穆宗神宗三朝。最初從「不入流」的低級公務員──福建南平教諭做起，逐次向上爬升。（明代官制分九品，每品又分「正」與「從」。未列品者，稱為「不入流」。這「不入流」的名稱，是明代所獨創。）他先後任過的官職計有：七品的浙江淳安知縣；正六品的浙江嘉興府通判（其間因事，曾降充從七品的江西興國州判官）；正六品的戶部主事；正五品的兵部及大理寺尚寶丞；正四品的兩京左右通政；正四品的右簽都御史，巡撫應天十府（從前江南巡撫）；從三品的都南京糧儲；正三品的通政史；正二品的南京都察院右都御史。正二品，是海瑞終生爬到的最高峯。（從一品太子太保，乃死後追贈。）他始終未曾入閣，當過一品當朝的變相宰輔滋味。若與同時期嚴嵩、徐階、高拱和張居正的宦運相較，要差一皮。然而他在明代歷史上所佔的光輝地位，遠在這些黑市相國之上。

「海瑞罷官」和「海瑞上疏」，都祗介紹海瑞服官時期的一段突出故事，都不能稱為一生「全本海瑞」。前者是以他做江南巡撫，打擊豪門罷官為主題。（上）

啤酒新世紀

—兵譯—

啤酒已成為世界上最受人歡迎的飲料。以美國而言，輸入的啤酒已較數年前增加三倍。東西部沿海城市及大湖區的都市，銷售外國啤酒最多，所有外國著名牌子的啤酒，在美國市場佔着頗大的地位。

以紐約舉行的不同博覽會為例，便知道外國啤酒的成功，無論在場內及戶外的攤位，都介紹了數不清牌子的品質良好的啤酒，人們首次可嘗盡世界的名啤。令美國釀酒界的人暗暗吃驚的是，當一個公司舉行賀宴，或特別慶祝場合的宴會，東主奉客的啤酒，盡是外國貨。幾乎吃的與喝的，一概以進口貨為時尚了。

那些愛爾蘭籍的美國人大喝愛爾蘭來的黑啤，德裔的美國人則喝慕尼黑運來的啤酒。美國的啤酒首都米爾窩基城，亦發現城內的第一流餐室出售的啤酒，舶來品佔百分之四十。紐約城的德國人聚居的約克維爾區，幾乎完全喝德國來的生啤；人們似乎有喝他們老家產品的趨向，德國人選擇他們故鄉漢堡，杜特蒙，紐倫堡或其他地方的啤酒，為自己的飲料，因為他們已歷數代以來，都是喝自己老家的啤酒，成為牢不可破的習慣，現在沒有改變的理由，祇要老家的產品數十年來品質不變，他們絕對不會改變啤酒的牌子的。

道是歷史的關係，造成了外國啤酒在美國幾乎成為霸主的理由。約五年前，美國的進口商已看出這個趨向，即使美國本地人，亦以使用外地啤酒奉客，以表示自己的夠[illegible]客情。（一）

自由報

THE FREE NEWS

第七〇六期

中華民國僑務委員會頒發僑報登記台僑新字第三二三號
中華郵政台字第一二八二號執照登記爲第一類新聞紙類
（半週刊每星期三、六出版）
每份港幣壹角
台灣零售價新台幣貳元
社長：雷嘯岑
督印人：黃行普
社址：香港銅鑼灣高士威道二十號四樓
20, CAUSEWAY RD 3RD FL. HONG KONG
TEL. 771726　電報掛號：7191
承印者：大同印務公司
地址：香港北角和富道九十六號
台灣分社
台北市西寧南路壹零二號二樓
電話：三〇三四六
台郵撥儲金戶九二五一二

農神、雙子星、阿波羅與世局

·彭樹楷·

今年八月廿五日，美國成功地發射了「農神IB」火箭。這具高十八層樓，衝力一百六十萬磅的巨大火箭，使落後蘇俄九年的火箭推力，首次獲得超前的勝利。

今年九月十日，美國「雙子星十二號」太空船，在以前許多重要太空競賽項目中搶了第一之後，又開創了許多新紀錄。

今年聖誕節前後，美國將使用「農神IB」火箭，及運用「雙子星十一號」的成功技術，首次發射重達九萬磅的「阿波羅」三人太空船，進入環繞地球軌道的太空，作一九六九年間送人到月球的處女航行試驗。

這三件單純屬於科學工藝的事情，在國際間錯綜複雜微妙的關係中有着很大的影響；對美、毛及美、俄，與俄、毛間在越南戰爭中，更是產生許多難爲一般人所可明瞭的潛存影響力，所以拋磚引玉的來試予分析一下。

這個世界是個甚麼世界

我們幸或不幸地生存在這個太空時代，便由不得我們不得不承認：「我們這個世界是一個科學工藝的世界」。

在我們四週，到處都是科學工藝的飄號！半自動或全自動的民生日用品；半自動或全自動的國防軍事武器；近於神話的太空工藝成品；像魔術那樣的化工技術；以及衆多如同謬論的科學構思（例如從太空將含有百分之九十七的小流星——隕石，由太空船上的太空漫步者將火箭搬上去再搬它回到地球來，俾解決原料短缺問題，理論上已屬「可行」，問題只是「成本」而已）還有駭人聽聞的「人造人」（試管嬰兒），生男生女的性別控制等等，使我們應接不暇，也使我們爲之心驚胆跳地喜悲各半。但是，不論是悲是喜，我們這個世界，確確實實已經成爲一個名實相符的科學世界。這點諒是沒有疑問的。

這個世局是個甚麼世局

人類社會的世界性局勢，自古以來，就是：「爲了和平的目的而戰爭；爲了避免戰爭而追求着和平」。

人生的意義在此，人生的價值，也在此。

人生是一種生存的挫折而非一種文雅的事業——我們既已投身這個人類社會，我們不能也不願退出這個社會；於是，便得開始我們漫長的人生旅程；忍受滑跌、相撞、摔倒……終於漸感疲乏、衰老。但我們不得不在這種顛頓之中，走完我們崎嶇的人生旅程。

既然如此，那末，就讓我們既不躲避「戰爭」，也不蔑視「和平」——讓我們發揮着無限人生智慧的光輝，來「爲了和平的目的而戰爭，爲了避免戰爭而追求着和平」！我們別讓整個的生命爲做着與目的無關的事情中消磨光了！須知：「世局如是也！」

農神雙子星阿波羅是什麼

人類的智慧、勇氣、合作與物資的熔和，產生了農神、雙子星與阿波羅。

但是，農神、雙子星、阿波羅並不是人類的智慧、勇氣、合作與物資；它們僅只是工具——科學家、科學工藝、政治家、軍事家的工具：科學家藉此工具獲取更多的科學知識；政治家藉此工具達成他的政治目的（個人聲望、政治資本、國內外事務影響力、改善民生福祉人羣、以及實現他的國家目的和人類願望等）；軍事家藉此工具保障和平及贏得戰爭的勝利（巨大火箭可投送巨大炸彈、載人太空船可從事偵察警戒戰鬥等任務）。

農神雙子星阿波羅與世局

農神、雙子星、阿波羅雖說只是工具，但它仍然不失科學工藝的燦爛光彩——它將爲人類伸展生活領域由地球而其他星球，並可能阻嚇戰爭而使人類獲得祈求數千年之久的眞正的和平。因此，我們可以這麼說：「農神、雙子星與阿波羅是人類和平的天使！」

綜上所述，似可斷言：農神雙子星與阿波羅的科學藝技，必直接間接影響我們這個「戰爭與和平」的世局！因爲，它已使我們這個太空時代更進一步地跨進了科學工藝的世界！

至於農神雙子星阿波羅是否爲人類社會帶來永久的或者較長時期的和平，那便不是這個「工具」本身所能決定得了的大事！

至於農神雙子星阿波羅的科學工藝是否幫助核子、光子（死光）、電子等兵器，用來毀滅我們人類社會，那也不是這種「科學工藝」本身所能決定得了的大事。

危機

毒草

今日與昨日

斯特朗的謠言與讕言

美國附毛女「作家」斯特朗，她之「舉世知名」，是跟着毛酋的「帝國主義和一切反動派都是紙老虎」的謬論而臭名昭著的。本來，這個八十多歲的「老而不」，是個美國人。但她由於深獲毛酋的「優待」，採取「包下來」的辦法，一直把她豢養在北平，以作爲毛共「御用」的傳聲工具之一。她惟一的「長處」，就是厚顏無恥，專替毛共造其無根謠言，以混淆視聽和欺騙國際間一些半吊子的所謂「中國通」或「中國問題權威」。

她大概是已經眞的成了「鬼婆紅衛兵」，對於所謂「把毛主席的指示，印在腦子裏，溶化在血液中，落實在行事上」，作得眞是十分「到家」。她所造的謠言，有一個突出的特點，那就是絕對有利於搖搖欲墜的毛共，而絕對不利於自由世界，特別是美國。

俗語說：「國之將亡，必有妖孽」。當然，以今日美國來說，儘管盲目短視、無知的所謂「鴿派」充斥於政府、國會和社會各階層，但無論如何，美國還未到「將亡」的地步。可是使人懷疑，十足構成叛國的「老妖怪」斯特朗，不但視自己的祖國——美國爲「最兇惡的敵人」，更不斷地替毛共作其萬惡滔天的騙人混帳事。談到此，很使人們莫名其妙，爲什麼美國政府一直對她未採取一點有效的措施呢？如謂這是「民主」或「自由」，那麼這種「民主」和「自由」，將對整個自由世界尤其是美國本身，有其深遠的危害性的。

毛共爲利用她，還出錢利用她的臭名辦了一份英文的「中國新聞」雜誌。日前的一期上，斯特朗用毛共的慣技，大施恫嚇說，毛共所擁有的核子武力已非常可觀。據說，美國分佈於遠東的軍事基地，均在其有效射程之內。又說，如果美國胆敢轟炸中國大陸，毛共寧可犧牲其十七年來的「建設」，但美國在遠東的所有軍事基地，也難逃避毛共的報復行動。這話，簡直是放狗屁，膚淺得到了沒有常識的地步。

美國根本不可能首先轟炸中國大陸，但在毛共方面，目前它所擁有的核武器，仍在「雛形」階段，根本還不能發揮較遠的威力作用。要到七十年代才能擁有洲際飛彈。如果，今日它已擁有越洲飛彈的話，它會不顧一切地首先就給被它視爲進行所謂「世界革命」最大障礙的美國「放」上的。

再說，如果美國「挑釁」轟炸中國大陸的話，它就是再蠢，也不會不把毛共在西北腹地的核子基地作爲首要目標的。如果毛共的核子基地被摧毀，它可用什麼來對美國在遠東的基地進行報復呢？同時，「建設」被破壞，交通被癱瘓，毛共控制系統失靈，接着，大陸人民必羣起抗暴，而形成反毛的「人民戰爭」，說不定毛共罪惡政權，在一夜之間就歸於完蛋大吉。

毛共積極發展核武器，完全是針對美國。遺憾的是麻木不仁的美國，一直下不定決心。眞要等到毛共擁有越洲飛彈而對美國先下手後才還擊嗎？說不定到那個時候，後悔已晚了！（何如）

荒唐的鬧劇

廿一屆聯合國大會又在討論着所謂「中國代表權問題」。這「問題」列入聯大議程已十好幾年於茲，殆已成爲一年一度的例行鬧劇，照例是羣言紛紛七嘴八舌之餘進行表決。表決的結果，以往一直是支持中華民國佔多數，而使得妄圖牽引毛共僞政權入籍的少數共產國家和親共媚共的國家自討沒趣而收場。本屆的情形自然還是如此，是完全可以肯定的——且很可能它們會失敗得更慘，所討得的沒趣程度更深刻更沉重。

但這還不是主要之點。值得重視的，第一，聯大而居然要討論這個所謂「中國代表權問題」是反映這個世界和平機構的自我大踏步走向墮落與沒落。姑不必談這「問題」純屬中國的內政，聯合國無權置喙，妄事多嘴，根本便違反聯合國憲章；也不必強調中華民國是創始聯合國的五大國之一，中華民國今天不但依然健在，不但仍然爲全世界多數國家所承認，而且也還是在聯合國安理會擁有否決權的五個常任理事國之一，聯大而居然討論這種無理取鬧的議案，豈但是開中國的玩笑，開世界多數國家的玩笑，更是聯合國在自己開自己的玩笑。且尤有進者，這類無理取鬧的議案，其目標打明叫響要引毛共僞政權取得聯合國席位，而毛共僞政權者，却是聯合國有案可稽的侵略犯，此案至今未從聯合國檔案中撤銷或聲明其作爲罷論，怎麼就準備容許其入籍了？果眞准許身揹侵略者符號的毛共僞政權成爲聯合國的一員，聯合國將成了什麼樣的東西？其殘餘價值尚有幾許？這不硬是自甘墮落，自掘墳墓又是什麼！

第二，聯人而公然一而再、再而三、三而十數次的討論這個所謂「中國代表權問題」，就中國人而言，更當然乃是一種「是可忍也，孰不可忍也」的奇恥大辱！十幾年了，我們中國每年都要在聯大給搬出來「討論」一通，讓別人「放屁放屁，眞正豈有此理」一次，這是什麼個味道？所有炎黃子孫誰不爲之痛心疾首！然則怎樣終止這種荒天下之大唐的鬧劇？最根本之道，自無過於及早消滅毛共僞政權，不得已而思其次，則爲不必再耗費大氣力於這種得之不足喜失之不足憂的空名，認眞顯顯我們的骨氣與氣魄，要麼絕對制止這種鬧劇的繼續演出，否則聯合國一定要自取滅亡的話，我們乾脆潔身引退可也。眞到那時候，行見「活受罪」的將不再是堂堂華夏的中華民國了，蓋可斷言。

好比「一匹跛足的馬兒」
一九五九至今八年間 蘇俄經濟一直走下坡
主因為大量資財耗費於軍事與太空

（紐約通訊）近數年來，蘇俄的經濟增長率已告低落，考其原因，國防開支龐大是一個主要因素。美國國會兩議院的一個聯席經濟委員會的研究結果，有這項結論。美民主黨衆議員卜格斯最近宣佈該委員會的研究報告說：蘇俄唯有銳意削減其國防開支，才可能恢復其先前的高度經濟增長率。

卜氏是該委員會附設之外國經濟政策小組之主腦人，他說：該會的研究結果所示，近來蘇俄經濟失敗，以日用物品及公用業務方面「最為顯著」；又在過去七年間，以人口計算的糧食供應之增加率亦不大。

該會的研究報告，共有二十五篇文章。卜氏于加以討論當中，指出在一九五九——一九六五的七年計劃期間，蘇俄的整個經濟增長率走下坡，有下列三個主要原因：

（一）大量物資移供國防及太空發展之用。

（二）投資的效率低落。

（三）勞工生產率比預期的水平為低。

上述研究報告中的一篇文章，係由三位經濟學家所寫。他們強調說：蘇俄的經濟增長率走下坡，已由一九五〇年代後期數年的百份之七，降至近十年來的百份之四點五。但這並非意即謂蘇俄經濟已「瀕于崩潰」。

可是，那三位經濟學家指出：在這樣微弱的經濟增長率的情勢下，蘇俄的政治領導者可能有難以吃得消的苦惱。

其實，蘇俄經濟增長率之減退，早已可以預料到，局部是因為較易于迅速擴展的範疇，業經被搶先擴展，一位專家作比喻說：實際上，蘇俄的經濟走下坡，好比「一匹跛足的馬兒」。過去蘇俄的七年經濟計劃，有兩個大致是同時產生的主要因素，其一是工人減少工作時數，由每週工作四十六小時減為四十一小時；其二是國防開支之驟增，這不僅從國家經濟的其他方面（非國防方面）取去更多的欵項，抑亦搶去更多的人才。

除了上述兩個主要因素之外，還有一個弱點，那就是蘇俄經濟未能善為「利用新的科學技術」。

卜格斯說：「目前蘇俄經濟發展遲滯的表現，已招致經濟學家們紛紛加以責難，主要的是針對政府經濟計劃之官僚作風的中央化。但是，莫斯科的共黨領袖們已反對把現行的經濟計劃與管理制度加以遠大的改革，他們誠恐大改革足以威脅共黨在蘇俄社會中一向享有的無比的權力地位與特權。

美國國會聯席經濟委員會的研究報告，已強調現正在蘇俄國內進行的普遍討論，並且指出蘇俄共黨對於那些責難的論調，顯然已予以容忍，但卻預言年輕的經濟學者們，對于迎合傳統的供求力之更大的需要之爭論，遲遲未有結果，將要感到失望。

卜格斯指出：蘇俄人的生活與工作條件，在最近的過去，已漸告改善，但是，勞工要求予以更多的自由，這使蘇俄的中央計劃人員，感到頭痛。

儘管莫斯科當局遭受到壓力，促其較多注意于日用品的生產，畢竟，史達林時代優先着重發展的重工業，並未見有多大的削減，即使其首要地位或有喪失。

新的經濟生產力——勞工，資金或天然資源——既不復輕易取得以刺激蘇俄經濟的增長，勞工的加強生產力乃屬必要。蘇俄領袖們已關心這一方面的失敗。

迎合一般人對日用品的需求，殊屬重要的急務。赫魯曉夫下台後，接手執政的蘇俄領導者已面對政治的壓力，促他們迎合最低限度更多發言權的人們的經濟要求。太空方面的可觀之發展，顯然不足以代替實際生活上不足夠的房屋建設和日用品生產。

透視立監委涉嫌商行賄案（十）
從監察院第十四次臨時院會決議案說起
——本報記者張儀生

人民團體，黨務人員，本非刑法上之公務員，司法院早於民國三十年院字第二一九五號解釋在案。假如立監委之公職可解釋為刑法上之公務員的話，則憲法禁止「立委不得兼任官吏」與「監委不得兼任其他公職或執行業務」之規定，又作何自圓其說之解釋呢？

維護憲法 維護法統

有人很幽默地譏諷若干立法委員缺乏現代立法思想。例如，因涉嫌而被法院拘押之劉景健委員，在今年六月間，當立法院討論刑事訴訟法修正案第二十七條條文時，竟反對審查會之「被告得隨時選任辯護人」的意見，而主張維持現行條文——被告於起訴後得隨時選任辯護人。殊料，在三個月後之今天，他自己成為階下囚。此一事例，可說明若干立法委員是如何漠視自由權利之保證。立法院在審議戡亂時期懲治貪污條例時，由於多數立委缺乏基本人權觀念，所以才有黨務人員為刑法上之公務員的立法。今之民意代表利用憲法賦予之特權，而不守法者比比皆是，固須整肅；但整肅政風懲治貪污不肖之徒是一回事，而維護憲法維護法統則又是一回事，絕對不得因整肅少數不法民意代表而制訂違憲之法律，或者制訂不合民主政治邏輯的法律。

會內言論 對外無責

老實說，一個不遵守憲法的人或者藐視基本權利的人，還會感到安全，或受到它的保障。

依憲法第三十二條第七十三條第一〇一條之規定，國民大會代表在會議時所為之言論及表決，對會外不負責任；立監委員在院內所為之言論及表決，當然對院外不負責任。所謂對外不負責任，即民意代表在會議時或在院內所作職務範圍內之言論及表決，對外不負責任何民事上之賠償責任，以及刑事上之追訴責任。舉例說，國大代表行使其罷免總統或副總統之職權，罷免聲請書或在會議時為檢討總統副總統之罪狀，雖有妨害名譽情事，亦不負民事上侵權行為之賠償責任，與刑事上妨害名譽之犯罪責任。因為如此方能「暢所欲言」，「盡情表露」，議案始可獲圓滿之解決與通過，而行使職之職責，庶可收充份發揮之作用。國民大會罷免投匪之李宗仁時，即是顯明之事例。否則，懲前毖後，顧慮多端，既恐人之懷疑，復懼人之嫉忌，如臨深淵，如履薄冰，而望其能自由表示意見，充份行使職權，豈不成為官樣文章？假定說立監委員在院會內之發言對外負責任的話，豈不使維護中華民國法統之憲法上保障民權之規定，完全落空嗎？則過去及今後之立委質詢，行政院可以不答覆？監察院之劾彈案，政府可以置之不理嗎？

司法機關 不得追訴

民主國之國會議員在會議內的言論與表決，對外不負責任，司法機關不得追訴，是天經地義的。民意代表議壇發言依法既不負責任，而表決須取法於多數，當無所謂違背職務可言。至於議壇外之身份，除監察委員外，立法委員有律師身份，有大學教授或校（院）長之身份，有民營企業董事長、總經理之身份，有黨務人員之身份，有平民身份；而國大代表更不用說，有大法官身份，有政府官員身份，有黨務人員之身份，有軍人之身份，有工商企業者之身份，有新聞記者、律師、會計師、醫師等身份，可以說上至政務官，下至販夫走卒，應有盡有，如有不法行為，自有現行民刑法及其他有關法律制裁。

至於立委兼任律師業務，為法所許，因此，有人認為油商行賄涉嫌立法委員之主因，係立委兼任律師之過，於是有人主張修改法律，或由大法官解釋立委不得兼任律師。然此說如深入研究，即不攻自破。因為立法委員來自職業團體者有五十六名之多。所謂職業團體，係指農會團體、商業團體、教育團體、教員團體、工礦團體、中、西醫師公會、技師團體、工礦業團體、漁會、律師公會、會計師公會、新聞記者公會等。試問，憲法規定「職業團體選出者」將作何解釋？同時憲法並未禁止職業團體選出而當選之立委不得兼任原職。現在，為防止弊端而禁止立委不兼律師，那麼，立委可否經商？可否辦教育？可否務農務工？如可以，誰能保證這些人不利用「立委特權」？

因此，這種頭痛醫頭的作法，是否能防患於未然？這種「性本惡」之觀念，這種捨本逐末之作法，殊值得商榷。

法青年單身勇闖死亡流沙
加州內華達沙漠．氣溫高達二百度
——舊金山通訊——

他們說，那是辦不到的事；他們說，那是死路一條。他們說，那是瘋狂。這就是廿八歲的法國退伍傘兵尚皮爾．馬昆特一定要接受死亡谷的挑戰的理由。

在一年最熱的時期裏的乾枯得坐臥不安的六天中，他艱苦疲累的走了九十三哩，越過加里福尼亞的內華達山脈。那裏的溫度，高達華氏表二百度，他單獨一人走過世界上最熱的地方之一。

馬昆特與一片鹽的沙漠中的酷熱、乾渴、恐怖和可怕的「流沙」搏鬥。他在途中有哨站替他留有供應品，但馬昆特知道，如果他走不到一處哨站，便沒有人能及時找得到他了。他在這最惡劣的地方，援救是沒有可能的。他自信他是世界上唯一有忍耐力生活在這火爐中的人。

當尚皮爾滿面鬍鬚、疲憊地走完全程的時候，他獲得代價了。

主管巡邏美國的廣大處女地的部隊的美國守林隊總監從華盛頓打電話給這位法國人。那個把勇敢與忍耐力視為常事的人，僅對馬昆特說了一句話：「做得好，法國朋友。」

馬昆特將他怎樣向死亡谷挑戰的經過，向守林隊提出一項書面報告。以下是馬昆特的自述：

我好像出發作星期日旅行一樣的高興，帶着我那把間條的顏色傘和旅行包，雀躍地出發作橫過內華達山脈之行。

但我的心理感到一種不安的恐懼。所有關於失敗、死亡和苦難的警告，我不能一概置之不理。但現在，我卻沒有時間去想了。每一步都需要付出相當的注意力，熱，好像一根棍棒打在我的身上。

我不久便把水瓶裏的水喝光了。幾小時後，我極想喝水。我心裏念念不忘的是水。它在我眼前跳動，它的幻影嘲弄我。

我知道那裏附近有一條溪流，我下了決心我很快便會找到它。

我口乾舌焦。我終於來到那條溪流應在的地方。那條溪流已乾涸見底。我瞧着溪底很久，不敢相信這是事實。我繼續艱苦地前進。

現在我要抵達我每晚與守林隊會合的地點。他們乘坐吉甫或貨車經公路或小路抵達每一處這些會合地點；但我則從越野路綫吃力地前進。這個哨站位於史基杜牢，它是一處不容易走得到的地方，那裏有一處金礦的遺址。

當我在酷熱中爬山的時候，我設法把口渴的難受忘掉了，我爬過了山脈的第一列，接着又爬過第二列。鹽土使我看不見東西，在我的太陽眼鏡上結了一層硬蓋。

在我停下來把眼鏡揩拭的時候，我看見一條響尾蛇打着捲，惡狠狠攔着我的去路。我當時太疲累了，沒法不踏過它，那條蛇卻不理我。（上）

遠海異聞錄

美國單車與馬鬥快事故

·桑牧·

在一八八八年夏季的一個晚上，在美國新墨西哥州銀城一間最大的酒店內，賓頓醫生坐在餐廳的安樂椅上，拿着一杯最好的威士忌酒，賓頓醫生是在當地最有聲望的人之一。他是一個健談者，他的言論最受大衆的注意。他更像無所不懂，幾乎樣樣東西都可作他的話題。他的最大弱點就是他的主觀太强，同時也很喜歡跟人打賭。

在這個晚上，他喝了幾杯佳釀之後，便站起身來對大衆說話，各人都傾耳聆聽：「各位先生，腳踏車乃乘着的東西，它將代替你們被蚤子咬和壞脾氣的馬匹。請緊記我所講的說話，再過幾年，腳踏車的路徑將開闢遍於全國，馬匹將會逐漸被淘汰。你知道，你不需要餵飼一輛腳踏車。」

賓頓醫生說了這一番話之後，他就呷了一口酒，等候大衆的反應。但沒有人發言，他就像不耐煩地繼續說：「諸君，我確信腳踏車乃乘着的東西，更認定一個善於駕駛腳踏車的人能夠快過一個騎馬的人。」

現在有了反應，一個穿着牧牛童服裝的人，名叫基敦，他是跟他的合夥經營牧塲事業的朋友甄高同到那間酒店買醉的，他們也認識賓頓醫生。對賓頓醫生說：「你敢打賭嗎？」賓頓醫生很爽快說：「那麼，我們就賭二百五十隻墨西哥牛好嗎？」基敦問道：「你不是喝醉了酒吧，醫生？」那個醫生回答說：「我並不是喝醉。你去找最佳的馬匹與騎師，我就拿出一個能夠贏他們的腳踏車駕駛人。終點是狄明鎮，離開這處約五十哩。」基敦和甄高都同意這個打賭。這就是在美國西部最離奇的賽快的主因。

那兩個牧塲主人購買一隻劣性的馬，名叫響尾蛇，也請到一個粗蠻的騎師比利京來騎那匹半野性的馬。比利京就開始訓練那一匹馬，不久後，他們就好像互相了解。賓頓醫生的英雄是一個青年運動家，名叫艾飛達，他是美國最聞名的腳踏車健將之一。他受聘到銀城作比賽，初時他以爲是跟別個腳踏車駕駛人鬥快，當他聽到是跟馬與騎師比賽，他認爲有絕大把握將他們擊敗。他在每天黎明時就起床，走出旅館門前作健身體操，特別想誇示他的肌肉，過後他就沿街跑步，他的兩撮鬍子在他的臉兒的兩邊吹拂，神氣十足。他想惹大行對他的注意，特別是婦女們。

比利京也有訓練，但他認爲一切有靠那匹馬。他本人常到酒店去喝酒，更喜歡向人譏諷艾飛達，他叫艾飛達做「在車輪上的芭蕾舞家」。

在銀城的人對腳踏車與馬鬥快這件事也像瘋狂了一般，他們互相打賭，誰是勝利者。這個消息由報紙傳到美國各地，賭徒有遠從紐約到來的。最少的賭注有一二角錢的，也有到幾千元的。

在比賽那天，艾飛達最早到達出發點，有許多婦女向他歡呼，他微笑點頭還禮，他的儀表頗得人的好感。基敦與甄高從酒店扯比利京到塲又出動了四名馬夫才能制服響尾蛇帶到比賽。

艾飛達檢看那輛腳踏車的五十六吋前輪，又向二十二吋的後輪抹上一點滑油。他將那輛車推前推後，試驗可否運用自然。比利京張眼注視響尾蛇，那匹大馬不斷蹴腳，又頻頻搖頭，好像被圍困而要衝出結集在街上的羣衆。那個畧帶醉意的比利京企在牠的身邊。

到了上午六時三十分鐘，發令人開槍一響，大衆同聲歡呼。艾飛達跳上他的高腳踏車，向着狄明鎮疾駛。比利京試了幾次才成功的騎在響尾蛇的背上，急速追趕上去，但艾飛達已在烟塵中失蹤跡。艾飛達雖是一個腳踏車好手，但在崎嶇的路上行走是很困難的，他出盡氣力，在頭二十六哩他一路領前。到相當接近時，響尾蛇看見那輛疾馳的腳踏車竟害怕起來而顯畏縮，比利京就趕快繞路。那有多石子的路，不容易奔走，但在走過之後，比利京很歡喜看見自己已趕過了艾飛達。但是那輛腳踏車跟他相離不遠，更有非趕過不休之勢，多計的比利京就想到一種制勝的方法，他利用那像鏟子的馬蹄來作武器，撥起在路上的小石和沙。在後隨的艾飛達受到突然的打擊，沙與石像槍彈向他射來，他就要退避，這使到他筋疲力盡，速率就變得很慢。

當在狄明鎮的建築物在望時，比利京更不惜一切用鞭子猛撻響尾蛇，又用腳去刺他的腹部，牠就像飛箭一樣，疾掠過鐵路酒店。到了終點，那些捧比利京與響尾蛇的人就抬比利京野牛頭酒店，用威士忌酒來餵他和淋他。比利京不久就醒了，響尾蛇會繼續奔跑很遠，然後爲人所制服。比利京與響尾蛇跑完這一段長路需時三小時四十分鐘。

在比利京到達差不多一個鐘頭後，艾飛達才來到狄明鎮，他大聲叫說：「犯規」，他責罵比利京用卑鄙的手段來取勝。賓頓醫生和看好腳踏車的賭博者響應，提議取消比利京得勝的資格，當塲就發生打架，幸而沒有人受重傷。

關於賓頓醫生跟基敦與甄高兩人的輸賭怎樣解決，始終沒有下文，外間全不知曉，但是有一宗更有趣味的事發生，這塲比賽的一個公證人，名叫柏卡的墨西哥人，騎一匹弱小的瘦馬到塲監看出發的情形，竟能夠在狄明鎮等候勝利的比賽者到達。

國際走私大王

班越

他們走私毒品，盜竊得來的銀器，古董和藝術珍品，工業秘密，金塊，貨幣——以及人民。那些當作私貨偷運的人民多數是逃亡或被通緝的罪犯，願意付出厚酬，俾得遠走高飛。偷運這一個人起碼的代價是一千鎊，而且須分佔一份該逃亡者所挾帶的財物，答應之後，這個以蘇格蘭作基地的走私組織將樂意把他由英國運往歐洲，或由歐洲運英。以倫敦作基地的一個走私組織更駭人聽聞，據說英國郵車刼案三要犯的漏網，另一要犯的逃獄，就是由該組織負責的，它把他們偷運出口，由一國至另一國，只要他們有金錢付出他們的安全費，該組織將負責照料他們的。

據調查，這個所謂「大六」的走私集團是由一個「董事會」主持的，該董事會是由那些「商人變歹徒」的人物組成，六巨頭當然在其內。他們除走私之外還舉辦類似於工業機構的「福利計劃」，這些「董事」每週可以由此賺一千鎊。六巨頭中以走私烟著稱的一巨頭，在過去半年內，估計約有價值七百萬鎊的美國烟偷運入歐洲。他們是注視國際局勢和經濟動態的，譬如當英國最初申請加入共同市場時——此舉如實現，將要修改關稅，嚴重打擊走私的——該集團「出重價購閱英國會的議事錄，這樣他們便可以研究下院議員的講詞，以估評英國加入共同市場的機會。（中）

英美主婦歡喜裸體做家事

·晉陵譯·

每天，當她們的丈夫去上班以後，英國成千的家庭主婦便立刻脫去她們的衣服，赤裸裸的做着家庭工作。因爲，她們覺得穿着衣服去做的話，不但不舒服，同時更感到可笑。一位名叫戴亞那的主婦，會很坦白的對她的朋友說：「我愛赤裸着工作，也愛赤裸着睡覺，不論是冬天或夏天。並且，我更愛赤裸着游泳。我以爲，只要不因裸體而被控告的話，我總是盡量赤裸着的。」

英國家庭主婦們這一裸體的秘密，多是在門戶深鎖，窗簾低垂的家庭裏進行的。這一發現，也是突如其來的。

原來，一位美國的主婦，一次寫信詢問婦女雜誌，她愛赤裸着做家庭的工作，是否是一種病態心理？結果，從婦女秘書俱樂部得到的答覆是：別担心，在美國起碼有二千位家庭主婦都是和你一樣的。結果，在英國進行了一次調查，甚至連英國的家庭主婦，也和美國一般是喜歡赤裸着工作。

大部份的家庭主婦，於談到這一事實時，就怕羞起來，甚或永遠不想讓她的丈夫知道的。所以，她們多是在丈夫放工以前，就穿好了衣服。但是有的却害怕陌生人的前來敲門，所以，她們都是預備好所穿的衣服在身邊，免得臨時手忙腳亂。

究竟這些家庭主婦，何以非裸體不成呢？他們每個人的意見也是不同的。有人以爲這樣，她會感到自由的可愛；有人以爲：穿衣服做家庭工作很容易弄污衣服，同時有碍手碍腳的活動；有人因爲易於出汗，不若赤裸着工作後，跳到浴池更舒服。不過，根據倫敦的心理分析學家稱：這可能與性自由的要求有很大關係。因爲，結婚生活中的婦女，多是被丈夫在性方面縛繫住的。但是，這種丈夫不在家時的赤裸，頗有性解放的味道。

然而，美國出名的心理學家殉施德却有另外的意見，他以爲：任何女性都有暴露狂的傾向。尤其是願在大庭廣衆之下暴露。但是，英國前任天體會會長吉甫孫却對這暴露狂的解釋，加以反對稱：「七萬名天體會會員的事實是不會錯的。如果說是暴露狂的話，怎麼能夠大家在一齊都赤裸呢？她們一定是日光浴的愛好者。」

因爲在家庭中，也有一部份是有陽光的。同時，她們也是很懂得血液循環；更況，赤裸着工作的效率，遠較穿衣服爲高，這點可以證諸德國煤礦工人的赤裸與不赤裸的工作效率的不同。」

一位醫生却從醫學的觀點，來對赤裸着睡覺，較穿睡衣更容易恢復疲勞。蘇亞羅就是習慣赤裸着睡覺的。

一位宗教家也說：主婦們赤裸着在家庭中工作，根本是一件無傷大雅的事，因爲，人的身體也是上帝的創造啊！

有人詢問母親協會：如果主婦們在家庭工作之時是赤裸着，你們的觀點是什麼？母親協會的答覆很巧妙：在這協會中，根本沒有關於主婦赤裸適當與否的規條，當然無從答覆。

無論如何，目前在英美各國的家庭主婦，正走向私下赤裸工作的傾向。這可能與感到方便和舒適有關。

益州牧劉璋字季玉，是劉焉的兒子，劉焉是江夏竟陵人，漢魯恭王之後。建安十六年，曹操破了馬超之後，聲稱要打漢中的張魯；（張魯見前）張魯恐懼已極，但張魯南邊的劉璋更害怕，因爲有人告訴他，說曹操的目的不是打漢中，而是想拿益州，如果張魯被曹操打敗，或者張魯不加抵抗，向曹操投降，以曹操的力量，益州絕不可保。這消息傳到成都，劉璋也異常恐懼。他的別駕從事蜀郡張松向劉璋獻議說：「漢中乃巴蜀之門戶，倘使曹操佔據了漢中，巴蜀危殆。曹操的兵强，無敵於天下，若因張魯之資以取蜀川，誰能抵抗得住？現今只有劉豫州，他又是使君的宗室，而且又是曹操的深仇，善於用兵。若使他討張魯，必能成功。佔了漢中，則益州强固，曹操雖來，無能爲力了」。

張松在三國志中無傳，附劉璋傳，有目無名。此人短小精敏，善於記憶，大有辯才。以前劉璋派他去見曹操，楊修非常器重他，以曹操所著的兵書給張松一覽，張松在飲宴之間，過目一遍便能背誦。

劉璋聽了張松的話，深以爲然，於是便派了法正爲使，帶了四千人馬，和巨億饋贈禮物，前往公安請劉備入益州，以拒曹操窺川。

法正字孝直，是右扶風郿人，有清節高名。建安初年入蜀，劉璋署爲軍議校尉。與張松知己，劉備駐在公安，正想實行他的創業計劃，而劉璋却派法正來請他入川，這眞是千載難得之機。聽法正的話，正中下懷。謀事在人，成事在天，此一良機，乃是奠定他創業的基礎，實乃天成。

當然劉璋也有他的打算，他想張魯本來不聽命令，就是將漢中送給劉備，自己也是有利而無害的。而且有了劉備把守四川的北門，也不怕曹操來了。但他却未想到劉備進川之後，是否聽他的命令，他不會投降曹操倒是眞的。天下很多事，成功在機會的巧合，失敗也是有機會的巧合。

法正見了劉備，劉備陳說益州可取之策，法正說：「以將軍之英才，乘劉璋的懦弱，張松可爲股肱，以響應於內，然後資源接濟，憑天府之險阻，以此成功立業，眞是易如反掌。」

劉備深謝法正。留孔明、關羽屯據荊州。親領步兵數萬進川，先到江州（今重慶），經合川、梓潼、三台、向綿陽前進。劉璋也親揮三萬軍隊之勢與劉備相會於綿陽。兩軍會師於綿陽，劉璋犒勞了劉備士衆。劉璋推劉備爲大司馬領司隸校尉，劉備推劉璋爲鎭西大將軍領益州牧。又增加了劉備一萬兵。此時張松法正向龐統獻計。龐統字士元，襄陽人。劉備領荊州牧，他被派做了耒陽縣長，因不治事而免官。魯肅的推薦，說士元「非百里之才」，劉備又任他做了別駕、旋遷治中從事，不久就和孔明同任軍師中郎將。龐統以有內應，力勸劉備就會晤中幹掉劉璋。劉備說：「此大事也，不可蒼卒」。劉備沒採納這蒼卒的行動而止。（八十二）

國劇繽紛續錄

娑婆生（一二七）

信社小訪（續）

生行名票佟樹藩，先吊一段三家店慢板，因事先行，將來他與婉君夫人或合唱武家坡。郝景山唱除三害，其夫人在排銀空山身段，由馬元亮指點。坤票魏中，在前二年於雅歌集中相晤，曾請一唱，她說不會，此次情面難却，唱大登殿的二六，春秋配的慢板，是珠圓玉潤，確實可聽。九時嚴兄夫婦蒞至，力請一唱言派文昭關慢板，奇冤報反二黃，已半年未聽，抑揚頓挫，仍如往昔。

鐘鳴十下，正擬歸去，馬夫人（拜慈靄）偕黃音來。拜於婚後芳容豐腴，頗現大方，余即提出請唱，元亮毫不遲疑，接過京胡，開始拉音，唱大段寇公辭壽，亦輕易聽不到的，非常好聽。元亮要求黃音唱紅娘的南梆子，亦初次聽到，竟很動聽。嚴嫂說：黃小姐越長越漂亮，我說：常登台有關心情愉快，焉得不佳。十時半大家散去。

平劇金像獎揭曉談

國軍文藝活動中心，爲祝蔣總統八十大壽，特舉辦各項戲劇比賽，優勝者可得金像獎，平劇比賽，以參列順序而言，海光，大宛，明駝，陸光，干城，龍吟，海光，大鵬七單位。演出劇目，海光的大漢中興，與大鵬的滅莽興漢，皆是斬經堂加頭增尾。在大鵬未演以前，有人在徵信新聞刊出，此滅絕人性的本戲，竟在平劇比賽，有兩劇團演出，眞是不可思議者。可是評判員，不問此事，最佳生角李金棠，竟在此戲得金像獎，哈元章在此戲得銀像獎，實爲異數。

陸光演梁紅玉，由張正芬主演，周正榮配韓世忠，竭力相輔，不負苦心，竟得最佳女主角金像獎，評判員已改變眼光，因去年評分，張得零分，一年之中，進步甚速，得九十餘分，但未超過徐露之九九分。另一看法，是每人的見仁見智，各有不同。丑角吳劍虹，在梁紅玉劇中飾王達，工作並不十分吃重，但亦獲最佳丑角金像獎，也見角兒在劇中並不一定演重要脚色，也可得獎，是新的看法。陸光的文武場，有王克圖侯佑宗劉旭東等，打得嚴絲合縫，得最佳配樂獎，理所當然。至於最佳團體獎，那是錦上添花，共得四個獎，上次所無，以後恐怕也不會再有，除非用托辣斯來包辦，是評判員會心方可。

馬驪珠爲龍吟當家旦角，她自離明駝（爲惡勢力所迫）轉入龍吟，力事整頓，生旦淨丑，無一或缺，每次公演，排出很精采的戲，可是因爲老戲，人多不欣賞。因爲台灣觀衆，特別喜新厭舊，於是戰太平桑園會，多改成整本，遂能賣座。（未完）

海上的月亮

·紫雪·

爲什麼他偏要在臨走的時候這樣告訴我：「我敢說沒有一個地方，能夠比得上在海上看月亮那麼的美了。」那時，我彷彿連開開口說話的氣力也沒有，但聽他提到了月亮那兩個字，我才用矇矓的淚眼望一望天，心裏猛的就是一跳，好一輪皓月，她四面的微雲也像是透明似的。

「——今天是農曆的十五？」我喃喃的說。

「對了。」他說時伸手摸着我的脖頸，我的後脖，他會不惜再三再四的讚美過，說它美得就像石膏像的塑刻；揉合了維納斯女神的原始形態與現代人審美的藝術眼光而成的。

「十五，十五，」我喃喃的說：「月滿了！」

「——所以我告訴你，在海上看月亮是多美。」他五個指頭起了挑逗的作用，輕輕地搔着我的頸背。「海！一望無際，那時的海水是綠到發黑的，但它流着，流着……一片片的波濤，月影，印在波濤上啊！那光景多麼美！」

以前當他這樣搔着我的頸脖的時候，我會木然不動，而心裏感到陣陣非常甜蜜的快意，加上他那頓挫又富於男性的磁聲的音調，使我只想到眼前的幸福。——可是他要走了，走去看海上的月亮。

「我們的結合也是這麼美的月滿之後，你要記着啊，每個月滿之夜，你就在這個老地方……我們倆人的心會藉着月亮聯繫在一起，啊！緊緊的繫在一起，就像拿繩索縛繫起來的一樣。」

我心裏非常的煩亂而不安，假如我有文學上的才華，把這種煩亂不安的心理描寫出來，一定是篇使人哀傷的好文章。但我現在只想到明天，明天他把我的一切帶向海上。

「——雖然我問過不止二十遍，你也說過不止二十遍了！但我還是那樣蠢笨的要問一次，你眞的不會忘記我嗎？當你繞了半個太平洋之後就會回來？」

「我知道你會再問一次的，短到無可再短的兩個字是：「定。」」他猛的一把從背後抱住我。

——我的頸脖給他溫熱的嘴唇印遍了，但我却越覺得煩亂而不安：掙扎着——

「你爲什麼知道我會再問一遍？」

他愕然——雖然我看不出他是否愕然，但他的動作停頓了一會，沒響，把臉靠在我的肩上，輕輕拉扯着我的頭髮。

「——看來你像是很內行嘛？」

「什麼內行？」他喃喃的。

「看來是不止一次有別的女孩子這樣問你了！」

「傻的！傻的！」他輕嚙着我肩上的肉。

「我只是要你記着，由下次開始，三度月滿之後，我回到你的身邊；不止帶給你我倆一個時期的生活費用，而且還帶給你許多稀奇古怪的笑話。」

他沒有帶回來什麼，正如我所最担心的，他實在是帶走了我的一切。我多麼憎恨那個滿滿的月亮！人家說：在月亮下很容易使一個女孩子失掉理智，我拿自己來印證這句話——「是的」！

因爲我已把那些高大英俊，粗魯而又風流的水手們看得太多；雖然他們不是帶走許多女孩子們的感情，僅是滿足了他們如饑如渴的慾念…！

——就是那可憎恨的月亮！不是她，他就不會乘虛而入。

那艘看去非常破舊的輪船，停泊在港口那邊已經有十天左右了；水手們每天太陽高高掛在當空的時候，才帶着隔宿的酒臭和睡得紅腫的眼睛，坐着小木船搖到岸上來。鬼才知道：他們是什麼時候回到那艘輪船上去的……！（上）

也談海瑞其人其事

胡實

事情發生於穆宗的隆慶三年六月，到四年一月；即一五六九夏，到一五七○春。這時海瑞乃四品官，已由五十五歲，晉入五十六歲。（□含（口旁）說他五十四歲做江南巡撫，係按西法計算足齡。）後者是以他做戶部主事，上疏大罵皇帝爲主題。事情發生於世宗的嘉靖四十五年二月；即一五六六春。這時海瑞不過六品官，祇五十二歲。論事情發生時間，「海瑞上疏」在前，「海瑞罷官」在後。以先後稱這兩部史劇，應該是說「一罵一罷」，不能說爲「一罷一罵」。筆者對於這兩部史劇，不願再多評論，附和人家去打落水狗。但是對於兩劇同一主題人物海瑞，却發生由衷的崇敬。我覺得海瑞在今日中共所謂文化大革命中，顯然做了賊殺賊的引火英雄。死鬼竟能領先登陸反共，眞教長期空喊反攻大陸的活人慚愧。同時不管中共走現代修正主義路綫的也好，反修派也好，對海瑞劇本，觀點容有不同，對海瑞本身，無不稱爲好官。海瑞能令整個中共低頭，足徵民族傳統文化，並非輕易可以推翻。筆者就讀史所得，略談海瑞生平軼事，不盡不善，願高明多加海涵。

四百年來，我們一代傳一代歌頌剛峯先生的，是敢於大罵皇帝，敢於打擊豪强。不錯，他以六品小京官，冒死上疏，罵過沉迷修玄，廿年不理朝政的朱厚熜（世宗），也可說是把朱厚熜罵死；因此坐牢，幾乎被殺。以七品小縣令，擋過欽差鄢懋卿（奸相嚴嵩黨羽）的大駕，不讓路過淳安搜刮；因此構怨，受到日後連降三級的報復。以堂堂封疆大吏，不顧得失榮辱，寧願站在人民一邊，打擊退休宰相徐階的兒子，判令退還奪田，發配充軍；因此受參，罷官歸里。這些有胆有識，敢說敢爲的英雄氣概，實在值得後人歌頌。不過，這祇屬他那光輝歷史的一部份。另一部份是他那愈挫愈勇，不貪不私的名臣風格却始終未易爲人了解。

當時的政治情勢，正是朱家天下由全盛走向衰落時代，皇帝的昏瞶，政治的腐敗，官吏的貪污，豪强的橫行，搞到民不聊生，寇賊滋熾。其中尤以豪强的侵奪或兼併農民土地，引起社會糾紛最多，增加人民痛苦最深。原來那時的大官僚，不論在朝或致仕，都習染皇室惡習，兼做擁有無數莊田的大地主。有些大地主的莊田，還是從侵奪或兼併農民所有而來。受害農民失去依靠，自然要向官府鳴冤。於是訟鬥盛行，糾紛四起。（中）

陳著「四書道貫」評介

——兼及許著「論語類輯」及劉著「論語表解」二書

楊力行

至於，其內容將整個「四書」徹底整理就緒，除錢、梁、劉三序和自序，凡例與總論及結論外，計分八篇，採用「大學」的「格物、致知、誠意、正心、修身、齊家、治國、平天下」八目之原定次序。其章節之分，全由陳先生以慧心爲之，然後，將「四書」中固有材料，依其意義分章分節納入八篇之中，使其成爲一有系統之好書，以明「子曰：『吾道一以貫之』」之理；而編排、印刷、裝璜之精美，尤爲目前國內出版界之佼佼者也。

如果，要「吹毛求疵」的話，那就是：一、在總論第七頁第二行「壹是皆以修身爲本」句下的小注：「日本山井頂，七經考文：『古本「壹」作「一」』」。欠妥，蓋「壹」即「一」，我國古書注疏者甚多，如「左傳」文三年：「與文之壹也」，注「壹，無二心，」焦循訓爲「專一」，即「持其志使專一而不貳，是爲志壹；守其氣使專壹而不貳，是爲氣壹。」又「漢書」董仲舒傳：「有所統壹，爲羣儒首。」又「漢書」張敞傳：「願得壹切比三輔尤異。」均訓爲一。可以說自古以來，凡我國人「略識之無」者，均知壹同一，更知壹爲一的大寫，何必引用日人山井頂「七經考文」。所謂「古本壹作一」原是古已有之的土產國粹也。二、在結論第七五九頁第三行：「吾中華民族之所以能集六億人民爲一家」中的「六億」應爲「七億」之誤，陳先生旅居美國甚久，當然知道：聯合國發表和美國「政治手冊」所載：「一九六五年的中國人口總數爲七億二千萬人」，同時蔣總統在今年雙十國慶所發表的文告中，亦明言「七億中國同胞」也。三、錯誤如總論第八頁第二行的「力行近乎仁」的「力行」誤爲「行力」，與錯別字和標點符號不夠明確之處，以及第一頁「一總論」和「二格物篇」至「十結論」的高低有別之參差，蠶標有大引號的「章旨」和「註」最好均能另排一行，以示一律與醒目，希望均能在再版時，分別詳爲改正之。四、附錄既有「大學」和「中庸」，而「論語」與「孟子」亦不可少。五、唐吳道子所繪「先師孔子行教像」與孔子傳記及世系表亦不可缺。如能再加上「孔子——國父——蔣公」之承先啓後，繼往開來的三聖思想系統表更佳。六、全書近八百頁，定價精裝本一百十元，平裝本八十五元，雖然，現時分別以百元和七十五元特價出售，仍嫌太高，殊非普通一般公教人員和大專及高中學生所能購閱。最好降低爲精裝本四十元，平裝本二十元，並各加膠套一個，俾便保存。仍須發行普及本，定價精裝二十元，平裝十元，俾大家都能普遍購讀，此一價廉物美的好書。七、英文譯本之外，尚望能有德、法、俄、西及拉丁文等譯本，不僅可以發行網普及全世界。不僅可以發孔聖潛德之幽光，抑且可以宏揚中國文化於全球。此一偉大貢獻於人類的工作，陳立夫先生可以不朽矣。

在民國四十年以前，陳先生每次奉派出國參加「世界道德重整運動大會」年會時，我均曾分別爲文刊之各大報刊以送其行。今日陳先生挾其去國二十年的偉大成就——「四書道貫」巨著返國，爲我偉大英明的天縱聖哲蔣總統祝壽之最珍貴禮物，舉國朝野上下一致喝彩，力行不才，謹寫此文，藉表敬佩與歡迎之忱云耳。（三、完）

啤酒新世紀

—兵譯—

一間德國啤酒入口商的美國宣傳經理史丹利高漢說：「喝外國啤酒的人，都是擇食揀飲的老饕，他們吃喝都要極好的東西。從前美國的餐廳是不注意外國啤酒的，現在均售出舶來飲料爲號召，同時售外國啤酒，利潤極可觀。」

除了啤酒的本身，自戰後以來，已變爲「啤酒新世紀」，這是大衆們從歐洲歸來，把喝外國啤酒的風氣帶回新大陸。他們較之上一代，更喜歡喝啤酒。舊日啤酒亦享受過一個繁榮的年代，從一九二一年至一九三九年，美國釀酒商發現，人們嗜啤酒如命，平均每人每週喝啤酒七點四杯。同時美國的釀酒廠生產了一種頗淡味的啤酒，一位進口商說：「倘若美國啤酒再淡一些，其味道何異是梳打水呢？」另一個人又說：「美國啤酒頗似含氣的清茶。」這個說法不錯。外國啤酒，尤其是歐洲貨，比較濃的，相形之下，美國啤酒太淡，也是造成美國市場盡是外國產品天下的原因。

啤酒的歷史相當長遠，據紀元前二千年的記載，已提及巴倫比人、埃及人、希臘人與羅馬人釀製啤酒；考古家最近在以色列掘出一個啤酒缸，研究之下，發明它是大衛王時代的製品。雖然今天的啤酒喝下去大同小異，其實成份各有不同，德式啤酒在墨西哥、哥倫比亞、日本、法國阿爾沙遜區釀製，自然另有風味。（二）

內備警台報字第〇三二一號內銷證

自由報

THE FREE NEWS

第七〇七期

中華民國僑務委員會登記證僑台報字第三二三號
中華郵政台字第一二八二號執照登記為第一類新聞紙類
（半週刊每星期三、六出版）
每份港幣壹角
台灣零售價新台幣貳元
社長：雷嘯岑
督印人：黃行賢
社址：香港灣仔高士威道二十二號四樓
20, CAUSEWAY RD 3RD FL. HONG KONG
TEL. 771726　電報掛號：7191
承印者：大同印務公司
地址：香港北角和富道九六號
台灣分社
台北市西寧南路一〇二號二樓
電話：三〇四六二
台郵撥儲金戶二二九九

來自馬尼拉的新曲調

·宋文明·

宇宙在變，國際關係在變，人間一切現象都在變。在這種無所不變的法則之下，昨日所無法想像者，今已是現人們的面前；今日所無法預料者，不久之後，又將成為一種既成事實。這種無情的變化，常使許多人感到手足無措，迷惑不解。但若細一追究，也并不是沒有線索可尋的。

從最近一年來的亞洲國際關係來說，變化最大，而能引起世人普遍注目者，便是菲律賓共和國的對外態度。近在一九六三年，菲律賓政府曾拒絕了一個南斯拉夫球隊的入境，使一項既定的國際比賽無法舉行。在一九六六年開始以前，要說菲律賓政府會公開允許一個菲人團體前往共黨國家，那是完全不可能。尤其對於中共，這更屬不可想像。因在當時，菲律賓是一個舉世聞名的反共國家，它不願與任何共黨國家發生任何關係，簡直已作到了百分之百的徹底。

可是沒有想到，就在短短的幾個月之內，菲律賓的這種態度，便發生了非常重大的變化。現在就先舉出幾個重要的事例：

（一）一九六六年三月十四日，由菲律賓參議員卡特巴克所率領的一個十餘人訪問團，首次抵達北平，作為期十日的訪問。

（二）一九六六年五月二日，菲律賓記者團一行抵達中共區訪問。其中一人，并受有馬可仕總統的秘密委託，負有與中共首要洽商越戰和談的任務。

（三）一九六六年七月卅一日，菲國政府官員發表談話，正式證實上項秘密談判確有其事。

（四）一九六六年八月下旬，蘇俄消息報中東特派員維西尼夫斯基抵達菲島，代表蘇俄作首次訪問，受到菲國朝野的熱烈招待。

（五）也就在這同一時間，菲國眾院國防委員會主席卡比羅剛訪問蘇俄及東歐國家返國，而參院領袖托林特諾又宣佈訪問蘇俄計劃。

（六）一九六六年九月卅日，菲女議員梅達由兩位記者陪同，又前往中國大陸訪問。

僅就這些例證看來，菲律賓不僅已經完全開放了對共黨國家的旅行限制，而且也對共黨國家的代表及人民打開了門戶。這種人員互訪的實施，勢必要導致貨物的交換，及文化合作的往還，最後又必然會發生正式的外交關係。尤其過去事實證明，蘇俄消息報記者維西尼夫斯基的訪問一個國家，往往便是這個國家與蘇俄建交的開端。因此繼這位記者訪問菲島之後，馬尼拉時報於十一月六日發表新聞，宣稱菲律賓將於一年內與蘇俄建交一事，也便不覺得有何驚奇了。

事實上，菲律賓對共黨態度的這種改變，尚不以與共黨實行接觸及逐步建立關係為已足，而是還有一種更遠大更深一層的想法。這種想法，我們可於下列諸事中略窺其梗概。

（一）一九六六年八月五日，菲律賓總統馬可仕電正在曼谷[illegible]解越戰。

（二）一九六六年九月廿一日，馬可仕總統在聯大發表演講，建議在聯合國主持下，設立一個全亞政治委員會。這一全亞政委會，正如聯合國所屬的亞遠經委會一樣，亦必須包括共黨國家。

（三）一九六六年九月卅日，馬可仕在東京演講，公開表示菲律賓願與中共和平共存，并不願參加反對中共的侵略戰爭。

（四）一九六六年十月十七日，馬可仕在馬尼拉發表演講，表示菲律賓不贊同亞洲地區的新的聯盟，及越戰升級的措施。

（五）一九六六年十月下旬，馬尼拉七國會議結束後，菲國方面有意透露，此項會議中的若干和平意向，乃是完全由於菲律賓堅持的結果。

以上這些表示，更進一步證明，菲律賓的這種新外交態度，[illegible]進動。換言之，菲律賓這種態度，主要就在嘗試一項應付中共的新途徑、新辦法，看看能否於美國的圍堵政策之外，找到一條更能使中共軟化的道路。因此在我看來，菲律賓這種作法，現在尚僅在開始，在未來數年，說不定還會有其他更激烈的行動要出現。

那麼，現在要問的是，一個堅決反共，而毫不妥協的國家，何以突然要發生這樣大的變化？

有些人基於菲律賓與美國的傳統親密關係，便認為菲律賓這種作法，係完全出於美國的授意，旨在製造和平氣氛，幫助美國脫離越戰困局。這種說法，在表面上似亦不無若干道理，但若認眞加以考慮，便發現事實并不完全如此。因菲律賓這種新外交態度所表現的各種作法與說法，如與中共進行秘密洽商，及建立包括共黨在內的亞洲政委會等，實際已經超過了美國現行的亞洲政策，假若菲律賓不是在替美國說話，我不相信美國會允許如此做。七國菲京會議之後，而且當菲律賓表示即將函達聯合國，在仰光召開全亞會議時，美國表示頗不以為然，這亦可證明美菲兩國的基本態度，也并不是完全一致的。

既然菲律賓的態度，并非受美國的影響，那只有從菲律賓本身，才能得到這一問題的答案。[illegible]

火種

幻想

今日與明日

世界共黨會議必宣佈毛共「死刑」

在保加利亞共產黨召開大會期間，由於保共第一書記謝戈夫和俄共第一書記布列茲涅夫，在該保共大會上先後發表的演說中，均強調召開世界共產黨大會之重要性。會議的目的，在表面上是為「加強團結，共同合作進行鬥爭」；但在幕後，完全是為了「整」毛共，這是盡人皆知的一項事實。

於十一月十九日保共代表大會閉幕這一天，蘇俄政府機關報「消息報」綜合各國共產黨代表在保共代表大會上所作的演說，摘要後加以分析稱：「召開新的世界共產黨會議，時機已越來越成熟」。數年來，蘇俄不但積極推動這個會議，到目前，且已由秘密轉變為公開。這說明，它已成竹在胸，絕對可以促成大會之舉行；不然，蘇俄是不會空給毛共製造向它開炮的口實的。

在十九日保共代表大會閉幕時，該保加利亞共產黨第一書記謝戈夫於演說中，再一次強調召開新世界共產黨會議的重要性，并正式向與會的各國共產黨代表提出建議，要求儘速召開世界共產黨大會。本來，在世界共產黨中，有九十多個是站在俄共一邊的。但當謝戈夫提出前述建議時，所得的反應並不如俄共集團所預期的那樣熱烈。紐約時報發自索非亞的電訊說，這種情況顯見是「蘇俄的失敗」。

美國著名大報和美國當局某些要人一樣，對某些問題顯得十分膚淺，簡直是可笑之極。吾人對蘇俄沒有理由「偏愛」，但如果沒有蘇俄，在中國便不會出現「史無前例」的毛共罪惡政權。但對於召開世界共產黨大會的問題，吾人願意其早日實現的；因為，這個大會一旦召開，便必然地會把毛共推上「獨木橋」，必然使毛共由進退失據而跌下萬丈深淵，「永世不得翻身」。

事實上，對召開世界共產黨大會問題，反對者除了毛共和它的難兄難弟阿爾巴尼亞外，無非是小貓三隻四隻，不但為數極少，其組織影響力更是微弱得很。例如「背叛」克宮主子的羅馬尼亞共產黨，為表示其「中立」立場，加上對毛共還抱有不絕如縷的幻想，所以，它在保共大會上，是極力反對召開新世界共黨大會的。

本來，日前阿爾巴尼亞召開共黨大會時，毛共「代表團長」康生和阿爾巴尼亞共黨第一書記翟查，於演說中均大罵「修正主義」和「國家主義」是一邱之貉。所謂「國家主義」的，所駡的不是別人，正是羅共的「中立」路綫。

看情形，羅共在未來必會同意俄共的主張的。新的世界共黨大會一定會召開。若然，則已經孤立得「四顧茫茫」的毛共，必在共產國際間形成「過街老鼠，人人喊打」。再加上毛共內部四分五裂，儘管毛共嘴硬，一直呱呱亂叫，但其未來由「絕對孤立」再被國際共黨判處「死刑」；其走上崩潰之途，是可以肯定的。（何如）

自由談

在吾國大陸上，由毛共擺佈玩弄的所謂「紅衛兵」，揚言「反四舊」，要把中國固有的傳統文化徹底毀滅，而代之以「毛澤東思想」。[illegible]何致延續數千年而巍然存在呢？毛酋自命為馬克斯主義的正統派，而指俄共及其附庸[illegible]要反對世界文化——主張毀棄公元紀年曆，而以馬克斯降生之年為曆數，這種童話，豈不笑煞人也麼哥！所以，我們對於毛共的「文化大革命」惡作劇，祇當它是死亡前夕的瘋狂狀態，無所用其驚慌。中國文化的生命，決非巫術邪法可以革得掉的，大家放一百個心罷。

發揚中國文化

毛共要毀滅中國文化，我們自然就要發揚中國文化，我說「發揚」而不講「復興」，并非立異標新，乃是認為中國文化決不會消滅，也——發揚文化亦不是抱殘守缺，發揚思古之幽情就算數的。必也每個人由自我發[illegible]將四維八德的作用，在日常生活中實踐化，特別是在社會上發生示範效能的一般知識份子，更應該盡其在我，身體而力之，不要口裏講的是一套，實際做的又是一套。不誠則無物，[illegible]移風易俗則不足也。

由於人類進化的關係，中國固有文化有些地方到今日亦未見都是適當的，我們要發揚它，自應依據時代的進化律，擇善固執，持之有恒，是今非古固然不可以，食古不化也要不得。

馮正先生

根絕赤禍、救國救世的利器
文化復興運動如火如荼
陳立夫演講忙到處獲得熱烈歡迎

（本報台北航訊）中國國民黨中央評議委員兼總統府咨政陳立夫（祖燕）先生，自美回國，挾其數十年研究孔孟學說的結晶「四書道貫」一書，而是蔣總統作為恭祝其八秩嵩壽的禮物以來，由於陳先生是在大陸時國民黨中央黨部的組織部長、教育部長、立法院副院長，名震中外，更加以「四書道貫」的適時問世，首先由報紙詳細報導其寫作動機與經過，繼之由台北世界書局經手印刷及總經銷，和主其事者的華仲麐先生的推介文章，於蔣總統華誕之日在中央日報副刊發表，以及將錢穆（賓四）、梁敬錞、劉百閔三氏為「四書道貫」所寫的「序」與陳氏的自序四篇大作，分由中央、中華、新生三家公營及聯合、徵信二家民營五個大報，還有民營的英文中國郵報等的副刊，同時分別以中英文刊出，以陪襯陳氏的返國，其聲勢浩大，可謂空前。益以陳氏於十一月廿五日由美經日本返國，飛抵松山國際機場時，他向前往歡迎的親友們公開說明：願意多看看台灣的各方面進步情形外，並準備多會客，或在台北學苑，或在政府為他早已準備好的天母寓所候教云云。

此一消息傳出後，於是，首先邀請陳氏演講的是全國二十四個學術團體於十一月五日的星期六下午三時至五時，假國立台灣大學體育館作首次公開學術性專題演講，聽衆五千餘人，都是台大師生和社會各界知識份子，講題是「如何認識中國文化」？次日（十一月六日）星期日上午十時至十二時，由中華民國孔孟學會邀請在台北植物園內國立台灣科學館演講「中國文化的中道」，聽衆都是孔孟學會的會員們，也就是台灣各大專及中學國文教師及立監委和國大代表們。同日下午二時在國立政治大學講「中國文化之價值」。十一月七日上午在台灣省立師範大學，對全體師生講「率性與修道」。八日起陳氏輕車簡從赴台灣中南部旅行、參觀，並應各大專及省立高中等學校作專題演講。北返後，又於十一月十九日上午十時至十二時，在台北中山堂中正廳，應國民大會憲政研討委員會講演「從倫理方面認識中國文化」，下午仍在原處應許多學術團體之請，作他返國後一連串講演中的第十七次講演。他在台北市區的各次演講，我都去聽過，無論講題如何不同，而其內容都沒有離開過「四書道貫」，尤其著重於中國文化的精華：「誠」「仁」「中」三字的精解。值此毛記秧歌王朝正在瘋狂地大搞所謂「中國文化大革命」和紅衛兵的無法無天的亂鬧運動；而中華民國朝野人士又在蔣總統開明領導之下，由十一月十二日陽明山國防研究院後山新建完成的中山大樓（由湖南沅陵女工程師修澤蘭所設計監造的，完全是仿照北平故宮的形態，最高一棟是北平式的八角亭——文化堂，蔚為巨構，亦壯觀也。）十一月十二日國父誕辰日揭幕，上午由蔣總統主持揭幕典禮，並招待文武百官及社會賢達，同時蔣公並即席發表「中山樓中華文化堂落成紀念文」，大字精印。下午三時起又招待駐華外賓以酒會及參觀。蔣總統又明令定是日為中國文化復興節。於是，頓時掀起如火如荼的文化復興運動，所有電台、電視及各報刊均展開大規模宣傳。每日都有專題、專欄、增刊，以加強報導之際，無疑的，陳立夫先生的公開性學術講演是值得重視的。尤其今天在中山堂講演時，特別指出誠則形，形則著，著則明，明則動，動則變，變則化，化則誠。智以知仁，勇以行仁。自誠明謂之性，自明誠謂之教。天命之謂性，率性之謂道，修道之謂教。特別強調謂：人之所以為人，在能善為率引其天賦——天賦之本能——性（天命之謂性），以適應人類共生共存之原理——道（率性之謂道），並善修此道使之通達無阻，是之謂教（修道之謂教）。惟人能弘道，能修道，能法天，能配天。絕非有所為而為，乃為其所當為而為耳。孔子復以「誠」為道德之原動力，遂將「中庸」一書於「誠」之闡釋至詳，幾無一不與西方所認識之上帝相吻合。雖然，陳氏演講內容，都是他的「四書道貫」裏面的資料，但由他的白髮童顏和絕佳演講口才說來，益以深入淺出的言詞，幽默的口吻，的確甚為動人，宜乎為大家所熱烈歡迎也。（劉湘華於十一月十九日深夜）

透視立監委涉嫌商行賄案（十）
從監察院第十四次臨時院會決議案說起

——本報記者張健生

——至於所謂「護航」，而這種「護航」如係基於接受油酬，則「賄賂」的罪嫌即成立，假如立委利用職權而護航而接受賄賂，請問，在政黨政治下，有關方面為協調一政策或某法案，而要求立委支持政府的某一政策而舉行之宴會，或因支持政府政策而獲受政府相對之賄賂，如都是職務上之行為，是否違背職務？」是否適合貪污條例？」又如立法委員審議某種行政規費法案時，司法行政部逐予之提，假如有立委接受司法部長之邀宴，或因此而獲得變相不法之利益，是否「賄賂」，這又是否「違法」呢？」

外國議員職權舉例

民主國如美國國會議員為選民護航，或為自己的故鄉爭取款項，是天經地義的事，而人民團體推出代表為某一法案而公開反對立法而向國會議員活動，也是很平常的事。國會議員除犯叛國罪外，法院不得因普通案件要求國會同意逮捕或拘禁！國會議員如參加宴會或舞會之招待，賄賂如都不犯法。但違反國會議事規則者，經三分之二同意後，可開除議員資格。

例如，歐洲之比利時王國憲法允許國會議員得出任政府有俸給之官職，在任官後即終止出席議院，須重選並當選後，始得復任議員（三六條）。國會議員不得因其執行職務時之發言與投票，而被逮捕或訴追（四四條）。國會議員除現行犯外，非經國會之許可，不得在會期內，因刑事或民事事項而被控訴或拘禁（四五條）。

巴西憲法規定種種

如南美洲之巴西聯邦共和國憲法更具體的規定：國會議員自當選證書發給之時起，至下屆國會開幕時止，除為現行犯不得交保者外，未經其所屬議院之事前許可，不得予以逮捕，亦不得作刑事上之訴究。逮捕國會議員，須為犯不能保釋之罪而為現行犯時，應將逮捕狀於四十八小時內，送交有關議院，以便其裁定羈押並授權審訊。有關議院對上述情事，應以過半數議員之投票，審議之（四五條）。

依該國憲法之定義，如國會議員為現行犯經法院逮捕後，倘有關議院接到逮捕狀經審議後，結果不同意羈押，更不同意授權審訊，則法院即應將逮捕之國會議員釋放。

巴西憲法並禁止國會議員（自當選後）不得與公法人、自治團體、或公私合營之組織訂立契約；而依統一標準訂立之契約，則屬例外。不得自公法人、自治團體、或公私合營之經濟組織、或取得特許之私營企業方面，接受有給職，或執行該項職務。不得擔任與公法人訂立契約而獲利之企業之所有人（即股東），或在該企業擔任有給職之職員。不得擔任隨時免職之公職。不得在聯邦、各邦、或各市，執行其他立法職務。不得擔任控訴公法人。

如國會議員違反前述規定，以及未經許可而在一會期內連續缺席六個月者，喪失其議員資格。此項資格之喪失，依其所屬議院任何議員之提議，或依任何政黨或檢察長之書面檢舉，而由其所屬議院宣告之。此所屬議院，應以其全體議員三分之二之多數決議，認為有辱議會職權者，亦應喪失其議員資格（四十八條）。國會議員經所屬議院之同意，得擔任戰時特任務（四十九條）。公務員（當選後）就任國會議員期間，應離開原有之職務（五十條）。是故巴西之國會議員，不得謂之「依法令從事於公務之人」。國會議員擔任部長、聯邦下涉官或邦長時，並不喪失其議員資格（五十一條）。但同一選區之候補議員，有請候補之權利；若無候補議員，國會議長應通知最高選舉法院，以補足原議員之殘餘任期（五十一條）。

加州內華達沙漠、氣溫高達二百度
法青年單身勇闖死亡流沙
—舊金山通訊—

當我看見礦場和等着我的那些守林隊員時，我差不多疲莫能興了。

第二天早晨，守林隊員又告訴我：「人們都笑你不會到達目的地，你硬得太要命了」所以，我，除了說句：「今晚再見」而繼續行程之外，還有什麼辦法呢？

一分鐘、一點鐘的過去，我的七十五磅重的背囊好像裝滿了鉛一樣。我感覺不舒服，通身痛苦。

又一次黎明，又一天過去。時間過得很快，我累得要死，昏昏欲睡。下山比上山要辛苦得多。

我的脚踏進了粉狀的地面，做成了小土崩。我傾跌，眼花眩暈，滑下山去。石塊把我手上的皮割裂了。

我再站起來。有一次，我跳起用手指抓着山巖的頂，驚恐使我發生力量，把自己帶到安全。

突然，我走進一間破屋。在失望中，在那裏遇到兩名守林隊的隊員。他們是繞道乘吉甫到來的。他們中一位說：「你是在夏季攀登望遠鏡山北面的第一人。」

我艱辛地繼續前行。當我開始滑行走下望遠鏡山的另一邊的時候，我可以看到在我下面的是我的最大考驗——死亡谷的一片白色的廣大鹽土。在對面，我看見出殯峯的影子。

我下山一呎，溫度便高昇一些，好像開了一個熱水爐的製一樣。每隔十分鐘我把珍貴的水傾在我的靴上。我雖然穿了四雙原子襪來隔熱，但我的脚好像焚燒着一般。

溫度昇至一百一十度，整個時間都在太陽，與夜去朝來中度過。

我走到那可怕的死亡谷邊緣的塔一兩泉時，我已非常的疲累了。一名守林隊員到來向我警告：「別打算作直線越過鹽土的『流沙』，而横越過這河谷。如果你倒下了，世界上沒有人能夠救援你力。」，因為別的人都沒有你的忍耐力。」

我拿起我的行囊，準備繼續行程。那時，更多的守林隊員來了。他們給我帶來了一頓肉片碎餐。我吃了，像一個死刑的人吃他最後的一餐那樣。

我在日落之前，要走十八哩路。我開始再走路。

我走到流沙了。我的脚開始陷入那些好像開水一樣的東西。鹽水濕透了我的襪子，刺痛了我的水泡，我在痛苦中涉水而過。

我的面前沒有別的東西，僅一望無垠的鹽土。我越陷越深。我知道繼續前進是瘋狂。我記得有一架吉普曾陷沒於流沙之中，無蹤無影。我把牙緊咬着那個我用來止喝的一塊濕紗布。

突然，我想拼命前走，我開始踐着流沙，越過那「死海」。我陷在流沙，深至膝部。我掙扎前進。我又想起了守林隊的說話：「沒有人能夠去援救你……」

可是，鹽土漸漸較硬了、前進也較容易了，流沙已在我的後面了。」

我現在全身疲乏，當我看到電信桿的時候，我還以為是幻影；但我終於看清楚了，這電信桿表示我已安全了。

我一發覺我已脚踏在硬土之上，我便把我的被囊打開，張開間條傘，在一百二十七度酷熱下睡了。

我給守林隊的貨車聲吵醒了。我不久又出發了，我有十六哩路要走，我要快步的走完它。

守林隊員後來告訴我，說我大踏步平均每小時四哩。我入黑的時候才停下來。我睡到次日上午四點三十分，然後出發走最後一段路，經過兩小時的輕快的步行，全程快走完了。不久，一條小路。便穿過那「魔鬼的稻田」——那裏的沙上滿佈荊棘。

跟着我看到了公路。這是每個人都說不可能的旅程的盡頭。我一停止步行便睡着。他們就是這樣找到我這個瘋狂的法國人的。（下）

瀛海異聞談

歐美婦女喜戴假髮成風

·泰禮·

英倫的司法大臣，有三個假髮：一個是辦公時用的，一個是後備，另一個是星期日外出時戴上的。著名女影伊利沙伯泰萊，卻擁有三十個各種不同款式的假髮。菲臘皇子也可能要戴上一個假髮。男明星冰哥羅士比，在十二年前，自從拍白色聖誕之後，如果沒有假髮，他便不拍片的。儘管假髮不是原裝頭髮，但是現在的人們，戴假髮的，愈來愈多了。

在去年裏，單在法國售出的假髮有三萬二千三百具。同年法國亦購入排髮和髮品二十萬種，及七萬具半假髮。在英國內，假髮的業務，並不大蓬勃，可是卻漸漸增加中。一具上乘質地的假髮，起碼值七十鎊以上。

目前人們戴上假髮，不外是為了掩飾牛山濯濯的禿頭，或以之為裝飾，而成為辦公室裏最迷人的工具。然而戴假髮不是最近才開始的，遠在古希臘時，就已經有人戴假髮了。

有些羅馬的婦女，像今日的一樣，擁有數以打計的各種色澤的假髮，以作為裝飾。

一位羅馬皇帝的皇后，擁有假髮達四百五十具之多。

戴假髮的習慣在歐洲方面是依據階段與職業上的需要而戴假髮的，但此種情形，已漸漸消逝，成為普遍流行的風氣了。但英國卻是最近才步他人的後塵，戴起假髮來。直到現在，律師法官，司法大臣及下議院的發言人，才戴假髮的，可是那些假髮，乃職業與階段方面的需要，而非裝飾。

一九五二年，巴黎一位理髮師，將他的假髮，以讓模特兒戴上，公開與人髮比較。他把這些假髮，製成玫瑰、綠色、黑色、紅色和白色。

直至一九六二年，差不多所有的假髮，都是由中國人的頭髮所做和人工造的髮品，雖然中國人的頭髮比歐洲人的為硬及粗的；但是其價錢卻便宜得多。

現在歐洲的婦女，不大喜歡中國人的頭髮，而希望能找到和她們自己的較相類質地的色澤的頭髮。因為那兒的國家，鼓勵少女們把頭髮出賣。假髮製造商都往拉丁美洲各國搜購。因此髮品商人同時又往意大利、西西里島、希臘和西班牙，甚至從女監獄下手收購。

每年售給馬賽的市場的頭髮，逾七十噸。

每具假髮，約需頭髮七安士。根據統計，大部份都是黑色頭髮或是棕色的。但是許多英國及美國的婦女，卻要金色的，因此，髮品商人得前往斯干的納維維半島及土耳其部份城市，搜羅金色頭髮。因為這些地區的婦女，是以長着閃閃生光的金色頭髮最出名的。

一位年紀較大，而開始長出稀薄白髮的婦女，如果戴上一具人工設計製成的時髦假髮，那末，她會看來年輕了十年。

許多忙碌不堪的年輕婦女，如匆匆的趕赴約會，那末，一定來不及上美容院或是自己把頭髮整理一番，但她只需戴上一具梳好髮型的假髮，便可以出門了，這樣既省時又便捷。

在一九五二年，法國理髮師阿力山大，開始提倡婦女戴假髮，他堅持的說那些假髮應該用手工製造。他曾替伊利沙伯泰萊製造了三十具假髮，同時他又替柯德莉夏萍製了假髮供她在拍片時戴用。

在一九六二年，阿力山大製造了一具最昂值的假髮，那是他替舞台劇歌星丹尼斯都維爾所製的，價值四百鎊。

假髮在光頭及白髮蒼蒼的男女來說，可以遮蓋他們的光頭，使他們的白髮為黑髮，於外表上，假髮把他們返老還童。年輕的婦女，隨時換上各種色澤和髮型的假髮，可增加魅力和美麗。這就是為什麼人們愈來愈喜歡戴假髮的原因了。

國際走私大王

班越

據說有一個傳奇性的走私人物綽號「肥佬」，在國際走私中是一個最有錢和最成功的人物，也是最初組織「大六」集團時的中堅份子，其後才一位新領袖取而代之。「肥佬」的初次嘗試走私是在一九三○年代，其時他在一艘「野鷄」輪船上當小厮，該輪經常往來南非洲與德國之間，不久南非有人將他收購，唆使他將鑽石偷運入德國。他想出一個主意，把鑽石縫在兩對特大乳罩之間。但當他在布來梅港（德國北部）離船上岸時，他把乳罩束得太緊，以致他不能作正當的呼吸，暈厥了，由跳板跌下海中。一海關官員潛水將他拯救出險，可是在碼頭上將他衣服解鬆施行人工呼吸時，就發覺有乳罩及藏有鑽石。他也就祇有一次失手被捕。

在二次大戰期間，「肥佬」曾替盟國和納粹兩方偷運特務人員，後來卜居比京布魯塞爾。他由那裏曾策劃若干宗最大的運毒勾當，直至一九六○年當局發現他的組織為止，但他已大有所獲了，因為數年前他曾在意大利的喀普里島，倫敦西區和布魯塞爾等地購置巨宅和豪華別墅。

「肥佬」是一個熱心和擅長的遊艇家，而且有必需的金錢。但他卻暗中利用遊艇走私。有一種策略至今仍為人廣泛採用的。在一艘訪問歐陸的遊艇上，他把一包裹的麻醉毒品隱藏在遊艇上，並通知他在英國的朋友，安排於該遊艇返抵英時設法往取，那遊艇東主自始至終是毫不知情的。「肥佬」本人的遊艇的一位船主，不滿他的缺德行為，乃脫離他而替另一個走私組織工作；可是當他押運一批私貨抵英國多佛港時，那裏的海關人員早已接獲一個無名氏的告密，不用說，這是「肥佬」幹的傑作。許多人皆痛恨他的不道德行為。安排羅網將他捕捉，但「肥佬」卻不知去向，數週後才就在兩年前，「肥佬」的遊艇在葡萄牙海峽被人發現，但「肥佬」卻已失踪，遺體隨海漂流，一把利刃仍插在他的心臟，這是仇家的報復。多行不義必自斃，「肥佬」的慘死，是罪有應得的。（下）

神秘失踪的民族與國家

·紫苑譯·

約七十五年前，法國一自然科學家繆喀德曾到柬埔寨的杳無人跡的森林，研究熱帶生物，披荆斬棘於密林中多日。林中盛產榕樹與巨竹。據所知，他是第一個深入這森林的白人。他不是探險家，更不是尋金者，來此荒凉森林之目的，僅為搜集幾種小甲虫與蝶類；但卻帶回一個舉世震驚，直至現在還不能解答的謎。

一晚，整天勞瘁奔波之後，穿過一薛荔厚纈的頹牆，突現奇景，幾疑置身於天方夜譚中！這裏並非被遺忘的廢墟，而為一個失踪多年從未被人所知文明古都。

前面一神廟巍立，四週濠溝與高牆圍繞。中央一塔，高達五層，雕刻精絕。附近一大湖。湖畔有城，其富麗宏偉，超過羅馬或迦太基，甚至全盛時代之雅典。

繆喀德幾不相信自己的眼睛！而一城一塔，並非幻景，顯然為某強大帝國的首都。繆喀德好奇地四圍察看，希望見到怪異僧人，祭壇香烟，或活動市民。可是這安哥窟與安哥城（後來定名），依然靜悄悄的。而這新鮮的情景，像居民剛離開不久，就快回來。

等了不少時候，還是悄無人跡。繆喀德回到文明地區後，將所見發表，人皆嗤之以鼻，詆為說謊者。更壯麗宏偉於希臘、羅馬的神廟，更廣濶富麗於現代歐洲任一城市，然而卻荒廢於無人跡的森林中，這是可能的？那完全是瘋狂的想像！

後來有許多科學家，冒險抵達繆喀德所說的神秘地區，證實他的報告。

安哥窟與安哥城，成為今世界遺失的文明古國之首都，今日從西貢已築有公路，數小時即可直達。根據牆與柱上碑文，用科學方法研究出壯麗的廟與城，為吉蔑人所建，那原是古代一大帝國。

直至今日，尚無法想像這一強大民族消滅的原因。自從繆喀德驚人發現之後，另有人在湄公河畔陸續發現許多大城遺址；證實有過繁榮的商業與高度文化。科學家相信這神秘的民族，至少有三千年以上，而安哥城曾為亞洲最華麗的城市，其財富，文化，惟巴比倫差堪與比擬。除巴比倫塔外，歷史罕見如安哥窟之壯麗工程。

這神秘之吉蔑文化，顯然與印度並無瓜葛，中國古籍有湄公河文化紀載，亦語焉不詳。據說其他民族，與優秀能與之同時並肩世界，直至十四世紀，始有人加以注意研究。

它不同於其他古城廢墟，須科學家窮研其語言文字，這裏所發現的碑文，與梵文極近，故較易解釋。

從碑文中獲悉，由公元八八九至九〇八年，光榮王在位始建該城，于此十年間還入城，牆每邊長達二哩，南部一哩外，另有一規模略如安哥窟之神廟。

繞安哥窟之濠溝，濶約七百呎，長達三哩，廟佔地約一方哩，四週高牆，走廊計達二百五十呎。那建築師像賣弄一種神奇技巧，令觀者永無法準確判斷其高度，這種透視學的技巧令那高塔看來較實際更高。總之，這座塔的宏偉壯麗，較之埃及金字塔，有過之無不及。甚至著名的回教堂（上）

五十一、取成都龐統陳三策 發陰謀張松遭滅門

劉備不採納龐統、法正、張松等之獻計，確實有他的道理的。當時劉璋到綿陽，帶了三萬大軍，車輛帳幔，光天耀日，大將精兵均在帳下。第二初入益州，情況不明。第三恩澤未佈，人心未服。所以劉備說「此乃大事，不可以蒼卒行動」，是他的穩健作風。

劉備奉命攻張魯，又兼督白水軍事。大本營在今四川昭化縣西北，即當時益州廣漢郡。劉備獲得劉璋軍中物資軍需甚多，進軍萌。此地即今四川昭化縣東南五十里地方，蜀漢後甚改名漢壽縣。劉備屯在此地未再進軍漢中，卻在此廣樹恩德收納士衆。此時龐統向劉備獻上三條妙計，供劉備採擇而行。上策：挑選精兵，不分晝夜，逕襲成都。中策：楊懷、高沛乃蜀中名將，各擁強兵，據守關頭，而且曾數次陳議劉璋，令將軍還荊州；此時乘曹操攻孫權，孫權求救，詐稱還荊州攻孫權，我軍作裝歸發，此二將素服將軍之威名，又喜將軍回荊州，計必帶輕騎來見將軍，就此執而殺之，收編其軍，乃向成都，一鼓可定。下策：退回白帝，連引荊州，徐緩圖之。又說如果猶豫沉吟，將遭困擾，此地決不可久駐。劉備以中計不急不緩，遂採納了中計。

就在此時（建安十八年）正月，正好孫權因受曹操軍攻濡須口，在濡須水入長江之口，（今安徽無為縣東）攻破孫權江西營，即歷陽至濡須口一帶謂之江西。俘擄了孫權都督公孫陽。幸好曹操沒有再進軍，就回兵許昌。孫權當曹兵南下時，派人求救於荊州。劉備借此機會，派人告知劉璋，說孫權危急，孫氏與豫州本為唇齒，同時樂進又陳兵在青泥城，與關羽相拒，今不往救關羽，樂進必然攻破荊州，進而轉移方向，跨過益州。張魯乃是自守之徒，不為慮，荊州之危，威脅荊益二州更大。

於是趁機向劉璋請求援軍一萬。結果劉璋只許給了四千，軍資裝備均給予一半。因此，劉備大怒，藉此向將士激勵說：「吾為益州征剿強敵，衆位將士千辛萬苦拔涉勞瘁，無時安居。今天把公帑積聚不賞兵功，而想士大夫為他出死力，我們決不願忍受的！」劉備此乃借題激勵士氣也。

但在劉璋幕中和劉備暗通聲息的張松，聽說劉備要退軍回荊州，心中著急，即刻給劉備和法正寫了一封書信說：「今日大事成功就在眼前，如何放下不要而去呢？」不料此信被其兄張肅所知，恐禍連自己，於是便向劉璋告密。張肅為劉璋的廣漢太守。劉璋聽了陰謀大怒，把張松收斬了。於是二劉之嫌隙就越構越深了。

劉璋斬了張松之後，馬上下令各守關要隘諸將，一切文書不得通達劉備。劉備大怒，召了劉璋的兩員大將楊懷高沛，責其無禮，命左右武士推出斬了。楊、高二將本未料到劉備來此一着，以為劉備整裝待發，這就是兵家所謂「出其不意」。斬了楊、高二將，兵發成都。派黃忠、卓膺二將勒兵為前部。黃忠字漢升，南陽人，曾為劉表中郎將，和劉表的徒子劉磐守長沙，關羽取長沙，投效劉備。（八十三）

圖劇繽紛續錄

密樂生（一二八）

平劇金像獎揭曉談（續）

她闖蕩劇壇近卅年，當其在青島濟南演唱，胡少安猶是童伶也。去年競賽，龍吟乘檀，這次演出秦良玉，此是尚小雲得意之作，忠孝節義，包括殆盡。他們採用的是改編，不及尚本精采，前面偏重於馬（千乘）秦（良玉）結構，後面忽略於平淡，但究因她是文武花衫，戲路很寬，唱做均好，得了旦角銀像獎，爲其應得，評判員筆下留情！

大宛李桐春以忠義千秋演出，作爲競賽，是演關壯繆事。台灣劇團因爲關公開臉，把他列入紅淨，不是紅生，爲新的改良定名，李氏將來再可分白淨黑淨花臉淨，亦未可知。李氏善演關公戲，此次孤注一擲，以一人獨挑，眾望所歸，事實如此。至於最佳配角大鵬陸光，以人才而得，實在我觀戲時已妄定。大鵬因有鄒鐵珊朱少龍等也不多讓，故也得獎，理所當然。就是團體獎的評定，其他劇團有何不好，而一定給陸光，是否形成一面倒？其中是否有細分析而加核可，還是隨心所欲而爲之？惟在評判員的腹內經綸。

現在就場外的物議一談：（一）在比賽終了以後，偶約同文十人，在漢口街華府飯店喝咖啡，桂長提議，將比賽作投票測驗，結果生角李金棠得七票，哈元章二票，謝景莘一票。旦角張正芬徐蓮芝各四票，嚴蘭靜二票。淨角李桐春七票，高德松二票。丑角于金驊與劉虹各得四票，丁仲一票。事實如此，最佳團體是陸光，送各報均未發表，無從證之。（二）隴西敵人提供大鵬南衛公主（即改名滅莽興漢）尚未演出之前夕，有簡志信在徵信新聞發表評論，其意爲大鵬採用此本，有不得已之苦衷，從前你反對紅梅閣玉簪記，那末現在此戲怎樣？是否大鵬想收羅反派均成寵絡，而實行統領？評判員或因此而祇給大鵬南衛公主，有哈元章而無嚴蘭靜，也是不得已而已！就評判員分析，陳王振福陳紀瑩劉嗣三君，比較超然，其餘均是大鵬的好友，想委屈求全，另有滋味！隴西散人以欲評判而落到這樣的結論？（三）許多人在說：這評判是事先評定，並未在場觀藝而定；是否有此，不敢臆測，但願其無之，否則不成話說。這次評判已較去年略勝一籌。總之委員先生，必須求公正，泯成見，祛人情，以藝技來定，以示胸中淡堅，不受外驚。（未完）

海上的月亮

·紫雪·

水上的月色實在很美。爸爸還沒有回來，碼頭上那一排破木屋裏有一個我們的家；媽媽死了之後，爸爸的性情就變了，「麻將」很像鈎去了他的魂魄，他會賭到半夜才回家來，還要發脾氣！家裏只剩下一個我了。我日間在碼頭賣檳榔、香煙，還帶着汽水。這時就是爲想着爸爸睡不下，又給木屋裏煩燥的空氣搞得心煩意亂，所以坐在碼頭的木杉上，水上的月色實在是很美，輕風從我的胸口鑽進衣裳，使我忘記一切了。回頭瞧着還有對面那艘破輪船，有着燦爛的燈光；然後，心頭一緩，想到那些水手已經回船，這時應該是過了子夜以後了！

背後一陣沉重急速的鞋聲，回過頭來，發現那個高大英俊的人影；只看着他穿的衣服和頭上歪戴着的帽子，便知道他是個什麼人！他走到我的身邊站住，向着海灣：「爲什麼不回海峽去？」他顯然是在咒罵：「第二早醒來，趕到碼頭上，只有空空蕩蕩的海水，拉，或者大馬士革，是尼道是常有的事！」我不答理他，因爲我討厭水手，他們對每一個女孩子都像對酒吧裏的那些姑娘，隨便甚至而當最下賤的那些娼妓。

「嗯！兩點四十分啦！」他吃驚的在說。

我要吃了一大驚：「兩點四十分？」他大大方方的坐到我的身邊來：「可不是，你也應該回去睡覺了，啊！大姑娘，你就是賣香煙，汽水的：「……啊！我認得你。」我認不得這傢伙，他們要認出我容易，我要在他們裏頭認出一個來就難了。落月色灑滿他那秀氣的臉，我看出他有雙整齊的眉，神氣的眼，端正的鼻樑，不大不小的嘴吧，稍爲凹陷下去的臉頰，剛才已看過他的身材了，高而瘦，英俊得很。「……你們都不是好東西！」不知爲什麼，這句話我想也沒有想就從我嘴裏很清楚的吐了出來。

他哈哈的笑了幾聲：「你不當心買進了一籮爛豆，但必定有一顆是好的，只要你肯慢慢的挑撑，萬一挑撑不到也不要埋怨，因爲你根本不懂得水手。」

「不懂？哼！」

「……你不懂得水手，正像不懂得那是好豆那是壞豆一樣；好吧！我來跟你談水手……。」

我站起來便要走開，但他卻一把抓住了我的小腕：

「你知道嗎？水手們常常半個月一個月看不到陸地，兩個月三個月踏不上陸地；當他們一踏上陸地，你們就覺得他們不是個好東西了！」

「當然囉！」

他像吃了一驚，把拉着我的手向懷裏一扯：「這不是當然，而是必然。最重要的原因，因爲他們是水手！」（中）

也談海瑞其人其事

胡實

同時國家賦役，全部攤在農民頭上，地主則可以設法逃避。農民負擔苛重，生活日趨痛苦。於是怨聲載道，鋌而走險。海瑞看到這種情形，認爲是國家的危機，所以主張：「欲天下治安，必行井田；不得已，而限田；又不得已，而均稅」。

他認定解決土地問題，是挽救國家當前危機的根本辦法。上策是打破土地集中，收歸國有；中策是平均地權，節制資本；下策是地主也要繳納田賦，減輕農民獨力負擔。這種主張，顯然與大地主的利益衝突，無法得到朝廷的採納。他受了謗不見用的挫折，並不氣餒，不論做州官、縣令、通判和巡撫，無不施行清丈土地。總是抓住機會去實現他的解決土地問題的主張。他的巡撫，是由給事中戴鳳翔參掉的。戴向皇帝（穆宗）上參本，告他「迂滯不達政體」，沽名亂政，庇奸民魚肉縉紳」。這些罪名，一半是由於要實現他的解決土地問題主張所招來。（另一半，是由於打擊豪強）。他雖然官不能做，主張並未動搖，仍以在野之身隨時向人宣傳。這種愈挫愈勇的名臣風格，實在很值得後人歌頌。

他一向主張建立廉潔公正的政治；反對貪污，反對徇私。建議按明初開國先例，嚴懲貪污（神宗未批）；按國家法定制度，公事公辦。同時他自己本身，也確已做到「祇知爲國爲民，不知爲家爲己」。例如他在淳安任內，爲母祝壽，並未廣派請柬，大刮粗龍，祇買猪肉二斤，添餚承歡。又如他做了半年多的江南巡撫肥缺，罷官歸里，固然無力大置莊田，大做鄉紳，而且居舍蕭然，清風兩袖，連日常兩餐，也祇能「設雞黍相對食」。更如他以二品大官死在南京都察院任內，遺物祇有葛幃和舊竹箱，遺產祇有銀子十來兩，後事要煩士大夫大家醵金，始能成殮。這樣不貪的淸官，南京人民聽到他的噩耗，停市誌哀。他雖無子，「喪出江上，白衣冠送者夾岸，酹而哭者百里不絕」！

他的不私，舊時史家所不諒解的特例，能概其餘：他當年大罵皇帝，曾由死獄特赦，宰相徐階，曾予微力支援。徐階致仕，兒子犯殺人罪及搶劫罪（侵奪民田），落在他的江南巡撫手上，寧負忘恩絕情之名，依然按律懲治，公事公辦，博得「海青天」的雅號。這種不貪不私的名臣風格，更是值得後人歌頌的。（下）

左宗棠受知徐法績

夜闌

清道光十二年壬辰，湘陰左宗植、宗棠兄弟同應湖南鄉試。榜發，宗植領解元，而宗棠卷，同考官已加「欠通順」批條，擯而不薦，循例已無取中希望。正考官徐法績搜遺，得而大賞之，特置第十八名舉人。宗棠對之深有知遇之感。法績字定甫，號熙菴，陝西涇陽人，嘉慶二十二年丁丑進士，由庶常授編修，累官太常寺少卿。迨同治八年己巳，宗棠西征捻回，治軍陝甘，道經涇陽，時法績墓已宿草，特爲修葺，立碑紀念，蓋距其中舉已事越三十七年矣。宗棠爲徐所撰神道碑云：「公以禮科掌印給事中主湖南鄉試，特詔考科搜遺卷。副考官胡以疾卒於試院，公獨校五千餘卷，得士如額。解首爲湘陰左宗植，搜遺所得首卷爲左宗棠，榜吏啟糊名，監臨巡撫使者吳公榮光，避席揖公賀得人，四座驚歎。」追懷師門青睞，特爲述及也。

次年庚午，法績後裔復檢徐熙菴師家書送閱，宗棠復撰「書徐熙菴師家書後」一文，囑一併鐫刻，以傳後世。有云：「故事：鄉試同考官以各省州縣官由科目進者爲之，凡試卷經同考閱薦而後考官取中，同考所斥爲遺卷，考官不復閱也。是科宣宗特命考官搜閱遺卷，胡編修既以疾先卒，公獨披覽五千餘卷，搜遺得六人，余忝居首，書中所稱十八名者也。當取中時，公令同考官補薦，不應，徐以新奉諭旨曉之。旋調次場經文卷，傳視各同考，乃無異議。禮經文尤爲公所欣賞。題爲「選士厲兵簡練俊傑專任有功」，書中所稱經文甚佳者也。後並進覽。當時自內簾監試官以下頗疑是卷爲溫卷也。比啓糊名，監臨巡撫南海吳公榮光賀得人。在事諸公多有知余姓名者，羣疑爲解。計同舉四十五人中，余齒最少，今亦五十有九。白頭弟子，尚得於橫戈躍馬時，得瞻遺翰，不可得謂非幸也。」是徐左遇合，眞有過於尋常座主門生者，宜宗棠之惓惓師門甚至也。

按道光壬辰鄉試未舉行前，清帝旻寧恐各省同考官屈抑人才，特於是年五月降諭云：「三載賓興，爲掄才大典，各直省主試經朕特加簡任，宜如何滌慮洗心，認眞校閱，務求爲國得人。顧天同考官及會試同考官，俱係翰詹科道部屬，該員等甲第本高，又經朕親加校試，尚無荒謬之人充選，所以得人較盛。各直省同考官，則年老舉人居多，勢不能振作精神悉心閱卷，即有近科進士，亦不免經手簿書錢穀，文理日就荒蕪。各省督撫照例考試簾官，仍恐祇爲具文。全恃主試搜閱落卷，庶可嚴去取而拔眞才。士子握槧懷鉛，三年大比，一經屈抑，又須三年考試，或竟有終身淪棄者，豈不可惜？該主試俱係科甲出身，試問思未第之先，芸窗誦讀，與名士何異？若祇就薦卷照常挑選，而於落卷漠不關情，設身處地，於心何忍？嗣後各直省督撫務將簾官認眞考校，不得以年老荒謬之員濫行充數。其典試各員，必須將闈中試卷全行校閱，不得僅就薦卷取中，方爲不負委任。……儻各直省正副考官草率從事，一經朕別有訪聞，則將該主試嚴懲不貸。」可謂誥誡諄諄，慎重取士。宗棠所云「特詔考官搜遺卷」，即指此。其能免於名落孫山者，亦幸賴有此耳。

啤酒新世紀

—兵譯—

啤酒最濃的似墨汁。最淡的中東貨與淸水相去不遠。慕尼黑的啤酒廠家則承認：「我們是古老方式的釀酒商，我相信用純淨裸麥及水釀製啤酒」。

多數歐洲啤酒是冷飲的，但是並不像美國那樣把啤酒雪到冰凍之後才開瓶，說句老實話，所有啤酒或黑啤，如果雪得太凍，入口變得千篇一律的味道了。釀啤酒的水也有考究的，通常水是最重要的成份，但今日多數啤酒廠係用純潔的濾淨的河水或泉水。多數外國啤酒比較美國啤酒味苦，是無容爭辯的事實。多數美國啤酒含酒精成份爲百分之三點五，一部份牌子的啤酒高至百分之三點九；外國啤酒起碼在百分之五左右，黑啤酒含酒精最高成份達百分之七點七。不過，倘若再超過此程度，就不成爲啤酒，而變爲裸麥酒，酒精成份太高，在英國也許可以使人嚐來無味道。若干船來啤酒是爲了使酒有更長久的在外國貯放的時間。

LAGER啤酒意味着是存放相當時間的啤酒，約貯藏已六個月。現在這已無意義了，多數啤酒釀好即售，當然與歐洲啤酒存放了三個月至數年的味道有分別。尤其美國啤酒使用若干其他成份例如大米、粟皮、燕麥等，使啤酒成本更低，色素更淡。

有一種德國啤酒是叫做「白啤」，據說在拿破崙時代當作香檳飲的。柏林人通常在白啤內加些楊梅汁或菜汁甚至糖漿，調和而飲之，那味道似蘋菓汁不似現在的啤酒。德國啤酒都是有味道或較濃的，比較任何美國貨更令人感到興趣，也許這與德國啤酒在美國成爲第一位的進口者，不無關係。

巴伐利亞人生產若干世界上最佳的黑啤，尤以慕尼黑爲然。在戰前捷克是一個有地位的啤酒國家，「皮爾森」啤酒是取名一個捷克城市的，數百年保持一貫的品質。祇有荷蘭的啤酒，最接近美國啤酒的味道。加拿大輸出啤酒僅次於德國。愛爾蘭的黑啤是世界最大量的輸出啤酒，在一百四十多個國家出售。日本人戰後亦猛飲啤酒，由於戰後初期缺少米做的淸酒，啤酒奪去了它的地位。日人不視啤酒爲歐人飲品，因爲東瀛老早已會釀啤酒。（三完）

內警台報字第〇三一號內銷證

自由報

THE FREE NEWS

第八〇七期

中華民國僑務委員會發證
台灣新字第三三三號登記證
中華郵政台字第一二八二號執照
登記爲第一類新聞紙類
（半週刊每星期三、六出版）
每份港幣壹角
台灣零售價新台幣貳元
社長：雷嘯岑
督印人：黃行蕃
社址：香港銅鑼灣高士威道二十號四樓
20, CAUSEWAY RD 3RD FL. HONG KONG
TEL. 771726　電報掛號：7191
承印者：大同印務公司
地址：香港北角和富道九六號
台灣分社
台北市西寧南路壹壹零號二樓
電話：六三〇三九六
台郵撥儲金戶第二二九五號

星球人與地球人

祁倫

今年八月十四日合衆國際社發自倫敦的電訊，說倫敦大學教授史丹達，相信有另一個有待測出的宇宙包圍着我們的宇宙，而在那個宇宙裏時間是倒退的。這也許是第一次見於文字的大胆推測。

當我們連地球的衛星月亮尚待探測之際，當我們對太陽系剛開始科學觀察之際，當我們對我們的宇宙仍然陌生之際，我們實無能力涉及我們宇宙以外的情形。因爲我們的宇宙到底多大？有無極限？以光速航行要多少億萬「光年」才能（是否能）到達「彼岸」？這些完全茫然不知情形下，如說宇宙外有宇宙，實難令人信服！如謂除我們的宇宙外，再沒有第二或第三宇宙，亦屬大胆。

可是，在我們地球之外，科學家確已經由無綫電截收及「飛碟」之發現，證明另有文明的、有生物存在的星球。本文擬就此摘要祈述之。

地球絕不是我們這個宇宙中唯一有智慧的星球，地球人也不是我們這個宇宙中最聰明的生物。

科學家確信，在整個宇宙中類似地球的行星，爲數達數十億之多！即在我們的銀河系中，就有六億四千多萬個像地球的行星。

這些行星上不一定每顆都有星球人或是某種生物；但，在六億四千多萬個行星中，必有某些行星有着稍低，相當，以及有超越地球人智能的動物存在；在全部數十億個行星中，必有高於地球人的高智動物和高度文明存在。

從太空傳來的無綫電微波波長和信號，我們已找出某些屬於第三文明的行星（地球文明僅屬於第一文明的初期，較之落後三千五百年）。因爲他們的科學工藝超出地球三千多年，所以地球人無法分析他們的電訊意義，更無能力與他們作無綫電聯系。

地球客不僅沒有能力與數十億萬光年遙有距高智動物存在的行星通信，即連來自五百光年距離的文明星球人亦無法發射電訊。因爲，地球人集全世界電力也僅能一次產生四十億瓩的電力，即使全部用於一個微波信號中，也嫌微弱而不能到達五百光年的近距行星。

地球人發射的無綫電訊號雖說微弱得無法到達該文明星球，也許該星球人能截收到地球人的電訊。要不，爲何近十年來，來自太空的微波强力電訊越來越多？也許是該星球人發現地球人的幼稚科學能力，所以又加派所謂「飛碟」來實地勘察地球——如同地球人發射金星、火星太空船。

直到現在，尙未有官方證明「飛碟」之存在，亦未見官方證實「飛碟」上有無高智生物。可是，根據有憑有據以及攝影的證明，世界上已越來越多的有人「見」到飛碟，有人「撞」到飛碟，甚至有人遭遇「登上」飛碟之經歷！某年美國一名空軍駕駛員企圖攻擊飛碟，結果人機均因而失蹤（被飛碟射出的某型光熱武器將人機化爲氣體）；其次美國的雙子星太空船正繞地球航行時，便發現四具飛碟在它的上下前後跟隨飛行數分鐘之久，最後由於雙子星太空人在驚恐中遵照美空軍飛行員手冊指示：「對太空不明物避免觸怒」，而逕自照原計劃飛行；該具飛碟即同時急速離去——這是最可靠的漏網消息，官方既不否認亦不證實（因爲兩太空人曾經由無綫電報告地面）。

廿年前，美空軍成立一個不明飛行物體小組，他們研究一萬件以上的不明飛行物體至今未能得到解釋。但是空軍却不承認那些無法解釋的不明飛行物體係來自太空的飛碟，令人費解。

一九六六年三月廿八日，美國全國空中現象調查委員會負責人紀赫，曾在華府記者招待會說：「由太空某文明星球派來地球訪問的太空船，是確有其事，而且是具有高度智慧者操縱之下的」。紀赫並建議美國空軍「結束這個秘密」（紀赫的機構是由私人財力支援的私人研究機構）。空軍當局的公開答覆是他們找不到任何證據，證明那些不明飛行物體中，有那一件是與來自外太空的訪客有關的。不過，空軍中有人個別私下表示；空軍對這件事的保密工作已到達難以持續的階段。言外之意，也就是不再否認飛碟其事了。

來自其他國家的飛碟報導也越來越多。

由無綫電訊及飛碟看來，地球人現在已不再孤獨矣！有人因而担心星球人對地球人的入侵；但據科學家研究，該等文明人早已不知戰爭爲何物矣！除非他們首先遭到攻擊，他們早已不恥於運用戰爭作爲工具！

睹本

隨風而逝

今日與明日

「紅衛兵」分裂帶給毛林集團的危機

大陸「紅衛兵」暴亂，本來已攪得天翻地覆，鷄飛狗走；復由於這一批無知青少年男女，越來越不「照毛主席指示辦事」，進而在「紅衛兵」中也和毛共內部一樣，分成好幾派。看情形，在短期間內這個「紅禍」是不能實際結束也是無法結束。二十五日毛澤東第八次「接見」紅衛兵」時，照例地又和他的「親密戰友」林彪出現天安門上外，劉少奇不但也登上天安門，還會與毛澤東握了握手。

時至今日，已至爲明顯：毛澤東林彪久已企圖把「絆脚石」劉少奇踢開，以便進一步徹底清除所謂「當權派」，以建立由毛澤東到林彪的統治體制。但劉少奇在毛共黨內，究竟不像毛林所預想的那樣脆弱，可以一下子就把他「鬥倒，鬥垮，鬥臭」的。雖然於「三家村黑店」被揭發後，以他手下大將彭眞爲首的形形色色反毛集團，有二百至三百人被整肅，但由於毛林小集團本沒有把握，但却來勢過猛，打擊面也頗大，所以，他們的黨內敵對派由「一小撮」而發展爲大幫大派，使毛林小集團整不勝整，甚至無所措手足，而陷於進退維谷中。

劉少奇的聲勢，看起來既不如毛澤東更略遜於有「槍桿子」的林彪；但其「黑勢力」，並不容低估，如再與鄧小平合流，將更使毛林小集團頭痛。根據大陸近期的情況分析，毛共中央將是兩派對峙，在短期內更難見高低。這兩派也可以說是兩幫，一幫是以毛澤東林彪爲首的「紅幫」；一幫則是以劉少奇鄧小平爲首的「黑幫」。

毛澤東支撑其將要進入墳墓的臃腫身軀，三個多月來在八次「紅衛兵」大集會中，先後「接見」的紅衛兵數達九百萬人之多。於「接見」後，則被派回原地，以「闖將」的身份，推進所謂「破四舊，立四新」。照中共報紙的說法，「紅衛兵」也就是「捍衛毛主席」的「紅小兵」，據說：已經「把毛主席的指示，印在腦子裏，溶化在血液中，落實在行動上」。其實，一派是擁護毛林，對「當權派」一派進行攻擊者；一派則是在政治上所謂「迷失方向」者，不但在「紅衛兵」內部挑起「紅鬥紅」風潮，更逐漸明顯地投向「當權派」的懷抱。另一派應該說是中立派，人數比前述兩派都要多得多。

毛林小集團，所以於召開「十一中全會」後，「凍結」或解散各種既有成形組織，另組「紅衛兵」；主要是因爲黨、政、團等等系統中，均因有反毛「當權派」而形成分裂，所以，迫使毛林小集團挺而走險，唆使無知兒童組織「紅衛兵」亂「造」其「反」。結果，「紅衛兵」內部也鬧了分裂。

這說明「以毛澤東思想統一七億人民思想」的幻想，永遠不能實現。

因「紅衛兵」的分裂，使反毛的「當權派」又補充了實力。這樣，就給毛林小集團製造了更大的危機。同時，因「紅衛兵」到處與工人農民發生衝突，使中共生產全面陷於麻痺；於是，給毛共政權帶來了無法打開的死結。

不管毛共派系鬥爭勝敗誰屬，其過去十七年來僅有的一點「成就」將歸於烏有；對人民的控制力量一落千丈是一定的。（何如）

自由談

強權主義的噩夢

馮之先生

蘇俄害怕德國一旦統一了，又將成爲世界強國，威脅俄帝在東歐的擴張勢力。美英法也就心德國眞正統一後，稱霸歐洲大陸，有如虎犀出柙，無法抑制，且有張牙舞爪反噬之虞。這便是戰後美英法對德和約始終不能締結的眞正原因所在，一切說法，都是我們湖南話所謂「扯三卵談」，上海人叫作「瞎話三千」罷了。

在兩個德國的狀態之下，蘇俄強佔東德的大塊領土外，又控制東德傀儡政權，予取予求；美英法各重要都市，一面協助西德經濟復興，增加自衛力量，同時敦促西德政府担負各佔領軍的軍費。美國給予西德的軍經援助費用，每年要西德政府按照數額向美國購買各項物資，以期平衡。這與農場主人勤力飼養母牛，俾得搾取牛奶的道理一樣，無所謂正義公道。

明乎此，即知所謂「兩個中國」之說，何以經常在美英人士口中曉曉譁咋之所以然了。中國地大物博，資源豐富，而中國人的才智亦不下於西方人，一旦統一强盛後，舊有的西方資本帝國主義固然不復能在亞洲肆虐，新生的蘇俄共產帝國主義亦不敢向中國發展。英人葛量洪（曾任香港總督）曾在美國大聲疾呼地說：「廿一世紀是中國人的世紀」，乃使英美人士重溫「黃禍論」的噩夢，惶惶不可終日，而「兩個中國」之說甚囂塵上矣。

我們不要胡思亂想，以爲英美主張「兩個中國」的藍圖內容，是一個「台灣中國」和一個「大陸中國」。他們所想像的兩個中國，是以大江南北爲分野的，祇要蘇俄眞是走修正主義路綫，跟美英妥協，彼此合力脅迫毛共就範的話，「兩個中國」的魔術很可能在來年的聯合國大會中公開玩弄，成爲決議案呢！

因此，我希望毛共反俄修的狂熱症，始終維持着高燒的程度，不要下降，敎俄共有所顧忌，不敢隨便接受西方列強瓜分中國的陰謀，咱們中國人庶可免於兩個德國和兩個韓國的厄運，最後中國人自然會把毛共的狂暴政權打倒，統一起來的。

台南市稅捐稽征處公告

55、11、1　南市稅二字第5269號

一、事由：爲公告五十五年下期房捐開征日期，茲將有關事項公告如下：

1. 本期房捐開征日期：自五十五年十一月一日起至五十五年十一月卅日止，繳納期限爲一個月。
2. 繳納地點：本市各公營行庫及其分支機構，台南市農會、東區農會、南區農會、安南區農會及各合作社。
3. 更正：本期房捐稅單如有錯誤或原課稅房屋業已拆除或變更用途者，請於開征前或開征期內檢同有關證件向本處申請更正。
4. 課稅單如未收到或遺失者，請向本處申請補發，如因稅額不符或稅單字跡欠清晰或稅額數字如有錯誤，請於開征後十五日內申請更正，如期繳納。

二、特此公告周知。

中華民國五十五年十一月一日

處長　蔣　灝

存貯量豐裕供應無虞匱之
香港食米漲價係屬人為
所幸米價雖扳高麵粉却紋絲未動

（本報訊）近來香港米價提高了，麵粉的副產品麥糖價格也提高了，但麵粉的價格未有提高，這是一種很特殊的現象。以前本港市場的食米價格和麵粉的價格來比較，大米每米碌每担五十七元餘，下米碌每担四十七元至五十元；但上級麵粉每担四十六、七元，下級麵粉每担廿六、七元，的價格連下級米碌的格價也追不上。更奇怪的是現在上級麥糖每担廿八元，竟然比下級麵粉的價格還高一些，幾令人不敢相信。

大凡每一種貨物價格的變動，通常受到兩種因素影響：其一是來途，其二是銷路。來途多與少與價格漲跌都是影響市場價格的，銷路的旺與弱對市場貨價也有密切關係。

最近本港市場米價的上漲，雖是受到來源影響，實際乃是人為現象，因為食米存量頗豐，供應無虞也。至於麥糖價格之上漲除了來源疏斷之外，又因台灣向港購買大量麥糖，於是造成本港兩家麵粉廠出產的麥糖，既要供應本港農場需要，又要供應台灣的需要，竟呈供不應求的狀態。但麵粉仍然是供過於求，本港兩家麵粉廠品最近出口轉呈緩減，在本銷市場又有美國、加拿大、日本、台灣麵粉競爭，於是麵粉價格祇能膠着，未許提高。

在理論上，米價太貴，可以吃麵而減少吃米。即使以營養價格來比較，麵粉亦比白米高。但香港有百分之九十八居民平時習慣以白米為主要糧食，麵製的食品祇能作為一種副食品。因此米與麵雖然同屬主要糧食，但在香港市場，麵粉的銷量遠不及白米那麼大，白米每年銷量約達三十六萬噸，但麵粉銷量祇為八萬噸左右，不及白米銷量的四分之一。

但麵粉供應充裕與價格廉宜，未始不是一個良好的現象，因為香港的糧食幾乎全部要靠進口，新界出產的米糧，祇能維持新界本身平均兩個月左右的銷費，一年中有十個月要靠進口的白米供應新界各區的需要。在本港有兩家麵粉廠生產，預料到了十二月，又有一家新的麵粉廠介入生產了，將來麵粉的供應更加充裕，本港市民更不會受到糧食供應隨時發生恐慌的心理威脅。

有人認為香港米價不久就可以回降，其理由是泰國米糧很快就會恢復簽發出口證，泰國國內新穀大量登場後，出口米價就逐漸降回九月份以前的價位。但有人認為，香港米價短期內仍未易迅速回降，可能是漲得速而跌得慢，即使到了農曆年底，仍然要吃貴米。事實上，大多數居民不肯減少吃米與增加吃麵粉，米價高昂就祇有增加一些生活負担。明白說，現在香港存米仍很充裕，供應不愁匱缺，尤其量每一居民在今後兩三個月內，每月增加一、二元的食米消費負担而已。

美濃中學的成就

本報記者鄭約航訊

肥沃廣大的美濃平原，被疊疊山巒溫柔地摟抱着，那些綿延的山巒，像歡迎者的雙臂展佈成一個圓形，撫慰着這片美麗的田園。

美濃是高雄縣屬二十八個鄉鎮中最富庶的地區，於蕉產量甲於全省，香蕉種植面積亦僅次於旗山，五萬五千純樸勤勞的鎮民全屬客家籍。除了富裕與民風善良之外，最值得美濃人驕傲的，便是他們重視子女教育，培植後代，不遺餘力，所以人才輩出。一批一批建設地方，服務社會的生力軍，受到普遍的讚揚和尊重。而這些人傑們，都是以美濃中學為溫床而孕育出來的。

美濃中學創立於民國三十五年，由茅草房而至高樓大廈，由幾個班級而至數近三千的學生，其發展之速，實賴地方人士熱心支持以及學校主持得人所致。

該校的光榮成就，以下列事實而名揚台省：

一、校風好——我們可肯定的說，美濃中學是全省唯一沒有太保、太妹和問題學生的中等學校。二十年來，學生在校、外滋事或違紀的事件，未之前聞也。

二、身體健——該校學生都十分愛好運動，個個都鍛練出健強的體魄，在縣運動會中奪得錦標最多的也是該校的學生。

三、讀書風氣盛——由於該校畢業生的升學率在全省的同級學校中，一直保持較高的紀錄，在校同學為光榮傳統和競爭心所驅使，多能自動自發地用功讀書。該校校友升入大專的已近千人，留學國外的達七十人，已獲得博士學位和教授資格者亦有十來位。

僅上述三個事實，美濃中學便已堪作為全省中等學校中的楷模。尤以「校風好」這一特點，更值得稱讚。因為太保、太妹和問題少年，已為我們這個時代的一大困擾，它擾亂了社會秩序，更嚴重地損害了人類的尊嚴。假如每所中等學校都有着美濃中學這樣善良的校風，那該是一件多美的事！

該校的發展，快得助於地方的富裕和家長們的熱心贊助；二十年來動用了五百萬元以上的經費，先後建造了大禮堂、中正樓、嘉應樓、水塔、宿舍、科學館、圖書館、操場、庭院以及辦公大樓，使學生們在課內課外都能利用那些場地和設備，以活動他（她）們的身心。

該校的光榮成就，應歸功於校長和教師們，這些教育工作者，合作、互勵、任怨勞、居仁心、負責任，陶醉於他（她）們的神聖工作，因而栽培幷結下了美滿的果實。

現任校長楊志華，安徽籍，任職美濃中學已達六年。他有着無比振奮的精神和對教育事業的熱愛。有魄力、有計劃、風度好、人緣好、光明、清廉，這些立身處事的良好基礎，是他主持美濃中學成功的因素。兼之，幾千個純潔、活潑的學生，又不斷引發出楊校長的愛心，使他更樂意為可愛的學子們，竭盡精力服務，給他們以最美好的教育環境，讓他們在其中逐漸成長為最優秀的公民。確實值得稱道。

本月二十三日是美濃中學二十屆校慶，記者謹以該校的光榮事績介紹給海內外的教育工作者，作為一份簡單隆重的賀禮。（完）

透視立監委涉嫌商行賄案
——從監察院第十四次臨時院會決議案說起

二十

——本報記者張健生

從公共肉桶裡取肉

美國每個國會議員有為自己選區爭取公帑之權利。國會中所流行的一句：「好像自公共猪肉桶中爭取猪肉一樣」，來形容國會議員都可以請求政府撥欵，改善其所代表的地區的各種建設，或者要政府維持那個地區所出產的物品以高價出售。國會議員往往在行使審議預算法案時而提出這些要求。同時，每個國會議員得聯合其他議員携手合作，向政府施壓力而求達到爭取「猪肉」的目的。

美國國會於一九四六年通過的立法改組法案，該法案除創立立法參考部（局）外，並規定所有運動議案者，僅須登記而已。如威斯康辛州並規定：所有於州議會開會時受僱進行勸說議案的人，必須向州秘書長所保存的立法記錄中登記。登記事項包括勸說議案者的姓名，他的僱主的姓名，他所關心的議案，和他的僱用條件。勸說議案者不准入參衆兩院的會場，只能向各委員會進行游說，或經常出現於議會的接應室勸說議案者之活動方法與活動內容的節畧，須呈繳一份給州秘書長。在繼會閉幕後三十日內，他須呈報一份勸說議案的詳細費用表。

美國民間壓力團體

美國所有的各種民間團體，在華盛頓僱有專人組織「勸說議案者」或「壓力團體」，其組成份子有以前的國會議員，有律師，有前任新聞記者或專家，給他們很好的待遇，經常為這些團體——工、商、農業的利益，去影響政府的立法。這些人依照所受雇的機構的旨趣，從事促成或破壞某一個議案的通過。每年花費在勸說活動方面的費用，數以百萬計。政府官員有時也用勸說方法，促使有關撥欵議案或行政議案早日獲得國會通過。

美國政府於一九〇二年規定人造牛油公司出產之人造牛油，每磅須繳納一角錢的聯邦稅。因此，這家人造牛油公司自這年起，即雇用勸說議案者向國會展開勸說活動，設法取消這個規定，奮鬥將近五十年，直到一九五〇年，才算壓倒牛奶公司的反對，而獲得局部的勝利。即自一九五〇年起，政府雖取消每磅人造牛油一角錢的聯邦稅，却仍規定人造牛油必須標明其為人造牛油，而且各州政府仍有權限制其銷售或課以重稅。這是勸說議案者最顯著的一個例子。

這些團體有害嗎？不見得。例如推動實行胡佛報告的公民委員會，它的目的是「以較低代價獲得較好政府」。同時，一個國會議員也許去拜訪勸說議案者，徵詢他的有價值的意見和材料。所以，美國人認為這些團體是形成互相遷就的妥協政策的一部份，而妥協政策在代議制的民主政府裏是不可少的。

勸說議案許多方法

勸說議案者在進行工作時，有許多不同的方法。他們時常在國會各種委員會聽取意見時供給專門的見證，或向某些國會議員個別進言。他們利用各種社交活動，來增加他們的密切聯繫。而壓力團體的活動範圍，比勸說議案者更廣。這種團體聘雇壓力專家，利用大衆傳播進行活動，以促成對他們有利的輿論。是故有人說這些勸說議案者形成「隱形政府」和法律以外的立法機構，被稱為立法方面的代理人，或譽為公衆關係的顧問。

美國總統為使國會議員支持他的議案，而不惜以交換條件來達到目的。「林肯總統為要某議員贊成將涅瓦達州併入聯邦，而允許該議員薦人在紐約海關担任一個年薪二萬元的職位。因為如果沒有純瓦達的贊成票，第十三憲法修正案便不能生效。故美總統時常將政府中級低較人員的任命，保留至重要議案在國會通過，因為有些議員想自己或替朋友獲得幾個職位。一九三八年，羅斯福總統曾經想要「改革這個弊病，但是結果沒有成功。」（詳美國政治制度一六一頁）美國總統雖有任命行政首長之權，但如任命某一州之重要官員時，必須在任命之前與該州選出之參議員取得同意，這個辦法稱為「對參議員的尊敬」。如該參議員不同意，則任命案將胎死腹中。同時，參議員可用一分鐘的不停的發言，來「破壞一個議案」。多數議員可以會議：「現在討論主要議題」，藉此限制辯論的時間。

會內發言無權追訴

觀此，則所謂政策問題，所謂護航，所謂為反對而反對政府議案，在民主國之英美國家的民主政治下，完全是正當的行為。至於議員在行使職權而發言表決，對外不負責，法院根本無權訴追。倘國會議員如有玷辱議壇之行為，也只有由議會依議事規則懲罰，或經三分之二多數國會議員通過除名處分。而我國「立法院組織法」規定：立法院會議由主席維持議場秩序，如有違反議事規則，或其他妨碍議場秩序之行為者，主席得警告或制止並得禁止其發言，其情節重大者，得付懲戒。前項懲戒由立法院紀律委員會審議後，提出立法院會議決定之。（十六條）

所謂違反議事規則，係指立法委員如將秘密會議之紀錄及決議對外宣洩（七十七條），應付紀律委員會議處（十九條）。所謂妨碍議場秩序之行為，係指出席立委對提案之說明、質疑、應答或討論之發言，超過十五分鐘未取得主席許可而繼續發言者，或違反同一議題之發言以一次為限者。

滬海異聞錄

著名富豪如何揮霍金錢

桑雅

假如你一旦富有起來，可能為你帶來很大的麻煩，特別是在怎樣花費偌多的金錢上。根據專家們的意見，花最多的錢是需要技術和練習的。這裏指給你世界上最富有的人，如何花錢的技術。他們平均每日花費一千英鎊，折合港幣一萬六千元之譜。你估他們怎樣花的？

阿拉伯的石油大王石克斯，他的開銷恐怕是世界上最大的。他擁有一艘華貴的大遊艇，在艙裏裝置了電視機，可由此而實地看到海底的各種風光。此人，有一次他到美國去旅行，他却僱請兩位僕人，在他的座車旁邊，一面分派他的名信片，一面高呼：「綠山之主來了。」這只是他旅行時的一幕而已。事實上，他要供給他的四位太太和二百位妃子的生活費用，另外又要負責他那一百名兒子和數不盡的女兒的教育、生活費。

伯明罕的汽車大王，三十六歲的董．李查孫，竟以六千英鎊的開銷，租用「依利沙伯皇后」號，招待八十名男士來遊歷。並且，在他最近的婚禮和蜜月中，他竟花了一萬三千五百英鎊。這在英國人中，已經算是很少見的了。可是，如果以他和石克斯來比較，不免小巫見大巫。因為，在一次橫渡大西洋的旅途中，單是小費，石克斯就給了七千英鎊。

前阿拉伯王沙特，說起來恐怕更使人驚奇。他總愛到法國的利維拉去旅行，每次都是有一百二十人的團體前往的。他所估留的旅館，特別為他安裝上電台。最近一次的停留，所給旅店的「貼士」就達四萬英鎊。

事實上，在中東國家裏，富翁是很容易誕生的。因為，他們所居留的地方是石油礦區。只要有一天，他們的土地上，出現了新的油礦，他們立刻躍升為新的富翁。因此，

在中東國家中，平均每四百六十八人中就有一位百萬富翁；在英國則是每五十萬人中才有一位富翁。他們的這些富翁中，有一個共同的特點，便是多妻與多汽車。平均每人有五十架汽車在私人的車房裏。至於妻室，則就很難統計了。根據「加利克」汽車廠的統計，這些中東的富翁，不買汽車則已，一買就是十幾或幾十輛。

一次，摩維特區的石油富翁，在參觀一次海軍的艦隊時，竟分送每人一支鑲有自己肖像的純金手表。同時，他每個月，要從銀行的戶口中，支出大量的金錢，給他那二百位親戚朋友！

在美國，富翁也是很多的，他們的本領，也是令人興嘆不已的。像最近所發生的一件事情，就使人莫名其妙。一羣工商業富有人士，剛從芝加哥參觀回來，在赴紐約的途中，見到一間鋼鐵廠，他們便下車前往這間鋼鐵廠的廠主處，要求以七萬英鎊購買過來。該廠主表示意外，坦白的告訴他們：這間工廠的價格幷不值如此大的價錢的。結果，他們竟給了他十萬華鎊，而擁有了這間工廠。這種花錢法幾乎近於瘋狂。

一位名叫威廉．李斯太太的人，她的財產完全用以購買了鑽石，竟至連她自己也不清楚每一個鑽石的眞正價格是多少。可惜的是：每次，她只能配戴一些而已。由於她所配帶鑽石的閃光太强，致使攝影記者無法為她攝一張清晳的像片，她却很有經驗的告訴他們：要用五千分之一秒的時間方可。

在皮茨堡的富翁阿萊．畢哥却愛在鬥富有上不怕大花金錢。一次，他聽說一位富翁在自己的別墅裏訂購了兩座金質鋼琴，他遂訂購四座，以現示他的富有。

最近德國的花花公子貢德．撒茲，已經宣佈和碧姬芭鐸結婚了。在他沒有結婚以前，他的金錢多是花費在女人羣中的，他經常與四、五位美麗的女郎，生活在豪華的遊艇上，或是在他的私人噴射式飛機裏。

神秘失踪的民族與國家

紫苑譯

而最神秘的這些建築者何去了？一個有高度文化的民族，怎會無端消失，以致歷史上一點痕跡也不留下？

克米亞的消滅，顯然並非像過去所猜測由於戰爭，洪水或疫擄，人類影子也沒有，而建築物却完整如新。

截至今天爲止，所知者祇爲這三千餘萬文明民族，離開了他們的家，一去不回。究竟去了那裏？沒有人能夠知道。

今日稍具規模的警察局，必設有失蹤調查部，代親屬找尋失蹤的人，各地區均成效卓著。科學界呼籲應仿照成立一遺失文化部，以搜尋歷史遺失的文化。據現在所知，將所有失蹤的民族編列，已足充滿大量卷宗了。

如聖經，可算古史的權威，記載上古猶太歷史。希伯來原由十二部落合成，其事跡均有詳細描述。自紀元前九七五年所羅門王死後，其子羅波安繼位，此十二部中有十個叛變，成立以色列，首都設於沙馬利亞。同時另二族猶大與便雅憫聯合成立猶大王國，首都設於耶路撒冷。

繼巴比倫人征服之後，波斯西拉斯大帝准許猶太人回家鄉耶路撒冷，重建神廟。紀元前五一五年，猶大與便雅憫族共約萬五千人回家。這時期的聖經及其他歷史，均不再出現那另外十族。直至今日，無人能知以色列各族的結果如何。也像克米亞一像，單純退出歷史，離開地球。

關於這類神秘事情，耶魯大學杜列利教授最近又有新的發現。他根據各種古籍與碑文相信阿拉伯區有一國名西蘭，亞述與巴比倫古碑中均有述及，該國之强大，足以對抗亞述，其政治甚至可影响巴比倫與加爾底亞。

在杜列利教授研究以前，一向無人知道西蘭的存在。今日考古家對於西蘭，所知已很豐富，只是消滅的原因，却無從知道。

科學界對於發掘西伯利亞古墓，有一件事情還極感困惑，這神秘民族有一種風俗，精巧地膠製的死者面具；上有各種詳細的死者記述。考古學者據以想像那勾鼻，長臉，頭髮金黃或棕色的民族。至於這民族當時的情形又怎會消滅，却爲科學家們不敢加以判斷了。

美國設有遺失文化部，正在展開研究，初期西班牙的紀述及其他古籍，有不少關於有高度文化優秀的印第安人由治斯族，科學界已發現其不少故事，但無人知其存在地區。沒有遺址，墳墓，器具，武器等可供考據讀東西。考古學者均肯定這優秀的由活斯印第安人，曾居於美國南部。

更推上去，科學界已搜查到公元一萬五千年前，北美另一神秘民族概況。最近尚以爲關於遺冰期時代民族，不過單純的幻想，後來研究者找到許多證明這與古巨象，美洲駝駱，古野牛，史前馬同時的民族，確實存在過，但亦不過徒增神秘而已。（中）

直布羅陀的史料

本報資料室

西班牙向英國索還直布羅陀所引起的局勢，越來越更緊張，前途如何，甚堪重視。這裏提供一些有關直布羅陀的史料，藉增讀者對問題的瞭解。

英國人在十七世紀的末期開始對直布羅陀發生興趣。當一六八四年英國放棄在非洲北部的丹支亞之後，英國海軍大臣也是著名的日記家撒母耳皮普斯隨即考慮把直布羅陀來代替它；但這個計劃沒有進行，皮普斯甚至沒有將他本人的心意告訴英王查理士二世。直到一七〇四年才有機會實行那個計劃，但皮普斯經已逝世多時。在西班牙發生爭奪王位的內戰，英國支持哈斯堡王朝的承繼人查理士大公爵，卽後來的神聖羅馬皇帝查理士六世。

在那個時期，查理士大公爵的隨員在西班牙仍未能得到一塊立足之地，他們剛在卡泰羅尼亞起義失敗。在一七零四年八月，希斯鄧士達王子與喬治羅基爵士聯合在直布羅陀發動暴亂，微薄的守軍不能抵抗，一千八百名荷蘭與英國軍人登陸，在戰爭兩天後，西班牙政府沒有派兵援助，守將狄高地沙利納斯被迫投降，但徵得進攻將領的同意，在八月五日讓西班牙殘軍安然撤退，同時也有許多居民隨同離開。

希斯鄧士達在初時以為直布羅陀是用查理士大公爵的名字佔領，誰知羅基爵士用英王安妮的名字來佔領。那個英國海軍元帥認定英國能夠很順利把直布羅陀據為己有，因為就算查理士大公爵能登西班牙的王位，他也不能夠將直布羅陀括入他的版圖之內。這是英國政府的主意，由羅基爵士實踐來遏止虎視眈眈的法國，想霸住那個西班牙領士的野心。

西班牙的爭奪王位內戰在一七一五年才結束，在期內，西班牙人曾多次想奪回直布羅陀，但都未能成功。在攸得特舉行的和平會議，英國國務大臣寶賽卡克子爵正式宣佈直布羅陀割歸英國。

在十八世紀時代，西班牙曾利用武力和外交手段，想得回直布羅陀，連英國的政要也有主張把直布羅陀交還西班牙的，但當時英首相紐加索極力反對，他得到英國民衆的支持，打倒認為是荒唐的主張。西班牙在一七二七年及一七二八年曾發動兩次對直布羅陀的大進攻，在後一次更得到法國的幫助，成為在英國歷史上最著名的攻守戰之一。直布羅陀由伊利諾爵士勇敢率衆固守，在最危急時，得英國海軍元帥何威率戰艦突破法西兩軍的封鎖，援救受困的英軍，更將敵擊退。在第二年所訂的凡爾塞條約，西班牙政府承認直布羅陀為英國所有。（上）

黃忠後來隨軍入川。劉備又把楊懷，高沛二將及將士妻小留質於白水。兵到綿陽，一鼓攻破之。劉備就在綿陽誓師，置酒作樂。這也許是劉備最得意的時候了，樂極就難免於失態。

十二、戰廣漢龐統喪性命　圍成都劉備收馬超

劉備在綿陽會師，大宴羣臣。劉璋派遣了劉璝、張任、冷苞、鄧賢四員大將，拒劉備於綿陽城，經不起劉備大軍一擊便破，退保綿竹。劉璋又派了李嚴督綿竹諸軍，抵抗劉備；不料李嚴一見劉備勢强，不戰即降。李嚴字正方，南陽人，入蜀為劉璋的成都令。劉備的兵勢更强大了，在綿竹駐下時，把附近諸縣相繼克服。張任此人很忠烈，據守廣漢城外的金雁橋，劉備很費了一番功夫，才把他俘擄，張任不屈服，被劉備斬了。

劉璋之子劉循死守在廣漢，守了一年，才被劉備打破。戰爭相當激烈，劉備的軍師龐統，親自指揮攻城，不幸被流矢所中傷重不治。龐統是死在廣漢，演義說死在德陽附近的落鳳坡幷非事實。也不是死在張任之手。龐統的死，是劉備一大損失。不僅牽動了駐荊州的諸葛亮引兵入川，更遠一點也影响到未來荊州之失陷及關羽之死。龐統死了，諸葛亮非常着急，劉備火速派人催孔明帶兵入川。諸葛亮將荊州重任交給關羽，以馬良為參佐。如果龐統不死，孔明不會入川，荊州也不會失落，即孔明北向宛洛的計劃也許可能實現。

諸葛亮留下關羽守荊州，帶了張飛、趙雲等大將，溯長江而上，破白帝城，卽今奉節縣西地方，後來劉備「白帝城託孤」之地。兵攻江州，卽今之重慶浮屠關，生擒巴郡太守老將嚴顏，張飛怒喝道：「大軍至此，何不早降！汝敢抗拒大軍麽？」嚴顏說：「你等侵奪我州土地，吾州只有斷頭將軍，沒有降將軍！」張飛大怒，喝令推去斬了，嚴顏神色不變，從容的說：「砍頭便砍頭，何必發怒呢！」張飛壯其是一個硬漢，親解其縛，延為上賓。後來文天祥的「正氣歌」有「為顏將軍頭」一句，卽本此。不過這「顏將軍頭」一句，似乎大有問題，因為嚴將軍畢竟不是「斷頭將軍」，所以有人主張要改此一句。這是閒話而已。

到重慶降了嚴顏，諸葛亮、張飛、趙雲三人在江州分兵，諸葛亮和張飛由北路進兵，分別攻破閬中、德陽；趙雲由南路溯長江而上，攻破瀘州和宜賓。這兩路軍分別由南北包抄在成都外圍會師。當這兩路由荊州來的兵在成都會師時，劉備已經打破了劉循所守的廣漢，與荊州之兵會師成都。

曹操一方面，原定攻張魯的計劃始終未能實現。留了夏侯淵在關中作戰。到建安十九年，劉備打到成都，夏侯淵也把馬超的涼州兵趕出了關中。馬超第二次興兵，是為了報曹操殺父之仇，一舉而將涼州刺史韋康殺了，佔領天水附近的冀縣。不料韋康有一個忠實的部下，名叫楊阜，託人將馬超騙出冀縣，關上城門，弄得馬超窮無所歸，只好跑到漢中投奔張魯。（八十四）

國劇繽紛錄（一二九）

鄧生

平劇金像獎揭曉談（續）

此次平劇比賽演出劇目，除兩齣斬經堂外，餘如毋忘在莒，梁紅玉，秦良玉，忠義千秋，實際新的劇本祇有李貞娘。新本不及舊本，因此落空。我誠不知明駝的秦慧芬干金騂揚丹麗及嚴蘭靜，究竟有何不好，竟不能得些微獎金。是否以資格關係，先儘老輩取得，時間未到，火候稍差？但是去年何以由徐露獲得？此中玄妙，難以盡言。偶晤某評判員，說陸光得四個，正是大公無私；我以為天下事沒有這樣，因為如照此說法，則落空單位，豈不比陸光差四倍？我們測驗陸光能得三個，亦至矣盡矣。若論干城徐蓮芝，年來劇藝的進步，是有目共覩，不待詞費。我們要事跡作參考，但評判先生心中先有主觀，再來成見，又加干城不願做公共關係，在他們心目中，以為徐姝非京朝正宗，有近外江，任憑怎樣好，也是白費。是否也是零分，不得而知，總之未演以前，先有定見，不必看戲，相信是如此。誠如某君自南部來信，有云：「此次結果，徒見評判者之偏私，有欠公平，為識者齒冷。」亦不容諱言其不太公平。比賽發表以後，警察電台為使聽眾明瞭此羣得獎人的技藝，播出他們的唱腔，計有李金棠之洪羊洞，唱為國家一段，音韻還好。哈元章之桑園寄子，尚夠蒼涼。張正芬之勸玉釧，柔味尚足。馬驪珠之秦香蓮，也還響潤。李桐春之戰長沙，亦甚可口。吳劍虹之法門寺讀狀，氣勁嫌不太足。而中廣所播，是金棠的戰太平，唱大炮一聲響的一段，那竟很差，音澀氣促，不及王少樓甚遠（大中華唱片）。李桐春的古城會，未播吹腔亦不太妙。吳劍虹的紡棉花，唱斬經堂的賢公主一段，那是滑稽，不像麒派。祇張正芬的紅娘，仍夠柔媚。他們的播出，也可知真正的價值，並非可以一例者也。

我基於自由民主的觀衆，對於評判，畧作談談，可以知道其中包括無比的因素，與種種的曲折，才造成此紀錄，結果仍落到不盡公正。是陸光雖好，四個太多，其他落空，有失獎勵。如此安排，跡近一個一個輪流來得，未從演技來判斷。試請舉其劣點，以釋羣疑，而作研究是幸。

過雲演鎖麟囊

浩棠有信來，為言廿八日過雲將於三軍托兒所中正堂，演出鎖麟囊，深為一喜。以久不見她演出，僅於電視見過洞房（甘露寺）一場，違之多時矣。過雲久蟄思動，也應露露，否則在舞台上，竟聽不到程腔味兒，僅於收音機中，聽高華兒唱，是唯一的傳下去，不免感到僅聽的而未有見，為可惜者。在輿奮之餘，為記數言。（未完）

海上的月亮

紫雪

「——因為是水手，就可以胡來！」

「坐下，我請你坐下，」他說，等我坐好之後：「你偶然看到大海裏一望無際的水，你會手舞足蹈，興高采烈；如果是長年累月對着海裏的水，偶然看到女人與骰子、輪盤，也會興高采烈。你說的胡來，是形容過甚的；不是嗎？」

「——你也是和他們一樣嗎？」

「我不是告訴過你，一籮爛豆中會擇出了一粒好豆。」

「——我不信，」我要甩開他的手：「你更壞，因為你連船也趕不上了。」

「那是因為——」，他看着我說：「公園裏的夜色是這麼迷人哪！」他的聲調越說越動聽，我竟走不開了；他說：

「今天是農曆十五。月滿，你知道在海上看那個圓圓的滿月是多麼的美麗？」

「——不知。你們那艘破輪船什麼時候開走呢？」

假如那艘破輪船開走就沒有事了！

假如爸爸不那麼沉迷在麻將裏也很好！

——他便常常有機會來找我，在我鄉悶熱難受的破木屋，在那雖然空氣帶着鹹味的碼頭。

「菁！不要那麼不高興水手。就像于槍和子彈都是殺人的東西，但那只是一種工具，要看使用它的人怎樣！」

「好人不會用殺人的東西！」

「——那麼活着的都是些壞人了。」

他是這樣的英俊，語句是這樣的秀雅；最重要的，有了他，我才知道寂寞怎樣容易的打發。因而容易使我相信：一籮壞豆裏，總會有一粒是好豆的；只要肯細心的去挑擇。

「——你們這艘老爺船到底在什麼時候開走？」

「又是一次月滿！」他抬起憂慮的眼皮來看看天：「我們認識的那天就是月滿……嗯！我但願這艘老爺船永遠不要開走！」

「怎麼說？」

他一把抱緊了我，口裏不住「菁，菁，菁」的叫了幾聲。我都不怎樣緊張，但他的臉完全脹紅了，口裏呼出來的氣，就像扭開了熱水瓶的蓋子浮出來的，直浮在我的臉上——

「你不知我怎樣的寂寞和苦悶！我但願這艘老爺船立刻沉下海底去！」

「你們水手的嘴巴是最靠不住的！」我說，但我也實在寂寞和苦悶，所以沒有掙扎：「我有一個恐懼的的記憶，隔幾家有個雪小姐，她就是給一個英俊的水手帶走一切了；她幾乎為這而發瘋！」

「唔！」她雙手更有力的擁抱着我。

——唔！」

「那壞水手說：如果我要是騙了你的身體不回來，一定沉船；第二天他們的船開去日本……可能他們真的在日本海沉了船！」

——他回到船上去，爸爸也剛巧回來，想到剛才那番可怕的事，我就大哭起來；爸爸不知道我失去了最驕傲的東西，把瘦條條的臉孔一扳：

「討厭！」

他只有一句話是絕對不錯的，那就是「在海上看月亮是多麼的美」。已經有六個「月滿之夜」悄悄的溜走了，我就在那個地方，看那個圓圓的滿月……

我並不是等他帶回來足夠的錢，許多稀奇古怪的笑話；我只希望能夠再看一遍那艘破爛的老爺船，慢慢的駛進港口裏。

——這樣我就知道他不是沉了船，我只須冷然的啐他一口痰，像吒斥一隻癩皮狗那樣：

「滾開！」

（下）

運氣與人生

諸葛文侯

愚最服膺鄉先賢曾國藩自謂墓誌銘語：「不信書，信運氣」之說。自束髮受書以迄涉足政治、文教界垂六十年矣，凡所目擊身經之事類，其因果利害之演變情形，皆具神秘性，決非常理所能解釋者不一而足，試舉一端以概其餘焉。

對日抗戰以前，愚擬落業北平，曾斥銀洋四千元，於東四八條胡同購置住宅一椽，前後院各有四合房屋一座，然以于役南疆，迄未入居。迨「七、七」事變發作，抗日軍興，北國首先淪陷，漢奸政權成立，指愚宅第為「逆產」，予以沒收，撥充傷兵醫院，唯有聽之耳。

抗日戰爭勝利結束後，愚依法向「平津敵產管理處」申請發還私人產業，並承陳立夫先生致函該管理處主持人孫越奇關說，旋告順利通過。然宅內仍駐傷兵數十名，警衛森嚴，無從接收。嗣挽託在北平辦報之老友馮志翔兄（現居台灣），多方設法，用盡心機，幸得物歸原主。維時共黨在幽燕釀亂孔亟，大局岌岌可危，而愚貧困殊甚，急將房產出售，代價為當時法幣二千萬元，約值黃金二百兩。

愚生平缺乏商業常識，購買黃金又犯禁，而法幣逐日貶值，此戔戔者如無保值之道，勢將化為烏有，夫妻昕夕愁思，不知何以為計。適有中央電工器材廠總務科長內戚沈君，自滬上來金陵，詗知此情，乃自告奮勇，將二千萬元法幣訂購中央電器廠出產之電燈泡，由沈君出面訂購，照官定價格八折計算。如此，不特成本無貶值之虞，且先已賺得二成利潤。此民國卅六年夏間事也。據沈君言，一俟秋冬之交，民間用電增多，電燈泡必然漲價無疑，愚覺其所言有理，一心以為黃鵠將至，欣然同意焉。

是歲陽曆八月，愚南行還鄉競選中央民意代表，耗費不少，皆從借貸而來，預計舊曆年下電燈泡必已漲價增值，不愁無法償還逋負也。詎至卅七年二月愚馳回南京時，而電燈材料價格始終未見上昇，且有下跌情況，候及四月仍無好轉消息，然各方債權人索逋殊急，窮於應付，即囑沈君核計此時將所購電料出售，能否不虧蝕，復謂差堪保本而已，乃決計全部變賣，以解債台之厄。逾月後，京滬市上電燈泡售價忽奇漲倍徙，愚既自怨自艾，亦頗滋惶惑，馳赴上海詢究原因所在，據告：電燈材料中以鳥（金旁）絲最值價，中央電工廠出品之電燈鳥絲係美國產物。但在過去七八個月間，上海商人勾結日商私運日產鳥絲進口，各自設廠製造電燈泡，售價特廉，因而私貨氾濫市場，中央電工廠出品乃滯銷無出路。繼查知日本貨走私情事，即嚴密緝私，未幾，私貨絕迹，中央產品之市價即直綫上昇矣，時間相距不過月餘耳。

假使愚非寠人，則囤聚之小量物資固不亟亟於變賣，待價而沽，轉瞬獲致厚利。又使愚以競選負債後，債主不急來索償，亦不致迫而忍痛犧牲。若無日本商人之走私，愚且寖成小康人家矣。似此錯綜情況交織發生，為時短暫，而得失之數未可以道里計，迥非常理所能推斷，唯有歸諉於運氣之說，則釋然於懷，無悔無悶也。推而至於政治人物之窮通得失，皆可作如是觀。世之傖俗苟賤者流，才識無足道，德行無足稱，功績無可紀，然在政壇中煊赫富貴一時者，比比皆是，除運氣關係以外，尚復何說之詞耶？「不信書，信運氣」，誠悟道有得之言，應予書紳毋忘也。

批評難

夜闌

一個社會不僅包含有無數的個人，也包含有無數的行業。行業愈多，社會愈見繁榮，而各人的生活水準也隨之不斷提高。

我們常勉勵自己要過簡單的生活，其實生活在近代社會中，恒常有數以千計的行業，為我們從事辛勤的服役。就說看一部電影吧，為觀衆服務的並不止於「卡斯特」上那些男男女女若干，一部影片的製成集合若干行業的智慧與勞力。要從前我們的生活單純，吃飯穿衣的時候，想起耕田種桑養蠶者的困苦艱難；現代的生活內容萬分複雜，我們已分不清何人作了何種貢獻，也不知應對何人表示應有的謝忱。

個人有個人的苦惱，每一行業也各有不同的困難。我們常聽說，「做一行，怨一行。」又說：「隔行如隔山。」隔行的人對於別人的行當，如非漠不關心，便往往持有兩種完全相異的感情：一種是不當的羨慕，一種是不當的岐視。合併言之都是起源於對別人的所知不深。因此，我們常見到的情形是：外行的意見常比內行為廣博，外行的批評常比內行為苛刻。

最易遭受批評的行業，大約可分為兩類：一類是與人們生活關係愈密切的行業，遭受批評的機會愈多。一類是人人可取而代之的行業，大家批評它的興趣最為濃厚。隨便舉例說，屬於前者的，如警察，如各種公營、公用事業，如報紙（報紙常常批評別人，但也常常為別人批評）；屬於後者的，如各級行政官吏，十目所視，十手所指，稍有錯失，責難之聲隨之而起。

批評的本身並無不當，但是在從事批評時，有幾項觀念必須辨清。

第一、批評某一行業，目的是在規過勸善，希望它日新又新，不斷進步；而不是要打倒該一行業，取消該一行業。

第二、從事某一行業的人如發生了過錯，但某一行業的本身並無不是。因此我們應切忌以偏概全，不可將個人的過失籠統看成整個行業的過失。

第三、某人從事於某種行業，如有可資批評之處，應將技術的犯規與道德分別清楚。於檢討技術犯規時，必須徹底明了內情，所為言論要全屬「內行話」，才能使人心折。於檢討道德犯規時，要能舉出真憑實據，若僅僅拾取道聽塗說，便無異於傳播謠言，存心誹謗。抑有進者，我們不可輕易將技術犯規與道德犯規混為一談，因為一個人在技術上措施失當，便立刻聯想到與他的人格、操守有關，這已不是批評，而是有意的製造混亂。

人與人間須和平相處，行業與行業間也要共存共樂。必須三百六十行，行行生意興隆，社會才能有均衡的發展，才能有真實的繁榮。

故都冬夜憶瑣

——京仁——

北平那兒都不錯，唯獨一到冬境天兒，十天裏，倒有八天，老刮着西北風，把馬路上的土，吹起多高。

在街上作小買賣兒的，攤兒上，常有很厚的層土，擺攤兒的，都不住手兒的，用個鷄毛撣子來撣。可是您看他身上，不但渾身是土，連鼻孔、鼻窩兒、耳朵眼兒裏，都是土。

冬天的西北風，有時不但到了夜晚不停，而且像越刮越有勁兒，您坐在暖和和的屋裏，能聽見電綫桿被風吹得有一種呼嘯聲！叫人胆戰心寒。倒不是旁的，叫人有個冷的威脅！

在冬境天兒的晚上，晚飯吃過了，掌燈的時候了，雜七雜八的事宜，也都清了，擋鷄窩，上窗戶板，該休息了。

學生們在燈下，該溫習功課的，打開書本兒。

（一）

內備警台報字第〇三一號內銷證

自由報

THE FREE NEWS

第七〇九期

中華民國僑務委員會頒發
台僑新字第三二三號登記證
中華郵政台字第一二八二號執照
登記為第一類新聞紙類
（半週刊每星期三、六出版）
每份港幣壹角
台灣零售價新台幣貳元
社長：雷嘯岑
督印人：黃行警
社址：香港銅鑼灣高士威道二十號四樓
20, CAUSEWAY RD 3RD FL. HONG KONG
TEL. 771726　電報掛號：7191
承印者：大同印務公司
地址：香港北角和富道九六號
台灣分社
台北市西寧南路壹壹零號二樓
電話：三〇三四六
台郵撥儲金戶九二五二

從美俄對中共戰爭態勢之形成看反攻大陸（一）

郭甄泰

四十年前筆者曾在東方雜誌撰文，預言美日兩國遲早必將發生戰爭。現在東方雜誌業已絕響，美日戰爭早已終結，不圖於美日戰爭終結二十年後，復又來文預測美國對中共戰爭如何，蘇俄對中共戰爭如何，殊有白雲蒼狗，世變無常之感。惟國際局勢正朝着這種方向推進演變，既無任何力量可設法予以扭轉，亦無任何智慧可以遏止。我們位居前哨，首當其衝，且我大陸七億同胞勢將成為中共之黷武、反修與世界革命政策的殉葬者，而反攻復國又為我一貫國策，勢不能不變為主角，負弩前驅，即不能不對此重大問題提高警覺，並檢討美俄及中共之三角關係，予以注意，此固亞洲之不幸，抑亦中國之不大幸也。

一、美俄不會戰爭

美國詹森總統向持對俄友好政策，在其去年就職前十七天一月三日致國會咨文中，即對蘇俄大送秋波：

第一、他建議增加美俄兩國的交往，尤其是兩國領袖出現在對方的電視上對公眾演講。

第二、他說他將設法增加對蘇俄和東歐共黨國家的「和平貿易」。

第三、他希望蘇俄新首領能訪問美國，對美國作實地考察。

再就越戰言，美國不僅避免刺激蘇俄，而且儘量予以容忍，北越地對空飛彈為蘇俄所供給，美國目覩飛機一再受蘇俄飛彈之攻擊而無動於衷。轟炸海防及河內，封鎖北越海岸，為制服北越之重要方策，但詹森始終不予採納。同時美國又屢次透過許多外交路綫與蘇俄商討和平解決越南問題的方法，以察看蘇俄的顏色。最近八月二十六日，詹森總統復重申美俄兩國之間的友誼說：「美俄兩國在謀求達成各種可能協議，以減少核子戰爭機會上，而臨共同的使命。一場全面性的東西方核子戰爭，不論是故意或偶然引起的，將殺死近三億人」，九月廿七日詹森總統又告蘇俄人民稱：「美俄兩國必須攜手前進，以求實現裁軍和足以代替軍備的國際法治」。「作為二大強國，其間的承諾，無疑會有抵觸，但我希望二國分擔一項共同承諾，實現無戰爭的世界」。「美俄兩國人民，是極自然的朋友而非敵人」。對於蘇俄極盡拉攏之能事。返觀蘇俄，自古巴事件退卻以後，赫魯曉夫即始終高唱和平共存政策，一九六三年莫斯科的部份核子禁試條約及各項美俄文化交換計劃，均為其具體之表現。柯錫金執政後，繼續執行赫魯曉夫政策，對於「和平共存」，甘冒與中共決裂之危險，始終堅持不渝。揆其原因，實由於此項戰爭結果兩方均將遭受慘重損失，並無勝利可言。美國至本年四月廿五日止，已有新一代的洲際與潛艇彈道遠距離飛彈一千四百八十枚。於此一千四百八十枚核彈中，包含有威力龐大的太陽神二式洲際飛彈六個中隊，五十四枚（射程六千三百哩，熱核彈頭具有一千八百萬噸TNT炸藥的威力），義勇兵固體彈道飛彈八百枚（射程五千五百哩，熱核彈道具有一百萬噸炸藥的威力，將來可換裝二百萬噸的彈頭），北極星飛彈五百七十六枚（射程一千二百哩，一千五百哩，二千五百哩，熱核彈頭具有百萬噸炸藥威力），義勇兵二式洲際飛彈五十枚（射程六千哩）。一年後，義勇兵二式飛彈陸續出廠，共計義勇兵洲際飛彈可達一千枚。北極星潛艇由三十艘增至四十一艘，所載飛彈共計可有六百五十六枚。總計美飛彈實力將有一千七百一十枚，彈指之間，即可毀滅蘇俄，炸為齏粉。至於蘇俄方面，其核子實力雖僅為美國三分之一或四分之一，居於劣勢，但至一九六五年十月止，連同其液體戰略飛彈，第一期第二期的一切包含在內，據傳已有三百座，均有運搬二十至三十米格噸超大型氫爆彈頭的力量。其破壞能力較美國之義勇兵級固體燃料飛彈，僅能裝上兩米格噸級的核子彈頭，太陽神二型飛彈僅能裝配十至二十米格噸氫爆彈頭者遠高，爆炸力總量，即核子彈頭的破壞能力，亦遠較美國為烈。因此，蘇俄核子實力雖不及美國，但在心理上，顯有威脅美國之態勢，亦有破壞美國主要都市、戰略中心之力量，美國對此自必需小心翼翼，避免予以刺激。設使兩國發生戰爭，則任何一方均將被炸毀，還原至石器時代，使數百年之現代文明，人類精華，萬刼不復，化為灰燼。人非至愚，誰願出此！

二、美毛何以尚未發生戰爭？

美國戰略中心，現已由歐洲移至亞洲，假想敵人已由蘇俄改為中共。美國國防部長麥那瑪拉最近說：「美國由於越戰的結果，確有與北平毛共政權發生戰爭的危險」。中共方面亦很明白的把美國列為戰鬥目標，屢次聲言要「打倒美帝」「埋葬美國」。就表面觀之，美國與中共的大戰，似已迫在眉睫，實則並非如此。

先就中共方面言：中共現在口口聲聲要埋葬美國，準備對美戰爭，實在純係虛聲恐嚇，絕對不敢動手，其原因有四：

（一）坐山觀虎鬬。中共現在之戰略為延長越戰，拖拉美俄兩國衝突，則毀於核子浩刼，已依恃人多，完成世界革命，坐收漁人之利。蘇俄於本年三月廿一日曾明白指控中共正在設法挑起美俄之間的戰爭，以便留下中共成為一個支配世界的強權。吾人亦有各種理由認為共匪政策，現在主要的，即為國際造成美俄之間的挑撥衝突。本年五月軍事陳毅突然宣佈：「如果美國對蘇俄進攻，中共決定支持和蘇俄並肩作戰」。試問美國何以會自動進攻蘇俄？真是信口雌黃，無中生有，其意即在拖蘇俄下水，實現其坐山觀虎鬬之陰謀而已。

兩面手法

煩惱自尋

今日與明日

「兩個中國」的鬼影

毛共不斷閉着眼睛喊：「它的『朋友遍天下』」；還說國際「形勢好得很」。但從上（十一）月二十九日聯合國大會投票的顯著變化上看，就完全可以否定毛共的胡說八道。對毛共入會問題表決投票，支持者四十六票，比去年少一票，而反對者五十七票，比去年增加十票之多。在表決「重要問題」投票時，贊成者六十六票，比去年多十票，反對者四十八票，比去年少了一票。支持毛共「無條件」進入聯合國取代中華民國地位的會員國，就是增多一些，也距離三分之二的票數遠得很，何況又有所減少呢？這一些企圖夾帶毛共入聯合國的「國家」，將和毛共本身一樣：永遠失望，陰謀永不得逞。

問題倒不在毛共和它的所謂「友好國家」，一些莫名其妙的非共國家，在對所謂「中國代表權問題」上的表現，甚至不顧聯合國憲章精神，別有打算，企圖示好於毛共而嚴重損害我中華民國權利，簡直是無視我中國同胞之自由意向，是一種對所有正義的中國人的極大侮辱。

以義大利為首的幾個會員國的提案，說穿了根本就是替「兩個中國」鋪路。遺憾的是對於此項「鬼案」，美國也表示了支持。美國代表高德柏在聯合國大會演說時，一方面強調對毛共政權進入聯合國，並聲言美國不能接受任何排斥中華民國席位的提議。然另一方面卻又宣稱，支持義大利等國所提出的設立所謂「研究委員會」的計劃。此種自相矛盾的立場，就今日美國在聯合國和自由陣營所處的地位及其對國際關係的影響而言，顯係重大的錯誤。這個錯誤，是美國短視，無知，背信棄義的具體表現，是對我中華民國準備「待價而沽」的一種可恥「苗頭」，吾人萬不可輕率大意，而不予以萬分的注意和警惕。

吾人必須鄭重警告美國當局：貴國決不可在姑息主義歪風瀰漫下，隨便作出任何損害中華民國的醜事。

毛共為侵略者，它是中國人民之敵；根據聯合國憲章規定，它根本沒有資格進入聯合國，即成為會員國也應予以除名。而我中華民國在聯合國的地位，於聯合國憲章上是明文規定的。除非聯合國變成「牛鬼蛇神」天下，並先把憲章撕毀，不然我國地位是不容任何別有用心的半吊子國家予以更動的。（何如）

自由談

莫名其妙

司法行政部應該隸屬行政院？抑應由司法院管轄？這問題已經糾纏爭吵了若干年——從大陸上吵到台灣，依然是「纏夾二」的空論瞎扯，徒亂人意。

我不懂法律，但對於常識性的法制和行政體系，亦粗知其梗概。就行政上的職務分類而言，司法行政自以劃歸司法院掌管為妥當。若講司法獨立精神，司法行政部更應該屬諸司法院。同是政府機構之一環，有甚末爭執的必要呢？

如謂「司法行政」乃係行政職責，即須屬於行政院。那末，監察院的審計事宜，考試院的考選事宜，皆係廣義的行政性質，也應該劃歸行政院管理纔行，寧非笑話！

司法院綜持全國司法事宜，然無從過問司法官吏之進退黜陟，也不明瞭司法官吏的服務成績如何，人事任用、考核、獎懲的職權皆別有所屬，司法院只是管管公務人員懲戒案件，顧名思義，令人難以索解，此與內政部之主管全國警政，而不能過問各級警官的人事情形相同，後先輝映，可謂奇觀。

政治機構之職與權不相聯繫，而欲達成「新、速、實、簡」之行政效率，夢囈而已。

人民犯罪，可以經過三級法院審理，儘有陳訴理由事實之餘地。官吏失職若被糾彈，一經公務員懲戒委員會裁定後，鐵案如山，無論失出或失入，都是活該的。北洋軍閥專政時代，有「平政院」之設置，官吏如受冤屈，尚可求直於平政院。今則一旦經吏議而膺受了懲戒，縱有冤情亦無處申訴，法治云乎哉？

同是為黃豆案犯有賄賂罪嫌的民意代表，有的如臨大敵的急予拘押，有的如禮賓師的傳訊放歸，有的行所無事的託詞拒傳。法律之前，人人不平等如此，這是甚末法治精神，說句台灣話：「瓦𠯿宰羊」！

國家總動員法原是對日抗戰時期的緊急法令，時至今日，依然適用如故。此外尚有許多與憲法牴觸的舊法令，亦相應有效存在。立法機關熟視無覩，監察機關默認無言，行政機關自然援用不替。憲法之面目全非，良有以也！

人治乎？法治乎？二者都不像，眞是莫名其妙哉！

馮二先生

桃園水利會長競選戰激烈

地方黨部突然提名簡欣哲有欠考慮
社會人士不滿列舉五理由認爲不智

（本報記者周冠軍航訊）桃園農田水利會四屆會長選舉，前誌本報。自十一月四日國民黨提名簡欣哲爲會長候選人後，便引起了其餘四位國民黨籍的候選人范姜德等的氣憤，及地方人士的不滿反應。當首先辦理會長候選人登記時，國民黨方面爲了集中力量以期必獲勝利，便由地方黨部邀集黨內的五位候選人，召開了一個協商會議，決定：假如有黨外人士出馬參加競選的話，便由黨部於五人之中提名一位聲望最高和勢力雄厚者參加競選。這一協議是爲了爭取集中選票，也是很合邏輯而又較公平合理，因此所登記的五位候選人，爲了服從組織，大家都擁護這一決策。

可是直至十月二十五日登記截止時，並無任何黨外人士參加，所登記的五位候選人，都是黨內同志，那麼對於前日的那項協議就用不着了，應該由地方黨部從中加以疏導，儘量減少地方派系之紛爭，或者權衡利害，從五人之中推選一位適當的人士出馬，否則就尊重民意，開放自由競選。選舉原就是選賢與能，任由選民去選擇他們自己所欲選的人，選出來爲他們多做點事，而且是希望多做點有益於羣衆的好事，而不是壞事，才不致辱沒了他們自己投下的神聖的一票。

這樣做是尊重民意，尊重民權，也就是發揮了民主的眞義，是值得歌頌的。可是地方黨部硬要提名簡欣哲爲四屆會長候選人，並硬性通知其餘四位候選人於接到通知後，三日內撤銷候選人登記，否則以違紀議處。

可是，五位候選人中除被提名的簡欣哲外，范姜德早已聲明要競選到底，因爲他有不得已的苦衷。他之參加競選登記是水利會上屆的代表們代辦的，他是被代表們堅決地硬請出來的。他曾經任過水利會二三兩屆評議委員，一般代表們都對他的作人作事十分了解，因此才能深得代表們的信賴。旣是這樣的一個局勢，他怎能違背地方人士對他的愛護熱忱呢？他除了以競選到底來答謝愛護他的代表們外，難道他肯犧牲他的地方關係而去撤銷登記嗎？

另一候選人黃啓得也於十一月七日向水利會提出了一項書面的聲明：除他本人親自簽名撤銷登記外，任何人代他撤銷登記，他是不承認的。這不是也很明白地表示了他也是不肯讓賢嗎？選情轉變至此，筆者爲了力求民隱，作一公正報導，曾經往訪地方許多知名之士及新當選的本屆水利會代表多人。茲將所得詳情分誌於後，以供一般關心本屆選舉人士參考。

根據地方各級人士對此次選舉提名簡欣哲，有五點理由感覺得有些欠妥，同時表示有些懷疑國民黨地方黨部的這一措施。五位候選人都是本黨同志，何以獨對簡欣哲如此偏愛？如果眞要官派的話，有石門農田水利會的前例可援，乾脆就派一個不是很好的嗎？何必多此一舉的來選呢？選就應該讓選民自己去選，何以又要搞什麼提名呢？

第一、所提名的簡欣哲又不是水利專家，在代表們的心目中毫無半點印象，尤其他本人對水利方面是一個外行，以一個不懂農田水利的人來充任水利會長，其成就是可以想像得到的，並且有上屆的水利會長的前車可鑑。

第二，政府爲了發展本省農田水利，曾經花過大量的錢，派人到國外去考察，那次被派往國外考察的人員中，現在五位會長候選人中的謝金芋也在內，假如這次提名的是他，那麼花的鈔票也沒有白花，同時也很公平合理了。

第三、選舉完全是尊重民意，選賢與能，在這次開始辦理會長選舉時，業有該水利會前屆代表二十四人聯名向中央黨部、省黨部、水利局等單位陳情，推出該會二、三屆評議委員范姜德爲會長候選人，並有若干代表親赴省黨部請求開放自由競選，曾經省黨部某要員面允不予提名，任由選民自由競選，結果也沒有履行諾言，而提名簡欣哲。

第四、水利會組織規程第五十條已有明文規定，「會長候選人須以爲本會會員一年以上者」，而簡欣哲自爲會員時起至選舉之日止，尚未滿一年，入會資格已不夠一年，有問題。

第五、桃園農田水利會之農田灌溉地域廣大，包括台北、桃園、新竹等三縣，原就有閩南、客家地方派系之紛爭，地方黨部應儘量從中疏導，以期化戾氣爲祥和，尊重民意，權衡利害，情勢，提名一位適當的人士參加競選，或任其人自由參加競選，本身以組織的立場出面輔導和協調，做到大公無私，根絕厚此薄彼之意念，各憑自己能力，誰當選誰落選，那不是天下無事了嗎？

這次地方黨部根據以上五點，提名簡欣哲，確是個不啥之舉，而且招致煩言四起，選戰激烈，冤枉損耗了多少人力、財力，同時還增加了地方派系之紛紜，這是多麼不智之舉啊！（十一月廿日於桃園）

（本報記者劍聲台北航訊）監察委員陶百川先生，是一位公正廉潔而著名的鐵面無私的「御史」。他從美國回國後，一直忙個不停，不是寫演講稿，便是寫調查報告，或到外縣市去查案，有時候，還要替台北幾家報刊寫點文章。因此，他是監察院的一個大忙人。

記者認識陶先生，已經十年以上了。我知道他很忙，所以直到最近才和這位名御史作了一次「短談」。

在十月十四日，正當立法院爲台北地院檢察官調卷事件而掀起的風波進入高潮時，這位白髮斑斑的監察委員，在監察院動員月會上以「美國兩個參議員的下場」爲題，發表演說；由於時間的巧合，這篇演說，竟成爲漏網新聞。現在記者根據陶委員所提供資料，將這篇演說補記之。

陶委員在發表演說時，曾提到美國總統俱樂部，有委員五百多人，這些委員都是美國社會各階層的鉅子，他們經常舉行餐會募欵送給總統，每張餐券起碼一千美金以上，多多益善。沒有聽說過要負行賄與受賄的刑事處分。他極風趣而且幽默地問監察院長李嗣璁與副院長張維翰，在競選的時候有沒有花錢？假如有的話，則所花的錢是不是全部自己的？有沒有親友送錢？如有，則送的人和受的人是不是要負刑責？這的確是一個值得研究的問題，因爲涉及政治學與法律及民主政體的問題。

美國參議員麥加錫和陶德，都是因行使職權而弄得焦頭爛額。頗值我國國會議員與政黨暨新聞界的借鏡。

一九五四年一月三十日，美國參議院常設調查小組主席麥加錫，傳詢克爾米爾軍營一位少校軍醫官庇里士，因爲庇里士有共黨嫌疑。麥加錫問了三十二個問題，但庇里士引用美國憲法第五條修正條文：「法院和國會不得強迫證人提供有害於自己的證言」。作爲拒絕答覆的理由。

美國兩個參議員的下場

——陶百川在監院動員月會演講

二月一日，麥加錫寫信給史蒂芬士要求扣留庇里士交付軍法審判。同時，庇里士上書請求辭職。陸軍部不理會麥加錫的要求，就在第二天很迅速的准庇里士辭職。於是麥加錫大怒，傳訊克爾米爾軍營的司令官褚衛格爾，問他許多關於批准庇里士辭職的問題。但褚衛格爾也拒絕答覆。他除了引用美國憲法第五條修正外，還有艾森豪總統和陸軍部長限制他發言的命令。麥加錫乃以憤怒的口吻，說褚衛格爾「不配穿軍人的制服」。這話觸怒了陸軍部長史蒂芬士，他認爲麥加錫不獨侮辱了褚衛格爾，也侮辱了陸軍全體。在盛怒之下，他就公開命令褚衛格爾不得再出席參議院調查小組作證，同時宣稱他將親自出馬去評理。史蒂芬士對部下演講時並說：「我願意負起責任來，無論是愉快的或不愉快的，我願意支持所有忠貞的男女同人。」在另一聲明中，他說他要掩護所有的屬員，使其不受麥加錫的調查。

陸軍部長史蒂芬士這樣的態度和做法，即使平時反對麥加錫的時代週刊，也認爲要不得。史蒂芬士的友人孟特參議員，當時勸他不要那樣躁急。並問史蒂芬士：「你是眞的要介入參議院和你職員之間的糾紛嗎？這是一個很不幸的問題。你的做法將使麥加錫的最兇惡的敵人也不得不支持麥加錫。」史蒂芬士表示：「我的立場祗是不讓參議院侮辱我的職員。」孟特解釋：「你的立場極易使人誤會你在干涉參議院調查小組的行動。」所謂干涉參議院調查，就是藐視憲法而干涉國會職權之行使。

副總統尼克遜爲此而出面疏解。他約了諾蘭等七人會商，他們警告史蒂芬士：「庇里士有重大嫌疑，陸軍部處理得不好，吵下去對陸軍部很不利。」於是，與麥加錫妥協，請他一、不要對史蒂芬士公開質詢，二、不要讓艾森豪總統捲入漩渦。

麥加錫勉強接受參議員的苦勸。在一次餐敍中，孟特參議員徵得雙方同意，寫下這樣一個備忘錄：一、共黨份子必須根絕。二、由史蒂芬士頒發命令，庇里士案的調查應即繼續進行；三、參議院調查小組有權傳詢褚衛格爾司令，但不必出席作證；四、史蒂芬士不必出席參議院調查小組作證。決定：軍人是由參議院調查小組如何改善對於軍人的沒有軟弱，於是陸軍部方面因而大爲不滿。

總統，是不應捲入漩渦的艾森豪總統，也毅然決然的親自出馬了。在尼克遜副總統主持的另一次會議中，根據總統的指示決定下列三項：

一、麥加錫須公開承認他曾侮辱了褚衛格爾司令。

二、麥加錫須表示向史蒂芬士保證改善對於作證軍人的態度。

三、麥加錫表示庇里士案的調查已無必要。

這些條件，當然不是麥加錫所能接受的，但是艾森豪卻親自叮囑狄克遜參議員，務必全部接受。調停的史蒂芬士是一位能幹而善意的好人。他表示願意公開讓步，這樣無濟於事。豪以爲表示，白宮方面採取決裂對付。接着，民主黨也以連串的攻勢而來對付共黨。了一個炮由陸軍部發表一項正式聲明，指責參議院調查小組一位顧問柯恩爲其助手史慶在被徵募當兵後要求陸軍部予以種種優待。（上）

透視立監委涉嫌油商行賄案

從立法院暨監察院第十四次臨時會決

議案說起（十三）——本報記者張健生

違反立法院各委員會組織法第十條之規定，委員會之委員及缺席委員未聲明保留在院會發言權之委員，在院會中提出與委員會決議相反之意見者，或出席委員超出議題範圍之外或涉及委員私人問題者，主席或出席委員亦得請求主席警告或制止其發言，或移付懲戒。但主席依前述規定處理時，如有出席委員提出異議，經三十人以上連署或附議，應即付表決，該異議經出席委員半數以上通過時，主席不得提付懲戒（議事規則第八十六條）。

立法院紀律委員會接受審議懲戒案，以（一）立法院院會議決交付審議之懲戒案，與（二）立法院會主席依法移付之懲戒案爲限（紀律委員會組織規程第五條）。但被移付懲戒之委員得向紀律委員會提出申辯（同法規第六條）。紀律委員會審議懲戒案件得按情節輕重爲：（一）口頭道歉。（二）書面道歉。（三）停止出席院會四次至八次之處分（同法規第七條）。而紀律委員會審議懲戒案之決議，應將報告書提請立法院會議決定之（同法規第八條）。

立法院立法委員資格審查委員會，應（一）審查當選證書或當選證明文件是否當選，及（二）依憲法第七十五條之規定，審查當選立法委員者是否兼任官吏，爲主要的職權。（未完）

源海異聞談

飲食大王實踐飲食人生

·秦穉·

如果你對于著名菜譜或品嘗美酒有心得，自然不會對安德．西蒙這個名字感到陌生。他是當世第一流的飲食專家，也是「飲食協會」的始創人，著書甚多。因此，如果你與他大談「擦嘢之道」，無異班門弄斧，孔夫子面前賣文章。

關于飲食的研究，大師是不少的，如哥拉鐸斯、非臘哈賓、羅拔．卡里亞等，但西蒙的歷史比他們任何一個為早。在西蒙的眼中，飲飲食食不再是「過口癮」那麼簡單，而乃是一種藝術呢。

西蒙是法國人，去年為了對食物烹飪方面的貢獻，已營項CBE勳銜。明年二月，他便是九十高齡了。在人們的印象中，他不但可愛，而且非常樂天知命。

目前，他住在倫敦的維多利亞站的附近，私邸內的佈置古色古香。一九一九年以來，他從未搬過一次家。

他的個子高大，體重通常不會少過二百一十磅，他那個玫瑰紅的面頰，與蒼蒼白髮，成一強烈對比，他那微曲的鼻樑仍不減削他那朵慈祥的笑容，眼鏡片後面，雙目燗燗生光。如此精神旺盛，十足一位「擦家」。

他的英語帶有濃厚的法國口音，但很動聽。

一九〇〇年他與一位英國少女愛廸芙結婚，之後，便決定長期留居英倫了。

他說：「在這裏住了這麼久，還有一位英國太太，有人問我為何仍不能改變那種法國口音。天啊！我是研究飲飲食食的，不是一個語言家呀。」

他太太愛廸芙三年前逝世。他們相處已是六十三個年頭了。

在他們金婚紀念的宴會上，一切的菜餚均以金器皿盛載，房內也是金色的裝飾，華麗堂堂。貴賓喝的酒是一九〇〇年份的，因為在這年份是他們結婚的日子。

當年西蒙結婚後不久，他便在一家法國香檳公司工作，由于這個職位的關係，他便開始對飲飲食食這方面發生興趣了。

他回憶說：「我每天都喝香檳酒的。對于美酒，我毫不會錯過。既然欣賞一種，自然忍不住欣賞其他的了。」

一九〇五年他寫了第一本書「英倫香檳貿易的歷史」，他說：「這不是一本好書。」不過，這是他的事業的一個好開始。

西蒙說：「一生中我有兩種愛好：一是我不喝的墨水，另一是我喝的酒。」

在他寓所，在木架上，不是堆滿酒瓶便是書本了，其中不少是絕版的書籍。除了酒，他最喜歡讀書的了。

一九三三年，也創立了「飲食協會」。當時，人們對于吃喝不大注意，認為祇是為了充飢解渴這麼簡單罷了。這個協會的建立，立即招引注意，在數週內，一千多人參加；在特別安排的聚會上，大家品嘗美酒與據案大嚼那些撚手好菜。

不久，美國禁酒令開放了。他當時這麼說：「人們對于酒顯然是誤解的。他們以為喝酒的目的是喝到爛醉，不理會酒是紅或是黑；事實上，對酒的品嘗是一種人生不可缺少的藝術。如果明白這點，禁人喝酒是不需要的。」

他這一番話馬上打動人心，目前，他的「飲食協會」已分佈世界各地，支會共一百五十家。他仍是協會主席，他常常旅行各地訪問支會的。

他年紀這麼高，依然每天要喝香檳及吃生蠔。他還有豪語：「在法國，孩子的時候吃生蠔五十隻，至於成年人呢，至少吃一百隻。」

他說：「當年老時，最容易感到寂寞，所以，不能沒有良伴。對于我，除了酒還有什麼呢？我家裏有一個濾酒器，非常精巧，它便是我的良伴了。」

一九五七年他寫自傳，他這麼寫道：「人生便是飲飲食食的人生，所要注意的是——如何飯飯食食？否則，人生為了肚子而生存，那未免毫無意義吧？吃吧！喝吧！不要憂慮什麼。」

神秘失踪的民族與國家

·紫苑譯·

假如確有遺種文明民族存在過，則必承受其更早民族的文化，其所用相類似的石器必有遺留，必有被消滅的地區，可供作更古文化歷史的橋樑。許多人，包括著名的考古家與人類學者，分析印加支冒，阿芝克特，馬雅，以至密士的，與沙蒲的等古文化，也發現有像那些被遺失的文化的情形。過去科學家多以為受歐洲人征服而致消滅，這理論顯然有缺點，就以印加人為例，他們既有這麼高的科學知識，怎會給一小隊入侵的西班牙人全部消滅？又如馬雅民族，或稱眞人；這樣強大，竟會給那些眼光幽暗，腦力遲鈍的野蠻人，一下子便結束了他們古代的光榮？

世界上當有許多較阿芝克特，印加，馬雅等更偉大的文化未被發現的。

在南太平洋有一島，名復活，島中數百巨石像，顯然為某有高級文化的人類所刻，其藝術與搬運能力，均留給今日一待解答之謎。而較巨像更神秘的，則為文字。最初發現該島者，看到石刻碑文，至今無人能解。

現在住於島上的居民，則為最原始的野蠻民族，無文化，無種族紀述，亦無流傳關於雕刻碑文與巨像的民族神話。科學界以為復活島近代始荒蕪，與當時居住過的那失蹤民族，迥不相同。是以南海各混雜民族的難題，始終尚未有人能夠解答。

比較合理的解釋，為傳說中茂洲碩果僅存的一部份。這洲也像大西洋洲沒沉於海，當然無人能找出大西洋中這些小島的文化發祥地。

史前尼安得爾人曾遍佈歐洲，最後全部消滅了，也無相接近的後繼者。他們消滅得這麼徹底，像難以相信的，這一切均為研究者的懸案。

上述為科學界中許多有趣問題之一，也許永遠無法解決的，因為對歷史上遺失文化進一步的研究又有更新的難解答的神秘情狀發現。失蹤的巨石像的雕刻者南海羣島中建築巨祭壇的部落，大金字塔的建築者，及其他一切歷史上疑幻疑真的大帝國，文明古族，優秀文化，像安然離開了他們的家鄉與神廟，究竟去了何處？何故離開？

過去那些奇妙的揣測總不及事實本身的奇妙——無數具高等文化的人類，會簡單地走往「永不回」的神秘地區，永遠脫離人世？

下一次會輪到那一民族作這種神秘旅行？（下）

直布羅陀的史料

本報資料室

在十九世紀時的直布羅陀是寧靜的，外間更沒有聽到它的名字。在一八〇八年發生的半島戰爭，英國與西班牙成為盟國，當時直布羅陀是有利的軍事基地。在美國獨立戰爭時的，法國也想趁英國不能兼顧時，乘機下手將直布羅陀奪取，但沒有機會。有許多時被敵軍追趕的西班牙軍隊，得在直布羅陀的大炮掩護下，到那裏躲藏，經過長期的戰爭，西班牙獲得獨立，直布羅陀也過有大力的幫助。關於直布羅陀的問題停息了許多年，因為西班牙政府太弱，不能作任何的抗議。

英王愛德華七世在一九〇五年訪問直布羅陀，逗留了五日，沒有受到像在半個世紀之後，他的曾孫女伊利沙伯二世訪問時受到的反抗。故西班牙國王阿豐碩十三世時常想維持英西兩國的友好邦交，所以沒有將直布羅陀看得太過嚴重，據說他本人曾起草一項計劃，更親自遞交給英王喬治，他意想英國要承認西班牙的國王主權，交換條件是英國得准許直布羅陀的租借權九十九年，每年繳交英金一鎊，西班牙國王親到直布羅陀收取，在這個時間，在直布羅陀要同時懸掛英國和西班牙國旗。再便是，在西班牙國王的參謀部常有一名英國軍官，在直布羅陀英總督的參謀部也有一名西班牙軍官。想來英王對這件事是不同意的，因為這個計劃沒有下文。

在一九一七年春季，直布羅陀歸還與西班牙的論調又在倫敦的政要中討論。在當時英國的國勢已比不上在維多利亞時代強盛。在第一次世界大戰的第三年，聯軍沒有進展，聯軍船隻被德國潛艇所擊沉甚多，損失極大。在西綫的法國軍隊因吃了多場敗仗，影響他們的鬥志；俄國又發生革命。美國雖參戰，但在早期沒有什麼顯著的成就。而直布羅陀的軍事價值已漸失，因為大炮不能阻止潛艇通過那裏的海峽，對怎樣防衛免被新有的空中轟炸也成問題。英首相萊喬治就想引誘西班牙加入聯軍方面作戰，西班牙軍隊可開到西綫，不會在海上受到潛艇襲擊的危險。英政府更願意將直布羅陀跟西班牙交換施達。同時英國訓練許多聯絡員俾在西班牙軍隊中服務。但這些計劃在官方都沒有正式的記錄，據說贊同此議的西班牙首相倒台，同時聯軍受德潛艇為患的威脅已消滅，那計劃也不要緊了。

在第二次世界大戰結束後，國際關係的新紀元開始，英國跟西班牙對直布羅陀的問題，因解決不來，情勢正日益嚴重中。這個英國人已經佔了二百六十二年的據點的命運如何，看來還不容易分解的。（下）

新三國

周燕謀著

張魯要將女兒嫁給他，馬超不納，因此張魯對馬超很不高興。到建安十九年春，馬超向張魯請了一支兵回甘肅去打祁山，也是為張魯作攻擊性的防禦。不幸又被張郃打敗。馬超無臉再回漢中。此時劉備正在兵圍成都，馬超就派人向劉備說，願投奔麾下，幫忙攻打成都。劉備表示歡迎，而且分了一部分兵送給馬超，化裝馬超的部隊，以壯聲威。於是馬超也趕到成都，兵抵成都北門。如此一來，劉璋為之膽戰心驚了。

三、定益州三分鼎立，用賢士犒賞功臣

劉璋被困在成都，那時成都尚有三萬人馬，糧食還可支持一年，軍餉也足有一年之資。官吏百姓都要死守下去。劉備的從事簡雍，自少就與劉備友善，是跟隨劉備最久的一位患難朋友。入益州時，劉璋一見非常喜歡他。此時他挺身而出，勸說劉璋罷兵。但成都將士却要劉璋死戰，劉璋對將士說：「我父子在州二十餘年，無恩德加於百姓，百姓攻戰三年，我何能自安。」於是，決定聽簡雍的勸告，開城投降。劉璋同簡雍同乘輿出城請降。羣下皆為劉璋洒下同情之淚，甚至有痛哭流涕者。

劉備對於劉璋確實非常厚待，不但不殺，而且還表示非常抱歉。將劉璋的私產財物，一律發還。並准許他帶家眷遷到公安去定居。仍舊交給劉璋振威將軍的印綬。後來東吳殺關羽取荊州，還擁了劉璋做了有名無實的益州牧，住在秭歸。劉璋的二個兒子，劉循在廣漢投降留在成都。只帶了次子劉闡住秭歸。劉璋死了之後，南中的一個土豪雍闓佔據了秭歸。吳平降之，東吳孫權仍舊樹立一個傀儡，將劉闡表為益州牧。後來諸葛亮平定南方、秭歸收為蜀有。劉闡到東吳做了御史中丞。劉璋的兩個兒子，一個在西蜀，一個在東吳，順便在此先行交代。

劉備進入了成都，即將所有的金銀錢貨，一概分賞將士，最有功的四人，是諸葛亮、法正、關羽、張飛，每人各得銅錢五千萬，黃金五百斤，外賞錦緞一千疋。成都在當時的錦緞是名聞天下的。為何劉備要將法正的功勞列為一等呢？法正是冒險勸劉備取益州的，到了益州一切內綫皆由法正搭成的。他明瞭益州最透澈，也了解劉璋最清楚。他本是陝西扶風人，很有才幹，劉璋只給了他一名空頭參議。他深知劉璋根本是個大草包，曹操把他早晚視之為甕中物的，與其送給曹操，不如早點送給劉備，還可保得住些。所以劉備入益州是法正的計劃，法正功勞實在是居首。沒有法正和張松，取成都不會有那樣順利，甚至連機會都沒有，可惜是張松想倒戈內應，被劉璋殺了。

劉備佔了益州，分賞了功臣，且把劉璋的舊部下，一律重用。以諸葛亮為股肱，以法正為謀主，以關羽、張飛、馬超、趙雲為手足；許靖、糜竺、簡雍等人為賓友；劉璋的部下，如董和、黃權、李嚴等，照原官階任用；與劉璋有婚媾之誼的吳壹、黃觀等照樣留用；彭羕是劉璋所排斥的人物，劉巴為劉璋昔日所忌恨的，都給他們以顯任，盡其器能。（八十五）

遏雲演鎖麟囊（續）

論到在台灣唱程派，票界當屬高華，伶界也惟有遏雲。他們多是寢饋在三十年，完全悉心研討所致，不僅會唱二三齣而已。高兄因身材太高，不適宜於登台，並非他不會彩串；記得在大陸與楊寶森唱桑園會，響滿全滬。現在伶界祇有遏雲獨步，她自拋棄梅改學程，大有成就，能唱的約有廿齣，尚有許多以格禁例，未能露演，但已演的也有十二三齣。我是在四十年前，捧她的一人，不意在台猶得相見，誇一句話，是不是「海內存知音」，遏雲心中知之。每逢她有演出，必十分贊成，爲的是「程派不絕響」，是中心所願。遏雲享名已近卅餘年，不用多贊，而鎖麟囊更是拿手，非雁門關可比。她推出此戲，也可以說近乎示範。票界之中，有沈規珹蚰雲兩女士，或能似之。猶憶今夏在基隆聽遏雲唱罵殿，彷彿歌音猶在耳際，到廿八日當可更飽聆一番，以自慰也。

國劇繽紛續錄

婆娑生　（一三〇）

祝壽的繁縟

總統壽誕，民間慶祝，前知中信局與郵政界各演兩晚，爲較多，但事後調查，始知電力公司共演五晚，三十日電影晚會是西施。十一月一日平劇晚會，是戴莉華朱繼屏的蟠桃會，鈕方雨高蕙蘭王麗雲的悅來店能仁寺。二三兩日，是話劇晚會，演出新世紀，由大鵬話劇團主演。四日爲名票林永羅倫黃音史振東張平堂楊鳳采等，演出半部王寶釧，因從趕三關起，接武家坡算軍糧銀空山大登殿，缺少了花園贈金彩樓配，三擊掌，投軍別窰，母女會等四齣。但林羅黃三位各個卯上，技藝不差，估計全部演出費用，約在八萬元以上，軍中劇團望塵莫及之。

昨據傳言，中國石油公司的祝壽晚會，更是龐大，在台北高雄嘉義苗栗四處演出，每處兩晚，是歌唱與平劇兩部份。平劇方面，是孫君演大登殿，李秀英的拾玉鐲，吳儀其的春秋配，所有龍套與其他配角，均是同人扮演，有趣的不知在那處有龍套或配角，偶爾昏倒在台上，是不習慣所致。單就平劇的用費，約在三四萬，還有歌唱的同人膳宿不計在內，全部支出不在電力公司之下，這爲祝壽最熱烈的單位，值得稱許。

全女角的探母

總統華誕，各大專院校，並未有演出平劇，祇有淡江文理學院演出探母，極爲動人，容當另記。但台大國劇研究社爲表示敬意，趕促排出，仍於卅一日在體育館演出四郎探母，其妙在「全是女角」，爲很少有。（未完）

喝茶在英國

·嘉林·

相信世界上的飲品，最便宜的要算是茶了，但也許有不少人，不會相信的。目前在英國，一杯上好的茶，約爲五便士光景。

在大部份的茶店，和茶水部裏，每杯茶收費爲六便士，有些較具規模的飲料店，像「里昂斯」和「英國鐵路」，那兒收費爲七便士。其他的賣茶士至一仙令不等。第一流酒店的茶價，高達十五仙令，相當於一分三文治那末貴的價錢。

可以喝杯免費茶的話，大部份的大城市，都有免費茶的供應。像倫敦堤岸的「銀女士」餐廳，專供應那些流浪漢喝飲的。要是準備輸一品脫的血液，那末在任何的輸血站，均可獲喝一杯茶。但是一般來說，每杯茶價，約值六便士。這樣的茶價，實事上，要算是貴的了。然而，這並非茶本身昂貴，而是人爲的，人們把茶提高售價。依成本算，一杯茶價值，不值一便士多些。如果一包重四分一磅的茶，可以沖開多少杯？由杯數便可以知道每杯茶的實在售價多少了。茶葉，可以開成四十至五十杯，每杯僅值半個便士。再加上半個便士的牛奶、糖、電費等。由此而觀，每杯茶的價值，多麼的廉宜。以自開的茶和茶館售賣的茶，比較其價值，那末茶樓每杯獲純利四至六個便士。因此，這就是爲什麼許多英國人士，自購茶具，開茶而飲，不願到茶樓去喝茶，免爲茶樓賺去深厚的利潤。

當然，人們在口渴時，便飲茶了。但是英國人的喝茶量，是居世界之首位。據統計，每年英國人喝茶約爲九百億杯。佔全世界耗茶量的三分一。

英國人對茶有着深厚的「戀情」，而且它們的「戀愛史」相當悠久。遠在三百年前，由中國輸茶入英，由那時起，英國人對茶即「一見鍾情」，愛喝起來。他們認爲在戰爭中，喝茶使他們堅強起來，在太平盛世，茶是他們的慰藉劑。因此茶成爲英國人士命中的一部份。

在英國政府的官署裏，每日供應給辦公官員們的茶，由推車沿着長形走廊，送給他們。一家電油公司，耗費八萬八千鎊供應倫敦各油站門市部人員喝茶。

由於英國人喜歡喝茶，因此每日總抽出一些時間，去喝茶的。所以，每日全英國，損失人力時間爲六千萬小時。

一家鞋廠，給予廠中女工每小時撥出二十分鐘爲喝茶時間，其出品平均增加百份之五十四點五。茶不但是美好的飲品，使人鬆弛的飲料和同時是辟除鑊上煎魚的氣味，還可以把玻璃器皿和鏡子污漬清除。有些人喝茶，據說可以清潔腸胃，幫助消化。同時當吃過了白灼蝦，或是螃蟹之後，總是要用茶來洗手，這樣可以除去蝦蟹的腥味。茶的功用很廣，不勝枚舉上述不過隨手拈來的好處而已。

一些專家辯論，認爲在茶裏加上牛奶，其味是否會好些？同時在倒茶於杯裏之前或後加奶，其味是否各有不同？一位生物學家，最近向英國科學進展會報告，說牛奶應該在倒茶進杯裏之後，才好加進去。但是在里昂化驗室的兩名科學家，卻堅持應該在倒茶前先放牛奶，這樣會好味一點。其實，兩者是差不多的。

憶李況松

諸葛文侯

衡陽李況松世丈，於大陸淪陷後，父子二人遭毛共清算戕殺，迄今墓木已拱，然其人其才其行，常縈洄於腦海中，不能忘也。

況老於民國二年春間，與同盟會初革命黨人覃理鳴（振）倡設私立「湖南法政大學」於長沙，佈告招生，愚亦以髫齡報名應試「大學」，試題爲「論收回領事裁判權」一文，由一西裝革履之青年人持粉筆書題目於黑板上，愚不知「領事裁判權」係何意義，曳白而歸，告父親，父親與三叔曾在東三省公任法官有年，三叔聆而驚詫，謂當此場題殊不妥，出題人之相貌衣著，即言必係李況松無疑，蓋三叔以隸國民黨籍也。未幾，現任省議員李來訪三叔，與愚熟識，果然，李見之，印象殊深。癸丑二次革命失敗後，愚三叔亡命日本，李況老暨程潛接近。迨袁世凱暴卒，且相與歸長沙，彼此交誼篤厚，過從甚密，況老對愚頗示獎許。

湘政時，趙夷午（恒惕）先生主持湘政，首倡「聯省自治」，李常以省議員代表趙公，馳驅東南各省，宣揚聯省自治之說，聲華甚著。況老文筆超越，對國府頗有指斥，維護法而以聯省自治通電，挽愚叔祖省議會議長彼秋公（名義讓）領銜發出，甚招民黨人士反感，上海民國日報曾著文痛詆之。越民國十六年秋間，愚在南京，再遇李況老於叔祖父寓中，偶談及上述通電舊事，叔祖笑指李云：「嗐，那一通電，乃是他寫的，教我挨罵而已」，況李含笑無言。一日，愚隨況老漫游秦淮河畔，見夫子廟內外，充盈雜貨攤、命相館、江湖賣技者流，污穢不堪，而對岸妓家林立，笙歌處處，愚登秦淮河游艇中，慨然謂彼：

「我用成語集了一副對聯，貼在夫子廟門口，如何？」聯云：[illegible]……敏捷，民國廿四年夏，愚避役武漢，復遇況老於武昌，且偕一少艾姬人，賃屋而居，事爲其婦詗悉，某日亭午，夫人自長沙掩至，叩門入室，李方高臥中，一聞聲，急披衣下床，繡鞋一雙，赫然在目，夫人怒詢：「何許人置此者？」李笑語夫人曰：「你身上帶來了錢嗎？我今天尚未買菜，沒法招待你，快給我若干菜錢罷」。旋挽夫人手謂：「我們一道出去買菜」，正僵持間，愚適來訪況老，彼即乘機介紹云：「此世家子某某，現任三省剿匪總部秘書，偕余三人同赴市上餐館午膳可也」。夫人礙愚情面，乃改容相向，怒目金剛一變而爲笑臉佛，足徵況老之急智，有足多者。事後向愚詳述經過，謂幸得君來解圍。

對日抗戰初期，功不可沒。韓國革命黨首領金九，赴廬山海會寺「特訓班」——康澤主持——講演，曾替金九譔書楹聯嵌「海會」二字懸諸禮堂云：「海立雲垂，如許激昂，何日痛飲黃龍酒」；「會盟歃血，終當祭告，他年同拜紫金山」。語意嶔奇，允合金九身份。

中日戰爭結束後，國家行憲伊始，程潛競選副總統，況老助選甚力，旋程氏競選失敗，受命主持湖南軍民兩政，李亦逍返長沙，參程氏幕中。程已投共叛國之際，愚聞況老已還里，急自香港馳書衡陽，勸其速日脫出危境，得復函謂「年邁氣衰，憚遠行，以頌公（程潛字頌雲）地位，庇護一鄉，風燭殘年之老百姓，諒無問題」云。數月後，聞諸來自衡陽之難民告語，況老與其曾任潼關縣長之子，同遭共匪尉戮，家產全部沒收，老弱眷屬掃地出門，不知所終，嗚乎慘烈也矣！

清初嚴禁太監干政

夜闌

我國歷史上太監之禍，幾於無代無之。東漢十常侍以降，指不勝屈。李唐五季，弒君廢立，尤駭聽聞。及至明代，朱棣（成祖）以中官密言京師空虛，取天下於其姪允炆（建文帝）之手，遂視太監爲從龍之臣，其權寖大。若晚明之司禮監、秉筆監，地位幾與唐宋之宰相，知制誥相埒。而領東西廠衛之太監，竟可不經由三法司衙門，施行朝廷賞罰之大權。其出典重兵之監軍，使專閫將帥無不爲其所制。如此朝廷軍政權力，操之宦寺小人之手，明社焉得不亡？滿清入關，鑒於前明覆轍，對奄璫干政，曾嚴加誥誡。清初諸帝，無不訓諭諄諄，以昭告其子孫，矢守勿失。故有清三百年間，幸能免於太監之禍，僅末季有安德海、李蓮英、小德張數人，顯亦不敢過分公然爲非作惡，此不得不歸功清初之家法有以使之然也。

所謂清初嚴禁太監干政之家法，首見之於順治十年六月清帝福臨上諭，如云：「寺人不過四品。凡內員非奉差遣，不許擅出皇城，不許干涉外事，不許交結外官，亦不許假名置產。其在外官員，亦不許與內官互相交結。如有覺察糾參，審實一併正法。」（按同治八年八月，安德海即以擅出皇城，行至山東，爲魯撫丁寶楨處死）。福臨又於順治十二年六月，命工部設立內十三衙門鐵牌敕諭，以防不肖子孫玩忽。其防閑之嚴密，可謂無微不至。鐵牌敕諭云：「皇帝敕諭：中官之設，雖自古不廢，然任使失宜，遂貽禍亂。近如明朝王振、汪直、曹吉祥、劉瑾、魏忠賢等，專擅威權，干預朝政，開廠緝事，枉殺無辜，出鎮典兵，流毒邊境，甚至謀爲不軌，陷害忠良，煽引黨類，稱功頌德，以致國事日非，覆敗相尋，足爲戒鑒。朕今裁定內官衙門及員數職掌，法制甚明，以後但有犯法干政，竊權納賄，囑託內外衙門，交結滿漢官員，越分擅奏外事，上言官吏賢否者，即行凌遲處死，定不姑貸。特立鐵牌，世世遵守。」其所稱之內十三衙門，爲乾清宮執事、司禮監、御用監、內官監、司設監、尚膳監、尚衣監、尚寶監、都馬監、惜薪司、鐘鼓司、直殿局、兵仗局等。至康熙帝玄燁踐祚，悉罷諸內衙門，設內務府總領其事。當時內十三衙門，均有一鐵牌高懸，以資炯戒。

其後，玄燁又於康熙四十四年二月降諭：「近來太監不守規矩，與各官內女子認親戚叔伯姊妹，往來結識，斷乎不可。太監等在內廷當差，女子等在內答應，各有內外，嗣後務當斷絕交結。如仍不能斷絕，總管與本宮首領，即行置之重典。」此爲嚴申太監宮女交結之禁，以視明季魏忠賢與客氏之勢傾朝野，其防微杜漸，相去奚啻天壤。至若清帝胤禎，素以英察著稱。其踐位之初，即於雍正元年八月諭總管太監云：「太監等見外間諸王大臣官員進內，必須起身站立，行走之際，必然讓路，存一番恭敬，方是。若斜頭脫帽，踞坐不起，甚不雅，不但於禮不合，即觀瞻亦恐日久懈怠。現今雖無此等之人，總管不時嚴傳與衆太監，日後倘有此等無禮之人，經王大臣等參奏，一定併治罪。」將其總管首領，爾等駕馭太監尤嚴。滿洲雖起家漠北，並無高深文化，然入關之初，能力懲前明之弊，順、康、雍三朝，對太監干政之失，三令五申，冀能一舉而廓清之。

黃克强先生逝世五十周年紀念詩

黃少谷

大澤龍蛇跡已陳，却看談笑靖烽塵。彌天願力時難假，蓋代勳名志未伸；猶想風雷生叱咤，尚從草創見經綸；湖湘自昔多英傑，默祝威靈啓後人。

克强先生對於國民革命運動暨中華民國開創時期之豐功偉績，世人多能言之。不幸中道殂謝，倏屆五十周年，世人對此一代元勳，似已淡忘之矣。吾友少谷兄於國事鞅掌之餘，猶不忘此開國偉人之逝世忌辰，奮筆作詩紀念，可謂有心人也。欽其風義與愛國熱忱，未得作者同意，特刊佈之，少谷得無以孟浪見譴乎？

馬五先生附識

自由報

內銷台報字第〇三一號內銷證

THE FREE NEWS

第七一〇期

中華民國僑務委員會頒發
台教新字第三二三號登記證
中華郵政台字第一二八二號執照
登記爲第一類新聞紙類
（半週刊每星期三、六出版）
每份港幣壹角
台灣零售價新台幣貳元
社長：雷嘯岑
督印人：黃行審
社址：香港銅鑼灣高士威道二十號四樓
20, CAUSEWAY RD 3RD FL. HONG KONG
TEL. 771726　電報掛號：7191
承印者：大同印務公司
地址：香港北角和富道九六號
台灣分社
台北市西寧南路壹零壹號二樓
電話：三〇三四六
台郵撥儲金戶九二二

從美俄對中共戰爭態勢之形成看反攻大陸（二）

郭甄泰

（二）武力薄弱。中共自誇有兵力三五〇萬，步兵一二〇個師，裝甲師五個師，炮兵二十至二十五師，海軍總兵力二十萬，艦艇一千隻，約十九萬噸，空軍兵力五十萬，飛機二千架，另外有傘兵六萬，雷達部隊十四萬，但實際不堪一擊。據蘇俄參謀向法國參謀團說：『中共裝備夠標準的部隊不會超過五十個師，其他部隊的裝備，都不能與美國部隊的火力對抗』。空軍據一九五〇蘇俄派往北平建立中共空軍的蘇俄空軍元帥克拉索夫斯基說：『北平僞政權的空戰潛力不足道，這不僅是由於共匪大部份戰鬥機陳舊，而且也是由於他們的飛行員素質低劣，中共飛行員在飛行中容易疲倦，缺乏所需要的持久力』。至於海軍則其主力爲魚雷艇及快速炮艇，祗能在沿海作點防禦工夫，並無作戰能力。

（三）人民戰爭　中共現在高唱『反帝』，『反修』，『反美』，『反俄』，肆意叫囂，毫無顧忌，主要是仰仗所謂『人民戰爭』。林彪說：『武裝的中共數億人民大海，可沉掉幾百萬侵略者，不怕原子彈與別人海空軍優勢』，另有一共匪重要人員說：『中共有人民公社，共七萬四千個，故民兵亦有七萬四千師，以一師三千人計，則兵力爲二億二千萬』，『倘若美國侵入大陸領土，則作戰到底』。其假想戰場，完全爲大陸本土，因此儘管美國飛機侵入海南、廣東上空，軍艦不斷進入中共沿海，中共會提出抗議達四百餘次之多，但中共從未有一次『派機追擊』，亦從未有一次對抗行動。中共作戰的如意算盤是：『把兩百萬以上的美國陸軍吸入中國大陸的內地』，以游擊戰和時間把敵人打垮』，其在『華南作戰的準備，也是游擊戰，放棄據點，誘敵深入』，根本無在國外作戰的計劃。試觀其對越南戰爭，會屢次聲言，『全力支持』，『援助』，但決不派兵參加作戰，即可知其色厲內荏，不會重蹈韓戰覆轍。

（四）核子武力，尚未完成。中共在不久之將來，雖可能擁有四百哩至六百哩的中程飛彈，但距威脅美國之時期尚遠，美國已有射程一萬二千哩義勇兵二型飛彈二百座，對於中共之任何邊遠地帶，均可射及，另有北極星潛艇六艘，亦正在中共海岸綫一百哩附近巡弋。基地現雖遠在關島，至本年年底，冲繩新建核子飛彈潛艇基地，即可啓用。此項義勇兵二型飛彈與北極星潛艇，一經接獲作戰命令，三十分鐘內，即可將中共核子設備完全炸毀，使之前功盡棄。

次就美國方面言之。美國亦不願對中共從事戰爭，其原因如下：

（一）美國對中共係採圍堵政策。美國的世界戰略，爲圍堵。在歐洲爲圍堵；在亞洲亦爲圍堵；在韓戰爲圍堵，在越戰亦爲圍堵；在印度爲圍堵，在台灣海峽亦爲圍堵。美國在亞洲之戰略爲堅守南北韓之間三十八度綫，南北越間之十七度綫及台灣海峽，不准中共再越雷池一步。因此之故，美國在東南亞既不願毀滅北越，亦不欲進攻中共，試觀其屢次嚴令美國空軍避免侵入中共領空，海軍避免侵入中共領海，並不徵召後備兵，其目的很明顯地表示不擬與中共正面作戰？

（二）美國顧慮中共人多。中共目前宣佈之反美政策中，共有四項，其最後一項爲：『一旦發生戰爭，便無界限存在』。這就是說一旦戰爭開始，中共就要依恃人多兵多，四面放火。也就是說，如果美國發動核子攻擊，中共也將使用原子彈而無限制的屠殺敵人。周匪恩來說：『若干美國人士以爲憑其海空優勢，可以任意轟炸大陸，不要進行地面戰爭贏得勝利。我們可以說，一旦發生海戰或空中戰鬥，就不會依照美國所擬方式進行，像美國能從空中進攻大陸，我們也能從地上追擊到美國去』。就是這個政策的闡明。假定美國對中共開始作戰，則泰國、寮國、緬甸、印度、南韓、金馬，均可能同時遭受中共侵襲，大陸隣邦戰火蔓延，亞洲人民將受糜爛之苦，同時美國迫不得已，對大陸實行核子攻擊，大量人口必將陷入無盡期的半飢餓狀態中，亦屬難以善後，美國對此，自不能不愼重將事。

（三）美國恐懼與蘇俄直接衝突。美國一旦對中共作戰，必然要援助中國反攻大陸，蘇俄對此即可能假藉援助中共之名，佔據新疆、內蒙、東北各省。自由中國如於短時期內，奄有長城以南等地，則中國將與蘇俄眞接接壤，美國如不先取得蘇俄諒解，則援助中國反攻大陸，勢必至兵連禍結，難免釀成三次大戰。

中共不敢打，美國不願打，美毛戰爭自然尚須有待。

三、俄毛戰爭必將爆發

現在世界上有兩大集團，一爲自由世界，一爲鐵幕國家。鐵幕國家現在又分爲兩大勢力，一以蘇俄爲首腦，一以中共爲中心。美、俄兩國現在不會戰爭，美、毛兩方亦不會有何戰爭，已如上述；將來可能發生戰爭的祇有蘇俄和毛共。蘇俄現在正與美國在太平洋上的半月形包圍圈堵中共一樣，在北方及西方以印度爲起點，沿巴基斯坦、中共邊境經外蒙至西伯利亞一帶，形成一大半月形包圍圈，圍堵中共。其在印度與中共發生戰爭時，大量軍援印度，在印度與巴基斯坦衝突時，召開塔什干會議予以調解，延長俄國鐵路直達新疆邊境，與外蒙締結二十年軍事條約，計劃與日本共同開發西伯利亞，開始修築西起烏拉山，東至海參威之另一條橫貫西伯利亞鐵道，均爲其包圍中共之具體行動，原因如下。

籠裏鷄作反

「三位一體」

今日與明日

美國爲何「知」而不「爲」？

美國國務院於十二月一日召開一次外交政策會議，在會議席上一位高級官員曾就毛共對外政策問題作了分析，他說：一，毛共內部的爭權奪勢鬥爭，現階段已陷於膠着而混亂的狀態中，鹿死誰手尚在不可知之數。二，毛共內部鬥爭，不僅是毛酋死後繼承權之爭，也是對所謂「毛澤東路綫」之爭。三，不論是毛林集團「勝利」，抑或是反毛的「當權派」「勝利」，其對外的「强硬」路綫是不會有所變更的。

老實不客氣地說，美國對中共的政策，長期以來總沒有一定的方針。所以，一些「鴿派」餘孽的「學者」及「中國專家」，只憑其對中國一知半解的「學問」，數年來，在有意無意之間，一直往醜惡的毛共的臉上擦胭抹粉，也就是企圖改變美國政策，與毛共取得「諒解」。這批混球們，雖然像「五月蠅」似地「亂嗡嗡」，但帶給國際間的壞影響，實至深且鉅。吾人不相信美國國務院沒有受到這批短視、無知的姑息主義份子的影響。但前述這位國務院高級官員，却頗具遠見，他所指出的數點，實十分接近事實。

美國此次外交政策會議，也就是國務院當局向報紙、電視編輯說明美國外交政策的一次集會。國務院出席的官員，有魯斯克國務卿，和班第助理國務卿等人。在會議上，特別着重地對越南和中共的問題，作了一些說明。

對於中共，他們指出了下列各點：一、中共內部的派系鬥爭將繼續亂搞下去。毛林小集團雖千方百計企圖幹垮敵對的「當權派」，但取得勝利並沒有把握。二，美毛「大使級」會議，「扯皮」許多年，但毫無成就可言。三、毛共鑽入聯合國的企圖失敗，加上內部「紅衛兵」暴亂觸礁，已使毛共政權的危機比前增多了。四、毛共由於在國際間的陰謀連續被揭破，已使它由孤立走向更孤立。五、毛共在內外「夾擊」下已成强矢之末，惟其對外「强硬路綫」，不管誰掌權，也是不會有所變更的。

美國務院方面對毛共的瞭解，不能不說是「正確」，但在措施上却是一錯再錯。

美國如果眞的還能堅持正義，並確實想要世界和平的話，那麼值此毛共內部混亂階段，確應切實考慮有效地粉碎「洩氣」的措施了。如果再「洩氣」下去，不但會喪失所有盟國的信心，更會助長毛共的兇燄。

美國的弱點特別突出的，就是動搖不定。當然，他們怕的是打仗死人，但是我們反共的中國人，却由於收復大陸拯救同胞是不容推卸的責任，所以無不希望美國予以道義和物資上的支持。（何如）

自由談

教育界的特產

馬五先生

台灣教育界在日治時代，未聞有「惡性補習」的名詞；在光復後的約莫十年期間，亦未見發生「惡補」這種怪事。「惡補」特產之出現，爲時不過七八年而已。

惡補的受害者是小學與初中的莘莘學子，作惡的當然是一般中小學教員。產生「惡補」的眞正原因，世人多歸諉於教師待遇太菲薄，其實不然。台灣中小學教員的薪給，與一般中下級公務人員的俸祿所得，幷無多大差別。唯公務人員利用職權以貪取儻來之物的機會與方法甚多，大不必法，小不必廉，貪風盛行，肆無忌憚。氣戾所鍾，無遠弗屆，平日苜蓿自甘的中小學教師，眼見官吏貪污毫無所謂，心癢難熬，就向學生身上動扒錢的腦經。始也勒令諸生推銷書籍課本，然銷路不普遍，且易滋物議。繼見台灣人口激增，而容納中小學生升學的黌舍又不成比例，競爭甚爲熱烈。於是乎，中小學教師見機而作，惡補之風應運興起，名正言順，振振有詞，家長爲着兒女能及時升學，忍痛犧牲，良非得已。

假使政治界的貪污風氣稀薄，犯之者執法嚴細，毫無倖免，則教育界的傳染病必能消弭於無形。如果政府能夠一面廣庠序之數，一面鼓勵民間私人興學，予以方便，主管機關亦不藉職權故意刁難，索取苞苴，使青少年男女們沒有失學之虞，初中生不妨實行免試升學制度，所謂「惡補」怪事，即可不禁自絕了。

政府在大陸時，政治上的貪污風氣固然難免，但不若今日在台灣之甚。至於教育界人士，都能保持清高生活，絕少貪污行爲，迄未聞有墮落到今日這種以惡性補習來弄錢的現象。所以，產生「惡補」怪事的消極因素，是受着一般貪官污吏的傳染，積極因素就是政府的教育制度和計畫太糟糕了。對日抗戰時期，淪陷區域的難民與青年學生湧入大後方西南一隅，人口激增程度，超過現時台灣的情況多矣。然政府對各級學校皆兼籌併顧，妥爲安排，尤對中學方面特別注意，各省臨時中學林立，青年子弟不愁無處升學，焉用補習爲哉！

多殺貪官污吏，廣設各級學校，初中一律免試升學，如此而再有「惡補」特產出現，吾斯之未能信也。

省府無能鬧出笑話 曾文水庫工程擱淺

·本報記者熊徵宇·

興建台灣南部曾文水庫的工程計劃，是黃杰主席就任以來最大的一個工程計劃，也可以說是唯一的一個計劃；因為他主政以來，除了推行中央的決策和省議會的建議以外，沒有提出過工程方面遠大的方案。所以曾文水庫的工程計劃，是他非常引為自豪的。而這個計劃，確實也真是有關國計民生的一大盛事。

但是這個計劃從去年四月定案以來，雖然經費的來源有了着落，雖然派有專人主其事，可是想不到一年零八個月以來，不但水庫的基礎工程沒有進行，而且連設計的工程也沒有開始，真是一件不可思議的事。

形成擱淺的原因，可以說完全是人為的因素，考驗出了台灣省政府的無能。我想就我的瞭解來談談這個問題。

建此水庫 絕對必要

曾文水庫工程，計劃是多目標的。這個壩高一三九公尺，水庫，預定六年完成。完成後，可以增加甘蔗和糧食的增產，可以增加發電量，可以增加四五十萬人的飲水，可以預防可能發生的水災，它具有：灌溉、發電、給水、防洪四項功能。有助於農業增產，有利於工業建設和民生的改善。

做這個水庫，有絕對的必要。

這個水庫可行性的研究，是請的美國墾務局的顧問團，所以台灣省政府有意聘請美國工程顧問公司來担任技術服務。但是因為興建水庫的經費是利用日本對我國的貸款，所以日本政府不同意，並且認為日本對於大壩工程技術有充分的把握，可以担任。於是我們就接受了日方的意見。

向日貸款 發糧庫券

民國五十四年四月，我國與日本政府換文協議，由日方貸款我國五百四十億日元，相當於美金一億五千萬之數，供給我國經建之用。其中曾文溪水庫計劃，所需要的外滙四千四百萬美元，由日本海外經濟協力貸款。這筆貸款的年息百分之三五，分二十年攤還。

但是曾文溪水庫的建設工程費，總計需要新台幣三十七億有餘，所以除日本貸給我們的四千四百萬美金以外，還有的差額，由省政府發行糧食庫券撥充。

糧食庫券的發行額，約為新台幣二十億元。與建曾文水庫的經費數字是相當可觀的。所以這水庫非常引起大家的注意。

有人建議 自己設計

所以在這個水庫剛定案的時候，有些人提議這個水庫的工程設計，最好是由我國自己的技術人員來辦，聘請幾位外國的專家來備諮詢。因為一個水庫方面技術，不外是地質、土木、發電、建築之類，並沒有什麼特別精細的技術。而我們建造台灣石門水庫有過這經驗。當年石門水庫的設計與監工，是由美國提愛姆斯公司担任一部，而關於公共給水、渠管、輸電等設計以及施工監督，都是由我們的工程人員做的。

曾文水庫的工程跟石門水庫差不多，而當年在石門水庫服務的技術人員也吸收了不少的經驗，所以應該用自己的人才來設計，節省一些外滙。

台灣省府 選聘「工營」

但是這些建議，沒有被台灣省政府採納，而接受了日本推薦的兩家公司。

那兩家公司，一家是電源開發株式會社，一家是工營株式會社。

這兩家公司，電源是日本政府的公營事業，工營則是民間的公司。但是我國希望日本政府負責推薦一家，或者是促成兩家合作，減少我們選擇上的困難。

這事經由日本外務、通產、建設三省多次會商，沒有促成合作，沒有達成協議推薦一家，於是正式通知我方，請任選一家為曾文水庫的工程顧問。

經省政府決定，選聘了工營株式會社。於是由曾文水庫籌建委員會與工營株式會社洽商簽訂合約。

放棄「電源」 採取議價

在一般的常軌上說，如果祇有一家夠資格担任，那就祇有和他議價，兩家就得比價，三家必需招標。於是省政府打算採取議價的方式。

但是根據電源和工營兩家公司提報日本通產省的資料看：電源的工程師人數，包括土木、建築、地質、機械、農業、發電、通信各部門的專門人才共計有一千九百六十七人，而工營的上項人才，不過一百六十三人，不及電源的十分之一。就資本額上說，機械的數量，工營大大比不上電源；電源有日本政府做後盾，工營則不過是私人的企業。

而設計的費用是相差懸殊。據日本工業新聞昭和四十一年六月廿五日所載，工營的技術服務費十五億日元，合美金四萬以上，而電源對於設計費方面，表示過只需要一半。

這兩家公司的估價，都是根據工程範圍的計劃書，當然不是隨便說的。從這些條件來衡量，台灣省政府捨電源而取工營，真不曉得是什麼道理。

捨廉取昂 群情反對

電源與工營的條件，實在不成比例。所以許多民意代表就紛紛指責，提出反對。甚至於中央也表示反對。於是乎，這個構想了好幾年的曾文水庫工程計劃就這樣擱了淺。

那末這個責任到底該誰負？檢討起來，我們似乎沒有理由把責任推到中央，當然是該台灣省政府負責。

因為這個方案是台灣省政府提出來的，對外接觸的主要負責者，也是台灣省政府。

所以說電源如果不取工營而取電源的話，就不致於遭受反對。省政府為什麼不選擇條件好，價錢少的電源公司，而要選擇經驗差，設計費高的工營呢？

關於這點，傳說很多。沒有根據，我們不談。但是捨廉取貴，捨優取劣，是令人不可以理解的，不可思議的！

工程擱淺 是大笑話

因為台灣省政府的無能，把這個百年大計的水庫工程弄到這個田地，增加中央政府很多的困擾，一時也拿不出辦法，所以這個問題，可能還要擱一個時期。

我敢說，中央方面認為這個水庫非做不可，如果日本方面不適合的話，我們可能向世界銀行貸款，請美國的工程師來設計。

那麼，我們跟日本方面商洽貸款等的精神和時間不是浪費了嗎？黃杰主席就任以來的這個唯一的遠大計劃，弄了一年零八個月，等於白費，可見這個政府人才缺乏，一點可見在比較大的事務上的低能；說起來真是一個不小的笑話！（完）

美國兩個參議員的下場

——陶百川在監院動員月會演講

白宮乃發動參議院調查小組對麥加錫和柯恩加以調查，從一九五四年四月二十二日至六月七日，在四十六天內，開了七十二次公聽會，詢問紀錄長達七千四百二十七頁，被通知到參議院作證的共計三十多人，包括陸軍部長和歐洲聯軍總司令。這是美國國會一百六十七年以來繼調查珍珠港事變和麥克阿瑟被免職的調查後的三大調查案之一。但這一炮並沒有擊中麥加錫。因為調查小組委員有六人之多，縱然柯恩利用職務，為史慶說情，這事是整個調查小組的，不能由麥加錫一人負責。

之後，由艾森豪總統的親信參議員提案彈劾麥加錫，彈劾案列有罪狀四十六項之多；但經參議院院會討論的結果，祇有五項，經審查結果，提請院會加以譴責的祇有下列兩項：（一）一九五一年，麥加錫藐視並防害參議院的「利益與選舉小組」，而且侮辱了調查他選舉費用案的一位參議員。（二）侮辱了褚衛格爾司令。

在調查案發表前，共和黨內的意見開始紛歧。很多參議員反對艾森豪的作法，故在院會表決時，共和黨四十六位參議員中，除二人因病缺席外（這二人反對譴責），出席之四十四位參議員，反對與贊成者各半。而贊成的是總統親信，而參議院多數黨領袖諾蘭投了反對票。表決結果，侮辱褚衛格爾司令案不受譴責，而藐視參議院和侮辱參議員案，則予以譴責。

一九五四年十一月的「中途選舉」結果，共和黨因麥加錫案，從多數黨降而為少數黨了。

另一位參議員陶德案，起因於陶德是否為克賴恩中將（退休）的遊說機構所利用，而為有利於西德和克賴恩的活動？陶德是否收受了克賴恩的重禮？陶德以三次籌款宴會籌得的十多萬美元，怎樣使用？是否都作競選費用？是否移作私人開支？如為競選費用，依法免繳所得稅，如充作私人開支，則應納所得稅。而競選費用與私人開支頗難區分，陶德究竟是不是漏稅？

皮爾遜和安德生，從今（一九六六）年一月份開始，寫了三十多篇專欄文章，揭發陶德參議員的隱私而猛力抨擊。這是否涉嫌誹謗？是否濫用言論自由：

現在，陶德參議員自動要求參議院紀律委員會加以調查，同時，要求稅捐機關解釋他所得的捐款贈款，究竟可否免稅。總之，陶德案可以確立美國會制度與標準，且影響所[illegible]國憲政之前途。

陶德參議員為此並循法律途徑，向法院控告皮爾遜和安德生，要求處以五百萬元的損害賠償和懲罰。被告也利用法律程序，請求法院命令陶德携帶有關的許多文件，親到被告律師事務所聽候後者作「庭外調查」，法院已准如所請。陶德要求在被告在法院未審理前不得公開庭外調查資料，為法院拒絕。

據皮爾遜指責，一位退休的陸軍中將克賴恩，替西德在美國作「說客」，陶德與他勾結，互相利用。陶德常到紐約免費住在克賴恩的招待所，接受他的金錢和所贈的波斯地毯，作為報答。陶德在參議院發言讚揚西德政府，把有利於西德的資料要求列入國會紀錄。一九六三年，美參議院調查外國遊說機構時，克賴恩遭遇困難，陶德特別去西德為他疏通，一切費用由他供給。但陶德參議員和克賴恩分別先後指責皮爾遜等說謊和曲解。

陶德被指責為外國說客所利用，並接受不當利益，參議院的紀律委員會即將開始調查。至於籌款宴會所籌得的競選經費十餘萬元，是否移作私人日常開支，而不報繳所得稅，稅捐機關正在調查，參議院紀律委員會可能過問。

假定陶德參議員經參議院調查而不譴責的話，或稅捐機關調查亦有利於他，但他控訴皮爾遜誹謗案，法院未必會科處罰金，因為美國言論自由有着充分的保障，尤其是可受公評之事——如陶德案——在輿論壓力之下，其政治前途，很受影響。（下）

透視立監委涉嫌油商行賄案

從立法院暨監察院第十四次臨時會決議案說起

——本報記者張健生

再就立法院嚴肅紀律辦法而言，對立法委員之行為有週詳之規定，唯立法委員兼任律師業務並未禁止，與立法委員「護航」而變更政府政策圖利他人亦無處罰之明文。我國為大陸法系國家，在法定主義之外，任何人之行為不得處罰。尤其對人身自由，法院不得作非法定刑之審訊裁判，更不得藉自由心證想當然而逮捕或拘禁。

立院嚴肅紀律辦法

立法院嚴肅紀律辦法開宗明義規定，立法委員叛國有據經檢舉調查屬實者，由立法院紀律委員會報告院會同意後，咨請政府依法辦理（第一條）。立法委員喪失資格的積極條件，是（一）開會期間不能報到出席者以無故不出席論。（二）凡是在匪區參加反共工作而有事實者；或因交通斷絕不及疏散致被匪監禁失去自由而未附匪者；或因公被派或因重病經醫師證明者，不以無故不出席論；反之，以無故不出席論。（第二、三條）。（三）立法委員已經政府任命為官吏者，即喪失立委資格（第七條）。（四）立法委員兼任政府機關或國營事業機構聘任職務者，應辭去兼職，如不辭，由立法院咨請政府轉飭各該聘任機關解除其職務。監察院整飭紀律暫行辦法及整飭紀律委員會組織簡則，亦有同樣的規定。

在民主政治的制度下，國會議員利用權力以圖利的事，各國皆有，即美國總統林肯也無法不向參議員低頭。故不定要兼任律師、會計師才能圖利。例如，日片「東京世運會」得獲准進口，就是「江北老」與「東北佬」的立委傑作。政府官吏之所以不得不賣賬的原因，由於自己的短處抓在人家手裏。因此，該委員等獲得一筆可觀的佣金」。此事足以說明立委不兼律師，同樣可利用權力圖利。

中華民國憲法賦予立法委員[illegible]

遠海異聞談

拾球童出身的新網球王

桑雅

西班牙網球家辛泰拿新近在溫布爾頓以六對四擊敗美國代表賴治頓，奪得男子單打冠軍。比賽時間是一小時四十四分鐘，也可算是勢均力敵。全世界的網球家都希望能夠在溫布爾頓稱霸，因為得勝的男女網球家就是該年度的世界業餘網球比賽中之王或皇后，受到大眾讚揚。

查看溫布爾頓的網球歷史，歐洲人極少得到比賽的冠軍。對上一次乃在一九五四年捷克出生的杜保尼得過錦標之後，相隔十二年，辛泰拿是第二個得到這個榮譽的人。他更是第一個西班牙人有這樣的成就，所以當他勝利的消息傳到西班牙之後，西班牙人莫不興高彩烈，在那個以出產雪利酒名聞全球的珍尼斯城，特將本年度新釀的好酒一百零八加侖（等於六百四十八瓶）贈給辛泰拿。在西國首都馬德里的體育界人士，更有人提議發出紀念郵票，認為此舉確是值得的。他們更作舉例，當巴西女網球家般諾獲得一九五九——一九六〇年溫布爾頓世界女子單打冠軍後，巴西也出過紀念郵票，圖刻船諾擊球時的姿勢。

辛泰拿在比賽完畢之後，由全英國網球會長瑪麗娜公主手中，領獎那隻大金杯時，受到大眾歡呼和鼓掌，熱烈情況，向所未有。他向公主俯首示敬，又吻她的玉手。根據球場的一個老管理員說，他從未看見過這種感動人的場面。

單打冠軍。辛泰拿於二十八年前在西班牙出生，他的父親是在馬德里的一個網球會做工，所入僅能養活他本人和他的一家人。辛泰拿在十二歲時，也就要在球場代人拾球賺錢來幫補家計。他是一個很聰明和勤力的孩子，不久他本人能夠打得一手好的網球。他遇有機會，放棄去看重要的網球比賽，特別是世界馳名的職業或業餘網球家的表演。辛泰拿自小就跟別人的人緣很好，他得以免費入場參觀。他認為祇有看到別人的美妙擊球手法而加以學習，才是增加本人的球技的最快捷的方法。

辛泰拿的父親也是一個愛好網球的人，他看過他兒子的擊球後，也認為他是一個可造之才。他曾對他的兒子說：可惜因家庭貧窮，不然他就會好好地培養辛泰拿成為一個出色的網球家。辛泰拿安慰他的父親說：「不要着急，我一定會達到你的願望！」當辛泰拿的父親逝世時，年紀還小的辛泰拿得到一個富有而愛好網球的人士所收養；他就得進一間很好的學校，同時得到更多機會練習網球。

現在辛泰拿在一間烟草公司担任主要職，更是馬德里一個大體育會的網球部主任。他經已結婚，有兩個孩子，夫妻倆十分恩愛。當這次辛泰拿獲得勝利之後，他就立即跑到看棚去吻在那裏的愛妻。去年他沒有參加溫布爾頓比賽，原因是他的妻子臨盤，從這點看來，辛泰拿是一個好丈夫。

辛泰拿也是一個好父親，他很痛愛他的孩子，更愛別人的孩子，當他到澳洲墨爾缽參加西班牙與澳洲的戴維斯杯的爭奪戰時，他曾抱着上一屆世界男子單打冠軍伊默生的兒子安東尼拍了一張照片，他很歡喜看見這張照片在各國的網球雜誌或體育雜誌刊出。有一份雜誌誤寫說明，當那是辛泰拿和他的兒子的合照，後來知道誤會，急忙寫信向辛泰拿道歉，辛泰拿說：「不要緊，如果伊默生肯，就算了。」他是一個幽默而愛說笑的人，他也曾說過：他在幼年時頗想在馬戲班做一個丑角，但後來則決定致力於網球。

在溫布爾頓獲得冠軍，也就是站在世界職業網球的踏腳石上。有人想出很優厚的薪金，把辛泰拿加入職業網球界，但遭他所婉却。他說不想放棄業餘資格；更希望在明年能夠作衛冕戰，再次奪得冠軍。

東非洲大賽車

見祺

把在赤道非洲凡三千里長的崎嶇道路，用泥濘的紅泥來掩蓋，或用滾滾的塵灰撒在它的面上，又讓它被驟雨淋洒，或被猛烈的太陽所蒸晒，將在那些道路放在高熱的森林裏，放在一百度的溫度下，又放在離海面九千尺的山巒，但突然鼓勵獅子、大象、長頸鹿和野牛混雜在道路上，將道路塞了。你就會了解到在東非洲舉行的世界上最艱難的汽車大賽情形，是怎樣的。

應當是普通的賽車，所用的車輛，除了在肯亞、烏干達或坦根宜卡的本地汽車、駕駛人得過冠軍之外，都是從外國來的。本年第十三屆大賽車，經於復活節舉行。參加比賽的汽車共有八十八架，但能完成全程的祇得九架，結果有架汽車也弄到污損或破壞不堪。法國製造的佩英特四〇四型汽車獲得冠軍，第二名是英國車。本車在比賽進行中，有許多參加者是中途退出，原因是他們遲早要吃這個苦頭。有一個從義大利到來參加的，他的賽車不在出發十哩路就被後面的很多架車追上，突然抛錨在路邊，他事後對人說：「他所行駛過的不像是道路，而是泥河！」另一個被迫放棄比賽的駕車手說：「那是道路的主要障礙。」

上駛，有許多隱藏在河馬泥路的石塊，在路上有許多地點，駕車人不是很熟悉，雖然有標誌指示方向，但也有許多駕車人行錯了路，而不要將車子掉頭轉回原來地點。

夜，他們晚間駕車要很機警，防備被野獸所襲擊。有時野蠻土人向他們投石頭。

東非洲大賽車有出名的汽車參加，這次得冠軍的汽車，玻璃被撞破，車中駕車人受傷，但有關這場賽車大受歡迎。起點是在肯尼亞的首都羅比，到坦桑尼亞（前英屬坦根宜卡）的首都達意士沙林，再折返內羅比。有不少看東非洲大賽車的機巧、勇敢、熱心與歷史。

忍耐的駕車者，像那個已故的駕車能手尊尼孟紐斯因病後為醫生勸止他參加比賽，但他不聽，在一九六〇年出賽時，以時速一百哩的速度直撞一輛拍電視片的汽車，他幸得無恙，仍能駕原車完成，獲比賽冠軍。第二年他再參加比賽，一九六〇年他的汽車貯油箱在途中破裂，漏油，他發現在最後一程五百哩，仍能由他的助手沿途繼續添油，得勝。這可算是在賽車歷史上的奇跡。

當時也有婦女參加東非洲大賽車，她們雖然沒有得過冠軍，但是英國的女駕車人季安妮，在一九六一年却獲得冠軍。當她在半路上汽車壞了時，她向人借得一輛腳踏車駛往最接近的城市購買零件，由她本人修理後，再繼續前進。

據佐尼亞的總統佐耶達說，東非洲大賽車當一路繼續下去，這是因為三個很好和主要的原因：聲望、宣傳和有利可圖。

美國感恩節的來源

林名傑

一六二〇年英國發生宗教革命，普里木斯教友會的新教徒們，為逃避教禍，乘五月花號船漂洋過海抵達美國，登岸地名為普里木斯，在今日麥士失必州。

一六二一年十二月，新教徒之一的愛德華·溫斯勞，曾由普里木斯致函遠在英國的朋友說：「我們的農作物已在收割，我們的首領已派了四個人去狩獵，將舉行一個盛大的慶祝會。」由此，新的土地上誕生了一個新的節日。

確實，產生在一六二一年十二月的一個燦爛節日，當時豐盛的宴會是新教徒們主要的宴會，客人們是印第安人，樂而忘返，狂歡達三日之久，印第安人由酋長馬薩蘇提領導，共九十人，可桌進餐，其情況之盛，可見一斑！

由此每屆秋收季節，人們相沿成俗，即羣集舉行感恩大慶。但直至二百四十二年後，也即林肯總統執政時，才被宣佈為國定節日。不過，一七八九年華盛頓總統應國會請求，宣佈每年十一月二十六日為感謝報恩的日子，可是當時僅有美國北方各州舉行。一八六四年林肯總統宣佈每年十一月最後一個星期四為「感恩節」，並籲請全國遵守。一九三九年羅斯福總統將感恩節改為十一月的第三個星期四，曾引起全國譁然。至一九四一年仍修正為十一月的最後一個星期四。

世界各地都是一樣的，秋收倉滿，天氣涼爽了，人們歡欣的表現，自然是唱歌。茲錄一首古老的英國豐收歌，歌詞雖然簡單，但字裏行間不難看出人們於秋後的歡欣之情，其詞為：

豐收！豐收！
我們耕種，我們播種，
我們收割，我們收割，
我們一担担的運回家，
荷，荷，荷，豐收！

據傳說，在羅馬時代，每年十月四日為豐收節，他們感謝聖神賽爾利亞，據說，她是掌理各種農作物之神。今日英語中所使用的五穀一字，即是對該神的狂歡慶祝，他們獻出豬、牛、蜜汁、米穀與水菓等供奉戴麥特神。

聖經上更記載着：十一月十一日，人們慶祝聖馬丁節日，該日人們吃着烤鵝，人們稱之謂「馬丁鵝」，喝着馬丁酒，這種酒是用新採下來的葡萄製成。人們吃烤鵝的習俗沿用很久，一六二一年普里木斯新教徒們派出四人狩獵鳥獸的目的，可能就是為狩獵這種習用的野鵝。但新大陸上這種鵝並不常見，而火雞却遍地皆是，於茲大家以火雞代替鵝了，相傳至今，美國人慶祝感恩節的盛筵中，一定要有火雞的。每逢此日，美國人除吃火雞外，餐桌上並有搗爛的馬鈴薯……，蕪菁菜，奶油洋葱與各種蔬菜……至於他們喜歡吃的甜餅則不被重視了。不過，今日美國人的感恩節，已沒有昔日新教徒時期大請印第安人的那種大場面了，代之而起的僅是自己的家庭，或者偶而約上幾個朋友的小型歡渡而已。

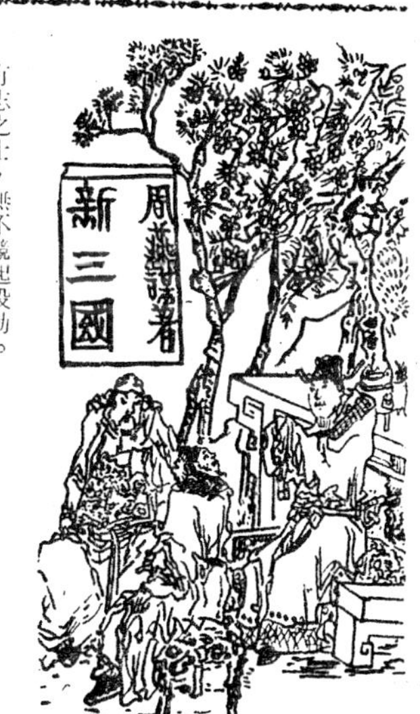

有志之士，無不競起投効。

劉備入益州新進的人物，在此間簡略介紹一下：

許靖字文休，是汝南平輿人，潁川太守劉翊舉靖為計吏，察孝廉，除尚書郎；董卓專政，依揚州太守陳禕，後入蜀為廣漢太守，降劉備。

董和字幼宰，為南郡枝江人，其祖先本四川重慶人，劉璋以之為益州太守。彭漾字永年，為益州廣漢人，初仕只做過一名書記，因龐統之薦，以之為治中從事。劉巴字子初，零陵蒸陽人，少即知名。劉備在公安時，他却跑到北方去見曹操，做個小科長。曹操派他去長沙、零陵、桂陽招納士人，因劉備取了三郡，他不能回北方覆命，跑到交趾。劉備定了益州，他才從交趾跑回成都謝罪，劉備辟他為左將軍西曹掾。吳壹，費觀三國志無傳。

五四、曹孟德自為魏公　三個丫頭皆貴寵

在劉備兵入益州期間（十六——十九），北方政權有幾件大事是值得一述的。

建安十八年春正月，曹操破了孫權濡須口江西營，回師之後，曹操詔書：并十四州為九州。建安十八年五月間，曹操的地位逼近了天子。御史大夫郗慮，此人十足佞臣，持了獻帝的節命，策命晉曹操為魏公。郗慮字鴻豫，山陽高平人，師事名師大儒鄭玄。此人與孔融不大和睦。曹操晉之為光祿勳，不久又遷御史大夫，成為曹操的御用爪牙。這一道策魏公的召命，可以說極盡歌功頌德之能事。此一傑作，乃是出自尚書左丞潘勗的手筆。任何人看了也會肉麻三分。其中內容絕不是獻帝的本意。前面皇帝自責「朕以不德，少遭愍凶」；中段歌頌曹操之偉大，極陳其豐功偉業，說他的功績高於伊尹周公，而天子之賞則卑於齊、晉。其後將以冀州、河內、魏郡、趙國、中山、常山、鉅鹿、安平、甘陵、平原等十郡賜予曹操自肥。前已言之，曹操曾經自己將封邑減少過，以淆亂天下人之耳目。而今又將西北馬越、韓遂及土豪劣紳掃平了，涼州整個括於掌握，天下所存在的只有劉備和孫權二人，胆子更大了，公然反抗他的朝中人可以說沒有一個，自然為所欲為，因此倒反而以退為進，自肥了十郡之地，位極人臣，他更不怕何人。晉了魏王仍以丞相領冀州牧如故。又加曹操九錫。這「九錫」是古代天子優禮大臣的器物、殊禮寵異。王莽專政，就是先加九錫。是「一車馬、二衣服、三樂器、四朱戶、五納陛、六虎賁、七弓矢、八鐵鉞、九秬鬯。」並且為「九錫文」，以諛頌功德。自王莽開始作僞而篡位，其後魏、晉、六朝，沿為故事。而九錫文又成為一種特有的歌頌文體之一，專門為諛頌權臣的專用文。曹操的九錫文為潘勗的傑作。潘勗字元茂，陳留郡中牟縣人。同年秋天七月，又建魏社稷、宗廟。又強迫獻帝聘曹操的三個女兒為貴人，（貴人是宮中的女官，為漢帝所始置，位僅次於皇后，有金印紫綬）因為他的女兒小的還是幾歲的小女孩，不能做貴人的，在家裏等待着，到了能嫁年齡方入宮。（八十六）

國劇繽紛續錄（一二三）

岑嬰生

全女角的探母（續）

承友贈劵，在劵面寫有砵書，「此場晚會，是女人的天下！」旁註「陰盛」。審視演員表，果然除大二國舅，爲男生劉正齊蘇國鑫兩位，余太君爲李望錦枝友，可算半女，餘則悉爲女生，眞是難得不易見。在人才凋零，湊成此局，實夠辛苦。

茲一談角色：楊延輝由王馨東飾。王是關文蔚的高足，我在看了與關合演的贈綈袍後，已決定她的劇藝長足精進，最近教部晚會，聽唱武家坡大登殿，愈見其醇。從坐宮到回令，非常吃力，很好。蘇可勝一脚踢兩前，後的公主，中間還來個楊宗保，嗓子有本錢，青年坤票的旦角，爲她佔盡，可喜。林美玉飾蕭太后，穩重而嗓音不差，有個派是有功力的，很可稱。宋秀中飾八姐，陳鈺的九妹，扮相很美，姿式亦好。這齣探母，很可聽可看。爲謝王蘇李三位的雅意，等待機會，想請欣賞會讓她們再唱一次，以飽外間未看的人士以眼福，不知璧東可勝其能允否？

平堂的精進

票界的淨角，以前有李奇峯（路局），齊作賓（空友），焦實樸（市政），後因李齊焦三位對劇藝興趣甚淡，不常出演。後來即有李闓東瞿怡平裴松林張平堂趙福東幾位常串，而以裴張兩君爲票友界時常邀請，甚至有軍中劇團想邀請裴君，他以不願離開崗位而婉拒。張君近今活動較多，實則在八九年前，我於空軍之友已早聞其歌聲矣。

平堂於師大執教，研究平劇多年，對於淨角有獨到，發音既沉穩，而功架尤妙，每一角色，皆能虎虎有生氣，一經亮相，具有威風凜凜，不可一世的氣魄。即在伶界之馬維勝高德松亦不過如是。最近各單位祝壽戲，他參加演出，有龍鳳呈祥與黃鶴樓之張飛，鳳凰山之蓋蘇文，蘇武牧羊之胡克丹，在舞台上多是活躍動人，一無滯呆，已成爲淨行票友的能者，毫無疑義。我常有一種客觀看法，平堂幷未聞其從師學習，完全自己揣摩，內在的心理，能把劇中人，活脫如畫，眞有能耐。因此得到槪觀，就是知識的份子，比較瞭解劇情，善於安排。那裏從師的角色，常說老師教我這樣，不問其有無錯處，一味盲從，不加研究，爲一阻碍。平堂的精進，因有其自來，將層出不斷。

「自我教育」

大知譯

當著名的科學家兼發明家阿歷山大．格拉漢．貝爾七十五歲的時候，他的一位好友說：「關於貝爾博士，最值得令人注意的是：他的頭腦，比大多數年齡只及他一半的人，都年輕得多。在心智上，他似乎已發明了一種青春之泉，使他永遠顯露青春，永遠是精力旺盛。」

我把貝爾博士對於如何研究，如何學習的看法，說給一個能人聽。這個人帶着很强的語氣說道：「如果個人都能夠一貫地遵守這個習慣，他所學到的，會比在大學裏所學到的，還要多得多。這是我所聽見過的最好的法則，無論對任何人，對任何年齡，對任何職業的人都適用。」

「總之，心智的教育，」貝爾博士說：「並非僅把別人告訴我們的事實記住。頭腦應當進行它自己的教育，而且，它除非自己加以思考，便不能達到自我教育的目的。一個不會推理的頭腦，是比較無用的頭腦。」

「我會對這個自我教育的問題，加以很多的思索，並引伸出我們可以稱它爲一套理論的『三法則』。這法則很簡單：觀察！記憶！比較！

「任何一種眞正的教育，其第一要素便是觀察。否則你便沒有材料可以用來製造知識。記住你所觀察到的；把你所觀察到的事實加以比較；然後你會發現你自己找到了結論。這些結論是眞正的知識；它們是屬於你自己的。

「約翰．保羅大之成爲一位偉大的博物學家，摩根之成爲一位偉大的財政家，拿破崙之成爲名將，都爲了他們深諳其中三昧，這是一切教育的基礎。奇妙的是，用這種方法得來的教育，並非一種痛苦，却是一種樂趣。

「舉一個例來說吧，一篇偵探小說，不就是觀察、記憶和比較的一篇紀錄嗎？幾乎我們大家全都愛讀這一類書籍，因爲，當我們一面讀的時候，我們自己便在一邊觀察、記憶，比較，並試圖下一個正確的結論。

「我們可以用同樣方法來做學問，這樣做的時候，樂趣更大。而且，在追求學問之際，我們還可能獲得一些能造福世人的事物。

「無論如何，我們充實了自己；我們打開了新的窗戶，從這裏可以窺見有趣的東西。你有沒有在字典裏查一個字的時候，發現了除你所要找的定義以外的許多定義？我就有過這經驗。我也有過類似的經驗——着手研究一個問題的時候，觸類旁通，而有了別的發現。

「我們即使做最簡單的動作，多少都會牽涉到一些科學原則。最有趣的是研究這些簡單的動作，設法從其中領畧到一些道理。

「在對付孩子的時候，最重要的，是不要把結論告訴他們，而是鼓勵他們自己發現。問他們問題，讓他們自己去找出答案。如果他們找出的答案是錯的，也別告訴他們那是錯的，不要把正確的答案告訴他們。問他們別的問題，讓他們從別的問題中看出他們自己的錯誤。要誘發他們的好奇心，使他們作進一步的探究。

「例如：假定你要教一個孩子以濕度和凝結的現象，你會向他敘述：從肺部呼出的空氣裏面，有水蒸氣的微粒，在某種狀況之下，這水蒸氣會凝結爲冰。換句話說，你把結論告訴了別人，所得他人的結論，要他記牢。

「現在，假設你什麼都不告訴他，只是叫他對一隻大的玻璃杯呵氣，他看見了玻璃上凝結的水蒸氣，問他，這是從那裏來的？叫他對着玻璃外面呵氣。再叫他用一隻熱的玻璃杯，和一隻冰冷的玻璃做試驗，叫他在其他的表面上做呵氣的試驗。不要教他如何思想。讓他觀察所發生的現象，記住他所觀察到的不同的結果，再用比較這些結果的方法，獲致結論。

「我相信，此種自我教育，是一生享受不盡的。它自然而然的要動腦筋，要尊守『三法則』。」

兒時伙伴捕蛇人

揀言

王狗是我鄰居的鄰居，和他父親住在一間用竹子和茅茨搭成的小屋裏。他的父親瞎了一隻眼，據說是被蛇咬傷之後變成那樣的。因此，村裏的人便叫他「獨眼龍」。

獨眼龍並沒有固定職業。就我當時所知，他總是帶了王狗去山裏捕蛇。這種既危險又勇敢的工作，雖爲父子二人博得村裏一部份人肅然的敬意，却從來沒有問過他們：爲什麼不去找些旁的事做，而好像情願把時間和生命極其輕率的投進恐怖之中？

七歲那年，我離開家到別處讀書，一直到高中畢業，考上大學，才抱着一種新與舊的情懷回到故居。時事代序，滄桑與廢，原是世間微不足怪的現象，因爲我們走到那裏，都永遠是一個漂泊的陌生人，所以我不必去捕捉那些過眼雲烟了。但是，我要在此一提的是，有人告訴我「獨眼龍」已經被蛇咬死五年，而他所留下的那份危險工作，王狗非但未予捨棄，反而光大起來。最明顯的，是他在村裏那株老鳳凰樹底下，蓋了三間新房子；一間做臥房，其餘兩間，分別陳設着裝滿了各種蛇類的鐵絲籠，以及專門爲供應客人蛇湯和蛇胆而用的長櫈方桌。

回家的第三天晚上，王狗便請我到他店裏去，而我們終於把話題拉到蛇的身上。

我問他：「當你上山捕蛇的時候，有沒有經常想到：你的生死就決定在自己伸手一抓的片刻？」

王狗微笑着並不馬上回答我。我感覺在那笑影後面，彷彿隱含着一句話：「讀書人，你不以爲這樣的問題很膚淺很愚蠢嗎？」

可是，正當我要問他另外一個問題的時候，他對我說：「我從來不想這個。但是我奇怪你爲什麼不說我的生死是决定在蛇的手中。」

他的答覆令我很尷尬。我知道他的意思，即是說，人的力量，目前尚不足以保護自己。王狗掏出香烟來，熟練的點燃它，然後像挾一條蛇似的，將它挾在兩根短而粗的手指之間。

停了一下，我又對他說：「我剛才的意思是說：你是否考慮過生命的價值和生活的意義。」

「什麼？」

「我問你，難道你不以爲生命因其短暫才更珍貴？如果是這樣，你不認爲該去做些有價值有意義的事？」

「我不懂，」王狗似乎歉意的笑着：「你的書讀得太多了。」

我報以苦笑。而忽然間他大笑起來，聲音粗獷凌豪，使我由憤怒嫉妒逐漸化爲不安。

「你以前不戴眼鏡的，是不是？」笑聲停止之後，他噴出一大口烟。

我以矜傲的心理，伸手摸摸鏡櫃，代替回答。

「戴了多久？」

「五年。」

「五年！」他搖搖頭站起來：「你早來我這裏吃幾副蛇胆就好了。來！我給你殺兩條蛇。」

我聽說過蛇胆能治眼睛，也知道王狗一片善意。然而，我意味到他的話中，有一股譏諷和損害着一個讀書人尊嚴的味道，便說：

「不必了，正像你不願意捨棄捕蛇的工作，讀書是我的職業。」（一）

閒話刺花

期生

在這東方之珠的香港，有幾種新興的職業，由於國際人士的畢集，也就應運而生，刺花，就是其中的一行。灣仔與北角一帶專做外國人生意的若干酒吧裏，你可以見到許多外國大兵，袒着臂或是赤着膊，正在接受一個携着簾隐的中國人爲他刺花。據幹這一行的說，刺花的收價是以圖案的大小繁簡爲標準，普通以美金計價，生涯倒也不惡，一家幾口的生活，也就靠了這一支針筆維持，倒是一樁別開生面的生財之道。

刺花，古時稱劄花、劄青，又名雕青或鏤身。日本人名爲刺青。在民俗學上，則一般稱爲紋身。不獨有其悠久的歷史，並且有關各個民族的風俗，如果能蒐集刺花的全部資料，包羅中外古今，倒也是一部有趣的藝術報告。

人類在身上刺花的歷史已經很久，公元前二千年的埃及木乃伊，在它們的身上已發現有刺花的遺跡。僅憑這一個證據，可知刺花至少已有四千年的歷史。我國古代的墨刑，爲五刑之一，也就是後來的所謂「鯨刑」和「刺配」。鄭康成註「周禮」說：「墨，鯨也，先刻其面以筆塗之」。在臉上刻記號，然後以墨塗之，這可說是最早的變相刺花。關於「刺配」的刑罰，一直到清朝還在沿用。大淸通典載有：「蠹役犯贓，以蠹犯二字分別刺其臂面；改發雲貴烟瘴地方充軍者，面刺烟瘴改發字樣。」所謂刺配，就是在罪犯的臉上或臂上刺了字再行發配充軍的意思。凡看過水滸傳的人，該記得那位打虎英雄武松，因爲報兄仇殺了嫂嫂潘金蓮，被判「刺配二千里充軍」。起解時就由役吏在他面上刺了兩行金字：「迭配孟州牢城」。他爲了不好看，在路上用兩張膏藥貼着。又如花和尚魯智深，九紋龍史進，都是水滸中以身上刺花而爲人熟知的人物。

唐末一般市井無賴刺花最甚，陶穀的淸異錄，就有這樣的一段記載：「自唐末無賴男子以劄刺相高，或鋪絹川圖一本，或砌白樂天羅隱二人詩百首，至有以平生所歷郡縣飲酒薄博之事，所交婦人姓名年齒行第坊巷形貌之詳，一一標表者，時人號爲針史。」

明勤縣余永麟所著「北窗瑣語」一書，其中有一則記蘇東坡懲辦一個臂上刺字的風流和尚的故事：宋靈景寺僧了然，常宿娼妓家李秀奴，後衣缽一空，爲秀奴所絕。僧迷戀不已，乘醉直入，擊秀奴斃之。縣官得實，具申司府。時蘇東坡爲郡守，勘之見僧手臂上刺字云「但願同生極樂國，免教今世苦相思。」東坡援之，遂成獄。並作踏莎行詞一首嘲之曰：「這個禿奴修行忒煞，雲山頂上持齋戒，一從迷戀玉樓春，鶉衣百結渾無奈，毒手傷人，花容粉碎，空空色色今何在？臂間刺道苦相思，這回還了相思債。」時傳作笑談。

刺花在元時名爲雕青，是因爲用細刀將花紋雕刻在皮膚上，然後再涅以青花，故名雕青。元典章刑罰有一條例，處罰一個將他的妻子週身雕青，然後在街上遊行迎神，如「萬二將妻狄四娘沿身刀刺青繡，於背上兩腿刀刺龍鬼，在街露體繡迎社」云云。這種判例眞可說是怪誕不經。（上）

故都冬夜憶瑣

—京仁—

要做針綫的妯娌們，最好湊到老太太屋兒裏，拿着針綫簸籮，該做甚麼做甚麼。屋子裏，大人們喝茶抽烟，閒話家常。爐子的火苗兒多高，滿室生春，這應是一天之中最舒服的時候。

掌燈不久，大家正在說話兒的時候，第一個吸引的聲音是在起西北風兒的夜裏，一聲：「蘿卜，賽梨啊！辣了換！」

北平冬天的這種蘿卜，眞是賽過梨，可一咬一汪水兒，雖沒有梨甜，一點兒也不帶辣味兒，而且價格低廉，一大枚可買一大個，眞稱得起「平民水果」。（二）

自由報

內備警台報字第〇三一號內銷證

THE FREE NEWS

第一一七期

中華民國僑務委員會頒發
台教新字第三三二號登記證
中華郵政台字第一二八二號執照
登記爲第一類新聞紙類
（半週刊每星期三、六出版）
每份港幣壹角
台灣零售每份新台幣貳元
社長：雷嘯岑
督印人：黃行實
社址：香港銅鑼灣高士威道二十二號四樓
20, CAUSEWAY RD 3RD FL. HONG KONG
TEL. 771726　電報掛號：7191
承印者：大同印務公司
地址：香港北角和富道九六號
台灣分社
台北市西寧南路壹叁零號二樓
電話：三〇三四六一
台郵撥儲金戶九二五二

從美俄對中共戰爭態勢之形成看反攻大陸（三）

郭甄泰

（一）共產集團領導權之爭奪。蘇俄爲共產政權發祥地，向爲共產主義集團之盟主，歷來奉行列寧所定原則：『蘇俄高於一切，一個共黨的眞正考驗，是他是否支持蘇俄』；中共現在則以馬列史之正統自居，企圖奄有對共產集團以及世界窮國的領導地位，不僅不願支持蘇俄，且隨時欲成立一個以中共爲中心的第四國際，以與蘇俄抗衡。試觀其最近之『文化大革命』，『紅衛兵造反作亂』，以及八月二十九、三十兩日北平幾十萬紅衛兵包圍蘇俄使館，示威辱罵，即可知其反俄的程度，已經超越『反美』、『反四舊』的情形了。就共產集團領導權之爭奪言，天無二日，蘇俄與中共冰炭不能相容之勢，業已形成。

（二）思想不同之衝突。蘇俄實行共產主義，已歷四十八年，爲世界第一個建立共產政權的國家，但一九六五年仍迫使蘇俄不得不再度向西方國家大舉購糧。去年蘇俄曾自加、澳、美、西德等國輸入小麥類一千二百萬噸，本年最低限度亦須輸入小麥一千五百萬噸，對於國內最基本的民生問題，並未能予以解決。民國五十二年十月，蘇俄官方人士自承：『蘇俄農業生產力比美低三倍至三倍半，工業生產力比美國工人低二倍至二倍半』。現在美國工業農業欣欣向榮，蘇俄則相形見絀，望塵莫及。再就工人生活言，美國現已成爲工人的天堂，靠工資生活的人，正在享受過去祇有富人才能享有的生活水準，每年可賺一萬美元的工作正在逐日增加；蘇俄工人的工資，則在五年計劃完成工資增三七%之後，仍祇有美國現在工人收入之六四%，兩相對比，即可知共產主義已成爲古老陳腐的理論，無法使大多數民衆獲得幸福，在世界上已無銷路。蘇俄執政者有鑒於此，深爲焦慮，爲增加農業生產，正在推行獎勵制度，先許小型耕地的存在，爲增加工業生產，正在主張恢復各種企業在五十年來視爲資本主義最大罪惡之『利潤』，以謀改善其經濟。中共則不顧人民死活，堅持教條主義，視蘇俄之現行政策爲『修正主義』，『資本主義復辟』，將『反修』與『反帝』並列。現在紅衛兵的『文化大革命』，純係想完全挖斷大陸修正主義的根，以『反修』爲其基本的課題。就思想問題上言，中共與蘇俄已『超越無法回頭的距程』，不能兩立了。

（三）領土糾紛。西伯利亞以及葱嶺以西各地，過去均爲中國藩屬，自一六八九年至一九四五年止，中國領土被俄國搶去了六百二十萬八千方公里，等於現在的大半個中國，中共在其供學童閱讀的地圖上，聲稱『蘇俄境內有一塊面積約爲美國之半的土地是我們的』。『一旦是中國的，即永遠是中國的』，向爲毛匪一貫之主張，將來共如羽毛豐滿，其必然要提醒世界以及莫斯科說：『這是我們的土地』，並以戰爭爲收復國土之方法，殆屬顯而易見。中俄邊境接壤六千四百里，中蒙邊界二千六百七十里，現在雙方軍隊調動頻繁，均在作預防性之安全佈署。蘇俄現在遠東擁有十七個重裝備師，一二〇艘潛艇，其中一部份並裝有飛彈指向中國大陸，近更擬由西歐抽調軍隊增防西伯利亞，劍拔弩張，其目的均在於圍堵中共。凡屬理論上、政策上、經濟合作的事務上的爭執，在必要時可以實行和解，然領土與邊界的爭執，則因具有複雜性的歷史背景及牽涉到少數民族的地位，一經公開提出，即難以在短時期內獲得解決。某一西方共黨專家說：『這是兩個衆多民族間的衝突，兩個有力的帝國間的衝突，東方與西方的衝突，亞洲和歐洲的衝突，黃種人和白種人的衝突，兩個革命階段的衝突，兩個經濟發展階段的衝突；是一個剛剛有希望自給自足的俄國和準備走上工業化的中共的衝突』。無法調和。法國總統戴高樂說：『我準備與蘇俄締結同盟，但我祇願保證歐俄部份，烏拉爾以外的一切，中共將會主張的權利，我不願意法國人爲了蘇俄在亞洲的所有而死在與中共的鬥爭中』。法國前總理雷諾亦說：『中共爲蘇俄的死敵和最大威脅。蘇俄現在完全了解中共對於蘇俄安全所能引起的影響，這就是何以中共日趨強大，蘇俄就更與西方接近的原因。第三次世界大戰來臨時，開始是一場中共與蘇俄的戰爭，西方國家包括美國將起而援助蘇俄，實際就是自保』。均預言蘇俄與中共必將發生戰爭，所成爲問題者僅爲時間，即在何種狀態下始能爆發耳。

四、中國反攻大陸態勢之改進

現在的戰爭是一種國際戰爭，國際形勢對於我國反攻大陸實有一種密切之關係，其中尤以美俄兩國態度最爲重要。先就美國言：我國反攻大陸需要美國援助，但美國對此一向持審愼態度。民國四十五年艾森豪總統說：『美國絕不參加中國任何一方所發動的侵略戰爭。』對於中國反攻大陸公然反對。民國五十一年五月甘迺廸總統說：『反對中華民國反攻大陸，因此事牽涉美國。』民國五十一年三月美國總統顧問鮑爾斯說：『讓中華民國反攻大陸係一種高層政策之問題，但如美政府有意對中國大陸進行戰爭，則余將大感意外，此將是不合理之事。』

作孽的澳門事件

執筆時尚未解除戒嚴的澳門事件，除證實已死者達八人外，輕重傷者據說超過百人之多，確屬莫大憾事。我們誠然非常惋惜這些死者與傷者的悲慘遭遇，却同時尤其厭惡公然在幕後鼓動幷製造這次事件的毛共及甘心爲其火中取栗的紅色嘍囉們的爲非作歹，謀害人命。

澳門事件之爲毛共所一手包辦演出的，鐵證如山，任何明眼人均可一望而知，可置而勿論。目前大家所欲亟於弄清楚的：毛共畢竟爲什麼要製造這次事件？這次事件畢竟又將演變到何種地步？

我認爲，毛共製造澳門事件的最爲主要的用心，在於第一，轉移視聽。毛共上層近來爲了爭權奪利在大陸亂搞一氣的「文化大革命」，特別是傷天害理的驅使年稚無知的青少年打衝鋒的所謂「紅衛兵」運動，搞得烏烟瘴氣，舉世爲之側目，他們害怕這種一發而不能收的「革命」「運動」更多的暴露其臭而不可聞也的內幕，於是假借一點小糾紛爲導火綫，全力弄出這次澳門事件來，使大家暫時不再多留意其演出至爲緊張熱烈必欲鬥個你死我活的內鬨。第二，冒充好漢騙人，僞飾等同咒的所謂「毛澤東主義」確乎天下無敵，力能呼風喚雨，爲所欲爲，別人無奈之何。加以，他們這次製造的事件，乃是以外國人的「葡澳當局」爲對手的，可給人們以一種假象，誤以爲萬惡的毛共也是愛國的，也是關心中國同胞利益的。而其實，那裏是這麼一回事？

也許有人懷疑毛共會不會就此「收回失土」？我的答覆是，決無此事。毛共的主要用心，斷不會超過上列的兩點。甚而可以肯定，即使「葡澳當局」甘願拱手把澳門交出，毛共亦將敬謝不敏。此無他，毛共本來不是東西也。所以，我敢斷言，在他的上述兩用心兌現得自以爲差不多了的時候，這次的澳門事件，便會雨過天青，戛然而止。一向對毛共誠惶誠恐、多行不義的「葡澳當局」，經此事件之後，當然更加抬不起頭，而那些在事件中冤枉受傷甚至死亡的中國同胞，在毛共視之，正是「你死你事」，「好少理」了。眞作孽啊！

馮正先生

今日與明日

江青上陣失敗無疑

十二月四日北平「人民日報」第一版報導稱：「首都和來自全國各地的兩萬多名革命文藝戰士，十一月廿八日晚上在雄偉壯麗的人民大會堂舉行了文藝界無產階級文化大革命大會。」

在「大會」上發表講話的主要有四個人。一個爲新近走「江青路綫」出任「中共中央文化革命小組組長」的陳伯達，一個爲「國務院總理」周恩來。陳伯達的「開幕詞」和周恩來的「講話」，除了「老三篇」（廢話、屁話、謊話）外，他們都大捧江青「同志」的「指導」功勞和「貢獻」之「偉大」。另一個在「大會」上「發言」的爲共軍「總政治部文化部部長」謝鏜忠（廣州軍區出身的忠於林彪的走卒，取消「軍銜」前爲「少將」。他還兼任「中共中央文化革命小組成員」）。

謝鏜忠在「發言中」「宣佈」：「中共中央軍委決定江青同志担任中國人民解放軍文化工作顧問」。據他說：「這是我們最敬愛的偉大領袖毛主席和他的親密戰友林彪副主席對我軍文化工作的極大關懷」。又說：「江青同志對毛澤東思想學習得很好，領會得很深，運用得很活，很堅決。由她担任我軍文化工作顧問，是加強部隊文化工作革命化、戰鬥化的重要決定」。

謝鏜忠「最後要求部隊的全體文藝工作者，認眞學習江青同志的講話」。江青的「講話」也是在這個大會上發表的，據說極爲「重要」。

江青在同一「大會」上的「講話」中「叙述她對無產階級文化大革命的認識過程時說：「幾年前，我比較系統的接觸了一部份文學藝術」。在「幾年前」才「接觸一部份文學藝術」，顯見她對文藝還是幼稚園低班的「小學生」，也可以說對於文藝「沒有經過調查研究，沒有發言權」（毛酋的話）。可是，她在「反革命」運動中，却成爲頭號領導人，可見毛林孤立集團中已經是「無人」，正是「手下無大將，八婆打衝鋒」。個性倔強而壞透了的毛酋，到了這個「莫可奈何花落去」的垂危地步，把他的押寨夫人「推」了出來，這說明他根本是旣不「英明」更不「科學」，而十足是「病亟亂投醫」了。

毛林二酋用江青插手部隊文化工作是表示對共軍「極大關懷」，眞是「火拼昏迷，語無倫次」。要說她對毛酋的垂死掙扎「領會得很深」還像話，至於說由她担任共軍「文化工作顧問」，就有助於共軍「文化化」，「工作革命化」和「戰鬥化」，則是滑稽透頂，實在是十足地「拿野鷄毛當令箭」，已到了總理之智，不清的地步。

江青走上毛共政治舞台，明顯地表示出毛酋已快要「龍馭賓天」，而他的孝子賢孫林彪之流，爲了利用他的「餘威」，才不得不把江青抬出來作爲「代表」的象徵。但可以斷言，「牝鷄司晨」將失敗得更快、更慘、更徹底。（何如）

和以前完全兩樣啦！

四面樹敵

事證確鑿百口難辯

中東緊張局勢前因後果 主要係納塞爾一手造成

（倫敦通訊）兩年來，阿剌伯恐怖份子平均每月在以色列境內突襲三次，炸毀這裏一幢房子，或那裏一度橋，或自來水管。去月，在他們的空前大膽的突擊中，他們推進至耶路撒冷的郊區，炸毀一座距離以色列總理艾希科的住宅僅一哩的公寓大廈。有些時候，他們來自黎巴嫩；有些時候，他們來自叙利亞，他們的基地實際在叙利亞。但是他們多數通過約但混進來，約但王哈辛似乎無力阻止他們。去週，以色列還擊了，發動十年前蘇彝士戰爭以來最大規模的，最大膽的，和流血最多的報復行動。

目標是人口四千的小村沙模，距離以色列北面邊界三哩，時常是恐怖分子的結集地區。去週一天的早上，約二千以色列軍隊，乘坐吉普車、軍車，及五輛巴頓坦克車，湧過邊界，打垮那個八人的警崗，掃蕩沙模，逐戶搜查。當以色列軍隊在沙模的街上飲熱咖啡，破壞工作隊炸毀了四十六間空屋，三輛坦克把當地的回教廟擂毀，成爲一堆瓦礫。

在村外，以色列軍隊封鎖了幹綫公路，等待約但士兵到來，他們知道約但士兵會從附近的希伯倫趕來的。二十輛車果然疾馳而來，但都被阻於障碍物，沒有一輛[illegible]者噴射機在上空出現，追逐他們，一架「獵鷹者」被擊落，其餘三架倉皇逃竄。四小時後，以色列軍隊撤退，在退兵沿綫佈下了地雷。雙方都說祇有輕微死傷數字，但死傷者實際在一百人以上，幾乎全是約但人。

爲什麼以色列攻擊約但而不進攻叙利亞呢？叙利亞才是游擊隊的基地。那是以色列的反對黨於這事件發生後要求艾希科解答的問題。在一次特別的國會辯論中，艾希科披露，去年的十四次從約但而來的陰謀顛覆事件，最嚴重的一次，發生於十一月十二日，一枚地雷爆炸，炸死了三名以色列士兵。艾希科說：「這次侵略行動竟來自約但，洵屬可痛」。自那次事件發生後，他以約但爲目標。「沒有一個國家，如果庇護陰謀顛覆分子或讓他們假道進襲以色列，可以逃避責任。」

艾希科所未說的，却是他很清楚，在所謂的阿剌伯同盟下，約但不如叙利亞那般獲得阿剌伯的大力援助。叙利亞比約但更接近埃及的納塞爾。約但的阿剌伯兄弟國，等到以色列撤兵後，這才「義憤填胸」的誓說要支持約但。」事實上哈辛王的唯一信心，寄託於聯合國安理事會。在安理會中，蘇俄與美國，法國和英國，一致同意譴責以色列。這是罕見的。美國大使高德賓，把這次襲擊事件稱爲「無可寬恕的」，要求聯合國通過一決議案以檢舉以色列。

當然，聯合國戒懼對以色列的延續的恐怖主義，或許引起另一次的報復行動，甚至可能引起大規模的中東戰爭。埃及的納塞爾，希望最低限度目前不至有任何大規模的阿剌伯對以色列的戰爭。他的二十萬軍隊中有四萬調往也門去了，納塞爾再不能進行另一個大戰爭。因此，他刻在設法安撫叙利亞人，勸他們暫停恐怖主義。兩週前，納塞爾與叙利亞簽訂了互助國防協定，把兩國的武裝部隊，撥歸一個聯合機構指揮，使埃及對叙利亞的軍事有更大的發言權。

以色列的突襲事件發生後廿四小時，納塞爾派了一個特別「軍事代表團」到大馬士革，去商討恐怖主義及中東的緊張局面。當埃及的談判代表開始討論，叙利亞人却作相反的言論。連續四天，叙利亞山上崗哨的士兵，與以色列的邊界巡邏隊開火了。

縱然立法院所制訂之政策，係基於接受「賄賂」而圖利他人，行政院對之亦莫可奈何。

憲法賦予立院職權

因爲行政院長由總統提名，（憲法五十五條）所以行政院對立法院須負責。於是「行政院有向立法院提出施政方針及施政報告之責；立法委員在開會時，有向行政院院長及行政院各部會首長質詢之權。」而「立法院對於行政院之重要政策不贊同時，得以決議移請行政院變更之。行政院對於立法院之決議，得經總統核可移請立法院覆議。覆議時，如經出席立法委員三分之二維持原決議，行政院長應即接受該決議或辭職。」至於「行政院對於立法院決議之法律案、預算案、條約案，如認爲有窒碍難行時，得經總統之核可，於該決議案送達行政院十日內，移請立法院覆議。覆議時，如經出席立法委員三分之二維持原案，行政院長應即接受該決議或辭職（憲法五十七條）。不久之前，立法院以決議而退回行政院送請立法院審議整頓招商局之方案，便是反對「重要政策」的事例。

院與院間之爭執，總統得召集有關各院院長會商解決之（憲法四十四條）。除此而外，立法院與行政院之間，別無更佳之途徑可以解決，因重要政策而發生爭執。否則，行政院長不接受決議案便只有辭職了。

人民請願案之規定

人民爲政治上的、經濟上的、社會上的權利，或對政府「重要政策」表示其願望時，得依憲法第十六條：「人民有請願之權」的規定，分別向行政、立法機關請願。立法院依憲法六十七條之規定，各委員會在審議法案時，得邀請社會上對該法案有專門學識及特別見解之人士到會備詢。立法院議事規則第三章：「人民請願案」之處理程序，有明確而週詳之規定。人民請願文書由有關委員會召集委員接受，並得向院會報告，而後由程序委員會逕送有關委員會審查，如成爲議案，由程序委員會列入「議事日程」討論事項，經討論由院會議決後送行政院執行。倘行政院未經覆議程序而不執行，原請願人得向監察院提出「訴狀」。監察院及監委應依監察法第四條規定「得收受人民書狀」，並依監察法施行細則第二章：「人民書狀」之規定進行調查，並提出調查報告，作爲提案彈劾依據。此說明，立法委員反對行政院重要政策有憲法爲依據，法律無科以刑責之規定。

透視立監委涉嫌油商行賄案（十五）

從立法院暨監察院第十四次臨時會決議案說起

——本報記者張健生

前文對我國行政、立法、監察院等相互之間的制衡關係，與立監委員之職權，及憲法賦予之權力，作概畧之討論。現在，就民主國對人身自由之保障，及我國司法在憲法上之地位與職權，提出來討論。

民主觀念 個人價值

民主政治的整個觀念完全在於承認個人的尊嚴和價値。沒有一個人或一羣人可以站在其他人之上。如果一切人都是平等的，並享有同樣的權利，那麼顯然沒有人可以享有絕對的或完全的自由。每個人在行動上必須顧及他人的權利。每個人可以爲所欲爲，但以不侵犯他人的權利爲限。如果每個人，可以絕對的隨心所欲，必然發生混亂的無政府狀態，最後必然落到强權統治。只有在一個無政府的國家中，自由才是絕對的。這是西方民主國的民主政治的基本觀念。在這個基本觀念下，他們的三權政治的原則，亦在此了。

誠如監察委員陶百川說：中華民國「憲法既以保障民意代表身體自由之責任與權力付與民意機關，後者自得視其涉嫌情節之重大與否而定。須知在民主及法治國家內，任何權力皆非絕對，皆受制衡。民意機關自不得干涉或妨害司法，然法院在申請逮捕或拘禁民意代表時，其權力行使之適當及公正與否，依法須受該民意機關之制衡與審查。法理甚明，不容懷疑。」

況人民組織政府之最終目的，旨在保障人民權利。人民選舉代表制訂法律，並監督政府有沒有侵害人民權利。易言之，政府是爲保障人民權利而設，法律是爲保證權利不受侵害而訂。

「我不懂爲什麼一個主張應在有組織的社會中用法治的人，在他自己藐視法律的行爲後還會感到安全。有些人顯然需要有良心反省和認清什麼是眞正利己之道。因爲如果他們藐法紀而任由感情的衝動做出犯法的破壞行爲，結果最受苦的還是他們自己。」這是美前總統胡佛氏的名言。

陶委員所指的「適當及公正」的權力，其含義是：就行政的立場來說，適當法律程序的意思是指公平而守法的施政。

中縣議會春秋別記

中縣記者王永亭

台中縣議會，這一個月可以說好戲連台，議會之中形形色色，多彩多姿。熱鬧年年有，沒有今年多。議員的份子複雜，良莠不齊，因之鬧出很多笑話，這是台中縣議員自己說出來的。就這次總質詢的情況看來，眞令人爲議壇躭憂。記者在總質詢中所欣賞到的傑作，倒不失爲「精彩」的節目。

煌煌議堂 阿貓三四隻

台中縣議會于二十四日繼續施政總質詢，大會在上午十時三十分開始，此時會場內議員僅有七人；至十時四十分，不過差了十分鐘，就有三議員開溜，剩下的就只阿貓三四隻了。議場的冷落情況就可想而知矣。

在此次總質詢大會的第一天，記者就聽到議員們口口聲聲高唱「開會守時」，要求「自清運動」。而開會時如此冷落，眞是一大諷刺。更有「見慣不怪」的情形，就是那列席被質詢的官員反而比議員人數多，這豈不是大笑話！但不知道些議員在競選時的諾言如何兌現呢！

酗酒發言打茶杯

二十四日下午三時二十五分時，縣議員陳三希，酗了老酒，醉薰薰的跑上發言台，曾兩次打破議席上的茶杯。最後由議員們拉出去休息，才算未表演更多鬧劇。隨即有楊秋澤議員上台指責議長王子癸說：王議長主持會議無方，阻擾發言。楊議員並且很感慨的說：中縣議員太差了，實在貽笑大方！

議場當教室 縣官當學生

在中縣議員羣中，有一位外號「國學家」的議員林萬枝，其實他能不能成爲一「家」呢，就不得而知。他常將議場當作教室一樣，每逢他上台發言，總是以教師口吻，老師的態度，面對縣長及列席被詢的官員訓示。這次總質詢，他上了兩課，這兩課都是針對林鶴年縣長上的。林萬枝議員說：「上次大會中講的是「議事春秋」，現在要講「大學」「中庸」之道。」林議員說：所謂大學之道，即是「在明明德，在親民，在止於至善。……誠意、正心、修身、齊家、治國、平天下」。（上）

中縣議員王地竟用日語發言

（本報記者台中航訊）台中縣議會第六屆六次大會，主要節目是「縣長施政總質詢」，因此縣長林鶴年成了衆矢之的，議員們都指向他。做縣長的如果沒有點忍耐工夫，那恐怕只有摜沙帽之一途。

▲祇以王地議員一個人來說，一個人的質詢就有十項的長篇大論。別的議員也只有聆訓的一份，做陪縣長被詢。王地議員不愧是一個「語言學家」，國語、日語、台語全會。質詢起來，三種語言全部出籠。可是在旁聽席上的聽衆感覺有些不是味道。尤其是王議員現在仍操日語發言，殊有失中國國民的身份。而引起大部份人的不滿。

▲王地議員質詢的洋洋長篇大論，當然無可厚非，可是他有時安肆謬論，實令人不敢恭維。身爲一個民意代表，不滿政府某些措施，當無可厚非，可是不能太離譜，尤其是把「本省人」、「外省人」劃一塹鴻溝，就不是他應當講的話。

▲二十五日的施政總質詢時，議員發言雖很踴躍，可是出席的議員却十分寥落，據一位同業統計，縣府官員比記者多，記者比議員多。這是有目共睹，不用統計也可知。

▲縣府有部份公務員在外兼營事業，及把本身職責置諸腦後，影響公務甚大。部份議員指責說：縣府官員在外兼職之風日甚，往往由於外面兼職事忙，而拋棄其本身職務不管，縣府公職反變爲副業，縣民往洽辦公事找不到承辦人，徒勞無功，影響縣政推行，請林縣長注意糾正。

▲台中縣教育風氣不良，（其實豈止台中）學校如同學店，遭到部份議員的抨擊。王地議員質詢說：本縣教育風氣不良，諸如縣府官員造成文具、儀器，向學校推銷，使學校不勝其煩；同時學校方面又不得不應付，所以有人批評「學校」是「學店」。

▲台中縣稅捐稽征處長朱博能，由於他初到任不久，對於台中縣議員很生疏，所以在會議進行時，他拿着一册貼有議員照片的名册，在會場內按次序一個一個對照，以資認識。朱處長如此認人的辦法，是「循名核實」的辦法，也是少見的一椿事，同時也不必勞師動衆。（本報記者王永亭）

瀛海異聞錄

英國馬場蝴蝶賭馬貼士

·桑雅·

約翰·摩特·格連是一個不可思議的人物——在理論上，他不可能存在的。事實上，每週他可賺二百鎊，完全不用納稅。他出現時，每每穿着整齊光鮮，那雙皮鞋是名廠出品。出入呢，是坐勞斯萊斯汽車。他住的是豪光酒店。晚上，在高尚夜總會或俱樂部，必有他的蹤跡。

他的經濟來源是靠什麼呢？說信不信由你，完全靠賭馬。

他這種靠賭馬爲生的人，實屬罕見的。今年他三十五歲，他離開學校後，大部份的收入都是從馬場中拿回來的。

人家鏟草皮，而他是掘草皮。

世上還有誰還比他休閒自在，還有誰比他更快活呢？

不過，他說：「這不是僥倖而獲致的，我要付出很大的精力。我的秘訣是全心全意去研究馬經。」

他注意每一匹馬的動態；他花時間週遊各地，英國，愛爾蘭，法國等觀察馬匹。而且，他設法與馬僮，騎師，馬主甚至賭客傾談，這樣可以學習別人的心得。他說：「我儘量不發表自己的意見。」

他十六歲時，便喜歡在馬場混日子的了，很難怪，他父親是在澳洲的比斯本馬場工作的，是一個售票員。父親常給他一鎊，鼓勵他下注的。也許正由于這種鼓勵，他對于馬匹的智識十分留心，同時，他的運氣也眞不錯。

一九六〇年他從澳洲飛往英倫渡假，賽馬的玩意立即吸引他。到一九六三年，他便決定長留于英倫，做一個職業賭徒。

他說：「如果你想賭馬，那麼，你得前來英倫下注。你夠本領的話，你不但可以獲得利潤，還有無上的刺激。不過，你每天都要下功夫，這是說賽馬季節中，你絕不能偷懶。」

對于他，每年可休假三個月，有時環球旅行，有時週遊歐洲各地，或返回澳洲探望雙親。

在英倫，格連的綽號是「馬場蝴蝶」，因爲他是滿場飛，專扒冷門而下注。同時，他那頂帽子，每每貼上一隻蝴蝶的，這是一頂巴黎卡丁公司出品的帽子，相當名貴。在馬場裏，很容易會發現他的存在。他還愛戴上紅色皮手套，是沒有手指部份的那種。

他臨場下注，必在沙圈附近的，他細心留意出賽馬匹及騎師。

一位專欄記者最近追隨他，看他如何下注，地點是「金溪馬場」。

第一場，他認爲無需下注，因爲他無把握。然後，他回到會員棚，與售票員聊天，神色自若，一點也不緊張。

第二場，出賽馬十匹，他表示這才夠刺激。他看中「殖民主義者」，他是六與四之比，結果他下注了六十鎊。再過十八分鐘，那匹馬跑出，他淨贏了四十鎊。他對記者說：「我投注的馬，不一定要冷門的，主要是跑出。」

第三場，廿一匹馬出賽，這樣，注碼大，更刺激了。這一場，貼士滿天飛；這時，格連忽然失蹤。到開賽前五分鐘，他才出現，與三個人談話。然後，他喃喃自語：「不容易哩，不容易哩。」然後，他帶起望遠鏡緊張地望，便匆匆往買票了。他共投注四匹馬，均是獨贏，每匹下注廿五鎊。結果其中一匹馬跑了冠軍，他淨贏一百八十鎊。不到一點鐘，他已有二百二十鎊的收入了。

上面祇是實地紀錄的一個例子，當然，他不是每場都贏錢；但無可否認，他每一次的下注，都有充份把握的。

他對于下注的十個貼士如下，賭馬人一不妨拿來參考——

（一）不要扒逆水，投注可贏的馬，不管它是熱或冷。

（二）下場前，精神要旺盛，因爲精神不集中，便影響觀察力。

（三）千萬不可靠直覺下注。

（四）賭馬要「吼路」，對的；然而，不可過份胡思亂想。既然是賭馬，馬的狀態是最可靠的，應勝的馬，騎師要拉住也能跑出。

（五）馬經是一門學問，要經常研讀。

（六）留意別人的賭馬心得。

（七）晨操的成績是重要的。

（八）運氣是有的，手風不順時，還是忍手爲高。

（九）無需場場下注，因爲這不是遊戲，而是一種投資。

（十）訓練自己的記憶力，對馬匹動態瞭如指掌，下決斷也比別人快了。

萬國紅十字會的種種

·紫雪·

在很早的時候，戰爭就已成爲世界歷史上時常見的現象。眞的，在有歷史紀載的三千四百多年之間，就有三十一百五十年是在進行着戰爭。從一九一四年到今日，武裝衝突還在世界上的某些角落中進行着。但在這漫長的歲月中，人類對於消弭或減少戰爭的努力，還是一籌莫展。

孟諾會禁止印度武士殺害卸下武裝、正在睡眠或受傷的敵人，並且禁止使用裝毒的槍矛和鈎刺的箭。紀元前五百五十年，波斯王塞魯士下令給軍隊中的軍醫，救護所有戰場上的傷病人員，不論敵我，一視同仁。

在中世紀時期，遊俠騎士和貴族們，都神聖地允諾不攻擊教堂，亦不攻擊無武裝的僧侶和非戰鬥的商人。並且遵守一個星期之中的某幾天不戰鬥的誡律。

這種武俠精神並未被流傳下來。到十九世紀末，現代戰爭正如今日我們知道的，是在歐洲各戰場開始發展的。

一八五九年在蘇爾伏林諾，給新世紀演出了一場最慘烈的戰爭。當時法奧兩國在戰場上遺棄了數約四萬的傷兵，無人救助而等待死亡。在戰鬥後不久，偶然有一位年輕的日內瓦銀行家，名字叫董能，來到戰場看見了這幅可憐的景象，他深深的被那痛苦無告的傷兵們所感動，就號召當地的人民和商旅，儘他們所能和所有的去救助這數萬的傷兵。日夜辛勞，終把這些傷兵從死亡綫上救回來。

由於這個經驗，董能就決定要盡其能力所及，去做喚醒人類自覺的工作。一八六二年，他出版了一本書——蘇爾伏林諾回憶錄。他用堅定而動人的文筆，描寫那戰場的善後。

在日內瓦，他組成一個五人委員會，由一位瑞士歷史上最偉大的將軍——杜伏爾任主席，他是一八四七年國內戰爭中瑞士聯盟軍隊的勝利領袖。其餘會員包括兩位醫師，一位律師和董能自己。這個小小的「五人委員會」，就是現在福庇世界的紅十字會的鼻祖。（上）

千里眼人朱立德

·質·

在本年正月，澳洲雅廸里城有三個小孩子失蹤，到今天仍不知下落。他們的家長，警局和報紙合共出了約一萬美元的賞金，來找尋他們。有人認爲他們是被人誘拐了或已遭不測。這三個孩子最後被人發現的地點是在嘉力海灘；在那個海灘附近有幾個荷蘭人居住，他們想起在荷蘭有一個名叫朱立德的高超的千里眼人，他具有一種不能解釋的能力，可看出種種隱藏的事蹟，他有現代千里眼人或X光眼之稱。他們就寫信和附寄那三個失蹤的小孩的照片給朱立德調查。當他看了照片之後說出，那是凶多吉少。隨後又斷定他幻見那三個小孩子的屍體臥在海灘的岩穴外。

搜索隊就依照朱立德的指示路綫，到兩個乾了的水溝，根據朱立德所說，那三個小孩子可能就在那裏失蹤的。在現場的一個水溝，堆塞滿了砂和亂石，後經當地的市政局的調查，在兩個被清理的水溝中，都沒有發現任何一個人的遺骸，就將經過情形寫信告訴朱立德。朱立德又回信說，那三個小孩子也許在大的水喉管裏，他幻見其一端是有開口的。但搜索隊也找不到任何痕跡。

那三個失蹤的孩子的家長就邀請朱立德親自到澳洲調查，但他現在今仍未肯定答覆，他說要考慮清楚，是否值得作此一行。

朱立德於一九〇九年三月十日在荷蘭西部的拉倫村出世，他致力於千里眼事業超過三十年。他的父母都是猶太人，父親是一個伶人，母親也在戲班中做雜務。當朱立德在八歲大時他就開始有一種幻像，跟一羣沒有在場的兒童遊戲。當他在十一歲時，他的祖母患動脈硬化病症，在臉部極覺痛苦，但在每次朱立德去探訪她的時候，一見她的面，那個老婦人就像完全無事，跟她的孩子很高興談話。看見的人多認爲他的老婦人太過愛他，所以對時忘記了痛苦，但朱立德認爲他有一種信仰療治法，可以感動對方而有作用的。

朱立德在十五歲時做農工，有一天正在工作時，突然幻見他的父親在阿姆斯特丹城跌倒地上，他趕急乘火車去看他，可惜已來遲了一步，他的父親在兩個鐘頭前已因心臟病發而逝世。

在第二次世界大戰期內，朱立德屢次幫助在荷蘭的地下工作人員，幻見在遠或近處不能查探出的事跡。他最拿手是找尋失蹤的人。

朱立德每天總收到很多信或電話，當在家時就有很多人到來請教他。他對那些不重要的事情，像未來天氣如何，某人的去向或到那裏，都不答覆；但是對於謀殺案件，一個失蹤的妻子，或想找個孩子，他才盡力去查。據說他曾尋回三百五十個失蹤的孩子。他本人在六歲時就幾乎溺斃。他對沉溺失蹤案件更有把握。有人問他能否找到那三個在澳洲失蹤已被他認爲經已死亡的三個孩子的屍體時，朱立德回答說：「我不敢百分之百答可能，但是我將盡自己所能去做。」

新三國

周燕謀著

納聘之禮又特殊而隆重，要皇帝派使臣持節行太常大司農安陽亭侯王邑，禮品有絲緞五萬匹，到鄴城納聘，介紹人五人，副者一人，介紹人都是起碼要議郎行大夫事者。曹操如此做，是將天子的一切家人，甚至同床共枕的人，都成爲他的心腹，天子起居作息都被控制着。因爲大小官員雖是自己心腹，但是內宮人物仍可密謀他，他怕有那一天。可見曹操之奸而雄，實在可說是空前而絕後的。曹操下一步棋是要抱伏皇后宰了，要把自己女兒捧上皇后的寶座。這樣做他還不夠，又在同年九月作「金虎台」，這是曹操在鄴城所作三台之一，一名「銅雀台」、二名「金虎台」、三名「冰井台」。又鑿渠引漳水入白溝以通河。同年冬十月，將魏郡劃分爲東西二部，各置都尉戍衛治安。同年十一月又設尚書，侍中六卿之官，以荀攸爲尚書令，涼茂爲僕射，毛玠、崔琰、常杜襲、衛覬、和洽等爲侍中。這些官兒都是屬於魏公駕下之臣，並非獻帝的官屬。

五五、曹操自立爲魏王　欺君弒后酖太子

建安十九年春正月，曹操竟行起天子之禮來了。「始耕籍田」，曹操行天子耕田以供祭祀之禮。這是天子之禮。

此時韓遂聯合金城入氏王名叫千萬，有羌兵、胡兵萬餘人，與夏侯淵挑戰，被夏侯淵擊破之。韓遂奔西平，夏侯淵將興國攻破，全部殺光，這是曹兵一貫的作風。西北的羌胡用曹操的計劃，完全平服。

建安十九年四月，曹操假天子之意，說魏公之地位在諸侯王之上，改授金璽、赤紱、遠游冠。使左中郎將楊宣，亭侯裴茂持節印綬，授予曹操。這金印、赤紱、遠游冠乃是漢制。今曹操地位在諸侯王之上，故改授金璽、赤紱、遠游冠。改授乃是予曹操一人之特殊授予。遠游冠即乘輿出游常服之通天冠。

建安十九年十一月，曹操向伏皇后開刀。這件事淵源很早了。獻帝遷許昌以來，只是守位做一個小傀儡而已。左右侍從衛尉人員，莫不是曹操心腹爪牙。前有董承密謀受誅，禍及董貴人，獻帝以貴人身懷有孕，曹操的要求獻帝沒有准。而當時曹操剛剛挾了天子，尚未做丞相，故那時尚不敢橫行。從那時候起，伏皇后已經看到了曹操的奸雄面目。君主的君權是高於一切的，如果是在一個有爲之君，下詔誅殺大臣，任何人沒有反抗的權力。獻帝既有詔誅曹操，事機洩露，獻帝應該負其責的。可是在曹操專制的政權之下，獻帝根本不敢哼一聲。因爲伏后見到曹操如此橫行，目無君上，心狠手毒，心由畏懼，到了建安十九年，她給乃父伏完寫了一封書信，說曹操兇殘的猙獰面目，要伏完秘密圖之。但是伏完得書，密不敢發。不料事情洩漏，被人打了小報告，曹操得知大怒。就在同年十一月，使御使大夫郗慮持了節命策收伏皇后印綬，以尚書令華歆爲副使，勒兵入宮。伏皇后躲在宮禁內壁中，華歆毀破宮壁，將伏后牽出。當時獻帝在外殿和御史大夫郗慮情商。（八十九）

國劇繽紛續錄

（一三二）麥袈生

譚派的寄子

桑園寄子是倫理教育的好戲，事跡完全是眞，不過在歷史上，伯道之子並未尋獲，故有提到「天道無還，竟使伯道無兒」。編者免使成悲劇，因有瀧關團圓之事，用心良苦。姜薇小姐在播完以後，說到這是有關教育的戲，有志平劇之士，請多加提倡，也語重心長，玩票的同志請聽着！

我聽寄子，眞有幸遇，民七在平肄業，聽到黃菊仙與彩霞的寄子，爲第一次聽到孫派，到鍾大呂，恍如隔世。以後即未聽人唱過。余來台十餘年，曾兩次聽過有味兒元章一唱過，不好。一則學余，一則崇馬，各名伶。但是始終沒有聽過譚派，因爲從前講義氣，讓戲碼，露培未唱過。警察電台費曉天兒製播寄子集錦，却完全是譚派。首段數兒弟及哭墳一段，小培所唱，是小培所灌唱片，此張獨佳，後鐵譚一味。記得我去買此唱片，片行人講道，很寄到一百張，現在一紙賣三十餘元，不比余叔岩的四喜，我可以分送友朋。運到五百張，一週即完。其音極醇可傳，在小培唱完，到路爬山，由夏山樓主接唱，甚爲驚奇，也是味厚而沉，更難得是娃娃生，調門不低很清楚，不知金氏是那位？純是老派，還可貴難得。下接寫血書，由叔唱，這時間顧不得父子恩愛一段，凄苦心情完全托出，盡其所能。可惜此段少灌三句，未成完璧，但摸擬者甚多，聽得津津有味。李東園兒能唱此齣，惜乎他不肯露，將來無人能唱矣。

代戰四平貴

中信局的祝壽晚會，除由大鵬演出一齣金錢豹打櫻桃出塞以外，另外是局中同人自行登台，有王琪的天齊廟，因是牛內行，當然可以。第二齣除三害，郝景山的王濬，佟樹聲的周處，初次見到，却甚不錯，神氣十足。第三齣爲武家坡銀空山大登殿，得爲談是那晚的核心。王寶釧兩位，一是佟夫人張婉君，這完全是老法唱做，夠標準。不佟尚花人俏，爲可稱。一是蔡善功，他以張腔著稱，唱句多俏利一音，因爲湖流而不見，是難得。四位二位代戰公主，因爲各有頭，亦是佳話。平貴，則各有千秋，是郝夫人中嘉，她不常登台，恐怕是第二回，扮相很美，噪音雖不高，很會運用，極爲自然動聽，加以向蘊華的高思繼，是關文蔚高足，原唱老生，劉瑛去美，兼演小生，扮相俊，唱句情，大爲出色，武工有練兒，成爲坤票唯一的小生，文武均能，佐助大爲生色。（未完）

「鐵打江山」說

·胡實·

我國舊時兵家論地勢險要，慣用「金城湯池」、「天塹」等類詞句來形容。凡是據有險要地勢的一方，也愛恃爲主要有利條件，以爲萬夫莫當。這種戰例，在過去也屢見不鮮。在近世民十八，李宗仁割據武漢自雄，南京國民政府發兵征討。當時李宗仁所恃者，佔有地利優勢。事前對南京提出警告：漢水方城（武昌），古稱其固，並不可侮。那時李宗仁的戰術頭腦，着了「金城湯池」的迷，頗有躊躇自得之概。可是後來兵不血刃，李宗仁竟被趕出武漢，狼狽敗回廣西。民卅八，國共最後和談之際，政府所恃者，也是佔地利優勢。當時南京某戰略名家，寄語共方：長江古稱「天塹」，不易飛渡。這位戰略名家的戰術頭腦，却是着了「天塹」的迷。估計共方偏於長江天險，可是後來共方用金條攻勢，收買南京炮台和江陰要塞，竟將「天塹」變成一躍即過的小溝。

所以用「金城湯池」和「天塹」形容的險要地勢，並不絕對可恃。還是春秋相齊稱霸的管仲，對于這個兵要問題，有其卓識遠見。管仲認爲寢兵之說勝（息兵弭戰），則險阻不守（撤銷設防）。否則，國之守在土，土之守在民。管仲的意思是：地利配合人和，是構成國防的基本條件。有土而無人能守，徒使險要枉負虛名而已。

最近大陸流行一句口號，用「鐵打」來形容江山的堅固。誠然，任何一個炎黃華胄，除了生成賤骨的漢奸外，沒有不願自己的國家眞能如此。這句口號的由來，我猜多半出諸毛澤東的「欽定」。

記得民十五以前的湖南（北洋軍統治時期），是南北兩軍的拉鋸戰場。省會長沙，有時落入北軍手中，有時又爲南軍奪回。雙方不時進出長沙，象徵長沙是易攻難守。南軍退出長沙，主力多向西南的寶慶（邵陽）轉移。北軍祇敢溯湘江正西南追，最前鋒也祇到達衡州（衡陽）爲止。對於退守寶慶的南軍，聽任喘息整補，捲土重來，從來不敢揮戈西指，進行澈底消滅。北軍這種儒弱動態，顯然視寶慶爲易守難攻。因此當時湖南有首民謠：「紙糊的長沙，鐵打的寶慶」。湖南人民用「紙糊」「鐵打」，分別代表長沙寶慶的地勢平險，較之我國舊時兵家所用形容詞句更爲深入淺出，更易普遍了解。

毛澤東出生湖南湘潭韶山，青年時在長沙受過教育，對於這首湖南民謠，當然留有深切印象。他把江山加上「鐵打」，絕非聽到澳門狗場有此狗名，而得來的靈感；一定是從這首湖南民謠的回憶中，「活學活用」所套來。不過用「鐵打」做形容詞，依然落入「金城湯池」和「天塹」的窠臼。儘管口頭大喊破舊立新，內心還嚮往民族文化的傳統風格。所謂文化大革命，前途如何，不難想像而知。

這首湖南民謠，由於沒有吸收管仲的兵要見解（專重地利，忽視人和），所以也和「金城湯池」「天塹」一樣，經不起攷驗。長沙眞是紙糊的，一戳就穿嗎？並不見得。抗戰時關麟徵夏楚中方先覺諸位名將，在第九戰區薛岳司令長官指揮之下，曾先後據此三戰三捷，擊退日軍進攻。寶慶眞是鐵打的，牢不可破嗎？也不見得。毛澤東的「親密戰友」林彪，民卅八指揮中共四野，在青樹坪（湘鄉寶慶間一個鎮市）一戰受挫，增援再攻後，終將國方第一兵團逐出寶慶。民謠的事實根據，可說已給十餘年後，連續發生的新戰例所否定。毛澤東套用經不起攷驗的民謠成句，用「鐵打」來形容江山的堅固，在宣傳技術言，殊爲失算。

何況在核子時代，任何鐵打的東西，都難抵高溫幅射而不被化成灰燼。一個進入今日世界核子俱樂部的會員，依然用「鐵打」來形容江山的堅固，這能說不是矛盾中一個大諷刺？

閒話刺花

期生

清末民初，一般黑社會人物，大都喜歡刺花。他們平日作奸犯科，橫行不法。程德全巡撫江蘇時，（程於鼎革後改任江蘇都督）因爲所發生的重案積犯，大都身上刺花，他是一個嫉惡如仇的人，於是通令各地，嚴拿刺花黨人物，無罪的交保檢束，有罪行證據的按律治罪，一時雷厲風行，於當時的治安方面確也收到相當的效果。但是在江南各地的迎神賽會中，仍舊隨時可以看到週身刺花的人物。

刺花在原始社會裏，大都作爲一種標誌，用來爲部屬的記號或者作驅邪鎮惡之用。如果更進一步，就發展爲裝飾作用，有些竟引用到吸引異性方面。在魏斯特馬氏所著的「人類婚姻史」一書中，曾論及若干未開化民族關於文身的發展情形，被刺的地方愈多，所刺的花紋圖案愈複雜，愈能表示自己的勇敢，從而達到裝飾或吸引異性的效果。就是今日所謂文明人物，也有喜歡在自己身上刺上純粹裝飾或猥褻的圖案，其動機亦大抵如此。

在瑪林洛夫斯基博士所著的「野蠻人性生活」一書中，有一段記述梅郎尼西亞和比琉島的風俗：當地少女在初有月信之後，她們的家長就請人在她們的私處刺上花紋，表示已經成熟，可以任人求婚。當地的男子，幾乎沒有一個肯與私處未經刺花的女子結婚的。因爲他們認爲私處沒有刺花的女孩子，不但不美觀，並且不吉利。

刺花的發源地是在東方，但今日久已流傳至全世界各地，而且西方人似乎反比東方更喜愛這種帶有自虐狂的玩意。

據說現在全世界上最歡喜刺花的是美國人，差不多每十個中間就有一個身上刺花的。美國人在身上或手臂上刺花的動機，除了裝飾好奇之外，他們又利用這東西作爲社團標誌，或作爲愛國熱忱的表示。決不像我們東方人那樣，往往對身上刺花的人予以輕視。歐洲有許多大人物都是身上有刺花的，譬如帝俄時代的尼史拉二世，英國的喬治五世，二次大戰時的聯軍副帥英國蒙哥馬利將軍，和丹麥王非特力，都是身上有刺花的著名人物，而且他們對於這些花紋還覺得很自負。

一般東方人和未開化民族所採用刺花方法，與吾國舊時的剳青刺字方法相同，都是用小刀或針尖用手術來施行的。這種方法進行很慢，痛苦很大，有些複雜的圖案或滿佈全身的細密花紋，有經過幾個月或者幾年的長時間方能完成，不過效果却非常好。但今日美國對於刺花的技藝已有長足的進步，他們改用電針，用電流震動針尖，據說每分鐘能刺一千下以上，被刺者僅感覺不斷被蚊咬一樣的微痛，可以減少很多痛苦和縮短許多時間。美國人現在從事這種職業的人很多，僅就紐約市一處來說，全城就有六十個以上的有經驗刺花師。他們的工作室中備有各種式樣的刺花樣本，任由顧客選擇，從古典以至現代，由東方而至西方，應有盡有，蔚爲大觀；更有一些色情帶有猥褻意味的圖案，它們的結構非常奇巧，刺在手臂或大腿上之後，利用肌肉的伸張作用，使得一男一女能熱烈擁抱和接吻，或使一個跳草裙舞的女子能擺動她的臂部。更有一些高明刺花師，他能給你刺上一朵玫瑰花或其他的花卉，粗看是一朵花，但細看之下，你才發現裏面包羅着一種猥褻的圖案。現有些美國的婦女，喜歡在腿上刺一只蝴蝶，或一個蜘蛛，具有等人捕捉或捕捉別人的雙重暗示。

刺花雖不免帶有痛苦，但同時也有一種快感，而且這種快感顯然與性慾有關，這已是不容否認的事實。許多有經驗的刺花師都遭遇過，經常有些顧客一再反覆的來要求刺花，他們對於刺花本身並無愛好，目的完全在享受那些針尖所喚起的一種性的快感。爲了滿足這種態度的顧客，美國有輕便簡單的刺花機針出售，可以通信函授，以便那些變態的顧客，可以關在自己房裏去滿足自己的要求。

最後，筆者要舉一件刺花的光榮故事來作爲本文的結束，這就是我國宋時的名將岳飛，他的母親曾在後童時代的岳飛背上，刺上了盡忠報國四字以作訓示，後來岳飛一生的功業就根據這四個字，一直至死不渝。這個故事直流傳到現在，仍令人敬仰不止。（下）

兒時伙伴捕蛇人

揀言

王狗沒再說什麼。我站起來，朝裝了蛇的鐵籠子走過去。那些傢伙，有的昂首瞋目，有的沉默蜷縮一隅。從它們每一雙眼睛中我可以窺見英雄末路的憤慨和悲哀。

他在我身旁指着最上邊的一只小籠子說：「這是百步蛇，被牠咬了，走不出一百步就得送命。」

我聽過百步蛇的名字，從外表上看，貌不驚人，也找不出什麼特別兇惡之處。但牠那樣細瘦的身體，却能致萬能的人死命！更可笑的問題是，牠使你第一眼分辨不出善惡，正是對人類的自大的一種嚴重的抨擊。而非但人們自己毫不姑息的利用着弱點，即使許多低級動物，也莫不藉此苟生。

我不記得後來我們又談了多久。將近十一點，我起身告辭。在門口，他說：「我送你回去，路上可能有蛇。」

沒有月亮，地上本是漆黑一片，經他一提，不禁眞有幾分畏怯。不過我告訴他：

「別忘了我是個讀書人，那末，你應該相信我對於保護自己所做的任何措施。」

王狗蹲在門上：「我也提醒你，你得隨時留意經驗的重要。」

我逕自走去，但是他又把我叫住，問我明天有沒有興趣去看他捕蛇。我告訴他我對他的提議極有興趣，便約定了時間。

第二天午後三點我依約前往。爲了安全起見我特別換了一雙高腰皮鞋。王狗只帶一隻竹簍和一隻水壺；他又送我一頂草帽，我謝過之後，便戴上它。

「有多遠了？」一出門我就問。

「我不知道。」他說。（二）

故都冬夜憶瑣

—京仁—

賣蘿卜者來的時候，正是掌燈不久，飯後休息、睡覺之前，誰聽見這種聲音，都想買一個兩個的，大家分着吃。

不管誰出去，總是叫：「賣蘿卜的，挑過來！」你看一個穿着老羊皮襖，戴氈帽頭兒，穿着「大氈蹋拉」的，挑着挑兒來了，一個長玻璃罩子，裏面放一盞煤油燈，燈光搖搖！

「挑兩個好的，給切開了！」

「是啦！您！錯不了！」

他拿起來，用手指彈一彈，據說又嫩又脆的，它的響聲，是「噹噹」的；如果是「糠心兒」的，它便不同了。

挑好以後，他用刀子，把上面有纓兒的部份先削去。然後一刀一刀兒的，把皮削開，可都連在上面。最後是橫三刀，豎三刀，把一整個的蘿卜切成一長塊，一長塊兒的，到家可以用手拿着吃。

這時想起吃這種蘿卜，眞是又甜又脆，不但水汪汪的，而且沒有渣滓。（三）

自由報
內政部台報字第〇三一號內銷證
THE FREE NEWS
第二一七期
中華民國僑務委員會頒發
台教新字第三二三號登記證
中華郵政台字第一二八二號執照
登記為第一類新聞紙類
（半週刊每星期三、六出版）
每份港幣壹角
台灣零售價新台幣貳元
社長：雷嘯岑
督印人：黃行寶
社址：香港銅鑼灣高士威道二十號四樓
20, CAUSEWAY RD 3RD FL. HONG KONG
TEL. 771726　電報掛號：7191
承印者：大同印務公司
地址：香港北角和富道九六號
台灣分社
台北市西寧南路壹壹零號二樓
電話：三〇三四六
台郵劃撥金戶九二五二

從美俄對中共戰爭態勢之形成看反攻大陸（四）

郭甄泰

民國五十一年四月主理遠東事務的助理國務卿哈里曼說：「中華民國總統蔣介石將不會單獨進攻中國大陸之共黨政權，蔣總統曾在許多時候說過，渠希望中國大陸由政治方法而非武力獲得解決，以及渠不會鹵莽從事。人所共知，蔣總統乃一個良好軍人，以及渠知道不顧一切之軍事行動，將毀滅所希望之一切事情。」民國五十二年五月哈里曼說：「余認為蔣總統承認無法希望以少數人員進攻大陸而加以收復，余意以為此處之任何希望，必須來自中國大陸不滿。余不以為蔣總統將採取行動，而徒然危害世界之和平。」對於我國反攻大陸之舉，均不贊成。不僅口頭上如此，實際上美國且有行動。五十一年我國徵收國防特捐，甫去任的寇克駐華大使立即以扣發美援相威脅。五十二年蔣總統發出告西藏同胞書說：「要和西藏同胞在大陸並肩作戰。」美國馬上表示「美援軍火不得用之於台灣地區以外。」其他如禁止我國在美採購登陸艇，扣發軍用汽油三個月等等，均係以實際行動，反對我國反攻大陸。民國五十年十一月馬丁說：「美國已經制止自由中國反攻大陸。」確屬實在情形。

關於蘇俄方面：因蘇俄與中共訂有友好條約，在蘇俄未與中共決裂前，蘇俄很可能於中國反攻大陸時，馳援中共。美國副國務卿哈里曼曾作此推測。哈氏於民國五十二年四月說：「莫斯科與北平的歧見，根深蒂固，可能繼續長久存在，儘管此兩方有在紙上解決糾紛的企圖」，但「不相信現有任何跡象，可以表示蘇俄準備放棄其對中共所負的軍事上重担，倘中共為日本或與日本結合的任何一國進攻，蘇俄必將馳援中共」。同年八月哈氏復稱：「倘若中共從事冒險；倘蘇俄不願見彼落得一身血淋淋，余將不感驚異，惟若他國進攻中共，蘇俄勢將保衛中共。」暗示如果中華民國對中共反攻，蘇俄將可能予以馳援。哈里曼之見解如此，蘇俄方面對此亦有同樣之表示。民國五十二年夏，我國大軍陳兵金馬，反攻大陸聲浪高漲，中共亦稱「台灣在美國支持下準備反攻大陸」之時，赫魯曉夫於同年七月二日聲明：「如蔣介石部隊進攻大陸，整個社會主義陣營將站在中共方面」，「任何人對中共進行侵略，將遭遇社會主義陣營之痛擊」。他說：「帝國主義以前曾企圖考驗蘇俄集團的力量。但已相信蘇俄與中共的友誼代替着一個牢不可破的力量。我們現在再說明，任何人如胆敢攻擊中華人民共和國，將遭到偉大的中國人民、蘇俄人民，以及整個社會主義陣營的毀滅性反擊。任何人對此不要發生任何懷疑。」九月三日莫斯科電台又以日語廣播說：「中共與蘇俄之同盟協定，仍然有效，蘇俄不明瞭中共為何要擁有核子武器，如中共以核子武器作為防禦之用，則渠等當知該同盟協定仍然有效，而蘇俄會表示進攻大陸即等於進攻蘇俄」。因此之故，就表面上看，如我們反攻大陸，蘇俄對中共似可能予以馳援。但是，現在此種情形業已完全改變了。

美國之態勢：美國的世界戰略，第一為「圍堵」，第二為「報復」。因係圍堵，故不進攻，因係報復，故不先發制人。共匪如不參加越戰，美國即不會將戰火擴及大陸，越南戰火如不擴大，美國即不願援助國軍反攻大陸。其次，蘇俄長程飛彈與長程轟炸機雖居劣勢，但可直接威脅美國，美在與蘇俄未獲得諒解以前，不會自動的冒險攻擊共匪。現在越戰形勢，曠日持久，中共核子中程飛彈已據十九日魯斯克說，不久即將有一發射系統，隨時均可能予越戰以突襲，其勢不能再拖。其次美國增兵已達三十五萬八千人，日耗三百餘萬美元，今日死十人，明日傷百人，大多數國民已不能忍耐，有甘冒中共干涉危險，急速予以結束之趨向。關於美俄關係，因美國竭力拉攏容忍，及蘇俄感受中共威脅，所謂「帝國主義修正主義勾結」，美俄「實際上已組成反對毛共的新神聖同盟」，「美國、蘇俄與印度，已有進攻中國大陸的秘密協定」，業已由中共一再宣傳，不諱。諸如亞洲各國，像日本、韓國、越南、泰國、菲律賓、馬來亞西等，自中共核子導彈試驗成功後，不久必將受其政治上之勒索，殆無寧日。美國為保障亞洲各國安全，避免人類浩劫，劍及履及，亦勢不能再養癰貽患。紅衛兵現在大陸造反，中共內部混亂，最近必將發生變動，廿迺廸總統所說的：「中共政權一夜之間即可能崩潰」之日，可能即將到來。中國政府如有作法及決心反攻大陸，美國態度極可能設法予以援助。

蘇俄態度：蘇聯與中共業已決裂，無法重修舊好，已如前述。當中國政府反攻時，蘇俄不特不會馳援，且可能採取隔岸觀火或乘機佔領東北、新疆等地，趁火打劫。關於前者，蔣廷黻博士曾有此推測，他說：「中華民國反攻大陸佔領華南各省，蘇俄不至予以干涉」。從另一角度解釋，則可謂為俟我反攻大軍正擬渡江時，蘇俄極可能從事武裝調停。關於後者則係蘇俄依據「中」蘇友好條約，陳兵中共邊境，明為支持中共，實則依照蘇俄在第二次世界大戰終了時攻擊日本關東軍之翻版，兵不血刃乘機佔領東北、新疆，坐收漁人之利。現在蘇俄與中共不僅對立，而且仇視，且有一戰之態勢：第一蘇俄與美國在歐洲問題上業已有默契，兩方均正在或準備減少東西德駐軍，兩方戰略中心均已東移，美俄兩個半月孤形，四面包圍中共之形勢業已形成。

（下轉第二版）

危險的傢伙

經濟封鎖有效麼？

毛共黔驢技窮

今日與明日

在毛共掀起所謂「無產階級文化大革命」歪風，在幕後進行其如火如荼的派系鬥爭後，第一個被打下擂台的就是「三家村反黨黑幫」後台「大老板」彭眞。半年來，雖然彭眞「失蹤」，其毛共北平市委第一書記和北平「市長」等職務，也早已分別由李雪峯和吳德接替，但毛共在對所謂「當權派」的攻擊中却一直未公開指出「彭眞」兩字。但據日本駐平記者日前報導，北平「紅衛兵」在「大字報」上聲言，將公審「走資本主義道路」的大頭目彭眞。並指彭眞並不可怕，只是一隻「紙老虎」罷了。

十二月十日日本「共同通訊社」駐平記者報導：「貼在北平街頭的一張大字報透露，紅衛兵已經逮捕了該市前市長彭眞，並設立法庭在午夜審判他」。據「大字報」說：毛共「中央戲劇學院」的「紅衛兵」，為「響應毛澤東妻子江青」對彭眞的攻擊，設立了該法庭」。貼在北平街頭的「大字報」復透露：「紅衛兵於十二月四日絕早列隊乘車去到彭眞的住宅。他們爬過圍牆進入屋內……把彭眞帶走」。

曾是毛酋「親密戰友」之一的彭眞，「審判持續了兩個小時」，然在「大字報」上，「並未透露當時作出了什麼判決」。

十一月廿八日毛妻江青在北平所謂「人民大會堂」，主持召開一次所謂「文藝界無產階級文化大革命大會」，此一消息遲至十二月四日在北平「人民報」上以頭版整版和二版二分之一版位發表後，數天來北平宣傳工具紛紛強調「江青同志掌握了毛澤東思想」，又「最能堅持毛主席的無產階級路綫」。林彪利用「槍桿子」，於所謂「文化大革命」開始後，先後「鬥垮了毛共「文化」頭子陸定一、特務頭子羅瑞卿及劉少奇手下第一號大將、「保皇黨」「主席」彭眞及「文藝界黑幫祖師爺」周揚等人。但一直到現在，也未能對所有下台或未下台的反毛「當權派」徹底作到「鬥倒、鬥垮、鬥臭」的地步。這當然是因為反毛「當權派」勢力雄厚，其「黑幫」遍及各地，其「黑綫」交織成網，終於使林彪小集團無法「把文化大革命進行到底」以獲得「最後勝利」。毛酋本以為，出動「紅衛兵」大「造」反毛「當權派」的「反」，一定可以收到預期以上的效果，然在事實上却適得其反，由混亂而嚴重地影響了毛共偽政權的存在。

毛酋於無法可想中，才把他的第四位老婆江青推出來打頭陣。江青一上陣就把「周揚反黨文藝黑幫」拉上來重新在報紙上再「鬥」。如果彭眞被「夜審」是事實，那麼也可以視為江青這個「八婆」表演醜劇的一部份。

但可以斷言，毛共內部黑幕重重，見不得人的醜事太多了；相信是不敢「公審」彭眞的。再說，劉少奇、鄧小平等反毛首領還未倒下去，即或未來把他們「罷官」，但那並不等於反毛「當權派」的徹底完蛋。（何如）

談黃豆官司

馮王先生

台灣發生的黃豆案，其內容大別為兩部分：一是價值台幣乙十四億元以上的庫藏黃豆被竊盜淨盡了，二是民意代表與行政官員為着黃豆管制政策，而發生賄賂情形，二者決不宜混為一談。

可是，截至現在，我們從報紙上看到關於黃豆案的處理經過，不無惶惑之感。如台灣省府在盜豆案尚待法院審判裁定之前，即決議由鐵路局分期賠償黃豆價款，且將乙十四億元的豆價總值，說成為二億餘元，先教政府賠償，這是根據甚末法理與事實而採取的措施呢？實在莫測高深。台省議會否認鐵路局列報的這項賠款預算，尤屬明智之舉，然省政府胡裏胡塗地決定由公家賠償黃豆價款兩億多，更應該徹究明白，以正是非，而彰法紀，纔足以昭大信，釋羣疑吧！

台灣報紙記載民意代表因黃豆管制政策而有受賄嫌疑的消息，竟有以「盜豆案」字樣作標題的，這無異於使那些僅是涉嫌賄賂而絓吏議的立監委員，再加上「盜竊」黃豆的莫須有罪名，涇渭不分，淆惑觀聽，新聞學上最注重的所謂「可讀性」，固如是耶？

煉油業公會總幹事周烈，原是黃豆賄案的中心人物，法院起訴書列舉被告人的一切證據與事實，都是根據他在情報機關和法院偵訊時的供述筆錄，應該可以採信的。但他在公開庭訊中，竟全部予以否認，諉稱上項筆錄是在「不自由的意志之下」構成的，其意若曰：那是刑求的結果。我們不管周氏前後自相矛盾的說法孰為眞偽，然在法學上却有一種值得研究的大問題。美國法律認定犯罪人的直接口供不能作判罪的依據，這與我國專憑當事人的供詞為定讞張本的法條，恰恰相反，此中利弊得失之數，大可深長思也。

民意代表藉黃豆管制政策而發生貪污行為的，如果不是串通主管行政官員裏應外合，那是決不可能的事兒。現在民意代表六七人已經束身司敗了，何以迄未聞有行政官員被逮問的？殊令人難以索解。有政治活動，即有貪污行為，自古已然，并不稀奇，要辦就一體究處，否則概予免議可也，法律是偏頗不得的！

台中市長張啓仲的悲哀

流水落花春去也　悔教前歲覓封侯

（本報台中通訊）台中市長張啓仲，因爲涉嫌勾結商人，購買「教學掛圖」貪污，經新竹地方法院於十一月十七日審理終結，認爲他：對於主管監督之事務間接圖利，處有期徒刑五年，褫奪公權五年。

雖然，張氏表示對前項判決有所不服，已依法提起上訴；但是，當台省政府得到張氏被判重刑消息時，就已派員向新竹地方法院索取判決書副本；接着，簽報行政院請准先行停止張市長職務。行政院核准停職公文，在十一月廿日到達台灣省政府；廿八日省府委員會會議後，正式明令公告張氏停職，同時派省府參議羅立儒代理台中市長。停職市長和代理市長並定十二月六日交接。

張氏於五十三年六月二日就任台中市長，任期四年，應至五十七年五月底屆滿。

但因上述貪污案發，不但使他從剛坐了二年又六個月的市長寶座上摔下來，而且，還揹了「五年徒刑」和「褫奪公權五年」的刑責，如果他在第二三兩審不幸都不能解去罪刑，那麼，不僅他的政治生命宣告完結，且不得不在台中監獄鐵窗裏渡過一段悠久漫長而黯淡的歲月；

就張氏目前遭遇說，眞箇是：「悔教前歲覓封侯」！

張氏於十一月十七日上午在和記者談話時，表情尚甚爲愉快，並堅信他不會被判罪。可是在幾小時後，判刑消息傳來！張氏避開了，婉拒一切訪客，但透過市政府，發表一篇書面談話，除強調他就任市長以來，「兢兢業業，一面執行政府之決策，一面謀求造福地方」外，對於因掛圖案被判刑，他說：「使愛我者失望，羞愧何如？然自問良心，可以昭對天日」云云。

張案現已進入二審，結果如何，目前無可預測，亦未便評論。不過，就記者在掛圖案發，以至張氏被判刑後，與各有關人士多方接觸，綜合他們對張氏的觀感，可得如下結論：「張氏做事有魄力。但是主觀太強，處事計劃亦欠週詳。做人方面看上不看下，更是未得人和。所以，在他二年六個月的任期內，雖爲地方做了不少事，但終於毀多於譽，甚且被捲入貪污案旋渦，身敗名裂。」這確是對張氏頗爲中肯的評判。張氏在任期內，台中市政府有一種奇怪現象，就是：代理的首長特別多，教育科長是代理（同案被判刑二年六月）國民教育股長代理（同案被判刑一年六月）主計室主任是代理，檢核室主任係代理，社會科長是代理，甚至建設局長亦爲陳姓秘書代理了一年餘。至市屬單位亦不例外：自來水廠長是代理，西區區長、西屯區區長、國光國校校長、台中國校校長等亦都是代理。這怪現象除了說明張氏主觀強，處事欠週詳以外，實在沒有其他的理由可以解釋。

官員的「代理」，是過渡時期的權宜措施，亦是臨時性的。如因代理人的學歷、經歷，或官階不合任用資格，致無從眞除實授，而變質爲長期代理，這不但不合法令規定，而且對於市政推行，有百弊而無一利。

就以市府秘書林坤炳來說吧。他兼任國民住宅興建委員執行秘書，還兼任了社會科長。這三個職務都是重要而繁忙的，人的精力究竟有限，自免不了顧此失彼。在他兼任社會科長任內，就出了下列幾個紕漏：

第一：將五十五年度社會福利基金五十二萬七千元，移作社區發展建設經費，送交議會審議，因爲計劃書錯誤百出，別字連篇，備受議員指摘。

第二：台中市北區合作社社員衆多，歷史悠久，業務相當發達，二年前，該社由莊順領導新派抬頭，罷免了老派的原理事主席許恩暘，二年來一直糾紛迭起。最近改選社員代表，老派重獲優勢，於是新派人士又四出陳情奔走，指爲選舉無效，鬧得滿城風雨，雞犬不寧。可是，主管社團監督和輔導的社會科，竟未加謀求停止糾紛，使該社社員深爲不滿。

第三：社會科下設民運、福利、合作等股，但對有關社團監督輔導，向不重視；台中市商會依照規定應於本年初召開會員代表大會，該會無故延至十月五日始行召開，社會科亦不予糾正督促。全市商民，無不憤慨。

記者無意於此時此地詳述張氏在任內因用人不當，而使台中市市民對其印象惡劣的種種事實，但由上舉例證，已可見一斑了。

張氏自判刑後，其智囊人物們，曾自作聰明地，發動各界人士聯名向省主席黃杰陳情，請求不要停止張氏的職，理由是「爲了台中市建設着想」云云。某些人士爲「礙於情面，不得不在陳情書上署名，甚至親自向黃主席當面求情。但事後紛紛表示：「出乎不得已」，或是「被拉伕的」。弄巧反拙，亦可見張氏智囊團人士太不高明了。

張氏在任二年半，批付了墊付款新台幣六百卅四萬餘元，佔歷年各位市長未清理墊付款百分之九十以上。（林金標市長批付三十三萬餘元，邱欽洲市長批付卅九萬餘元。）而其中有五百七十七萬餘元是建國市場購地資金和經費。市民們驚異張氏的大手筆，亦懷疑他對這筆應由他自負全責的鉅欵，將如何善其後。

代理市長羅立儒，廣東豐順人，四九歲，國立政治學校畢業，內政部縣市長訓練班結業，高考及格，歷任廣東省民政廳秘書，台灣省政府民政廳主任秘書等職。羅氏爲人清廉負責，當其卸任民政廳主秘，而未獲任省府參議之前，家庭生計，且曾一度陷於相當困窘，幸賴有關方面設法安排，始度難關，此亦可見其書生本色。其於數候選人中被圈定，自有其原因。羅氏已表示他將盡最大努力，執行原定市政建設計劃。他希望市民合作。謙虛踏實，令人耳目一新。而現任市政府主任秘書黃應楓、廣東潮陽人，過去備受張市長冷落，未獲倚重，致無法施展長才，今與代理市長有同鄉之誼，且屬老友，可望相得益彰，爲地方有所建樹也。（吳積平十二月一日寄）

中縣議會春秋別記

·中縣記者王永亭·

林縣長無論於公於私，在許多政事上，均未能做到『修身』的地步。

林議員講完之後，又列了幾點理由，以實其說。接着又大談『現階段的政治』。他簡直把議場當教室一樣，大上其課。大學之道，中庸之哲，議場似非其地吧！

林鶴年縣長在答覆林議員時，幽默而見血。林縣長說：我年輕的時候曾讀過『大學』『中庸』，現在因時間久了，可惜不復記誦，我很感謝林議員爲我上了一課。

林鶴年特別聲明一句說：我是對林議員一人的答覆，與其他議員無關。

林縣長針對林議員的答覆說：林議員所說的欠缺具體事實。林鶴年分別答覆說：關於五十萬元預備金的事，財政科列有詳細表可查。至於我在中興建墅，請問林議員可否敢負責？如不敢負責，就作罷論。

至於談到吃花酒的事，林縣長說：林議員根本弄錯了。林我並沒有帶鄉長去吃花酒，而是外埔鄉長請我在育樂飯店吃飯。至於責罵鑫警務局長，更屬子虛，無中生有。

最後林鶴年針對林萬枝說：林議員與我高談大學之道，說我未修身；可是，敢問林議員，你的身修好了沒有？

此語甫落，即引起一陣哄笑之聲，也許大家心裏有數。到此一場精彩節目方告結束。（下）

透視立監委涉嫌油商行賄案

從立法院暨監察院第十四次臨時會決議案說起

十六

——本報記者張健生

就立法的立場來說，適當法律程序的意思是指公平而合理的法律內容。就司法的立場來說，適當法律程序的意思是指公平而合法的審判。就監察的立場來說，適當法律程序的意思是指公平而妥當的糾彈。

現在就行政與法院方面看，權力行使是否適當？是否公平？國人可以從立法院質詢案及監察院提案中獲得具體的答案。

我們的行政措施是否公平合理？立法委員許占魁的質詢，使人省悟。他說：「由於五大疑案的揭發……本席爲探究此等案件發生之主因，曾詳細閱讀有關五大疑案之政府各種報告，立法院同仁之所有質詢，以及各報章雜誌之報導、社論、轉載與評論。經研究結果，發現歷年來官商勾結造成各種弊案的主要原因，厥爲經濟上畸形措施。」而「經濟上不合理的畸形措施的執行機構，都是些沒有組織法的臨時機構，因爲該機構沒有組織法，所以就沒有法定的職掌及合法的人事制度。沒有合法的職掌，則可以任意侵奪財經兩部的職權，假借限制管制造成無上特權。五大疑案之所以發生，即由於此。沒有合法的人事制度，其組成人員，即難免良莠不齊。在守法的觀念上，亦必極爲薄弱。一遇機會便弄權勾結。」

許委員並列舉政府保護裕隆公司一事爲例，來說明保護政策之不合理。他說：「今該公司爲一毫無希望之純私營企業，政府不惜剝削全國人民血汗，而予以不合理之特殊保障，委實令人大惑不解。」（十月四日質詢案）

瀆職官吏如何處置

立法委員喬一凡質詢嚴院長時說：「自本院提出五案相質以還，新聞攻擊，似頗集中於本院，甚至以少數同仁之失檢……恨不得一網打盡。而行政人員，除監察院已彈劾（財經兩部長）者外，則無與也。民主時代，國會與議員，均有其應享之尊嚴。……立法院如不成立法院，則中華民國之政府，又成何政府」？法院「下令拘提立監兩院涉嫌之委員，本院同仁，以害羣之馬可除，無不稱快。雖云立監委員於憲法立有保障專條，在此有身家住所，不能逃亡，以及未具備傳訊不到實情，於法使彼等且不得享有普通平民之待遇。」

從美俄對中共戰爭態勢之形成看反攻大陸

上接第一版

第二蘇俄對於北越問題採取假援助、眞拖延之態度，藉美國之攻擊，以分散中共兵力，不久且可能採取中共所謂『假援助，眞投降』方針，策進越南和平，以打擊中共在東南亞之擴展。第三贊成禁止核子武器擴散，以加強美俄兩國的良好關係，藉以抑止中共核子武力的擴充。第四，召開保加利亞、捷克、波蘭、東德、匈牙利、羅馬尼亞、外蒙古、蘇俄等八國會議，指責北平首領爲共產主義的叛徒，以孤立中共之國際關係。第五現大陸上紅衛兵大閙文化革命，其目的在於打倒親俄份子的資本主義當權派。劉少奇等現均朝不保夕，岌岌可危，遲早必將被肅清。從前中共與蘇俄分裂，其影響僅止於削弱蘇俄聲勢，現在則情形與從前大不相同，大陸上親俄分子如被完全消滅，讓毛林仇視蘇俄分子完全控制大陸，則蘇俄不僅在聲勢上將發生影響，在將來的生存上，亦必遭受威脅。蘇俄對此休戚相關，對於大陸上之所謂修正主義分子，在必要時，必然的要加以援手，不能坐視。大陸上親俄派勢力並非弱者，彭德懷、羅瑞卿等雖被整肅，劉少奇等在黨方面的黨閥，軍事上的新疆區司令王茂恩等，根深蒂固，人數上、地理上佔有優勢，在不久之將來，彼等甚可能在新疆、內蒙、東北地區成立一在蘇俄卵翼下的傀儡王國。現在蘇俄在共產集團中，尚以領導者自居，對於從前所謂「兄弟」之邦的中共，尚不致驟以兵戎相見，因爲美俄關係雖有緩和跡象尚未眞正解凍，而中共因羽毛未豐，核子武力尚未充實，東南亞問題尚未完全解決，對蘇俄邊界問題，尚不敢爲過份之主張，但隨國際局勢之演變，中共核子實力之發展，兩國間之戰爭已屬無可避免。其時間，預言家艾狄遜夫人說：「在三十年以後」，法國前總理雷諾說：「在二十年以後」，法國共黨問題專家卡德說：「在五年以內不致發生」。以余觀之，現在能制毛共之死命者，並非美國，而爲蘇俄，不是核彈，而是大陸人心渴望的修正主義。目前「中共」當局對「修正主義」之鄙視與仇恨，更甚於對「美帝」，而蘇俄對於中共之中程飛彈，現已感受威脅，不能再繼續採取觀望態度，兩方可能在五年以內爆發戰爭。我們反攻大陸，從前須看美國顏色，現在反攻大陸則須配合蘇俄行動。關於蘇俄對外政策各方看法不同，有謂蘇俄堅持「和平共存」政策，具有誠意，因之提倡「與敵合作論」，「戰不求勝論」「主張美俄合作，夾擊中共；亦有謂蘇俄仍提倡世界革命，企圖征服世界，不能予以信賴。議論紛紜，莫衷一是。在政府反攻大陸時，不與蘇俄合作，共同作戰，蘇俄固可能將乘機佔領北方土地；與之合作，共同作戰，蘇俄亦將藉此佔領新疆、東北等地，仍可能兇終隙末，後患無窮。其次，美國迎擊中共時，爲避免日本過去覆轍，陷入大陸泥淖，固然要援助中國反攻大陸，與蘇俄夾擊中共時，爲造成有利形勢，亦非援助反攻大陸不可。惟時間愈早愈好，遲則因中共核子勢力成長，國際局勢恐難免發生變化。我國對外政策，究應如何決定運用，關係重大，時機迫切，現在即需要有大智、大勇，予以審慎籌劃，不可膠柱鼓瑟，亦不可因循貽誤，一有差池，即悔之無及矣。

（全文完）

遠海異聞談

同創世界紀錄的兩父子

桑雅

一個十四歲大的男孩，滿心歡喜，更帶着驕傲的神氣，望着他的父親步行到那輛等候他的閃亮長型汽車前面，時氣溫爲一百度，各在場的職員都出大汗。一個高大的中年男子跟多位向他預祝勝利的朋友握手之後，就爬上車座。當那面藍與白色格子的旗幟一揮，各職員急速退避在觀衆羣裏，那輛汽車也像箭一般的疾馳而去。那個孩子靜立那裏幾分鐘，他被那強烈的太陽所曝晒也絕不以爲意。他有極大信心，他的父親必能成功，因爲摩爾根金貝爾爵士的名字未嘗跟失敗有所關連。但是在車中的人卻有不同的經驗感：他很鎮定，他有巧妙的駕車技術和經驗，但是車輛是機器，隨時可發生毛病，沒有人敢說是絕對安全的。在這種情形之下，他不能不想到在過去的賽車能手，像巴里譚馬斯，施嘉威或曹基碧都曾造出新的紀錄，但是他們因爭取更快都先後出於駕車失事而喪生，他就不寒而慄！但若不想步伍他們，他就要鼎力以赴，闖過這大關。

那一天是一九三五年九月四日，摩爾根金貝爾駕駛他的著名跑車「藍鳥」，預備打破每小時的速率達三百哩的世界紀錄。這是在他駕駛賽快汽車最光輝的年代，他對此道經已有頗爲長久的歷史。在一九〇六年，年紀二十一歲，執業經紀的摩爾根金貝爾首次參加機器腳踏車（或稱電單車）比賽，即獲得冠軍。從此之後，他對於賽車更發生興趣，除了在大戰期內，他在英國皇家空軍服務，沒有多餘的時間來訓練他本人對駕車更快之外，他都努力從事。他在一九三一年得英廷賞賜爵士銜，因爲他曾造出每小時行車二百四十五又十分之七哩。不久之後，他又打破自己的紀錄，每小時二百七十六哩。

現今爲着想得到更好的成績，金貝爾爵士，特到美國攸達州的鹽湖平地，不惜冒他的生命的危險，來創造新的紀錄。他雖戴上凸形的防光眼鏡，但他仍然發覺日光刺目，車撞風而發生的聲響好像魔鬼的吼叫。在他的前面沿途放置劃出路綫的鹽塊，被太陽所射，好像鑽石，那條平坦長十三哩的直路，是可以行車無阻，樣樣看來，都極順利。在最後一段路上，到了終點之後，車仍繼續行六哩，才能被控制而停下來。但在幾秒鐘之前，那輛汽車的一雙前輪的內胎突然爆炸，隨而發生火燒，觀衆都驚慌起來，更有人大聲呼叫，但是金貝爾爵士立即將火撲滅，他着人換過新的內胎，完畢後隨作第二次的試驗。

在第二次的試驗中，又差不多發生意外。當金貝爾爵士在平路疾馳時，車的蒸氣跟鹽混合，在最後的半哩；他像盲目駕車，但是他能夠很自然的控制；大衆都非常着急，等候職員計算成績，結果令人失望，每小時的速率是二百九十九又千分之八百七十五哩。但在那天晚上，再出正式報告，指出職員的計數錯了，成績應是每小時三百〇一又千分之三百三十七哩！金貝爾爵士已創出最陸地上快速率的新紀錄，他完成了他的兒子對他的信念。

這個紀錄本可使到大多數人滿足的，但金貝爾爵士愛好更快的速率是無窮盡的，他就轉到摩托船即汽船方面。他在一九三七年造了一艘名叫「藍鳥」的汽船，他希望能打破在當時的最快的紀錄，每小時一百二十四又百分之八十六哩。金貝爾爵士運那艘船到麥芝諸湖試驗，果然打破紀錄，成績爲一百二十九又十分之五哩。他繼續試驗，最高成績爲一百四十一又十分之七哩。但他仍然認爲不滿意。當他在六十三歲時，雙目差不多已盡盲，他仍在計劃，希望他本人能夠是第一個人在水上造出每小時二百哩的速率。但是他在一九四八年年底在睡眠中安然離開塵世。他在水陸所創的紀錄雖然已被人所破，但是他仍被視爲一個傳奇性的人物。

那個在當年站在鹽湖平地看見他的父親獲得勝利的孩子又怎樣呢？他就是當納金貝爾，他在速率世界裏極有名氣，他在陸地的紀錄是每小時行車四百〇三又十分之一哩。這使他跟他的父親同樣的聞名，這就使人更相信，虎父無犬子了！

萬國紅十字會的種種

紫雪

紅十字會的起始，它的主要工作是減輕那不能再作戰的傷兵們的痛苦。經過一個時期以後，對戰場的工作就迅速擴展，包括與戰爭沒有直接關係的活動，如一般的健康改善，防疫除病，和一切災難的救濟，不過，它的主要工作仍然是在戰時，對停止作戰的傷病人員和戰俘供應救助。

各國紅十字會担任「本國陸軍醫藥勤務的輔助工作」。尤以作戰時期應完成其特別任務，衆所皆知的日內瓦公約裏已有規定。由於普遍瞭解紅十字會組織的基本目的，我們更可以明白它的兩大業務所在。

一、醫藥服務。由於董能那本回憶錄的激勵，和紅十字會的工作表現，先是歐洲各國陸軍重新組織醫藥勤務機構。開始由紅十字會人員支持工作，各國軍事當局就接受了這個觀念，都認爲設立有效的醫藥服務單位，實在是他們本身直接的責任。到現在，全世界上，少數國家是由社會團體從事勤務醫院的管理，和供應受訓的醫務人員。其他國家主要是由政府當局供應，支援這種勤務，而幫助受戰禍痛苦者恢復其能力爲主要工作。但是諸如此類的幹部訓練和技術改進方面，仍需要萬國紅十字會的援助。該會特別注重各國對醫藥設備及技術上的要求標準。

二、日內瓦公約。在戰時，敵國人員和本國人民必須同樣受觀察，這規定的原則已於一九四九年八月十二日宣佈，幾乎是所有的國家都願意去遵守。按照公約規定，凡是簽字國家對於放下武器的敵人應以人道的態度相對待，傷病人員和戰俘也必須合理地看待和管理。對敵人處刑時，先應經過審判，而這個法庭必須有平民人士參加。公約內特別說明，不得施以暗殺，體刑及非人道的待遇，包括以人作生物化學的試驗。這個公約，現已同樣使用於國內和國際戰爭，日內瓦公約就是「保障的武力」。

雖然，到今天爲止，人類尚不能夠消弭戰爭的恐怖，但是，有了日內瓦公約，而我們能永遠使用它，也可以拯救千百萬的人類和減輕他們的痛苦！（下）

新式空中導航雷達

大知譯

前些時，在北美勒不那多的白鵝灣，美國空軍雷達網發現幾架來自歐洲的小型飛機飛離了正常航綫，在天空飄蕩，有時遍向幾乎達一百五十哩之遠，直到飛近陸地，才由導航無綫電把他們納入正軌。——這證明了長距離導航在今天仍有甚大的問題，尤其快速度的航機爲然。

現在飛機上所用的導向設備，仍以自古已有的「六分儀」爲基本。它是靠觀測星體以確定航機自身位置的。自然，今日的六分儀比較帆船時代所用的已經進步很多，老練的駕駛員能夠靠着它把住航向不至超出十哩的偏差。如果氣候頂好，在越洋飛航時甚至不超出五哩偏向。

不過，氣候並不老幫着駕駛員的忙。現在噴射機常飛到四萬英尺高空，那裏鋪着厚的積雲層，尤其在遇到黃昏時際，星星也看不見，如果航向正是朝東，飛機迅即飛進黑夜固不難再找到星星，但如果飛機正跟着落日朝西同行時，沒有星星的朦朧黃昏就要老纏着他幾小時。

羅盤針也並非可靠，因爲現在很多航機都取道近北極處的高緯度航行而時常受地磁的困擾。旋轉式的羅盤更壞，它會搖動不定，且須不時加以調整。三度誤差算，是十分平常的事。時速五五〇哩的噴射機，在一個鐘頭裏會偏出航綫二十八哩，航向偏斜就會發生空中撞機的慘劇。所以，新式的噴射機駕駛艙裏，盡量裝上補助儀器，最主要的有「VOR」（超短波）和「LORAN」（長程導航儀）。前者須在地面設置發射台，作起飛與降落的導引，但最遠距離只及一五〇哩。後者則做兩點間的導航，但有時遇到空中電子層時，也就受了干擾。

比較算得住的要算新發明的「多普那」雷達了。多普那原是十九世紀一位物理學家的名字，他發現了運動體發生的音波其週率時有改變。這原理後被應用於無綫電波。飛機上的「多普那」發射出三道或四道雷達波速，當它遇着地面或海面時，反射回來的電波週率，因飛機的前進而有微細的不同。機上複雜的計算機，便會立刻算出它的差異，並且把飛機是否蕩開航路在紀錄上顯示出來。遇到陸地上的摺皺或是海面上的波濤，「多普那」反應得尤其清晰。縱使有雲霧也不礙它的工作。軍用機飛近敵區時，更需應用「多普那」，因爲我們不能在敵區裝置地面導航無綫電。今年夏天，美聯邦航船局就要在大西洋長駐兩艘雷達船，以檢察來往航機對於航向的控制，俾與裝有「多普那」導航的航機比較。

「多普那」的計算機如果長久未加校驗，也會發生錯誤。上月對各航機所作一連串檢核的結果，發現有好多飛機上的「多普那」錯引達四十哩以上，有一架甚至錯引到七十哩。在試驗中也曾發現裝有雙座「多普那」的，其各自顯示的數字竟差了幾哩。

廣漠的北大西洋上空航路，誤差已被查察，因而增進了飛航的安全。但是由於越洋航機的數目與速度日益增多，駕駛員與導航儀器就必需各盡其最大努力，把飛機駛在指定的航路之內。

新三國

周□著

華歆牽了伏后到外殿，伏后披頭散髮，光着雙腳，哭泣而過，對獻帝哀道：「不能相救嗎？」獻帝說：「我也不知能活到什麼時候啊！」又對郗慮說：「天下豈有這樣的事麼？」將伏皇后關入「暴室」「以幽死」。暴室是宮人的監獄，「以幽死」自然是曹操將她制死無疑，撰史者不敢明書罷了。伏皇后所生二皇子，皆被毒死，伏氏弟兄及家族百餘口，完全斬盡殺絕。曾有人妄爲曹賊翻案，但不知這些倒行逆施，殘暴不仁的毒惡又如何說法？

但三國志廻護的記載是：「漢皇后伏氏坐與父故屯騎校尉完書，云帝以董承被誅，怨恨公，辭甚醜惡。發聞。后黜死，兄弟皆伏法。」「辭甚醜惡」，一個皇后罵臣下，辭甚醜惡，就該滿門族誅，這曹操倒不是臣下，而是君上了。兄弟皆伏法。這是什麼人的法？陳壽當世之人，其所採魏史撰三國，極盡廻護曹魏及司馬氏之能事。如曹操做司隸校尉、司空、魏公、魏王等，後漢書皆書「自領司隸校尉錄尚書事」，「曹操自爲司空、行車騎將軍，百官總己以聽」，「曹操自立爲魏公加九錫」，「曹操自進爲魏王」。三國志則以「天子以公爲」之字樣，完全是天子的本意。後漢書距三國時代久遠，有太史筆之精神。三國志廻護之筆俯拾即是。

五六、關羽魯肅單刀會，劉備孫權分荊州

劉備得了益州之後，孫權就眼紅了。孫權派諸葛瑾爲使，向關羽索取荊州，關羽將此事推向劉備，說要荊州請找我的上司，我是奉命行事。劉備派人對孫權說：「等我得了涼州再給荊州好了」。

孫權有何理由要討荊州？追劉備交還荊州？但史書上卻如此記載着。劉備所有的荊州地方，除了對岸的公安華縣以外，其餘如長沙、零陵、桂陽、武陵四郡，完全由劉表手中打下來的，並不是從孫權手上借來的。鎮四郡的守將全是劉表的舊部，也不是孫權的人所有，孫權向劉備索還荊州，完全是一種勒索外交上的藉口。以爲劉備得了益州，在「友誼同盟」的關係上可以說「讓荊州」給孫權，以便共同拒曹。如此尚說得通。同盟軍共同打來的土地，照理各人佔領的就屬於各人的。只有協商，沒有「索還」之理。很奇怪的是，劉備竟然說「等得涼州當以荊州相與」。「相與」正是「割讓」，並不是「歸趙」。於是孫權大怒，親自到陸口去坐鎮，命魯肅將軍隊開到益陽前綫去，又命呂蒙進佔湖南的東部。此時關羽也進兵到益陽，與魯肅相拒，魯肅邀關羽相見，各駐兵馬百步，「但諸將軍單刀俱會」。（這卽是三國演義張冠李戴之所本）魯肅對關羽以責備的口吻說：「我國家區區，本以土地借卿家者，乃是以卿家軍敗遠來，無有立足之地的關係。今已得益州，既無奉還之意，而求還三郡，又不願意。」一話未說完，座上有一個人大聲的說：「土地者，惟有德者居之，何得常有！」此人不知姓名，演義說是周倉。魯肅也以聲色俱厲呵斥那位不知姓名的發言人。發言人也是魯肅不認識的人。（九十）

二代戰四平貴（續）

大登殿的代戰，是魏主任中。在五年前，雖歡集在貴陽街中信局禮堂舉行始相晤交，曾請她唱一段，謙稱不會而未開，其實是能唱四五齣。這次爲蔣總統八秩壽而其登台，難得呀難得。扮相也是秀麗，唱腔也不低，尤其眼神活潑，倍增嫵媚，十三咳一段，很有精采，所惜大才小用。頗想下次一露春秋配，爲文藝復興而貢獻！

四位平貴，在武家坡中，前爲佟樹藩，他因趕赴藝術館演闖帳的魯肅，回窰由王文翀接演。兩位唱腔均有水準，而做作當以跑坡爲緊。樹藩與其夫人配搭甚好。聞說此戲原是婉君夫人要唱，不是夫唱婦隨也，深欣見到。銀空山的平貴是張逸凡，寥寥幾句，聲有韻味。大登殿的平貴是老名票顧博瀛，他玩票有廿年以上，初來台灣，於卅九年曾與關頌聲王振祖組聲社，曾招待菲律賓來台的票友，在三軍軍官俱樂部，極一時之盛。顧君資格老，舞台經驗深，演大登殿是手到擒來，嗓音雖不高，很有味兒。自來任副理，工作極忙，此次特抽暇唱之。

國劇繽紛錄

紫雲生（一三三）

丙篇　妙言

近來少看戲而多讀書，蓋可以啓發靈感。最近出版劉心皇著徐志摩往事，載有徐著劇刊始業，有云：「戲是要人做的，有舞台來演的；根本一戲，就是集合性的東西，你得配合多數人不同的努力，才可以收穫某種期望的效果，不比詩畫，可以由一個人單獨做成的。先不談它那效力有多大，一齣戲的成功，是一件極複雜，極柔纖，極微妙，不容有一絲漏縫的工作；一句腔，聲調的高低，一縷光線的強弱，一種姿勢的配合，在一個戲裏都佔有不容含糊的重要。這幻景，這演台上的「眞」，是完全人造的，但一極小部分的不到家，往往可以使這幻景的全體破裂；這不僅是集合性的藝術，也即是集合性的技術。」徐氏精於詩文，也愛好戲劇，甚佩。

李濬伕在中華家庭月刊，寫紳劍集，載有關劇事文章，他對劇評家挖苦透頂，有云：自從大師如山逝世以後，國劇界顯出混亂的狀態。……自稱國劇先進，恬不知恥，做起只被自己承認的劇評家來，比比皆是。至於所評的戲，不問皮黃或崑腔，出自何地，時代背景如何，主旨如何，某伶好在何處，一概不知。文章的本身，剪頭去尾，至多剩下幾句屬於評的，這僅餘的評句，亦人云亦云，不知從何處得來。於是演戲的某伶，便向他打躬作揖；這位劇評家便沾沾自喜，顯然變成一個劇評家的神氣。（未完）

木棉樹

李鳳

屋前，有幾棵木棉樹，冬來，那曾經是綴滿燦爛紅花的枝椏，和花落後才茂盛的綠葉，自經霜後，都凋零了。我面對着這每年一度的現象，不必翻日曆，不必看自己身上所穿的衣衫，就知是冬天了。

「爸爸，紅花幾時才開放呢？」五歲的女兒曾經指着那些禿了的枝椏這樣問我。

「明年的暮春與夏初。」我和藹地對女兒說。

「那些花很好玩，拾起來用綫串着，給表姊串花鑑，製花車，由玩具自動馬拉着走，很好玩。」她天眞地說。從她的盪漾着歡欣神情的小臉孔上，恍惚看見她當時玩得很快樂的情況。

「可以拿別的花兒來這樣玩的。」我這樣說的用意是解慰她渴望再有同樣玩法的情緒。

「我們也試過——到後山去摘黃花；不過，我仍是想念着那些紅花的。」她說着就天眞而活潑地指指木棉樹上的枝椏。

我隨着她的小指頭而再瞟一眼木棉樹，那種已盪漾在腦裏的蕭殺之感就加濃起來，在同一瞬間，也興起哀涼之念，那是從好景不常而來的。而作爲這意念醞成的因素，是幾個月前曾經艷麗絢爛的木棉花，在春風吹拂之下，顯得何等旖旎，那些鳥兒蝶呀，不斷的來相就；卻會幾何時，花謝了，等如紅顏的老去，那些拜倒石榴裙下的就不顧而離。物固如此，人亦何異，因而嘆人生，有感於世態之炎涼了。同時，也感到被稱作英雄樹的木棉，有逢樹高一等的壯志，記得祖父當年就曾經那麼勉我：

「阿璇，我們立志也應該起碼如木棉樹。」

我看看祖父那慈祥的神容，也瞟瞟他舉手指着的那株高岸的木棉樹，莫名地眨着眼珠在思索。祖父大概窺悉我的心理，就那麼補充：

「木棉花樹，俗稱英雄樹；那意思，就是它一定要長得高，過附近的樹。我們立志也應該學習它，即將來一定要出人頭地，不論做事業與做學問。」

當時我不很了解得過來，不過童年的我，對於祖父一向是尊敬的，因爲他慈祥，又對我們很疼愛，懂得多，甚麼事，不明白的，只要問問他，就立刻明白過來。現在，他爲我灌輸做人的道理，僅還是幾歲年紀的我，也像他教我們唸唱前人的詩句時那樣，是不能領悟那命意過來的。因之，就眨眨眼，期待着他再接下去的解釋。果然，祖父就那麼開口：

「你們年紀幼小，尤其是要好好地讀書。書中自有黃金屋，將來學而有成，一定可以春風得意的。」

「嗯——。」我有恍然明白過來的趣向，卻仍未完全了解，比如黃金屋，比如所謂春風得意。可是，誨人不倦的祖父就那麼繼續說：

「黃金屋，就是靠了本領賺了很多的錢，屋子堆滿黃金；春風得意，就是在正當的範圍內能夠從心所欲。」

這淺出深入的話，說得我完全接受了。當時我雖在幼年中，卻也知黃金的可愛，也知「從心所欲」那四個字的涵義，也能夠了解從書中而獲得。書本是很可愛的，因此我很用心接受祖父的爲我教書，我就在能夠受教之齡，背誦一些詩，和一段「朱子家訓」，然後及於論語，孟子等等，雖然像這樣的灌輸，哲理我不能消化，但是老一輩的宿儒，是那麼教孩子的。現在，那許多年的光陰一逝，即去了。雖然我有時痴痴的把它們捉過來，但只能落得一個空悵惘，因爲逝者已矣，祖父的音容，一切都似去得很遙遠，然而，當在追思時，又似依稀回復往年之一時間，我嘆人生如一朝露了。忽然，我的思想又從綿邈中，回到目前來，而至下意識地用視綫，去找尋身邊的女兒，但她已拖着兩條小辮，走得遠遠了。我從她的在辮尾的蝴蝶結，想起她的媽媽——我的妻，一時間，然後又擴及常見的人，又及於宇宙萬物的變化，這樣瞬息萬變，而似從綜錯複雜的情緒中，得出來一個中心印象。那就是後浪推前浪，當年我在木棉樹下跟祖父聊天，又何異於我的跟女兒談笑，所異者，不僅祖孫與父女的輩份不同而已。

兒時伙伴捕蛇人

揀言

我看看他，面色堅定篤實，而眼也平均而毫不混流的向前注視着。可是，我卻缺少這種對於做任何事必須具備的嚴肅態度。

「爲什麼你對捕蛇有這樣大的興趣？」我說。

「這不是興趣，」他表現得很冷淡：「你每天要吃飯，可是你不會想爲甚麼。我知道你曉得要吃飯，而問題是你不會去想它。事情往往就是這樣，不爲甚麼；然而，你該有件工作。」

「我的意思是說，爲什麼你不願意做些別的事。」

王狗拍拍我的肩膀，他的笑容溫存而厚重：「我懂你的意思，但是你不應該那樣問。老實說，我們究竟該做些甚麼？」

「這很難講，可是你卻不一定非捕蛇不可。」我說。

「我告訴你，因爲你總想證明甚麼是有價值的事，才搞不清楚究竟甚麼才有價值。」

「可是我們必須找出它！」我說：「而且，價值老早就存在着，不過我們沒有注意吧了。你當然不能否認價值的價值。」

「不，我不那麼想。價值是人搞出來的玩意！根本就自己在欺騙自己。」

太陽曬得我發昏。如果王狗不送這頂草帽給我，我眞不知道還願意和他再走多遠。他的步伐穩健而又瀟洒，即使是一位名舞台演員，怕也走不了他那麼自若。你常常會突然感覺到，誰的臉就是誰的臉，誰的頭髮就是誰的頭髮，摩娜莉莎的；但是，這非常好笑。我們似乎大可以不必管這些。我的喉頭開始乾燥起來，但是我又不願意向王狗要水喝，我實在怕出汗，因爲汗出得使我好像要被溶化掉。

「還有多遠？」我問他。

「你最好不要想這個問題，也別問我。」王狗說。

他掏出香烟來，問我：「來一支麼？」

我搖搖頭。他把它點着了，神態也益發自得了。

「你沒有時常想到，可能在你身上發生的最壞的結果？」我說。

「開始的時候想過，以後再也沒有想它了。」

「當然，」我的精神爲之一振，說：「你把壞的一半可疑性撇開，只想到好的一半，因此你覺勇敢和泰然自若。」

他不回答我。我擦掉頭額上的汗，感到呼吸滯礙。我忽然想起海濱游泳的情景來：一個人對着茫茫大海游去，一寸一寸地，接近着面對你愈來愈深的死亡。但是，一個僅爲了游泳而躍入海中的人顯然不會在身體浸濕的一刹那間感到自己是對死亡之挑戰的開始。任何人都不可能只因爲眞正感受着死的壓力和恐懼，而有勇氣去接近它。那末王狗剛才所說的話，似乎並非強辭奪理了。

汗水流進我的眼睛裏，使我視覺不清。我摘下眼鏡用手帕輕微的揉擦了一下。（三）

清帝治游致死疑案

海嶠叢談會

諸葛文侯

滿清同治帝年未二十而逝世，當時據宮廷公告係因天花症（即出痘）殞命者。然社會紛傳帝好治游，罹花柳惡疾——或爲梅毒——不治而死。近代人曾有野史紀述其事，且謂引導同治帝出宮作狎邪游者爲工部主事王某。又言帝病原已漸瘥，天花亦已結瘢，一日亭午，皇后入內殿覲帝疾，爲母后慈禧瞥及，躡足潛趨簾外竊聽帝后言談。后對帝瀝述母后寡恩苛待狀，悲憤無已，帝慰語以稍加忍耐，必有揚眉吐氣之日。慈禧聞之，急趨內手揪后髮曳出，高聲傳令備大杖，帝聆母后言，驚惶起床墮地，痘瘢爲之破裂流血，遂不起矣！

皇帝而不時微行出宮尋樂，似屬意外，稗官野史所述，竊疑其失之傳聞，未足盡信也。近閱清代名儒桐城吳汝綸（摯甫）年譜，同治十三年九月所寫日記，乃證明同治帝確有潛入民間尋花問柳之事實，不亦怪哉！吳氏係曾國藩門生兼幕僚，曾侯去世後，入李鴻章幕中任事，適在同治年間，所識當代名公鉅卿綦多。彼書此段日記時，亦係在蘇州之江蘇巡撫張樹聲（振軒）公廨中，言之鑿鑿有徵。據述：

「九月初五日，見都下某宮與某中丞（按即蘇撫張樹聲）書，言停園工之事云：七月十八日，政府親臣聞大內將於廿日園中演戲，十餘人聯銜陳疏，復慮閣之不盡，乃先請召見，不許，再三而後可。疏上，閱未數行，便云：『我停工何如，爾等尚何曉舌？』恭邸云：『臣等所奏尚多，不止停工一事，請容臣宣誦』。遂將摺中所陳，逐條讀講，反復指陳。上大怒曰：『此位讓爾何如？』文相（按指恭王奕訢）伏地一慟，喘息幾絕，乃命先行扶出。醇邸（按即慶王奕劻）繼復泣諫，至微行一條，堅問何從傳聞？醇王指實時地，乃停工（按佛然指頤和園）。程（？）至廿七日，召見醇王，適赴南苑驗炮；遂召恭王，復詢微行一事，聞自何人？恭王以臣子載澂對。故遷怒恭王，並罪載澂也。又某樞直（按係指內閣學士翁同龢）言：廿七日原旨中，有『跋扈弄權，欺朕年幼，着革去一切差使，降爲庶人，交宗人府嚴行看管』等語。文相援旨不准，將硃諭繳回，奉旨片奏，明日臣等有面奏要件，暫擱一日。比入，犯顏力爭，故諭中有『加恩改爲』字樣。遂日復草革醇王諭旨；不知何人馳告，忽傳旨召見王大臣及閣學，時已過午，九卿皆已退職，惟御前直入宏德殿，見兩宮垂涕於上，皇上長跪於下，謂十年以來，無恭王何以有今日，皇帝少未更事，今日着即撤消云云。」

據此所述情節，則同治帝微服出宮治游一事，千眞萬確，了無疑義也。帝以醜行被揭發，自極悲忿，乃對醇、恭二王爺予以嚴懲。恭王亦時侍先帝（咸豐）於熱河，逝世時，有對肅順密謀政變之役，建立大功，深獲慈禧信賴，敢請皇帝將嚴旨「暫擱一日」，故果得乞援於兩宮母后，慈禧挾同皇帝召見恭王，宣佈諭旨，稱贊恭王功勳之一幕滑稽劇演出，而同治帝微行出宮尋樂之隱事，乃大彰矣。

綜觀吳摯甫日記與近代人所謂野史，可斷定同治帝之死，實因花柳病未癒再出天花之二症併發，加以慈禧對兒媳盛怒橫惡行爲，驚悸過度，踏地傷身所致，此不過宮廷醜聞之一端耳。

自由報

THE FREE NEWS

第三一七一期

內備警台報字第〇三二號內銷證

中華民國僑務委員會登記證台教新字第三三二號登記證

中華郵政第一二八二號執照登記爲第一類新聞紙類

（半週刊逢星期三、六出版）

每份港幣壹角　新台幣貳元

社長：雷嘯岑

督印人：黃行晉

社址：香港銅鑼灣高士威道二十號四樓

20, CAUSEWAY RD 3RD FL. HONG KONG

TEL. 771726　電報掛號：7191

承印者：大同印務公司

地址：香港北角和富道九六號

台灣分社

台北市西寧南路壹零號二樓

電話：二三〇三四六

台郵撥金戶九二五二

我們迫切需要的兩樣東西
——「公平」與「團結」

江鶴清

自由報不因人廢言，尚能保存一種獨立的風格，維護一份眞正的正義與自由，令人感到由衷的敬佩。年來我站在一個國民的立場，冷眼旁觀，見到社會上充滿了不平之氣，因而街談巷議，時聞怨謗。此種現象，如任其發展下去，實非國家之福。而造成這種怨謗的原因，乃是由於一個「私」字在作祟。因之化解之道，就是要眞正的做到「大公無私」。現在讓我先從一件小事說起：

年前我們曾主辦過一場國際性的球賽，在有一場比賽裏，我們中華隊勝了另一個國家的代表隊，但勝得並不光彩。球賽結束後，對方的球員在球場上抱頭痛哭，並發誓今後再不來這兒打球。事後我們才知道，對方之所以如此的有失運動員的風度，乃是由於我們自己先有失運動「道德」所引起的。因爲，這場球賽對方輸得不甘心，他們並非是技不如人，而是輸在我們「愛國裁判」的手裏。所謂「愛國裁判」，就是「執法不公」，其情形是凡有利於「自己人」的情況，就大吹而特吹，反之，則「裝聾作啞」。試想，我隊佔盡了地利、人和的優勢，復蒙「愛國裁判」的「法外施仁」，焉有不勝之理？誠然，這兩位裁判先生也可能是基於一種「愛國」之心，他原以爲「大權在握」，可以「一手遮天」；殊不知「旁觀者淸」，大衆的眼睛是雪亮的，公道自在人心，是非畢竟自有公論，我們雖贏得了這場球，卻失去了公道。愛之不以正，適足以害之，使我們國家的聲譽沾上了污點。而年來社會上之所以充滿不平的憤怨，也就是由於流行着「一手遮天主義」的緣故。語云：「己所不欲，勿施於人」。我們本身如果沒有建立起「公平」的觀念，一旦有起事來，卻希望別人以「公平」來待我，豈非有失「公平」？

我們是一個自由民主的國家，人人都能享有一份鐵幕裏的同胞所享受不到的批評自由。但好做批評的人，本身也得容納別人的批評，這樣才能合乎自由民主的要求。然而，年來我們所見到的一些情形，卻不是這個樣子。有人享有絕對的甚至超出了自由範圍以外的批評自由，但他本身卻不願接受批評，正所謂「祇准州官放火，不許百姓點燈」。因之，經常使得由學理上的辯解，演變成爲意氣之爭。

在此之前，有人在報上寫文章說：「我們如恨共甚切，其他一切恩怨皆不足道，向一切人叩頭。志切復大仇的人，豈有不對血仇以外的任何人讓步之理」？文中還向政府建議：「最不可分力于對內之防者，分力于不急之務。」自古迄今未有勝利之軍是兩面同時作戰的，更沒有內外同時作戰的。而不待說，凡志切反共的人，亦當鼓勵政府目光向外，不可使其分心對內」。「人民如有批評，原是一面鏡子。控制之，不僅自廢其鏡，無非引起怨謗。於是再控制之，甚至科以不愛國之罪。此其方法，必終與目的日左」。今日重讀此文，令人感慨萬千！人畢竟是一個善忘而又善變的動物！誰都看得明白，今天我們眞正的敵人、仇人、是毛賊共匪，其他的一切，誠如該文所言「實皆不足道」。然而，事實上有人卻爲了一點意氣之爭，不惜以今日之我來對抗昔日之我。爲了志切復「私」仇，他不但沒有去鼓勵政府「目光向外」，反而要政府「分力于對內之防，分力于不急之務」。爲了爭得「一家獨鳴」，要政府把與他見解不同，或對政府有所批評的人，一律視爲「仇敵」，「科以不愛國之罪」。使政府「自廢其鏡」。言與行竟爾背道而馳，但他卻還被人稱爲「賢者」，使人眞不知對這個賢者的「賢」字該做如何解釋了！

年來，我們曾聽過不少的「長者」和「賢者」，高呼要重整「道德」。但往往只是「說」得太多，「做」得太少，甚至做的是一套，說的又是一套。眞令人痛心！因之，我現在建議我們的「長者」和「賢者」，當你們要求別人該如何如何的時候，本身便應該做個榜樣出來給大衆看看，所謂「言教不如身教」也，不知「長者」和「賢者」們以爲然否？

愛國之心，人皆有之。假如不能認淸時代，不能深明國家所亟需，而祇在那裏不切實際的空談，不顧後果的批評這個，責備那個，自己的行爲則亂七八糟，彰彰在人耳目，則國家不但未蒙其利，反受其害。當前我們國家仍處在風雨飄搖之中，所需要的是「同舟共濟」，各盡所能，增強國力，使我們國家步上現代化的康莊大道，庶幾才會奠定勝利之基。

今天使共匪懼怕的不是我們有形的武力，而是我們海內外的億萬同胞只有一條心：打倒禍國殃民的毛賊共匪！蔣總統曾經昭告天下：「不是敵人，就是同志」，贏得世人一致的讚揚，消息傳來，鐵幕裏的同胞起義來歸的，亦已大有人在。由此足證團結人心才是反共必勝的最佳方法。

「紅衛兵」用途之一

「紅衛兵」用途之二

今日与明日

「中南」幹部

鷄犬升天

自從毛林小集團，在中國大陸上藉所謂「無產階級文化大革命」爲烟幕，掀起「你死我活」的派系鬥爭後，所有各項舉措完全失常，根本不能用情理去衡量。特別是在人事變動方面，更是過於離譜。毛共中央原有五個「副主席」，但由於林彪是「活學活用」毛酋著作「專家」，所以深得毛酋之寵，加上部份「槍桿子」掌握在他的手中，所以毛酋在「十一中全會」上，將劉少奇、周恩來、朱德、陳雲四人的「副主席」頭銜取消，只留林彪一個繼續充任毛共中央惟一的「副主席」。

林彪一步登天手握大權後，眞是「一人得道，鷄犬昇天」，是凡他的親信和「中南」出身的得力嘍囉，無不越級而升，出長要津。毛共口裏常喊的什麼「國家」，「人民」，那才眞是「管他娘」！只要會搬弄幾句毛酋「語錄」和表示「堅決響應林彪同志號召」，不論是忘八、兎子、賊、草包或飯桶，保證被「提升」，一定有有權有勢的高「官」作。他們還巧立一個名目，那叫作「革命幹部。」

以「林家舖子」大總管陶鑄爲例，就充份可以看出毛林兩酋倒行逆施的一斑了。陶鑄在死剩的九十一個毛共「中央委員」中，名次爲倒數第五。但自掀起血腥的派系鬥爭，陸定一被摔下擂台後，陶鑄接長「中宣部」。在毛共中央，由書記處書記，越級而升任政治局常務委員。其排名順序竟是第四。陶鑄的「中共中央中南局」第一書記由第二書記王任重（兼湖北省委第一書記）接充。第二書記現從廣西調來韋國淸繼任，而陳郁仍是第三書記；因爲陳郁不是林彪的親信。

毛共湖南、河南第一書記張平化、劉建勛分別調充「中宣部」副部長和北平市委書記，但仍遙兼原職。河北第一書記林鐵「失蹤」，第二書記劉子厚升上去。天津市委第一書記萬曉塘被「紅衛兵」活活打死，其遺缺由第二書記趙武成負責。劉、趙二人都是「中南」出身。

今日毛共中央的所謂「文化革命小組」，其權勢之大有過於戰前日本軍閥的東京「大本營」。其中負責人，除「組長」陳伯達，「顧問」康生和「第一副組長」江靑外，大部份都是出身「中南」的林派。十一月二十八日宣佈毛妻江靑爲共軍「文化工作顧問」的謝鏜忠，現職爲共軍「總政治部文化部部長」，二年前他還是廣州軍區的「少將」。

其他如「國務院文化部」和北平市委，新「當權派」多數是調自「中南局」。林彪的班子很薄弱，幸虧所謂「文化大革命」到處受阻，否則會鬧「幹部荒」的。俗語說：「天作孽猶可爲，人作孽不可活」。毛林二酋之胡來，簡直是作大孽，其「不可活」是一定的。（何如）

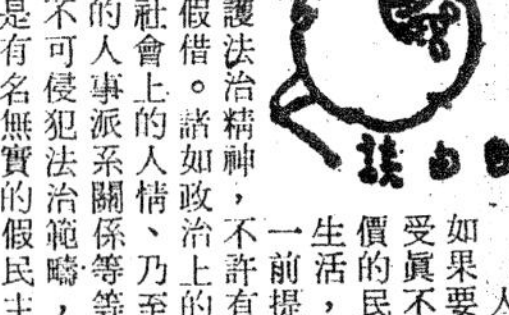

民主與法治

人們如果要享受眞不二價的民主生活，唯一前提即須維護法治精神，不許有絲毫的假借。諸如政治上的特權、社會上的人情、乃至官場中的人事派系關係等等，絕對不可侵犯法治範疇，否則便是有名無實的假民主。

法治精神的具體表現，就是尊重法律與制度，任何人都不能有例外。法制也不是可以隨便創立、毀壞的，既經創立了，朝野上下就得信守而實行之，以命令變更法律固然要不得，圖方便而漠視制度亦復不可以。例如美國憲法規定，人民因某種犯罪嫌疑被官府究問時，有拒絕作答之權，官府即祇可搜集證據，根據事實來處理，卻不能對嫌疑人犯採取刑求方法，因而妨害人權，使民主生活受到制命之傷。

要講民主法治，就不好講革命，革命是以暴力破壞現狀的行爲，立一說以爲是，而禁天下人言其非，一切現行的法律制度，皆在摧毀之列，其心情是唯我獨尊，其觀念是朕即國家。所以，崇尙暴力革命的共產主義者，在英美各國始終無從發展，而在世界其他的國家，每每容易釀亂，原因即係英美的民主法治精神特別深厚，社會大衆感到相當滿意，不願接受共產主義者那套偏激的言論，更不贊成暴力革命的作風，乃使國際共黨的滲透顚覆魔術無所施其技了。

法制的本身是白紙黑字，沒有甚末權力，人們一致尊崇它，信奉它，便發生神聖不可侵犯的權威了。去年英國陸軍大臣普洛荊穆，因爲跟一個走國際路線的浪漫女人有染，受到國會議員糾舉責難，祇好黯然投劾去職。今年日本自民黨內閣，因有閣員與國會的自民黨議員涉嫌貪污，輿論大事抨擊，而總理佐藤榮作不但改組內閣，且將自民黨黨部人事亦徹底刷新。這便是制度的權威迫使其不得不然。假使英陸軍大臣認爲交女朋友是個人的私生活，與政事無關，笑罵由人，好官自爲；日首相認爲閣員和議員私人瀆職，儘可依法究處，與內閣和自民黨不相干。這樣就把整個制度的威信破壞了，貽患必大。英日是君主立憲國家，乃如此尊崇法制，咱們是民主憲政之治，只看看目前所謂「五大疑案」的經過情形，於意云何，是相形見絀呢？抑或自以爲是？

馮五先生

自由報

中菜罐頭外銷前途遠大
有志僑胞曷興投資發展

——華僑社稿

台省經濟發展的趨勢，一方面是籌措大量的資金，投資於大規模的基本工業，強化經濟建設的基礎，另一方面是鼓勵農產加工品的發展，提高農產品的經濟價值，增加輸出，以適應國際市場的需要。

國際市場　信譽優良

年來台省農產加工事業及農產加工品的輸出，在政府的輔導和業者的努力下，呈現蓬勃的發展。尤其是蔬菜加工產品——鳳梨、洋菇、蘆筍、竹筍、荸薺罐頭，在國際市場上已建立了優良的信譽。惟是對於魚肉類的加工製品，除了供應本銷以外，目前尚未能順利進入國際市場。因此，為了鼓勵台省魚類罐頭的產製與外銷，現正由台省工業界委託各大專院校家政系及食品製造工廠，研究純粹中國菜品罐頭的試製。試製種類初期包括：由台灣省立師範大學家政系試製火腿、雞絨玉米湯、炸醬麵、素什景。私立實踐家政專科學校試製魚醬、魚香茄子、魚塊。中原食品罐頭公司試製八寶辣醬、炒飯及其他。廣東臘味廠試製味噌魚醬、紅糟雞、紅糟麻油雞、什錦豆腐及其他。環球冷凍公司試製春捲及其他點心等項。目前此項試製工作，仍在研究改進階段，在製做技術獲得圓滿解決以後，將以純中國烹飪的食品罐頭，大量供應國際市場，以應國際人士對於中國食品的狂熱需要。

華僑響應政府的號召，將資金投資於台省參加經建的行列者，年來逐漸增加。但以地區來說，海外僑資來台的資金來源，以亞洲地區佔大多數，美洲和歐洲地區，僅佔甚少的比例。考其原因，當以旅美洲及歐洲地區的華僑，對於來台投資機會選擇的困難，為主要因素之一。以台省工業界當前研究發展中菜罐頭工業來說，這無疑是替旅居歐、美地區的華僑，或者是與台省工業界技術合作，投資研究發展肉食罐頭工業，開闢了有利的途徑。因為：

食用簡單　營養豐富

一、食品罐頭具有攜帶便利、食用簡單、營養豐富、品質劃一等許多優點。尤其是在工業經濟繁榮的國家，都市家庭主婦，多忙於所任的工作，因此對於日常烹調多求簡便，多食用罐頭以節省勞力及時間。即便是醫院、餐廳、旅社亦大量使用。根據美國農業部的統計，美國平均每人每年對於魚肉罐頭的消費，由一九四一年之九．五磅至一九六一年增加至一五．五磅；魚肉罐頭的產製亦由四三百萬箱，增加至九二百萬箱。至其他高度工業發展國家，每年對於魚肉罐頭的消費，也同樣直線的增加。肉食罐頭工業方興未艾。

二、自第二次世界大戰結束以後，由於世界各國經濟迅速恢復與發展，國民所得逐年提高，生活人為改善。所以享譽世界的我僑經營的主要行業中菜餐館，因而更呈現蓬勃的景氣，而國際人士莫不以一啖中餐為快。歐美人士酷嗜中國菜餚實為眾所週知的事實，即以美國一地而言，據美國重慶公司調查報告，美國市場每年消費中國式食品金額超過美金四十億元。此一數字雖無法獲得證實，但因此數極大殆無疑義。因此目前台省工業界研究發展中的中菜罐頭工業，以中國的作料，加以優良的中菜烹調技術，經過科學的製罐，大量輸銷海外，當能獨霸歐、美地區的肉食罐頭市場。

紅燒清蒸　並皆佳妙

三、就中菜罐頭的製作而論，並不是一件簡單的工作。調和「中國菜」之烹飪與製罐。在技術上是多方面的。所謂中國菜無論在紅燒、黃悶、清蒸、生燻、油炸、熱炒都有它的特殊技巧，製罐外銷，因為各國人士莫不有特殊的嗜好，職是之故，除了特殊的烹飪術以外，更要因地制宜，以適應外國人士的口味。向在研究認為可以發展之中國菜罐頭約分為三類：（一）酒會用之零食，如各種鹹甜點心。（二）用於早餐或可冷食之中國菜，如中國冷盤或拼盤中之各種菜餚。（三）成套之中國菜，如配成四菜一湯或兩菜一湯各類不同之罐頭。尤有進者，同烹飪所需之火候與製罐殺菌高溫蒸燒的不同，如何配合仍能保持不變色、不走味，使色香味俱全，實有賴於名廚與加工專家之研究合作。台省擁有衆多名廚，海外華僑對於各國人士的口味，嗜好深為瞭解，況且華僑在海外有經營食品製罐工業者，如加拿大牙菜大王所產製的中菜罐頭，行銷美洲市場，深獲當地人士的歡迎。此種經驗與瞭解，如能與國內的烹飪技術配合，對於發展台省中菜製罐工業，當有更高的成就。

僑營餐館　均沾其利

四、旅居歐洲及美洲的華僑，以經營雜貨與中菜餐館兩種行業為主，而且遍佈於歐、美兩洲各大小城市。也就是說，如同國內投資此項加工事業，已有了完整的系統，無論是在廣大僑社的宣傳與推廣，當可獲得事半而功倍。況目前歐美兩洲的僑胞經營餐館普遍缺乏之中菜廚師。近年紛紛不惜以重金在台、港、澳等地區羅聘名廚前往服務，惟格於各國移民的限制，真是困難重重。如歐、美洲華僑來台設廠產製適合於歐美人士嗜好的中菜罐頭外銷，華僑經營的雜貨、菜館兩業當均沾其利益。

五、台省漁產、家禽及家畜生產豐裕，原料的供應可保無虞，電力充沛，加以食品罐頭製造工業，所費於洗滌、剪、切的人工較多，而台省勞工薪給廉宜，在投資較之在歐、美設廠低，生產成本可大幅降低，而增加成品在國際市場的競爭優勢。

透視立監委涉嫌油商行賄案　十七
從立法院暨監察院第十四次臨時會決議案說起

——本報記者張健生

而「今立監委員涉嫌貪婪者，已在法辦中矣。然與此等涉嫌之立監委員勾結之政府高級官吏，貴院長之處置如何？亦曾下令查辦否？」其他「如中煤、殷台、油輪、航運、台糖、慕華、美援內涵、金融及其管制機構等等，使國庫與人民之損失無算，何以尚未見拘一人？豈以其手面大歟？各方關係安排好歟？抑認行政人員如手足，而皆賢歟」？「若徒言法，乃至法失其平，則法已不法？又誰之過」？

因涉嫌油商行賄案之關係人封中平委員，於十月四日至台北地檢處應訊後，即公開發表書面談話，其中除指某報消息不實外，字裏行間，對法院偵辦該案表示不平。而這段強硬的談話為：「本人希望將行賄人員查清楚，同時也要將受賄的官員查清楚；本人希望把立法院通過關稅的原因查清楚，同時也希望把行政院為何又把黃豆關稅減低，要立法院通過的原因查清楚。貪污幾千元、幾百元的應該辦！貪污幾千萬、幾百萬的更應該辦！最後希望輿論界主持正義！報道確實！」弦外之音，頗堪玩味。

林棟不應訊　却勤於質詢

十月四日，大華晚報以「涉嫌豆案九民意代表，存款均被凍，總數逾一千五百萬元，地檢處再傳三立委」為題，刊於第一版為頭條新聞。當日，台北地檢處首席檢察官焦沛樹對各報司法記者發表談話，並否認九民意代表存款均被凍結。他說：檢察官在偵辦貪污案件時，對涉嫌的財產不能予以凍結，因為他們所擁有的財產，不一定就是貪污得來的云云。

被台北地檢處傳訊因身不適，未到庭應訊的立法委員林棟，於同月七日，在立法院本會期第五次會議中，提出書面質詢，請行政院嚴院長答覆。當時，嚴院長答以由財政部查明答覆。林棟質詢說：

頃閱本（五五）年十月四日某晚報載：「據悉：這兩位知名之士之中的一位，在台銀存款在一千萬元以上，他是兼律師的立法委員，平時亦替銀行負責一部份追償貸款的民事訴訟，銀行方面亦每月給予『車馬費』七、八千元，他被凍結的存款一部份是賄款，一部份是他私人的存款」等語上。迭消息，極易引起人民對（立法）院同仁之誤會，實有澄清之必要。一、本（立法）院委員兼操律師業務而在台銀存款達一千萬元以上者有無其人？如有其人，究竟為誰？二、敬請將本（立法）院委員兼任律師在台銀存款之帳號，及每月出入結存之數字，予以查示。三、台銀董事長總經理每月薪津亦不過數千元，何以給予承辦案件之律師除公費外，尚有每月七、八千元之「車馬費」？有無此種事實，敬請答覆。四、本院委員兼律師而承辦台銀之民事訴訟案件，請查明所承辦案件及給付之公費。五、請查示各銀行委請律師之公費給予辦法與標準。六、所謂「賄款」，自屬經法院判決確定者，依法應予沒收，何以報載為「賄款」而未予沒收？

除非有必需　不可濫拘禁

立法委員之質詢案，暴露行政方面的弱點，並揭發行政措施之不公平，不合理。同時，責難司法方面審理油商行賄案，有欠公平妥當。喬一凡說：立監委於憲法立有保障專條，不具備傳訊不到之實情，且不得享有普通平民之待遇。所謂行賄，立監委向何高級官吏行賄？行政院下令查辦？

監察委員陶百川在「監察院審議拘捕監察委員申請許可案程序」提案中提出：「人民身體自由之保障，吾國憲法訂有專條。故除非案情及嫌疑皆甚重大，執法機關，無論其為警察機關或軍事機關或法院，俱不得濫施逮捕或拘禁。但若干執法人員不仰體此項法意，拙於調查，怠於傳訊，而『以逮捕或拘禁為偵查之方法』，此不獨侵害人權，抑且違背法令。至民意代表如監察委員者，憲法為勉其批逆鱗，盡言責，打老虎，糾官邪，而不慮對方挾嫌反噬，濫加拘捕，故對其身體自由更予以特別保障。……行憲以來，多民意代表之觸犯刑法者，不先行逮捕或拘禁。（十七）

國聯影城設計完成
四十天後正式開工

（本報台灣航訊）耗資將達新台幣二千萬元（折合港幣二百八十五萬元）的香港國聯影業公司影城，全部設計工作業已就緒，現決定於一九六七年一月一日正式動工興建。

這座佔地廣達三千九百九十坪的國聯影城，位於台北市郊板橋鎮，背山面水，風景秀麗，空氣新清，附近均為青葱的稻田。

國聯影城建築，全部仿照中國舊式式樣，古色古香，金碧輝煌，完全保存了中國傳統建築典雅之美。

據設計：橫越清澄的溪流，便是一座狀如北平「東西牌樓」的五彩的牌樓，跨進大門便是影城。

緊靠東面圍牆有一排長方形的雄偉建築，那就是兩棟連式的影棚，總長三百尺；除掉中間一條寬廿尺的過道，每個棚子為淨長度是一百四十尺，寬度均為一百尺。但是去掉寬卅尺的化粧室，道具間，衣帽間，棚子的實際寬度為七十尺。這種規格的攝影棚業已達到國際標準。

與兩座攝影棚成對比的方向，還有一座長七五尺寬四五尺的舊影棚，拆除後，遷建於影城，使整個影城，擁有影棚三座。

緊接小影棚的便是影城街道。這條街道的長度將是二百五十尺，街上建築全部為古代式樣，那裏有客棧、飯館、雜貨舖、綢緞莊、當舖、水果店等等。

在古代街道中間另外還有一座古式建築的四合院，紅牆綠瓦，極盡色美；院裏有荷池、花圃，高台樓閣，綠樹如蔭。

四合院和影棚之間，還有一座佔地一百五十坪左右的池塘，池塘遍植荷蓮。經過一條人工建造的「九曲橋」有一座中西合璧的三層樓房建築立在池心，這就是國聯公司的辦公大樓。

這就是國聯影城。據國聯公司負責人李翰祥說：全部影城落成後，國聯公司每年將拍製新片廿部。

（本報台灣航訊）國聯影業公司『破曉時分』外景隊，將由執行導演宋存壽率領飛往日本北海道，拍攝三場雪景。據宋存壽導演說：『破曉時分』全片攝製工作已接近尾聲，祇俟三場雪景拍完就可以全部殺青。

宋導演說：本來這三場雪景是準備在橫貫公路合歡山上、大雪山攝的，但直到目前為止，大雪山、合歡山一帶還沒有降雪的跡象，為了貫徹製片計劃進度，故決定組成外景隊前往日本北海道實地拍攝。隨外景隊飛往日本的工作演職員計有伍秀芳、佟林等十餘人。

據悉這支由宋存壽導演率領的外景隊，如果時間允許，可能順便拍些雪景空鏡頭，為『死橋』和『長江二號』兩部間諜片拍製需要。

瀛海異聞談

後年可能來襲的伊遊星

·桑雅·

一九六八年六月、八日不是一個最後的日子，但在那天，有東西可能從天而降，來襲地球。它在太空已飛行數百年這麼長久了，如今，可能將降落地球上面。

照估計，這是一塊大石，長及一哩，與，重量是十四億噸，與空氣不斷的摩擦，已呈白熱化。這是值得世界各地人士重視的：它眞會在預算的日子襲擊地球嗎？

眞會嗎？

如果它跌落海洋（這個機會很大；大家不要忘記，地球表面百份之七十是海呀），其結果不難設想的，必會引起氾濫，海嘯，甚至地震，影响火山爆發等。

如果跌落土地上，升起的灰塵，非待一大段日子，不能飄散淨盡的；太陽的光芒也被遮掩，接着五穀不生，溫度大變。最嚴重的後果是——整個地球的旋轉會停止，軌道改變，什麼生物也大受影响了。

說下去，將會更可怕。不過，無需如此驚惶。事實上，「伊卡魯斯」遊星降落地球的機會，只有百萬份一之微而已。不過，不過，相當接近地球是眞的。

美國與蘇俄的科學人士對于這個天外危機，各有不同的見解。蘇俄方面雖認爲與地球相撞的可能性不高，但美國方面並沒有這麼樂觀了。

「伊」遊星的下降，在地球上所造成的凹陷，其面積可大及紐約市，各地地震儀所紀錄的程度，可與數千枚氫氣彈爆炸相比擬。在未下降之前，我們只能有十四天的時間準備撤離。這麼少的時間當然是不足夠的。

截至目前爲止的計算，「伊」遊星將在地球表面數百哩外的太空而劃過；不過，天文學家指出，遊星的軌道是有可能轉變的，偶一改道，其災禍便無窮大了。而且，改道是有可能的，因爲它受地球與水星兩方面的地心吸力所影响。

什麼是小遊星呢？原來火星及木星之軌道間，不斷飛行的游離星球，實在不少，至少超過一千六百顆。而「伊卡魯斯」是其中的一顆。它每十九年便接近地球一次。上一次是一九四九年；就是那年，是由德國的天文學家爾特·巴德發現的。

此類小遊星，到目前已有正式登記過的共一千六百顆；一些的軌道是圓形，另一些是橢圓形。

本來「伊」遊星是繞着水星而運行的，水星環繞地球一次是四〇九天；于是，「伊」一循着轉變，忽冷忽熱，接近太陽時，熱度可高達一百度，否則在零下數百度的。它的名稱是有來歷的，伊卡魯斯是希臘神話中的人物，他便是飛往太陽的英雄，可惜翼是獵製的，于是他的壯志不遂了。

像「伊」一樣威脅地球的遊星，大約也有十顆，如「阿波羅」、「伊洛斯」等。一九三七年，「希姆斯」只距離地球八十萬哩外擦過，這是非常接近及危險的。

又遊星中較大者爲「斯里斯」，直徑爲七百哩。

十九世紀初期，這種太空外游離分子已被科學家所發現，他們奇怪它們的來源。有人認爲它們是一個神秘星球爆炸而射出的一部份，這個神秘星球本來是處于火星與天皇星之間；天文學家喜歡稱之爲X星球。當美國的「海員」四號太空船探險歸來，所拍得的照片，更加證實上述的假設。

從電視照片上看，火星上面佈滿凹陷之區，顯然當年深受這場爆炸的災難。而現在火星的兩個衛星「科保斯」及「戴巫斯」的形成，很可能便是這個結果。

一位蘇俄的女科學家眞娃絲耶，不久之前發現地球上的若干殞石，其中的鑛質，竟佔有百分之八水份。從別個星球而獲得水份，也是首次。這個發現十分轟動，經過一連串的試驗，證明那X星球的歷史，約爲四十億年之前，而那場天災，是三十或四十億年前發生的。這份災害，幾乎破壞了整個太陽系。

「伊」遊星的面積，在太空來說，微之又微。但降落地球，却絕不是好玩的。在聖經上所指述的洪水爲患，可能是殞星強力下降所引起。雅里桑那的大洞，顯然是殞石所造成的，其洞直徑爲一三〇〇尺。

美國科學家羅拔·李察遜却並不大樂觀，認爲軌道方面稍一差池，便會帶來禍害。他曾撰文向政府建議——如果發現「伊」星眞的直向地球襲過來，應設法在天空中將它毀滅，例如，可以發射一架備着原子彈的火箭，與它相撞，引起爆炸，這便一了百了。目前來說，這當然只是「杞人憂天」。

歐洲國家的耶穌誕

依樺

耶穌聖誕節不是最古老的節日；五世紀之前，究竟那一天是聖誕，依然是一個謎哩。——當時舉出的日子有三個——一月六日，三月廿五日及十二月廿五日。最後的一個日子到目前已被公認。眞歷史却可追溯到公元一八〇年的，于是，由此推算，復活節便該是三月廿五日了。

再過四十年，舉世均相信耶穌是于十二月廿五日星期降生于伯利恒的，時維阿古斯特斯在位的第四十二年。

公元三五三的羅馬，慶祝聖誕連續數天的，有時直至一月六日。至于聖誕的風俗，因時間與地方，而大異其趣了。好幾個世紀，聖誕只被認爲社會人士們遵守的節日，不像目前那麼普遍的；後來，神甫在聖教的土地上，落力宣揚基督教義，於是逐漸引起人們的注意。

當時的格里哥利一世與教會人士合作，這無疑是一個最大的幫忙。在帝王的推廣之下，慶祝聖誕不單是宗教儀式的一種，私人方面也會張燈結綵，高興一番了。

由于異教思想的滲入，在聖誕節期內燃燈及燒烟火，是值得瞭解的。羅馬人以綠葉樹枝來裝飾室內，還有鮮花；杜魯伊斯族却喜歡松樹針；薩遜斯人選擇樹藤。

說到聖誕樹，據說其來源是德國，時間可追溯八世紀了。若干書籍的紀錄，當年德國王子阿爾拔與英女皇維多利亞結婚，才因此傳入英倫的。

聖誕期間，自然忘不了音樂，最初的時期即如此。有關此類的音樂，最著名的是韓德樂的「救世主」，其中的哈利路亞的讚頌歌，目前眞是無人不曉的。

在英國來說，十一到十七世紀期間，聖誕已逐漸成爲年中的大節日了，慶祝從聖誕前夕開始，直落十二天，十分熱鬧。那些封建大地主，大開方便之門，招待來自各方的親朋戚友，大吃大喝之外，節目方面十分豐富，活像今日的嘉華年會，瘋狂達旦，正是官民同樂，每每是由貴族人士主持山熊大會。演變下去，人們根本忘記了聖誕的眞正意義，受到不少正直人士所非議，終于到一六四四年，通過國會，禁止英國人民以吃喝狂歡的方式來慶祝聖誕，應多多留意基督降生的意義。到一六六六年，英國人曾一度被禁不准歡渡聖誕，後來到查理士二世才解禁。（上）

眞假大盜

嘉陵譯

由雅仙圖至褡馬，需經過五十九哩最酷熱、荒蕪、乾燥的地方，而這些地方素爲人跡罕至，同時其中只是一片黃沙，連仙人掌也不生長一株；在八月大暑天下午，溫度計的水銀，升至華氏表一百二十度，這時候駕車，一點陰影也沒有，雙目好像給燒紅的釘子刺進那末辛苦，口腔裏好像有一張二號的沙紙，而不是舌頭。

經長途跋涉，抵達褡馬，那兒的酒吧，全是冷氣設備，而且還供應雪藏啤酒，但這時則不能喝太多的。同時像我幹的一行，更不能呆頓的，需要身手敏捷。

談起天氣，常常遇着很惡劣的。像去年的夏天，我從達高，前往豐城，那沙漠地帶比諸平日更甚。當我將車子駛出崎嶇的山路，沿路下駛的時候，黃沙開始刮起來，好像懸起一張黃色帳幔，駕車的人在黃沙漫天下，賈勇進發，但是不敢將車開得太快，同時要亮起車燈。

我現在從雅仙圖啟程，但不能馬不停蹄般直往褡馬的，需要在瀊德希雲駐足，那是在加里福尼亞邊界，約兩哩的地方，我在路邊一間流動式的酒吧裏歇歇。

我要了一杯啤酒，酒保滿滿的給我端來一大杯，放到我面前的桌子上，他對我說：「是從雅仙圖來的嗎？」

我一口氣把那杯啤酒喝進肚裏，將空杯推到他的面前，然後點點頭。

「今天路上多難走啊！人們說這是今年最厲害的一次沙漠。」酒保伸出拇指，在酒吧盡頭的收音機上按着。

喝了一杯啤酒之後，精神舒暢許多，第二杯酒喝了一半，便覺得冰涼的液體，直透進腹裏，然後放下杯子說：「我從來沒見過那末濃厚的黃沙。」

「裏面只有我和酒保兩人。

我們一直談着天氣的問題，他指出最近十四天氣溫紀錄，是任何地方比不上這兒那末炎熱的。尤其是昨日，沙漠的燒烺，是史上最甚的。

酒保把收音機轉收時事新聞報告。我們聽到報告說通緝一個名叫夏理·梅菲的大盜，他出沒西海岸，在當日上午於辛地牙哥，刦去薪金解款員一批巨款。警方相信這個匪徒，向東逃亡。廣播員又說：夏理·梅非身上懷着武器，是個相當危險的人物。警告社會人士，如應提高警覺，切勿輕舉妄動。如發現可疑的人物，需立刻向警方報告。此外復將夏理·梅非身型外貌和特徵宣佈，我們留心靜聽。（一）

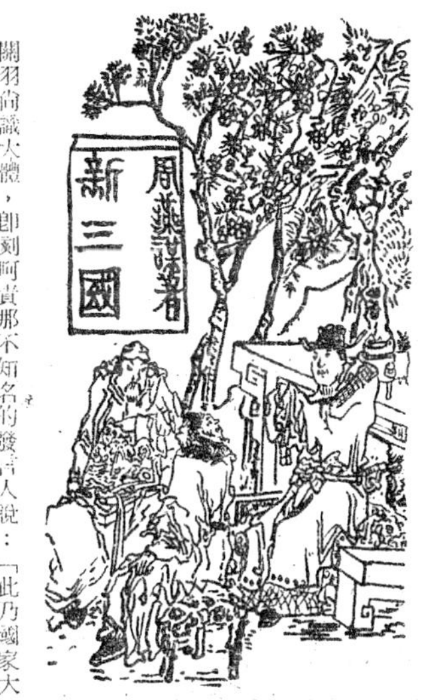

關羽尚識大體，即刻呵責那不知名的發言人說：「此乃國家大事，汝何得多言！」關羽使了個眼色暗示那人離去。關羽又對魯肅說：「烏林之役，左將軍（劉備）身在行間，寢不脫介，戮力破魏，豈得徒勞無一塊土地！」魯肅再發表一篇高論，也沒有結果。各自退回營去。

劉備在益州率領五萬精銳，來到公安，打算和孫權算一下帳，駐兵公安，作爲關羽的聲援。呂蒙奉了孫權之命，援助魯肅。在此孫劉失和，正給北方的曹操一個好機會。舊事重來，出兵征討張魯。劉備聽說曹操已經攻破了張魯，益州就危險了。於是派人言和，將荊州重新劃分，以湘水爲界，湘水以東劃歸孫權，以西歸劉備。劉備犧牲了長沙、桂陽二郡若干縣分，但得到了南郡一郡之地。就派關羽鎮守江陵之重任。

孫劉言和之後，劉備趕快又兵回成都。劉備聽說張魯大敗已逃到四川巴中來了，打算去迎接張魯，誰知到了巴中，張魯已率衆萬人投降曹操。

張魯降曹後，威務到四川，吏民一夕數驚。此時曹操的秘書司馬懿對他建議，勸曹操一鼓攻下益州。曹操說：「人生在世，最怕是不知足，已經得隴，還想望蜀」嗎？其次劉曄勸曹操攻四川，他仍未採納。過了七天，曹操方覺得應該攻益州，於是再找劉曄商議，劉曄說：「現在來不及了。因爲益州有諸葛亮，諸葛亮只要七八天就可以把人心穩住。」於是便罷了攻益州之議。

五七、監君側曹節封后 平漢中張魯降曹

建安十九年十二月，曹操至孟津。他竟然假天子的許可，增設「旄頭」，即是魏公出行時所派的先驅騎士，以資警戒。又爲魏公的宮殿設置「鍾虡」。鍾虡是懸鐘磬之架。同時下令設立「理曹掾屬」。此即今之法官。漢制的公府並無此官，這是曹操始創，他是要天下人守法，他自己則是唯一的法律解釋者。最初的法官是由高柔充任。

到建安二十年春正月，他就更走了第二着棋。前面把伏皇后廢黜死，關在宮監裏，這事在建安十九年十一月，前後不到二個月，便將自己的第二個女兒扶上皇后寶座，根本不管獻帝同不同意。曹操前將三個女兒送爲貴人，三個女兒是曹憲、曹節、曹華。中女即曹節。他爲什麼立中女爲皇后呢？史書上並有記載。大女兒爲什麼不立爲后？可能中女比較聽明聽話，以便聽曹操的指使。這樣一來，獻帝連吃飯、睡眠都被人監視着。什麼人也不能對獻帝有所密商。這樣的做法，他不是在走王莽的老路是什麼？他等不到當皇帝，也可以留給他兒子去當。這是很顯然的手法。一個女兒做了皇后，兩個女兒做了貴人，將來任何一個女兒有了兒子就可立爲太子。到時他可將獻帝廢了，或者暗中害死，到時曹操可以攝政，攝政之後乾脆就奪取政權。（九十一）

兩篇妙言（續）

筆者另有一朋友，却因買得了一本足夠的戲考，也做了「劇評家」，這幾年，混得不錯，不但做「家」，有時也被邀做委員，儼然成爲莫測高深的內行。（我眞不知李君在說那位）

更有妙言，是梅蘭芳已死的一篇，有云：「國劇的唱腔，有一定的板眼，只要不走板，隨便怎樣去唱，不能說不對。因此台灣的伶人，應該自己加意研究，創造出自己的唱腔來，放棄鑽進死人堆中，找回當年聲調的打算。（按現在已有胡少安派，將來尚有別的。）尤其老一代的人，不應該把自己對藝術的意見，强迫下一代去接受，應該讓他們自己去聽，也許他們所欣賞的，不是梅的腔調，而是在台灣青年伶人的聲韻。因爲梅蘭芳如仍然健在，也不會較徐露爲優，原因是他五音俱失，充其量再登台演唱，也只能保留一點身段，絕對無法與年輕而有朝氣的徐露媲美。那些老頭和老母們，應該好好檢討一下，把梅蘭芳的時代忘掉，而留意一下下一代的成就，因爲他的聲音早已死去。（依照如此說法，大家是否多學張君秋，杜近芳，趙燕霞，以李君主張學活人的也。）

國劇繽紛續錄

婆娑生（一三四）

劇協演出的波折

總統華誕之前夕，劇藝協會宣布，由顧正秋、金素琴、戴綺霞、陳美麟各演一場，以申慶祝，其意至善。正秋首告奮勇先演，也是拔頭籌。初定劇目爲探母回令，特請杜姚谷香夫人飾佘太君。消息透露，北市的戲迷大爲欣快，願化兩百，一聽此戲。不過幕後各位却有閒話：這樣的，叫我們怎麼唱！意即你唱一晚，賣上十五六萬，我們再唱，不過零頭，何必露臉？也是實情。杜夫人也不願唱等於搭桌，於是改唱鎖麟囊，雖均爲復興劇校配搭，這光桿牡丹，仍是富有麗色，依然滿堂，人山人海。事後貢獻，僅一萬元。這場戲的開銷確是太大，幾乎要用到六七萬，誠不知如何！

顧氏唱過，劇協會覺得不是路數，將其餘三場不提，無形中就算取消，偃旗息鼓，也是明智，否則賣下來的票款，如何支配，夠傷腦筋，能建築什麼？最近消息，聞美麟將有演出，預定爲鎖麟囊。妳不是說過，她唱了，人家怎麼唱！又何必無形中作比賽？在鄙意不如唱西廂記，希望在拷紅以後，再加送別，照原來書中所減一般，重要的是加重鶯鶯的唱。對與不對，請仔細考慮，是否可行，不敢擅爲決斷也。

聞成立文化局有感

獻廷

我國文化，有數千年的歷史，除了埃及和印度而外，世界各國，無與倫比。此固爲國人所周知的事實。因爲我們的先人睡了一個大覺，致使科學文明落後；雖然在「五四」運動時，這個睡獅被喚醒，但仍然是睡眼模糊，辨不清方向，慌不擇路，衝著西方亂闖，反睜著眼睛，不承認自己的文化，到如今成了東不東、西不西的四不像，以至邪說橫流，赤禍泛濫，國幾不國，家不成家，倫常掃地。言念及此，吾人何以對先賢於地下，及國父在天之靈！

如今，由於共匪的摧殘文化，當局認爲維護固有文化，較比軍事行動，尤爲當務之急，至少二者應併行不悖。今又經陳立夫先生，振臂一呼，文化局呼之欲出，並有與新聞局合併設立文化部之議，已引起各界響應，爲本年一件重要施政，聞之令人興奮不已。

文化有如一個人的靈魂。如無靈魂，即成行屍走肉。我政府播遷來台，十餘年之久，海內外一心，屹立無恙者，均係我國文化維繫感召之功，軍事不過是輔佐而已。國人有認爲今日之安居，端賴於軍事者，實係皮毛之論。因爲有如此錯誤觀念，乃競向名利，縱情享受，置文化於不顧，漸漸走上貪圖汽車洋房、燈紅酒綠之路，造成「生意經」、「財色爲緣」的社會。少數文化人，也亦步亦趨文字，其所辦的，將正當；將社教梨園，變爲咖啡舞廳；蔑視文藝界人士，指爲不長進者，在表面上，雖然也有某某會的名稱，但那是在雙方互踢皮球方式下所產生，官民不分，於法無據，一網打盡池中魚，實際只有幾尾上貢而已。可言？如此的枉觀文化，眞乃民族的危機。反攻大陸後，接收的是被摧殘淨盡的軀殼，而我等再無祖先文化，可以回生，即使苟免於奴役矣，衣食溫飽矣，其奈民族生命何！

文化一詞，包羅萬象，有靜有動。文學、雕刻、建築等等屬於靜態，能陶冶人生，而戲劇、音樂歌舞等等，則屬於動態，直接有益身心，間接是社教工作，補助政令之不足，功效難以言宣。其中尤以國劇一項，是集動靜之大成，爲至高無上的藝術，西洋雖有原子彈，但欲達到國劇的藝境，尚須經過一段長遠時期。近來他們少數文藝界人士，漸有熱中此道的跡象，國劇出國表演，亦極受歡迎。爲何我們自己，却棄之如敝屣，變成無娘孩，非等到將來，從人家學回來時，才大夢方覺？這是受了名利風氣的影響，愈是頭腦聰敏的人，這個病態愈重。不知不覺的，村夫愚婦反倒牢守著古老文化不變。所以，要談文化復興，這些知識份子，和名利尊者，須先要革心一番，以身作則，負起責任來，方始有成。否則只聽他們好話說盡，痛哭流涕一陣，實際是口是心非，將當局的苦心，中途變質，流入形勢，結果是虎頭蛇尾，無疾而終，豈不可惜。

此外，更希望文化當局，於延聘專家，備位諮詢之時，千萬勿以虛名身份取人，要注意提防盜名欺世意圖倖進的人潛入，以免被其壟斷把持，爲其利用。茲因有感，特以國劇爲例，貢獻拙見，以盡匹夫之責焉。

琉球紀行

張希哲

本文作者立法委員張希哲先生，係台灣私立逢甲工商學院院長。張氏連年曾應美、日政府，或教育文化機關邀請訪問考察，本文係張氏最近應邀訪問琉球的紀行。琉球過去是中國屬土，日本統治七十年雖已改變面貌，但民間風俗習慣仍多如我國。本文資料豐富，頗值欲瞭解琉球之國人參考。——編者識——

一、熱情的接待

不久之前，我曾參加中華民國琉球友好訪問團，赴琉球訪問數天。茲就見聞觀感所及，略書一二，藉供關心琉球近況者參考。

訪問團一行十餘人，於十五日下午乘西北公司班機，前往。班機原定一時二十分起飛，但因機場跑道擁塞，延至二時半左右始起航。啓程前有新聞記者多人在接待室以此行任務相詢，由方治團長說明，我亦略加補充。

我回想：去年三月下旬及六月初，琉球大學文理學院長池源貞雄、訓導長赤嶺義信，總務長杜村圭三等，曾先後至逢甲工商學院參觀。臨行時他們知道我即將動身赴日美考察高等教育，曾邀我經琉球時稍停數天訪問琉大；當時我因日美的考察日程業經排定，未便變更，只好婉謝他們的好意。去年八月我考察完畢返國，再度接到琉大校長邀我赴琉訪問的函件，又因校務繁忙，亦未能成行；曾函復俟將來有適當的機會，當赴琉一行，以答謝他們的盛意。此次參加訪問團前往，深以得踐對他們的諾言，而覺快慰。又想起訪問團此行，我雖担任副團長的職務，但事前各項籌劃，均由方團長負責主持，我個人沒有盡力，內心頗覺不安。

空中飛行約五十分鐘，於琉球時間（比台北提早一小時）下午四時半左右抵達那霸機場。機上招待人員領我們優先下機，以示禮貌。走出機門，我們見到盛大而熱烈的歡迎行列，深爲感動。我們接受獻花和掛上一串貝殼做的項鍊之後，中琉協會宮城仁四郎會長介紹我們和琉球朝野人士見面，其中有琉球政府小波藏政光副主席，立法院長嶺秋夫議長，和教育文化界工商界知名之士百餘人。此外，高舉着歡迎標語的僑胞和琉球大學中國語俱樂部學生，其熱情更令我們難忘。我們在進入貴賓室會見記者之前，先向他們一一握手道謝。

琉球朝野人士對訪問團的熱誠歡迎和接待，除了抵達機場時所見的場面之外，還可以從下列一些事實中窺見一斑：

（一）琉球政府、立法院、那霸市政府、琉球大學、沖繩大學、中琉協會、商工會議所、工業聯合會等機關團體聯合舉行歡迎酒會，政府首長和民間各界領袖人物都應邀參加，盛況空前。

（二）在訪問期中，每次團體來往行動，均派有警車開路，我們乘坐的幾輛汽車，右前端也插着中華民國友好訪問團小旗。

（三）我們居停的東急旅館，在大門前的三支旗桿上，正中央一支升起我國國旗，兩旁是美國國旗和日本國旗。

（一）

兒時伙伴捕蛇人

揀言

「讀書人，這就是你的毛病，每一句話都要爲它找一項理由。」王狗忽然主動的說。

我白了他一眼。順手在路邊摘了一片竹葉，放在嘴裏，儘量模仿着童年時候使它發出鳥叫聲的動作，却怎麼也吹不響。眞的覺得舌頭和嘴唇，甚至竹葉，都完全不是那麼回事了。

「你對蛇的認識竟究有多少？」王狗又問。

頓時我的優越感便像寒暑表上的水銀柱般，由心底急遽升上去，便以一種文雅的聲音，將我記憶中的片段知識，串成一串珠圈：

「蛇，俗名長蟲，無足，卵生，腹背有鱗，屬爬蟲類。分有毒無毒兩種，棲低濕之處，熱帶尤多……。」

「你覺得牠怎麼樣？」

「陰險，刁滑，加上狠毒。」我說。

王狗又笑起來。許是烟跑進氣管裏的關係，接着便咳嗽不止，好一會才平息。

「你笑什麼？」我問。

他說：「笑你爲什麼把牠形容得那樣壞。」

很長的一段時期，我們沒有交談，而走着寂寞的路。到了岔路口，他停下來對我說：

「從左邊走，我想到父親的墳地去繞一下。」

我點頭示意可以陪他去。他把水壺遞給我，我喝了兩大口。

在爬上一段風化石鋪成的小道不久，便到達墳地。這時，我們不約而同的看見一條灰色的蛇直踞在「獨眼龍」的墓前。王狗像在穿越馬路遇到汽車駛過，把身邊的女人突然地一把拉住一樣，我被他推到身後好幾步遠的地方。

「一條眼鏡蛇。」他說。

「打死牠！」我本能的叫起來。

他回頭用厭惡的眼光看我，我幾乎攤瘓在地上。而他却俯身向前，脚步大而舒緩，穩重得一如對神祇的膜拜。那條蛇以逸待勞，臨陣不怯。

突然間牠一躍而起，王狗的右臂就在同時像一條皮鞭似的抽過去！一切發生得那麼神秘和充滿了戲劇性。他轉過身來，眼鏡蛇的頸部被牢牢的鉗住，細長、柔軟而閃亮的身體却纏繞在王狗的胳膊上。

我走過去，在他的手腕上發現兩粒像紅色的相思豆般大小的血球。

「你受傷了？」我叫起來。

王狗淡淡的一笑。他的態度鎮靜得令我討厭。

（四）

故都冬夜憶瑣

—京仁—

不過有句俗語兒：「吃蘿卜，甜過蜜。打個隔兒，賽過屁！」這是說，吃蘿卜以後，打飽隔兒的味兒最難聞。可是吃蘿卜，叫人最痛快的，就是這一個「飽隔兒」，可誰又叫您去聞人家的飽隔兒啊！

蘿卜吃完了，剩下的皮，和那臍下的座座兒，可是也不必扔掉，當時可用水一洗，用刀切成丁兒，洒上一撮鹽，明早吃稀飯時，臨時加上一撮鹽，臨時加上幾滴兒香油，眞是最好的一碟鹹菜也！

再是冬夜，推車賣「零吃的」的，車子上，一個蒲包、一個蒲包的敞着放着，什麼零吃兒都有；另外玻璃罩子裏，放着糖果之類的東西，一進胡同兒，車子一放，用手一握耳朵，吆喝起來了：

「喝了蜜的柿子！」

「冰糖葫蘆！」

「凍海棠哦！擱拉棗兒來！」

這位推車賣零吃的，還沒有走，又一嗓吆喝起來了：「半空兒，多給！」

如果賣蘿卜的能吸引大人，這種賣零吃兒的，最吸引孩子了！所謂「半空兒」，是大的花生，都挑走了，剩下小的癟的，獨一個兒的，上鍋一炒，到嘴裏一嚼，可比大花生香多了！忙了一天的少奶奶，溫功課的學生，花兩大板，可買一大堆，燈下剝着玩，眞是別有樂趣。

再在賣零吃兒的車上，買兩大板的「凍海棠」，一個大凍「柿子」，來兩串兒糖葫蘆。有時家裏人口兒多，你買他也買，你要他也要，淨這點零用錢，還眞不在少數兒！

（四）

內部警台報字第○三一號內銷證

自由報

THE FREE NEWS

第一七四期

中華民國僑務委員會頒發
台僑新字第二三三號登記證
中華郵政台字第一二二八號執照
登記為第一類新聞紙類
（週半刊每逢星期三、六出版）
每份港幣壹角
台灣零售每份新台幣貳元
社長：雷嘯岑
督印人：黃行警
社址：香港銅鑼灣高士威道二十號四樓
20, CAUSEWAY RD 3RD FL.
HONG KONG
TEL. 771726　電報掛號：7191
承印者：大同印務公司
地址：香港北角和富道九六號
台灣分社
台北市西寧南路壹零壹號二樓
電話：三○三四六
台郵劃撥帳戶五九二二

談公與私

胡石

私是公的基礎，所以先談私。

私這個字，一直使人咀咒它，現在如果有人對它偏愛，也許人們會奇怪。一個圓形球體，嚴格說它有內外。其他事物，往往也具有善惡兩性。對金錢有人讚美它萬能，也有人說萬惡的金錢！我的朋友多被它分化。

一般人對私，未必眞能瞭解它，可能誤解它的人，比瞭解它的人為多。人們所私的，總不外動產或不動產的財物。大凡財物，都屬身外之物，而身外之物，皆有失掉的時候。大陸上千萬個被共匪弄的掃地出門的家庭，是好例證。眞正的私，是賊不能偷，匪不能搶，火不能焚，水不能滅的。像個性與情操，學識與品格，精神與聲譽，這些雖視之無形，觸之無物，顯着抽象，實人人具有。它與良心、道德、風度等，密切如攣生兄弟。人若眞正講求自私，首先應該私這些丟不了毀不掉的；這是人眞正可據為己有的。致於財物，今朝屬我，明朝屬人，不算眞正的私有。

私字的結構，是禾ㄙ。禾ㄙ也可釋為私禾。私禾的意義，不外農人重視生活之源的莊稼。時代雖在進步，假如一個國家沒有人民生活所需的食物，則人民豈能生存？民以食為天，故建國之首要在民生。農民重視稼穡，也是人生一件根本大事。準此，則人之咀咒私，私是無辜的。

胡適先生有句話說：很值得人玩味，他說：眞正的自私，就是最有益的為人。國父一生，盡瘁革命，革命目的，是把人為的諸種不平，求其能眞正的做到平等、平均、平允。也就是民富國強，晉而世界大同。國父從未為個人得失計，僅因革命的基礎，在於高深的學問，購書很多，從未置產及重視其他財物和權位，眞正做到有始有終的惟聖惟能。結果國父得到世上最珍貴的兩件寶貝，一是中華民國的國父尊稱，一是近代中華民國的聖人。古聖先賢的共通處，為人謀而忠，名譽重於生命。

天下事也眞奇，蠅營狗苟的人，總不惜巧取豪奪，至死方休，死後也一了百了，與草木同腐。有的人終生孜孜矻矻，誠誠懇懇，輕己重人，忠國愛民，結果均收穫豐碩。不忮不求，何用不臧，其斯之謂歟？

天下為公，絕對正確，尤其是民主自由的國家。天下者乃天下人之天下，民主國家，用選票總比用刀槍，顯得文明，也免了殺人盈野的慘事。至於當選人是否賢能，另當別論，那是制度與民智的問題。

公的基礎是ㄙ。ㄙ即古私字。何以公字有八種私，似乎也祇能意會。古人造字，往往很含蓄，讓你體會着猜。

顏淵問仁，孔子說：「克己復禮」。顏子聰明裝不懂，又問其目，迫的孔老夫子又說：「非禮勿視，非禮勿聽，非禮勿言，非禮勿動。」顏子明白了仁與禮的關係，後人也沒困惑。另外一位是裝聰明的曾參，孔子說：「吾道一以貫之」。曾子搶着說我懂。及同學問他，是什麼意思，他頗自負的說，忠恕而矣。兩千五百餘年，我們跟着他喊：「夫子之道，忠恕而已矣。」事實夫子之道是否就是忠與恕，已乏人證，但忠恕乃曾子之道，那一點沒錯。至於顏曾的程度如何，不說大家也知道。

前面談私，曾提及品格。凡公職人員，均應具備好品格，始克忠誠不逾，福國利民。如缺乏優良品格，即令制度完美，也會運用法制的漏洞，刁難拖推，更談不到愛民便民。反之不貪污枉法，不妨衡情量力，斟酌實際情形，遵照蔣總統昭示，因人、因地、因時、因物的制宜一下，那人民就有福了。

公，係屬於事有終始的範疇，決不可祇問耕耘不問收穫。對國事最好一分耕耘十分收穫，目標要遠大，手續要簡便，有「寧使一家哭，不使一路哭」的氣魄，明白人民乃國本的意義，萬不可處處為政府方便，不計人民的感受，失了人民向心力，是不妥的。

一個好品格的公僕，不僅四通八達，無往不利，也可名揚八方，受人尊敬。站在公的立場，做事公平，待人公道，如醫之療疾，祇問病的需要，不計病人身份。動機在於利民，目的在於福國，計畫宜周詳，考核須認眞，如此謂之公事，謂之幹部。

在道德方面，有所謂公德心，而公德心也是克己的自愛。人祇有自愛始能愛人和被人尊重。凡國內之物資，無論公私所有，俱屬國力，人民多愛惜一分物力，在復國聖戰中，就多一分勝算。有了物資國有的觀念，自然產生公德心，發揮大公至正的精神。如果說私屬於知，那末公就屬於行！

無孔不入

拿手好戲

今日与明日

毛共作孽自取滅亡

俗語說：「天作孽尤可違，人作孽不可活。」

我們反共的中國人是中國傳統文化孕育出來的黃帝子孫，對唯物邪說簡直是一點無法印入腦筋。「因果報應」雖係佛教的說法，但與中國文化完全沒有相悖之處。因為這種觀念，完全是符合科學原理的觀念。我們就因為基於這種觀念，認為毛共一定垮台，並且其完蛋的「大限」不會太遠。不然，有數千年傳統的優秀中國文化，則要完全被否定，歷史也要重寫。罪惡之尤的毛酋在「詩」中所「自豪」的「敢叫日日換新天」，那不過只是一種狂人的幻想而已。

說起來，眞是「天公地道」。內外已面臨杌隉不安的毛共僞政權，已在嘗受它自己「創造」的苦頭。毛林小集團，利用「紅衛兵」暴亂，企圖在上層統治那一小撮人中清除反毛「當權派」，進一步更企圖通過紅小鬼的所謂「革命串連」，在「以階級鬥爭為綱」的原則下，於到處「造反」中將所有所謂「黑五類」份子──「地主、富農、反革命份子、壞份子、右派份子」完全按圖索驥，予以徹底清除，以求達到其所謂「人民江山」永不「變色」的幻想。

眞是「人算不如天算」。毛林二酋率其一小撮爪牙於八次「接見」一千一百多萬「紅衛兵」後，儘管大喊「形勢大好」，並改變所謂「革命串連」方式，由過去的免費利用交通工具到處亂串改為「徒步長征」。可是，曾幾何時，毛共又通令全「國」，指示各地「紅衛兵」於「明年春暖」前，所謂「革命長征串連」，於現階段只是「試行」，也就是要求局部停止。這實是基於下述兩項原因：

一、今冬大陸天氣奇寒，在止於毛酋第八次「接見」「紅衛兵」的期間，因病或凍而死者，保守的估計也在三十萬以上。這些誤認「爹親娘親沒有毛主席親」的「紅衛兵」，可以說是一批毛共「教育」出來的完全沒有人性的可憐「畜牲」，他們在「造反」中，按照毛酋「科學」的預定要把百分之五的反毛反共中國人「堅決、徹底、乾淨」地清除。到處殺人，被殺者已不可勝數。這筆血債，還未等我們反共的中國人回到大陸去清算，「天」已先譴責他們了。

二、「紅衛兵」在毛林小集團心裏，認為是一支完全可以利用「鎮反」的「突擊力量」，可是，「當權派」也「以其人之道，還治其人之身」，他們也組織「紅衛兵」與支持「毛幫」（毛酋的一幫）的「紅衛兵」對抗。從而不斷的發生「紅衛鬥紅」事件。在不斷的流血衝突中，被打死打傷者也許比病死、凍死者為少，但其數字之大也是相當驚人的。如果仔細一讀最近北平出版的十五期「紅旗」雜誌以「奪取新的勝利」為題的社論，已可充份看出毛林小集團在天怒人怨下已步入絕境，其形勢之糟，是在毛共禍國殃民史上，也該算是前所未見的「創舉」吧！（何如）

談自由

可恥的形式主義

馮正先生

個人注重形式主義的，其性格一定是僞君子眞小人型，一言一行，皆以譁衆取寵為能事，一派虛矯之氣，不堪寓目。社會大衆如其崇尚形式主義，那社會便陷於「封閉」狀態中，政治上必然盛行官僚主義，凡是勇於負責、有所不為的血性人物，即成為不合時宜的時代棄兒，而以「混過去」（Muddling through）為立身行己的準則，相率置理亂於不聞。

形式主義在政治上的具體表現，不外幾種：

一是開會為服務之本，請示為負責之本。事無鉅細，皆得召開會議，發言盈庭，紀錄成帙，然其結果盡係議而不決，決而不行，行而不通，只要有會議紀錄可查，就算是工作成績了。若遇到非執行不可的事項，又怕負不起責任，影響作官前途，怎末辦呢？有辦法，向最高當局請示！事情做好了，當仁不讓，自我矜誇，蜚黃騰達指日可期；事情做壞了，那是上面的吩咐，與我無關，說來振振有詞，證據確鑿。

二是一窩風的假動作，自欺欺人。例如最高當局提倡政治上要有「新速實簡」的作風，於是乎大家哄然附和，張皇幽渺地舉行各種會議，制定「新速實簡」的工作計畫，向外證佈，以廣宣傳，表示對領袖的忠忱。實際上依然我行我素，遇事因循敷衍如故也，延宕推諉如故也，繁瑣刁難如故也。開始那種一窩風的動作，目的只在朦混高高在上的個人耳目於一時，所謂可欺以其方也。

三是標語、口號滿天飛。公廨的門楣上，市街的牆壁間，公開汽車的外殼中，乃至於通衢大道旁的電桿和鐵塔上，到處貼滿了各種美麗的標語，任何大小集會中，照例狂呼各種好聽的口號。可是，誰也不把這些標語、口號當作一回事，反正老百姓不敢要求兌現，官兒們心照不宣，烏龜不笑鱉，大家泥裏歇，國家事，管它娘！

形式主義的政風如不剷除，官僚主義即根深蒂固，無可搖撼，憑着形式主義而欲摧毀共黨的暴力政權，復興國家，可能嗎？可恥的形式主義，可怕的官僚作風，這是相輔相生的毒瘤，必須忍痛割掉，國家纔有希望。

訂正：郭甄泰先生所撰「從美俄對中共戰爭態勢之形成看反攻大陸」文中，有「日耗三百餘萬美元」字樣，係「日耗四千餘萬美元」之誤。特訂正。

南越醫葯缺乏疾疫流行

全境合格醫師僅九百名

其中七百服務軍中及政府醫療機構 民間祇得二百名嚴重情形可想而知

（西貢通訊）越南外抗共產軍事的侵略，內壓反政府份子的擾亂，外憂內患交相煎迫，可說是處境困難，任重道遠。為了軍事上和政治上的緊張情形，造成了越南方面的軍書旁午的局勢，殆無暇顧及其他的問題。例如衛生措施、醫藥服務及社會工作等，均為目前當務之急，需要友好國家予以大力的支援。

今日越南方面的衛生措施限於環境，因簡就陋，這是無可諱言的。越南民間各種疾病均有發生，而其流行的程度與死亡人數，卻未有詳細的研究和紀錄。化驗室從事的化驗工作並不多。民間的食水來源大部份不清潔。受過科學的醫藥訓練的醫生太少。許多越南人患病時得不到適當的治療，每至無可救藥。

美國政府援助越南不遺餘力，除軍事和經濟外，且亦兼顧醫藥服務和社會工作。越南方面正在積極進行多項衛生措施，以求解救民間疾苦。

依據美國觀察家的揣測，他們認為在越南出生的小孩子的壽命平均只有三十五年長。一歲以內的嬰兒，其死亡率為百份之十至百份之二十七點五。即每一千嬰兒中要死亡一百至二百七十五人。美國的嬰兒死亡率，則為一千人中死二十人。

越南的人口約為一千五百五十萬人，現今人口的增加比率每年約三十萬人至四十萬人。估計越南方面受過訓練的醫生約九百人，那就是說每一七，二〇〇人中只有一個醫生，或是說越南每一個醫生要照顧一七，二〇〇人。而其實，這九百個醫生，有七百人乃在軍中服務或受聘於政府的衛生機關。他們大多數都做黑市醫生，兼營私業；政府對此不加干涉，因為越南醫生欠缺，人手正在青黃不接之秋。

西貢大學醫學系每年約有畢業生一百五十人，加入政府的衛生機構服務。該大學醫學系已有新校舍，由美國政府建造，並增強醫學方面的建設性的課程。若使政治方面沒有發生什麼重大的影響，順化的一所規模較小的醫學校明年將有第一班的學生畢業。此一醫學校為西德與加拿大資助的。

由於美國以及自由世界一些國家的援助，越南民間的醫藥服務乃得以向前推進，力謀發展。現由雅各堪富利將軍為主持人，美國正在陸續派遣醫藥服務隊前往越南各省市的大醫院担任工作。每一醫院派有服務隊一隊，每隊包括醫生三人，及女護士、技術人員暨隊員總數三十人至五十人。堪富利將軍乃由美國國際發展總部向空軍方面商借的，以便為美國軍事團進行指導越南民間的醫藥工作。

對於越南人民健康最大影響的疾病，乃為：眼病，腸胃病，營養不足，瘧疾，痲瘋，霍亂及肺病等症。

增加這些疾病問題之複雜的更有軍事行動方面的許多傷兵問題。市省醫院裏的病人，傷兵佔了一大半。這許多傷兵需要醫院裏外科設備的百份之八十的人力與物力，剩下可供市民療治的醫藥就有限了。

對於越南醫藥服務方面的一個動力，即為今年春間美國的志願服務團籌有一筆國際復興基金，會與美國國際發展總部成立協約，以資助越南的醫藥設施和社會工作。他們的既定計劃在於組織一個機構，為人數約五百名的越南老弱殘廢的軍人服務。此項計劃包括在紐約訓練越南籍醫藥服務及社會工作人員五十人，將於最近數星期中回去越南，開始工作。

和他們同行者尚有醫生二人，女護士以及技術人員等。此一計劃對於越南醫藥工作大有裨助，社會方面受益亦多。

最近有一位澳洲女子潘芝華絲小姐將往越南服務，她的偉大的同情心使人欽敬。她為澳洲高級商務專員的女公子，在一次旅行越南時看到了硯港孤兒院的情形，心裏受到感動。她決定要在越南工作一年，和越南的孤兒住在一起。

她說：「我在越南時將致力於社會復興的工作和醫藥服務的事宜。我將住在硯港的孤兒院裏，和孤兒們共同生活。」

「我雖不是一個有經驗的女護士」，她又說：「但我覺得我多用一些時間和孤兒們在一起，必定有所裨助於他們的。」

中縣工業發展策進會新猷

——本報記者台中航訊——

台中縣最為人們歡迎的機構，可能是「異口同聲」的說——「台中縣工業發展策進會」。該會純係服務性質，工商業界人士對之無不有口皆碑，他們曾經送給該機構一個雅號——「工商褓姆」。

台中縣工業發展投資策進會成立於民國四十九年。該會的宗旨：是替投資人服務。服務的項目很多：

稅捐問題。

工商登記問題。

土地問題。

募集員工問題。

勞資糾紛問題。

生產技術及貿易問題。

修改不利於投資法令問題等。

該會服務的辦法也非常簡便，只要貼上五毛錢的郵票，把請託信投入信箱就行了。該會接受請託信後，便可依照請求的內容安排日程，派員訪問，對於困難問題詳細了解之後，再進行解決辦法。

該會近年最有成就的實例，也是台中縣眾民所熟悉的，其犖犖大者，如下：

（一）爭取公賣局所屬遠東最大啤酒廠設於台中烏日。

（二）協助民豐化學工廠排解糾紛，完滿達成。

（三）協助興農化學工廠購買廠地及疏通地主地價出售土地。

（四）協助大豐廠大農機械工廠推銷產品。

（五）策動各廠商參加國貨展覽，及參加國外產品展覽等事項。

（六）協助金永勝鋼鐵公司實行品質管制及技術外銷。

（七）舉辦工商聯誼會，促進技術，改良組織，並組織同業產品推銷小組，爭取外銷市場。

（八）協助工商企業將有關問題轉請經合會及中國生產力及貿易中心，給予輔導與改進。

（九）開發工業用地，誘導企業家到本縣投資，九年以來誘導許多工廠，工業用地完成建廠。

（十）協助廠商招募工人，均收到良好的效果。（王永亭寄）

但邇來台北地方法院檢察處函請逮捕民意代表至再至三，而各民意機關處理程序則甚分歧，有鼓掌通過者（立法院），有審議三日者（省議會），有討論三小時半者（監察院）。本（監察）院以為本院委員如果觸犯刑法嫌疑重大，自當許可執法機關將其逮捕或拘禁，但其涉嫌之情形及重大之程度，應由申請機關加以釋明，以為本院審議及許可與否之依據。」

偵查不公開指公衆而言

所謂偵查不公開：陶委員認為：「偵查應守秘密亦即刑事訴訟法第二二四條所謂『偵查不公開』，顯指對公衆之保密或不公開而言，例如偵查庭不准旁聽。至監察機關如有查詢，監察院如加以調查，檢察處自不得以偵查不公開為藉口而予以拒絕。」他列舉事例說：「民國四十二年司法行政部林故部長（彬）曾圖以偵查秘密為藉口，拒絕監察院對檢察處之調查。後經行政司法院及本院各派代表三人至五人會商決定：由行政院予以糾正。且事實上林故部長之企圖自始即未實現。監察院就偵查中之案件實施調查，包括向承辦檢察官查詢案情或調閱案卷……從無一檢察官以偵查秘密為藉口而拒絕調查。」

陶委員的話，含意很深，因為這個問題涉及法統問題，誰願負歷史責任，作法治史上的罪人？

透視立監委涉嫌油商行賄案 十八

從立法院暨監察院第十四次臨時會決議案說起

——本報記者張健生

我國尚沒有國家賠償法

民主國之憲法中訂有「除礙」原則，保證憲法中基本權利之確立。如何使權利保障能夠切實而不流於徒具虛名？則為冤獄賠償及國家制賠償度。所謂冤獄賠償制度，是防止法院司法人員濫用權力而蹂躪人權所訂；人民因國家行使司法權力的錯誤而蒙受冤抑，即應由國家賠償被害人之損失。我國亦已有冤獄賠償法。但依我國憲法第二十四條規定：「凡公務員違法侵害人民之自由或權利時，除依法律受懲戒外，應負刑事及民事責任；被害人民就其所受損害，並得依法向國家請求賠償」。憲法既規定「並得依法向國家請求賠償」，則應有國家賠償法的制定。今事實上只有冤獄賠償法，未見國家賠償法，是則與憲法立義，頗有不合。

因此，立監兩院應負起催生任務，並早日完成國家賠償法之立法程序。

防法官濫權 法律有明文

我國為杜絕司法官濫用權力，侵犯人權，並切實保障自由權利起見，許多法律都是本諸「除礙」原則而立的。例如，刑事訴訟法第二〇七條第二項有檢察官「實施偵查，非有必要，不得先行傳訊被告」。「在檢察官認定犯罪事實提起公訴前，嫌疑人犯之姓名、住址及其關係人，除應依法通知者外，不得向外洩露」（偵查罪應行注意事項第二十四條）。因此，刑事訴訟法第二二四條規定「偵查不公開之」。假如檢察官或司法警察人員不保守公務秘密，而向外洩露偵查秘密，即以刑法第一二三條「公務員洩露中華民國國防以外應秘密之消息者，處三年以下有期徒刑」論處。所謂偵查事件，概不公開；在偵查中固不以被告到案為必要，但遇被告不能到場或有其他必要情形，亦得就其所在訊問。」此為刑事訴訟法第二二五條所明定。

論者謂：偵查不公開之原則，立法意旨，係在保護被告之權利，以免外人獲知偵查內容；尤其新聞記者獲知偵查內容，對外散布，甚或輾轉訛傳，而該被告有無涉嫌，應否訴追，均尚有未定，但經對外散布之結果，難免使其名譽地位，蒙受不利影響，故法律禁止「公開公衆」，即對不特定之公衆，應予秘密。

鬼才洪波東山再起

執導國聯地下司令

（本報台灣特稿）耗資將達新台幣五百萬元的香港國聯影公司新片『地下司令』，經過近年的策劃，至上月中始告完成，並於十一月廿五日正式開鏡。

『地下司令』是名間諜小說作家鄒郎的成名作，與『死橋』、『長江二號』同時轟動文壇。三年前『地下司令』曾同時在台北的『公論報』、越南的『越華日報』、新加坡的『新生日報』連載，備受讀者歡迎，迄今曾先後發行六版，此刻書店報攤皆被搶購一空，皆告沒有存書。現在鄒郎正在積極籌備印行第七版，短期內即可應市。

『地下司令』在開拍電影前，李翰祥曾親自主持『紙上作業』，對故事的構造、人物的安排均有精詳的研究和考據，最後重禮聘鄒郎親自撰寫劇本。國聯公司對『地下司令』一片的重視，由此可見一斑。

『地下司令』是『影壇鬼才』洪波東山再起第一部執導的作品，他曾公開表示：「我願盡最大的努力把這部片子拍好。」洪波並說：「我不會拿自己的聲譽和自己過不去的。」

『地下司令』的卡司脫將是國聯公司繼『幾度夕陽紅』後另一部大堆頭作品。而且不少新近招考的新星，也將在這部新片出現，與期待中的觀衆見面。

在職員方面：出品人兼策劃導演李翰祥，監製趙百川，製片汪實備，音樂李林。

在演員方面：（主要部份）

楊群飾張振國：少將特派員，軍事情報之負責人，化名頗多，日人懼稱之謂『地下司令』。

伍秀芳飾尚潔：亦名尚茉莉，梅花工作站的二十號，潛伏在日本特務機關的反間諜，美而艷。

劉維斌飾林菊生：梅花工作站的十二號情報人，膽識過人，尚潔

朱牧飾有島武郎：日本在武漢特務機關的負責人，心狠手辣。

李虹飾山田襄：日本間諜，有島大佐的女秘書，風姿撩人。

李登惠飾郭姐：四號，以尚潔女傭姿態出現，保護尚潔，傳遞情報。

孫越飾高橋：武漢日本憲兵隊長。

韓甦飾莫九如：梅花工作站長，武漢地區主腦。

田野飾李策：七號，梅花工作站行動組長，粗獷忠實。

佟林飾伍少林：偽省政府特務隊長。

洪波飾黑澤：日本「中國派遣軍總司令」情報主官。

金滔飾劉瑞香：梅花工作站情報員。

馬驥飾葉蓬：偽武漢警備司令，略有骨氣。

魏煒飾莫杰：偽省政府特務隊副隊長。

白雁飾趙小紅：梅花工作站情報員。

朱莎飾劉小青：梅花工作站情報員。

瀛海異聞

名畫多次被刼無恙歸來

桑雅

中世紀時代比利時兄弟畫家溫意克合繪的「羔羊的敬崇」，不獨是世界上最偉大的繪畫之一，同時也是被刼掠過最多次的名畫。它雖屢次失蹤，但後來又會在比利時珍特城的聖巴溫大教堂再次出現，無恙歸來，好比出現聖蹟。

那曾舉行多次慶祝它回來的慶祝大會，最顯著的，是在滑鐵盧戰役之後，是第一次世界大戰結束，對上一次是在第二次世界大戰，艾森豪將軍也親臨參加。雖然自後再沒有什麼變化，但是近年來盜竊珍貴的美術品的歹徒猖獗，所以比利時總是擔心吊胆，妥作保護。

其中在那十二個畫框合而成爲一大幅圖案的那個，即是在左下角的第一個名叫「公平的審判者」是仿製的，因爲原畫框在三十年前已失蹤，乃被那間教堂的一個低級職員所偷走，在他死前都沒有說出它的下落。它被許拔與珍溫意克兩兄弟，乃十五世紀早期的比利時畫家，「羔羊的敬崇」乃他們的傑作。原係當時的法官及銀行家佐斯韋德向他們定製的，來做他的私人教堂的祭壇前鑲嵌的圖案，傳說溫意克兄弟有將韋德夫婦的面貌繪入畫框中，但在那一個畫框上，則無法查考出來。那整大幅名叫「羔羊的敬崇」，因爲最大的一幅圖，即是在下面正中的，描寫一隻羔羊被放置在祭壇上，牠的血流在一隻爵杯裏，有天神圍繞着，合掌跪拜，表示敬崇。這是照聖經所說的踰越節羔羊，即是耶穌乃贖罪羔羊之意。那幅大畫繪了多少時間才完成，始終沒有人知道，但照所見的精工繪畫，並非尋常，當需很多工作。它被放在佐斯韋德的私人教堂內二十五年後，就依照物主的遺囑，贈送給在珍特城的聖巴溫大教堂。在一百多年後，甚督教新教在珍特城得勢，羣衆衝入那間天主教堂想將走那幅羔羊畫，幸而及早防備，將它收藏在高樓的藏物堆裏，沒有被發覺。

在十八世紀之時，那幅大畫首次被分開，因爲國王約瑟二世反對在畫的兩側繪有裸體的阿當夏娃，就將它拆開，把那兩幅圖畫藏在大教堂的貯物室內。

當法國大革命時，法國軍隊在一七九四年佔領珍特城，他們決意將在聖巴溫大教堂的大畫，取出主要的四幅運到巴黎，以之放在將開幕的拿破崙博物館裏。在一八一五年，法王路易十八世將那四幅畫歸還珍特城，因爲當拿破崙從阿爾巴島逃出來後，路易曾逃到珍特城避難，得到當地官民的盛意招待，故在滑鐵盧戰役之後，那羔羊畫就被送還珍特城，以表謝意。

在那個時期，那兩翼被收藏在貯物室的畫屏又再取出，合併起照原來的樣式。但不久後，聖巴溫大教堂的主持又再將阿當與夏娃像圖拆出收藏，其他部份出售給比京布魯塞爾的商人，隨又轉售給一個名叫蘇里的英國人。普魯士國王買了蘇里所玩藏的名畫，他將那幅羔羊畫贈送與柏林博物館展覽，比利時人殊爲忿怒，那幅大畫在第一次世界大戰期內是分解開來，直到凡爾塞條約簽定後德國人被迫要將那六幅畫框送還於比利時人，在不久後，聖巴溫大教堂的一個低級職員將其中一個畫框偷去，空的位處，迫要補上一幅仿繪的圖畫來代替。

在第二次世界大戰發生後，珍特城市民想保存他們的最珍貴的畫，就將它運到法國南部的波城去，法國政府答應代爲保存。但不久納粹已蹂躪比利時和法國北部。法國盧浦耳博物館館長朱渣急跟負責保管在法國文物的德國陸威上校溫蔑達爾殊伯爵議定，在波城的畫不能隨便移走，除非得到上校本人、朱渣和珍特城市長的聯同簽名。但這個計劃不能實行，在一九四二年八月，四個德國軍持着法國維希傀儡政府的教育部部長般納的函件，要波城博物館館長不得不從命。朱渣向般納交涉，反遭所辱；他又向溫蔑達爾殊抗議，不獨無效，而且被革職送到俄國前綫。

當戰爭結束後，美國大兵在奧地利近薩爾斯堡城的鹽鑛場內尋出一個箱子，裏面裝着十一個原本的畫框和一個仿製的；在不久後舉行一個特別的慶祝會，艾森豪將軍特去參加，羔羊畫再次被送還比國了。

歐洲國家的耶穌誕

依樺

由於時代的演進，聖誕始漸深入民間，不再是宗教節日這麼簡單，火雞梅子布甸等食物，便與這個節日分不開了。

北歐國家的人民對於聖誕倍加熱鬧，因爲那邊大雪的日子多，而且地方是位於北方，聖誕前夕，他們便先把屋內打掃清潔一番，「曲其」餅，便是在這個期間推出來的了。

在德國，聖誕樹上幷不掛禮物，它們堆在樹下，或放在附近的台上；在未交換物禮之前，大家必須唱歌，包括「平安夜」之類。

在荷蘭與比利時，十二月六日通常稱爲「聖尼古拉斯節」，這完全爲兒童而設的。這是說，待兒童高興一番才正式讓成人歡度聖誕。在廿五日，宗教的色彩很濃厚，在每家每戶，往往均以餅糕及朱古力款客。

所謂聖誕老人，便是聖尼古拉斯。據說他是三世紀時代的人，原是一位主教，專喜歡在年底偷偷把禮物贈給人們，這傳說一早便在北歐各國流行，他們的聖誕老人每每騎一匹白馬，在屋頂上跳來跳去，然後在人們不覺時，把玩具與糖果拋下。

在西班牙，就有不少人遵守聖尼古拉斯節的，一樣是十二月六日。

在法國，聖誕節也很熱鬧，聖誕前夕，人們常找人扮三王，把他們接進城裏來。每年巴黎，全城燈光皆堂皇，不少人爲着慶祝救世主的出生，到處載歌載舞，放蕩形骸。比較之下，意大利聖誕，寧靜得多了。

別以爲聖誕節必離不了雪，赤道以南的家都是舉行熱聖誕的，其精神幷無差別。（下）

眞假大盜

嘉陵譯

當我喝第三杯酒的時候，一部汽車在酒吧前停下來，接着，一個年輕結實的漢子走進來，他顧不及大熱天時還戴着帽子和穿着外衫。我曉得他從猛烈陽光中跛進來，視綫一定很模糊，而我望向他那兒，則十分清楚。酒保張大了眼睛，喁喁的自言自語說。

這個剛進來的年輕漢子，沒有聽到酒保在說什麼，只有我知道他在說：「夏理．梅菲」。我留心的看看對方。根據收音機所供給的資料，不大詳細，只說夏理梅．非，身高六呎，重一百六十五磅，黑髮，懷着武器，應該提防。因他是個危險人物。然而這樣簡單的資料，實在不知多少人能符合。那些與這匪徒相類似的人士，聽了這則新聞，必感到惶惑的。

他漸漸行近酒吧來，但是沒有坐下，他忙伸手進袋裏，那個酒保竟爲之給嚇了一跳。瞬間他拿出一些輔幣，向酒保說：「給我一杯啤酒」。

酒保的目光始終沒有移開那人身上，他如命的端了一杯啤酒來。

但是酒保却沒有把台上的銀幣拿去。我們彼此注視着這個男子喝着啤酒；突然我發現他並沒有向前面直望，而是望向那兒的一面大鏡子，藉鏡子的反映，暗中窺察我。他喝完這杯酒，輕輕的把杯子放下。這個時候，他敏捷從腰間的皮帶槍袋，抽出他底配槍。現在我才明白他爲什麼穿起外套，原來是藉此掩飾腰間的配槍。

「老卜，別驚惶！我不會傷害任何人的。」年輕漢子握着槍對酒保說。接着他回顧着我，向我吆喝起來：「喂，你這個老友，伸手慢慢的拿出你的銀包，放在台上，然後下來，到我這兒。你，老卜，轉過身去，將收銀機裏鈔票，全部拿出，一同放進這位老友的銀包裏。你們兩人的另外一隻手，放在台上，這樣我可以淸楚看到你們沒有異動。」

他的手槍，在我們中間指着，這樣可以監視我們。在手槍的威脅下，我伸手緩緩的摸摸口袋，酒保則按動收銀機的鍵子。

「不用慌忙，老卜，我也不趕時間。要是你慌慌張張，那末在日落時也無法開動收銀機的抽屜了。」握槍的年輕漢子，不但鎭定得很，而且很幽默。然而他的雙目，烱烱有光，銳利的看着我們。

酒保遲疑了一會，終於把收銀機的抽屜朝我那兒去，裏邊的鈔票不很多。但是那漢子沒有看看抽屜裏究竟有多少鈔票，只吩咐酒保說：「老卜，給我全拿出來。而你這位老友，別把銀包緊得那末緊，拿出來讓我們看看。多錢的，是你的光榮。」

我無可奈何的將銀包從袋裏拿出來，而酒保也在這個時候，將抽屜的鈔票，悉數捧出，放在台面。我的銀包相當張滿，自然欵項也不少哩！我一直留意對方的動作，以便伺機行事。

持票的漢子看着台上的鈔票，正擬上前用其他一隻手去拿的時候，我看準這個機會，即將台面近着我一隻手的我底銀包，猛力的擲起，銀包迎他的面頰飛過去。

這突如其來的動作，使他驚惶失措，本能地揚起雙手，以擋來物。他以爲那是個玻璃瓶，他那根手槍的槍嘴，早已指向天花板；我趁着這機會，以迅雷不及掩耳手法，揮拳向他擊去，接着把身子一低，發力以肩撞向對方的肋骨！那個年輕漢子，無法抵禦我的連環進攻，頓時吱呀呼痛。我一手握着他那隻拿槍的手，並且發力將槍壓於他的頸喉的位置，我控制了整個局勢。（二）

新三國

這是曹操篡奪的安排；這樣做法，另一作用便是安全，可以高枕無憂地爲所欲爲。他的魏公的地盤就有十郡，東吳孫權才只九郡的土地，魏公竟有十郡之多，他尙且口口聲聲說他不想做皇帝，諉言以欺天下人的耳目。不是早死幾年，曹操必然篡漢。雖然他終身未能篡漢，是他少活了幾年。他的兒子做了皇帝，他不也是「武帝」嗎？雖然沒做到皇帝，他的魏王比天子更威風，皇帝反而成了他御用討伐的工具。

曹操如何平定漢中，在此應補述一下。建安二十年的三月，曹操始向漢中張魯開刀了。大軍到了陳倉，（在今陝西寶鷄縣東二十里）要假道氐人的武都進攻張魯。氐乃稱槃瓠之後，或名靑氐，或叫白氐，或名蚺氐。靑、白氐乃是依其服色而名之。氐人不讓曹兵通過，於是命張郃、朱靈二將率兵攻破之。到了夏天四月，曹操出散關，（在今陝西寶鷄西南，不是大散關）進駐河池，（今甘肅徽縣西）氐王竇茂率衆萬餘不服，五月曹操攻破之，全部屠殺一光。駐在西平、金城的麴演、蔣石等，殺了韓遂，送了頭來獻給曹操。西北的軍閥又去掉一個。同年秋七月曹兵到了陽平關，（在今陝西沔縣西，漢水之北）張魯派了他的弟弟張衛和部將楊昂等，據守陽平關，橫山築城十餘里，曹操圍攻幾次都沒有攻得下。於是詐引軍退去。張衛的守軍見曹兵已退去，防守疏忽。曹操派了解慓、高祚二將，乘險夜襲，大破張衛之兵，斬了部將楊任。再攻張衛，張衛在夜裏潛逃。於是張魯的防守大潰。張魯跑到巴中（今四川巴縣）去了。曹兵進抵南鄭，將張魯的府庫珍寶全部搜盡。於是漢中張魯之割據一方又平。

張魯在巴中駐了半年，到十一月，張魯率了他那一萬多人馬向曹操投降。他和五個兒子都封了列侯。留了夏侯淵守漢中。到建安二十一年曹操班師回鄴城。

五八　孫仲謀進軍攻合肥　張文遠威鎭逍遙津

曹操豈是知足人物，他得了隴自然是望蜀的。司馬懿和劉曄的建議自然是大有道理，不過是比較冒險一點。曹操拿下漢中之所以遲疑不進，當然有他的顧慮，第一是四川天險，糧草運輸十分艱鉅，萬一糧道斷絕，孤軍深入，非常危險，縱然沒有諸葛亮亦不太簡。第二孫權在東邊，如果一見曹兵入益州，一定會攻合肥。如果諸葛亮截斷曹兵的歸路，孫權正好由合肥進兵許昌；許昌和鄴城都是曹操的根據地，許昌一完，什麼都完了。而且荆州的關羽，也在荆州向襄、樊發展，如果荆州和江東二路齊發，大勢將不可收拾了。

就在曹操想入益州的時候，恰好孫權也出兵攻合肥，孫帶了十萬大軍而來。孫權也是見到曹操遠出漢中，乘機而來。他這樣一來，也間接幫了劉備的忙。

合肥的緊急軍情，曹操早已知道，曹操寫了一封書信給合肥守將護軍薛悌，信封上寫着「等敵人來了再拆」。（九十二）

黃鶴樓大唱

近來碰到友人，常爲我言，爲什麼名票彩串，所用文場，過於隨便安排，以致不能發揮頂峯？我說：他們登台，喜用那位琴票，我不能建議另請，因爲有規定要用團中人，其實北市琴票極多，要請一位也不困難，既非籌備人員，無從借箸。不過不好，你可不聽，友人唯唯。（全是事實）

一日，國劇欣賞會演出，大軸黃鶴樓，是極少見的事，不過全是名家，即能開動雲李熙的劉備，孫雲岩的孔明，鍾啓英的趙雲，李景剛的周瑜，張平堂的張飛，呂沅燕的魯肅，表現得都很好，爲的是北市名家。這齣戲根本很難討好，既列大軸，必須有好手，方能將各位唱腔，托得極妙，每個有勁！相信如有杜敬成郭令旺等，必至精采滿堂！客觀的來說，這位文場，似不高明，使此戲打了折扣，恕我妄言。操琴在弓法既熟，則手音大有尺寸，揉絃有輕重，其發音悉在手勁與指尖，熟能生巧，爲不二的要旨，未知以爲然否。

國劇繽紛續錄

（一三五）娑婆生

中友的會談

中影公司龔弘先生，在廿六日下午假中國之友社，邀請文化劇藝的士女，約有四十餘人，舉行座談，商討如何推動文化復興的措施。不過幾位名伶，皆噤若寒蟬，因爲無從說起。可是有一種相同的心理，也就是演電影有國家出資力供拍片之用；軍中劇團有主管單位給以經費；但是民間團體，有何財力，來推動這因復興而演出有關社教的戲劇？第一點：自己掏錢來辦戲，要納捐稅，却無補助，賣座很高，尚有可觀，不過賠貼的也不少。一次賠，二次賠，祇好畏縮不前。第二點：如中華國劇團，他們有十餘位委員，多是財主，把紅票一分，一場戲得三四萬不足爲奇。但是一月之中，有六七場，委員也有些頭痛，爲了收下來的票，無法去送人，以朋友多不想看。半年以來，每月開支七八萬，祇不容易賺進，好出海金，也是尋求。有實力的，尚且如此，其他先天缺乏將何以堪？因此得了結論，若不補助，要民間藝人推行活動演出，殆不可能。聞曲直生俞大綱兩位名家均在座，對此事有無錦綸妙算，來督促這項實施，願聞明教！

談到補助，先得問教育部，對於社教經費，有無定額預算？因無預算，如演出者多，將難遍施甘霖，必有望門興歎之事。如果預算不大，不如提出若干款項，存儲銀行，將所得利息，以作補助，例如一百萬元，每月有一萬多元可助。（未完）

北望故園

正德

陶潛歸去來辭的開宗明義便說：「田園荒蕪，胡不歸！」遊子，都會思鄉的。然而，我的鄉雖近，在目前，却遠似天邊，爲的是生於斯長於斯，這十里洋場的所在，就等於是我的故鄉。人，拿城鄉的相比，那邊，雖却遠不似跟我朝夕見面的朋友熟絡，投契；而且，關於前者，實在說來慚愧，有極大部份不只很陌生，抑亦相逢不相識的。這原因，就是打從我祖父年輕時起，便結伴漂洋，所以做成我們父子兩代都別井離鄉了。不過，環境移人，當這個地方在戰爭中淪陷時，我就爲了自由而奔赴到由那方面去，這就打從故鄉的邊緣經過。在那些熱血奔騰的日子中，讀書不忘救國的時候，我就在鄉村或農莊化的小城打發了幾年的歲月，迄今思之，那城鄉絕不同的風味，偶然回憶一下就頗爲有趣。

記得入冬以後的日子，一直以至於歲暮，田地上都是繁忙而熱鬧的。繁忙在莊稼人來說，一年四季，都會忙得一個不可開交；但在一冬中，可說要滲入一點熱鬧的成份，那爲收作物成熟，那爲收穫而忙的日子，比之播種時的耕耘，心情會較爲喜孜孜；而那些煮糖打穀的工作，又都在戶外，所以地上就是一片因忙而來的熱鬧。在這情形中，孩子是顯得相當幸福的。因爲成年人都有自己工作的崗位，而兒童，尤其是那些幼稚的，只是隨着長輩走，這裏轉轉，那邊走走，吃吃這個，嚼嚼那個，眞的是一幅農家豐年圖。

我曾經是這幅圖畫中一個份子。

「喲——喲。」

「喲喲喲——喲。」

這是驅牛的呼聲。牛是拖拉那些載蔗的木車的。村莊，沒有公路貫串，而且連泥路也難得有一條，只用作行人往來的，是那些因踐踏得多而成的小徑。所以牛拉車時，就吃盡土地凹凸不平的轍，往往，用盡全力都不易將陷下的木輪拖動。那個做主人的就呼喝着那種大概由祖先傳下來的聲調來催趕着牛，有時，還將鞭撻下，逼得牛兒很苦。自然，人力也用在木車上，常常，牛在前拖，人在後推，上坡下斜得相當辛勞；可是，他們不以此爲苦，因爲給收成的歡欣弄得腦筋老是只有喜孜孜的。

「老伯，我來幫你吧。」當我看見一個半百的人吃力地助牛將車把陷下的木輪脫離小溝時就那麼說着走上前。

「不要弄髒你的手了。」他在運氣用力中洩出一口來回答我的話。

「不怕。」我說着就動手助他了。

「怎好煩人客來幫助的。」有一個砍蔗的農夫放下自己的活計繼我而來幫忙中堆着笑容對我那麼說。

「只是玩玩罷了。」我答。

接着，還有兩三個人前來幫助。當彼此協同一用力，也向牛那麼「喲——喲！」一吆，木輪就脫陷溝而輾在斜坡上了。

自然，來幫助的人就要離去。不過，我却例外，因爲玩耍於同情，而至幫助那個半百的老人的力衰而徹貫始終呢。

那年，我是在一個同學的故鄉作客。

兒時伙伴捕蛇人

揀言

「怎麼辦？」我的聲音有些顫抖。

他吩咐我先用手帕紮他的大臂，我照做了。他又從褲袋裏摸出一把小刀來，在傷口處割了兩下，用嘴吮吸着，然後靜靜坐在地上。

「在我家裏長桌子上的瓷罐裏面有解毒的藥，你跑回去替我拿來，希望還來得及。」他說。

我順着來的方向跑回去，一面看錶，却忘了剛才究竟走了多久了。太陽壓在我的頭上、心上，令我沉重得錯亂。而無數的蛇影扭曲着出現在我眼前，愈來愈多，糾纏成一團龐大的黑影，突然之間，他們分解開來，首尾相連着變成一條萬丈長的繩索，王狗抓着它正攀向一面參天的削壁，繩索忽然斷了，他翻落下無底而空虛的深谷去。

四面是山，山的外面還是山。

太陽不知在什麼時候已經全被黑雲遮住，我的腳步漸漸地遲緩下來。此時寂靜無聲，一絲兒風和一聲鳥叫都沒有，我彷彿走入一個漠然的異鄉。

一隻蒼鷹在高空盤旋，我一下子想起小時候放紙鳶的事，總是想和蒼鷹比高，便不停放綫，結果風把綫吹斷，紙鳶也就飄墜到看不見的地方去；我爬上山頭去看，所看見的只是一個個其他的山頭，蒼鷹却在更遠更高的地方盤旋着。

王狗的臉孔又在我腦海中浮現起來了。我忽然覺得他愚蠢得不値得同情，他那堅定平實的態度，如果眞表示他的勇敢和泰然自若，又何必讓我回去爲他取解毒的藥呢？即使救活了他這一次，也無非是意味着，將他忍受着遭遇另一次死的威脅的時間延長罷了。王狗、蛇，死亡的恐懼，一開始便是牢而不可分的。如果我應該地尊重他的選擇，我這次讓他靜靜地坐着死去，又算得一種恩澤麼？我的腦子簡直迷亂了！

如此明朗幽寂的下午！這時鳥鳴聲悄悄自四面送過來！輓歌吧？淚水浸透了我的眼睛，我默默向他告別，而那隻蒼鷹却仍然在高空盤旋着。

（五、完）

琉球紀行

張希哲

（四）我們到達旅館不久，琉球政府主席松岡政保先生親到旅館拜訪我們，並爲他因事未能到機場迎接我們而致歉。

（五）產業和文教界人士幾次的歡宴、參加作東或作陪的，都很有份量，彼此交換意見，也十分懇摯。

二、松岡主席的餐會

十六日早晨，松岡主席在東急飯店以早餐款待我們，琉球政府副主席小波藏政光及各單位主管均參加。在他的介紹中，我才知道去年曾來逢甲學院考察的赤嶺義信訓導長已榮任文教局長。此外，如總務局長（相當於秘書長）志村惠、農林局長嘉陽宗陰、企劃局長Kenji Kudeken等，在二次大戰前都曾在台灣工作；通商產業局長久守堅（Kei Shimura），留美出身，近年曾多次來台、大家談起台灣，都相當親切。

松岡主席年約六十許，頭髮斑白、溫文有禮，談吐有學者風度。曾旅居夏威夷二三十年，受美國教育。致詞時先從中國成語「一日之計在於晨」談到美國總統的早餐會，然後強調中琉的歷史關係；復謂日前琉球政府中上級人員大部份對台灣都有深切的認識和深厚的感情，近年赴台接受技術訓練的青年，回琉球後對琉球建設的貢獻亦大；今後應從多方面加強雙方的合作，共同負起維護西太平洋地區自由安全的任務。

在閒談中，松岡先生特別提起他和我國國父是夏威夷意奧蘭尼（Iolani）學校的先後同學。我們希望他將來也成爲琉球的國父，他謙遜地說：「孫博士是世界偉人之一，我那裏比得上他呢？」不過，他接着又說：「我當選爲琉球政府主席之後，意奧蘭尼學校曾同時把孫博士和我的照片懸掛出來，學校當局且感慨地說：該校校友中在東方產生了兩位大政治家，爲什麼在美國却未造就一位呢？」

早餐完畢，我們致謝之後，即赴琉球政府大廈拜訪政府主席、副主席、總務局長、文教局長、通產局長等首要。這幾位政壇人物雖在早餐時都晤談過，但我們爲了表示誠意，仍然到他們的辦公室個別拜候，並致贈紀念品。

琉球的中央政府成立於一九五一年四月一日，政制仿照美國，採行政、立法、司法三權分立制。中央行政首長稱爲主席，過去係由美軍司令官提名，經立法院投票同意後請美國總統任命。自一九六四年第五任起，改由立法院自由選舉。主席之下設副主席及總務、企劃、警察、文教、稅務、法務、建設、社會福利、農林、勞動、通商產業等十一局。立法機構稱爲立法院，由人民直接選舉立法議員組成。最高司法機構稱爲上訴裁判所（最高法院），由首席判事（院長）一人及判事四人組成，均由美國駐琉高級專員任命。

我們拜會過行政部門各首長後，即赴立法院拜會長嶺秋夫議長和山川泰邦副議長，約定另排時間懇談，然後赴上訴裁判所拜會仲松惠爽首席判事。仲松先生在說明琉球的司法制度時指出：（一）琉球係採二級終結制，（二）上訴裁判所之下有巡迴裁判所及治安裁判所兩級法院，（三）民刑案件如當事人雙方爲美籍由美方審理，如雙方均爲琉人，由琉方審理。如一方爲美一方爲琉則由美方或琉方審理均可；不過近年此類案件，大多數由琉方處理。（四）判決最重刑罰——死刑，須報經美軍最高司令官核准後才可執行。近年判處死刑的案件只有三宗，其中兩件經司令官減刑，另一件的犯人畏罪自殺。（五）近年搶劫盜竊案件和少年犯罪日增，是司法界最感頭痛的問題。（二）

故都冬夜憶瑣

—京仁—

買來的「凍柿子」，凍得硬磚頭似的，你若想叫它冰銷凍解，一不用火烤，二不用開水澆，只用一個飯碗，一碗涼水，把柿子放到碗兒裏，有個五六分鐘，你再瞧瞧！

柿子的週遭，在燈光之下冒出一層五顏六色、花花綠綠的冰渣兒，你再摸摸浸在水裏的柿子，已是稀軟稀軟的了！吃「凍海棠」，可眞有個意思，帶酸頭，也有點甜的意思。甜酸兒之中，又帶點冰渣兒，雖是孩子們的牙齒不在乎，也有些「扎牙根」兒的涼，叫人直裂嘴兒！

大家都快睡了，屋子裏的火，也有點兒乏了。外面的風，仍不稍住，在鑽進被窩兒之前，還有位吆喝着來了：「硬麵餑餑！」可是他賣不着我們的錢，因爲吃的挺飽，買些零吃兒可以，快睡覺了，「壓床食」，家裏不吃！

有人問，後半月兒，有下街賣東西的沒有？報告您哪！沒有，絕對沒有！怎麼？

在北地的冬天，晚上鑽涼被窩兒，早起穿涼衣裳，是一宗苦事兒；誰已經就寢，聽見賣東西的來了，再起來穿涼冰的衣裳，去買吃的？

不單是冬天，就是夏境天兒，後半夜也沒有串街做小買賣兒的，很怪！

（五、完）

自由報

內僑警台報字第〇三一號內銷證

THE FREE NEWS

第一七五一期

中華民國僑務委員會頒發台僑新字第二三三號登記證
中華郵政台字第一二八二號執照登記爲第一類新聞紙類
（半週刊每星期三、六出版）
每份港幣壹角
台灣零售價新台幣貳元
社長：曾耀岸
督印人：黃行實
社址：香港銅鑼灣高士威道二十號三樓
20, CAUSEWAY RD 3RD FL. HONG KONG
TEL. 771726　電報掛號：7191
承印者：大同印務公司
地址：香港北角和富道九六號
台灣分社
台北市西寧南路壹壹零號二樓
電話：三〇四六二
台郵撥金戶九二五二

中共不斷核爆對人類的威脅（上）

·曾道貫·

中共不斷核爆，到本年十月已是第四次。而第四次的核爆，竟是核導彈！足證中共對核子科學的發展，不僅神速，抑且在逐步升級啦。不久的將來，它的裝上氫彈頭的洲際飛彈之類的核武器將會問世，也說不定啊。

可嘆的是，在中共每次核爆之後，自由世界一般對其評論，無論個人或官方的，總是以輕蔑的話語出之。如雛形的啦，威力不大啦，無軍事作用啦，無大量存備啦，沒有發射設備啦，對自由世界無若何影響與威脅啦一類的鄙視語氣，不獨犯了知己不知彼的輕敵病態，更不能提高世人的警覺，積極設法對付，有誤人誤己之嫌，千萬要不得。

迨本年十一月十九日，此間報紙刊載「中共首次透露其核導彈威力，美在遠東基地，均在射程之內。」同日又刊載「美國原子能委員會主席西保格博士宣稱：中共現在擁有之發射系統大可以將一枚初級核彈發射至近如越南之鄰國。」的評語。安得不令人吃驚嗎？雖然間或有人發爲應及時或從速將中共之核子設備予以摧毀之呼籲，但迄未激起有能力摧毀並曾被中共一直認定是死敵的美國採取行動！令人深歎！而任由中共自由自在地製造其各類核武器。似此情形，尚得稱爲反共自救云乎哉！

筆者說不久的將來，中共會有裝上氫彈頭的洲際飛彈之類的核武器問世。或許有人認爲中共核資源及人材、科技、經濟等、極感不足，絕不可能作到有洲際飛彈問世的地步。甚而說筆者爲共虛張聲勢，聳人聽聞。但筆者經觀察所及，敢斷定（不是推想）中共一切都不感不足。並且其正在積極的、傾全力的，日以繼夜的步美俄後塵進行現代各類武器的製造。

如曰人材科技吧！有蘇俄在第二次大戰後擄獲德國之科學家將一部份秘密供給中共，配合其自有的錢學森、錢三強等，發展其核武器，人材科技，不獨不感不足，抑且是有餘裕。中共現行政策，是集中全力，祇作核武器的努力，不作太空競賽。因爲毛酋澤東欲作地球之王（現時它自稱是世界人民革命的導師），其用心一旦征服了地球，那時不但不愁太空是屬於它的，而且要「欲與天公共比高」。此處須補充說明一下：或許人們認爲俄毛交惡，已達最惡劣的高潮，只有破裂，而無和好的餘地。蘇俄絕不可能供給人材科技助中共製造現代各類核武器。但筆者早於民國五十四年十月十三日，在——本報以「美俄親善與俄毛交惡之我見」一文中，指出俄毛交惡是在耍雙簧，企圖麻醉自由世界特別是美國，鬆弛反共神經。彼倆的手法是，一面由中共作歹反「美帝」，一面由蘇俄作好「向美親善」，以軟化美國，牽制美國。猶如歹徒在街頭劫搶途人財物，一俟事主大呼「打搶」時，另一歹徒則以關懷的心情，近前問事主曰：發生了什麼事？等到事主向僞善者——歹徒，道明原委後，劫搶財物者，已逸去無蹤矣。說明白一點，劫搶途人財物者是中共，僞善關懷事主者是蘇俄。今日中俄共在世界上表演的角色是如此，把世人的目光搞得昏花不已。都認爲中俄共眞的要分裂了，世界不怕赤化了，心甚竊喜！殊不知它們對世界「革命」是同一目的。僅是在「革命」的方法上，畧有不同而已，結果是殊途同歸的。它們更懂得分裂則給敵方各個擊破，不如互相讓步團結對敵的好。有當年的南斯拉夫狄托，與蘇俄分裂後又復和好，可資佐證。何況毛共早年以一面倒的姿態，崇拜蘇俄是社會主義國家的頭，是中共的祖國？由此以觀，是彼輩絕不會眞正破裂，殆可斷言。祈世人幸勿太眞幻想爲是！基此以論，是蘇俄有可能秘密供給人材科技幫助中共製造現代各類核武器，當無疑義也。本年十一月七日，有工商，天天兩日報同日刊載「倫敦六日路透社電，『據新華社』說：中共與蘇俄於今日在北平訂了一項科學技術協定。這是隨雙方在北平舉行了第十五次科學技術合作會議之後而宣佈的。」十一月八日工商日報又刊載「美國密歇根大學中國研究中心鄭竹園博士指出中共所試核導彈是照蘇俄藍圖做製」的報導，足證中俄共互相勾結，異常緊密。

觸目驚心！

後來居上

今日与明日

毛酋將死形勢大糟

十二月十九日，北平毛林集團以周恩來和陳伯達，江青等人爲首的一小撮人「接見」了十多萬名共軍，還經「辛勤接待」的了所謂到北平進行「串連」的「革命師生」和「紅衛兵」。

在這個「大會」上發表「講話」的有林彪任「老八」一一五師「師長」時代的「政治部主任」蕭華（現爲共軍「總政治部主任」）和赤色文棍陳伯達及「毛后」江青，最後講話的是「八面光」周恩來。

其中，江青和周恩來的「講話」，不但說出了一些「秘密」，更顯示出毛林集團的「形勢」實在是大糟而特糟。江青這個「八婆」說：「你們一定很關心毛主席，告訴你們，他很健康」！在二十天前毛酋第八次「接見」紅小鬼後，毛林集團的御用宣傳員，還在宣傳說：老毛「紅光滿面，非常健康」。剛過這麼幾天，對老毛「思想」有「最深領會」的江青，何必在「講話」一開首就提到這個問題？外國駐在北平記者，屢傳毛酋臃腫的臉毫無表情，兩眼呆滯無神，雖然他那專門流放狂言的嘴仍「佔領」在鼻子下邊，但只會吸烟而不會說話。這已在在說明毛酋已衰得不能再衰，「很駁賓天」已不會太遠。大陸上的人當然也都會清楚這一點。所以江青特別指出毛酋「很健康」。其用意，無非是替毛林集團大小忠實走狗壯胆子，也似在告訴他們，「偉大的統帥」毛酋距離「登腿」遙遙無期，一定可以打倒反毛「當權派」。

如果反毛「當權派」，已完全被「鬥倒、鬥垮、鬥臭」，老毛翹辮子問題還小些；可是，以劉少奇和鄧小平爲首的反毛「當權派」，不但未倒下去，反而是正在「翻把」，已開始下手「炮到」毛林集團的「司令部」。一週來，北平「紅衛兵」貼出很多攻擊反毛「當權派」的「大字報」；但支持反毛「當權派」的「紅衛兵」也在貼「大字報」還擊。後者在「大字報」上要求解散「中央文化革命小組」，攻擊「林家舖子」。十二月二十日捷克通訊社報導說：「北平「紅衛兵」首次對絕對「跟毛主席走」的老土匪賀龍「開火」。」該捷克通訊社復引述「外國觀察家」消息說：「對賀龍元帥之攻擊，暗示出劉、鄧不僅在各省黨幹部內獲有強大的支持，而且他們的支持者還能在黨中央居高位」。

其實，毛林集團「窩裏反」的危機，不但未稍減少，反而是越來越嚴重。這是鐵一般的事實，連毛林集團的頭面人物周恩來在前述「接見」十萬共軍的集會上都說：他們的「文化大革命」並「不是一帆風順沒有阻力的。事實上，一小撮走資本主義道路的當權派，和一切牛鬼蛇神，不甘心失敗，總在拼命掙扎」。

所謂「掙扎」，也可以說是反毛「當權派」糾集殘部拼出死命對毛林集團所進行的反擊。過去，毛林集團未能根除反毛的「一切牛鬼蛇神」；今後將更無法予以「消滅」。可以肯定地說，毛林集團和反毛「當權派」經過長期火拼後，兩敗俱傷之餘，也就給毛共政權製造了「變色」的重大因素。（何如）

原形畢露

中國大陸上的所謂「文化大革命」醜劇，由於最近「紅衛兵」之公審共幹彭眞，與夫毛共「宣傳部長」陶鑄之公開指摘僞主席劉少奇，即已證明其內部權力鬥爭的成份，大於「反四舊」的文化因素，祇是假借「文化革命」這種美麗名詞作幌子而已。

共黨政權的特質是黨權高於一切，素以鐵的紀律自誇的。他們又「唯物主義者」，迷信實力，「槍桿子產出政權」。然毛酋澤東既不運用黨權以排除異己，亦不使用武力以消滅叛徒，却玩弄一般乳臭小兒來胡鬧，瞎搞，而美其名曰「文化大革命」，這可見黨、政、軍三方面都對「毛主席」喪失了信心，甚至於懷有敵意了。

毛酋爲着維護生前的支配權力，杜防死後的鞭屍禍患，乃利用文化大革命之說爲烟幕，誑騙一般童男稚女，替他作火中取栗的貓腳爪。既說「文化革命」，就是思想掛帥，首先可以避免對軍人發生刺激，不致引起同室操戈的內戰，自速其亡；即黨政人士亦不便反對文化運動，因爲共黨素來視文化思想運動爲家常便飯也。

匿名揭帖式的「大字報」，原是極端落伍的玩藝，敲鑼打鼓以招搖過市，更是腐舊已極的兒戲行爲。但毛酋乃藉此以迎合紅小鬼的脾胃，然後教他的老婆出來領導，唆使紅小鬼指名攻擊異己者，又從而凌辱、作賤之，讓這般「紅衛兵」作惡多端，滿身血漬，認爲非擁護「毛主席」即無生路。於是乎，毛酋就掌握着二千萬名以上的忠實爪牙，最後變成軍中的補充兵團，慢慢改造軍隊，達成「槍桿子產出政權」的目的。這套手段，與過去利用地痞流氓和貧農以清算鬥爭社會其他人士的用意，如出一轍，「文化大革命」的原形畢露了。

毛共這次內部權力鬥爭的結局如何，就看共軍是否長此坐視成敗，毫無反應？現在西藏已有大規模的民衆反共暴動，共軍被消滅了二千人，假使再有外來的實力攻擊，相信毛共軍中必然乘機發生變化，陣前起義者一定很多。這是反攻救國的大好機會，咱們若是又忽畧過去，今後的趨勢如何，那就很難說了。

馮正先生

與美民權糾紛同爲文明諷刺
奴隸制度存在於二十國
奴隸人數至少二百萬名

（倫敦通訊）我們稱這個時代做歷史上最開明的時代，可是，今天世界上最少有二百萬奴隸，幷差不多沒有人關心他們的命運。

但解放這些奴隸的努力，正在進行中。領導這項工作的一位退休的上校，他的辦公室，設在倫敦的維多利亞車站附近。傳教士、作家和商人，把他們在旅行各地時所遇到的驚人的奴隸故事告訴他。

他們講述母親把女兒賣給妓院，學生被綁架困在工廠工作，和白女被用藥迷賣給回教徒作妾。

年長的拍德力，蒙哥馬利上校，是保障人權反奴隸制度會的秘書。這是世界上唯一對二十個國內尚有奴隸制度的政府予以良心譴責的組織。這位上校說：「廢除奴隸制度，多數人都視爲不急之務。大家都視而不見。聯合國把這問題擱置起來，因爲它太辣手了。」

「政府官員總是否認奴隸制度在他們的國家裏實行。一般人也對這事毫不關心。我把我的工作告訴別人，他們都笑了。很少人知道奴隸制度竟尚這樣的大規模存在。」

反奴隸制度會的許多失望中，最近的一件是今年七月間發生的。當時聯合國經濟社會理事會把這問題提交人權委員會。據蒙哥馬利上校說，這已比他們的工作遲了三年了。

一九六三年，一位調查員被委出，由蒙哥馬利上校協助進行調查奴隸制度。那位調查員建議成立一個國際委員會，擬出廢除奴隸制度的計劃。蒙哥馬利上校說：「我們不要求成立這樣的委員會，僅要求一個如果任何國家想消滅奴隸制度可給予援助的委員會。

「社會經濟理事會却把這問題提交人權委員會，要求他們明年提出報告。奴隸當然又照例列爲不急之務了。

「我們的唯一希望是聯合國大會，會推翻聯合國經濟社會理事會的決議，而成立我們所需要的委員會。」

蒙哥馬利上校同時耐心地繼續用文件來證明各宗奴隸事實。他說：「如果你把你見到的一宗有關奴隸的例子告訴我，我便會把它送交有關政府，並要求他們去調查。」

「這些要求，通常是沒有答覆或加以否認。許多國家把我們看作狂熱的外國組織。我們是以慈善機關登記的，僅靠六百會員的捐款及會費來維持，所以我們沒有能力僱用人員。我們靠大衆，包括軍人在內，供給資料。」

「最近的一宗奴隸例子是由一位自西非喀麥隆到倫敦來的挪威籍傳教士提供。那裏的一個部落的酋長，約有四百個妻子。那裏的人好像想有求於酋長時，便把一個女人送給他。這個女人可能是他們的女兒或他們朋友的女兒。如果沒有女人可送，他們便從鄰村綁架一名。

「有一天，一名新娘在結婚那天被綁架送給酋長。她跟其他女人被困在一度十六呎高的泥牆之後。她們被驅往田間工作，不時被鞭打以使她們不出聲。

「那個女子兩度逃走不成。第三次她成功了，她跑到那位傳教士處求助。他使她合法的恢復自由。她再回到她的新郎懷抱，但距離她們新婚之日已九年了。

「當我把這宗例子報告喀麥隆政府，他們回答說：多妻制是非洲許多地方承認的，而且極有理由存在。」

聯合國的調查員公開透露了阿剌伯的一處奴隸市場（中東是奴隸制度最聲名狼藉的地方），那裏的販奴商人把奴隸綁着像牛馬一樣，跟着他走過買客的面前。

那些賣不出的便被帶回販奴商人的家裏，困在一間小房間之內。她們有時獲些麵包和水供應。有個客到來，便被引出來供其選擇。

蒙哥馬利上校說：「這是一九六二年費塞爾王廢除奴隸制度之前的事。但我們知道那裏一些有地位的人仍然有奴隸。

「由於沙地阿剌伯是一個不容易進入的國家，所以很難知道這項御旨是否已在各處一體遵行。」

蒙哥馬利上校還聽到別的什麼地方有現代的奴隸制度呢？

在西非的塞拉勒窩，一個男人可賣得六百英鎊，依照他的體力而定。女人則以樣子是否美麗而定價。這些奴隸，是在侵入其他部落時所俘虜來的，或拘留一些無家可歸的人。一九六四年在法院審訊的一宗案件，透露麻醉品被人用來使奴隸在運輸途中不出聲。

尼日尼亞，女人被賣作妾或娼妓。兩名十八歲的女子被強賣給一個六十五歲的男人。一個逃走了，另一個自殺。

在南美的安她斯山區，一百多萬人過着奴隸的生活。一家人替大地主工作，換來一塊小土地。可是這宗交易做成之後，那一家人便爲大地主所有了。

在怯尼亞，放學的小學生會被人用糖果及食物引誘，越過坦桑尼亞的邊界當奴隸。當怯尼亞政府把這事提出交涉時，三百五十名兒童才被放回。

蒙哥馬利上校說：「但最可怕的例子是在世界各地口岸妓院中的女奴。她們與自由的妓女不同，她們分不到夜渡資的一部份。她們僅有一張牀和苟延殘喘的食物。她們日夜工作，每週七天，那確實是極端墮落和悽慘的生活。

「白人女子也有這種遭遇。沒有人知道白奴販賣的情況，但它確實存在。當妓院的人買到白女奴，他們給她們毒品，然後把毒品收去，那些女奴爲了要吸毒，甚麼事都願做了。」

蒙哥馬利上校是在印度和北非服兵役時，對奴隸問題開始注意的。現在，他耐心地埋頭爲那不幸的數百萬人而努力。他不願開罪那些有關國家，所以不肯張揚，因爲他希望這些國家有一天會支持他。

新曆年關前港工商穩定
預料將不會有倒風出現

（本報訊）今年新曆年關前香港工商業比初期預料更加安穩，不但沒有在年關前出現倒風，退票的事件最近亦很少發生。這是香港工商業經過了將近兩年的整頓，不健全的工商單位已經被淘汰，現在能夠站穩的，就是本身有足夠的條件支持，今後可以獲得穩定的發展。

據銀行界人士透露：最近銀行辦理年結雖然已進入忙碌的階段，但對工業品出口押滙貸單以及買單仍然照常接受。現時出口押滙貸單以英國最多，不過這些押滙出口的工業品，絕大部份是大工廠及大洋行付運的，銀行仍然接受百分之百貸單，因爲一方面信任香港大工廠及大洋行，另方面信任英國的大入口商，而時由港付往英國的工業品，約有百分之八十是押滙付運的。至於打包貸款，最近接受的並不多，原因是一般大工廠現在很少有製成品入倉向銀行抵押週轉，入口商運到的貨物，亦很少要向銀行抵押。信用透支方面，銀行對於業務良好的工廠及商號，不但未有加緊追收，反爲比前通融，原因是銀行深切瞭解目前香港的環境，同時對於世界各國銀根緊絀的情況亦有充分的認識，目前的措施，不僅對香港工商業提高服務的力量，對本身的業務亦有好處。故此當此新曆年關前，香港一般工廠及出口商並未有因爲銀行年結的影響，而產生不利的情況，這是大有異於往年的。

說到商場的授信，綜合各大行業內商人表示：現時各家均未加緊催收貨賬了。事關商場習慣，一年的總結賬並非在新曆年底，而是在舊曆年底，雖然新曆年關之後四十天就是舊曆年關，各行業對於貨物賒放要有所準備，倘若現在放仍多，恐怕到了舊曆年關，收賬就感到相當困難。但自中秋節後，各大行業放賬已經傾向收縮，對於信用有問題的客戶，都是有收無放，或是收多放少。因爲香港商場的放賬習慣，是一種傳統性，在去年有一個時期商場銀根最緊的時候，各行業也沒有停止放賬，祇是採取審慎措施。今年一般情況比去年安定，現且在兩個多月前已經提早收縮放賬，故現在雖然新曆年關將屆，實在不必繼續收縮放賬。

現時各大行業很少發生期票到期不能兌現而退票的事件，此因各大行業入口商、批發商、供應原料的大廠等，對於信用有問題的客戶已經停止接受期票了。同時若干不健全的工商單位，在去年銀潮發生後至今，被淘汰的已經淘汰了，雖然現在能夠維持的，並不能說是百分之百健全，但起碼亦有適應環境的力量，故此現在很少發生退票的事件，實在是香港工商業經過了將近兩年的整頓到現在已進入一個比較安全的階段，是應有的現象。

歸納來說，新曆年關前香港的商場不會有倒風出現，並不是偶然的；因爲大家對於此次新曆年關，事前已經有充分的準備，故預料不會在新曆年關前發生不愉快事件。

透視立監委涉嫌油商行賄案
從立法院暨監察院第十四次臨時會決議案說起

——本報記者張健生

但對嫌疑之當事人、被告、及該案關係人，自無秘密可言。而現行刑事訴訟法第三十六條，本有於偵查中委任代理人之規定，亦堪佐證。

這些規定，旨在保證當事人之權利。反觀台北地方法院檢察官在偵查油商行賄案之過程中，法院偵訊之內容，幾乎一字不漏全部見諸報端；新聞報導之漠視人權，莫此爲甚。難怪有人指責此類新聞超出自由範圍了。

除事實必要　不隨便扣押

關於法院傳喚及拘提刑事嫌疑人，法律有一定程序之規定。例如，法院傳喚被告，應用傳票。傳票應記載（一）被告之姓名、性別及住居所。（二）案由。（三）應到之日、時、處所。（四）無正當理由不到場者，得命拘提。傳票於偵查中由檢察官簽名，審判中由受命推事簽名，而作製該傳票之書記官亦應簽名。此項傳票應由司法警察送達被告居住所，須由被告本人於送達證書內記明收受日期與時間，並署名或按指印。但未經被告委託他人代收，不得向其送達。此爲刑事訴訟法第六章「送達」，及第八章「被告之傳喚及拘提」所明定。由於送達程序，與訴訟進行及當事人權利關係重大，凡有明文規定者，法院不得違誤。

被告因傳喚到場者，除有不得已之情形外，法院應按時訊問。被告經合法傳喚，無正當理由不到場者，得拘提之。除非被告確有刑事訴訟法第七十六條之情形，法院且認爲「於必要時」，始得實施羈押。被告有無該法七十六條之情形與必要，自應先行訊問；經訊問後，縱有同法第一〇一條之情形，亦得不予羈押，逕命具保或責付。至第七十六條所謂「被告犯罪嫌疑重大」，係指被告所犯罪嫌，經檢察官本諸證據調查之結果，確有犯罪事實，如犯罪之目的與動機，犯罪之行爲與時日，犯罪之場所與手段，以及與適用法律有關之事實，均應依法認定，謂之犯罪嫌疑重大。故不得因案情重大而以自由心證或以抽象之「想當然」即予羈押。

至同法第一〇一條之「於必要時」以示限制法院濫用權力，立法意旨雖可佩，但有無「必要」，仍乏客觀標準，殊非憲法保障人權之道。爲此，刑事訴訟法修正案，行政院認爲現行法第七十六條第二、三款之「有逃亡之虞」或「有湮滅僞造變造證據或勾串共犯或證人之虞」，均應依具體事實客觀認定，以免司法官濫用職權，特予修正並訂明以「事實」作爲「得不經傳喚逕行拘提」之依據。

這就是適當法律程序之意思，以及公平合法之重要性。

調立院紀錄　顯屬不合法

監察權與司法權之爭議，自四十二年林彬任司法行政部長時起，至今已十多年了，這個問題迄未解決，誠我國憲政史上的一件大事。

目前已面臨嚴重的考驗。

說者謂，憲法明明白白規定立法委員在院內之言論及表決，對院外不負責任，祇要上過公民課的學童，都知道的。不幸的是，居然來自依法裁判的法院。而且是來自「遍查法院組織法、刑事訴訟法並無『檢察處』字樣」而「附設於法院內」之台北地檢處，其「經費、人事、預算等均列於法院編制之內（詳：最高檢察署檢察官展恒舉著「改進司法制度芻議」一書）。而「首席檢察官印信暨小官章，文曰：「某某法院檢察官印」，均無『首席』字樣。而實質爲首席檢察官之印。官署職稱與印文不符。」依「中央法規制定標準法，明定機關組織，應以法律定之」。

自由報

內儎警台報字第〇三一號內銷證

THE FREE NEWS

第一六七一期

中華民國僑務委員會頒發
台教新字第三二三號登記證
中華郵政台字第一二八二號執照
登記爲第一類新聞紙類
（半週刊每星期三、六出版）

每份港幣壹角
台灣零售價新台幣貳元

社長：雷嘯岑
督印人：黃行香

社址：香港銅鑼灣高士威道二十號四樓
20, CAUSEWAY RD 3RD FL.
HONG KONG
TEL. 771726　電報掛號：7191

承印者：大同印務公司
地址：香港北角和富道九六號

台灣分社
台北市西寧南路壹壹零號二樓
電話：三〇三四六
台郵撥儲金戶九二五二

中共不斷核爆對人類的威脅（下）

·曾道貫·

由這些事實看來，更可證明筆者一貫對中俄共狼狽爲奸，沆一氣，在要雙簧的看法是正確的。又足證明蘇俄有可能秘密供給人材科技幫助中共製造現代各類核武器，不待贅言。

若論中共的經濟力量吧！中共在目前製造其所需的各類核武器，是不會感到經濟不足的。以其十餘年來，驅使大陸六億有勞動力的人民，日以繼夜的爲共黨一家從事生產工作，所有人民每年生產所得，中共逐年均悉索敝賦，竭澤而漁的搾取，運向海外，賤價傾銷，套取外滙。即以香港一隅，每年數達二三十億之鉅。以大陸之廣，搜刮之多，所得代價之鉅，可想而知。同時其驅使如蟻的同胞，不斷的，拼命的，向地底下開採金，銀，銅，鐵，錫，銻，鎢，鉛，鈾，鎳，炭煤等各種礦藏。一面以極殘酷的非刑吊拷方法，刧掳民間金銀寶貝，人們均知中共所刧得的什麼踩石銀子，齋料銀子，以及金條金磚，奇珍珠玉等，不可以數計。共匪先取人之財寶，再取人之性命，或令其掃出門後，復在人之房屋內外，掘土三尺，如此徹底刧奪，安有漏網之魚乎？如日前所謂「紅衛兵造反」，在上海某一家所刧黃金數達十二噸之多。還有用黃金鑄成毛酋鬼像，另飾以顏色，佯爲崇毛之掩飾，都逃不脫刧奪的厄運。中國自立國幾千年來的民間寶藏，今日悉由毛共刧掳殆盡！此一數字除毛共外，誰能計出其鉅大確數呢？據謂除毛酋澤東秘密偷運一部份去瑞士匿藏，圖飽其私囊外，餘皆作所謂「强國」之需。

據去年出版的「哈林博士所著『中國與原子彈』一書中的估計，中共核子武器計劃的支出約等全國總生產量百分之二的記述觀之，中共之製造其所需要的現代各類核武器，不僅對經濟上不感不足，似很充裕又明也。

再論資源吧！關於中共製造核武器所需資源，在大陸豐富的鑛藏中，大多均可提煉得到。如萬一有缺者，以陰險，狡猾，詭詐著稱的毛共，牠會在人們想不到的鬼怪方法下，向全世界各國以重金搜購。如人們要問是否買得到呢？肯定的說：它會買得到的。據春秋雜誌第二二四期刊載「中共事實上已和一百多個國家進行貿易。只要中共付出代價的東西幾乎都可以買得到。」的叙述下，證明中共凡所需之物，無一困難。它縱在明目張胆的情形下，買不到的東西，中共會施展其地下工作的技倆，更擅長抓住某些人貪污的弱點，以重金賄賂，秘密交易，不達目的，决不休止。筆者早知共匪對行賄一事說是將魚放去江河中去生長，日後需要時，可隨時將它撈回來任意調製就是。並指出大陸失陷前，會有政府軍政大員受過大量的黃金賄賂。自大陸陷共後，中共即將那些受賄的大員拿來清算，鬥爭，不但要將原璧奉趙，抑且將畢生勞碌所得積蓄，甚至連祖宗的產業，全部繳給中共，尚不得保全自己的一條命。是則中共採取此等經驗與技倆，以同一步驟與手法，向全世界各國搜購爲製造核武器所缺之的材料，資源，藍圖或科技等，可以說是易如反掌。共黨並傲慢的說：不愁放出的魚──賄賂金撈不回。是其只求達成目的，不擇手段，業已顯明。以中共「幹勁衝天」，且有充裕的經濟力量，關於製造其所需的核武器之資源科技，究有何感不足之有呢？但說至此，筆者很担心：中共將來的洲際飛彈或氫彈問世時，恐非依蘇俄藍圖製做，而是依照美國的藍圖所做製的啊！

總上所述，中共控制了人民的胃口，「不要褲子要核子」，瘋狂的製造核武器，究對人類是福抑是禍呢？我認爲愚蠢的如猪的人，也會答曰；是人類的災禍！對自由民主的生活方式，有生死攸關的影響！既如斯，自由世界掌權反共救人自救的先生們，究作何打算呢？是靜待共黨來屠殺呢？還是從死中求生，及時與共產集團來一次决戰呢？現時自由世界如畏戰不勝敵人，那麼將來休想戰勝敵人呀！萬望深思，從速救人自救，不要誤己誤人啊！

浪費時間的痼疾

自由談

時間對於事業的關係和效用，人人皆知之，人亦能言之。但咱們中國人之浪費時間情形，可謂司空見慣，成了痼疾，而以政治界爲尤甚。

一種例行公文，或一項芝蔴綠豆般大的事體，本來用電話跟有關人員接談一下就可以處理的，却要寫簽呈、打報告，會銜蓋章，層層核示。再不然，就是訂期舉行會議，廢話說上一大堆，紀錄盈尺，時間虛度，而問題依然原封未動。開會既不按照約定的時間到場，姍姍來遲，到來後却胡扯瞎說，滔滔不已，硬把時間浪費掉，滿不在乎。

至於日常交際應酬的私人約會如請客之類，更無守時的習慣。明明是閒得無聊，偏要故意遲到，表示貴人多忙的傖俗相；到來席不暇煖，即頻頻省覽手錶，聲言還有幾處應酬，非去不可，實則偷偷回家吃燒餅、饅頭，或者炒碗冷飯果腹。作僞誤時，抑何可哂！

在講究時間關係的社會裏，會客必先約定時間，談話以簡要爲主。然在沒有時間觀念的中國人心目中，幷無所謂預約，任意亂闖，見面瞎聊，舊時有主人端茶送客的習俗，未始不是珍惜時間之一法，自革命之說興，許多舊有的文物制度，不問好壞，皆在打倒之列，謚爲腐敗官僚作風，不合時代潮流了。實則今日的腐敗官僚生活習慣，比舊時的滿清王朝和北洋軍閥政府更有甚焉。行政效率之低劣，貪污行爲之普遍，時間浪費之驚人，無一不是勝過往昔倍蓰也。

今日官場中最蹧蹋時間的，即無過於盛行「開會主義」。假藉民主政治的名義，早晚常搞開會把戲，甚末小組會議，綜合會議，檢討會議之外，還有所謂臨時會報和簡報等玩藝，旨在消磨時間，推卸責任，表面上大家忙得不可開交，實際毫無效果可言──根本就不管效果如何，但求有會議紀錄和統計圖表作宣傳品就行了。

眞要革新政治，達成反共救國的願望，一切大道理都免開尊口，祇要把先賢愛惜光陰的精神，在公私生活上實踐化，即有事半功倍的績效可期。時間之義，大矣哉！

馬五先生

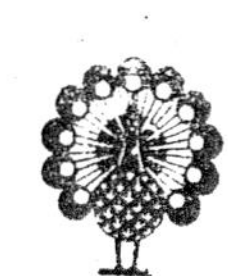

嚴重心病！

各有所好

今日与明日

毛林集團手忙脚亂

最近一段時期，包括共產集團在內不少國家駐北平記者，根據「紅衛兵」貼出的「大字報」，報導不少有關毛林集團與反毛「當權派」血拼的消息。其混亂的情況，誠屬少見。有的報導謂：日前毛林集團利用「紅衛兵」，在北平召開「聲討」劉少奇、鄧小平大會。據外電報導稱：「對劉鄧的攻擊已步入結束階段，他們被黜已迫在眉睫」。又報導謂：下台的大特務頭子羅瑞卿已被「紅衛兵」活捉，甚至有謂他和彭眞，陸定一及楊尚昆等人已「畏罪自殺」。

總之，今日的大陸正是兩派牛鬼蛇神」火拼的戰場，雙方正在赤膊上陣進行「你死我活的鬥爭」。同時，其情況十分混亂，亦無可懷疑之處。其未來之發展，雖然劉少奇和鄧小平等反毛「當權派」凶多吉少，但任何人──相信連毛澤東本人在內──在現階段也無法作出决定性的判斷。

彭眞、陸定一、羅瑞卿等被高級共幹被踢出毛家朝廷已達數月甚至是一年之久。這批人過去都是毛酋的得力大狗腿子，他們挨「整」，顯然毛林集團是下了最大决心。迨把他們「罷官」後，由於他們在反毛「當權派」中具有代表性作用，所以，也必然成爲「鬥爭」的重點份子。根據毛共過去整肅黨內高層份子的「慣例」，一向是秘密進行，决不公開。如彭德懷、黃克誠、譚政和習仲勳等人之「失踪」，只能從其職務另換新人得到一些知其然而不知所以然的線索，其詳細內幕如何，局外人一點也不知道。

前數月，彭眞、羅瑞卿和陸定一等人「失蹤」，其本兼各項職務分別由李雪峯、吳德、楊成武、陶鑄及蕭望東等人接替或代理，已使人預料得到事不尋常。但對彭眞、羅瑞卿等人下台的「罪證」，毛共仍和過去一樣，一直是諱莫如深，一字不提。

可是，近來情況大變，變得大有出人意外之感。「紅衛兵」不但在北平街頭貼出的「大字報」上，對彭眞、羅瑞卿、陸定一等「黨內走資本主義道路的當權派」，公開指名大事攻擊，並予以「活捉」或「審判」。

這種情況，完全違反毛共過去的「慣例」，也可以說完全「失常」。估計，這是由於毛林集團形勢大糟，爲挽救其政權「不變色」，甚至是爲了挽救他們那個小集團一小撮大小「打手」的狗命，才不得不「狗急跳牆」，利用公開的逮捕或審判等措施，作爲其殺手鐧。

毛林集團利用共軍，警察和「紅衛兵」，集中全力打擊以劉鄧爲首的反毛「當權派」，在現階段可能取得暫時「勝利」，把劉、鄧等人打垮，把彭、羅等人「鬥臭」；但這並不等於已把反毛「當權派」剷草除根。進一步，可能激起更大的反抗，和更大的混亂。

這個反抗和混亂，十之八九將就是毛共匪惡政權的催命符。

（何妍）

中友的會談（續）

而接受補助的單位，不論劇團或票社，先編預算呈送教育部，收入票款若干？付出應用各費若干（包括演員酬勞）？如果票款不夠收入（指賣不出的），將餘票送部，作爲補助的憑證。倘使收支相抵而有餘，則由演出單位承受，以作下次的彌補，但是不保留剩餘，下次則不得接受補助。不過票價不得超過一百元，最低的自行決定，以求多售多賣。倘有定二百或五百的票價，依照規例，不能申請補助。再合乎規定，則可申請免稅，祇納印花稅，因爲動機是謀文化復興，理由正當。上面所議，提存基金，自宜以數額較大，例在獲息較多，至少要有補助復興劇校的數字，每月有七八萬元才可以支配。

主要是爲文化復興而推動普遍加強演出，有關四維八德的戲劇，但是不能參雜其他因素，而來作幌子。類如上次的名稱祝壽的獻演，成績斐然，不過所得餘剩，僅是有利於私人，那也就等於紅包，是不可爲之。慨夫，這股氣氛在國內相當濃厚，由於鮮此吃飯的，不得不謀搭桌，藉維生活也。軍中演出極爲蓬勃，民間演出甚是凋零，病在演出太太少。多走此途，所以主持者必深謀遠慮之。

國劇繽紛錄

（一三六）　姿嬰生

愛蓮參盟志喜

章遏雲在托兒所演鎖麟囊，座中有相識的來賓，多說你聽，她的吐字與氣口，那從容不迫，誰趕得上她？今年已五十六七，仍有此功夫，實在可佩。我的看法，際此劇壇，程派已是不絕如縷，有她一唱，頗覺如有復甦的生機。祇有她能唱程派，其他伶工，難於近之。究竟廿餘年功夫，是不易也。在赴所途中，驟遇她弟子古愛蓮，爲去捧老師，相與同道，車中傾談一些，爲此行意外的機遇。

首先我爲她志喜，參加明駝。據郭副廠長所告，待遇每月五千，祇限唱四五場，不能參加勞軍。何其優也。她說：白天在實踐家政，六時後，到語言中心，功課之忙，壓得不能透氣，所以無法勞軍。又說托轉告各位前輩，希望他們筆下留情，做些功德，尤其那位某館主，泛言無忌。我對於捧的人士，也不喜上眉稍，罵與挖苦的，也視若無覩。我讀我書，深研學問，有空唱唱，是無所謂。我問那張郎如何，她說有二三月不見，不談。這些。我說介紹某某秘書，交交朋友。她說是我的老師，怎麼可以？不談不談。車到市女中，祇好下車。最後就是今天相晤，非常愉快，自從在自由之家相見，不覺已有一年了。愛蓮的可喜，就是情意懇摯，不作虛套周旋。望其參盟以後，一帆風順，到明年得個金像獎，是我的希望，可以說也是她的心願吧。

沈德潛與清詩別裁

夜闌

坊間舊有若干叢刊，如萬有文庫，國學基本叢書等，皆收有「清詩別裁」，標爲「清沈德潛選」。此書先即經過改竄，其實已非沈氏之原選本矣。

德潛字確士，號歸愚，積學工詩，於歷代詩源流升降，辨析精審。年六十六始舉於鄉，成進士時已越七十，高宗弘曆知其晚遇，稱爲老名士，稠疊加恩，洊致鄉貳。年老告歸後，復列於致仕九老之首。卒年九十七，著有五朝詩別裁，古詩源，竹嘯軒詩鈔，詩說晬語，西湖志纂，歸愚詩文鈔等。清詩別裁，爲五朝詩別裁之一種。時黃崑圃侍郎多藏北方詩人之作，王遴汝上舍亦蒐有南方諸家名句，歸愚從黃王處取得，作爲選詩資料，成十之三，餘復陸續徵集，搜羅宏富，成此鉅著，初名「國朝詩別裁」。

歸愚少受詩於葉橫山，講究格律，古體宗漢魏，近體主盛唐，尤注重聲與法，爲標示規範計，故有五朝詩別裁之作，所選精審謹嚴，獨具隻眼。其凡例中有曰：「詩必原本性情，關乎人倫日用，及古今成敗興壞之故者，亦爲可存」。又曰：「詩不能離理，然貴有理趣，不貴下理語。……唐詩蘊蓄，宋詩發露；蘊蓄則韻流言出，發露則意盡言中」。嘗云：「詩以聲爲用者也，其微妙在抑揚抗墜之間……故詩貴性情，亦須論法」。可知其見解之一斑矣。故原選本所選之詩，爲時流所稱道。因奉「有所著作，許寄京呈覽」之詔，乃以進呈。詎料奉閱後，竟遭申斥，將原詩發交翰苑重行編纂。

按原刻本「國朝詩別裁」爲初印寫刻本，計十二冊。後來流行本爲乾隆欽定本，亦十二冊，其中不同處：一、原刻本有自序，欽定本已予割裂離支，凡例僅存後半各條而已；另增易以御製序文。二、原刻本選詩，第一人爲錢謙益，欽定本錢詩全刪，易爲慎郡王，即弘曆叔允禧；三、原刻本有明末四君子侯方域，冒辟疆諸人詩；欽定本均予刪去。四、原刻本有嶺南三大家屈大均陳恭尹梁佩蘭等，欽定本亦刪。他如有民族思想之詩人數十人，均刪除，而易以淺易之作。御製詩序以套紅寫刻，大意謂：「詩，忠孝而已矣。忠孝而外無詩人。」「錢謙益爲貳臣，其詩不應入選。」「慎郡王爲皇叔，不應直呼爲允禧，且不應後列。」此與原刻本凡例：「詩之爲道，不外孔子教小子，教伯魚數言，而其立言，一歸於溫柔敦厚，無古今一也」數語不同；又與所言：「名位交游之念，不擾於中，此差可自信者」尤迴異。以慎郡王列第一，實與歸愚選詩之旨趣，大爲枘鑿。綜之，歸愚原選，純爲詩人立場，欽定本則含有濃厚政治意味，遇有民族思想之詩人之詩，一概芟薙，以托樑換柱法，改竄原選。其待一柱樓詩案始予追奪銜，蓋亦幸矣。

琉球紀行

張希哲

琉球中央政府統治琉球的權力不是最高的，因爲琉球政府之上，美國還有一套治理琉球的機構。溯自二次世界大戰末期，從一九四五年四月起，美軍在琉球每攻克一個地區，就置於軍政府管治之下。至一九五〇年十二月，美國將統治琉球的政治機構由軍政府改爲現時之民政府（United States Civil Administration of the Ryukyu Islands）由美國總統所派的高級專員（High Comminioner　琉球人稱爲高等弁務官）爲最高負責人。高級專員之下有政治顧問，正副民政官、執行官，並分設聯絡、教育、司法、衛生、福利、經濟、公共工程、勞工、安全、主計、法律事務等局和一個裁判所，另有兩個民事工作隊，分駐於外島担任民政工作。

我們訪問團一行，爲了禮貌及明瞭美國在琉球的政策和措施，曾先後拜會高級專員Albert Watson（中將），民政官Gerald Warner，副民政官Jack P. Napier（上校），行政官 Robert R. Ronish，教育局長Jeanette K. Fink（女），經濟局主管貿易部門的專家John Richards Baker和聯絡局長 Manta L. Osborne 等。惟因時間匆促，沒有充份交換意見，只收集了若干資料。

三、新那霸市的建設

我來那霸，前後計起來已四次，但專程來訪，這還是頭一回。前三次是赴美國或日韓路過此地稍作停留，雖有一日半日的遊覽，但對那霸的風光文物，沒有留下多大的印象；只有一點是顯著不同的，就是十幾年來，一個新的那霸市，已經從廢墟中建設起來了。中琉協會松川久仁男副會長（曾在台灣當過記者和教員），著有「戰敗與沖繩」一書，刊有照片插圖十二幅，其中第三幅爲「廢墟的那霸市」，第七幅爲「一九五三年的國際大道」，可爲十幾年前那霸殘破情景的寫照。

那霸是琉球的政治首府，經濟和文化的中心，對外交通的門戶，也是西太平洋重鎮之一。琉球介於日本與台灣之間，由沖繩、宮古、及八重山三羣島組成，全部面積爲二、三八八平方公里（約爲台灣面積十五分之一）人口九十二萬三千人。沖繩羣島面積一、五〇〇平方公里，人口約七十七萬人。那霸市現有人口約二十三萬人，約佔全琉人口四分之一。

十四年前，我第一次經過那霸的時候，正如「戰敗與沖繩」一書的插圖所顯示，隨處可以見到滿目瘡痍的戰火痕跡。十幾年來，由於琉球人民的努力和美國的大力協助，新的建築物如雨後春筍，那霸市容早已改觀了。當我們拜訪市長的時候，西銘順治市長對我們說：規劃一個新城市建設，要比改造舊城市容易。言下之意，似乎是說：新那霸市的建設所以能夠順利進展，是由於舊的城市已完全燬掉的緣故。我心裏想：新那霸市的建設，不應該忘記美援的因素；譬如給水工程一項，一九六五年美援款額爲四百萬美元，下水道工程一項，一九六六年爲二百八十三萬美元。如果沒有美國財政、物資、和技術的援助，那霸市的建設不會有目前的規模；如果沒有美國人在琉球的消費，那霸市也不會有今日的繁榮。（三）

種樹除草有真樂

期生

我寓所的前後很有些空地，三面隔着竹籬，外面就是村道，祇有東面有一家鄰居。我種了一些蔬果，往往不等成熟，就有頑童爬籬進來「不勞而獲」的摘去了。平空的糟塌，實在可惜。因此大部份的地方改種樹木，雖仍有人來斫伐，這就情有可原了；因爲我家人少，燒不完這許多的薪材，讓村人們分享一點也是應該的。能夠助人家生活上不足，更是快樂的事。

我種的是銀合歡和木本田菁，雖不是貴重樹木，在農業上却是挺有名氣的。樹種採自屋前的幾株老種上。這兩種都是細小的葉子，一眼看去頗有點像楊柳。銀合歡的姿態尤其動人，一副柔和惹人憐愛的形相，可以使它們任意的生長，也可修剪成各種型式。在雨季裏我播下種子，不久就發芽長出枝葉，無須花大功夫去料理就會長大起來，給我們遮蔭。田菁開着蝶形小黃花，銀合歡是白色球狀花，花後都掛着一串串的長莢果，煞是美觀。它接受了我的欣賞和讚美。而且多餘的枝條，還可斫下來作爲燃料。銀合歡種子較大，深褐色，瓜子樣，光滑滑的很有趣，富有蛋白質，可以餵猪。我不斷的播種和移植，現在已有幾十株大樹和幾千苗木。明年，一座小森林要出現了。讓大家來息蔭欣賞，斫枝條去燒飯菜，採種子去餵猪。俗話說：「前人種樹，後人乘涼。」我眼看着它長大、開花、成林，種一株活一株，它使我永遠樂觀而有信心，充滿着對前途的光明的希望。

我播種、移植、斫伐、採種，並且觀察它，讚美它；靜靜的坐在樹下，寫文章和讀書，成爲我日常生活中的第一件事。

那第二件事，便是除草。

我的小菜園和小果園，當我除盡了雜草，就顯出它的整潔的美麗來。是綠油油的果蔬小苗。在別方面，如在寢室裏廚房裏，却沒法弄得整潔如意；眼對着污濁的環境要想徹底整頓改造，却是阻礙重重。只有在我的園圃裏，我可以除惡務盡，一草不留；變爲芬芳鮮美，花香鳥語，春色滿園的天下，不讓一個雜種有寄身的地方。

我也只能把我的抱負寄托在除盡雜草的工作上，所以我每天都樂於躲到園裏去除草來解悶；并且使盡了我的全力來做。當眼前現出一片光潔的園地來時，似乎將那些不平的萬事，弄得很平整了。而且當任何人們經過這地方，發現它是一塊還能保持乾淨的園地時，都會點頭稱許的。人生是要受鼓勵才能活得下去，如果都在指摘你，教你如何受得了。

我的太座常譏笑我，爲了一些小雜草，拼命的弄得滿身滿頭的大汗，也不知歇一會兒養養這排骨樣快要完蛋的身體。她完全不了解我，我的抱負，我的寄托，我的感情，需要發洩的地方。

（上）

北平拉洋車的

—工爺—

此地的汽車或貨車，當它從人後邊來了，打算叫您讓路，不是嘴裏說着討人厭的話，便是把車打得「拍！拍！」作響。態度之傲慢，可瞧那副不禮貌的樣兒。要是北平拉車的這樣，遇見不信邪的，眞能給他個大嘴巴！

北平拉車的，走到狹窄的街道，您聽：除了腳鈴：「滴淋！滴淋！」響個不停，車把上，如果有喇叭的，也同時：「滴咕！滴咕！」叫着。您再聽他嘴裏：「車來啦！您讓一步！借光你哪！」或者：「靠邊啊，往裏你哪！」

對面若是有車迎頭兒來啦，路又窄，老早他便喊了：「瞧！車！懷兒來着！」意思是：都靠邊點，就過去啦！

遇到鮮魚口，大柵欄，戲院子散戲，車是一輛挨一輛的，魚貫緩行。不准任何車，東張西望，後面心急的不時在喊：「跟着啊，別怔着啊！」

在行將走出一個胡同兒，不知拐彎的前面情形如何，老早便招呼了：「喂！往西啊！」或是：「懷兒來着！往東啊！」很少彼此悶聲不響，不期而撞。在要停止之先，必先喊：「打住！」

遇到比他速度慢的，手車或牛車，他要超車先行：「往裏邊！讓我一步啊！」一路跑着，喊着，叫人坐在車上，有安全之感。而叫走路的，也知所躲避，不像現在淨吹該挨揍的叫叫！

× × ×

拉洋車的小夥子們，最能表演能耐的地方，我說是在東西長安街上，街道寬，路面平。若趕上坐車的，是二三年輕好事子弟，拉車的是漂亮車，漂亮小夥兒，去的地方是奔前門外。（一）

警備台報字第〇三一號內銷證

自由報

THE FREE NEWS

第七一六期

中華民國僑務委員會頒發
台教新字第三二三號登記證
中華郵政台字第一二八二號執照
登記爲第一類新聞紙類
（半週刊每星期三、六出版）
每份港幣壹角
台灣零售價新台幣貳元
社長：雷嘯岑
督印人：黃行奮
社址：香港銅鑼灣高士威道二十號四樓
20, CAUSEWAY RD 3RD FL. HONG KONG
TEL. 771726　電報掛號：7191
承印者：大同印務公司
地址：香港北角和富道九六號
台灣分社
台北市西寧南路壹壹零號二樓
電話：三〇三四六
台郵撥儲金戶九二五二

中共不斷核爆對人類的威脅（下）

·曾道貫·

由這些事實看來，更可證明筆者一貫對中俄共狼狽爲奸，沆一氣，在耍雙簧的看法是正確的。又足證明蘇俄有可能秘密供給人材科技幫助中共製造現代各類核武器，不待贅言。

若論中共的經濟力量吧！中共在目前製造其所需的各類核武器，是不會感到經濟不足的。以其十餘年來，驅使大陸六億有勞動力的人民，日以繼夜的爲共黨一家從事生產工作，所有人民每年生產所得，中共逐年均悉索敝賦，竭澤而漁的搾取；運向海外，賤價傾銷，套取外滙。即以香港一隅，每年數達二三十億之鉅。以大陸之廣，搜刮之多，所得代價之鉅，可想而知。同時其驅使如蟻的同胞，不斷的拼命的，向地底下開採金，銀，銅，鐵，錫，鎳，鎢，鉛，鋅，銻，炭，煤等各種鑛藏。一面以極殘酷的非刑吊拷方法，刼掠民間金銀寶貝，人們均知中共所刼得的什麼踩石銀子，齋杠銀子，以及金條金磚，奇珍珠玉等，不可以數計。共匪先取人之財寶，再取人之性命，或令其掃出門後，復在人之房屋內外，掘土三尺，如此徹底刼奪，安有漏網之魚乎？如目前所謂「紅衛兵造反」，在上海某一家所刼黃金數達十二噸之多。還有用黃金鑄成毛酋鬼像，另飾以顏色，佯爲崇毛之掩飾，都逃不脫刼奪的厄運。中國自立國幾千年來的民間寶藏，今日悉由毛共刼掠殆盡！此一數字除毛共外，誰能計出其鉅大確數呢？據謂除毛酋澤東秘密偷運一部份去瑞士匿藏，圖飽其私囊外，餘皆作所謂「強國」之需。

據去年出版的「哈潑林博士所著『中國與原子彈』一書中的估計，中共核子武器計劃的支出約等全國總生產量百分之二的記述觀之，中共之製造其所需要的現代各類核武器，不僅對經濟上不感不足，似很充裕又明也。

再論資源吧！關於中共製造核武器所需的資源，在大陸豐富的鑛藏中，大多均可提煉得到。如萬一有缺者，以陰險狡猾，詭詐著稱的毛共，牠會在人們想不到的鬼怪方法下，向全世界各國以重金搜購。如人們要問是否買得到呢？肯定的說：它會買得到的。據春秋雜誌第二二四期刊載「中共事實上已和一百多個國家進行貿易。只要中共付出代價的東西幾乎都可以買得到。」的叙述下，證明中共凡所需之物，明目張胆的無一困難。它縱在買不到的情形下，中共會施展其地下工作的技倆，更擅長抓住某些人貪污的弱點，以重金賄賂，秘密交易，不達目的，決不休止。筆者早知共匪對行賄一事說是將魚放去江河中去生長，日後需要時，可隨時將它撈回來任意調製就是。並指出大陸失陷前，曾有政府軍政大員，受過大量的黃金賄賂。自大陸陷共後，中共即將那些受賄的大員拿來清算鬥爭，不但要將原璧奉趙，並且將畢生勞碌所得積蓄，甚至連祖宗的產業，全部繳給中共，尚不得保全自己的一條命。是則中共採取此等經驗與技倆，以同一步驟與手法，向全世界各國搜購爲製造核武器所缺乏的材料，資源，科技等，可以說是易如反掌。共幫並圖傲慢的說：不愁放出的魚——賄賂金撈不回。是其只求達成目的，不擇手段，業已顯明。以中共「幹勁衝天」，且有充裕的經濟力量，關於製造其所需的核武器之資源科技，究有何感不足之有呢？但至此筆者很担心：中共將來的洲際飛彈或氫彈問世時，恐非依蘇俄藍圖所做，而是依照美國的藍圖所做製的啊！總上所述，中共控制了人民的胃口，「不要褲子要核子」，瘋狂的製造核武器，究對人類是福抑是禍呢？我認爲愚蠢的如猪的人，也會答曰；是人類的災禍！對自由民主的生活方式，有生死攸關的影響，既如斯，自由世界掌權反共救人自救的先生們，究作何打算呢？是靜待共黨來屠殺呢？還是從死中求生，及時與共產集團來一次決戰呢？現時自由世界如畏戰不勝敵人，那麼將來休想戰勝敵人呀！萬望深思，從速救人自救，不要誤己誤人啊！

嚴重心病！

各有所好

今日与明日

毛林集團手忙脚亂

最近一段時期，包括共產集團在內不少國家駐北平記者，根據「紅衛兵」貼出的「大字報」，報導不少有關毛林集團與反毛「當權派」血拼的消息。其混亂的情況，誠屬少見。有的報導謂：日前毛林集團利用「紅衛兵」在北平召開「聲討」劉少奇、鄧小平大會。據外電報導稱：「對劉鄧的攻擊已步入結束階段，他們被黜已迫在眉睫」。又報導謂：下台的大特務頭子羅瑞卿已被「紅衛兵」活捉，甚至有謂他和彭眞，陸定一及楊尙昆等人已「畏罪自殺」。

總之，今日的大陸正是兩派「牛鬼蛇神」火拼的戰場，雙方正在赤膊上陣進行「你死我活的鬥爭」。同時，其情況十分混亂，亦無可懷疑之處。其未來之發展，雖然劉少奇和鄧小平等反毛「當權派」凶多吉少，但任何人——相信連毛澤東本人在內——在現階段也無法作出決定性的判斷。

彭眞、陸定一、羅瑞卿等被高級共幹被踢出毛家朝廷已達數月甚至是一年之久。這批人過去都是毛酋的得力大狗腿子，他們挨「整」，顯然毛林集團是下了最大決心。迨把他們「罷官」後，由於他們在反毛「當權派」中具有代表性作用，所以，也必然成爲「鬥爭」的重點份子。根據毛共過去整肅黨內高層份子的「慣例」，一向是秘密進行，決不公開。如彭德懷、黃克誠、譚政和習仲勳等人之「失踪」，只能從其職務另換新人得到一些知其然而不知所以然的綫索，其詳細內幕如何，局外人一點也不知道。

前數月，彭眞、羅瑞卿和陸定一等人「失蹤」，其本兼各項職務分別由李雪峯、吳德、楊成武、陶鑄及蕭望東等人接替或代理，已使人預料得到事不尋常。但對彭眞、羅瑞卿等人下台的「罪證」，毛共仍和過去一樣，一直是諱莫如深，一字不提。

可是，近來情況大變，變得大有出人意外之感。「紅衛兵」不但在北平街頭貼出的「大字報」上，對彭眞、羅瑞卿、陸定一等「黨內走資本主義道路的當權派」，公開指名大事攻擊，並予以「活捉」或「審判」。

這種情況，完全違反毛共過去的「慣例」，也可以說完全「失常」。估計，這是由於毛林集團形勢大糟，爲挽救其政權「不變色」，甚至是爲了挽救他們那個小集團一小撮大小「打手」的狗命，才不得不「狗急跳牆」，利用公開的逮捕或審判等措施，作爲其殺手鐧。

毛林集團利用共軍，警察和「紅衛兵」，集中全力打擊以劉鄧爲首的反毛「當權派」，在現階段可能取得暫時「勝利」，把劉、鄧等人打垮，把彭、羅等人「鬥臭」；但這並不等於已把反毛「當權派」剪草除根。進一步，可能激起更大的反抗，和更大的混亂。這個反抗和混亂，十之八九將就是毛共罪惡政權的催命符。（何如）

浪費時間的痼疾

時間對於事業的關係和效用，人人皆知之，亦能言之。但咱們中國人之浪費時間情形，可謂司空見慣，成了痼疾，而以政治界爲尤甚。

一種例行公文，或一項芝蔴綠豆般大的事體，本來用電話跟有關人員接談一下就可以處理的，却要寫簽呈、打報告，會銜蓋章，層層核示。再不然，就是訂期舉行會議，廢話說上一大堆，紀錄盈尺，時間虛度，而問題依然原封未動。開會既不按照約定的時間到場，姍姍來遲，到來後却胡扯瞎說，滔滔不已，硬把時間浪費掉，滿不在乎。至於日常交際應酬的私人約會，如請客之類，更無守時的習慣。明明是閒得無聊，偏要故意遲到，表示貴人多忙的傖俗相；到來席不暇煖，即頻頻省覽手錶，聲言還有幾處應酬，非去不可，實則偷偷回家，或者炒碗冷飯、燒餅、饅頭果腹。作僞誤時，抑何可哂！

在講究時間關係的社會裏，會客必先約定時間，談話以簡要爲主。然在沒有時間觀念的中國人心目中，并無所謂預約，任意亂闖，見面瞎聊，舊時有主人端茶送客的習俗，未始不是珍惜時間之一法，自革命之說興，許多舊有的文物制度，不問好壞，皆在打倒之列，謚爲腐敗官僚作風，不合時代潮流了。實則今日的腐敗官僚生活習慣，比舊時的滿清王朝和北洋軍閥政府更有甚焉。行政效率之低劣，貪污行爲之普遍，時間浪費之驚人，無一不是勝過往昔倍蓰也。

今日官場中最蹧蹋時間的，即無過於盛行「開會主義」。假藉民主政治的名義，早晚常搞開會把戲，甚末小組會議，綜合會議，檢討會議之外，還有所謂臨時會報和簡報等玩藝，旨在消磨時間，推卸責任，表面上大家忙得不可開交，實際毫無效果可言——根本就不管效果如何，但求有會議紀錄和統計圖表作宣傳品就行了。

眞要革新政治，達成反共救國的願望，一切大道理都免開尊口，祇要把先賢愛惜光陰的精神，在公私生活上實踐化，即有事半功倍的績效可期。時間之義，大矣哉！

馬五先生

中友的會談（續）

而援受補助的單位，不論劇團或票社，先編預算送教育部，收入票欵若干？付出應用各費若干（包括演員酬勞）？如果票欵不夠收入（指賣不出的），將餘票送部，作爲補助的憑證。倘使收支相抵而有餘，則由演出單位承受，以作下次的彌補，但是不保留剩餘，下次則不得接受補助。不過票價不得超過一百元，最低的自行決定，以求多售多賣。倘有定二百或五百的票價，依照規例，不能申請補助。再合乎規定，則可申請免稅，祇納印花稅，因爲動機是謀文化復興，理由正當。上面所議，提存基金，自宜以數額較大，期在獲息較多，至少要有補助復興劇校的數字，每月有七八萬元才可以支配。

主要是爲文化復興而推動普遍加强演出，有關四維八德的戲劇，但是不能參雜其他因素，而來作幌子。類如上次的名稱祝壽的獻演，成績斐然，不過所得餘剩，僅是有利於私人，那也就等於紅包，是不可爲之。慨夫，這股氣氛在國內相當濃厚，由於鉾此吃飯的，不得不謀搭桌，藉維生活也。軍中演出極爲蓬勃，民間演出甚是凋零，病在演出太太少。多走此途，所以主持者必深謀遠慮之。

國劇繽紛續錄

姿婆生（一三六）

愛蓮參盟志喜

章遇雲在托兒所演鎖麟囊，座中有相識的來賓，多說你聽，她的吐字與氣口，那從容不迫，誰趕得上她？今年已五十六七，仍有此功夫，實在可佩。我的看法，際此劇壇，程派已是不絕如縷，有她一唱，頓覺如有復甦的生機。祇有她能唱程派，其他伶工，難於近之。究竟廿餘年功夫，是不易也。在赴所途中，驟遇她弟子古愛蓮，爲去捧老師，相與同道，車中傾談一些，爲此行意外的機遇。

首先，我爲她志喜，參加明駝。據郭副廠長所告，待遇每月五千，祇限唱四五塲，不能參加勞軍。何其優也。她說：白天在實踐家政，六時後到語言中心，功課之忙，在壓得不能透氣，所以無法勞軍。又說托轉告各位前輩，希望他們筆下留情，做些功德，尤其那位某館主，泛言無忌。我對於捧的人士，也不喜上眉稍，罵與挖苦的，也視若無睹。我讀我書，深研學問，有空唱唱，是無所謂。我問那張郎如何，她說：「三月不見，不談這些。」我說介紹某聽[illegible]舊，交交朋友。她說是我的老師，怎麼可以？不談交，不交談。車到市女中，祇好下車。最後就是今天相晤，非常愉快，自從在自由之家相見，不覺已有一年了。愛蓮的可喜，就是情意懇摯，不作虛套周旋。望其參盟以後，一帆風順，到明年得個金像獎，是我的希望，可以說也是她的心願吧。

沈德潛與清詩別裁

夜闌

坊間舊有若干叢刊，如萬有文庫，國學基本叢書等，皆收有「清詩別裁」，標爲「清沈德潛選」。此書先卽經過改竄，其實已非沈氏之原選本矣。

德潛字確士，號歸愚，積學工詩，於歷代詩源流升降，辨析精審。年六十六始舉於鄉，成進士時已越七十，高宗弘曆知其晚遇，稱爲老名士，稠疊加恩，洊致鄉貳。年老告歸後，復列於致仕九老之首。卒年九十七，著有五朝詩別裁，古詩源，竹嘯軒詩鈔，詩說晬語，西湖志纂，歸愚詩文鈔等。淸詩別裁，爲五朝詩別裁之一種。時黃崑圃侍郎多藏北方詩人之作，王遴汝上舍亦蒐有南方諸家名句，歸愚從黃王處取得，作爲選詩資料，成十之三，餘復陸續徵集，搜羅宏富，成此鉅著，初名「國朝詩別裁」。

歸愚少受詩於葉橫山，講究格律，古體宗漢魏，近體主盛唐，尤注重聲與法。爲標示規範計，故[illegible]五朝詩別裁之作，[illegible]選精審謹嚴，獨具隻眼。其凡例中有曰：「詩必原本性情，關乎人倫日用，及古今成敗興壞之故者，亦爲可存」。又曰：「詩不能離理，然貴有理趣，不貴下理語。……唐詩蘊蓄，宋詩發露；蘊蓄則韻流言出，發露則意盡言中」。嘗云：「詩以聲爲用者也，其微妙在抑揚抗墜之間……故詩貴性情，亦須論法」。可知其見解之一斑矣。故原選本所選之詩，爲時流所稱道。因奉「有所著作，許寄京呈覽」之詔，乃以進呈。詎料奏聞後，竟遭申斥，將原詩發交翰苑重行編纂。

按原刻本「國朝詩別裁」爲初印寫刻本，計十二冊。後來流行本爲乾隆欽定本亦十二冊，其中不同處：一、原刻本有白序，欽定本已予剷裂離支，凡例僅存後半各條而已；另增易以御製序文。二、原刻本選詩，第一人爲錢謙益，欽定本錢詩全刪，易爲愼郡王，卽弘曆叔允禧；三、原刻本有明末四君子侯方域，冒辟疆諸人詩；欽定本均予刪去。四、原刻本有嶺南二大家屈大均陳恭尹梁佩蘭等，欽定本亦刪。他如有民族思想之詩人數十人，均刪除，而易以淺易之作。御製詩序以套紅寫刻，大意謂：「詩，忠孝而已矣。忠孝而外無詩人。」「錢謙益爲貳臣，其詩不應入選。」「愼郡王爲皇叔，不應直呼爲允禧，且不應後列。」此與原刻本凡例：「詩之爲道，不外孔子敎小子，敎伯魚數言，而其立言，一歸於溫柔敦厚，無古今一也」數語不同；又與所言：「名位交游之念，不攙於中，此差可自信者」尤迥異。以愼郡王列第一，實與歸愚選詩之旨趣，大爲衲鑿。綜之，歸愚原選，純爲詩人立塲，欽定本則含有濃厚政治意味，遇有民族思想之詩人之詩，一概斐辭，以托樑換柱法，改竄原選。其待一柱樓詩案始予追奪階銜，蓋亦幸矣。

種樹除草有真樂

期生

我寓所的前後很有些空地，三面隔着竹籬，外面就是村道，祇有東面有一家鄰居。我種了一些蔬果，往往不等成熟，就有頑童爬籬進來「不勞而獲」的摘去了。平空的糟塌，實在可惜。因此大部份的地方改種樹木，雖仍有人來斫伐，這就情有可原了；因爲我家人少，燒不完這許多的新材，讓村人們分享一點也是應該的。能夠助人家生活上不足，更是快樂的事。

我種的是銀合歡和木本田菁，雖不是貴重樹木，在農業上却是挺有名氣的。樹種採自屋前的幾株老種上。這兩種都是細小的葉子，一眼看去頗有點像楊柳。銀合歡的姿態尤其動人，一副柔和惹人憐愛的形相，可以使它們任意的生長，也可修剪成各種型式。在雨季裏我播下種子，不久就發芽長出枝葉，無須花大功夫去料理就會長大起來，給我們遮蔭。田菁開着蝶形小黃花，銀合歡是白色球狀花，花後都掛着一串串的長莢果，煞是美觀。它接受了我的欣賞和讚美。而且多餘的枝條，還可斫下來作爲燃料。銀合歡種子較大，深褐色，瓜子樣，光滑滑的很有趣。富有蛋白質，可以餵猪。我不斷的播種和移植，現在已有幾十株大樹和幾千苗木。明年，一座小森林要出現了。讓大家來息蔭欣賞，斫枝條去燒飯菜，採種子去餵猪。俗話說：「前人種樹，後人乘涼。」我眼看着它長大、開花、成林，種一株活一株，它使我永遠樂觀而有信心，充滿着對前途的光明的希望。

我播種、移植、斫伐、採種，並且觀察它，讚美它；靜靜的坐在樹下，寫文章和讀書，成爲我日常生活中的第一件事。

那第二件事，便是除草。

我的小菜園和小果園，當我除盡了雜草，就顯出它的整潔的美麗來。是綠油油的果蔬小苗。在別方面，如在寢室裏廚房裏，却沒法弄得整潔如意；眼對着污濁的環境要想徹底整頓改造，却是阻礙重重。只有在我的園圃裏，我可以除惡務盡，一草不留；變爲芬芳鮮美，花香鳥語，春色滿園的天下，不也是一個[illegible]身的地方。我也只能把我的抱負寄托在除盡雜草的工作上，所以我每天都樂於躲到園裏去除草來解悶；并且使盡了我的全力來做。當眼前現出一片光潔的園地來時，似乎將那些不平的萬事，弄得很平整了。而且當任何人們經過這地方，發現它是一塊還能保持乾淨的園地時，都會點頭稱許的。人生是要受鼓勵才能活得下去，如果都在指摘你，教你如何受得了。

我的太座當譏笑我，爲了一些小雜草，拼命的弄得滿身滿頭的大汗，也不知歇一會兒養養這排骨樣快要完蛋的身體。她完全不了解我，我的抱負，我的寄托，我的感情，需要發洩的地方。（上）

琉球紀行

張希哲

琉球中央政府統治琉球的權力不是最高的，因爲琉球政府之上，美國還有一套治理琉球的機構。溯自二次世界大戰末期，從一九四五年四月起，美軍在琉球每攻克一個地區，就置於軍政府管治之下。至一九五〇年十二月，美國將統治琉球的政治機構由軍政府改爲現時之民政府（United States Civil Administration of the Ryukyu Islands）由美國總統所派的高級專員（High Comminioner　琉球人稱爲高等弁務官）爲最高負責人。高級專員之下有政治顧問，正副民政官、執行官，並分設聯絡、教育、司法、衛生、福利、經濟、公共工程、勞工、安全、主計、法律事務等局和一個裁判所，另有兩個民事工作隊，分駐於外島担任民政工作。

我們訪問團一行，爲了禮貌及明瞭美國在琉球的政策和措施，曾先後拜會高級專員 Albert Watson（中將），民民政官Gerald Warner，副民政官Iack p. Napier（上校），行政官 Robert R. Ronish，教育局長Jeanette K. Fink（女），經濟局主管貿易部門的專家John Richards Baker和聯絡局長 M anta L. Osborne 等。惟因時間匆促，沒有充份交換意見，只收集了若干資料。

三、新那霸市的建設

我來那霸，前後計起來已四次，但專程來訪，這還是頭一回。前三次是赴美國或日韓路過此地稍作停留，雖有一日半日的遊覽，但對那霸的風光文物，沒有留下多大的印象；只有一點是顯著不同的，就是十幾年來，一個新的那霸市，已經從廢墟中建設起來了。中琉協會松川久仁男副會長（曾在台灣當過記者和教員），著有「戰敗與冲繩」一書，刊有照片插圖十二幅，其中第三幅爲「廢墟的那霸市」，第七幅爲「一九五三年的國際大道」，可爲十幾年前那霸殘破情景的寫照。

那霸是琉球的政治首府，經濟和文化的中心，對外交通的門戶，也是西太平洋重鎮之一。琉球羣島介於日本與台灣之間，由冲繩、宮古、及八重山三羣島組成，全部面積爲二、三八八平方公里（約爲台灣面積十五分之一）人口九十二萬三千人。冲繩羣島面積一、五〇〇平方公里，人口約七十七萬人。那霸市現有人口二十三萬人，約佔全琉人口四分之一。

十四年前，我第一次經過那霸的時候，正如「戰敗與冲繩」一書的插圖所顯示，隨處可以見到滿目瘡夷的戰火痕跡。十幾年來，由於琉球人民的努力和美國的大力協助，新的建築物如雨後春筍，那霸市容早已改觀了。當我們拜訪市長時候，西銘順冶市長對我們說：「規劃一個新城市建設要比改造舊城市容易。」言下之意，似乎是說：新那霸市的建設所以能夠順利進展，是由於舊的城市已完全燬掉的緣故。我心裏想：新那霸市的建設，不應該忘記美援的因素；譬如給水工程一項，一九六五年美援欵額爲四百萬美元，下水道工程一項，一九六六年爲二百八十三萬美元。如果沒有美國財政、物資、和技術的援助，那霸市的建設不會有目前的規模；如果沒有美國人在琉球的消費，那霸市也不會有今日的繁榮。（三）

北平拉洋車的

—工爺—

此地的汽車或貨車，當它從人後邊來了，打算叫您讓路，不是嘴裏說着討人厭的話，便是把車打得「拍！拍！」作響。態度之傲慢，可瞧那副不禮貌的樣兒。要是北平拉車的這樣，遇見不信邪的，眞能給他個大嘴巴！

北平拉車的，走到狹窄的街道，您聽：除了腳鈴：「滴淋！滴淋！」響個不停，車把上，如果有喇叭的，也同時：「滴咕！滴咕！」叫着。您再聽他嘴裏：「車來啦！您讓一步！借光你哪！」或者：「靠邊啊，往裏你哪！」對面若是有車迎頭兒來啦，路又窄，老早他便喊了：「瞧！車！懷兒來着！」意思是：都靠邊點，就過去啦！

遇到鮮魚口，大柵欄，戲院子散戲，車是一輛挨一輛的，魚貫緩行。不准任何車，東張西望，後面心急的不時在喊：「跟着啊，別怔着啊！」

在行將走出一個胡同兒，不知拐彎的前面情形如何，老早便招呼了：「喂！往西啊！」或是：「懷兒來着！往東啊！」很少彼此悶聲不響，不期而撞。在要停止之先，必先喊：「打住！」

遇到比他速度慢的，手車或牛車，他要超車先行：「往裏邊！讓我一步啊！」一路跑着，喊着，叫人坐在車上，有安全之感。而叫走路的，也知所躲避，不像現在淨吹該挨[illegible]的叫叫！

× × ×

拉洋車的小夥子們，最能表演能耐的地方，我說是在東西長安街上，街道寬，路面平。若趕上坐車的，是二三年輕好事子弟，拉車的是漂亮車，漂亮小夥兒，去的地方是奔前門外。（一）

瀛海異趣談

美有神馬名奇異女士者

·桑雅·

離維珍尼亞州烈治曼特城三里餘的彼斯德堡山羅勞上道，外有一間小茅舍，外有一個寫着「奇異女士」的招牌，這就是神馬「奇異女士」和牠的主人歐羅地亞芳達夫人之寓所。

「女士」的外表，和普通馬匹，絕無兩處，全無特徵。全身黑色，祗有四蹄和正面是白色。在草場或戶內一切動作完全和普通馬一樣。牠現已廿九歲，對於計數、解決疑難、科學問題、串子、預言胎兒性別等，已有廿年經驗了。當「奇異女士」祇有兩週大，芳達夫人購了牠回家，待牠一如常馬。

直至一天，「奇異女士」發生一種反常的現象，事緣芳達夫人欲喚牠到面前，還不及開口，「女士」早自動跑到芳達夫人的面前。起初她還以爲是偶然，但經多次試驗，知道牠有一種不凡的智力，於是教牠用兒童積木砌字（用鼻按字母），有很多字主人還未吩咐，牠已能認出，更會砌出自己不會聽過的字。一天，牠砌出「機器」ENGINE一字，不到兩分鐘，有一輛拖車自前駛來。於是「奇異女士」的名因此而產生，且傳遍全城。芳達夫人便自製一具巨型打字機教牠砌字。該機長約三四尺，按鍵有如一個銀圓大小，用馬鼻來按。

一位名體育專欄記者爲了預測誰贏得全國滾木球賽，便請教「女士」（他的目的祇是想增加讀者的貼士而已），「女士」回答爲溫千辛州、德薩斯州、密士西比州。比賽結果，這三州果然分別一二三名，全國大爲震動。

以下是另一位記者的試驗：

問：我的長兄名叫什麼？

答：佛烈。

問：他在那裏？

答：比利時。

問：他在當地幹什麼？

答：死了。

一點不錯，該記者的兄弟佛烈是個陸軍，於一九四四年戰死，葬於比國南部。於是該記者再問：我正想念一位老友，他的字母是D。

答：狄羅士史夷斯Delos Smith。

問：他幹何種職業？

答：專欄作家。

事實上，狄羅士是個報界著名人物，他是合衆社的編輯呢！接着記者站於二十尺距離，在小筆記簿上寫下六十九的數字，當他寫畢，「女士」已砌出六十九的數字。他再將字數倒轉，答案也沒有錯誤！

烈治曼特城中有一位老心靈學家，曾親臨訪問「女士」廿二次，問題共有數百條，這位老人家每次光臨必帶來兩三個朋友，他們有些是職業心理學家，醫學人材等。經試驗後，他們都認爲「奇異女士」富有一種超凡靈魂。

以下的一篇筆記，是從一位教育家兼詩人、精明的觀察家愛非爾佳爾特夫人所撰：「當這匹神馬傳進我的耳鼓以後，我早已打算終有一天要研究這驚人的稀世奇聞。這次我獲得機會駕車往訪芳達夫人，在院子內遇見了主人，她是個中年婦人，見面後便問我是否要見「奇異女士」，於是帶領我們主穀倉，在入門處每人收費六角二分，可問三題（假如再問便要付費一次）。

我問牠八加五是多少，牠立刻按鍵，第一次爲一三。我再問我的生辰，牠答「廿五」。何地絡婚？牠答德國。以上各問題答案符合程度實屬驚人！於是再問牠是否喜歡牠的工作？牠答「不」。以後各人問牠時，比較猶豫，我便問牠是否疲倦？牠答「是」。於是我們帶着不能了解的心情離去。」

「奇異女士」不但能夠回答問題，更能分辨音樂的和諧。牠的記憶力尤其特別，能說出最近數周的日期。有人曾問牠的壽命，牠答三十。若然，牠尚有一年活在這世上。最令人費解的是牠懂中字，有人曾用中文問牠，結果牠能用英文回答！

「奇異女士」答覆問題時好像集合一種癲狂而精神彷彿的狀態，尤其是工作進行最順利時爲甚。那時牠的身體似乎全部消失了知覺，牠的頭下垂，眼差不多全磕，鼻部鬆弛，並不注意事物，鼻尖永不觸着不需要的按鍵。

牠到底以什麼方法去預測事物呢？是否牠所說的「靈魂」就是傳心術呢？世上已證明傳心術之存在，動物的傳心術多至不勝枚舉。此種事是發生於科學昌明的今日，但科學家卻無從研究牠的內幕，祇好給它一個名詞爲「超凡的智慧」；暫時作個解釋，以待繼續找尋結論。

星期日與戰爭

·君愚譯·

在一八九八年五月的一個星期日，美國戰艦的馬尼拉灣擊敗了西班牙的艦隊。一八一二年在紐奧連斯及湛布靈湖兩次遭遇戰均在星期日發生的。美國三次的浴血內戰都是在星期日發生的。第一次爲布爾倫之戰，第二次爲安泰丹戰役，第三次就是首次兩艘鐵輪——蟒蛇號及梅里麥號的著名浴血戰。

在星期日發生的大事，並不盡是破壞和平氣氛的戰爭，有時卻是使人詫異驚喜的。像一八四八年一月的一個星期，在賽德磨坊，發現了金鑛，於是掀起了全國人的遐想，造成空前的尋金狂熱。由於這次的狂潮，致協助了西部的發展。

然而，在星期日裏，發生悲劇的事竟比好消息的爲多。在一九一二年的一個星期日，華麗客輪鐵達尼號在處女航中失事沉沒。一八七一年十月同一個星期日中，美國發生歷史上兩次空前的大火災，那是芝加哥遭火神浩劫，及威斯康仙州北部、近着彼斯德哥的森林區，給火海橫掃，一千一百人罹難。

在歷史上，在星期日成爲休息日之前，往往沒有人理會的，英國的文學家約瑟廸遜把星期日喚作「清除一星期之鏽」。

在第七世紀的人們，絕不理會星期日爲安息日的，但英國國王卻被迫通過法例，規定凡是傭人，在星期日工作，而違背主人的意旨者，必給予罰。但是所有傭人，若是奉主人命令而工作者，則無罪。稍後，傭人甚至不准在星期日騎馬。一些告密者，向當局報告那些違犯安息日規定者，可獲罰款的一半爲酬，這些綫人的利潤，全是從傭人身上取的。

現在星期日爲人們消遣日的規例，旅行、看戲、上尋樂的好日子，館子、跳舞、玩牌等活動的，但是有幾許人，會想到過去的星期日，是發生世界重大事件的日子？當看到上述有關星期日裏所發生人類的悲劇時，該知道星期日並不純是享樂的。（下）

「偉大的母親」

仲山

一個女性結婚之後，百分之九十都會發生變形，那是無可否認的。首先就是肚皮膨脹，然後不是成爲汽油桶就是竹筍乾；油烟變成化粧品，睡衣成了晚禮服。

此事變化也未免太大了。想當年，她先生追她的時候，赴一次約會還得花上數小時去化粧，一朵小小胸針的位置，也要斟酌幾十分鐘才能下定決心別上去。如今當了×太太，知連拿一條毛巾擦擦臉部都沒時間。丈夫回家還得奉茶侍烟，稍一不週或發幾句牢騷，就有變成「河東獅吼」或「罵街潑婦」的危險。天曉得，他在辦公室不過坐了八小時，而太太在家從起床起一直站到先生下班，他的事情已經辦完了，而她的工作卻還在未竟之天；準備飯菜，「掃蕩」之後，收拾廢骨，洗刷碗筷，燒洗澡水，而後她才能安寧。怪不得梁實秋先生的「雅舍小品」裏有這樣一段說：「梁先生問一個小孩子：『你媽媽是做什麼的？』他說：『給我縫衣的。』『你爸爸呢？』小孩子翻翻白眼：『爸爸是看報的！』」諸位，請問「縫衣」與「看報」那一樣舒服？

記得有一位教授曾經說過，如果你們想結婚的時候，就來找我談談。不過他又說，還是不要結婚的好，免得婚後不能「情投意合」，等到發現之後，已經後悔莫及。古代還沒有發明「離婚」，但有所謂「休妻」。一旦結婚之後，發覺這個太太不對胃口，就叫她回娘家「冰凍」一陣子，等「新鮮」了再召回來。然而卻沒有聽說過「休夫」的。無怪乎莎翁要慨嘆：「弱者，你的名字是女人」。但會有那一個男人體會到這句話，究竟包含着多少女性的忍耐和辛酸呢！

男人在家裏不是指揮官即爲苦修僧，前者是太太這、太太那的，叫個沒完沒了；後者則裝成一副可憐相，說什麼我們吃壞一些沒關係呀！現在經濟困難，物價又提高，家裏用度總該緊縮一點呀！太太心腸軟，本來佈滿愁容的臉上又加上了緊皺的雙眉，順服地點頭。可是，誰又知道，這位先生也許在外頭館子吃了紅燒雞回來呢！

但是最悲哀的，莫過於帶着小孩，離開了丈夫再嫁的女人，人們一看她就有如碰到了毒蛇，立即喃喃互語，手則不住來回地指畫。而一個帶了小孩，沒有了太太的男人，假若不再結婚，就被認爲是天大的奇蹟。

古希臘羅馬時代，一個男人同時可以擁有數十個女人。如希臘神話裏的天神邱比特和他的兒子阿羅，都是風流成性的，而諸神卻毫不以爲怪；但是愛神維納斯卻由於看上了戰神馬爾斯，結果他們兩個人被維納斯的丈夫綁起來示衆，受盡了諸神的屈辱。天上的神仙況且這樣，我們這些凡夫更不要說了。

新三國

周榮謂著

六十、吉太醫謀誅曹孟德　老黃忠勇斬夏侯淵

張郃就在建安二十年冬，別率一軍，進攻巴西，他打算把巴西的老百姓全部遷走到漢中去。在古代的戰爭實力，就全仗人民，三國時代往往是迫人民遷徙，以作兵源。張郃進軍宕渠蒙頭盪石。張飛屯在巴中，與張郃相拒五十餘日。張飛巧思一計，別帶精兵萬人，繞道於張郃之後路，與張郃交戰，山道狹窄，張郃前後不能相救，大敗張郃於瓦口道。張郃連馬都不能騎，只得棄馬步行逃走，身邊只帶了十餘人從間道走脫，逃回南鄭，差點被張飛活捉。二張交戰的地方——宕渠、瓦口，在今四川渠縣，宕渠在渠縣東北，瓦口在渠縣流江河之口。張郃之敗，吃虧在不知四川地形，張飛駐得較久，比較熟悉，此爲一大因素。

張飛打敗了張郃，劉備才回師成都。在這段期間，劉備和諸葛亮廣攬人才，澄清吏治，訓練軍隊。沒有鬆懈他的計劃。

建安二十年九十月間，曹操假天子之意，「承制封拜諸侯守將」。這項大權，是在用人方面，先行除授，事後奏聞。曹操獨攬整個人事大權，上下左右莫不是他的爪牙。

建安二十一年春二月，曹操由合肥返鄴。三月間曹操行親耕籍田之禮。夏五月，曹操爲魏王。這一下子，曹操不能再往上爬了，再爬就是皇帝寶座了。不久，獻帝又命曹操之女享有公主之權利，食湯沐邑。這是古制，天子賜諸侯湯沐之資的地盤，在其封沐邑中的收入，作爲洗澡之資。漢高祖以沛爲己之湯沐邑，皇后、公主也得到此種恩惠的很多。

建安二十一年秋八月，曹操任命鍾繇爲曹魏的相國，即曹魏王朝的丞相。鍾繇原本是魏國六卿之一。儼然與漢獻帝對立稱孤道寡。

建安二十二年夏四月，曹操又假天子之名，設「天子旌旗」、「出入稱蹕」。這完全是皇帝一樣的派頭。「稱蹕」，就是皇帝御，左右帷幄者稱「警」，出殿則傳「蹕」，也就是皇帝的警衛隊，不僅是警戒，而且是禁止行人通行。同年夏天五月，又作「泮宮」。泮宮就是學宮，古代只有諸侯之學稱「泮宮」。六月，把他的一位忠實爪牙，軍師華歆升了魏國的御史大夫。華歆迫宮的一幕，表演很精彩，曹操非常賞識。同年十月，魏王的冠冕制定也有二旒，就是冕的前端垂下的十二條貫玉珠串，是和古天子的冠一樣。這不等於是儼然一國之王嗎？在此同時，就立了他的兒子曹丕爲魏太子。可見曹操是一步一步走向皇帝寶座，他一旦死了，也可留給兒子做，他死了也照樣成爲武帝。

按照漢制，藩國的儲君，祇能稱「世子」，三國志上（魏武紀操）明明白白寫着「以五官中郎將丕爲魏太子」。曹操不僅在冕上加十二旒，而且乘「金根車」。古天子的乘輿，飾之以金，故名「金根車」，孝經援神契「德至山林則出根車」，禮記所說的「山出器車」。根車又名「德車」。秦漢時代則飾之以金。（九十四）

國劇繽紛續錄

姿婆生　（一三七）

眞羊上台

一，台灣電視公司平劇節目，播出「夢中緣」，實際即是以往名伶絲牡丹黃玉麟的龍女牧羊，予以改編，刪蕪去冗，祇是龍女在海邊興歎，柳毅來晤，代其入海投簡，錢塘君來救龍女還宮，與柳餞宴送別。情節頗緊湊，不過好出新奇，重爲定名，總是剽竊。何妨仍用原名，比較言簡而意賅，觀衆可以一目瞭然，不更爲佳？

此戲特點，竟用眞羊上台，近所未有。不過讓龍女提心吊膽，深怕叫聲不斷，走到身邊，會咬她的衣服，所幸羊兒很乖，未曾走近，完此美景。從前唱天河配，有用眞牛上台，看到這眞很好，可是總有一點那個，怕牛聽鑼鼓而生牛勁，是可爲而不能常爲之，尤其非有大的舞台不可。

徐渝蘭小姐，自從婚後，嗓音越唱越亮，寬窄均能自如，這段慢板，能得抑揚頓挫之味，確是電視之寶，缺她則不可。她的臉部表情，也越演越深切。在送別時際，是送君千里，終須一別，芳心寄託，從何再會，那個淒眼傳神很夠妙境。聞她身擁五十餘輛汽車的小女主人，却爲戲劇努力如斯，可佩。周大同配柳毅，他助渝蘭演出，已有多次，實在小生難覓，駕輕就熟，否則電視劇社人才很多，何以獨此一名角也！他演劇甚多，熟練無瑕，這位從事金融有年者，亦愛於此道，亦少有也。

薛家將集錦

警察電台播出薛家將集錦，姜薇言道，除了樊江關、蘆花河已常有播出，不予列入集錦。另外舉鼎觀畫徐策跑城放在後面。此段是柳迎春獨木關汾河灣，已是不凡。記得千城劇團第二次公演我曾提議演兩天薛家將，前部是鬧花燈，接法場換子，舉鼎觀畫，徐策跑城，完全是揄揚周麟崑；後部是馬上緣，樊江關，蘆花河，金光陣，悉是爲徐蓮芝打算。結果前部唱了，跑城一齣，震動北市觀衆。而四十五年香港名票袁仁觀在國際學舍演出，大概許多人未見及之。後部未唱，蓮芝不能顯技，是排戲者的知識不廣所致也。

茲談這集錦由程硯秋唱，從登樓梳粧看雪起，唱紅梅綻這四句慢板，詞句雅馴，腔調宛轉。姜薇說，幽美極了，一些不錯。迨見仁貴倒臥雪中，起了惻隱，拋衣給蓋，被柳員外所見，以爲有犯閨規，趕出府外，同回寒窰，糊裏糊塗成親。

在奔走途中，那幾小段流水，眞有水銀瀉地之概，尺寸既夠，流利已極。下有孔母

四脚蛇的尾巴

太知

四脚蛇有一大堆名字。牠的學名叫蜥蜴，又叫石龍子，又叫蛇母舅，浙江永嘉一帶還叫牠蛇曲兒。至于四脚蛇，大概是牠的外號吧！

四脚蛇怎會跟陰險邪惡的蛇攀上親戚的？這恐怕很難搞得清楚了。四脚蛇雖然跟蛇同屬爬虫類，但無論在外型上或構造上，實在是很少相同的。但是四脚蛇和壁虎（學名守宮）在譜系上倒的確是堂兄弟。從蛇們的祖先分家後，壁虎就跟人類實行同居，爲了適應環境，把體積也縮小了。而說到四脚蛇的外型，同中生代的恐龍却很相似。如果你身處野外，于荒草亂石間屏氣凝神，把四周的一草一木一沙一石放大到幾十倍，甚至幾百倍，那末你就會赫然目覩一條巨大無比的恐龍由崇山峻嶺森林大澤間排山倒海而來。但請你別慌張，牠決不會傷害你的，在你一舉手一投足間牠早已逃得無影無蹤了。

四脚蛇是熱帶常見的動物，在北緯四十五度以北，就很少有牠的足跡了。抗戰後期，我國遠征軍在伊洛瓦底江上游，密支那以北，發源於野人山的邁立開江河谷一帶，竟發現長有兩公尺的巨大四脚蛇，這是我們所知道的最大一種了。但我們通常所見的僅及八九寸，超過一尺的就算是大的了。如果我們排除世俗的成見，那末四脚蛇可以說是一種頗爲有趣的小動物。牠的頭小，眼睛褐色，四肢肥短，尾長超過身體，全身長着極美麗的細鱗，有靑紫色、茶褐色、寶石藍色、淺金黃色等；並且從頭到後肢間的兩側排列着很整齊的黑白花點的美麗條紋，即使是一個畫匠也很難畫出如此美好的畫案來。出生兩禮拜的小四脚蛇，牠會毫無顧忌地爬到你的掌心來吃一條小虫子。

四脚蛇的視距有限，視域亦不寬，但牠視力範圍內，都能明察秋毫。牠是聾子，不過嗅覺却特別發達。牠常常伸縮舌頭，這並不是像狗因爲熱的緣故，來提高牠的謀生能力。當四脚蛇捕捉一隻小甲虫或蒼蠅，就顯出極大的智謀來了：牠會慢慢地用肥短的四肢，徐徐匍匐，向前的脚步極有規律，前左脚、後右脚、前右脚、後左脚，一步一步交替支持豐滿的身體成S形前進，到了適當距離，就伏地不動，頭微昂，不停地伸縮着舌頭，喉間鼓大，猛然間如餓虎撲羊，一擊即中。

四脚蛇是大食鬼，胃極佳，一條成年的四脚蛇，平均一日要吃到三十到五十隻的虫類。這些虫類大多數是農作物的敵人。不過在我們的觀察中，四脚蛇却很少爲了爭食而打架。但在另一方面，雄性的四脚蛇會爲了爭奪異性而展開一場激烈的戰鬥。如果雙方實力相差太遠，弱的一方不經戰鬥即會拱手讓賢。在雙方旗鼓相當，都認爲可以打倒對方，向異性逞勇的情況下，那末打鬥就開始了。經過了一場相撲、纏咬、打滾的戰鬥，（有時休戰片刻再繼續進行）失敗的一方，常會留下一段尾巴向草叢間狼狽而逃。如果你會經看到一條斷尾的四脚蛇，這就可證明牠是可憐的情場戰敗者。但你不必爲牠難過，經過三四個月，牠仍然可以長出一條完好的尾巴來的，因爲四脚蛇具備一種在生物上叫做「再生」的本領。再生的過程是這樣的：尾斷處經過約一星期，慢慢長出一個芽體來，隨着時間的延長，而成爲圓錐形；一個月後，圓錐體形成未熟的尾巴，（較短、顏色較淺）再經過兩個多月，就恢復到原來的長度了。英國的生物學家達會經由實驗證明將四脚蛇的尾部切去，至使殘根部份神經進入痲痺狀態，那末新的尾巴再也長不出來的，一旦將神經恢復正常，再生的能力很快就會發生作用。所以，動物外部器官的「再生」能力需要神經存在，已經是一個普通的法則了。

我們常以爲四脚蛇毫不在乎的放棄牠的尾巴，總以爲牠尾部缺少神經。但是人類常識中的「我以爲」往往是靠不住的，這不但妨礙過份自信者的進步，有時還會令人處于尷尬的境遇中呢！

琉球紀行

張希哲

從西銘市長的簡報和分送給我們的資料中看出：那霸市長是民選的，任期四年，（其他市長也是如此）。市長之下有兩副手，下設總務部（轄總務、人事、課稅、徵稅、土地、戶籍六課及港務所和車輛管理所）、企劃部（轄庶務、企劃調查、主計三課）、經濟民生部（轄庶務、工商觀光、農林水產、民生、保健衞生、勞政等六課）、建設部（轄庶務、都市計劃、建築、住宅建設、土木、下水道、區域整理等七課）、水道部（轄庶務、經理、料金、給水、工務等五課）、消防部（轄消防署及警防、總務兩課），全部職員一千二百餘人。看市政府內部的組織，我們可以知道那霸市政建設的重點。

陪同我們拜訪市長的宮城仁四郎會長，向我們介紹說：「[illegible]是一位很……局長，於一九六二年初當選就任市長，目前是第二任。數年間爲那霸做了很多事，如修築道路、擴建自來水、興建國民住宅、增設學校和慈幼保育所等，都是較顯著的。新建的市府大廈，比琉球政府大廈還壯觀，也是西銘市長節省經費於去年秋間完成的。

西銘市長設宴款待時，對我們來訪表示歡迎外，並強調中琉的悠久歷史關係。他會說：目前台灣大學收藏的「琉球寶案」一手抄本，是琉球珍貴的歷史文獻，希望我國能將原件或影印本一份送給琉球陳列。

有人把那霸比作「琉球的東京」。從雙方政治、經濟、文化的重要性而言，兩者是相同的。再從建築的風格、商店的招牌等方面而言，兩者相似的地方也很多。漫步於那霸的國際大道，看看兩旁的商店，和店前的楊柳，就彷彿有如置身於東京的銀座。不過，那霸人口只有二十多萬，東京人口已達一千萬，東京的市區之大，高樓巨廈之多，和到處擁塞的現象，在那霸是望塵莫及的。那霸市來往郵件平均每日總一萬六千五百多件，電話通話次數平均每日爲九萬七千二百多次，出入境客人平均每日爲二百九十人，新增建築物平均每日爲六幢，這些數字和東京比較，當然又相差很遠了。

四、產業界人物及其事業

我們在琉球期間，接觸產業人物不少。其中宮城仁四郎，國場幸太郎，大城鎌吉，具志堅宗精幾位，最爲活躍，聽說在工商界中有「四大金剛」之稱。承他們的好意邀請，我們參觀過他們的事業，對他們的印象較爲深刻。

中琉協會會長宮城仁四郎先生是琉球工商會議所會頭（理事長）同時還兼十幾個會社的社長。我們抵達的當天晚間，他在「左馬料亭」款宴我們，與他有密切關係的十幾個會社的負責人都在場。他曾逐一介紹，我無法全部記憶，只記得規模較大的，有大東製糖會社，琉球烟草社，琉球洋酒會社，總合紙器會社等幾個。宴會時喝的洋酒，和每人座前的一包香烟，都是他們自己工廠的出品。與宮本先生有關的事業中，我們曾到過大東糖業社（只到辦事處，未到工廠，也許是路程太遠的關係）及琉球烟草會社。論設備和產量，琉球烟草廠不及台灣烟酒公賣局的松山烟廠，但在琉球三家烟廠中，它是規模最大的一家。（四）

種樹除草有眞樂

期生

我對她的責備，只是笑笑，不去對她解釋。因爲愈加解釋會愈說不清楚，最後還會引起一場無謂的辯論，眞是何苦？有時還傷感情。「言教不如身教」。身教是最好的教育。不斷的做給她看，日子久了，她自然也會明白：「山人自有道理」的。

雜草種類很多。那根深蒂固的，我大刀濶斧的斬草又除根；那些種子有刺的，它還想利用我去替它傳種，最引起我的反感，一粒也不讓它留存，把它們燒得乾乾淨淨。雜草長得固然快，但我除得更勤，這形勢就控制在我的手下了。我天天出動雙手來對付它，它就出不了頭。我從來不等它長大了才去收拾，只要它一露苗頭，我就先下手爲強。我用的是上等農夫不見草就除草的戰術。否則「野火燒不盡，春風吹又生」！那我只能屈伏在雜草下叫我怎能甘心呢？其實我也不是完全消極對付它們的；我把除下來的雜草彙集起來，加上垃圾和糞便，做成堆肥，便成爲作物最好的食料。又養了幾頭羊、鵝、兔子，割下雜草來餵飼。野莧菜和薺菜可以作爲蔬菜，更別有風味。今日的作物，原是當年的野生植物。還有可供玩賞的閒花野草。野花是別具韻味的，其中有一種開淡紅花的含羞草，把它供養在書桌上，使無用的雜草變成有用的材料。又劃出堂屋前一方地，栽着如絲絨樣的草地，誰來了都愛在它面打個滾，親一親這塊十里內的芳草。

我努力和它們合作，使它們重新走上有用之路。它們原和樹木一樣，也是我們的好朋友。宇宙間一切的廢物，都是可以和它相處化敵爲友的，一切全在我自己如何做。

除了屋內的筆墨和書本外，種樹除草和用草，幾乎已成爲我日常生活的要事了。我很滿意，在這樣人口稠密的地方，還有一塊土地供我的利用。我不但有了立足之地，還有種樹除草和利用草的地方，能夠具備這樣條件的人恐怕不多罷！土地、樹木、雜草，都能使我的心靈有所寄托。我的一份滿意和快樂，我要說出來，讓大家來分享我的這份快樂。（下）

北平拉洋車的

—工爺—

當夕陽將下，似黑不黑，華燈初上，淸風徐來，二三輛晶光瓦亮的洋車，從東往西，甩開大步，你瞧這頓跑，像四百公尺競賽的正中途，肩比肩，相差也就是「四指」。

彼此氣不發喘，面不更色，快似流星，平穩快速。再遇到馬路兩旁，乘涼的人多，予以鼓掌叫好，他們跑得將更加油，更得意洋洋。

漂亮的拉散座兒的車，車的本身，車上設置，拉車的模樣，與私用的所謂「包月車」，原無分別，誰也看不出來。

可能叫人分得出來的，只有一點，那就是：私人的包月車，車上冬境天，都有條毛毯，無人時，放在車上，坐人時蓋住兩腿。若是拉散車的，也預備一條毛毯，便無分別了。可拉散車的，都沒有這條毯子。

拉洋車的「車禍」，是討厭的：「打天秤！」打天秤於坐車的，雖沒有十分嚴重的危險，可是急不得，惱不得，人的頭部向下，兩脚朝天，使不上勁，站不起身，乾着急，而一籌莫展！

洋車遇到「打天秤」，車身倒仰，車把朝天，坐車的客人，正在小車廂裏，天大的本事，算使不出來了。必須有人從後面拉出來，才能站起。男人遇到「打天秤」，已夠難看的，若是女客，其尷尬情形，更不用提了。（二）

史地傳記類　PC0283

自由人（十五）

編　　者／陳正茂
責任編輯／邵亢虎
圖文排版／彭君浩
封面設計／陳佩蓉

法律顧問／毛國樑　律師
印製經銷／秀威資訊科技股份有限公司
　　　　114台北市內湖區瑞光路76巷65號1樓
　　　　電話：+886-2-2796-3638　傳真：+886-2-2796-1377
　　　　http://www.showwe.com.tw
劃撥帳號／19563868　戶名：秀威資訊科技股份有限公司
　　　　讀者服務信箱：service@showwe.com.tw
展售門市／國家書店（松江門市）
　　　　104台北市中山區松江路209號1樓
　　　　電話：+886-2-2518-0207　傳真：+886-2-2518-0778
網路訂購／秀威網路書店：http://www.bodbooks.com.tw
　　　　國家網路書店：http://www.govbooks.com.tw

2012年12月復刻版
定價：2500元

國家圖書館出版品預行編目

自由人 / 陳正茂編. -- 一版. -- 臺北市 : 秀威資訊科技,
2012. 12-
冊； 公分. -- (史地傳記類)
BOD版
ISBN 978-986-326-020-2(第1冊 : 精裝). --
ISBN 978-986-326-016-5(第2冊 : 精裝). --
ISBN 978-986-326-017-2(第3冊 : 精裝). --
ISBN 978-986-326-018-9(第4冊 : 精裝). --
ISBN 978-986-326-019-6(第5冊 : 精裝). --
ISBN 978-986-326-022-6(第6冊 : 精裝). --
ISBN 978-986-326-023-3(第7冊 : 精裝). --
ISBN 978-986-326-024-0(第8冊 : 精裝). --
ISBN 978-986-326-025-7(第9冊 : 精裝). --
ISBN 978-986-326-026-4(第10冊 : 精裝). --
ISBN 978-986-326-034-9(第11冊 : 精裝). --
ISBN 978-986-326-035-6(第12冊 : 精裝). --
ISBN 978-986-326-036-3(第13冊 : 精裝). --
ISBN 978-986-326-037-0(第14冊 : 精裝). --
ISBN 978-986-326-038-7(第15冊 : 精裝). --
ISBN 978-986-326-039-4(第16冊 : 精裝). --
ISBN 978-986-326-040-0(第17冊 : 精裝). --
ISBN 978-986-326-041-7(第18冊 : 精裝). --
ISBN 978-986-326-042-4(第19冊 : 精裝). --
ISBN 978-986-326-043-1(第20冊 : 精裝). --

1. 報紙 2. 香港特別行政區

059.92 101021409

讀者回函卡

感謝您購買本書，為提升服務品質，請填妥以下資料，將讀者回函卡直接寄回或傳真本公司，收到您的寶貴意見後，我們會收藏記錄及檢討，謝謝！如您需要了解本公司最新出版書目、購書優惠或企劃活動，歡迎您上網查詢或下載相關資料：http:// www.showwe.com.tw

您購買的書名：＿＿＿＿＿＿＿＿＿＿＿＿＿＿＿＿＿＿＿＿＿＿＿＿

出生日期：＿＿＿＿＿年＿＿＿＿＿月＿＿＿＿＿日

學歷：□高中（含）以下　□大專　□研究所（含）以上

職業：□製造業　□金融業　□資訊業　□軍警　□傳播業　□自由業

□服務業　□公務員　□教職　□學生　□家管　□其它＿＿＿

購書地點：□網路書店　□實體書店　□書展　□郵購　□贈閱　□其他

您從何得知本書的消息？

□網路書店　□實體書店　□網路搜尋　□電子報　□書訊　□雜誌

□傳播媒體　□親友推薦　□網站推薦　□部落格　□其他＿＿＿＿＿

您對本書的評價：（請填代號　1.非常滿意　2.滿意　3.尚可　4.再改進）

封面設計＿＿　版面編排＿＿　內容＿＿　文／譯筆＿＿　價格＿＿

讀完書後您覺得：

□很有收穫　□有收穫　□收穫不多　□沒收穫

對我們的建議：＿＿＿＿＿＿＿＿＿＿＿＿＿＿＿＿＿＿＿＿＿＿＿＿

＿＿＿＿＿＿＿＿＿＿＿＿＿＿＿＿＿＿＿＿＿＿＿＿＿＿＿＿＿＿

＿＿＿＿＿＿＿＿＿＿＿＿＿＿＿＿＿＿＿＿＿＿＿＿＿＿＿＿＿＿

＿＿＿＿＿＿＿＿＿＿＿＿＿＿＿＿＿＿＿＿＿＿＿＿＿＿＿＿＿＿

請貼
郵票

11466
台北市內湖區瑞光路 76 巷 65 號 1 樓
秀威資訊科技股份有限公司 收
BOD 數位出版事業部

....

（請沿線對折寄回，謝謝！）

姓　　名：＿＿＿＿＿＿＿＿　年齡：＿＿＿＿　性別：□女　□男

郵遞區號：□□□□□

地　　址：＿＿＿＿＿＿＿＿＿＿＿＿＿＿＿＿＿＿＿＿

聯絡電話：（日）＿＿＿＿＿＿＿＿（夜）＿＿＿＿＿＿＿＿

E-mail：＿＿＿＿＿＿＿＿＿＿＿＿＿＿＿＿＿＿＿＿